# dictionnaire étymologique et historique du français

RÉFÉRENCES
LAROUSSE

# dictionnaire étymologique et historique du français

Jean Dubois
Henri Mitterand
Albert Dauzat
*professeurs d'Université*

17 Rue du Montparnasse 75298 Paris cedex 06

Distributeur exclusif au Canada : les Éditions Françaises Inc.

ISBN 2-03-710228-3

# *Présentation du dictionnaire*

Certaines dispositions nouvelles ont été rendues nécessaires par le fait que cette nouvelle édition du *Dictionnaire étymologique et historique* renferme un nombre de mots accru par rapport à la dernière édition du *Dictionnaire étymologique,* et supérieur à ceux que contiennent les ouvrages de même ordre.

## Indications générales

L'ordre général de l'ouvrage est alphabétique. Mais les dérivés et composés issus d'un même mot français ou d'une même base, latine, germanique, etc. (l'*étymon*), ont été groupés dans le même article, à la suite du mot simple. On cherchera donc *mangeoire* à *manger, refaire* à *faire,* etc. Les articles spéciaux consacrés dans l'introduction aux préfixes et les tableaux introductifs, regroupant les préfixes, les suffixes et les éléments de composition grecs et latins, compléteront aisément les informations indispensables.

Il a paru parfois utile de réunir, dans toute la mesure du possible, les formations populaires et les formations savantes, lorsque les aires sémantiques des termes offraient des points de contact. Chaque fois qu'il peut y avoir hésitation, le dérivé ou composé est enregistré à sa place alphabétique, avec renvoi au mot simple. Un article spécial est le plus souvent consacré aux dérivés ou composés qui ont eu un développement sémantique indépendant (ex. *patrouille,* de *patte*), ou qui se sont séparés anciennement du mot de base par l'évolution de leur forme (ex. *métayer, mitoyen,* de *moitié*).

L'ordre intérieur de chaque article est celui de la dérivation, puis de la composition. Pour les mots composés sur un même radical initial (*aéro-, allo-*), on a suivi l'ordre alphabétique : ex. *aérodynamique, aéroglisseur, aéronaute,* etc.

## L'étymologie

Les mots de base d'origine populaire, directement issus du latin par évolution continue, sont précédés d'un astérisque. Ce sont ceux qui forment la plus grande partie du fonds primitif. Exemple : **ache,* du lat. *apium.*

L'étymologie des autres mots de base (mots d'origine germanique, emprunts aux langues anciennes ou modernes) est indiquée également par une formule du type : « francique », « ar. », « esp. », etc. Quand le terme emprunté est lui-même issu d'une autre langue, la formule initiale est suivie de l'indication : « du, de ». Exemple : *alambic ;* esp. *alambico,* de l'ar. *al īnbīq.*

Les étymons latins sont donnés sous la forme du nominatif, suivi du génitif lorsque celui-ci se révèle nécessaire pour la compréhension de son évolution phonétique. C'est une convention pratique, car on sait que le mot français est issu, dans la quasi-totalité des cas, de l'accusatif latin. Lorsque deux formes différentes sont issues du nominatif et de l'accusatif latins (cas sujet et cas régime de l'ancien français, cristallisés ultérieurement en deux mots distincts, type *chantre-chanteur*), les précisions indispensables ont été apportées.

L'indication *lat.*, sans épithète, fait référence au *latin classique*. Nous en avons distingué le *latin impérial* (mots latins qui apparaissent dans les textes à partir du IIe s. environ), le *bas latin* (à partir du IIIe-IVe s.), le *latin populaire* (de la même époque que le bas latin, mais dont la plupart des formes, non attestées dans les textes, sont reconstituées par conjecture), le *latin médiéval* (mots latins qui apparaissent dans les textes à partir du VIIe s. environ), le *latin chrétien* (textes s'étageant du IIIe au VIe s.) comprenant des termes relatifs au christianisme, le *latin ecclésiastique* (Moyen Âge), enfin le *latin scolastique* (Moyen Âge) et le *latin moderne* ou *scientifique* (textes scientifiques des XVIe, XVIIe, XVIIIe s.). Les emprunts les plus anciens au latin sont ceux qui ont été faits aux alentours de l'époque carolingienne. Ils ont, en principe, conservé l'accentuation latine. Ces emprunts, et même ceux qui les ont suivis, ont été plus ou moins assimilés au point de vue phonétique ; cela est indiqué dans les dictionnaires par « adaptation », ou « francisation ».

Les indications *grec, germanique, provençal, scandinave* s'appliquent au grec, au germanique, au provençal et au scandinave *anciens*. Pour l'état moderne de ces langues, on ajoute l'épithète *moderne* (abrév. *mod.*). On indique *bas grec* et *byzantin* pour les étapes intermédiaires du grec. Le néerlandais englobe le flamand, lorsqu'on ne peut préciser entre flamand et hollandais.

Les étymons conjecturaux (assez nombreux pour le latin populaire et le germanique) sont précédés de l'astérisque.

Le grec est transcrit en lettres latines : l'*upsilon* (υ) est transcrit par *u ;* êta (η) et ômêga (ω) par *ê* et *ô ;* les aspirées (χ, φ, θ) par *kh, ph, th ;* la graphie *g* (γ) est conservée, même pour *g* nasal (*aggelos*, ange).

## La datation

La première attestation du mot est indiquée soit sous la forme d'une date, suivie le plus souvent de la référence à l'ouvrage où l'on a retrouvé le premier emploi, soit sous la forme d'une indication chronologique approximative lorsqu'elle ne se réfère pas de manière précise à un texte (cela à trente années près : ex. début XIVe s., milieu XVIIe s., fin XVIIIe s.). Pour de nombreux auteurs du Moyen Âge, la date est un simple point de repère, étant donné l'imprécision de la chronologie de leurs œuvres. Les informations chronologiques sont suivies de la forme du mot à l'époque considérée, lorsque cette forme offre un intérêt (avec ses variantes, s'il y a lieu).

Il en va de même pour la première attestation des changements importants de l'emploi sémantique du mot.

## L'histoire des sens

La signification actuelle des mots répertoriés n'est donnée que pour les mots-racines peu connus. Elle est supposée connue des lecteurs pour les mots courants, et ceux-ci peuvent en trouver le détail dans un dictionnaire de langue. Mais, lorsque le sens d'un mot s'est modifié depuis son apparition dans la langue, nous avons indiqué son sens originel et ses principaux emplois ultérieurs avec leur date. Nous nous sommes limité, lorsque cela nous paraissait suffisant, à indiquer le domaine lexical auquel appartenait l'emploi relevé : ex. « technique », « argotique », « médical », « militaire », etc.

Le sens de l'étymon n'est donné que lorsqu'il présente une différence notable avec le sens du mot français.

# *Éléments latins et grecs*

## Préfixes savants d'origine latine entrant dans la composition de mots français

| Préfixes | Sens | Exemples |
|---|---|---|
| ab-, abs- | loin de | *abduction, abstention.* |
| ad- | vers | *adhérence, adventice.* |
| ambi- | les deux | *ambidextre, ambivalent.* |
| anté- | avant | *antédiluvien, antépénultième.* |
| bi-, bis- | deux | *bipède, biplace, biscornu.* |
| centi- | centième | *centilitre, centimètre.* |
| circon-, | autour | *circonlocution,* |
| circum- | — | *circumnavigation.* |
| cis- | en deçà | *cisalpin, cispadan.* |
| co-, col-, | avec | *coadjuteur, collaborateur, copropriété ;* |
| com-, con-, | — | *communion, concitoyen ;* |
| cor- | — | *correspondance.* |
| contra- | contre | *contradictoire, contravention.* |
| dé- | séparé de, qui a cessé de, intensif | *déboulonner, débrancher, débrider, déchausser, démonétiser, dépolitiser ; dessécher.* |
| déci- | dixième | *décilitre, décimètre.* |
| dis- | séparé de, différent | *disconvenir, discordance, disproportion, dissemblance.* |
| ex- | 1° hors de ;<br>2° qui a cessé | *expatrier, exporter ;*<br>*ex-ministre, ex-député.* |
| extra- | 1° extrêmement ;<br>2° hors de | *extrafin, extra-dry ;*<br>*extrados, extraordinaire, extraterritorialité.* |
| il-, im-, in-, ir- | 1° dans ;<br>2° privé de | *immerger, infiltrer, irriguer ;*<br>*illettré, impeccable, inexpérimenté, insalubre, irrégulier.* |
| infra- | au-dessous | *infrastructure, infrarouge.* |
| inter- | entre | *interligne, international.* |
| intra-, intro- | au-dedans | *intramusculaire, intraveineux, introversion.* |
| juxta- | auprès de | *juxtalinéaire, juxtaposer.* |
| ob- | au-devant | *obnubiler, obvier.* |
| pén(é)- | presque | *pénéplaine, pénultième.* |
| per- | de part en part | *percolateur, perforer.* |
| pluri- | plusieurs | *plurivalent, plurilangue.* |
| post- | après | *postdater, postscolaire.* |
| pré- | devant, avant, en tête de | *préhellénique, préhistoire, préfigurer.* |
| prim(o)- | premier | *primogéniture, primordial.* |
| pro- | en avant | *projeter, prolonger.* |
| quadr(i)-, | quatre | *quadrijumeaux, quadripartite ;* |
| quadre-, | — | *quadrette ;* |
| quadru- | — | *quadrumane, quadrupède.* |
| quasi- | presque | *quasi-contrat, quasi-délit.* |

| | | |
|---|---|---|
| quinqu- | cinq | *quinquennal.* |
| quint- | cinquième | *quintessence, quintuple.* |
| r-, ré- | de nouveau, en revenant | *ramener, réassortir, réexaminer, revenir.* |
| rétro- | en arrière | *rétroactif, rétrocession, rétrograder.* |
| semi- | à demi | *semi-rigide, semi-voyelle.* |
| simili- | semblable | *similigravure, similimarbre.* |
| sub- | 1° sous ;<br>2° presque | *subalterne, subdélégué ;*<br>*subaigu.* |
| super-, supra- | au-dessus | *supercarburant, superstructure, supranational.* |
| trans- | 1° au-delà de ;<br>2° au travers | *transférer, transhumant ;*<br>*transpercer.* |
| tri- | trois | *tripartite, trisaïeul.* |
| ultra- | au-delà de | *ultraroyaliste, ultrason, ultraviolet.* |
| un(i)- | un | *unilingue, univoque.* |
| vice- | à la place de | *vice-consul, vice-amiral.* |

## Principaux éléments latins entrant dans la construction de mots français

| Composants | Mot latin et sens | Exemples |
|---|---|---|
| acét(o)- | *acetum,* vinaigre | *acétique, acétate.* |
| agri-, agr(o)- | *ager, agri,* champ | *agricole, agriculture, agronome.* |
| alti-, alto- | *altus,* haut | *altimètre, altocumulus.* |
| -ambule | *ambulare,* se promener | *somnambule.* |
| apici-, apic(o)- | *apex, apicis,* sommet | *apiciforme ; apicodental.* |
| aqu(i)- | *aqua,* eau | *aquatique.* |
| arbor(i)- | *arbor,* arbre | *arborescent, arboriculture.* |
| aren(a)- | *arena,* sable | *arénicole, arénisation.* |
| auri-, auricul- | *auris,* oreille | *auriculaire.* |
| avi- | *avis,* oiseau | *aviculture, avion.* |
| brach(i)- | *brachium,* bras | *brachial, brachialgie.* |
| calc(o)- | *calx, calcis,* chaux | *calcaire, calciner.* |
| calic(i)- | *calix, -icis,* coupe | *calicicole, caliciflore, calicule.* |
| calor(i)- | *calor, -oris,* chaleur | *calorifère, calorimètre.* |
| campho(r)- | *camphora,* camphre | *campholide, camphorosma.* |
| cannab- | *cannabis,* chanvre | *cannabinacée, cannabisme.* |
| capill- | *capillus,* cheveu | *capillaire, capillicule.* |
| capit- | *caput, -itis,* tête | *capitaliser, capitation.* |
| carbo(n)- | *carbo, -onis,* charbon | *carbonisation, carbonyle.* |
| carn(i)- | *caro, carnis,* chair | *carnifier, carnivore.* |
| casé(i)- | *caseus,* fromage | *caséification, caséine.* |
| caud- | *cauda,* queue | *caudataire, caudiculé.* |
| caul(i)-,<br>-caule | *caulis,* tige<br>— | *cauliforme, caulinicole ;*<br>*acaule.* |
| cér(i)- | *cera,* cire | *cérifère, cérigène.* |
| -cide | *caedere,* tuer | *infanticide, régicide.* |
| cirri-, cirro- | *cirrus,* mèche, touffe | *cirripèdes, cirroteuthis.* |
| clathr- | *clathri,* barreaux, treillis | *clathre, clathrus.* |
| clav(i)- | *clavis,* clef | *clavicorde, clavicule.* |
| clype(i)- | *clipeus,* bouclier | *clypeaster, clypeola.* |
| -cole | *colere,* cultiver, fréquenter ou habiter | *agricole, bambusicole.* |
| cordi- | *cor, cordis,* cœur | *cordial, cordiforme.* |
| cox(o)- | *coxa,* hanche, cuisse | *coxalgie, coxarthrie.* |
| cruci- | *crux, crucis,* croix | *crucifère, crucifier.* |
| culic- | *culex, -icis,* moustique | *culicidés, culicivore.* |

| | | |
|---|---|---|
| **cunicul-** | *cuniculus,* lapin | *cuniculiculteur, cuniculiculture.* |
| **cupri-, cupro-** | *cuprum,* cuivre | *cuprifère, cuprochrome.* |
| **-culteur** | *cultor,* qui cultive | *apiculteur, viticulteur.* |
| **-colore** | *color,* couleur | *bicolore, multicolore.* |
| **-culture** | *cultura,* culture | *agriculture, arboriculture.* |
| **denti-** | *dens, dentis,* dent | *denticètes, dentirostres.* |
| **digit(o)-** | *digitus,* doigt | *digitigrade, digitoplastie.* |
| **équi-** | *aequus,* égal | *équipollent, équivalent.* |
| **falci-** | *falx, falcis,* faux | *falcifolié, falciforme.* |
| **-fère** | *ferre,* porter | *carbonifère, mammifère.* |
| **ferro-** | *ferrum,* fer | *ferrocyanure, ferrotypie.* |
| **fibr(o)-** | *fibra,* filament | *fibrinogène, fibroïde.* |
| **-fique, -fier,** | *facere,* faire | *maléfique, solidifier,* |
| **-fication** | — | *solidification.* |
| **fissi-** | *fissus,* fendu | *fissidactyle, fissifolié.* |
| **fulv(i)-** | *fulvus,* fauve | *fulvènes, fulverin.* |
| **-folié** | *folium,* feuille | *falcifolié, fissifolié.* |
| **-forme** | *forma,* forme | *uniforme, filiforme.* |
| **-fuge** | *fugere,* fuir<br>*fugare,* faire fuir | *lucifuge, vermifuge.* |
| **génit(o)-** | *genitus,* engendré | *génitalité, génito-spinal.* |
| **-grade** | *gradi,* marcher | *antérograde, rétrograde, onguligrade.* |
| **grani(t)-** | *granum,* grain | *granitoïde, granivore.* |
| **homin-** | *homo-, -inis,* homme | *hominiens, hominisation.* |
| **igni-** | *ignis,* feu | *ignifugé, ignivore.* |
| **iléo-, ili(o)-** | *ilia,* flanc | *iléon, iliaque.* |
| **lact(o)** | *lac, lactis,* lait | *lactescent, lactifère.* |
| **latér(o)-** | *latus, -eris,* côté | *latéral, bilatéral.* |
| **longi-** | *longus,* long | *longiligne, longirostre.* |
| **médic(o)-** | *medicus,* médecin | *médicinal, médico-légal.* |
| **métall(o)-** | *metallum,* métal | *métalloïde, métallurgie.* |
| **-mobile** | *mobilis,* qui se meut | *automobile, hippomobile.* |
| **moto-,** | *motor,* qui se meut | *motoculteur ;* |
| **-moteur** | — | *quadrimoteur.* |
| **multi-** | *multi,* nombreux | *multicolore, multiforme.* |
| **nitr(o)-** | *nitrum,* nitre | *nitrique, nitroglycérine.* |
| **olé(o)-** | *oleum,* huile, olivier | *oléacées, oléine.* |
| **omni-** | *omnis,* tout | *omniscient, omnivore.* |
| **ostréi-** | *ostreum,* huître | *ostréiculture.* |
| **ov(o)-** | *ovum,* œuf | *ovipare, ovoïde.* |
| **palat(o)-** | *palatum,* palais | *palatal, palatogramme.* |
| **-pare** | *parere,* enfanter | *primipare, vivipare.* |
| **péd-,** | *pes, pedis,* pied | *pédicure ;* |
| **-pède** | — | *quadrupède.* |
| **pisci-** | *piscis,* poisson | *pisciculture, piscine.* |
| **pluvio-** | *pluvia,* pluie | *pluviométrie.* |
| **prim(o)-** | *primus,* premier | *primipare, primo-infection.* |
| **radic(i)-** | *radex, -icis,* racine | *radical, radicelle.* |
| **radi(o)-** | *radius,* rayon | *radial, radiographie.* |
| **rect(i)-** | *rectum,* droit | *rectifier, rectiligne.* |
| **sanguin-** | *sanguis, -inis,* sang | *sanguinaire, sanguinolent.* |
| **sal(i)-** | *sal, salis,* sel | *salicole, salifier.* |
| **saxi-** | *saxum,* pierre | *saxicole.* |
| **sér(o)-** | *serum,* petit-lait | *sérosité.* |
| **sérici-** | *sericum,* soie | *séricicole, sériciculture.* |
| **sidér(o)-** | *sidus, sideris,* astre | *sidéral.* |
| **simil(i)-** | *similis,* semblable | *similicuir.* |
| **spina-** | *spina,* épine | *spinal.* |
| **vas(o)-** | *vas, vasis,* canal | *vasomoteur.* |

| | | |
|---|---|---|
| véloci- | *velox, -ocis,* rapide | *vélocipède.* |
| vermi- | *vermis,* ver | *vermiforme, vermifuge.* |
| vini- | *vinis,* vin | *vinicole.* |
| viti- | *vitis,* vigne | *viticulture.* |
| -vore | *vorare,* dévorer | *carnivore, frugivore.* |

# Préfixes savants d'origine grecque entrant dans la composition de mots français

| **Préfixes** | **Sens** | **Exemples** |
|---|---|---|
| a-, an- (*a* privatif) | négation, privation | *acarpe, analgésie, analphabète, anesthésie, anodonte, anonyme, anorexie, anormal, anosmie, anoure, anoxémie, aphone.* |
| amphi- | double, de deux côtés, de part et d'autre | *amphibie, amphibologie, amphigastre, amphigène, amphipode, amphithéâtre.* |
| ana- | 1° de nouveau ; 2° en arrière, à l'inverse de | *anabaptiste, anaphore, anatocisme ; anachronisme, anagogie, anagramme, anaplasie, anastrophe.* |
| anté-, anti- | qui est contre, opposition | *antéchrist, antialcoolique, antibiotique, antichar, anticonstitutionnel, antidote, antigel, antihalo, antirouille.* |
| apo- | à partir de, éloignement | *apogée, apophyse, apostasie, apostolat, apostrophe, apothème.* |
| arch-, archi- | 1° qui vient avant ; 2° qui est au plus haut degré | *archevêque, archidiacre, archiduc, archiprêtre ; archibondé, archifou, archimillionnaire.* |
| cata- | sur, contre, vers le bas | *cataclysme, catalepsie, cataplasme, cataplexie, catapulte, catastrophe, catatonie.* |
| di(a)- | 1° séparation, distinction ; 2° à travers | *diacritique, diaphragme, diaphyse, diastase, diastole ; diaphane, diagonal, diagraphe, dialyse, diapason, dioptrie.* |
| di- | double | *dioïque, diphasé, diploé, diptère, diptyque, dissyllabe.* |
| dys- | difficulté, mauvais état | *dyschromie, dysenterie, dyspepsie, dyspnée, dysurie.* |
| ec- | hors de | *ecchymose, eccopé, ecthyma, ectropion.* |
| ecto- | au-dehors | *ectocardie, ectoderme, ectoplasme.* |
| en- | dans | *encéphale, enchondrome, endémie.* |
| endo- | à l'intérieur de | *endocarde, endocarpe, endocrine, endoscope, endosmose, endosperme.* |
| ép-, épi- | position supérieure (sur) | *éphélides, épicentre, épiderme, épigastre, épigenèse, épiglotte, épizootie, éponyme.* |
| eu- | bien | *euphémisme, euphorie, eurythmie, eutexie, euthanasie.* |
| ex(o)- | à l'extérieur, en dehors | *exocardie, exogène, exomphale, exophorie, exosmose, exostose.* |
| hémi- | moitié, demi | *hémicycle, hémiédrie, hémiplégie, hémiptère, hémisphère, hémitropie.* |
| hyper- | 1° au-delà de ; 2° excès | *hyperborée, hyperdulie, hyperfocal, hypermétropie ; hypersécrétion, hypercritique, hypersensible.* |
| hypo- | 1° au-dessous de ; 2° insuffisance | *hypoderme, hypogastre, hypogée ; hypopepsie, hypotension, hypotonie, hypotrophie.* |
| méta- | 1° succession ; 2° changement | *métacarpe, métagramme, métaphysique ; métabolisme, métachromatisme, métastase, métathèse.* |
| par-, para- | 1° contre ; 2° voisin de, le long de | *parachronisme, paradoxe, paralogisme ; paracoxalgie, paralique, parallèle, paraphrase, parasélène, paratyphoïde.* |
| péri- | autour de | *péricoste, périhélie, périmètre, périphérie, périphrase, périscope.* |
| pro- | devant, en avant, avant | *procordés, prognathe, programme, prolégomènes, prolepse, propathie, prostyle.* |
| syl-, sym-, syn-, sy- | avec, ensemble | *syllabe, syllepse, syllogisme, symbiose, symétrie, sympathie, symphonie, symphyse, synalèphe, synarchie, synchrone, synonyme, synoptique, synthèse, systyle.* |

# Principaux éléments grecs entrant dans la construction de mots français

| Composants | Mot grec et sens | Exemples |
|---|---|---|
| acanth(o)-, | *akantha,* épine | *acanthacées, acanthocéphales, acanthose ;* |
| -acanthe | – | *monacanthe.* |
| acro- | *akros,* à l'extrémité | *acrobate, acrocéphalie, acrocyanose, acrodynie, acromégalie, acrostiche.* |
| actin(o)- | *aktis, -inos,* rayon | *actinique, actinomètre, actinotactisme.* |
| -adelphe | *adelphos,* frère | *hétéradelphe, monadelphe.* |
| adén(o)- | *adên, adenos,* glande | *adénite, adénome, adénopathie.* |
| æg(o)- | *aiks, aigos,* chèvre | *aegagre, ægagrophile, ægoceras.* |
| aéro- | *aêr, aeros,* air | *aérodrome, aéronaute, aéronef, aérophagie, aéroplane, aérostat.* |
| -agogue, | *agôgos,* qui conduit | *cholagogue, pédagogue ;* |
| -agogie | – | *pédagogie.* |
| agro- | *agros,* champ | *agrochimie, agrologie, agronome.* |
| aleur(o)- | *aleuron,* farine | *aleurite, aleurone.* |
| alg(o)-, algési-, | *algos,* douleur | *algidité, algophobie ; algésimètre ;* |
| -algie | – | *névralgie, ostéalgie.* |
| all(o)-, | *allos,* autre | *allergie, allotropie, allopathie ;* |
| allotri(o)- | – | *allotriosmie.* |
| ambly(o)- | *amblus,* émoussé | *amblyopie, amblyopodes, amblystome.* |
| amyl(o)- | *amulon,* amidon | *amylacé, amylobacter.* |
| andr(o)-, -andrie | *anêr, andros,* homme | *androgène, androgenèse, androgyne, androïde, androstérone ; polyandrie.* |
| anémo- | *anemos,* vent | *anémographe, anémomètre, anémophile.* |
| angi(o)- | *aggeion,* capsule, vaisseau | *angiectasie, angiocardiographie, angiocholite, angiographie, angiome.* |
| anis(o)- | *anisos,* inégal | *anisochromie, anisogamie.* |
| anth(o)-, | *anthos,* fleur | *anthologie, anthonome ;* |
| -anthe | – | *hélianthe, périanthe.* |
| anthrac(o)- | *anthrax, -cos,* charbon | *anthracite, anthracoïde, anthracose, anthracotherium.* |
| anthropo-, | *anthrôpos,* homme | *anthropologie, anthropométrie, anthropomorphisme, anthropophage ;* |
| -anthrope, -anthropie | – | *misanthrope ; lycanthropie.* |
| aphro- | *aphros,* mousse, écume | *aphromètre, aphrophore.* |
| arachn(o)- | *arakhnê,* araignée | *arachnéen, arachnide, arachnothère.* |
| archéo- | *arkhaios,* ancien | *archéologie, archéoptéryx.* |
| -archie, -arque | *arkhein,* commander | *monarchie ; monarque, triérarque.* |
| aréo- | *araios,* léger, peu dense | *aréomètre, aréométrique.* |
| -arge | *argos,* brillant | *litharge.* |
| argyr(o)- | *arguros,* argent | *argyrides, argyrodite.* |
| arithm(o)-, | *arithmos,* nombre | *arithmétique, arithmographe, arithmologie, arithmomanie ;* |
| -arithme | – | *logarithme.* |
| arrhén(o)- | *arrhên,* mâle | *arrhénogénie, arrhénotoque.* |
| artéri(o)- | *artêria,* artère | *artériectomie, artériographie, artériosclérose.* |
| arthr(o)- | *arthron,* articulation | *arthrectomie, arthrite, arthritisme, arthrocentèse, arthrodynie.* |
| astér(o)-, | *astêr, asteros,* étoile | *astérisque, astéroïde ;* |
| astro- | – | *astrologie, astronaute, astronomie.* |
| -asthénie | *astheneia,* faiblesse | *neurasthénie, psychasthénie.* |
| atél(o)- | *atêlês,* incomplet | *atélectasie, atélie.* |
| aut(o)- | *autos,* de soi-même | *autarcie, autobiographie, autocritique, autodéfense, autogène.* |
| bactéri(o)- | *baktêria,* bâton | *bactériacées, bactéricide, bactériologie, bactériophage, bactériostatique.* |
| balan(o)- | *balanos,* gland | *balanite, balano-posthite.* |
| bar(o)- | *baros,* pesanteur | *baranesthésie, baresthésie, baromètre.* |
| bary- | *barus,* lourd | *barymétrie, barysphère, baryton.* |

| | | |
|---|---|---|
| -bare | *baros,* pression | *isobare.* |
| bathy- | *bathus,* profond | *bathycrinus, bathyscaphe.* |
| -bathe | *bathos,* profondeur | *eurybathe.* |
| biblio- | *biblion,* livre | *bibliographie, bibliothèque.* |
| bi(o)-, -bie | *bios,* vie | *biochimie, biogenèse, biographie, biologie, biométrie, biopsie ; aérobie, amphibie.* |
| blast(o)-, | *blastos,* germe | *blastoderme, blastomère, blastopore ;* |
| -blaste | — | *chondroblaste, nématoblaste.* |
| bléphar(o)- | *blepharon,* paupière | *blépharite, blépharoplastie, blépharospasme.* |
| -bole, -bolie | *bolê,* action de jeter | *discobole, hyperbole, parabole ; élaphébolies, embolie.* |
| bothri(o)- | *bothrion,* petit trou | *bothridère, bothriocéphale.* |
| botryo- | *botrus,* grappe | *botryomycose, botryoptéridées.* |
| brachy- | *brakhus,* court | *brachycéphale, brachydactylie.* |
| brady- | *bradus,* lent | *bradyarthrie, bradycardie, bradypnée.* |
| brom(o)- | *brômos,* puanteur | *bromoforme, bromure.* |
| bronch(o)- | *bronkhia,* bronches | *bronchique, bronchophonie, bronchoscopie.* |
| bront(o)- | *brontê,* tonnerre | *brontosaure, brontotherium.* |
| bryo- | *bruos,* mousse | *bryophile, bryophytes, bryozoaires, embryologie.* |
| butyr(o)- | *bouturon,* beurre | *butyreux, butyrine, butyrique, butyromètre.* |
| cach-, caco- | *kakos,* mauvais | *cachexie ; cacochyme, cacographie, cacologie, cacophonie.* |
| calam(o)- | *kalamos,* paille | *calamite, calamodendron.* |
| calli-, -calle | *kalos,* beau ; *kallos,* beauté | *calligraphie, callipyge ; hémérocalle.* |
| calyc(o)- | *kalux, -cos,* coupe | *calycanthe, calycotome.* |
| calypt(o)- | *kaluptos,* caché | *calyptoblastides, calyptolite.* |
| cardi(o)-, | *kardia,* cœur | *cardiaque, cardiogramme, cardiographie, cardiolyse ;* |
| -carde, -cardie | — | *endocarde, myocarde, péricarde ; myocardie.* |
| carp(o)-, | *karpos,* fruit | *carpelle, carpocapse, carpogone ;* |
| -carpe | — | *cléistocarpe, péricarpe.* |
| caryo- | *karuon,* noix, noyau | *caryocinèse, caryoclasique, caryolyse, caryorrhexis.* |
| cén(o), cœn- | *koinos,* commun | *cénesthésie, cénestopathie, cénobite ; cœnocyte, cœnure.* |
| -cèle | *kêlê,* tumeur, hernie | *cystocèle, hydrocèle.* |
| -cène | *kainos,* récent | *éocène, oligocène, pliocène.* |
| céphal(o)-, | *kephalê,* tête | *céphalalgie, céphalique, céphalométrie, céphalopodes ;* |
| -céphale, -céphalie | — | *acéphale, bicéphale ; acéphalie.* |
| cérat(o)-, -cère | *keras, -atos,* corne | *cératine, cératophyllus, cératosaure ; acère, chélicère.* |
| cerco- | *kerkos,* queue | *cercocèbe, cercopidés, cercopithèque.* |
| chæto, chéto- | *khaitê,* crinière | *chaetognathes ; chétopodes.* |
| chalco- | *khalkos,* cuivre | *chalcographie, chalcopyrite.* |
| chamæ- | *khamai,* à terre, rampant | *chamærops, chamsaeiphonales.* |
| cheil(o)-, chilo- | *kheilos,* lèvre | *chéilite, chéiloplastie ; chilopodes.* |
| chéli- | *khêlê,* pince | *chélicérates, chélicère.* |
| cheiro-, | *kheir, -ros,* main | *chéirogale ; chiromancie, chiromégalie ;* |
| chir(o)- | — | *chiroptère, chirurgie.* |
| chélidon- | *khelidôn,* hirondelle | *chélidonopsis.* |
| chélon- | *khelônê,* tortue | *chéloniens, chélonobie, chélyde.* |
| chlor(o)- | *khloros,* jaune verdâtre | *chlorate, chloration, chlorhydrique, chlorose.* |
| chol(é)- | *kholê,* bile | *cholagogue, cholangiographie, cholécystite, cholémie.* |
| chondr(o)- | *khondros,* cartilage | *chondrine, chondrogenèse, chondrome.* |
| choré- | *khoros,* chœur | *chorée, chorégraphie, choriste.* |
| chresto- | *khrêstos,* utile | *chrestomathie.* |
| chromat-, | *khrôma,* couleur | *chromatique ; chromolithographie ;* |
| chrom(o)- | — | *chromosome, chromosphère.* |
| chron(o)-, | *khronos,* temps | *chronaxie, chronographie, chronologie, chronomètre ;* |
| -chrone, -chronie | — | *synchrone ; diachronie ;* |
| -chronisme | — | *anachronisme, isochronisme.* |
| chrys(o)- | *khrusos,* or | *chrysocale, chrysolite, Chrysostome.* |
| chyl(i)- | *khulos,* suc | *chylifère, chyliforme, chylurie.* |
| cinémat(o)- | *kinêma, -atos,* mouvement | *cinématique, cinématographe, cinématographie.* |

| | | |
|---|---|---|
| -cinèse | *kinêtis,* mouvement | *caryocinèse.* |
| cinét(o)- | *kinêtos,* mobile | *cinétique, cinétogenèse.* |
| clado- | *klados,* rameau | *cladocères, cladode, cladonema.* |
| clast(o)-, | *klastos,* brisé | *clastique, clastomanie ;* |
| -clasie, -claste | — | *cranioclasie ; iconoclaste* |
| cléisto- | *kleistos,* fermé | *cléistocarpe, cléistogame.* |
| clima-, | *klima,* région | *climalyse ;* |
| climat(o)- | — | *climatisation, climatisme, climatologie.* |
| clin(o)- | *klinê,* lit ; *klinein,* incliner | *clinandre, clinique, clinode, clinomanie, clinostatisme.* |
| cœli- | *koilos,* creux ; *choila,* ventre | *cœlialgie, cœliaque, cœlioscopie.* |
| colo-, -colite | *kôlon,* côlon | *colonalgie, colopathie, colostomie ; entérocolite.* |
| colp(o)- | *kolpos,* vagin | *colpectomie, colpocèle.* |
| conch(o)- | *konkhê,* coquille | *conchoïde, conchostracés.* |
| conchyli(o)- | *konkhulion,* coquillage | *conchyliologie, conchyliophore.* |
| copro- | *kopros,* excrément | *coprolalie, coprophage.* |
| -coque | *kokkos,* graine | *streptocoque, staphylocoque.* |
| cosm(o)-, -cosme | *kosmos,* monde, parure de femme | *cosmogénie, cosmogonie, cosmographie, cosmopolite ; cosmétique ; microcosme.* |
| crani(o)- | *kranion,* crâne | *crâniectomie, cranioclasie, craniologie.* |
| -crate, -cratie | *kratos,* force | *autocrate ; bureaucratie, ploutocratie.* |
| cric(o) | *krikos,* anneau | *cricoïde, crico-thyroïdien.* |
| crio- | *krios,* bélier | *criocéphale, crioceras, criocère.* |
| cristall(o)- | *krustallos,* verre | *cristallifère, cristallographie, cristallophyllien.* |
| cry(o)- | *kruos,* froid glacial | *cryométrie, cryoscopie, cryoturbation.* |
| crypt(o)- | *kruptos,* caché | *crypte, cryptogame, cryptogramme, cryptographie.* |
| ctén(o)- | *kteis, ktenos,* peigne | *cténaires, cténoïde, cténophore.* |
| cyan(o)- | *kuanos,* bleu | *cyanines, cyanophycés, cyanose, cyanure.* |
| cycl(o)- | *kuklos,* cercle | *cyclone, cyclothymie.* |
| -cycle | *kuklos,* roue | *bicycle, tricycle.* |
| cyn(o)- | *kuôn, kunos,* chien | *cynocéphale, cynodrome, cynoglosse.* |
| cypho- | *kuphos,* convexe | *cyphoscoliose, cyphose.* |
| cypri(d)- | *Kupris, -idos,* de Chypre | *cypriaque, cypridine.* |
| cyst(o)- | *kustis,* vessie | *cystite, cystocèle, cystométrie.* |
| cyt(o)-, -cyte | *kutos,* cellule | *cytologie, cytoplasma, cytotrope ; leucocyte.* |
| dacry(o)- | *dakru,* larme | *dacryde, dacryocystite.* |
| dactyl(o)-, | *daktulos,* doigt | *dactylographie, dactyloscopie ;* |
| -dactyle, -dactylie | — | *isodactyle, ptérodactyle ; brachydactylie.* |
| déca- | *deka,* dix | *décagone, décamètre, décasyllabe.* |
| dém(o)- | *dêmos,* peuple | *démagogie, démocratie, démographie.* |
| dendr(o)-, -dendron | *dendron,* arbre | *dendrite, dendromètre ; rhododendron.* |
| derm(o)-, dermato-, | *derma, -atos,* peau | *dermite, dermographie ; dermatologie, dermatose ;* |
| -derme | — | *épiderme, hypoderme, pachyderme.* |
| deutér(o)-, deut(o)- | *deuteros,* second | *deutérologie, deutéronome ; deutoneurone, deutoplasma.* |
| dictyo- | *diktuon,* filet | *dictyoptère, dictyotales.* |
| dino- | *deinos,* terrible | *dinocéras, dinosaures.* |
| diphy(o)- | *diphuês,* double | *diphyodontes.* |
| dipl(o)- | *diploos,* double | *diplodocus, diploïde.* |
| dips(o)- | *dipsôs,* soif | *dipsomanie.* |
| dodéca- | *dôdeka,* douze | *dodécagone, dodécaphonie.* |
| dolich(o)- | *dolikhos,* allongé | *dolichocéphale, dolichopode.* |
| dory- | *doru,* lance | *dorylinés, doryphore.* |
| doxo-, -doxe | *doxa,* opinion | *doxologie, doxométrie ; hétérodoxe, orthodoxe, paradoxe.* |
| drama(t)-, -drame | *drama,* pièce de théâtre | *dramatique, dramaturgie ; mélodrame, psychodrame.* |
| drom(o)- | *dromas,* qui court | *dromadaire.* |
| -drome | *dromos,* course | *autodrome, hippodrome.* |
| dry(o)- | *drus, druos,* chêne | *dryophante, dryophile.* |
| dynam(o)-, -dyne | *dunamis,* force | *dynamique, dynamite, dynamomètre ; hétérodyne.* |
| échin(o)- | *ekhinos,* hérisson | *échinocoque, échinoderme.* |

| | | |
|---|---|---|
| -ectasie | *ektasis,* dilatation | *bronchiectasie, atélectasie.* |
| ect(o)- | *ektos,* à l'extérieur | *ectoderme, ectoparasite.* |
| -ectomie | *ektomê,* ablation | *adénectomie, gastrectomie.* |
| ectro- | *ektrôsis,* avortement | *ectrodactylie, ectromélie.* |
| -èdre | *edra,* face, base | *polyèdre, tétraèdre.* |
| élasmo- | *elasmos,* feuillet, lame | *élasmobranches, élasmodonte.* |
| élatér(o)- | *elatêr,* qui dirige | *élatéridés, élatéromètre.* |
| électr(o)- | *elektron,* ambre jaune (électrique) | *électricité, électrocardiogramme, électrochoc, électron, électronique.* |
| embry(o)- | *embruon,* fœtus | *embryogenèse, embryologie, embryome.* |
| -émie [v. hémat(o)-] | | |
| encéphal(o)- | *enkephalon,* cerveau | *encéphalite, encéphalographie, encéphalopathie.* |
| ennéa- | *ennea,* neuf | *ennéagone, ennéasyllabe.* |
| entér(o)- | *entera,* entrailles | *entérite, entérocolite, entérocoque.* |
| entomo- | *entomon,* insecte | *entomologie, entomophage, entomostracés.* |
| éo- | *êôs,* aurore | *éocène, éolithe.* |
| -ergie, -urgie | *ergon,* travail, force | *cryergie, énergie ; métallurgie, chirurgie.* |
| érythr(o)- | *eruthros,* rouge | *érythrémie, érythrisme, érythrite, érythrose.* |
| esthési-, -esthésie | *aisthêsis,* sensation | *esthésiologie, esthésiomètre ; anesthésie, hyperesthésie.* |
| galact(o)- | *gala, -aktos,* lait | *galactites, galactogène, galactose.* |
| galéo- | *galê,* belette | *galéopithèque, galéopsis.* |
| -game, -gamie | *gamos,* mariage | *phanérogame, polygame ; bigamie, endogamie.* |
| gastér(o)-, | *gastêr, -tros,* ventre | *gastérostéidés ; gastralgie, gastrique ;* |
| gastr(o)-, -gastre | — | *gastronomie, gastropodes ; épigastre, hypogastre.* |
| -genèse, -génie | *genêsis,* formation | *cinétogenèse, parthénogenèse ; nosogénie.* |
| génio- | *geneion,* menton | *génioglosse, génioplastie.* |
| géno- | *genos,* race | *génocide, génodystrophie.* |
| -gène | *gennan,* engendrer | *hydrogène, pathogène.* |
| géo- | *gê,* terre | *géocentrique, géodésie, géographie, géologie, géophysique, géopolitique.* |
| géront(o)- | *gerôn, -ontos,* vieillard | *gérontocratie, gérontologie.* |
| gloss(o)-, -glosse | *glotta (glossa),* langue | *glossaire, glossite, glossolalie ; génioglosse, isoglosse ;* |
| -glotte | — | *épiglotte, polyglotte.* |
| gluc(o)-, | *glukus, -keros,* doux | *glucométrie, glucoserie ;* |
| glycér(o)-, | — | *glycérine.* |
| glyc(o)- | *glukus,* sucré | *glycémie, glycine, glycogène.* |
| glypt(o)- | *gluptos,* gravé | *glyptographie, glyptologie, glyptothèque.* |
| -gnathe | *gnathos,* mâchoire | *agnathes, prognathe.* |
| gonio-, -gone | *gônia,* angle | *goniomètre, gonioscopie ; hexagone, octogone, polygone.* |
| gono-, -gonie | *gonos,* semence | *gonocoque, gonophore ; cosmogonie.* |
| -gramme | *gramma,* lettre | *cardiogramme, encéphalogramme.* |
| graph(o)-, | *graphein,* écrire | *graphite, graphologie, graphomanie, graphomètre ;* |
| -graphe, | — | *dactylographe, stylographe ;* |
| -graphie | — | *sténographie.* |
| gymn(o)- | *gumnos,* nu | *gymnastique, gymnoblastes.* |
| gyn(o)-, gynéc(o)-, | *gunê, -aikos,* femme | *gynandromorphisme ; gynécée, gynécologie ;* |
| -gyne | — | *androgyne, misogyne.* |
| gyr(o)-, -gire, -gyre | *guros,* cercle | *gyrocompas, gyroscope ; autogire ; lévogyre, dextrogyre.* |
| habro- | *habros,* tendre, joli | *habronémose, habrosyne.* |
| hal(o)- | *hals, halos,* sel | *halite, halogène.* |
| haplo- | *haplous,* simple | *haplographie, haploïde.* |
| hapt(o)- | *haptein,* s'attacher | *haptoglobine, haptotropisme.* |
| hecto- | *hekaton,* cent | *hectolitre, hectomètre.* |
| héli(o)- | *hêlios,* soleil | *héliothérapie, héliotropisme.* |
| helminth(o)- | *helmins, -thos,* ver | *helminthiase, helminthosporiose.* |
| hémat(o)-, | *haima, -atos,* sang | *hématite, hématome, hématophage ;* |
| hémo-, -émie | — | *hémophilie, hémoptysie ; hyperémie.* |
| -hémère | *hêmera,* jour | *éphémère, nycthémère.* |

| | | |
|---|---|---|
| hendéca- | *hendeka,* onze | *hendécagone, hendécasyllabe.* |
| hépat(o)- | *hêpar, -atos,* foie | *hépatique, hépatocèle.* |
| hepta- | *hepta,* sept | *heptagone, heptasyllabe.* |
| herm(o)- | *Hermês* | *hermaphrodisme, hermétique.* |
| hétér(o)- | *heteros,* autre | *hétéradelphe, hétérodyne, hétérogène.* |
| hexa- | *hexa,* six | *hexagone, hexamètre.* |
| hidr(o)- | *hidros,* sueur | *hidradénome, hidrosadénite.* |
| hiér(o)- | *hieros,* sacré | *hiératique, hiéroglyphe.* |
| hipp(o)- | *hippos,* cheval | *hippodrome, hippologie, hippophagique.* |
| hist(io)- | *histos,* tissu | *histiocytome, histogenèse, histologie.* |
| holo-, olo- | *holos,* entier | *holoédrie, holoprotéide, holoside ; olographie.* |
| homéo-, homo- | *homoios,* semblable | *homéopathie ; homogénéisation, homologue, homologuer, homonyme.* |
| hopl(o)- | *hoplon,* arme | *hoplocampe, hoploptère.* |
| hor(o)- | *hôra,* heure | *horodateur, horoscope.* |
| hor(o)- | *horos,* borne | *horoptère.* |
| hyal(o)- | *hualos,* verre | *hyalin, hyaloïde, haloplasme.* |
| hydr(o)-, hyd-, | *hudôr, -atos,* eau | *hydraulique, hydrogène, hydrophile ; hydarthrose ;* |
| -hydre | — | *anhydre.* |
| hygr(o)- | *hugros,* humidité | *hygroma, hygromètre, hygrophile.* |
| hyl(o)- | *hulê,* matière | *hylarchique, hylémorphisme, hylophile.* |
| hymén(o)- | *humên, humenos,* membrane | *hyménomycètes, hyménoptères.* |
| hyph(o)- | *huphos,* tissu | *hyphéma, hypholome.* |
| hypn(o)- | *hupnos,* sommeil | *hypnagogique, hypnose, hypnotisme.* |
| hypso- | *hupsos,* hauteur | *hypsogramme, hypsométrique.* |
| hystér(o)- | *hustera,* utérus | *hystérographie, hystéropexie.* |
| | *husteros,* qui vient derrière | *hystérésimètre, hystérésis.* |
| -iatre, -iatrie | *iatros,* médecin | *pédiatre, phoniatre, psychiatre ; pédiatrie, psychiatrie.* |
| ichty(o)- | *ikhthus,* poisson | *ichtyosaure, ichtyologie, ichtyose.* |
| icon(o)- | *eikôn, -onos,* image | *iconoclaste, inocographie, iconostase.* |
| -ide | *eidos,* apparence | *hyalide, lipide, protéide.* |
| idé(o)- | *idea,* idée | *idéation, idéogramme, idéologie.* |
| idi(o)- | *idios,* particulier | *idiome, idiosyncrasie, idiotisme.* |
| is(o)- | *isos,* égal | *isomorphe, isotherme, isotope.* |
| -kène | *kainein,* ouvrir | *akène.* |
| kil(o)- | *khilioi,* mille | *kilogramme, kilomètre, kilovolt.* |
| -lâtre, -lâtrie | *latreuein,* adorer | *idolâtre ; idolâtrie, zoolâtre.* |
| léio- | *leios,* mince | *léiomyome, leiothrix.* |
| laryng(o)- | *larunks, -gos,* gorge | *laryngite, laryngologie.* |
| lepto- | *leptos,* mince | *leptocéphale, leptospire.* |
| leuc(o)- | *leukos,* blanc | *leucémie, leucocyte, leucose.* |
| lip(o)- | *lipos,* graisse | *lipide, lipogenèse, lipolyse, lipurie.* |
| lith(o)-, | *lithos,* pierre | *lithiase, lithographie, lithodome, lithosphère ;* |
| -lite ou -lithe | — | *aérolithe, laccolite, microlite, monolithe.* |
| log(o)-, -logie, -logue, -logiste | *logos,* science, discours | *logarithme, logographe, logogriphe ; anthropologie, sociologie ; ethnologue, géologue ; ophtalmologiste, radiologiste.* |
| loxo- | *loxos,* oblique | *loxodromie, loxolophodon.* |
| lyc(o)- | *lukos,* loup | *lycanthropie, lycopode.* |
| -lyse | *lusis,* dissolution | *analyse, électrolyse, lipolyse, phagolyse.* |
| macr(o)- | *makros,* grand | *macrocéphale, macromélie, macromolécule.* |
| malac(o)- | *malakos,* mou | *malacia, malacologie.* |
| -mancie | *manteia,* divination | *cartomancie, chiromancie, oniromancie.* |
| -manie, -mane | *mania,* folie | *mégalomanie ; mythomane.* |
| mast(o)- | *mastos,* mamelle | *mastite, mastodonte.* |
| méga-, mégalo-, | *mégas, -alos,* grand | *mégaceros, mégalithe ; mégalocyte, mégalomane ;* |
| -mégalie | — | *acromégalie.* |
| mélan(o)- | *melas, -anos,* noir | *mélanésien, mélanome, mélanose.* |

| | | |
|---|---|---|
| **mél(o)-** | *melos,* chant, membre | *mélodique, mélodrame, mélocactus.* |
| **méning(o)-** | *mêningx, mêningos,* membrane | *méningiome, méningite, méningocoque.* |
| **mén(o)-** | *mên,* lunaison | *ménopause, ménorragie.* |
| **mér(o)-, -mère** | *meros,* partie | *mérosperme, mérostomes ; isomère, polymère.* |
| **méso-** | *mesos,* milieu | *mésoderme, mésopotamien.* |
| **météor(o)-** | *meteôros,* élevé dans les airs | *météore, météorologie.* |
| **métr(o)-, -mètre,** | *metron,* mesure | *métrique, métronome ; décimètre, kilomètre, galvanomètre ;* |
| **-métrie, -métrique** | — | *audiométrie, économétrie ; géométrique.* |
| **métr(o)-** | *mêtra,* matrice | *métrorragie, métrite.* |
| **micr(o)-** | *mikros,* petit | *microbe, microcosme, microscope.* |
| **mis(o)-** | *misein,* haïr | *misanthrope, misogyne.* |
| **mném(o)-** | *mnêmê,* mémoire | *mnémotechnique.* |
| **-mnésie,** | *mnêsia,* mémoire | *amnésie, paramnésie ;* |
| **-mnésique** | — | *amnésique.* |
| **mon(o)-** | *monos,* seul | *monandre, monocorde, monolithique.* |
| **morph(o)-, -morphe** | *morphê,* forme | *morphogenèse, morphologie ; amorphe, dimorphe ;* |
| **-morphisme** | — | *anthropomorphisme, dimorphisme.* |
| **myc(o)-, -mycose** | *mukês,* champignon | *mycétozoaires, mycoderme, mycologie ; actinomycose.* |
| **myél(o)-, -myélite** | *muelos,* moelle | *myéline, myélome ; ostéomyélite.* |
| **my(o)-, -myome** | *mus, muos,* muscle | *myocardie, myographie ; léiomyome.* |
| **myri-** | *muria,* dix mille | *myriade, myriapodes.* |
| **mytho-** | *muthos,* légende | *mythologie, mythomane.* |
| **-mythie** | *muthos,* légende | *stichomythie.* |
| **nécr(o)-** | *nekros,* mort | *nécrologie, nécropole.* |
| **némato-** | *nêma, nêmatos,* fil | *nématodes.* |
| **néo-** | *neos,* nouveau | *néologisme, néophyte.* |
| **néphr(o)-** | *nephros,* rein | *néphralgie, néphrite.* |
| **-nésie** | *nêsos,* île | *Mélanésie, Polynésie.* |
| **neur(o)-, névr(o)-** | *neuron,* nerf | *neurasthénie, neurologie ; névralgie, névrite, névrose.* |
| **-nome, -nomie** | *nomos,* loi | *agronome, astronome ; gastronomie.* |
| **nos(o)-** | *nosos,* maladie | *nosémose, nosologie.* |
| **nyct-, nyctal-** | *nuks, nuktos,* nuit | *nyctaginacées, nycthémère ; nyctalopie.* |
| **oct(o), octa-** | *oktô,* huit | *octogone ; octaèdre.* |
| **odo-, -ode** | *hodos,* chemin, route | *odographe, odomètre ; anode, cathode.* |
| **odont-, -odonte** | *odous, odontos,* dent | *ondontalgie, odontologie ; mastodonte.* |
| **œn(o)-** | *oinos,* vin | *œnilisme, œnologie.* |
| **-oïde** | *eidos,* apparence | *ellipsoïde, hylaoïde, ovoïde.* |
| **olig(o)-** | *oligoi,* peu nombreux | *oligarchie, oligocène, oligo-élément.* |
| **olo- (v. holo-)** | | |
| **omphal(o)-** | *omphalos,* nombril | *omphalea, omphalotropis.* |
| **onir(o)-** | *oneiros,* songe | *onirisme, oniromancie.* |
| **onomat(o)-, onom-,** | *onoma, -atos,* nom | *onomatopée ; onomastique ;* |
| **-onyme, -onymie** | — | *anonyme ; homonymie, toponymie.* |
| **ont(o)-** | *ôn, ontos,* étant, être | *ontogenèse, ontologie.* |
| **onych(o)-, -onyx** | *onuks, onukhos,* ongle | *onychophores, onychose ; trionyx.* |
| **-ope, -opie** | *ôps, ôpos,* œil | *myope, oryctérope ; deutéranopie.* |
| **ophi(o)-** | *ophis,* serpent | *ophicléide, ophiologie, ophiure.* |
| **ophtalm(o)-,** | *ophtalmos,* œil | *ophtalmie, ophtalmologiste ;* |
| **-ophtalmie** | — | *xérophtalmie.* |
| **opistho-** | *opisthen,* en arrière | *opisthobranches, opisthodome.* |
| **opo-** | *opos,* suc | *opopanax, opothérapie.* |
| **opt-, -optrie,** | *ôps, ôpos,* œil | *optique ; dioptrie ;* |
| **-optrique, -opsie** | — | *catadioptrique ; achromatopsie, galéopsie.* |
| **ornitho-, -ornis** | *ornis, ornithos,* oiseau | *ornithologiste, ornithorynque ; amblyornis.* |
| **or(o)-** | *oros,* montagne | *orogénique, orographie.* |
| **orth(o)-** | *orthos,* droit | *orthodoxe, orthographe, orthopédie.* |
| **oryct(o)-** | *oruktos,* creusé, déterré | *orycte, oryctérope.* |
| **osm-** | *osmê,* odeur | *anosmie, osmanthus, osmium.* |
| **osm(o)-** | *ôsmos,* impulsion | *osmomètre, osmose.* |

| | | |
|---|---|---|
| **osté(o)-** | *osteon,* os | *ostéite, ostéomyélite.* |
| **ostrac(o)-** | *ostrakon,* coquille | *ostracisme, ostracodes.* |
| **ot(o)-** | *ous, ôtos,* oreille | *otalgie, otite, oto-rhino-laryngologie.* |
| **-oure** | *oura,* queue | *anoure, brachyoure.* |
| **oxy-, oxyd-** | *oxus,* aigu, acide | *oxyacétylénique, oxygène ; oxydase, oxyde.* |
| **pachy-** | *pakhus,* épais, gros | *pachyderme, pachypleurite.* |
| **paléo-** | *palaios,* ancien | *paléographie, paléolithique.* |
| **pali(n)-, pali(m)** | *palin,* de nouveau | *palilalie, palindrome, palingénésie ; palimpseste.* |
| **pan-, pant(o)** | *pas, pantos,* tout | *pancardite, pangermanisme ; panthéisme, pantographe.* |
| **path(o)-, -pathe** | *pathos,* souffrance | *pathogène, pathologie ; névropathe, psychopathe.* |
| **péd(o)-** | *pais, paidos,* enfant | *pédiatrie, pédagogie.* |
| **-pédie** | *paideia,* éducation | *encyclopédie.* |
| **péd(o)-** | *pedon,* sol | *pédogenèse, pédologie.* |
| **penta-** | *penta,* cinq | *pentagone, pentamètre, pentapole.* |
| **pétr(o)-** | *petra,* pierre | *pétrochimie, pétrographie, pétrole.* |
| **phag(o)-, -phage, -phagie** | *phagein,* manger | *phagocyte, phagocytose ; anthropophage ; aérophagie.* |
| **-phane,** | *phainein,* briller | *diaphane, lithophane ;* |
| **-phanie** | *phaneia,* apparition | *Épiphanie.* |
| **phanér(o)-** | *phaneros,* clair, visible | *phanère, phanérogames.* |
| **pharmac(o)-** | *pharmakon,* médicament | *pharmaceutique, pharmacologie, pharmacopée.* |
| **pharyng(o)-** | *pharunx, -ungos,* gosier | *pharyngiome, pharyngite, pharyngotomie.* |
| **phén(o)-** | *phainein,* briller | *phénomène, phénotype.* |
| **phil(o)-, -phile, -philie** | *philos,* ami | *philanthrope, philatélie, philhellène ; anglophile ; cyanophilie.* |
| **phleb(o)-** | *phleps, -bos,* veine | *phlébectomie, phlébite, phlébotome.* |
| **phob(o)-, -phobe,** | *phobos,* peur | *phobie ; hydrophobe ;* |
| **-phobie** | – | *agoraphobie.* |
| **phlog(o)-** | *phlox, phlogos,* flamme | *phlogistique.* |
| **phon(o)-, -phone, -phonie** | *phonê,* voix<br>– | *phoniatrie, phonographe ; aphone, téléphone, xylophone ; cacophonie, euphonie.* |
| **-phore** | *phoros,* qui porte | *doryphore, sémaphore.* |
| **phot(o)-, -phote** | *phôs, photos,* lumière | *photographie, photogravure, phototropisme, phototype ; Cataphote.* |
| **phrén(o)-, -phrène** | *phrên, phrenos,* intelligence | *phrénite, phrénologie ; schizophrène.* |
| **phylact(o)-** | *phulax, -aktos,* garde | *phylactère.* |
| **phyll(o)-, -phylle** | *phullon,* feuille | *phyllode, phylloxéra ; chlorophylle.* |
| **physi(o)-, -physe, -physisme** | *phusis,* nature, expansion | *physiocrate, physiologie, physionomie ; apophyse, hypophyse ; monophysisme.* |
| **phyt(o)-, -phyte** | *phuton,* plante | *phytopathologie, phytophage ; thallophyte.* |
| **picr(o)-** | *pikros,* amer | *picrate, picride.* |
| **pithéc(o)-** | *pithêkos,* singe | *pithécanthrope, pithécie.* |
| **-pithèque** | – | *anthropopithèque.* |
| **plagi(o)-** | *plagios,* oblique | *plagiocéphalie, plagioclases.* |
| **plasm(o)-, -plasme** | *plasma,* façonnage, application | *plasmodium, plasmolyse ; ectoplasme, protoplasme.* |
| **plast-, -plastie** | *plassein,* façonner | *plasticité, plastique ; génioplastie, méloplastie.* |
| **platy-** | *platus,* large | *platycéphalie, platyrhinien.* |
| **plési(o)-** | *plêsios,* proche | *plésianthrope, plésiosaure.* |
| **-plégie** | *plêssein,* frapper | *hémiplégie, paraplégie.* |
| **pleur(o)-** | *pleuron,* flanc, côté | *pleural, pleurite, pleuroscope.* |
| **pléio-, pléo-, pli(o)-** | *pleiôn,* riche | *pléiotropie ; pléomorphisme ; pliocène.* |
| **plout(o)-** | *ploutos,* riche | *ploutocratie, ploutocratique.* |
| **pneum(o)-** | *pneumôn,* poumon | *pneumarthrose, pneumonie, pneumothorax.* |
| **-pnée** | *pnein,* respirer | *apnée, dyspnée.* |
| **pod(o)-, -pode** | *pous, podos,* pied | *podologie, podomètre ; myriapode, pseudopode.* |
| **pœcil-, poïkil(o)-** | *poikilos,* varié | *pœcilandrie ; poïkilotherme.* |
| **-pole** | *polis,* ville | *métropole, nécropole, pentapole.* |
| **poly-** | *polus,* nombreux | *polygone, polyphonie, polype, polytechnique.* |

| | | |
|---|---|---|
| **porphyr(o)-** | *porphuros,* pourpre | *porphyre, porphyrogénète, porphyroïde.* |
| **proct(o)-** | *proktos,* anus | *proctalgie, proctite, proctologie.* |
| **prot(o)-** | *prôtos,* premier | *protagoniste, protoplasma, protozoaire.* |
| **pseud(o)-** | *pseudos,* faux | *pseudonyme, pseudopode.* |
| **psych(o)-** | *psukhê,* âme | *psychodrame, psychologie, psychopathe.* |
| **psyll-** | *psulla,* puce | *psylliode.* |
| **ptér(o)-, -ptère** | *pteron,* aile | *ptérodactyle, ptéropodes ; diptère, hélicoptère.* |
| **ptérid-** | *pteris, -idos,* fougère | *ptéridophytes.* |
| **-ptérygien** | *pterugion,* nageoire | *acanthoptérygien.* |
| **-ptysie** | *ptuein,* cracher | *hémoptysie.* |
| **pyél(o)-** | *puelos,* cavité | *pyélite, pyélographie, pyélotomie.* |
| **-pyge** | *pugê,* fesse | *amblypyges, pygargue.* |
| **py(o)-** | *puon,* pus | *pyogène, pyorrhée.* |
| **pyr(o)-** | *pur,* feu | *pyrite, pyromètre, pyrotechnie.* |
| **pyxid-** | *puxis, -idos,* boîte | *pyxide.* |
| **rhabd(o)-** | *rhabdos,* baguette | *rhabditis, rhabdomancie.* |
| **rhé(o)-, -rrhée, -réique** | *rhein,* couler<br>— | *rhéobase, rhéomètre, rhéostat ; aménorrhée ;; endoréique.* |
| **rhin(o)-, -rhinien** | *rhis, inos,* nez | *rhinite, rhinocéros ; platyrhiniens.* |
| **rhiz(o)-** | *rhiza,* racine | *rhizome, rhizopodes.* |
| **rhod(o)-** | *rhodon,* rose | *rhododendron, rhodophycées.* |
| **rhomb(o)-** | *rhombos,* losange | *rhomboèdre, rhomboïde.* |
| **-rhynque** | *rhynkhos,* bec | *amblyrhynque, ornithorynque.* |
| **salping(o)-** | *salpinx, -ingos,* trompe | *salpingite, salpingographie.* |
| **sarc(o)-, -sarque** | *sarx, sarkos,* chair | *sarcoïde, sarcomateux, sarcophage ; anasarque.* |
| **saur(o)-, -saure** | *saura,* lézard | *sauriens, sauropodes ; dinosaure, plésiosaure.* |
| **scaph-, -scaphe** | *skaphê,* barque | *scaphite, scaphoïde ; bathyscaphe.* |
| **schiz(o)-** | *skhizein,* fendre | *schizoïde, schizophrène.* |
| **sclér(o)-** | *sklêros,* dur | *scléreux, scléroprotéine, sclérose.* |
| **sélén(o)-** | *selenê,* lune | *sélénique, sélénographie.* |
| **-scope, -scopie** | *skopein,* regarder | *microscope, télescope ; radioscopie.* |
| **séma-** | *sêma,* signe | *sémantique, sémaphore.* |
| **séméi(o)-, sémi(o)-** | *sêmeion,* signal | *séméiologie ; sémiotique.* |
| **sial(o)-** | *sialon,* salive | *sialagogue, sialorrhée.* |
| **sidér(o)-** | *sidêros,* fer | *sidérolithique, sidérose, sidérurgie.* |
| **solén(o)-** | *sôlên,* canal, tuyau | *solénoïdal, solénoïde.* |
| **somat(o)-, some** | *sôma, -atos,* corps | *somatique, somatotrope ; chromosome.* |
| **spélé(o)-** | *spêlaion,* caverne | *spéléologie, spéléotomie.* |
| **sphén(o)-** | *sphên, -nos,* coin | *sphénoïdal, sphénoïde.* |
| **sphér(o)-, sphère** | *sphaira,* sphère | *sphérique, sphéroïde ; atmosphère, troposphère.* |
| **sphygm(o)-** | *sphugmos,* pouls | *sphygmique, sphygmographe.* |
| **splanchn(o)-** | *splankhnon,* entrailles | *splanchnique, splanchnologie.* |
| **splén(o)-** | *splên,* rate | *splénectomie, splénique, splénocyte.* |
| **spondyl(o)-** | *spondulos,* vertèbre | *spondylarthrite, spondyle.* |
| **staphyl(o)-** | *staphulê,* grain de raisin | *staphylin, staphylocoque.* |
| **-stase, -stasie** | *stasis,* base, arrêt | *hémostase, iconostase ; hémostasie.* |
| **stat(o)-, -stat** | *statos,* stable | *statique, statistique, statoréacteur ; aérostat, gyrostat, thermostat.* |
| **stég(o)-** | *stegê,* toit | *stégocéphales, stégomye.* |
| **stén(o)-** | *stenos,* étroit, serré | *sténographie, sténoglosses, sténose.* |
| **stéré(o)-** | *stereos,* solide | *stéréochimie, stéréoscopique, stéréotype.* |
| **stern(o)-** | *sternon,* poitrine | *sternal, sterno-cléido-mastoïdien.* |
| **-stiche, -stique** | *stikhos,* vers, ligne | *acrostiche ; distique.* |
| **stomat(o)-, -stome** | *stoma, -atos,* bouche | *stomatite, stomatologie ; amblystome.* |
| **strept(o)-** | *streptos,* tourné | *streptocoque, streptomycine.* |
| **strob(o)-** | *strobos,* tourbillon | *strobile, stroboscopie.* |
| **styl(o)-, -style** | *stulos,* colonne, poinçon | *stylite, stylobate, style ; péristyle.* |
| **syc(o)** | *sukê,* figue | *sycophante, sycosis.* |
| **tachy-** | *takhus,* rapide | *tachycardie, tachymètre.* |

| | | |
|---|---|---|
| **-taphe** | *taphos,* tombeau | *cénotaphe.* |
| **taut(o)-** | *tauto,* le même | *tautologie.* |
| **tax(o)-, -taxe, -taxie** | *taxis,* ordre, arrangement | *taxologie ; syntaxe ; ataxie, phyllotaxie.* |
| **techn(o)-, -technie, -technique** | *tekhnê,* art<br>— | *technocrate, technologie ; mnémotechnie, pyrotechnie ; polytechnique.* |
| **télé-, -télie** | *têle,* au loin | *télécommande, téléphone, télévision ; atélie.* |
| **térat(o)-** | *teras, -atos,* monstre | *tératologie.* |
| **tétr(a)-** | *tettara,* quatre (au neutre) | *tétralogie, tétrarchie.* |
| **thalam(o)-, -thalame** | *thalamos,* mariage, couche ou lit | *thalamiflore ; épithalame.* |
| **thalass(o)-** | *thalassa,* mer | *thalassocratie, thalassothérapie.* |
| **thall(o)-, thallite** | *thallos,* rameau | *thalle, thallophyte ; uranothallite.* |
| **théo-, -thée, -théisme** | *theos,* dieu | *théocratie, théologie ; athée ; polythéisme.* |
| **-thèque** | *thêkê,* armoire | *bibliothèque, discothèque.* |
| **thér-** | *thêr, thêrion,* bête sauvage | *thériaque, théridion.* |
| **thérapeut-, -thérapie** | *therapeuein,* soigner | *thérapeutique ; actinothérapie, héliothérapie.* |
| **therm(o)-, -therme, thermie** | *thermos,* chaleur<br>— | *thermalisme, thermomètre, thermonucléaire ; isotherme ; hypothermie* |
| **thorac(o)-** | *thorax, -acos,* poitrine | *thoracoplastie.* |
| **-thèse** | *thêsis,* action de poser | *hypothèse, métathèse, parenthèse, prothèse, synthèse.* |
| **thromb(o)-** | *thrombos,* caillot | *thrombine, thrombose.* |
| **-tome, -tomie** | *tomê,* section, coupe | *atome ; anatomie, mélotomie, trachéotomie.* |
| **top(o)-, -tope** | *topos,* lieu | *topographie, toponymie ; isotope.* |
| **trich(o)-, -triche, -thrix** | *thrix, trikhos,* cheveu<br>— | *trichine, trichocéphale ; holotriches ; leiothrix.* |
| **troch(o)-** | *trokhos,* roue | *trochisque, trochocéphalie.* |
| **troph(o)-, -trophie** | *trophê,* nourriture, croissance | *trophique, trophonévrose ; atrophie, hypertrophie.* |
| **typ(o)-, -type, -typie** | *tupos,* caractère<br>— | *typographie, typologie ; daguerréotype, monotype, sténotype ; phototypie.* |
| **uran(o)-** | *ouranos,* ciel | *uranographie, uranoscope.* |
| **ur(o)-, -urie** | *ouron,* urine | *urémie, urographie, urologie ; albuminurie, hématurie.* |
| **xanth(o)-** | *xanthos,* jaune | *xanthie, xanthoderme, xanthome.* |
| **xén(o)-** | *xenos,* étranger | *xénoparasitisme, xénophobe, xénophobie.* |
| **xér(o)-, -xéra** | *xêros,* sec, dur | *xérodermie, xérophtalmie ; phylloxéra.* |
| **xyl(o)-** | *xulon,* bois | *xylographie, xylophone.* |
| **zo(o)-, -zoaire, -zoïsme, -zoïte** | *zôon,* animal<br>— | *zoolâtrie, zoologie, zootechnie ; protozoaires ;. hylozoïsme ; mérozoïte ;* |
| **zym(o)-, -zyme** | *dzumê,* ferment | *lysozyme, zymotechnie.* |

# *Signes conventionnels et abréviations usuelles*

*, devant les étymons, indique les formes conjecturales.
*, devant les entrées ou les sous-entrées (dérivés et composés), indique les mots d'origine latine et de formation populaire.

| | |
|---|---|
| *abrév.* | abréviation |
| *Acad.* | Académie |
| *acc.* | accusatif |
| *adapt.* | adaptation |
| *adj.* | adjectif |
| *admin.* | administratif |
| *adv.* | adverbe, adverbial |
| *aéron.* | aéronautique |
| *agr., agric.* | agricole, -culture |
| *allem., all.* | allemand |
| *allongem.* | allongement |
| *alp.* | alpinisme |
| *altér.* | altération |
| *amér.* | américain |
| *anal., analog.* | analogie |
| *anat.* | anatomie |
| *anc.* | ancien |
| *angl.* | anglais |
| *anglo-amér.* | anglo-américain |
| *ann.* | annales |
| *apr., d'apr.* | après, d'après |
| *ar.* | arabe |
| *archéol.* | archéologie |
| *arch.* | archives |
| *arch.* | archaïque |
| *archit.* | architecture |
| *arg.* | argot |
| *art.* | artistique |
| *artill.* | artillerie |
| *assimil.* | assimilation |
| *astron.* | astronomie |
| *auj.* | aujourd'hui |
| *autom.* | automobilisme |
| *av.* | avant |
| *bactériol.* | bactériologie |
| *béarn.* | béarnais |
| *bibl.* | bible, biblique |
| *biol.* | biologie |
| *blas.* | blason |
| *bot.* | botanique |
| *bx-arts* | beaux-arts |
| *c.-à-d.* | c'est-à-dire |
| *cart.* | cartulaire |
| *celt.* | celtique |
| *cf.* | conférez |
| *ch.* | chanson |
| *chang., changem.* | changement |
| *charp.* | charpente |
| *chim.* | chimie |
| *chir.* | chirurgie |
| *chr., chrét.* | chrétien |
| *chron.* | chronique, chronologie |
| *class.* | classique |
| *comm., commerc.* | commercial |
| *comp.* | composé |
| *cond.* | conditionnel |
| *conj.* | conjonction |
| *conjug.* | conjugaison |
| *contract.* | contraction, contracté |
| *corr.* | correspondance |
| *cout.* | coutumier |
| *crit.* | critique |
| *croisem.* | croisement |
| *cul.* | culinaire |
| *déform.* | déformation |
| *dér.* | dérivé |
| *développem.* | développement |
| *dial.* | dialectal |
| *dict.* | dictionnaire |
| *dim., dimin.* | diminutif |
| *diplom.* | diplomatique (latin) |
| *doc.* | documents |
| *E.* | Est (point cardinal) |
| *eccl.* | ecclésiastique |
| *éd.* | édition |
| *égalem.* | également |
| *élargissem.* | élargissement |
| *électr.* | électricité |
| *élém.* | élément |
| *empl.* | emploi |
| *empr.* | emprunté |

*encycl.* encyclopédie
*entom.* entomologie
*équit.* équitation
*esp.* espagnol
*esthét.* esthétique
*étym.* étymologie
*euphém.* euphémisme
*évol.* évolution
*ex.* exemple
*exclam.* exclamatif, -ive, exclamation
*explic.* explication
*express.* expression
*ext.* extension

*fam.* familier
*fém., f.* féminin
*féod.* féodalité
*ferrov.* ferroviaire
*fig.* figuré
*fin., financ.* finances
*flam.* flamand
*fortif.* fortifications
*fr.* français
*franco-prov.* franco-provençal
*fut.* futur

*gén.* génitif, général
*géogr.* géographie
*géol.* géologie
*géom.* géométrie
*germ.* germanique
*gr.* grec
*gramm.* grammaire, grammatical
*gymnast.* gymnastique

*hist.* histoire
*hortic.* horticulture

*ichtyol.* ichtyologie
*id.* idem
*impér.* impérial (latin), impératif
*imprim.* imprimerie
*indic.* indicatif
*industr.* industriel
*inf., infin.* infinitif
*infl.* influence
*instrum.* instrument
*interj.* interjection
*interméd.* intermédiaire
*intr.* intransitif
*introd.* introduit
*inus.* inusité
*inv.* inventaire
*irl.* irlandais
*iron.* inronique
*ital.* italien

*J. O.* Journal officiel
*journ.* journaux

*judic.* judiciaire
*jur., jurid.* juridique

*lat.* latin
*lex.* lexique
*ling., linguist.* linguistique
*litt., littér.* littérature, littéraire
*liturg.* liturgie
*loc.* locution
*log.* logique

*m., masc.* masculin
*mar.* marine
*math., mathém.* mathématiques
*méd.* médical
*médiév.* médiéval
*mél.* mélanges
*mém.* mémoires
*mérid.* méridional
*mérov.* mérovingien
*métaph.* métaphore
*métr.* métrique
*milit.* militaire
*minér.* minéralogie
*mir.* miracle
*mod.* moderne
*morphol.* morphologie
*moy.* moyen
*ms.* manuscrit
*mus.* musique, -cal
*myst.* mystère
*myth., mythol.* mythologie

*n.* nom
*N.* Nord
*néerl.* néerlandais
*néol.* néologie, néologiste
*neut.* neutre
*norm.* normand

*O.* Ouest
*obsc.* obscur
*onomat., onomatop.* onomatopée
*oppos.* opposition
*ordonn.* ordonnance
*orig.* origine
*ornith.* ornithologie
*orth., orthogr.* orthographe

*par ext.* par extension
*part.* participe
*p.-ê.* peut-être
*pêch.* pêche
*pédag.* pédagogique
*peint.* peinture
*péjor.* péjoratif
*pers.* personne, personnel
*pharm.* pharmacie

| | |
|---|---|
| *philos.* | philosophie |
| *phonét.* | phonétique |
| *phot., photog.* | photographie |
| *phys.* | physique |
| *physiol.* | physiologie |
| *pic.* | picard |
| *plur., pl.* | pluriel |
| *polit.* | politique |
| *pop.* | populaire |
| *port.* | portugais |
| *pr.* | propre |
| *préc., précéd.* | précédent |
| *préf.* | préfixe |
| *prép.* | préposition |
| *prés.* | présent |
| *probablem.* | probablement |
| *pron.* | pronom |
| *pron., prononc.* | prononciation |
| *proprem.* | proprement |
| *prov.* | provençal (ancien) |
| *ps.* | psautier |
| *psychol.* | psychologie |
| | |
| *rac.* | racine |
| *rad.* | radical |
| *redoublem.* | redoublement |
| *rég.* | régional |
| *relig.* | religion |
| *rev.* | revue |
| *rhét.* | rhétorique |
| | |
| *S.* | Sud |
| *s.* | siècle, substantif |
| *sav.* | savant |
| *scand.* | scandinave |
| *sc., scient.* | science, scientifique |
| *scolast.* | scolastique |
| *s.-e.* | sous-entendu |
| *sémant.* | sémantique |
| *seulem.* | seulement |
| *signif.* | signifiant |
| *sing.* | singulier |
| *spécial.,* | spécialement, |
| *spécialis.* | spécialisation |
| *subj.* | subjonctif |
| *subst.* | substantivé |
| *substit.* | substitution |
| *suff.* | suffixe |
| *suiv.* | suivant |
| *sup.* | supérieur |
| *superl.* | superlatif |
| *suppl.* | supplément |
| *sylvic.* | sylviculture |
| *syn.* | synonyme |
| | |
| *techn.* | technique |
| *text.* | textile |
| *théol.* | théologie |
| *tr.* | transitif |
| *trad.* | traduit, traduction |
| *typogr.* | typographie |
| | |
| *v.* | verbe, vers |
| *V., v.* | voir (renvoi) |
| *var.* | variante |
| *vén.* | vénerie |
| *vitic.* | viticulture |
| *vocab.* | vocabulaire |
| *vocal.* | vocalique |
| *voy.* | voyage |
| *vx* | vieux |
| | |
| *zool.* | zoologie |

# *Éléments de bibliographie*

Nous avons indiqué ici les principaux ouvrages de référence et les abréviations de noms d'auteurs ou d'œuvres ; nous n'avons pas donné d'indications sur les écrivains et les ouvrages connus.


**Aalma** : *lexique latin-français,* v. 1380.

*Acad. : Dictionnaire de l'Académie française,* 1$^{re}$ éd., 1694 ; 2$^{e}$ éd., 1718 ; 3$^{e}$ éd., 1740 ; 4$^{e}$ éd., 1762 ; 5$^{e}$ éd., 1798 ; 6$^{e}$ éd., 1835 ; 7$^{e}$ éd., 1878 ; 8$^{e}$ éd., 1932. Suppl., 1825, 1827. Compléments, 1836, 1838, 1842.

**Aimé du Mont-Cassin,** *Ystoire de li Normant* (fin XIII$^{e}$ s.).

*Aiol :* chanson de geste (av. 1173).

*Alexandre : Roman d'Alexandre* (fin XII$^{e}$ s.).

*Alexis : Vie de saint Alexis* (1050).

*Aliscans : les Aliscans,* chanson de geste (fin XII$^{e}$ s.).

**Amyot,** *les Vies des hommes illustres...,* 1567.

*Anc. Poés. fr. : Anciennes Poésies françaises* (XV$^{e}$-XVI$^{e}$ s.), publiées par **A. de Montaiglon,** 1855-1878, 13 vol.

*Année littéraire (l'),* Amsterdam et Paris, 1754-1790.

*Apocalypse : l'Apocalypse en français au XIII$^{e}$ s.*

*App. Probi : Appendix Probi* (V$^{e}$ s.).

*Arcadie :* Sannazar (Iacopo), *l'Arcadie,* trad. Martin, 1544.

**Arveiller (R.),** *Contribution à l'étude des termes de voyage en français,* Paris, d'Artrey, 1963.

*Aucassin : Aucassin et Nicolette* (fin XII$^{e}$ s.).

*Aymeri : Aymeri de Narbonne,* chanson de geste (fin XII$^{e}$ s.).

**Bailleul (Jacques),** *Dictionnaire critique du langage politique,* Paris, 1842.

**Barbier (Paul),** *Miscellanea lexicographica. Proceedings of the Leeds Philosophical and Literary Society,* 1925-1950.

**Bartzsch** : Bartzsch (W.), *Der Wortschatz des öffentlichen Lebens in Frankreich Ludwigs XI,* Leipzig, 1937.

**Bayle (P.),** *Dictionnaire historique et critique,* 1696-1697.

**Beaumanoir** : *Œuvres poétiques de Philippe de Remi, sire de Beaumanoir* (v. 1283).

**Beauzée (N.)** et **Marmontel,** *Dictionnaire de grammaire et de littérature,* Liège, s. d. (fin XVIII$^{e}$ s.).

**Béguin (Jean),** *Éléments de chimie,* Paris, 1620.

**Behrens (D.),** *Beiträge zur französischen Wortgeschichte und Grammatik,* Halle, 1910.

**Belon (P.),** *l'Histoire de la nature des oiseaux,* Paris, 1555 ; *les Observations de plusieurs singularités et choses mémorables trouvées en Grèce,* etc., Paris, 1553.

**Benoît** : Benoît de Sainte-Maure, *Roman de Troie* (v. 1160).

**Bersuire** : Bersuire (Pierre), traduction de Tite-Live (1352-1358).

**Besch.** : Bescherelle (Louis-Nicolas), *Dictionnaire national ou Grand Dictionnaire critique de la langue française,* Paris, 1843 ; *Dictionnaire national ou Dictionnaire universel de la langue française,* Paris, 1845, et rééditions successives.

**B. W. : Bloch (Oscar) et Wartburg (Walter von),** *Dictionnaire étymologique de la langue française,* Paris, P.U.F., 1968, 5$^{e}$ éd. et ss.

**Block : Block (M.),** *Dictionnaire général de la politique,* Paris, 1863-1864.

**Bodel : Jean Bodel,** *le Jeu de saint Nicolas* (v. 1190).

**É. Boileau : Boileau (Étienne),** *Livre des métiers,* 1268.

**Boiste (Claude),** *Dictionnaire universel de la langue française,* Paris, 1800, et rééd. successives au cours du XIX$^{e}$ s.

**Bonnafé (Édouard),** *l'Anglicisme et l'anglo-américanisme dans la langue française. Dictionnaire étymologique et historique des anglicismes,* Paris, Delagrave, 1920.

**Bonnefons (de),** *le Jardinier françois,* Paris, 1651.

**Bouchet** : *les Soirées de Guillaume Bouchet, sieur de Brocourt* (1584).

**Br. Latini** : Latini (Brunetto), *Livre du Trésor,* 1265.

**Brunot (Ferdinand),** *Histoire de la langue française des origines à 1900,* Paris, Colin (depuis 1905).
**Carloix** : *Mémoires de la vie de François de Scepeaux, sire de Vieilleville, par V. Carloix, son secrétaire* (v. 1570).
*Cent Nouvelles : les Cent Nouvelles nouvelles* (v. 1462).
**Chapelain** : V. Fabre (A.).
*Charroi : le Charroi de Nîmes,* chanson de geste (v. 1160).
**Chastellain** : Chastellain (Georges), poète et chroniqueur (1405-1475).
**Chauliac** : Chauliac (G. de), *la Grande Chirurgie de Guy de Chauliac* ou *Guidon en françois,* éd. de 1478, 1490, et 1503 et ss.
**Chr. de Pisan** : Christine de Pisan, œuvres en prose et œuvres poétiques écrites entre 1390 et 1410.
**Chr. de Troyes** : Chrétien de Troyes, *Œuvres poétiques,* entre 1170 et 1180.
**Clédat (Léon),** *Dictionnaire étymologique de la langue française,* Paris, Hachette, 1926.
*Coincy : Miracles de Gautier de Coincy* (v. 1220).
**Coquelin (Ch.) et Guillaumin (U.),** *Dictionnaire de l'économie politique,* Paris, 1852-1853.
*Coquillards : Jargon des Coquillards* (1455).
**Coquillart** : Guillaume Coquillart, *Poésies* (v. 1493).
**Corbichon (J.),** *De la propriété des choses* (v. 1372).
**Corn. (Th.)** : Corneille (Thomas), *le Dictionnaire des arts et des sciences,* Paris, Coignard, 1694.
*Corr. litt., philos. : Correspondance littéraire, philosophique et critique,* par Grimm, Diderot, etc., Paris, Garnier, 1877-1882.
**Couci** : *Chansons attribuées au chastelain de Couci,* v. 1190, éd. A. Lerond, Paris, 1964.
*Couci : Roman du châtelain de Couci* (XIVe s.), éd. Delbouille, Paris, 1936.
*Couronn. Loïs : le Couronnement de Louis* (1131).
*Courrier de l'Europe,* gazette anglo-française, Londres et Boulogne, 1776-1792.
**Crespin (J.),** *le Trésor de trois langues, espagnole, française et italienne,* éd. en 1606, 1617 et 1627.
**Dagneaud (Robert),** *les Éléments populaires dans le lexique de la Comédie humaine,* Quimper, 1954.
*Datations et documents lexicographiques,* sous la direction de B. Quemada. Annales littéraires de l'université de Besançon, Paris, Les Belles Lettres, puis C.N.R.S., Klincksieck (depuis 1959, 32 vol.).
**Dauzat (A.),** *les Argots,* Paris, 1919 ; *l'Argot de la guerre,* Paris, 1919 ; *Études de linguistique française,* Paris, 1943.
**Delb.** : **Delboulle,** *Notes lexicographiques inédites* (manuscrit déposé à la Sorbonne).
**Delesalle (G.),** *Dictionnaire argot-français et français-argot,* Paris, 1896.
**Delvau** : Delvau (A.), *Dictionnaire de la langue verte,* Paris, 1866, 2e éd., 1867.
**Desfontaines (P.-F.-G.),** *Dictionnaire néologique,* s. 1, 1726.
**Desgranges (J.-C.-L.-P.),** *Petit Dictionnaire du peuple à l'usage des quatre cinquièmes de la France,* Paris, 1821.
**Desroches,** *Dictionnaire des termes propres de marine,* 1687.
**D. G.** : Hatzfeld (Adolphe), Darmesteter (Arsène), *Dictionnaire général de la langue française,* avec le concours d'Antoine Thomas, Paris, Delagrave, 1890-1900.
*Dict. agr. : Dictionnaire universel d'agriculture,* 1751.
*Dictionnaire de la construction,* Paris, 1791.
*Dict. hist. nat. : Nouveau Dictionnaire d'histoire naturelle,* Paris, 1819.
*Dictionnaire de l'argot,* Larousse, 1990.
*Dictionnaire des métiers,* Paris, 1955.
*Dictionnaire néologique,* par le cousin Jacques, Paris, Moutardier, 1796.
*Dict. sc. nat. : Dictionnaire des sciences naturelles,* Paris, Levrault et Chœll, 1804.
*Doc. :* documents divers, archives, journaux, etc.
**Dodart (Denis),** *Mémoire pour servir à l'histoire des plantes,* 1676.
**Domergue,** *Journal de la langue française,* Lyon, 1784-1788 et 1791-1792.
**Douet d'Arcq,** *Choix de pièces inédites relatives au règne de Charles VI,* Paris, 1863.
**Dubois (Jean),** *le Vocabulaire politique et social en France de 1869 à 1872,* Paris, Larousse, 1963 ; *Étude sur la dérivation suffixale en français moderne et contemporain,* Paris, Larousse, 1963.
**Dubois (Jean) et Lagane (René),** *Dictionnaire de la langue française classique,* Paris, Larousse, 1991.
**Du Cange,** *Glossarium mediae et infimae latinitatis (1678),* Paris, Didot, 1840.
**Duclerc (Eugène) et Pagnerre (Laurent),** *Dictionnaire politique,* Paris, 1839.
**Du Pinet** : Du Pinet (Antoine), *les Secrets Miracles de la nature,* Lyon, 1562 et 1566 ; *Histoire naturelle de Pline,* Lyon, 1542.
**Du Puys,** *Dictionnaire français-latin,* Paris, 1573.
*Encycl. : Encyclopédie ou Dictionnaire raisonné des sciences, des arts et des métiers* (1751-1771).
*Encycl. méth. :* Panckoucke, *Encyclopédie méthodique* (1781-1832).
*Eneas : le Roman d'Eneas* (v. 1130).

**Est.** (Ch., H., R.) : Estienne (Charles), Œuvres médicales (1545-1561) ; Estienne (Henri), *Deux Dialogues du nouveau langage françois italianisé et autrement déguisé,* 1578 ; Estienne (Robert), *Dictionnarium latino-gallicum,* 1538, et *Dictionnaire français-latin,* 1593.

*Eulalie : Cantilène de sainte Eulalie* (Xe s.).

**Fabre (A.),** *Lexique de la langue de Chapelain,* Paris, 1889.

**Fabri (P.),** *le Grand et Vrai Art de la pleine rhétorique,* 1521.

**Félibien (A.),** *Des principes de l'architecture, de la sculpture, de la peinture et des autres arts qui en dépendent, avec un dictionnaire des termes propres à chacun des arts,* Paris, 1676.

**Féraud (J.-F.),** *Dictionnaire critique de la langue française,* Marseille, 1787-1788.

**Fernel (J.),** *la Physiologie,* 1654 ; *la Pathologie,* 1660.

*Fet des Romains :* trad. de Tite-Live (v. 1213).

*Fr. mod. : le Français moderne,* revue consacrée à l'étude de la langue française du XVIe s. à nos jours, Paris, d'Artrey (depuis 1933).

*Les Français peints par eux-mêmes,* Paris, Curmer, 1841.

**Frey (Max),** *les Transformations du vocabulaire français à l'époque de la Révolution (1789-1800),* Paris, P.U.F., 1925.

**Fuchs (Max),** *Lexique du Journal des Goncourt,* Paris, Cornély, 1912.

**Fumée (A.),** *les Histoires depuis la constitution du monde,* Paris, 1574.

**Furetière (A.),** *Dictionnaire universel,* 1690 (2e éd., 1701, et éd. successives, reprises par les jésuites de Trévoux).

G. : Godefroy (F.), *Dictionnaire de l'ancienne langue française et de tous ses dialectes du IXe s. au XVe s.,* Paris, Bouillon, 1881-1902, 10 vol.

**Galliot (Marcel),** *Essai sur la langue de la réclame contemporaine,* Toulouse, Privat, 1955.

**Gamillscheg (E.),** *Etymologisches Wöterbuch der französischen Sprache,* Heidelberg, 1928.

**Garbin (Loys),** *Vocabulaire latin-français,* Genève, 1487.

Garn. : Guernes ou Garnier de Pont Sainte-Maxence, *la Vie de saint Thomas le martyr* (v. 1190).

**Gattel (Cl. M.),** *Nouveau Dictionnaire portatif de la langue française,* Lyon, 1797.

*Gautier d'Arras* (milieu XIIe s.).

**Gautier (J.-M.),** *le Style des « Mémoires d'outre-tombe » de Chateaubriand,* Genève, Droz, 1959.

**Gay (V.),** *Glossaire archéologique du Moyen Âge et de la Renaissance,* Paris, 1882.

Gelée, *l'Anatomie française,* 1635.

**Gilles li Muisis,** *Poésies* (v. 1350).

**Giraud (Jean),** *le Lexique français du cinéma, des origines à 1930,* Paris, C.N.R.S., 1958.

**Gohin** : Gohin (Ferdinand), *les Transformations de la langue française pendant la deuxième moitié du XVIIIe s. (1740-1789),* Paris, Belin, 1903.

**Goncourt (Edmond et Jules de),** *Journal, Mémoires de la vie littéraire (1851-1896),* Paris, 1956.

*Grégoire : Dialogue de saint Grégoire* (fin XIIe s.).

**Guérin (Paul),** *Dictionnaire des dictionnaires,* Paris, May et Motteroy, 1892.

*Guidon en françois,* ou *la Grande Chirurgie de Guy de Chauliac,* 1490 et 1503. V. Chauliac.

**Guillet,** *les Arts de l'homme d'épée ou le Dictionnaire du gentilhomme,* Paris, 1670.

**Hasselrot (Bengt),** *Études sur la formation diminutive dans les langues romanes,* Uppsala, 1957.

**Hautel (d'),** *Dictionnaire du bas langage,* Paris, 1808.

**Haüy (R.-J.),** *Traité de minéralogie,* Paris, 1801.

**Havard (H.),** *Dictionnaire de l'ameublement et de la décoration depuis le XIIe s. jusqu'à nos jours,* Paris, 1887.

**Hecart (Joseph),** *Dictionnaire rouchi-français,* 2e éd. 1826 ; 3e éd. 1834.

**Herbillon (J.),** *Éléments espagnols en wallon et dans le français des anciens Pays-Bas,* Liège, 1961.

**Hollyman (K. J.),** *le Développement du vocabulaire en France pendant le haut Moyen Âge. Étude sémantique,* Genève, Droz, 1957.

**Huguet (Edmond),** *Dictionnaire de la langue française du XVIe s.,* Paris, Champion et Didier, 1925-1967.

**Hulsius** : Hulsius (L.), *Dictionnaire français-allemand et allemand-français,* 1596, et éd. en 1607 et 1614.

*Huon de Bordeaux :* chanson de geste (fin XIIe s. ou début XIIIe s.).

Jal : Jal (A.), *Glossaire nautique,* Paris, 1848.

**Joinville (Jean sire de),** *Vie de Saint Louis* (1272-1309).

*Journal des dames et des modes,* par Lamésangère, juin 1797-1838, 3 600 numéros.

**Klesczewski (R.),** *Die französischen Übersetzungen des « Cortegiano » von Castiglione,* Kiel, 1962.

L. : Littré (E.), *Dictionnaire de la langue française,* Paris, Hachette, 1863-1872 ; 1er suppl., 1876 ; 2e suppl., 1877.

**Lachâtre** : Lachâtre (Maurice), *le Dictionnaire français illustré,* Paris, 1856, et rééd. successives à la fin du XIXe s.

**Lacombe (Jacques),** *Dictionnaire portatif des beaux-arts,* Paris, 1752.

**La Curne** : La Curne de Sainte-Palaye, *Dictionnaire historique de l'ancien langage français,* Paris, Champion, 1875-1882, 10 vol.

**Lalande (André),** *Vocabulaire technique et critique de la philosophie,* Paris, P.U.F., 1960.

**Landais** (N.), *Dictionnaire général et grammatical des dictionnaires français,* Paris, 1834, et rééd. successives, 1836, 1839, jusqu'en 1857.
**La Noue** : La Noue (François de), *Discours politiques et militaires,* 1587.
**Lar.** : abrév. de Larousse ; la date qui suit renvoie aux dictionnaires suivants :
P. **Larousse,** *Grand Dictionnaire universel du* XIXe *siècle,* Paris, 1865-1876 ; 1er suppl., 1878 ; 2e suppl., 1888.
*Nouveau Larousse illustré. Dictionnaire encyclopédique en sept volumes,* Paris, 1896-1904 ; suppl., 1906.
*Larousse universel. Dictionnaire encyclopédique,* 2 vol., Paris, 1920-1922 ; éd. successives.
*Larousse du* XXe *siècle* (6 vol.), Paris, 1928-1933 ; suppl., 1953.
*Petit Larousse illustré,* Paris, 1906, et rééd. successives. *Nouveau Petit Larousse illustré,* Paris, 1924, et rééd. successives. *Petit Larousse,* Paris, 1960, éd. successives.
*Grand Larousse encyclopédique,* Paris, 1958-1964, 10 vol.
*Grand Larousse de la langue française,* 7 vol., Paris, 1971-1978.
*Grand Dictionnaire encyclopédique Larousse,* 10 vol., Paris, 1982-1985.
**Larchey** (L.), *les Excentricités de la langue française,* Paris, 1859 (publié ensuite sous le nom de *Dictionnaire d'argot ;* suppl. 1880).
**Laveaux** (J.-C. de), *Dictionnaire de l'Académie française, éd. augmentée de plus de vingt mille articles,* Paris, 1802, et rééd. successives.
**Lavoisien** : Lavoisien (J.-F.), *Dictionnaire de médecine,* 1764.
**Le Fèvre** : Le Fèvre de Saint-Rémy (Jean), *Chronique (1408-1436).*
**Legoarant** (B.), *Nouveau Dictionnaire critique de la langue française,* Paris, 1841.
J. **Lemaire** : Jean Lemaire de Belges (1473-1520).
**Lémery** (N.), *Traité des drogues,* 1698.
**Lerond** (A.), *l'Habitation en Wallonie malmédienne,* Paris, 1963.
**Lévy** (Paul), *la Langue allemande en France,* Paris, 1950.
**Lévy** (R.), *Chronologie de la littérature française du Moyen Âge,* Tübingen, M. Niemeyer, 1957.
**Liébault** (T.), *la Maison rustique,* 1554 ; *Secrets de médecine,* 1573.
**Linguet** (S.-N.-H.), *Annales politiques, civiles et littéraires du* XVIIIe *s.,* Londres, 1777-1792 ; Bruxelles, 1788.
**Littré** (E.), *Dictionnaire de la langue française,* 1863-1872 ; suppl., 1877.
**Livet** (Ch.-L.), *Lexique de la langue de Molière comparée à celle des écrivains de son temps,* Paris, 1895-1897.
*Livre disc. : le Livre de la discipline d'amour divine,* 1470, rééd. 1537.
*L. M.* ou *Lar. : Larousse mensuel illustré,* revue encyclopédique mensuelle, Paris 1907-1956.
**Lodewijcksz** (Willem), *Premier Livre de l'histoire de la navigation aux Indes orientales,* trad. française 1598, de l'ouvrage néerlandais.
*Loherains : la Geste des Loherains* (fin XIe s.).
*Lois de Guill. : Lois de Guillaume le Conquérant* (fin XIe s.).
**Lundquist** (Eva R.), *la Mode et son vocabulaire : quelques termes de la mode féminine au Moyen Âge,* Göteborg, 1950.
**Mackenzie** (Fraser), *les Relations de l'Angleterre et de la France d'après son vocabulaire,* Paris, Droz, 1936, 2 vol.
*Magasin encyclopédique, ou Journal des sciences, des lettres et des arts,* par A.-C. Millin, 1792-1816, 122 vol.
**Malherbe.** V. Régnier (A.).
**Marbode** : *Lapidaire de Marbode* (1298).
**Marco Polo** : *le Livre de Marco Polo* (milieu XIIIe s.).
**Marie de France** : *Lais* (1190).
**Martial d'Auv.** : Martial d'Auvergne, *les Vigiles de Charles VII* (1493).
**Marty-Laveaux,** *Lexique de Corneille,* Paris, Hachette, 1868, 2 vol.
**Matoré** (G.), *le Vocabulaire et la société sous Louis-Philippe,* Paris, Droz, 1951.
**Mayer** (Gilbert), *Lexique des œuvres d'A. de la Halle,* Paris, Droz, 1940.
*Mélanges Delbouille,* Gembloux, Duculot, 1964, 2 vol.
**Ménage** (G.), *Dictionnaire étymologique ou Origines de la langue française,* Paris, Anisson, 1694.
*Ménagier : le Ménagier de Paris,* 1398.
*Ménippée : Satire Ménippée,* 1594.
*Mer des hist. : la Mer des histoires,* 1488.
**Mercier** (L.-S.), *Néologie,* Paris, 1801, 2 vol.
*Mercure : le Mercure de France.*
**Meyer-Lübke** (W.), *Romanisches etymologisches Wörterbuch,* 3e éd., Heidelberg, 1930-1935.
**Michel** (J.-F.), *Dictionnaire des expressions vicieuses,* Nancy, 1807.
**Miege** (G.), *The Great French Dictionary,* Londres, 1688 ; *A New Dictionary French and English, with another English and French,* Londres, 1677.
*Mir. hist., Mir. historial : Miroir historial de Jean de Vignay,* 1495 (v. J. de Vignay).

*Modus : les Livres du roi Modus et de la reine Ratio,* 1354-1377.
**Molard (E.),** *le Mauvais Langage corrigé,* Lyon, 1810 ; *Lyonnoisismes,* Lyon, 1791.
**Mondeville,** *la Chirurgie d'Henri de Mondeville,* 1314.
**Monet (Ph.),** *Abrégé du parallèle des langues françoise et latine,* Lyon, 1620, rééd. 1636.
**Mozin (abbé),** *Dictionnaire complet des langues française et allemande,* 1811-1812 ; 3e éd., Stuttgart, 1842 ; suppl., 1859 (avec Peschier).
**Murray (James),** *A New English Dictionary on Historical Principles,* Oxford, 1898-1933.
*Myst. : le Mystère de la Passion,* d'A. Gréban (1450) ; *le Mystère du vieil Testament* (1458).
*Néol. fr. : Néologiste françois (le) ou Vocabulaire portatif des mots les plus nouveaux de la langue française,* 1796.
**Nicot (J.),** *Thresor de la langue françoise tant ancienne que moderne,* Paris, 1606, rééd. 1621.
**Nodier (Charles),** *Dictionnaire universel de la langue française,* Paris, 1826.
*Nouveau Dictionnaire français à l'usage de toutes les municipalités,* Paris, 1790.
**Ott (Auguste),** *Dictionnaire des sciences politiques et sociales,* Paris, 1855-1866.
**Oudin (A.),** *Recherches italiennes et françoises,* Paris, 1640-1642 ; *Dictionnaire italien et françois,* Paris, 1662.
**Ozanam :** *Dictionnaire mathématique,* Paris, 1691.
**Palsgrave (J.),** *l'Éclaircissement de la langue françoise,* 1530.
**Paré (Ambroise),** *Œuvres complètes* (v. 1560), Paris, Baillière, 1840.
*Passion : la Passion du Christ* (v. 980).
*Pathelin : la Farce de Maître Pathelin,* 1464.
**Ph. de Thaun ou Thaon :** *le Bestiaire de Philippe de Thaun* (v. 1119-1125).
**Piéron (Henri),** *Vocabulaire de la psychologie,* Paris, P.U.F., 1957.
**Poitevin (P.),** *Dictionnaire de la langue française,* Paris, 1851.
**Potter (Louis de),** *Dictionnaire rationnel des mots les plus usités en sciences, en philosophie, en morale et en religion,* Bruxelles, 1859.
**Prévost (abbé),** *Manuel lexique,* Paris, 1755.
**Proschwitz (G. von),** *Introduction à l'étude du vocabulaire de Beaumarchais,* Stockholm, 1956.
*Ps. : Liber psalmorum* (XIIIe s.).
*Ps. de Cambridge, d'Oxford : Psautier de Cambridge,* 1120, *d'Oxford,* 1120.
**Quatroux,** *Traité de la peste,* 1671.
**Quemada (B.),** *Introduction à l'étude du vocabulaire médical, 1600-1710,* Paris, Les Belles Lettres, 1955.
**Rab. :** Rabelais (à partir de 1532).
**Rangt (Th.),** *Der Einfluss der Französischen Revolution auf den Wortschatz der französischen Sprache,* Giessen, 1908.
**Raschi :** *Gloses de Raschi* (fin XIe s.).
**Raymond (Fr.),** *Dictionnaire général de la langue française,* Paris, Levrault, 1832.
*R. de Cambrai : Raoul de Cambrai* (fin XIIe s.).
**R. de Moiliens** *le Reclus de Moiliens* (fin XIIe s.).
**Régnier (A.),** *Lexique de Malherbe,* Paris, Hachette, 1869.
*Reichenau : Gloses de Reichenau* (VIIIe s.).
*Renart : le Roman de Renart* (fin XIIe s.-XIIIe s.).
*Revue de linguistique romane,* Strasbourg (depuis 1925).
**Rheims (Maurice),** *Dictionnaire des mots sauvages,* Paris, Larousse, 1969 ; nouvelle édition 1989.
**Richard de Radonvilliers (J.-B.) :** *Enrichissement de la langue française. Dictionnaire des mots nouveaux,* Paris, 1845.
**Richelet (P.),** *Dictionnaire françois contenant les mots et les choses,* Genève, 1680, et rééd. 1706, 1732, 1740, 1759.
**Riederer (V.),** *Der lexicalische Einfluss des Deutschen im Spiegel der französischen Presse zur Zeit des zweiten Weltkrieges,* Berne, 1956.
**Ritter (E.),** *les Quatre Dictionnaires français,* Genève, 1905.
**Robert (P.),** *Dictionnaire alphabétique et analogique de la langue française,* Paris, Société du Nouveau Littré, 1951 ; refondu 1980 — 1964 ; suppl. 1970.
*Rois : le Livre des Rois* (fin XIIe s., v. 1190).
*Roland : Chanson de Roland* (v. 1080).
*Romania,* revue trimestrielle consacrée à l'étude des langues et littératures romanes (depuis 1872).
**Romeuf (Jean),** *Dictionnaire des sciences économiques,* Paris, P.U.F., 1956-1958, 2 vol.
**Romme (Ch.),** *Dictionnaire de la marine française,* 1792-1813.
*Roncevaux : Chanson de Roland* (versions du XIIe et du XIIIe s.).
**Ruelle (P.),** *le Vocabulaire professionnel du houilleur borain,* Bruxelles, 1953.
**Sainéan (L.),** *les Sources de l'argot ancien,* Paris, 1912 ; *le Langage parisien au XIXe siècle,* Paris, de Boccard, 1920.
*Saint Bernard : Li sermon saint Bernard* (v. 1190).
*Saint Christophe : Mystère de saint Christophe,* 1527.
*Saint Gilles : Vie de saint Gilles* (1138).

*Saint Léger : Vie de saint Léger* (X$^e$ s.).
**Savary des Bruslons (J.)**, *Dictionnaire du commerce,* Paris, 1675 (2$^e$ éd., 1723).
*Saxons : la Geste des Saxons* (XII$^e$ s.).
**Schmidlin (J.-J.)**, *Catholicon ou Dictionnaire universel de la langue française,* Hambourg, 1771.
*Serments : les Serments de Strasbourg,* 842.
Sid. Apoll. : Sidoine Apollinaire (V$^e$ s.).
*Simples Méd. : Simples Médecines* (XIII$^e$ s.).
**Sully** : Maurice de Sully, *Sermons* (1170).
**Snetlage**, *Nouveau Dictionnaire français,* Göttingue, 1795.
**Tardif** : Tardif (G.), *Facéties de Page,* Paris, 1878.
*Thèbes : Roman de Thèbes* (début XII$^e$ s.).
**Thierry (J.)**, *Dictionnaire françois-latin,* Paris, 1564, rééd. 1572.
**Thomas (A.)**, *Essais de philologie française,* Paris, 1897 ; *Nouveaux Essais...,* 1904 ; *Mélanges d'étymologie française,* Paris, 1902.
**Tilander (Gunnar)**, *Lexique du Roman de Renart,* 1924.
**Tissot (S.-A.)**, *De la santé des gens de lettres,* Lausanne, 1769.
**Tobler-Lommatzsch**, *Alt-französisches Wörterbuch,* Berlin (depuis 1925).
**Tory (G.)**, *Champfleury ou l'Art et Science de la proportion des lettres,* 1529, rééd. 1549.
*Trévoux : Dictionnaire universel françois et latin ;* Trévoux, 1704 (3 vol.) ; 1721 (5 vol.) ; 1732 ; 1734 ; 1743 (6 vol.) ; 1752 (7 vol.) ; 1771 (8 vol.).
**Vaganay (H.)** [dépouillements lexicologiques], *Romanische Forschungen,* 1913 ; *Revue de philologie française,* 1931-1933 ; *le Français moderne,* 1937-1938.
*Valenciennes : Fragment de Valenciennes* (X$^e$ s.).
**Valkhoff (M.)**, *Étude sur les mots français d'origine néerlandaise,* Amersfoort, 1931.
**Valmont de Bomare**, *Dictionnaire raisonné universel d'histoire naturelle,* Paris, 1764-1768 (rééd. jusqu'en 1800).
**Vidocq** : Vidocq, *les Voleurs, physiologie de leurs mœurs et de leur langage,* Paris, 1836 ; *Mémoires de Vidocq,* 1828-1829.
**Vigenère** : Vigenère (Bl. de), trad. des *Décades de Tite-Live,* 1583, et diverses autres trad., 1556, 1577, 1581, 1589.
**Vignay (J. de)** : *le Miroir historial,* trad. du *Speculum majus* de Vincent de Beauvais, trad. de J. de Vignay, 5 vol., 1495-1496 ; trad. exécutée en 1332-1333, profondément modernisée en 1495.
**Villers (Augustin)**, *Dictionnaire wallon-françois,* 1793.
*Voy. de Charl. : Voyage* ou *Pèlerinage de Charlemagne* (début XII$^e$ s.).
**Wailly (Fr. de)**, *Nouveau Vocabulaire français,* Paris, 1801 (22 éd. successives jusqu'en 1855).
**W.** : Wartburg (W. von), *Französisches Etymologisches Wörterbuch,* Bâle (depuis 1928).
**Wexler (P.-J.)**, *la Formation du vocabulaire des chemins de fer en France (1778-1842),* Genève, Droz, 1950.
**Wey (F.)**, *Remarques sur la langue française,* Paris, Didot, 1845.
**Widerhold (J.-H.)**, *Nouveau Dictionnaire françois-allemand et allemand-françois,* 1669 ; rééd., 1675.
**Wind (B.)**, *les Mots italiens introduits en France au XVI$^e$ s.,* Deventer, 1928.

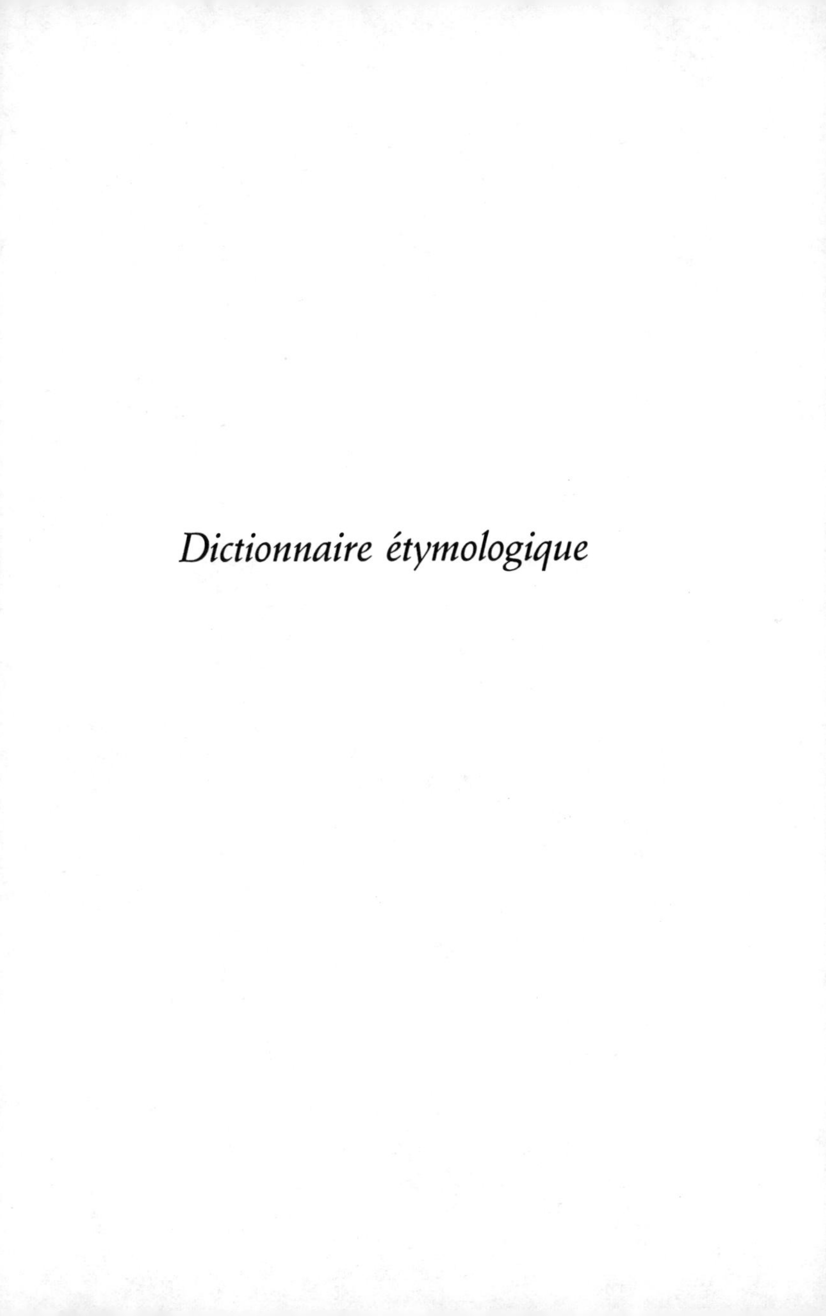

*Dictionnaire étymologique*

# a

1. **a-,** préfixe ; lat. *ad,* qui indique la destination, la direction vers, l'objet (var. *ad-, ac-, af-, al-, am-, ar-, as-, at-*). Les mots construits avec ce préfixe sont indiqués à la place alphabétique du mot simple, lorsque celui-ci existe ; dans le cas contraire, ils sont enregistrés à leur ordre alphabétique. Bien que peu productif, *a*(*d*)- entre encore dans quelques nouvelles formations analogiques (*alunissage*).

2. **a-,** préfixe privatif issu du grec et qui se présente aussi sous la forme *an-* devant voyelle. Les mots construits avec ce préfixe sont indiqués à la place alphabétique du mot simple, lorsque celui-ci existe ; dans le cas contraire, ils sont enregistrés à leur ordre alphabétique. Le préfixe *a-,* d'abord limité aux mots scientifiques au XVIIIe s. et au XIXe s., s'est étendu au vocabulaire philosophique et à la langue commune au XXe s. (*apolitique, asocial,* etc.).

***à** Xe s., *Eulalie,* préposition ; lat. *ad,* indiquant la destination (v. A- préfixe). Cette préposition avait servi, en bas latin, à indiquer l'objet sur lequel porte l'action, avec un certain nombre de verbes (auj. transitifs indirects construits avec *à*), et la destination de l'action (objet secondaire ou complément d'attribution). L'idée de mouvement s'est effacée devant celle de point dans l'espace et le temps. L'accent grave sert à distinguer depuis le XVIe s., en typographie, *à* (prép.) et *a* (verbe).

**abaca** 1664, Thévenot ; esp. *abacá,* du tagal, langue indigène des Philippines.

**abaisser** V. BAISSER.

**abajoue** 1756, Buffon ; de *bajoue* (v. ce mot), avec fausse coupure dans l'emploi avec l'article féminin (*la bajoue* → *abajoue*).

**abandon** 1165, Marie de France ; expression *être à bandon,* être à merci de, de *à* et **ban,* juridiction, mot d'origine germ. croisé avec le germ. **band,* signe. || **abandonner** 1080, *Roland,* « laisser au pouvoir de » ; XIIe s., « laisser, quitter ». || **abandonnement** 1265, J. de Meung ; emploi plus large qu'*abandon* au XVIIe s., restreint ensuite au domaine jurid.

**abaque** début XIIe s., *Roman de Thèbes ;* lat. *abacus,* du gr. *abax,* table à calcul.

**abasourdir** début XVIIe s., « tuer » ; 1713, au sens actuel ; argot *basourdir* (1628), tuer, issu de *basir,* même sens (1455, *Coquillards*), p.-êp.-ê.. lat. *basis,* base ; le mot a subi l'influence de *assourdir.* || **abasourdissant** 1833, P. Borel. || **abasourdissement** 1823.

**abâtardir, abâtardissement** V. BÂTARD.

**abats** début XVe s., sing., « viande d'animal » ; de *abattre.*

**abattre** V. BATTRE.

***abbé** XIe s., G. (*abed*) ; lat. *abbās, -atis,* du gr. eccl., lui-même issu de l'araméen *abba,* père. || **abbesse** fin XIIe s. ; lat. eccl. *abbātissa,* fém. fait sur *abbas.* || **abbaye** XIe s., G. (*abadie*) ; 1125, *Gormont* (*abeie*) ; lat. *abbātia.* || **abbatial** 1404, *Cart.* || **abbatiat** 1876, L.

**abcès** 1537, Canappe ; lat. *ab*(*s*)*cessus* (Celse), corruption. || **abcéder** *id.* La spécialisation dans le vocabulaire médical s'était faite dès le latin.

**abdiquer** fin XIVe s. ; lat. *abdicare,* renoncer, sens qu'il conservait au XVIIe s., à côté de l'emploi spécialisé « renoncer à de hautes fonctions, à la couronne », qu'il acquiert alors. || **abdication** début XVe s., « renoncement » ; fin XVIe s., « renoncement à une dignité » ; 1790, Brunot, « renoncement au pouvoir souverain, en parlant du peuple » ; lat. *abdicatio.* || **abdicataire** 1848, Chateaubriand.

**abdomen** 1537, Canappe ; lat. *abdomen, -inis.* || **abdominal** 1611, J. Duval. || **abdomino-,** XIXe s., premier élément de mots composés, voc. médical.

**abduction** 1541, Canappe, méd. ; lat. *abductio,* de *abducere,* écarter. || **abducteur** 1565, Paré, anat. ; lat. *abductor,* qui écarte.

**abécé** 1119, Ph. de Thaon ; mot formé des trois premières lettres de l'alphabet. || **abécédaire** 1529, G. Tory ; bas lat. *abecedarium,* livre où l'on apprend l'alphabet, issu des quatre premières lettres de l'alphabet.

**abecquer, abée** V. BEC, BAYER.

**abeille** fin XIII^e s., *Établissements de Saint Louis* (*abueille*) ; 1500, O. de Saint-Gelais (*abeille*), prov. *abelha ;* lat. *apĭcula,* dim. de *apis,* qui a donné les formes disparues *é, eps. Avette,* employé par Ronsard et par la poésie du XVI^e s., appartient aux dialectes du nord de la Loire (lat. pop. **apĭtta,* dim. de *apis*). || **abeillage** 1369, jurid. || **abeiller** 1250, nom rég.

**aberrer** 1532, Michel d'Amboise ; lat. *aberrare,* s'écarter. || **aberrant** 1842, *Acad.* || **aberrance** XX^e s. (1959, Lar.), en statistique. || **aberration** 1624, Ph. Daquin, « action de s'écarter » ; 1733, Voltaire, *Mém. Acad. des sc.,* optique (par l'intermédiaire de l'angl.) ; fin XVIII^e s., « égarement d'esprit » ; lat. *aberratio,* erreur, éloignement.

**abêtir** V. BÊTE.

**abhorrer** 1488, *Mer des histoires ;* lat. *abhorrēre,* avoir en aversion. Il existait aussi une forme *ab(h)or(r)ir* (1492, *les Sept Sages*), qui a donné *abhorrition* (1551, L. Hébrieu). D'un emploi surtout religieux, il est passé dans le vocabulaire général avec une valeur très forte.

***abîme** début XII^e s., eccl., fém. jusqu'au XVII^e s. ; *en abyme* (d'après une ancienne orth.), 1690, blas. ; 1893, Gide, procédé littéraire ; lat. chrét. *abyssus,* du gr. *abussos,* sans fond, altéré en *abismus,* par analogie avec les mots en *-ismus.* || **abîmer** début XIII^e s., « jeter dans un abîme » (sens qui subsiste au XVII^e s. et se maintient auj. dans le pronominal) ; 1567, Amyot, « endommager ». || **abîmement** 1610, François de Sales, repris au XIX^e s. (Goncourt). || **abyssal** 1597, Ph. Bosquier, théol. ; 1842, géogr. et océanographie ; lat. *abyssus.* || **abysse** 1890.

**abiotique** 1874, Reclus ; préf. *a* privatif et gr. *bios,* vie.

**abject** 1470, *Livre de la discipline d'amour divine ;* lat. *abjectus,* rejeté. L'emploi social (*condition abjecte*) s'est maintenu jusqu'au XVII^e s. ; la valeur morale s'est seule auj. conservée. || **abjectement** *id.* || **abjection** 1372, Corbichon, « humiliation » (jusqu'au XVII^e s.).

**abjurer** 1327, « rejeter l'autorité de qqn » ; 1495, J. de Vignay, « renoncer par serment » ; restreint ensuite à un emploi religieux ; lat. *abjurare,* refuser par serment. || **abjuration** 1492, *D. G. ;* lat. eccl. *abjuratio.*

**ablatif** XIII^e s., « qui enlève » ; fin XIV^e s., J. Le Fèvre, gramm. ; lat. des gramm. *ablativus,* qui marque le point de départ, de *ablatus,* enlevé.

**ablation** XIII^e s., Brun de Long-Borc ; 1538, Canappe, méd. ; lat. *ablatio,* enlèvement.

**ablette** début XVI^e s., dimin. de *able* (fin XIV^e s., même sens) ; lat. *albulus,* blanchâtre, de *albus,* blanc. On trouve *auvette* au XIV^e s.

**ablution** XIII^e s., *Barlaam et Josaphat* (*-cion*) ; lat. chrét. *ablutio,* action de se laver les mains pour se purifier, de *abluere,* laver ; 1866, Lar., *faire ses ablutions.* || **ablutionner** 1866, Lar.

**abnégation** 1361, Oresme, « abjuration » ; XV^e s., « renoncement » ; XVII^e s., « sacrifice » ; lat. *abnegatio,* refus, de *negare,* nier, refuser.

**aboi** V. ABOYER.

**abolir** 1344, « abroger » ; 1417, Douet d'Arcq, « détruire », « dévaster » (sens qui subsiste jusqu'au XVII^e s.), ensuite seulem. jurid. ; lat. *abolēre,* avec changement de conjugaison. || **abolition** début XIV^e s., jurid. ; XVIII^e s., polit., *abolition de l'esclavage ;* lat. *abolitio,* destruction. || **abolisseur** v. 1856, Baudelaire. || **abolitionnisme** 1856, *Rev. des Deux Mondes,* « doctrine antiesclavagiste » ; fin XIX^e s., sens jurid. ; mot angl. || **abolitionniste** 1826, Grégoire, « partisan de l'abolition de l'esclavage » ; fin XIX^e s., sens jurid. ; mot angl.

**abominable** 1120, *Ps. d'Oxford ;* XVII^e s., sens actuel ; lat. eccl. *abominabilis,* qui doit être repoussé comme un mauvais présage (lat. *omen, ominis*). || **abominablement** début XIV^e s., *Chron. des Quatre Valois.* || **abomination** 1120, *Ps. d'Oxford,* « horreur inspirée par ce qui est impie » ; XVII^e s., sens actuel ; lat. eccl. *abominatio.* || **abominer** 1120, *Ps. d'Oxford ;* lat. eccl. *abominari ;* sens mod., milieu XX^e s.

**abondance** 1119, Ph. de Thaon ; lat. *abundantia,* de *unda,* flot. || **abonder** 1120, *Ps. d'Oxford ;* lat. *abundare,* déborder, regorger. || **abondant** début XII^e s. ; lat. *abundans, -antis.* || **abondamment** début XII^e s. || **surabondance** 1350, *Ars d'amour.* || **surabondant** XII^e s., G. || **surabondamment** 1350, *Ars d'amour.* || **surabonder** 1190, Saint Bernard.

**abonner** XIIIe s., « borner », « fixer une redevance régulière par laquelle on se rachetait d'un droit variable » ; 1750, abbé Prévost, spécialisation au pronominal ; de *bonne,* anc. forme de *borne.* || **abonné** adj. et n., 1798. || **abonnement** 1275, droit féod. ; XVIIIe s., sens mod. || **abonneur** 1902, d'Avenel. || **désabonner** 1840, Balzac. || **désabonnement** 1834, *Constitutionnel.* || **réabonner** 1845, J.-B. Richard. || **réabonnement** 1845, J.-B. Richard.

**abonnir, aborder** V. BON, BORD.

**aborigène** 1488, *Mer des hist.* (*aborigenes,* jusqu'à 1694, Th. Corneille) ; lat. *aborigenes,* habitant originaire d'un pays, de *origo, originis,* origine ; la forme moderne a été refaite avec le suff. *-gène* (de *indigène*), du gr. *genos,* race.

**abortif** V. AVORTER.

**abot** 1819, Boiste ; forme dial. de l'anc. fr. *bouter,* mettre.

**aboucher, abouler** V. BOUCHE, BOULE.

**aboulie** 1883, Th. Ribot ; gr. *aboulia,* irréflexion, dont le sens a été modifié par influence du gr. *boulesthai,* vouloir. || **aboulique** 1887, Binet.

**abouter, aboutir** V. BOUT.

***aboyer** XIIe s., G. (*abaier,* graphie qui subsiste jusqu'au XVIIe s.) ; lat. pop. **abbaiare* ou **abbaudiare* (lat. *baudari*), qui a éliminé le lat. class. *latrare ;* orig. onomatop., *bau.* || **aboi** XIIe s., Fierabras ; le sens fig., issu de la vénerie (*rendre les abois, rendre aux abois*), ne subsiste plus guère que dans *être* ou *mettre aux abois.* || **aboiement** XIIIe s. (*abaement*), a remplacé *aboi* au sens propre. || **aboyeur** 1327 (*abayeur*), « personne qui aboie, protestataire » ; 1387, G. Phébus, « chien qui aboie » ; XVIIIe s., « journaliste », « crieur de journal ».

**abracadabrant** 1834, Gautier ; lat. cabalistique *abracadabra* (1560, Paré), mot-talisman au Moyen Âge ; d'un mot grec forgé par les gnostiques de Basilide (IIe s. apr. J.-C.), d'après *abrasax* ou *abraxas,* autre nom mystique ; ou p.-ê. de l'hébreu *arba-dak-arba,* de *arba,* quatre.

**abrasion** 1611, A. Du Chesne ; lat. *abrasio,* de *abradere,* enlever en grattant. Restreint au sens technique. || **abrasif** 1905. || **abraser** XIVe s., « démolir » ; 1864, méd. ; XXe s., techn.

***abréger** XIIe s., G. ; bas lat. *abbreviare,* de *brevis,* bref ; *abrevier* a été employé jusqu'au XVIe s. || **abrégé** n. m. 1305, J. Richard. || **abréviation** 1375, R. de Presles ; bas lat. *abbreviatio.* || **abréviateur** 1375, R. de Presles, « qui rédige des brefs apostoliques » ; 1670, Huet, « qui abrège ». || **abréviature** 1529, G. Tory. || **abréviatif** XVe s., Fergot. || **abrègement** 1278, Langlois.

***abreuver** XIIe s., G. (*abevrer*) ; XIIIe s., G. (*abrever*) ; lat. pop. **abbibĕrare,* du lat. class. *bibĕre,* boire, et *biber,* boisson ; XVIe s., sens fig. || **abreuvage** 1262, G. || **abreuvement** fin XIIIe s., *Assises de Jérusalem.* || **abreuvoir** fin XIIIe s., *Saint Graal.*

**abréviation** V. ABRÉGER.

**abri** 1170, *Rois ;* déverbal du verbe *abrier,* mettre à l'abri, usité jusqu'au début du XVIIe s. (Saint-Amant) et conservé jusqu'au XIXe s. comme terme de marine et dans certains parlers de l'Ouest, du lat. *apricari,* devenu *apricare,* se mettre au soleil, puis se mettre à l'abri (de *apricus,* exposé au soleil). || **abriter** 1489, R. Gaguin. || **abrivent** 1752. || **Abribus** 1965.

**abricot** 1512, Thenaud (*aubercotz*) ; catalan *abercoc,* de l'ar. *al-barqūq* qui venait (article *al* à part), par l'intermédiaire du gr., du lat. *praecox* ou *praecoquus,* précoce (pour désigner une pêche précoce). || **abricot-pêche** 1805, *Almanach des gourmands.* || **abricoté** 1628. || **abricotier** 1526, Versoris. || **abricotine** adj. 1651, *Jardinier français,* « marbre » ; n. f. 1843, Balzac.

**abroger** milieu XIVe s. ; lat. *abrogare,* annuler. || **abrogatif** 1845, J.-B. Richard. || **abrogation** milieu XIVe s. ; lat. *abrogatio.* || **abrogeable** 1858, Legoarant.

**abrupt** 1512, J. Lemaire, adj. ; lat. *abruptus,* à pic ; n. m. (ravin) 1925, J.-R. Bloch. || **abruptement** XIVe s. || **ex abrupto** fin XVIIe s., Regnard, « brusquement ».

**abrutir** V. BRUTE.

**abscisse** 1694, Th. Corneille ; lat. *abscissa* (*linea*), ligne coupée.

**abscons** 1478, méd. ; 1509, J. Lemaire, « incompréhensible » ; lat. *absconsus,* caché. || **absconse** 1717, Le Brun-Desmarets de Moléon, « lanterne ». || **absconser** v. 1500, Lemaire, subsiste encore au XVIIe s.

**absence** XIIIe s., *les Sept Sages ;* lat. *absentia ;* le sens de « exil » est usuel jusqu'au XVIIe s. || **absent** 1130, *Enéas ;* lat. *absens, absentis.* || **absenter** 1322, pronominal seul usuel dès le XIVe s. || **absentéisme** 1828, J.-B. Say ; *absen-*

*tisme,* en 1829, *Rev. des Deux Mondes :* « forme de propriété où le propriétaire absent s'en remettait de la gestion à un fermier » ; 1847, Gautier, polit. ; XXe s., sens général ; angl. *absenteeism,* de *absentee,* absent. || **absentéiste** 1853, Lachâtre.

**abside** XVIe s., astron. ; 1690, archit. ; bas lat. *absida* (Paulin de Nole), du gr. *hapsis,* voûte, et, en particulier, voûte du ciel. || **absidiole** 1863, L. || **absidal** ou **absidial** 1863, L.

**absinthe** 1190, Saint Bernard, masc. ou fém. jusqu'au XVIIe s. ; lat. *absintium,* du gr. *apsinthion ;* le sens d'« amertume » existe dès le latin. || **absinthisme** 1871, *Année scient.* || **absinthomanie** 1909, Lar.

**absolu** 1080, *Roland* (*asolu*) ; XVIIIe s., philos. et politique ; lat. *absolutus,* achevé, parfait, de *absolvere,* absoudre. || **absolument** 1225. || **absolutisme** 1796, Brunot, formé sur le sens politique de *absolu.* || **absolutiste** 1823, Boiste.

**absolution, absolutoire** V. ABSOUDRE.

**absorber** XIe s. (*assorber*) ; lat. *absorbēre,* avaler, engloutir. || **absorbant** adj., XVIIIe s. || **absorbement** XVIIe s. || **absorbeur** 1929. || **absorption** 1586, H. Suso ; lat. *absorptio.*

**absoudre** Xe s., *Saint Léger* (*absols*) ; jusqu'au XVIe s., on rencontre les formes *assoldre, assoudre ;* lat. eccl. *absolvere ;* le verbe a été refait sur la forme lat. || **absolution** fin XIIe s., *Grégoire.* || **absolutoire** 1321. || **absoute** 1319, nom ; du part. passé fém. de *absoudre.*

**abstenir (s')** XIe s. (*astenir*) ; lat. *abstinere,* tenir éloigné, refait sous l'influence de *tenir.* || **abstention** XIIe s., « abstinence » ; milieu XVIe s., « renonciation » ; lat. *abstentio ;* v. 1840, Lar., sens politique. || **abstentionnisme** 1870, Molinari. || **abstentionniste** 1853, Lachâtre ; concurrencé par *abstenant* (1863, Lar.). || **abstinence** 1050, *Alexis ;* lat. *abstinentia,* abstention (ce sens général subsiste jusqu'au XVIIe s., à côté de l'emploi religieux). || **abstinent** 1160, Benoît ; lat. *abstinens,* qui s'abstient.

**abstract, abstraction** V. ABSTRAIRE.

**abstraire** 1327, pron., « s'arracher à » ; 1361, Oresme (*s'*), « faire abstraction de soi » ; lat. *abstrahere,* tirer, enlever. || **abstrait** 1372, Corbichon (*abstract*) ; *art abstrait,* début XXe s. ; part. passé lat. *abstractus,* dont le sens fig., « isolé par la pensée », qui se rencontre en bas lat. (Cassiodore), subsiste au XVIIe s. || **abstraitement** 1579, P. de Lostal. || **abstraction** 1361, Oresme ; lat. *abstractio* (Boèce). || **abstracteur** 1532, Rab. ; lat. scol. *abstractor.* || **abstractif** 1510, J. Lemaire, philos. (*nom abstractif*) ; 1747, Girard, linguistique. || **abstractivement** 1504, J. Lemaire. || **abstractionnisme** 1953, Lar., philos. (de William James). || **abstract** 1939 ; mot angl.

**abstrus** 1327 ; lat. *abstrusus,* caché, obscur, de *abstrudere,* repousser.

**absurde** XIIe s., *Règle de saint Benoît* (*absorde*) ; 1495, J. de Vignay (*absurde*) ; lat. *absurdus,* discordant, de *surdus,* sourd. || **absurdement** 1549, R. Est. || **absurdité** 1375, R. de Presles. || **absurdisme** milieu XXe s.

**abus** 1361, Oresme ; lat. *abusus,* mauvais usage, de *abuti,* faire mauvais usage. Le sens du lat. se maintient dans la langue du droit ; le sens de « erreur, illusion » subsiste jusqu'au XVIIe s., tandis que se développe celui de « injustice ». || **abuser** 1312, *Cart. de Saint-Pierre de Lille ;* le sens de « tromper » se maintient encore au XVIIe s., tandis qu'est plus usuel auj. celui d'« user avec excès ». || **abuseur** 1309, d'abord au sens de « trompeur ». || **abusif** 1361, Oresme ; bas lat. *abusivus.* || **abusivement** 1327. || **désabuser** XVIe s., qui a conservé le premier sens de *abuser* (tirer de son erreur). || **désabusement** 1674, Bouhours.

**abysse, abyssal** V. ABÎME.

**acabit** XVe s., *Dialog. de Baillevent et Malepaie,* « accident » ; la graphie *acabie* se maintient jusqu'au XVIIe s. ; p.-ê. prov. *acabir,* se procurer, obtenir, dont le part. passé aurait été substantivé. Il a gardé le sens de « débit, achat » jusqu'au XVIIe s. ; l'expression *de bon acabit* (de bonne qualité) sert de point de départ au sens pop.

**acacia** XIVe s., Brun de Long-Borc (*acacie*) ; 1503, G. de Chauliac (*acassia*) ; la forme actuelle, calquée sur le lat. *acacia* (du gr. *akakia*), a triomphé au XVIIe s., avec un changement de genre.

**académie** 1508, Baïf ; ital. *accademia* (l'Italie possédait des sociétés littéraires comme l'Accademia Fiorentina et l'Accademia della Crusca), du lat. *academia,* lui-même du gr. *akadêmia,* jardin d'Akadêmos à Athènes où Platon enseignait sa philosophie. La renommée des académies italiennes a fait adopter le mot dans le sens général de « école supérieure » (C. Marot, XVIe s.) appliqué en particulier aux écoles d'équitation et aux écoles de peinture ; au XVIIe s., aussi « tripot » (maison de jeux ou maison académique). « Circonscription universitaire », 17 mars 1808. || **académicien** 1555, Ramus, « philosophe platonicien » ; lat. *academicus* ; 1635, sens actuel. || **académique** 1361, Oresme, titre d'ouvrage, puis XVI^e s., adj. et n. ; lat. *academicus*. || **académiquement** 1570, *Cité de Dieu*. || **académisable** 1890. || **académiser** 1765, « donner la manière académique ». || **académisme** 1845, J.-B. Richard. || **académiste** 1613, *Épître du chien Lyco-Phagos*, celui qui a étudié dans une académie, en particulier d'équitation ; 1634, Chapelain, « académicien ».

**acagnarder** V. CAGNARD.

**acajou** 1557, Thevet (*acaïou*) ; port. *acaju*, fruit du *cajueiro*, arbre du Brésil, du tupi, langue indigène du Brésil (*agapu*). Le mot désigne le fruit en portugais et le bois en français ; utilisé en ébénisterie depuis le XVIII^e s.

**acanthe** 1450, O. de Saint-Gelais, bot. ; lat. *acanthus*, du gr. *akantha* ; archit., XVI^e s. || **acanthocarpe** 1842, *Acad.* || **acanthocéras** 1888, Lar. || **acanthoglosse** 1852, Lachâtre. || **acanthacée** 1817.

**acariâtre** fin XV^e s., J. Meschinot (*mal aquariastre*, folie), « possédé du démon, fou » ; XVI^e s., « qui est de mauvais caractère » ; au XVII^e s., il pouvait s'appliquer encore à des choses au sens d'« opiniâtre » (*combat acariâtre*) ; de *Acharius*, nom latin d'un évêque de Noyon du VII^e s., qui passait pour guérir la folie (*mal Saint-Acaire*) ; le passage du nom propre au nom commun paraît dû à une étymologie populaire, par rapprochement avec le lat. *acer*, aigre ; les saints guérisseurs doivent souvent leur action à un jeu de mots (*saint Cloud/clou*). || **acariâtreté** 1611, Cotgrave.

**acarus** 1752, Trévoux (*acare*) ; lat. des naturalistes *acarus*, du gr. *akari*, ciron, mite. || **acariens** 1842, *Acad.* || **acariose** 1909, Lar. || **acaricide** XX^e s.

**accabler** 1329, *Actes normands* (*aachablé*), « abattre » ; XVI^e s., sens mod ; forme normanno-picarde de *chabler*, de *chable*, ou *caable* ; lat. pop. **catabola*, du gr. *katabolê*, action de lancer. || **accablant** fin XVII^e s., La Bruyère, fig. || **accablement** 1556, Noguier, sens anc. ; XVII^e s., sens mod.

**accalmie, accalminé** V. CALME.

**accaparer** 1562. D'abord employé au sens jurid., il a pris un sens économique, avec une valeur péjor. (« retenir tout ce qui se trouve sur le marché »), au XVIII^e s. (1715, Ch. de Rior) et est devenu très usuel pendant la Révolution. ; ital. *accaparrare*, acheter ou retenir une marchandise en donnant des arrhes, de *caparra*, arrhes. || **accaparement** 1751, *Encycl.* || **accapareur** début XVIII^e s.

**accastiller** 1678, Guillet ; esp. *acastillar*, de *castillo*, château. || **accastillage** *id.*, mar.

**accéder** XIII^e s., *Intr. d'astronomie*, « avoir accès » ; lat. *accedere*, s'approcher ; sens mod., 1731 (Voltaire, *Charles XII*). || **accès** 1280, *Clef d'amors* (*donner accès*) ; *accès de fièvre*, 1372, Corbichon ; lat. *accessus*, part. passé de *accedere*. || **accessible** 1355, Bersuire. || **accession** XII^e s., Everat ; XVIII^e s., *accession au trône*, empr. à l'angl. ; lat. *accessio*, action d'approcher ; l'évolution sémantique a été influencée par celle d'*accéder*. || **inaccessible** XIV^e s. ; bas lat. *inaccessibilis*.

**accélérer** 1327, sens tr. et intr. ; lat. *accelerare*, de l'adj. *celer*, rapide. || **accéléré** adj., 1611 ; n. m. 1837, Sainte-Beuve. || **accélération** 1327 ; lat. *acceleratio*, action de se hâter ; phys., 1680, Richelet ; 1888, Lar., techn. || **accélérateur** 1611, Cotgrave, méd. ; 1752, Trévoux, phys. ; 1890, Lar., techn. ; 1953, Lar., *accélérateur de particules*. || **accélératif** 1778, Villeneuve. || **accéléromètre** 1873. || **décélérer, décélération** XX^e s. ; faits sur le modèle *accroître/décroître*.

**accent** 1265, Br. Latini ; lat. *accentus*, « élévation de la voix sur une syllabe », puis « son d'un instrument » ; fin XVI^e s., gramm. ; XVII^e s., sens étendu. || **accentuer** XIV^e s., *Lexique Abavus*, « dire un poème » ; lat. *accentuare* (XII^e s.) ; XVII^e s., sens actuel. || **accentuation** 1521, P. Fabri ; lat. *accentuatio*. || **inaccentué** 1829, Hugo. || **accentuel** XX^e s. || **accentuable** 1845, J.-B. Richard.

**accepter** milieu XIII^e s. ; lat. *acceptare*, avoir l'habitude d'accueillir, de *accipere*, recevoir. || **acceptable** 1165 (*acetable*), « agréable ». || **acceptant** 1464, *Cout. d'Anjou*, jur. et relig. || **acceptation** 1262 ; lat. *acceptatio*, de même sens. || **accepteur** 1389, adj., relig. ; lat. *acceptor* ; au sens commercial 1740, Trévoux. || **acception** début XIII^e s., *Sept Sages de Rome*, le sens « action d'accepter » s'est maintenu jusqu'au XVII^e s., dans la langue religieuse ; *acception de personne* est directement empr. au lat. ; sens gramm. (*acception d'un mot*), XVII^e s. ; lat. *acceptio*. || **inacceptable** 1779, Beaumarchais. || **inacceptation** 1877, L.

**accès, accessible, accession** V. ACCÉDER.

**accessit** 1680 ; mot lat., « il s'est approché », du verbe *accedere,* s'approcher, survivance des distributions de prix proclamées en latin.

**accessoire** 1296, *D. G.,* jurid. ; XV^e^ s., « moins important » ; lat. médiév. *accessorium,* de *accedere,* joindre ; comme nom le sens de « danger » subsiste jusqu'au XVII^e^ s. || **accessoiriste** 1902, J. Renard, théâtre, puis cinéma. || **accessoirement** 1328.

**accident** 1170, « indice » ; 1175, Chr. de Troyes, « événement fortuit » ; XII^e^ s., « événement malheureux » ; lat. *accidens, -tis,* qui arrive, de *accedere,* survenir ; XIII^e^ s., scolast., sens philosophique (l'« accident » opposé à la « substance ») ; XVIII^e^ s., « événement provoquant des dommages matériels ». || **accidenter** 1833, Ph. O'Neddy. || **accidenté** adj. 1662, repris au XIX^e^ s. (1827, Gattel) ; nom 1909, Lar. || **accidentel** XIII^e^ s., G., concurrencé par *accidental* (XVI^e^ s.) ; lat. *accidentalis.* || **accidentellement** XV^e^ s., *D. G. ;* conjointement avec *accidentalement.*

**accise** XVI^e^ s., *Cout. de Bruxelles ;* lat. jurid. médiév. *accisia,* impôt féodal, de *accidere,* couper (cf., pour le sens, la *taille*), par l'intermédiaire du néerl. *accijs ;* le mot *accise* s'est confondu en anc. fr. avec *assise* (de *asseoir*) désignant une taxe. En 1748, Montesquieu utilise le mot anglais *excise,* dans un sens fiscal.

**acclamer, acclimater** V. CLAMER, CLIMAT.

**accointance** 1170, Chr. de Troyes ; anc. fr. *accointer,* faire connaissance de, du lat. pop. **accognĭtare,* de *cognĭtus,* connu, qui s'était substitué à *accognoscĕre,* reconnaître. Le sens de « fréquentation familière » s'est maintenu jusqu'au XVII^e^ s. ; d'emploi aujourd'hui ironique.

**accolade, accoler, accommoder, accompagner** V. COU, COMMODE, COMPAGNON.

**accomplir** 1119, Ph. de Thaun ; anc. fr. *complir* (v. COMPLIES), achever, du lat. *complēre,* remplir, qui avait changé de conjugaison en latin populaire. || **accomplissement** XIII^e^ s., *Merlin.*

**accordéon** 1833, Chateaubriand ; allem. *Akkordion,* nom donné par son inventeur Damian (1829) ; la finale a été faite sur le modèle de *orphéon* (au sens de « vielle »). || **accordéoniste** 1866, Lar.

**accorder** fin XI^e^ s., au sens musical ; lat. *accordare,* qui s'est substitué à *concordare,* mettre d'accord, et qui a subi l'influence de *chorda,* qui avait le sens de « corde de musique » ; XII^e^ s., « admettre » ; XV^e^ s., gramm. || **accordant** 1250, Beaumanoir. || **accord** XII^e^ s., J. Fantosme (*acort*) ; déverbal de *accorder,* sens général et sens musical. || **accordeur** 1325, G., « qui met d'accord » ; 1768, sens musical. || **accordailles** 1539, R. Est., « fiançailles ». || **désaccord** 1160, Benoît. || **désaccorder** XIV^e^ s., G. || **raccord** fin XII^e^ s., Alex. de Bernay, « réconciliation » ; *raccord de peinture,* XVI^e^ s. || **raccorder** v. 1160, Benoît, « réconcilier » ; 1690, Furetière, mus. || **raccordement** 1190, Saint Bernard ; 1740, *Acad.,* techn.

1. **accore** n., 1382, *Comptes du Clos des Galées* (*escore*), « étai » ; 1671, Seignelay (*accore*) ; moyen néerl. *schore,* étai.

2. **accore** adj., 1606, Nicot, « escarpé » ; néerl. *schor,* escarpé.

**accort** XIV^e^ s., « avisé » ; ital. *accorto,* de même sens ; XVII^e^ s., « engageant ». || **accortement** XIV^e^ s. || **accortise** 1539, H. Estienne.

**accoster** 1155, mar., de *côte ;* av. 1555, Tahureau (*accoster qqn*) ; ital. *accostare,* approcher ; *s'accoster de qqn,* 1558, du Bellay (réfléchi jusqu'au XVII^e^ s.). Furetière, en 1690, écrit *accoster,* mais dit que le *s* ne se prononce pas. || **accostable** XIII^e^ s. || **accostage** 1540.

**accoter** XII^e^ s., confusion de deux verbes : *accoster,* de *coste* (côte) et *accoter ;* bas lat. *accubitare,* de *cubitus,* coude ; le franco-prov. *cote* a le sens de « appui, étai ». || **accotement** 1552, « étai » ; 1755, sens mod. || **accotoir** 1560, Palissy. || **accot** 1759.

**accoucher, accoupler, accourcir, accourir** V. COUCHE, COUPLE, COURT, COURIR.

**accoutrer** fin XIII^e^ s., *Renart* (*acoutrer*), souvent *acostrer,* arranger ; lat. pop. **acconsuturare,* de **cosutura,* couture, rapprocher en cousant ; XVI^e^ s., terme d'habillement ; XVII^e^ s., péjor. || **accoutrement** 1498, Commynes. || **raccoutrer** 1538, R. Est., « raccommoder ».

**accoutumer, accréditer, accrocher, accroire, accroître, accroupir, accueillir, acculer, acculturer, accumuler** V. COUTUME, CRÉDIT, CROC, CROIRE, CROÎTRE, CROUPE, CUEILLIR, CUL, CULTURE, CUMULER.

**accuser** 980, *Passion ;* XIII^e^ s., « signaler » ; *accuser réception,* début XVII^e^ s. ; XVII^e^ s., « accentuer » ; lat. jurid. *accusare.* || **accusé** n. m., XIII^e^ s., G. || **accusateur** adj. et n., XIV^e^ s. ; lat. *accusator.* || **accusatrice** XV^e^ s., G. || **accusation** 1265, J. de Meung ; lat. *accusatio.* || **accusable** 1545,

J. Bouchet. || **accusatoire** 1355, G. || **accusatoirement** 1425, A. Chartier. || **accusatif** XII$^e$ s., *Vie d'Édouard le Confesseur ;* lat. gramm. *accusativus,* qui marque l'aboutissement de l'action.

**acéphale** 1375, R. de Presles ; XVIII$^e$ s., zool ; lat. *acephalus,* usité surtout en prosodie et au fig. en lat. chrét., du gr. *akephalos,* sans tête. || **acéphalie** 1823.

**acerbe** fin XII$^e$ s. ; XVI$^e$ s., sens fig. (1508, *le Procès des deux amans*) ; lat. *acerbus,* aigre, pénible. || **acerbité** XIV$^e$ s. ; lat. *acerbitas.* || **exacerber** 1611, Cotgrave ; lat. *exacerbare,* irriter. || **exacerbation** 1503, G. de Chauliac, méd. ; lat. *exacerbatio,* irritation.

**acéré** V. ACIER.

**acétate** 1787, Guyton de Morveau ; lat. *acetum,* vinaigre. || **acétique** *id.* || **acéteux** 1256. || **acétone** 1833. || **acétonémie, acétonurie** fin XIX$^e$ s. || **acétylène** 1836, E. Davy, l'inventeur ; suffixe de *éthylène.* || **acétylsalicylique** fin XIX$^e$ s. || **acétylcholine** XX$^e$ s.

**achalander, acharner, achat** V. CHALAND, CHAIR, ACHETER.

***ache** XII$^e$ s., G. ; du lat. *apium,* au plur. *apia,* pris pour un fém. ; il désignait en latin un groupe de plantes assez étendu et s'est spécialisé, en français, dans un emploi où il a été éliminé par *céleri ;* seule, la langue de la botanique l'a conservé.

**acheminer** V. CHEMIN.

**acheter** X$^e$ s., *Jonas* (*acheder*) ; la forme francienne est d'abord *achater* (XII$^e$ s.) ; lat. pop. **accaptare,* de *captare,* chercher à prendre, capter. || **achat** 1170, Prarond (*acat*) ; 1664 (*achat*) ; déverbal de l'anc. forme *achater.* || **acheteur** XII$^e$ s., G. (*achateor*). || **racheter** 1120, *Ps. d'Oxford* (*rachater*). || **rachat** 1175, Chr. de Troyes. || **rachetable** début XIV$^e$ s. || **irrachetable** 1850, Tocqueville.

**achever** fin XI$^e$ s. ; anc. fr. *a chief,* à bout (v. CHEF). || **achèvement** 1273.

**achillée** 1572, J. Des Moulins ; lat. bot. *achillea,* du gr. *akhilleios,* plante d'Achille, qui, dit-on, s'en était servi pour guérir les blessures de son ennemi Télèphe.

**achopper** XII$^e$ s. ; de *a-* et *chopper,* buter. || **achoppement** début XIII$^e$ s.

**acide** 1545, G. Guéroult ; XIX$^e$ s., sens fig. ; 1966, drogue, par l'angl. ; lat. *acidus* au sens propre. || **acidité** 1545, G. Guéroult ; lat. *aciditas.* || **acidifier** 1786, *Encycl.* || **acidification** *id.* || **acidifiable** *id.* || **acidimétrie** 1841, Gattel. || **acidose** début XX$^e$ s. || **aciduler** 1721, Trévoux, de *acidule,* légèrement acide (mot disparu) ; lat. *acidulus.* || **antiacide** 1750, *Dict. des aliments.* || **biacide** XX$^e$ s.

***acier** 1080, *Roland* (*acer*) ; début XII$^e$ s., *Voy. de Charlemagne* (*acier*) ; bas lat. **aciarium,* de *acies,* tranchant (*acieris* [glossaire latin], outil tranchant). || **acéré** XII$^e$ s., *Roncevaux ;* 1562, Rab., fig., dér. ancien de *acier.* || **acérer** 1348, *Actes normands de la Chambre des comptes* (*acherer*). || **aciérer** 1470, *Dépenses pour le clocher de Saint-Nicolas.* || **aciérie** 1751, *Encycl.* || **aciérage** 1753, Diderot. || **aciération** 1793, *Encycl. méthod.* || **aciériste** 1932, Lar.

**acmé** 1751 ; mot grec, « partie aiguë d'un objet » ; début XX$^e$ s., sens fig.

**acné** début XIX$^e$ s. ; angl. *acne,* du lat. sav. *acne,* issu du gr. *akmê,* pointe, transcrit *aknê* par une faute de copiste (Aetius, VI$^e$ s.). || **acnéique** 1858. || **acnéiforme** 1910.

**acolyte** 1175, Chr. de Troyes (*acolite*), « clerc remplissant les bas offices » ; XVII$^e$ s., extension de sens ; lat. chrétien *acolytus, acolutus* (Isidore de Séville), clerc servant le prêtre à l'autel, du gr. *akolouthos,* serviteur.

**acompte** V. COMPTE.

**aconit** 1130, *Eneas* (*aconita*) ; 1213, *Fet des Romains* (*aconite*) ; XVI$^e$ s. (*aconit*) ; lat. *aconitum,* du gr. *akoniton.*

**acoquiner (s')** V. COQUIN.

**acoustique** 1701, *Mém. Acad. des sc.,* repris par le physicien Sauveur à l'adj. gr. *akoustikos,* qui sert à entendre, qui concerne l'ouïe (de *akouein,* entendre). || **acousticien** 1876. || **acoustiquement** 1936.

**acquérir** 1285, Langlois, remplaçant par changement de conjugaison *acquerre,* XII$^e$ s. ; lat. pop. **acquaerĕre,* du lat. class. *acquirĕre.* De même *quérir* a remplacé *querre.* || **acquêt** fin XII$^e$ s., *Drame d'Adam,* « acquisition » jusqu'au XVII$^e$ s. ; part. passé du verbe *acquerre,* spécialisé dans la langue du droit. || **acquis** n. m. 1595, Charron, part. passé d'*acquérir.* || **acquéreur** 1385, *Cout. d'Anjou et du Maine.* || **acquisition** 1283, Beaumanoir ; lat. jur. *acquisitio.* || **acquisitif** av. 1480, René d'Anjou ; lat. *acquisitivus.* || **acquisivité** 1839, Wey, en phrénologie.

**acquiescer** XIV$^e$ s. ; lat. *acquiescere,* se reposer, et, au fig., être satisfait, approuver. || **acquiescement** 1527, Versoris.

**acquisition, acquit, acquitter** V. ACQUÉRIR, QUITTE.

**acre** 1059, *Cart. Rouen,* anc. mesure agraire du Nord-Ouest ; angl. *acre,* champ labouré en un jour, empr. au moment de la conquête de l'Angleterre. || **acréage** XX^e s.

**âcre** début XVII^e s. ; lat. *acer* (acc. *acrem*), qui a donné aussi la forme pop. *aigre.* || **âcrement** XIX^e s. || **âcreté** 1560, Palissy.

**acridien** 1834 ; gr. *akris, akridos,* sauterelle.

**acrimonie** 1538, J. Canappe, « âcreté du sang, de la bile » ; 1801, Mercier, fig. ; lat. *acrimonia.* || **acrimonieux** 1605, Le Loyer, méd. || **acrimonieusement** XIX^e s.

**acro-,** gr. *akros,* extrémité. || **acrocéphale** 1865. || **acrocyanose** 1896. || **acrodonte** 1852, Lachâtre (gr. *odous, odontis,* dent). || **acromélalgie** 1907, Lar. ; gr. *melos,* membre, et *algos,* douleur. || **acronyme** v. 1950 ; angl. *acronym* d'après *homonym.* || **acropole** 1751 ; gr. *akropolis,* ville haute. || **acrostiche** 1582 ; gr. *akros* et *stikhos,* vers. || **acrotère** 1547.

**acrobate** milieu XVIII^e s., « danseur de corde chez les Anciens » ; gr. *akrobatos,* qui marche sur la pointe des pieds. || **acrobatie** 1853, Lachâtre. || **acrobatique** 1803, Boiste, « machine élévatrice » ; 1837, G. Sand, sens actuel. || **acrobatisme** 1830, Balzac.

**acrylique** 1865 ; lat. *acer,* aigre, et gr. *hulê,* bois.

**acte** 1338, *Cart. de Saint-Pierre de Lille,* terme juridique ; lat. jurid. *actum,* plur. *acta. Actes d'une assemblée,* début XVII^e s., empr. à l'angl. pour désigner une institution anglaise ; 1534, « action » ; lat. *actum,* le fait, part. passé substantivé de *agere,* agir ; 1553, théâtre ; lat. *actus,* représentation théâtrale. || **acter** 1751, jurid. || **acteur** 1240, G. de Lorris, « auteur » ; lat. *actor,* qui agit, par confusion avec *auctor ;* 1558, Jodelle, « comédien » ; les autres sens se sont développés à partir du latin. || **entracte** début XVII^e s. || **actant** 1950. || **actanciel** 1966, A. J. Greimas.

**actif** 1160, Benoît, philos. ; il est passé de la logique à la grammaire au XV^e s. Ce sens domine jusqu'au XVI^e s., où le terme passe dans la langue financière (*dettes actives*). Le sens général se développe au XVII^e s. ; le substantif apparaît au XVIII^e s. (*actif,* en finance, 1762) ; lat. *activus,* de *agere,* agir (par opposition à *passif* ou à *contemplatif*). || **activement** 1327, J. de Vignay, « rapidement ». || **activer** début XV^e s., Gerson, « faire agir » ; 1808, Boiste, « mettre en activité » ; 1790, Mercier, « accélérer ». || **activateur** 1910, *L. M.* || **activation** 1904, techn. || **activisme** 1907, Lar., géol. ; 1911, philos. ; 1916, polit. || **activeur** 1953, Lar., chim. || **activité** 1425, O. de La Haye, d'abord au sens philos. et grammatical ; lat. *activitas* (Priscien, V^e s.). || **inactif** 1771, Trévoux. || **inactivité** 1773, Trévoux ; le sens administratif se développe au XIX^e s. || **réactif** début XVIII^e s., refait sur *réaction ;* terme de chimie au XIX^e s. || **réactiver** 1870, Lar. || **réactivation** début XX^e s.

**actinie** 1792, *Encycl. méth. ;* gr. *aktis, aktinos,* rayon.

**actinium** 1881, *Année sc. et industr. ;* gr. *aktis, aktinos,* rayon. || **actinique** 1866, Lar. || **actinisation** 1950. || **actinote** 1801, Haüy. || **actinides** 1953, Lar. || **actinothérapie** 1909, Garnier.

**action** 1120, *Ps. de Cambridge* (*acciun de grâce*) ; XIII^e s., sens jurid. (Beaumanoir) et sens général (1220, Coinci) ; 1669 (Colbert), sens financier, p.-ê. calque du néerl. *aktie,* vulgarisé au XVIII^e s., avec le développement du crédit ; lat. *actio,* de *agere,* agir. || **actionner** début XIV^e s., jurid. ; 1580, Palissy, « rendre actif ». || **actionner (s')** 1819, Boiste, « avoir de l'activité ». || **actionnaire** fin XVII^e s. || **actionnariat** 1912. || **inaction** 1647, Vaugelas. || **interaction** XX^e s. || **réaction** XVI^e s., philos. ; XVII^e s., phys. ; 1734, Montesquieu, psychol. ; 1793, Brunot, polit. || **réactionnaire** 1796, Brunot. || **réactionnel** 1870. || **réacteur** 1790, Brunot, qui a subsisté jusque dans la seconde moitié du XIX^e s. ; XX^e s., techn. || **biréacteur, triréacteur, quadriréacteur** XX^e s., techn.

**actuaire** XIV^e s., adj. ; lat. *actuarius,* qui concerne les actes ; n. 1749, J. de Calencas, « scribe romain » ; 1872, *Journ. des actuaires fr.,* « chargé des calculs financiers d'assurance » ; angl. *actuary,* même origine. || **actuariat** 1949, Lar. || **actuariel** 1905.

**actuel** XIII^e s., Brun de Long-Borc, philos. ; 1750, abbé Prévost, « qui appartient au moment présent » ; lat. scolast. *actualis ;* le sens d'« effectif » se maintient au XVII^e s. || **actuellement** XIV^e s., « effectivement » (sens qui se maintient au XVII^e s.) ; 1372, Corbichon, « présentement ». || **actualité** 1253 (*actuauté*) ; XIV^e s. (*actualité*), philos. ; 1823, Boiste, sens actuel ; 1896, *la Nature,* cinéma ; lat. *actualitas.* || **actualiser** début XVII^e s., chim. ; 1836, Landais, « rendre actuel ». || **actualisation** 1836, Landais. || **actualisateur** 1932, linguist.

**acuité, acupuncture** V. AIGU.

**ad-** V. A 1.

**adage** 1529, Loys Laserre ; lat. *adagium,* proverbe, maxime.

**adagio** 1726 ; ital. *adagio,* lentement, de *ad agio,* à l'aise.

**adamantin** 1509, J. Lemaire ; lat. *adamantinus,* dur comme fer, empr. au gr. *adamantinos ;* le sens « de la nature du diamant » vient du sens fig. du lat. *adamas,* diamant.

**adamique** 1654 ; de *Adam,* du mot hébreu signifiant « homme », désignant le premier homme. || **adamite** 1666.

**adapter** XIII^e s. ; 1885, littér. ; 1912, cinéma ; lat. *adaptare,* de *aptus,* apte. || **adaptable** fin XVIII^e s. || **adaptabilité** 1932. || **adaptateur** 1885 ; 1917, cinéma. || **adaptatif** 1898. || **adaptation** 1501. || **inadaptation, inadapté** XX^e s. || **réadapter** 1932, Lar. || **réadaptation** fin XIX^e s.

**addenda** 1701, Bayle ; plur. neutre du part. passif d'obligation du lat. *addere,* ajouter (choses qui doivent être ajoutées).

**additif** V. ADDITION.

**addition** 1265, J. de Meung, « augmentation » ; lat. *additio,* de *addere,* ajouter ; XV^e s., math. || **additionner** 1529, *Catalogue Belin,* « augmenter » ; 1680, Richelet, math., remplace *ajouter.* || **additionnel** 1500, jurid. ; 1723, sens courant. || **additif** 1843, Landais. || **additivité** 1910, Valéry.

**adduction** 1538, J. Canappe, méd. ; lat. *adductio,* conduite. L'expression *adduction d'eau* et l'emploi techn. sont de la fin du XIX^e s. (1888, P. Lar.). || **adducteur** 1690, Furetière, anat. ; lat. *adductor.*

**adénite** 1833 ; gr. *adên, adenos,* glande. || **adénoïde** 1541, Loys Vassée. || **adénome** 1858. || **adénomateux** 1904. || **adénopathie** 1855.

**adepte** 1630, Van Helmont, *Lettre au P. Mersenne ;* lat. *adeptus,* qui a obtenu ; en alchimie et jusqu'au XVII^e s., « initié au grand œuvre » ; 1723, « initié » à une secte ou à une doctrine (franc-maçonnerie) ; XVIII^e s., emploi élargi (1775, d'Alembert et les physiocrates).

**adéquat** XIV^e s., B. de Gordon ; repris au XVIII^e s. (1736, Ch. Wolff) ; lat. *adaequatus,* égalé, de *aequus,* égal. || **adéquation** 1866, Lar. || **adéquatement** fin XIX^e s. || **inadéquat** 1842, *Acad.* || **inadéquation** 1907, Lar.

**adhérer** début XIII^e s. ; fin XIV^e s., sens fig. ; fin XVII^e s. (Saint-Simon), « adhérer à un parti » ; lat. *adhaerere,* qui avait donné la forme pop. *aherdre.* || **adhérence** XIV^e s., Brun de Long-Borc, sens actuel ; il eut aussi le sens de « fidélité » du XV^e au XVII^e s. ; bas lat. *adhaerentia.* || **adhérent** adj. 1331, Delb. ; n. XIV^e s. ; lat. *adhaerens.* || **adhériser** 1934, *Publicité,* « rendre adhérent ». || **adhésif** 1478, Panis. || **adhésivité** 1853. || **adhésion** 1372 ; lat. *adhaesio.*

**adiante** 1546, Rab. ; lat. *adiantum,* du gr. *adianton,* qui ne se mouille pas, parce que la feuille ne retient pas l'humidité.

**adieu** V. DIEU.

**adipeux** 1503, G. de Chauliac ; lat. *adeps, adipis,* graisse. || **adipolyse** 1960, Lar. || **adipopexie** 1933, Lar. || **adipose** 1878, *journ.* || **adiposité** 1869, Cornil.

**adjacent** 1314, Mondeville ; lat. *adjacens,* part. prés. de *adjacere,* être situé auprès.

**adjectif** 1365, *Psautier lorrain ;* bas lat. *adjectivum nomen,* nom qui s'ajoute, calque du gr. *epithêton.* || **adjectiver** 1801. || **adjectival** 1911, *L. M.* || **adjectivation** XX^e s.

***adjoindre** VIII^e s., *Gloses de Reichenau* (*adjungeat*) ; XII^e s., G. (*adjoindre*) ; lat. *adjungere,* ajouter (le *d* ne s'est prononcé qu'à la fin du XVI^e s.). || **adjoint** n. m. 1337, méd., apophyse d'un os ; XVII^e s., sens large. || **adjonction** XIV^e s., du Cange (*ajonction*) ; lat. *adjunctio,* action d'ajouter, qui a remplacé l'anc. fr. *ajoignement.* || **adjonctif** 1747.

**adjudant** 1671, Arnoul, « officier en second », comme en esp. ; XVIII^e s., « sous-officier » ; esp. *ayudante* (part. présent substantivé de *ayudar,* aider), refait sur le lat. *adjuvare,* aider. || **adjudant-major** 1883.

**adjudication** V. ADJUGER.

**adjuger** XII^e s., G. (*ajugier*) ; le *d* apparaît au XIII^e s., d'apr. le lat., mais ne se prononce définitivement qu'au XVIII^e s. ; lat. *adjudicare,* donner par jugement ; au Moyen Âge, confondu avec *juger ;* sens précis actuel repris au lat. au XV^e s. || **adjudication** début XIV^e s., « jugement » ; lat. jurid. *adjudicatio,* acte par lequel le juge attribuait la propriété à l'une des parties dans les actions en partage ou en bornage. Le double sens « vente ou marché de fournitures aux enchères » s'est développé en droit fr. || **adjudicataire** début XV^e s. ||

**adjudicateur** 1823, Boiste. || **adjudicatif** début XVIe s.

**adjurer** XIIIe s., saint Thomas (*ajurer*) ; le *d* se prononce à partir du XVIIe s. (Maupas, 1607) ; sens affaibli actuel à partir du XVIIe s. ; lat. chrét. *adjurare* (Lactance, etc.), adjurer au nom de Dieu, exorciser ; les sens « faire jurer » et « invoquer », repris au lat. class., se retrouvent, le premier jusqu'au XVIe s., le second au XVIIe s. || **adjuration** 1488, *Mer des hist.* ; lat. chrét. *adjuratio*.

**adjuvant** 1560, Paré ; XIXe s., sens large ; lat. *adjuvans,* participe prés. de *adjuvare,* aider.

**admettre** XIIIe s., G. (*amettre*), « mettre sur », et, au fig., « imputer » ; repris au XVe s., avec le sens de « donner accès », « approuver » ; lat. *admittere.* || **admission** 1539, sens jurid. ; lat. *admissio,* action d'admettre ; XVIIe s., « admission à une charge ». || **admissible** 1453, *Cout. de Touraine.* || **admissibilité** 1789, *Courrier d'Europe,* sens jurid. ; XIXe s., au sens scolaire. || **inadmissible** 1475, *D. G.* || **inadmissibilité** 1827, *Acad.* || **admittance** 1926, phys. ; mot angl.

**administrer** XIIe s., G. (*aministrer*) ; lat. *administrare,* aider, fournir, diriger, de *minister ;* le sens administratif spécialisé a prévalu à partir du XVIIIe s. ; la langue religieuse a gardé *administrer les sacrements.* || **administrateur** XIIe s., *Saint-Evroult ;* spécialisé dès le XVIIe s. (1680, Richelet). || **administratif** 1789, Brunot. || **administrativement** 1802, *Néologie* de Mercier. || **administration** 1120, *Job* (*amminis-*) ; lat. *administratio ;* 1783, Mercier, sens mod. || **administré** n. 1796, *Néol. fr.*

**admirer** 1360, Froissart (*amirer*), « s'étonner » ; le *d* se prononce au XVIIe s. ; lat. *admirari.* Le sens de « considérer avec stupeur » se maintient encore au XVIIe s., à côté de celui de « contempler avec émerveillement », qui l'emporte. || **admiration** milieu XIIe s., « étonnement ». Cette valeur se maintient à côté d'« émerveillement » jusqu'au XVIIe s., d'après le lat. *admiratio.* || **admirable** 1160, Benoît ; lat. *admirabilis,* qui a subi la même évolution. || **admirablement** 1422. || **admirateur** 1542, É. Dolet ; lat. *admirator.* || **admiratif** 1370. || **admirativement** 1866.

**admission** V. ADMETTRE.

**admonester** 1160, Benoît (*amonester*) ; la forme *admonęster* a été refaite au XVIe s., et le *d* se prononce au XVIIe s. (Vaugelas, 1647) ; la forme *amonéter* sans prononciation de *s* est encore indiquée dans *Acad.,* 1835 ; lat. pop. **admonestare,* dont le rapport avec *monere* (*monitus*) n'a pas été éclairci. Le sens d'« avertir, encourager » se maintient jusqu'au XVIe s., remplacé au XVIIe s. par l'emploi jurid. de « faire une remontrance », d'après le verbe simple *monester.* || **admonestation** 1260, *Livre de jostice ;* 1849, G. Sand, sens actuel. || **admonition** fin XIIe s., *Grégoire* (*amonicion*) ; lat. *admonitio,* avertissement.

**adolescent** XIIIe s., *Bible parisienne ;* lat. *adolescens,* part. prés. substantivé de *adolescere,* grandir. || **adolescente** XVe s., G. Tardif. || **adolescence** XIIIe s., *Mir. de saint Éloi ;* lat. *adolescentia.* || **ado** v. 1970.

**adonis** 1615, Daléchamp, bot. ; 1646, Scarron, fig. ; lat. *Adonis,* du gr. *Adônis,* dieu du Printemps (d'origine phénicienne), symbole de la beauté, déjà employé en gr. comme nom symbolique. || **adoniser** 1552, Ronsard.

**adonner** V. DONNER.

**adopter** XIVe s., Ph. de Vitry, « choisir » ; lat. *adoptare ;* 1802, *Code civil,* « prendre légalement pour fils, fille ». || **adoptable** XIXe s. || **adoptant** n. m. 1728, Richelet. || **adopté** n. XIXe s. || **adoption** XIIIe s., *Digeste ;* lat. *adoptio,* choix. || **adoptif** XIIe s., *Naissance du chevalier au cygne ;* lat. jurid. *adoptivus.*

**adorer** XIIe s., *Saint-Evroult,* relig. ; XVIIe s., « aimer beaucoup » ; lat. *adorare,* de *orare,* prier, parler. || **adorable** XIVe s., *Ovide moralisé ;* lat. *adorabilis.* || **adorablement** 1865, Goncourt. || **adoration** 1495, J. de Vignay ; lat. *adoratio.* || **adorateur** 1420, A. Chartier ; lat. *adorator.*

**adosser** V. DOS.

**adouber** 1080, *Roland,* « équiper » un chevalier ; 1512, J. Lemaire, « arranger » (jusqu'au XVIIe s.) ; francique **dubban,* frapper, parce qu'on frappait le chevalier du plat de l'épée en l'armant. || **adoubement** XIIe s. (V. RADOUBER.)

**adoucir** V. DOUX.

**adragante** 1560, Paré, réfection de *tragacante* (XVIe s.) ; lat. *tragacantha, -thum,* désignant la plante et sa gomme, du gr. *tragos,* bouc, et *akantha,* épine.

**adrénaline** 1901, Dr Jokichi Takamine, qui découvrit la substance extraite des glandes surrénales du bœuf et du cheval en Amérique ; lat. *ad,* auprès de, et *ren,* le rein, avec les suffixes *-al* et *-ine.*

**adresser** XIIe s. (*adrecier*), « dresser » ; « diriger » jusqu'au XVIIe s. || **adresse** XIIIe s. (*adrece*), « moyen » ; XVe s., « indication » ; XVIIe s., « résidence ». || **adressagé** XXe s., en informatique.

**adret** 1927, *Doc.* ; provençal *adrech,* adroit (n. m.), au sens de « bon côté ».

**adroit** XIIe s. ; de *à* et *droit.* || **adresse** XVIe s., « bonne direction », puis infl. de *adroit.* || **adroitement** XIIe s.

**adsorber** 1907, Lar. ; lat. *sorbere,* avaler, d'après *absorber.* || **adsorption** 1904, *Doc.,* d'après *absorption.*

**adstrat** V. SUBSTRAT.

**aduler** 1395, Chr. de Pisan ; usité surtout à partir du XVIIIe s. ; lat. *adulari.* || **adulateur** 1361, Oresme ; lat. *adulator.* || **adulation** fin XIIe s., *Grégoire ;* lat. *adulatio.*

**adulte** fin XIVe s., adj. ; n. m. 1570, *Cité de Dieu,* « parvenu au terme de sa croissance » ; lat. *adultus,* de *adolescere,* croître. (V. ADOLESCENT.)

**adultère** 1190, Saint Bernard ; lat. *adulter,* homme, femme adultère, et *adulterium,* le fait d'adultère ; le sens « qui viole la foi jurée » (XVIIe s.) a été repris au lat. chrét. || **adultérer** 1350, Gilles li Muisis, « commettre un adultère », jusqu'au XVIe s. ; XVIe s., Rab., « corrompre » ; lat. *adulterare,* falsifier. || **adultérateur** 1552, Rab. ; lat. *adulterator,* qui altère. || **adultération** 1551, *les Vies des saints Pères ;* lat. *adulteratio,* altération. || **adultérin** XIVe s., formé sur *adultère.*

**advenir** Xe s., *Valenciennes* (*avenir*) ; 1380, Gace de La Buigne (*advenir,* d'après le lat., le *d* prononcé plus tard) ; l'anc. forme est restée dans le nom *avenir ;* lat. *advenire,* arriver. || **adventice** fin XVIIIe s. ; lat. *adventicius,* qui s'ajoute. || **adventif** 1120, *Ps. d'Oxford* (*aventif*), « étranger » ; lat. *adventicius,* qui arrive du dehors, avec substitution de suffixe ; le *d* a été rétabli au XVIe s. (1569, Papon), dans la langue du droit.

**adverbe** XIIIe s., G. (*av-*) ; XVe s. (*adverbe*) ; le *d* se prononce depuis le XVIIe s. (1606, Masset) ; lat. *adverbium* (de *ad,* auprès de, et *verbum,* verbe). || **adverbial** 1550, Meigret. || **adverbialement** XVe s., G. || **adverbialiser** v. 1830.

**adverse** 1080, *Roland* (*averse*), « contraire, ennemi » ; XVIIe s., sens restreint, refait d'apr. le lat. *adversus.* || **adversaire** 1155, Wace (*av-*) ; lat. *adversarius,* dont la forme pop. était l'anc. fr. *aversier.* || **adversatif** 1550, Meigret. || **adversité** 1145, Evrart de Kirkham (*av-*) ; lat. *adversitas,* au sens chrét. ; le sens d'« opposition » se rencontre aux XVIe-XVIIe s.

**aède** 1841 ; gr. *aoidos,* poète.

**ægagre** 1834 ; gr. *aigagros,* de *aïx,* chèvre, et *agrios,* sauvage.

**aegipan** 1673 ; gr. *Aïgipan,* de *aïx,* chèvre, et *Pan.*

**aérer** 1398, *Ordonn.* ; lat. *aer,* du gr. *aêr,* air ; il a remplacé l'anc. fr. *airier.* || **aérage** 1758, de Tilly. || **aérateur** 1866, L. || **aération** 1836. || **aérianiste** 1953, Lar., spécialiste du droit aérien. || **aérien** 1170, *Rois.* || **aérifère** 1808. || **aériforme** 1780, Guyton de Morveau. || **aérium** XXe s. (1953, Lar.) ; sur le modèle de *sanatorium.*

**aéro-,** élément radical ; gr. *aêr,* air. || **aérobie** adj. 1875, *Année sc. et industrielle.* || **aérobiose** 1920. || **aérobic** 1981 ; d'un mot amér. || **aérobus** 1908, Michel Provins. || **aérochimique** 1960, Lar. || **aéroclasseur** 1951, Lar. || **aéro-club** 1898. || **aérodrome** machine volante, 1868, La Landelle ; sens actuel, 1906. || **aérodynamique** s. 1842, *Acad.* ; adj. 1891, Langley. || **aérodynamicien** 1961, journ. || **aérofrein** 1960. || **aérogare** 1933. || **aéroglisseur** 1963, *journ.* || **aérogramme** 1951, Lar. || **aérographie** 1752, Trévoux. || **aérolithe** 1806. || **aérolithique** 1852, Lachâtre. || **aérologie** 1696, Cally. || **aéromancie** 1335, Digulleville. || **aérométrie** 1712, *Journ. de Trévoux.* || **aéromobile** 1965. || **aéromodélisme** 1942. || **aéronaute** 1784, J.-L. Carra ; gr. *nautês,* matelot. || **aéronautique** 1784, J.-L. Carra. || **aéronaval** 1861, Landais. || **aéronef** fém. 1844, *Magasin ;* masc. ensuite ; du français *nef.* || **aérophagie** 1891. || **aérophobie** 1960, Lar. || **aéroplane** 1855, J. Pline ; de (*surface*) *plane.* || **aéroport** 1928, Lar. || **aéroporté** 1928, Lar. || **aéroportuaire** 1970. || **aéropostal** 1927. || **aéroscaphe** 1859, Hugo. || **aérosol** 1928. || **aérosondage** 1953. || **aérospatial** 1962, *journ.* || **aérostat** 1783, Meusnier. || **aérostateur** 1784, *Corr. secrète polit. et litt.* || **aérostation** 1784, *Journ. de Paris ;* 1798, *Acad.* || **aérostatique** 1783, A. Deparcieux, adj. ; 1784, n. f. || **aérostatisme** 1784, Linguet. || **aérostier** 1794, *Décret de la Convention.* || **aérotherme** 1865. || **aérothermique** 1899. || **aérotransporté** 1960, Lar. || **aérotrain** 1965.

**affable** 1350, Gilles li Muisis (*afable*) ; lat. *affabilis,* d'un abord facile, de *fari,* parler ; il prend ensuite le sens de « poli ». || **affablement** 1532. || **affabilité** XIII^e^ s., G. ; 1587, La Noue (*affabileté*) ; lat. *affabilitas*.

**affabulation, affadir, affaiblir, affaire, affaisser** V. FABLE, FADE, FAIBLE, FAIRE, FAIX.

**affaler** 1610, Flor. Rémond, « faire glisser le long du cordage » ; néerl. *afhalen,* tirer en bas le cordage. || **affaler (s')** XIX^e^ s., « se laisser tomber ». || **affalement** XIX^e^ s.

**affamer** V. FAIM.

**affecter** XIV^e^ s., « feindre avec ostentation » ; XV^e^ s., « rechercher, aimer » (jusqu'au XVII^e^ s.) ; XVIII^e^ s., « impressionner, toucher » ; lat. *affectare,* avec infl. de *affectus,* sentiment ; 1551, A. de Bourbon, « disposer, attribuer », réfection, d'apr. le lat., de l'anc. fr. *afaitier* (lat. *affectare*), façonner, préparer. || **affection** 1190, Saint Bernard, « disposition physique ou morale » ; 1539, Canappe, méd. ; 1546, Rab., « sentiment ». || **affectionner** XIV^e^ s., *Chron. de Flandre,* « aimer » ; 1607, d'Urfé, « désirer ». || **affectionnément** 1541, Rab. || **affectif** av. 1450, Gréban ; bas lat. *affectivus* (Priscien, en gramm.). || **affectivement** 1616. || **affectivité** 1866, Lar. || **affectueux** début XIV^e^ s. ; bas lat. *affectuosus,* de *affectus,* sentiment. || **affectuosité** début XIV^e^ s., *D. G.* || **affectation** 1413, *Ordonn.,* sur le sens de « disposer » ; lat. *affectatio.* || **affect** 1908 ; all. *Affekt.* || **désaffecter** 1876, L., sur le sens d'« attribuer ». || **désaffection** 1787, Féraud. || **désaffectionner** début XVIII^e^ s.

**afférent** 1230, *Tristan,* part. présent d'*aférir,* appartenir, concerner, restreint à ce seul emploi ; refait sur le lat. *afferens,* part. présent d'*afferre,* apporter. || **afférence** fin XV^e^ s.

**affermer, affermir** V. FERME 1 et 2.

**affété** XV^e^ s., *Sotties ;* ital. *affettato,* ou réfection de l'anc. fr. *affaité,* façonné. || **afféterie** 1512, Seyssel.

**affiche, afficher** V. FICHE.

**affidavit** 1773, Lauragais ; issu, par l'intermédiaire de l'angl., de la 3^e^ pers. sing. du parfait du lat. médiév. *affidare,* confier.

**affidé** 1567, J. Papon, « digne de foi » ; XVIII^e^ s., Montesquieu, péjor. ; ital. *affidato,* part. passé de *affidare,* se fier. L'anc. français *affier* s'est conservé jusqu'au XVII^e^ s.

**affilée, affiler, affilier, affiner** V. FILE, FIL, FILS, FIN.

**affinité** 1160, Benoît, « voisinage » ; 1283, Beaumanoir, « parenté par alliance » ; XVII^e^ s., sens actuel ; lat. *affinitas,* de *finis,* limite.

**affiquet** XII^e^ s., « agrafe, boucle » ; XVI^e^ s., « bijou » ; mot normanno-picard, diminutif d'*afique,* var. dialectale du fr. *affiche.*

**affirmer** 1276, *Registre criminel de Saint-Germain-des-Prés ;* lat. *affirmare,* rendre ferme, assurer. || **affirmatif** XIII^e^ s., *D. G. ;* bas lat. *affirmativus* (gramm., Diomède). || **affirmativement** XIV^e^ s. || **affirmation** fin XII^e^ s., *Grégoire* (*afermation*) ; lat. *affirmatio.*

**affixe** 1546, Ch. Est., adj., méd. ; 1584, Thevet, linguist. ; lat. *affixus,* attaché. || **affixé** 1852, Lachâtre. || **affixal** 1872, L. || **affixation** XX^e^ s.

**affleurer** V. FLEUR.

**affliger** 1120, *Ps. de Cambridge,* « blesser, ruiner » (jusqu'au XVII^e^ s.) ; XVII^e^ s., « causer de la peine » ; lat. *affligere,* frapper violemment. || **affligeant** 1578, d'Aubigné. || **afflictif** 1374 ; lat. *afflictus,* de *affligere.* || **affliction** 1050, *Alexis ;* lat. *afflictio.*

**affluer** 1180, au sens propre (jusqu'au XVII^e^ s.) ; 1375, sens fig. ; lat. *affluere,* couler en abondance. || **affluent** av. 1524, J. Lemaire, adj., « abondant en quelque chose » ; 1539, Canappe, méd. ; 1690, Furetière, géogr., adj., *rivières affluentes,* puis n. m. || **affluence** 1393, « abondance » (jusqu'au XVII^e^ s.) ; 1443, « foule qui arrive » ; lat. *affluentia.* || **afflux** 1611, Cotgrave ; lat. *affluxus,* qui coule. || **diffluent** XVI^e^ s., Amyot ; lat. *diffluens,* part. prés. de *diffluere,* s'écouler en sens divers.

**affoler** V. FOU.

**affouage** milieu XIII^e^ s., anc. verbe *affouer,* chauffer (disparu au XVI^e^ s.) ; lat. pop. **affocare,* de *focus,* feu. || **affouager**, verbe, 1378.

**affouiller, affranchir** V. FOUILLER, FRANC.

**affre** milieu XV^e^ s., « effroi » ; anc. prov. *affre ;* sorti de l'usage au XVII^e^ s., n'a survécu que dans *les affres de...* || **affreux** début XVI^e^ s. || **affreusement** *id.*

**affréter, affriander** V. FRET, FRIRE.

**affrioler** 1530, Palsgrave ; anc. verbe *frioler* (XIV^e^ s.), frire, et, par ext., être friand (cf. « brûler d'envie »), de *frire,* avec un suffixe méridional. || **affriolant** 1808.

**affriquée** fin XIX^e^ s. ; lat. *affricare,* frotter contre : les consonnes affriquées sont caractérisées par un bruit de frottement de l'air expiré contre les parois du canal vocal resserré à la hauteur d'une région du palais ou des dents.

**affront, affronter** V. FRONT.

**affubler** 1080, *Roland,* « agrafer » ; XVIIe s., péjor., « vêtir » ; lat. pop. **affibulare,* de *fibula,* agrafe ; l'*i* est devenu [ü] par labialisation. || **affublement** XIIIe s., G.

**affûter** V. FÛT.

**aficionado** 1831, *Revue des Deux Mondes ;* mot esp.

**afin** V. FIN.

**africain** 1080 (*African*), n. ; XVIe s. (*africain*) ; lat. *africanus,* d'Afrique. || **africanisme** 1836, Landais. || **africaniste** 1908. || **africanisation** 1960, *le Monde.* || **africaniser** 1931. || **africanité** 1963, *journ.* || **afro-asiatique** 1937. || **afro-américain** 1933. || **afro** v. 1970 ; abrév. de *africain,* avec infl. de *affreux.*

**aga, agha** 1535, *Lettre à du Bellay ;* turc *aga,* frère aîné ; désigne un dignitaire oriental musulman.

**agace** XIIIe s. ; XVIe s. (*agasse*), « pie » ; mot dial. ; anc. prov. *agassa,* du germ. *agaza.*

**agacer** fin XIIe s. (*agacier*), « importuner » ; 1530, Palsgrave (*agacer*) ; anc. verbe *aacier,* agacer (les dents), disparu au XVe s., sauf dans le Nord ; lat. pop. **adaciare,* de *acies,* tranchant (des dents). Peut-être croisé avec *agacer,* « crier comme une agace ». || **agacement** 1539, R. Est. || **agacerie** 1671, Sévigné.

**agami** 1664, Biet ; mot d'une langue indigène de Guyane ; désigne un oiseau à plumage noir d'Amérique du Sud.

**agape** 1574, Tijeou, « repas fraternel entre les premiers chrétiens » ; XIXe s., plur., « repas » ; lat. chrét. *agape* (Tertullien), du gr. *agapê,* amour.

**agaric** 1256, Ald. de Sienne ; lat. *agaricum,* du gr. *agarikon,* champignon comestible.

**agate** XIIe s., *Marbode* (*acate*) ; XIIIe s. (*agathe*) ; lat. *achates,* du gr. *akhatês,* du nom de la rivière près de laquelle fut trouvée cette pierre (Pline l'Ancien). || **agaté** 1838. || **agatifère** 1838. || **agatisé** 1763. || **agatiser** 1819.

**agave** 1769 ; formé d'après l'adj. fém. gr. *agauê,* admirable.

***âge** 1080, *Roland* (*eage, aage*) ; lat. **aetaticum,* de *aetas, -atis,* âge, en anc. fr. sous la forme *éé, aé,* mot court éliminé par le terme suffixé ; il a des emplois plus étendus en anc. fr. et jusqu'au XVIIe s. (durée de la vie, époque, etc.). || **âgé** 1283, Beaumanoir, « majeur ».

**agence** V. AGENT.

***agencer** XIIe s. (*agencier*), « orner » (jusqu'au XVIIe s.) et « arranger » ; lat. pop. **adgentiare,* de **gentus,* contraction de *genĭtus,* (bien) né, passé au sens « beau » (v. GENTIL). || **agencement** XIIe s., « ordonnance ». || **ragencer** 1175, Chr. de Troyes.

**agenda** fin XIVe s. (*agende*), employé pour les registres d'église ; 1535 (*agenda*) ; av. 1720, *Huetiana,* « carnet » ; lat. *agenda,* ce qui doit être fait, de *agere,* faire.

**agenouiller** V. GENOU.

**agent** 1337, *Registre criminel de Saint-Martin-des-Champs,* « qui agit » ; lat. *agens,* d'*agere,* agir ; repris au XVIe s. (H. Est., 1578) à l'ital. *agente* dans le sens « chargé de mission » ; *agent de police,* 1797, Laffon. || **agence** 1653, Colbert ; ital. *agenzia.*

**aggiornamento** v. 1960 ; mot ital., « mise à jour ».

**agglomérer** 1795, Snetlage ; lat. *agglomerare,* mettre en pelote, amasser, de *glomus, glomeris,* pelote. || **agglomération** 1762, « accumulation » ; XIXe s., « ville ». || **agglomérat** 1823, Bory. || **aggloméré** n. m. 1866, Lar. || **agglo** XXe s. ; abrév. || **agglomérant** 1866.

**agglutiner** XIVe s., *Mir. de N.-D.* (*aglutiné*), « réunir » ; XVIe s. (*agglutinner*), « recoller » ; lat. *glūtinare,* coller, attacher, de *glūten,* colle. || **agglutinatif** 1560, Paré, méd. || **agglutinantes** (langues) 1863, L. || **agglutination** 1538, Canappe, méd. ; 1857, Mérimée, gramm. ; bas lat. *agglutinatio.*

**aggraver** 1050, *Alexis,* « alourdir » (jusqu'au XVIIe s., où le sens fig. s'impose) ; lat. *aggravare,* devenu *aggrevare,* de *gravis,* lourd. || **aggravation** 1375, R. de Presles. || **aggravant** XVIe s.

**agile** XIVe s. ; lat. *agilis,* qui se meut facilement, de *agere,* mener. || **agilement** fin XIVe s. || **agilité** XIVe s. ; lat. *agilitas.*

**agio** 1679, Savary ; ital. *aggio,* de *agio,* de l'anc. prov. *aize,* aise (1700, Saint-Simon). || **agioter** début XVIIIe s. || **agiotage** début XVIIIe s. || **agioteur** début XVIIIe s.

**agir** milieu XVe s. ; lat. *agere,* passé à la conjugaison en *-ir ;* les sens « faire » et « poursuivre » (au propre et au sens jurid.), repris au XVIe s., ont disparu au XVIIe s., époque où *il s'agit de* a été calqué sur la loc. passive *agitur de.* || **agissant** 1584, S. Goulart, « qui agit » ; av. 1622, Pascal, sens actuel. || **agissable** 1908, *L. M.* || **agissements** 1794, Billaud. || **réagir** fin XVIIIe s., Voltaire.

**agiter** XIIIe s., *Nature à alchimiste ;* 1797, polit. ; lat. *agitare,* fréquentatif d'*agere,* faire. || **agitateur** 1520, G. Michel, « cocher » ; lat. *agitator ;* 1792, polit. ; 1863, techn. || **agitation** 1355, Bersuire ; lat. *agitatio.*

**agnat** 1697, *Traité de Ryswick ;* lat. *agnatus.* || **agnation** 1539, R. Est.

***agneau** XIIe s. (*agnel*) ; lat. *agnellus,* dimin. qui remplaça *agnus* en lat. pop. ; la forme *agnel* a été conservée pour désigner des monnaies en or médiévales à effigie d'agneau. || **agneler** fin XIIe s., Marie de France. || **agnelage** 1840. || **agnelet** fin XIIe s. || **agnelin** 1268, É. Boileau. || **agnelle** XIIe s.

**agnosie** XIXe s. ; gr. *agnôsia,* ignorance.

**agnostique** 1884, Claretie ; angl. *agnostic,* tiré lui-même par le philosophe Huxley du gr. *agnôstos,* ignorant. || **agnosticisme** 1884, Claretie.

**agnus-castus** fin XIVe s., *Livre des secrets de nature ;* lat. *agnus* (Pline), du gr. *agnos,* nom de l'arbuste. *Castus* (chaste) est la traduction du gr. *hagnos,* confondu avec *agnos :* le nom grec se trouve ainsi deux fois dans le mot français.

**agnus-dei** XIVe s., premiers mots (« agneau de Dieu ») d'une prière liturgique : désigne des médailles où figurent l'agneau, puis des objets de piété.

**agonie** XIIe s. (*aigoine*) ; 1361, Oresme (*agonie*), « angoisse » ; 1546, Rab., sens mod. ; lat. chrét. *agonia* (*Vulgate*), angoisse, du gr. *agônia,* lutte ; le sens d'« anxiété » subsiste encore au XVIIe s. || **agonir** XVe s., « être en agonie », a été confondu ultérieurement avec *ahonnir,* insulter (de *honnir*), qui a vécu jusqu'au XVIIe s., d'où le sens pop. « accabler » (d'injures), Vadé, 1756. || **agoniser** 1361, Oresme, « combattre » ; fin XVIe s., sens mod. ; lat. chrét. *agonizare,* combattre, du gr. *agônizesthai.* || **agonisant** 1587, Taillepied.

**agonistique** 1732, Trévoux ; gr. *agonistikos,* qui concerne la lutte.

**agoraphobie** 1873, *Annales médico-psychologiques ;* le mot a été créé en allem. par Wetsphal, en 1871, du gr. *agora,* place publique, et *phobos,* peur.

**agouti** 1556, Le Testu (*agoutin*) ; 1578, J. de Léry (*acouti*) ; tupi-guarani (langue du Brésil) *acouti.*

**agrafer** 1546, *Palmerin d'Olive,* « saisir, accrocher », de *grafe,* crochet (l'anc. fr. avait aussi *grafer*) ; germ. *krap,* crochet, emprunté après la mutation consonantique (VIIe s. env.) sous la forme *krapf ;* le mot a pénétré sous une forme plus ancienne (*grappe*) à une époque antérieure. 1843, Balzac, « apparier ». || **agrafe** 1421, Gay. || **agrafage** 1853. || **agrafeuse** 1912, Lar., « crochet », est un déverbal. || **dégrafer** 1564, J. Thierry, signifiait aussi « lever l'ancre », d'après le verbe *grafer* (XIVe s.) ; il est concurrencé par *désagrafer* (1611, Cotgrave). || **ragrafer** 1680, Richelet.

**agraire** 1355, Bersuire ; lat. *agrarius,* de *ager,* champ ; *loi agraire,* emprunté aux Romains, usuel pendant la Révolution. || **agrairien** 1790, Babeuf. || **agrarien** 1796, Brunot, « qui concerne la loi agraire » ; XXe s., *parti agrarien.*

**agrandir** V. GRAND.

1. **agréer, agréable, agrément** V. GRÉ.

2. **agréer** fin XIIe s., *Aiol* (*agreier*), « garnir d'agrès », « équiper », éliminé au XVIIIe s. par *gréer ;* d'un rad. emprunté au scand. *greidi,* attirail. || **agrès** début XIIe s. (*agrei, agroi*), « équipement, armement » ; déverbal ; XVe s., marine (*agrais*) ; XIXe s., sports.

**agréger** XIIIe s., « amasser » ; XVe s., « réunir » ; lat. *aggregare,* réunir en troupe, de *grex, gregis,* troupeau. || **agrégat** 1556, R. Leblanc (*aggregat*) ; repris au part. passé *aggregatum* du même verbe. || **agrégation** 1375, R. de Presles ; bas lat. *aggregatio ;* au fig., XVIIe s., Bossuet, « agrégation à une communauté » ; 1766, empl. universitaire, « admission comme professeur suppléant » ; 1808, sens universitaire moderne. || **agrégé** 1740. || **agrégatif** 1320, B. de Gordon, méd. ; v. 1930, enseignement, « qui prépare l'agrégation ». || **désagréger** 1798, Guyton de Morveau. || **désagrégation** *id.*

**agrès** V. AGRÉER 2.

**agresseur** 1404 (*aggresseur*) ; bas lat. *aggressor,* de *aggredi,* attaquer. || **agression** fin XIVe s. ; bas lat. *agressio,* attaque. || **agresser** fin XIVe s., refait au XIXe s. || **agressif** 1793, Barnave, milit. ; 1836, sens mod. || **agressivité** 1875, *le Temps.*

**agreste** début XIIIe s. ; lat. *agrestis,* champêtre. || **agrestement** 1510.

**agricole** 1361, Oresme, « laboureur » ; lat. *agricola,* cultivateur ; encore subst. au XVIIIe s. ;

1765, adj. || **agriculteur** 1495, J. de Vignay ; lat. *agricultor ;* refait au XVIII^e s. et considéré alors comme un néologisme ; 1765, adj., Beaurieu. || **agriculture** fin XIII^e s. ; lat. *agricultura.*

**agripper** 1200, « arracher » ; XV^e s., sens mod. ; de *à* et *gripper,* accrocher. || **agrippeur** début XVI^e s. || **agrippement** XX^e s.

**agro-,** gr. *agros,* champ. || **agronome** 1361, Oresme ; gr. *agronomos,* magistrat chargé de l'administration rurale, par l'intermédiaire du lat. médiév. ; XVIII^e s., sens mod. || **agronomie** 1361, Oresme. || **agronomique** XVIII^e s., Delille. || **agroalimentaire** 1960. || **agrobiologie** 1948.

**agrume** 1739, de Brosses (*agrumi*) ; ital. *agrume,* collectif désignant les oranges, mandarines et citrons, du lat. pop. **acrumen,* de *acer,* aigre ; il a eu d'abord le sens de « prune d'Agen » ; 1859, Duchartre, sens mod. || **agrumiculture** 1938.

**aguerrir** V. GUERRE.

**aguet** XI^e s. (*agait*), « guet, embuscade » ; déverbal de l'anc. verbe *agaitier,* dérivé de *gaitier,* forme anc. de *guetter,* usuelle jusqu'au XVII^e s. Se réduit auj. à la loc. *aux aguets,* début XVII^e s.

**agueusie** 1897, Darier ; de *a* priv. et du gr. *geusis,* goût.

**aguicher** 1842, « exciter » ; 1881, sens mod. ; p.-ê. de **guiche,* courroie, puis « accroche-cœur » au XIX^e s. ; ou var. de *aiguiser* ou de *agacher,* agacer. || **aguicherie** 1911. || **aguicheur, -euse** 1896.

**ah** 1050, *Alexis* (*a*) ; onomatop. : le *h,* tardif, est purement graphique.

**ahanner** XI^e s. ; dérivé de *ahan, aan* (X^e s., *Saint Léger*), lui-même déverbal du lat. pop. **afannare* (d'orig. inconnue), se donner de la peine.

**ahurir** V. HURE.

1. **aï** XIX^e s., méd., « inflammation aiguë des tendons » ; d'apr. le cri de douleur *aïe !,* mais avec un changement de prononciation (*aï* et non *a-ye*), dû sans doute à la graphie.

2. **aï** 1558, Thevet (*haiit*) ; 1560, A. Paré (*haït*), « mammifère d'Amérique du Sud » ; tupi-guarani du Brésil.

***aider** X^e s. (*aidier*) ; lat. *adjutare,* dont les formes toniques (déverbal *aiudha,* 842, *Serments ;* ind. prés. *aïu*[*e*]..., *aidons*) ont longtemps été conservées. || **aide** 1268, É. Boileau, fém. jusqu'au XVI^e s., a été refait à la fin du Moyen Âge. || **entraider** 1160, Benoît. || **entraide** fin XIX^e s. || **aide-mémoire** 1853. || Nombreux noms de métiers en **aide-** à partir du XVII^e s. : **aide-jardinier, aide-lingère, aide-major, aide-bourreau,** etc.

**aïe** 1473, *Documents hist. ;* onomatop. exprimant la douleur. Une autre interj. dissyllabe, exprimant la douleur morale, *ahi* (1080, *Roland*), se rencontre jusqu'au XVII^e s., où la graphie la confond avec la précédente.

***aïeul** XII^e s., *Hues de la Ferté* (*aiuel*) ; lat. pop. **aviolus,* dimin. euphémique d'*avus,* fém. *avia.* À partir du XVI^e s., *aïeul* est remplacé par *grand-père, grand-mère ;* jusqu'au XVII^e s. on ne fait pas la différence entre *aïeuls* et *aïeux.* || **bisaïeul** 1283, Beaumanoir (*besaiol*) ; lat. *bis,* deux fois. || **trisaïeul** XVI^e s. ; lat. *tri,* le *s* ayant été ajouté d'après *bis.*

***aigle** XII^e s., *Roncevaux ;* lat. *aquila,* fém. ; orig. dialectale (sans doute du S.-E.), l'oiseau n'habitant que les montagnes ; l'anc. fr. avait aussi la forme normale *aille* (mot de l'Est). Mot des deux genres en anc. fr. ; fém. (d'après le lat.), aux XVI-XVII^e s., dans la langue litt., qui l'a conservé au sens d'emblème ; puis le masc. l'a emporté (pour l'aigle mâle) d'après la langue parlée. || **aiglon** 1546, J. de Caigny.

**aiglefin** V. AIGREFIN 2.

***aigre** 1120, *Job ;* lat. pop. **acrus* (lat. *acer, acris,* âcre, acide), postulé par toutes les langues romanes, et qui a pris le sens d'*acidus,* disparu dans la langue pop. Jusqu'au XVII^e s., a le sens de « violent ». || **aigrir** fin XII^e s., *Alexandre.* || **aigrissement** 1560. || **aigret** XIII^e s., *Guill. de Dole ;* aussi subst., « verjus », remplacé par **aigrelet** 1554, Tahureau. || **aigreur** 1539, R. Est., au sens propre ; fig., XVII^e s. || **aigre-doux** 1541, formé par L. de Baïf. (V. VINAIGRE.)

1. **aigrefin** 1670, « chevalier d'industrie » ; p.-ê. comp. de *aigre* et *fin* (cf. AIGRE-DOUX ci-dessus), ou réfection de **agrifin,* dérivé conjectural de l'anc. *agriffer,* prendre avec les griffes.

2. **aigrefin** 1398, *Ménagier,* « poisson » ; réfection, par attraction de *aigre,* d'*esclevis* (XIV^e s.), devenu *esclefin, aiglefin, èglefin ;* moyen néerl. *schelvisch* (prononcé *skhèlvis*), désignant le même poisson.

**aigremoine** XIII^e s., *Médicinaire liégeois* (var. *agremonie, agrimoine*) ; lat. *agrimonia,* altér. du gr. *argemonê,* pavot, avec infl. de *aigre.*

**aigrette** 1360, *Modus* (*egreste*), « oiseau » ; empr. à une forme dialectale du Sud et de l'Ouest, *aigron,* héron, avec substitution de suffixe, l'aigrette étant une espèce du genre héron (héron blanc), qui porte un plumet sur la tête ; 1532, « plumet » (ornement).

***aigu** 1080, *Roland* (*agud, agu*) ; XIIIe s. (*aigu*) ; lat. *acūtus ;* la forme *aigu* a été refaite par analogie avec *aigre* sur le latin ou reprise au prov. *agut,* de même orig. || **aiguëment** XIIIe s. || **suraigu** 1727, Furetière. || **besaiguë** 1190, Garn. (*besaguë*) ; lat. pop. **bisacuta,* deux fois aiguë (féminin). || * **aiguiser** fin XIe s. (*aguisier*) ; lat. pop. **acutiare,* du lat. class. *acutare,* sans doute par influence des formes provençales. || **aiguisage** milieu XVe s. || **aiguisement** 1172. || **aiguiseur** XIVe s., G. || **aiguisoir** 1468, Chastellain. || **acuité** XIIIe s., « saveur aigre » ; début XIVe s., sens mod. ; sur le lat. *acutus,* aigu, qui a remplacé l'anc. fr. *agueté.* || **acupuncture** 1765. || **acupuncteur** 1829, Boiste. || **acuminé** 1808 ; lat. *acumen,* pointe, de *acutus,* pointu.

**aiguade** 1541 (*egade*) ; 1552, Rab. (*aiguade*) ; prov. *aigada,* de *aiga,* eau, dont le sens passé en fr. n'est pas attesté anciennement.

**aiguail** 1540, Rab. ; mot de l'Ouest (sud de la Loire), de *aigailler,* faire de la rosée, dér. de la forme méridionale *aiga,* eau. (V. ÉGAILLER.)

**aiguayer** 1600, O. de Serres ; mot dialectal dér. du prov. *aiga,* eau, qui était passé en fr. écrit sous la forme *aigue* à la fin du Moyen Âge.

**aigue-marine** 1578, Vigenère ; prov. *aigue,* eau, et adj. *marin,* pour désigner une émeraude couleur de mer.

**aiguière** XIVe s. ; prov. *aiguiera,* de *aiga,* eau (« vase à eau »).

**aiguillade** 1400, Du Cange ; prov. *agulhada ;* l'anc. fr. avait la forme correspondante, éliminée plus tard par *aiguillon.* (V. AIGUILLE.)

**aiguillat** 1558, Rondelet ; prov. *agulhat,* chien de mer.

***aiguille** XIIe s. (*aguille*), graphie que l'on trouve jusqu'au XVIe s. ; XVe s. (*aiguille*), refait d'après *aigu ;* lat. pop. *acucula,* de *acus,* aiguille, attesté d'abord au sens de « aiguille de pin » ; 1819, sens ferroviaire. || **aiguiller** fin XIIe s., « piquer avec une aiguille » ; 1853, sens ferroviaire. || **aiguillage** 1869. || **aiguillée** 1229. || **aiguilleur** 1845. || **aiguillette** 1180, « petite aiguille » ; 1352, *Comptes de l'argenterie,* « cordon ferré » ; XIVe s., terme de cuisine. || **aiguilletage** 1752, Trévoux. || **aiguilletier** 1339, Fagniez. || **aiguillier** XIIe s.

***aiguillon** XIe s. *aguillum ;* 1120, *Job, aguillon,* jusqu'au XVIe s. ; XIIIe s. *aiguillon ;* refait sur *aigu ;* du lat. pop. *aculeo, -onis* (*aculionis* [*Gloses de Reichenau*]), de *acus,* aiguille (lat. class. *aculeus*) ; le développement de *aiguillon* est influencé par celui de *aiguille.* XIIe s., sens fig. || **aiguillonner** 1160, Benoît.

**aiguiser** V. AIGU.

**aïkido** 1961 ; mot japonais, « la voie de la paix ».

***ail** XIIe s., L. ; lat. *allium* (collectif *aille,* du pluriel *allia*). || **ailloli** 1744, Gillart ou **aïoli** 1842, *Acad. ;* prov. mod. *aioli,* de *ai,* ail, et *oli,* huile. || **aillade** 1534, Rab. ; prov. *alhada,* de *alh,* ail. || **aillée** XIIIe s. || **ailler** 1928. || **alliacé** 1811, Wailly ; fait sur le mot latin. || **chandail** fin XIXe s. ; abrév. pop. de *marchand d'ail,* nom donné au tricot porté par les vendeurs de légumes aux Halles, puis adopté par le fabricant Gamart, d'Amiens ; XXe s., tricot de sport.

***aile** XIIe s. (*ele*) ; *aile,* d'apr. le lat., depuis le XVe s. ; emploi fig. à partir du XVIe s. ; lat. *ala.* || **ailé** XIIe s. (*alé*) ; lat. *alatus,* puis refait sur *ailes.* || **aileron** XIVe s. || **ailette** v. 1175, Chr. de Troyes (*elette*) ; diminutif. || **ailier** 1905, sports. || **alaire** 1827 ; lat. *alarius,* de *ala.*

**aillade** V. AIL.

***ailleurs** 1050, *Alexis* (*ailurs*) ; lat. pop. **alior,* **alioris,* comparatif pop. d'*alius,* dans l'abrév. de la locution *in aliore loco* (dans un autre lieu) ; on a ajouté un *s* adverbial au mot.

**ailloli** V. AIL.

***aimant** XIIe s. (*aiemant*) ; XVIe s. (*aïmant, aimant*) ; lat. *adamas, adamantis,* métal dur, et « diamant », du gr. *adamas,* qui a eu en lat. pop. les var. *adimas* et *adiamas, -antis,* qui sont à l'origine du fr. ; le mot a pris le sens « aimant » en Gaule, d'apr. la propriété d'attraction de la pierre d'aimant. (V. DIAMANT.) || **aimanter** 1386, Dehaisnes. || **aimantation** 1750, Buffon.

***aimer** 1080, *Roland* (*amer*) ; puis *aimer,* qui l'emporte au XVIe s., d'apr. les formes toniques *aim*[*e*], *aimes... ;* lat. *amare.* || **aimant** adj. fin XVIIe s. || **amant** participe de *amer,* substantivé dès le XIIe s. ; au XVIIe s., chez les auteurs dramatiques, signifie « celui qui aime et est aimé » ; 1670, La Rochefoucauld, sens mod. || **bien-aimé** 1417, *Chronique* (*bien amé*). || **désaimer** 1621, François de Sales. || **aimable** XIIe s. (*amable*) ; XIVe s. (*aimable*), d'apr. *aimer ;* lat. *amabilis.* || **amabilité** 1676, Bossuet ; lat. *ama-*

*bilitas.* || **amateur** 1495, J. de Vignay ; lat. *amator,* de *amare,* aimer ; a remplacé la forme pop. *amaor* de l'anc. fr. et a gardé, jusqu'au XVIIe s., le sens large de « celui qui aime ». 1762, Rousseau, « qui cultive un art ou une science pour son plaisir » ; 1841, *Français peints par eux-mêmes,* terme sportif. || **amateurisme** 1892, *le Figaro.*

1. ***aine** 1120, *Job,* « partie du corps » ; lat. *inguen,* à l'acc. pop. **inguinem ;* 1751, « bande de peau intérieure du soufflet d'orgue ».

2. **aine** 1723, « baguette servant à enfiler les harengs » ; orig. obscure. || **ainette** 1795, *Saint-Léger.*

***aîné** 1155, Wace (*ainz né*) ; puis *aisné, aîné ;* de l'anc. adv. *ainz,* avant (représentant un comparatif pop. **antius,* du lat. *ante,* avant), et de *né.* || **aînesse** XIIIe s., *Livre de jostice* (*ainzneesse*).

**ainsi** 1080, *Roland* (*einsi*) ; composé de *si* affirmatif et d'un premier élément obscur qui pourrait être *ainz* (V. AÎNÉ) ou *ains,* mais (du lat. *antius sic*).

***air** début XIIe s. ; lat. *aer, aeris.* Le sens « apparence extérieure » (XVIe s.) a pu être influencé par *aire,* dont le sens de « caractère » disparaît à cette époque. Le sens « air de musique » (XVIe s.) a pour origine l'ital. *aria,* du plur. neutre lat. *aera* → *area,* devenu fém.

***airain** XIIe s., *Roncevaux* (*arain*) ; puis *airain,* d'apr. le lat. ; bas lat. *aeramen* (*Code Théodosien*), du lat. *aes, aeris,* même sens. Éliminé au sens propre par *bronze* à partir du XVIIe s., il est resté comme mot littér. chez les classiques (la métonymie *airain* = cloche se trouve encore chez Lamartine) et dans quelques locutions figées comme *loi d'airain,* etc.

**Airbus** 1966, nom déposé ; de *air,* au sens de *aéro-* et de *bus.*

***aire** 1080, *Roland ;* lat. *area,* emplacement, avec spécialisations diverses, dont « aire à battre le grain », « aire géométrique » et « aire d'oiseau » (Plaute). L'anc. fr. avait des sens dérivés disparus. (V. DÉBONNAIRE.)

**airelle** 1592, Hulsius ; prov. mod. *aire,* mot des régions montagneuses, sous une forme dérivée (cévenole) *airelo ;* de l'adj. fém. lat. *atra,* noire. Les botanistes ont fait de *airelle* un nom de genre, et de *myrtille* un nom d'espèce ; dans l'usage, *airelle* est le terme du Midi, *myrtille* celui du Nord.

***ais** XIIe s. ; lat. *axis,* planche, qui paraît être une fausse régression d'*assis,* d'après *axis,* essieu ; éliminé (mot trop court, réduit à un son *è*) par *planche,* à partir du XVIIe s. || **aisseau** XIVe s., *Glossaire.* || **aisselier** fin XIIe s., *Rois ;* anc. fr. *aisselle,* planche, dimin. de *ais.*

***aise** n. XIe s., *Gloses de Raschi* (*aïse*), « espace vide au côté de quelqu'un » ; XIIe s. (*aise*), « commodité », « absence de gêne » ; lat. *adjacens,* au nominatif, part. présent substantivé de *adjacere,* être situé auprès. Le Moyen Âge a connu le sens de « bonnes dispositions, bonne santé ». Le mot a pu être masculin jusqu'au XVIIe s. || **aise** adj. XIIe s. || ***aisance** XIIIe s., trad. Guill. de Tyr, « dépendance de la maison », puis, au plur., « commodités » (1611, Cotgrave) ; lat. *adjacentia,* plur. neutre de *adjacens* (au sens « environs » chez Pline), pris comme un fém. en lat. pop. || **aisé** XIIe s. L'anc. fr. a créé deux verbes : *aaisier* et *aisier,* qui a absorbé le premier et a laissé *aisé,* part. passé. || **aisément** XIIe s. || **malaise** XIIe s. || **malaisé** part. passé XIVe s. ; 1530, Palsgrave, adj.

1. **aisseau** planchette. V. AIS.

2. **aisseau** ou **aissette** 1389, G., hachette ; dér. de l'anc. fr. *aisse,* hachette, du lat. *ascia.*

***aisselle** 1130, *Eneas ;* lat. pop. **axella* pour *axilla,* par substitution du suffixe.

**aître** 1080, *Roland ;* lat. *atrium* emprunté à l'époque carolingienne par la langue des clercs.

**ajonc** XIIIe s., Du Cange (*ajo, ajou*) ; XIVe s. (*ajonc*), par attraction homonymique de *jonc ;* mot prélatin (de l'Ouest, comme cet arbrisseau) **jauga ;* le *a* du fr. paraît dû à une agglutination (*la-jonc*).

**ajoupa** 1615, Yves d'Évreux (*ajoupane*), « hutte de Peaux-Rouges » ; mot tupi (langue indigène du Brésil) *aiupave.*

**ajourer, ajourner** V. JOUR.

***ajouter** 1080, *Roland,* « mettre auprès », « réunir » ; XIIe s. (*ajoster*) au sens mod., de l'anc. mot *joste,* auprès ; XIIe s., *ajouter foi ;* remonte peut-être à un lat. pop. **adjuxtare.* || **ajout** 1895, Gide. || **ajouté** n. m. 1842, Balzac. || **ajoutage** 1752. || **ajouture** 1852. || **rajouter** 1560, A. Paré. || **surajouter** 1314, Mondeville.

**ajuster** V. JUSTE.

**akène** 1802 ; de *a-* et du gr. *khainein,* entrouvrir.

**alacrité** V. ALLÈGRE.

**alambic** 1265, J. de Meung ; esp. *alambico,* de l'ar. *al'anbīq,* vase à distiller, lui-même du gr. *ambix,* même sens. || **alambiquer** 1546, Rab., fig. || **alambiquage** 1852, Delacroix. || **alambiqueur** fin XVIe s., Vauquelin de La Fresnaye.

**alanguir** V. LANGUIR.

**alarme** début XIVe s., Guiart ; ital. *all'arme,* aux armes ! (v. ALERTE, emprunt analogue). D'abord interj., puis nom masc. 1511, J. Lemaire, fém. aussi dès le XVIe s. || **alarmer** 1578, d'Aubigné, « donner l'alarme » ; XVIIe s., Molière, sens moderne. || **alarmant** 1766. || **alarmiste** 1790, Mercier. || **alarmisme** 1956.

**albâtre** 1160, Benoît (*albastre, alabastre, labastre*) ; lat. *alabastrum,* du gr. *alabastron.* || **albâtréen** 1836, Barbey d'Aurevilly. || **albâtrier** 1877.

**albatros** 1588, *Voy. de Cortez* (*alcatras*) ; port. *alcatraz,* qui désigne le pélican, puis l'albatros, empr. lui-même à une langue indigène d'Amérique ; 1666, Thévenot (*albatrosses*) ; angl. *albatross,* altér. du mot portugais, p.-ê. sous l'infl. de *albus,* blanc ; 1751 (*albatros*).

**alberge** 1546, Rab. ; esp. *alberchiga,* mot mozarabe, de *al,* le, la, et du lat. *persica,* pêche.

**albinos** 1665, J. de Crécy, « qui voit la nuit » ; 1763, Voltaire, Buffon, « nègres blancs de la côte d'Afrique, puis d'Amérique » ; port. et esp. *albinos,* plur. de *albino,* blanchâtre, dans *negros albinos* (lat. *albus,* blanc). || **albinisme** 1838.

**albugo** XIVe s. ; lat. *albugo, -ginis,* tache blanche. || **albugine** XIVe s., *D. G.* || **albuginé, albugineux** 1377.

**album** 1700, Saint-Évremond, « agenda où l'on porte les noms de ses amis » ; allem. *Album,* livre blanc, tiré du lat. *albus,* blanc, dont le neutre signifiait « liste, tableau ».

**albumine** 1792, *Encycl. méthod.* ; bas lat. *albumen, albuminis,* blanc d'œuf, de *albus,* blanc. Le mot *albumen,* repris en bot. et zool., a donné *aubin,* blanc d'œuf (1544, d'Aurigny). || **albumineux** 1736. || **albuminoïde** milieu XIXe s. || **albuminurie** 1838, Dr Martin Solon. || **albuminurique** 1857, Monneret. || **albumose** 1898, Lar. || **albuminémie** 1926.

**Albuplast** XXe s., marque déposée ; lat. *albus,* blanc, et *plast,* de *plastique.*

**alcade** 1323 (*arcade*) ; 1576 (*alcade*), français des anciens Pays-Bas ; esp. *alcalde,* de l'ar. *al-qādī,* le juge. || **cadi** 1351, Le Long, même orig. arabe.

**alcali** 1509 (*alkalli*) ; ar. *al-qilyi,* la soude. || **alcalin** 1691, Chastellain. || **alcalinité** 1834. || **alcaliniser** 1888, Lar. || **alcaliser** 1610, J. Duval. || **alcalisation** 1735, Quesnay. || **alcaloïde** 1827. || **alcalose** XXe s.

**alcarazas** 1798 ; esp. *alcarraza,* de l'ar. *al-karaz,* la cruche ; désigne une carafe de terre poreuse.

**alchimie** 1265, J. de Meung (*alquemie*) ; lat. médiév. *alchemia,* de l'ar. *al-kimiya,* du gr. *khêmia,* magie noire, lui-même de l'égyptien *kêm,* noir. Le lat. médiév. connaissait aussi *chimia,* tiré de *alchemia,* qui a donné **chimie** 1356, Dehaisnes. || **alchimique** 1547, Ant. Du Moulin (*alkimique*). || **alchimiste** 1370 (*alkemiste*) ; 1532, Rab. (*alchymiste*). || **chimique** 1558, Pontus de Tyard. || **chimiquement** 1610, J. Duval. || **chimiste** 1547, N. du Fail.

**alcool** XVIe s., Le Loyer (*alcohol*) ; lat. des alchimistes *alkohol, alkol,* de l'ar. *al-kuhl,* antimoine pulvérisé ; « substance pulvérisée », puis « liquide distillé » (Paracelse, début XVIe s.). || **alcooliser** 1620, J. Béguin (*alcolizé*), « ajouter ou produire de l'alcool » ; 1680, Richelet, « réduire en poudre » ; XIXe s., « rendre alcoolique ». || **alcoolisation** 1706, Lepelletier. || **alcoolique** fin XVIIIe s. || **alcoolo** 1970 ; par troncation du préc. || **alcoolisme** 1861, *Année scient. et ind.* || **antialcoolique, antialcoolisme** 1925, Lar. || **alcoolat** 1826, Debraine-Helfenberger. || **alcoomètre** 1809, *Arch. des découvertes.* || **alcoolémie** 1938. || **Alcootest** 1960 ; de *alcool* et *test.*

**alcôve** 1646, Boisrobert ; esp. *alcoba,* de l'ar. *al-qubba,* petite chambre ; d'abord « lieu de réception séparé du reste de la chambre », puis « petit réduit » au XVIIIe s., enfin « enfonçure dans le mur pour recevoir un lit » (Restauration). Masc. et fém. au XVIIe s.

**alcyon** 1265, Br. Latini (*alcion*), « oiseau fabuleux » ; lat. *alcyon,* du gr. *alkuôn.* || **alcyonien** 1566, du Pinet.

**aldéhyde** 1845, fém. puis masc. ; abrév. de « *al*cool *dehyd*rogenatum » (d'abord en angl. ou en allem.). || **métaldéhyde** 1874, Lar.

**ale** 1280, *Histoire de Saint-Omer* (*alle*) ; néerl. *ale,* bière ; le terme mod. est repris à l'angl. *ale* (Cotgrave, 1611).

**aléa** 1852, Lachâtre ; lat. *alea,* jeu de dés, chance. || **aléatoire** fin XVIe s., jurid., « soumis au hasard » ; 1804, *Code civil,* « dont le gain est hasardeux » ; lat. *aleatorius,* relatif au jeu.

**alêne** fin XII^e s., R. de Moiliens (*alesne*) ; germ. **alisna,* de même rad. que l'allem. *Ahle,* alêne ; emprunt latin avant l'invasion franque. || **alênier** début XVI^e s. (*allesnier*).

**alénois** 1546, Rab. (*cresson alenois*) ; altér. de *cresson orlenois* (d'Orléans) XIII^e s.

**alentour** V. TOUR.

**alérion** 1131, *Couronn. de Loïs,* « oiseau de proie, aigle » ; seulement terme de blason après le XVI^e s. ; francique **adalaro,* de même rad. que l'allem. *Adler,* aigle.

**alerte** 1540, Rab. (*à l'herte*), *à l'erte* encore chez La Fontaine ; ital. *all'erta,* sur la hauteur !, de *erto,* escarpé (cri d'appel des gardes) ; d'abord adv., « sur ses gardes » (encore au XVIII^e s.) ; adj. XVI^e s., « vigilant » (et jusqu'au XVII^e s.), puis « vif, agile » ; nom fém. apr. 1750, Buffon. || **alertement** fin XIX^e s., A. Daudet. || **alerter** 1836 (au part. passé).

**alèse** 1419 ; de *laize,* par coupure fautive.

***aléser** fin XVII^e s., terme d'artillerie ; anc. fr. *alaisier,* du lat. pop. **allatiare,* agrandir, de *latus,* large, confondu avec *alisé,* raccourci, de *alis,* poli, d'origine germ. Le sens de « façonner une surface » est passé de la fabrication des canons à celle des automobiles. || **alésage** 1813. || **aléseuse** fin XIX^e s. || **alésoir** 1671, Seignelay.

**aléthique** XIX^e s. ; gr. *alêthês,* vrai.

***alevin** XII^e s. (*alevain*) ; lat. pop. **allevamen,* de *allevare,* lever, et, au fig., « élever des animaux » ou « des enfants », spécialisé dans l'élevage des poissons, avec changement du suffixe *-ain* en *-in.* || **aleviner** 1344. || **alevinage** 1690, Furetière. || **alevinier** 1721, Liger.

**alexandrin** 1080, *Roland,* au sens « d'Alexandrie » ; l'emploi comme « vers de douze syllabes » date d'un poème du XII^e s., *li Romans d'Alexandre,* où il était employé ; adj., *rime alexandrine, vers alexandrins,* XV^e s., *Règles de la seconde rhét.* ; nom fém. XVI^e s. || **alexandrinisme** 1838, philos. ; 1866, Lar., « goût du style orné ».

**alezan** 1534, Rab. ; esp. *alazán,* de l'ar. *al-hisān,* cheval ou mulet dont la robe est rougeâtre.

**alfa** 1848, Daumas ; ar. *halfā ;* anciennem. *aufe* (XVII^e s.) ; prov. *aufo.* || **alfatier** 1884, Maupassant.

**alfange** 1615 ; esp. *alfanje,* de l'ar. *al-khandjar,* le sabre.

**alfénide** 1853, alliage inventé par le chimiste *Halfen* en 1850.

**algarade** 1549, G. du Bellay, « attaque violente et inopinée » ; esp. *algarada,* cris poussés par les combattants, de l'ar. *al-ghāra,* l'attaque à main armée ; XVI^e s., « discussion vive » (1555, É. Pasquier ; av. 1568, B. Des Périers) ; le premier sens existe encore au début du XVII^e s. (Sorel).

**algazelle** V. GAZELLE.

**algèbre** fin XIV^e s., J. Le Fèvre ; lat. médiév. *algebra,* de l'ar. *al-djabr,* la contrainte, au sens de « réduction, réparation », c'est-à-dire « rétablissement d'un des membres de l'équation qu'on supprime dans l'autre, en changeant le signe de cette quantité ». || **algébrique** 1585, Stevin. || **algébriquement** 1782. || **algébriste** fin XVI^e s., Scaliger. || **algébriser** 1752. || **algébrisation** XX^e s.

**algie** 1880 ; gr. *algos,* douleur. *Algie* sert aussi de radical de composition à de nombreux termes médicaux (ex. *gastralgie*). || **algique** 1903, Joret.

**algorithme** XIII^e s. (*-risme*), procédé de calculs mathématiques de Muhammad ibn Mūsā *al-huwarizmi,* mathématicien arabe du IX^e s. dont le nom a été déformé d'apr. le gr. *arithmos,* nombre. || **algorithmique** 1845.

**alguazil** 1555, en fr. des anc. Pays-Bas (*alguacil*) ; esp. *alguacil,* de l'ar. *al-wazīr,* conseiller, vizir, avec le sens de « agent de police, attaché aux tribunaux en Espagne ».

**algue** 1551, Cottereau ; lat. *alga* (Pline).

**alias** XV^e s., Martial d'Auvergne, avec le sens de « autrement » ; lat. jurid. *alias,* ailleurs.

**alibi** 1394, Douet d'Arcq ; adv. lat. *alibi,* ailleurs, qui a pris le sens juridique actuel en lat. médiév. ; il a signifié aussi « diversion, subterfuge » aux XV^e-XVI^e s.

**aliboron** 1440, *Procès de Gilles de Rais* (*maistre Aliborum*) ; nom hypothétique du philosophe arabe *Al-Biruni,* connu sous le nom de *maistre Aliboron,* au Moyen Âge. Le mot désigna le diable, celui qui veut tout savoir (XVI^e s.), l'âne chez La Fontaine, enfin l'homme ignorant qui se croit propre à tout. Une autre hypothèse fait venir le mot d'*ellébore.*

**alidade** 1415, Fusoris, « règle utilisée chez les marins » ; lat. médiév. *alidada,* de l'ar. *al-idāda,* la règle.

**aliéner** XIII^e s., *Livre de jostice,* sens jurid. ; lat. *alienare,* rendre autre, de *alienus,* autre ; le mot lat. avait les valeurs de « vendre », de « détacher, rendre hostile », et, dans l'expression *mentem alienare,* de « ôter la raison ». Ces trois significations se sont développées en français, la dernière au XIV^e s. || **aliénation** XIII^e s., *Livre de jostice ;* lat. *alienatio ;* 1361, Oresme, méd., *aliénation d'esprit,* trad. du latin ; *aliénation mentale,* 1811, Hanin ; XIX^e s., Marx, sens philos. et écon. || **aliénable** 1523. || **aliénabilité** 1795, Babeuf. || **aliénateur** 1596, J. de Basmaison. || **aliéné** n. début XIX^e s., méd. || **aliénisme** 1833. || **aliéniste** 1847, Balzac (auj. le mot est abandonné pour *psychiatre*). || **inaliénable** 1539, *Doc.* || **inaliénation** 1764, Voltaire.

**aligner** V. LIGNE.

**aligoté** 1866 ; anc. fr. *harigoter,* déchirer, du germ. **hariôn,* même sens.

**aliment** 1120, *Ps. d'Oxford ;* lat. *alimentum,* de *alere,* nourrir. || **alimentaire** XIV^e s., *D. G.* || **alimentation** 1412, Félibien. || **sous-alimenté** XX^e s. || **sous-alimentation** 1918, Rolland. || **suralimenter, suralimentation** XIX^e s.

**alinéa** début XVII^e s., Guez de Balzac ; lat. médiév. *a linea,* formule employée en dictant, pour indiquer d'aller « à la ligne » ; le mot est variable dès 1817 (Jouy).

**aliquote** 1484 ; lat. *aliquot,* un certain nombre de.

**alise** 1118, J. Fantosme (*alis*), masc., bot. ; XIII^e s. (*alise*) ; germ. **aliza,* de même radical que l'allem. *Elsbeere.* || **alisier** XIII^e s., Huon de Méry.

**aliter** V. LIT.

**alizari** 1805 ; ar. *al-'usāra,* le jus. || **alizarine** 1839.

**alizé** 1643, Jannequin (*alizée*) ; 1678, Guillet (*alizés*) ; esp. [*vientos*] *alisios,* d'orig. incertaine, peut-être empr. au franç. *au lis du vent,* dans la direction où le vent souffle, ou à l'anc. franç. *alis,* uni.

**alkékenge** XV^e s., *Grant Herbier* (*alcacange*) ; 1556, B. Dessen (*alkenge*) ; 1620, J. Béguin (*alkekengi*) ; ar. *al-kākandj,* lui-même du persan *kākunadj.*

**alkermès** 1546, Rab. ; esp. *alkermes,* de l'ar. *al-qirmiz,* d'origine persane. || **kermès** 1600, O. de Serres, même orig.

**allaiter** V. LAIT.

**allatif** XX^e s. ; lat. **allativus,* de *affero,* porter vers, d'après *ablativus.* (V. ABLATIF.)

***allécher** XII^e s. (*allechier*) ; lat. pop. **allecticare* (de *allectare,* fréquentatif de *allicere,* attirer, séduire) ; a subi de bonne heure en fr. l'influence de *lécher.* || **alléchant** 1495, J. de Vignay. || **allèchement** 1295, dans Boèce.

**allée, allégation, allège** V. ALLER, ALLÉGUER, ALLÉGER.

**allégeance** 1669 ; angl. *allegiance,* d'un dér. de l'anc. fr. *lige,* avec influence de *alléger* (v. aussi ce mot).

***alléger** fin XI^e s., *Lois de Guill. ;* bas lat. *alleviare,* soulager, soulever, de *levis,* léger. || **allège** 1162, du Cange (*alegium*) ; 1463 (*allège*) ; déverbal ; « petite embarcation servant à décharger les navires ». || **allègement** 1177, qui a éliminé *allégeance* (XII^e-XVII^e s.), soulagement.

**allégorie** 1119, Ph. de Thaon ; lat. *allegoria,* du gr. *allêgoria,* de *agoreueîn,* parler, et *allos,* autre, c.-à-d. « parler autrement [que par des mots propres] ». || **allégorique** 1495, J. de Vignay ; bas lat. *allegoricus.* || **allégoriquement** 1488, *Mer des hist.* || **allégoriser** XIV^e s., Chr. de Pisan. || **allégoriseur** 1563, Th. de Bèze. || **allégoriste** XVI^e s., H. Estienne. || **allégorisation** 1804.

***allègre** 1131, *Couronn. de Loïs* (*aliègre, haliègre*) ; lat. class. *alacer,* vif, devenu en lat. pop. **alicer, alecris,* puis **alecrus ;* le *h* de l'anc. fr. est dû à une influence germanique (*heil,* sain) ; la réduction de la diphtongue *-ié-* est due à l'influence des emprunts italiens (*allegro*). Le mot a le sens de « vif, leste » jusqu'au XVII^e s. (*allaigre*), puis sa valeur se restreint (« qui est d'un entrain joyeux »). || **allégrement** XIII^e s., *D. G.* || **allégresse** XIII^e s., *Itinéraire à Jérusalem* (*alegrece*). || **allegro** 1703, mus. ; mot ital. || **allegretto** 1703. || **alacrité** 1495, J. de Vignay ; directement sur le lat. *alacritas.*

**alléguer** 1273 (*auleguer*) ; 1278 (*alléguier*) ; lat. jurid. *allegare,* envoyer, notifier ; 1393, *Ménagier,* « invoquer comme justification ». || **allégation** XIII^e s., *D. G. ;* lat. *allegatio,* a suivi l'évolution du verbe.

**alléluia** 1119, Ph. de Thaon ; lat. eccl. *alleluia,* de l'hébreu *hallelouyah,* louez l'Éternel ; fin XIV^e s., *Livre des secrets de nature,* plante du temps pascal où on chante des *alléluias.*

**allemand** fin XI^e s. (*aleman*) ; XIII^e s. (*allemand*) par substitution de suffixe ; germ. *Alamann-,* latinisé en *Alamannus,* nom du peuple germanique le plus voisin de la France, appliqué par extension à tous les peuples de Germanie ; *querelle d'Allemand* (d'abord : *d'Allemagne*), XVI^e s. ‖ **allemande** XVI^e s., danse.

***aller** VIII^e s., *Reichenau* (*alare*) ; XI^e s. (*aler*) ; pour certaines de ses formes, du lat. *ire,* aller (futur, conditionnel), et du lat. *vadere* (ind. prés. *vais, vas, va, vont,* impér. *va*) ; un troisième verbe, qui a suppléé à la défaillance d'*ire,* est issu du lat. *ambŭlāre* (ind. prés. *allons, allez*), au sens de « aller » comme *vadere. Ambŭlāre,* devenu **ambĭnāre,* a subi une dissimilation dans *nos nos en anons* devenu *nos nos en alons.* ‖ **allure** 1138, *Saint Gilles* (*aleüre*). ‖ **alluré** 1941. ‖ **allée** 1160, Benoît, « action d'aller » ; v. 1272, Joinville, sens mod. ; part. passé substantivé de *aller,* restreint au sens de « voie » (où l'on va). ‖ **contre-allée** 1700, Liger. ‖ **allant** adj. fin XIV^e s. ; n. masc. 1923.

**allergie** 1909 ; gr. *allos,* et *ergon,* réaction. ‖ **allergique** 1920. ‖ **allergène** 1922. ‖ **allergisant** 1920. ‖ **anallergique** 1962, *journ.* ‖ **anallergisant** XX^e s.

**alleu** 1080 (*aloe*) ; francique **al-ôd,* propriété complète (*al,* tout, et *ôd,* bien), transcrit *alodis* (*Loi salique*) et *allodium* (*Loi des Longobards*). ‖ **allodial** 1463 ; lat. médiév. *allodialis.* ‖ **allodialité** 1596, J. de Basmaison.

**alliacé** V. AIL.

1. ***allier** 1080, *Rolland ;* lat. *alligare,* lier, de *ligare,* même sens, au propre et au fig. : dès le XII^e s., sens de « allier par traité » et « allier des métaux ». ‖ **alliable** 1560, A. Paré. ‖ **alliage** 1515, Lortie. ‖ **alliance** fin XI^e s., « liaison » ; 1611, « anneau » ; 1660, Oudin, « accord » ; *alliance de mots,* 1770, Voltaire. ‖ **allié** 1316 (*alliiet*). ‖ **aloyer** XVIII^e s., var. de *allier* au sens de « réunir ». ‖ **aloyage** 1723, Savary ; encore auj. pour l'étain. (V. ALOI.) ‖ **mésallier** 1651, Scarron. ‖ **mésalliance** XVII^e s. ‖ **rallier** 1080, *Roland,* « rassembler ». ‖ **ralliement** 1160, Benoît ; *point de ralliement,* 1770, Gohin.

2. ***allier** nom fin XIII^e s., Baudouin de Condé, « filet à prendre les oiseaux » ; lat. pop. **alarium,* de *ala,* aile ; mot du Nord-Ouest.

**alligator** 1663, Herbert ; angl. *alligator,* interprétation savante de l'esp. *el lagarto,* le lézard (*aligarto* au XVI^e s.), désignant le crocodile d'Amérique, sous l'influence du lat. *alligare,* lier.

**allitération** 1751, *Encycl. ;* angl. *alliteration,* du lat. *ad,* et *littera,* lettre. ‖ **allitératif** XIX^e s.

**allo-,** gr. *allos,* autre. ‖ **allocentrisme** 1951. ‖ **allochtone, allochtonie** 1907. ‖ **allogène** 1887, É. Reclus (français *-gène*). ‖ **allomorphe** 1913, Lar. (gr. *morphê,* forme). ‖ **allopathie** 1800 ; mot créé par le médecin Hahnemann d'après *homéopathie* (gr. *pathos,* souffrance). ‖ **allophone** milieu XX^e s. ‖ **allotropie** 1855.

**allô** 1879-1880, *Bull. Assoc. des abonnés ;* p.-ê. déformation volontaire de *allons !* (témoignage de Ch. Bivort, un des premiers usagers) ; ou d'une interj. proche de l'anglais *hallo, hello.*

**allocation** V. ALLOUER.

**allocution** 1160, Benoît ; lat. *allocutio,* de *adloqui,* parler ; il a désigné au XVII^e s. et au XVIII^e s. la harangue d'un général romain ; début XIX^e s., sens mod. de « discours ». ‖ **allocutaire** 1936.

**allodial, allonge, allonger** V. ALLEU, LONG.

***allouer** 1050, *Alexis* (*aloer*) ; lat. pop. **allocare,* placer, prendre en location, dépenser ; ces sens sont encore usuels au XVI^e s. ; 1491, « attribuer » ; 1585, « approuver », sens usité jusqu'au XVII^e s. (Furetière). Le mot s'est restreint à la valeur de « accorder une somme d'argent ». ‖ **allocation** 1478 ; fait sur le modèle de *louer, location.* ‖ **allocataire** 1917, Lar. ; avec suffixe *-aire.*

***alluchon** début XV^e s. (*alleuchon*), « dent ajoutée à une roue » ; dimin. dial. de *aile.*

***allumer** 1080, *Roland ;* lat. pop. **alluminare,* de *lumen,* lumière, au sens d'« éclairer » en anc. fr. ; XII^e s., « mettre le feu », remplaçant *esprendre ;* XVII^e s., « séduire ». ‖ **allumage** 1845, Besch. ‖ **allumette** 1213, *Fet des Romains,* sens général ; 1739, terme de cuisine. ‖ **allumettier** 1532, Rab. ‖ **allumeur** 1374 ; début XVII^e s., *allumeur de chandelles* dans un théâtre ; XIX^e s., « qui séduit ». ‖ **allume** 1789, *Encycl. méth.* ‖ **allume-feu** XIX^e s. ‖ **allumoir** XIV^e s., J. des Preis, « éclair » ; 1876, L., appareil. ‖ **allume-cigare** 1922. ‖ **allume-gaz** 1891. ‖ **rallumer** 1050, *Alexis.*

**allure** V. ALLER.

**allusion** 1558, Des Périers, « badinage » ; lat. impér. *allusio,* de *alludere,* badiner, éveiller une idée ; la valeur mod. de « évocation non explicite » date du XVIIe s. (1671). || **allusif** 1770, Collé. || **allusivement** XXe s.

**alluvion** 1527, Seyssel, « inondation » ; lat. *alluvio,* de *luere,* laver ; fin XVIIe s. (Fontenelle, 1690), sens mod. empr. à un deuxième sens du mot latin. || **alluvial** début XIXe s. || **alluvionnaire** 1844, J. Itier. || **alluvionner** 1955, Lar. || **alluvionnement** 1878, Lar.

**Almageste** fin XIIIe s. ; ar. *al midjisti,* le grand œuvre, du gr. *megistos,* très grand.

**almanach** 1303 (*almenach*) ; fin XIVe s. (*almanach*) ; lat. médiév. *almanachus,* de l'ar. *almanākh,* lui-même transcrit du gr. tardif *salmeskhoiniaka,* désignant peut-être le livre des naissances ou le livre de la Grande Ourse. Il a gardé jusqu'au XVIIe s. le sens de « prédiction ».

**almée** 1785, Savary (*almé*) ; ar. *'alūma,* savante.

**aloès** 1160, Chr. de Troyes (*aloé*) ; lat. *aloe,* devenu *aloes* au nominatif, d'après le génitif, à partir du VIe s. ; du gr. *aloê.* || **aloétique** XVIe s.

**aloi** 1268, É. Boileau ; déverbal d'*aloier,* forme anc. d'*allier* (v. ce mot) ; d'abord « alliage », puis « titre d'alliage » et, par ext., « valeur » ; ne s'emploie plus guère que dans la loc. *de bon aloi.*

**alopécie** 1377, Lanfranc (*alopicie*) ; 1538, Canappe (*alopécie*) ; lat. *alopecia,* transcrit du gr. *alôpekia* (*alôpêx,* renard) ; la chute des cheveux est comparée à la chute annuelle des poils du renard.

**alors, alourdir** V. LORS, LOURD.

***alose** XIIe s. ; lat. impér. *alausa* (Ausone), du gaulois.

**alouette** XIIe s., *Mort de Garin* (*aloete*) ; anc. fr. *aloe* (usité jusqu'au XVe s.), du lat. *alauda,* du gaulois.

**aloyau** 1398, *Ménagier* (*allouyaux*) ; paraît représenter (avec une finale pop. *-iau* pour *-eau*) l'anc. fr. *aloel,* alouette, autre dér. d'*aloe* (v. ALOUETTE) ; il aurait désigné d'abord des morceaux préparés au lard comme les alouettes.

**aloyer, aloyage** V. ALLIER.

**alpaga** 1579, Benzoni (*alpaces,* pl.) ; 1716, Frézier (*alpaque*) ; 1739, Giraudeau (*alpaca, alpague*) ; esp. d'Amérique *alpaca,* du quechua, langue indigène du Pérou (*allpaca*), désignant l'animal. || **alpaguer** 1935, arg. ; de *alpag* 1869, « vêtement », apocope de *alpaga.*

**alpax** v. 1920 ; de *al*uminium et du lat. *pax,* paix, en raison de la date de l'invention de cet alliage.

**alpenstock** V. ALPES.

**Alpes** lat. *Alpes.* || **alpe** 1405, Chr. de Pisan, « montagne » ; Balzac, 1832, fig. || **alpestre** 1555, Vasquin Philieul, trad. Pétrarque ; ital. *alpestre.* || **alpage** 1546 (*alpaige*) ; 1661 (*alpage*). || **alpin** XIIIe s., *Vie de saint Auban ;* lat. *alpinus,* recréé par les botanistes genevois à la fin du XVIIIe s. || **alpinisme** 1876. || **alpiniste** 1874. || **alpenstock** 1866, Wey ; allem. *Alpen,* Alpes, et *Stock,* bâton.

**alphabet** 1140 ; lat. impér. *alphabetum,* de *alpha* et *bêta,* les noms des deux premières lettres de l'alphabet grec. || **alphabétique** XVe s., G. Tardif. || **alphabétiquement** 1655, Lancelot. || **alphabétiser** 1853, « ranger par ordre alphabétique » ; milieu XXe s., sens mod. || **alphabétisation** 1913, Valéry, sens anc. ; milieu XXe s., sens mod. || **alphabétisme** 1869, Sachs-Villatte. || **alphabétiseur** 1963, *journ.* || **analphabète** 1580, Joubert ; ital. *analfabeto,* illettré. || **analphabétisme** 1907, Lar. ; ital. *analfabetismo.*

**alphanumérique** V. NUMÉRATION.

**alpiste** 1617, Hierosme Victor ; esp. *alpista,* blé des Canaries.

**altercation** fin XIIIe s. ; lat. *altercatio,* de *altercari,* quereller, sous la forme *alterquer,* d'où *altercas, -at* (encore chez La Fontaine).

**alter ego** 1845, Besch. ; loc. lat. (Cicéron) signif. « un autre moi-même ».

**altérer** 1361, Oresme ; lat. *alterare,* changer (de *alter,* autre), devenu péjor. Le verbe a eu, aux XVIe-XVII[e] s., le sens de « émouvoir, exciter », d'où « exciter la soif ». || **altérable, inaltérable** 1361, Oresme. || **altération** XIIIe s., « changement » ; repris au lat. impér. *alteratio* (Boèce) ; 1532, Rab., « soif ». || **altérant** XVIe s. || **désaltérer** 1549, R. Est.

**altérité** XIIIe s., « changement » ; philos. XVIIe s. ; lat. *alter,* autre.

**alterner** XIIIe s., *Secret des secrets ;* lat. *alternare,* de *alter,* autre. || **alterne** 1350 ; repris au lat. *alternus,* alternatif ; il est resté technique (bot., géom.). || **alternatif** fin XIIIe s., R. de Presles. || **alternative** début XVe s., en droit ; sens actuel au XVIIe s. || **alternativement** 1355, Bersuire.

|| **alternance** 1830. || **alternation** fin XIVe s., J. Le Fèvre. || **alternat** 1791, Gautier. || **alternateur** 1892.

**altesse** 1560, Ronsard ; ital. *altezza* ou esp. *alteza* (cf. « Sa Grandeur »), de *alto,* haut ; il a signifié aussi « hauteur » au XVIe s., sous l'infl. de l'anc. fr. *hautesse* (de *haut*).

**altier** 1578, d'Aubigné, « qui manifeste des sentiments de hauteur » ; ital. *altiero,* orgueilleux, dér. de *alto,* haut. || **altièrement** 1620, *Chron. bordelaise.*

**altimètre** 1562, M. Scève, adj. ; lat. *altus,* haut, et *mètre ;* nom 1808. || **altimétrie** 1690.

**altiport** 1960 ; croisement de *altitude* et *aéroport.*

**altitude** 1485, *Myst. du Vieil Test.,* fig., mot rare ; repris par les géographes au XIXe s. ; lat. *altitudo,* hauteur, de *altus,* haut. || **altitudinal** 1866.

**alto** fin XVIIIe s. ; ital. *alto,* haut, pour désigner la partie haute du chant et la voix qui chante cette partie ; 1808, nom de l'instrument, abrév. de *violon alto,* adaptation de l'ital. *viola alta.* || **altiste** 1877 (chanteur) ; XXe s. (joueur d'alto). || **contralto** 1767, J.-J. Rousseau ; mot ital. signif. « près de l'*alto* », traduit précédemment par *haute-contre.*

**altruisme** 1830 ; création de A. Comte, ou d'Andrieux, d'après *autrui,* sur le lat. *alter,* autre. || **altruiste** 1852.

**alud** 1723, Veneroni, terme de reliure ; prov. *aluda,* du lat. *aluta,* cuir préparé avec de l'alun.

**alumelle** 1175, Chr. de Troyes (*alemelle*), « lame » ; XIVe s. (*alumelle*) ; de *lamelle,* avec agglutination du *a* de l'article. (V. LAME.)

**alumine** 1782, Guyton de Morveau, terme de chimie formé sur le lat. *alumen, -inis,* alun. || **alumineux** 1490, G. de Chauliac.

**aluminium** 1813, Davy ; mot créé d'après le précédent, en anglais, d'où il est passé en fr. || **aluminage** 1890. || **aluminisé** 1962, *journ.* || **alu** XXe s. ; abrév. de *aluminium.*

**alun** XIIe s. ; lat. *alumen, aluminis.* || **aluner** 1534, Rab. || **aluneux** XVe s., *Grant Herbier.* || **alunage** 1808. || **alunation** XIXe s. || **alunière** 1783. || **alunite** 1824, Beudant.

**alunir, alunissage** V. LUNE.

**alvéole** 1519, G. Michel ; 1541, Canappe, méd. ; fém. jusqu'à la fin du XVIIIe s. ; fém. et masc. ensuite ; lat. *alveolus,* diminutif d'*alveus,* cavité. || **alvéolaire** 1751, *Encycl.* || **alvéolé** 1834. || **alvéolite** 1896, Mosny.

**amabilité** V. AIMER.

**amadou** 1628, *Jargon* (*amadoue*), « onguent pour rendre jaune » ; 1723, Savary (*amadou*), sens actuel ; prov. mod. *amadou* (anc. prov. *amador*), amoureux, appliqué à l'agaric amadouvier à cause de sa facilité à s'enflammer. || **amadouer** 1546, Rab., « frotter avec l'amadou » ; XVIe s., Calvin, « gagner par des façons insinuantes », sens qui a prévalu. || **amadoueur** 1539, « flatteur », n'a vécu qu'au sens propre « ouvrier en amadou ». Les sens fig. viennent du langage des gueux, qui se frottaient avec l'amadou pour apitoyer. || **amadouvier** 1775, Bomare ; avec un *v* épenthétique développé entre *-ou-* et *-ier.*

**amaigrir** V. MAIGRE.

**amalgame** XVe s., *D. G. ;* lat. des alchimistes *amalgama,* de l'ar. *al-mulgam,* même sens ; XVIIIe s. (1785, Domergue), sens fig. || **amalgamer** XIVe s., *Alchimie à nature ;* 1764, Bachaumont, fig. || **amalgamation** 1578, Chauvelot ; XXe s. (1960, Combret), fig.

**aman** 1731, Voltaire, *Charles XII* (*amman*) ; 1848, Daumas (*aman*) ; ar. dialectal d'Afrique du Nord *amān,* sauvegarde, protection.

***amande** XIIIe s., *Assises de Jérusalem* (on trouve *alemande* au XIIe s.) ; lat. pop. *amandula,* altér. du lat. *amygdala,* repris au gr. *amugdalê.* || **amandier** 1372, Corbichon. || **amygdale** 1370 (*amigdalle*), du même mot *amygdala,* pris au sens fig. || **amygdalien** 1852. || **amygdalite** 1775, Bomare. || **amydalectomie** 1927.

**amanite** 1611 ; gr. *amanitês.* || **amanitine** XXe s.

**amant** V. AIMER.

**amarante** 1544, *l'Arcadie* (*amarantha*) ; lat. *amarantus,* du gr. *amarantos,* plante dont les fleurs sont pourpres.

**amariner** V. MARIN.

**amarrer** XIIIe s., *Rôles d'Oléron ;* anc. fr. *marer* (et *marrer,* sous l'influence de *marre,* houe), du néerl. *maren,* attacher. || **amarre** XIIIe s., *Rôles d'Oléron ;* déverbal. || **amarrage** fin XVIe s. || **amarreur** XXe s. || **démarrer** 1340. Pardessus. || **démarrage** 1721, Trévoux. || **démarreur** 1908, Lar.

**amasser, amateur, amatir** V. MASSE, AIMER, MÂT 2.

**amaurose** fin XVIe s., Du Bartas (*amaphrose,* d'apr. la pron. *-vr-* du gr. moderne) ; XVIIe s. (*amaurose*) ; gr. *amaurôsis,* affaiblissement de la vue, de *amauros,* obscur. || **amaurotique** 1833.

**amazone** XIIIe s., *Images du Monde,* nom propre ; 1564, « cavalière » ; 1608, Marg. de Valois, « femme guerrière » ; valeur politique pendant la Révolution ; 1824, *l'Hermite rôdeur,* « jupe, vêtement de femme » ; lat. *amazon,* du gr. *Amazôn,* femme appartenant à une tribu de guerrières de la mythologie grecque.

**ambages** 1355, Bersuire ; lat. fém. plur. *ambages,* détours, au propre et au fig. (de *amb-,* autour, et *agere* au sens de « mouvoir »).

**ambassade** fin XIIIe s. (*ambasce*) ; 1355 (*ambaxade*) ; 1387 (*ambassade*) ; ital. *ambasciata,* du prov. *ambaissada,* du lat. médiév. *ambactia,* d'orig. germ. (gotique *andbahti,* service, fonction) ; le mot germ. est lui-même emprunté au celtique (le gaul. **ambactos* est transcrit *ambactus* par César). || **ambassadeur** XIIIe s., Aimé du Mont-Cassin ; ital. *ambasciatore,* du prov. *ambassador,* dont l'origine est identique à celle d'*ambassade.* || **ambassadrice** XVIe s., La Huguerye (*embasciatrice*).

**ambe** 1762, *Arrêt du Conseil sur la loterie ;* terme de loterie de l'ital. *ambo,* tous les deux, repris au lat. *ambo.*

**ambesas** 1190, Garn. (*ambes as*), « coup de dés qui ramène deux as » ; anc. fr. *ambes,* deux, et *as.* Abrégé parfois en *besas* (1560, Pasquier).

**ambiant** 1515 (*ambiens*), méd. ; lat. *ambiens,* part. prés. de *ambire,* entourer ; 1800, Boiste, sens général. || **ambiance** 1885, Villiers de L'Isle-Adam ; 1912, *Ciné-Journal,* fig.

**ambidextre** V. DEXTRE.

**ambigu** 1495, J. de Vignay ; lat. *ambiguus,* de *ambigere,* tourner autour ; n. m., XVIIe s. (1694, *Acad.*), « repas froid ». || **ambigument** 1538, R. Est. || **ambiguïté** XIIIe s., G. ; lat. *ambiguitas.* (V. AMBAGES.)

**ambition** XIIIe s., frère Laurent ; lat. *ambitio,* de *ambire,* entourer, briguer les suffrages. || **ambitieux** XIIIe s., *Miroir des dames ;* lat. *ambitiosus.* || **ambitieusement** XIVe s. || **ambitionner** 1578, d'Aubigné.

**ambivalence** V. VALOIR.

***ambler** fin XIIe s., *Loherains ;* lat. *ambulare,* marcher, qui s'est spécialisé en Gaule pour désigner une allure du cheval (sens de *ambulatura* chez Végèce). || **amble** XIIIe s. ; déverbal.

**amblyope** 1838 ; gr. *ambluôpos,* de vue faible, de *amblu,* affaibli, et *-ôpos.* (V. OPTIQUE.) || **amblyopie** 1611.

**ambon** 1740 ; gr. *ambôn,* bord relevé, puis « chaire ».

**ambre** début XIIIe s. ; ar. *'anbar,* ambre gris, latinisé en *ambar.* || **ambré** 1651, de La Varenne. || **ambrette** XIIIe s., L., arbrisseau dont la graine exhale une odeur de musc.

**ambroisie** 1480, *Baratre infernal* (*ambroise,* forme employée encore par La Fontaine) ; 1544 (*ambroisie*), calqué sur le lat. ; le croisement de deux formes, *ambrosie* et *ambroise,* donnant *ambroisie,* l'a emporté au XVIIe s. ; lat. *ambrosia,* repris au gr., proprem. « nourriture des dieux » (gr. *ambrotos,* immortel). Le sens « plante aromatique » existait aussi en grec et en latin.

**ambulance** V. AMBULANT.

**ambulant** 1558, Rab., adj. ; lat. *ambulans,* part. prés. de *ambulare,* marcher ; postes, *bureau ambulant ;* 1892. || **ambulance** 1752, Trévoux, « fonction de receveur ambulant » ; 1795, Snetlage, remplaçant *hôpital ambulant* (1762), au sens actuel. || **ambulancier** 1877. || **ambulacre** 1838, sciences naturelles. || **ambulatoire** 1497, *Ordonn. ;* lat. *ambulatorius,* qui marche, mobile.

**âme** Xe s., *Eulalie* (*anima*) ; 1050, *Alexis* (*aneme*) ; 1080, *Roland* (*anme*) ; 1160, *Charroi* (*ame*) ; lat. *anima,* souffle.

***amélanche** 1721 ; lat. pop. *(*a*)*malinca,* qui paraît être un croisement entre un dérivé gaulois de *aballos,* pomme, et le lat. *malum,* pomme. || **amélanchier** 1549, néflier sauvage.

**améliorer** V. MEILLEUR.

**amen** 1138, Gaimar ; lat. chrét. *amen,* de l'hébreu *amen,* qui indique l'approbation, l'adhésion parfois nuancée d'un souhait.

**aménager, amende** V. MÉNAGE, AMENDER.

***amender** début XIe s., *Lois de Guill.,* « corriger une faute » ; 1784, *Courrier de l'Europe,* emploi parlementaire ; lat. *emendare,* enlever la faute (*menda*), avec changement de préfixe ; le sens de « améliorer une terre » existait déjà en latin. || **amendable** 1369. || **amendement** 1174, « amélioration » (qui subsiste jusqu'au XVIIIe s.) ; 1467, agric. ; 1778, *Courrier de l'Eu-*

*rope,* sens parlementaire ; empr. à l'angl., il entre dans les règlements des assemblées pendant la Révolution. || **amende** XIIe s., *D. G.* (*emmende*), « réparation pour racheter une faute » (sens qui s'est conservé dans *amende honorable,* attesté fin XIVe s.) ; fin XIIIe s., « sanction pécuniaire » ; déverbal. || **sous-amendement** 1789, Marat, terme parlementaire.

**amène** XIIIe s., *Légendes en prose ;* lat. *amoenus,* agréable ; il a pris une valeur ironique au XIXe s. || **aménité** XIVe s., G., « beauté, charme » (jusqu'au XVIIe s.) ; le sens ironique date du XIXe s. ; il est sans doute dû à la présence fréquente, avant le nom, de la prép. *sans ;* lat. *amoenitas,* douceur, agrément.

**amener** V. MENER.

**aménorrhée** 1795 ; gr. *mên,* mois, et *rhoia,* courant, de *rhein,* couler.

**amenuiser** V. MENU.

1. ***amer** adj. XIIe s., L. ; lat. *amarus.* || **amèrement** 980, *Passion* (*amarament*). || **amertume** XIIe s., d'apr. L. ; lat. *amaritudo, -dinis,* avec substitution de suffixe (*-ume*) et infl. sur le rad. de l'adj. *amer.* A remplacé *amerté,* du bas lat. *amaritas.* || **douce-amère** 1752, Trévoux, bot.

2. **amer** nom 1683, Le Cordier ; norm. *merc,* borne, de l'anc. nord. *merki,* signe distinctif.

**américain** 1576, J. de Léry ; de *Amérique ; faire l'œil américain,* 1834, Balzac ; *avoir l'œil américain,* 1857, Flaubert. || **américaine,** voiture, 1851, Barbey. || **américaniser** 1851, Baudelaire. || **américanisation** 1867. || **américanisme** 1866. || **américaniste,** 1866. || **américanophile** 1959. || **américium** 1945, découvert par Seaborg (1953, Lar.). || **amérindien** 1930 ; de *Amér*(ique) et *Indien.* || **antiaméricain** 1776, *Aff. de l'Angleterre.* || **amerlo, amerloque** 1936, arg.

**amerrir, amertume** V. MER, AMER 1.

**améthyste** 1080, *Roland* (*matiste*) ; XIIe s., *Marbode* (*ametiste*) ; lat. *amethystus,* du gr. *amethustos,* de *methuein,* s'enivrer, cette pierre ayant la réputation de préserver de l'ivresse.

**ameublement, ameublir, ameuter** V. MEUBLE, MEUTE.

***ami** Xe s., *Saint Léger* (*-ic*) ; lat. *amicus ;* l'emploi, comme substitut euphémique d'*amant,* est moderne et d'orig. pop. Au fém., emploi avec l'adj. possessif apocopé, *m'amie,* forme fam. et pop. jusqu'au XVIIIe s., et sous une forme déglutinée, *ma mie* (Molière, *le Malade imaginaire*), à côté de *m'amour.* || **amical** 1190, Garnier (*amial*) ; 1735, Marivaux ; lat. impér. *amicalis* (Apulée). || **amicale** nom 1906, Lar. || **amicalement** 1745. || **inamical** 1845, Bescherelle. || ***amitié** 1080, *Roland* (*amistié*) ; lat. pop. **amicitas, -atis,* qui avait remplacé *amicitia* (de *amicus,* ami) ; il a gardé jusqu'au XVIIe s. le sens de « amour ».

***amiable** XIe s. ; bas lat. *amicabilis,* « aimable » et « amiable » (de *amicus,* ami) ; le sens « aimable » a vécu jusqu'au XVIIe s. ; le sens jurid. (1402, *Chron. du règne de Charles VI*) a seul persisté. || **amiablement** 1170, *Rois.*

**amiante** XVIe s. ; gr. *amiantos* [*lithos*], [pierre] incorruptible, de *miainein,* corrompre. || **amianté** 1925.

**amibe** 1822, Bory ; lat. zool. *amiba* (gr. *amibein,* alterner). || **amibiase** 1909. || **amibien** 1853.

**amict** XIIe s., G. de Saint-Pair (*emit*) ; lat. *amictus,* manteau, spécialisé par le lat. chrét.

**amidon** XIIIe s., avec prononciation de l'époque (cf. *dictum* > *dicton*) ; lat. médiév. *amidum,* altér. du lat. *amylum,* du gr. *amylon,* non moulu (de *mulê,* meule), qui désignait la fleur de farine. || **amidonner** 1581, G. || **amidonnage** début XIXe s. || **amidonnerie** 1789, Parmentier. || **amidonnier** 1680, Richelet.

**amincir** V. MINCE.

**amine** 1874, Wurtz ; rad. de *ammoniac* et suff. *-ine.* || **aminé** 1903. || **amino-,** 1903, élém. de composition.

**amiral** 1080, *Roland* (*amiralt*), « émir des Sarrasins » ; ar. *'amīr al-bahr,* prince de la mer ; 1306 (*admiral*) ; av. 1212, Villehardouin, « chef de la flotte » en général. Le premier amiral français fut Jean de Vienne, créateur de la marine de Charles V. || **amirauté** XIVe s., *Chron. de Londres,* « fonction d'amiral » ; 1761, Voltaire, « administration de la marine d'État », sur la forme *amiraut.* || **contre-amiral** XVIIe s. || **vice-amiral** début XIVe s.

**ammoniac** 1256, Ald. de Sienne (*armoniac*) ; 1575, Thevet (*ammoniacque*) ; lat. *ammoniacum,* du gr. *ammôniakon,* gomme ou sel ammoniac, recueilli près du temple de Jupiter *Ammon* en Libye ; d'abord adj., il est aussi substantif (1787, Guyton de Morveau). || **ammoniacal** 1748, d'Hérouville. || **ammoniaqué** 1838. || **ammonisation** 1894.

**ammonite** 1752, Trévoux ; gr. *Ammôn,* d'apr. la volute des cornes de Jupiter Ammon.

**amnésie** 1771 ; gr. *amnêsia,* absence de mémoire (*a* priv. et *mnêsis,* mémoire). || **amnésique** 1843. || **paramnésie** 1843, Lordat.

**amniotique** 1814 ; gr. *amnios,* sac embryonnaire. || **amniocentèse** 1970 ; gr. *amnios,* et *-centèse.*

**amnistie** av. 1550, du Fail (*amnestie*) ; 1584, Benedicti (*amnistie*) ; gr. *amnêstia,* pardon, de *a* priv. et de *memnêsthai,* se souvenir ; par un phénomène général (iotacisme), le *ê* s'est prononcé *i* dès l'époque byzantine. || **amnistier** 1795, *Messager du soir.* || **amnistiable** 1866. || **amnistiant** 1879. || **amnistié** n. 1839.

**amocher** V. MOCHE.

**amodier** 1283, Beaumanoir ; lat. médiév. *admodiare,* de *modius,* boisseau, « donner à ferme moyennant une redevance en nature ». || **amodiation** 1419, G. || **amodiataire** 1513.

**amoindrir** V. MOINDRE.

**amok** 1806 (*amock*) ; 1832, Balzac (*amoc*) ; mot malais. Il désigne une folie meurtrière chez les Malais.

**amollir** V. MOU.

**amome** 1213, *Fet des Romains ;* lat. *amomum,* du gr. *amômon,* désignant un arbrisseau indien.

**amonceler, amont, amoral** V. MONCEAU, MONT, MORAL.

**amorce** XIII^e^ s., B. de Condé (*amorse*), « appât » ; fin XVI^e^ s., « amorce d'arme à feu » ; fém. substantivé du part. passé de l'anc. fr. *amordre,* « mordre », « faire mordre », « amorcer », qui disparaît après le XVI^e^ s. || **amorcer** XIV^e^ s., W. de Couvin (*amorser*). || **amorceur** XVI^e^ s. || **amorçoir** 1584. || **amorçage** 1838, Boiste. || **désamorcer, désamorçage** 1864, L.

**amoroso** 1768 ; mot ital. signif. « amoureux », spécialisé en musique.

**amorphe** 1784, terme scient. ; gr. *amorphos,* sans forme, de *a* priv. et *morphê,* forme ; 1913, R. Martin du Gard, fig.

***amortir** 1170, *Rois ;* lat. pop. **admortire* (de *mors, mortis,* mort), d'abord « tuer » (et « mourir »), puis « rendre comme mort », « éteindre » (la chaux) ; au fig. (jusqu'au XVII^e^ s.), « diminuer l'ardeur » ; XV^e^ s., financ. || **amortie** XX^e^ s., tennis. || **amortissable** 1465, G. (*rente amortissable*). || **amortisseur** 1894, *Cosmos,* techn. || **amortissement** 1263, *Cart. de N.-D. de Voisins.*

***amour** 842, *Serments* (*amur*) ; lat. *amor, -oris.* Le *ou* qui n'est pas phonétique (au lieu de *eu*) paraît dû à une infl. littér. du prov. D'abord fém. ; le masc. est dû à l'infl. du lat. || **amourette** XII^e^ s., *D. G.* || **amour-propre** 1521. || **mamour** 1608, Régnier ; de *m'amour* (v. *m'amie* à AMI). || **amouracher** 1530, Palsgrave (*amourescher*) ; 1551, Du Parc (*amouracher*), « rendre amoureux » ; il s'emploie surtout comme réfléchi depuis le XVI^e^ s. ; ital. *amoracciare,* dér. péjor. de *amore,* amour. || ***amoureux** 1190, Gace Brulé ; lat. pop. *amorosus,* influencé par *amour.* Il désigne dans la tragédie classique celui qui aime sans être aimé. || **amoureusement** XIII^e^ s., Adenet. || **énamourer** 1180, *Roman d'Alexandre.*

1. **amourette** V. AMOUR.

2. **amourette** plante, 1531, *Fleurs et secret de la médecine ;* altér. de l'anc. fr. *amarouste* (fin XV^e^ s., *Heures d'Anne de Bret.*), du lat. *amalusta* (Apulée), camomille, altéré en **amarusta* (lat. médiév. *amarusca*) sous l'infl. d'*amarus,* amer ; anciennement influencé par *amour* (*amouroiste, -oite,* XIII^e^ s., *Abavus,* et XIV^e^ s., Passerat [de Troyes]).

**amoureux** V. AMOUR.

**amovible** 1681, Patru ; lat. *amovere,* éloigner ; d'abord spécialisé comme terme de droit, il a pris un emploi techn. au XIX^e^ s. || **amovibilité** 1748, Montesquieu. || **inamovible** 1750, d'Argenson. || **inamovibilité** 1774, *Archives du Parlement.*

**ampère** 1865 ; du nom du physicien Ampère († 1836), adopté avec *coulomb, farad, joule, ohm* et *volt.* || **ampèremètre** 1883, *Ann. sc. et industr.* || **ampérage** 1905. || **ampère-heure** 1890.

**amphi-,** gr. *amphi,* des deux côtés, autour ; le préfixe a pris un développement important en biologie et en médecine. || **amphétamine** 1945 ; de *amph-, éthyle* et *amine.* || **amphiarthrose** 1690, Fur. || **amphibie** XVI^e^ s. ; sur *-bie ;* gr. *bios,* vie.

**amphibole** 1787, Haüy ; gr. *amphibolos,* ambigu, parce que la composition de ce minerai était indéterminée.

**amphibologie** XIII^e^ s. (*amphibolie*) ; 1521, P. Fabri (*amphibologia*) ; 1533, Montflory (*amphibologie*) ; lat. gramm. *amphibologia* (V^e^ s.,

Diomède), du gr. *amphibolia,* avec le suffixe *-logia* (-logie). || **amphibologique** 1361, Oresme. || **amphibologiquement** 1551, Des Autels.

**amphigouri** 1738, Panard, comme genre dramatique ; d'orig. obscure ; on a rapproché de *amphi-* et de *allégorie.* || **amphigourique** 1748, Moncrif. || **amphigourisme** 1876, Goncourt.

**amphithéâtre** 1213, *Fet des Romains ;* d'abord vaste enceinte ronde, avec des gradins, pour les fêtes publiques ; 1751, salle d'enseignement en gradins ; lat. *amphitheatrum,* du gr. *amphitheatron,* autour du théâtre. || **amphi** 1829, abrév. du préc.

**amphitryon** 1752, Trévoux ; nom d'un personnage mythologique, pris comme nom commun d'après les vers de la comédie de Molière, *Amphitryon* (1668) : *Le véritable Amphitryon | Est l'Amphitryon où l'on dîne.*

**amphore** 1518, trad. de Plotin ; lat. *amphora,* du gr. *amphoreus* (de *amphi,* des deux côtés, et *pherein,* porter) ; vase à deux anses que l'on peut prendre des deux côtés.

**ample** VIIIe s., *Gloses de Reichenau* (*ampla* au fém.) ; 1160, Benoît (*ample*) ; lat. *amplus,* grand, large. || **amplement** fin XIIe s., *Grégoire.* || **ampleur** 1718, *Acad.,* qui a remplacé *ampleté.* || **ampliatif** XVe s., *Chron. ;* lat. *ampliare,* agrandir. || **ampliation** 1339, *Cartul. de Guise ;* lat. impér. *ampliatio,* agrandissement. Ce sens se maintient jusqu'au XVIIe s. (Chapelain) ; le sens administratif (duplicata) est une spécialisation d'un ancien sens jurid. (action de compléter). || **amplifier** XVe s., *Myst. du Vieil Testam. ;* lat. *amplificare,* agrandir (sens conservé jusqu'au XVIIe s.) ; XVIe s., Amyot, fig. ; ce verbe a remplacé *amplier* de l'ancien français (1213, *Fet des Romains*). || **amplificateur** 1532, *Mer des chron.,* « celui qui amplifie » ; XIXe s., techn. ; lat. *amplificator.* || **ampli** 1934 ; abrév. du préc. || **amplification** XIVe s., *Miracle de N.-D. ;* lat. *amplificatio,* agrandissement. || **amplitude** 1495, J. de Vignay ; lat. *amplitudo.*

***ampoule** 1174 ; lat. *ampulla,* fiole renflée, dimin. d'*amphora,* d'abord « fiole » (la « sainte ampoule ») ; XIIIe s., « vésicule » ; XIXe s., sens pharm. et industriel. || **ampoulé** v. 1550, Ronsard, appliqué spécialement au style à partir du XVIIe s. (Boileau, etc.), « qui est enflé comme une ampoule ».

**amputer** 1480, Meschinot ; lat. *amputare,* tailler, couper. Le sens chirurgical se développe à partir du XVIe s. (Paré). || **amputation** 1478, méd. ; 1521, *Violier des hist. romaines,* sens général.

***amuïr (s')** fin XIXe s. ; repris par les romanistes (G. Paris) à l'anc. fr. *amuir,* rendre muet (au sens propre) du lat. pop. **admutire,* rendre muet (lat. *mutescere ;* rad. *mutus,* muet). || **amuïssement** (*id., ibid.*) repris aussi à l'anc. fr.

**amulette** 1558, Pontus de Tyard ; lat. *amuletum ;* le mot, d'abord masc. (Tabourot), est devenu fém. (d'Aubigné), comme les mots terminés par le suffixe diminutif *-ette.*

**amure** 1552, Rab. ; prov. *amura,* cordage, déverbal d'*amurar,* fixer au mur. || **amurer** 1540, Rab.

**amuser, amygdale** V. MUSER, AMANDE.

**amyle** 1844 ; lat. *amylum,* du gr. *amylon,* amidon. || **amylène, amylique** *id.* || **amylase** 1875. || **amylose** 1898.

**amyotrophie** 1865 ; gr. *myo-,* muscle, et *trophie.* || **amyotrophique** 1898.

**an-** V. A 2.

* **an** fin XIe s., *Lois de Guill. ;* lat. *annus ; jour de l'an,* 1435, P. de Cagny ; *nouvel an, premier de l'an,* XIXe s. ; *bon an mal an, l'an dernier,* dès l'anc. fr. || * **année** 1170, *Perceval ;* lat. pop. * *annata,* de *annus.* || **année-lumière** 1946. || **annal** XIIe s. ; lat. jurid. *annalis,* qui dure un an, puis annuel. || **annales** 1447, *Girart de Roussillon,* récit historique. || **annaliste** 1560, Pasquier. || **annate** 1540, Martin du Bellay, « redevance » ; bas lat. *annata.* || **anniversaire** XIIe s., G., nom ; XVIe s., adj. ; de l'adj. *anniversarius,* annuel (*versus,* où [l'année] tourne). || **annuaire** fin XVIIIe s. ; lat. *annuus,* annuel, remplace *calendrier* (1798, *Acad.*). || **annuel** 1080 ; lat. impérial *annualis.* || **bisannuel** 1694, *Acad.* || **annuité** fin XIVe s. ; lat. médiév. *annuitas.* || **annone** 1119, Ph. de Thaon (*annune*) ; 1863, L., « récolte d'un an » ; lat. *annona.* || **biennal** milieu XVIe s. ; lat. *biennalis,* de *bis,* deux fois, et *annus,* an ; nom fém., XXe s. || **suranné** XIIIe s., « qui a plus d'un an » ; XVIe s. jurid. ; 1661, Molière, sens actuel.

**ana-,** élém. de composition grec, signif. « de bas en haut ».

**ana** fin XVIIe s., Huet ; mot tiré du suffixe lat. *-ana* (pl. neutre), ajouté au XVIIe s. et au XVIIIe s. à un nom d'auteur pour désigner un recueil d'anecdotes le concernant (*Scaligeriana,* etc.) ; XVIIIe s., recueil de pensées ou de bons mots.

**anabaptisme** 1564, J. Crespin ; gr. chrét. *anabaptismos,* second baptême. || **anabaptiste** 1525, C. Marot.

**anabolisme** 1907, Lar., méd. ; gr. *ana,* en haut, et *bolos,* jet. Forgé sur *métabolisme,* il s'oppose à *catabolisme,* comme réaction de synthèse à réaction de dégradation. || **anabolisant** 1969.

**anachorète** 1190, Saint Bernard (*anacorite*), d'après *cénobite, ermite... ;* 1598, Fr. Feuardent (*anachorète*) ; lat. chrét. *anachoreta,* du gr. *anakhôrêtês,* de *anakhôrein,* se mettre à l'écart. || **anachorétique** 1845.

**anachronisme** fin XVI^e^ s., Scaliger (en latin) ; 1625, Naudé (en français) ; gr. *ana,* de bas en haut, et *khronos,* temps. Il indique une erreur dans la date des événements passés, dans la chronologie. || **anachronique** 1866, Lar. || **anachroniquement** 1852, Gautier.

**anacoluthe** 1751, *Encycl. ;* bas lat. gramm. *anacoluthon* (Servius), du gr. *anakolouthon,* sans liaison, sans suite, de *a[n]* privatif et *akolouthos,* qui suit, issu de *keleuthos,* chemin.

**anacréontique** 1555, Ronsard ; du nom du poète grec *Anacréon.*

**anadiplose** 1555 ; gr. *anadiplôsis,* redoublement.

**anaérobie** 1863 ; de *a[n]* privatif et de *aérobie.*

**anaglyphe** 1495 ; de *ana,* vers le haut, et *gluphein,* sculpter. || **anaglyptique** 1838.

**anagogie** XV^e^ s. ; gr. *anagôgê,* élévation. || **anagogique** 1375.

**anagramme** 1571, R. Belleau, qui remplace *anagrammatisme* de l'éd. de 1560 ; gr. *anagramma,* de *ana,* indiquant le renversement, et *gramma,* lettre. || **anagrammer** 1752. || **anagrammatiser** 1550, Ronsard. || **anagrammatique** 1823.

**anal** V. ANUS.

**analgésie** 1823 ; préf. priv. *an* et gr. *algos,* douleur. || **analgésique** 1860, Salva. || **analgésiant** 1877.

**analogie** 1213, *Fet des Romains ;* lat. *analogia,* du gr. *analogia.* || **analogue** 1503, G. de Chauliac ; lat. *analogus,* du gr. *analogos,* proportionnel. || **analogique** 1547, Budé ; lat. *analogicus.* || **analogisme** milieu XVIII^e^ s.

**analphabète** V. ALPHABET.

**analyse** 1578, d'Aubigné ; lat. scolast. *analysis,* du gr. *analusis,* de *analuein,* résoudre. || **analyser** 1698, Tournefort ; 1912, « psychanalyser ». || **analysable** 1849. || **analysant** 1965. || **analyseur** 1791. || **analytique** XVI^e^ s., La Borderie ; lat. impér. *analyticus,* du gr. *analutikos.* || **analytiquement** 1668, *Journ. des savants.* || **analyste** 1638, Descartes ; 1907, « psychanalyste ».

**anamnèse** 1831 ; gr. *anamnêsis,* de *mnêsis,* mémoire.

**anamorphose** 1751 ; gr. *anamorphoun,* transformer, de *ana,* de nouveau, et *morphê,* forme.

**ananas** 1544, Musset (*ainanas*) ; 1554, Thevet (*nana*) ; 1578, J. de Léry (*ananas*) ; esp. *ananas, anana,* du tupi-guarani (langue du Brésil) *nana.*

**anapeste** XVI^e^ s., Ronsard ; lat. *anapaestus,* du gr. *anapaistos,* « frappé à rebours ». || **anapestique** 1558, G. Morel.

**anaphase** 1896, Prenant ; gr. *ana,* en remontant, et *phase.*

**anaphore** 1521, P. Fabri (*anaphora*) ; 1557, A. Fouquelin (*anaphore*) ; mot lat., du gr. *anaphora,* reprise. || **anaphorique** 1827, *Acad.* || **anaphorèse** 1928.

**anaphylaxie** 1902, Ch. Richet ; gr. *ana,* en retour, et *phulaxis,* protection. || **anaphylactique** 1902, Portier.

**anarchie** 1361, Oresme ; gr. *anarkhia,* de *a[n]* privatif et *arkhê,* commandement, latinisé dans les traductions latines d'Aristote ; usuel seulement au XVIII^e^ s. || **anarchique** 1594, *Ménippée.* || **anarchisme** 1834. || **anarchiste** 1791. || **anarchiser** fin XVIII^e^ s., Mirabeau. || **anarchisant** 1928, Parnac. || **anarcho-syndicalisme** fin XIX^e^ s. || **anar** 1901 ; abrév. de *anarchiste.*

**anastatique** 1866 ; gr. *anastasis,* action de surgir.

**anastomose** 1560, Paré ; gr. *anastomôsis,* ouverture. || **anastomoser** 1717 ; *s'anastomoser,* 1835, *Acad.*

**anastrophe** 1718, Gédoyn, rhét. ; gr. *anastrophê,* renversement.

**anathème** 1190, Garn. ; lat. chrét. *anathema* (saint Augustin), du gr. *anathêma,* « offrande votive », devenu péjor. en gr. chrét. au sens de « objet maudit », puis de « malédiction ». || **anathématiser** fin XIV^e^ s., *Somme rurale ;* lat. chrét. *anathematizare* (saint Augustin), du gr. *anathêmatizein.* || **anathématisation** XVI^e^ s.

**anatidés** 1842, *Acad.* (*anatides*), zool. ; lat. *anas, anatis,* canard.

**anatife** début XVII<sup>e</sup> s., Peiresc (*conque anatifère*) ; 1808 (*anatifé*) ; lat. *ferre,* porter, et *anas, -atis,* canard, d'apr. une légende écossaise qui faisait naître les canards dans ces crustacés ; *anatife* est une abréviation d'*anatifère.*

**anatomie** 1370 ; lat. *anatomia,* du gr. *anatomia,* de *anatemnein,* couper ; 1546, Ch. Est. « dissection » ; 1558, Des Périers, fig. || **anatomique** 1546, Ch. Est. ; lat. *anatomicus,* du gr. *anatomikos.* || **anatomiquement** 1651, La Mothe Le Vayer. || **anatomiser** 1503, G. de Chauliac, « disséquer » ; 1665, A. Graindorge, emploi fig. || **anatomisme** 1863, L. || **anatomiste** 1503, G. de Chauliac. || **anatono-**, élém. de composition, méd.

**anatoxine** 1923 ; de *ana-* et *toxine,* v. ce mot.

***ancêtre** 1050, *Alexis* (*anceisur*) ; 1160 (*ancestre*) ; anc. cas sujet, lat. *antecessor,* prédécesseur (de *antecedere,* marcher devant) ; le cas régime *ancessor, -eur* (acc. latin *antecessorem*) a vécu jusqu'au XV<sup>e</sup> s. || **ancestral** 1853, Lachâtre ; de l'anc. forme *ancestre.*

**anche** 1413, « goulot » ; 1530, « embouchure d'instrument à vent », germ. **ankja* (anc. haut all. *ancha*), « jambe » et « tuyau » (cf. *tibia,* devenu « flûte » en lat.) ; le mot paraît venir en fr. des dialectes de l'Ouest, où *anche* signifie encore conduit.

**anchois** 1546, R. Est. ; anc. prov. *anchoia,* du gr. *aphuê,* par l'intermédiaire du bas lat. **apiua* ; mot méditerranéen. || **anchoité** 1765, en cuisine.

***ancien** 1050, *Alexis,* trisyllabique ; lat. des clercs *anteanus,* formé d'après *ante,* avant, au VIII<sup>e</sup> s. || **anciennement** 1155, Wace. || **ancienneté** 1190, Garn.

**ancillaire** début XIX<sup>e</sup> s. ; lat. *ancilla,* servante.

**ancolie** 1325, *Archives* (var. *anquelie, angorie*) ; lat. médiéval *aquilegia* (lat. *aquilegus, -a*), « qui recueille l'eau », la fleur offrant de petites cavités en forme d'urnes ; le rapprochement avec *aquila,* aigle, a été fait après coup. La forme qui a prévalu semble due à l'attraction de *mélancolie.*

***ancre** 1155, Wace ; lat. *ancora,* du gr. *agkura.* || **ancrer** XII<sup>e</sup> s. ; au fig. 1470, *le Livre de la discipline d'amour divine.* || **ancrage** 1468, Chastellain. || **désancrer** fin XII<sup>e</sup> s., *Blancheflore.*

**andain** fin XII<sup>e</sup> s. « enjambée » ; orig. obscure ; même racine que le savoyard et anc. vaudois *andâ,* marcher, l'ital. *andare,* aller, et le prov. *anar,* aller, venir ; les formes latinisées *andainus, andena,* du *Cartulaire de Chartres* (844), montrent l'ancienneté du radical *and-* ou p.-ê. de **ambitanus,* dér. pop. du lat. *ambitus,* pourtour.

**andante** 1710 ; mot ital., de *andare,* aller. || **andantino** 1751, *Encycl.*

***andouille** XII<sup>e</sup> s. ; lat. pop. *inductile* (« andouille » en lat. médiév.), « ce qu'on introduit » (dans le boyau), de *inducere,* introduire ; 1866, fam., imbécile. || **andouillette** milieu XV<sup>e</sup> s.

***andouiller** milieu XIV<sup>e</sup> s. (*antoillier*) ; 1360, *Modus* (*andouiller*), sous l'influence d'*andouille* ; p.-ê. lat. pop. **antoculare* (*ante,* devant, *oculus,* œil), c'est-à-dire corne qui pousse devant les yeux.

**andrinople** 1825, *Journ. des dames* ; du nom de la ville d'*Andrinople,* pour désigner d'abord le « rouge turc », puis une étoffe rouge.

**andro-,** élém. de composition ; gr. *anêr, andros,* homme mâle. || **androgène** 1945. || **androgyne** XIV<sup>e</sup> s. ; de *andro-* et gr. *gunê,* femme. || **androgynie** XVI<sup>e</sup> s. || **androïde** XVII<sup>e</sup> s. || **andropause** 1952. || **androstérone** 1931.

***âne** X<sup>e</sup> s. (*asne*) ; lat. *asinus.* || **ânesse** XII<sup>e</sup> s. || **ânon** fin XII<sup>e</sup> s., *Alexandre,* dimin. || **ânonner** 1606, Nicot, « lire mal » ; il a eu aussi le sens de « mettre bas » en parlant de l'ânesse (Richelet, 1680). || **ânement** XVII<sup>e</sup> s., Sévigné. || **ânerie** XIV<sup>e</sup> s., fig. || **ânier** fin XII<sup>e</sup> s. ; lat. *asinarius.*

**anéantir** V. NÉANT.

**anecdote** av. 1654, G. de Balzac, parfois adj. ; gr. *anekdota,* chose inédite (chez Procope, au VII<sup>e</sup> s., comme titre d'ouvrage), devenu substantif. || **anecdotier** 1736, Voltaire. || **anecdotique** 1781, Linguet.

**anémie** 1722, *Journ. des savants* ; gr. *a[n]* priv. et *haima,* le sang ; le sens fig. date du XIX<sup>e</sup> s. || **anémier** 1857. || **anémié** 1857, Monneret. || **anémique** 1833, Piorry. || **anémiant** 1832.

**anémo-,** élém. de composition ; gr. *anemos,* vent. || **anémographie** 1771. || **anémomètre** av. 1720, Huet (inventeur). || **anémométrie** 1752, Trévoux. || **anémophile** 1898, Lar. || **anémoscope** 1683, *Mercure galant.* || **anémotrope** 1845. || **anémotropisme** 1906, Lar.

**anémone** XIVe s., *Recettes méd.* (*anemoine*) ; lat. *anemone*, du gr. *anemonê*, de *anemos*, vent, parce que la fleur s'ouvre au vent.

**anéroïde** (baromètre) 1844, Vidie ; de *anaéroïde*, c'est-à-dire sans air (où l'on fait le vide), *an-* priv., et *aêr*, air.

**anesthésie** 1771 ; mot angl., du gr. *anaisthêsia*, insensibilité ; méd. 1827, *Acad.* || **anesthésiant** part., 1866 ; n. m., 1894, *Année scient.* || **anesthésier** 1850. || **anesthésique** 1847. || **anesthésiologie** 1950, Lar. || **anesthésiologiste** 1955, *Dict. des métiers.* || **anesthésiste** 1897.

**aneth** XIIe s., *Antidotaire Nicolas* (*anet*) ; lat. *anethum*, du gr. *anethon*.

**aneurine** V. NEURO-.

**anévrisme** 1478 ; gr. *aneurisma*, dilatation (avec prononciation du grec byzantin). || **anévrismal** 1478. || **anévrismatique** 1826, Broussais.

**anfractueux** 1503, G. de Chauliac, méd. ; lat. impér. *anfractuosus*, tortueux. || **anfractuosité** 1503, G. de Chauliac, méd. ; le sens général apparaît au XVIe s.

1. **ange** 1050, *Alexis* (*angele*) ; lat. eccl. *angelus*, du gr. *aggelos*, messager, spécialisé en « messager de Dieu ». Le sens fig. se développe très tôt. || **angélique** 1265, Br. Latini ; lat. *angelicus*, a subi la même évolution ; 1538 n. fém., « plante ainsi nommée à cause de ses vertus contre les venins ». || **angéliquement** 1468, Chastellain. || **angéliser** *id.* || **angélisme** 1939. || **angélus** 1690, Furetière, prière catholique du XIVe s. commençant par le mot lat. *angelus.* || **angelot** XIIe s. || **archange** 1155, Wace ; lat. chrét. *archangelus*, du gr. eccl. *arkhaggelos*, de *arkhein*, commander.

2. **ange** (de mer) 1552, Rab. ; calque du néerl. *Zeeëgel*, hérisson de mer, où l'on aurait vu jeeëngel, ange de mer (les nageoires de ce squale ont pu être comparées à des ailes).

**angine** 1538, Canappe ; lat. *angina*, de *angere*, serrer à la gorge. || **angineux** 1615, L. Guyon.

**angio-**, élém. de composition ; gr. *aggeion*, vaisseau. || **angiocardiographie** 1953, Lar. || **angiocardite** XXe s. || **angiocarpe** 1842, *Acad.*, bot. || **angiocholite** 1903. || **angiographie** 1743, Trévoux. || **angiologie** 1576, Paré, « incision » ; 1692, C. de La Duquerie, « étude des vaisseaux ». || **angiome** 1869, Cornil. || **angiopathie** 1853. || **angiosperme** 1740, bot. || **angiospermie** 1800, Boiste.

**anglais** 1138, *Saint Gilles* (*engleis*), puis *anglois ;* de *Angle*, nom d'un peuple germanique qui s'établit au VIe s. en Angleterre ; XVIe s., « créancier » ; fin XVIIe s., cheval ; 1734, Trévoux, bot., narcisse ; 1830, *Journ. des dames*, format de papier. || **anglaise** XVIIIe s., danse ; 1788, *Journ. de Paris*, écriture ; 1734, Trévoux, tulipe ; 1827, Mme Celnart, boucle de cheveux ; *filer à l'anglaise*, XIXe s. || **anglaiser** 1803, Boiste, « couper la queue à un cheval » ; 1847, Ch. de Boigne, « imiter les Anglais ». || **anglaiserie** 1794, Constant, imitation des Anglais. || **angleterre** 1773, *Almanach parisien*, dentelle. || **angliche** 1861, pop. pour *anglais* (vx.). || **anglican** 1554, *Papiers de Granvelle ;* angl. *anglican.* || **anglicanisme** 1801, Saladin. || **angliciser** XVIIIe s. || **anglicisant** XXe s., qui étudie la civilisation anglaise. || **anglicisation** 1902, *l'Angleterre en Afrique australe.* || **anglicisme** 1652 ; lat. médiév. *anglicus*, anglais. || **angliciste** 1939. || **anglomane** 1764, Palinot. || **anglomanie** 1754, Grimm. || **anglophile** 1823, Boiste. || **anglophilie** 1866, Lar. || **anglophobe** 1823, Boiste. || **anglophobie** *id.* || **anglo-normand** 1796. || **anglophone** 1894. || **anglo-saxon** fin XVIIe s. || **antianglais** 1740, d'Argenson.

***angle** 1170, *Rois ;* lat. *angŭlus*, qui paraît tardivement, repris par les langues romanes de l'Ouest. || **angulaire** milieu XIVe s. ; lat. *angularis.* || **angulairement** 1803. || **anguleux** 1538, Canappe, méd. ; 1558, Meignan, sens étendu ; lat. *angulosus.*

**anglophile, anglophobe** V. ANGLAIS.

***angoisse** XIIe s., *Roncevaux ;* lat. *angustia*, lieu resserré (aussi en fr., jusqu'au XVIe s.), au fig. « gêne ». || **angoisser** 1080, *Roland ;* p.-ê. directement du lat. *angustiare.* || **angoissant** XIVe s., repris fin XIXe s. || **angoisseux** 1050, *Alexis* (*angussus*) ; se rencontre encore au XVIIe s.

**angor** 1845 ; mot lat., signif. « serrement ».

**angora** 1761, Diderot (*chat d'angora*) ; du nom de la ville d'*Angora* (auj. Ankara), d'où une race de chats et de chèvres est originaire.

**angström** v. 1905 ; du nom d'un physicien suédois.

***anguille** XIIe s. (*anguile*), puis *-ille ;* le *l* s'est mouillé aux XVIe-XVIIe s. ; lat. *anguilla*, de *anguis*, serpent.

**angulaire** V. ANGLE.

**anhydre** 1820 ; *a*[*n*] priv. et gr. *hûdor*, eau. || **anhydride** 1859.

**anicroche** 1546, p.-ê. de *ain,* hameçon, et *croche,* v. ce mot.

**ânier** V. ÂNE.

**aniline** 1826, découverte par Unverdorben ; de *anil* (1582, Belleforest), nom de plante et de couleur ; port. *anil,* issu du persan *nil,* « indigo », par l'arabe.

***anille** XIII<sup>e</sup> s. G., techn. ; lat. *anaticŭla,* petit canard, employé de manière métaphorique.

**animadversion** fin XII<sup>e</sup> s., *Grégoire ;* lat. *animadversio,* observation, de *animadvertere : vertere,* tourner, *anima,* l'esprit, *ad,* vers ; péjor. au XVIII<sup>e</sup> s.

1. **animal** nom, 1190, Saint Bernard ; lat. *animal, animalis,* être vivant, animal ; le sens injurieux apparaît au XVII<sup>e</sup> s. || **animalité** 1190, Saint Bernard ; reformé au XVII<sup>e</sup> s., Gherardi. || **animalcule** 1564, Marcouville, dimin. savant. || **animalier** XVIII<sup>e</sup> s., J.-J. Rousseau, peinture. || **animaliser** 1742, *Essais et observ. de médecine.* || **animalisation** milieu XVIII<sup>e</sup> s. || **animalerie** 1960.

2. **animal** adj. 1265, Br. Latini ; lat. *animalis,* animé (de *anima,* âme), devenu l'adj. du précédent.

**animation** V. ANIMER.

**animer** 1361, Oresme ; lat. *animare* (de *anima*), donner la vie, d'où, en fr., « donner du mouvement », « rendre plus vif » ; *dessins animés,* v. 1923. || **animation** 1375, R. de Presles ; lat. *animatio,* action d'animer, passé en fr. à « agitation, emportement » (1468, Chastellain), puis au sens actuel d'après le suivant. || **animateur** 1801, Mercier. || **inanimé** fin XV<sup>e</sup> s., « non doué de vie » ; 1529, G. Tory, gramm. || **ranimer** 1549, R. Est. || **ranimation** 1933, Lar. || **réanimer** 1559, du Bellay. || **réanimation** 1932, Lar.

**animisme** 1781, Thouvenel ; lat. *anima,* âme. || **animiste** 1765, *Encycl.*

**animosité** 1301 ; lat. *animositas* (de *anima*), « courage », plus tard « violence » (Macrobe), sens qui prévaut en fr. à partir du XVI<sup>e</sup> s.

**anion** 1842 ; de *ana,* en remontant, et de *ion.*

**anis** 1236 ; lat. *anisum,* du gr. *anison.* || **aniser** 1564. || **anisette** 1771, Trévoux.

**ankylose** 1564 (*ancylosis*) ; 1721, Trévoux (*ankylose*) ; gr. *ankulôsis,* courbure. || **ankylosé** 1749, abbé Nollet. || **ankyloser (s')** 1835, Raymond. || **ankylostome** 1877. || **ankylostomiase** 1888, Lar.

**annal, annate** V. AN.

***anneau** 1050, *Alexis* (*anel*) ; lat. *annellus.* || **annelet** 1160, Benoît. || **anneler** 1398. || **annelure** 1674. || **annélation** 1898. || **annélides** 1802, Lamarck. (V. ANUS.)

**année, annélides** V. AN, ANNEAU.

**annexe** 1265, J. de Meung ; lat. *annexus,* part. passé de *annectere,* joindre. || **annexer** XIII<sup>e</sup> s. || **annexion** fin XIV<sup>e</sup> s. || **annexionniste** 1771, Trévoux.

**annihiler** 1302 (*anichiler*) ; XV<sup>e</sup> s., dans Tardif (*annihiler*) ; lat. scolast. *annichilare,* de *nihil* (écrit *nichil*), rien. || **annihilation** 1361, Oresme (*annichilation*) ; lat. scolast. *annichilatio,* anéantissement. || **annihilateur** 1865.

**anniversaire** V. AN.

***annoncer** 1080, *Roland ;* lat. *annuntiare,* de *nuntius,* messager. || **annonce** 1440, *Cart.* || **annonceur** XII<sup>e</sup> s. ; repris dans la langue commerciale au XX<sup>e</sup> s. (1961, *l'Express*). || **annonciateur** XV<sup>e</sup> s. ; lat. *annuntiator ;* refait au XIX<sup>e</sup> s., avec sens techn. || **annonciation** 1120, *Ps. de Cambridge ;* lat. *annunciatio* « action d'annoncer », sens qu'on trouve aussi en fr. jusqu'au XVIII<sup>e</sup> s. (Montesquieu) ; la spécialisation religieuse date du lat. chrét. || **annoncier** 1847.

**annone, annoter** V. AN, NOTE.

**annuaire, annuel, annuité** V. AN.

**annulaire** 1539, Gruget ; lat. *anularius,* de *anulus,* anneau (la graphie *nn* l'emporte déjà en latin sous l'influence de *annus,* année) ; 1530, nom, par ellipse de *doigt annulaire.* (V. ANNEAU, ANUS.)

**annuler, anoblir** V. NUL, NOBLE.

**anode** 1838 ; gr. *ana,* en haut, et *hodos,* route ; « électrode d'arrivée ». || **anodique** 1903. || **anodisation, anodiser** XX<sup>e</sup> s.

**anodin** 1503, G. de Chauliac ; lat. méd. *anodynon,* du gr. *anôdunon,* ce qui calme la douleur, de *odunê,* douleur et *a*[*n*] priv. Le sens fig. se développe surtout après le XVII<sup>e</sup> s.

**anomal** 1174 ; rare jusqu'au XVII<sup>e</sup> s., surtout techn. ; bas lat. (V<sup>e</sup> s., gramm.) *anomalus,* du gr. *anômalos,* irrégulier (*a*[*n*] privatif, *omalos,* pareil). || **anomalie** 1570, Gentian Hervet ; gr. *anômalia ;* a pénétré au XIX<sup>e</sup> s. dans la langue courante.

**anomie** 1885 ; gr. *anomia,* « absence de loi ». || anomique 1893.

**ânon, ânonner** V. ÂNE.

**anonyme** 1540 ; bas lat. *anonymus,* du gr. *anônumos,* sans nom (de *a[n]* priv. et *onoma,* nom). || **anonymement** 1776, *Corr. litt. secrète.* || anonymat 1864, *Journ. des débats.* || **anonymie** 1837. || **anonymographie** 1952, Lar.

**anophèle** 1829 ; gr. *anôphelês,* « nuisible ».

**anorak** 1906 ; mot esquimau, de *anoré,* le vent, « vêtement qui protège contre le vent ».

**anorexie** 1584, du Bartas ; *a[n]* privatif et gr. *orexis,* appétit. || **anorexique** 1853. || **anorexigène** 1967.

**anormal** V. NORMAL.

**anoxie** 1950 ; de *an-* privatif et *oxy(gène).*

**anse** XIIIe s. ; lat. *ansa,* anse d'un panier ; 1484, Garcie (*ance*), géogr. || **ansé** 1606, Nicot.

**ansérine** 1534, Rab., adj., *plume ansérine,* plume d'oie ; lat. *anserinus,* adj. dér. de *anser,* oie ; auj. seulement, méd. (*peau ansérine,* chair de poule), et bot., n. f., plante dont les feuilles rappellent la patte d'oie.

**anspect** 1687, Desroches ; néerl. *handspecke,* épieu à main.

**anspessade** XVIe s., *Ordonn.* de François Ier (var. *lanspessade*) ; H. Estienne (*lancespessade*) ; ital. *lancia spezzata,* « lance rompue », qui désigna les soldats d'élite (qui avaient eu leur lance brisée) ; en France, aide de caporal sous l'Ancien Régime. La chute du *l* est due à une déglutination.

**antagoniste** 1560, Paré (*muscles antagonistes*), terme d'anatomie jusque chez Bossuet ; XVIIe s., Malherbe, « adversaire » ; gr. *antagônistês,* adversaire (rac. *agôn,* combat). || **antagonique** av. 1865, Proudhon. || **antagonisme** fin XVIe s., d'abord anat. ; 1826, A. Comte, polit.

**antalgique** 1793 ; de *anti-* et *algie* (gr. *algos,* douleur).

***antan** fin XIIe s. ; lat. pop. **anteannum,* l'année d'avant ; n'est plus qu'une survivance litt. d'après *les neiges d'antan* de Villon.

**antanaclase** 1751 ; de *anti-* et gr. *anaklasis,* « répercussion ».

**antarctique** V. ARCTIQUE.

1. **ante** 1683, Danet, « pilier carré » et « pièce d'un moulin » ; lat. *anta* (usité surtout au pl.), pilastre.

2. ***ante** 1125, *Gormont* (*hanste*) ; XVIIe s., Vaugelas (*hante*) ; lat. *hasta,* lance, croisé avec le francique *hand,* main. En anc. fr., « bois d'une arme », « hampe » (encore chez Vaugelas), auj. manche du pinceau à laver (peint.).

**anté-,** les mots construits avec le préfixe *anté-,* devant, sont indiqués à la place alphabétique du mot simple.

**antécédent** 1361, Oresme ; lat. *antecedens,* part. prés. de *antecedere,* précéder (*cedere,* aller, *ante,* devant), sens philos. en lat. scolast. ; « actions antérieures » (d'une personne) début XIXe s. || **antécédence** XVIe s., Gentillet.

**antédiluvien** V. DÉLUGE.

**antenne** début XIIIe s., Villehardouin (*antaine*) ; lat. *antenna,* vergue ; appliqué, au XVe s., aux appendices tactiles des insectes par Gaza ; sens passé en fr. en 1712 (*Mém. Acad. des sc.*) ; radio début XXe s. ; sens fig. milieu XXe s.

**antérieur** 1488, *Mer des hist. ;* lat. *anterior,* placé avant (*ante*). || **antérieurement** 1611, Cotgrave. || **antériorité** 1532, Rab.

**anthémis** 1615, Daléchamp, trad. Desmoulins ; lat. *anthemis,* du gr. *anthos,* fleur.

**anthère** 1611, Cotgrave ; gr. *anthêros,* f. *-a,* adj. dérivé de *anthos,* fleur.

**anthologie** 1574, P. Breslay ; gr. *anthologia,* recueil de fleurs (*anthos,* fleur, et *legein,* choisir). [V. FLORILÈGE.]

**anthracite** 1752, Trévoux ; gr. *anthrax, -akos,* charbon. Le lat. et gr. *anthracitis* (d'où le moyen fr. *anthracite,* XVe-XVIe s.) signifiait « pierre précieuse ». || **anthracène** ou **enthracine** 1838.

**anthrax** 1371, Coyecque (*entractz*) ; 1495, J. de Vignay (*antrac*) ; lat. méd. *anthrax,* tumeur noirâtre, du gr. *anthrax,* charbon.

**anthropo-,** élém. de composition ; gr. *anthrôpos,* homme. || **anthropocentrisme, anthropocentrique** 1877, L. || **anthropoïde** 1838. || **anthropologie** 1507 (*entropologie*), « étude philosophique de l'homme » ; 1819, Boiste, « étude du corps humain » ; 1835, H. de Balzac, ethnographie. || **anthropologiste** 1808. || **anthropologue** milieu XIXe s. || **anthropométrie** 1750. || **anthropomorphe** 1811, Hanin, bot. ; 1819, Boiste, zool. (mandragore). ||

**anthropomorphisme** 1749. || **anthroponymie** 1938 ; port. *anthroponimia* (1887, Leite de Vasconcellos, *Rev. Lusitana,* I, 45), science des noms (gr. *onoma*) de personnes. || **anthropopithèque** gr. *pithêkos,* singe. || **anthropophage** 1265, Br. Latini (*Anthropophagi*) ; gr. *phagein,* manger. || **anthropophagie** XVI^e s., Sales. || **anthropotechnie** 1930.

**anti-**, les mots construits avec le préfixe *anti-,* contre, sont indiqués à la place alphabétique du terme simple, lorsque celui-ci existe. Dans le cas contraire, ils sont enregistrés à la suite du préfixe. Employé à partir du XVI^e s., le préfixe s'est répandu dès le XVIII^e s.

**antibiotique** 1878, *journ.,* adj. ; 1941, méd. ; préf. *anti-* et gr. *bios,* la vie. || **antibiothérapie** v. 1950. || **antibiogramme** 1960.

**antichambre** 1529, Lassere ; ital. *anticamera,* « chambre de devant » ; refait sur *chambre.*

**anticiper** 1355, Bersuire ; lat. *anticipare,* prendre d'avance, être en avance (de *capere,* prendre, *ante,* avant). Il a gardé le sens trans. de « devancer » jusqu'au XVIII^e s. || **anticipation** 1437, *Coutum. d'Anjou ;* lat. *anticipatio.* || **anticipateur** 1922.

**antidater** V. DATE.

**antidote** 1130, *Eneas* (*-dot*) ; lat. médiév. *antidotum* (Celse), du gr. *antidoton,* donné contre.

**antienne** fin XIII^e s., *Renard* (*antievene*) ; lat. eccl. *antiphŏna,* altéré en *antēfona, -fāna* (VI^e s., saint Benoît, Grég. de Tours) ; 1694, *antienne ;* une var. *antoine,* en anc. fr., est la survivance populaire de *antiphona.* Le mot lat., « chant alternatif » (de deux chœurs), vient du gr. *phônê,* voix, *anti,* contre, en face de.

**antilope** 1622, trad. Le Maire ; angl. *antelope* (sens actuel au XVII^e s.), du lat. méd. *anthalopus,* animal fabuleux (en anc. fr. *antelop,* même sens, 1265, Br. Latini). Le latin vient du gr. byzantin *anthalôps.*

**antimoine** XIII^e s., *Antidotaire Nicolas ;* lat. méd. *antimonium* (XI^e s.), de l'ar. *'ithmid,* sans doute du gr. *stimmi,* oxyde d'antimoine pour peindre les sourcils.

**antinomie** 1546, Rab. ; lat. *antinomia,* mot gr. || **antinomique** 1850.

**antipathie** 1542 ; lat. *antipathia,* du gr. *antipatheia* (*anti,* contre, et *pathos,* passion). || **antipathique** 1568.

**antiphonaire** 1119, Ph. de Thaon (*antefinier*) ; début XIV^e s. (*antiphonar*) ; lat. eccl. *antiphonarius,* de *antiphona,* chant alterné, empr. au gr. *anti,* contre, et *phônê,* voix. (V. ANTIENNE.)

**antiphrase** XIV^e s. ; lat. gramm. *antiphrasis,* du gr. *anti* et *phrasis* (v. PHRASE). || **antiphrastique** 1961.

**antipode** 1372, Corbichon ; lat. *antipodes,* du gr. *podes,* pieds.

**antipyrine** 1884, Knorr ; de *anti,* contre, et gr. *pur,* le feu (de la tête) ; « médicament contre la fièvre ».

**antique** XII^e s., *Roncevaux ;* lat. *antiquus ;* a éliminé l'anc. fr. *anti(f),* f. *-ive,* forme pop. || **antiquité** 1080, *Roland ;* lat. *antiquitas.* || **antiquaille** fin XV^e s. ; ital. *anticaglia,* antiquités, dér. de *antico,* péjor. depuis le XVII^e s. (Corneille) ; adj. 1736, Voltaire. || **antiquaire** 1547, G. du Choul ; lat. *antiquarius,* qui aime l'antiquité ; en fr., d'abord « archéologue » au XVII^e s. (et « antique », adj., au XVI^e s.), puis, au début du XIX^e s., « marchand d'antiquités ». || **antiquariat** 1697, Bayle. || **antiquisant** 1910.

**antithèse** av. 1550, P. Doré ; gr. *antithêsis,* de *anti,* contre, et *thêsis,* thèse. || **antithétique** av. 1680, Blanchemain ; gr. *antithetos,* que l'on met en face.

**antonomase** fin XIII^e s. ; lat. *antonomasia,* du gr., de *anti,* à la place de, et *onoma,* nom.

**antonyme** 1866, Lar. ; gr. *anti,* contraire, et *onoma,* nom. || **antonymie** fin XVIII^e s. || **antonymique** XIX^e s.

**antre** 1500, O. de Saint-Gelais ; lat. *antrum,* du gr. *antron.*

**anus** 1314, Mondeville ; lat. *anus,* anneau, qui avait pris aussi ce sens en français. || **anal** 1805. (V. ANNEAU, ANNULAIRE.)

**anxieux** 1375, R. de Presles, adj., au sens général ; lat. *anxiosus,* de *anxius,* inquiet. Le sens méd. enregistré en 1842, *Acad.,* est issu directement du lat. spécialisé en méd. depuis le XVI^e s. || **anxiété** XII^e s., Herman de Valenciennes, au sens général du lat. *anxietas ;* 1564, J. Thierry, méd. || **anxieusement** 1823. || **anxiogène** 1968. || **anxiolytique** 1970.

**aoriste** 1548, Sebillet ; lat. *aoristus,* du gr. *aoristos,* non défini.

**aorte** 1478 (*aorti*) ; 1546, Ch. Estienne (*aorte*) ; gr. *aortê,* veine. || **aortite** 1824.

***août** XIIe s. (*aost*) ; lat. *augustus* (lat. pop. **agustus*), mois consacré à Auguste (auparavant *sextilis*). || **aoûter** XIIe s. (*aoster*) ; se rencontre encore au XVIIe s. || **aoûteron** 1547, Haudent, qui a remplacé *aoûteur* (XVe s.) || **aoûtat** XIXe s. ; orig. dial. (insecte du mois d'août). || **aoûtien** 1961, *journ.*

**apache** 1751, ethno. ; anglo-amér. *Apache*, de l'esp. *apache*, d'une langue indienne ; 1902, création de journalistes du *Matin* et du *Journal*, d'apr. le peuple indien des Apaches, pour désigner la pègre des boulevards extérieurs. || **apacherie** 1900, *le Sourire*.

**apaiser** V. PAIX.

**apanage** fin XIIIe s. ; anc. fr. *apaner* (anc. comp. de *pain*), à l'origine « donner du pain », par ext. « doter ». Le nom s'est spécialisé au sens de « apanage royal », usage supprimé en 1792, rétabli par Napoléon Ier et Louis XVIII (le dernier apanage fut celui de la maison d'Orléans, qui fit retour à la couronne en 1830). Le mot a survécu au sens fig., usité dès la fin du XVIIIe s. (Regnard). || **apanager** 1407, *Ordonn.*

**aparté** 1640, La Ménardière, théâtre ; 1866, Lar., sens général ; loc. lat. *a parte*, à part.

**apartheid** 1954 ; mot afrikaans, « séparation ».

**apathie** 1375, R. de Presles ; gr. *apatheia*, insensibilité ; d'abord terme de philos. ; il a pris le sens de « indolence » (fin du XVIIe s., Saint-Simon). || **apathique** 1643, Du Bosc, *le Philosophe*.

**apatride, aperception, apercevoir** V. PATRIE, PERCEVOIR.

**apéritif** XIIIe s. ; lat. médiév. *aperitivus*, de *aperire*, ouvrir, au sens méd. auj. disparu de « qui ouvre les voies d'élimination » (laxatif, diurétique, sudorifique) ; adj. 1750, *Dict. des aliments*, qui ouvre l'appétit ; n. m. XIXe s. || **apéro** début XXe s., abrév. fam. du préc.

**aperture** av. 1556, Le Blanc ; XXe s., en linguistique ; lat. *apertura*, de *aperire*, ouvrir, au sens général de « ouverture ».

**apeuré** V. PEUR.

**aphasie** 1826, Bouillaud ; gr. *aphasia*, mutisme (*a* priv. et *phasis*, parole). || **aphasique** 1643, Du Bosc ; 1864, *journ.*, sens mod.

**aphélie** 1690, Furetière ; lat. sc. *aphelium* (1596, Kepler), du gr. *hêlios*, soleil.

**aphérèse** 1521, P. Fabri (*apheresis*), gramm. ; 1605, Le Loyer, philos ; lat. *aphaeresis* (Charisius), du gr. *aphairesis*, action d'enlever.

**aphonie** 1617, Habicot ; gr. *aphonia* (*a* priv. et *phônê*, voix). || **aphone** 1836, *Acad.*

**aphorisme** 1270 (*anphorisme*) ; 1361, Oresme (*amphorisme*) ; 1490. *Guidon en fr.* (*aphorisme*) ; bas lat. *aphorismus* (Rufin), du gr. *aphorismos*, définition. || **aphoristique** 1549, Tagault.

**aphrodisiaque** 1742 ; gr. *aphrodisiakos*, de *Aphroditê*, Vénus (déesse de l'Amour). || **anaphrodisiaque** 1850. || **anaphrodisie** 1803.

**aphte** 1545, Guéroult ; lat. méd. *aphtae*, du gr. *aphtai*, de *haptein*, brûler. || **aphteux** XVIIIe s. (*fièvre aphteuse*).

**api** 1571 (pomme *Apie*) ; 1611, Cotgrave (*d'Appie*) ; 1653, Oudin (*d'api*) ; du nom de Claudius Appius, qui aurait rapporté cette pomme du Péloponnèse à Rome.

**apical** 1838 ; lat. *apex, -icis*, sommet.

**apiculteur** 1845, Besch. ; lat. *apis*, abeille, et *-culteur*. || **apiculture** 1845, Besch., a remplacé *abeillage*. || **apicole** 1845, Besch. ; sur le modèle de *agricole*.

**apitoyer, aplanir, aplatir, aplomb** V. PITIÉ, PLAN, PLAT, PLOMB.

**apnée** XVIe s., Vigenère (*apné*) ; lat. sc. *apnoea*, du gr. *apnoia*.

**apo-**, préfixe issu du grec *apo-*, indiquant l'éloignement, la séparation, la cessation, et se présentant avec la variante *aph-*. Les mots construits avec ce préfixe, pour la plupart empr. au gr., sont indiqués à leur place alphabétique.

**apocalypse** XIIe s. ; lat. chrét. *apocalypsis*, du gr. *apokalupsis*, « révélation ». Il a pris le sens de « catastrophe finale » au XXe s. || **apocalyptique** 1552, Rab. ; repris au gr. *apokaluptikos*. || **apocalyptiquement** 1832, Balzac.

**apocope** 1501, Vérard ; lat. *apocopa*, du gr. *apokopê*, retranchement ; limité au vocabulaire de la grammaire. || **apocoper** 1578, H. Est.

**apocryphe** 1220, Coincy (*apocrife*) ; lat. eccl. *apocryphus*, du gr. *apokruphos*, « tenu secret ». Terme eccl. jusqu'au XVIe s., puis sens général de « non authentique ».

**apodictique** 1582 ; gr. *apodeiktikos*, démonstratif, de *apodeiknunai*, démontrer. || **apodictiquement** *id.* || **apodicticité** 1943, Sartre.

**apodose** XVII^e s. ; gr. *apodosis,* restitution.

**apogamie** 1888, Lar. ; gr. *apo,* loin de, et *gamos,* mariage.

**apogée** 1562, M. Scève, astron. ; lat. *apogeus,* du gr. *apogeios,* loin de la terre ; sens fig. 1652 (Guez de Balzac).

**apologie** 1495, J. de Vignay ; lat. eccl. *apologia,* du gr. *apologia,* défense. Le sens élargi apparaît au XVII^e s. || **apologétique** XV^e s. ; lat. *apologeticus.* || **apologique** 1543, Delb. || **apologiste** 1623, P. Garasse.

**apologue** XV^e s., G. Tardif ; lat. *apologus,* du gr. *apologos,* « récit », spécialisé au sens de « fable ».

**aponévrose** 1541, Canappe ; gr. *aponeurôsis,* durcissement en forme de nerf, de tendon. || **aponévrotique** 1752, Trévoux.

**apophonie** 1842 ; gr. *apo,* loin de, et *phônê,* parole.

**apophtegme** 1529, G. Tory ; gr. *apophtegma,* sentence.

**apophyse** 1541, Canappe ; gr. *apophusis.* || apophysaire 1846, Baudement.

**apoplexie** XIII^e s., Guill. de Tyr. ; lat. *apoplexia,* du gr. *apoplêxia,* de *apoplêttein,* renverser. || **apoplectique** 1256, A. de Sienne ; lat. *apoplecticus.*

**aporie** 1704 ; lat. eccl. *aporia,* du gr. *a-* privatif et *poros,* chemin. || **aporétique** 1866.

**apostasie** 1250, *Statuts d'hôtels-Dieu ;* lat. eccl. *apostasia,* du gr. *apostasia,* abandon, défection, de *apo,* loin de, et *stênai,* se tenir. || **apostasier** XV^e s., G. Alexis. || **apostat** 1265, G. ; lat. *apostata,* du gr. *apostatês.*

**aposter** XII^e s. (*apposter*), « mettre à un poste, placer » ; *s* muet à partir du XIII^e s. ; de *poste.* Il est repris, au XV^e s., à l'ital. *appostare,* guetter.

**a posteriori** 1626, Descartes ; loc. du lat. scolast. signif. « en partant de ce qui est après ».

**apostiller** av. 1450, Gréban, « annoter en marge » ; 1762, Voltaire, sens mod. ; de l'anc. fr. *postille* (XIII^e-XVI^e s.), « annotation », tiré du lat. médiév. *postilla* (*post,* après, *illa,* ces choses). || **apostille** 1506, J. Marot ; masc. jusqu'au XVII^e s. ; « note marginale », puis « note pour recommander » (1802, *Acad.*) ; déverbal.

**apostolat** XV^e s., Du Cange ; lat. chrét. *apostolatus* (Tertullien, de *apostolus*). || **apostolique** XIII^e s., A. du Mont-Cassin ; lat. *apostolicus* (*id.*), du gr. *apostolikos.* (V. APÔTRE.)

1. **apostrophe** 1514, G. Michel, mouvement oratoire ; lat. *apostropha,* du gr. *apostrophê,* action de se détourner ; le sens de « interpellation » est du XVII^e s. || **apostropher** 1672, Molière, « interpeller » ; XVIII^e s., « donner un soufflet ».

2. **apostrophe** 1514, signe orth. ; lat. gramm. *apostrophus,* du gr. *apostrophos,* signe d'élision d'une voyelle finale. || **apostropher** 1540, Dolet, marquer d'une apostrophe.

**apostume** 1256, Ald. de Sienne ; lat. méd. *apostema,* du gr. *apostêma,* corruption (qui a donné aussi *apostème,* XIII^e s.), avec changement de terminaison par analogie avec *rhume* et *fleugme* (flegme) ; il était, au XVII^e s., indifféremment du masc. ou du fém.

**apothéose** 1581, C. Guichard ; sens fig., 1581, Nancel ; lat. *apotheosis,* du gr. *apotheôsis,* de *theos,* dieu.

**apothicaire** 1268, É. Boileau (*apotecaire*) ; bas lat. *apothecarius* (*Code Justinien*), boutiquier, de *apotheca,* qui a donné *boutique.*

**apôtre** 1080, *Roland* (*apostle*) ; fin XII^e s., *apostre ;* lat. eccl. *apostolus,* du gr. *apostolos,* envoyé, spécialisé en « envoyé de Dieu » par le gr. eccl. Le sens fig. date du XVII^e s., La Bruyère ; *bon apôtre* (*les Plaideurs ;* La Fontaine).

***apparaître** 1080, *Roland* (*aparoistre*) ; lat. pop. **apparescere,* forme inchoative de *apparēre,* qui avait donné l'anc. fr. *apparoir* (XII^e-XVI^e s.), dont il reste la survivance jurid., *il* **appert.** || **appariteur** 1332, texte de Reims ; lat. *apparitor,* agent subalterne attaché au service d'un officier ou magistrat ; de *apparere,* « se montrer aux côtés de », puis « être au service de ». || **apparition** 1190, Saint Bernard, « Épiphanie » ; lat. eccl. *apparitio,* calque du gr. *epiphaneia,* apparition (le lat. class. signifiait « service » et « escorte »). En fr., le sens s'est étendu, surtout à partir du XVI^e s., d'après *apparaître.* || **réapparaître** 1867, Lar. || **réapparition** 1771, Trévoux.

**apparat** XIII^e s., *Clef d'amors ;* lat. *apparatus,* « préparatifs », de *parare,* préparer ; puis « ornements », « pompe ».

**appareil** XII^e s., *Chanson d'Antioche ;* lat. pop. **appariculum,* de *apparare,* préparer, à côté de *apparatus ;* en fr., « préparatif, magnificence », jusqu'au XVII^e s., à côté de « instrument » ; *appareil photo,* fin XIX^e s., Kjellman ; l'anc. plur.

*apparaux* est resté comme terme de marine. || **appareiller** 1080, *Roland,* « préparer », jusqu'au XVII^e s., puis terme de marine (1544, J. Cartier), remonte au lat. pop. **apparīculare.* || **appareillage** XIV^e s., « préparatifs » ; mar., fin XVIII^e s. || **appareilleur** XIII^e s., *Girart de Roussillon.* || **apparatchik** 1965 ; mot russe.

**appareiller** V. PAREIL, APPAREIL.

**apparence** 1283, Beaumanoir (*aparance*) ; de *apparoir* (v. APPARAÎTRE), avec infl. du lat. impér. *apparentia* (Tertullien) ; il a eu aussi jusqu'au XIX^e s. le sens de « vraisemblance ». || **apparent** 1155, Wace (*aparant*) ; part. présent de *apparoir,* avec infl. du lat. *apparens,* part. présent de *apparere ;* « mensonger » et « considérable » jusqu'au XVII^e s. || **apparemment** XIII^e s., Novare, d'abord « manifestement » jusqu'au XVII^e s.

**apparenter** V. PARENT.

**apparier** début XIII^e s., « unir » ; réfection d'après le lat. *par,* « égal », d'un plus ancien *apairier* (v. PARIER) ; au fig. jusqu'au XVII^e s. || **appariement** fin XVI^e s. || **apparieur** 1657-1670, Tall. des Réaux. || **désapparier** 1611, Cotgrave.

**appariteur** V. APPARAÎTRE.

**appartement** 1559, Du Bellay ; ital. *appartamento,* de *appartare,* séparer, de *parte,* partie ; ensemble de plusieurs pièces constituant un logis.

***appartenir** 1050, *Alexis ;* lat. impér. *adpertinere* (IV^e s., Innocentius), « dépendre de », de *pertinere,* se rattacher à, dans lequel l'élément « tenir » a longtemps été senti. || **appartenance** 1170, *Rois,* jurid.

**appât** début XVI^e s., J. Marot (*appast*) ; parfois « aliment » (Du Pinet) ; croisement de l'anc. fr. *past,* nourriture (« appât », XV^e s.), du lat. *pastus* (part. passé substantivé de *pascere,* nourrir), avec *apaistre,* repaître (v. PAÎTRE). || **appas** plur., spécialisé au sens fig. à partir du XVIII^e s., est l'anc. forme du pluriel. || **appâter** 1540, Cl. Marot ; 1552, Baïf, fig.

**appauvrir, appeau** V. PAUVRE, APPELER.

***appeler** 1080, *Roland* (*apeler*) ; lat. *appellare* « aborder » (de *pellere,* pousser). || **appel** fin XI^e s., *Lois de Guillaume ;* déverbal ; la finale *-el* a été conservée en corrélation avec le verbe. || **appelant** nom 1392, E. Deschamps. || **appeau** XII^e s. ; var. morphologique de *appel* (forme du plur. étendue au sing. comme la plupart des anciens noms en *-el :* cf. BEAU, MARTEAU). || **appellation** 1190, Garn. ; lat. *appellatio,* de *appellare,* « action d'appeler » (rare en anc. fr.) ; sens jurid. d'« appel » (1525, J. Lemaire) jusqu'au XVIII^e s. ; le sens de « dénomination » l'a emporté en fr. || **appellatif** XIV^e s. ; lat. *appellativus* (Priscien). || **rappeler** 1080, *Roland,* « faire revenir » ; *se rappeler,* av. 1673, Molière. || **rappel** milieu XIII^e s., « action de faire revenir » ; XIX^e s., « fait de faire souvenir ».

**appendice** 1233, « dépendance » ; lat. *appendix, -icis,* « objet suspendu », de *pendere,* pendre, qui avait pris le sens « dépendance », et en bas lat. « appendice d'un livre » (*Appendix Probi,* V^e s.) ; sens anat. (1541, Canappe) repris au lat. méd. médiév. ; fém. d'apr. le lat. jusqu'au début du XVIII^e s. || **appendicule** 1546, Ch. Est. || **appendicectomie** 1872. || **appendicite** 1866.

***appendre** 1080, *Roland ;* lat. *appendere,* usuel encore en un sens religieux au XVII^e s. (v. PENDRE). || **appentis** X^e s. (*apendiz*) ; fin XIII^e s. (*appentis*) ; d'un part. passé archaïque **apent* (v. PENTE).

**appesantir** V. PESER.

**appétence** 1554, Pasquier ; lat. *appetentia,* désir, de *petere,* demander. Le mot appartient d'abord à la méd. Le verbe **appéter** existait au XVII^e s. || **inappétence** XVI^e s.

**appétit** 1180, *Saint-Évroult* (*apetit*), « désir » ; lat. *appetitus,* désir (dér. de *appetere,* convoiter), spécialisé en « appétit de manger » dans le langage courant du XVII^e s. ; sens économique, 1868, Hugo. || **appétissant** 1398, *Ménagier.* || **appétition** 1550, Fierabras ; lat. *appetitio,* convoitise.

**applaudir** fin XIV^e s., R. de Presles ; lat. *applaudere.* || **applaudissement** 1539, Le Baud. || **applaudimètre** 1950, *journ.* || **applaudisseur** 1539, R. Est.

**appliquer** XIII^e s., *Sept Sages* (*appliquier*) ; lat. *applicare.* || **applicable** fin XIII^e s. (*-quable*). || **applique** XV^e s., « action d'appliquer » ; XIX^e s., appareil d'éclairage. || **application** XIV^e s. ; lat. *applicatio,* a suivi en fr. les sens du verbe. || **applicateur** 1834, Sainte-Beuve. || **inappliqué** 1677, Bossuet. || **inapplication** 1671, Pomey. || **inapplicable** 1762, *Acad.*

**appoggiature** XVIII^e s. ; ital. *appogiatura,* de *appogiare,* appuyer.

1. **appointer** 1268, É. Boileau, jurid., régler une affaire ; XVI^e s., sens actuel ; dér. de *point,*

« mettre au point ». || appoint 1398, Deschamps. || **appointement** début XIVe s., règlement ; XVIe s., sens actuel.

2. **appointer** V. POINTE.

**apponter** V. PONT.

***apporter** Xe s., *Saint Léger ;* lat. *apportare,* porter vers. || **apport** fin XIIe s., offrandes des fidèles ; XIXe s., sens financier. || **apporteur** XIIe s. ; XIXe s., sens financier. || **rapporter** 1150, *Charroi de Nîmes.* || **rapport** milieu XIIIe s. || **rapporteur** fin XIIIe s.

**apposer** 1155, Wace ; de *poser* (auprès). || **apposition** 1213, *Cart. N.-D. de la Roche ;* sens gramm. XVIIIe s. ; lat. *appositio,* action de placer auprès, de *ponere,* placer.

**apprécier** 1391, *Coutum. d'Anjou ;* lat. impér. *appretiare* (Tertullien), de *pretium,* prix. || **appréciable** fin XVe s. || **appréciateur** 1509, *Doc.* || **appréciatif** 1615, R. Gaultier, théol. ; XVIIIe s., sens actuel. || **appréciation** 1398, G. || **inappréciable** milieu XVe s., G.

**appréhender** XIIIe s. *Doc. ;* XVIIe s., « comprendre », comme en lat. impér. (IIIe s., Tertullien) ; XVIIIe s. « considérer comme étant à craindre » ; XVIe s., jurid. (*saisir un débiteur*) ; XIXe s., « arrêter » ; lat. *apprehendere,* saisir, de *prehendere,* prendre. || **appréhensif** 1372, Corbichon, « qui perçoit » ; 1566, trad. Gelli, « craintif ». || **appréhension** 1265, Br. Latini ; lat. *apprehensio,* « action de saisir », puis « compréhension » ; même évolution en fr.

***apprendre** 1050, *Alexis ;* lat. pop. **apprendĕre,* du lat. *apprehendere,* passé de « comprendre » à « apprendre » (pour soi, puis : aux autres) ; l'anc. fr. avait aussi le sens premier « saisir ». || **apprenant** XXe s. || **apprenti** 1175, Chr. de Troyes (*aprantez*) ; XVIe s., (*apprentif,* fém. *-isse*) jusqu'au XVIIe s. ; d'un part. passé **apprendititum,* **aprent* (v. *appentis,* à APPENDRE, et PENTE). || **apprentissage** 1395, Delb. || **malappris** 1835. || **désapprendre** 1280, Végèce.

***apprêter** 980, *Passion ;* lat. pop. **apprestare ;* bas lat. *praestus,* prêt. || **apprêt** 1305, G. Guiart. || **apprêteur** 1552, Ch. Est. || **apprêtage** milieu XIIIe s. (v. PRÊT). || **inapprêté** 1813, Delille.

***apprivoiser** fin XIIe s. (*apriveiser*) ; 1555, Pasquier (*-privoiser*), « rendre privé », par opposition à « libre, sauvage » ; lat. pop. **apprīvītiare,* de *privus,* privé, personnel. || **apprivoisement** 1558, Amyot. || **apprivoiseur** 1565, Calepin.

**approbation, approcher, approfondir, approprier** V. APPROUVER, PROCHE, PROFOND, PROPRE.

***approuver** fin XIIe s. ; lat. *apprŏbare* (de *proba,* preuve), qui signifiait aussi « prouver » (en fr. jusqu'au XVIe s.) et « faire approuver » (repris en fr. au XVIe s.). || **approuvable** 1550, Amyot. || **approbation** 1265, Le Grand ; lat. *approbatio.* || **approbateur** 1534, G. Michel ; lat. *approbator.* || **approbatif** début XVe s. ; bas lat. *approbativus.* || **désapprouver** 1530, Colin Bucher. || **désapprobateur** 1748, Montesquieu. || **désapprobation** 1783, *Courrier de l'Europe.*

**approvisionner** V. PROVISION.

**approximation** 1314, Mondeville ; lat. impér. *approximare,* approcher (Tertullien ; de l'adv. *proxime,* superlatif de *prope,* près). || **approximatif** 1795, Snetlage. || **approximativement** 1823, Boiste. || **approximer** XIVe s., « s'approcher » ; fin XVIIIe s., « connaître par approximation ».

***appuyer** 1080, Roland ; lat. pop. **appodiare,* de *podium,* soubassement, du gr. *podion,* petit pied. || **appui** XIIe s. ; déverbal. || **appui-main** 1680, Richelet. || **appui-tête** 1866, Lar.

***âpre** 1131, *Couronn. de Loïs* (*aspre*) ; lat. *asper* (*asprum*). || ***âpreté** 1190, Saint Bernard (*aspreteit*) ; lat. *asperitas.* || **âprement** 1138, *Saint Gilles.* || **aspérité** XIIe s., *D. G. ;* formé sur le lat. *asperitas,* au sens propre.

***après** 1080, *Roland ;* bas lat. *ad pressum,* auprès (*Mulomedicina*), forme renforcée de *pressum* (v. PRÈS), qui a remplacé *post* dans le sens « après », d'abord locatif, puis temporel.

**a priori** 1626, Mersenne ; lat. scolast. signif. « en partant de ce qui est avant », de *prior,* « qui est avant ». || **apriorisme** 1877, L. || **aprioriste** 1869.

**apte** XIIe s. (*ate*) ; lat. *aptus ;* spécialisé comme terme jurid. au XVIIIe s. ; sens élargi au XIXe s. || **aptitude** 1361, Oresme, jurid. jusqu'au XVIe s. ; bas lat. *aptitudo.* || **inapte** XVe s. || **inaptitude** XVe s., rare jusqu'au XVIIIe s.

**aptère** 1751 ; gr. *apteros,* de *a* priv. et *pteron* aile.

**apurer** V. PUR.

**aquaculture** ou **aquiculture** 1864 ; lat. *aqua,* eau, et *culture.*

**aquafortiste** 1853, Goncourt ; ital. *acquafortista,* « graveur en eau-forte » (*acqua forte*), pour servir de nom d'agent à *eau-forte.*

**aquaplane** 1931 ; lat. *aqua,* eau, et *planer.* || **aquaplaning** 1969. || **aquaplanage** 1973.

**aquarelle** 1791, *Encycl. méth.* ; ital. *acquarella,* dér. de *acqua,* eau. || **aquarelliste** 1829. || **aquareller** 1855.

**aquarium** 1860, *Année sc. et industr.* ; lat. *aquarium,* réservoir. || **aquariophile, aquariophilie** 1949, *L. M.*

**aquatile** V. AQUATIQUE.

**aqua-tinta** 1819, Boiste ; ital. *acqua tinta,* eau teinte ; francisé en *aquatinte* au XIX^e s. (1824, Delacroix).

**aquatique** XIII^e s., G. ; lat. *aquaticus,* de *aqua,* eau ; il a existé aussi, avec un autre suffixe, *aquatile* (1678, *Journ. des savants*).

**aqueduc** 1518 (*acqueducte*) ; lat. *aquaeductus,* qui conduit l'eau. Au XVI^e s., var. *aqueduct, aquadouch.*

**aqueux** 1503, G. de Chauliac ; lat. *aquosus* (qui a donné une forme pop. disparue, *eveux*), dér. de *aqua,* eau. Il a existé aussi un autre adjectif, *aqué* (1546, Ch. Est.). || **aquosité** 1314, Mondeville, comme terme de médecine.

**aquilin** XIV^e s. ; lat. *aquilinus,* de *aquila,* aigle, « qui a la forme d'un bec d'aigle ».

**aquilon** 1120, *Ps. de Cambridge* ; lat. *aquilo, -onis,* vent qui vient du nord.

**aquosité** V. AQUEUX.

**ara** 1558, Thevet ; tupi-guarani *ara.*

**arabe** 1080 (*arrabit*) ; 1564, J. Thierry ; lat. *arabus,* du gr. *araps ;* il a remplacé *Sarrasin* comme nom de peuple ; sens fig. de « dur, âpre au gain » attesté encore au XVII^e s. || **arabesque** 1546, Rab., au sens de *arabe ;* ital. *arabesco,* arabe. Le sens de « ornement de style arabe », qui vient aussi de l'ital., est attesté en 1611 (Cotgrave). || **arabique** XIII^e s., *Assises de Jérusalem ; gomme arabique* 1213, *Fet des Romains ;* lat. *arabicus.* || **arabisant** 1637, Davity, syn. de *arabe ;* 1842, *Acad.,* « spécialiste de la langue et de la littérature arabes ». || **arabiser** 1735, *Mercure.* || **arabisation,** 1947, *Rev.* || **arabisme** 1740, « loc. arabe » ; 1948, Lar., polit. || **arbi** fin XIX^e s. || **arabophone** 1903.

**arable** 1155, Wace ; lat. *arabilis,* qui peut être labouré, de *arare,* labourer.

**arachide** fin XVIII^e s. ; lat. *arachidna,* du gr. *arakidna* ou *arakos,* gesse ; le mot lat. a servi à désigner la plante au début du XVIII^e s.

**arachnide** 1806, Lunier, *Dict. de sciences ;* gr. *araknê,* araignée. || **arachnéen** 1857, Baudelaire. || **arachnoïde** 1538, *Guidon en fr.,* méd. || **arachnoïdite** 1824, H. Féraud.

**arack, arak** 1519, Delb. (*arach*) ; ar. *'araq,* d'abord « liqueur extraite du palmier ». (V. RAKI.)

**araignée** 1120, *Ps. d'Oxford,* « toile d'araignée » (encore au XVII^e s.) ; 1539, R. Est, sens actuel ; de l'anc. fr. *aragne* (lat. *aranea*), qui désigna l'animal jusqu'au XVIII^e s. (encore Voltaire) ; la même substitution de sens (toile d'araignée → araignée) s'était produite en latin (à l'origine, *araneus,* la bête, *aranea,* la toile). || **aranéeux** 1801.

**araire** début XII^e s., *Voy. de Charlemagne ;* repris au XIX^e s. (1819, Boiste) ; prov. *araire,* du lat. *aratrum,* de *arare,* labourer.

**araméen** 1765 ; hébreu *Aram,* Syrie.

***arantèle** 1585, Du Fouilloux, mot poitevin ; lat. *araneae tela* (toile d'araignée).

**araser** V. RASER.

**aratoire** 1514, *Doc. ;* bas lat. *aratorius* (*Code Théodosien*), de *arare,* labourer.

**araucaria** 1806, de Wailly (*araucaire*) ; lat. bot. tiré d'*Arauco,* région du Chili d'où vient l'arbre.

***arbalète** 1080, *Roland* (*arbaleste,* var. *-estre,* jusqu'au XVI^e s.) ; lat. impér. (Végèce) *arcuballista,* « baliste à arc » ; terme hist., auj. spécialisé dans des acceptions techn. || **arbalétrier** XII^e s., *Aymeri* (*-estier*). || **arbalétrière** 1160, Benoît. || **arbalestrille** 1622, Hobier.

**arbitre** XIII^e s., Ph. Navarre, « volonté », sens qui s'est conservé dans « libre arbitre » (1541, Calvin) ; lat. *arbitrium* ; « juge entre deux parties » 1213, *Fet des Romains ;* 1896, sports ; lat. *arbiter.* || **arbitrage** 1283, Beaumanoir ; 1771, Trévoux, sens financier ; XX^e s., sports. || **arbitragiste** 1869, Sachs. || **arbitraire** 1397, Froissart, lat. *arbitrarius,* « qui dépend de la décision du juge » ; le sens moderne se développe à partir du XV^e s., le mot servant d'adj. à « libre arbitre » ; la valeur péjor., sensible au XVII^e s., s'accentue au XIX^e s. || **arbitrairement** 1397. || **arbitral** 1270, *D. G.* || **arbitrer** 1274, *D. G. ;* 1901, sports.

**arborer** 1320, *Geste des Chyprois ;* anc. ital. *arborare,* « dresser comme un arbre ».

**arborescent, arboriculture, arboriser** V. ARBRE.

**arbouse** 1557, Dodoens ; prov. mod. *arbousso,* fruit de l'*arbous,* du lat. *arbuteus,* dér. de *arbutus,* arbousier. || **arbousier** 1539, R. Est. (*arbosier*).

***arbre** 1080, *Roland ;* lat. *arbor,* fém. devenu masc. à l'époque préromane ; sens métaphoriques « mât », « axe » (de pressoir), etc., déjà en latin. || ***arbrisseau** VIIIᵉ s., *Gloses de Reichenau* (*arbriscellus*) ; XIIᵉ s. (*arbrissel*) ; lat. pop. **arboriscellus ;* réfection du dimin. de *arbor.* || **arborescent** 1553, P. Belon ; lat. *arborescens ;* part. présent de *arborescere,* devenir arbre. || **arborescence** début XIXᵉ s. || **arboriculture** 1836. || **arborisation** 1806, Lunier ; lat. *arbor.* || **arboriser** 1750 « cultiver des arbres » ; ce dernier est employé parfois au XVIᵉ s. pour *arborer.* || **arbuste** 1495, J. de Vignay ; lat. *arbustum.*

***arc** 1080, *Roland ;* lat. *arcus.* || **archer** XIIᵉ s., *Roncevaux.* || **archet** XIIᵉ s. || **arquer** 1560, A. Paré. || **arc-boutant** 1387, G. ; de *bouter,* pousser. || **arc-bouter** 1604, Certon. || **s'arc-bouter** 1783, Mercier. || **arc-en-ciel** 1265, J. de Meung. || ***arceau** 1175, Chr. de Troyes (*arcel*) ; lat. pop. **arcellus,* dimin, de *arcus,* arc. || **arcure** 1290. || **arcade** 1558, Jodelle ; ital. *arcata,* de *arco,* arc, sous une forme piémontaise-lombarde *arcada.* || **arcature** XIXᵉ s.

**arcane** fin XVᵉ s., adj., O. de Saint-Gelais, jusqu'au XVIIᵉ s., aussi terme d'alchimie ; lat. *arcanus,* adj., secret, et *arcanum,* nom ; auj. restreint à quelques loc. (les *arcanes* de la science).

**arcanne** XIIIᵉ s. (*alchanne*) ; 1611, Cotgrave (*arcanne*) ; lat. médiév. *alchanna,* plante tinctoriale, de l'ar. *al-hanna.* || **henné** 1553, Belon ; mot ar., nom d'un arbrisseau. || **orcanette** 1398, *Ménagier* (*arquenet*) ; 1562, Du Pinet (*arcanette*) ; altér. d'un dimin. de *arcanne.*

**arcanson** 1567 (*arguenson*) ; altér. de *Arcachon,* région où se fabriquait cette colophane.

**arcasse** 1491, Trémoille ; prov. mod. *arcasso,* gros coffre (dér. de *arco,* du lat. *arca,* coffre).

**archaïsme** 1659, Chapelain ; gr. *arkhaismos,* de *arkhaios,* ancien. || **archaïque** 1776, *Encycl., suppl.* || **archaïsant** 1906. || **archéen** 1866 ; gr. *arkhaios,* ancien.

***archal** 1170, *Rois ;* seulem. dans *fil d'archal,* depuis le XVIᵉ s. ; lat. *orichalcum,* du gr. *oreikhalkos,* laiton ; en fr., le *a* initial (au lieu de *o*) est dû à *aurum,* or.

**archange** V. ANGE.

1. ***arche** (de Noé, d'alliance) 1170, *Rois ;* lat. *arca,* coffre, « arche », dans la Vulgate.

2. ***arche** arcade XIIᵉ s., *Roncevaux,* et « arc » (du XIIIᵉ au XVIᵉ s.) ; lat. pop. de Gaule **arca,* arche, tiré de *arcus,* arc. || **archine** 1836.

**archéo-,** élém. de composition ; gr. *arkhaios,* ancien. || **archéologie** 1599, La Popelinière ; gr. *arkhaiologia.* || **archéologique** 1595, Barbier. || **archéologue** 1813, Boiste. || **archéoptéryx** 1864, F. de Filippi ; gr. *pterux,* aile.

**archétype** 1230 (*architype*) ; lat. *archetypum,* du gr. *archetypon.* || **archétypal** XXᵉ s.

**archevêché** V. ÉVÊCHÉ.

**archi-,** préfixe issu du gr. *arkhein,* commander, qui s'est développé depuis le XVIᵉ s. à partir de termes hiérarchiques empr. à l'ital. (*archiprêtre*) et indique une qualité (ou un défaut) portée à un point élevé. Les mots construits avec *archi-* sont étudiés à la place alphabétique du radical.

**archimandrite** 1560, Pasquier ; lat. eccl. *archimandrita,* du gr. eccl. *arkhimandritês,* de *mandra,* « enclos », puis « cloître ».

1. **archine** cintre. (V. ARCHE.)

2. **archine** mesure russe, 1699, A. Brand ; du russe *archin.*

**archipel** XIVᵉ s., *Chron. de Morée* (*archepelague*) ; 1512, J. Lemaire (*archipel*) ; var. *archipelago, -lague* jusqu'à Ménage ; ital. *arcipelago,* formé d'apr. le gr. *pelagos,* mer (propr. « mer principale » ; la mer et les îles qui s'y trouvent).

**architecte** 1361, Oresme (*architecton*) ; 1510, J. Lemaire (*architecte*) ; lat. *architectus* (var. *architecton,* Varron), du gr. *arkhitektôn* (de *tektôn,* ouvrier travaillant le bois). || **architectonique** 1370 ; lat. *architectonicus,* du grec. Ces mots se sont vulgarisés au XVIᵉ s. sous l'influence des mots ital. correspondants. || **architecture** 1504, J. Lemaire ; lat. *architectura.* || **architectural** 1803, Boiste. || **architecturer** *id.*

**architrave** 1528, *Comptes des bâtiments du Roi* (*arquitrave*) ; ital. *architrave,* maîtresse poutre. || **architravé** 1739, De Brosses.

**archives** 1282 ; bas lat. *archivum,* du gr. *arkheion,* ce qui est ancien. || **archiver** 1877, L. || **archivage** XXᵉ s. || **archiviste** 1701, Furetière. || **archivistique** 1952.

**archivolte** 1694, Th. Corn. ; ital. *archivolto,* voûte maîtresse.

**archonte** XIII^e s., *D. G.* (*arconde*) ; lat. *archon, -ontis,* du gr. *arkhôn, -ontos,* de *arkhein,* commander. || **archontat** 1701, Furetière.

***arçon** 1080, *Roland ;* lat. pop. **arcio, *arcionis,* dimin. de *arcus,* arc, en anc. fr. « petit arc » et « archet », spécialisé ensuite dans des sens techniques. || **désarçonner** XII^e s., *Roman d'Alexandre.*

**arctique** 1338, *Roumant de la fleur de lis ;* lat. *arcticus,* du gr. *arktikos,* de *arktos,* ours et Grande Ourse. || **antarctique** *id. ;* lat. *antarcticus,* même origine (*anti,* en face de).

**arct(o)-,** gr. *arktos,* ours. || **arctornis** 1878, Lar. ; gr. *ornis,* oiseau. || **arctostaphyle** 1868, Lar. ; gr. *staphulos,* grappe. || **arctotherium** 1928, Lar. ; gr. *thêrion,* bête.

**ardent** fin X^e s. ; lat. *ardens,* part. prés. de *ardere,* brûler, et confondu avec l'anc. fr. *ardant,* part. prés. de *ardoir* ou *ardre* (lat. *ardere*), vieilli dès le XVII^e s. || **ardemment** 1190, Saint Bernard.

**ardeur** 1130, *Job ;* lat. *ardor, ardoris,* de *ardere,* brûler.

**ardillon** 1231 (*hardillon*) ; XV^e s. (*ardillon*), d'abord « petit lien » ; de l'anc. fr. *hart,* corde, sous la forme primitive *hard.* (V. HART.)

**ardoise** 1175, Chr. de Troyes ; orig. inconnue, mot propre à la France du Nord. On a supposé une racine celtique. || **ardoisé** 1571. || **ardoisier** 1506. || **ardoisière** 1564.

**ardu** XIV^e s., *Ps. ;* lat. *arduus,* « escarpé », et « malaisé », sens fig. qui l'a emporté en fr. au XVII^e s.

**are** 1793, *Décret du 18 germinal an III ;* mot créé d'apr. le lat. *area,* aire, comme unité agraire du système métrique. || **centiare** fin XVIII^e s. || **hectare** *id.*

**arec** 1521, *Pigaphetta* (*areca*) ; 1687, Choisy (*arèque*) ; port. *areca,* tiré d'une langue de l'Inde et désignant un « palmier ». || **aréquier** 1687, Choisy.

**aréique** 1953, Lar. ; gr. *rhein,* couler, et *a* priv. || **aréisme** 1953, Lar., spécialisé en géogr.

***arène** 1155, Wace (*araine*), « sable » ; lat. *arēna,* sable (part. ext. « sable de l'amphithéâtre », « arènes ») ; le mot, disparu au XV^e s., fut repris au lat. dès le XVI^e s. (« sable »), sous la forme *arène* (litt.), puis au XVI^e s. au sens « arènes ». || **aréneux** XIII^e s. (*arénoux*).

**aréole** 1611, A. du Chesne, anat. ; 1888, Lar., zool. ; lat. *areola,* diminutif de *area,* aire. || **aréolaire** 1805.

**aréomètre** 1675, *Journ. des savants* (*arae-*) ; gr. *araios,* ténu, et *metron,* mesure.

**aréopage** 1495, J. de Vignay (*ario-*) ; 1538, J. de Vega (*areo-*), nom propre ; 1719, La Motte, sens fig. ; lat. *areopagus,* du gr. *Areios pagos,* « la colline d'Arès », sur laquelle siégeait l'Aréopage.

***arête** XII^e s. (*areste*) ; lat. pop. **aresta,* du lat. class. *arĭsta,* « barbe d'épi », puis « arête » (IV^e s., Ausone) ; en fr., le deuxième sens l'a emporté et a entraîné des emplois techniques (arête d'un toit, d'une montagne). || **arêtier** XIV^e s. || **arêtière** 1329, G., dans le voc. de l'architecture.

***argent** X^e s., *Eulalie ;* lat. *argentum,* « métal », « monnaie » et « richesses ». || **argenter** 1220, G. de Coincy. || **argenté** 1458. || **argenterie** 1286, *Archives,* ensemble de pièces en argent ; 1562, sens mod. || **argentin** 1120, *Ps. de Cambridge.* || **argentier** 1272, Delb., « banquier » ; 1417, Fauquembergue, « trésorier royal » ; XX^e s., par ironie, *grand argentier,* « ministre des Finances ». || **argentifère** 1596. || **argentine** XIII^e s. ; 1801, Haüy, voc. de la minéralogie. || **argenture** 1642, Oudin. || **désargenter** 1611, Cotgrave ; 1835, *Acad.,* « sans argent ».

***argile** XII^e s. (*argille*) ; lat. *argilla,* du gr. *argillos,* argile de potier. || **argileux** fin XII^e s., *Rois.* || **argilière** XIII^e s., *Renart (arzilière).* || **argilacé** 1842, *Acad.*

**argon** 1874, Raleigh et Ramsay en Angleterre ; gr. *argos,* inactif (le corps n'a aucune activité chimique).

**argot** 1628, *Jargon,* « corporation des gueux » dans leur jargon (*argotier,* gueux ; *argoter,* mendier) ; le sens « langage (des gueux, des voleurs) » s'est formé en fr. (1690, Furetière) ; orig. obscure : le subst. est peut-être dérivé du verbe, qui paraît de même racine que l'anc. fr. *hargoter,* secouer, quereller, var. de *harigoter,* déchirer, de l'anc. fr. *arguer,* du lat. *argutus,* pointu. || **argoter** 1628. || **argotique** 1628. || **argotier** 1628, Chéreau. || **argotisme** 1839, Boiste.

**argousin** XV^e s. (*agosin*) ; 1538, Vega (*argousin*), « surveillant de galères », aussi « sergent de ville » (Brantôme) ; port. *algoz,* bourreau, de l'ar. *alghozz,* forme arabisée du nom de peuple turc *aghuz,* avec infl. de l'esp. *alguacil,* qui a donné *alguazil* et qui a développé le sens

« agent de police », devenu péjor., le sens originaire ayant disparu avant la suppression des galères, ou du catalan *algutzir.*

**arguer** 1080, *Roland,* trisyll. ; lat. *arguere,* « prouver » et « accuser » ; il s'est confondu avec l'anc. fr. *arguer,* presser (au propre et au fig. ; du lat. *argutari,* au sens « fouler »), qu'il a éliminé. || **argument** 1160, Benoît ; lat. *argumentum.* || **argumenter** XII^e s., *Floovant ;* lat. *argumentare.* || **argumenteur** XVI^e s. || **argumentation** XIV^e s., Oresme ; lat. *argumentatio.* || **argumentateur** 1539, Gruget. || **argutie** 1520 ; lat. *argutia,* subtilité ; surtout au pl., comme en lat.

**argus** 1584, *Somme des péchez,* nom d'un personnage mythologique chargé par Junon de surveiller la nymphe Io. Il a signifié d'abord « surveillant » ; XX^e s., publication documentaire.

**argyr(o)-,** élém. de composition ; gr. *arguros,* argent. || **argyrisme** 1888, Lar. || **argyrose** 1833, Omalius.

1. **aria** m., pop., « embarras », 1493, Coquillard (*haria caria*), tumulte ; 1530, Palsgrave (*haria*) ; anc. fr. *harier,* harceler, même rac. que *harasser.*

2. **aria** f., mus., « air », 1703 ; ital. *aria.* || **ariette** mus., début XVIII^e s. ; ital. *arietta,* dimin. de *aria,* air.

**aride** 1360, G. de Machaut ; lat. *aridus ;* il a remplacé la forme pop. *are.* || **aridité** 1120, *Ps. d'Oxford (-tet)* ; lat. *ariditas.*

**aristarque** 1549, Du Bellay ; du nom d'un critique grec (II^e s. av. J.-C.), Aristarkhos ; sens fig. déjà en latin.

**aristocratie** 1361, Oresme ; gr. *aristokrateia,* « gouvernement des meilleurs » (*aristos,* le meilleur, *krateîn,* commander), latinisé dans les trad. d'Aristote ; usuel à partir de 1750. || **aristocratique** *id. ;* gr. *aristokratikos.* || **aristocratiquement** 1568, Le Roy. || **aristocratiser** 1361, Oresme, inusité pendant quatre siècles ; recréé à la Révolution. || **aristocrate** XVI^e s., vulgarisé à la veille de la Révolution (1778, Linguet) ; abrév. pop. *aristo* (1848, *Chanson*).

**aristoloche** 1248, Delb. ; lat. *aristolochia,* du gr. *aristos,* meilleur, et *lokhos,* accouchement, plante réputée pour faciliter les accouchements.

**aristotélique** 1527, Dassy, « d'Aristote ». || **aristotélicien** XVII^e s., Chapelain.

**arithmétique** fin XII^e s., *Thèbes* (*arimétique*) ; 1265, J. de Meung (*arithmétique*) ; 1529, G. Tory (*arithmétique*) ; lat. *arithmetica,* du gr. *arithmêtikê,* de *arithmos,* nombre. || **arithméticien** 1395, Chr. de Pisan (*arismetien*) ; 1539, R. Est. (*arithméticien*). || **arithmétiquement** 1558, Pontus de Tyard. || **arithmologie** 1834. || **arithmomanie** 1900.

**arlequin** 1160 (*Hellequin*) ; 1324, *Arch. Dijon* (*Harlequin,* nom de personne) ; 1585, comédien italien ; au fig. et au pl., rogatons de restaurant, 1829, Vidocq ; réfect. de l'anc. fr. *Hellequin,* nom d'un diable, p.-ê. de *harler,* harasser, croisé avec *hacquer,* mettre en pièces ; l'ital. *arlecchino* vient du fr. || **arlequinade** 1726, Trévoux.

**armada** 1829 ; mot esp., « armée navale ».

**armadille** 1598 ; esp. *armadillo,* tatou, dimin. de *armado,* armé, à cause de la carapace. Le mot a désigné ensuite des cloportes.

**armateur** 1544, *Recueil de lois ;* bas lat. *armator,* de *armare* au sens de « équiper ». || **armature** 1282, archit. ; fin XV^e s., « armure » ; 1694, Th. Corn., sens actuel ; lat. *armatura,* armature.

***arme** 1080, *Roland ;* lat. *arma,* pl. neutre (devenu fém. sing. en lat. pop.). || ***armer** *id. ;* lat. *armare,* « armer » et « équiper ». || **armée** v. 1360, Machault (qui a éliminé au XVI^e s. l'anc. fr. *ost* [lat. *hostis*], à l'origine « étranger », puis « ennemi », en bas lat. « troupe d'ennemis », puis « troupe armée »). || **armement** XIII^e s., *Geste des Chyprois.* || **armistice** 1680, Richelet, peu usité jusqu'à la fin du XVIII^e s. ; lat. diplomatique mod. *armistitium,* créé sur le modèle de *justitium* (de *arma,* armes, et *sistere,* arrêter). || ***armure** XII^e s. (*armeüre*) ; lat. *armatūra.* || **armurier** 1292, fabricant d'armoiries. || **armurerie** XIV^e s. || **désarmer** 1080, *Roland ;* 1570, Carloix, fig. || **désarmement** 1594, G. || **réarmer** XV^e s., La Curne ; repris en 1771, Trévoux. || **réarmement** 1771, Trévoux. || **surarmé** 1955, *le Figaro.*

**armeline** 1178 (*beste armeline*) ; 1611, Cotgrave (*armelin*) ; 1680, Furetière (*armeline*) ; ital. *armellina,* hermine.

**armet** XIV^e s., *Girart de Roussillon,* rare à cette époque ; très fréquent sous François I^er et Henri II ; croisement entre *arme* et l'esp. *almete* ou l'ital. *elmetto,* type de casque (l'un et l'autre repris à l'anc. fr. *helmet,* dimin., v. HEAUME).

**armille** 1160, Benoît, « bracelet » ; lat. *armilla,* bracelet (dér. de *armus,* bras) ; il n'est resté que dans des sens techn. || **armillaire** 1557, de Mesmes, astron. (*sphère armillaire*).

***armoire** 1170, *Rois* (*almarie, armarie*), puis *armaire ;* XVIe s. (*armoire*) ; empr. vers les VIIIe-IXe s. au lat. *armarium,* de *arma* au sens de « ustensiles », c'est-à-dire « meuble où l'on range les ustensiles ».

**armoiries** XIVe s. (*armoierie*) ; seulem. au pl. depuis le XVIe s. ; anc. fr. *armoier,* « couvrir d'armes héraldiques ». || **armorier** 1680, Richelet ; fait d'apr. *historier.* || **armorial** 1611, Cotgrave ; d'apr. l'anc. fr. *historial.*

***armoise** XIIe s. ; du lat. *artemĭsia,* du gr. *Artemis* (plante d'Artémis).

**armoisin** 1534, Rabelais ; ital. *armesino,* à cause des armoiries dont on en ornait les balles qui contenaient ce taffetas.

**armon** XVe s., texte de Tournai (*aremon*) ; p.-ê. lat. *artemo, -onis,* poulie.

**armorial**, **armure** V. ARME.

**arnaquer** 1835, Raspail (*harnaquer*) ; p.-ê. var. dial. de *harnacher.* || **arnaque** 1833, Moreau-Christophe. || **arnaqueur** 1895.

**arnica** 1697, *Pharmacopée de Schrœder ;* lat. bot. *arnica,* altér. de *ptarmika,* plante sternutatoire, du gr. *ptarmikê,* de *ptarein,* éternuer. On a longtemps écrit *arnique* (1752, Trévoux).

**arôme** XIIe s., G., puis repris au XVIIIe s. (1787, Guyton de Morveau) ; lat. *aroma,* du gr. *arôma,* de même sens. || **aromate** début XIIIe s., G. Le Clerc (graphie *aromat* jusqu'au XVIIe s. [Furetière, 1690]) ; bas lat. *aromatum,* de *aroma.* || **aromal** 1837, Fourier. || **aromatique** XIIIe s., G. ; bas lat. *aromaticus.* || **aromatiser** Xe s. ; bas lat. *aromatizare.* || **aromatisant** 1546, J. Martin. || **aromatisation** 1576, A. Thierry.

***aronde** fin XIIe s., *R. de Cambrai,* « hirondelle » jusqu'au XVIIe s. ; lat. pop. **hirunda* (lat. *hirundo*) ; le *a* initial (au lieu de *e* muet) doit s'expliquer par une réaction morphologique (le mot était fém.). Il n'a survécu en fr. que dans le terme techn. *queue d'aronde.*

**arpège** 1751, *Encycl. ;* ital. *arpeggio,* « jeu de harpe ». || **arpéger** *id.*

***arpent** 1080, *Roland ;* lat. *arepennis* (Columelle), mot gaulois refait en **arependis* dans le lat. pop. || **arpenter** 1384, texte de Reims, évaluer en arpents ; XVIIe s., sens actuel. || **arpentage** fin XIIIe s. || **arpenteur** milieu XIIIe s.

**arpette** av. 1876, Rabasse, mot dial. attesté à Reims (1845) et à Genève (1858) ; p.-ê. all. *Arbeiter,* travailleur.

**arpion** 1821, Ansiaume, main, mot d'argot des malfaiteurs (1837, Vidocq) ; prov. *arpioun,* griffe, dont le rad. est le même que celui de *harpon.*

**arquebuse** 1475, Commynes (var. *harquebuche, hacquebute*) ; moyen haut all. *hâkenbüchse,* canon (*büchse*) à crochet (*hâken*), avec infl. de l'ital. *archibugio* (var. *arcobugio*), tiré lui-même du germ. || **arquebusade** 1475, *Chron.,* a survécu plus d'un siècle à l'arquebuse, au sens de « coup de feu ». || **arquebuserie** 1535, *Papiers de Granvelle.* || **arquebusier** 1543, *Amadis* (*haquebuzier*).

**arquer** V. ARC.

***arracher** 1170, *Rois* (var. *esrachier,* XIIe-XVIe s.) ; lat. pop. **exradicare* (réfection de *eradicare,* de *radix, -icis,* racine) avec substitution de préfixe (*ad* à *ex*). || **arrachage** fin XVIe s., repris début XIXe s. || **arrachement** XIIe s., *D. G.* || **arracheur** XIIIe s., *Geste des Chyprois* (*aracheour*). || **arrachis** XIIIe s. (*aragis*), arrachage de la vigne ; 1518 (*arrachis*), « défrichement ». || **arrache-pied (d')** 1515, Colin Bucher, « sans relâche ». || **arraché** n. m., 1820 ; *à l'arraché* XXe s.

**arraisonner** 1080, *Roland,* « parler à quelqu'un » (var. *araisnier,* en anc. fr., de *raisnier*) ; XIIe s. « chercher à persuader », jusqu'au XVIe s. ; 1598, Lodewijcksz, mar. || **arraisonnement** XIIe s. (*araisnement*) ; même évol.

**arranger, arrérages, arrestation** V. RANG, ARRIÈRE, ARRÊTER.

***arrêter** XIIe s. (*arester*) ; intransitif jusqu'au XVIIe s., transitif ensuite ; lat. pop. **arrestare,* s'arrêter, de *restare,* rester. || **arrêt** 1175, Chr. de Troyes (*arest*). || **arrêté** 1414, Coyecque, décision. || **arrête-bœuf** 1542, Du Pinet, bugrane (dont les racines arrêtent la charrue). || **arrestation** 1370, G. ; réfection de l'anc. fr. *arestaison ;* la prononciation de l'*s,* muet depuis la fin du XIIe s., a été rétablie d'après le lat. *restare.*

***arrhes** XIIe s. (*erres,* graphie qui subsiste jusqu'au XVIIe s.) ; lat. *arrha,* gage, qui a entraîné une réfection graphique au début du XVIIIe s. Le latin est empr. au gr. *arrhabôn,* d'orig. sémitique.

***arrière** 1080, *Roland ;* lat. pop. **adretro,* forme renforcée de *retro,* en arrière ; sports,

1906, Lar. || **arriérer** XIII^e s., *Adenet,* « laisser en arrière ». || **arriéré** adj., milieu XVIII^e s., « en retard » ; 1788, nom, financ. || **arriération** 1909. || **arrérages** 1267, *Cartul. Saint-Pierre de Lille* (*arriérages*) ; XIV^e s. || **arrière-ban** 1155. || **arrière-boutique** 1508. || **arrière-cour** 1586, Delb. || **arrière-front** 1922. || **arrière-garde** XII^e s. || **arrière-pont** 1764. || **arrière-grand-mère, arrière-grand-père** 1787, Féraud. || **arrière-neveu** 1375, R. de Presles. || **arrière-petit-fils** 1559, Amyot ; d'abord *arrière-fils* (XVI^e s.), qui signifiait « petit-fils » (Amyot, Pasquier) ou « arrière-petit-fils » (Bodin, Montaigne) et qui a été éliminé à cause de son double emploi. || **arrière-petite-fille** 1637, Le Maître ; 1683, Fontenelle. || **arrière-petit-neveu** 1751, *Encycl.* || **arrière-pays** 1898. || **arrière-pensée** 1587, La Noue. || **arrière-saison** fin XV^e s. || **arrière-salle** 1853. || **arrière-train** 1827, Chateaubriand.

**arrimer** 1361, « mettre en état », rare en moyen fr. ; 1671, Delb. (*arrumer*), « ranger la cargaison » ; paraît empr. au moyen angl. *rime(n)*, débarrasser ; le sens nautique a été repris au prov. *arumar,* esp. *arrumar.* || **arrimage** fin XIV^e s. ; 1748, Montesquieu, sens moderne. || **arrimeur** *id.* (*arrumeur*).

***arriver** 1050, *Alexis ;* lat. pop. **arrīpare,* « accéder à la rive » (*rīpa*) ; le sens généralisé (comme *aborder*) se rencontre depuis la fin du Moyen Âge. || **arrivage** 1268, É. Boileau. || **arrivant** 1789, Louvet. || **arrivée** XVI^e s., *Loyal Serviteur.* || **arrivisme** 1903, Péguy. || **arriviste** 1893, Alcanter de Brahm.

**arrobe** ou **arobe** 1555, J. Poleur, nom de mesure ; esp. *arroba,* de l'arabe *ar-roub',* « le quart ».

***arroche** XII^e s. (*arace*) ; XV^e s. (*aroche*) ; lat. pop. **atripica,* réfection de *atriplex,* étymologie pop. du gr. *atraphaxus,* même sens.

**arrogant** XIII^e s. ; lat. *arrogans,* anc. part. présent de *arrogare,* revendiquer. || **arrogamment** 1265, Le Grand. || **arrogance** 1160, Benoît, lat. *arrogantia.* || **arroger (s')** XIV^e s., Du Cange, « attribuer » ; l'emploi réfléchi date du XVI^e s. ; lat. *arrogare,* « attribuer » et « revendiquer ». La valeur péjor. a seule subsisté.

***arroi** 1230, G. de Lorris ; déverbal de l'anc. fr. *aréer,* mettre en ordre ; lat. pop. **arredare,* du germ. **red,* moyen, provision. Le mot, au sens d'équipement, se maintient jusqu'au XVII^e s. || **désarroi** XIII^e s., « désordre » ; 1690, Furetière, fig. ; déverbal de l'anc. fr. *desarroyer* ou *désaréer,* composé négatif de *aréer.*

**arrondir, arrondissement** V. ROND.

***arroser** 1155, Wace ; lat. pop. **arrosare,* altér. du bas lat. *arrorare* (V^e s., Marcus Empiricus), de *ros, roris,* rosée. || **arrosage** 1611, Cotgrave. || **arrosement** 1190, Saint Bernard. || **arroseur** 1559, Boistuau ; rare jusqu'au XIX^e s. || **arroseuse** (voiture) fin XIX^e s. || **arrosoir** XIV^e s., *Ps. lorrain* (*arousour*).

**arroyo** 1856, Le François ; mot esp., du lat. pop. **arrugium,* lat. class. *arrugium,* galerie de mines (mot d'origine ibère). || **arrugie** 1729, David Durand, « canal d'écoulement dans les mines » ; du même mot lat.

**arrugie** V. ARROYO.

***ars** 1213, *Fet des Romains ;* lat. *armus,* épaule d'animal. Il désigne le « pli entre l'épaule et le poitrail du cheval ».

**arsenal** XIII^e s., *Assises de Jérusalem* (*tarsenal*) ; 1395, d'Anglure (*archenal*) ; la graphie *arsenac* se rencontre jusqu'au XVII^e s. ; ital. *arsenale,* de l'ar. *dār as sinā'a,* maison où l'on construit ; il a désigné en français l'arsenal de Venise jusqu'au XVI^e s.

**arsenic** 1314 ; lat. *arsenicum,* du gr. *arsenikon,* de *arsên,* mâle ; ainsi appelé à cause de la force de ses propriétés. || **arséniate** 1782, Guyton de Morveau. || **arsenical** 1578, Chauvelot. || **arsénieux** 1787, Guyton. || **arsine** 1846, Laurent. || **arsénicisme** 1878, Lar.

**arsin** fin XII^e s., *R. de Cambrai ;* anc. fr. *ars,* part. passé de *ardre,* brûler (lat. *ardere*). Terme techn. désignant le bois endommagé par le feu.

**arsouille** 1792, Gorsas, déverbal d'*arsouiller* (procès de Babeuf, an V ; encore en usage en 1821) ; origine obscure, p.-ê. dér. de *harser,* frapper, ou de *souiller,* ou traduction de l'angl. *arsehole,* trou du cul.

***art** 1080, *Roland ;* lat. *ars, artis,* fém. ; masc. et fém. jusqu'au XVI^e s. Dans l'usage courant, il a gardé le sens de métier, technique, jusqu'au XVII^e s. || **artiste** 1395, Chr. de Pisan, « lettré » ; 1753, sens mod. ; lat. médiév. *artista,* « maître ès arts », puis « lettré » ; resté l'équivalent de *artisan* jusqu'à la fin du XVIII^e s. ; adj. 1832, Balzac. || **artistement** 1538, en artisan ; 1830, Duvicquet, sens mod. || **artistique** 1808, Boiste. || **artisterie** 1842.

**artefact** 1905 ; mot angl., du lat. *artis factum,* « fait de l'art », v. le préc.

**artel** 1800, Massion (*artelchiki*) ; mot russe signif. *commune.*

**artère** 1213, *Fet des Romains* (*artaire*) ; 1350-1400, *Aalma* (*artère*) ; lat. *arteria,* du gr. *artêria,* de même sens ; 1831, emploi du mot au sens de « voie de grande circulation ». || **artériel** et **artérial** 1314, Mondeville. || **artériole** 1673, Denis. || **artériographie** 1771. || **artériosclérose** 1833, J.-F. Lobstein. || **artérite** 1824. || **artériectomie** 1931. || **artériotomie** 1560, Paré. || **artérioscléreux** 1895, Caussade. || **artériolaire** XX^e s.

**artésien** (*puits*) 1803, Boiste ; de *Artois,* région où ces puits étaient nombreux.

**arthrite** 1560, Paré (*arthrites*) ; 1646, Balouard et Alexis (*arthrite*) ; lat. *arthritis,* goutte, du gr. *arthritis,* de *arthron,* articulation. || **arthritique** XIII^e s., Beaumanoir (*artétique,* XII^e s., *Cligès*). || **arthritisme** 1866, Fleury. || **arthropathie** 1840, *journ.* || **arthrolyse** 1907, Lar. || **arthrose** 1611, « articulation » ; 1644, pathol. || **arthrosique** 1980.

**arthropode** 1827, *Acad.* (*arthropodion*) ; 1866, Lar. ; gr. *arthron,* articulation, et *pous, podos,* pied.

**artichaut** 1530, Rab. ; lombard *articiocco,* déformation de l'ital. *carciofo,* d'origine arabe (*al-harsūfa*).

**article** 1130, *Job ;* lat. *articulus,* « articulation », de *artus,* même sens ; le sens primitif, repris au XVI^e s. par les anatomistes (A. Paré), n'est plus usité qu'en entomologie ; des sens dér. du lat., le fr. a repris d'abord le sens juridique (« membre de phrase » [XIII^e s.] → « disposition légale ») ; d'où, au fig., *article de foi,* et, par ext., *article* de journal, *article* commercial (1597, Laffemas), *article de Paris* (1833, Balzac) ; le sens « division du temps » est passé dans la loc. *à l'article de la mort,* 1450 ; le sens grammatical est apparu au XIII^e s. (H. d'Andeli). || **articulet** 1866. || **articlier** 1839, Balzac. || **articuler** 1265, Br. Latini, sens fig. ; lat. *articulare* (dér. de *articulus*) ; le sens fig. « articuler des sons » a été emprunté le premier. || **articulation** 1478, G. de Chauliac (lat. *-atio*), a les deux sens du verbe. || **articulaire** 1505 (lat. *articularis*), est spécialisé au sens médical. || **désarticuler** fin XVIII^e s. || **désarticulation** début XIX^e s., au sens méd. || **inarticulé** fin XVI^e s., fig.

**artifice** 1256, Ald. de Sienne ; ital. *artificium* (de *ars,* art, *facere,* faire), « art, métier », et, par ext., « habileté, ruse », au XVII^e s. *Feu d'artifice* (XV^e s. ; var. *feu artificiel, artifice de feu*) est l'adaptation de l'ital. *fuoco artifiziale.* || **artificiel** 1361, J. Oresme, « fait avec art » ; XVIII^e s., sens actuel ; lat. *artificialis.* || **artificiellement** XIII^e s., d'abord « avec art », jusqu'au XVII^e s. || **artificialisme** 1909, Lar. || **artificialité** 1916. || **artificier** 1594, celui qui fait le feu d'artifice. || **artificieux** 1265, J. de Meung ; lat. *artificiosus,* fait avec art ; spécialisé au sens actuel à la fin du XVIII^e s. (Voltaire, *Dict. philos.,* emploie encore *artificieux* au sens ancien).

**artillerie** 1272, Joinville, « ensemble des engins de guerre » (jusqu'au XVI^e s.) ; anc. fr. *artillier* (XIII^e-XVI^e s.), « garnir d'engins », réfection sur *art* d'un plus ancien *atilier, atillier,* « parer », d'origine germanique. Sens spécialisé aux canons à partir du XIV^e s. (les premiers canons, en France, furent employés à Crécy [1346] par les Anglais). || **artilleur** 1334, Delb.

**artimon** 1246, *Assises de Jérusalem ;* lat. *artemo, -onis,* du gr. *artemôn.*

**artisan** 1546, Rab. ; ital. *artigiano,* de *arte,* art ; il avait aussi le sens de « artiste » au XVI^e et au XVII^e s. || **artisanal** 1923, Lar. || **artisanat** fin XIX^e s.

**artison** XIII^e s. ; rac. *art-* (anc. prov. *arta, arda ;* aussi *artre,* en anc. fr.), qui représente p.-ê. une forme refaite du lat. *tarmes, -ĭtis,* ou lat. *artare,* serrer, gêner. Il désigne un insecte qui attaque le bois. (V. TERMITE.)

**artiste** V. ART.

**arum** XIV^e s., G. Phébus (*aron*) ; 1545, G. Guéroult ; lat. *arum,* du gr. *aron.*

**aruspice, haruspice** 1375, R. de Presles ; lat. *haruspex, haruspicis,* devin. La graphie avec *h* a été refaite sur le lat. après le XVI^e s.

**aryen** 1562 ; du nom propre *Aryas,* nom d'un peuple de l'Antiquité qui envahit le nord de l'Inde. || **aryanisme** 1899, hist. || **aryanisé** 1921.

**as** XII^e s., L. ; lat. *as,* unité de monnaie, de poids ; en fr., terme de jeu de dés, puis de cartes ; au fig., « cavalier du premier peloton », argot milit. (début du XX^e s.), puis « soldat de valeur » (sens développé par la guerre) et, par ext., « homme de valeur » (1922, *journ.*) ; le sens pop. *as,* « argent », vient de *as,* carte maîtresse.

**ascaride** 1320 ; fém. au XVII^e s. ; lat. méd. *ascarida,* f., du gr. *askaris,* f., de *skairein,* sauter. || **ascaridiose** XX^e s.

**ascendant** 1372, Corbichon ; lat. *ascendens, -entis,* part. présent de *ascendere,* monter ;

d'abord terme spécialisé d'astrologie (d'où, au fig., *ascendant,* influence), puis d'astronomie, et adj. (1503, G. de Chauliac) jusqu'au XVIIe s. ; comme terme de parenté, repris au XVIe s. au lat. jurid. (Paulus, IIIe s.). ‖ **ascendance** fin XVIIIe s., astron. ; au fig., « supériorité » (fin XVIIIe s., Rousseau) ; « ligne généalogique », début XIXe s.

**ascenseur** V. ASCENSION.

**ascension** fin XIIe s., *Aliscans,* sens religieux ; lat. *ascensio* (dér. de *ascendere,* « action de monter »), au pr. et au fig. La spécialisation du lat. chrét. (Ascension de Jésus-Christ) a passé la première en fr. ; puis le sens astronomique, 1260, et *ascension de montagne,* 1787, par ext. *ascension* d'un ballon (fin XVIIIe s.), d'où, au fig., *ascension* sociale, XIXe s. ‖ **ascensionnel** 1557, P. de Mesmes (*-nal*) ; 1698, J. Bouguer (*-nel*), astron. et (force) aéronautique. ‖ **ascensionner** 1882. ‖ **ascensionniste** 1872, L. ‖ **ascenseur** fin XIIe s., « cavalier » ; 1867, *Exposition,* techn. (*ascenseur de Edoux*).

**ascète** 1580, Du Préau (*aschète*) ; XVIIe s., Bossuet (*ascète*) ; gr. chrétien *askêtês,* « qui exerce une profession », « qui pratique ». ‖ ascèse av. 1890, Renan ; gr. *askêsis,* méditation. ‖ ascétique 1673, Hermant ; gr. chrét. *askêtikos.* ‖ ascétisme début XIXe s.

**ascidie** fin XVIIIe s. ; gr. *askidion,* petite outre.

1. **asclépiade** 1545, Guéroult, bot. ; lat. *asclepias, -adis,* du gr. ; « plante d'Asklêpios (Esculape) ».

2. **asclépiade** 1701, Furetière, terme de métrique ; lat. *asclepiadeus,* du gr. (du nom du poète *Asklêpiadês* [Asclépiade]).

**ascorbique** V. SCORBUT.

**asepsie** 1890, Baudouin ; de *a* priv. et *septikos,* putréfié. ‖ **aseptique** 1871, *journ.* ‖ **aseptiser** 1897, Lar. ‖ **aseptisation** 1907, Lar. (v. SEPTIQUE.)

**asexué** V. SEXE.

**ashram** 1960 ; mot sanscrit *asrama,* lieu de retraite.

**asiatique** XVIe s. ; lat. *asiaticus,* de *Asia,* Asie. ‖ **asiate** 1879 ; dér. du préc.

1. **asile** 1355, Bersuire ; lat. *asylum,* du gr. *asulon,* lieu inviolable (*a* privatif, *sulân,* piller, dépouiller). ‖ **asilaire** 1955.

2. **asile** 1582, d'Aigneaux (*azyle*), zool. ; lat. *asilus,* taon.

**asine** adj. XVIe s. (*asinin, -ine*) ; réduit en *asine,* XVIIe s., employé seulem. au fém. ; lat. *asininus,* de *asinus,* âne.

**asocial** V. SOCIÉTÉ.

**asparagus** 1797 ; mot lat., du gr. *asparagos,* asperge.

**aspect** 1468, Chastellain ; 1611, sens général ; XXe s., sens gramm. ; lat. *aspectus,* de *aspicere,* regarder ; le sens « regard » a été aussi repris au XVIe s. et se conserve au XVIIe s. ‖ **aspectuel** milieu XXe s., gramm.

**asperge** 1256, Ald. de Sienne (*esparge*) ; lat. *asparagus,* du gr. *asparagos ;* 1548 (*asperge*) ; la variante *asparge* est encore usuelle au XVIIe s. ‖ **asparagé, asparaginé** 1807.

**asperger** XIIe s., *Mainet ;* lat. *aspergere,* arroser (de *spargere,* répandre), terme eccl. jusqu'au XIXe s. ; on trouve *asperser* aux XVIe-XVIII[e] s. ‖ **aspersion** XIIe s., G. de Saint-Pair ; lat. *aspersio.* ‖ **aspersoir** 1345 (*asperceur*) ; lat. eccl. *aspersorium.* ‖ **aspergès** 1352 ; dernier mot d'un psaume en latin : *asperges,* tu asperges.

**aspergille** 1808 ; lat. *aspergillum,* goupillon. ‖ **aspergillose** 1897, Courtois.

**aspérité, aspermie** V. ÂPRE, SPERME.

**asphalte** XIIe s. ; bas lat. *asphaltus,* bitume (VIIe s., Isidore de Séville), du gr. *asphaltos.* ‖ **asphalter** 1866. ‖ **asphalteur** 1877.

**asphodèle** XVe s. (*afrodille*) ; 1534, Rab. (*asphodèle*) ; lat. *asphodelus,* du gr. *asphodelos.*

**asphyxie** 1741, Col de Vilars ; gr. *asphuxia,* arrêt du pouls (*sphuxis*). ‖ **asphyxier** fin XVIIIe s. ; 1826, *Journ. des dames et des modes,* sens fig. (étouffer). ‖ **asphyxié** adj. 1791, Fourcroy. ‖ **asphyxiant** 1846.

1. **aspic** 1119, Ph. de Thaon (*aspi*) ; lat. *aspis, aspidis,* du gr. *aspis,* naja d'Égypte ; la graphie *aspic* peut être due à l'influence de *basilic ;* 1742, *Suite des dons de Camus,* cuisine ; le sens de gelée (ragoûts, sauces à l'*aspic*) peut venir des moules ayant la forme de serpents roulés.

2. **aspic** XIe s. (*espig*) ; 1560 (*aspic*) ; anc. prov. *espic,* épi.

**aspirer** 1160, Benoît, « inspirer » ; lat. *aspirare,* « souffler » (trans. et intrans.), et, au fig., « inspirer » ; sens propre jusqu'au XVIe s., mais dès le XIVe s. « aspirer le souffle, l'eau », etc. ; le sens fig., éliminé par *inspirer,* a fait place à « porter son désir », issu de « porter son souffle vers » ; fin XVIe s., phonétique, repris au lat. || **aspiration** 1170, *Rois ;* lat. *aspiratio,* a suivi l'évolution du verbe ; phonétique, 1529, G. Tory. || **aspirant** nom, fin XVe s., d'après le sens fig. « qui aspire à un emploi », spécialisé pour un grade inférieur dans la marine ; abrév. en argot *aspi* (1914). || **aspirateur** 1836, Lamé, « qui aspire » ; 1909, *Doc., aspirateur de poussière.* || **aspiratoire** 1825, Brillat-Savarin.

**aspirine** fin XIXe s. ; all. *Aspirin* (1899), formé avec *a* privatif et *spiraea* (*ulmaria*), pour indiquer que la préparation n'est pas tirée de cette plante comme une substance congénère.

**asple** 1751, *Encycl. méth.,* « dévidoir » ; ital. *aspo, aspolo,* de l'all. *Haspel,* qui a donné aussi *hasple, haspe* (1642, Oudin).

**assa-fœtida** XIVe s. ; lat. médiéval *asa,* résine de silphium, mot présumé persan, et *fœtida,* fétide.

**assagir** V. SAGE.

***assaillir** 980, *Passion* (*assalir*) ; lat. pop. **assalire,* réfection de *assilire,* d'après *salire,* sauter (v. SAILLIR). || **assaillant** XIIe s. || ***assaut** 1080, *Roland* (*assalt*) ; lat. pop. **assaltus,* du lat. *assultus,* refait d'après *saltus* (v. SAUT).

**assainir** V. SAIN.

**assaisonner** XIIIe s., « cultiver dans une saison favorable » (encore usuel au XIVe s.) ; XVIe s. « faire mûrir », « préparer les aliments avec condiments » ; de *saison,* v. ce mot. || **assaisonnement** 1539, R. Est.

**assassin** 1560, R. Belleau ; ital. *assassino,* de l'ar. *hachchāchī,* « buveur de hachisch », surnom donné aux fidèles du Vieux de la Montagne (XIe s.) ; déjà repris à l'ar. en anc. fr. comme nom propre et parfois au fig. (*assasis,* XIIIe s.) ; XVIIe s., mouche noire pour rehausser le teint. || **assassiner** 1546, Rab. ; ital. *assassinare.* || **assassinat** 1547 ; ital *assassinato.*

**assaut** V. ASSAILLIR.

**asse** 1870, L., « marteau à panne tranchante », forme dialectale (Ouest) ; lat. *ascia,* hache (v. AISSEAU 2). || **asseau** fin XIIIe s. || **assette** 1690, Furetière.

**assécher** V. SÉCHER.

***assembler** 1050, *Alexis ;* lat. pop. *assimulare,* mettre ensemble, dér. de *simul,* ensemble. || **assemblée** XIIe s., *Roncevaux,* « action d'assembler » et divers sens dér. en anc. fr. ; *Assemblée nationale* 1788, *Doc.* || **assemblage** 1493, *Archives,* qui a éliminé **assemblement** XIe s. || **assembleur** 1281 (*-bleor*). || **désassembler** XIIe s., Couci. || **rassembler** 1155, Wace ; XIVe s., pronominal. || **rassemblement** 1426, G.

**assener** XIIe s., *Roncevaux ;* lat. *assignare,* « signaler, assigner, distribuer », de *signum,* « signe » (v. ASSIGNER) ; le sens premier, en anc. fr., est « viser, atteindre » et aussi « assigner, attribuer » ; XIIIe s., « assener un coup ». Le mot a pu être influencé par l'anc. fr. *sen,* qui signifiait, comme son prototype, le francique *sin,* « sens » et « direction ».

**assentiment** fin XIIe s. (*assentement*) ; XIVe s. (*-timent*), rare jusqu'au XVIIIe s., de *assentir* (XIIe s.-XVIIIe s.), « donner son assentiment » ; lat. *assentire* (de *sentire,* au sens fig. « émettre une opinion »).

***asseoir** 1050, *Alexis ;* lat. pop. **assĕdēre,* réfection de *assĭdēre* (d'après *sedēre*), « être assis auprès », avec des sens dér., en partie conservés en anc. fr. (p. ex. « assister » et « assiéger ») ; *s'asseoir* a éliminé *se seoir* au XVIIe s. || **assesseur** XIIIe s., *Fabliau ;* lat. *assessor,* de *assidere,* asseoir. || ***assise** XIIe s., Du Cange ; part. passé substantivé de *asseoir,* sens divers dès le Moyen Âge : *assise* d'une construction ; impôt (d'après son *assiette*) ; réunion des juges qui siègent (XIIIe s.), d'où *cour d'assises.* || **rasseoir** début XIIe s., *Voy. de Charl.*

**assermenter** V. SERMENT.

**assertion** 1294 ; lat. *assertio,* de *asserere,* « revendiquer », en bas lat. « prétendre ». || **asserter** 1845. || **assertif** 1521. || **assertorique** 1838.

**asservir, assesseur, assette** V. SERF, ASSEOIR, ASSE.

***assez** 1050, *Alexis ;* lat. pop. **adsatis,* renforcement de *satis,* assez ; signifiait surtout « beaucoup » en anc. fr. et jusqu'au XVIIe s., d'après le bas lat. (cf. ital. *assai,* beaucoup).

**assidu** fin XIIe s., à côté de *assiduel ;* lat. *assiduus,* de *assidere* (v. ASSEOIR). || **assiduité** *id. ;* lat. *assiduitas.* || **assidûment** XIIIe s.

**assiéger** V. SIÈGE.

***assiette** 1283, Beaumanoir, au sens financier ; lat. pop. **assĕdĭta,* part. passé substantivé de **assedēre* (v. ASSEOIR), « manière d'être assis, posé, disposé », d'où assiette de l'impôt, de la rente ; XIVe s., place à table ; « action de mettre les plats sur la table », puis « services d'un repas » ; 1507, par ext. « pièce de vaisselle plate ». Le sens premier (encore au XVIIe s.) subsiste dans *ne pas être dans son assiette,* etc. || assiettée 1690, Furetière.

**assignat** V. ASSIGNER.

**assigner** 1155, Wace, var. *assiner* jusqu'au XVIIe s. ; lat. *assignare,* forme refaite sur le lat., a limité l'emploi de la var. *assener* et s'est spécialisé au sens jurid., après avoir eu, jusqu'au XVIIe s., le sens de « garantir ». || **assignation** milieu XIIIe s. ; lat. *assignatio,* a subi la même évolution. || **assignat** 1395 (*assinat*) ; 1522 (*assignat*), « constitution de rente » ; 1789, « papier-monnaie » garanti par les biens nationaux. || **assignable** XVIIe s., Bossuet. || **réassigner** début XVIe s. || **réassignation** fin XVe s.

**assimiler** 1495, J. de Vignay ; lat. *assimulare,* rendre semblable, de *similis,* pareil. || **assimilable** début XIXe s. || **assimilation** XIVe s. ; sens méd., 1503, G. de Chauliac ; 1838, linguistique ; XXe s., polit ; lat. *assimilatio.* || **assimilatif** XVIe s., méd. || **assimilateur** 1626. || **dissimiler** XIXe s., linguist. ; sur *assimiler,* par changement de préfixe. || **dissimilation** *id.* || **inassimilable** 1892, Guérin.

**assister** début XIVe s. ; lat. *assistere* (*sistere,* se tenir, *ad,* auprès) ; extension de sens en fr. (XVIIe s.), d'après « assister [un client] en justice ». || **assistant** 1372 ; *assistante sociale,* 1945. || **assistance** début XVe s. || **assistanat** v. 1960.

**associer** milieu XIIIe s. ; lat. *associare,* de *socius,* compagnon. || **association** XVe s., *Vieil Testament ;* sens social 1841, Fourier. || **associé** début XVIe s. || **associatif** fin XIXe s. || **associationnisme** 1877. || **associationniste** 1874. || **coassocié** début du XVIIe s.

**assoiffer** V. SOIF.

**assoler** 1374 ; dér. de *sole,* surface de terre. || **assolement** 1800.

**assombrir** V. SOMBRE.

**assommer** fin XIIe s., *Aliscans,* « tuer » ; de l'anc. fr. *assommer,* assoupir (lat. *somnus,* somme, masc.) ; d'abord « étourdir » (encore dans le Jura), puis « étourdir d'un coup à la tête » ; au fig., « appesantir », XVIe s., A. Jamyn. || **assommant** XVIe s., G., spécialisé au sens fig. || **assommeur** milieu XVe s. || **assommoir** 1700, Liger ; fig. et pop. « cabaret », sens disparu, d'abord surnom d'un cabaret de Belleville, 1850, Loynel (1866, Delvau).

**assomption** XIIe s., *Ps. ;* lat. chrét. *assumptio* (IVe s., saint Ambroise), « action de prendre » (de *sumere,* prendre). || **assomptif** 1578.

**assonance** 1690, Furetière ; lat. *assonare,* « retentir, faire écho » (*ad* et *sonus,* son). || **assonant** début XVIIIe s. || **assoner** fin XIXe s. L'anc. fr. *assoner,* « appeler par le cor », était un comp. fr. de *son* (d'où *assonant,* harmonieux).

**assortir, assoter** V. SORTE, SOT.

**assoupir** XIVe s. ; bas lat. *assopire,* de *sopire,* endormir. Le sens fig. de « calmer » apparaît dès le XVe s. || **assoupissant** 1552, Ch. Est. || **assoupissement** 1531, Du Guez.

**assouplir, assourdir** V. SOUPLE, SOURD.

***assouvir** 1190, Couci (*assevir*) ; bas lat. **assopire* (v. ASSOUPIR) ; fin XIIIe s. (*assouvir*) ; au sens fig., « calmer », d'où « satisfaire » ; s'était confondu en anc. fr. avec *assevir,* achever (lat. pop. **assequire,* lat. *assequi,* atteindre), devenu aussi *assovir, assouvir.* || **assouvissement** XIVe s. || **inassouvi** 1794, Parny.

**assuétude** 1885 ; lat. *assuetudo,* habitude.

**assujettir** V. SUJET.

**assumer** XVe s. ; lat. *assumere,* prendre sur soi (*sumere,* prendre).

**assurer** V. SÛR.

**aster** 1549, Meignan ; lat. *aster,* du gr. *astêr,* étoile ; 1883, Charpentier, Lar., biol. || **astérie** 1729, étoile de mer ; 1742, Dezallier d'Argenville, minéral. || **astérisque** 1570, G. Hervet (*astérique*) ; bas lat. *astericus* (IVe s., saint Jérôme), du gr. *asterikos,* petite étoile. || **astéroïde** 1752, bot. ; 1815, B. de Saint-Pierre, astron. ; gr. *asteroeidês,* semblable à une étoile.

**asthénie** 1790, *Encycl. ;* gr. *asthenia,* manque de force (*a* priv. et *sthenos,* force). || **asthénique** 1814 (v. NEURASTHÉNIE).

**asthme** XIVe s., G. (*asmat*) ; XVe s., G. Tardif (*asme*) ; 1611, Cotgrave (*asthme*) ; lat. *asthma ;* en moy. fr., on trouve le sens de « angoisse ». || **asthmatique** XIVe s. (*asmatic*) ; 1538, Canappe (*asthmatique*) ; lat. *asthmaticus,* du gr. *asthmatikos.*

**astic** 1721, morceau de cuir servant à polir le cuir ; p.-ê. de l'angl. *stick,* bâton, ou du liégeois *astichê,* pinter, du fr. *stikkân.* || **astiquer** 1833, Larchey, « frotter », et, au fig., « battre ». || **astiquage** 1866.

**asticot** 1828, Vidocq ; p.-ê. le déverbal du suivant.

**asticoter** 1747, Caylus ; réfection sur *estiquer, astiquer,* « piquer », mot dialectal du Nord et du Nord-Ouest (néerl. *steeken*), de *dasticoter* (1642, Oudin, « parler allemand », puis « parler un langage inconnu, contredire, importuner »), qui vient d'une imprécation allemande interrompue *dass dich Gott... !* « que Dieu te... ! », entendue *d'asticot* chez les lansquenets (d'Aubigné, 1616). || **asticoteur** 1813. || **asticotage** 1779.

**astigmatisme** 1857, Mackenzie ; *a* priv. et gr. *stigma, -atos,* point ; désigne d'abord le défaut d'un instrument d'optique ne donnant pas d'un point une image ponctuelle. || **astigmate** 1877.

**astracan, astrakan** 1775, É. Lamy ; du nom de la ville *Astrakan,* d'où provenait ce type de fourrure.

**astragale** 1546, Ch. Est. (*astragal*), anat. ; 1546, Martin, archit. ; lat. *astragalus,* du gr. *astragalos,* osselet.

**astre** XII^e^ s. ; lat. *astrum,* du gr. *astron ;* le sens fig. est usuel au XVII^e^ s. || **astral** 1533, F. Dassy ; lat. impér. *astralis* (saint Augustin). || **astrolabe** XII^e^ s. (*astrelabe*) ; gr. *astrolabos,* instrument pour prendre (*lambanein*) la position des astres. || **astrologie** XIII^e^ s., au sens de « étude des astres », puis divination par les astres dès le XIV^e^ s. ; gr. *astrologia.* || **astrologique** 1546, O. de Saint-Gelais ; gr. *astrologikos.* || **astrologue** 1372, Corbichon ; gr. *astrologos,* à côté de *astrologien.* || **astronomie** 1155, Wace ; gr. *astronomia,* de même sens. || **astronome** XVI^e^ s. ; gr. *astronomos,* à côté de *astronomien.* || **astronomique** XIV^e^ s. ; gr. *astronomikos.* || **astrobiologie** 1953, Lar. (R. Berthelot). || **astrodôme** 1950, Lar. || **astronautique** 1842. || **astronaute** 1928, Lar. || **astronauticien** 1960, Lar. || **astronef** 1928, Lar. || **astrophotographie** fin XIX^e^ s. || **astrophysique** 1903. || **astrophysicien** 1933, Lar.

**astreindre** XII^e^ s., G. (*astraindre*) ; lat. *astringere,* serrer, et, au fig., obliger ; la conjugaison a subi les influences analogiques des verbes en *-aindre ;* le *s* est dû à la graphie latinisante. || **astreignant** 1869. || **astreinte** 1875, jurid. ; sens étendu, 1909, Péguy. || **astringent** 1538, Canappe, méd. ; lat. *astringens,* part. prés. || **astriction** 1538, Canappe, méd. ; lat. *astrictio,* resserrement.

**astriction** V. ASTREINDRE.

**astuce** 1260, Br. Latini ; lat. *astutia,* ruse. || **astucieux** 1495, J. de Vignay.

**asymétrie** V. SYMÉTRIE.

**asymptote** début XVII^e^ s. ; gr. *asymptôtos,* qui ne coïncide pas, de *a* priv., *sun,* avec, et *piptein,* tomber. || **asymptotique** 1678, *Journ. des savants.*

**asyndète** 1863, L. ; gr. *asundetos,* de *a* priv. et *sundein,* lier ensemble. || **asymétique** 1933.

**ataraxie** 1580, Montaigne ; gr. *ataraxia,* tranquillité, de *a* priv. et *taraxis,* trouble.

**atavique** 1808, Boiste ; lat. *atavus,* ancêtre, d'abord terme biologique dont l'emploi s'est élargi dès le XIX^e^ s. || **atavisme** début XIX^e^ s.

**ataxie** 1741, Col de Vilars ; gr. *ataxia,* désordre. || **ataxique** fin XVIII^e^ s.

**atèle** sorte de singe, 1839 ; gr. *ateles,* incomplet.

**atelier** début XIV^e^ s. (*astelier*), « tas d'éclats de bois », puis « chantier » (de charpentier, etc.) ; dér. de l'anc. fr. *astelle,* éclat de bois. (V. ATTELLE.)

**atermoyer** fin XII^e^ s., R. de Moiliens ; anc. fr. *termoyer,* « vendre à terme », et « ajourner », « tarder ». || **atermoiement** 1605, H. de Santiago.

**athanor** XIII^e^ s. ; lat. médiév. *athanor,* de l'ar. *al-tannur,* four.

**athée** 1532, Rab. ; gr. *atheos,* sans dieu, de *a* priv. et *theos,* dieu. || **athéisme** 1555, Billon. || **athéiste** 1549. || **athéistique** 1768.

**athérosclérose** 1904 ; sur le gr. *atheroma,* loupe de matière graisseuse. (V. SCLÉROSE.) || **athérome** 1550.

**athlète** début XIV^e^ s., usuel à partir du XVI^e^ s. ; lat. *athleta,* du gr. *athlêtês* (de *athlon,* combat). || **athlétique** 1534, Rab. ; lat. *athleticus,* du gr. || **athlétisme** 1855.

**atlante** V. ATLAS.

**atlas** 1663, Graindorge, nom donné en 1585 par Mercator à un recueil de cartes dont le frontispice figurait Atlas portant le ciel sur ses épaules ; 1612, anat., première vertèbre du cou, empruntant son sens figuré au gr. || **atlante** 1547, arch. ; ital. *atlante,* de *Atlas.* || **atlantique** XIV^e^ s. ; lat. *Atlanticus,* du gr. *atlantikos,* d'*Atlas,* montagne d'Afrique qui a donné son nom à la mer voisine et que l'on comparait à Atlas portant le ciel. || **atlantisme, atlantiste** milieu XX^e^ s.

**atmosphère** 1665, Chapelain ; gr. *atmos,* vapeur, et *sphaira,* sphère. || **atmosphérique** 1781, Thouvenel.

**atoll** 1611, Pyrard de Laval (*attollon*) ; du port. (XVII$^e$ s.-XVIII$^e$ s.) ; repris au XIX$^e$ s. (1848, chez Mackenzie) à l'angl. *atoll ;* ces formes sont empr. au maldive *atolu* (sud-ouest de l'Inde).

**atome** 1350-1400, *Aalma* (*athome*) ; lat. *atomus,* du gr. *atomos,* de *a* priv. et *temnein,* couper. || **atomique** 1585, J. Des Caurres. || **atomisme** XVIII$^e$ s., Diderot, *Encycl.* || **atomiste** v. 1750, Diderot, *Encycl.,* philos. ; XX$^e$ s., phys. || **atomistique** 1834, Boiste. || **atomiseur** 1928. || **atomiser** 1884, Waquet ; 1948, Camus. || **atomisation** 1928, Lar. || **atomicité** 1865.

**atonal** V. TON.

**atone** 1813, Gattel, méd. ; gr. *atonos,* relâché (*a* priv. et *teinein,* tendre) ; le sens grammatical se développe à la fin du XIX$^e$ s. || **atonie** 1361, Oresme, rare jusqu'au XVIII$^e$ s. (1752, Trévoux). || **atonique** 1766, Raulin, méd.

**atour** 1170, *Rois* (*aturn*), « préparatifs », puis « ornement » (au sing. jusqu'au XVI$^e$ s.) ; déverbal de l'anc. fr. *atourner* (1050, *Alexis ;* encore chez La Fontaine), « tourner, préparer, orner » (de *tourner*).

**atout** XV$^e$ s., *Journ. de Paris* (jouer *a tout,* encore *Acad.,* 1694) ; de *à* et de *tout ;* sens fig. fin XIX$^e$ s.

**atrabile** 1565, Paré ; calque du lat. *bilis atra,* bile noire. || **atrabilaire** 1546, Ch. Est., adj., « relatif à la bile noire » ; XVII$^e$ s., nom, celui en qui la bile noire a une action dominante.

***âtre** fin XII$^e$ s., R. de Moiliens (*aistre*) ; lat. pop. **astrăcus, -icus,* « carrelage », altér. de *ostrăcum,* du gr. *ostrakon,* « coquille », « écaille », puis « carreau de brique ». L'anc. fr. *aistre* est dû à l'infl. de *aître.*

**atrium** 1547, J. Martin ; mot lat. signif. cour d'une maison.

**atroce** fin XIV$^e$ s. (*atroxe*) ; lat. *atrox, -ocis.* || **atrocité** 1355, Bersuire ; lat. *atrocitas.* || **atrocement** 1533, Dacy.

**atrophie** 1538, Canappe ; lat. *atrophia,* du gr. *atrophia,* privation de nourriture, de *a* priv. et *trephein,* nourrir. || **atrophié** 1560, Rab. (sous la forme du participe) ; sens fig. au XX$^e$ s. || **atrophiement** 1868, Goncourt. || **atrophique** 1852, Cruveilhier.

**atropine** 1818, Nysten ; formé d'apr. le lat. bot. mod. *atropa,* belladone, du gr. *Atropos,* l'une des Parques.

**attabler** V. TABLE.

**attacher** 1080, *Roland* (*atachier*) ; de *tache* au sens anc. de « agrafe », avec infl. de l'anc. fr. *estachier,* ficher (du francique **stakka,* pieu). || **attache** 1155, Wace ; sens fig. jusqu'au XVII$^e$ s. || **attachant** XVII$^e$ s. || **attachement** XIII$^e$ s., G. de Tyr, spécialisé au fig. || **attaché** nom 1795. || **attaché-case** v. 1960 ; mot angl., de *case,* boîte, et *attaché,* du fr. || **détacher** 1160, Benoist (*destachier*), par changement de suffixe. || **détachement** 1617, Oudin. || **rattacher** 1175, Chr. de Troyes. || **rattachage** 1858, Legoarant. || **rattachement** J.-B. Richard.

**attaquer** 1549, Rab. ; ital. *attaccare,* « attacher », puis « commencer », d'où *attaccare battaglia* (Florio, 1598), « commencer la bataille », et, par abrév., *attaccare,* « attaquer » ; souvent francisé en *attacher* au XVI$^e$ s. || **attaque** 1596. || **attaqueur** 1587. || **attaquable** XVI$^e$ s. || **attaquant** nom XIX$^e$ s. || **contre-attaque** 1838, *Acad.* || **contre-attaquer** fin XIX$^e$ s. || **inattaquable** début XVIII$^e$ s.

**attarder** V. TARD

***atteindre** 1080, *Roland* (*ataindre*) ; lat. pop. **attangere* (lat. *attingere,* refait d'apr. *tangere,* toucher). || **atteinte** 1265, J. de Meung. || **atteignable** XV$^e$ s. ; repris au XX$^e$ s.

***atteler** fin XII$^e$ s., *Aliscans ;* lat. pop. **attelare,* formé d'apr. *protelum,* attelage (de bœufs), avec changement de suffixe, de *telum,* javelot, aiguillon. || **attelage** milieu XVI$^e$ s. || **dételer** fin XII$^e$ s., *Aiol* (*desteler*), par changement de suffixe.

***attelle** 1125, *Gormont* (*astele*), « éclat de bois », « planchette », auj. spécialisé dans des sens techn. ; lat. pop. **astella,* du lat. class. *astula,* var. de *assula,* dimin. de *assis,* planche. (V. AIS.)

***attenant** XIV$^e$ s., part. présent de l'anc. fr. *atenir,* « tenir » et « tenir à », « dépendre » ; lat. pop. **attenire,* réfection, d'après **tenire* (v. TENIR), de *attinere,* « tenir », « concerner, être attenant ». || **attenances** 1611.

***attendre** 1050, *Alexis* (*atendre*) ; lat. *attendere,* de *tendere,* tendre, c.-à-d. « tendre vers », au fig. « être attentif » jusqu'au XVI$^e$ s. || ***attente** *id. ;* fém. substantivé d'un anc. part. passé **attenditus.* || **attentif** XII$^e$ s., *Roman de Troie.* || **attentisme** Première Guerre mondiale. || **attentiste** *id.* || **inattentif** début XVIII$^e$ s., Massillon. || **inattendu** début XVII$^e$ s. (V. ATTENTION.)

**attendrir** V. TENDRE.

**attenter** 1302, *Archives ;* lat. *attentare,* porter la main sur, de *tentare,* tenter. || **attentat** 1326, *Cart. de Saint-Pierre de Lille.* || **attentatoire** 1690, Furetière.

**attention** 1536, Nic. de Troyes ; lat. *attentio,* de *attendere,* être attentif. || **attentionné** 1819, Boiste. || **inattention** 1671, Bouhours.

**atténuer** XII^e^ s., Delb., « affaiblir » ; lat. *attenuare,* amincir, XVIII^e^ s., jurid., « excuser ses torts », a remplacé *atenvrir* (1642, Oudin), de *tenve,* mince, du lat. *tenuis.* || **atténuatif** 1549, A. Du Moulin. || **atténuation** 1503, Chauliac.

1. **atterrer** 1155, Wace, « gagner la terre, aborder » ; de *à* et *terre.* || **atterrage** 1488, *Grant Routier.* (V. TERRE.)

2. **atterrer** XII^e^ s., « terrasser » ; fin XVI^e^ s., d'Aubigné, « consterner » ; de *à* et *terre.* || **atterrement** XIV^e^ s., G. || **atterrissement** début X^e^ s., « amas de terre ».

**atterrir** 1686, Tachard, mar. ; fin XVIII^e^ s., aérostation ; début XX^e^ s., aviation ; de *à* et *terre.* || **atterrissage** 1835, *Acad.,* mar. ; XX^e^ s., aviation. (V. TERRE.)

**attester** XIII^e^ s., *Chanson d'Antioche ;* lat. *attestari,* de *testis,* témoin, témoignage. || **attestation** XIII^e^ s., G. ; lat. *attestatio,* témoignage. || **inattesté** 1867, L.

**atticisme, attiédir** V. ATTIQUE, TIÈDE.

**attifer** XIII^e^ s. ; anc. fr. *tifer,* parer (XIII^e^-XVI^e^ s.), d'orig. inconnue.

**attiger** 1596, *Vie des mercelots* (*aquiger, attiger* [par croisement avec tige]) ; 1808, d'Hautel, terme d'argot des malfaiteurs signifiant « blesser », puis « abîmer » ; 1922, Montherlant, « exagérer » ; orig. obscure, avec infl. de *tige.*

**attique** XV^e^ s., *Térence en françois,* adj. ; lat. *atticus,* du gr. *attikos,* relatif à Athènes ; XVII^e^ s., n. m., architect. || **atticisme** 1543, Ramus ; lat. *atticismus,* du gr. *attikismos.* || **atticiste** XIX^e^ s.

**attirer** fin XV^e^ s. ; de *tirer.* || **attirail** XV^e^ s., *Franc Archer de Bagnolet.* || **attirance** 1857, Baudelaire.

***attiser** fin XII^e^ s., *R. de Cambrai ;* lat. pop. **attitiare,* de *titio,* tison. || **attise** 1751, *Encycl.,* techn. ; déverbal. || **attiseur** XV^e^ s.

**attitrer** V. TITRE.

**attitude** 1637, N. Poussin, en peinture « posture » ; ital. *attitudine,* du bas lat. *aptitudo,* aptitude ; XVIII^e^ s., « comportement ».

**attorney** 1768, Voltaire ; angl. *attorney,* procureur, de l'anc. fr. *atourner,* régler.

**attoucher** V. TOUCHER.

**attraction** 1256, Ald. de Sienne (*atration*) « aspiration » ; 1688, Newton, attraction terrestre ; 1733, *Doc.,* attraction magnétique ; 1761, Rousseau, force qui attire ; lat. *attractio,* « contraction », de *trahere,* tirer ; XIX^e^ s., gramm., repris au lat. ; 1835, Balzac, spectacle, d'après angl. *attraction.* || **attracteur** 1546, Ch. Est. || **attractif** XIII^e^ s., G. ; bas lat. *attractivus.* (V. TRAIRE.)

***attrait** 1175, Chr. de Troyes, part. passé substantivé de l'anc. fr. *attraire,* attirer (XII^e^-XVII^e^ s.) ; lat. pop. **attragere.* || **attrayant** 1283, Beaumanoir ; part. prés. de *attraire.* || **inattrayant** 1936, Gide.

**attraper** XII^e^ s., *Chevalerie Ogier,* de *trapper,* « prendre au piège », sens fig. « tromper » dès l'anc. fr. ; 1866, Delvau, pop. « gronder ». || **attrapage** 1869, Larchey, « gronderie ». || **attrape** 1240 (*atrape*), « piège », puis « tromperie ». || **attrapeur** 1526, C. Marot. || **attrape-mouche** 1700, Liger. || **attrape-nigaud** 1650, Scarron. || **rattrapage** 1867, Delvau. || **rattraper** XIII^e^ s.

**attribuer** 1313, Delb. ; lat. *attribuere,* de *tribuere,* attribuer. || **attribuable** 1512, Marot. || **attribut** XIV^e^ s., *Nature à alchimie ;* lat. scolast. *attributum* (anc. part. passé du précédent), sens formé en lat. médiév. ; 1680, gramm. || **attributif** 1516, Delb. ; 1866, gramm. || **attribution** 1361, Oresme ; lat. *attributio.*

**attrister** V. TRISTE.

**attrition** 1314 (*attricion*) ; milieu XX^e^ s., écon. et comm. ; lat. eccl. *attritio,* « action de broyer ». (V. *contrition,* à CONTRIT.)

**attrouper** V. TROUPE.

**aubade** XV^e^ s., *D. G.,* prov. *aubada,* « concert qu'on donne à l'aube » (v. SÉRÉNADE) ; en fr. pop., il a pris un sens péjoratif (« charivari », fin XVII^e^ s., Regnard).

**aubaine** XII^e^ s., G. (*droit d'aubaine*), fém. de l'adj. *aubain,* étranger (XII^e^-XVIII^e^ s.) ; francique **aliban,* « appartenant à un autre ban », ou lat. *alibi,* ailleurs. Par le droit d'aubaine, la succession des étrangers revenait au seigneur, puis au roi ; d'où fig. « profit inattendu », 1668, La Fontaine.

1. ***aube** première lueur du jour, 1080, *Roland* (*albe*) ; lat. *alba,* fém. substantivé de *albus,* blanc (anc. fr. *aube,* adj.).

2. ***aube** vêtement de lin blanc, 1040 (*albe*) ; lat. *alba,* fém. subst. de *albus,* blanc ; spéc. en lat. chrétien dans l'usage ecclésiastique.

3. ***aube** 1080, *Roland* (*alve*), puis *auve, aube,* « planchette » ; lat. *alăpa,* « soufflet », dont le sens premier, non attesté, a dû être « main plate », puis « palette » ; le *b,* au lieu du *v,* paraît dû à une confusion avec le précédent.

***aubépine** XII^e^ s., *Roncevaux ;* XVI^e^ s. (*aubespin,* forme de l'Ouest et du Centre) ; lat. pop. **alb-ĭspīna* (lat. *alba spina,* épine blanche).

**aubère** 1579, F. Grisone ; esp. *hobero,* auj. *overo* (en fr. *hobere,* 1555, Ronsard), que l'on croit d'origine arabe.

**auberge** XV^e^ s. (*aulberge*) ; rhodanien (prov.) *auberjo,* correspondant à l'anc. fr. *herberge* (v. HÉBERGER). || **aubergiste** 1667.

**aubergine** 1750, Geffroy ; catalan *alberginia,* réfection de l'ar. *al-bādinjān,* du persan *bādindjăn.*

**auberon** anneau de fer, 1690, Furetière ; orig. obscure. || **auberonnière** déb. XV^e^ s.

**aubert** 1455, *Coquillards,* « argent » en argot, emploi ironique de nom propre (*Aubert*) [cf. *david,* crochet ; *roland,* scie ; *laure,* maison mal famée, etc.].

**aubette** 1491, *Arch. de Lille* (*hobette*) ; 1601, S. Goulart (*aubette*) ; dimin. de l'anc. fr. *hobe,* du francique **huba* (le vocalisme fait difficulté).

**aubier** XIV^e^ s., *Bible* (*auber*) ; altér., par changement de suffixe, de l'anc. fr. *aubour,* même sens, du lat. *alburnum,* de *albus,* blanc.

**aubifoin** 1175, Chr. de Troyes (*aubefain*) ; 1556, Dessen (*aubifoin*), « foin blanc », parce que le bluet blanchit aussitôt fané ou fauché ; lat. *albus,* blanc.

1. ***aubin** 1390, *Livre des secrets de la nature,* blanc d'œuf, réfection de *aubun* (XII^e^ s.), encore dans Cotgrave, 1611 ; lat. *albūmen, -ĭnis,* qui a donné *albumine,* de *albus,* blanc.

2. **aubin** XV^e^ s., M. d'Escouchy (*hauby*), équit. ; fin XV^e^ s., Commines (*hobin*), « cheval » ; 1534, Rab., « allure vicieuse » ; de l'angl. *hobby,* cheval trapu. || **aubiner** 1723, Boulay.

**aubine** fin XIX^e^ s., appareil (chemins de fer) ; dénommé d'après son inventeur, *Aubin.* || **aubiner, aubinage,** *id.*

***aubour** XIII^e^ s. (*aubor*) ; lat. *alburnum,* aubier, de *albus,* blanc ; a désigné l'aubier jusqu'au XVI^e^ s. ; auj., spécialisé comme terme de charpente et de marine pour désigner le bois jeune.

**auburn** 1835, mot angl. ; anc. fr. *auborne,* blond, du lat. *albus,* blanc.

**aucuba** 1796, *Voy. de Thunberg ;* japonais *aokiba.*

***aucun** XII^e^ s., *Roncevaux* (*alcun*) ; lat. pop. **aliquunus,* de *aliquis,* quelqu'un, et *unus,* un ; sens « quelque, quelqu'un », jusqu'au XVII^e^ s. ; il a pris le sens négatif par contamination de *ne.* || **aucunement** 1130, *Job.*

**audace** XII^e^ s. ; lat. *audacia ;* 1688, terme de chapellerie. || **audacieux** 1495, J. de Vignay.

**audible** V. AUDIENCE.

**audience** 1160, Benoît ; lat. *audientia,* action d'entendre, de *audire,* écouter ; sens ancien jusqu'au XVII^e^ s. ; le sens jurid. apparaît dès le bas lat. et au XII^e^ s. en fr. || **audiencier** XIV^e^ s., J. de Preis. || **audible** 1488, *Mer des hist. ;* bas lat. *audibilis,* qui peut être entendu. || **audibilité** fin XIX^e^ s. || **auditeur** 1230 ; lat. *auditor,* au sens de officier de justice. Le sens moderne apparaît dès le XIII^e^ s. avec l'élimination du mot pop. *oieor.* || **auditorat** XVIII^e^ s. || **auditif** 1361, Oresme. || **audition** 1295, Roisin ; lat. *auditio.* || **auditionner** 1793, *Journ. de la Montagne,* jurid. ; 1922, Lar., sens actuel. || **auditoire** XII^e^ s., P. de Fontaines ; lat. *auditorium.* || **auditorium** 1866 ; transcription du lat. « lieu d'enregistrement, de prise de son ». || **audiomètre** 1865. || **audiométrie** mil. XX^e^ s. || **audiogramme** 1951, Lar. || **audiovisuel** 1947. || **audio-oral** mil. XX^e^ s. || **audimètre** 1964. || **audimétrie** 1985. || **Audimat** 1981, nom déposé. || **audit** 1970 ; mot angl., du lat. *auditus,* audition. || **auditer** 1977. || **inaudible** 1842, *Acad.*

***auge** 1080, parfois masc. jusqu'au XVI^e^ s. ; lat. *alveus,* masc., « cavité », de *alvus,* ventre. || **augée** 1450. || **auget** XII^e^ s., Herman de Valenciennes. || **augette** 1415.

**augmenter** 1360, G. de Machaut ; lat. impér. *augmentare* (IV^e^ s., Firmus, math.), de *augere,* augmenter. || **augmentation** 1290, G. ; bas lat. *augmentatio* (VI^e^ s., Boèce). || **augment** XIII^e^ s. ; lat. *augmentum.* || **augmentatif** 1370 ; 1680, ling.

1. **augure** présage 1160, Benoît (*augur*) ; lat. *augurium* (dont la forme pop. était *eür, -heur,* v. HEUR) ; sens fig. déjà en latin ; souvent fém.

au XVIe s. || **augurer** 1355, Bersuire ; lat. *augurare,* tirer un présage ; en fr., le sens fig. l'emporte au XVIIe s.

2. **augure** prêtre 1213, *Fet des Romains* (*-reres*) ; 1355, Bersuire ; lat. *augur.* || **augural** 1555, Belon ; lat. *auguralis,* qui a gardé le sens propre.

**auguste** XIIIe s., Aimé du Mont-Cassin ; rare jusqu'au XVIIe s. ; lat. *augustus,* de *augur* (à l'origine, « consacré par les augures ») ; 1898, type de clown, d'une expr. allemande employée par antiphrase du sens usuel.

**aujourd'hui** XIIe s., *Saint-Évroult* (*au jour de hui*), forme renforcée de *hui* (lat. *hŏdie*), lequel a disparu au XVIIe s., sauf en wallon et dans le Sud-Est.

**aulique** 1546, Rab. ; lat. *aulicus,* de *aula,* cour.

**aulofée** V. LOF.

**aumaille** XIIe s. (*almaille*) ; lat. *animalia,* plur. de *animal.*

**aumône** Xe s. (*almosne*) ; lat. pop. *alemŏsĭna,* déformation du lat. chrét. *eleemosyna,* empr. au grec *eleêmosunê,* « compassion », sens spécialisé en grec chrét. || **aumônerie** 1190, Garn. || **aumônier** 1050, *Alexis* (*almosnier*), « qui reçoit l'aumône » ; sens actuel, 1080, *Roland.* || **aumônière** XIIe s., Delb.

**aumusse** XIIe s. (*-uce*), type de coiffure au Moyen Âge ; lat. médiév. *almutia,* d'orig. inconnue (l'all. *Mütze,* « casquette », vient du fr. ou du lat.) ; p.-ê. croisement du lat. *almus,* doux, et de *capuce,* v. CAPUCHE.

1. ***aune** arbre XIIe s. ; lat. *alnus.* || **aunaie** XIIIe s. (*aunoie*).

2. **aune** ancienne mesure, 1080, *Roland* (*alne*) ; francique **alina* (all. *Elle*), propr. « avant-bras » ; il ne subsiste que dans des loc. métaphoriques. || **auner** 1175, Chr. de Troyes. || **auneur** 1190, Saint Bernard. || **aunage** déb. XIVe s. || **aunée** XIIIe s., longueur d'une aune.

**aunée** XIIIe s., *Médecin liégeois,* plante ; anc. fr. *eaune* (var. *ialne*), du lat. pop. **ĕlĕna,* réfection (par influence du nom propre [*H*]*elena*) du lat. *helenium,* empr. au grec.

**auparavant, auprès** V. AVANT, PRÈS.

**aura** fin XVIIIe s. ; mot lat. signif. « souffle » ; 1923, Proust, « atmosphère ».

**auréole** fin XIIIe s., Rutebeuf (*auriole*) ; 1350-1400, *Aalma* (*auréole*) ; lat. eccl. *aureola* (*corona*), couronne d'or, de *aureus,* d'or. Le sens fig. date du XIXe s. || **auréolé** milieu XIXe s., Baudelaire.

**auri-,** lat. *aurum,* or. || **aurifère** 1535, M. d'Amboise ; lat. *aurifer.* || **aurifier** 1863, L. || **aurification** 1858, Nysten.

**auricule** 1377, Lanfranc, anat. ; bot. XVIe s. ; lat. *auricula,* petite oreille. Le sens propre est attesté chez Rabelais (1538). || **auriculaire** v. 1540, Rab. (*doigt auriculaire*) ; Calvin (*Confession auriculaire*) ; lat. *auricularius.*

**aurige** 1823 ; lat. *auriga,* cocher.

**aurique** (voile) fin XVIIIe s. ; néerl. *oorig,* voile en forme de trapèze située dans l'axe du navire.

**aurochs** 1414, G. de Lannoy (*ouroflz*) ; 1611, Cotgrave (*aurox*) ; XVIIIe s., Buffon (*aurochs*) ; all. *Auerochs,* renforcement expressif (par addition de *Ochs,* bœuf) de l'ancien *Auer* (rac. germ. et celtique *ur-,* passée en lat. : *ūrus*).

***aurone** 1213, *Fet des Romains* (*abrogne*) ; 1486, *le Livre des profits champêtres* (*aurone*) ; forme dial. (Ouest) du lat. *abrŏtŏnum,* du gr. *abrotonos.*

**aurore** XIIIe s., Aimé du Mont-Cassin ; lat. *aurora ; aurore boréale* 1646, La Peyrière. || **auroral** 1866, Verlaine.

**ausculter** 1510-1541, Le Caron, « examiner » ; lat. *auscultare,* écouter ; 1819, Laennec, méd. || **auscultation** 1570, Gentian Hervet, « examen » ; lat. *auscultatio ;* 1819, Laennec, méd.

**auspice** présage, 1355, « présage » ; lat. *auspicium,* de *avis,* oiseau, et *spicere,* observer ; 1697, « prêtre » ; lat. *auspex.*

***aussi** XIIe s., Grégoire (*alsi*) ; lat. pop. **alid* (pour *aliud,* autre chose) et *sic,* ainsi (v. SI 2) ; cf. l'anc. fr. *al, el,* autre chose.

**aussitôt** V. TÔT.

**auster** 1120, *Ps. d'Oxford* (*austre*) ; XIVe s., J. de Brie (*auster*) ; lat. *auster,* vent du midi. || **austral** 1372, Corbichon ; lat. *australis.* || **australopithèque** XXe s. ; lat. *australis* et gr. *pithêkos,* singe.

**austère** XIIe s. ; lat. *austerus,* âpre, au fig. « austère » (sens propre, aussi, en fr., au XVIe s.). || **austérité** XIIIe s., *Apocalypse ;* lat. *austeritas.*

**autan** milieu XVIe s. ; prov. *autan,* du lat. *altanus,* proprem. « vent de la haute mer », dér. de *altus,* haut. Il est restreint à la langue poétique.

**autant** V. TANT.

**autarcie** 1793, Lavoisien ; gr. *autarkeia,* de *autos,* soi-même, et *arkein,* se suffire ; le mot avait d'abord le sens de « euphorie », « frugalité » ; devenu *autarchie* (1896, Réveillère) par attraction des mots en *-archie.* Seule subsiste la forme primitive réapparue (1931). || **autarcique** 1928 (*autarchique*) ; 1938 (*autarchique*).

***autel** 1050, *Alexis* (*alter*), puis *altel, autel,* par substitution de suffixe ; lat. *altare.*

**auteur** fin XII^e s., *Grégoire,* var. *autheur, auctor ;* lat. *auctor* (var. *autor, author*), « celui qui produit ». || **autoresse** 1900 ; angl. *authoress,* d'abord sous la forme *authoresse* 1841, La Bédollière. || **autrice** 1560, Pasquier. || **auteure** fin XX^e s., en québécois ; fém. de *auteur.*

**authentique** XII^e s. (*autentike*) ; lat. *authenticus,* du gr. *authentikos ;* il a eu le sens de « célèbre » jusqu'au XVII^e s. || **authentiquement** début XIV^e s., *Chron. de Flandres.* || **authentiquer** XIII^e s. || **authenticité** 1557, Ferry Julyot (*authentiquité*) ; 1688, Montfaucon (*authenticité*). || **authentifier** 1866, Lar. || **authentification** v. 1930. || **inauthentique** 1867, L. || **inauthenticité** *id.*

**autisme** 1927, *Journ. psychol. ;* all. *Autismus,* formé sur le gr. *autos,* soi-même. || **autiste** 1957, H. Piéron. || **autistique** 1927, *Journ. psychol. ;* all. *autistisch.*

1. **auto-,** gr. *autos,* de lui-même. || **auto-accusation** 1903. || **autoallumage** 1904, *France autom.* || **autoamorçage** 1956, Lar. || **autobiographie** 1836, Reybaud. || **autobiographique** 1832, Balzac. || **autocensure** milieu XX^e s. || **autochtone** 1560, G. Postel ; gr. *autokhtôn,* de *khthôn,* terre. || **autoclave** 1820, *Descr. des brevets ;* lat. *clavis,* clef (qui se ferme de lui-même). || **autocollant** v. 1970. || **autocommutateur** 1911. || **autoconcurrence** v. 1970. || **autocorrection** milieu XX^e s. || **autocrate** 1768, *Ephém. du citoyen ;* gr. *autokratês,* qui gouverne lui-même, de *krateîn,* gouverner ; usuel pendant la Révolution. || **autocratie** av. 1794, C. Desmoulins ; gr. *autokrateia,* pouvoir absolu. || **autocratique** 1768, Brunot. || **autocratiquement** 1852, Lachâtre. || **autocrator** 1798, *Acad. ;* gr. *autokratôr,* monarque absolu ; d'où le féminin *autocratrice* 1739, Voltaire, *Corr.* || **autocritique** 1866. || **autocuiseur** 1917. || **autodéfense** 1936, Tournoux. || **autodestruction** 1929, Frois. || **autodétermination** 1906, Lar., biol. ; 1955, *l'Express,* polit. || **autodéterminer** 1961, Lar. || **autodidacte** 1580, L. Joubert ; gr. *autodidaktos,* qui s'est instruit lui-même (*didaskein,* instruire). || **autodiscipline** 1919. || **autofécondation** 1888, Lar. || **autofinancement** 1953, Lar. || **autofinancer** 1955, *le Monde.* || **autofrettage** 1919, Lar. || **autogène** (soudure) 1895, *Année sc. et industr.* || **autogestion** 1961, Lar. || **autographe** XVI^e s., Le Plessis (*aftographe*) ; 1580, L. Joubert (*autographe*) ; gr. *autographos.* || **autographie** 1800, Boiste. || **autographier** 1836, Landais. || **autoguidage** 1960, Lar. || **auto-imposition** 1956, Lar. || **auto-infection** 1906, Lar. || **auto-intoxication** 1888, Lar. || **autolocomotion** 1863, Nadar. || **autolubrifiant** 1953, Lar. || **autolyse** 1909, Lar. || **automate** 1532, Rabelais (adj.) ; gr. *automatos,* qui se meut. || **automatique** fin XVIII^e s. || **automatisme** av. 1757, Réaumur. || **automatiser** XVIII^e s. || **automatisation** 1877, L. || **automation** 1956, Lar. || **automobilisation** 1933, Lar. || **automoteur** 1834, Biot, au sens de « qui se meut par soi-même » ; 1953, Lar. || **automotion** 1863, La Landelle. || **autonettoyant** v. 1970. || **autonome** 1762, *Acad. ;* gr. *autonomos,* « qui se gouverne avec ses propres lois », de *nomos,* loi. || **autonomie** 1596, Hulsius ; gr. *autonomia ;* usuel depuis le XVIII^e s. || **autonomiste** 1878, Lar., « partisan des communes », puis de « l'autonomie régionale ». || **autonyme** 1866 ; 1957, ling. || **autonymie** 1970. || **autoplastie** 1836, Blandin. || **autoportrait** 1928. || **autopropulsé** 1950, Lar. || **autopropulseur** 1950, Lar. || **autopropulsion** 1953, Lar. || **autopsie** méd., 1573, Desmare ; gr. *autopsia,* vision par soi-même, de *opsis,* vue. || **autopunition** 1929, Frois. || **autoradiographie** 1952, Lar. || **autoréduction** 1878, Lar. || **autoréférentiel** v. 1970. || **autorégulation** 1888, Lar. || **autosatisfaction** 1963, journ. || **autosuggestion** 1888, Lar. || **autotest** 1960, Lar. || **autothétique** 1801, Ch. de Villiers ; de *thèse.*

2. **auto** abrév. de *automobile* (v. ce mot et les composés avec *auto,* dans le sens de « véhicule »).

**autodafé** fin XVII^e s. ; port. *auto de fé,* acte de foi, puis « arrêt sur des matières de foi ».

**automédon** 1776, *Journ. de Bruxelles ;* lat. et gr. *Automedon,* nom du conducteur du char d'Achille ; sens ironique déjà en latin.

**automne** XIII^e s., G. de Tyr (*autonne*) ; lat. *automnus ;* encore des deux genres au XVII^e s. || **automnal** 1119, Ph. de Thaon ; lat. *autumnalis.*

**automobile** 1861, adj. ; nom vers 1890 ; des deux genres encore au début du XX^e s. ; gr.

*auto-* et *mobile,* sur le modèle de *locomobile ;* abrév. *auto* (d'abord masc.), 1896, *France autom.* || **automobilisme** 1895, *Sport universel.* || **automobiliste** 1896, Lar. || Sur *auto :* **autoberge** 1916, journ. || **autobus** 1906, Lar., finale de *omnibus,* véhicule de transport en commun, abrégé en *bus* (v. ce mot). || **autocanon** 1913. || **autocar** 1896. || **autochenille** 1922, Kégresse. || **autocouchettes** 1964. || **autodrome** 1896, *France autom.* || **auto-école** 1906. || **autogire** 1923, Juan de La Cierva ; esp. *autogiro.* Vieilli, remplacé par *hélicoptère.* || **automitrailleuse** 1906. || **autopompe** 1928, Lar. || **autorail** 1925. || **autoroute** 1928, Lar. || **autoroutier** 1957. || **auto-stop** 1941. || **auto-stoppeur** 1953.

**autoriser** fin XIIe s., *Loherains* (*actoriser*) ; lat. médiév. *auctorizare* (de *auctor,* auteur) ; d'abord « donner de l'autorité » (encore au XVIIe s.). || **autorisation** début XVe s.

**autorité** 1119, Ph. de Thaon (*auctorité*) ; lat. *auctoritas ;* au plur. 1790. || **autoritaire** 1866, Lar. || **autoritairement** 1877, L. || **autoritarisme** 1870, Leverdays.

1. **autour** prép. V. TOUR.

2. ***autour** 1080, *Roland,* nom (*ostor, ostur*) ; bas lat. *auceptor* (*Loi Ripuaire*), réfection du lat. *accipiter,* épervier, devenu *acceptor,* puis confondu avec *auceptor,* oiseleur. En fr., le mot, éliminé de bonne heure par des syn. germ. (*épervier, faucon*), n'est resté qu'en poésie ou comme terme de naturaliste pour désigner l'*astur palumbarius ;* la finale (*-our* au lieu de *-eur*) est irrégulière (infl. de *vautour*).

***autre** 1080, *Roland* (*altre*) ; lat. *alter,* « l'autre », qui, en lat. pop., a éliminé *alius,* « autre » (v. AUSSI). || **autrement** 1080, *Roland.* || **autrui** *id.* (*altrui*), anc. cas régime de *autre* (formé d'après *lui*).

**autrefois** V. FOIS.

***autruche** 1130, *Job* (*ostruce,* jusqu'au XVIIe s.) ; XVIe s. (*autruche,* par substitution de suffixe) ; lat. pop. *avis,* oiseau, *struthio,* autruche (du gr. *strouthos*), formation tardive. || **autruchon** XIVe s. || **autrucherie** fin XIXe s.

**autrui** V. AUTRE.

***auvent** fin XIIe s., *Aymeri* (*anvant*), « galerie de fortification » ; lat. pop. **antevannum,* peut-être de **banno,* « corne », en gaulois (totem protecteur) ou de *au-devant.*

**auvergnat** XVIe s., G ; d'*Auvergne,* lat. pop. *Arvernicum.*

**auverpin** 1854, Privat d'Anglemont ; réfection de *auvergnat,* de *Auvergne.*

**auxiliaire** 1512, J. Lemaire ; lat. *auxiliaris,* de *auxilium,* secours, au sens milit. || **auxiliairement** XIXe s. || **auxiliariat** XXe s.

**auxine** v. 1930 ; lat. *augere,* faire croître (parfait *auxi*), « hormone de croissance ».

**avachir** 1395, Chr. de Pisan ; francique **vaikjan,* rendre mou ; le *v* est dû à l'influence de *vache.* || **avachissement** milieu XIXe s.

1. **aval** 1080, *Roland ;* de *val,* var. *avau,* conservé dans *à vau l'eau* (1552, Rab.) [v. VAL].

2. **aval** 1675, Savary ; ital. *avallo,* de l'ar. *al-walā,* mandat. || **avaliser** 1875 ; v. 1950, fig. || **avaliseur** 1955, Lar.

**avalanche** XVIe s., J. Peletier (*lavanche*) ; 1611, Cotgrave (*avalanche*) ; 1845, Besch., fig. ; savoyard *lavantse* et suisse-romand *avalantse* (altér. due à *val, avaler*), du lat. *labīna,* glissement de terre, dér. de *labi,* glisser.

**avaler** 1080, *Roland,* « descendre » ; XIIe s. « faire descendre dans le gosier », de *val.* || **avaloire** milieu XIIIe s., harnais. || **avaleur** début XVe s. (V. VAL.)

**avanie** 1575, Thevet (*vanie*) ; ital. *avania,* exaction imposée aux chrétiens par les Turcs, de l'ar. *hawwān.* Le sens de « traitement humiliant » est enregistré au XVIIe s.

***avant** 842, *Serments ;* lat. impér. *abante* (IIe s.), forme renforcée de *ante ; aller de l'avant,* 1831, Ansiaume ; XXe s., nom, sports. Voir à la place alphabétique du radical les mots construits avec le préfixe *avant-.* || **auparavant** XIVe s., *Chron. de Flandres,* forme renforcée de *avant* qui a été employée comme prép. jusqu'au XVIIe s. || ***avancer** XIIe s., *Roncevaux ;* lat. pop. **abantiare.* || **avance** fin XIVe s. ; sens financier, 1649, *Doc.* || **avancé** 1845, Wey, polit. || **avancée** nom fém. fin XVIIIe s. || **avancement** XIIe s. || **avançon** 1846. || **avantage** 1160 ; de *avant,* d'abord « ce qui est placé en avant » (sens conservé pour désigner une partie de l'avant du navire qui fait saillie) ; sens fig. dès le XIIe s. || **avantager** XIIIe s. || **avantageux** 1418, Caumont. || **désavantage** 1280, G. || **désavantageux** 1498, Commynes. || **désavantager** 1507, Crétin. || **devant** 1050, *Alexis* (var. *davant*), comp. anc. de *avant ;* sens temporel jusqu'au XVIIIe s. || **devancer** 1155, Wace. || **devancier** 1268, É. Boileau. || **devanture** fin XIIIe s., *Renart,* « le devant » ; 1611, Cotgrave, sens actuel.

**avare** 1160, *Charroi* (*aver*) ; 1527, J. Bouchet (*avare*) ; lat. *avarus ;* sens lat. « avide » jusqu'au XVIII^e s., à côté de « qui aime entasser l'argent ». || **avarement** 1548, P. Le Febure. || **avarice** 1155, Wace ; lat. *avaritia.* || **avaricieux** 1283, Beaumanoir.

**avarie** av. 1200, *Assises de Jérusalem ;* ital. *avaria,* de l'ar. *'awar,* dommage, au plur. *awārīya.* || **avarier** 1723. *Avarié,* dans le sens de « syphilitique », se rencontre en 1905 (Brieux) et 1906, dans Lar. || **avaro** pop. 1874 ; de *avarie,* avec le suff. pop. *-o, -ot.*

**avatar** 1800, Castera ; sanskrit *avatāra,* descente sur terre d'un être divin, puis incarnation de Vishnu ; 1822, « transformation » ; XX^e s., « malheur ».

**Ave** XIV^e s. (*ave Maria*), 2^e pers. sing. impératif du lat. *avere,* « bien se porter », formule de salutation.

***avec** 1050, *Alexis* (*avoc,* puis *avuec*) ; lat. pop. *apŭd-hŏc,* « avec cela », renforcement de *apud,* « auprès de », « avec », en lat. pop., d'où l'anc. fr. *o[d]*, prov. *ab,* avec.

**aveline** 1256, Ald. de Sienne (*avelaine*) ; XV^e s., Tardif (*aveline*) ; prov. *avelana,* noisette, du lat. (*nux*) *abellana,* noisette (Pline : « noix d'Abella » [ville de Campanie]) ; spécialisé par les botanistes. || **avelinier** XIII^e s. (*-anier*) ; XVIII^e s. (*-inier*).

**aven** 1151, Bruel (*avenc,* prov.), « gouffre » ; repris au XX^e s. en géol., 1889, Martel ; mot dial. du Rouergue, p.-ê. prélatin.

1. **avenir** nom, 1468 (*advenir*) ; abrév. de la loc. le *temps à venir.*

2. **avenir** verbe. V. ADVENIR.

**avenant** 1080, *Roland,* adj. ; ancien part. prés. de l'anc. fr. *avenir* (V. ADVENIR), au sens de « convenir » ; le sens « qui s'accorde » est resté dans la loc. *à l'avenant* (XV^e s., jurid.) ; nom, jurid., « ce qui revient à » (XIII^e s.), d'où « clause additionnelle » en matière d'assurances (1783).

**avènement** 1160 ; anc. fr. *avenir,* arriver ; « arrivée » jusqu'au XVII^e s. ; 1360, spécialisé en « arrivée sur le trône ».

**avent** XII^e s. (*advent*) ; lat. *adventus,* arrivée, de *advenire,* arriver, spécialisé en lat. eccl. pour la venue de Jésus-Christ, puis pour les quatre semaines précédant Noël.

***aventure** fin XI^e s., *Lois de Guillaume ;* lat. pop. **adventūra,* ce qui doit arriver (part. futur, au pl. neutre, de *advenire*). || **aventurer** XII^e s., *D. G.* || **aventureux** début XII^e s. || **aventureusement** 1360, Machaut. || **aventurier** XV^e s. || **aventurine** 1686, Maintenon : limaille jetée *à l'aventure* sur le verre en fusion. || **aventurisme** 1906. || **aventuriste** 1918, Rolland. || **mésaventure** XII^e s. ; de l'anc. v. *mésavenir.*

**avenue** 1549, Rab., « voie d'accès » (v. ALLÉE) ; du part. passé substantivé (signifiant « arrivée » en anc. fr.) de *avenir.*

**avérer** XII^e s., Herman de Valenciennes ; anc. fr. *voir,* vrai, issu du lat. *verus* et disparu au XVI^e s. (cf. VOIRE) ; n'est plus employé qu'au part. passé à partir du XVIII^e s., et à la forme pronominale.

**avers** 1842, *Acad. ;* lat. *adversus,* au sens « qui est en face ».

**averse** 1690, La Quintinie, de la loc. *pleuvoir à la verse* (1642, Oudin), puis *pleuvoir à verse* (fin XVII^e s.) ; déverbal de *verser.*

**aversion** XIII^e s., « répulsion » ; méd., 1537, Canappe ; sens mod. début du XVII^e s. ; lat. *aversio,* action de se détourner, de *avertere,* détourner.

**avertin** 1256, Ald. de Sienne ; lat. *vertīgo, -gīnis* (v. VERTIGE), avec attraction de *avertir.*

***avertir** 1160, Benoît ; lat. pop. **advertīre* (lat. class. *advertĕre*). || **avertissement** milieu XIII^e s. || **avertisseur** 1281, G., « celui qui avertit » ; techn., appareil, 1863, Thorel.

**avette, aveu** V. ABEILLE, AVOUER.

***aveugle** 1050, *Alexis* (*avogle*) ; lat. méd. **ab ŏcŭlis,* privé d'yeux, calque du gr. *ap'ommatôn ;* l'expression a éliminé le lat. *caecus,* repris dans la formation savante *cécité.* || **aveugler** 1050, *Alexis* (*avogler*). || **aveuglant** 1558, M. de Navarre. || **aveuglément** 1555, Pasquier. || **aveuglement** 1130, *Job ;* « privation de la vue », sens qui subsiste jusqu'au XVIII^e s. ; le sens fig. qui existe dès le début se maintient seul. || **aveuglette** XV^e s., *l'Amant rendu cordelier ;* il a été employé sous cette forme comme adv. jusqu'au XVII^e s. (Furetière), avant de laisser la place à l'expression *à l'aveuglette.* || **désaveugler** 1676, Bouhours.

**aveulir** V. VEULE.

**aviation** 1863, La Landelle ; lat. *avis,* oiseau. || **aviateur** *id.,* nom de machine ; « pilote », *id.* || **avion** 1875, Ader. || **avionnette** 1920, *Vie au grand air.* || **hydravion** v. 1912. || **avion-cargo**

milieu XX^e^ s. || **avion-taxi** 1925. || **avionneur** 1890, Ader. || **avionique** v. 1960.

**avicule** 1803, Boiste ; lat. *avicula,* petit oiseau (la coquille du mollusque rappelle une queue d'oiseau), du lat. *avis,* oiseau.

**aviculture** fin XIX^e^ s. ; lat. *avis,* oiseau, et *culture.* || **aviculteur** fin XIX^e^ s.

**avide** 1470, *Livre de la discipline d'amour divine ;* lat. *avidus.* || **avidement** 1555, de La Bouthière. || **avidité** fin XIV^e^ s. ; lat. *aviditas.*

**avilir, aviner, avion** V. VIL, VIN, AVIATION.

**aviron** 1155, Wace ; anc. fr. *avironner* (XII^e^-XIV^e^ s.), tourner, de *viron,* dér. de *virer.*

**avis** 1175, Chr. de Troyes ; de *ce m'est avis* (début XII^e^ s.), lat. pop. *mihi est visum,* il me semble (lat. class. *mihi videtur*). || **préavis** fin XIV^e^ s.

**aviser** 1050, *Alexis,* « apercevoir » ; XIII^e^ s., « avertir » ; de *viser* (v. VISER). || **avisé** fin XII^e^ s., « réfléchi ». || **malavisé** 1330, Baudoin de Sebourg.

**aviso** 1601, Champlain (*patache d'avis*) ; 1776, Ossun (*aviso*) ; esp. *barca de aviso,* barque pour porter des avis.

**aviver** V. VIF.

1. **avocat** 1160, Benoît (*advocat*) ; fig. XVIII^e^ s. ; lat. *advocatus* (v. AVOUÉ). || **avocasser** 1392, É. Deschamps, « plaider » ; péjor. depuis le XVII^e^ s. || **avocasserie** XIV^e^ s. || **avocaillon** 1892, Bergerat.

2. **avocat** 1640, Laet (*aguacate*), bot., « fruit » ; 1684, *Rel. de la Jamaïque* (*avocate*) ; esp. *avocado,* du nahuatl (langue des Aztèques). || **avocatier** 1771, *id.*

**avocette** 1760, Brisson ; ital. *avocetta,* d'orig. inconnue.

***avoine** XII^e^ s. (*aveine* jusqu'au XVI^e^ s.) ; lat. *avēna ; oi* pour *ei* devant *n* (cf. VEINE) est dû à une fausse régression.

***avoir** X^e^ s., *Eulalie* (*aveir*) ; n. m. 1050, *Alexis ;* lat. *habēre.* || **ravoir** 1155, Wace.

**avoisiner** V. VOISIN.

***avorter** XII^e^ s. ; lat. *abortare,* de *aboriri,* mourir en naissant (*ab* priv. et *oriri,* naître). || **avortement** 1190, Saint Bernard. || **avorteur** fin XIX^e^ s. || **avorton** début XIII^e^ s. || **abortif** 1455, Fossetier, « avorté » ou « qui fait avorter » ; lat. *abortivus ;* au XVI^e^ s., *avortif.* || **abortivement** 1544, M. Scève.

***avoué** 1080, *Roland ;* sous l'Ancien Régime, défenseur des couvents, des villes, etc. ; sens actuel, 1790 ; lat. *advŏcatus,* « appelé auprès », « défenseur », « avocat ».

***avouer** 1155, Wace (*avoer*) ; lat. *advŏcare,* « appeler », « recourir à » ; en anc. fr., « reconnaître comme maître ou serviteur », puis « reconnaître une faute », sens qui l'a emporté au XVII^e^ s. || **aveu** 1283, Beaumanoir ; déverbal d'apr. la forme *j'aveue* (à côté de *nous avouons*). || **avouable** 1302, rare jusqu'en 1849. || **désavouer** milieu XIII^e^ s. || **désaveu** 1283, Beaumanoir. || **inavouable** 1835, Gautier.

**avoyer** V. VOIE.

***avril** 1080, *Roland* (*avrill*) ; lat. pop. **aprilius,* d'apr. *Martius,* du lat. class. *aprilis.*

**avulsion** 1350-1400, *Aalma,* méd. ; lat. *avulsio,* arrachement, de *avellere,* arracher (part. passé *avulsus*).

**avunculaire** fin XVIII^e^ s. ; lat. *avunculus,* oncle.

**axe** 1372, Corbichon, astron. ; lat. *axis,* essieu. || **axer** 1562, M. Scève, « fixer sur un axe » ; 1892, Guérin, « orienter, diriger ». || **axial** 1853, techn. || **axile** 1697, Verduc, anat. ; 1827, *Acad.,* bot. || **coaxial** 1953, Lar. || **désaxer** fin XIX^e^ s., sens pr. ; XX^e^ s., fig.

**axel** 1961, terme de patinage ; du prénom d'un patineur suédois.

**axillaire** XIV^e^ s. ; lat. *axilla,* aisselle, que la zool. a repris sous la forme *axille* (XIX^e^ s.).

**axiologie** début XX^e^ s. ; gr. *axios,* digne, et *logos,* science ; « science des valeurs morales ». || **axiologique** 1927.

**axiome** 1547, Tagault ; lat. *axioma,* transcrit du gr. *axiôma,* « ce qui mérite », puis « principe évident ». || **axiomatique** 1547, Budé. || **axiomatisation** v. 1935. || **axiomatiser** *id.*

**axis** 1697, Verduc ; mot. lat. signif. axe.

**axonge** XIV^e^ s., *Antidotaire Nicolas* (*amxunge*) ; lat. *axungia,* graisse pour les essieux (*axis,* essieu, et *ungere,* oindre).

**azalée** fin XVIII^e^ s. (*azalea*) ; 1803, Boiste (*azalée*) ; lat. bot. *azalea* (Linné), fém. du gr. *azaleos,* desséché.

**azerole** 1651, N. de Bonnefons ; 1562, Du Pinet (*azarole*) ; esp. *acerola,* de l'ar. *az-zou 'roûr.* || **azerolier** 1690, Furetière, aubépine.

**azimut** 1544, Apian ; ar. *al-samt,* droit chemin. || **azimutal** 1599, H. Est.

**azote** 1787, Guyton de Morveau ; de *a* priv. et gr. *zôê,* la vie. || **azotate** 1836, Landais. || **azoteux** 1838. || **azotémie** 1922, Lar. || **azotique** 1787, Guyton de Morveau. || **azoturie** 1866, Lar.

**aztèque** 1869, Marcellus, *Satires* (*aztec*), pop., « individu chétif », d'après l'exhibition à Paris, en 1855, de deux monstres rachitiques présentés comme des Aztèques.

# b

1. **baba** 1767, Diderot, gâteau ; polonais *baba ;* d'apr. la tradition, il aurait été introduit par l'entourage de Stanislas Leszczyński (1677-1766).

2. **baba,** ébahi. V. BAYER.

3. **baba,** vieille femme russe, 1660 ; mot russe.

4. **baba** ou **baba-cool** v. 1976 ; mot hindi signif. « papa », par l'angl.

**babélique** 1803, Volney ; 1850, Hugo, fig. || **babéliser** 1396, *Mém. Soc. d'hist.* || **babélisme** 1866, Amiel, « confusion de paroles » ; 1881, Daudet, « multiplicité exagérée de langues » ; de *Babel,* tour gigantesque dont Jéhovah aurait arrêté la construction par la confusion des langues.

**babeurre, babil** V. BEURRE, BABILLER.

**babilan** 1739, de Brosses, *Lettres à Mme Cortoy ;* ital. *babbilano,* de *Babilano,* nom d'un mari impuissant.

**babiller** XIIe s., G., « bégayer » ; XIIIe s., sens actuel ; rac. onom. *bab-,* indiquant le mouvement des lèvres (angl. *babble* et allem. *babbeln*). || **babil** 1460, Villon, déverbal. || **babillage** 1583, trad. d'Horace, rare jusqu'au XIXe s. || **babillard** fin XVe s., *Anc. Poés. fr.* || **babillarde** subst., 1725, Granval « missive ». || **babille** 1936, Céline. || **babillement** 1583, J. Des Caurres, repris au XIXe s. (1829). || **babine** 1485, Esnault (*babin*) ; 1526, Bourdigné (*babine*) ; de *babiner* (1527, *Saint Christophe*), en moyen fr. syn. de *babiller.*

**babiole** fin XVIe s., F. Bretin ; ital. *babbola ;* le *i* est p.-ê. dû à *babiller.*

**babiroussa** 1764, Buffon ; malais *babi-rusa,* porc-cerf, que l'on rencontre dans un texte lat. en 1658.

**bâbord** 1484, Garcie (*babort*) ; on écrit, au XVIIe s., *bas-bord* par fausse étymologie ; néerl. *bakboord,* bord du dos (*bak*), parce que le pilote manœuvrait en tournant le dos au côté gauche. || **bâbordais** 1694, Corneille.

**babouche** 1546, Geoffroy (*papouch*) ; 1600, *Disc. de la manière des Turcs* (*babuc*) ; ar. *bâboûch,* du persan *pâpûch.*

**babouin** fin XIIIe s., Guiart ; rac. onomatop. *bab-* (v. BABILLER). Le mot a d'abord les sens de « singe » (d'où « garnement » chez La Fontaine) et de « sot » (jusqu'au XVIe s.), l'un et l'autre d'après les grosses lèvres. || **embabouiner** 1265, J. de Meung, fig.

**babouviste** 1796, *Journ. des patriotes,* « partisan de Babeuf » (1760-1797), puis « communiste ». || **babouvisme** 1840, Lahautière.

**baby** et composés V. BÉBÉ.

**babylonien** 1668, Racine ; début XIXe s., Nerval, « immense » ; de *Babylone.* Au XVIe s., *babylonique.*

1. ***bac** 1160, Benoît, « bateau » ; XVIIe s., « cuve » ; lat. pop. *baccus,* récipient (attesté en bas lat. par les dér. *bac[c]ar, bac[c]arium,* IVe-VIe s., vase à vin), d'orig. gauloise. || **bachot** 1539, R. Est. ; dimin. du mot lyonnais *bache,* forme fém. de *bac.* || **bachoteur** 1735, *Ordonn.,* « batelier ». || **baquet** 1299, Delb. (*baket*), dimin. || **baqueter** 1513, texte de Tournai. || **baqueture** 1701, Furetière.

2. **bac** V. BACCARA.

**baccalauréat** 1680, Richelet (*bacaloréat*) ; lat. médiév. *baccalaureatus,* de *baccalaureus,* réfection de *baccalarius,* bachelier, rapproché de *bacca laurea,* baie de laurier. || **bachot** 1856, Furpille, arg. scol. ; abrév. du mot précédent et suffixe pop. *-ot.* || **bachoter, bachotage** v. 1900. || **bachoteur** XXe s.

**baccantes** 1876, Esnault, « barbe, favoris » ; XXe s., « moustache » ; all. *Backe,* joue.

**baccara** 1837, *Dict. conversation ;* prov. *bacarra,* « faillite », puis « jeu de cartes », avec *-carra* apparenté à *carré.* || **bac** 1865, Delvau, abrév. des joueurs.

**bacchanales** 1355 ; lat. *Bacchanalia,* fêtes de Bacchus ; XVIII^e^ s., « orgie bruyante ». || **bacchanal** 1559, Amyot ; de l'adj. lat. *bacchanalis,* de Bacchus. || **bacchanales** n. m., 1155, Wace (*baquenas*), « tapage » ; 1540, Rab. (*-cchanal*), attesté jusqu'au XIX^e^ s. (Gautier) ; adj., 1507, G. || **bacchante** n. m., 1559, Amyot ; n. f., 1596, Vigenère ; 1690, Furetière, « femme désordonnée » ; lat. *bacchans* (pl. *bacchantes*), « qui célèbre les mystères de Bacchus ». || **bacchu-ber** danse des épées dans le Briançonnais ; réfection, d'après *Bacchus,* de *ba-cubert,* bal couvert. || **bachique** 1490, O. de Saint-Gelais ; lat. *bacchicus,* de Bacchus.

**baccifère** 1562, Du Pinet ; lat. *bacca,* baie, et suffixe *-fère.* || **bacciforme** 1819, Boiste. || **baccivore** 1834.

***bâche** XV^e^ s., vêtement ; 1560, R. Belleau, « filet » ; début XVIII^e^ s., sens actuel ; anc. fr. *baschoe,* baquet, du lat. *bascauda,* bac à laver, mot gaulois. || **bâcher** fin XVI^e^ s., A. Morin, « vêtir » ; 1752, Trévoux, sens actuel. || **bâchage** XIX^e^ s. || ***bâcholle** 1415, Du Cange, « baquet » en Normandie, « cuveau pour vendange » en Auvergne ; de *baschoe,* avec substitution de suffixe. || **débâcher** 1741, Savary.

**bachelette** 1460, Villon ; anc. fr. *baisselette* (1265, J. de Meung), dim. de *baissele,* « jeune fille, servante », de *baiasse,* jeune fille, du prov. *bagassa,* prostituée, d'orig. arabe ; *bachelette* a subi l'influence de *bachelier.* || **bagasse** av. 1581, O. de Turnèbe, « prostituée » ; encore au XVII^e^ s. (Molière, *l'Étourdi*), disparu au XVIII^e^ s., parfois repris au XIX^e^ s. (Balzac) ; mot prov.

***bachelier** 1080, *Roland* (*bachelor*) ; le mot, par substitution de suffixe, devient à la fin du XIV^e^ s. *bachelier ;* lat. pop. **baccalaris* ou *baccalarius* (attesté au IX^e^ s.), ou de *baccalaria,* domaine, mot p.-ê. gaulois ; d'abord « possesseur d'un domaine » (IX^e^ s., en Espagne, dans le Midi), puis, en anc. fr., « jeune gentilhomme » ou « aspirant chevalier », enfin « jeune homme » jusqu'au XVII^e^ s. (La Fontaine). Il a été appliqué au premier grade universitaire dès la fin du Moyen Âge.

**bachi-bouzouk** 1860, *journ. ;* mot turc signif. « mauvaise tête ».

**bachique, bacholle, bachot** V. BACCHANALES, BÂCHE, BAC 1, BACCALAURÉAT.

**bacille** 1615, J. Desmoulins, bot. ; 1842, *Acad.,* méd. ; lat. *bacillus,* bâtonnet. || **bacillaire** 1884. || **bacillose** 1896. || **bacilliforme** 1846.

**backgammon** 1834 ; moyen angl. *gamen,* jeu, et *back,* en arrière.

**background** 1953 ; mot angl., de *back,* derrière, et *ground,* sol.

***bâcler** 1292, *Taille de Paris,* « fermer » ; 1598, Vigenère, « fermer une porte avec une barre » ; encore au XVII^e^ s. ; XVIII^e^ s., « exécuter sans soin et rapidement » ; lat. pop. **bacculare,* de *baculum,* bâton. || **bâcle** 1866, Lar. ; déverbal de *bâcler.* || **bâclage** 1751, *Encycl.* || **bâcleur** 1865, Wey. || **débâcler** 1415, *Ordonn.* || **débâcle** 1690, Furetière, « rupture des glaces » ; av. 1850, Balzac, « déroute » ; déverbal de *débâcler.* || **débâclage** 1415, *Ordonn.* || **débâclement** 1694, *Acad.* || **débâcleur** 1415, *Ordonn.* || **embâcle** 1640, Oudin ; formé sur *débâcle.*

**bacon** XIII^e^ s., G., attesté jusqu'au XVI^e^ s. ; mot angl., de l'anc. fr. *bacon,* flèche de lard ; terme revenu à la fin du XIX^e^ s. (1895, Rousiers) ; francique **bakko,* jambon.

**baconien** 1842 ; de *Bacon* (1561-1626).

**bactérie** 1838, Ehrenberg (*bacterium*) ; 1849, sous la forme fém. ; gr. *baktêrion,* bâton. || **bactéricide** 1893 ; lat. *caedere,* tuer. || **bactériémie** 1888, Lar. ; gr. *haima,* sang. || **bactérien** 1887, Beaulieu. || **bactériologie** fin XIX^e^ s. || **bactériologique** fin XIX^e^ s. || **bactériologiste** 1895, *Année sc. et industr.* || **bactériophage** 1918, Hérelle. || **bactériostatique** 1959, Lar. || **bactériothérapie** 1888, Lar.

**bacul** V. CUL.

**bacula(s)** XIX^e^ s., lattis de plafond ; savoyard et suisse romand *baculô,* bâtonnet, du lat. *baculus,* bâton.

**badamier** 1793, Nemnich ; persan *bādām,* amande, avec le suffixe *-ier* spécifique des noms d'arbres.

**badau** 1532, Rab. ; prov. *badau,* de *badar,* bayer, « celui qui reste bouche bée ». Le sens de « stupide » se rencontre jusqu'au XVII^e^ s. || **badauder** 1690, Furetière. || **badaudage** 1594, *Satire Ménippée.* || **badaudement** 1792, Hébert. || **badauderie** 1547, N. Du Fail.

**badelaire** XII^e^ s. ; orig. inconnue. Ancienne épée à lame courbe.

**baderne** 1773, Bourdé, « tresse de vieux cordages » ; fig. et péjor., *vieille baderne,* XIX^e^ s. ; ital. ou esp. *baderna,* orig. obscure.

**badge** 1862, insigne ; généralisé seulement v. 1950 ; mot angl.

**badiane** 1681, Thévenot ; persan *bâdyân,* anis.

**badigeon** 1676, Félibien, « couleur de détrempe » ; orig. inconnue. || **badigeonner** 1701, Furetière. || **badigeonnage** 1820, Laveaux. || **badigeonneur** 1820, Laveaux.

**badigoinces** 1538, Rab. ; p.-ê. de l'anc. *bader,* bavarder (v. BADAUD), et du dial. *goincer,* crier comme un porc.

**badin** 1478, Coquillart ; mot prov. de même rac. que le précéd. Le sens premier de « niais, sot » se rencontre jusqu'au XVIIe s., où l'emporte celui de « enjoué, qui fait rire ». || **badinage** 1541, Calvin, « sottise », sens attesté jusqu'au XVIIe s. (Molière). || **badine** 1743, Trévoux, « pincette » ; 1781, *Corr. litt.,* « canne flexible » ; déverbal de *badiner.* || **badiner** 1549, R. Est. || **badinerie** début XVIe s.

**badminton** 1882 ; mot angl., du nom d'un château anglais.

**baffe** 1283, coup de poing ; 1750, sens mod. ; onom. *baf,* marquant la notion de « boursouflé », d'où l'idée de coup.

**baffle** 1948 ; mot angl.

**bafouer** 1532, Rab., « attacher avec une corde » ; XVIe s., Montaigne, sens actuel ; prov. *bafar,* se moquer (anc. fr. *befe,* moquerie), d'orig. onom.

**bafouiller** 1867, Lar. ; lyonnais *barfouiller,* barboter, parler mal (1810, Molard), réfection, d'apr. *barbouiller,* d'un dérivé de *fouiller.* || **bafouillage** 1878. || **bafouille** 1876, L., « lettre ». || **bafouillement** 1893, Goncourt. || **bafouilleur** 1878. || **bafouillis** v. 1960.

**bâfrer** 1507, Éloy d'Amerval (*bauffrer*) ; 1740, *Acad.* (*bâfrer*) ; origine onom. || **bâfre** 1706, Brasey, « repas » ; 1750, Vadé, « gifle » (sens aussi de *bauffrée,* XVe s.) ; déverbal de *bâfrer.* || **bâfreur** 1571 (*bauffreur*).

**bagage** V. BAGUES.

**bagarre** 1628, Sorel ; prov. mod. *bagarro,* d'orig. basque. || **bagarrer (se)** 1905. || **bagarreur** 1927.

1. **bagasse** 1719, bot. ; esp. *bagazo,* marc.

2. **bagasse,** prostituée V. BACHELETTE.

**bagatelle** 1547, N. Du Fail ; ital. *bagatella,* tour de bateleur, du lat. *baca,* baie.

**bagne** 1637, Dan ; ital. *bagno,* bain ; d'abord lieu où l'on enfermait les esclaves à Livourne, installé dans d'anciens bains. || **bagnard** 1831, a remplacé *bagneux* (1905, Lar.).

**bagnole** 1840, Hilpert ; mot picard, de *banne,* tombereau, mot d'orig. gauloise.

**bagoter** 1901, Bruant, « porter des bagages » ; 1910, Esnault, « marcher » ; de *bagots,* bagages.

**bagou** ou **bagout** XVIe s., G. (*bagos*) ; fin XVIIIe s., *Nouv. Écosseuses* (*bagou*) ; déverbal de *bagouler* (1447), encore au XVIIIe s., « parler inconsidérément », d'une forme dial. de *gueule* (*goule*). || **débagouler** 1547, Calvin, « bavarder » ; 1819, Boiste, « vomir ». || **débagoulage** 1869, Flaubert. || **débagouleur** 1636, Monin.

**bague** 1360, Froissart (*wage*) ; moyen néerl. *bagge,* anneau (allem. *biegen,* courber). || **baguer** XVe s., « attacher » ; début XVIe s., d'Authon, sens actuel. || **baguage** 1842, *Acad.* || **bagueur** 1842, *Acad.* || **baguier** 1562.

**baguenaude** 1389, A. Chartier ; languedocien *baganaudo* (région où le baguenaudier est indigène), du lat. *baca,* baie ; le fruit servant à l'amusement des enfants, le mot a pris le sens de « niaiserie » dès l'orig. (d'apr. le lat. *vacare,* être vide, inoccupé). || **baguenauder** XVe s., G., « s'amuser à des riens » (encore au XVIIe s.) ; XVIIIe s., « flâner ». || **baguenauderie** 1556, trad. Gelli ; vieilli dès le XVIIe s. || **baguenaudier** 1539, R. Est., nom de l'arbre ; XVIe s., Des Autels, fig., « niais ».

**bagues** 1421, G. de Lannoy, « bagages » ; angl. *bag* ou scand. *baggi,* paquet. || **bagage** 1265, Br. Latini, « matériel d'une armée » ; fig., début XIXe s. (Chateaubriand) ; de même origine, avec infl. de l'angl. *baggage,* lui-même issu du fr. || **bagagiste** 1922, Lar. || **Bagagerie** 1968, n. déposé.

**baguette** 1510, Carloix ; ital. *bachetta,* dim. de *bacchio,* bâton, du lat. *baculum,* bâton ; *commander à la baguette* (dont les officiers étaient munis), XVIe s., Du Vair.

**bah** onomat., XIIe s., pour marquer le doute ; XVIIIe s., indifférence.

**bahut** XIIe s., G. ; orig. inconnue, p.-ê. anc. francique **baghûdi,* même sens ; ou du rad. expressif *bab-,* « gonflé », par un lat. pop. **babulus ;* arg. scol. 1858, *les Institutions de Paris.* || **bahutier** 1292, *Livre de la taille* (*-hurier*) ; 1313, *id.* (*-huier*) ; 1530, G. (*-hutier*). || **bahuter** XIVe s., bousculer, chahuter. || **bahutage** XXe s. (1955, *Nouv. litt.*).

**bai** XII^e s., G. ; lat. *badius,* brun.

1. **baie** XII^e s., fruit ; lat. *baca.*

2. **baie** 1364, G., golfe ; esp. *bahia,* du bas lat. *baia* (VII^e s., Isidore de Séville), p.-ê. d'orig. ibérique.

3. **baie** XII^e s., ouverture d'un mur. (V. BAYER.)

**baigner, bail** V. BAIN, BAILLER.

**baille** 1325, *Chron. de Morée,* « baquet », puis « bateau » ; 1767, Esnault, arg., « eau » ; ital. *baglia,* du lat. **bajula (aquae).*

***bailler** 1050, *Alexis,* « porter, apporter » ; lat. *bajŭlare,* porter sur le dos ou à bras ; le sens de « donner » qui se rencontre dès l'origine est attesté encore au XVII^e s. ; emploi actuel restreint à *la bailler bonne* ou *belle,* expression issue du jeu de paume, le mot *balle* étant sous-entendu. || **bail** 1250, G., « pouvoir, tutelle » ; déverbal de *bailler ;* spécialisé à partir du XVI^e s., par abréviation de *bail à loyer, à ferme* (*Code civil,* ce qu'on donne à loyer, à ferme). || **bailleur** XIV^e s., « qui donne à bail » ; le sens de « qui donne » se retrouve dans *bailleur de fonds.*

***bâiller** fin XII^e s., *R. de Cambrai* (*baa-*) ; bas lat. *batacŭlare* (attesté dans une glose), de **batare,* ouvrir la bouche (v. BAYER). || **bâillement** XII^e s. || **entrebâiller** 1465, G. || **entrebâillement** 1561. || **bâillon** 1462, G., « instrument de torture introduit dans la bouche pour empêcher de parler ». || **bâillonner** 1530, *Débats de Charité et d'Orgueil ;* 1796, *Néol. fr.,* fig. || **bâillonnement** 1842, J.-B. Richard. || **bâillonneur** 1871, Blanqui, au fig. || **débâillonner** 1852, Lachâtre.

**baillet** XIV^e s., Gace de La Bigne ; anc. fr. *baille,* du lat. *badius,* bai, dit d'un cheval qui est d'un roux tirant sur le blanc.

**bailli** XII^e s., *Roncevaux* (*-if*) ; anc. fr. *bail,* gouverneur, du lat. *bajulus,* chargé d'affaires (anc. fr. *baillir,* administrer). || **bailliage** 1312, G.

**bâillon** V. BÂILLER.

***bain** 1080, *Roland ;* lat. *balneum* (*l* devant *n* est tombé en lat. pop. et dans les dérivés) ; 1665, Thévenot, « logement d'esclave », syn. de *bagne.* || ***baigner** XII^e s., G. ; bas lat. *balneare.* || **baignade** 1796, *Néol. fr. ;* a remplacé *baignoire* dans son premier sens, ou *baignerie.* || **baigneur** 1310, G. ; lat. *balneator ;* le sens de « tenancier de bains » s'est maintenu jusqu'au XVIII^e s. || **baigneuse** 1768, *Corr. litt.,* « bonnet à plis ». || **baignoire** XIII^e s., « récipient et lieu où l'on se baigne » (jusqu'au XVII^e s.) ; XVII^e s., sens actuel ; XIX^e s., théâtre. || **bain-marie** XIV^e s., G., d'abord terme d'alchimie, d'après Marie, sœur de Moïse, à qui était attribué un traité d'alchimie. || **balnéaire** 1866, Lar. ; lat. *balnearius,* relatif au bain. || **balnéation** 1866, Lar. ; lat. *balneatio.* || **balnéothérapie** 1865, Littré.

**baïonnette** 1555, Tahureau (*baïonnette de Bayonne*) ; précédé de *canivet de Bayonne ;* de *Bayonne,* où cette arme fut d'abord fabriquée. Les soldats qui en étaient armés furent appelés *baïonniers* aux XVII^e-XVIII^e s.

**baïoque** XVI^e s., Bonivard ; ital. *baiocco,* de *bajo,* bai, à cause de la couleur de la pièce.

**bairam** 1533, L. de Barthème (*bairami*) ; 1541, *Lettr. de François I^er ;* turc *bairām.*

***baiser** X^e s., G. (*-sar*) ; XII^e s. (*-sier*), verbe ; n. m. XII^e s. ; lat. *basiare,* qui a remplacé *osculari ;* le verbe, qui ne s'emploie plus que dans quelques loc. (*baiser la main*) en ce sens, est remplacé par *embrasser ;* il a aussi au XII^e s. un sens sexuel ; 1881, Rigaud, « tromper ». || **baisement** 1170, *Floire et Blancheflor,* terme eccl. || **baiseur** XIV^e s. || **baisure** fin XV^e s., *Anc. Théâtre fr.* || **baisemain** fin XIII^e s., Guiart. || **baisoter** 1556, Ronsard, fam. || **baisade** 1854, Flaubert, pop. || **baisable** 1950, Nimier. || **baisant** 1932, Céline. || **baisé** 1850, Flaubert. || **baise-en-ville** 1934, Esnault. || **baisodrome** v. 1940. || **biser** forme dial. de *baiser.* || **bise** déverbal. || **entrebaiser (s')** début XII^e s., *Voy. de Charl.,* que l'on rencontre encore chez La Fontaine.

***baisser** 1080, *Roland* (*-ssier*) ; lat. pop. **bassiare,* de *bassus,* bas. || **baisse** av. 1577, Monluc ; 1740, Desfontaines, « baisse des prix » ; déverbal de *baisser.* || **baissier** 1823, en Bourse. || **baissière** XII^e s. || **abaisser** 1180, Marie de France. || **abaisse** 1390, Taillevent ; déverbal de *abaisser.* || **abaisse-langue** 1841, Chomel. || **abaissement** 1160, Benoît. || **rabais** 1397, G. (*rabez*), « action de rabaisser ». Le sens actuel de « rabais des prix » existait dès l'anc. fr. || **rabaissement** 1500, d'Authon. || **surbaissé** 1611, Cotgrave.

**bajocien** 1843 ; lat. *Bajocassi,* habitants de Bayeux, où l'on a trouvé ce type fossilifère.

**bajoue, bajoyer** V. JOUE.

**bakchich** 1846, Nerval (*-chis*) ; mot turc, du persan *bakchîden,* donner.

**Bakélite** 1907, Lar., n. déposé ; du nom du chimiste belge *Baekeland* (1863-1944).

**baklava** 1853 ; mot turc.

***bal** fin XIIe s., *Girart de Roussillon,* « danse » ; déverbal de *baller,* danser (XIIe s.), qu'on rencontre encore au XVIIe s., chez La Fontaine, du lat. impér. *ballare* (IVe s., saint Augustin), du gr. *ballein,* jeter. || **ballade** 1260, Adam de la Halle (*balade*) ; prov. *balada,* danse, poème à danser, de *balar,* danser. || **balade** XIXe s., de *balader.* || **balader** XVe s., issu de *ballader,* « chanter des ballades », d'où « flâner ». || **baladeur** 1455, *Coquillards,* « escroc » en arg. ; 1849, *Jargon,* « flâneur » ; XXe s., appareil récepteur portatif. || **baladeuse** 1866, Lar., « qui flâne » ; 1850, Nerval, « prostituée » ; v. 1900, « voiture de tram prise en remorque » ; XXe s., « lampe électrique mobile ». || **baladin** 1545, Marot ; prov. *baladin,* de *balar,* danser, « danseur de ballets », sens que l'on rencontre encore au XVIIe s. ; XVIIe s., « bouffon, comédien ambulant ». || **ballant** 1687, Desroches, part. prés. de *baller.* || **ballerine** 1858, Peschier ; ital. *ballerina,* de *ballare,* danser. || **ballet** 1578, d'Aubigné ; ital. *balletto,* dim. de *ballo,* bal. || **bal musette** 9 mars 1882, *le Gaulois.* (V. MUSER.)

**balafon** 1688, La Courbe ; malinké de Guinée, où l'instrument est appelé *bala ; balafo* signifie « jouer du bala » (*fo* = dire, parler).

**balafre** 1505, Gonneville, « bouton aux lèvres » ; sens actuel au XVIe s. ; préfixe *be(s)* [lat. *bis*] et anc. fr. *leffre,* lèvre (*lafru,* lippu, XVIe s.), du germ. (anc. haut allem. *leffur*) ; le sens s'explique en partant de l'expression *les lèvres d'une plaie.* || **balafrer** 1480, Molinet (*brelaffrer*) ; 1546, Rab. (*balafrer*). || **balafré** av. 1550, Doré. Henri de Guise fut surnommé *le Balafré* pour une blessure à la joue en 1575.

**balai** 1170, *Rois* (*-lain*) ; breton (trégorrois) *balazn, balain,* genêt. || **balayer** 1280, Beaumanoir (*baloier*) ; fig., 1800, Cousin Jacques. || **balayage** XVIIe s. || **balayeur** XIIIe s., *Digeste* (*balaieor*). || **balayeuse** 1878, Lar., « machine à balayer ». || **balayette** XIIIe s., G. (*baliete*). || **balayure** 1387, G. (*baliure*). Les graphies de l'anc. fr. se sont maintenues jusqu'au XVIIe s. || **balai-brosse** XXe s.

**balais** XIIIe s., d'Espinau, rubis ; ar. *balakhch,* par l'intermédiaire du lat. médiév. *balascius,* de *Balakhchân,* région voisine de Samarcande, d'où venaient ces rubis.

**balaise** ou **balèze** 1927, Esnault, arg. ; prov. *balès,* gros.

**balalaïka** 1768, J. d'Auteroche (*-ca*) ; mot russe désignant un instrument de musique à trois cordes.

***balance** XIIe s., *Roncevaux ;* 1980, « délateur » ; lat. pop. **bilancia,* du lat. du IVe s. *bilanx,* balance à deux plateaux (de *lanx,* plat). L'*a* initial est dû à l'influence analogique de *baller,* danser. || **balancer** fin XIIe s., G. d'Arras, « jeter » ; fin XIIe s., *Alexandre,* « osciller » ; 1821, Ansiaume, « abattre » ; 1929, Dussort, « dénoncer ». || **balancement** 1487, G., « fait de se balancer » ; 1841, *Français peints par eux-mêmes,* pop., « renvoi ». || **balancier** v. 1590, Charron, « objet qui balance » ; XIIIe s., Delb., « fabricant de balances » ; fig., XIXe s. || **balançoire** 1530, Palsgrave ; 1965, Sarrazin, « délateur ». || **balancine** début XVIe s. || **balancelle** début XXe s., siège de jardin. || **contrebalancer** 1549, Du Bellay.

1. **balancelle** V. BALANCE.

2. **balancelle** 1823, *Ann. marit. et coloniales ;* napolitain *paranzella,* par l'intermédiaire du génois *balanzella,* influencé par *balancer ;* embarcation mince avec un grand mât incliné vers l'avant.

**balandran** ou **balandras** 1597, *Invent. Philippe II ;* encore au XVIIe s. (La Fontaine) et parfois au XIXe s. ; languedocien *balandran* (anc. prov. *balandral*), d'orig. inconnue.

**balan(o)-,** gr. *balanos,* gland. || **balanoglosse** 1888, Lar. ; gr. *glôssa,* langue. || **balanite** 1803, Boiste. || **balane** 1551, Cottereau.

**balata** 1775, Bomare ; orig. inconnue ; gomme tirée d'un arbre tropical.

**balauste** 1314, Mondeville, « fleur de grenadier » ; lat. *balaustium,* mot gr.

**balayer** V. BALAI.

**balbutier** v. 1390, Ph. de Maizières ; lat. *balbutire,* de *balbus,* bègue, avec changement de conjugaison. || **balbutiement** 1570, *Dict. des aliments ;* fig., 1826, Mozin.

**balbuzard** 1770, Buffon ; une première fois dans un texte lat. en 1676 ; angl. *baldbuzzard,* busard chauve (*bald*).

**balcon** v. 1440, G. de Lannoy (*barcon*) ; v. 1565, Ph. Delorme (*balcon*) ; ital. *balcone,* d'orig. germ. (allem. *Balken*). || **balconnet** début XXe s.

**baldaquin** 1352, Delb., « dais » ; 1540, Rab. (*-chin*) ; ital. *baldacchino,* étoffe de soie de Bagdad (en anc. ital. *Baldacco*).

**baleine** 1080, *Roland ;* lat. *balaena.* || **baleiné** 1364, chez Barbier. || **baleineau** 1575, Thevet (*balenon*) ; XVIII^e s. (*baleineau*). || **baleinier** 1389, Froissart. || **baleinière** 1821. || **baleinoptère** 1803, Lacépède ; gr. *pteron,* aile.

**balèvre** V. LÈVRE.

1. **balise** 1475, J. Lestandart, mar. ; port. *baliza,* du bas lat. *palitium,* de *palus,* pieu. || **baliser** XX^e s. || **balisage** 1467, *Ordonn.* || **baliseur** 1516, G. L'emploi en aéronautique de tous ces mots date du XX^e s. (1959, Lar.). || **radiobalise** XX^e s.

2. **balise** 1651, Cauche, « fruit du balisier » ; orig. inconnue. || **balisier** 1694, Th. Corn.

**baliste** 1546, Rab. ; lat. *ballista,* machine de jet, mot gr., de *ballein,* lancer. || **balistique** 1647, Mersenne. || **balisticien** 1907, *l'Illustration.*

**baliveau** 1274, Villehardouin (*baiviaus*) ; 1549, R. Est. (*baliveau*) ; anc. fr. *baïf,* étonné (v. BAYER), le baliveau servant de point de repère (*baer,* regarder). || **balivage** 1669, *Ordonn.*

**baliverne** 1470, *Pathelin ;* orig. obscure, p.-ê. du prov. mod. *baiuverno,* étincelle, l'évolution sémantique étant semblable à celle de *bluette.* || **baliverner** 1540, N. Du Fail.

**balkanique** fin XIX^e s. ; de *Balkans.* || **balkanisation** v. 1940. || **balkaniser (se)** v. 1950.

**ballade, ballant** V. BAL.

**ballast** 1375, *Archives,* « lest pour navires » ; 1840, Minard, ch. de fer ; angl. *ballast.* || **ballastage** 1863, L. || **ballaster** XVII^e s., mar. ; 1855, ch. de fer. || **ballastière** 1863, L.

1. **balle** v. 1268, É. Boileau, « paquet de marchandises » ; l'express. fig. *de balle* (sans valeur) est usuelle jusqu'au XVII^e s. ; 1842, La Bédollière, « visage » ; francique **balla.* || **ballot** 1406, G. || **balluchon** ou **baluchon** 1821, Ansiaume. || **déballer** 1480, G. Alexis. || **déballage** 1670, Huet. || **emballer** 1360, Froissart ; *s'emballer,* XIX^e s., « s'emporter ». || **emballage** début XVI^e s., G. || **emballement** 1629, *D. G.,* sens propre ; 1877, Daudet, « enthousiasme ». || **emballeur** début XVI^e s. || **remballer** 1549, R. Est.

2. **balle** [à jouer] 1534, Rab. ; XVI^e s., « projectile », qui date des armes à feu portatives (fin XV^e s.) ; ital. dial. *balla* (ital. *palla*), du longobard **ballo,* même mot que le précédent. || **ballotter** 1395, Chr. de Pisan, « renvoyer la balle » ; XVI^e s., fig., « se jouer de » ; XVI^e s., « mettre aux voix » ; XIX^e s., sens électoral actuel ; de *ballotte,* petite balle (XVI^e s.), de l'ital. dial. *ballota.* || **ballottage** 1520, G., « vote », avec des ballottes ou petites boules ; XVIII^e s., sens actuel ; il a remplacé *balotation* (anglicisme) pendant la Révolution. || **ballottement** 1586, Taillepied. || **ballottine** 1739, *Dons de Camus.*

3. **balle** [de céréales] 1549, R. Est. ; gaulois **balu.*

**ballerine, ballet** V. BAL.

1. **ballon** 1549, Rab. ; 1783, Bachaumont, « aérostat » ; ital. dial. *ballone* (ital. *pallone*), grosse balle. || **ballonner** 1584, Monin. || **ballonnement** 1814. || **ballonnet** 1874, L. || **ballon-sonde** 1897, Lar.

2. **ballon** (*d'Alsace*) 1560, Marichal, *Dict. topogr. des Vosges,* type de montagne ; all. *Belchen,* d'après *Bällchen,* dimin. de *Ball,* balle.

**ballot, ballotter, ballottine** V. BALLE 1, BALLE 2.

**ball-trap** 1888, Lar. ; angl. *ball,* balle, et *trap,* ressort.

**balluchon, balnéaire** V. BALLE 1, BAIN.

**balourd** fin XV^e s. ; ital. *balordo,* de même rac. que *lourd.* || **balourdise** 1640, Oudin. || **abalourdir** fin XVI^e s. || **abalourdissement** 1842, *Acad.*

**balsa** 1752, Trévoux (*balse*) ; esp. *balsa,* désignant un bois d'Amérique centrale.

**balsamique** 1516, G. Michel ; lat. *balsamum,* baume. || **balsamite** XIII^e s., *Antidotaire Nicolas.* || **balsamier** XII^e s. || **balsamine** 1545, Guéroult.

**balte** XX^e s. ; de *Baltique.*

**balustre** 1529, Parmentier, « fleur de grenadier » ; 1633, *Archives,* fig., à cause du renflement de la fleur ; ital. *balaustro,* du lat. *balaustium,* mot gr. || **balustrade** milieu XVI^e s., même évolution que *balustre ;* ital. *balaustrata,* même origine.

**balzacien** 1833, Th. Gautier ; de *Balzac.* || **balzacisme** 1888, A. France.

**balzan** 1125, *Gormont ;* ital. *balzano,* du lat. pop. **balteanus,* garni d'une ceinture (*balteus,* bande) ; il a remplacé l'anc. fr. *baucent,* de même rac. avec suffixe germ. *-enc.* || **balzane** 1533, G.

**bambin** fin XVI$^{e}$ s., rare jusqu'au XVIII$^{e}$ s., d'abord terme de peinture désignant l'Enfant Jésus ; ital. *bambino,* petit enfant.

**bamboche** 1680, Richelet, « marionnette » ; XVIII$^{e}$ s., fig., « débauche » ; ital. *bamboccio,* pantin, dont le dér. *bambocciata,* surnom du peintre hollandais P. de Laer, à Rome, désigna un type de peinture (scènes d'auberge). || **bambochade** début XVIII$^{e}$ s. || **bambocher** 1807, G. Michel. || **bambocheur** 1814, *Chanson.*

**bambou** 1598, Lodwijcksz ; port. *bambu,* du malais. Furetière, en 1690, écrit *bambouc.*

**bamboula** 1722, Labat, « tambour » ; XIX$^{e}$ s., « noce » ; mot bantou.

1. **ban** fin XII$^{e}$ s., *Aymeri,* « proclamation du suzerain », spécialisé souvent pour les levées de troupes et les *bans du mariage* (même date) ; XII$^{e}$ s., « bannissement » (jusqu'au XVII$^{e}$ s.) ; francique **ban* (anc. haut allem. *ban*). || **banneret** XIV$^{e}$ s., G. de Charny. || **arrière-ban** XII$^{e}$ s. ; de *ban* ou directement du francique **hariban.* || **banal** 1286, G., « appartenant au suzerain », « commun aux habitants du village » (*four banal*) ; 1778, Gilbert, fig., « commun, sans originalité ». || **banalement** 1280, G. ; 1858, Peschier, fig. || **banalité** 1550, « servitude féodale » ; 1836, Landais, fig. || **banaliser** 1842, J.-B. Richard ; XX$^{e}$ s., techn. || **banalisation** 1906, A. Gide, « action de rendre banal » ; 1953, Lar., techn. || **banlieue** fin XII$^{e}$ s., « espace d'une lieue autour d'une ville où s'exerçait le droit de ban » ; XVII$^{e}$ s., « villages et campagne entourant une grande ville » ; lat. *banleuca* (X$^{e}$ s.). || **banlieusard** fin XIX$^{e}$ s.

2. **ban** 1697, d'Herbelot, « gouverneur de Croatie » ; mot croate. || **banat** début XIX$^{e}$ s.

**banane** 1602, Colin ; port. *banana,* du soussou de Guinée. Le fruit a d'abord été désigné *pomme de paradis* (XIII$^{e}$ s.). || **bananier** 1604, Martin. || **bananeraie** 1928, Lar., qui a remplacé **bananerie** 1842, *Acad.*

**banc** 1050, *Alexis,* « type de banc fixé autour de la chambre » ; germ. **banki.* || **bancal** 1747, Caylus, d'après la divergence des pieds d'un banc ; 1819, *le Farceur du régiment,* « sabre ». || **banban** 1866, Delvau, surnom, redoublement expressif. || **bancelle** 1479, Barbier. || **banche** 1694, Th. Corn. ; mot dial., forme fém. de *banc.* || **banchée** 1785, *Encycl. méth.* || **bancher** 1953, Lar. || **banchage** *id.* || **bancroche** 1730, Caylus, « bossu » ; de *banc* et de *croche,* crochu.

**bancaire** V. BANQUE.

**banco** 1679, Savary, « valeur en banque », puis terme de jeu ; ital. *banco,* qui a donné aussi *banque.*

**bancroche** V. BANC.

1. **bande** début XII$^{e}$ s., *Voy. de Charl.,* « lien » ; 1892, L.-G. Bouly, « film » ; *bande flexible,* 1888, Raynaud ; *bande sensible,* 1888, Marey ; francique **binda* (all. *binden,* angl. *bind,* lier). || **bandeau** XII$^{e}$ s. (*-del*). || **bandelette** 1377, Delb. ; fém. et dim. de *bandel.* || **bander** début XII$^{e}$ s. ; XVII$^{e}$ s., sens érotique. || **bandant** adj., arg., 1920. || **bandage** 1508, G. || **bandagiste** 1704, Furetière. || **débander** fin XII$^{e}$ s., *Aliscans,* « enlever une bande ». || **plate-bande** début XVI$^{e}$ s. || **rebander** 1175, Chr. de Troyes.

2. **bande** 1360, Froissart, « troupe » ; XVIII$^{e}$ s., péjor. ; ital. *banda,* corps de troupes distingué par son fanion, du germ. **banda* (gotique *bandwa,* étendard ; dans Festus, IV$^{e}$ s., *bandum = vexillum*). *Donner de la bande,* 1616, d'Aubigné, mar., a été aussi repris à l'ital. ou au prov. || **débander** 1559, Amyot, « mettre en fuite ». || **débandade** 1585, N. Du Fail ; infl. de l'ital. *sbandare, -ata.* || **surbande** début XVII$^{e}$ s.

**banderille** 1782, J. F. Peyron ; esp. *banderilla,* dim. de *bandera,* bannière ; spécialisé en tauromachie. || **banderillero** 1845, Gautier ; mot esp.

**banderole** fin XV$^{e}$ s., *Amadis ;* ital. *banderuola,* dim. de *bandiera,* bannière.

**bandit** 1621, N. Bernard (*-di*) ; ital. *bandito,* banni, hors la loi. Il devient une injure pendant la Révolution. || **banditisme** 1853, Flaubert.

**bandoline** 1846, Balzac ; fr. *bandeau* et lat. *linere,* oindre.

**bandonéon** 1905 ; all. *Bandoneon,* de *Band,* nom de l'inventeur, et *-éon,* finale de *accordéon.*

**bandoulière** début XVI$^{e}$ s. ; esp. *bandolera,* de *banda,* écharpe.

**bang** milieu XX$^{e}$ s. ; mot angl.

**banian** 1610, d'Aubigné (*-anet*) ; 1663, Thévenot (*-nyan*) ; angl. *banian,* mot hindi signif. « marchand ».

**banjo** 1859, *le Monde illustré ;* mot anglo-amér. (sud des États-Unis), de l'esp. *bandurria.*

**bank-note** 1789, Mackenzie ; mot angl. traduit à la fin du XVIII^e s. en *note de banque.*

**banlieue** V. BAN 1.

***banne** fin XIII^e s., *Renart ;* lat. impér. *benna* (Festus, IV^e s.), mot gaulois désignant un panier d'osier servant de véhicule. || **bannette** fin XIII^e s., G. || **banneton** 1284, G. || **benne** 1611, Cotgrave, var. dial. (Nord) de *banne.*

**bannière** XII^e s., *Roncevaux ;* germ. **band,* étendard (ital. *bandiera*), refait sous l'infl. de *ban* 1. La forme *bandière,* attestée du XIV^e s. au début du XVII^e s., a été empruntée à l'ital.

**bannir** 1213, *Fet des Romains,* « donner un signal, proclamer » ; francique **bannjan* (gotique *bandwjan*), de même racine que *bande,* troupe, mais confondue avec celle de *ban,* juridiction ; XIII^e s., « condamner à l'exil ». || **bannissable** 1661, Molière. || **bannissement** 1283, Beaumanoir, « exil ». || **forban** 1306, G., « bannissement » ; 1505, Gonneville, « bandit » ; déverbal de *forbannir,* du francique **firbannjan,* avec influence de *fors.*

1. **banque** 1458, *Lettres de Louis XI,* « table de changeur ou de commerçant » ; XVI^e s., « lieu où se fait le commerce de l'argent », « trafic » ; ital. *banca.* Le mot, confondu avec la forme fém. de *banc* (*banque,* fin XIV^e s.), date de l'installation des banques italiennes à Lyon. *Billet* (*lettre*) *de banque,* 1574, Cheverny. *Banque des yeux, du sang,* 1948, trad. de l'angl. *Bank for Sight Restoration.* || **bancaire** début XIX^e s. || **bancable** 1877, L. || **banco** XVII^e s., terme de banque, puis de jeu. || **banqueroute** v. 1466, H. Baude ; ital. *banca rotta,* banc rompu (on brisait le comptoir des banqueroutiers). || **banqueroutier** 1536, *Ordonn.* || **banquier** 1243, *Jeu parti ;* n. f. XVI^e s. ; ital. *banchiere,* changeur.

2. **banque** 1680, Richelet, terme de jeu ; ital. *banca,* même mot qu'au 1. || **banquier** 1680, Richelet, terme de jeu. || **banquiste** fin XVIII^e s. ; ital. *banco,* tréteau. || **saltimbanque** v. 1560, Pasquier ; ital. *saltimbanco,* saute en banc (*salta in banco*).

**banquet** début XIV^e s., *Chron. de Flandre ;* ital. *banchetto,* petit banc, d'après les bancs disposés autour des tables. || **banqueter** fin XIV^e s., *Chron. des quatre premiers Valois.* || **banqueteur** 1532, Rab.

**banquette** début XV^e s. ; languedocien *banqueta,* dim. de *banc.* Certains sens techn. ont été repris à *banc.*

**banquise** 1773, Bourdé ; calque de l'allem. *Eisbank,* banc de glace.

**bantu** 1885 ; bantu *ba-ntu,* hommes.

**baobab** 1751, *Encycl.* ; mot arabe que l'Europe aurait connu par l'Égypte et qui se trouve une première fois dans un texte lat. en 1592.

***baptême** 1050, *Alexis* (*-tesma*) ; lat. chrét. *baptisma,* mot grec. Le *p* n'a jamais été prononcé en fr., comme dans les mots suivants. || **baptiser** XI^e s. (*-tizier*) ; lat. chrét. *baptizare,* du gr. *baptizein,* immerger, le baptême se faisant d'abord par immersion ; la forme pop. *bapteier, -oier* a disparu au XIV^e s. ; fig., *baptiser le vin,* 1580, Montaigne. || **baptismal** XII^e s., G., d'apr. le lat. *baptisma.* || **baptistaire** 1560, Rab., adj. || **baptistère** 1080, *Roland* (*-testirie*) ; lat. chrét. *baptisterium,* empr. au gr. || **baptistes, anabaptistes** 1841, Reybaud ; mots angl. || **débaptiser** 1564, Rab. || **rebaptiser** XIII^e s., G.

**baquet**. V. BAC 1.

1. **bar** fin XII^e s., *Aliscans,* « poisson » ; néerl. *baers.*

2. **bar** 1857, « débit de boissons » ; angl. *bar,* barre de comptoir, puis comptoir, parce qu'une barre séparait, à l'origine, les consommateurs du comptoir.

3. **bar** début XX^e s., unité de mesure ; gr. *baros,* pesanteur.

**baragouin** 1391, texte de l'Ouest, « terme d'injure » ; XIV^e-XVI^e s., « celui qui parle une langue incompréhensible » ; 1532, Rab., « langage incompréhensible » ; breton *bara,* pain, et *gwin,* vin, mots souvent répétés qui n'étaient pas compris des étrangers. || **baragouinage** 1546, Rab. || **baragouiner** 1583, Montaigne. || **baragouineur** 1669, Molière (*-neux,* encore dans *Acad.,* 1718).

**baraka** 1920, Tharaud ; mot ar. signif. « bénédiction », de l'hébreu *brk.*

**barange** V. BARRE.

**baraque** fin XV^e s., d'Authon ; ital. *baracca,* de l'esp. *barraca,* hutte en torchis, de *barro,* limon, mot d'origine ibère. || **baraquer** XVII^e s. || **baraqué** 1954, Le Breton, « robuste ». || **baraquement** fin XVI^e s.

**baraterie** fin XIII^e s., Guiart, « tromperie » ; *baraterie de patron, de capitaine,* 1679, Savary ; anc. fr. *barater,* tromper, mot méditerranéen d'origine obscure. || **baratin, baratiner, baratineur** 1926, Esnault.

**baratte** 1549, R. Est. ; déverbal de *baratter,* agiter (1546, Rab.), issu de l'anc. fr. *barate,* agitation, du scand. *barâtta,* combat, tumulte. || **baratter** 1583, Delb. || **barattage** 1845, Besch. || **baratteuse** 1879, *Trésor langue française.*

**barbacane** fin XII^e^ s., *Mort d'Aymeri ;* ar. *barbakkaneh,* de sens obscur.

**barbacole** 1668, La Fontaine ; de *Barbacola,* nom d'un maître d'école que l'on trouve dans le *Carnaval* de Lully (1675).

**barbaque** 1873, *Gazette des tribunaux,* arg. milit. ; roumain *berbec,* mouton (pendant la guerre de Crimée), ou esp. *barbacoa,* viande d'un animal cuit en entier (expédition du Mexique).

**barbare** 1308, *Ystoire de li Normant ;* lat. *barbarus.* || **barbarie** 1495, J. de Vignay ; lat. *barbaria.* || **barbarisme** 1265, Br. Latini (*-ime*) ; lat. *barbarismus,* mot gr. || **barbaresque** 1535, *Chanson ;* ital. *barbaresco,* barbare. || **barbariser** 1534, Fabri. || **barbe** (*cheval*) 1534, Rab. ; ital. *barbero,* barbare, de *Barberia,* Barbarie (pour l'Afrique du Nord).

1. ***barbe** 1050, *Alexis ;* lat. *barba.* || **barbier** 1241, *Cart. N.-D. de Bonport.* || **barbette** 1360, *Modus.* || **barbet** 1540, *Anc. Poés. fr.,* « homme barbu » et « chien barbet » (Rab., sens actuel). || **barbelé** 1120, *Alphabet lapidar ;* anc. fr. *barbel,* pointe, du lat. *barbellum,* dim. de *barba.* || **barbeau** 1642, Oudin, « bluet », d'où *bleu barbeau.* || **barbiche** 1694, *Acad.* || **barbichon** 1587, G. Durant. || **barbichette** début XX^e^ s. || **barbifier** XVII^e^ s. || **barber** XIV^e^ s., « raser » ; fin XIX^e^ s., « ennuyer ». || **barbille** 1751, *Encycl.* || **barbillon** 1398, *Ménagier,* « filament » ; XIV^e^ s., « poisson ». || ***barbeau** 1175, Chr. de Troyes, « poisson » ; lat. pop. **barbellus,* de *barbus,* barbeau, de *barba.* || **barbon** XVI^e^ s. ; ital. *barbone,* grande barbe. || **barbouze** 1926, Esnault, « barbe » ; v. 1960, « policier ». || ***barbu** 1213, *Fet des Romains ;* lat. *barbutus ;* a éliminé *barbé* (1080, *Roland*). || **barbue** XIII^e^ s., *Fabliau,* « poisson ». || **ébarber** 1180, *Aiquin* (*esb-*). || **ébarbeuse** 1876, L. || **ébardoir** 1785, *Encycl. ;* altér. de *ébarboir* (1723, Savary), auj. disparu. || **imberbe** 1490, Saint-Gelais ; lat. *imberbis,* de *barba* et *in* privatif.

2. **barbe** (*cheval*) V. BARBARE.

**barbiturique** 1864, fait de l'acide malonique extrait de la bette (*barbabietola* en ital.) et d'*urée.* || **barbiturisme** 1953, Lar. || **barbital** 1959, Lar., suffixe *-al.*

**barboter** 1170, *Rois,* « marmotter » ; peut-être dér. de *bourbe* (var. *bourbeter*) ; début XIII^e^ s., remuer dans l'eau ; 1821, Ansiaume, « chercher », « prendre », en arg. || **barbotage** 1580, Montaigne. || **barboteur** v. 1560, Marconville. || **barboteuse** milieu XIX^e^ s., « appareil pour laver le linge » ; 1920, vêtement d'enfant. || **barbotine** 1532, Rab. || **barbotière** 1853, Lachâtre. || **barbouiller** XIV^e^ s., J. Le Fèvre ; de *barboter,* d'après *bourbe,* avec infl. de *bullire,* bouillir. || **barbouilleur** 1480, *Farce morale de Marchebeau et Galop.* || **barbouillage** 1588, Montaigne. || **barbouille** 1927, fam., « peinture ». || **débarbouiller** 1549, R. Est. || **débarbouillage** 1580, Montaigne. || **embarbouiller** 1530, Palsgrave ; fin XVII^e^ s., Saint-Simon, « s'embrouiller ».

**barbotin** 1863, L. ; du nom du capitaine de vaisseau *Barbotin,* son inventeur.

***barbu, barbue** V. BARBE 1.

**barca !** 1886, Esnault, « assez ! » ; mot ar.

**barcarolle** 1767, Voltaire (*-ole*) ; vénitien *barcarola,* chant du *barcarolo,* gondolier, qui a donné en fr. du XVI^e^ s. *barquerol ;* de *barca,* barque.

**barcasse** V. BARQUE.

**bard** début XIII^e^ s., *Recueil de motets* (*beart, baart*) ; de l'anc. fr. *baer, béer,* ouvrir la bouche, pour désigner une civière à claire-voie. || **bardée** 1642, Oudin. || **bardelle** 1808, « bras du banc du verrier ». || **barder** 1751, *Encycl.,* « charger sur un bard ». || **bardeur** XIII^e^ s. || **débarder, débardeur** début XVI^e^ s.

**barda** 1848, E. Daumas ; ar. algérien *barda'a,* bât d'âne.

**bardache** 1537 ; ital. *bardassa,* de l'ar. *bardadj,* esclave.

**bardane** XV^e^ s., *Grant Herbier,* emploi métaphorique du lyonnais *bardane,* punaise (cf. *teigne,* fruit de la bardane) ; lat. pop. **barrum,* boue, la punaise ressemblant à une tache.

1. **barde** n. m., 1512, J. Lemaire, « poète » ; lat. *bardus,* mot gaulois. || **bardit** XVII^e^ s., Harlay, « chant des Germains » ; lat. *barditus* (chez Tacite), de *bardus.*

2. **barde** n. f., fin XIII^e^ s., *Assises de Jérusalem ;* XIV^e^ s., « armure » ; 1680, Richelet, « tranche de lard » ; ar. *barda'a,* bât d'âne. || **bardeau** 1358, *Comptes municipaux de Tours,* « bâtardeau » ; 1539, R. Est., archit. ; de *barde,* armure : la couverture en bardeaux fut compa-

rée à l'armure en lamelles. || **barder** 1495, J. de Vignay ; spécialisé en *barder de fer, barder de lard* (1680, Richelet). || **bardée** 1836, Raymond, terme culinaire. || **bardelle** 1852, Lachâtre, « selle ». || **bardeur** 1625, *Muse normande.* || **bardis** début XVIe s., *Chron. bordelaise* ; de *barde,* lamelle.

**bardelle** V. BARD, BARDE 2.

**barder** fin XIXe s., fig., « chauffer » (impers.) ; mot d'un parler de l'Ouest, d'abord comme terme de navigation (« drosser »), origine obscure.

**bardot** 1367, Barbier, mulet ; ital. *bardotto,* bête de somme.

**barège** 1827, Celnart ; de *Barèges* (Hautes-Pyr.), localité où l'étoffe était fabriquée.

**barème** 1796, *le Néol. fr.* ; du nom de *Fr. Barrême,* auteur des *Comptes faits du grand commerce* (1670).

**baresthésie** 1928, Lar. ; gr. *baros,* lourd, et *aisthesis,* sensation.

**baréter** V. BARRIR.

1. **barge** 1553, Belon, « oiseau » ; sans doute lat. pop. **bardea,* d'origine gauloise (cf. gaulois *bardala,* mauvis).

2. **barge** V. BARQUE.

**barguigner** 1180, Marie de France (*-gaignier*), « marchander » (jusqu'au XVIIe s.) ; auj. seulement dans *sans barguigner ;* francique **borganjan* (all. *borgen,* emprunter), croisé avec **waidanjan,* gagner. || **barguignage** 1580, Montaigne. || **barguigneur** 1549, R. Est.

**barigoule** 1837, Balzac, « champignon à large chapeau » ; *artichauts à la barigoule,* 1742, *Suite des Dons de Camus,* parce que l'artichaut évidé rappelle la forme de l'agaric ; prov. mod. *barigoulo,* agaric. || **barigoulé** 1825, *Journ. des modes.*

***baril** fin IXe s., *Capitulaire de Villis* (*barriclos*) ; 1170, *Rois* (*baril*) ; lat. pop. **barricŭlus,* d'orig. obscure. || **barillet** fin XIIIe s., *Renart.* || **barillon** 1546, G. || **barrot** 1323, *Cart. de Saint-Barth.,* « petit baril ».

**barioler** 1546, Babeau (*barrolé*) ; 1616, P. Biard (*barricolé*) ; 1617, J. Olivier (*bariolé*) ; de *barre,* croisé avec l'anc. fr. *rioler,* rayer (lat. *regula,* règle). || **bariolage** XIVe s., trad. d'Arnaud de Villeneuve. || **bariolis** 1883. || **bariolure** 1808.

**barjo** ou **barjot** début XXe s., arg. ; interversion de *jobard,* en verlan.

**barlong** fin XIIe s. (*belong*) ; 1546, J. Martin (*ber-*) ; de *bes* (lat. *bis,* deux fois) et de *long,* c'est-à-dire deux fois plus long que large.

**barmaid** 1861 ; mot angl., de *bar* et de *maid,* jeune fille.

**barman** fin XIXe s. ; mot angl. signif. « serveur dans un bar ».

**barn** 1953, Lar. ; angl. *big as a barn,* grand comme une grange, par antiphrase. Il désigne une unité de surface en physique atomique.

**barnum** 1855, duc d'Aumale ; du nom de *Barnum,* impresario américain (1810-1891).

**baromètre** 1666, Graindorge, formé par l'Anglais Boyle en 1665, avec le gr. *baros,* pesanteur, et *metron,* mesure. || **barométrique** 1752, Trévoux. || **barosensible** XXe s.

1. **baron** Xe s., *Saint Léger ;* francique **baro,* cas régime **barone* (cas sujet *ber,* en anc. fr.) ; dans la *Loi salique,* on rencontre *sacibarone,* fonctionnaire qui perçoit des amendes. Le premier sens paraît être celui d'« homme libre, guerrier ». || **baronnie** fin XIIe s., *Aymeri.* || **baronnet** 1660, *Relation du voy. en Angl. ;* repris à l'anglais.

2. **baron** [d'agneau] av. 1839, terme culinaire ; en angl. dès 1755 (« gros morceau ») ; métaph. probable de *baron.*

**baroque** 1531, *Inv. de Charles Quint,* « perle baroque » ; fig., fin XVIIe s., Saint-Simon ; port. *barroco,* n. m., perle irrégulière. Le sens archéol., repris à l'ital. *barocco* (mot port.), date du XVIIe s. || **baroquement** 1863, Baudelaire. || **baroquisme** 1927, Cassou. || **baroquiser** 1932.

**baroud** 1924 ; ar. *barud,* poudre explosive. || **barouder** 1915. || **baroudeur** 1923.

**baroufe** ou **baroufle** 1861, à Brest ; ital. *baruffa,* bagarre, d'origine germ. On le rencontre en sabir dès 1830 (Sainéan).

**barque** fin XIIIe s., *Geste des Chyprins ;* prov. *barca,* du lat. impérial *barca* (IVe s., Paulin de Nole). || ***barge** 1080, *Roland,* « barque » ; lat. pop. **barica, barga* (IXe s.), à l'origine de *barca,* du gr. *baris,* barque égyptienne. || **berge** var. dial. de *barge.* || **barquette** 1238, G. || **barcasse** 1820, avec le suff. péjor. *-asse.* || **débarquer** 1564, Thierry. || **débarquement** fin XVIe s. || **débarcadère** 1687, Desroches (*-dour*) ; fait sur *embarcadère.* || **embarquer** 1418, Caumont (*-barchier*) ; 1511, *D. G.* (*embarquer*). || **embarquement** 1539, R. Est. || **embarcadère** 1689, Raveneau, mar. ; 1840, « gare de chemin de fer » ; esp. *embarcadero,* de *barca,* barque. || **embarcation** début XVII$^e$ s., Voiture ; esp. *embarcación.* || **rembarquer** 1549, R. Est. || **rembarquement** fin XVI$^e$ s., Brantôme.

***barre** fin XII$^e$ s., *Aiol ;* lat. pop. **barra,* du gaulois **barro,* extrémité, sommet, fréquent dans les noms de lieux. || **barrer** 1190, Garn. ; XX$^e$ s., « arrêter ». || **barrage** 1190, Garn. ; XX$^e$ s., construction hydraulique. || **barrement** 1935, *Décret.* || **barreau** 1285, J. Bretel ; *barreau des avocats,* XVI$^e$ s., les avocats étant séparés du tribunal par une barre. || **barreauder** v. 1960. || **barrière** XIV$^e$ s., G. || **barreur** fin XVII$^e$ s., en vén. ; milieu XIX$^e$ s., « qui tient la barre ». || **barriste** 1930. || **barrette** 1751, *Encycl.,* « petite barre ». || **barrot** 1384, *Comptes du Clos des Galées de Rouen,* « poutrelle ». || **débarrer** 1190, Garn. || **embarrer** 1160, Benoît, « enfoncer » ; 1870, Lar., sens actuel. || **embarrure** 1560, Paré, « fracture » ; 1755, *Encycl.,* « contusion à la patte du cheval ». || **rembarrer** fin XV$^e$ s., J. Molinet, fig.

1. **barrette** V. BARRE.

2. **barrette** 1366, Prost, « bonnet » ; jusqu'au XVI$^e$ s., il désigne aussi une cape à capuchon ; ital. *barretta* (auj. *berretta*), de même rac. que *béret.*

**barrière** V. BARRE.

**barrique** milieu XV$^e$ s. ; gascon *barrico,* de même rac. que *baril.* || **barricade** 1588, *Journée des Barricades ;* du fr. du XVI$^e$ s. *barriquer,* les barricades étant d'abord faites avec des barils. || **barricader** milieu XVI$^e$ s. || **barricadier** 1870, L. Halévy. || **barricadeur** 1588, L'Estoile (*-eux*) ; 1695, Gherardi (*-eur*).

**barrir** 1546, Rab. ; lat. *barrire.* || **barrissement** XIX$^e$ s., qui a remplacé *barrit* (1580, Joubert). Ont existé aussi les formes *barriquer* et, par changement de suffixe, *barréter.*

**barrot** V. BARRE OU BARIL.

**bartavelle** 1740, *Acad. ;* prov. mod. *bartavèlo,* du lat. pop. **vertabella,* de *vertere,* tourner ; le mot, en anc. prov., désignait le loquet, le chant de l'oiseau étant comparé au bruit d'un loquet (cf. *crécelle*).

**bary-,** gr. *barus,* lourd. || **barymètre** XX$^e$ s. (1953, Lar.). || **barye** 1922. || **barycentre** 1877. || **baryte** 1787, Guyton de Morveau. || **barytine** 1833. || **baryton** fin XVI$^e$ s., gramm. ; 1768, mus. ; gr. *barutonos,* qui a le ton grave. || **baryum** 1808, Davy, en angl. ; 1827, *Acad.,* à cause de la grande densité de ses composés.

***bas** début XII$^e$ s., *Ps. de Metz ;* bas lat. *bassus,* bas ; adj. et adv. dès l'anc. fr. || **bas** n. m., vers 1500, *Sotie ;* ellipse de *bas-de-chausses.* || **bas-fond** 1690, géol. ; fig., 1840, Pecqueur. || **basse** 1484, Garcie, mar. || **basse-cour** XIII$^e$ s., *Cout. d'Artois,* « cour des écuries » (jusqu'au XVII$^e$ s.). || **basse-courier** 1863, L. || **basse-fosse** 1468, Chastellain. || **bas-côté** milieu XVII$^e$ s. || **bas-ventre** 1651, Buldit. || **bas-relief** milieu XVI$^e$ s. ; ital. *bassorilievo.* || **bassesse** 1120, *Ps. d'Oxford* (*-ssece*), qui a éliminé *basseur.* || **basset** fin XII$^e$ s., *Loherains,* adj. (emploi qui subsiste jusqu'au XVII$^e$ s.) ; XVI$^e$ s., « chien basset ». || **contrebas** 1382, J. d'Arras. || **soubassement** v. 1360 ; anc. fr. *sous-basse,* de même sens.

**basalte** 1553, Belon (*-ten*) ; lat. *basaltes,* mauvaise lecture de *basanites* (Pline). || **basaltique** fin XVIII$^e$ s.

**basane** 1160, *Charroi de Nîmes* (*-zenne*) ; prov. *bazana,* de l'esp. *badana,* ar. *bitana,* doublure. || **basaner** 1510, G. (*-é*), « bruni » ; XVI$^e$ s., *id.* (*-er*), « donner la couleur bistre », en parlant de la peau de l'homme. || **basanage** 1615, Binet.

**bas-bleu** 1801, chez Mackenzie ; calque de l'angl. *blue-stocking,* d'après les bas bleus que portait Stillingfleet, causeur brillant du salon de lady Montague vers 1781. || **bas-bleuisme** 1866, Barbey d'Aurevilly.

**bascule** 1549, R. Est. (*bassecule*) ; réfection sur *bas* de l'anc. fr. *bacule* (1466, G.), de *battre* et *cul.* || **basculer** 1611, Cotgrave ; 1863, L., fig. ; de *baculer* (XIV$^e$ s., Du Cange), refait sur *bas.* || **basculement** 1959, Lar. || **basculeur** 1873, Tolhausen.

**base** 1170, *Rois,* fém. et masc. en anc. fr. ; lat. *basis,* du gr. *basis,* marche, point d'appui. || **baser** début XV$^e$ s. || **basilaire** 1314, Mondeville, anat. || **basique** 1540, Rab., math. ; 1830, chim. || **basicité** 1838, chim. || **baside** 1837. || **basidiomycètes** 1888, Lar. ; gr. *mukês,* champignon. || **bibasique** 1852, Lachâtre.

**base-ball** 1889, Saint-Clair ; mot anglo-amér. signif. « balle à la base ».

**baselle** 1750, De Combles ; mot d'une langue de l'Inde ; plante alimentaire des pays tropicaux.

1. **basilic** 1120, *Ps. d'Oxford,* « reptile » ; 1534, Rab., « pièce d'artillerie » ; lat. *basiliscus,* du gr. *basiliskos,* petit roi.

2. **basilic** 1398, *Ménagier,* « plante » ; bas lat. *basilicum,* du gr. *basilikos,* royal, la plante étant désignée sous le nom de *basilikon.*

1. **basilique** 1495, J. de Vignay, terme eccl. ; 1519, R. Est., archéol. ; lat. *basilica,* du gr. *basilikê,* « (portique) royal », édifice civil à portique, devenu « église » en lat. chrét., au IVe s., à la suite de la fondation de la Basilica Constantini sur le tombeau du Christ. (V. BASOCHE.)

2. **basilique** 1398, *Somme Gautier* (*vaine bazilique*), anat. ; gr. *basilikos,* royal, cette veine étant considérée comme la plus importante.

**basin** 1290, *Voy. de Marco Polo* (*bombasin*) ; 1642, Oudin (*basin*) ; ital. *bambagine,* de *bambagia,* coton, issu du lat. *bombyx,* ver à soie. L'initiale a été prise en fr. pour l'adj. *bon.*

**basket-ball** 1898, *Vie au grand air ;* mot anglo-amér. signif. « balle au panier » (1891, aux États-Unis). || **basket** chaussure de sport, v. 1950. || **basketteur** 1930.

***basoche** XVe s., Gatineau ; lat. *basilica,* église. Le passage de sens à « communauté des clercs de justice », « ensemble des gens de loi », surtout péjor., peut s'expliquer par une survivance du sens de « palais », spécialisé en « palais de justice ». || **basochien** 1480, *Sotie.* (V. BASILIQUE 1.)

**basque** 1532, Gay ; réfection, sous l'infl. de *basquine,* de *baste* (fin XIVe s. ; encore chez Oudin en 1642 et X. de Maistre en 1794), de l'ital. *basta,* « rempli », rattaché à *bastir(e),* bâtir des pièces d'étoffe.

**basquine** 1534, Rab. (*vas-*) ; esp. *basquina* (écrit aussi *vasquino*), jupe basquaise.

1. **basse** V. BAS.

2. **basse** 1670, Molière, mus. ; ital. *basso,* bas. || **basse-contre** 1512, G. Crétin. || **basse-taille** 1542, *Arch. art fr. ;* de *tailler.* || **basson** début XVIIe s. ; ital. *bassone,* grosse basse. || **bassoniste** 1821. || **contrebasse** 1512, J. Lemaire ; ital. *contrabasso,* basse qui est contre le violoncelle. || **contrebassiste** 1834, Fétis. || **bassiste** 1838. || **contrebasson** 1821, Castil-Blaze.

**basse-cour** V. BAS.

**bassette** fin XVIIe s., « jeu » ; ital. *bassetta,* dimin. de *basso,* bas.

***bassin** 1175, Chr. de Troyes (*-cin*) ; 1546, Ch. Est., anat. ; lat. pop. **baccinus* (VIe s., Gr. de Tours, *bacchinon*), de **baccus* (v. BAC 1). || **bassine** 1412, Prinet, *Industr. du sel en Franche-Comté* (1900). || **bassiner** v. 1300, « humecter » ; 1844, Labiche, « importuner ». || **bassinage** 1819, Boiste, « droit sur le sel ». || **bassinet** 1190, *Huon de Bordeaux,* « armure ». || **bassinoire** 1454, *Comptes de J. Bochetel.*

**basson** V. BASSE.

**bastaing** ou **basting** 1877, « madrier pour bâtir » ; de *bâtir* sous une forme méridionale.

**bastant** 1495, J. de Paris ; ital. *bastare,* suffire. || **baste** 1534, Rab., inter. ; ital. *basta,* 3e pers. sing. de l'ind. prés. || **baster** 1548, de La Planche, « convenir », attesté jusqu'au XVIIe s.

**bastaque** 1838, *Acad. ;* néerl. *bastag.*

1. **baste** n. f., « panier, cuveau » ; prov. mod. *basto,* panier des bêtes de somme.

2. **baste** V. BASTANT.

**bastide** 1355, Bersuire ; d'abord terme de fortification, il désigna les villes neuves du Midi (XIIe-XIVe s.) ; XVIe s., « maison de campagne dans le Midi » ; prov. *bastida,* bâtie. || **bastidon** v. 1850.

**bastille** 1495, J. de Vignay (*bassetille*) ; 1370, début de la construction de la Bastille de Paris, appelée souvent *Bastide* au XVe s. ; altér. de *bastide,* par substitution de suffixe. Le mot est devenu un symbole après 1789. || **bastion** fin XVe s., d'Authon (var. plus fréquente, *bastillon,* XVe-XVIe s.). || **bastionner** 1611, Cotgrave. || **embastiller** 1429, G., « établir dans une bastille » ; XVIIIe s., Voltaire, « emprisonner ». || **embastillement** fin XVIIIe s., Linguet. || **débastillement** 1876, L.

**bastingue** 1636, Cleirac ; prov. mod. *bastengo,* toile matelassée, qui servait pour cette partie du navire ; de *bastir,* apprêter. || **bastinguer** 1634, Cleirac. || **bastingage** 1747, Jal.

**bastion, bastonnade** V. BASTILLE, BÂTON.

**bastringue** 1794, par métaphore ; p.-ê. néerl. *basdrinken,* boire beaucoup, ou var. de *bastingue* (bâti de bois, d'où « bal populaire ») [v. ce mot].

**bas-ventre** V. BAS.

1. **bat** V. BATTRE.

2. **bat** fin XIXe s., « bâton de sport » ; mot angl., du fr. *batte.*

***bât** 1268, É. Boileau ; lat. pop. **bastum,* déverbal de **bastare,* qui paraît d'origine gr. || **bâter** 1530, Marot. || **bâtier** XIIIe s., Delb.

|| **bâtière** 1268, É. Boileau, archit. ; analogique. || **débâter** 1474, G. || **embâter** fin XV^e s., *Quinze Joies de mariage.*

**bataclan** v. 1750 ; origine inconnue, sans doute de même rac. que *patte.*

***bataille, bataillon** V. BATTRE.

**bâtard** 1190, *Saint Bernard* (*baistair*) ; *écriture bâtarde,* 1557, Tall. des Réaux ; de *bât* (en anc. fr. aussi *fils, fille de bast*) ou du germ. **bansti,* grange, c.-à-d. « né dans une grange ». || **bâtardise** 1550, Du Bellay. || **abâtardir** XII^e s., *Roncevaux.* || **abâtardissement** 1495, J. de Vignay.

**bâtardeau** v. 1400 ; anc. fr. *bastart,* digue, dér. de *baste,* support (1308, *Stat. des émailleurs*), déverbal de *bâtir,* conservé dans *bâte* (techn.). Un emploi métaph. de *bâtard* (*porte bâtarde*) est aussi possible.

**batavia** v. 1750, « salade » ; lat. *Batavi,* peuple occupant la Hollande actuelle ; la salade a dû être obtenue par des sélectionneurs hollandais.

**batavique** 1765 ; de *Batave,* hollandais ; le phénomène des *larmes bataviques* a été observé d'abord à Leyde.

**bateau** début XII^e s. ; anc. angl. *bat,* pourvu d'un suffixe. || **batelier** XIII^e s., Delb. || **batelée** XIII^e s., Delb. || **batelet** XIII^e s., Delb. || **batelage** 1443, Delb. || **batellerie** 1390, Delb. || **bateau-lavoir** fin XIX^e s. || **bateau-mouche** 1870. || **bateau-phare** 1866.

**bateleur** XIII^e s., d'apr. Jubinal ; anc. fr. *baastel* (XIII^e s.), tour d'escamoteur.

**bath** 1804, Stendhal, interj. ; 1846, Hugo, « chic » ; origine obscure, p.-ê. arg. *batif,* de *battant.*

**bathy-,** gr. *bathus,* profond. || **bathyscaphe** 1946, A. Piccard ; gr. *skaphos,* barque. || **bathymétrie** 1863, L. || **bathymétrique** 1869, Sachs-Villatte. || **bathymètre** 1928, Lar. || **bathysphère** 1928, Lar.

**bâtier, bâtière** V. BÂT.

**batifoler** début XVI^e s. ; ital. *battifolle,* boulevard où les jeunes gens allaient s'amuser. || **batifolage** 1532, Rab. || **batifoleur** 1835, *Acad.*

**batik** 1845, J. Itier ; mot malais signif. « joint ».

**bâtir** début XII^e s., *Voy. de Charl.,* « assembler les pièces d'un vêtement », « coudre à grands points » ; francique **bastjan,* de *bast,* écorce, « travailler avec de l'écorce », puis « construire des huttes en clayonnage », enfin « construire ». || **bâti** n. m., av. 1699, Du Guet. || **bâtiment** 1160, Benoît, « action de bâtir » (jusqu'au XVII^e s.) ; XVIII^e s., « édifice ». || **bâtissage** XVI^e s. || **bâtisse** 1636. || **bâtisseur** 1539, R. Est. || **malbâti** 1496, Coquillart (*malbasty*). || **rebâtir** 1160, Benoît, « remettre en état » ; XVI^e s., « reconstruire ».

**batiste** 1401 (*batiche*) ; du nom du fabricant *Baptiste* (Cambrai, XIII^e s.).

**bâton** 1080, *Roland* (*bastum*) ; bas lat. *bastum,* déverbal de **bastare,* porter. || **bâtonner** fin XII^e s., R. de Moiliens. || **bâtonnet** 1130, *Couronn. Loïs.* || **bâtonnier** 1332, Delb., « porteur de la bannière d'une confrérie », puis spécialement de la confrérie des avocats. || **bâtonnat** 1842, *Acad.* || **bastonnade** 1482, Flameng ; ital. *bastonata,* de *bastone,* bâton. || **bastonner** 1926, Esnault ; réfection de *bâtonner.*

**batoude** 1879, Goncourt ; ital. *battuta,* avec une pron. dial. Il désigne un tremplin de cirque.

**batracien** fin XVIII^e s. ; gr. *batrakhos,* grenouille.

**battage, battant, battoir** V. BATTRE.

**battellement** 1690, Furetière, « double rang de tuiles » ; anc. fr. *bateiller,* créneler.

**battologie** 1559 ; 1584, Benedicti (*batologie*) ; de *Battos,* roi de Cyrène, qui, étant bègue, répétait souvent le même mot.

***battre** XI^e s. ; *s'en battre l'œil,* 1718, Leroux ; lat. fam. *battuĕre* (chez Plaute), puis *battĕre* (II^e s., Fronton), d'orig. gauloise. || **bat** fin XV^e s., G. ; déverbal de *battre.* || **battant** XIII^e s., Fr. Laurent. || **batte** 1398, *Ménagier,* « masse de bois » et « action de battre ». || **battage** 1329, G., « action de battre » ; 1866, Delvau, « charlatanisme », d'après *battre la grosse caisse.* || **battement** fin XII^e s., R. de Moiliens. || **batterie** fin XII^e s., R. de Moiliens, « action de battre » ; 1804, *Almanach des gourmands,* « batterie de cuisine » ; 1783, Bertholon, en phys. ; XX^e s., mus. || **batteur** fin XII^e s., R. de Moiliens, « qui bat » ; v. 1850, mus. || **batteuse** 1859, Muller, « machine à battre le blé ». || **battitures** 1573, Liébault. || **battoir** 1307, Delb., « palette de bois » ; 1775, Beaumarchais, « large main ». || **battue** début XVI^e s., d'Authon. || **batture** fin XII^e s. || ***bataille** 1125, *Gormont ;* bas lat. *battu(u)alia,* escrime (VI^e s., Cassiodore). || **batailler** 1160, Benoît. || **batailleur** 1213, *Fet des Romains.* || **bataillon** 1543, *Amadis ;* ital. *batta-*

*glione,* augmentatif de *battaglia,* troupe rangée en bataille, sens qui passa au fr. *bataille* au XIVe s. || **bat-flanc** 1888, Lar. || ***abattre** VIIIe s., *Gloses de Reichenau* (*abattas*) ; 1821, Ansiaume, « tuer » ; lat. pop. **abattuĕre.* L'Académie a adopté la graphie *-tt-,* au lieu de *-t-,* dans les dérivés de *abattre,* en 1932. || **abat** 1432, Baudet Herenc, « ce qui abat » ; 1524, *Franc Archer de Cherré,* « ce qui est abattu ». || **abattage** 1265, Du Cange. || **abattant** 1680, Richelet. || **abattement** XIIIe s., Horn, « action d'abattre » ; XVIIe s., fig. || **abattée** 1687, Desroches (*abatée*), mar. ; 1959, Lar., aéron. || **abatteur** XIVe s., Boutillier. || **abattis** fin XIIIe s., *Loherains ;* 1839, Balzac, « pieds ». || **abattoir** XVIe s., *Chron. bordelaise,* « ce qui est abattu » ; 1806, Wailly, « lieu où l'on abat les animaux ». || **abatture** XIVe s., *Cout. normand ;* 1611, Cotgrave, vén. || **abat-jour** 1676, Félibien ; 1749, Buffon, sens actuel. || **abat-son** 1863, Lar. || ***combattre** 1080, *Roland ;* lat. pop. **combattere.* || **combat** début XVIe s., « lutte » ; 1538, R. Est., fig. || **combatif** 1898, Lar. || **combativité** 1839, *Journ. des débats.* || **combattant** 1080, *Roland.* || **contrebattre** 1200, Coincy. || **contre-batterie** 1580, Montaigne. || **débattre** 1050, *Alexis,* « battre fortement » ; XIIIe s., « se débattre » ; XIIIe s., « discuter ». || **débat** XIIIe s., G., fig. ; déverbal de *débattre.* || **ébattre** 1130, *Eneas,* v. intr., « divertir, agiter » ; XIIe s., *Athis,* v. pr. || **ébat** début XIIIe s., *Clef d'amors ;* déverbal de *ébattre.* || **ébattement** fin XIIIe s., Rutebeuf. || **embattre** 1050, *Alexis,* « enfoncer ». || **embattage** 1556, *Compte de Diane de Poitiers.* || **imbattable** 1806, de Ligne. || **rebattre** 1175, Chr. de Troyes ; 1713, Hamilton, *rebattre les oreilles.* || **rabattre** 1155, Wace, « faire descendre » ; 1220, Coincy, « déduire d'une somme » ; 1577, Jamyn, *rabattre le gibier.* || **rabattage** 1730, Savary, « rabais ». || **rabattement** 1284, G., « rabais ». || **rabatteur** 1585, Du Fail. || **rabattoir** 1504, G., « volant » ; 1803, Boiste, « outil ».

**bau** début XIIIe s., *Conquête de Jérusalem* (*balc*), « poutre » ; francique **balk,* même sens. || **bauquière** 1579, Delb. (V. DÉBAUCHER, ÉBAUCHER.)

**baud** XXe s. (1953, Lar.) ; du nom de *Baudot* (1845-1903).

**baudelairien** 1884, Huysmans ; de *Baudelaire.*

**baudet** 1534, Rab., nom propre ; anc. fr. *baut,* hardi, mot germ.

**baudrier** 1160, *Charroi* (*baudret*) ; 1170, *Rois* (*baldrei*) ; 1387, G. (*baudrier*), par substitution de suffixe ; de la rac. germ. *balt-,* du lat. *balteus,* bande, baudrier.

**baudroie** 1542, Du Pinet ; prov. *baudroi,* d'une rac. *baudr-,* boue, d'orig. inconnue.

**baudruche** 1690, Furetière ; orig. inconnue, p.-ê. rad. lat. *baud-,* « gonflé ».

**bauge** 1489, R. Gaguin ; 1690, Furetière, « terre boueuse », var. de *bauche,* gîte fangeux du sanglier ; p.-ê. gallo-roman **ballica,* creux, ou gaulois **balcos,* terre inculte. || **bauger (se)** XVIe s., Gauchet.

1. ***baume** 1190, *Saint Bernard* (*balme, basme*) ; lat. *balsamum,* du gr. *balsamon.* || **baumier** début XIIIe s., *Ch. d'Antioche* (*basmier*). || **embaumer** XIIe s., *Roncevaux* (*embasmer*), au sens propre ; 1841, *Français peints par eux-mêmes,* « répandre un parfum ». || **embaumement** fin XIIe s., G. (*embalsement*). || **embaumeur** 1556, Saliat.

2. **baume** XIIIe s., G. (*balme*), « grotte », d'un emploi surtout toponymique ; repris à la fin du XVIIIe s. (1781, Ramond) ; gaulois *balma,* grotte d'ermite (VIIIe s.).

**bauquière** V. BAU.

**bauxite** 1847 ; du nom des *Baux-de-Provence* (Bouches-du-Rhône), où le premier gisement fut signalé par P. Berthier.

**bavard** V. BAVE.

**bavaroise** 1660, boisson mise à la mode au café Procope par les princes de Bavière ; 1815, pâtisserie ; de *bavarois,* de Bavière.

***bave** XIVe s., *Trésor de foi* (*beve*) ; av. 1450, Gréban (*bave,* refait sur *baver*) ; lat. pop. onomat. *baba,* babil des enfants. || **baver** XIVe s., Bibbesworth ; il a aussi jusqu'au XIVe s. le sens de « bavarder ». || **bavoter** 1930. || **bavette** XIIIe s. || **baveur** XIVe s. || **baveux** XIIe s., *Lapid. de Marbode.* || **bavocher** 1676, techn. || **bavure** XIVe s., Bibbesworth ; 1970, *le Monde,* pop., proprem. « ce qui déborde ». || **bavard** XVe s. ; 1842, Sue, « avocat » ; de *bave,* babil. || **bavarder** 1539, C. Gruget. || **bavardage** 1647, *Muse normande.* || **bavarderie** 1570, Amyot. || **bavasser** 1584, Montaigne. || **bavoir** 1866, Lar.

**bavolet** 1556, R. Leblanc ; de *bas* et *volet* (pièce d'étoffe flottante) ; le moyen fr. a connu le verbe *bavoler,* voler en bas.

**bayadère** 1638, *Doc.* (*valhadera*) ; 1782, *Encycl. méth.* (*bayadère*) ; port. *bailadeira,* danseuse, appliqué aux danseuses de l'Inde.

***bayer** ou **béer** XII$^{e}$ s., *Roncevaux* (*baer, je bée*), « être ouvert », « avoir la bouche ouverte » ; lat. pop. **batare* (VII$^{e}$-VIII$^{e}$ s., *badare, battare*), d'orig. onom. Le mot a été confondu en fr. mod. avec *bâiller* (surtout au XVII$^{e}$ s.) ; il est réduit à quelques expressions (*bayer aux corneilles*). || **baba** 1808, d'Hautel, « ébahi » ; redoublement plaisant du radical de *ébahir, bayer.* || **baie, bée** ou **abée** (avec agglutination de l'*a* de l'article) 1119, Ph. de Thaon (*baee*) ; part. pass. subst. de *baer.* Le sens de « tromperie » a subsisté jusqu'au XVII$^{e}$ s. || **béant** 1544, J. Du Bellay ; anc. part. prés. de *béer.* || **bée** (*bouche*) XII$^{e}$ s., *Fierabras.* || **béer** XII$^{e}$ s., *Roncevaux.* || **ébahir** 1120, *Ps. de Cambridge* (*es-*) ; de *baer,* avec changement de conjugaison ; l'anc. fr. connaît *baïf,* ébahi. || **ébahissement** fin XII$^{e}$ s., *Dial. Grégoire.*

**bayou** 1740 ; mot d'une langue amérindienne, signif. « rivière ».

**bazar** 1432, La Broquière (*bathzar*) ; 1546, G. (*bazar*) ; 1816, Crapelot, « magasin » ; mot port., du persan *bâzâr,* souk. || **bazarder** 1846, *l'Intérieur des prisons,* « vendre ». || **bazardage** 1959, Queneau.

**bazooka** v. 1935, « trombone », inventé par un comique de music-hall ; v. 1942, « engin de guerre » ; mot américain.

**B. C. B. G.** v. 1970 ; abrév. de *bon chic bon genre.*

**B. C. G.** 1928, Lar. ; sigle de *vaccin bilié de Calmette et Guérin* (ses inventeurs).

**beagle** 1650, Ménage (*bigle*) ; mot anglais désignant une race de chiens.

**béal, béant** V. BIEF, BAYER.

**béat** 1265, Br. Latini, eccl. ; XVI$^{e}$ s., « heureux » ; XVII$^{e}$ s., sens ironique ; lat. *beatus.* || **béatement** 1866, Lar. || **béatitude** 1265, Br. Latini, eccl. ; XVII$^{e}$ s., « bonheur » ; lat. *beatitudo.* || **béatifier** 1361, Oresme ; lat. *beatificare* (saint Augustin). || **béatification** 1372, Golein. || **béatifique** 1450, *Myst. Passion* ; lat. *beatificus.* || **béatilles** 1492, *Trésorerie d'Anne de Bretagne* ; dim. de *béat,* « objets de parure » ; 1680, culinaire.

***beau** IX$^{e}$ s., *Eulalie* (*bel*) ; lat. *bellus,* joli, qui a éliminé *pulcher, decorus, formosus.* || **beauté** 1080, *Roland* (*beltet*) ; lat. pop. **bellitas* (*-atis*). || **bellâtre** 1546, Rab. || **bellot** 1552. || **bellement** 1080, *Roland,* « lentement », sens qui subsiste jusqu'au XVII$^{e}$ s. || **beau-frère** 1386, *Test. Philippe le Hardi,* qui a éliminé *serorge* (lat. pop. **sororius*). || **beauf** 1931, Chautard. || **belle-sœur** début XV$^{e}$ s., qui a éliminé *serorge* (lat. pop. **sororia*). || **beau-père** 1457, *Lettres de Louis XI,* qui a éliminé *suire* (lat. *socer*), et *parâtre,* second mari de la mère. || **belle-mère** début XV$^{e}$ s., qui a éliminé *suire* (lat. *socera*), et *marâtre,* qui a pris un sens péjor. || **belle-fille** 1468, Chastellain, qui a éliminé *fillâtre* (lat. *filiastra*). || **belle-de-jour** 1762. || **belle-de-nuit** 1680 ; 1776, fig. || **belle-famille** fin XIX$^{e}$ s. || **belles-lettres** 1666. || **beau-fils** 1468, Chastellain, qui a éliminé *filiâtre* (lat. *filiaster*). || **beaux-parents** XIX$^{e}$ s. || **beaucoup** 1272, Joinville ; de *beau* et *coup,* qui a éliminé au XVI$^{e}$ s. *moult* (lat. *multum*). || **embellir** 1130, *Eneas,* « plaire » ; fin XII$^{e}$ s., « rendre beau ». || **embellissement** 1270, *D. G.* || **embellie** 1722, Labat.

**beaupré** 1382, *Comptes du Clos des Galées de Rouen* (*bropié*) ; début XVI$^{e}$ s. (*beaupré*) ; moyen angl. *bouspret,* du néerl. *boegspriet,* mât (*spriet*) de proue (*boeg*).

**bébé** 1793, Sophie Arnould ; angl. *baby* (pron. *bébé*). Le surnom du nain Bébé (1739-1764), de la cour de Lorraine, a la même origine. || **baby** 1841, Balzac, forme anglaise. || **baby-boom** XX$^{e}$ s. ; mot angl., de *boom,* forte hausse. || **baby-sitter** XX$^{e}$ s. ; mot angl., de *sitter,* qui se tient debout.

**be-bop** v. 1945, onom.

***bec** début XII$^{e}$ s. ; *bec de, à gaz,* 1829, Balzac ; lat. *beccus,* d'orig. gauloise. || **bécard** 1540, Rab. || **bécot** 1794, Hébert. || **bécoter** 1690, Furetière, « donner des baisers ». || **becquer** 1330, *Hugues Capet,* qui a remplacé *bécher,* encore chez Furetière (1690). || **becquée** 1543, *Anc. Poés. fr.* || **becqueter** 1451, G. Alexis, qui tend à éliminer *becquer.* || **becquetage** début XIX$^{e}$ s., Sue. || **becter** 1707, Lesage, « manger ». || **béquet** 1125, *Doon de Mayence ;* diminutif. || **bec-de-corbin** 1453, *Archives ;* du mot dial. *corbin,* corbeau. || **bec-de-cane** 1560, Paré. || **bec-cornu** XVI$^{e}$ s., « mari trompé » ; ital. *becco cornuto,* bouc trompé. || **bec-de-lièvre** 1560, Paré. || **bécane** 1841, Esnault, « mauvaise locomotive » ; 1870, « vieille machine » ; 1870, Poulot, « bicyclette » ; orig. obscure, p.-ê. de *becquer* ou de *bécant,* poulet. || **bécasse** fin XII$^{e}$ s., *Alexandre,* « oiseau à long bec ». || **bécasseau** 1537, *Discipl. de Pantagruel.* || **bécassine** 1553, *Journ. de Gouberville.* || **becfigue** 1539, R. Est. ; ital. *beccafico,* becquette (impér.) figue. || **bédane** 1379, *Inv. de Charles V* (*bec d'asne*) ; de *bec* et anc. fr. *ane,* canard (lat. *anas, -atis*), confondu avec *âne.* || **béjaune** 1265, J. de

Meung (*bec jaune*), « niais ». || **bicher** fin XIX^e s. ; dér. de *bec*. || **abecquer** XII^e s. || **embecquer** 1611, Cotgrave.

**bécane** V. BEC.

**bécarre** 1425, *Serm. des barbes et des braies ;* ital. *b quadro, b* à panse carrée. || **bémol** XIV^e s. (*bemoulz*) ; ital. *b molle, b* à panse ronde. || **bémoliser** 1752, Trévoux.

**bécasse** V. BEC.

**because** 1928, Esnault (*bicause*) ; mot angl.

**béchamel** 1735, *Cuis. mod. ;* du nom de Louis de *Béchamel,* gourmet de la fin du XVII^e s.

***bêche** fin XI^e s., *Lois de Guill. ;* lat. pop. **bessĭca* (lat. médiév. *bessos ; Statuts du cloître de Corbie*), d'orig. inconnue. || **bêcher** fin XII^e s., *Aiol,* « labourer avec la bêche » ; 1836, Vidocq, « critiquer ». || **bêchage** 1878, Lar. || **bêchette** 1820, Lasteyrie. || **bêchoir** 1842, *Acad.* || **bêcheur** 1453, au propre ; 1833, fig.

**béchevet** XIV^e s., G. ; préfixe *be*(*s*), du lat. *bis,* deux fois, et *chevet,* c'est-à-dire « tête de l'un aux pieds de l'autre ». || **bécheveter** 1778, Villeneuve.

**béchique** 1560, Paré ; lat. *bechicus,* du gr. *bêkhikos,* de *bêks,* toux.

**bécot, bécoter** V. BEC.

**bedaine** XIV^e s., vase à panse renflée ; 1667, Du Tertre, ventre ; altér. de l'anc. fr. *boudine,* nombril, gros ventre, même rac. que *boudin.* || **bedon** 1250, *Renart,* « tambour » ; XIV^e s., G. ; même rac. avec un autre suffixe. || **bedondaine** 1532, Rab. ; croisement de *bedon* et de *bedaine.* || **bedonner** 1507, Marot, « résonner » ; 1898, Lar., « prendre du ventre ».

**bédane** V. BEC.

**bedeau** 1155, Wace, « sergent de ville », puis « huissier d'université » (jusqu'au XVIII^e s.) ; 1680, Richelet, « bedeau d'église » ; francique **bidil,* messager de justice, avec changement de suffixe.

**bédégar** 1425, O. de La Haye ; arabo-persan *bâdaward.*

**bedolle** 1860, Flaubert, « imbécile » ; orig. inconnue.

**bedon, bedondaine** V. BEDAINE.

**bédouin** fin XII^e s. ; arabe *badwi,* habitant du désert.

**bée** V. BAYER.

**beffroi** fin XII^e s., *Loherains* (*berfroi*) ; moyen haut allem. *bĕrgvrĭd, bergfrid,* ouvrage de défense, qui garde (*berg*) la paix (*frid*).

**bégayer** V. BÈGUE.

**bégonia** 1706, Plumier, botaniste, en l'honneur de *Bégon,* intendant de Saint-Domingue ; vulgarisé au XIX^e s. (1823, *Obs. des modes*). || **bégoniacées** XVIII^e s.

**bégu** fin XVI^e s., Brantôme (*bigu*) ; orig. inconnue.

**bègue** début XIII^e s. ; déverbal de l'anc. fr. *béguer* (XIV^e s.), du néerl. **beggen,* bavarder. || **bégayer** v. 1450, qui a supplanté *béguer.* || **bégayeur** début XIX^e s., Michelet. || **bégaiement** 1539, R. Est. || **bégayage** XX^e s. || **bégueter** XIV^e s. || **béguètement** 1866, Lar.

**bégueule** 1470, Du Cange (*bée gueule*) ; de *bée,* impér. de *béer,* ouvrir, et de *gueule,* c'est-à-dire celui qui fait l'étonné à tout propos. || **bégueulerie** 1755, Crébillon fils. || **bégueulisme** v. 1750.

**béguine** 1227, *Rom. de la Violette ;* même rac. que *bégard* (hérétique du XIII^e s.) ; néerl. *beggaert,* moine mendiant, de **beggen,* bavarder. Le prétendu fondateur des béguines, Lambert le Bègue ou Begh, paraît n'avoir jamais existé. || **béguin** 1387, Douet d'Arcq, « coiffe de béguine » ; 1866, Delvau, « amour passager ». || **béguinage** 1261, Rutebeuf, « communauté de béguines ». || **embéguiner (s')** 1549, R. Est., « mettre un béguin » ; 1594, *Satire Ménippée,* fig., « être coiffé de quelqu'un ».

**bégum** 1653, La Boullaye ; hindi *beg,* seigneur.

**béhaviourisme** ou **béhaviorisme** v. 1920, trad. de Watson ; angl. *behaviour,* comportement (amér. *behavior*).

**beige** 1220, Coincy (*bege*), « couleur de laine naturelle » ; orig. obscure, p.-ê. lat. *bigus,* double.

**beigne** 1378, G. (*buyne*), « bosse provoquée par un coup » ; XVI^e s. (*bigne*) ; 1866, Delvau, « gifle » ; orig. inconnue. || **beignet** début XIII^e s., *Floire et Blancheflor* (*buignez*), le beignet étant rond et soufflé.

**béjaune** V. BEC.

**bel** 1928, Lar., « unité de mesure acoustique » ; du nom du physicien Graham *Bell* (1847-1922). || **décibel** XX^e s.

**bélandre** 1646, Fauconnier ; néerl. *bijlander,* de *bij,* près, et *land,* terre, pour désigner les caboteurs.

**bélemnite** 1562, Du Pinet ; gr. *belemnitês,* pierre en forme de flèche (*belemnon*) ; mollusque dont la coquille a une forme allongée.

***bêler** fin XII^e s., R. de Moiliens ; lat. *bēlare* ou *balare,* d'orig. onom. || **bêlement** 1539, R. Est. || **bélier** 1412, G. ; de *belin* (XIII^e s., encore dial.), avec changement de suffixe ; sans doute dér. de *bêler.*

**belette** fin XII^e s., *Alexandre ;* surnom dimin. de *belle* (c'est-à-dire « la jolie »), peut-être pour conjurer les méfaits de l'animal (angl. *fairy,* même sens). Le mot a remplacé l'anc. fr. *mosteile,* du lat. *mŭstēla.*

**bélier** V. BÊLER.

**bélière** 1402, G. (*berlière*), « anneau portant le battant d'une cloche » ; orig. obscure, p.-ê. néerl. *belle,* cloche.

**bélinographe** 1907 ; du nom de *É. Belin* (1876-1963), l'inventeur. || **bélinogramme** *id.*

**bélître** début XV^e s. (*belleudre*) ; 1506, *Placards de Flandre* (*blitre*), « mendiant, gueux » ; fréquent au XVII^e s. dans un sens injurieux ; p.-ê. néerl. *bedelaer* (allem. *Bettler*).

**belladone** 1553, Mathée (*-donna*) ; ital. *belladonna,* réfection d'un mot dialect. *bella donna,* belle dame.

**bellâtre** V. BEAU.

**belliqueux** 1468, Chastellain ; lat. *bellicosus,* guerrier. || **belliqueusement** XIX^e s. || **bellicisme** 1871, appliqué à Bismarck (1908, Lar.) ; lat. *bellicus,* belliqueux ; formé d'après *pacifisme.* || **belliciste** *id. ;* sur *pacifiste.* || **belligérant** 1744, Trévoux ; lat. *belligerans,* part. prés. de *belligerare,* faire la guerre (*bellum*). || **belligérance** 1877, L. || **non-belligérant** XX^e s.

**belluaire** 1852, Gautier ; lat. *bellua,* bête fauve.

**belote** début XX^e s. (après 1914), jeu d'orig. hollandaise (*jass*), mis au point par le Français *F. Belot.* || **beloteur** v. 1930. || **rebelote** milieu XX^e s., « répétition », comme interj.

**béluga** 1575, Thevet, « poisson » ; 1775, Bomare, « dauphin » ; russe *bieluha,* de *bielyi,* blanc.

**belvédère** 1512, J. Lemaire ; ital. *belvedere,* de *bello,* beau, et *vedere,* voir.

**bémol** V. BÉCARRE.

**bénard** 1881, Esnault, « pantalon » ; du nom de *A. Bénard,* confectionneur d'un type de pantalon.

**bénarde** 1442, Du Cange (*serrure bernarde*) ; de *Bernard,* au XV^e s., « pauvre sire », d'où « de qualité inférieure ». (V. BENÊT, JACQUES.)

**bénédicité** fin XII^e s., R. de Moiliens ; lat. *benedicite,* bénissez, mot lat. qui commence une prière.

**bénédictin** XIII^e s., rare jusqu'au XVI^e s. ; lat. eccl. *benedictinus,* de *Benedictus,* nom latin de saint Benoît, qui fonda cet ordre ; *travail de bénédictin,* d'après les travaux de la congrégation de Saint-Maur aux XVII^e et XVIII^e s. || **Bénédictine** 1878, Lar., n. déposé, liqueur fabriquée à Fécamp dans un ancien couvent de bénédictins.

**bénédiction** V. BÉNIR.

**bénéfice** fin XII^e s., *Rec. des histor. de France ;* XVII^e s., « gain » ; lat. *beneficium,* bienfait, de *bene,* bien, et *facere,* faire ; ce sens étymologique s'est conservé jusqu'au XVII^e s., parallèlement à celui de « bénéfice féodal, faveur » (d'après l'acception juridique latine). || **benef** 1849, Murger ; abrév. pop. || **bénéficier** v. tr., début XVI^e s., Budé, « gratifier, pourvoir d'un bénéfice » ; fin XVIII^e s., v. tr. ind., « profiter ». || **bénéficier** n. m., début XIV^e s. ; lat. *beneficiarus.* || **bénéficiaire** 1609, G. ; lat. eccl. *beneficiarius.* || **bénéficial** 1369, G., terme eccl. ; lat. *beneficialis.*

**bénéfique** 1532, Rab. ; rare jusqu'au XX^e s. ; lat. *beneficus,* bienfaisant.

**benêt** V. BÉNIR.

**bénévole** fin XIII^e s., rare jusqu'au XIX^e s. ; lat. *benevolus,* bienveillant. Le sens de « favorable » est vieilli et s'est vu substituer à la fin du XIX^e s. le sens de « à titre gracieux ». || **bénévolement** 1557, Ph. Bugnon. || **bénévolat** v. 1950. || **bénévolence** fin XII^e s.

**bengali** 1760, Brisson, « oiseau originaire du Bengale » ; mot hindi.

**bénin** 1160, Benoît (*bénigne*) ; masc. refait au XV^e s., *Chron. de Boucicaut ; remède bénin,* XVI^e s. ; lat. *benignus,* bienveillant, favorable (jusqu'au XVII^e s.). || **bénignement** 1190, Garn. || **bénignité** XII^e s., *Drame d'Adam ;* usuel jusqu'au XVII^e s.

**béni-oui-oui** v. 1950 ; ar. *beni,* « les fils ».

***bénir** x^e s., G. (*beneïr*) ; lat. *bĕnĕdīcere,* dire du bien, de *bene,* bien, et *dicere,* dire ; le sens « glorifier Dieu » est chez Apulée (II^e s.) ; en lat. chrét. « bénir les fidèles ». L'anc. part. passé *benoit* ou *beneit* (XII^e s.), du lat. *bĕnĕdĭctus,* a été éliminé au profit de *béni,* refait sur l'infinitif au XVII^e s. La distinction entre *bénit* (*pain bénit, eau bénite*) et *béni, -ie,* d'emploi plus général, date du XIX^e s. ; *eau bénite de cour,* 1493, Coquillart. || **bénisseur** 1863, H. de Villemessant. || **benoîte** 1545, Guéroult, fém. de *benoît.* || **benoîtement** 1863, L. || **bénitier** 1281, Delb. (*benoitier* ou *eau benoitier*). || **bénédiction** XIII^e s., G. (*-dicion*), rare jusqu'au XVI^e s. ; lat. chrét. *benedictio,* qui a remplacé la forme pop. *beneïçon,* ou *benisson.* || **benêt** 1530, Marot (*benest*) ; pron. pop. de *benoît,* béni, formation ironique d'après le passage de l'Évangile (Matthieu, v, 3) : « Heureux les pauvres d'esprit. » || **rebénir** XIII^e s., Adenet.

**benjamin** fin XVII^e s., Saint-Simon ; du nom de *Benjamin,* fils préféré de Jacob.

**benjoin** 1515, Du Redouer (*-jin*) ; altér. du lat. bot. *benzoe,* de l'ar. *lubân-djâwi,* encens de Java, qui a donné aussi *benzine.*

**benne, benoît** V. BANNE, BÉNIR.

**benthos** fin XIX^e s. ; gr. *benthos,* profondeur, par l'intermédiaire de l'allemand. || **benthogène** 1918. || **benthoscope** milieu XX^e s.

**benzine** 1833, Mitscherlich ; lat. bot. *benzoe* (v. BENJOIN). || **benzène** 1835. || **benzénique** 1878, Lar. || **benzoate** 1787, Guyton de Morveau. || **benzoïque** 1787, Guyton de Morveau. || **benzol** fin XVIII^e s. || **benzyle** fin XVIII^e s. || **benzolisme** XX^e s. (1953, Lar.).

**béotien** 1715, Lesage ; nom d'habitants d'une région de l'ancienne Grèce, réputés pour leur lourdeur d'esprit. || **béotianisme** 1834, Balzac. || **béotisme** 1835, Sainte-Beuve.

**béquet** V. BEC.

**béquille** 1611, Cotgrave ; de *béquillon* (XVI^e s.), petit bec, p.-ê. sous l'influence de l'anc. fr. *anille,* béquille (lat. pop. **anaticula,* bec de canard). La traverse supérieure de la béquille a été comparée à un bec à cause de chacun de ses saillants. || **béquiller** début XVII^e s. ; 1841, Esnault, « manger ». || **béquillard** v. 1650. || **béquillon** 1580, de La Porte.

***ber** ou **bers** fin XII^e s., *Saint Thomas,* « berceau » (jusqu'au XVI^e s.) ; lat. pop. **bertium* ou *bercium,* d'origine gauloise, attesté par le dér. *berciolum* (VIII^e s.), qui a donné l'anc. fr. *berçuel.* || **berceau** 1472, *Compte royal,* qui a éliminé *bers* dès le XVII^e s. || **bercer** 1155, Wace. || **bercement** XVI^e s. || **berceur** 1859. || **berceuse** 1835, *Acad.,* « chanson ». (V. BERCELONNETTE.)

***bercail** 1379, J. de Brie (*-cal*) ; mot normanno-picard, du lat. pop. **bĕrbĭcalis* (avec changement de suffixe), de **berbix, -icis,* brebis (v. BREBIS).

**berce** 1366, dans Barbier ; mot de l'Est qui paraît d'origine germanique (allem. *Bartzch,* dialectal *berz,* myrtica, plante des terrains marécageux).

**berceau** V. BER.

**bercelonnette** 1787, *Mém. secrètes ;* de *berceau.* Dans la var. *barcelonnette,* le *a* est une pron. pop. (cf. *dartre*), conservée par l'attraction du nom de la ville de *Barcelone.*

**berceur, berceuse** V. BER.

**béret** 1819, Boiste (*-rret*) ; béarnais *berret,* de l'anc. prov. *berret,* bonnet, du bas lat. *birrum* (IV^e s., saint Augustin), capote à capuchon, peut-être gaulois.

**bergamasque** milieu XVI^e s., « danse, air de danse », rare jusqu'au XIX^e s. ; ital. *bergamasca,* adj. substantivé de *Bergamo,* Bergame, nom de la ville d'où la danse est originaire.

**bergamote** 1536, Rab., « variété de poire » ; 1694, P. Pomey, « fruit du bergamotier » ; XVII^e s., « essence qu'on en tire » ; de l'ital. *bergamotta,* du turc *beg-armâdé,* poire du seigneur, ou de *Bergama,* nom turc de la ville de *Pergame.* || **bergamotier** début XIX^e s.

1. ***berge** 1380, G. (*berche*), « rive » ; lat. pop. **barĭca,* d'origine gauloise (cf. gallois *bargod,* bord).

2. **berge** arg., « année », 1836 ; du tzigane *berj.*

3. **berge** V. BARQUE.

***berger** début XII^e s., G. (*berchier*) ; lat. pop. **vĕrbĕcarius* (VIII^e s., *Gloses de Reichenau*), de *bĕrbēx,* brebis. || **bergère** XII^e s., G. ; 1746, La Morlière, « fauteuil » ; 1752, Trévoux, « coiffure ». || **bergerot** XVI^e s. || **bergerie** XII^e s. (*-cherie*) ; XVI^e s., « poème ». || **bergeronnette** XIII^e s., « oiseau ». || **bergerade** 1845.

**berginisation** 1929, Lar. ; du nom de l'inventeur *Bergius* (1884-1949), industriel et chimiste allemand.

**bergsonien** 1905, Péguy. || **bergsonisme** 1906 ; de *Bergson.*

**béribéri** 1617, Mocquet (*berber*) ; 1752, Trévoux (*béribérii*) ; mot d'une langue du sud de l'Inde par le Hollandais Bontius (dans un livre en latin, 1642).

**berk** ou **beurk** v. 1960, onom.

**berkélium** 1950, Seaborg ; de *Berkeley,* ville des États-Unis où se trouvait le cyclotron qui permit de découvrir ce métal.

***berle** v. 1450 ; bas lat. *berŭla* (Ve s., Marcellus Empiricus), cresson, d'orig. gauloise.

**berline** début XVIIIe s., Saint-Simon (*breline*) ; 1721, Trévoux (*berline*) ; du nom de *Berlin,* où cette voiture fut mise à la mode vers 1670. || **berlingot** 1740, *Acad.,* « demi-berline ».

**berlingot** début XVIIe s., « bonbon » ; ital. *berlingozzo,* de *berlengo,* table, en argot ital. (ce mot a donné *brelan*), c'est-à-dire bonbon fait sur une table.

**berlue** XIIIe s., G. (*bellue*) ; 1536, N. de Troyes (*berlue*) ; déverbal de *belluer,* éblouir (XIIIe s.), d'origine obscure, p.-ê. du préfixe péjor. *bes-* et d'un dér. de *lux, lucis,* lumière. || **berlurer** 1958, Simonin « rêver » ; 1973, Audiard « tromper » ; avec infl. de *lurette.* || **éberluer** XVIe s., G.

**berme** 1611, Cotgrave (*barme*) ; néerl. *berm,* talus ; terme de fortification.

**bermuda** v. 1960 ; du nom des îles *Bermudes.*

**bernache** 1532, Du Guez (*barnacle*) ; 1611, Cotgrave (*bernaque*), « petite oie » ; irlandais *bairneach.* Il a désigné aussi l'anatife, d'après une croyance pop. (Écosse) qui fait naître l'oiseau de l'anatife, dont la partie saillante ou manteau rappelle le bec de l'oie. La var. *bernacle* indique un croisement avec *bernicle.*

**bernardin** début XVIe s. ; du nom de *Saint Bernard.*

**bernard-l'ermite** 1560, Paré ; orig. languedocienne ; surnom facétieux (parce que ce crustacé se loge dans une coquille vide).

1. **berne** 1533, Rab., « couverture, brimade » (sens utilisé jusqu'au XVIIe s.) ; dér. de *brener* ou *berner,* vanner le blé. || **berner** début XVIe s., « faire sauter dans une couverture » (sens qui s'est maintenu jusqu'au XVIIe s.) ; XVIIe s., « tromper, duper ». || **bernement** 1661, Molière. || **berneur** 1664, Chevalier.

2. **berne** milieu XVIIe s., mar. ; orig. obscure, p.-ê. néerl. *berm,* repli.

**berner** V. BERNE 1.

**bernicle** 1742, Dezailliers d'Argenville ; mot de l'Ouest, du breton *bernic,* sorte de coquillage.

**bernique** 1743, Trévoux (*-nicle*) ; p.-ê. de *bren* ou *bran,* ordure.

**berquinade** 1865, Baudelaire ; de *Berquin* (1747-1791), auteur d'ouvrages moraux pour les enfants. Signalé chez Monselet d'après Guérin. || **berquinisme** 1844, Balzac.

**berrichon** début XVIIIe s. ; de *Berry.*

**bersaglier** 1866, Lar. ; ital. *bersagliere,* tirailleur, de *bersaglio,* cible.

**berthe** début XIXe s., « pèlerine » ; du nom propre *Berthe.*

**berthon** 1899, Lar. ; du nom de l'inventeur ; petit canot pliant en toile imperméable.

**bertillonnage** 1909, Lar. ; procédé d'anthropométrie créé par *A. Bertillon* (1853-1914).

**béryl** XIIe s., *Marbode ;* lat. *beryllus,* du gr. *bêrullos.* || **béryllium** 1838.

**berzingue (à tout)** v. 1930 ; de *à, tout* et une var. dial. de *brindezingue.*

**be(s)-** préfixe d'orig. lat. (lat. *bis,* deux fois) entrant dans la composition de quelques mots, à côté de la forme savante *bis ;* il a pris souvent une valeur péjorative en anc. fr.

***besace** XIIIe s., *Règle du Temple ;* bas lat. *bisaccia,* plur. pris comme fém., de *bisaccium,* de *bis* et *saccus,* c'est-à-dire double sac (v. BISSAC). || **besacier** 1524, Farel, encore au XVIIe s. (La Fontaine).

***besaiguë** V. AIGU et BISAIGUË.

***besant** 1080, *Roland ;* lat. *bysantium,* monnaie de Byzance. || **besanté** XIIIe s.

**besef** 1861, Esnault ; mot sabir, de l'ar. algérien *bezzâf,* beaucoup.

**bésicles** 1328, *Inv. de Clémence de Hongrie* (*béricle*) ; déformation de *béril* (v. BÉRYL), d'après *escarboucle ;* le béryl a servi à faire des loupes ; il s'est appliqué aux verres de lunettes, puis aux lunettes elles-mêmes.

**bésigue** début XIXe s. ; orig. inconnue.

**besogne** V. BESOIN.

**besoin** 1050, *Alexis ;* pl. début XIXe s. ; Bastiat, sens social ; le sens de « nécessité » se rencontre encore au XVIIe s. ; francique **bisŭnnia* (forme gotique attestée), représentant le rad. de *soin* et le préfixe germ. *bi-*, auprès (allem. *bei*). || **besogne** début XII^e s., *Couronn. Loïs*, « pauvreté, nécessité » ; « travail, souci » (sens qui se sont maintenus jusqu'au XVII^e s.) ; forme fém. de *besoin*. || **besogner** XII^e s., « être dans le besoin ». || **besogneux** 1050, *Alexis*, qui est dans le besoin. || **embesogné** 1160, Benoît.

***besson** XIII^e s., *Livre de jostice* ; lat. pop. **bĭsso, -onis*, de *bis*, deux fois.

**bestiaire, bestial, bestiole, bestion** V. BÊTE.

**bestourné** XII^e s. ; de *bes-*, particule péjor., et de *tourner*.

**best-seller** 1948, Lar. ; mot angl. signif. « le mieux vendu » (*the best*, le mieux, [*to*] *sell*, vendre).

1. **bêta** 1953, Lar., nom donné à certains rayons ; de la lettre grecque *β*. || **bêtatron** 1936, avec suffixe *-tron*, empr. à *électron*. || **bêtathérapie** XX^e s. || **bêtabloquant** v. 1970.

2. **bêta, bétail** V. BÊTE.

***bête** 1080, *Roland* (*beste*), n. f. ; 1763, Diderot, adj. ; lat. pop. *bĕsta* (lat. *bestia*), attesté chez Fortunat (VI^e s.) et par le dér. *bestula*. || **bêta** 1584, Du Monin, mot enfantin avec pron. pop. du suffixe *-ard*. || **bêtasse** XIX^e s. || **bêtasserie** v. 1900. || **bébête** 1834, Balzac. || **bêtement** XIV^e s. || **bêtifier** 1777, Beaumarchais. || **bêtification** 1804, Stendhal. || **bêtise** 1512, Seyssel. || **bêtisier** 1959, Lar. || **bétail** 1213, *Fet des Romains* (*bestail*) ; de *bête* avec un suffixe de collectif. || **bétaillère** v. 1900. || **bestiaux** 1418, Caumont ; anc. fr. *bestial*, du lat. *bestia*. || **bestiaire** 1495, J. de Vignay (*bestiare*), « gladiateur » ; lat. *bestiarius*. || **bestiaire** 1119, Ph. de Thaon, « recueil de récits sur les animaux » ; adj. lat. *bestiarius*, substantivé (*-arium*), spécialisé en lat. médiéval. || **bestial** 1165, Marie de France ; lat. impérial *bestialis*. || **bestialement** XII^e s. || **bestialité** 1361, Oresme. || **bestialiser** XIX^e s. || **bestiole** fin XII^e s., *Apocalypse* ; lat. *bestiola*, dimin. de *bestia*. || **bestion** 1540, Macé, « petite bête », qui subsiste encore au XVII^e s. || **abêtir** 1420, A. Chartier. || **abêtissement** 1552, Aneau, rare jusqu'au XIX^e s. (1842, J.-B. Richard). || **embêter** 1794, *le Père Duchesne*. || **embêtement** fin XVIII^e s. || **embêtant** 1830, Monnier.

**bétel** 1515, Du Redouer (*beteille*) ; 1572, Des Moulins (*betel*) ; hindi *vettila*, par le port. *betel*.

**bétoine** XII^e s., G. ; lat. *bettonica* ou *vettonica*, de *Vettones*, peuple de Lusitanie ; plante utilisée autrefois en médecine.

***bétoire** début XV^e s. (*beteurre*) ; lat. pop. **bĭbĭtoria*, abreuvoir, de *bibere*, boire.

**béton** fin XII^e s., *Aliscans* (*betun*), « boue, gravats » ; 1584, G. Bouchet, « mélange de mortier et de cailloux » ; 1635 (*beton*), avec changement de suffixe ; lat. *bitumen*, qui sera repris sous la forme *bitume*. || **bétonner** début XIX^e s. ; sport, 1959, Lar. || **bétonnage** 1959, Lar., en bâtiment et sport. || **bétonnière** 1873. || **bétonneuse** v. 1940.

**bette** XII^e s., G. ; lat. *beta*. || **blette** var. de *bette*, XIV^e s. ; lat. *blitum*, même sens, ou attraction de *blet*. || **betterave** 1600, O. de Serres. || **betteravier** 1839, H. Fonfrède, qui a remplacé *betteraviste*.

**bétuline** 1836, Raymond ; lat. *betulla*, bouleau. || **bétulacées** 1842, *Acad.*

**bétyle** 1586, Le Loyer ; lat. *baetylus*, du gr. *baitlos*, d'orig. sémitique ; pierre sacrée, adorée par les Anciens comme une idole.

**beugler** XII^e s. (*bugler*) ; 1611, Cotgrave (*beugler*) ; altér. onomatop. de l'anc. fr. *bugle*, bœuf, du lat. *buculus*, jeune bœuf. || **beuglement** 1539, R. Est. (*bu-*). || **beuglant** 1860, *les Étudiants*, « cabaret ». || **beuglante** début XX^e s., chanson, protestation.

**beur** v. 1980 ; de *arabe* en verlan, avec subst. de voyelle.

***beurre** XII^e s. (*burre*), forme de l'Est ; XV^e s. (*beurre*) ; 1821, Ansiaume, *faire son beurre* ; lat. *butyrum*, du gr. *bouturon*. || **beurrer** 1220, Coincy (*burrer*). || **beurrage** 1815, *Pâtissier royal parisien*. || **beurré** 1537, Delb., « poire ». || **beurrée** 1585, N. Du Fail. || **beurrerie** 1826, Mozin, bot. ; 1836, Raymond, fabrique de beurre. || **beurrier** 1270, G. (*burrier*). || **babeurre** 1606, Nicot, « bâton à battre le beurre », de *bat*(*tre*) et *beurre* ; 1611, Cotgrave, « liquide », de *bas* et *beurre*.

**beuverie** V. BOIRE.

**bévatron** 1954 , Lar. ; de *BeV*, unité valant 1 milliard d'électronvolts, et de *-tron*, suffixe tiré de *électron*.

**bévue** 1642, Oudin ; de *bé*(*s*), préfixe péjor., et de *vue*.

**bey** 1432, G. de Lannoy (*bay*) ; 1532, Baïf (*bey*) ; turc *beg* (ou *bey*), seigneur. || **beylical** 1887 ; de *beylik*. || **beylicat** 1922, Lar.

**beylisme** 1912, L. Blum ; de *Beyle,* nom de Stendhal ; déjà en 1812 chez Stendhal lui-même.

**bezef** V. BESEF.

**bézoard** 1314, Mondeville (*bezar*) ; 1605, H. de Santiago (*bezoard*) ; port. *bezuar,* du persan *pâdzehr,* pierre à venin, cette concrétion étant employée comme antidote.

**bi-, bis-** préfixe issu du lat. *bis,* deux fois, dont la productivité limitée se maintient depuis l'ancien français.

**biais** XIIIe s. ; anc. prov. *biais,* du gr. *epikarsios,* oblique, introduit par les colonies grecques de Provence. || **biaiser** 1402, *Chron. de Boucicaut,* « aller de biais » (sens que l'on rencontre encore au XVIIe s.). || **biaisement** 1574, Amyot. || **biaiseur** 1669, Méré.

**bibelot** 1432, Baudet Hérenc ; orig. onomatop. ou redoublement expressif *bel-bel,* avec addition de suffixe (*beubelet,* XIIe s., *Saint Thomas*). || **bibelotier** 1481, *Comptes de la Prévôté.* || **bibeloter** 1859, Larchey. || **bibeloteur** 1880, Larchey. || **bibeloterie** 1468. || **bimbelot** 1549, R. Est., var. de *bibelot.* || **bimbelotier** 1467, G. || **bimbeloterie** 1468, Chastellain.

**bibendum** 1910 ; lat. *bibere,* boire ; à l'origine, nom d'une figure publicitaire pour les pneus Michelin.

**biberon** 1301, Delb., « goulot » (sens conservé jusqu'au XVIe s.) ; XVe s., *Sermon joyeux,* « ivrogne » ; lat. *bibere,* boire. || **biberonner** fin XIXe s. || **biberonneur** XXe s.

1. **bibi** 1832, *Journ. des femmes,* « petit chapeau de femme » ; redoublement expressif, p.-ê. lié à *bibelot,* ou à *bijou.*

2. **bibi,** « moi », 1832 ; p.-ê. même formation que le précédent.

**bibine** début XIXe s., « mauvaise boisson » ; 1862, Hugo, « cabaret » ; altér. de l'ital. *bibita,* boisson.

**bibion** 1771, Schmidlin ; lat. *bibio, -onis,* insecte mal déterminé (Afranius, cité par Isidore de Séville).

**bible** XIIe s., Herman de Valenciennes ; lat. eccl. *biblia,* du gr. *biblia,* les livres (sacrés). || **biblique** 1623, Garasse.

**biblio-,** gr. *biblion,* livre. || **bibliobus** 1930, *journ.,* avec suffixe *-bus.* || **bibliographe** 1665, *Journ. des savants ;* gr. *graphein,* décrire. || **bibliographie** 1633, Naudé. || **bibliographique** 1778. || **bibliomane** 1660, G. Patin ; gr. *mania,* folie. || **bibliomanie** 1654, G. Patin. || **bibliophile** 1740, de Brosses. || **bibliophilie** 1845. || **bibliophilique** 1835, Balzac. || **bibliométrie** début XXe s. || **bibliopole** 1787, Féraud. || **bibliothèque** 1493, G. ; lat. *bibliotheca,* du gr. *bibliothêkê,* endroit où l'on place les livres. || **bibliothécaire** 1518, G. || **bibliothéconomie** 1839, Constantin. || **bibliotechnie** XXe s.

**bibus** début XVIIe s., Scarron ; altér. plaisante de *bibelot* d'après la finale latine *-bus.*

**bicamérisme** 1843 ; de *bis,* deux fois, et du lat. *camera,* chambre. || **bicaméral** 1898, Lar.

**bicéphale** début XIXe s., Barthélemy ; de *bis,* deux fois, et du gr. *kephalê,* tête.

**biceps** 1562, Paré ; adj. lat. *biceps,* à deux têtes, le muscle ayant deux attaches supérieures.

**bicêtre** V. BISSEXTE.

***biche** début XIIe s., *Voy. de Charlemagne* (*bise*) ; av. 1747, Caylus, « femme entretenue » ; forme normanno-picarde, du lat. pop. **bistia,* du lat. *bestia,* bête. || **bichette** XIIe s., G. (*bissette*). || **bicherie** 1863.

**bicher, bichet** V. BEC, PICHET.

**bichlamar** début XXe s. ; port. *bicho do mar,* bête de la mer (angl. *beach la mar*) ; sabir du Sud-Est asiatique.

**bichon** 1588, Crespet ; abrév. de *barbichon,* chien barbet. || **bichonner** 1690, Sénecé. || **bichonnage** 1782, Mercier.

**bickford** 1888, Lar. ; du nom de l'inventeur de ce cordon fusant utilisé pour mettre le feu à des explosifs.

**bicoque** 1522, bataille de La Bicoque, « petite forteresse », jusqu'au XVIIe s. ; XVIe s., « maison chétive » ; ital. *bicocca,* même sens.

**bicorne, bicot, bicycle, bicyclette** V. COR, BIQUE, CYCLE.

**bidasse** av. 1914 ; du nom désignant un simple soldat dans la chanson *Avec l'ami Bidasse.*

**bidet** 1534, Rab., « âne » ; 1550, « pistolet de poche » ; 1751, *Dépenses de Mme de Pompadour,* « meuble de toilette » ; anc. fr. *bider,* trotter (XIVe s.), d'orig. inconnue. || **bidoche** 1829, Esnault, arg. milit. ; déformation de *bidet.*

**bidon** XVe s., O. Basselin ; du scand. *bida,* vase, ou du gr. médiév. *pithôn,* tonneau. || **bide**

fin XIXe s., abrév. || **bidonner (se)** fin XIXe s., pop., rire. || **bidonville** 1956, Lar., quartier fait de maisons construites avec des matériaux divers et formant des taudis dans la périphérie des centres urbains.

**bidule** v. 1940, « désordre » ; 1951, Esnault, sens actuel ; picard *bidoule,* mare boueuse, d'orig. inconnue.

***bief** 1155, Wace (*biez*) ; lat. pop. **bĕdŭm,* d'orig. gauloise, signif. « canal, fossé ». || **béal** même rac. avec le suffixe lat. *-ale.*

**bielle** milieu XVIe s., « manivelle » ; 1684, Guiffrey, sens mod. ; esp. *bielda,* fourche pour vanner le blé, du lat. *ventilare.* || **biellette** 1921, *Science et Vie.*

***bien** Xe s., *Saint Léger,* adv. et n. m. ; lat. *bĕne,* adv. || **bien-aimé** 1417, *D. G.* || **bien-aise** 1833, S. Gay. || **bien-dire** 1593. || **bien-disant** XIIIe s. || **bien-être** 1555, Pasquier ; 1848, Cabet, sens social. || **bien-faire** XIIIe s. (usuel jusqu'au XVIIe s.). || **bienfait** 1138, *Saint Gilles,* part. passé substantivé. || **bienfaiteur** XIIe s., Herm. de Valenciennes ; lat. *benefactum,* bienfait ; il a remplacé *bienfacteur,* usuel encore au XVIIe s. || **bienfaisant** XIIe s., *Fierabras.* || **bienfaisance** XIVe s., rare ; 1725, abbé de Saint-Pierre. || **bien-fondé** 1866. || **bien-fonds** 1803. || **bienheureux** 1190, *Saint Bernard.* || **bienheureusement** XIIe s. || **bien pensant** 1798, *Acad.* || **bienséant** fin XIIIe s., Rutebeuf. || **bienséance** 1532, Rab. || **bienveillant** XIIe s. ; de l'anc. part. prés. *vueillant,* de *vouloir.* || **bienveillamment** v. 1850. || **bienveillance** 1180, Marie de France. || **bienvenir** 1583, Gauchet. || **bienvenu** XIIe s., Guill. le Maréchal, part. passé de *bienvenir.* || **bienvenue** 1271, *Rec. d'actes.*

**biennal, bienséance, bienséant, bientôt** V. AN, SÉANT, TÔT.

1. **bière** 1080, *Roland,* « cercueil » ; francique **bĕra,* civière pour les morts, même rac. que l'all. *Bahre.*

2. **bière** 1429, lettre de rémission, « boisson » ; néerl. *bier.* Elle a remplacé la cervoise, faite sans houblon.

***bièvre** XIIe s., « castor » ; bas lat. *bĕber, bĕbris* (VIe s., Priscien), mot d'origine gauloise (cf. les noms de rivières *Bièvre, Beuvron,* etc.) ; la même rac. existait en germ.

**biffer** 1576, Ménard ; anc. fr. *biffe* (XIIIe s.), étoffe rayée ; p.-ê. de la même famille que *rebiffer* ; le sens de *biffe* s'est déprécié aux XVe-XVIe s., « chiffon, objet sans valeur ». || **biffure** 1863, L. || **biffin** 1836, Larchey, « chiffonnier », sur la valeur péjor. de *biffe,* étoffe rayée ; en arg. milit., « fantassin », à cause du sac. || **biffe** 1878, Rigaud ; de *biffin.* || **biffeton** ou **bifton** arg., 1860.

**bifide** 1772, Rousseau ; lat. *bifidus,* fendu en deux, de *findere,* fendre.

**bifteck** 1735, *Cuis. mod.* (*beff stek*) ; 1806, Viard (*bifteck*) ; angl. *beefsteak,* tranche de bœuf.

**bifurquer** 1560, Paré, resté scientifique jusqu'au XIXe s. || **bifurcation** *id.* Les deux mots ont pris une valeur particulière en ce qui concerne les voies de communication ; puis, au XXe s., sens étendu.

**bigame** 1270, A. de la Halle ; lat. chrét. *bigamus* (VIIe s., Isid. de Séville), du gr. *digamos,* de *di-,* deux fois, et *gamos,* mariage. || **bigamie** 1370.

**bigarade** 1600, O. de Serres (*orenger bigarrat*) ; 1651, N. de Bonnefons (*bigarrade*) ; prov. mod. *bigarrado,* bigarré. || **bigaradier** 1751, *Encycl.*

**bigarrer** XVe s. (*bigarré*) ; anc. fr. *garre,* de deux couleurs, d'orig. obscure, sans doute germ. || **bigarreau** fin XVIe s. || **bigarrure** 1530, Palsgrave.

**bige** 1704, Trévoux ; lat. *biga,* char à deux chevaux. || **quadrige** 1667, Chapelain ; lat. *quadriga,* de *jugum,* joug.

**bigle** 1471, *Lettres de Louis XI* ; déverbal de *biscler,* loucher, d'orig. obscure, p.-ê. du lat. pop. **bisŏcŭlare,* de *bis,* deux fois, et *oculus,* œil. || **bigler** XVIe s. (*biscler*) ; 1642, Oudin (*bigler*). || **bigleux** v. 1900.

**bignone** 1751 ; de *Bignon,* bibliothécaire de Louis XV. || **bignoniacées** 1816, A. de Candolle.

**bigophone** 1888, Lar. ; du nom de *Bigot,* l'inventeur, et du gr. *phônê,* voix. || **bigophoner** fam., 1954, Tachet.

**bigorne** 1389, G. (*-gorgne*), marteau ; prov. **bigorn* (non attesté au Moyen Âge) ; 1628, *Jargon,* « argot » (ce sens fig. subsiste jusqu'au XIXe s.) ; lat. *bicornis,* à deux cornes. || **bigorneau** 1423, G., techn. ; 1530, Palsgrave, « coquillage » ; dimin. de *bigorne.* || **bigorner** XVIIe s., techn. ; fin XIXe s., « battre, tuer » ; p.-ê. repris au prov.

**bigot** 1155, Wace, surnom injurieux adressé aux Normands ; XVe s., « dévot » ; d'un juron anc. angl. *bî god,* par Dieu (*Godon,* Anglais,

XIVe s., de *god-dam*) ; *bigot* est aussi un surnom (XIe-XIV[e] s.). || **bigoterie** 1461, *Cent Nouvelles nouvelles.* || **bigotisme** 1646, Du Lorens.

**bigoudi** 1852, à Genève ; orig. obscure, p.-ê. altér. de *bigotière,* bourrelet pour friser la moustache.

1. **bigre** V. BOUGRE interj.

2. **bigre** 1462, Du Cange, « garde qui entretenait les ruchers » ; lat. médiév. *bigrius* (XIIe s.), issu du francique **bîkeri,* gardien d'abeilles.

**bigue** 1494, G. ; prov. *biga,* poutre ; spécialisé dans le vocabulaire de la marine.

**biguine** v. 1935 ; mot antillais.

**bihoreau** 1314, Gace de la Bigne (*buhoreau*) ; 1555, Belon (*bi-*) ; orig. obscure, le premier élément paraissant représenter le lat. *buho,* hibou ; oiseau vivant dans les marais.

**bijou** 1460, Lobin, *Hist. de Bretagne ;* breton *bizou,* anneau, de *biz,* doigt. || **bijoutier** 1675, Retz, « qui aime les bijoux » ; 1701, « marchand de bijoux ». || **bijouterie** XIVe s.

**Bikini** 1946, n. déposé ; du nom d'un atoll du Pacifique.

**bilan** 1584, Thevet ; ital. *bilancio,* balance.

**bilboquet** V. BILLE 1.

**bile** 1539, Canappe ; lat. *bilis.* || **biliaire** 1687, Duncan, le deuxième *i* d'après *bilieux.* || **bilieux** 1538, Canappe ; lat. *biliosus.* || **bileux** 1901, Bruant, réfect. pop. || **biler (se)** 1894 ; de *bile.* || **biligénie** 1953, Lar. || **bilirubine** 1865. || **biligenèse** 1905, Lar. || **biliverdine** 1856.

**bilharzie** milieu XIXe s. ; du naturaliste *Bilharz* (1825-1862), qui étudia cette maladie en 1851. || **bilharziose** 1906.

**bilingue** V. LANGUE.

**bill** 1669, Chamberlayne ; angl. *bill,* du fr. *bille ;* boule de plomb attachée à certains actes et acte lui-même.

**billard** V. BILLE 1.

1. ***bille** [d'arbre] XIIe s. (*billa,* en lat.) ; XIVe s. (*bille*) ; lat. pop. **bīlia,* tronc d'arbre, d'orig. gauloise. || **billette** 1304, Gay. || **billot** 1360, *Modus.* || **bilboquet** 1534, Rab. (*bille boquet*) ; de *bouquer,* verbe de l'Ouest signif. « frapper, écorner », de *bouc.* || **billard** 1399, Douet d'Arcq, « bâton pour pousser les boules » (bâton recourbé en terme de chasse) ; 1558, « bâton à pousser les boules du jeu », « table de jeu » ; par attraction homonymique, il a été senti comme un dér. de *bille,* petite boule. || **billardier** XVIIIe s. || **billebaude (à la)** 1676, Sévigné, « en désordre » ; de *bille,* boule, et de l'anc. fr. *baut,* hardi, fier ; d'abord un terme de jeu (« à la bille hardie »). || **billon** 1270, A. de la Halle, « lingot » ; XVIIIe s., « crête entre deux sillons » ; de *bille.* Le sens de « lingot » est dér. d'un anc. sens de *bille* (XVIe s., *argent en bille*) ; il est devenu « monnaie altérée (par alliage) », puis « monnaie de bronze ». || **billonner** 1356, *D. G.,* « trafiquer les monnaies » ; début XVIIIe s., sur le sens agricole. || **billonnage** fin XVIe s., J. Bodin, « altération des monnaies » ; 1716, *Déclaration du 8 févr.,* au sens agricole.

2. **bille** [petite boule] 1164, Chr. de Troyes ; p.-ê. francique **bikkil,* dé, ou autre emploi du précédent (par *biller,* frapper la boule avec un bâton).

**billet** milieu XVe s. ; *billet doux,* XVIIIe s., Voltaire, d'après le sens de « missive » ; forme masc. de *billette* (1389, G.), altér. de l'anc. fr. *bullette,* de *bulle,* par attraction de *bille ;* ou p.-ê. de *bille* 1 (de bois), le *billet* étant à l'origine un bâtonnet. || **billet de banque** V. BANQUE.

**billette** V. BILLE 1 ou BILLET.

**billevesée** XVe s., *Farce de Badin ;* pl., 1540, Rab. (*billes vezées*) ; mot de l'Ouest qui paraît représenter *beille,* boyau (lat. *bŏtŭlus*), et *vezée,* soufflée (auj. *veze,* cornemuse).

**billion** 1484, Chuquet, « milliard » ; de *million,* avec substitution de la particule *bi-,* deux fois, à la syllabe initiale. || **trillion,** « mille milliards », *id.* || **quatrillion** *id.* (*quadr-*).

**billon, billot** V. BILLE 1.

**biloculaire** 1771, Trévoux ; de *bis,* deux fois, et du lat. *loculus,* loge.

**bimane, bimbelot, bimestriel** V. BIPÈDE, BIBELOT, SEMESTRE.

**binaire** 1554, J. Peletier ; lat. impér. *binarius* (IIIe s., Lampridius), de l'adj. *bini,* qui s'applique aux objets formant paire. || **binarisme** XXe s. || **binarité** 1869.

**binard** 1668 ; origine obscure, p.-ê. de *biner ;.* chariot à quatre roues.

**biner** XIIIe s. ; prov. *binar,* du lat. pop. **binare,* refaire deux fois (lat. *bini*), appliqué au travail de la vigne. || **binette** 1651, N. de Bonnefons, « outil ». || **binage** 1611, Cotgrave.

**binette** début XIXe s., « perruque Louis XIV » ; 1844, Esnault, « figure » ; p.-ê. du nom de

*Binet,* coiffeur de Louis XIV, ou de *bobinette,* ou de *trombinette,* ou encore du rad. *bin-,* « à deux éléments ».

**bingo** 1944 ; mot angl., p.-ê. de *bing,* onomat.

**biniou** 1799, Chambry (*beniou*) ; 1832, Jal (*biniou*) ; mot breton.

**binocle** 1677, *Journ. des savants,* « jumelles » ; 1827, *Journ. des dames,* « lorgnon » ; lat. scient. *binoculus* (1645, le P. de Rheita), de *bini,* deux fois, et *oculus,* œil. || **binoclard** 1885, Vallès. || **binoculaire** fin XVII^e^ s.

**binôme** 1554, J. Peletier, *Algèbre ;* adapt. du lat. médiév. *binomium* (XII^e^ s., Gérard de Crémone), de *bi-* et du gr. *onoma,* nom. Le circonflexe vient de *monôme.* || **monôme** 1701, Furetière ; fin XIX^e^ s., *monôme d'étudiants ;* lat. *mononomium,* avec contraction, du gr. *monos,* seul, et *onoma,* nom. || **trinôme** 1690, Furetière. || **quadrinôme** 1554, J. Peletier. || **polynôme** 1697, Lagny ; gr. *polus,* plusieurs.

**bin's** ou **binz** 1893, Esnault, « latrines » ; v. 1970, « désordre » ; apocope de (*ca*)*binets.*

**bio-,** gr. *bios,* vie. || **biobibliographie** fin XIX^e^ s. || **biochimie** 1842. || **biochimiste** 1920. || **biodégradable** 1966. || **bioénergie** 1975. || **biogéographie** 1907, Lar. || **biographe** fin XVII^e^ s. || **biographie** 1721, Trévoux ; gr. *graphein,* décrire. || **biographier** 1832, Marin. || **biographique** 1800. || **biologie** 1802, Lamarck. || **biologique** 1836, Raymond. || **biologiste** 1830, Raymond. || **biométrie** 1842, *Acad.* || **bionique** 1958 ; angl. *bionics,* formé sur *biology* et *electronics.* || **biophysique** 1920. || **biopsie** 1879, Garnier ; gr. *opsis,* vue. || **biorythme** 1972. || **biosphère** 1842, *Acad.* || **biosynthèse** 1960, Lar. || **biotechnie** 1853, Lachâtre. || **biotechnologie** 1980. || **biothérapie** 1929, Lar. || **biotope** 1947. || **biotropisme** 1960, Lar.

**biotite** 1866, Lar. ; du nom de *Biot* (1774-1862).

**bipartie** 1361, Oresme ; lat. *bipartitus,* coupé en deux. || **bipartition** 1751, *Encycl.* || **bipartisme** 1948, Lar.

**bip-bip** v. 1957, onom. pour désigner le signal acoustique du premier satellite artificiel (soviétique).

**bipède** 1598, Marnix ; lat. *bipes, -edis,* qui a deux pieds (lat. *pes, pedis*). || **bimane** 1770, Buffon ; créé sur *bipède* (lat. *manus,* main).

**bipenné** 1721, Trévoux ; de *bis,* deux fois, et du lat. *penna,* plume.

**bique** 1509, Haton, terme familier qui tend à éliminer *chèvre* dans les régions rurales de la moitié nord de la France ; altér. de *biche* par *bouc.* || **biquet** 1339, *Archives.* || **biquette** 1570, R. Belleau. || **bicot** XIX^e^ s., dim. péjor.

**birbe** 1836, Vidocq, « vieux mendiant » ; 1861, Larchey, « vieillard », argot ; ital. *birbo,* chenapan.

**biribi** 1719, Voltaire, « jeu italien » ; 1861, Gaboriau, « compagnies de discipline de l'Afrique du Nord », associé à l'idée de « justice » comparée à un jeu de hasard ; ital. *biribisso,* jeu de hasard.

**birloir** 1694, Ménage, « tourniquet » ; p.-ê. mot dial., de même rac. que le piémontais et le lombard *birlar,* tournoyer, du lat. **virolare,* tourner.

**biroute** 1914, « pénis » ; p.-ê. de mots rég. désignant la tarière : *biro, birou.*

1. **bis** adj., 1080, *Roland* (*bise,* fém.) ; orig. inconnue, sans doute prélatine. || **bisaille** XVII^e^ s. || **biset** 1555, Belon, « pigeon sauvage de couleur grise ». || **bise** 1558, Rondelet ; de *bis,* champignon. || **biser** 1690, Furetière, « noircir ». || **bisette** 1836, Raymond, « macreuse ».

2. **bis** adv., 1690, Furetière ; lat. *bis,* deux fois. || **bisser** 1820, *Observ. des modes.* || **biseau** XV^e^ s. || **biseauter** 1743, Trévoux. || **biseautage** 1863, L. || **biser** 1751, *Encycl.,* « reteindre ».

**bisaiguë** 1751, *Encycl.* (*bizègle*) ; ital. du Nord *bisegolo,* du lat. pop. *biseca,* à deux tranchants (de *secare,* couper) ; confondu avec *besaiguë.* (V. AIGU.)

**bisbille** 1677, Duillier, « murmure » ; 1694, Ménage, « dispute » ; ital. *bisbiglio,* murmure.

**biscaïen** 1689, Trévoux ; 1752, « mousquet à longue portée, balle » ; début XIX^e^ s., Stendhal, « petit boulet » ; de *Biscaye,* où cette arme fut d'abord employée.

**biscotte** 1807, *Alman. des gourmands,* masc. d'abord, puis fém. à cause de sa finale ; ital. *biscotto,* même sens que *biscuit.* || **biscotin** 1680, Richelet ; ital. *biscottino,* diminutif. || **biscotterie** XX^e^ s.

**biscuit** 1175, Chr. de Troyes (*bescuit*) ; XIII^e^ s. (*biscuit*) ; de *bes-* (lat. *bis,* deux fois) et *cuit ;* 1751, porcelaine. || **biscuiterie** fin XIX^e^ s. || **biscuiter** 1845.

1. **bise** début XII^e s., *Voy. de Charl.*, « vent du nord-est » ; francique **bisia* (anc. haut allem. *bisa*) ou moins probablement lat. *aura bisa,* vent noir.

2. **bise** V. BIS 1 et *biser,* à BAISER.

**biseau, biser** V. BIS 2, BAISER et BIS 1.

1. **bisette** V. BIS 1.

2. **bisette** 1327, Gay, « passementerie d'or et d'argent, dentelle » ; anc. fr. **biseter,* sertir, p.-ê. du moyen bas allem. *bisetten* ou *besetten,* garnir, ou de *bis* adj.

**bismuth** 1597, J. Bodin (*bisse-*) ; lat. des alchimistes *bisemutum* (1529), de l'allem. *Wismuth,* mot de l'Erzgebirge (Saxe) où ce métal fut d'abord exploité.

**bison** XIV^e s. ; lat. *biso, -ontis* (Pline, Sénèque), d'origine germ.

1. **bisque** 1600, Malherbe, « potage » ; orig. obscure.

2. **bisque** 1576, J. Le Houx, terme de jeu ; orig. inconnue, sans doute de *Biscaye.*

**bisquer** 1706, Brasey ; p.-ê. prov. *bisca,* de *bico,* bique, c.-à-d. « faire enrager ». || **bisque** v. 1850, « colère ».

**bissac** 1440, Ch. d'Orléans ; de *bis-* (deux fois) et de *sac.*

**bisse** 1694, Th. Corn., hérald. ; ital. *biscia,* serpent.

**bissectrice** V. SECTEUR.

**bissel** 1857, essieu de locomotive ; du nom de son inventeur, ingénieur américain.

**bissextile** 1549, J. Peletier (*-estil*) ; bas lat. *bisextilis* (VII^e s., Isid. de Séville), de *bisextus,* deux fois sixième jour intercalaire, le sixième avant les calendes de mars, doublé tous les quatre ans dans le calendrier julien. || **bissêtre** ou **bicêtre** 1611, Cotgrave (*bissêtre*), « malheur », c'est-à-dire « jour de malheur » ; de *bissexte* (XIII^e s., *Comput*), anc. forme de *bissextile,* ce jour étant considéré comme néfaste.

**bistoquet** 1691, Regnard, « masse de billard » ; lat. *bis,* deux fois, et *toquer,* heurter.

**bistorte** 1256, Ald. de Sienne ; lat. bot. *bistorta,* deux fois tordue, à cause de la conformation de la racine.

**bistouille** fin XIX^e s., Bruant ; mot du Nord, p.-ê. de *bis,* deux fois, et *touiller,* remuer.

**bistouri** 1462, Du Cange (*-orie*), fém., « poignard » ; 1564, Paré, chirurgie ; p.-ê. de *Pistoia,* nom de ville italienne (cf. *pistolet,* lancette de chirurgien, chez A. Paré). || **bistouriser** XVII^e s.

**bistourner** 1175, Chr. de Troyes ; réfection de *bestourner,* du préf. *bis,* deux fois, et de *tourner.* || **bistournage** 1836, Landais.

**bistre** 1503, J. Lemaire ; orig. inconnue. || **bistré** début XIX^e s. || **bistrer** 1834, Balzac.

**bistro** ou **bistrot** 1884, Moreau (*Souvenirs de la Roquette*), précédé de *bistingo* (1856, Goncourt), mot obscur apparenté à *bistouille* ou du poitevin *bistraud,* petit domestique, marchand de vin. || **bistrote** 1914, Esnault. || **bistroquet** 1926, Cendrars ; de *bistro* et *troquet.*

**bit** 1959 ; mot anglo-amér., de *binary digit,* « unité discrète de système binaire ».

**bitord** 1694, Th. Corn. ; de *bis,* deux fois, et du lat. *tortus,* tordu ; cordage mince en marine.

**bitte** 1382, texte de Rouen, mar. ; fin XIX^e s., sens pop. ; anc. scand. *biti,* poutre transversale de navire. || **bitter** 1643, Fournier, mar. ; 1844, sens pop. ; écrit aussi *biter.* || **bittable** ou **bitable** XX^e s. || **bitture** ou **biture** 1515, mar. ; *prendre une bitture,* 1842, La Bédollière, « s'enivrer », d'abord langue des marins. || **biturer (se)** 1834, Esnault.

**bitter** 1840, Briffault, « liqueur » ; néerl. *bitter,* amer (qui a donné *pitre* au XVIII^e s.). La liqueur vient de Hollande.

**bitume** 1130, *Eneas* (*betumoi*) ; 1549, Tagault (*bitume*) ; lat. *bitumen,* qui a donné aussi *béton.* || **bitumer** av. 1545, Fonteneau. || **bitumier** 1803, Boiste. || **bitumage** 1866, Lar. || **bitumineur** 1844, *Vrais Mystères de Paris.* || **bitumeux** fin XIII^e s. || **bitumineux** début XIV^e s. ; lat. *bituminosus.*

**biture** V. BITTE.

**biveau** 1568, G. (*buveau*), « instrument de tailleur de pierre » ; de **baïvel,* dér. de l'anc. fr. *baïf,* béant, de *baer,* ouvrir la bouche.

**bivouac** 1650, Ménage (*bivoie*) ; allem. de Suisse *Bîwacht,* patrouille supplémentaire de nuit, de *bî,* auprès de (allem. *bei*), et *Wacht,* garde. || **bivouaquer** 1792, Marat (*bivaquer*).

**bizarre** 1558, Des Périers (*bigearre,* encore au XVII^e s.) ; ital. *bizarro,* de l'esp. *bizarro,* brave, p.-ê. du basque *bizar,* barbe (symbole de la force). || **bizarrement** 1594, *Satire Ménippée.* || **bizarrerie** 1555, L. Labé. || **bizarroïde** v. 1920.

**bizut** ou **bizuth** 1843, Esnault ; du français du XVIe s. *bisogne,* jeune recrue d'origine espagnole. || **bizutage** v. 1945. || **bizuter** *id.*

**blabla** ou **blablabla** 1929, Claudel ; de *blaguer,* ou formation onomat. exprimant le bavardage incessant. || **blablater** 1952, Esnault. || **blablateur** 1952, Esnault.

**blache** 1842, *Acad.,* « variété de chêne », « type de plantation » ; mot dialectal, du gaulois **blacca,* jeune pousse.

**black-bottom** v. 1920 ; mot anglo-amér. signif. « fond noir » et désignant vers 1915 le quartier noir de certaines grandes villes, puis une danse.

**blackbouler** 1834, Mérimée (*black-bull*) ; 1838, Balzac (*blackboller*) ; angl. (*to*) *blackball,* rejeter avec une boule noire. || **blackboulage** 1866, H. de Villemessant.

**black-out** v. 1940 ; mot angl. signif. « obscurité totale ».

**black-rot** 1878, *Journ. d'agriculture ;* mot angl. signif. « pourriture noire ».

**blafard** XIVe s., J. Bruyant ; moyen allem. *bleichvar,* de couleur pâle, avec substitution de finale.

**blague** début XVIIIe s. ; dial., « vessie » (Boulonnais), puis « blague à tabac » ; 1809, Cadet de Gassicourt, « mensonge » ; néerl. *blagen,* se gonfler. || **blaguer** 1808, d'Hautel. || **blagueur** 1808, d'Hautel (même évolution dans « prendre des vessies pour des lanternes »).

**blair** V. BLAIREAU.

**blaireau** 1312, G. (*blarel*) ; anc. fr. *blaire, bler,* tacheté (le blaireau a une tache blanche à la tête), du francique **blāri,* confondu sans doute avec un mot gaulois ; a remplacé l'anc. fr. *taisson* (v. TANIÈRE) ; 1751, « pinceau en poil de blaireau ». || **blaireauter** début XIXe s., techn. || **blair** début XIXe s., abrév. de *blaireau,* d'après le museau allongé. || **blairer** 1914, Esnault, « sentir », surtout dans l'expression pop. fig. *ne pas pouvoir blairer quelqu'un.*

***blâmer** 1080, *Roland* (*blasmer*) ; lat. *blastemare* (*blastema,* dans une inscription), du lat. chrét. *blasphemare,* blasphémer, du gr. *blasphêmein ;* le sens s'est affaibli en passant dans la langue courante. || **blâme** 1080, *Roland ;* déverbal de *blâmer.* || **blâmable** 1260, Br. Latini.

**blanc** 1080, *Roland,* adj. ; *les Blancs,* 1791, polit. ; n. m., XVIe s., « point de mire » ; n. f., 1694, Th. Corn., note de musique ; francique **blank,* brillant (allem. *blank*), qui a remplacé le lat. *albus* (v. AUBE). || **blanc-bec** 1752. || **blanc-étoc** v. 1850 ; de *étoc,* du francique **stok,* souche, et ital. *stocco.* || **blanc-manger** XIIIe s., fabliaux. || **blanc d'œuf** XVe s., qui a remplacé *aubun* (*aubin*), issu du lat. *albumen.* || **blanc-seing** 1573, Barbier, qui a été précédé de *blanc-signé* (1454, Barbier). || **blanchir** 1220, Coincy, qui a eu aussi jusqu'au XVIIe s. le sens d'« échouer » ; v. 1980, *blanchir de l'argent.* || **blanchissage** 1539, R. Est. || **blanchiment** début XVIIe s. || **blanchissement** 1600, O. de Serres. || **blanchisseur** 1339, J. Richard (*-quisseur*) ; 1611, Cotgrave (*blanchisseur*) ; 1847, « avocat ». || **blanchisserie** 1671. || **blanchâtre** 1372, Corbichon. || **blanchaille** 1694, *Acad.* || **blancherie** 1636, Monet. || **blanchement** fin XIVe s. || **blanchard** XIIIe s., *Frégus.* || **blanchet** fin XIIe s. || **blancheur** XIIe s. || **blanchoyer** 1080, *Roland.* || **reblanchir** XIVe s.

**blandice** fin XIIIe s. ; lat. *blanditia,* de *blandus,* caressant ; employé surtout au plur.

**blanque** 1532, Rab. ; ital. *bianca,* adj. f., blanche, d'apr. la couleur du billet perdant.

**blanquette** 1600, O. de Serres, « vin blanc » ; prov. mod. *blanqueto,* adj. f. substantivé, dimin. de *blanc.* || **blanquette** [de veau] 1735, *Cuis. mod. ;* dimin. de *blanc.*

**blanquiste** 1871, G. Lefrançais ; d'*A. Blanqui* (1805-1881). || **blanquisme** 1870, L. Veuillot.

**blaps** fin XIIIe s. ; lat. des naturalistes, du gr. *blaptein,* nuire ; insecte noir vivant dans les lieux obscurs.

**blaser** 1608, Régnier, « user » (par les alcools) ; 1743, Trévoux, « émousser par des impressions fortes » (cf. lillois *blasé,* bouffi par l'alcool) ; néerl. *blasen,* souffler (en argot, *blasé,* enflé, 1837, Vidocq). || **blasement** 1834, Balzac.

**blason** fin XIIe s., *R. de Cambrai,* « armoiries sur le bouclier », « bouclier » ; 1505, Gringoire, « éloge, critique » ; orig. obscure. || **blasonner** fin XIVe s., *Cent Nouvelles nouvelles ;* sens fig., « critiquer », encore au XVIIe s. || **blasonnement** 1664. || **blasonneur** XIVe s.

**blasphème** 1190, *Saint Bernard ;* lat. chrét. *blasphemia* (Tertullien), du gr. *blasphêmia.* || **blasphémer** fin XIIe s. ; lat. chrét. *blasphemare,* du gr. *blasphêmein.* || **blasphémateur** 1390, Ph. de Maizières. || **blasphématoire** 1516, P. Desrey. (V. BLÂMER.)

**blasto-**, gr. *blastos,* germe. || **blastoderme** 1824 ; gr. *derma,* peau. || **blastogenèse** 1888, Lar. || **blastomère** 1877 ; gr. *mêros,* partie. || **blastomycètes** 1869, Sachs-Villatte ; gr. *mukês,* champignon. || **blastomycose** début XX^e s.

**blastula** 1896, Carlet et Perrier ; diminutif du gr. *blastos,* germe.

**blatérer** milieu XVII^e s. ; lat. *blaterare,* pour exprimer le cri du chameau.

**blatier** V. BLÉ.

**blatte** 1534, Rab. ; lat. *blatta.*

**blaude** V. BLIAUD.

**blazer** début XX^e s. ; angl. *blazer,* de (*to*) *blaze,* flamboyer, d'apr. les rayures à couleurs vives du vêtement.

**blé** 1080, *Roland* (*blet*) ; milieu XVI^e s., « argent » ; francique **blad* ou gaulois **blato* (gallois *blawd*), farine, qui ont dû désigner d'abord toute céréale. || **blatier** 1268, É. Boileau ; formé sur un dimin. **blaet.* || **emblaver** 1242, *Cart. de Metz* (*anblavei*), avec un *v* intercalaire ; 1573, Du Puys (*emblaver*). || **emblavure** XIII^e s., *Établissements de Saint Louis* (*emblaüre*).

**bled** 1905, Esnault ; ar. algérien *bled,* terrain, pays. || **blédard** 1926, Esnault.

**bleime** n. f., 1665, Colbert ; mot wallon, du néerl. *blein,* ampoule ; irritation du talon du cheval.

**blêmir** 1080, *Roland* (*bles-*), « blesser » ou « (se) flétrir » ; 1546, *Palmerin d'Olive,* « devenir pâle » ; francique **blesmjan,* de *bless,* pâle (« rendre pâle »), ou scand. *blâmi,* bleuâtre. || **blême** XIV^e s., déverbal. || **blêmissement** XII^e s.

**blende** 1751, *Encycl. ;* allem. *Blende,* minerai de sulfure de zinc.

**blennie** 1558 (*belenne*) ; gr. *blenna,* mucus, d'après la peau gluante de ce poisson (celui-ci a d'abord été désigné par le lat. scientifique *blennus*).

**blennorragie** fin XVIII^e s. ; gr. *blenna,* mucus, et *rhagê,* éruption. || **blennorragique** 1824.

**blépharite** XVIII^e s. ; gr. *blepharon,* paupière.

**bléser** début XIII^e s. ; anc. fr. *blois,* bègue, du lat. *blaesus.* || **blèse** 1866, Lar. || **blèsement** 1834, *Acad.* || **blésité** 1803, Boiste.

**blesser** XI^e s., *Gloses de Reichenau* (*blecier*), « amollir en frappant » ; francique **blettjan,* meurtrir (anc. allem. *bleizza,* tache produite par une meurtrissure). || **blessant** 1145, G. || **blessure** 1138, *Saint Gilles* (*bleceüre*).

**blet** fin XIII^e s. (*blette*) ; même rac. que *blesser* (francique **blet,* pâle). || **blettir** début XIV^e s. || **blettissement** 1826.

**blette** V. BETTE.

**bleu** début XII^e s. (*blef*) ; 1791, « républicain », à cause de la couleur de l'uniforme des soldats ; 1866, Delvau, « conscrit » ; *maladie bleue,* 1837 ; n. m., 1864, L., « coup » ; francique **blao* (allem. *blau*). || **bleuâtre** 1493, Delb. || **bleuet** 1380, *Invent. de Charles V* (*bluet*) ; 1549, Maignan (*bleuet*). || **bleuir** 1690, Furetière. || **bleuissage** 1852, Lachâtre. || **bleuissement** 1838, Raymond. || **bleuté** 1845. || **petit bleu** début XIX^e s., « vin léger de Suresnes » ; 1882, *le Gaulois,* « dépêche », à cause de sa couleur. || **bleusaille** 1865, L., arg. milit.

**bliaud** 1080, *Roland* (*blialt*) ; p.-ê. orig. germ. || **blaude** 1566, Du Pinet ; var. dial. fém. de *bliaud.*

**blinde** 1628, *Traité d'artillerie ;* allem. *blenden,* aveugler. || **blinder** 1678, passé dans la marine (*blinder un navire*) ; 1953, Lar., en radio. || **blindé** n. m., v. 1938 ; adj., 1881, arg., « ivre ». || **blindage** 1752, Trévoux ; XX^e s., milit.

**blinis** 1883 ; mot russe.

**blizzard** 1888, *J. O. ;* mot anglo-amér.

**bloc** XIII^e s., *Chron. de Rains,* bloc d'arbre ; néerl. *bloc,* tronc abattu ; 1813, Gattel, bloc de maisons, de l'angl. *block ;* 1866, Delvau, « salle de police ». || **bloc-cuisine** v. 1950. || **bloc-diagramme** 1959, Lar. || **bloc-moteur** 1909, *Omnia.* || **bloc-notes** 1888, Lar. ; angl. *block-notes,* feuillets formant bloc. || **bloc-eau** 1960, Lar. || **blochet** XVI^e s., G. || **bloquer** av. 1450, Gréban, « mettre en bloc » ; 1578, d'Aubigné, « investir », repris à *blocus ;* 1880, chemin de fer, repris à l'angl. || **blocage** 1547, J. Martin. || **blocaille** 1549, R. Est. || **bloquette** 1867, Lar. || **brocaille** 1852, Lachâtre ; altér. de *blocaille.* || **débloquer** 1588, Vaultier, sens large ; 1754, *Encycl.,* imprim. ; 1948, Lar., pour un compte. || **déblocage** 1819, Boiste. || **débloquement** 1838, *Acad.*

**block** forme allem. ou angl. de *bloc.* || **blockhaus** fin XVIII^e s., *Mém. de Bourgogne ;* allem. *Blockhaus,* maison (*Haus*) à poutres (*Block*). || **bloc-système** 1874, Malézieux, « système du tronçon de ligne » ; angl. *block-system,* inventé par Tyer en 1852, introduit en Angleterre vers 1860.

**blocus** 1376, *Regestes de Liège* (*blochus*), « maison à poutres » ; 1507, « fortin » (*blocquehuys*) ; XVIIe s., « investissement d'une place forte » ; néerl. *blokhuis,* même mot que *blockhaus.* || **déblocus** 1835, Stendhal.

**blond** 1080, *Roland,* et, au fig., « susceptible » jusqu'au XVIIe s. ; p.-ê. germ. **blŭnd.* || **blondasse** fin XVIIe s., Saint-Simon. || **blondeur** fin XIIIe s. || **blondin** 1650, Loret, « jeune galant ». || **blondinet** 1842. || **blondir** fin XIIe s., Alex. de Paris. || **blondissant** 1554, Du Bellay. || **blondoyer** XIIe s.

**blondin** 1923, « benne à fond mobile pour le transport du béton » ; du nom de *Blondin,* qui effectua la traversée du Niagara dans une benne de ce type.

**bloom** 1774, *Descript. des arts et métiers ;* mot angl. signif. « lingot d'acier ». || **blooming** 1859, *Soc. ing. civils ;* mot angl. désignant un laminoir.

**bloquer, bloquette** V. BLOC.

**blottir (se)** 1552, Ch. Est., « se réfugier » ; p.-ê. bas allem. *blotten,* écraser. || **blottissement** 1870, Goncourt.

1. **blouse** fin XVIe s., Fauchet, « cavité », terme de jeu de paume ; origine obscure. || **blouser** 1654, La Martinière, terme de jeu ; 1680, Richelet, « tromper ».

2. **blouse** 1788, *Invent. de Lassicourt,* « vêtement des ouvriers et des paysans » (jusqu'au milieu du XIXe s.) ; fin XIXe s., « vêtement de femmes » aussi ; p.-ê. orig. germ. ou du lat. *bullosa,* gonflé, de *bulla.* || **blouser** v. 1925. || **blousier** 1852. || **blouson** v. 1907, Colette.

**blousse** 1752, Trévoux, prov. mod. (*lano*) *blouso,* laine dépouillée, du germ. *bloz,* nu.

**blue-jean** 1949 ; mot anglo-amér. signif. « treillis bleu », de l'angl. *blue,* bleu.

**blues** début XXe s., mus. ; abrév. de *blue-devils* (1862, *Journ. des dames*), « diables bleus », c'est-à-dire en fr. « idées noires ».

**bluet** (bleuet) V. BLEU.

**bluette** début XVIe s., B. de La Grise (*belluette*) ; 1530, Marot (*bluette*), « étincelle », jusqu'au XVIIe s. ; 1797, Beaumarchais, « ouvrage sans prétention » ; dim. probable de l'anc. fr. *bellue.* || **bluetter** 1564, Thierry. (V. BERLUE.)

**bluff** 1840, Balzac, terme de jeu ; 1895, Bourget, sens actuel ; mot anglo-américain. || **bluffer** 1884, Laun, *Traité de poker.* || **bluffeur** 1895, Bourget.

**bluter** 1170, *Rois* (*buleter*) ; moyen néerl. *biutelen,* bluter ; ou métathèse de *buleter,* var. de *bureter,* v. BURE. || **blutage** 1546, Rab. || **bluteau** XIIe s. (*buletel*) ; 1462, *Cent Nouvelles nouvelles* (*bluteau*). || **bluterie** 1325, J.-B. Richard (*buleterie*). || **blutoir** 1325, J.-B. Richard (*buletoir*).

**boa** 1372, Corbichon, « serpent » ; 1827, *Journ. des dames,* « fourrure » ; lat. *boa,* serpent aquatique.

**bob** v. 1950, coiffure ; mot angl.

**bobard** 1908 ; altér., par substitution de finale, de *bobeau,* mensonge (fin XVIe s., Baïf), de l'onomat. *bob,* croisée avec une formation ironique *beau-beau* (1536, Calvin).

1. **bobèche** 1335, Delb., techn. ; 1878, Rigaud, « tête » ; orig. inconnue, p.-ê. de l'onomat. *bob,* comme *bobiné.* || **bobéchon** XIXe s.

2. **bobèche** 1836, Raymond, « pitre » ; de *Bobino,* nom d'un joueur de parades sous la Restauration ; du rad. expressif *bob-.* || **bobinard** v. 1900 ; du nom *Bobino,* théâtre populaire parisien, issu du précédent.

**bobelin** 1379, J. de Brie, « chaussure grossière » ; orig. obscure, p.-ê. rac. onomatop. *bob* (aspect bouffi et difforme). || **embob(e)liner** 1585, Cholières, envelopper d'un vêtement, puis tromper, même rac. || **embobiner** 1842, Mozin.

**bobine** 1410 ; 1870, Poulot, « figure », « moue » ; 1917, *le Temps,* en cinéma ; rac. onomat. *bob.* || **bobiner** 1680, Richelet. || **bobinage** 1809, *Arch. des découvertes.* || **bobinette** fin XVIIe s., Perrault. || **bobinoir** début XIXe s. || **bobineau** début XIXe s.

**bobo** 1440, Ch. d'Orléans ; redoublement expressif d'une onomatopée.

**bobsleigh** 1898, *Vie au grand air ;* mot angl., de *sleigh,* traîneau, et (*to*) *bob,* se balancer.

**bocage** 1138, *Saint Gilles* (*boscage*) ; mot normanno-picard, de **bosc,* forme primitive de *bois.* || **bocager** 1560, Ronsard.

**bocal** 1532, Rab. ; ital. *boccale,* bas lat. *baucalis,* du gr. *baukalis.*

**bocard** 1741, d'Hérouville ; allem. *Pochhammer,* marteau à écraser. || **bocarder** 1741, d'Hérouville. || **bocardage** 1802, *Journ. des Mines.*

**boche** 1887, Verlaine ; apocope de *Alboche* (avant 1870), issu de *Allemoche,* formation argotique de l'Est faite sur *Allemand,* le *b* étant dû à *caboche* et *tête de boche* (tête de bois).

**bock** 1855, Goncourt ; abrév. de l'allem. *Bockbier,* bière très forte, sans doute déformation de *Einbeckbier* (bière d'Einbeck, ville d'origine), prononcé *Ambockbier* par les Munichois et compris *ein Bockbier* (bière au bouc) dans le reste de l'Allemagne.

**body** fin XX^e s., justaucorps ; mot angl. signif. « corps ». || **body-building** 1980, sport.

**boëtte** ou **boitte** 1672, N. Denis (*bouette*), « déchets de poisson » ; breton *boued,* nourriture.

***bœuf** 1155, Wace (*buef*) ; *bœuf à la mode,* 1651, *Cuis. fr.* ; lat. *bos, bovis.* || **bouvet** 1305, G., dimin. de *bœuf* ; 1600, É. Binet, « rabot », par comparaison du rabot creusant la rainure avec le bœuf creusant le sillon. || **bouverie** fin XII^e s., Neckam (*boverie*). || **bouveteuse** 1929, Lar. || **bouvril** 1878, Lar. || ***bouvier** fin XI^e s., *Lois de Guill.* (*boverz*) ; lat. *bovarius,* de *bos.* || **bouvillon** fin XII^e s., Neckam. || **bouvreuil** 1743, Trévoux, remplaçant *bouvreur* (1700, Liger) ; de **bouvereuil,* dimin. anc. de *bouvier,* par métaphore (il n'est pas exact que le bouvreuil suive le laboureur) ; dans l'O. et le S.-O., on l'appelle *bœuf* ou *petit bœuf.*

**bof** v. 1960, onom.

**B. O. F.** v. 1944 ; abrév. de *Beurre, Œufs, Fromages.*

**bog** 1863, L., jeu de cartes où le *bog* représente une case et une combinaison gagnante ; orig. obscure.

**boghead** 1857, *Année sc. et industr.* ; du nom d'un village d'Écosse où furent trouvés les gisements de cette houille.

**boghei, boguey** ou **buggy** 1799, *Doc.* (*bockei*) ; angl. *buggy,* sorte de cabriolet.

**bogie** ou **boggie** 1843, *Journ. des chemins de fer* (*bogie*) ; angl. *bogie,* mot dial. du Nord.

1. **bogue** 1562, Du Pinet, « poisson » ; prov. *boga,* du lat. *boca.*

2. **bogue** 1863, L., « anneau de fer » ; ital. du Nord *boga,* issu du longobard **bauga,* anneau.

3. **bogue** 1555, Belon, « enveloppe de châtaigne » ; 1598, Villamont, « enveloppe de graines » ; mot de l'Ouest, du breton *bolc'h,* capsule de lin.

**bohème** 1372, Corbichon, « habitant de la Bohême » ; 1694, *Acad.,* fig., « vie de bohèmes ». || **bohémien** 1467, Du Cange, « de Bohême » ; 1561, *Édit,* « nomade en roulotte ».

***boire** X^e s., *Saint Léger* (*bevvre*), devenu *boivre* ; n. m., fin XII^e s. ; lat. *bĭbĕre,* boire, avec les radicaux *buv-* ou *beuv-* (de *bevons* devenu *buvons*), *breuv-* (anc. infinitif *beivre, brev-*). || **beuverie** XII^e s. (*beverie*), qui semble avoir disparu au XVII^e s., pour être repris au XIX^e s. || **buvable** XIII^e s., Legouais (*bevable*). || **buvée** 1220, Coincy (*bevée*). || **buvard** 1828, *Journ. des dames.* || **buvarder** v. 1900. || **buvette** 1539, R. Est., « petit vin » ; 1708, Furetière, « réunion où on boit » ; 1680, Richelet, « local ». || **buvetier** 1585, N. Du Fail. || **buveur** XIII^e s., G. (*beveor*) ; *buveur de sang,* qualificatif injurieux désignant les Montagnards après la Révolution. || **breuvage** fin XII^e s., *Loherains.* || **imboire** 1507, La Chesnaye des Bois ; refait sur *imbu* ; lat. *imbibere.* || **imbuvable** 1600, O. de Serres, « non buvable » ; XX^e s., fig. || **imbu** 1460, Chastellain, « versé dans un vase » ; milieu XIV^e s., fig. || **pourboire** 1740, de Brosses. || ***boisson** XIII^e s., R. de Blois ; bas lat. *bibitio* (VII^e s.), *bibitionis,* de *bibere.* || **boissonner** 1821, Cuisin. || **déboire** 1468, Chastellain, « arrière-goût d'une boisson », puis « arrière-goût désagréable » (jusqu'au XVIII^e s.) ; XVI^e s., L., fig. || **boit-sans-soif** 1872.

**bois** 1080, *Roland,* « groupe d'arbres » ; d'un rad. *bosc-* (lat. *boscus,* X^e s., v. BOCAGE), d'orig. germanique (allem. *Busch,* buisson, XI^e s.) ; le sens de « matière ligneuse », qui a éliminé l'anc. fr. *leigne* (lat. *lignum*), est ancien, et peut être dû à l'influence d'un radical voisin. || **boiser** 1671, « garnir avec du bois » ; 1829, « garnir d'arbres ». || **boisage** 1610, ms., « ensemble de boiseries » ; 1796, Duhamel, terme de mine. || **boisement** 1723. || **boiserie** fin XVII^e s., Saint-Simon. || **boiseur** 1796, *Journ. des Mines.* || **déboiser** 1842, Mozin. || **déboisement** 1842, Mozin. || **reboiser** 1845, Besch. || **reboisement** 1838, Milleret. (V. BOCAGE, BOQUETEAU, BOSQUET, BOUQUET, BÛCHERON, BUISSON.)

***boisseau, boisselage, boisselée, boisson** V. BOÎTE, BOIRE.

***boîte** XII^e s., *Roncevaux* (*boiste*) ; lat. pop. *bŭxida* (X^e s.), ou *buxita,* lat. class. *pyxis,* du gr.

*puxis,* boîte de buis (acc. *puxida*). || *boisseau 1268, É. Boileau (*boissiel*) ; du lat. pop. **buxitellum* ou *buxitielium,* ou, moins probablement, d'un rad. gaulois. || **boisselée** 1295, *Fabliau.* || **boisselage** 1389, G. || **boisselier** 1338. || **boissellerie** 1751, *Encycl.* || **boîtard** 1320, G. || **boîtier** milieu XIIIe s. || **boîtillon** 1788, *Encycl. méth.* || **déboîter** milieu XVIe s., « enlever de la boîte » ; 1870, Lar., « changer de file ». || **déboîtement** 1530, Palsgrave. || **emboîter** 1328, G. || **emboîtage** 1787, Le Gentil. || **emboîtement** 1606, Crespin. || **remboîter** 1307, Guiart. || **remboîtement** 1636, Monet.

**boiter** 1538, R. Est. (*boister*) ; de *boîte* (cavité d'un os) ou de *bot* (*pied bot*), influencé par *boîte.* || **boitement** 1539, R. Est. || **boiterie** 1803, Boiste. || **boiteux** 1226 (*boistous*). || **boitillement** 1866, Lar. || **boitiller** 1866, Lar.

**boitte** V. BOËTTE.

1. **bol** milieu XIIIe s. (*bole*), « pilule » ; lat. méd. *bolus,* du gr. *bôlos,* motte, bouchée. || **bolaire** 1771, Trévoux.

2. **bol** 1653, Mackenzie (*bowl*), « récipient » ; 1800, Boiste (*bol de ponche*) ; angl. *bowl.* || **bolée** 1885 (*bolée de cidre*).

**bolchevik** 1903, *Congrès du parti ;* mot russe signif. « qui adhère à la majorité du parti social-démocrate », opposé à *menchevik,* traduits avant la Première Guerre mondiale par *maximaliste* et *minimaliste.* || **bolcheviser** 1920, J. Maxe. || **bolchevisation** 1924. || **bolcheviste, bolchevique** 1917. || **bolchevisme** 1917.

**boldo** 1877, L. ; mot esp. désignant un arbuste du Chili.

**bolduc** 1868, Souviron ; altér. de *Bois-le-Duc,* appelée souvent *Bolduc* aux XVIIe-XVIII[e] s., ville de Hollande où l'on fabriquait ce type de ruban.

**boléro** 1804, *Journ. des dames,* « chanson espagnole », « danse » ; fin XIXe s., « vêtement espagnol », « vêtement féminin » ; esp. *bolero,* danseur, puis danse, de *bola,* boule.

**bolet** début XIVe s. ; lat. *boletus,* champignon à pied charnu.

**bolide** 1548, Rab., « sonde » ; XVIe s., « jet, éclair, pierre tombée du ciel » ; XIXe s., « engin rapide » ; lat. *bolis, -idis,* n. f., du gr. *bolis, -idos,* sonde, jet, et en bas grec « éclair ».

**bolivar** 1819, *Observ. des modes ;* du nom de *Bolivar* (1783-1830), libérateur de l'Amérique du Sud ; ce chapeau haut de forme à larges bords était à la mode chez les libéraux, vers 1820.

**bolomètre** 1888, Lar. ; gr. *bolê,* trait, et *mètre ;* appareil électrique inventé par Langley en 1881.

**bombagiste** V. BOMBE 2.

**bombance** fin XIe s., *Lois de Guill.* (*bobance*), encore en 1642, chez Oudin ; 1530, Palsgrave (*bombance*), « orgueil, faste », puis « repas fastueux » ; du lat. *bombus,* bruit, acclamations, ou du rad. onomat. *bob-,* gonflé. || **bombe** fin XIXe s. ; abrév. de *bombance* ou esp. *bomba,* ébruité.

**bombarde** XIVe s., « machine de guerre » ; 1413, « instrument de musique » ; lat. *bombus,* bruit sourd. || **bombarder** 1515, Du Redouer, « lancer avec une bombarde » ; milieu XVIIIe s., « nommer » ; XXe s., repris par l'aviation. || **bombardement** 1697, Surirey, même évolution. || **bombardier** 1428, Chastellain ; 1951, Lar., aviation. || **bombardon** XIXe s., « instrument de musique ».

**bombasin** V. BASIN.

1. **bombe** [ripaille] V. BOMBANCE.

2. **bombe** 1640, Oudin, « projectile » ; 1807, *Alm. des gourmands,* « pâtisserie » ; ital. *bomba,* du lat. *bombus,* boulet. || **bombé** 1690, Furetière, d'apr. la forme de la bombe. || **bomber** 1701, Furetière. || **bombement** 1694, Th. Corn. || **bombagiste** 1878, Lar., « qui donne une forme courbe ».

**bombyx** 1508 (*bombiche*) ; 1593, Bauhin (*bombyx*) ; lat. *bombyx, -icis,* du gr. *bombux,* ver à soie.

***bon** Xe s. (*buon*) ; XIe s. (*buen*) ; *bon,* forme habituelle en position protonique, l'a emporté ; n. m., fin XVIIe s., Saint-Simon, finances ; lat. *bŏnus.* || **bonnement** XIIIe s., G. || **bonbon** 1604, G. d'Héroard, médecin du dauphin ; redoublement expressif de *bon.* || **bonbonnière** fin XVIIIe s. || **bonbonnerie** 1804, *Alm. des gourmands,* « commerce des bonbons ». || **bon-henri** 1545, Guéroult, horticulture. || **bonhomme** milieu XIIe s., « nom propre » ; XIVe s., « paysan » ; XVIe s., « homme de bien » (jusqu'au XVIIe s.) ; fin XIXe s., pl. pop. *bonhommes.* || **bonhomie** 1736. || **bonard** ou **bonnard** milieu XXe s. || **boni** XVIe s., *Cout. Saint-Omer,* jurid. ; lat. *aliquid boni,* quelque chose de bon. || **bonifier** milieu XVe s. ; lat. *bonificare ;* 1712, Barbier, financier, d'après *boni.* || **bonification** 1584, De Lurbe ;

1712, Barbier, financier. || **bonjour** XIIIe s., G., n. m. ; 1740, *Acad.,* formule de salutation par ellipse de *souhaiter le bon jour ;* XIXe s., a pris la place de *bonsoir* et se dit en s'abordant à n'importe quelle heure. || **bonne** 1708, Saint-Simon (*sa petite bonne*) ; au XVIIe s., on disait *ma bonne, ma chère bonne,* devenu ensuite un terme d'affection employé par les enfants à l'égard des domestiques. || **bonniche** 1863 ; de *bonne* avec un suffixe argotique. || **bon-papa, bonne-maman** 1822, termes enfantins. || **bonsoir** fin XVe s., O. de La Marche, n. m. ; 1524, *Sotie,* « formule de salutation, par ellipse de *souhaiter le bon soir* », s'employait quand on s'abordait après midi, auj. pour prendre congé. || **bonté** XIIe s., G. ; lat. *bonitas, -itatis.* || **bonus** 1930. || **bonus-malus** v. 1970. || **abonnir** fin XIIe s., R. de Moiliens. || **rabonnir** XIIIe s., G.

**bonace** fin XIIe s., *Mir. de Sardenai ;* prov. *bonassa,* du lat. pop. *bonacia,* réfection du lat. *malacia,* du gr. *malakia,* de *malakos,* mou, senti comme un dér. de *malus,* mauvais.

**bonapartiste** 1816, Courier, « partisan de l'Empire » ; de *Bonaparte.* || **bonapartisme** 1816, Courier.

**bonard** V. BON et BONNET.

**bonasse** fin XIIIe s., « calme » au propre et « débonnaire » au fig. ; XVIIe s., seul le second sens ; ital. *bonaccio,* (mer) calme. || **bonassement** 1770, Rousseau. || **bonasserie** 1840, Balzac.

**bonbon** V. BON.

**bonbonne** 1823, Lenormand ; prov. mod. *boumbouno,* du lat. *bombus,* gonflé (v. BOMBE 2).

**bon-chrétien** 1466, Baude ; lat. *poma panchresta,* calque du gr. *pankhrêston,* utile à tout, refait sur *christianus,* chrétien. Louis XI aurait donné ce nom à cette poire apportée d'Italie par saint François de Paule.

**bond** V. BONDIR.

**bonde** 1269, *Cart. Saint-Vincent de Laon,* « borne » ; 1373, trad. de P. Crescens, « trou d'écoulement » ; gaulois **bunda,* reconstitué d'apr. l'irlandais *bonn,* plante du pied, base ; ou lat. pop. **bombita* (v. BONDIR). || **bonder** 1483, Joubert ; 1835, *Acad.,* « remplir complètement ». || **bondon** fin XIIIe s., Macé de La Charité ; 1836, Landais, « fromage ». || **bondieu** 1819, Boiste, « coin en bois » ; de *bondail* qui l'a précédé au XIIIe s. (jusqu'au XVIe s.), dér. de *bonde* refait sur *bon Dieu.* || **débonder** XVe s., « ouvrir un tonneau » ; 1580, Montaigne, « épancher son cœur ».

**bondieu** V. BONDE.

**bondieusard** 1861, Vallès ; de *bon Dieu.* || **bondieuserie** *id.*

***bondir** 1080, *Roland,* « retentir » (jusqu'au XVIe s.), et « sauter » ; lat. pop. **bombitīre* (IVe s.), var. de *bombitare,* fréquentatif de *bombire,* résonner, de *bombus,* bombe. || **bond** 1390, Chr. de Pisan ; déverbal de *bondir.* || **bondissant** 1512, J. Lemaire. || **bondissement** 1379, J. de Brie, « retentissement » (jusqu'au XVIe s.) ; 1547, Maudent, « action de faire un bond ». || **faux bond** XVIe s., terme de jeu de balle. || **rebondir** 1170, *Rois,* « retentir » ; XIIIe s., « sauter de nouveau ». || **rebondissement** 1395, Chr. de Pisan. || **rebond** fin XVIIe s., « contrecoup » ; XXe s., « rebond d'une balle ».

**bondon** V. BONDE.

**bondrée** 1534, espèce de buse ; breton *bondrask,* grive.

**bonduc** 1705, Trévoux ; ar. *bonduq,* mot hindi.

**bongeau** 1751, *Encycl.,* « couple de bottes de lin » ; anc. fr. *bonge,* botte (XIIIe s.), mot picard et wallon, du flamand *bondje,* faisceau, diminutif de *bond,* lien (allem. *Bund*).

**bonheur, bonhomme, boni, bonifier** V. HEUR, BON.

**boniment** 1827, *Cartouche,* argot ; de *bonnir,* dire (1828, Vidocq), « en dire de bonnes ». || **bonimenter** 1833, Larchey. || **bonimenteur** fin XIXe s. || **bonisseur** 1866, Delvau.

**bonite** 1525, A. Fabre ; mot du S.-O., du bas lat. *bonito(n),* espèce de thon, par l'interm. de l'esp. *bonito.*

**bonjour, bonne** V. BON.

**bonnet** 1160, *Charroi de Nîmes,* « étoffe à coiffure » ; 1401, « coiffure », au moment où l'usage du bonnet prit une grande extension ; *gros bonnet,* 1846, Reybaud ; lat. médiév. *abonnis* (VIIe s., *Loi salique*), p.-ê. d'orig. germ. || **bonard** 1791, *Encycl. méth. ;* suffixe *-ard.* || **bonnette** 1382, G., spécialisé par métaph. dans des sens techn. || **bonneter** 1550, Ronsard, « donner des coups de bonnet ». || **bonneterie** XVe s., *Métiers de Blois.* || **bonnetier** 1469, *Archives.* || **bonneteau** 1708, Fr. Michel, « petit bonnet », et arg. || **bonneteur** début XVe s., « filou » par métaphore. || **bonnichon** 1867,

Delvau, « petit bonnet », syn. ensuite de « bonard ».

**bonniche, bonsoir, bonté, bonus** V. BON.

**bonze** 1570, Belleforest ; port. *bonzo,* du japonais *bozu.* || **bonzerie** 1852, Lachâtre.

**boogie-woogie** v. 1940 ; mot anglo-amér., d'orig. obscure, désignant en 1930, à Chicago, une danse.

**bookmaker** 1855 ; mot angl. signif. « faiseur de carnets de paris » ; abrégé en *book* (1854).

**boom** 1885, Grancey ; mot anglo-amér. signif. « détonation » ; orig. onomat.

**boomerang** 1857, *Magasin pittoresque ;* mot angl. d'une langue indigène de l'Australie (*wo-mur-rang*).

**booster** 1934 ; mot anglo-amér. signif. « accélérateur ».

**bootlegger** 1928, Lar. ; mot anglo-amér. signif. « celui qui cache sa bouteille dans sa botte » (1889).

**boots** v. 1965 ; mot angl. signif. « bottes ».

**boqueteau** 1360, Froissart (*bosquetel*) ; de *boquet,* var. normanno-picarde de *bouquet.*

**boquillon** fin XII^e s., *Aliscans* (*bochillon*) ; forme picarde de **bosc-,* forme primitive de *bois.*

**bora** 1818, « vent d'hiver d'Adriatique » ; mot slovène de la même rac. que *bourrasque.*

**borasse** 1842, *Acad. ;* gr. *borassos,* datte.

**borax** 1256 (*borrache*) ; 1540, Rab. (*bourach*) ; lat. médiév., de l'ar. *bawraq,* lui-même du persan *būrak.* || **borate** 1787, Guyton de Morveau. || **boraté** 1826, Mozin. || **boracique** 1801, Brochant. || **bore** 1808, date de la découverte. || **borique** 1818, Riffault. || **boriqué** 1878.

**borborygme** 1560, Paré ; gr. *borborugmos.*

**bord** 1112, *Saint Brendan* (*bort*) ; 1866, Lar., polit. ; francique **bord,* bord de vaisseau. || **bordage** XV^e s., G., « bord » ; 1669, La Fontaine, « action de border ». || **bordure** XIII^e s., G. || **bordée** 1546, Jal, en mar. ; *tirer une bordée,* 1833, Vidal. || **border** 1170, *Fierabras.* || **bordereau** 1493 (*bourdrel*) ; 1539, R. Est. (*bordereau*). Le rapport avec *bord* n'est pas clair : un relevé placé sur le bord, d'où bande de papier ou registre du *bordier.* || **bordier** 1687, Desroches, adj., mar., ou « qui borde un chemin ». || **abord** 1468, Chastellain, « action d'aborder » ; 1530, C. Bucher, plur. ; déverbal ; *d'abord,* XVI^e s. || **abordable** 1542, Du Pinet. || **abordage** 1553, Belon, sens général ; 1634, Cleirac, mar. || **aborder** fin XIII^e s., Guiart, mar. || **abordeur** 1798, Kemna, mar. || **débord** 1558, J. Du Bellay ; déverbal. || **débordement** XV^e s., G., « fait de déborder » ; 1654, G. de Balzac, fig. || **déborder** milieu XIV^e s. || **inabordable** 1611, Cotgrave, « où on ne peut aborder » ; 1679, Retz, fig. || **plat-bord** 1606, Nicot, mar. || **rebord** 1642, Oudin, déverbal. || **reborder** 1476, Delb. || **rouge-bord** 1665, Boileau. || **transborder** 1812, Mozin. || **transbordement** 1812, Mozin. || **transbordeur** fin XIX^e s. Le premier fut construit en 1898.

**borde** 1138, *Saint Gilles ;* francique **borda,* cabane de planches, rac. *bord-,* planche. || **bordel** XII^e s., « petite cabane » ; v. 1200, J. Bodel, « maison de prostitution », sens qui s'est imposé au XVI^e s. ; prov. ou ital. *bordello,* remplaçant *bourdeau,* dér. de *borde.* || **bordelier** XIII^e s. || **bordélique** 1719, Gueudeville. || **bordéliser** v. 1950. || **bordier** fin XI^e s., *Lois de Guill.,* « métayer ».

**bordeaux** 1800, Berchoux, « vin » ; du nom de la ville.

**bordigue** 1613, Nostredame ; prov. *bordiga,* sans doute d'orig. gauloise ; enceinte en clayonnage destinée à garder le poisson, au bord de la mer.

**bordj** 1820, Volney ; ar. *burdj,* fortin.

**bore** V. BORAX.

**borée** XV^e s., « vent du nord » ; lat. *boreas,* du gr. || **boréal** 1495, J. de Vignay ; *aurore boréale,* 1640, Gassendi ; bas lat. *borealis* (V^e s., Avienus).

**borgne** 1180, Marie de France ; aussi sens de « louche » en anc. fr. ; sans doute d'une rac. prélatine *born-,* trou. || **bornoyer** 1240, G. de Lorris. || **éborgner** XII^e s., *Horn.* || **éborgnage** 1835, *Maison rustique.* || **éborgnement** 1600, O. de Serres.

**borin** ou **borain** 1803, Boiste ; de *bor(a)in,* du Borinage, mot wallon. || **borinage** 1864, L.

***borne** 1160, Benoît (*bodne*) ; var. *bosne, bonne,* d'où *abonner ;* 1539, R. Est. (*borne*) ; lat. médiév. *bodīna, bŭtina,* arbre frontière (*Loi des Ripuaires* et *Gloses*) ou borne frontière (XI^e s.), p.-ê. d'orig. gauloise ; le *r* du fr. peut s'expliquer par une forme du Midi, où le *d* latin serait devenu un *z,* passé à *r* devant *n.* || **borner** XII^e s. (*bonner*) ; XIV^e s. (*borner*). || **bornage** 1260 (*bonnage*). || **aborner** XVIe s. || **abornement** 1611, Cotgrave. (V. aussi ABONNER.)

**bornoyer** V. BORGNE.

**borraginacée** 1775, Bomare (*-ginée*) ; lat. *borrago, -ginis,* bourrache.

**borsalino** v. 1930 ; du nom d'un chapelier italien.

**bort** 1899, Lar. ; angl. *bort,* sorte de diamant.

**bortsch** 1863 ; mot russe.

**boscot** 1808, d'Hautel ; altér. argotique de *bossu.* || **bossuer** 1564, J. Thierry. || **débosseler** 1838, *Acad.* || **débosser** 1683, Le Cordier. || **embosser** 1688, Ducasse. || **embossage** 1792, Romme.

**bosel** fin XVIe s., du Bartas ; ital. *bozzello,* de *bozzo, -a,* pierre en saillie, moulure, de même rac. que *bosse.*

**bosquet** fin XIIe s., *Aiol ;* ital. *boscetto,* petit bois (*bosco*).

**boss** 1869, Dixon ; anglo-amér. *boss,* patron, chef de parti, du néerl. *baas,* maître, patron.

**bosse** 1160, *Charroi de Nîmes* (*boce*) ; p.-ê. francique **bôtja,* coup, puis « tumeur provoquée par un coup », déverbal de *botan,* frapper (qui a donné *bouter*). || **bossage** 1627, techn. || **bosseler** XIIe s. || **bosselage** 1718, *Acad.* || **bosselure** 1560, Paré. || **bosser** début XVIe s., mar. ; de *bosse,* « cordage » ; 1878, Esnault, « travailler » (abrév. de *bosser du dos*), de « être courbé ». || **bossette** fin XIIe s., diminutif. || **bossoir** 1678, Guillet. || **bossu** 1138, *Saint Gilles,* qui a eu aussi le sens de « monstrueux » jusqu'au XVIIe s.

**boston** 1800, Boiste, « jeu » ; 1882, *la Vie élégante,* « danse » ; de la ville de *Boston.* || **bostonner** 1836, Balzac.

**bostryche** 1762 ; gr. *bostrukhos,* boucle de cheveux, à cause de son corselet couvert de poils.

**bot** XIIe s. ; germ. **butta,* émoussé, même mot que l'anc. fr. *bot,* crapaud.

**botanique** 1611, Cotgrave ; gr. *botanikê,* adj. f., de *botanê,* herbe, plante. || **botaniste** 1676, *Journ. des savants.*

**bothriocéphale** 1864 ; gr. *bothrion,* petite cavité, et *kephalê,* tête.

1. **botte** [de paille] fin XIIe s. ; moyen néerl. *bote,* touffe de lin. || **botteler** 1328, Delb. ; du diminutif *botel* (XIVe-XVII[e] s.). || **botteleur** 1391, G. || **botteleuse** fin XIXe s., machine. || **bottelage** 1351, G.

2. **botte** fin XIIe s., *Aiol* (*bote*), « chaussure », même mot que le moyen fr. *bot,* sabot (XVe-XVI[e] s.) ; il a désigné d'abord une chaussure grossière ; orig. obscure, p.-ê. de *bot.* || **bottine** 1367, Delb., « jambière ». || **bottier** XVe s., Delb. || **bottillon** 1863, L. || **botter** XIIIe s. ; 1856, Flaubert, « convenir », pop. ; XXe s., « donner un coup de pied ». || **débotter** fin XIIe s., R. de Moiliens. || **débotté (au)** 1701, Furetière.

3. **botte** [d'escrime] fin XVIe s., Brantôme ; ital. *botta,* coup, de même rac. que *bouter.*

**botteler, botter, bottier, bottine** V. BOTTE 2.

**botulique** 1878, Littré ; gr. *botulos,* boudin (empoisonnement par viandes avariées). || **botulisme** 1879, *Journ. de méd.*

**boubou** 1866, Lar. ; nom du singe en malinké (langue de Guinée). Une coutume voulait que les arrière-grands-pères portent comme vêtement extérieur la peau d'un singe ; on a donné le nom de *boubou* au grand vêtement que portent les hommes dans l'habillement actuel.

**boubouler** 1829, Boiste ; onomat.

**bouc** début XIIe s. ; gaulois **bŭcco,* qui a éliminé le lat. *caper.* || **bouquin** 1459, Delb., « de la nature du bouc » (encore au XVIIe s.) ; 1549, R. Est., « vieux bouc » ; 1792, Trévoux, « livre ». || **boucage** 1701, Furetière, à cause de l'odeur de la plante. || **boucaut** 1268, É. Boileau, « outre en peau de bouc », puis « tonneau ».

1. **boucan** 1624, *les Ramoneurs,* « lieu de débauche » ; 1790, *Jean Bart,* « bruit » ; ital. *baccano,* tapage et lieu de débauche, du lat. *bacchanal,* avec infl. de *bouc* (symbole de la débauche) ; ou de *boucaner,* « faire le bouc ».

2. **boucan** 1578, J. de Léry, « viande fumée » ; du tupi-guarani *mukem.* || **boucaner** 1546, Rab. || **boucanage** 1845, Lachâtre. || **boucanier** v. 1650.

**boucaut** V. BOUC.

**boucharde** 1600, É. Binet ; p.-ê. forme francisée de *bocard,* sous l'infl. de *bouche.*

***bouche** 1050, *Alexis ;* lat. *bŭcca,* joue, bouche (dans la langue fam.), qui a éliminé *os, oris.* || **bouche-à-bouche** XIIe s. ; 1950, méd. || **bouchée** début XIIe s., « quantité d'aliments » ;

1810, *Alm. des gourmands,* « pâtisserie » ; peut remonter au lat. pop. || **boucheton (à)** XV^e s., Du Cange. || **aboucher** XIV^e s., *Miracles de N.-D.,* « faire tomber sur la bouche » ; XVI^e s., « adresser la parole, mettre en rapport ». || **arrière-bouche** 1826, Mozin. || **déboucher** 1539, R. Est., « sortir d'un lieu resserré ». || **débouché** n. m., 1723, Savary. || **débouchoir** 1754, *Encycl.* || **emboucher** 1273, *Cart. de Pontieu* (*emboukié*). || **embouchoir** 1558, Des Périers. || **embouchure** 1360, Froissart, « orifice » ; début XVIII^e s., mus.

1. **boucher** 1272, Joinville ; anc. fr. *bousche,* touffe d'herbe, de paille, propr. « fermer avec une touffe », du lat. pop. **bosca,* même rac. que *bois.* || **bouché** 1690, Fur., fig. || **boucheur** 1550. || **bouche-trou** fin XVII^e s., terme de peint. ; 1781, Beaumarchais, sens actuel. || **bouchoir** 1553, Delb. || **bouchon** fin XIII^e s., Rutebeuf, « buisson » ; fin XIV^e s., « bouchon à baril » ; 1598, G. Bouchet, « cabaret », de la touffe de feuillage qui servait d'enseigne ; 1842, *Français peints par eux-mêmes,* XVII^e s., fig., caresse, d'après *bouchonner ;* XX^e s., circul. autom. || **bouchonnement** 1852, Lachâtre. || **bouchonner** XV^e s., « chiffonner » ; XVII^e s., fig., « caresser ». || **bouchonnier** 1763, *Encycl.* || **déboucher** fin XIII^e s., Joinville, « enlever ce qui bouche ». || **reboucher** début XV^e s.

2. **boucher** n. m., fin XII^e s., *Aiol* (fém. *bouchiere*) ; de *bouc,* c'est-à-dire celui qui vend de la viande de bouc, qui a éliminé l'anc. fr. *maiselier* (lat. *macellarius*). || **boucherie** 1190, *Huon de Bordeaux ;* 1512, J. Lemaire, fig.

**bouchon** V. BOUCHER 1.

**bouchot** XIV^e s., « parc pour emprisonner le poisson » ; mot poitevin, lat. médiév. *buccaudum,* du lat. pop. **buccale,* de *bucca,* bouche (prov. *boucau*). || **bouchoteur** 1866, Lar.

***boucle** fin XI^e s., « bosse de bouclier » ; XIII^e s., « anneau métallique » ; XVII^e s., fig., « boucle de cheveux » ; lat. *buccula,* petite joue, de *bucca,* joue. || **bouclage** 1841, Esnault, « mise sous clé » ; 1960, *le Monde,* milit. || **bouclette** XII^e s., G. de Saint-Pair, « petit anneau ». || **boucler** 1440, G., « munir d'un anneau » ; 1546, Rab., « enfermer » ; 1835, à propos des cheveux ; 1960, milit. || **bouclement** 1658, Thévenin. || **bouclerie** 1268, É. Boileau. || **déboucler** 1160, Benoît (*desbo-*), « enlever la bosse du bouclier ». || **reboucler** XVII^e s.

**bouclier** 1080, *Roland* (*bucler*) ; XIII^e s. (*boclier*), avec changement de suffixe ; abrév. de *escu bocler,* bouclier garni d'une bosse, du lat. pop. **buccularis,* de *bucca.*

**boucon** fin XIII^e s., « bouchée » (jusqu'au XVI^e s.), et par euphémisme « poison », jusqu'au XVII^e s. (*Acad.,* 1694) ; ital. *boccone,* bouchée.

**bouddhisme** 1824, Senancour ; de *Bouddha.* || **bouddhique** 1831, Klaproth. || **bouddhiste** 1782, Sonnerat.

**bouder** XIV^e s., *Passion ;* sans doute formation expressive remontant p.-ê. au lat. *bulla,* bulle. || **bouderie** 1690, Furetière. || **boudeur** 1680, Richelet. || **boudoir** début XVIII^e s., formation ironique.

**boudin** 1268, É. Boileau ; orig. obscure, p.-ê. du rad. onomat. *bod-,* idée d'enflure : le premier sens semble être celui de « enflé » (anc. fr. *boudine,* gros ventre, nombril). || **boudiné** milieu XVIII^e s. || **boudiner** début XIX^e s. || **boudinage** 1842, *Acad.* || **boudineuse** 1877. || **boudinière** 1669, Widerhold.

**boue** 1170, *Rois* (*boe*) ; gaulois **bawa* (gallois *baw*). || **boueux** adj., fin XII^e s., R. de Moiliens. || **boueur** n. m., 1563, Delb. ; 1808, d'Hautel, pron. pop. *boueux.* || **bouillasse** fin XIX^e s. ; de *boue* et *bouillie.* || **ébouer** 1864, *Presse scientifique.* || **éboueur** 1870, Lar., qui s'est substitué dans le vocabulaire administratif à *boueur.*

**bouée** fin XIV^e s. (*boue*) ; 1483, Garcie (*bouée*) ; rac. germ. *bauk-,* signal (anc. haut allem. *bouhhan ;* néerl. *baken,* bouée).

**bouette** V. BOËTTE.

**bouffe** 1791, *Encycl. méth.* (*scène buffe*), mus. ; 1824, Carmouche (*opéra bouffe*) ; ital. *buffo,* plaisanterie, dans *opera buffa.* || **bouffon** 1530, Marot ; ital. *buffone,* de même rac. || **bouffonner** 1549, Rab. || **bouffonneur** 1580, de La Porte. || **bouffonnerie** 1539, Cl. Gruget.

**bouffer** fin XII^e s., *Tristan,* « souffler en gonflant ses joues » (jusqu'au XVII^e s.) ; XV^e s., « gonfler » ; XVI^e s., pop., « manger gloutonnement en gonflant ses joues », d'après *bouffeur* (glouton) ; forme expressive d'orig. onomatop. (**buff,* gonflé). || **bouffant** fin XV^e s., *Anc. Poés. fr.* || **bouffée** XII^e s., *Conquête de Jérusalem.* || **bouffette** [de soie] 1409, G. || **bouffarde** 1821, Ansiaume. || **bouffarder** *id.* || **bouffir** 1265, J. de Meung. || **bouffi** 1546, Rab. || **bouffissure** 1582, Liébault. || **bouffe** 1611, gonflement des joues ; début XX^e s., « nourriture » ; déverbal de *bouffer.* || **bouffetance** v. 1930, fam. || **boustifaille** 1819, Balzac, à côté de *boustiffer ;* altér. expressive de *bouffaille,* dér. de *bouffer.* || **boustifailler** 1867, Delvau.

**bouffon** V. BOUFFE.

**bougainvillée** 1806, Wailly ; du nom du navigateur *Bougainville.*

***bouge** XIIe s., *Huon de Roteland,* « partie bombée ou concave d'un objet » ; XIIIe s., *Merlin,* « local de décharge » (fém. XIVe-XVII[e] s.) ; XIIIe s., *Renart,* « échoppe » ; XVIIIe s., Voltaire, « logement misérable » ; p.-ê. même mot que *bouge* (fém., « sac de cuir », XVe s.), du lat. *bŭlga,* d'orig. gauloise.

***bouger** 1150, G., lat. pop. **bŭllicare,* bouillonner, de *bullire,* bouillir. || **bougeotte** 1852, Lachâtre, « petit bouge » : nid pour pigeons ; fin XIXe s., « envie de se déplacer ».

**bougie** 1300, Delb. (*chandeles de bougie*), « cire fine pour chandelles », puis « chandelle elle-même » ; de *Bougie,* d'où venait la cire. || **bougeoir** 1514, *Inv. Charlotte d'Albret,* d'après la prononciation pop. [buʒwe].

**bougna** ou **bougnat** 1889, Macé ; abrév. de *charbougna* (1850, encore 1890, *le Père Peinard*), formation plaisante d'après les correspondances phonétiques de l'auvergnat mal interprétées.

**bougnon** XIVe s. ; mot wallon, du lat. *bulla,* boule, avec le suff. *-oleum.*

**bougnoule** 1890, Esnault, arg. ; wolof *bougnoul,* noir.

**bougonner** 1611, Cotgrave, « faire quelque chose maladroitement » ; 1798, *Acad.,* « murmurer » ; p.-ê. par l'intermédiaire « rechigner en travaillant » ; orig. obscure, sans doute dial. || **bougonnement** v. 1850. || **bougonneur** 1611. || **bougonnerie** 1905. || **bougon** 1803, déverbal.

**bougran** 1175, Chr. de Troyes (*boquerant*) ; prov. *bocaran,* tiré de *Boukhara,* d'où était importée l'étoffe.

***bougre** 1172, G. (*bogre*), Bulgare ; péjor., « hérétique, sodomite » ; XVe s., « gaillard », et juron ; bas lat. *Bŭlgărus* (VIe s.). || **bougrement** fin XVIe s. || **bougrerie** XIIIe s., « hérésie ». || **bigre** 1743, Trévoux, interj., transformation euphémique de *bougre.* || **bigrement** 1833, Corbière.

**boui-boui** 1847, Gautier (*bouig-bouig*) ; redoublement de *bouis,* lieu de débauche (1808, d'Hautel), mot dial. (« étable » dans le Jura), du lat. *bovile,* étable à bœufs, de *bos, bovis,* bœuf.

**bouif** 1867, Delvau, arg., de *ribouis,* savetier.

**bouillabaisse** 1806 ; prov. mod. *bouiabaisso* (*bous-abaisse*), impér., formation plaisante pour exprimer la rapidité de la cuisson.

**bouillard** V. BOULEAU.

1. **bouille** 1751, *Encycl.,* « sceau » ; esp. *bolla,* bulle ; terme des anc. coutumes.

2. **bouille** XVe s., texte lorrain (*boille*), « hotte » ; p.-ê. lat. pop. **bŭttula,* de *buttis,* tonneau.

**bouiller** 1669, *D. G.,* « agiter l'eau » ; mot rég. *bouille,* bourbier, marais (Nivernais, etc.), de *boue* (lat. pop. **bau-ŭcula*) ou de **bouler* (infl. par *bouillir*), du lat. *bullare,* bouillonner, de *bulla,* bulle. || **bouille** 1669, perche pour remuer l'eau ; déverbal.

***bouillir** 1080, *Roland* (*bolir*) ; lat. *bŭllire,* former des bulles ; le *l* mouillé vient de l'imparf., du part. prés. et du subj. (*bŭlliam,* bouille). || **bouillant** 1120, *Job,* part. prés. || **bouillie** XIIe s., *Naissance du chevalier au cygne* (*boulie*), n. f. || **bouilli** XIVe s., n. m., du part. passé. || **bouillissage** 1765, *Encycl.* || **bouilleur** 1775, *Arrêt du 19 mai.* || **bouilloire** 1740, *Acad.* || **bouillon** fin XIIe s., R. de Moiliens ; 1839, Balzac, « invendu » ; le sens fig. « ardeur » reste usuel au XVIIe s. ; déverbal de *bouillir.* || **pot-bouille, tambouille** XIXe s. || **bouillonner** XIIIe s. ; 1901, *Doc.,* en parlant des journaux || **bouillonnement** 1560, Paré. || **bouillotte** 1788, récipient ; 1788, La Bractéole, jeu, à cause de la rapidité du jeu ; fin XIXe s., « tête, figure », par métaph. || **bouille** 1890, Esnault, « tête », apocope du précéd. || **bouillotter** fin XVIIIe s. || **ébouillanter** 1836, *Manuel du provençal ;* d'après *ébouillir* (XIIe-XIX[e] s.). || **ébouillantage** 1876, *J.O.*

**bouillon-blanc** 1456, Villiers, nom de plante ; bas lat. *bugillo, -ōnis,* d'orig. gauloise, avec influence de *bouillir.*

**boujaron** 1792, Romme ; prov. mod. *boujarroun,* métaph. ironique de *boujaroun,* bougre (lat. *Bŭlgarus,* avec suffixe ; forme rhodanienne) ; ration quotidienne de tafia donnée aux marins (supprimée en 1907).

**boulaie** V. BOULE et BOULEAU.

**boulanger** 1120, *Cart. Saint-Martin de Pontoise* (*bolengerius*) ; mot formé dans le Nord, par allongement d'un anc. picard *boulenc* (suffixe

-*enc,* germ. -*ing*), « qui fabriquait des boules » (pain en boules), du néerl. *bolle,* pain rond ; le mot a éliminé en moyen fr. *fournier* (de *four*) et *pesteur* (lat. *pistor,* -*oris*). || **boulanger** XVe s., v. tr. || **boulange** 1830, Benoît, déverbal. || **boulangerie** 1314, G.

**boulangisme** 1887 ; du général *Boulanger.* || **boulangiste** 1887. || **néo-boulangisme** XXe s.

**boulbène** 1800, *Mém. Soc. d'agric.* (-*benne*) ; gascon *boulbenc,* terre d'alluvion, d'origine inconnue.

***boule** fin XIIe s. ; lat. *bŭlla,* bulle, boule creuse. || **bouler** 1390, E. de Conty. || **boulet** 1347, texte de Reims. || **boulette** fin XIVe s. ; 1807, Gabriel, *faire une boulette.* || **boulier** 1864, L. || **boulin** 1486, Joubert, « trou ». || **boulisme** XXe s. || **bouliste** fin XIXe s. || **boulodrome** XXe s. || **boulot** adj., 1830 ; 1845, Besch., petit pain ; 1837, Balzac, « travail ». || **boulotter** 1840, Halbert d'Angers, « manger » ; de *bouler,* aller vite (1800, Esnault). || **bouleverser** 1557, Belleau, « renverser » ; fig., 1796, Pigault-Lebrun ; de *boule* et *verser.* || **bouleversement** 1579, Lostal. || **boulon** XIIIe s., G., « petite boule », puis « tige de fer à tête ronde ». || **boulonner** 1425 (-*né*), « orné de bossettes » ; 1690, Furetière, « mettre un boulon » ; fin XIXe s., « travailler ». || **boulonnage** 1855. || **boulonnerie** 1866, Lar. || **abouler** 1790, *le Rat du Châtelet,* « apporter » et « arriver » (de « apporter la boule ») ; 1837, Vidocq, « payer » (de « apporter l'argent »). || **débouler** 1793, *le Père Duchesne.* || **déboulonner** 1870, *le Charivari ;* XXe s., fig. || **déboulonnage** 1873, Daudet.

***bouleau** 1516, Delb. ; anc. fr. *boul,* du lat. pop. **betŭllus* (lat. *betulla*), d'orig. gauloise. || **boulaie** 1294, G. || **bouillard** 1680 ; lat. pop. *betullia,* de *betulla.*

**bouledogue** 1745, Fougeret ; angl. *bulldog,* de *dog,* chien, et *bull,* taureau. Le mot angl. a été empr. pour désigner une race anglaise.

**boulevard** 1350 (*boulever*) ; « rempart de terre et de madriers », « place forte » (jusqu'au XVIIe s.) ; puis « promenade plantée d'arbres », d'abord sur l'emplacement des remparts démolis aux XVIIIe-XIXe s. ; moyen néerl. *bolwerc,* ouvrage (*werc*) de madriers. || **boulevardier** 1866, Veuillot.

**bouleverser** V. BOULE.

**boulimie** 1372, Corbichon ; gr. *boulimia,* faim (*limos*) de bœuf (*bous*). || **boulimique** 1842, *Acad.*

**boulin** 1486, Joubert, « pièce de bois horizontale d'un échafaudage » ; p.-ê. anc. fr. *boul,* bouleau (v. ce mot).

**bouline** 1155, Wace (*boes-*) ; angl. *bowline,* corde (*line*) de proue (*bow*). || **bouliner** 1611. || **boulinier** 1687, Desroches.

**boulingrin** 1663, Loret ; angl. *bowling-green,* gazon (*green*) pour jeu de boules.

**bouloir** 1751, *Encycl. ;* de *bouler,* forme dial. (Nord-Est) de *bouiller ;* perche avec laquelle les ouvriers tanneurs agitent les bains dans lesquels sont traitées les peaux.

**boulon, boulot** V. BOULE.

**boum** onom., 1835. || **boum** n. f., v. 1965 ; de *surboum,* « surprise-partie », de *surprise* et de l'onom. *boum.*

**boumer** 1929, Esnault, pop., « prospérer » ; de l'exclamation *boum ;* surtout dans l'expression *ça boume.*

1. **bouquet** [de fleurs] XVe s., « bosquet » (jusqu'au XVIIe s. et conservé dans *bouquet d'arbres*) ; XVIe s., « bouquet de fleurs » et, fig., « bouquet du vin » ; mot normanno-picard, du germ. *bosk,* bois. || **bouquetière** 1562, Du Pinet. || **bouquetier** 1677, Miege, « vase ».

2. **bouquet** 1485, G., « dartre du museau des moutons » ; forme normanno-picarde de *bouchet* (XIVe s., J. de Brie), de *bouche.*

3. **bouquet** 1119, Ph. de Thaon, « petit bouc », puis par métaph. 1866, Lar., « crevette à rostre » (*palœmon serratus*).

**bouquetin** XIIIe s., G. (*buskestein*) ; XVIe s. (*bouc estain*) ; franco-provençal *boc estaign* (XIIIe s.), de l'allem. *Steinbock,* bouc de rocher (*Stein*).

1. **bouquin** 1532, Gay (*cornet à bouquin*), « embouchure » ; mot normanno-picard, de *bouque,* bouche.

2. **bouquin** 1459, Milet, « vieux livre, petit livre » ; diminutif du néerl. *boek,* livre (*boeckijn* ou **boekin*). || **bouquiner** 1611, Cotgrave. || **bouquineur** 1671, Pomey. || **bouquinerie** 1650. || **bouquiniste** 1752, Trévoux.

**bouracan** XIIe s., *Roman de Thèbes* (*barragan*) ; 1593, *Tarif du Comtat Venaissin* (*bourracan*) ; ar. *barrakân.*

**bourbe** XIIe s., G. ; gaulois **bŏrva,* reconstitué d'après la divinité thermale *Borvo* (nom de lieu *Bourbon*) et l'irlandais *berbaim* (je bous). || **bourbeux** 1432, Baudet Herenc. || **bourbier**

1220, Coincy. || **bourbillon** 1690, Furetière. || **bourbelier** fin XIV^e s., G. Phébus, « poitrine de sanglier », le sanglier se vautrant dans la boue. || **bourbouille** 1726, Luillier ; mot prov. issu du croisement de *bourbe* et de *bouille* (anc. prov. *borbolhar,* fig., mentir). || **bourbotte** 1700, Liger, « lotte », poisson qui recherche la bourbe. || **embourber** 1220, Coincy.

**bourbonien** 1829, Béranger, « partisan des Bourbons ». || **bourboniste** 1594, *Satire Ménippée.* || **antibourbonien** 1829, Béranger.

**bourcet** V. BOURSET.

**bourdaine** 1200 (*borzaine*) ; 1467, Delb. (*bourdaine*) ; orig. obscure, p.-ê. d'un pré-indo-européen **burgena,* reconstitué grâce à un mot basque.

**bourdalou** 1701, Furetière, « tresse, bande de cuir » ; XVIII^e s., « vase de nuit », formation ironique ; du nom de *Bourdaloue,* qui portait des chapeaux ornés de tresses.

**bourde** XII^e s., Fantosme, « plaisanterie trompeuse » (encore au XVII^e s.) ; XVIII^e s., « sottise » ; forme contractée de *behourde,* déverbal de l'anc. fr. **bihurder,* plaisanter, du francique **bihurdan* ou du dial. *borde,* var. de *bourre,* flocon, du gallo-rom. **burra,* fém. || **bourdon** 1688, Miege, « erreur » en typographie.

1. **bourdon** XII^e s., « bâton de pèlerin » ; lat. pop. **bŭrdo, -onis,* de *burdus,* mulet (évolution sémantique, v. POUTRE). || **bourdonnier** 1606, Nicot. || **bourdonnière** 1408, Delb.

2. **bourdon** début XIII^e s., « insecte » et « instrument de musique » ; onomat. || **bourdonner** début XIII^e s., *Renaut de Montauban,* « murmurer » (jusqu'au XVII^e s.). || **bourdonnement** 1545, Guéroult. || **bourdonneur** 1495, J. de Vignay. || **faux-bourdon** début XV^e s., Ch. d'Orléans.

3. **bourdon** V. BOURDE.

***bourg** 1080, *Roland* (*borc*) ; bas lat. *bŭrgus,* château fort (IV^e s., Végèce), du germ. **burg.* || **bourg pourri** 1783, *Courrier de l'Europe,* en parlant de l'Angleterre ; 1839, Balzac, en parlant de la France. || **bourgade** 1418, Caumont ; ital. *borgata* ou prov. *borgada,* de *bourg.* || **bourgeois** 1080, *Roland* (*burgeis*), a désigné de bonne heure les citoyens des villes affranchies ; péjor. dès la Révolution ; 1830, opposé à *artiste.* || **bourgeoisie** 1240, *Assises de Jérusalem ;* pendant la Révolution, mélioratif au sens de *classes moyennes,* péjor. opposé au *peuple.* || **bourgeoisement** 1654, Scarron. || **bourgeoiserie** 1700, Dufresny. || **bourgeoisisme** 1854, Vieil-Castel. || **désembourgeoiser** 1955, *le Monde.* || **embourgeoiser** 1831, d'après L. || **embourgeoisement** 1870, Lar. || **bourgmestre** 1309 (*bourg-maistre*) ; moyen allem. *burgmeister,* maître du bourg. || **faubourg** fin XII^e s., *Loherains* (*fors borc*), « hors bourg » ; XIV^e s. (*faux bourg*), par attraction de *faux.* || **faubourien** 1801, L. J. Breton. || **petits-bourgeois** 1844, Balzac. || **petite-bourgeoisie** 1844, Balzac.

***bourgeon** 1160, Benoît ; lat. pop. *bŭrrio, -onis,* de *bŭrra,* bourre, d'après la villosité de certains bourgeons. || **bourgeonner** début XII^e s. || **bourgeonnement** 1600, O. de Serres. || **ébourgeonner** 1373, trad. de P. de Crescens. || **ébourgeonnement** 1549, R. Est.

**bourgeron** 1842, Sue ; mot picard signalé en 1834 (*bougeron*) au sens de *sarrau* (*Dict. picard* de Hécart), anc. fr. *bourge,* tissu bourru (XIV^e s.), du lat. pop. **burrica,* de *burra,* bourre.

**bourgmestre** V. BOURG.

**bourguignotte** 1537, M. Du Bellay ; repris pendant la guerre de 1914-1918 ; de *Bourguignon,* de *Bourgogne,* du lat. *Burgundia,* mot germ. ; casque sans visière créé au XV^e s. et utilisé jusqu'au XVIII^e s.

**bourle** ou **burle** fin XVI^e s., Brantôme, « plaisanterie, tromperie » (jusqu'au XVII^e s.) ; ital. *burla.* || **burlesque** 1594, *Satire Ménippée* (*bourrelesque*) ; ital. *burlesco,* de *burla,* plaisanterie. || **burlesquement** 1690, Furetière.

**bourlinguer** fin XVIII^e s., être secoué comme une *boulingue* (1512, J. Lemaire de Belges), petite voile au haut du mât ; origine obscure, sans doute comme *bouline.* || **bourlingueur** fin XIX^e s.

**bourrache** 1256, Ald. de Sienne, « plante » ; lat. médiév. *borrago, -ginis,* de l'ar. *sabu radj,* père de la sueur.

**bourrade, bourrage** V. BOURRE.

**bourrasque** 1548, Rab. ; XVI^e s. (*bourrache, -asse*) ; ital. *burasca* (auj. *burrasca*), du lat. *boreas,* vent du nord.

***bourre** XII^e s. ; lat. impér. *bŭrra,* bourre, laine grossière ; début XX^e s., « hâte ». || **bourras** début XIII^e s., G. de Lorris. || **bourrelet** 1386, *Compte royal de G. Brunel ;* dimin. de l'anc. fr. *bourrel* (XIII^e s.), « fait de bourre ». || **bourrellerie** 1268, É. Boileau. || **bourrelier** 1268, É. Boileau ; de *bourrel,* collier fait de bourre. || **bourrer** XIV^e s., fig., « maltraiter » ; proprement « remplir de bourre » (XVIe s.), en vén. « enlever la bourre du gibier » ; auj. le sens de « maltraiter » est réduit à *bourrer de coups.* || **bourrée** 1326, Delb. (*bourée*) ; part. passé fém. de *bourrer,* « faisceau de branches bourrées » ; danse introduite à la Cour, en 1565, par Marguerite de Valois, « farandole autour d'un feu de joie ». || **bourrade** v. 1590, L'Estoile, fig. || **bourrage** v. 1450. || **bourrier** 1368, « déchet, fétu » ; mot de l'Ouest. || **bourroir** 1758, Tilly. || **bourru** 1542, Du Pinet, « grossier comme de la bourre ». Le sens s'est affaibli au cours du XVIIe s. || **bourratif** v. 1950. || **débourrer** XIVe s. || **rembourrer** fin XIIe s., R. de Moiliens ; anc. fr. *embourrer.* || **rembourrade** fin XIXe s., fig. (V. ÉBOURIFFER.)

**bourreau** 1302, Bersuire (*bourrel*) ; p.-ê. de *bourrer,* frapper, mais le suffixe est insolite. || **bourreler** 1554, O. de Magny, « torturer » (jusqu'au XVIIe s.) ; XVIIe s., fig., Th. de Viau ; réduit auj. à *bourrelé de remords.*

**bourrée, bourrelet, bourrelier, bourrer** V. BOURRE.

**bourriche** 1526, Bourdigné ; var. dial. de *bourrache,* p.-ê. de *bourre* (cf. sens originaire de *bourru*). || **bourrichon** 1860, Flaubert, fig., « tête », par analogie.

**bourrier** V. BOURRE.

**bourrique** 1603, Th. de Bèze, « ânesse » ; esp. *borrico, -a,* par suite de l'importation d'Espagne d'une race d'ânes. || **bourriquet** 1534, Rab. ; dim. éliminé par *bourricot.* || **bourri** var. dial., péjor., abrév. de *bourriquet,* comme *bourrin,* qui a pris le sens de « cheval » dans l'arg. milit. || **bourricot** 1849, reprise moderne en Algérie du mot esp. senti comme diminutif, accentué sur la finale (cf. *mendigot*). || **bourrin** 1903 ; mot de l'Ouest, de *bourrique.*

**bourroir, bourru** V. BOURRE.

1. ***bourse** 1150, *Charroi* (*borse*) ; fin XIIe s., Colin Muset (*bourse*), « petit sac de cuir » ; bas lat. *bŭrsa,* du gr. *bursa,* cuir apprêté, outre. || **boursette** 1304, auj. techn. et bot. || **boursier** 1224, « qui fait des bourses » ; 1387 Fagniez, scol. || **débourser** XIIIe s., *Dit des avocats.* || **débours** fin XVIe s., déverbal. || **déboursement** 1508, Marot. || **embourser** fin XIIe s., *Roman de Renart.* || **rembourser** XVe s. || **remboursable, remboursement** XVe s.

2. **Bourse** 1549, *Édit,* « lieu où s'assemblent les négociants et banquiers » ; mot venu de Flandre, où la première Bourse, celle de Bruges, doit son nom à l'hôtel de la famille *Van der Burse* (ital. *della Borsa*), logis de marchands vénitiens ; ou p.-ê. simplement de *bourse* 1 ; mot vulgarisé au XVIIIe s., éliminant *change ;* en 1719, Law institua la Bourse de Paris ; *Bourse du travail,* févr. 1851, projet de loi Ducoux. || **boursier** 1512, Gringore, « qui fait des opérations en Bourse ». || **boursicot** 1296, Delb. (*bourseco*) ; finale inexpliquée. || **boursicoter** 1580, N. Du Fail, « économiser » ; 1841, Balzac, « faire de petites opérations en Bourse ». || **boursicotier** 1851, Gautier. || **boursicotage** v. 1850. || **boursicoteur** 1867, Delvau.

**bourset** ou **bourcet** 1336, Delb. ; réfection de *bourse,* du néerl. *boegzeil,* voile (*zeil*) de la proue (*boeg*). || **bourser** 1611, Cotgrave, « plier la voile en bourse ».

**boursoufler** XIIIe s., H. de La Ferté (*borsoflé*) ; de *boud-,* rad. de *boudin,* indiquant le gonflement, et de *souffler* (normand *boudouflé,* prov. mod. *boudenfla*). || **boursouflement** 1560, Paré. || **boursouflure** 1532, M. d'Amboise. || **boursouflage** XVIIIe s.

**bousculer** 1798 ; moy. fr. *bousser,* heurter (du haut allem. *bôren*), et *culer,* de *cul,* ou du croisement de *bouteculer,* de *bouter* (v. ce mot) et *culer,* avec *basculer* (v. ce mot). || **bousculade** 1848. || **bousculement** 1838.

**bouse** fin XIIe s., R. de Moiliens ; p.-ê. de même rac. que *boue,* ou du gallo-roman **bobosa,* renflé, croisé avec **boboser,* ou **bovoser,* « de bœuf ». || **bousard** 1655, Salnove. || **bousage** 1838. || **bousier** milieu XVIIIe s. || **bousiller** 1554, Delb., « construire en torchis » ; XVIIe s., « travailler avec négligence » ; 1867, Delvau, « faire mal ». || **bousillage** 1521, *Comptes de Chenonceaux ;* 1720, Huet, fig. || **bousilleur** 1480, Delb. || **bousin** 1611, Cotgrave, « tourbe ». || **bouseux** 1885, Esnault (*bousoux*).

1. **bousin** 1790, *Jean Bart,* arg. des marins, « cabaret » ; angl. pop. *bousing,* action de s'enivrer ; 1801, « vacarme ». || **bousingot** v. 1830, appliqué aux jeunes républicains ; le sens primitif paraît être « chapeau de matelot » (attesté en 1842 chez Mozin).

2. **bousin** V. BOUSE.

**bousingot** V. BOUSIN 1.

**boussole** 1527, J. Colin (*bussolle*) ; 1532, Rab. (*boussole*) ; ital. *bussola,* petite boîte, de même rac. que *boîte,* qui a remplacé *aiguille de mer.* || **boussolier** 1955.

**boustifaille** V. BOUFFER.

**boustrophédon** XVI^e s., *D. G.* ; mot gr., de *bous,* bœuf, et *strephein,* tourner ; anc. écriture grecque à lignes alternées.

**bout, boutade** V. BOUTER.

**boutargue** ou **poutargue** 1441 ; prov. *boutargo,* de l'ar. *būtarch ;* conserve d'œufs de mulet.

**boutefeu** V. BOUTER.

***bouteille** 1160, *Tristan* (*botele*) ; bas lat. *bŭtticŭla,* dimin. de *buttis,* tonneau (VI^e s.). Le sens de « récipient en verre » s'est formé en France du Nord ; le mot a eu le sens de « bulle » au XVII^e s. || **bouteiller** 1138, *Saint Gilles,* n. m., « échanson » (jusqu'au XV^e s.). || **bouteillerie** 1155, Wace. || **boutanche** 1889, Macé, « bouteille ». || **embouteiller** 1864, L. ; début XX^e s., circulation. || **embouteillage** *id. ;* début XX^e s., circulation.

**bouteillon** v. 1917, « marmite de campagne individuelle » ; réfection du nom de l'inventeur *Bouthéon* sur *bouteille.*

**bouter** 1080, *Roland,* « frapper, pousser » ; XVI^e-XVII^e s., « mettre » ; francique **bôtan,* frapper (moyen néerl. *botten*). || **boutis** 1360, Froissart. || **boutisse** 1450 (*-iche*), « pierre qui s'enfonce dans le mur ». || **boutoir** 1361, *Inv. de Hues de Caumont.* || **bouteur** XIII^e s., *Bible,* « qui met », techn. ; recommandé en 1973 à la place de *bulldozer* (v. ce mot). || **boutefeu** 1324, *Doc.* || **bouteselle** 1549, G. Du Bellay. || **bouterolle** 1202, *Péage de Bapaume.* || **bouteroue** 1636, Monet, « ce qui pousse la roue ». || **boute-en-train** 1694, Boursault. || **bout** fin XII^e s., *Aliscans,* « coup », puis « extrémité » ; déverbal de *bouter.* || **bouts-rimés** 1649. || **boutade** 1588, Montaigne, « pousser une pointe », qui a remplacé *boutée* (encore 1642, Oudin) ; le sens propre « attaque, sortie brusque » se rencontre au XVII^e s. || **bouture** 1446, Delb., bot., « pousse » ; XVII^e s., sens actuel. || **bouturer** 1836, Landais. || **bouturage** 1845. || **about** 1213, *Fet des Romains ;* déverbal de *abouter.* || **abouter** 1247, G. || **aboutir** 1319, dans Barbier, « arriver par le bout » ; 1460, *Mystère de saint Quentin,* « former bout ». || **aboutissant** 1571, Thevet. || **aboutissement** 1488, *Mer des hist.* || **debout** 1155, Wace, « bout à bout » ; 1538, R. Est., sens actuel. || **débouter** X^e s., G., « repousser » ; 1283, Beaumanoir, « destituer ». || **embouter** 1567, Grévin. || **embout** début XIX^e s. ; déverbal de *embouter.* || **emboutir** 1390, Gay, « façonner en bout, étirer » ; 1930, Lar., « heurter violemment ». || **emboutissage** 1856, Lachâtre. || **emboutissoir** 1676, Félibien, « poinçon d'acier » ; 1819, Boiste, sens actuel. || **rabouter, raboutir** début XVIII^e s. || **rebouter** 1180, Marie de France, « remettre ». || **rebouteur** 1468, Chastellain, prononcé rég. *rebouteux.*

**boutique** 1241, Desmaze (*bouticle*), « atelier » ; XIV^e s. (*boutique*), « boutique » ; bas gr. *apothêkê* (*ê* prononcé *i*), par l'intermédiaire probable du prov. *botica.* || **boutiquer** 1859. || **boutiquier** XIV^e s. (*bouticlier*), remplacé par *boutiquier* au XVI^e s. || **boutiquaire** 1974. || **arrière-boutique** 1508, G.

**boutoir** V. BOUTER.

**bouton** fin XII^e s., *Aiol,* « bourgeon » ; XIII^e s., *bouton de la peau, d'habit ;* de *bouter,* pousser, croître. || **boutonner** 1155, Wace, « bourgeonner » (encore au XVII^e s.) ; sur le sens de *bouton d'habit* dès le XIV^e s. || **boutonnage** 1866, Lar. || **bouton-poussoir** XX^e s. || **bouton-pression** début XX^e s. || **boutonnier** 1268, É. Boileau. || **boutonnière** XIV^e s., sens actuel ; XVIII^e s., « incision ». || **boutonnerie** 1268, É. Boileau. || **boutonneux** fin XVI^e s., L'Escluse, « bourgeonnant » ; 1866, Lar., sens actuel. || **déboutonner** 1360, Froissart ; 1611, Sully, « parler sans contrainte ». || **reboutonner** 1549, R. Est., sur *bouton de la peau.*

**boutre** 1866, Lar., navire de l'océan Indien ; ar. *būt,* voilier.

**bouture, bouvier, bouvreuil** V. BOUTER, BŒUF.

**bovarysme** 1865, Barbey d'Aurevilly ; du roman de Flaubert, *Madame Bovary.*

**bovidé** 1836, Raymond ; lat. *bos, bovis,* bœuf. || **bovin, bovine** XII^e s., *Voy. de saint Brendan ;* lat. *bovinus,* adj., de *bos.*

**bowling** 1908, *le Petit Parisien ;* mot angl., part. prés. d'un verbe dér. de *bowl,* boule.

**bow-window** 1830 ; mot angl., de *bow,* arc, et *window,* fenêtre.

**box** 1777, Linguet, « loge de théâtre » ; 1839, Gayot, « stalle d'écurie » ; XX^e s., « garage » ; angl. *box,* boîte, stalle, etc.

**box-calf** 1899, *le Moniteur de la cordonnerie,* cuir américain dont la marque représentait un veau (*calf*) dans une boîte (*box*).

**boxe** fin XVII^e s. ; angl. *box,* coup. || **boxer** 1767. || **boxeur** 1788, *Courrier de l'Europe ;* angl. *boxer.*

**boxer** 1919, chien ; mot all. signif. « boxeur ».

**boxer-short** v. 1970, culotte ; mot angl.

**box-office** 1923 ; mot amér., de *box,* boîte, et *office,* bureau.

**boxon** 1811, Esnault, pop., maison de prostitution ; de *bocard,* var. de *boucard,* boutique (v. ce mot).

**boy** 1672, Seignelay, « jeune domestique » ; XIX^e^ s., « jeune garçon anglais », puis « jeune domestique chinois ou annamite » ; XX^e^ s., danseur de revue. || **boy-friend** 1947 ; mot angl., de *boy* et *friend,* ami.

**boyard** 1415, G. de Lannoy ; russe *boyard,* seigneur ; en vieux russe *boyarine,* lequel a donné *barine.*

**boyau** 1080, *Roland* (*boel, boiel*) ; lat. *botellus,* saucisse. || **boyauderie** début XIX^e^ s. || **boyaudier** 1680, Richelet (*boiotier*) ; 1691, d'apr. Trévoux (*boyaudier*). || **boyauter (se)** 1904, Bruant. (V. ÉBOULER.)

**boycotter** 1880, *le Parlement ;* angl. (*to*) *boycott,* du nom du capitaine en retraite *Boycott,* gérant de propriétés en Irlande, mis en quarantaine en 1880. || **boycott** 1888. || **boycottage** 1881, *le Figaro.* || **boycotteur** 1881.

**boy-scout** 1910 ; mot angl. signif. « garçon éclaireur », créé par le général Baden-Powell. || **scout** XX^e^ s. ; abrév. de l'angl. *boy-scout,* vient du fr. *escoute,* c'est-à-dire celui qui écoute. || **scoutisme** v. 1914.

**brabant** début XIX^e^ s., charrue métallique fabriquée d'abord en Brabant.

**bracelet** V. BRAS.

**brachial** 1541, Canappe ; lat. *brachialis,* du gr. *brakhiôn,* bras.

**brachi(o)-,** gr. *brakhiôn,* bras. || **brachialgie** 1960, Lar. ; gr. *algos,* douleur. || **brachiopodes** 1805 ; gr. *pous, podos,* pied.

**brachy-,** gr. *brakhus,* court. || **brachycéphale** 1836, Raymond ; gr. *kephalê,* tête. || **brachyoures** 1801 (*-ures*) ; gr. *oura,* queue. || **brachyptère** 1750, Buffon ; gr. *pteron,* aile. || **brachytèle** 1866, Lar. ; gr. *telos,* fin. || **brachysome** 1930, Lar., « insecte » ; 1960, Lar. en anthropologie ; gr. *sôma,* corps.

**braconner** 1228, G., « chasser avec des braques » ; germ. occidental **brakko* (allem. *Bracke*), chien de chasse. || **braconnage** 1228, G., « chasse avec un braque » ; XVII^e^ s., sens actuel. || **braconnier** 1155, Wace, « veneur » ; XVII^e^ s., sens actuel. || **braco** XX^e^ s. ; abrév. de *braconnier.*

**bractée** 1771, Trévoux (*-tea*) ; lat. *bractea,* feuille de métal. || **bractéal** 1863. || **bractéole** 1566, Paradin ; dim. lat. *bracteola.* || **bractéate** 1751, Schœpflin.

**bradel** 1835, d'apr. Lar. ; de *Bradel,* famille de relieurs du XVI^e^ au XIX^e^ s.

**brader** XV^e^ s., « rôtir » ; fin XVIII^e^ s., « gaspiller », pop. ; mot wallon et picard, du néerl. *braden,* rôtir. || **braderie** *id.* || **bradage** v. 1960. || **bradeur** XV^e^ s., « rôtisseur » ; fin XVIII^e^ s., sens actuel.

**brady-,** gr. *bradus,* lent. || **bradycardie** 1895, Boix ; gr. *kardia,* cœur. || **bradypepsie** 1584, du Bartas ; gr. *bradupepsia,* digestion lente. || **bradypnée** 1878, Lar. ; gr. *pnein,* souffler. || **bradypsychie** 1960, Lar. || **bradype** 1826, Mozin ; gr. *pous, podos,* pied. || **bradytrophie** 1960, Lar. ; gr. *trophê,* nourriture.

**brague, braguette** V. BRAIE.

**brahmane** 1298, *Doc.* (*abraiaman*) ; 1532, Rab. (*brachmane*) ; mot port., du sanskrit *brahmana.* || **brahmanique** 1835, *Acad.* || **brahmaniste** *id.* || **brahmanisme** 1801, Fischer.

1. **brai** [orge brassée] V. BRAIS.

2. **brai** [piège d'oiseleur] XII^e^ s. (*bret, broi*) ; germ. *brid,* planchette.

3. **brai** fin XII^e^ s., *R. de Cambrai,* « boue » ; 1309, Fréville, « goudron » ; gaulois **bracu* (prov. *brac,* même rac. en gallois), ou déverbal de *brayer,* enduire de goudron, de l'anc. nordique *braeda,* goudronner ; forme fém. *braye* (terre grasse).

***braie** XII^e^ s., « pantalon ample » ; lat. *braca,* mot gaulois désignant un type de pantalon qui, plus ou moins modifié, gagna les pays voisins ; il fut remplacé au XVII^e^ s. par le *haut-de-chausses.* || **brague** 1308, *Ystoire de li Normant ;* prov. *brago,* de même sens que *braie.* || **braguier** XVI^e^ s., Villamont, « caleçon » (encore au XVII^e^ s.). || **braguet** 1777, Lescallier, mar. || **braguette** 1379 (*brayette*) ; 1534, Rab. (*braguette*) ; diminutif de *brague.* || **brayer** début XII^e^ s., *Couronn. Loïs* (*braier*), n. m. || **brayette** 1379, J. de Brie. || **embrayer** 1783, *Encycl. méth.,* d'après le sens fig. de *braie,* traverse de bois mobile du moulin à vent (1694, Th. Corn.), c.-à-d. « serrer la braie ». || **embrayage** 1860, Bragard. || **embrayeur** 1953, Lar. || **désembrayer** milieu XIX^e^ s., remplacé par **débrayer**

1865, Woodbury ; 1939, H. Jeanson, « cesser le travail ». || **débrayage** v. 1860.

***brailler** 1265, J. de Meung, « crier » ; lat. pop. **bragŭlare*, dim. de *bragĕre*, braire. || **braillard** 1528, Gringoire. || **braillerie** fin XVIe s., Brantôme. || **braillement** 1512, J. Lemaire. || **brailleur** 1586, Scaliger.

**brain-storming** 1959 ; mot anglo-amér., de *brain*, cerveau, et *storming*, tempête.

**brain-trust** 1947 ; mot anglo-amér., de *brain*, cerveau, et *trust ;* nom donné en 1933 au groupe de techniciens chargés par F. Roosevelt de l'application du New Deal.

***braire** 1080, *Roland*, « crier pour pleurer » (encore au XVIe s.) ; 1640, Oudin, réservé à l'âne ou à l'animal en général ; lat. pop. **bragĕre*, d'origine gauloise (formation expressive). || **braiment** 1160, Benoît, même évolution que le verbe. || **brayard** 1539, R. Est., confondu avec *braillard*, quand *l* mouillé passa à *y*.

**brais** av. 1185, Barbier, « orge broyée pour faire de la bière » ; lat. *braces*, épeautre, mot gaulois selon Pline. || **brasser** 1160, Benoît (*bracer*), sens propre ; XVIIe s., fig., « tramer » ; 1808, Fourier, *brasser des affaires ;* lat. pop. **braciare*. || **brasserie** 1268, É. Boileau, sens propre. || **brasseur** 1250, Espinas, sens propre ; 1833, d'Arlincourt, fig. || **brassage** 1331, G.

**braise** 1170, *Rois ;* germ. occidental **brassa* (suédois *brasa*, bûcher) ; fin XVIIIe s., arg., « argent ». || **braisière** 1706, Richelet. || **braiser** 1767, *Dict. portatif de cuisine*. || **braisette** 1836, Raymond. || **braser** ou **ébraser** 1450, Gréban, embraser ; 1611, Cotgrave, techn. || **brasier** début XIIe s., *Couronn. Loïs*. || **brasiller** 1220, Coincy. || **brésil** 1175, Chr. de Troyes, bois de teinture colorant en rouge, sur rad. *bres- ;* d'où esp. et port. *brasil* (nom donné au Brésil où ce bois est abondant). || **brésiller** 1346, G., « briller ». || **brésolles** 1705, *Cuis. Roy.* (*bru-*) ; mot du Sud-Est. || **embraser** 1160, *Eneas*. || **embrasement** *id.*

**brame** V. BRÈME.

**bramer** 1528, Rab., « mugir », puis réservé au cerf ; prov. *bramar*, mugir, braire, du germ. **brammôn*. || **bramement** 1787, B. de Saint-Pierre.

***bran** XIIe s., Du Cange (*bren*) ; lat. pop. **brennus*, son, mot gaulois sans doute ; fig., excrément. || **breneux** v. 1320, Watriquet. || **embrener** 1532, Rab.

**brancard** fin XIVe s., « grosse branche, vergue » ; normand *branque*, branche (v. ce mot). || **brancardier** début XVIIe s., Scarron. || **brancarder** 1877, L.

***branche** 1080, *Roland ;* bas lat. *branca*, patte, p.-ê. mot gaulois. || **branchu** 1180, Marie de France. || **branchage** milieu XVe s. || **brancher** 1510, Carloix, « pendre à une branche » (jusqu'au XVIIe s.) ; XVIe s., Marot, « se percher » ; 1863, L., « diviser en branches, établir des conduites secondaires ». || **branchement** XVIe s., Guill. Michel, « action de pousser des branches », même évolution que le verbe. || **branchette** fin XIIIe s. || **débrancher** 1890, Zola, chemin de fer. || **débranchement** *id.* || **ébrancher** 1193, Hélinant. || **ébranchement** milieu XVIe s. || **ébranchage** 1700, Liger. || **ébranchoir** 1823, Boiste. || **embranchement** 1494, *D. G.*, fig. || **embrancher** 1460, Chastellain, « suspendre aux branches » ; 1773, *Art du plombier*, sens actuel.

**branchies** fin XVIIe s. ; lat. pl. *branchiae*, du gr. *brankhia*. || **branchial** 1770. || **branchiopode** 1803.

**brand** 1080, *Roland ;* germ. **brand*, tison, puis épée (à cause de l'éclat). || **brande** 1205, texte breton ; lat. *branda*, bruyère (anc. fr. *brander*, embraser), parce qu'on brûlait les brandes (bruyères, fougères) pour défricher. || **brandir** 1080, *Roland*, sur le sens d'« épée ». || **brandiller** 1300, *Doon de Mayence*, dimin. || **brandillement** 1564, J. Thierry. || **brandon** XIIe s. ; germ. **brand*, tison.

**brandade** 1788, *Encycl. méth. ;* prov. mod. *brandado*, chose remuée, parce qu'on secoue la casserole, de *brandar*, remuer.

**brande** V. BRAND.

**brandebourg** 1680, Sévigné, « casaque ornée de galons, portée par les soldats brandebourgeois » ; 1769, Garsault, « pavillon » ; du nom de l'État du *Brandebourg*, en Allemagne.

**brandevin** 1641, Richelieu ; néerl. *brandewijn*, vin brûlé. || **brandevinier** 1743, Trévoux.

**brandir, brandon** V. BRAND.

**brandy** 1688, Miege ; mot angl., de (*to*) *brand*, brûler.

**branler** 1080, *Roland ;* contraction de l'anc. fr. *brandeler* (XIIe s.), de *brand*. || **branle** XIIe s., E. de Fougères ; 1492, danse, déverbal. || branlement 1355, Bersuire. || **branle-bas** 1687, Desroches. || **branloire** 1350. || **branlequeue** XVIe s., G. || **branlée** 1936. || **branlette** 1836. || **branlade** 1849. || **branleur** 1690. || **ébranler** fin XVe s. || **ébranlement** fin XVe s. || **inébranlable** 1600, Fr. de Sales.

**branquignol** 1899, Esnault ; de *branque,* « mauvais ouvrier », et *guignol.*

**braque** 1265, Br. Latini, « chien » ; 1736, Marivaux, fig. ; ital. *bracco* ou prov. *brac.* (V. BRACONNER.)

**braquemart** 1392, Du Cange ; altér. de l'ital. *bergamasco,* épée de Bergame, ou du néerl. *breeimes ;* XVIe s., fam., pénis. || **braquet** 1432, Baudet Herenc, petite épée, clou, abrév. ; XIXe s., sens techn. mod.

**braquer** 1546, Rab., « tourner » ; 1561, Grévin, « tourner une arme à feu » ; 1930, Esnault, « mettre en joue » ; v. 1980, « attaquer à main armée » ; lat. pop. **brachitare,* de *bracchium,* bras, ou ital. *braccare,* flairer, rechercher (même rac. que *braque*). || **braquage** 1867, Robin. || **braquement** 1690, Furetière. || **braqueur** 1947, Esnault.

**braquet** V. BRAQUEMART.

***bras** 1080, *Roland ;* lat. pop. **bracium,* class. *bracchium,* du gr. *brakhiôn.* || ***brasse** 1080, *Roland* (*brace*) ; lat. pl. *bracchia,* « étendue des deux bras », « mesure » ; 1835, *Acad.,* type de nage. || **brassée** 1185, *Aliscans* (*brachie*), avec infl. de *brasse.* || **brassard** 1562, *Statuts des armuriers,* altér. de *brassal* (1540, Rab.) ; ital. *bracciale,* de *braccio,* bras. || **brassicourt** 1690, Furetière ; de *bras* et *court.* || **brassière** fin XIIIe s., « chemise de femme ». || **bracelet** 1175, Chr. de Troyes, « petit bras » ; 1387, Du Cange, sens actuel ; dimin. de *bras,* avec un double suffixe ; même évolution que *corset.* || **bracelet-montre** 1909. || **avant-bras** 1291. || **embrasser** 1080, *Roland,* « prendre dans ses bras » ; XVIIe s., « donner un baiser ». || **embrassement** 1130, *Eneas.* || **embrassade** 1500, Maximien. || **embrasseur** 1539, Macault. || **embrasse** XIVe s., G. (*embrace*) ; 1792, Havard, techn.

**braser, brasier, brasiller** V. BRAISE.

**brasero** 1722, *Arch. des Aff. étr., Corr. d'Espagne* (*bracero*) ; esp. *brasero,* brasier.

**brasque** 1751, *Encycl. ;* piémontais et milanais *brasca,* du lat. pop. **brasĭca,* même rac. que *braise ;* revêtement réfractaire de l'intérieur des creusets en métallurgie. || **brasquer** 1835, *Acad.*

**brassard, brasse, brassée, brasser, brasserie, brasseur, brassière** V. BRAS, BRAIS.

**brave** 1379, J. de Brie ; XVIe s., « excellent » ; ital. et esp. *bravo,* du lat. *barbaras.* || **bravement** 1465, Delb. || **braver** 1515, Colin Bucher, « parader » et « affronter ». || **braverie** 1543, G. de Selve, « parade ». || **bravo** 1738, Piron, exclamation, puis n. m., repris directement à l'ital. (le n. f. *brava* s'est employé jusque sous le second Empire) ; n. m., XIXe s., « tueur à gages » ; directement aussi sur l'ital. || **bravissimo** 1776, *Ann. litt. ;* mot ital., superlatif. || **bravi** 1832, trad. de Manzoni, francisé en *braves* au XVIIe s. (1675, chez Barbier). || **bravoure** début XVIIe s., Scarron (*-veure*) ; repris au dér. ital. *bravura.* || **bravache** 1570, Carloix ; ital. *bravaccio,* péjor. de *bravo,* brave. || **bravade** av. 1494, Delb., « bravoure » ; ital. *bravata,* de *bravare,* faire le brave.

1. **break** 1830, *la Mode ;* mot angl. signif. « interruption », désignant un type de voiture.

2. **break** 1909 ; mot angl., au sens d'« interruption ».

**breakfast** 1865, Simonin ; mot angl.

***brebis** fin XIe s., *Lois de Guill.* (*berbis*) ; lat. pop. **berbix, -icis* (class. *vervex,* bélier), qui a éliminé *ovicula* (*ouaille*), conservé dans le Centre et l'O., en face de *fēta* (femelle qui a enfanté), devenu *fedo* en prov. avec le sens de « brebis ».

1. **brèche** 1611, Cotgrave ; terme alpestre, « espèce de marbre », « roche » ; mot ligure signif. « pierre cassée ».

2. **brèche** 1119, Ph. de Thaon ; anc. haut allem. *brecha,* fracture (allem. *brechen,* briser). || **brèche-dent** XIIIe s., *Cart. de N.-D. de Paris* (*Brichedent,* n. propre). || **ébrécher** 1268, É. Boileau. || **ébréchure** 1660, Oudin.

**bréchet** XIVe s. ; angl. *brisket,* hampe d'un animal (scand. *brjōsk,* cartilage).

**bredouiller** 1564, J. Thierry ; altér. de l'anc. fr. *bredeler* (XIIIe s.), de *bretter,* marmonner, p.-ê. du lat. *brittus,* breton. || **bredouille** 1534, Rab., « qui est dans l'embarras », déverbal. || **bredouillage** fin XVIIe s., Saint-Simon. || **bredouillement** 1611, Cotgrave. || **bredouilleur** 1642, Oudin. || **bredouillis** 1600.

***bref** XIe s. (*brief,* jusqu'au XVIe s.), restreint dès le Moyen Âge pour marquer la durée ; lat. *brĕvis,* bref, substantivé en « sommaire » dès le VIe s., d'où *brief, bref,* rescrit. || **brevet** XIIe s., Rutebeuf (*brievet*), « acte non scellé » ;

XVII$^{e}$ s., « titre » ; diminutif de *bref.* || **breveter** 1751, *Encycl.* || **bréviaire** 1220, Coincy ; lat. eccl. *breviarium,* abrégé. || **brièveté** 1213, *Fet des Romains* (*briété*) ; sur *brief,* refait au XV$^{e}$ s. || **brièvement** 1138, *Saint Gilles* (*briefment*). || **brévidé** 1819. || **bréviligne** 1922, Lar.

**bréhaigne** 1119, Ph. de Thaon (*baraigne*), « stérile » ; XIII$^{e}$ s. (*brehaigne*) ; d'un rad. prélatin obscur.

**breitschwanz** fin XIX$^{e}$ s. ; mot allem. signif. « large queue » ; fourrure d'agneau caracul mort-né.

**brelan** 1165, G. d'Arras (var. *brehant, berlan,* jusqu'au XVII$^{e}$ s.), « table de jeu, maison de jeu » ; « tripot » (jusqu'au XVII$^{e}$ s.) ; XIII$^{e}$ s., « jeu de cartes » ; fin XIX$^{e}$ s., au poker ; anc. haut allem. *bretling,* petite planche, puis table (en argot). || **brelander** 1481, Delb. || **brelandier** 1386, G., « joueur » (jusqu'au XVII$^{e}$ s.).

**breloque** XV$^{e}$ s. (*-lique*) ; *battre la breloque,* 1820, Laveaux ; orig. obscure.

**brème** XII$^{e}$ s., G. (*braisme*) ; francique **brahsima ;* 1821, Ansiaume, « carte à jouer ». || **brame** XVI$^{e}$ s., Rondelet, var. de *brème.*

**brésil, brésiller, brésolles, bretailler** V. BRAISE, BRETTE.

***bretèche** 1155, Wace ; bas lat. *brĭttisca* (glose de 876), c.-à-d. fortification bretonne (*Brittus,* Breton), importée sans doute de Grande-Bretagne. (V. BRETTE.)

**bretelle** XIII$^{e}$ s., *Fabliau,* « lanière de cuir passée sur l'épaule » ; XVIII$^{e}$ s., sens actuel ; anc. haut allem. *brettil,* rêne.

**breton** 1080, *Roland* (*Bretun*) ; lat. *Brito, -onis.*

***brette** XVI$^{e}$ s., *Chron. bordelaise ;* fém. de *Bret,* Breton, du lat. pop. **brĭttus,* épée de Bretagne (lat. *Britto*). || **bretteur** 1653, Boisrobert, « fanfaron ». || **bretailler** 1752, Trévoux. || **bretailleur** *id.* || **bretter** 1611, Cotgrave, « denteler ». || **bretteler** 1690, Furetière, « rayer avec une sorte de truelle ».

**bretzel** 1867, Delvau (*brechetelles*) ; allem. d'Alsace *Brezel,* du lat. *bracchium,* bras (pâtisserie ayant la forme de deux bras entrelacés).

***breuil** 1080, *Roland* (*bruil*), surtout dans les toponymes au sens de « bois humide, bois clos » ; bas lat. *brogilus* (VIII$^{e}$ s.), mot gaulois, de *broga,* champ.

**breuvage, brevet, breveter, bréviaire** V. BOIRE, BREF.

**bribe** fin XIII$^{e}$ s. (*brimbe*), « chose de peu de valeur » ; XVII$^{e}$ s., « morceau de pain » ; orig. onomatop.

**bric, brac, broc** formations expressives ; *à bric et à brac,* 1633, Monluc ; *en bloc et en blic,* fin XV$^{e}$ s., Gringoire ; 1615, *de bric et de broc.* || **bric-à-brac** 1827, *Acad.* || **de broc en bouche** XV$^{e}$ s., *Myst. Vieil Testament* (*-oque*).

**brick** 1782, *Courrier de l'Europe ;* angl. *brig,* abrév. de *brigantin.*

**bricole** 1360, Delb. (*-gole*), « machine de guerre » ; 1680, Richelet, « courroie de machine » ; 1650, Richer, « ricochet » ; XVI$^{e}$ s., Monluc, fig., « bagatelles » ; XVII$^{e}$ s., « tromperie » ; ital. *briccola,* machine de guerre, d'orig. obscure. || **bricoler** fin XV$^{e}$ s., « ricocher, aller en zigzag » (jusqu'au XVII$^{e}$ s.) ; 1854, Privat d'Anglemont, « travailler ». || **bricolage** fin XIX$^{e}$ s. || **bricoleur** 1778, de La Conterie, « qui va çà et là ». || **bricolier** 1751, *Encycl. ;* de *bricole,* courroie.

**bride** début XIII$^{e}$ s. ; moyen haut allem. *bridel,* rêne (même rac. que *bretelle*). || **brider** XIII$^{e}$ s. ; *oison bridé* (inintelligent), 1540, Rab. (cf. *Bridoison* chez Beaumarchais). || **bridon** 1611, Cotgrave. || **débrider** 1460, Chastellain, « se laisser aller » ; 1549, R. Est., « enlever la bride à un cheval ». || **débridement** 1604, Pallet, « fait de débrider un cheval » ; 1836, *Acad.,* « absence de retenue ».

1\. **bridge** 1893, *le Figaro ;* mot angl., adaptation d'un mot levantin sans rapport avec l'angl. *bridge,* pont (en Angleterre, 1875). || **bridger** 1906, *le Gaulois.* || **bridgeur** 1893, *le Figaro.*

2\. **bridge** début XX$^{e}$ s., « appareil dentaire », formant un pont sur deux dents ; angl. *bridge,* pont.

1\. **brie** XV$^{e}$ s., fém., vin ou fromage de Brie.

2\. **brie** XIII$^{e}$ s., G. (*broie*) ; 1700, Liger (*brie*) ; déverbal de *brier,* forme normande de *broyer.*

**briefing** v. 1945 ; mot anglo-amér. désignant la réunion des équipages avant une mission d'aviation. || **briefer** v. 1970.

**brièvement, brièveté** V. BREF.

**brifer** ou **briffer** 1530, Palsgrave ; orig. obscure comme *brifaud, -auder* (XIII$^{e}$ s., *Fabliau*), p.-ê. formation expressive. || **brifeur** 1611, Cotgrave, « gros mangeur ». || **brifeton** 1916, Esnault.

**brigade** 1360, G. de Machaut, « troupe » (jusqu'au XVIIe s.) ; XVIe s., « troupe armée » ; XVIIe s., Turenne, « groupement de deux régiments » ; ital. *brigata,* troupe de personnes, de *briga,* lutte. || **brigadier** 1642, Oudin, « officier général ». || **demi-brigade** 1793, « régiment ». || **embrigader** 1794, *Actes de la Convention ;* fin XIXe s., fig. || **embrigadement** 1793, *id. ;* 1840, Balzac, fig.

**brigand** milieu XIVe s., Cuvelier, « soldat à pied » ; dès le XIVe s., péjor., à cause des ravages causés par les soldats ; XVIIIe s., terme injurieux ; ital. *brigante,* qui va en troupe. (V. BRIGADE.) || **brigandage** 1410, *Cartulaire.* || **brigander** début XVIe s. || **briganderie** 1534.

**brigantin** 1360, Froissart (*brigandin*) ; ital. *brigantino,* de *brigante.* || **brigantine** 1480, Fournier, « voile » ; 1794, Röding, « navire ».

**brignolet** 1876, Huysmans, « pain » ; de *brignon,* pain pour les chiens, de *bren,* son.

**brigue** 1314, G. ; ital. *briga,* lutte, querelle ; XVIIe s., manœuvre. || **briguer** 1478, « se quereller » ; 1518, « solliciter ». || **brigueur** 1560, Pasquier.

**briller** 1559, Amyot, « s'agiter » et « briller » ; ital. *brillare,* même sens, de même rac. que *béryl,* ou d'un rad. expressif **pir(l)*, s'agiter. || **brillant** 1564. || **brillamment** 1787, Féraud. || **brillanter** 1740. || **brillantage** 1947. || **brillantine** 1823, *Obs. des modes,* « étoffe de soie » ; 1842, Mozin, adj. ; 1866, Lar., huile. || **brillantiner** v. 1914. || **brillance** 1928, Lar. || **brillement** 1564, J. Thierry, qui a disparu.

**brimbaler** 1440 (var. *bringuebaler, -quebaler*) ; 1634 (*-quebaler*), « secouer » ; formation expressive, peut-être croisement de *brimbe,* bribe, et *trimbaler.* || **brimbalement** 1564, Rab.

**brimbelle** 1765, *Encycl.,* « myrtille » ; mot lorrain, altér. du francique **brambasi,* mûre (allem. *Brombeere*). [V. FRAMBOISE.]

**brimborion** 1450, Gréban (*brebo-*), « menues prières marmottées » ; XVIIe s., « menu objet » ; déformation du lat. eccl. *breviarium,* bréviaire (prononciation *um* en *on,* v. DICTON), croisé avec *bribe* ou *brimbe,* c'est-à-dire « prière faite du bout des lèvres ».

**brimer** 1826, arg. milit., puis scolaire ; mot de l'Ouest (geler, flétrir), attesté en 1842 (Mozin), de *brime,* brume. || **brimade** 1818.

**brin** 1398, *Ménagier* (*brain*) ; 1471 (*brin*) ; p.-ê. gaulois **brinos,* baguette (gallois *brwyn*). || **brindille** 1375, R. de Presles (*brindelle*) ; le *d* paraît dû à *brande, -don.*

**brinde** 1552, Rab. (*bringue*) ; 1680, Richelet (*brinde*) ; abrév. de la loc. allem. (*ich*) *bringe dir's,* je te porte (une santé) ; a désigné un toast ; puis *être dans les brindes* (être ivre).

**brindezingue** 1756, Vadé ; ital. *brindisi,* toast, déform. argotique de *brinde.*

**brindille** V. BRIN.

1. **bringue** 1738, « cheval malbâti » ; 1808, d'Hautel, « femme grande et maigre » ; il a eu aussi le sens de « menus morceaux » (*en bringues,* en pièces, XVIIe s.) ; orig. obscure.

2. **bringue** 1611, toast ; 1900, beuverie ; var. de *brinde* ou allem. *bringen,* porter.

**brinquebaler** V. BRIMBALER.

**brio** 1812, Stendhal ; ital. *brio,* vivacité, animation, du gaulois **brigo,* force.

**brioche** 1404, G. ; 1821, Rougemont, « bévue » ; mot normand d'apr. Cotgrave (1611) ; déverbal de *brier,* autre forme de *broyer.* || **brioché** 1955.

**brique** fin XIIe s., R. de Moiliens, « morceau » (jusqu'au XVIe s.), et sens actuel ; moyen néerl. *bricke* (allem. *brechen,* briser). || **briquer** 1850, nettoyer à la brique ; XXe s., nettoyer. || **briquetage** 1394, G. || **briqueter** 1418, G. || **briqueterie** 1407, Delb. || **briquetier** 1503, Delb. || **briquette** XVIe s., « chose sans valeur » ; 1615, texte de Tournai, « charbon aggloméré ».

1. **briquet** XIVe s., « petit morceau » ; 1676, Félibien, « pièce de fer » ; 1731, *Hist. de Courtebotte,* « briquet à amadou » ; il a remplacé *fusil* dans ce sens ; 1888, Lar., remis en usage avec les briquets électriques ; *battre le briquet,* 1756, *le Diable à quatre* ; de *brique,* au sens de « morceau », qui reste dans le nord de la France (morceau de pain).

2. **briquet** 1734, Delb., « couteau » ; 1806, Wailly, « sabre court d'infanterie » ; altér. de *braquet,* par attraction du précédent.

3. **briquet** 1440, Ch. d'Orléans, « petit chien de chasse » ; altér. probable d'un dimin. de *braque.*

**briqueter, bris, brisant, briscard** V. BRIQUE, BRISER, BRISQUE.

**brise** 1540, Rab., « vent » (*brize*) ; p.-ê. du frison *brîse.*

***briser** 1080, *Roland* (var. *bruisier*) ; lat. pop. **brisare,* mot gaulois, p.-ê. de *brisa,* marc de raisin. || **brisant** 1529, Parmentier, « écueil » ; adj., 1863, L. || **brisement** 1190, *Saint Bernard.* || **brisées** début XIII^e s., *Modus,* vén., puis fig. || **bris** 1413, déverbal. || **briseur** 1261, G. || **brisis** 1690, Furetière. || **brisoir** 1680, Richelet. || **brisure** 1207, *Assises de Jérusalem.* || **brise-bise** fin XIX^e s. || **brise-cou** 1690, Furetière. || **brise-fer** 1862, Hugo. || **brise-glace** 1694, Th. Corn. || **brise-jet** 1906, Lar. || **brise-lames** 1819, Mackenzie. || **brise-mottes** 1796, *Encycl. méth.* || **brise-tout** fin XIV^e s. || **brise-vent** 1690, La Quintinie. || **débris** 1549, R. Est. ; déverbal de *débriser* (XII^e s.).

**brisque** 1752, Trévoux, « carte de jeu » ; fig., pop., « chevron de soldat rengagé » ; orig. inconnue. || **briscard** 1861, *la Vie parisienne.*

**bristol** 1836, Bonnafé ; du nom de la ville de *Bristol* où on fabriquait ce carton.

**brize** 1557, L'Escluze (*briza*) ; gr. *bruza,* céréale ; plante poussant dans des lieux arides.

1. **broc** 1380, *Inv. Charles V,* « cruche » ; prov. *broc,* du lat. *brocchus,* saillant, c.-à-d. « cruche à bec » ; p.-ê. croisé avec le gr. *brokhis,* pot.

2. **broc** V. BRIC.

**brocaille** V. BLOC.

**brocanter** 1696, Regnard ; p.-ê. anc. haut allem. *brocko,* morceau, ou angl. *broker,* courtier (allem. de Suisse *Brockenhaus,* magasin de friperie). || **brocantage** 1808, Fourier. || **brocante** 1782, Mercier, « commerce » ; 1806, en peinture, déverbal. || **brocanteur** fin XVII^e s., « marchand de tableaux ». || **broc** 1936, Céline ; abrév. de *brocanteur.* || **brocantiner** 1695, Gherardi.

1. **brocard** 1470, « maxime juridique » (jusqu'au XVI^e s.) ; lat. médiév. *brocardus,* altér. de *Burchardus,* évêque de Worms (XI^e s.), auteur d'un recueil de droit canonique.

2. **brocard** 1373, raillerie ; moy. fr. *broquer,* piquer, var. de *brocher.* || **brocarder** XV^e s. || **brocardeur** 1540.

1. **brocart** ou **brocard** 1432, Baudet Herenc, « cerf ou chevreuil d'un an » ; de *broque,* broche (en picard) : cornes ayant la forme de pointes. (V. DAGUET.)

2. **brocart** 1519, *Voy. d'Ant. Pigaphetta ;* altér. de *brocat* (1549, R. Est. ; encore en 1690, Furetière), ital. *broccato,* tissu broché. || **brocatelle** *id.* (*-adelle*) ; XVII^e s., masc. (*-atel, -adel*) ; ital. *broccatello,* de *broccato.*

***broche** XII^e s., G. (*brouque*) ; lat. pop. **brocca,* fém. substantivé de *brocchus,* saillant, pointu. || **brocher** 1080, *Roland,* « éperonner » ; XIII^e s., « passer l'aiguille » ; 1732, Trévoux, « brocher un livre, une étoffe ». || **brochage** 1822. || **brochoir** 1443, G. || **brochure** 1377, Delb., « dessin d'étoffe » ; 1694, *Acad.,* « brochure de livre ». || **brocheur** 1680, Richelet, « brocheur de bas » ; 1771, Trévoux, « brocheur de livre ». || **brochet** 1268, É. Boileau, « poisson », à cause de son museau pointu. || **brocheton** XIV^e s., petit brochet. || **brochette** 1160, *Tristan.* || **broquette** 1565, *Compte Écurie du Roi ;* forme picarde. || **débrocher** fin XIV^e s., « retirer de la broche » ; 1827, *Manuel du relieur,* « débrocher un livre ». || **débrochage** 1842, *Acad.* || **embrocher** XIII^e s., G. || **rebrocher** XIII^e s., Adenet, terme de tissage ; 1835, *Acad.,* « rebrocher un livre ».

**brochet** V. BROCHE.

**brocoli** 1560, Delb. ; pl. ital. *broccoli,* pousses de chou, dimin. de *brocco.* (V. BROCHE.)

**brodequin** début XIV^e s. (*broissequin*) ; altér. de *brosequin,* du néerl. *broseken,* dimin. de *brosen,* souliers, par infl. de *broder ;* ou p.-ê. de l'esp. *borcequi,* infl. par *broder.*

**broder** début XII^e s. (*brosder*) ; francique **brozdôn* (longobard **brustan*). || **brodeur** 1268, É. Boileau. || **broderie** XIII^e s. || **rebroder** XVII^e s.

**broigne** 1080, *Roland* (*bronie*) ; francique **brunnia,* justaucorps de cuir.

**broker** XX^e s. ; mot angl., de (*to*) *break,* rompre.

1. **brome** 1559, Vaugelas, « plante » ; lat. *bromos,* folle avoine, mot gr.

2. **brome** 1826, Balard, qui a isolé ce métalloïde ; gr. *brômos,* puanteur, à cause de sa mauvaise odeur. || **bromal** 1858. || **bromate** 1838. || **bromique** 1838. || **bromure** 1828, Caillot. || **bromhydrique** 1845.

**bronca** v. 1980 ; mot esp.

**bronche** 1560, Paré (pl. *bronchies*) ; 1633 (*bronche*) ; lat. méd. *bronchia,* du gr. *bronkhia* (pl. neutre). || **bronchectasie** 1855. || **bronchial** 1666, *Journ. des savants.* || **bronchiole** 1877, Espine. || **bronchite** 1825 ; angl. *bronchitis.* || **bronchiteux** 1892. || **bronchitique** 1865. || **bronchique** 1560, Paré. || **broncho-pneumo-**

nie 1836, Beugnot. || **bronchographie** XXe s. || **bronchoscopie** 1904.

**broncher** 1175, Chr. de Troyes, « pencher » (jusqu'au XVIIe s.) ; XVIIe s., « trébucher » ; lat. pop. **bruncare*, d'orig. obscure. || **bronchade** XVIe s., G.

**brontosaure** 1888, Lar. ; gr. *brontê,* tonnerre, et *saura,* lézard.

**bronze** 1511, J. Lemaire (fém.) ; ital. *bronzo.* || **bronzer** 1559, Jodelle ; av. 1795, Chamfort, *se bronzer,* fig. || **bronzeur** 1866, Lar. || **bronzier** 1846, Balzac. || **bronzage** 1845. || **bronzette** v. 1970. || **bronze-cul** v. 1970.

**brook** 1846, terme de courses ; angl. *brook,* ruisseau.

**broquette** V. BROCHE.

***brosse** XIIe s., « broussaille » (encore dans les noms de lieux) ; 1265, J. de Meung, sens actuel (*broisse*) ; lat. pop. **brŭscia,* d'orig. obscure, p.-ê. de **broccia,* épineux, de *broccus,* dent saillante. || **brossée** XIXe s., « coup de brosse » ; 1858, Besch., « défaite ». || **brosser** 1374, Delb. (*bruissier*), sens actuel, et « aller à travers les broussailles » (jusqu'au XVe s.). || **brossage** 1837, Balzac. || **brosserie** 1835, *Acad.* || **brosseur** 1468, G. || **brossier** 1597, G.

**brou** XVe s., « couleur extraite de l'enveloppe verte de la noix » ; de *brout,* pousse. (V. BROUTER.)

**brouée** V. BROUILLARD.

**brouet** 1265, J. de Meung ; anc. fr. *breu,* « bouillon », issu de l'anc. haut allem. **brod* (angl. *broth*).

**brouette** début XIIIe s. (var. *berouette*) ; XVIIe s., « chaise à porteurs à deux roues » (inventée par Pascal) ; la brouette à une roue apparaît dès le XIIIe s. ; dimin. de **beroue,* bas lat. *birota* (*Code Théodosien*), véhicule à deux roues. || **brouettée** 1304, G. || **brouetter** 1304, G. || **brouetteur** 1250, Delb. || **brouettier** XIVe s.

**brouhaha** XVe s., *Farce* (*brou ha ha*), interj. ; 1552, Ch. Est., « bruit d'applaudissements » ; XVIIe s., « bruit confus » ; orig. onomatop.

**brouillamini** 1378, Prost, « mottes d'argile rouge » ; 1566, H. Est., fig., sens actuel ; altér., par infl. de *brouiller,* du lat. pharm. *boli Armenii,* bol d'Arménie, petites mottes d'argile qui servaient de médication. || **embrouillamini** 1747, Caylus ; d'apr. *embrouiller.*

1. **brouillard** 1220, Coincy (*bruiloz, brouillas,* jusqu'au XVIIe s.), « brume » ; 1440, Ch. d'Orléans (*brouillard*), par changement de suffixe ; de *broue,* brouillard blanc, de même rac. que *brouet ;* le *l* mouillé est dû à *brouiller.* || **brouillarder** v. 1930. || **brouillardeux** 1860. || **brouillasse** 1842, *Acad.* (*brouillas*) ; 1863, L. (*brouillasse*). || **brouillasser** début XVIIe s. || **brouée** 1314, Mondeville.

2. **brouillard** V. BROUILLER.

**brouiller** 1219, Guill. le Maréchal (*broillier*), « mélanger », « salir » ; p.-ê. de *brou,* bouillon, écume, boue, avec infl. des verbes en *-ouiller ;* ou du gallo-roman **brodiculare,* du germ. *brod.* || **brouille** 1617, Richelieu, fig. ; déverbal de *brouiller.* || **brouillard** XVe s., J. de Bans (*papier brouillas*), « brouillon » ; 1610, Béroalde de Verville, « registre ». || **brouillage** XVIe s. ; 1924, en radio. || **brouillerie** 1418, G. || **brouilleur** 1411 ; 1937, radio. || **brouillon** 1530, Calvin, « désordonné » ; 1551, « brouillon de lettre » ; de *brouiller,* griffonner. || **brouillade** 1876 ; mot prov. || **débrouiller** 1549, R. Est., « rendre clair » ; XXe s., rendre qqn habile ; *se débrouiller,* 1648, Voiture. || **débrouille** 1872, Esnault, art de se tirer d'embarras. || **débrouillement** 1611, Cotgrave. || **débrouilleur** XVIe s. || **débrouillard** 1872, Larchey. || **débrouillardise** XXe s. || **embrouiller** XIIIe s. || **embrouillement** 1546, *Doc.*

**brouir** début XIIe s., *R. de Cambrai* (*bruir*), « brûler » ; 1431, agric. ; 1751, *Encycl.,* « passer à la vapeur » ; francique **brojan* (allem. *brühen*), « échauder ». || **brouissure** 1645, Delb.

**broussaille** XIIe s. ; de *brosse,* buisson. || **broussailler** 1700, Liger. || **broussailleux** XVIIe s. || **débroussailler** 1876, *J. O.* || **embroussailler** 1874, A. Daudet (*-é*), « fait avec des broussailles » ; 1877, L., sens actuel.

**brousse** 1871, Garnier ; prov. *brousso,* « broussaille », répandu par les troupes coloniales. || **broussard** 1885.

**broussin** XIIIe s. (*brois-*) ; dimin. de l'anc. fr. *brois,* var. de *bruis* (1160, Benoît), du lat. *brūscum.*

**brouter** 1160, Benoît ; anc. fr. *brost,* pousse, du germ. **brūstjan,* bourgeonner, puis mordre le bois. || **brout** XIIe s., *Parthenopeus ;* déverbal de *brouter.* || **broutille** 1329, G. (*brestille*), « petite pousse », puis fig. || **broutage** 1772, *Encycl.* || **broutard** 1866, Lar. || **broutement** 1562, Du Pinet.

**brownien** 1855 ; du nom de *R. Brown,* botaniste.

**browning** 1906, Lar. ; du nom de l'inventeur, l'Américain *J. M. Browning* (1855-1926).

**broyer** XIIe s. (*brier*) ; XIIIe s. (*broier*) ; germ. **brekan,* briser (allem. *brechen*) ; *broyer du noir,* 1767, Dide. || **broie** 1370, J. Le Fèvre, déverbal. || **broyage** 1838. || **broyeur** 1422, « qui broie » ; XVIe s., techn.

**bru** 1160 ; lat. *brutis,* du gotique *bruths* (allem. *Braut,* fiancée) ; le mot a pris la place de *nurus,* dans le nord de la Gaule ; auj. éliminé par *belle-fille.*

**bruant** 1378, J. Le Fèvre ; de *bréant,* d'apr. *bruire ;* petit passereau brun.

**brucelles** 1498, *Doc.* (*-as*), petites pinces ; altér. de *bercelle,* du bas lat. *bersella,* lat. *volsella.* || **brucelle** 1920, Meyer et Shaw ; du médecin anglais sir David *Bruce.* || **brucellose** 1926, Lar. ; même origine.

**bruche** 1775, Bomare ; lat. *bruchus* (IVe s., Prudence), du gr. *broukhos,* insecte mal déterminé (sauterelle ?).

**brugnon** 1600, O. de Serres (*bri-*) ; 1680, Richelet (*bru-*) ; prov. mod. *brugnoun, brignoun,* dimin. du lat. pop. **prunea,* de *prunus,* prune, par infl. de *brun.* || **brugnonier** 1877, L.

**bruine** 1120, *Ps. de Cambridge* (*pruine*) ; 1131, *Couronn. Loïs* (*broïne*) ; lat. *pruina,* frimas, infl. par *brume.* (V. BROUILLARD.) || **bruiner** 1551, Cotereau. || **bruineux** XIIIe s.

***bruire** 1080, *Roland,* « faire du bruit » ; XIIe s., *Roncevaux,* « répandre un bruit » (jusqu'au XVIIe s.) ; lat. pop. **brūgĕre,* croisement du lat. *rugire,* rugir, et **bragere,* braire ; le part. prés. *bruissant,* remplaçant *bruyant,* est dû aux formes en *-uiss-* et à *bruissement.* || **bruyant** XIIe s., *Ogier,* anc. part. prés. || **bruyance** 1867, Goncourt. || **bruyamment** XIIIe s. || **bruit** XIIe s., *Roncevaux,* « querelle, renommée » (jusqu'au XVIIe s.), et sens actuel, anc. part. passé. || **bruitage** 1946. || **bruiter** 1834. || **bruiteur** 1922. || **bruissement** début XIVe s. || **ébruiter** 1583, J. Baudon.

***brûler** 1120, *Ps. d'Oxford* (*brusler*) ; *brûler d'amour,* 1538, R. Est. ; *brûler la cervelle, cervelle brûlée,* 1740, *Acad. ;* p.-ê. du lat. *ūstŭlare,* de *ūrere,* brûler, refait sous l'infl. de *bustum* (bûcher) en **būstulare,* puis en **brustulare,* sous l'infl. de *bruir* ou d'apr. le germ. *brenn,* brûler (*brand*) ; ou de **bruscitulare,* dimin. de **bruscular*e, flamber avec de la bruyère, de *bruscum,* bruyère. || **brûlable** 1546, Rab. || **brûlage** fin XVIe s., Vauquelin de La Fresnaye. || **brûlement** 1120, *Ps. de Cambridge* (*bruillement*). || **brûlerie** 1417, G. || **brûle-parfum** 1785, *Encycl. méth.* || **brûle-gueule** 1735, *Mercure.* || **brûle-pourpoint (à)** 1648, Scarron, « à bout portant ». || **brûleur** XIIIe s., G. ; 1867, Lar., « appareil ». || **brûlis** 1160, Béroul (*bruelletz*). || **brûloir** fin XVIIIe s. || **brûlot** 1627, Richelieu, navire ; 1671, Delb., sens général. || **brûlure** 1220, Coincy.

***brume** XIIIe s. ; prov. *bruma,* du lat. *brūma,* de **brevima,* (la journée) la plus courte (superlatif de *brevis*), c.-à-d. solstice d'hiver, d'où hiver, frimas. || **brumal** 1495, J. de Vignay. || **brumaire** 1793, Fabre d'Églantine. || **brumasse** fin XVe s., d'Authon (*-as*). || **brumasser** 1835, Jacquemont. || **brumeux** 1787, *Journ. de Genève.* || **brumisateur, brumisation** v. 1970. || **embrumer** v. 1500, J. Marot.

**brun** 1080, *Roland ;* germ. **brun,* brun, brillant (allem. *braun*). || **brune** v. 1450, « crépuscule, nuit » ; ital. *bruna.* || **brunâtre** 1557, L'Escluze. || **brunelle** 1698, Tournefort. || **brunet** XIIe s., G. || **brunette** 1175, Chr. de Troyes. || **brunante** 1810, n. f. || **brunir** 1080, *Roland,* « rendre brillant », puis « rendre brun ». || **brunissage** 1680, Richelet. || **brunisseur** 1313, Delb. || **brunissoir** XVe s. || **brunissure** 1429, Fauquembergue.

**brunch** v. 1970 ; mot angl., de *breakfast,* petit déjeuner, et *lunch,* déjeuner.

**brushing** v. 1965 ; mot angl. signif. « brossage ».

**brusque** XIVe s. (*vin brusque*), « âpre » ; XVIe s., fig. ; ital. *brusco,* âpre. || **brusquement** 1534, Rab. || **brusquer** 1382, *Comptes du Clos des Galées de Rouen ; brusquer fortune,* 1589, *Chron. bordelaise,* réfection de *busquer fortune.* || **brusquerie** 1668, Molière.

**brusquembille** 1718, *Académie universelle des jeux ;* du nom de *Bruscambille,* surnom du comédien Deslauriers (XVIIe s.).

**brut** XIIIe s., Aimé du Mont-Cassin ; on rencontre aussi *brute,* masc. jusqu'au XVIIIe s. ; lat. *brutus,* dépourvu de raison. || **brute** 1559, Amyot (*brut*) ; la forme fém. *brute* l'emporte au XVIIe s. || **brutal** XIVe s., « bestial » (jusqu'au XVIIe s.), et sens actuel ; bas lat. *brutalis.* || **brutalement** 1425, A. Chartier. || **brutaliser** 1572, Belleforest, « agir ou vivre en brute ». || **brutalisme** 1879. || **brutaliste** 1874. || **brutalité** 1539, R. Est., « bestialité » (jusqu'au XVIIe s.), et sens actuel. || **abrutir** 1541, Calvin. || **abrutissement** 1586, J. Lambert. || **abrutisseur** XVIIIe s., Voltaire.

**bruyant** V. BRUIRE.

***bruyère** 1174 ; lat. pop. **brūcaria*, champ de bruyère, du bas lat. *brucus*, bruyère, mot gaulois.

**bryon** 1562, Du Pinet ; lat. *bryon*, du gr. *bruon*, mousse des arbres. || **bryologie** 1845, Besch. || **bryozoaire** 1845, Besch.

**bryone** 1256, Ald. de Sienne ; lat. *bryonia*, du gr. *bruônia*, vigne blanche.

**buanderie** V. BUÉE.

**bubon** 1372, Corbichon ; gr. *boubôn*, tumeur à l'aine ; la forme réduite *bube* (1265, J. de Meung) subsiste au XVIIe s. || **bube** 1265, *Roman de la Rose*. || **bubelette** 1532, Rab., « pustule ». || **bubonique** fin XIXe s.

**buccal** 1735, Heister ; lat. *bucca*, bouche. || **bucco-dentaire** XXe s.

**buccin** 1372, Corbichon (*buxine*) ; 1733, Lémery (*buccin*), « coquillage » ; lat. *buccinum*, de *buccina*, trompe de bouvier. || **buccine** 1372, Corbichon, « trompette » ; même origine. || **buccinateur** 1549, Du Bellay, « panégyriste » ; 1654, Gelée, « muscle qui gonfle les joues » ; lat. *buccinator*, joueur de trompette.

**bûche** 1188, *Florimont* ; germ. **busk*, baguette, devenu fém. en lat. pop. d'apr. le pl. neutre ; ou de **buxicus*, « semblable au buis », de *buxus*, buis. || **bûcher** n. m., XIIe s., Delb. || **bûcher** XIIIe s., « frapper avec une bûche, travailler le bois à la hache » ; 1853, Lachâtre, « travailler fort ». || **bûchage** 1876, Vallès, fig. || **bûcheur** 1853, fig. || **bûchette** fin XIIe s., *Conquête de Jérusalem*. || **bûcheron** v. 1550 ; réfection, d'apr. *bûche*, de l'anc. fr. *boscheron* (XIIIe s., Merlin), de **bosc*, forme originelle de *bois*. || **bûcheronner** fin XVIe s. || **bûcheronnage** 1947. || **débucher** 1131, *Couronn. de Loïs*, « sortir de cachette » ; de *bûche*, bois, forêt. || **débusquer** XVIe s., « mettre en fuite » ; 1636, Monet, sens actuels ; fait sur *embusquer*. || **embûche** XIIe s., déverbal de *s'embûcher* (1130, *Eneas*), se mettre en embuscade ; de *bûche*, forêt. || **embusquer** XVe s., Delb., remplace *embûcher* dans *Acad.*, 1718 ; 1889, Esnault, « qui échappe aux corvées » ; ital. *imboscare*, de *bosco*, bois. || **embuscade** 1425, A. Chartier ; ital. *imboscata*.

**bucolique** 1265, J. de Meung ; lat. *bucolica*, du gr. *boukolikos, -ê*, adj., de *boukolos*, bouvier ; d'abord désigne *les Bucoliques* de Virgile, puis adj. || **bucoliser** 1881.

**bucrane** 1803, Boiste ; gr. *boukranon*, tête de bœuf (v. BUGRANE).

**budget** 1768, *Mém. adm. des finances angl.* ; 1801, Mercier, *budget familial* ; 1806, terme officiel ; angl. *budget*, d'abord sac du trésorier, de l'anc. fr. *bougette*, petit sac. || **budgétaire** 1825, Balzac. || **budgétairement** 1877, L. || **budgéter** 1872, L. || **budgétivore** 1845. || **budgétiser** v. 1950. || **budgétisation** v. 1950. || **débudgétisation** 1953, *Combat*. || **débudgétiser** XXe s.

**buée** début XIIIe s., « lessive » (jusqu'au XVIIIe s. ; encore auj. dans les patois) ; XVIe s., « vapeur d'eau » ; part. passé substantivé de *buer* (XIIe s., *Sept Sages*), faire la lessive, du francique **būkon* (allem. *bauchen*), ou de l'anc. fr. *buie*, cruche, du lat. *buca*, doublet de *bucca*, bouche. || **buanderie** 1471, Delb. || **buandier** 1408, G. (*bugandier*) ; forme poitevine de l'anc. fr. *buer*. || **embué** 1879, A. Daudet.

**buffet** début XIIe s., *Thèbes*, « table » ; 1268, É. Boileau, meuble actuel ; orig. obscure, p.-ê. onom. *buff-*. || **buffetier** fin XIIIe s., *Rôle de la taille de Paris* ; repris au XIXe s.

**buffle** début XIIIe s. ; ital. *bufalo*, issu du lat. *bufalus*, forme dial. de *bubalus*. || **buffleterie** 1610, *Lettre de Pecquius*. || **buffletin** 1594, G. (*-ffetin*), « justaucorps ». || **bufflonne** 1829. || **bufflon** 1845.

**buggy** V. BOGHEI.

1. **bugle** 1841, Boiste, « clairon à clefs » ; mot angl., de l'anc. fr. *bugle*, bœuf (v. BEUGLER), qui désigna au XIIIe s. un instrument en corne de buffle.

2. **bugle** XIIIe s., « plante » ; bas lat. *bugula* (Ve s., Marcus Empiricus).

**buglosse** 1372, Corbichon ; lat. *buglossa*, du gr. *buglôssa*, langue de bœuf ; plante à fleurs bleues.

**bugne** 1732 ; forme franco-prov. de *beigne*.

**bugrane** 1545, Guéroult ; lat. *bucranium*, tête de bœuf, du gr. *boukranion*, de *boukranon* (v. BUCRANE), avec infl. du lat. pop. **boveretina*, arrête-bœuf.

**buie** V. BUIRE.

**building** 1895, Bourget ; mot anglo-américain, de (*to*) *build*, construire.

**buire** 1175 ; altér. de *buie* (XIIᵉ s.), « cruche », du francique **būk,* ventre (allem. *Bauch*). || **burette** 1305, G. (*buyreite*).

**buis** XIIᵉ s. ; lat. *bŭxus,* avec infl. de *buisson,* ou *buxeus,* adj. || **buissaie ou buissière** 1507, *Archives.*

**buisson** 1080, *Roland* (*boissum*) ; XIIᵉ s. (*buisson*) ; anc. fr. *boisson,* du lat. *buxeus.* || **buissonnet** 1180, Marie de France. || **buissonneux** 1175, Chr. de Troyes. || **buissonner** début XIIIᵉ s. || **buissonnier** début XVIᵉ s. ; *école buissonnière,* v. 1540, Marot ; s'est dit d'écoles clandestines tenues en plein air pour se soustraire à la redevance ecclésiastique, puis d'écoles protestantes interdites après l'édit de 1554. || **buisson-ardent** 1680, Richelet.

**bulbe** XVᵉ s., *Grant Herbier,* bot. ; 1836, Landais, anat., n. m. et f. ; lat. *bulbus,* oignon. || **bulbaire** 1833, spécialisé dans l'acception anat. || **bulbeux** 1545, Guéroult, bot. || **bulbille** v. 1850.

**bulldozer** 1927 ; mot angl. signif. « qui obtient par la force », de (*to*) *bull-doze,* intimider ; d'abord membre d'une organisation punitive contre les Noirs (1876) ; puis techn.

1. **bulle** XIIᵉ s., G. ; lat. médiév. *bulla,* sceau, acte revêtu d'un sceau, d'apr. la boule de plomb attachée au sceau.

2. **bulle** XVIᵉ s., *bulle d'air ;* lat. *bulla,* boule. || **bulleux** 1803.

**bulletin** début XVIᵉ s. ; ital. *bollettino,* cédule, billet (sens du mot au XVIᵉ s.), de *bolla,* boule (évolution semblable à *bulle*). || **bulletiniste** 1781, Beaumarchais.

**bull-finch** 1862, turf ; mot angl. désignant un talus de terre couronné d'une haie.

**buna** 1948, Lar., caoutchouc artificiel fabriqué par les Allemands avec le butadiène et le sodium (symbole *Na*).

**bungalow** 1826 ; mot angl., de l'hindi *bangla,* bengalien.

**bunker** 1942 ; mot allem. signif. « soute ».

**buplèvre** 1562, Du Pinet (*bupleuron*) ; 1783, *Encycl. méth.* (*buplèvre*) ; lat. *bupleuron,* bot., oreille-de-lièvre, du gr. *boupleuron,* propr. « côte de bœuf ».

**bupreste** 1372, Corbichon ; lat. *buprestis,* bot., du gr. *bouprêtis,* enfle-bœuf.

**buraliste** V. BUREAU.

**burat** 1593, *Argenterie du roi ;* ital. *buratto,* de même rac. que *bure.* || **buratin** ou **buratine** 1690, Furetière, variante.

1. ***bure** 1138, *Saint Gilles* (*burel*) ; XVIᵉ s. (*bure*) ; lat. pop. **būra,* var. probable de *burra,* bourre ; ou de l'anc. adj. *bur,* brun foncé, du lat. *burrus,* roux. || **bureau** XIIᵉ s., « étoffe » (jusqu'au XVIIᵉ s.) ; XIIIᵉ s., « tapis de table » ; XIVᵉ s., « meuble à écrire » ; XVᵉ s., « pièce où est ce meuble » ; 1675, Huet, commerce. || **burlingue** 1877, Esnault ; de *burlin* (1836, Vidocq), dimin. de *bureau.* || **burelé** XIIIᵉ s., Huon de Méry, « rayé comme les tapis de bureaux ». || **burelle** XVᵉ s. || **buraliste** fin XVIIᵉ s. || **bureaucrate** 1790, Gallais. || **bureaucratie** av. 1759, Gournay. || **bureaucratique** 1798, *Acad.* || **bureaucratisation** 1905. || **bureautique** 1976 ; de *bureau* et *informatique.*

2. **bure** 1751, *Encycl.,* « puits de mine » ; wallon *beur* désignant, d'apr. Haust, une hutte élevée sur le puits, de l'anc. haut allem. *būr,* maison (normand *bure,* maison rurale).

**bureau** V. BURE 1.

**burette** XIIIᵉ s. (*buirette*) ; 1360 (*burette*) ; anc. fr. *buire,* flacon.

**burg** début XIXᵉ s. ; mot allem. au sens de « château fort ». || **burgrave** 1413, Lannoy (*bour-*) ; 1549, *Doc.* (*bur-*) ; allem. *Burggraf,* comte d'un bourg. || **burgraviat** 1550, G.

**burgau** 1563, Palissy ; du nom de personne *Burgaut,* comme l'anc. fr. *burgaut,* homme violent et stupide (fin XIVᵉ s.). || **burgaudine** 1701, Furetière.

**burin** 1420, *Inv. de Philippe le Bon ;* anc. ital. *burino* (auj. *bulino*), du germ. (allem. *bohren,* percer). || **buriner** 1558, Du Bellay. || **burineur** fin XVIᵉ s.

**burle, burlesque** V. BOURLE.

**burnous** 1556, *Description de l'Afrique* (*barnusse*), « manteau à capuchon » ; 1830, Ch. Piquet, « manteau d'Arabe » (*barnous*) ; 1839, Balzac (*burnou*) ; XXᵉ s., « vêtement d'enfant » ; ar. *bournous,* manteau à capuchon, qui a donné aussi *alburnos,* avec article, manteau à capuce des chevaliers de Malte (1706) ou manteau des Arabes (1826, Chateaubriand).

**buron** 1175, Chr. de Troyes (*buiron*) ; de *bure,* hutte, mot haut allem. ; en Auvergne, chalet pastoral où l'on fabrique du fromage.

**bus** fin XIXᵉ s., abrév. de *omnibus.*

**busaigle, busard** V. BUSE 1.

**busc** 1545, Montaiglon ; ital. *busco,* bûchette (rac. *bûche*). || **busquer** XVIᵉ s., garnir d'un busc. || **busqué** XVIᵉ s., corseté. || **busquière** 1690, Furetière.

1. **buse** apr. 1450, Meschinot, « oiseau » ; anc. fr. *buison, buson* (jusqu'au XVIᵉ s.), du lat. *būteo, -onis,*, avec changement de suffixe. || **busard** XIIᵉ s., Fantosme. || **busaigle** XIXᵉ s.

2. **buse** XIIIᵉ s., *Médicinaire liégeois,* « conduit » ; mot du Nord, du moyen néerl. *buse, buyse,* même sens.

**business** début XIXᵉ s. (pop. *bizness,* 1895, Esnault) ; mot angl., de *busy,* occupé. || **businessman** 1871, M.-A. Gromier. || **business school** v. 1970 ; mot anglo-amér.

**busserole** 1775, Bomare ; prov. mod. *bouisserolo,* de *bouis,* buis.

**buste** 1356, Fagniez ; ital. *busto,* du lat. *bustum,* monument funéraire, buste (celui-ci ornant souvent les monuments funéraires). || **bustier** début XXᵉ s. ; v. 1955, sorte de soutien-gorge.

**but** début XIIIᵉ s. ; p.-ê. du francique **būt,* souche, billot (d'apr. le scand. *butr*), puis but de flèche. || **butée** 1694, Th. Corn. || **buter** fin XIVᵉ s., G., « heurter, viser » (jusqu'au XVIIᵉ s.) ; 1821, Ansiaume, « tuer ». || **buté** adj., 1859. || **butoir** 1690, Furetière, « couteau » ; 1863, L., « heurtoir ». || **buteur** début XXᵉ s. || **abuter** XIIIᵉ s., P. Gastineau. || **débuter** 1549, R. Est., « écarter du but » ; 1640, Oudin, « jouer un premier coup » ; 1690, Furetière, au théâtre. || **début** 1642, Oudin, déverbal. || **débutant** 1767, Proschwitz. || **rebuter** XVᵉ s., A. de La Sale, « repousser du but ». || **rebut** 1549, R. Est., déverbal. || **rebutant** 1674, Boileau.

**butadiène, butane** V. BUTYREUX.

**butin** XIVᵉ s., G. de Charny ; moyen bas allem. *būte,* partage (allem. *Beute,* proie), terme de mar., venu des villes hanséatiques. || **butiner** XIVᵉ s., « piller » (jusqu'au XVIIᵉ s.) ; XVIᵉ s., en parlant de l'abeille. || **butinage** fin XIXᵉ s. || **butineur** 1468, Chastellain.

**butoir** V. BUT.

**butor** 1130, *Tristan,* oiseau ; 1671, Molière, fig. ; p.-ê. composé du lat. *butiotaurus,* de *butio,* butor, et *taurus,* taureau (surnom du butor à Arles d'apr. Pline) ; *butio* est dér. de *butire,* crier (en parlant de la buse). || **butorderie** v. 1750, Voltaire.

**butte** 1360, *Modus,* « tertre portant la cible » (jusqu'au XVIIᵉ s.) ; forme fém. de *but.* || **butter** 1694, « disposer en butte ». || **buttage** 1747, Restaut (*butage*). || **buttoir** 1835.

**butyreux** 1560, Paré ; lat. *butyrum,* beurre. || **butyrique** 1816. || **butylène** 1866, Lar. || **butyromètre** 1855. || **butane** (*gaz*) 1874, créé avec la rac. de *butyrique.* || **butanier** 1960, Lar. || **butène** 1845. || **butadiène** 1913, de *éthylène.*

**buvable, buvard, buvette** V. BOIRE.

**buzzer** XXᵉ s. ; mot angl., de (*to*) *buzz,* bourdonner, chuchoter.

**byronien** 1836, Chateaubriand ; du nom de *Byron* (1788-1824).

**byssus** fin XIVᵉ s. ; mot lat., du gr. *bussos,* coton, d'origine sémitique. || **byssinose** 1894, Layet.

**byzantin** XIVᵉ s., monnaie de Byzance ; 1732, de Byzance ; 1838, fig. ; du lat. *byzantinus,* empr. au gr. *buzantion,* de Byzance, à cause des querelles religieuses, mesquines, auxquelles les Byzantins s'adonnaient aux XIVᵉ-XVᵉ s. || **byzantiniser** 1851, Herzen. || **byzantinisme** 1838.

# C

**ça** 1649 ; altér. de *cela* ou confusion avec l'adv. *çà* : l'opposition *ci/çà* a entraîné *ceci/c(e)ça,* d'où *ça.*

***çà** 1080, *Roland* (var. *çai*) ; lat. pop. *ecce-hac,* renforcement par *ecce,* voici, de *hac,* par ici (v. CE, CI). || **deçà** 1130, *Couronn. de Loïs.* || **céans** début XII^e^ s., *Voy. de Charlem.* (*çaenz*) ; de *çà* et de l'anc. fr. *enz,* dedans (lat. *intus*) ; s'opposait à *léans* (*la-enz ;* encore au XVII^e^ s., La Fontaine) ; restreint à quelques loc. (*maître de céans*).

**cab** 1848, Gautier ; mot angl., abrév. de *cabriolet.*

**cabajoutis** 1833, Balzac ; mot normand, de *cabas,* vieux meuble, et *ajouter.*

**cabale** 1532, Rab., « tradition hébraïque » ; 1586, L'Estoile, « manœuvres » ; hébreu *qabbalah,* tradition. || **cabaler** 1617, *Mercure.* || **cabaleur** début XVII^e^ s., Tallemant des Réaux. || **cabaliste** 1532, Rab. || **cabalistique** 1532, Rab. || **cabalistiquement** 1863, L.

**caban** milieu XIV^e^ s., texte en latin ; milieu XV^e^ s. (*caban*) ; sicilien *cabbanu* (var. *gaban,* de l'esp. *gaban*), dér. de *cabba,* de l'ar. *qabā,* manteau d'homme.

**cabane** début XIV^e^ s. ; prov. *cabana,* du bas lat. *capanna,* hutte (VII^e^ s., Isidore de Séville). || **cabaner** XVI^e^ s. || **cabanon** 1752, Trévoux, spécialisé en « cellule d'aliéné » ; XIX^e^ s., pied-à-terre de campagne, en Provence. || **encabaner** 1856, Lachâtre.

1. **cabaret** 1330, *Baudoin de Sebourc,* « buvette » ; XVII^e^ s., « meuble » ; mot picard, du néerl. *cabret,* issu du picard *cambrette,* petite chambre. || **cabaretier** XIV^e^ s.

2. **cabaret** début XVI^e^ s., « plante » ; altér. d'apr. le précédent de *baccaret* (XVI^e^ s.), du lat. *baccaris,* gr. *bakkaris,* de même sens.

**cabas** v. 1350 ; prov. *cabas,* du lat. pop. **capacius,* de *capax, -cis,* « qui contient », de *capere,* contenir ; il a désigné longtemps un panier de jonc servant à expédier les figues et les raisins du Midi.

**cabèche** XVI^e^ s. (*cavèche*) ; 1873, abbé Moreau (*cabèche*) ; esp. *cabeza,* tête. (V. CABOCHE.)

**cabernet** 1861, Dupuits ; nom de cépage, mot du Médoc.

**cabestan** 1382, *Compte du Clos des Galées de Rouen ;* prov. *cabestan,* de *cabestran,* de *cabestre,* corde, poulie. (V. CHEVÊTRE.)

**cabiai** 1575, Thevet (*capiigouare*), rongeur ; fin XVIII^e^ s., Buffon (*cabiai*) ; mot tupi-guarani (v. COBAYE), langue indigène du Brésil.

**cabillaud** 1278, G. (*-aut*) ; néerl. *kabeljau.*

**cabillot** 1687, Desroches ; prov. *cabilhot,* de *cabilha,* cheville.

**cabine** 1364, texte de Lille, « maison de jeu » ; mot picard, var. de *cabane* (on a dit *cabane d'un navire* du XVI^e^ au XVIII^e^ s.), ou croisement de *ca-,* « creux », et *benne,* panier, hutte ; 1688, Blome, sens actuel, repris sans doute à l'angl.

**cabinet** fin XV^e^ s., « chambre intime » ; 1528, Gay, « meuble » ; 1539, R. Est., polit. ; 1708, Furetière, « ministère » ; ital. *gabinetto,* chambre ou meuble.

**câble** 1180 ; prov. ou normand *cable,* du bas lat. *capŭlum* (VII^e^ s., Isidore de Séville) ; il a remplacé *chable.* || **câbleau** 1415, Jal. || **câblière** 1795, *Encycl. méth.* || **câblerie** 1905. || **câbler** 1680, « façonner un câble » ; 1877, Lar., « télégraphier », sens repris à l'angl. || **câblage** 1877, L. || **câblogramme** 1888 ; angl. *cablegram,* devenu *cablegramme* (1896, *la Nature*) ; abrégé en *câble* (1897, Bourget). || **câblodistributeur** 1982. || **câblodistribution** 1965. || **encablure** 1758, Savérien.

**caboche** 1160, Benoît (*caboce*) ; forme normanno-picarde, de *bosse,* avec préf. péjor. *ca-,* vulgarisée comme mot pop. à partir du XIV^e^ s.

(nom du boucher *Caboche*). Le mot a été confondu de bonne heure avec des dér. d'orig. méridionale, du lat. *caput,* tête ; 1680, Richelet, « clou à grosse tête », de l'ital. *capocchia,* même origine. (V. CABÈCHE.) || **cabochard** 1579, H. Est. || **cabochon** 1380, Gay, « pierre précieuse convexe » ; 1706, Richelet, « clou à grosse tête ».

**cabosser** 1160, *Moniage Guillaume,* « former des bosses », en parlant des souliers ; XVIe s., « déformer par des bosses » ; préfixe *ca-,* expressif, et *bosse.*

1. **cabot** 1821, Ansiaume, « chien à grosse tête » ; mot méridional ou normand, de *cap,* tête, désignant dans les dialectes divers animaux à grosse tête (têtard, chabot) ; ou déform. de *clabaud.*

2. **cabot** 1881, Rigaud, « caporal » en argot milit. ; abrév. de *capo(ral)* par attraction de *cabot* 1.

3. **cabot** V. CABOTIN et CHABOT.

**caboter** 1678, Guillet ; esp. *cabo,* cap. || **cabotage** 1678, Guillet. || **caboteur** 1542, G.

**cabotin** 1770, P. Daire, « comédien ambulant », paraît représenter le nom d'un comédien ambulant de l'époque Louis XIII ; il est aussi rapproché d'un mot picard (XVIIIe s.), « petit badin », du lat. *caput,* tête. || **cabot** 1847, abrév. || **cabotiner** 1774, *Confess. Audinot.* || **cabotinage** 1805, Stendhal.

**caboulot** 1846, Delvau, nom d'un cabaret de la rue des Cordiers d'apr. Rigaud ; mot franc-comtois signif. « réduit », croisement de *cabane* avec un mot obscur, p.-ê. gaulois (*boulot,* petit local, du celtique **buta,* hutte).

**cabre** 1540, Rab., « chèvre » ; 1827, *Acad.,* sens techn. ; prov. mod. *cabro,* chèvre, du lat. *capra.* || **cabrade** 1867 ; prov. *cabrado.*

**cabrer** fin XIIe s., « se dresser sur ses pieds de derrière » ; XIVe s., *se cabrer ;* prov. (*se*) *cabrar,* se dresser comme une chèvre, de *cabro,* chèvre ; 1608, d'apr. Trévoux, fig. || **cabrage** 1886. || **cabrement** 1877, L.

**cabrette** 1926, cornemuse ; prov. *cabro,* chèvre.

**cabri** 1392, E. Deschamps ; prov. *cabrit ;* lat. pop. *capritus, Loi salique,* de *capra,* chèvre ; il a remplacé l'anc. fr. *chevri.*

**cabriole** 1562, Tahureau, écrit souvent *capriole* (XVIe-XVII[e] s.) ; ital. *capriola,* de *capriolo,* chevreuil, avec infl. de *cabri.* || **cabrioler** 1584, Du Monin ; ital. *capriolare.* || **cabrioleur** 1625, *Rec. comptes argenterie.* || **cabriolet** 1755, *Mercure,* « voiture légère qui cabriole » ; 1757, Duvaux, « jeu » ; 1757, Grimm, « coiffure ».

**cabus** 1256, Ald. de Sienne ; prov. *cabus,* de l'ital. *capuccio,* chou à grosse tête. Le dér. *cabusser* (1600, O. de Serres) n'a pas vécu.

**caca** 1534, Des Périers ; mot enfantin sur le modèle des redoublements, du lat. *cacare,* qui a donné *chier.* (V. DADA, PAPA.)

**cacaber** 1560, Paré ; lat. *cacabare* (poème de *Philomèle*), du gr.

**cacade** 1589, Constant ; ital. *cacata ;* la var. *cagade* (fin XVIe s., d'Aubigné) vient du prov. *cacado,* entreprise manquée.

**cacahuète** début XIXe s., fém. ; esp. *cacahuate,* masc., du nahuatl, langue des Aztèques, *tlacucahuatl,* avec une initiale confondue avec l'article.

**cacao** 1532, A. Fabre ; esp. *cacao,* du nahuatl, langue des Aztèques, *cacauatl.* || **cacaoyer** 1686, Frontignières. || **cacaotier** 1698, De Laet. || **cacaoyère** ou **cacaotière** 1730, Savary. || **cacaoté** 1949, Lar.

**cacarder** 1613, Delb. ; orig. onomatop.

**cacatoès** 1663 (*cacatois*) ; port. *cacatua,* mot malais.

**cacatois** 1663, Herbert (var. *kakatoès*) ; néerl. *kakatoe,* du malais *kakatūwa,* onomat. d'apr. le cri du perroquet, peut-être aussi infl. du port. *cacatua.* Comme terme de marine, dér. synonymique d'apr. « perroquet ».

**cachalot** 1628, Contant (*-lut*) ; esp. *cachalote,* de *cachola,* caboche, c'est-à-dire « poisson à grosse tête ».

**cachemire** début XIXe s. ; du nom de la province du *Cachemire* (Inde).

***cacher** XIIIe s., *Saint-Graal,* « fouler », et sens actuel ; 1549, R. Est., fig. ; lat. pop. **coacticare,* serrer, fréquentatif de *coactare,* contraindre ; a remplacé *escondre* (lat. pop. **excondere*). Pour l'évolution sémantique cf. *resserre.* || **cache** 1561, *Anc. Théâtre fr.,* fém., « cachette » ; 1898, *Encycl. pop.,* en photogr., masc. ; déverbal. || **cachette** 1313, God. de Paris. || **cachot** milieu XVIe s., dimin. || **cachotter** 1550, Delb. || **cachotterie** apr. 1650, Bossuet. || **cachottier** 1670, *Lettre à Huet.* || **cache-cache** 1778, *Courrier de l'Europe.* || **cache-cœur** v. 1950. || **cache-col**

1534, *Gargantua* (*-coul*). ‖ **cache-corset** v. 1880. ‖ **cache-misère** 1847. ‖ **cache-nez** 1549, R. Est. ‖ **cache-pot** fin XVII^e s., Huet (*vente à cache-pot*) ; 1830, *la Mode,* sens mod. ‖ **cache-poussière** fin XIX^e s. ‖ **cache-radiateur** XX^e s. ‖ **cache-sexe** fin XIX^e s. ‖ **cache-tampon** 1835. ‖ **écacher** 1160, Benoît ; de *cacher,* fouler. ‖ **écachement** XVI^e s., G. ‖ **écacheur** 1571, *Ordonn.* ‖ **cachet** 1464, « empreinte sur la cire » ; fig., 1774, *Corr. litt. phil. et crit.* ; de *cacher,* presser. ‖ **cacheter** 1464, Bartzsch. ‖ **cacheton** 1937. ‖ **cachetonner** v. 1950. ‖ **décacheter** 1554, Mathée. ‖ **recacheter** 1554, Mathée.

**cachet** V. CACHER.

**cachexie** 1538, Canappe ; lat. méd. *cachexia,* du gr. *kakhexia,* mauvaise constitution (*kakos,* mauvais, et *hexis,* état). ‖ **cachexique** ou **cachectique** 1538, Canappe ; lat. méd. *cachecticus,* du gr. *kakhektikos.*

**cachot** V. CACHER.

**cachou** 1651, Hellot ; port. *cachù,* du malais ou du dravidien *kâchu.*

**cachucha** 1837, Barbey ; mot esp. qui indique une danse andalouse.

**cacique** 1515, Du Redouer, « chef des anciens Mexicains » ; 1803, Boiste, famille de passereaux d'Amérique ; v. 1840, argot scol., « premier de promotion » ; mot esp., de l'arawak, langue indigène d'Amérique centrale. ‖ **caciquer** v. 1950.

**caco-,** gr. *kakos,* mauvais. ‖ **cacochyme** 1478 (*-ime*) ; gr. méd. *kakokhumos,* de *khumos,* humeur. ‖ **cacodyle** 1842 ; gr. *odmê,* odeur, et *hulê,* matière. ‖ **cacographie** milieu XVI^e s. ‖ **cacographe** 1820. ‖ **cacologie** 1611, Cotgrave ; gr. *kakologia,* de *logos,* parole. ‖ **cacophonie** 1587, Ronsard ; gr. *kakophônia,* de *phônê,* son. ‖ **cacophonique** 1853.

**cacolet** 1819, Boiste ; gascon pyrénéen *cacoulet,* d'orig. basque.

**cacouac** 1757, Moreau, sobriquet donné aux philosophes ; orig. expressive.

**cactus** fin XVIII^e s. (*cactier*) ; lat. bot. *cactus,* du gr. *kaktos,* artichaut épineux. ‖ **cactée** 1803, Boiste (*-té*) ; 1842, *Acad.* (*-tées*). ‖ **cactiforme** 1930, Lar.

**cacuminal** fin XIX^e s. ; lat. *cacumen, -inis,* sommet.

**cadastre** 1527, Bodin, « cadastre de Toulouse » ; étendu, au XVIII^e s., au nord de la France ; mot prov., altér. de l'anc. ital. *catastico,* du bas gr. *katastikhon,* liste, registre (*kata,* prép., *stikhos,* ligne). ‖ **cadastral** 1790, Necker. ‖ **cadastrer** 1781, Turgot. ‖ **cadastreur** 1838.

**cadavre** XVI^e s., *Chron. bordelaise ;* lat. *cadaver.* ‖ **cadavéreux** 1546, Rab. ‖ **cadavérique** 1787, Féraud. ‖ **cadavériquement** v. 1880, Huysmans. ‖ **cadavériser (se)** 1830.

**caddie** 1896 ; mot angl. signif. « commissionnaire ».

**cade** 1518, G., bot. ; mot prov., du bas lat. *catănum* (fin VII^e s., glose d'Espagne).

**cadeau** fin XII^e s., *Girart de Roussillon,* « lettre capitale » avec enjolivures ; 1532, « enjolivures », au pr. et au fig. ; 1659, Molière, « divertissement offert à une dame » ; 1669, « présent » ; prov. *capdel,* chef, du lat. *capitellum,* dér. de *caput,* tête, confondu pour le sens avec *capdal,* du lat. *capitalis.*

**cadédiou** ou **cadédis** 1636, Corn., juron gascon ; contraction de *cap de Diou,* tête de Dieu ; employé dans les comédies des XVII^e-XVIII^e s.

**cadenas** 1529, G. Tory (var. *cathenat*) ; prov. *cadenat,* dér. de *cadena,* chaîne, du lat. *catena,* l'arceau du cadenas ayant été comparé à une chaîne. ‖ **cadenasser** 1530, trad. de Folengo.

**cadence** fin XV^e s., « chute » ; 1546, J. Martin, « terminaison d'une période, rythme » ; ital. *cadenza,* du lat. *cadere,* tomber. ‖ **cadencer** 1597, Cyre Foucault (*-cé*). ‖ **cadencement** 1873.

**cadène** début XIV^e s. ; ital. *catena,* chaîne (var. *catène*), terme de marine (*cadène de haubans*) ; 1829, chaîne de forçat ; prov. mod. *cadeno.*

**cadenette** 1629, Saint-Amant, mèche de cheveux mise à la mode, sous Louis XIII, par H. d'Albert, sire de *Cadenet* (Provence) ; plus tard, tresse.

1. **cadet** XV^e s., J. de Bueil, « puîné », qu'il a remplacé au cours du XVIII^e s. ; gascon *capdet,* chef, forme dial. de *capdel* (v. CADEAU) ; les capitaines gascons servant dans l'armée royale, aux XV^e-XVI^e s., étaient généralement des puînés de familles nobles (sens du XVII^e s., Cotgrave). ‖ **cadette** 1801, Boiste, « petite queue de billard ».

2. **cadet** v. 1904, membre d'un parti de droite de Russie ; des initiales du mot russe *K(onstitutionnel)-D(émocrate).*

**cadi** V. ALCADE.

**cadis** 1352, Gay, « serge du Midi » ; mot prov., de l'esp. *cadiz,* p.-ê. étoffe fabriquée à *Cadix* (esp. *Cadiz*).

**cadmie** fin XIIIe s. (*camie*) ; 1538, Canappe (*cadmie*) ; lat. *cadmia,* du gr. *kadmeia,* minerai de zinc, extrait près de Thèbes, cité de *Kadmos.* || **cadmium** 1808, tiré de la cadmie par Pontin. || **cadmiage** v. 1925.

**cadogan** 1780, *Description des arts et métiers* (var. 1768, Piron, *catogan*) ; coiffure mise à la mode par le général anglais *Cadogan* (1675-1726).

**cadran** XVIIe s., G. (*quadran*) ; lat. *quadrans,* part. prés. de *quadrare,* former un carré, les cadrans solaires étant carrés ou rectangulaires. || **cadrannerie** 1783, *Encycl. méth.*

**cadrat** XVIIe s., Naudé (*qua-*) ; lat. *quadratus,* carré. || **cadratin** 1680, Richelet (*qua-*). Termes techn. de l'imprimerie.

**cadre** 1549, Rab., « carré », et sens actuel ; 1931, Farbman, pl., « personnel d'encadrement » ; ital. *quadro,* carré, du lat. *quadrus.* || **cadrer** 1529, G. Tory (*qua-*), avec prép. *à ;* XVIIe s., avec prép. *avec ;* 1912, *le Film,* en cinéma ; de *cadre* ou du lat. *quadrare,* s'adapter. || **cadrage** 1866, Lar., « ensemble de cadres » ; 1924, Ducom, cinéma. || **cadreur** 1952. || **encadrer** 1752, Trévoux. || **encadrement** 1756, Brunot. || **encadreur** 1870, Lar.

**caduc** 1346 ; *mal caduc* (épilepsie), XVIe s., Michel de Tours ; lat. *caducus,* de *cadere,* tomber. || **caducité** 1479, Lecoy.

**caducée** 1455, Fossetier (*caduce,* n. f.) ; lat. *caduceus,* du gr. *kêrukeion,* insigne du héraut (*kêrux*).

**cæcum** 1538, Canappe ; lat. méd. (*intestinum*) *caecum,* intestin aveugle, le cæcum étant en cul-de-sac. || **cæcal** 1654, Gelée.

**cæsium** ou **césium,** corps simple découvert en 1860 par Bunsen et Kirchhoff ; lat. *caesius,* gris-vert, d'apr. la couleur de ce métal.

**cafard** 1480, Gringore (*-phar*), « bigot » (sens vulgarisé par les huguenots), puis dénonciateur hypocrite (qui se cache) ; XVIe s., « blatte » ; 1882, Ginisty, *avoir le cafard,* fig., arg. milit. d'Afrique ; ar. *kāfir,* mécréant (cf. esp. *cafre,* cruel), ou d'un rad. *caf-,* du lat. *cavus.* || **cafarder** milieu XVe s., « dénoncer ». || **cafardage** 1765, Rousseau. || **cafardeur** XIXe s. || **cafarderie** XVe s., G. || **cafardeux** 1919, Esnault. || **cafardise** 1551, A. Désiré. || **cafeter** ou **cafter** 1900. || **cafeteur** 1914.

**café** 1651, Lambert (*cafeh*) ; le premier café fut ouvert à Marseille en 1654 ; ital. *caffè,* de l'ar. *qahwa,* prononcé à la turque *kahvé ;* la forme *caoua* a été reprise par l'argot milit. d'Afrique (1888). || **caféier** 1715 (*cafier*) ; 1791, *Encycl. méth.* (*-eyer*). || **caféine** isolée par Runge, en 1820. || **caféone** 1867, Lar. || **caféisme** 1878, Lar. || **cafetier** 1680, Richelet, *t* analogique ; 1846, Balzac, « débitant ». || **cafetière** 1685, Dufour, « récipient » ; 1836, Mme de Girardin, « établissement » ; 1857, Furpille, « tête ». || **cafétéria** 1925 ; mot amér., de l'esp. *cafeteria.* || **décaféiner** 1911, Lar. || **décaféination** 1911, Lar. || **café-concert** 1852, Nerval. || **caf' conc'** 1878, Esnault. || **café-théâtre** v. 1965.

**cafouiller** 1740, Cottignies ; renforcement de *fouiller* avec le préfixe péjor. *ca- ;* formation picarde (« fouiller »). || **cafouillage** début XVIIIe s. || **cafouilleux** fin XIXe s. || **cafouillis** fin XIXe s.

**caftan** 1537, Saint-Blancard ; arabo-persan *qaftān.*

**cagade** V. CACADE.

***cage** 1155, Wace ; lat. *cavĕa,* de *cavus,* creux (forme pop. *Chaye,* n. de lieu) ; la conservation du *c* est due soit à un emprunt tardif, soit à une forme picarde. || **cageot** 1467, *Ordonn.* || **cagée** 1599, Desparron. || **cagette** 1321, Du Cange. || **cagerotte** 1551, Cottereau. || **encager** 1310, Guiart. || **encagement** 1636, Monet.

**cagibi** 1891, Coulabin (*cagibiti*), « petit réduit » ; 1915, « abri de tranchées » ; mot de l'Ouest qui paraît être une altér. de *cabane,* à finale obscure, avec infl. de *cage ;* ou métathèse de *cabigit,* cahute, de *cabajétis.*

**cagna** 1883, au Tonkin, « abri de campagne » ; 1915, « abri de tranchées » ; annamite *kai-nhâ,* la maison, ou prov. *cagna,* lieu abrité.

**cagne** fin XVe s., *Cent Nouv. nouvelles ;* ital. *cagna,* chienne, avec valeurs péjor. ; 1480, *Comptes de l'hôtel des Rois de France,* « pavillon ». || **cagnard** 1480, D., « petit pavillon » ; 1520, Marot, « paresseux comme une chienne ». || **cagnardise** 1540, Calvin. || **cagneux** 1607, de Francini ; d'apr. la forme des pattes antérieures du chien. || **acagnarder** 1540, Calvin, « accoutumer à la paresse ».

**cagnotte** 1801, « cuveau pour vendange » ; 1855, V. Rozier, « corbeille pour enjeux »,

« enjeux conservés » ; gascon mod. *cagnoto,* cuveau, de *cana,* récipient.

**cagot** début XV^e s., « lépreux blanc » ; XVI^e s., fig., par infl. de *bigot ;* mot béarnais (lépreux blanc), p.-ê. péjor., dér. de *cagar,* chier. || **cagoterie** 1598, Ph. de Marnix. || **cagotisme** 1667, Molière. || **cagou** 1436, *Journ. de Paris ;* 1596, *Vie généreuse,* « lépreux simulé, chef des gueux » en argot ; XVII^e s., Scarron, « gueux ».

**cagouille** 1611, rég., « escargot » ; du lat. *conchylia,* ou de *caque,* « coquille », avec le suff. *-ouille.*

**cagoule** XII^e s. (*cogole*) ; 1552, Rab. ; mot du Sud-Ouest, du lat. chrét. *cuculla* (IV^e s., saint Jérôme), var. de *cucullus,* capuchon, cape à capuchon ; l'*a* est dû à *cagouille* (v. CUCULLE). || **cagoulard** v. 1936.

***cahier** 1160, Benoît (*quaer*) ; XIII^e s. (*quaier*) ; bas lat. *quaternio,* du lat. *quaterni,* distributif de *quatuor,* quatre, c'est-à-dire « cahier de quatre feuilles ». (V. CARNET.)

**cahin-caha** 1552, Rab. ; prononciation médiév. de *qua hinc qua hac,* par-ci par-là (var. XV^e s., M. Le Franc, *kahukaha*).

**cahoter** 1564, J. Thierry ; XVIII^e s., fig. ; préfixe *ca-,* péjor., et francique **hottôn,* balancer. || **cahot** 1460, déverbal. || **cahotement** 1769, Tissot. || **cahoteux** 1678, *Archives.*

**cahute** XIII^e s., E. Caupain (*chaüte*) ; XIV^e s. (*quahute*) ; de *hutte* et du préfixe péjor. *ca-,* avec infl. possible d'un mot néerl., ou croisem. de *hutte* et de *cabane.*

**caïd** 1308, *Hist. des Normands ;* 1827, *Acad. ;* XX^e s., sens pop. « chef de bande » ; ar. *qā'id,* chef de tribu.

**caïeu** 1651, Bonnefons, « bulbe secondaire » ; 1733, Lémery, « moule » ; mot picard signif. « rejeton », métaphore de l'anc. fr. *chael* (picard *cael*), petit chien, du lat. *catellus.*

**caillasse** V. CAILLOU.

**caille** VIII^e s., *Reichenau* (*quaccola*) ; fin XII^e s., *Chron. d'Antioche* (*quaille*) ; lat. médiév. *quaccula,* d'orig. onomatop. (néerl. *kakkel*).

**caillebotter** V. CAILLER.

***cailler** 1120, *Ps. d'Oxford* (*coailler*) ; 1936, Céline, « avoir froid » ; lat. *coagŭlare.* || **caillette** 1398, *Ménagier,* « estomac des ruminants », car on fait cailler le lait avec de la présure retirée de l'estomac d'un jeune veau. || **caillement** 1478. || **caille-lait** 1701, Furetière. || **caillot** XVI^e s., G. ; dimin. de l'anc. fr. *cail,* présure, du lat. *coagulum,* présure. || **caillebotter** 1320, Chr. Legouais ; mot de l'Ouest, de *cailler* et *bouter* (dial. *boter*), mettre, c.-à-d. « mettre en caillé ». || **caillebotis** 1678, Guillet. || **caillebotte** 1546, Rab. (V. COAGULER.)

1. **caillette** V. CAILLER.

2. **caillette** 1530, Marot, « personne frivole » ; du nom d'un bouffon de Louis XII et de François I^er ; d'abord masc. (encore chez Cotgrave, 1611), puis fém. sous l'infl. de la syllabe finale. || **cailleter** 1766, Rousseau. || **cailletage** 1758, Sainte-Maure.

**caillot** V. CAILLER.

**caillou** 1164, Chr. de Troyes (*chaillo*) ; 1180, Benoît (*caillou*) ; forme normanno-picarde, du gaulois **caliavo,* dont le rad. pré-indo-européen **cal,* signif. « pierre, rocher », est attesté dans les noms de lieux. || **caillouter** 1757, *Inv. de M^me de Pompadour.* || **caillouteux** 1573, Liébault (*cailloueux*). || **cailloutage** fin XVI^e s., Sully. || **cailloutis** 1700, Liger. || **caillasse** 1846, avec suffixe augmentatif substitué.

**caïman** 1584, Fumée (*caymane*) ; 1588, de La Porte (*caïman*) ; passé en argot scol. v. 1880 (*les Normaliens*) ; esp. *caiman,* mot caraïbe.

**caïque** 1575, *Lettre à Villeroy* (*caïq*) ; ital. *caicco,* du turc *kajik,* petite embarcation non pontée.

**cairn** 1797, Mackenzie, « tumuli celtiques en pierres sèches » ; irlandais *cairn,* tas de pierres, du celte *car-,* pierre.

**caisse** milieu XIV^e s. (*quecce*), « coffre » ; XVI^e s., caisse d'un tambour ; 1636, Monet, « coffre-fort » ; prov. *caissa,* du lat. *capsa,* boîte (v. CHÂSSE). || **caisserie** 1869, L. || **caissette** XVI^e s., Ronsard. || **caissier** 1595, Dampmartin. || **caisson** début XV^e s. (*caixon*) ; ital. *cassone,* augmentatif de *cassa,* caisse, avec infl. de *caisse* (le prov. *caisson* est un dimin.). || **décaisser** 1701, Furetière. || **encaisser** début XVI^e s., « mettre en caisse » ; 1690, Furetière, « toucher de l'argent ». || **encaisse** 1845, Besch. || **encaissement** 1645, Poussin, « action de mettre dans une caisse » ; 1832, Raymond, sens financier. || **encaisseur** 1870, Lar. || **rencaisser** début XVIII^e s.

**caisson** V. CAISSE.

**cajeput** 1739, *Hist. de l'expédition de la C^ie des Indes ;* malais *kayou-pouti,* arbre blanc.

**cajoler** 1560, Paré, « crier », en parlant du geai ; XVI^e s., « caqueter » (jusqu'au XVII^e s.) ;

début XVII^e s., « échanger de doux propos », sous l'infl. de *enjoler,* et « chercher à capter » ; adaptation de l'anc. fr. *gaioler,* caqueter ou crier en parlant du *geai,* avec infl. de *cage.* || **cajolerie** fin XVI^e s., G. || **cajoleur** fin XVI^e s., G.

**cajou** début XVII^e s. ; mot tupi.

**cajun** 1885 ; de *Acadien,* pron. à l'anglaise (accent sur la 2^e syllabe et palatalisation en *-dj-*).

**cake** 1795, Behrens ; mot angl., de *plum-cake,* gâteau aux raisins secs.

**cal** fin XIII^e s., *Fabliau ;* lat. *callus.* || **calleux** 1314, Mondeville (*cailleux*) ; début XVI^e s. (*calleux*) ; lat. *callosus.* || **callosité** 1314, Mondeville (*call-*) ; lat. *callositas.*

**calage** V. CALER.

**calamar** V. CALMAR.

**calame** 1540, Rab. ; lat. *calamus,* roseau.

**calament** XII^e s. ; lat. *calaminthe,* du gr., désignant une plante odorante.

**calamine** XIII^e s., *D.G.* (*cale-*) ; lat. médiév. *calamina,* altér. de *cadmia* (v. CADMIE). || **calaminaire** fin XIV^e s. || **calaminer (se)** v. 1950.

**calamistrer** XIV^e s., G. ; lat. *calamistrum,* fer à friser.

1. **calamite** 1265, Br. Latini (*calemite*), « résine tirée des roseaux » ; 1771, « végétal fossile » ; lat. *calamus,* roseau.

2. **calamite** 1316, G. (*calmite*), « aiguille aimantée » ; XVI^e s., « amphibole qui attire la salive dans la bouche » ; ital. *calamita,* de *calamo,* roseau, le roseau servant de flotteur à l'aimant de la boussole.

**calamité** 1355, Bersuire ; lat. *calamitas.* || **calamiteux** XV^e s., G. Tardif ; lat. *calamitosus.*

**calancher** ou **calencher** 1846, « mourir » ; de *caler,* s'arrêter, avec suff. arg. *-ancher.*

1. **calandre,** rouleau V. CALANDRER.

2. **calandre** XII^e s., G., « alouette » ; prov. *calandra,* du lat. pop. *calandra,* mot gr. || **calandre** 1539, R. Est., « charançon », paraît être un emploi métaph., le rostre de l'insecte rappelant un bec ; les deux valeurs (oiseau et charançon) coexistent aussi en italien.

**calandrer** 1400, G., « lustrer avec un cylindre » ; bas lat. **calendra,* du gr. *kulindros,* cylindre. || **calandrage** 1771, Schmidlin. || **calandreur** 1313, G. || **calandre** fin XV^e s., « cylindre » ; 1816, Beaumier, « pompe » ; 1951, Lar., automobile.

**calanque** 1678, Guillet ; 1690, Furetière (*-angue*) ; prov. mod. *calanco,* crique rocheuse (XIII^e s., « cabanon, ruelle »), de **cala,* pente raide.

**calcaire** 1751, *Encycl. ;* lat. *calcarius,* de *calx, calcis,* chaux. || **calcémie** 1927 ; gr. *haima,* sang. || **calcique** 1838. || **calcite** 1723, Veneroni. || **calcium** 1808, Boiste. || **calcifié** 1765. || **calcification** 1848. || **décalcifier** 1873, Cornil. || **décalcification** 1873, Cornil.

**calcanéum** 1541, Canappe ; mot lat. signif. « talon », de *calcare,* fouler.

**calcédoine** XII^e s., *Marbode ;* lat. *chalcedonius,* du gr. *Khalkêdôn,* ville près de laquelle on extrayait cette pierre.

**calcéolaire** av. 1732, Feuillée ; lat. *calceolus,* petit soulier, la fleur rappelant la pointe d'un soulier.

**calcet** 1622, Hobeir, mar. ; ital. *calcese,* du lat. *carchesium,* gr. *karkhêsion ;* il a remplacé la forme anc. *carcois* (encore chez Oudin).

**calcifier, calcin** V. CALCAIRE, CALCINER.

**calciner** XIV^e s., B. de Gordon ; lat. *calx, calcis,* chaux. || **calcin** 1765, « rognures de verre qu'on refond ». || **calcination** v. 1265, J. de Meung.

1. **calcul** V. CALCULER.

2. **calcul** 1546, Ch. Est., « concrétion calcaire » ; lat. méd. *calculus,* caillou. || **calculeux** 1540.

**calculer** 1372, Corbichon ; bas lat. *calculare,* compter (IV^e s., Prudence), et, au fig., apprécier (V^e s., Sidoine Apollinaire), du lat. *calculus,* caillou, jeton pour compter, d'où « compte ». || **calcul** XV^e s., Chuquet, « action de calculer ». || **calculable** 1732. || **calculateur** 1546, Budé ; lat. impér. *calculator* (Martial). || **calculatrice** XX^e s., techn. || **calculette** v. 1970. || **incalculable** 1779, Gérard.

1. **cale** [d'un navire] V. CALER.

2. **cale** 1611, Cotgrave, « coin pour caler » ; allem. *Keil,* coin. || **caler** 1676, Félibien, « mettre une cale » ; *être calé,* être à son aise, fin XVIII^e s., Hébert ; XIX^e s., arg. scol., *être calé,* être instruit ; *se caler les joues,* manger. || **calepied** fin XIX^e s. || **calot** 1732, Th. Corn., dimin. || **calage** 1866, Lar. || **décaler** 1615, Binet. Le

sens fig. est du début du XXe s. || **décalage** 1845, Besch. || **recaler** 1832, Raymond.

3. **cale** XIIe s., « coiffure » ; peut-être métaphore de *(é)cale,* écorce de noix, c.-à-d. « coiffure qui colle à la tête », du francique ***skala,*** ou du lat. *callum,* peau dure. || **calot** milieu XVIIIe s., « fond de calotte » ; 1842, *Acad.,* « coiffure de soldat ». || **calotte** 1394, Delb. ; fin XVIIe s., « voûte » ; péjor., fin XVIIIe s., « les prêtres » ; 1808, d'Hautel, « tape sur la tête ». || **calotin** 1664, Mouhy, « confrérie des plaisants » ; 1780, Brunot, appliqué aux prêtres. || **calot(t)inisme** 1871, É. Vermesch. || **calotter** 1808, d'Hautel, au fig., « donner des gifles ». || **décalotter** 1791, *Encycl. méthod.,* techn.

4. **cale** 1606, crique ; anc. prov. *cala.*

**calebasse** 1527 ; esp. *calabaza.* || **calebassier** 1637, A. de Saint-Lô.

**calèche** 1646, Livet *(calège)* ; 1661, Molière *(calèche)* ; allem. *Kalesche,* du tchèque *kolesa,* sorte de voiture.

**caleçon** milieu XVIe s. *(calessons,* pl.) ; 1571, La Boétie *(calçon)* ; ital. *calzoni* (pl.), augmentatif de *calza,* chausse, bas, du lat. *calceus* (v. CHAUSSE). || **caleçonnade** v. 1930. || **calecif** ou **calcif** arg., 1916.

**caléfaction** 1398, *Somme Gautier ;* bas lat. *calefactio* (*Digeste*), de *calefacere,* chauffer (*calor,* chaleur ; *facere,* faire). || **caléfacteur** 1836.

**calembour** 1768, Diderot ; orig. obscure, p.-ê. en rapport avec *bourde.* || **calembourdier** 1776, *Corr. litt., phil. et crit.* || **calembouresque** XXe s.

**calembredaine** 1798, *Acad. ;* du dial. *calembourdaine,* var. de *calembour.*

**calencar** 1730, Savary (*-ard*), « toile peinte de Perse » ; persan *kalamkar,* ouvrage fait avec le calame.

**calendes** 1160, Benoît ; lat. *calendae,* premier jour du mois.

**calendrier** av. 1307, *Marco Polo ;* lat. *calendarium,* livre d'échéances, en bas lat. « calendrier » (de *calendae,* calendes).

**calepin** 1534, Des Périers, « dictionnaire » (jusqu'au XVIIe s.), ensuite « recueil de notes » ; du nom de l'Italien *A. Calepino* († 1510), auteur d'un *Dictionnaire de la langue latine* (1502).

1. **caler** V. CALE 2.

2. **caler** 1160, Benoît, « en marine, laisser aller les voiles » ; XIXe s., « caler un moteur » ; XVIe s., fig., échouer, renoncer ; forme normanno-picarde, du lat. techn. *chalare,* tenir en l'air, suspendre (Vitruve, Végèce), du gr. *khalân,* relâcher, détendre, qui prit un sens nautique en bas lat. || **cale** [de navire] XIIIe s., G. || **cale** 1694, quai ; prov. *calo,* ou déverbal de *caler* comme le précéd. || **calage** [des voiles] 1863, L. || **recaler** fin XVIIe s., « répliquer à quelqu'un » ; XIXe s., Flaubert, « refuser à un examen ». || **caleter** ou **calter** 1798, *Bandits d'Orgères,* « fuir » ; fréquentatif de *caler,* fuir.

**calfat** fin XIVe s. *(calefas)* ; ital. *calfato,* du gr. byzantin *kalaphatês,* de l'ar. *jalfaz ;* ouvrier chargé de rendre étanches, avec le *fer à calfat,* les joints d'un pont, d'un navire. || **calfater** XIIIe s. *(calafater)* ; ital. *calafatare.* || **calfatage** 1527, Fréville. || **calfateur** 1373, Du Cange (*-phadeur*). || **calfeutrer** 1382, *Compte du Clos des Galées de Rouen* (*calefestrer*) ; altér. par *feutre* de *calfater.* || **calfeutrage** 1586, Laudonnière. || **calfeutrement** 1636, Monet.

**calibre** 1478, Delb. ; 1935, Esnault, arme à feu ; ital. *calibro,* de l'ar. *qālib,* forme de chaussure, moule à métaux. || **calibrer** 1552, Rab. || **calibrage** 1838, *Acad.* || **calibreur** 1845.

1. **calice** 1130, *Couronn. de Loïs,* « vase sacré » ; lat. eccl. *calix, -icis,* coupe ; le sens fig. « boire le calice » vient de l'Évangile (Matthieu, XX, 22).

2. **calice** milieu XVIe s., « calice de la fleur » ; lat. *calyx, -ycis,* du gr. *kalux.* || **caliciforme** 1838. || **calicinal** 1803.

**caliche** 1863, L., minéral ; esp. *caliche.*

**calicot** fin XVIIe s. *(callicoos),* rare jusqu'au début du XIXe s. ; 1815, « employé de magasin » ; mot angl., cette étoffe fut fabriquée d'abord à *Calicut,* ville de l'Inde.

**calife** 1080, *Roland* (*algalife*) ; XIIe s., Delb. (*calife*) ; ar. *khalıfa,* vicaire, lieutenant. || **califat** 1560, G. Postel.

**californium** 1950, Seaborg ; de *Californie* (université de l'État), où cet élément chimique fut obtenu artificiellement.

**califourchon (à)** 1569, Ronsard (*calfourchon*) ; 1578, d'Aubigné (*cafourchon*) ; 1611, Cotgrave (*calli-*) ; altér. de l'anc. fr. *a calefourchies* (XIIIe s., « les jambes écartées »), de *fourcher* et *caler.*

**câlin** 1598, Bouchet, « paresseux, mendiant simulé » ; fin XVIIIe s., sens actuel ; rare jusqu'au XVIIIe s. et pop. ; mot de l'Ouest, du prov. *calina,* chaleur, sans doute déverbal de *câliner.* || **câliner** XVIe s., « paresser », emploi fig. du prov. *calina,* chaleur, au sens « se chauffer au soleil ». || **câlinage** 1657, Tall. des Réaux. || **câlinerie** 1830, Balzac.

**calinotade** 1863, Delvau ; de *Calinot,* puis *Calino,* type créé par les Goncourt (1852), popularisé par un vaudeville de Barrière (1856).

**caliorne** 1634, Cleirac ; ital. *caliorna,* palan.

**calisson** XIIIe s. (*calison*), « friandise » ; XVe s., Martin du Canal, « claie » ; 1838 ; prov. *calissoun,* forme dissimilée de *canissoun,* clayon de pâtissier, du lat. *canna,* roseau.

**calleux** V. CAL.

**call-girl** 1960 ; mot angl., de (*to*) *call,* appeler, et *girl,* fille.

**calli-,** gr. *kallos,* beauté. || **calligraphe** 1751, *Encycl.* ; gr. *kalligraphos,* de *graphein,* écrire. || **calligraphie** 1569, H. Est. ; gr. *kalligraphia.* || **calligramme** début XXe s., Apollinaire. || **calligrammatique** 1918. || **calligraphier** 1866, Lar. || **calligraphique** 1828, Boiste. || **callipyge** 1786, *Encycl. méth.* ; gr. *kallipugos,* de *pugê,* fesse, épithète d'Aphrodite.

**calmar** fin XIIIe s. (*calamar*), « écritoire portative » (jusqu'au XVIIIe s.) ; 1552, R. Est., « céphalopode » propre à la Méditerranée, d'apr. le liquide noirâtre qu'il répand ; ital. *calamaro,* du lat. *calămarius,* « qui contient les roseaux à écrire ».

**calme** début XVe s., n. f. (jusqu'au XVIe s.), d'abord mar. ; ital. *calma,* du gr. *kauma,* chaleur brûlante, et par ext. calme de la mer qui en résulte. || **calmement** 1552, Ronsard. || **calme** adj., début XVe s. ; ital. *calmo.* || **calmer** 1450, Gréban ; ital. *calmare.* || **accalmie** 1783, *Encycl.* ; p.-ê. part. passé d'un verbe **accalmir,* rendre calme.

**calomel** 1752, *Encycl.* ; gr. *kalos,* beau, et *melas,* noir : la poudre est noire au début de sa préparation.

**calomnie** début XIVe s. ; lat. *calumnia.* || **calomniateur** XIIIe s., *Bible* ; lat. *calumniator.* || **calomnieux** 1312, G. ; lat. *calumniosus.* || **calomnieusement** 1377, G. || **calomnier** fin XIVe s. ; lat. *calumniari.* (V. CHALLENGE.)

**calorie** début XIXe s. ; lat. *calor, -oris,* chaleur. || **calorique** 1783, Brunot. || **calorifique** 1550, Fierabras ; lat. *calorificus.* || **calorification** 1827, *Acad.* || **calorifère** 1807, *Acad. des sc.,* subst. ; 1816, *Petite Chron. de Paris,* adj. ; lat. *ferre,* porter. || **calorimètre** 1743. || **calorimétrie** 1803. || **calorifuge** 1846, Pimont. || **calorifuger** 1922, Lar. || **caloriser** 1923, Lar.

1. **calot,** coiffure V. CALE 3.

2. **calot** 1690, Furetière, « noix écalée » ; 1837, Vidocq, « coquille de noix » ; XIXe s., fig., « grosse bille » ; mot de l'Ouest, de *cale,* forme déglutinée de *écale.*

**calotte** V. CALE 3.

**caloyer** 1392, É. Deschamps ; gr. mod. *kalogeros,* beau vieillard (avec pron. *i* pour *g*), de *kalos,* beau, et *gerôn,* vieillard.

**calquer** 1642, Oudin ; *se calquer sur,* 1845, Besch., fig. ; ital. *calcare,* fouler, presser, du lat. *calcare* (anc. fr. *chauchier*). || **calque** 1690, Furetière ; ital. *calco.* || **calquage** 1766. || **décalquer** 1691, Aviler. || **décalque** 1837. || **décalcomanie** 1840, Gay.

**calumet** 1609 ; forme normanno-picarde de *chalumeau,* avec changement de suffixe, spécialisée pour désigner la pipe des Indiens.

**calus** 1560, Paré, méd. ; lat. *callus,* cal.

**calvaire** XIIe s., L. ; lat. chrét. *Calvarium* (IIe s., Tertullien) signif. « crâne », de *calvus,* chauve, calque de l'hébreu *Golgotha,* lieu du crâne, colline où Jésus fut crucifié.

**calville** milieu XVIe s. (*calvil*), variété de pomme ; du nom de *Calleville,* village de l'Eure.

**calviniste** 1562 (d'abord *calvinien* au XVIe s., *calvinal, calvinesque, calvinistique, calvinique*) ; du nom latinisé de Calvin (*Calvinus*). || **calvinisme** 1572, Ronsard.

**calvitie** XIVe s. ; lat. *calvities,* de *calvus,* chauve.

**camaïeu** XIIIe s., Huon de Méry (*camaheu*) ; p.-ê. ar. *qamā'il,* bouton de fleur. || **camée** 1752, Lacombe ; même origine par l'ital. *cameo.*

**camail** début XIIIe s. ; 1548, R. Est., pèlerine à capuchon des prêtres ; prov. *capmalh,* coiffure de fer, signif. au propre « tête de mailles » ; lat. *caput,* tête, et *macula,* maille.

**camarade** 1570, Carloix, fém., « chambrée », puis « compagnon d'armes », « camarade de chambrée » (cf. évolution sémantique de *garde*) ; 1790, sens polit. ; a pris un fém. au début du XIXe s. ; esp. *camarada,* chambrée milit., de *camara,* chambre. || **camaro** 1846, camarade, abrév. pop. || **camaraderie** 1671, Sévigné. || **camarader** 1843, Balzac.

**camard** V. CAMUS.

**camarilla** 1824 ; mot esp., dimin. de *camara,* chambre, spécialisé en « cabinet particulier du roi » et désignant le parti absolutiste sous Charles X.

**cambiste** 1675, Savary ; ital. *cambista,* de *cambio,* change. Terme de Bourse désignant celui qui fait des opérations de change.

**cambium** 1515 ; lat. bot., du bas lat. *cambium,* change.

**cambouis** 1398, *Ménagier* (*-bois*) ; orig. inconnue, p.-ê. wallon *cabouiller,* enduire de boue, de *bouiller,* faire des bulles, et *ca-,* préf.

**cambrai** 1608 ; du nom de la ville où ce tissu se fabrique.

**cambrer** début XVe s. ; de *cambre,* forme normanno-picarde de l'anc. fr. *chambre,* adj., courbe, du lat. *camŭrum,* courbé, voûté. || **cambrure** début XVIe s. || **cambreur** 1838. || **cambre** 1963.

**cambrioleur** 1828, Vidocq, argot, « dévaliseur de chambres », popularisé v. 1880-1890 ; arg. *cambriole,* vol (1790, *le Rat du Châtelet*), du prov. mod. *cambro,* chambre, lat. *camera.* || **cambrioler** 1847, Balzac. || **cambriolage** 1898, Esnault. || **cambriole** 1790, *le Rat du Châtelet,* « maison » ; 1821, Ansiaume, « vol » ; déverbal.

**cambrousse** 1723, Grandval, argot, « servante », et « campagne, province » ; prov. mod. *cambrous, -ouso,* valet, femme de chambre, et *cambrousso,* bouge, cahute, confondus en argot ; d'après le lat. *camera,* chambre. || **cambrousier** 1836. || **cambrousard** v. 1950.

**cambuse** 1773, Bourdé, mar. ; 1828, Vidocq, « mauvaise maison » ; néerl. *kabuis,* cuisine de navire, chaufferie. || **cambusier** 1784, Behrens.

1. **came** 1751, *Encycl.,* techn. ; néerl. *kamm,* peigne.

2. **came** V. CAMELOT 1.

**camée** V. CAMAÏEU.

**caméléon** XIIe s., G. ; XIXe s., fig. ; lat. *camaeleon,* du gr. *khamaileôn,* lion qui se traîne à terre (*khamai*). || **caméléonien** 1831, Balzac. || **caméléonisme** 1850. || **caméléonesque** 1835, Balzac.

**camélia** fin XVIIIe s., fleur ; 1850, Privat d'Anglemont, « lorette » ; lat. bot. *camellia,* nom donné à une fleur par Linné, d'après celui du *P. Camelli* qui apporta l'arbuste de l'Asie tropicale à la fin du XVIIe s.

**cameline** 1549, R. Est. ; altér. de *camamine* (1542), déformation du lat. impér. *chamaemelina* (IVe s., Priscien), de *chamaemelon,* du gr. signif. « pomme naine ». (V. CAMOMILLE.)

1. **camelot** XIIe s., « étoffe » ; ar. *hamlat,* peluche de laine, mis en rapport avec *chamelot* (XIIIe s.), de *chameau.* L'étoffe, qui venait d'Orient, était réputée faite en poil de chèvre. || **cameloter** 1530, Palsgrave, « façonner grossièrement » comme le camelot. || **camelote** 1751, *Encycl.* || **came** fin XIXe s., drogue, abrév. argotique de *camelote* avec sens spécial. || **camer (se)** 1952.

2. **camelot** 1821, Ansiaume, « colporteur » ; fin XIXe s., « crieur de journaux » ; altér., d'apr. le précédent, de l'arg. *coesmelot,* dimin. de *coesme,* mercier (colporteur) [1596, *Vie des mercelots*], de même rac. que l'anc. fr. *caïmand,* mendiant, du prov. *caim.* (V. QUÉMANDER.)

**camembert** 1866, Lar. ; du nom d'un village de l'Orne, centre où s'est d'abord fabriqué ce fromage.

**caméra** XVIIIe s., en musique ; 1900, *l'Illustration,* cinéma, par l'intermédiaire de l'angl. ; ital. *camera,* chambre claire. || **cameraman** 1919 ; mot angl.

**camérier** milieu XIVe s. ; ital. *cameriere,* de *camera,* chambre.

**camériste** fin XVIIe s., Saint-Simon (*camariste*), « dame d'honneur » ; 1803, Boiste, « femme de chambre » ; esp. *camarista,* de *camara,* chambre : l'*é* (1741, Trévoux) est dû à l'italien.

**camerlingue** 1418, G. (*camerlin*) ; 1572, Belleforest (*-lingue*) ; ital. *camerlingo,* même mot que *chambellan.*

**camion** 1352, Du Cange (*chamion*), « chariot » ; 1845, récipient pour les peintres ; forme normanno-picarde d'un mot d'orig. inconnue ; au sens d'épingle, il paraît être un autre terme (1606, Nicot). || **camionner** 1829, Breghot. || **camionnage** 1820, d'apr. L. || **camionnette** fin XIXe s. || **camionneur** milieu XVIe s.

**camisard** 1688 ; occitan *camisa,* chemise.

**camisole** 1547, Ronsard ; prov. *camisola,* de *camisa,* chemise.

**camomille** XIVᵉ s., J. Le Fèvre ; lat. médiév. *camomilla,* altér. du lat. *chamaemelon,* du gr. *khamaimêlon,* pomme (*mêlon*) à terre (*khamai*), l'odeur des fleurs rappelant pour les Grecs celle des pommes.

**camoufle** V. CAMOUFLET.

**camoufler** 1821, Esnault, d'abord argot ; ital. *camuffare,* déguiser, tromper (l'*l* est dû à l'infl. de *camouflet*) ; ou plus simplement de *camouflet.* ‖ **camouflage** 1891, « déguisement » ; 1914, milit. ‖ **camouflement** début XIXᵉ s. ‖ **camoufleur** 1922, Lar.

**camouflet** 1611, Cotgrave, « fumée qu'on souffle au nez dans un cornet de papier allumé » ; fin XVIIᵉ s., Saint-Simon, « mortification » ; de *moufle,* museau, et du préfixe péjor. *ca-* ; la var. *chault mouflet* (XVᵉ s.), bien qu'antérieure, doit être une altér. d'apr. *chaud.* ‖ **camoufle** 1821, Ansiaume, « bougie » ; dér. régressive de *camouflet,* fumée.

**camp** fin XVᵉ s. ; ital. *campo,* champ, dans son sens milit. ; ou forme normanno-picarde de *champ.* ‖ **camper** XVᵉ s. ‖ **campement** 1584, Thevet. ‖ **campeur** début XXᵉ s. ‖ **décamper** milieu XVIᵉ s. ‖ **décampement** 1611, Cotgrave. (V. CAMPING, ESCAMPETTE.)

**campagne** 1535, Marot, « armée en campagne », puis « plaine », avec spécialisation rapide à « campagne » opposée à « ville » (usuel au XVIIᵉ s.) ; ital. *campagna,* du lat. *campania,* plaine. L'anc. fr. avait *champagne* (normanno-picard *campagne*), qui a été spécialisé au sens de « terre de bonne culture en plaine ». ‖ **campagnard** 1611, Cotgrave. ‖ **campagnol** 1758, Buffon ; ital. *campagnoli,* campagnard, pris à tort pour le nom du rat des champs.

**campane** XIIᵉ s., « cloche » (jusqu'au XVIᵉ s.), sens techn. ensuite ; bas lat. ou ital. *campana,* cloche. ‖ **campanelle** fin XIIIᵉ s., Rutebeuf (*champenelle*) ; XVIᵉ s. (*camp-*), « clochette », puis « liseron ». ‖ **campanile** XVᵉ s. (*campanille*) ; ital. *campanile,* clocher (de *campana,* cloche), mot bas lat. signif. « vase en airain de Campanie », par ext. « cloche » en lat. chrét. d'Italie. ‖ **campanule** 1696 ; ital. *campanula,* dimin. de *campana,* cloche. ‖ **campanulacée** 1809.

**campêche** début XVIIᵉ s. ; du nom d'une ville du Mexique, près de laquelle cet arbre est cultivé.

**camper** V. CAMP.

**camphre** 1256, Ald. de Sienne (*canfre*) ; 1372, Corbichon (*camphore*) ; lat. médiév. *camphora,* de l'ar. *kāfūr.* ‖ **camphrer** 1564, J. Thierry. ‖ **camphrier** 1751, *Encycl.* ; d'apr. le rad. lat. ‖ **camphène** 1833. ‖ **camphol** 1888, Lar. ‖ **camphorate** 1803, Wailly. ‖ **camphrène** 1878, Lar.

**camping** 1905, *Revue Touring-Club* ; mot angl., part. prés. de (*to*) *camp,* camper. ‖ **camping-car** 1974. ‖ **Camping-Gaz** v. 1960 ; nom déposé.

**campos** (*donner, avoir*) fin XVᵉ s., écrit souvent *campo,* d'apr. l'anc. pron. du lat. ; lat. scolaire *ire ad campos,* aller aux champs, *habere campos,* avoir les champs.

**campus** 1894 ; mot amér., du lat. *campus,* champ.

**camus** 1243, Ph. de Novare ; rad. de *museau* et préfixe péjor. *ca-.* ‖ **camard** 1534, Rab., avec substitution de suffixe.

**canaille** fin XVᵉ s. ; ital. *canaglia,* de *cane,* chien ; il a remplacé l'anc. fr. *chiennaille.* ‖ **canaillement** 1870. ‖ **canaillerie** 1821. ‖ **canaillocratie** 1793. ‖ **décanailler (se)** 1858, Peschier. ‖ **encanailler (s')** 1661, Molière. ‖ **encanaillement** 1876, L.

**canal** début XIIᵉ s. ; lat. *canalis,* de *canna,* roseau, qui a donné aussi *chenal* ; anat., 1546, Ch. Est. ‖ **canaliser** 1585, Fr. Feuardent. ‖ **canalisable** 1836, Landais. ‖ **canalisation** 1823, Boiste. ‖ **canalicule** 1820, Laveaux.

**canapé** fin XIIᵉ s., *Alexandre* (*conopé*) ; 1648, Monconys (*canapé*), « lit à un dossier à chaque bout », puis « rideau de lit » ; lat. *conopeum,* du gr. *kônôpeîon,* de *kônôps,* moustique : lit égyptien entouré d'une moustiquaire. ‖ **canapé-lit** 1866, Lar.

**canaque** 1866, Lar. ; polynésien *kanaka,* homme.

**canard, canarder** V. CANE.

**canari** 1576, P. de Brach ; esp. *canario,* serin des Canaries. Le mot a été écrit *canarie* (1642, Oudin).

**canasson** V. CANE.

**canasta** v. 1945 ; esp. *canasta,* corbeille ; jeu de cartes.

1. **cancan** milieu XVIᵉ s. (*quanquan de collège*) ; 1602, Sully, « commérage », « bruit fait autour d'une nouvelle » ; lat. *quanquam* avec l'anc. prononciation ; il a désigné d'abord les harangues scolaires en latin, où cette conjonc-

tion revenait souvent. || **cancaner** 1823, Boiste. || **cancanier** 1834, Landais.

2. **cancan,** danse V. CANE.

**cancel** fin XII^e s., *Loherains,* « balustrade » ; lat. *cancellus,* barreau ; balustrade d'un chœur d'église.

**canceller** 1293, G., « annuler » ; lat. *cancellare,* barrer. Restreint au vocabulaire de la diplomatie.

**cancer** 1372, Corbichon, « signe du zodiaque » ; 1503, Chauliac, « maladie » ; mot lat. signif. « crabe » (sens astron. chez Lucrèce, sens méd. chez Celse). || **cancéreux** 1743, Geffroy. || **cancérigène** v. 1920. || **cancériser** XX^e s. || **cancérisation** 1845, J.-B. Richard. || **cancérologie** 1920, substitué à *carcinologie.* || **cancérologue** 1920.

**cancre** 1265, Br. Latini, « crabe » (jusqu'au XVI^e s.) et « signe du zodiaque » ou « maladie » ; 1651, Loret, sens fig. péjor. de « miséreux » ; 1801, le Cousin Jacques, sens scolaire ; lat. *cancer.*

**cancrelat** début XVIII^e s. (*cakkerlak*) ; milieu XVIII^e s. (*cancrelat*) ; néerl. *kakkerlak,* avec infl. de *cancre ;* il désigna d'abord une blatte de l'Amérique du Sud, d'où le mot est originaire, puis toute blatte.

**candélabre** 1050, *Alexis* (*chandelabre*) ; XIII^e s. (*can-*) ; lat. *candelabrum,* de *candela,* chandelle.

**candeur** XIV^e s. ; lat. *candor,* blancheur. || **candide** fin XV^e s., O. de Saint-Gelais ; lat. *candidus,* blanc. || **candidement** 1561, J. de Maumont. || **candidat** XIII^e s., Végèce ; lat. *candidatus,* de *candidus,* car les candidats aux fonctions publiques s'habillaient de blanc à Rome. || **candidature** 1816, Jouy.

**candi** 1256, Ald. de Sienne (*con-*) ; mot ital., de l'ar. *qandı,* de *qand,* sucre de canne, d'origine hindi. || **candir** 1600 ; d'apr. l'ital.

**candidat, candide** V. CANDEUR.

**cane** 1360, *Modus* (*quenne*) ; formation expressive avec infl. de l'anc. fr. *ane, aine,* du lat. *anas, -atis,* canard. || **canard** fin XII^e s., surnom ; XIII^e s., G. (*quanard*) ; 1750, fausse nouvelle ; 1834, Boiste, « fausse note » ; 1842, *Acad.,* « feuille volante », « mauvais journal ». || **canasson** 1866, Delvau, « mauvais cheval » ; altér. péjor. de *canard.* || **caneton** 1530, Palsgrave ; dimin. sur *canette* (XIII^e s.). || **canarder** 1578, d'Aubigné, « tirer un canard » ; 1847, Mérimée, « tirer des coups de feu ». || **canardière** milieu XVII^e s. || **cancan** 1808, d'Hautel, nom enfantin du canard ; 1829, Forçat, « danse populaire de l'époque de Louis-Philippe » d'apr. le déhanchement du canard. (V. aussi CANCAN à son ordre.) || **canepetière** 1534, Rab. ; de *petière,* dér. de *pet,* d'apr. le bruit que l'oiseau fait en détalant. || **caner** début XVI^e s., « jacasser » ; 1606, Nicot, « foirer » ; 1821, « reculer, se dérober » ; 1829, Forban, « mourir » ; de *cane,* animal poltron (cf. *faire la cane* au XVI^e s., se conduire en poltron) ; l'argot *escanner,* s'enfuir, 1800 (*Chauffeurs*), se rattache à l'idée de jouer des *cannes* (des jambes). || **caniche** 1743, Trévoux, fém., « femelle du barbet » ; de *cane,* car le chien va volontiers à l'eau. || **canéfice** 1577, *Contrat* (*-éfiste*) ; mot créole, de l'esp. *cañafistula,* de *caña,* roseau, et *fistula,* tuyau ; désigne la casse en botanique. || **canéficier** 1647.

**canepetière** V. CANE.

**canéphore** 1570, G. Hervet ; gr. *kanêphoros,* de *pherein,* porter, et *kanê,* corbeille.

**canepin** 1310, Gay, « peau d'agneau » et « papier fait avec l'écorce de tilleul » ; ital. *canapino,* de *canape,* chanvre, qui a désigné une sorte de drap.

**caner** V. CANE.

1. **canette,** bouteille V. CANNE.

2. **canette** début XV^e s., « bobine de fil » ; ital. de Gênes *cannetta,* d'où provenaient les fils d'or et d'argent.

**canevas** 1175, Chr. de Troyes (*kanevas*), « grosse toile de chanvre » (jusqu'au XVI^e s.) ; fin XVI^e s., du Bartas, « réseau de fils croisés pour broderie, tapisserie » ; forme picarde (qui a remplacé *chanevas*), de *caneve,* forme anc. de *chanvre.*

**canezou** fin XVIII^e s. ; p.-ê. croisement entre le prov. mod. *camisoun,* petite chemise, et *caneçon,* déformation pop. ancienne de *caleçon ;* petit corsage de lingerie à la mode sous l'Empire.

**canfouine** 1883, rég., « cahute » ; p.-ê de *furnus,* four. || **canfouiner (se)** XX^e s., rég.

**cange** 1785, Savary, « barque du Nil » ; ar. d'Égypte *qandja.*

**cangue** 1664, Chevreuil ; port. *canga,* sans doute de l'annamite *gong.*

**caniche** V. CANE.

**canicule** 1500, Molinet ; ital. *canicula,* petite chienne, désignant l'étoile (ou Chien) de Sirius, dont le lever héliaque coïncide avec le solstice d'été ; calque du gr. *kuôn,* chien. || **caniculaire** XVe s., *Grant Herbier ;* lat. *canicularis.* (V. CHENILLE.)

**canidé** 1834, Landais ; lat. *canis,* chien. || **canin** 1390, Conty ; lat. *caninus,* « de chien », qui a remplacé la forme pop. *chenin* (encore 1578, d'Aubigné). || **canine** 1546, Ch. Est.

**canif** 1441, G. (*quenif*) ; anc. angl. **knif* (angl. *knife*). Le dérivé *canivet* (XIIe s., *Tristan*) a disparu au XVIIe s.

**canin, canine** V. CANIDÉ.

**canisse** 1600 ; mot prov., du bas lat. *cannicius,* de *canna,* roseau.

**canitie** XIIIe s., G. (*canecie*) ; lat. *canities,* blancheur, de *canus,* blanc (v. CHENU).

**caniveau** 1694, Th. Corn. ; orig. obscure, p.-ê. dér. de *canne,* conduit, tuyau.

**canna** 1816, *Dict. hist. nat.,* « balisier » ; lat. *canna,* roseau, terme emprunté par les botanistes.

**cannabinée** 1842, *Acad. ;* lat. *cannabis,* chanvre. || **cannabine** 1827, *Acad.* || **cannabisme** XXe s.

**canne** XIIe s., « tuyau » ; 1555, Poleur, « canne à sucre » ; fin XVIe s., « bâton de promenade » ; *canne à sucre,* 1578, Léry ; mot ital., du lat. *canna,* roseau, issu du gr., d'orig. orientale. || **canne-épée** XXe s. || **cannaie** 1600, É. Binet. || **cannelle** [d'un tonneau] XVe s. ; de *canne,* tuyau. || **canneler** 1342, Douet (*quenelé*). || **cannelure** 1545, Graillot ; ital. *cannellatura.* || **canner** 1613, Nostredame, « mesurer à la canne » ; de *canne,* bâton ; 1856, « garnir un siège de joncs tressés ». || **cannage** 1723, « mesurage à la canne » ; 1856, sens actuel. || **canette** XIIIe s., « petit vase » ; 1723, Savary, « bouteille », de *canne,* tuyau, puis « vase cylindrique » ; 1856, Furpille, pour les bouteilles de bière, d'apr. la forme. || **cannelier** 1575, Thevet.

1. **cannelle** V. CANNE.

2. **cannelle** début XIIe s., *Voy. de Charl.,* « écorce de cannelier » (roulée en petits tuyaux) ; même étym. que *cannelle* 1 par l'ital., la cannelle venant d'Orient ; du lat. *canna,* roseau.

**cannetille** 1534, Rab. ; esp. *cañutillo,* de *cañuto,* roseau.

**cannibale** 1515, Du Redouer ; esp. *canibal,* altér. du nom des *Caraïbes* ou *Caribes ;* fig., XVIIIe s., Voltaire. || **cannibalisme** 1795, *Abréviateur universel.* || **cannibaliste** 1796, *Journ. des patriotes.* || **cannibalique** 1950. || **cannibaliser** v. 1969 ; angl. (*to*) *cannibalize.*

**canoë** V. CANOT.

1. **canon** XIIIe s., bobine ; 1339, Gay, « pièce d'artillerie » ; ital. *cannone* (moderne *canone*), augmentatif de *canna,* tube (v. CANNE) ; par ext., « canon de fusil » ; 1826, Larchey, « verre cylindrique à boire ». || **canonner** v. 1500, J. Marot. || **canonnade** 1552, Rab. ; d'apr. l'ital. || **canonnage** 1752, Trévoux. || **canonnier** 1383, *Chron. de Flandre.* || **canonnière** 1415, G.

2. **canon** XIIIe s., *Livre de jostice,* théol. ; lat. *canon,* du gr. *kanôn,* règle, spécialisé en lat. chrét. || **canonique** XIIIe s., *Assises de Jérusalem ;* lat. eccl. *canonicus.* || **canoniste** XIVe s., G. || **canonicat** 1611, Cotgrave ; lat. eccl. *canonicatus* (v. CHANOINE). || **canonicité** fin XVIIe s., Saint-Simon. || **canonial** 1155, Wace ; sert de dér. de *chanoine ;* refait sur le lat. eccl. *canonicalis.* || **canoniser** XIIIe s., G. ; lat. eccl. *canonizare.* || **canonisable** 1601, Charron. || **canonisation** XIIIe s., G.

**cañon** 1862, Burton ; mot hispano-américain, augmentatif de *caño,* tube, conduit, même mot que *canne,* appliqué d'abord au cañon du Colorado.

**canonial, canonicat** V. CANON 2.

**canot** 1519, *Voy. d'Ant. Pigaphetta* (*canoe,* encore au XVIIe s.) ; XVIe s. (*canot*) ; esp. *canoa,* d'une langue indigène des Caraïbes. || **canoë** 1867 ; angl. *canoe,* même mot que le précédent. || **canoéisme** 1948. || **canoë-kayak** milieu XXe s. || **canotier** fin XVIe s. ; fin XIXe s., chapeau. || **canoter** milieu XIXe s. || **canotage** 1843, *le Canotier.*

**cant** 1729, Mackenzie ; mot angl. signif. « mélopée de mendiant », puis « jargon des mendiants », enfin « jargon d'un milieu formaliste » ; p.-ê. lat. *cantus,* chant.

**cantabile** 1757, Diderot ; ital. *cantabile,* du bas lat. *cantabilis,* digne d'être chanté, puis « qui a la forme d'un chant ».

**cantal** 1680, Richelet ; du nom de la région où se fabrique ce fromage.

**cantaloup** 1703, Bossard ; de *Cantalupo,* ville du pape (près de Rome), où ce melon était cultivé.

**cantate** début XVIIIe s. ; ital. *cantata,* part. passé fém. substantivé de *cantare,* chanter, du lat.

**cantatrice** 1746, Mermet, d'abord appliqué aux chanteuses ital. ; sens mod., 1759, *Mercure ;* ital. *cantatrice,* chanteuse, du lat. *cantatrix.*

**canter** 1862, *le Sport ;* mot angl. signif. « galop d'essai », abrév. de *Canterbury,* d'apr. l'allure lente des chevaux des pèlerins allant à Saint-Thomas de Canterbury.

**canthare** fin XVIe s., Du Bartas ; lat. *cantharus,* nom de poisson, du gr. *kantharos.* Terme de zool. devenu aujourd'hui *canthère.*

**cantharide** fin XIIIe s. ; lat. *cantharis, -idis,* du gr. *kantharis* désignant un insecte.

**cantilène** 1477, Molinet ; ital. *cantilena,* mot lat., de *cantare,* chanter ; chant profane, par opposition au chant religieux, le *motet.*

**cantilever** 1883, *Génie civil,* type de suspension ; mot anglo-amér., de *cant,* rebord, et *lever,* levier.

**cantine** 1680, Richelet, « caisse » ; 1720, Brunot, « buvette » ; 1866, Lar., sens actuel ; ital. *cantina,* cave, de *canto,* coin, réserve. || **cantinier, cantinière** 1762, *Acad.*

**cantique** 1120, *Ps. de Cambridge ;* lat. chrét. *canticum* (IVe s., saint Jérôme), chant religieux, en lat. class. « chant ».

**canton** 1243, Ph. de Novare, « coin de pays » (jusqu'au XVIIIe s.) ; XVIe s., cantons de la Suisse ; 1775, division territoriale proposée par Turgot ; ital. *cantone,* augmentatif de *canto,* coin. || **cantonal** 1817. || **cantonner** XIIIe s. ; 1694, *Acad.,* fig. || **cantonnement** fin XVIIe s., Saint-Simon. || **cantonnière** 1562, Du Pinet, « pièce qui garnit les coins ». || **cantonnier** XVIIIe s., « qui s'occupe d'un canton de la route » ; création du marquis de Carrion de Nisas, lieutenant du Languedoc, avec infl. du prov. mod. *cantoun,* coin.

**cantonade** 1455, *Coquillards,* « coin de rue » ; fin XVIIe s., Gherardi, sens théâtral ; ital. *cantonata,* coin de rue, de *cantone,* canton.

**cantre** 1751, *Encycl.,* « châssis d'ourdissoir » ; orig. obscure.

**canule** XIVe s. ; lat. *cannula,* dimin. de *canna,* tuyau. || **canuler** 1830, Mérimée, pop., « importuner » ; la canule du lavement symbolisant le désagrément. || **canular** 1895, *Doc.* || **canularesque** v. 1930.

**canut** 1836, Landais, « ouvrier en soierie à Lyon » ; p.-ê. de *canne,* d'apr. *canette,* bobine de soie.

**caoua** V. CAFÉ.

**caouanne** 1643, Jannequin, « tortue des tropiques » ; esp. *caouana,* d'une langue indigène d'Amérique du Sud.

**caoutchouc** 1745, La Condamine ; mot d'une langue indigène de l'Équateur ; le premier échantillon fut envoyé de Quito, par La Condamine, à l'Acad. des sc. || **caoutchouter** 1844, Dumersan. || **caoutchouteux** 1908, Martin du Gard. || **caoutchoutier** 1892, B. de Saunier.

1. **cap** 1387, J. d'Arras ; rare jusqu'au XVIIIe s. ; prov. *cap,* tête, sens créé sur les rives de la Méditerranée pour désigner un promontoire.

2. **cap** XIIIe s., Ph. Mousket (*par mon cap !*), d'abord dans la bouche des Méridionaux ; *de pied en cap,* 1360, Froissart ; prov. *cap,* tête.

**capable** XIVe s., « qui peut contenir » (jusqu'au XVIIe s.) et « susceptible de » ; XVIIe s., « instruit, en état de bien faire » ; lat. *capabilis,* de *capere,* contenir. || **incapable** 1501, *Destrees,* « incurable » ; 1517, Bouchet, sens actuel ; 1587, Du Vair, jurid.

**capacité** 1314 ; lat. *capacitas,* de *capax, -cis,* qui peut contenir, de *capere,* tenir, contenir. || **capacitaire** 1834, Dartois, spécialisé ensuite pour désigner l'étudiant en droit de première année ou le titulaire de la capacité en droit. || **incapacité** 1552, Paradin ; 1810, *Code,* jurid.

**caparaçon** 1498, G. (*capparasson*) ; esp. *caparazón,* de *capa,* manteau. || **caparaçonner** XVIe s., La Curne.

**cape** XIIe s., *Amadis ;* ital. *cappa,* en remplacement de la forme *chape.* || **capot** fin XVIe s., « manteau à capuchon » ; fin XIXe s., « capot de voiture », issu d'un sens mar. « tambour couvert » ; 1642, Oudin, *être capot,* terme de jeu, être aveuglé, sous le manteau. || **capote** 1688, « manteau à capuchon » ; XIXe s., « capote de voiture ». || **capotage** 1878, L., « action de mettre la capote ». (V. aussi CAPOT 2.) || **capoter** 1773, Bourdé. || **décaper** 1742, *Mém. Acad. des sc.* || **décapage** 1768, *Encycl.* || **décapement** 1888, Lar. || **décapeuse** 1956, Lar. || **décapoter** début XXe s. || **décapotable** début XXe s.

**capelan** v. 1540, Marot ; prov. *capelan,* chapelain.

**capeler** 1687, Desroches, « faire passer sur la tête d'un mât » ; prov. *capelar,* coiffer, de *capel,* chapeau. || **capelage** 1771, Trévoux.

**capelet** 1678, Guillet, « tumeur chevaline formant un petit grain » ; mot prov. signif. « chapelet ».

**capeline** milieu XIVᵉ s., Barbier, « armure de tête » (jusqu'au XVIᵉ s.) ; début XIVᵉ s., Gay, « coiffure retombante » ; ital. *cappellina,* de *cappello,* chapeau.

**capendu** 1423, G., « pomme » ; mot normand, d'orig. obscure.

**capharnaüm** XIIIᵉ s. (*capharnaon*) ; du nom d'une ville de Galilée où Jésus attira la foule devant sa maison ; on a rapproché ce mot de *cafourniau,* débarras obscur, de *furnus,* four.

**cap-hornier** 1944 ; du nom géogr. *cap Horn.*

**capillaire** 1314, Mondeville, adj. ; 1560, Paré, nom de plante ; lat. *capillaris,* de *capillus,* cheveu. || **capillarité** 1820, Laveaux. || **capilliculteur** v. 1960.

**capilotade** 1555, *Livre exc. de cuisine* (var. *cabirotade,* « ragoût ») ; *mettre en capilotade,* 1610, Béroalde de Verville ; esp. *capirotada,* ragoût aux câpres, de l'ital.

**capitaine** fin XIIIᵉ s., Guiart ; bas lat. *capitaneus,* de *caput, -itis,* tête, passé au Moyen Âge au sens de « chef militaire ». || **capitainerie** 1339, Saige.

**capital** 1190, Garnier, adj. ; n. m., 1567, Junius, « dette » ; *le capital d'un marchand,* 1606, Nicot ; 1684, Le Correur, *un capital* à côté de *fonds capital* (1730, Savary) ; lat. *capitalis,* de *caput, -itis,* tête. || **capitale** n. f., 1509, de *ville capitale* ; 1567, de *lettre capitale.* || **capitaliste** 1755, *Encycl.,* adj. ; n. m., 1759, Rousseau, « gros possesseur d'argent », « citoyen riche, propriétaire foncier » ; 1826, J.-B. Say, sens actuel. || **capitalisme** 1753, *Encycl.,* « état de celui qui est riche » ; 1840, Leroux, sens actuel. || **capitaliser** 1770. || **capitalisation** 1829, Boiste. || **capitalisable** 1842, J.-B. Richard. || **décapitaliser** 1793, Brunot. || **décapitalisation** 1871, Blavet, « acte d'enlever à Paris le statut de capitale ».

**capitan** 1438, *Comptes Trés.,* « chef militaire » ; 1560, Viret, « militaire fanfaron » ; ital. *capitano,* capitaine, appliqué à un matamore de comédie.

**capitane** 1563 (*galère capitane*) ; calque de l'ital. *galera capitana,* galère montée par un officier général.

**capitation** 1584, Duret ; lat. impér. *capitatio* (IIIᵉ s., Ulpien), impôt par tête (*caput*).

**capiteux** XIVᵉ s., « obstiné » ; v. 1550, « excitant » ; 1740, *Acad.,* sens actuel ; ital. *capitoso,* obstiné (évolution sémantique comme *entêté*).

**capiton** 1386, « bourre de soie » ; ital. *capitone,* grosse tête, du lat. *caput, capitis.* || **capitonner** 1546, Rab. (*se capitonner*), « se couvrir la tête » ; 1842, Mozin, sens actuel. || **capitonnage** 1871, Th. de Langeac.

**capitoul** 1389, Isambert, « édile toulousain » ; mot languedocien, abrév. de *senhor de capitoul,* du bas lat. *capitŭlum,* seigneur de chapitre. || **capitoulat** 1567.

**capitulaire** XIIIᵉ s., G., adj. ; n.m., 1690, Furetière ; lat. médiév. *capitularis,* de *capitŭlum,* chapitre, « relatif au chapitre des chanoines ».

1. **capitule** 1721, Trévoux, liturgie ; lat. *capitulum,* petit chapitre.

2. **capitule** 1732, Trévoux, bot. ; lat. *capitulum,* petite tête.

**capituler** 1361, Oresme, « diviser par articles » ; 1549, R. Est., « négocier » ; 1555, La Noue, « traiter pour la reddition », d'où, au XVIIIᵉ s. (Marmontel), le sens fig. ; lat. médiév. *capitulare,* faire un pacte, de *capitulum,* chapitre, clause (sens conservé en fr. jusqu'au XVIIᵉ s.). || **capitulation** 1500, d'Authon, « pacte » (sens gardé dans les conventions avec la Turquie, qui stipulaient des privilèges pour les chrétiens) ; 1636, Monet, sens milit. || **capitulard** 1871, G. de Molinari. || **capitulatif** 1871, *la Commune.* || **capitulateur** XVIᵉ s., « négociateur » ; 1871, Vallès, sens actuel. || **capituleur** XVIᵉ s. ; 1869, Blanqui, polit.

1. **capon** 1628, Chereau, « gueux » ; 1690, Furetière, « flagorneur » ; 1808, d'Hautel, « poltron » ; argot ital. *accapone,* gueux à la tête couverte de plaies (1627, Frianoro), de *capo,* tête. || **caponner** 1631, Anthiaume. || **caponnerie** 1852.

2. **capon** 1631, Anthiaume, « palan pour hisser l'ancre » ; ital. *capone,* augmentatif de *capo,* tête.

**caponnière** 1671, Pomey, « abri de fortification » ; ital. *capponiera* (esp. *caponera*), cage à chapons.

**caporal** 1520, « chef » ; 1600, « dizenier, gradé de rang inférieur » ; 1833, « tabac » ;

ital. *caporale,* de *capo,* tête (v. CAPITAINE). || **caporalisme** 1852, Hugo. || **caporaliser** 1866, Lar. || **caporalisation** 1896, A. Allais. (V. CABOT 2.)

1. **capot,** manteau V. CAPE.

2. **capot** 1642, Oudin, *faire capot,* empêcher l'adversaire de réussir une seule levée au piquet ; 1689, Gabit, *faire capot,* « chavirer », mar. ; mot prov. mod. mal déterminé, dont le premier élément est *cap,* tête (cf. CHAVIRER). || **capoter** 1792, Romme, « chavirer » ; 1905, Lar., appliqué à l'auto ; XX^e s., appliqué à l'avion. || **capotage** 1898.

**capote** V. CAPE.

**cappuccino** 1937 ; mot ital. signif. « capucin », allusion à la couleur marron et beige de cette boisson.

**capre** 1678, Colbert, « corsaire » ; néerl. *kaaper.*

**câpre** 1474, Fréville ; ital. *cappero,* du lat. *capparis,* du gr. || **câprier** 1517, *Doc.* || **câpron** 1642, Oudin, fraise ; nommé d'apr. sa saveur aigre.

**capricant** 1589, P. Mathieu (*caprisant*) ; 1832, Raymond (*-icant*) ; lat. *capra,* chèvre, avec infl. de *capricorne* (cf. *capricoler,* XVI^e s., Nic. de Troyes).

**caprice** 1558, Des Périers ; ital. *capriccio,* de *capo,* tête, du lat. *caput.* || **capricieux** 1570, Carloix ; ital. *capriccioso.* || **capricieusement** 1612, de Lancre.

**capricorne** début XII^e s., « signe du zodiaque » ; 1753, *Encycl.,* « coléoptère » ; lat. *capricornus,* de *caper,* bouc, et *cornu,* corne.

**caprifiguier** 1775, Bomare, « figuier sauvage » ; lat. *caprificus,* figuier à bouc, qui a donné *caprifice* (1540, Rab.), croisé avec *figuier.*

**caprifoliacée** 1806, Wailly ; lat. *caprifolium,* chèvrefeuille.

**caprin** 1240, Conty ; lat. *caprinus,* de *capra,* chèvre ; il a remplacé la forme pop. *chevrin* au XVI^e s. || **capripèdes** 1743, Trévoux ; lat. *pes, pedis,* pied.

**capselle** 1820, Laveaux, « bourse-à-pasteur » ; lat. *capsella,* coffret, de *capsa,* boîte.

**capsule** 1532, Rab., *capsule du cœur ;* 1820, Laveaux, « bouchon » ; lat. *capsella,* coffret, de *capsa,* boîte. || **capsulaire** 1690, Furetière. || **capsuler** 1845, J.-B. Richard. || **capsulage** 1878, Lar. || **bicapsulaire** 1864, L. || **décapsuler** XX^e s. || **décapsulage** XX^e s.

**capter** XV^e s., Juv. des Ursins ; 1863, L., techn. ; lat. *captare,* chercher à prendre. || **captateur** fin XVI^e s., du Vair ; lat. *captator.* || **captation** XIV^e s., Delb. ; lat. *captatio.* || **captatoire** 1771, Schmidlin. || **capteur** 1780, Gohin. || **captieux** fin XIV^e s. ; lat. *captiosus,* de *capere,* prendre. || **captieusement** fin XIV^e s., *Chron. de Flandre.*

**captif** 1450 ; lat. *captivus* (v. CHÉTIF). || **captivant** 1842, J.-B. Richard. || **captiver** début XV^e s., « faire prisonnier » ; milieu XVI^e s., J. du Bellay, fig. ; le sens propre subsiste jusqu'au XVII^e s. ; bas lat. *captivare* (IV^e s.). || **captivité** XIII^e s. || **capture** 1406, Fréville ; lat. *captura.* || **capturer** XVI^e s., *Chron. bordelaise.*

**capuce** n. m., 1606, Folengo (*-zze*) ; ital. *cappuccio,* cape (lat. *cappa,* chape), puis, par ext., capuchon, avec prononc. piémontaise. || **capuche** début XVI^e s., var. || **capuchon** début XVI^e s. ; du même mot, avec prononc. toscane. || **capuchonner** 1571, de La Porte (*-é*). || **décapuchonner** 1856, Lachâtre. || **encapuchonner** 1582, *D.G.*

**capucin** 1546, Rab. (*-ussin*), var. XVI^e s. (*-uchin*), d'apr. la prononc. toscane ; ital. *cappuccino,* moine porteur de cape. || **capucinade** 1724, Lesage. || **capucinière** 1753, Fougeret. || **capucine** 1694, Tournefort, bot., par métaphore d'apr. la forme de la fleur.

**capulet** 1818, Deville ; mot pyrénéen, dimin. de *capo,* cape.

**caquer** 1340, Delb. (*herens cakés,* harengs en caque) ; néerl. *caken,* ôter les ouïes, d'où *caqueharenc* (XIV^e s., G.), hareng préparé (calqué sur le néerl. *kakkaring*). || **caque** XIII^e s., « baril à harengs » ; déverbal de *caquer.* || **caquage** 1730, Savary. || **encaquer** v. 1600, Sully. || **encaquement** 1772, Duhamel. || **encaqueur** 1781, S. Richard.

**caqueter** 1462, *Cent Nouvelles ;* onom. *kak.* || **caquet** XV^e s., *Repues franches.* || **caquetage** 1556, Delb. || **caqueterie** 1418, G. || **caqueteur** 1507, N. de La Chesnaye. || **caquetoir** 1544, J. Martin (*-oi*). || **caquetoire** début XVI^e s., « siège », et « traverse de charrue sur laquelle on s'appuie pour causer ».

1. ***car** 1050, *Alexis,* conj. ; lat. *quare,* c'est pourquoi, donc, sens conservé en anc. fr. ; le sens actuel causal apparaît dès les premiers textes.

2. **car** 1873, Hubner, d'abord appliqué aux voitures sur rails des États-Unis ; angl. *car,* char (anc. forme normande de *char*) ; la spécialisation actuelle de sens est due à l'abréviation de *autocar.* (V. AUTO.) || **car-ferry** XXe s. ; mot angl., de *car* et *ferry,* passage.

**carabe** 1668, Graindorge, « coléoptère » ; lat. *carabus,* crabe, du gr. *karabos,* désignant aussi un insecte. || **carabidés** XXe s.

**carabin** 1575, Brantôme, « soldat de cavalerie légère armé d'une arquebuse » ; 1650, Richer, *carabin de saint Côme,* garçon de l'École de chirurgie dont saint Côme était le patron ; 1803, *Courrier des spectacles,* « étudiant en médecine » ; p.-ê. altér. de *escarrabin,* ensevelisseur de pestiférés (1521, texte de Montélimar), mot méridional, métaphore d'apr. la famille de *escarbot,* désignant divers coléoptères, notamment les nécrophores. || **carabine** XVIe s., Delb. || **carabinier** 1634, *Chron. ; carabinier à cheval* sous Henri IV ; *carabinier à pied,* 1788-1792. || **carabiné** 1836, Gautier, fam., « très violent » ; d'abord mar., *brise carabinée,* brise violente (1687, Desroches). || **carabiner** 1611, Cotgrave, « se battre en carabin » ; 1687, Desroches, « souffler violemment en parlant du vent » ; le verbe est resté techn. comme dér. de *carabine* (rayer comme une carabine).

**caracal** apr. 1750, Buffon ; esp. *caracal,* du turc *qara qālāq,* oreille noire.

**caraco** 1774, *Mercure ;* mot de l'Ouest, sans doute du turc *kerake,* manteau large à manches, porté jusqu'au XVIIIe s.

**caracoler** 1642, Oudin ; de *caracol* (fin XVIe s.), de l'esp. *caracol* (de même rac. que *escargot*), limaçon, au sens fig. « hélice, spirale » et, en équit., « mouvement circulaire qu'on fait exécuter à un cheval », d'où le sens du verbe « faire exécuter un mouvement circulaire ». || **caracolade** 1850. || **caracole** 1641, Oudin.

**caractère** XIIIe s., *Chron. de Saint-Denis* (*kar-*), signe gravé (sens conservé jusqu'au XVIIe s.), avec valeur générale d'écriture ; 1512, J. Lemaire, typogr. ; XVIe s., fig. ; lat. *character,* du gr. *kharaktêr,* de *kharattein,* graver. || **caractériel** 1841, *Français peints par eux-mêmes.* || **caractérologie** 1945, Le Senne, reprenant un mot créé par Wundt. || **caractérologue** 1945, Le Senne. || **caractériser** 1512, Thénaud. || **caractérisation** 1840. || **caractéristique** adj., 1550, Meigret ; n. f., 1690, Furetière ; gr. *kharaktêristikos.*

**caracul** fin XVIIIe s., Adanson, mouton ; du nom de la ville de *Karakoul,* en Ouzbékistan.

**carafe** 1558, Du Bellay (*-affe*) ; 1901, Bruant, « tête » ; ital. *caraffa,* de l'ar. *gharrāf,* pot à boire, par l'intermédiaire de l'esp. *garrafa.* || **carafon** 1677, Dassoucy, « petite carafe » ; 1680, Richelet, « grande carafe » ; directement de l'ital. *caraffone.*

**carafée** 1840, Boreau, « giroflée jaune » ; mot du Centre, altér. du lat. *caryophyllon,* du gr. *karuophullon,* de *karuon,* noix, et *phullon,* feuille (V. GIROFLE).

**carambole** 1602, Colin (*-ola*), « fruit du carambolier » ; fin XVIIIe s., « bille rouge de billard » d'apr. la forme de boule orangée du fruit ; esp. *carambola,* qui a les deux sens, du malais *karambil.* || **caramboler** 1790, Lemaire, « heurter » ; XIXe s., « faire d'une pierre deux coups ». || **carambolage** 1812. || **carambolier** 1783, *Encycl. méth.*

**carambouille** 1899, Nouguier, « escroquerie » ; altér. de l'esp. *carambola,* au fig. « tromperie ». || **carambouillage** 1902, Esnault. || **carambouilleur** 1926, Esnault.

**caramel** 1680, Richelet ; esp. *caramel(o),* altér. probable du lat. médiév. *cannamella,* canne à sucre, ou du bas lat. *calamellus,* de *calamus,* roseau. || **caraméliser** 1825. || **caramélisation** 1832.

**carapace** 1688, Œxmelin ; esp. *carapacho,* du rad. préroman *kar,* ou métathèse du prov. *caparasso,* manteau.

**carapater (se)** 1867, Delvau ; de *patte* et d'un élément obscur, p.-ê. *se carrer,* se cacher.

**caraque** 1245, Ph. de Novare, « bateau » ; ital. *caracca,* de l'ar. *karrāka,* bateau léger.

**carassin** 1686, Hauteville (*carache*), « sorte de carpe » ; 1816, Biot (*carassin*) ; mot lorrain, de l'allem. dial. *karas* (allem. *Karausch*), du tchèque.

**carat** 1367, *Recettes Navarre ;* ital. *carato,* de l'ar. *qirāt,* poids, du gr. *keration,* tiers de l'obole. || **carature** 1751, *Encycl.,* alliage d'or et d'argent.

**caravane** fin XIIe s. ; persan *qayrawān.* || **caravanier** XIIIe s. || **caravaning** v. 1930 ; mot angl. signif. « roulotte-remorque », de *caravan,* roulotte, dont le sens est passé aussi dans le français *caravane.*

**caravansérail** 1432, La Broquière (*karvansera*) ; 1673, Boulan (*-érail*), « hôtellerie », d'après *sérail ;* 1866, Lar., fig. ; turc *karwan-serai;* du persan *ārawān-sarāy,* maison pour les caravanes.

**caravelle** début XVe s. (*carvelle*) ; port. *caravela,* du lat. *carabus,* canot, ou navire arabe de fort tonnage. La première caravelle française fut construite entre 1438 et 1440 pour Philippe le Bon par les Portugais.

**carbet** 1614, Cl. d'Abbeville ; mot d'une langue indigène d'Amérique du Sud ; petite habitation rurale aux Antilles.

**carbonaro** 1818 ; ital. *carbonaro,* charbonnier, parce que les membres de cette société secrète introduite en France en 1818 par Bazard et Dugied se noircissaient le visage pour échapper à la police. || **carbonarisme** 1818.

**carbone** 1787, Guyton de Morveau ; lat. *carbo, -onis,* charbon. || **carboné** 1787, Guyton de Morveau. || **carbonnade** 1534, Rab. ; ital. *carbonata,* de *carbone,* charbon, c'est-à-dire « viande grillée sur les charbons » ; la forme francisée *charbonnée* a existé. || **carbonatation** 1874, Lar. || **carbochimie** XXe s. || **carboglace** 1949, Lar. || **carbonisation** 1789, Lavoisier. || **carboniser** 1803, Boiste. || **carbonate** 1787, Guyton de Morveau. || **carbonique** 1787, Guyton de Morveau. || **carbure** 1787, Guyton de Morveau, sur le rad. *carb-.* || **carburé** 1829, Boiste. || **carburer** 1853. || **carburant** 1900, *France autom.* || **carburateur** 1857. || **carburation** 1857, *journ.* || **carburier** fin XIXe s. || **carburéacteur** 1959, Lar. || **bicarbonate** 1842, *Acad.* || **bicarbonaté** 1861, *journ.* || **supercarburant** 1931, *Doc.*

**carbonnade, carbure** V. CARBONE.

**carcailler** ou **courcailler** début XVIIe s. ; onom. ; crier en parlant de la caille. || **carcaillat** 1416, Delb., « petit de la caille ».

**carcaise** 1701, Furetière (*carquese*), « four de verrier » ; esp. *carcesia,* du lat. *carchesium,* gr. *karkhêsion,* vase.

**carcajou** 1703 ; mot canadien, d'une langue indigène d'Amérique ; blaireau d'Amérique.

1. **carcan** 1190, Garn. (*charchan*) ; lat. mérovingien *carcannum,* d'orig. inconnue ; p.-ê. issu de formes picardes de *charger* (*carquier*).

2. **carcan** V. CARCASSE.

**carcasse** XIIIe s. (*charcois*) ; 1550, Ronsard (*carcan*) ; peut-être lat. *carchesium,* récipient, ou de *carquier,* forme picarde de *charger.* || **carcan** 1842, Balzac, « mauvais cheval », var. régionale. || **décarcasser (se)** 1821, Desgranges, « s'agiter ».

**carcel** 1800, lampe à huile à rouages inventée par l'horloger *Carcel* (1750-1812) ; 1866, Lar., unité lumineuse.

**carcinome** 1545, Guéroult ; gr. *karkinôma,* de *karkinos,* cancer. || **carcinologie** 1842. || **carcinogenèse** 1968.

**cardamine** 1545, Guéroult ; lat. *cardamina,* du gr. *kardaminê,* cresson.

**cardamome** 1175, *D. G. ;* lat. *cardamomum,* du gr. *kardamômon,* plante aromatique.

**cardan** 1867 ; du nom du savant *Cardan* (1501-1576), qui imagina ce dispositif.

**carde** XIIIe s., « outil à carder formé de plusieurs têtes de chardon » ; XVIe s., Rab., « plante » ; prov. *carda,* du lat. *carduus,* chardon. || **carder** XIIIe s. || **cardage** 1765. || **cardeur** début XIVe s. || **cardier** 1530, Delb. || **recarder** 1549, R. Est.

**cardère** 1775, Lamy, bot. ; d'un mot du Midi *cardero,* de même rac. que *carde.*

**cardi(o)-,** gr. *kardia,* cœur. || **cardia** 1546, Ch. Est. ; gr. *kardia,* cœur, au sens méd. d'orifice supérieur de l'estomac, voisin du cœur. || **cardialgie** XVIe s., Delb. ; gr. *algos,* douleur. || **cardiaque** 1372, Corbichon ; lat. *cardiacus,* du gr. *kardiakos.* || **cardiogramme** 1901. || **cardiographie** 1803, Boiste. || **cardiographe** 1864, L. || **cardiologie** 1797, Gattel. || **cardiologue** v. 1920. || **cardiopathie** 1855. || **cardiovasculaire** 1910. || **cardite** 1771, Schmidlin, mollusque bivalve en forme de cœur ; 1803, « maladie du cœur ».

**cardinal** fin XIIIe s., adj., « principal » ; lat. *cardinalis,* même sens, de *cardo, -inis,* gond, pivot ; *nombre cardinal,* 1680, Richelet ; 1680, géogr. ; n. m., 1190, *Chron. d'Antioche,* du lat. eccl. || **cardinalat** 1508 ; lat. eccl. *cardinalatus.* || **cardinalice** 1819 ; ital. *cardinalizio.* || **cardinaliste** 1826, Vigny.

**cardite** V. CARDI(O)-.

**cardon** 1507 ; prov. *cardoun,* chardon, du lat. *carduus* (v. CARDE).

***carême** début XIIe s. (*quaresme*), fém. en anc. fr. ; lat. *quadragēsima,* le quarantième jour avant Pâques. || **carême-prenant** 1180, *Girart de Roussillon,* « carême commençant », anc. nom du carnaval. || **mi-carême** milieu XIIIe s.

**carence** 1450, Gréban ; bas lat. *carentia* (XIe s., Boèce), de *carere,* manquer. || **carentiel** 1959, Lar. || **carencer** 1922, Lar.

**carène** 1246, *Doc. hist.* (*-enne*) ; ital. *carena,* mot génois, du lat. *carina,* coquille de noix. || **caréner** 1642, Fournier. || **carénage** 1678, Guillet.

**caresser** XVe s., *Geste des ducs de Bourgogne ; caresser un projet,* 1736, Voltaire ; ital. *carezzare,* de *caro,* cher. || **caressant** 1642, Oudin. || **caresse** 1538, *le Courtisan ;* ital. *carezza.* || **caresseur** 1866, Lar.

1. **caret** 1640, Bouton, « tortue exotique » ; esp. *carey,* du malais *kārah,* tortue.

2. **caret** 1382, *Comptes du Clos des Galées de Rouen,* « touret » ; mot normanno-picard, dimin. de *car,* char.

**carex** fin XVIIIe s. ; mot lat. Désigne des plantes très diverses.

**cargaison** milieu XVIe s. (*carqu-*) ; prov. ou esp. *cargazon,* de *cargar,* charger, du lat. *carricare.*

**cargo** 1906, Lar. ; abrév. de *cargo-boat* (1887, *J.O.*), mot angl. signif. « bateau à charge ». || **avion-cargo** 1948.

**carguer** 1611, Cotgrave ; prov. ou esp. *cargar* (lat. *carricare*), « charger », au sens fig. de « relever la voile » ; le sens de « charger » a existé au XVIe s. || **cargue** 1634, Cleirac, mar. ; XVIe s., « charge, attaque » ; déverbal. || **cargueur** 1678.

**cari** 1602, Colin ; mot indigène du sud de l'Inde, désignant une épice.

**cariatide** 1547, J. Martin (*cary-*) ; ital. *cariatidi,* du lat. *caryatides,* pl., gr. *karuatides,* femmes de Carie, emmenées captives et figurées à la place des colonnes.

**caribou** 1607, Delb. ; mot canadien, de l'algonquin.

**caricature** 1740, d'Argenson ; 1780, Brunot, fig. ; ital. *caricatura,* de *caricare,* charger (cf. sens fig. de « charge »). || **caricaturer** 1801, Mercier. || **caricaturiste** 1803. || **caricatural** 1842, *le Charivari.* || **caricaturier** 1817, *Petite Chron. de Paris.*

**carie** 1537, Canappe ; lat. *caries,* pourriture. || **carier** 1530, Marot. || **carieux** 1546. || **cariogène** XXe s.

***carillon** XIIIe s. (*quarregnon*) ; XIVe s. (*careillon*) ; lat. pop. **quatrinio, -onis,* du lat. *quaternio,* groupe de quatre cloches. || **carillonner** XVe s., *Journ. de Paris.* || **carillonneur** 1601, J. Le Petit.

**cariste** v. 1970 ; lat. *carrus,* chariot.

**caritatif** V. CHARITÉ.

1. **carlin** 1367, Delb., « monnaie » ; ital. *carlino,* dér. de *Carlo,* Charles (d'Anjou), qui fit frapper cette monnaie.

2. **carlin** 1803, Boiste, petit chien à museau noir ; du nom de l'acteur ital. Carlo Bertinazzi, dit *Carlin* (1713-1783), qui jouait à Paris le rôle d'Arlequin avec un masque noir.

**carline** 1545, Guéroult, « genre de chardon » ; mot du Sud-Est (prov. mod. *carlino*), du lat. *carduus,* chardon, par infl. de *Carolus,* Charles. Une légende ancienne rattachait ce nom à Charlemagne.

**carlingue** 1382, *Compte du Clos des Galées de Rouen* (*callingue*) ; 1573, Dupuis (*carlingue*), mar. ; fin XIXe s., aéron. ; scand. *kerling* (angl. *carling*).

**carliste** 1827, Eckstein ; de don *Carlos* (d'Espagne) [1788-1855]. || **carlisme** 1830, Balzac.

**carmagnole** 1791, nom d'une veste importée à Paris par les fédérés marseillais et portée dans le Midi par les ouvriers piémontais (v. 1660), originaires de *Carmagnola ;* danse révolutionnaire et chant composé après le 10 août 1792.

**carme** 1220, Coincy, religieux du mont *Carmel,* où se fonda l'ordre ; par métaph., « sorte de pigeon ». || **carmélite** 1512, J. Lemaire ; XIXe s., Balzac, couleur de l'habit de carmélite ; lat. eccl. *carmelita.*

**carmin** XIIe s., *Roman de Troie ;* lat. médiév. *carminium,* croisement de *minium* et de l'ar. *qīrmiz* (v. KERMÈS). || **carminé** 1784, Bernardin de Saint-Pierre.

**carminatif** XVe s., G., méd. ; lat. médiév. *carminativus,* de *carminare,* carder, par ext. « nettoyer ».

**carnassier** début XVIe s. ; mot prov., de *carn,* chair, du lat. *caro, carnis.* || **carnassière** 1743, Trévoux ; prov. mod. *carnassiero,* développement du sens de *carnassier.*

**carnation** XVe s., *Actes des Apôtres ;* lat. *caro, carnis,* chair, sur le modèle d'*incarnation,* avec infl. de sens de l'ital. *carnagione,* couleur de chair.

**carnaval** 1268, texte liégeois (*quarnivalle*) ; 1578, Ronsard (*carnaval*) ; ital. *carnevale,* mardi gras, altér. de *carneleva* (conservé en génois), enlève-chair (lat. *caro, carnis*). Il a remplacé en fr. *carême-prenant.* || **carnavalesque** 1830, Stendhal ; ital. *carnevalesco.* || **carnavalier** XX^e^ s.

1. **carne** XII^e^ s., *Ps.,* « angle, pivot » ; mot normanno-picard, du lat. *cardo, -inis,* gond. Utilisé encore dans le voc. de la construction.

2. **carne** 1835, Raspail, arg., « mauvaise viande » ; ital. *carne,* viande, péjor.

**carné** 1669, La Fontaine ; 1889, composé de viande, couleur de chair ; lat. *caro, carnis,* chair. || **carner** 1836, Landais. || **carnier** 1762, Rousseau ; mot prov., même orig. || **carnification** 1700, *Hist. Acad. sc. ;* lat. médiév. *carnificatio,* de *facere,* faire. || **carnifier** 1752, Trévoux ; lat. *carnificare.* || **carnivore** milieu XVI^e^ s. ; lat. *carnivorus,* de *vorare,* dévorer.

**carnet** 1416, texte de Lyon (*quernet*), « registre » ; 1835, *Acad.,* sens actuels ; anc. fr. *quaern,* du bas lat. *quaternio,* groupe de quatre feuilles. (V. CAHIER.)

**carnotset** fin XIX^e^ s. ; mot de suisse romande, du rad. de *caro-,* coin.

**carogne** V. CHAROGNE.

**carole** XII^e^ s. ; p.-ê. lat. *chorus,* chœur, par un dér. *choraules,* joueur de flûte, du gr. *aulos,* flûte.

**carolus** XV^e^ s., « monnaies frappées à l'effigie d'un roi Charles » (lat. *Carolus*), en particulier de Charles VIII.

**caronade** 1783, *Encycl. méth. ;* angl. *carronade,* de l'arsenal de *Carron,* en Écosse, où ces pièces d'artillerie furent d'abord fondues (1778).

**caroncule** 1560, Paré, bot. ; lat. *caruncula,* de *caro,* chair. Le sens anat. est de la même époque.

**carotide** 1541, Canappe ; gr. *karôtis, -idos,* de *karoûn,* assoupir : la cause du sommeil était attribuée à ces artères. || **carotidien** 1762, *Acad.*

**carotte** 1398, *Ménagier* (*garroite*) ; fin XIX^e^ s., techn. du pétrole, par l'intermédiaire de l'angl. ; lat. impér. *carota* (III^e^ s., Apicius), du gr. *karôton.* || **carotter** 1732, d'apr. *jouer la carotte,* jouer avec une prudence excessive ; 1826, Balzac, « subtiliser de l'argent », d'apr. *tirer une carotte* (1836, Landais). || **carottage** 1843, Balzac, pop. ; 1929, Lar., techn. || **carottier** 1740, *Acad.* || **carotteur** 1752, Trévoux. || **carotène** 1924. || **bêta-carotène** XX^e^ s.

**caroube** 1512, Lemaire ; lat. médiév. *carrubia,* de l'ar. *kharrūba ;* la var. *carrouge* est plus ancienne (XII^e^ s., *Prise d'Orange*). || **caroubier** 1553, Belon.

1. **carpe** 1268, É. Boileau, « poisson » ; prov. *carpa,* mot wisigothique. || **carpeau** 1268, É. Boileau. || **carpier** 1386, Delb. || **carpillon** 1579, H. Est. || **carpiculture** 1929.

2. **carpe** 1546, Ch. Est., anat. ; gr. *karpos,* jointure. || **carpien** 1805.

**carpelle** 1836, Raymond ; gr. *karpos,* fruit. En bot., organe foliaire portant les ovules.

**carpette** 1335, *Restor dou paon,* « gros drap rayé », dit tapis à emballer ; angl. *carpet,* de même rac. que *charpie.* || **carpettier** 1909.

**carpologie** XIX^e^ s. ; gr. *karpos,* fruit.

**carquois** 1155, Wace (*tarchois*) ; XIII^e^ s. (*carquais*), par infl. de *carcan, carcois,* carcasse ; gr. byzantin *tarkasion,* du persan *terkech.*

**carrare** 1755, Prévost ; du nom d'une ville italienne aux environs de laquelle se trouvaient des carrières de marbre.

***carré** XII^e^ s., *Roncevaux* (var. *quarré*), adj. ; 1538, n. m., géom. ; XIX^e^ s., n. m., pop., « palier ». || **carrée** n. f., XIII^e^ s., *Clef d'amor ;* XIX^e^ s., pop., « chambre », puis logis ; part. passé du lat. *quadrare,* rendre carré. || **carrément** XIII^e^ s., G. || ***carrer** XII^e^ s. (var. *quarrer*) ; lat. *quadrare ; se carrer,* 1606, Nicot, a pris son sens de *carrure.* || **carre** 1460, Villon ; 1904, partie du ski ; déverbal. || **carrure** fin XII^e^ s., *Alexandre* (*quarreüre*), « forme carrée ». || ***carrière** [de pierre] 1170, *Rois ;* peut-être lat. pop. **quadraria,* lieu où l'on équarrit les blocs de pierre. || **carrier** fin XIII^e^ s. (*quarrier*). || **bicarré** 1866, Lar. || **contrecarrer** 1535 ; de l'anc. fr. *contrecarre,* opposition. (V. ÉQUARRIR.)

***carreau** 1080, *Roland* (*quarrel*), « flèche à quatre pans » et « trait de foudre » (jusqu'au XVII^e^ s.) ; « petit carré » dès le XI^e^ s. ; *carreau des Halles* (où l'on étend les légumes) ; lat. pop. **quadrellus,* de *quadrus,* carré. || **carreler** fin XII^e^ s., *Aiquin ;* sur *carrel.* || **carrelage** 1611, Cotgrave. || **carrelure** 1307, Deshaines. || **carreleur** 1463, G. || **carrelet** 1360, G. (*quarlet*), « poisson ». || **décarreler** 1642, Oudin. || **recarreler** 1549, R. Est., « raccommoder des chaussures » ; 1690, Furetière, sens actuel.

***carrefour** 1125, *Gormont ;* bas lat. *quadrifurcus,* à quatre fourches, qui a remplacé le lat.

*quadruvium,* conservé dans les noms de lieux (*Carrouge[s]*, etc.).

**carreler, carrelet, carrer** V. CARREAU, CARRÉ.

**carrick** 1805, Stendhal ; mot angl. signif. « voiture légère » (en fr. aussi), d'où « manteau de cocher ».

1. **carrière** [de pierre] V. CARRÉ.

2. **carrière** 1534, Rab., « espace à parcourir », terme d'équitation ; fig., XVII^e s., Corneille ; ital. *carriera,* chemin de chars, de *carro,* char. || **carriérisme** 1908. || **carriériste** 1909.

**carriole** 1220, Coincy ; anc. ital. *carriuola,* chaise à roues, de *carro,* char.

**carrosse** XIII^e s. (souvent fém. d'apr. l'ital.) ; ital. *carrozza,* de *carro,* char. || **carrossier** 1589, Fr. de Sales. || **carrosserie** 1833. || **carrosser** 1828, Dutens. || **carrossage** 1873. || **carrossable** 1827, *Acad.*

**carrousel** 1596, Vigenère (*-elle*) ; ital. *carosela,* désignant un jeu de cavaliers, de l'ar. *kurradj,* jouet d'enfants fait de chevaux harnachés.

**carroyage** 1917 ; de *carreau.* || **carroyer** 1950 ; de *carroyage.*

**carrure** V. CARRÉ.

***cartable** 1636, Monet, « registre » ; 1813, Molard, « grand portefeuille » ; lat. pop. **cartabulum,* du lat. *charta,* papier, sous une forme normanno-picarde. (V. CARTE.)

**cartayer** 1740, *Acad.,* « éviter les ornières en parlant d'un char » ; mot de l'Ouest, de *quart* (se tenir à l'écart).

**carte** 1398, *Ménagier,* « carte à jouer » ; *carte de visite,* 1789, d'apr. *donner carte blanche* (XVI^e s.) ; 1532, *carte géographique ;* 1803, Boiste, *carte d'un restaurant ; donner carte blanche,* 1549, R. Est. ; lat. *charta,* papier. || **cartier** fin XV^e s., Médicis. || **cartographie** 1832, Raymond. || **cartographique** 1832, Raymond. || **cartographe** 1829, Boiste. || **cartomancie** 1803, Mozin (gr. *manteia*), divination. || **cartomancien, -ienne** 1803, Mozin, qui prend la place de *tireuse de cartes.* || **cartophilie** v. 1970. || **cartothèque** 1962, Lar. || **carte-lettre** 1888, Lar. || **carte postale** 1877. || **écarter** [une carte à jouer] 1611, Cotgrave, d'apr. l'ital. *scartare.* || **écart** 1611, Cotgrave. || **écarté** 1810, *Mercure,* jeu. || **encarter** 1642, Oudin. || **encartage** 1870, Lar.

**cartel** 1527, Carloix (*cartel de deffi*), « lettre de défi » ; 1905, Lar., « trust », de l'allem. *Kartell,* défi ; 1924, *Cartel des gauches ;* 1808, Boiste, « horloge », d'apr. la cartouche qui l'entoure (*pendule à cartel* au XVIII^e s.) ; ital. *cartello,* affiche, de *carta,* papier. Le mot ital. est revenu dans « artiste *di primo cartello* », digne d'occuper la vedette (1868, Th. Gautier). || **cartelliser** XX^e s. || **cartellisation** XX^e s. || **décartelliser** apr. 1945.

**carter** 1891, *Vélo-Journal ;* mot angl., du nom de son inventeur, *J. H. Carter* († 1903).

**cartésien** 1665, Graindorge ; lat. *Cartesianus,* nom lat. de Descartes. || **cartésianisme** 1667, Graindorge.

**cartilage** 1314, Mondeville ; lat. *cartilago, -inis.* || **cartilagineux** *id. ;* lat. *cartilaginosus.*

**cartisane** 1642, Oudin ; ital. *carteggiana,* carton fin, de *carta,* papier ; lame de carton fin.

**cartographie, cartomancie** V. CARTE.

**carton** v. 1500, Barbier ; ital. *cartone,* augmentatif de *carta,* papier ; par ext. « objet en carton ». || **cartonnier** 1680, Richelet, « marchand de cartons » ; 1822, *Doc.,* « meuble ». || **cartonner** 1751, *Encycl.* || **cartonnerie** v. 1750. || **cartonnage** 1785, *Encycl. méth.* || **encartonner** 1827, *Acad.*

**cartoon** 1930 ; mot angl. signif. « dessin ». || **cartoonist** ou **cartooniste** 1946.

**cartouche** milieu XVI^e s., rouleau de carton contenant une charge à mitraille ; XX^e s., sens actuels ; ital. *cartuccia,* de *carta,* papier ; n. m., milieu XVI^e s., « ornement d'architecture » ; ital. *cartoccio,* même origine. || **cartoucherie** 1840, Mérimée. || **cartouchier** 1752, Trévoux. || **cartouchière** 1831, Willaumez.

**cartulaire** 1278, *Doc. ;* lat. médiév. *chartularium,* d'abord « archiviste », puis sens actuel. (V. CHARTE.)

**carus** 1560, Paré (*caros*) ; 1741, C. de Villars (*carus*) ; lat. méd. *carus,* du gr. *karos,* sommeil lourd ; coma profond.

**carvi** 1398, *Ménagier ;* mot du lat. médiév., de l'ar. *karawiyā'.* Désigne en bot. une plante aromatique (francisé en *chervi[s]* en 1539, R. Est.).

**caryophyllée** 1573, *Fr. mod.* (*-phyllet*) ; 1898, Lar. (*-phyllacée*) ; lat. *caryophyllon,* giroflier, du gr. *karua,* noyer, et *phullon,* feuille : nom transposé à l'œillet par l'analogie qui existe entre les boutons des deux fleurs. || **caryogamie** 1906. || **caryotype** 1961. || **caryocinèse** fin

XIXe s. ; gr. *karuon,* noyau, et *kinêsis,* mouvement.

1. **cas** 1283, Beaumanoir ; lat. *casus,* part. passé substantivé de *cadere,* tomber, au sens fig. « événement ». || **casuel** fin XIVe s., adj. ; 1669, n. m., bénéfices attachés aux fonctions ecclésiastiques. || **casuellement** 1468, Chastellain. || **en-cas** fin XVIIe s., « collation » ; XIXe s., autres sens ; ellipse de « objets préparés *en cas* de besoin ». La var. *en-tout-cas* (parapluie, 1821, Ansiaume) a disparu.

2. **cas** XIIIe s. ; lat. *casus,* cas grammatical, même orig. que le précédent, calque du gr. *ptôsis,* chute, terminaison. || **casuel** fin XIVe s., adj. ; lat. *casualis* (Varron, gramm.).

**casanier** 1315, G. (*caseniers*), « domiciliés en France », en parlant de marchands ital. ; 1558, Du Bellay (*-anier*), « qui reste à la maison » ; p.-ê. ital. *casaniere,* de *casa,* maison.

**casaque** 1413, Gay, « tunique d'homme » ; XVIIe s., « blouse de femme » ; ital. *casacca,* du persan *kazagand.* || **casaquin** 1546, Gay ; ital. *casacchino,* même origine.

**casbah** 1813, Mozin (*casauba*) ; ar. *qasba,* forteresse.

**cascade** 1640, Oudin ; XIXe s., Balzac, fig. ; ital. *cascata,* de *cascare,* tomber, dimin. (v. CASQUER). || **cascatelle** 1740, De Brosses ; ital. *cascatella,* dimin. || **cascader** fin XVIIIe s. || **cascadeur** 1860, *Diogène,* « débauché » ; 1898, Esnault, cirque. || **cascadeuse** 1867, Delvau.

**case** 1265, J. de Meung ; lat. *casa,* maison rurale (sens jusqu'au XVIIe s.) ; XVIIe s., « case de nègre », repris au port. *casa,* infl. par l'ar. || **caser** 1669, Widerhold, « mettre dans une case » ; XVIIIe s., fig. ; réfection de l'anc. fr. *chaser,* du lat. *casa.* || **casier** 1765, *Encycl.* || **encaster** 1755, *Encycl.,* « placer (les poteries) dans les casettes », de *encaseter.* || **encasteur** 1807, Oppenheim.

**caséeux** 1599, Valgelas (*caseux*) ; rare jusqu'au XVIIIe s. ; lat. *caseus,* fromage. || **caséifier** 1877, Espine. || **caséification** *id.* || **caséine** 1832, Raymond.

**casemate** 1539, Gruget ; 1546, Rab. (*chasmate,* d'apr. le gr. *khasma,* gouffre) ; ital. *casamatta,* maison folle, d'orig. obscure. || **casemater** 1578, Boyssières.

**caserne** milieu XVIe s., « loge pour quatre soldats dans les remparts » ; milieu XVIIe s., « chambre pour soldats » ; appliqué aux bâtiments construits pour loger des corps de troupes ; prov. *cazerna,* groupe de quatre, du lat. *quaternus.* || **caserner** 1718, *Ordonn.* || **casernement** 1800, Boiste.

**cash** 1916 ; mot angl. signif. « argent liquide ». || **cash-flow** 1966 ; angl. *flow,* écoulement.

**casher** 1866, Lar. (*cawcher*) ; mot hébreu signif. « conforme à la Loi ».

**casier, casilleux** V. CASE, CASSER.

**casimir** 1791, *Journ. de Paris ;* altér., par infl. de *Casimir,* de l'angl. *kerseymere,* tissu de laine.

**casino** 1740, De Brosses ; ital. *casino,* dimin. de *casa,* maison, au sens de « maison de plaisance », puis « maison de jeu ».

**casoar** 1677, L'Estra (*-suel ;* var. *gasuel*) ; début XVIIIe s. (*-soar*) ; 1845, coiffure des saint-cyriens ; lat. zool. *casoaris, -uaris,* du malais *kasuvari,* grand oiseau coureur.

**casque** 1591, Gay ; esp. *casco,* de *cascar,* briser, du lat. pop. **quassicare,* casser ; d'abord « tesson », puis « crâne » et « casque » par métaph. ; *casque à mèche,* 1842, Reybaud. || **casqué** 1734, Trévoux. || **casquer** 1867, *Almanach du « Hanneton ».* || **casquette** 1820, Laveaux. || **casquettier** 1867. || **casquetterie** XXe s.

1. **casquer** V. CASQUE.

2. **casquer** 1837, Vidocq, « tomber dans les pièges » ; 1844, Esnault, « payer » ; ital. *cascare,* tomber, du lat. pop. **casicare,* de *cadere,* tomber.

**cassate** v. 1950 ; ital. *cassata.*

1. **casse** 1341, *Arch. Dijon,* « casserole » ; prov. *cassa,* du lat. pop. *cattia,* poêle, truelle (*Gloses*). || **casserole** 1583, Gay ; formation méridionale. || **cassole** XIVe s., G., « pot à chauffer la colle ». || **cassolette** début XVe s. ; anc. esp. *cazoleta,* de *cazo,* casse.

2. **casse** [d'imprimerie] 1539, R. Est. ; ital. *cassa,* caisse (v. CAISSE). || **casseau** 1751, *Encycl.* || **cassier** 1797, Restif de La Bretonne.

3. **casse** 1256, Ald. de Sienne, « fruit du cassier » ; lat. *cassia,* du gr. *kassia.* || **cassier** 1512, Thénaud.

4. **casse** [action de casser] V. CASSER.

***casser** 1080, *Roland* (var. *quasser*) ; *casser un arrêt,* XIIIe s. ; *casser aux gages,* XIVe s. ; *casser les* *vitres,* 1787, Féraud ; lat. *quassare,* fréquentatif de *quatere,* secouer, par ext. « endommager », « briser ». || **casilleux** 1676, Félibien, « cassant », en parlant du verre. || **cassant** 1538, R. Est., fig. || **cassement** XIIIe s. || **casson** 1359, G., « sucre cassé ». || **cassonade** 1578, L. Joubert. || **cassure** 1333, Delb. || **casseur** 1547. || **cassis** 1488, *Mer des hist.,* « rigole de pierres cassées, caniveau ». || **casse** n. f., 1642, Oudin, « action de casser un officier ». || **casse** n. m., arg., 1899, Nouguier. || **cassage** 1838. || **cassation** 1413, N. de Baye. || **casse-museau** XVe s., Delb. || **casse-cou** 1718, *Acad. ;* fig., 1785, Beaumarchais. || **casse-croûte** 1803, Boiste. || **casse-cul** 1740, *Acad.* || **casse-graine** fam., 1940. || **casse-gueule** 1808, d'Hautel. || **casse-poitrine** 1829, Caillot. || **casse-mottes** 1700, Liger. || **casse-noisettes** 1680, Richelet. || **casse-noix** 1564, J. Thierry. || **casse-pattes** 1928, Lar. || **casse-pieds** 1948, titre de film. || **casse-pipe** v. 1914. || **casse-tout** XXe s. || **casse-pierre** XVIe s., G. || **casse-tête** 1690, Furetière. || **incassable** 1801.

**casserole** V. CASSE 1.

**cassette** 1348, de Laborde ; ital. *cassetta,* de *cassa,* caisse.

**cassie** 1575, Thevet ; mot du Midi, du prov. *cassio,* altér. de *acacio,* acacia.

**cassine** 1532, Rab., « petite maison » ; puis « masure » ; ital. dial. (piémontais) *cassina, cascina.*

1. **cassis,** caniveau V. CASSER.

2. **cassis** milieu XVIe s., « fruit » ; mot poitevin, de *casse,* fruit du cassier, le cassis étant laxatif comme la casse.

**cassitérite** 1832, Beudant ; gr. *kassiteros,* étain.

**cassolette, casson** V. CASSE 1, CASSER.

**cassoulet** fin XIXe s. ; mot toulousain, de *cassolo,* dim. de *casso,* casserole, au sens de terrine où est préparé le mets.

**castagne** fin XIXe s., arg. ; gascon *castagna,* châtaigne. || **castagner** XXe s., « frapper », en arg.

**castagnette** fin XVIe s. (*cascagnette*) ; esp. *castañeta,* dimin. de *castaña,* châtaigne, par comparaison de forme.

**castapiane** milieu XIXe s., pop., « blennorragie », par antiphrase ; ital. *casta,* chaste, et *piana,* douce ; ou p.-ê. altér. de *cataplasme.*

**caste** 1615, Pyrard ; 1793, « classe fermée », polit., fig. ; port. *casta,* du lat. *castus,* pur, sans mélange ; appliqué d'abord aux castes de l'Inde au XVIIIe s.

**castel** fin XVIIe s., Saint-Simon ; mot prov. répondant au fr. *château,* du lat. *castellum.*

**castille** 1462, *Cent Nouvelles ;* esp. *castilla,* château ; d'abord « opération militaire », puis « dispute ». || **castiller (se)** fin XVIe s., Carloix.

**castine** XVIe s., G. Coquille, « pierre calcaire mélangée au minerai » ; altér. de l'allem. *Kalkstein* (prononcé en bas allem. *stéin*), pierre (*Stein*) à chaux (*Kalk*).

**castor** 1135, Barbier ; lat. *castor,* mot gr. ; il a éliminé l'anc. fr. *bièvre* (du lat. *beber,* d'origine gauloise), conservé dans les noms de lieux. || **castoréum** XIIIe s., Delb. ; lat. médiév. *castoreum,* de *castor.* || **castorine** 1802, Catineau. || **demi-castor** fin XVIIe s., Racine, « chapeau en tissu mi-laine, mi-castor » ; 1695, Regnard, « demi-mondaine ».

**castrer** XVIIe s. ; lat. *castrare,* châtrer. || **castration** fin XIVe s. ; lat. *castratio.* || **castrateur** 1930. || **castrat** 1556, R. Le Blanc ; mot gascon ou prov. signif. « (animal) châtré » ; repris au XVIIIe s. (1760, Diderot) à l'ital. *castrato,* en parlant des chanteurs italiens. (V. CHÂTRER.)

**casuarina** 1778, trad. de Cook, arbre d'Australie ; lat. bot. *casuarina,* de *casoar,* oiseau d'Australie.

**casuel** V. CAS 1 et 2.

**casuiste** 1611, Cotgrave ; esp. *casuista,* du lat. eccl. *casus,* cas de conscience. || **casuisme** 1837, Balzac. || **casuistique** 1829.

**catabolisme** 1896 ; de *cata-* et *métabolisme.*

**catachrèse** 1557, Fouquetin ; lat. *catachresis,* du gr. *katakhrêsis,* abus d'emploi.

**cataclysme** v. 1548, Des Autels ; 1540, Rab. (*cateclisme*) ; lat. *cataclysmos,* du gr. *kataklusmos,* inondation, déluge. || **cataclysmique** 1863, L.

**catacombe** XIIIe s., G. ; ital. *catacomba,* altér. de *cata-tumba* (inscriptions chrétiennes), du gr. *kata,* en dessous, et lat. *tumba,* tombe ; ne s'emploie plus qu'au plur.

**catadioptrique** 1771, Trévoux ; de *catoptrique* et *dioptrique.* || **catadioptre** v. 1950.

**catafalque** 1690, Furetière, « échafaud pour criminels » ; XVIIIe s., sens actuel ; ital. *catafalco.* (V. ÉCHAFAUD.)

**cataire** 1733, Lémery, bot. ; 1866, Lar., méd., frémissement perçu à la pointe du cœur dans le cas d'un rétrécissement de l'orifice mitral, et comparé au ronronnement du chat ; bas lat. *cattaria,* de *cattus,* chat.

**catalan** XVIe s. ; lat. médiév. *catalanus,* de Catalogne.

**catalectique** 1644, Lancelot ; gr. *katalêktikos,* de *katalegein,* finir, c'est-à-dire « (vers) qui se termine brusquement », « inachevé ».

**catalepsie** début XVIe s. (var. *-lepse*) ; lat. méd. *catalepsis* (IIIe s., Coelius Aurelius), du gr. *katalepsis,* action de saisir, attaque (méd.). || **cataleptique** 1742, Réaumur.

**catalogue** 1260, Br. Latini ; bas lat. *catalogus* (Ve s., Macrobe), du gr. *katalogos,* liste, rôle. || **cataloguer** 1801, Mercier. || **catalogage** 1928, Lar.

**catalpa** 1771, Schmidlin ; mot angl. tiré de la langue des Indiens de Caroline et désignant un arbre utilisé pour la décoration des jardins.

**catalyse** 1836 ; angl. *catalysis,* créé par Berzelius ; gr. *katalusis,* action de dissoudre. || **catalysateur** 1907, Lar. || **catalyser** 1838 ; fig., 1960, Lar. || **catalyseur** 1884. || **catalytique** 1836.

**catamaran** milieu XXe s. ; autrefois *catimaron,* fin XVIIe s., radeau des Indes ; tamoul *katta,* lien, et *maram,* bois. || **trimaran** v. 1950 ; formé sur *catamaran* avec le préf. *tri-,* trois.

**Cataphote** v. 1931 ; gr. *kata,* contre, et *phôs, photos,* lumière.

**cataplasme** 1390, G. ; lat. *cataplasma,* du gr. *kataplasma,* emplâtre.

**catapulte** 1355, Bersuire ; lat. *catapulta,* du gr. *katapeltês,* de même sens. || **catapulter** début XXe s. || **catapultage** début XXe s. || **catapultable** v. 1950.

1. **cataracte** 1479, écluse, vanne ; 1538, Canappe, « chute d'eau » ; lat. *cataracta,* du gr. *kataraktês,* chute, et, par ext., barrage, herse, de *katarassein,* tomber avec force.

2. **cataracte** [de l'œil] 1360, G. de Machaut ; lat. méd. *cataracta,* au sens fig. (*cataracte* ou *coulisse,* qui signifie en langue pop. « herse »).

**catarrhe** 1370 (var. *caterre*) ; lat. méd. *catarrhus* (IIIe s., Aurelius), du gr. *katarrhos,* écoulement, de *rheîn,* couler. || **catarrhal** 1360, G. de Machaut. || **catarrheux** 1478.

**catastrophe** 1546, Rab. ; lat. *catastropha,* du gr. *katastrophê,* bouleversement, de *strephein,* tourner ; le sens théâtral « dénouement » a été repris au XVIe s. || **catastropher** XXe s., d'abord *catastrophé.* || **catastrophique** 1845, J.-B. Richard. || **catastrophiquement** 1845, J.-B. Richard. || **catastrophisme** 1845.

**catatonie** 1888 ; gr. *kata,* en dessous, et *tonos,* tension. || **catatonique** 1903.

**catau** 1582, L'Estoile ; de *Catot,* abrév. de *Catherine.* (V. CATIN.)

**catch** v. 1930 ; angl. *catch as catch can,* attrape comme tu peux. || **catcheur** 1924.

**catéchèse** 1574, R. Benoist ; lat. *catechesis,* du gr. *katêkhêsis,* enseignement. || **catéchète** 1819, Boiste.

**catéchisme** fin XIVe s. ; lat. eccl. *catechismus,* du gr. *katêkhismos,* de *katekhein,* faire retentir, instruire de vive voix. || **catéchiser** 1380, G. ; lat. *catechizare,* du gr. *katêkhizein.* || **catéchiste** 1578, Despence ; lat. eccl. *catechista,* du gr. *katêkhistês.* || **catéchistique** 1752, Trévoux.

**catéchumène** 1374 ; lat. eccl. *catechumenus,* du gr. *katêkhoumenos,* part. passif de *katêkhein,* instruire à haute voix.

**catégorie** 1564, Rab. ; philos., 1736, J. des Champs ; bas lat. *categoria* (Ve s., Sid. Apollinaire), du gr. *katêgoria,* de *katêgorein,* énoncer. || **catégorique** 1495, J. de Vignay ; bas lat. *categoricus,* du gr. *katêgorikos.* || **catégoriquement** milieu XVIe s. || **catégoriser** 1842, *Acad.* || **catégorisation** 1853, Castille. || **catégoriel** 1943, Sartre. || **catégorème** 1555 ; gr. *katêgorêma,* de *katêgoria.*

**caténaire** 1838, bot. ; fin XIXe s., techn. ; lat. *catenarius,* de *catena,* chaîne.

**catgut** 1877, *Comptes rendus de l'Acad. des sc.,* « corde de boyau » ; mot angl., de *gut,* boyau, et *cat,* chat.

**cathare** XIIIe s. ; gr. *katharos,* pur.

**catharsis** 1897 ; mot gr. signif. « purgation ». || **cathartique** 1598.

**cathédral** 1180, *Itinéraire à Jérusalem,* adj. ; lat. médiév. *cathedralis,* de *cathedra,* siège épiscopal ; *église cathédrale, id.* || **cathédrale** 1666, *Journ. des savants ;* abrév. de *église cathédrale.*

**cathèdre** XVIe s. ; lat. *cathedra,* chaise à dossier, chaire.

**catherinette** fin XIXe s., jeune fille qui coiffe sainte Catherine l'année de ses vingt-cinq ans (*coiffer sainte Catherine,* 1867, Delvau).

**cathéter** 1538, Canappe ; lat. méd. *catheter* (IIIe s., Aurelius), du gr. *kathetêr,* sonde. || **cathétérisme** 1658, Thévenin ; lat. *catheterismus,* du gr.

**cathétomètre** 1856, Lachâtre ; gr. *kathetos,* vertical, et *metron,* mètre ; instrument de mesure utilisé en physique.

**cathode** 1838, *Acad.* ; gr. *kata,* en bas, et *hodos,* chemin (v. ÉLECTRODE). || **cathodique** 1897, Delage.

**catholicon** 1520, J. Cœurot ; mot du lat. méd., du gr. *katholikon* (au neutre), universel.

**catholique** XIIIe s., G. (*chatoliche*) ; lat. chrét. *catholicus* (IIIe s., Tertullien), du gr. *katholikos,* universel. || **catholiquement** XIVe s., Ph. de Maizières. || **catholicisme** 1598, de Marnix. || **catholicité** 1578, d'Aubigné. || **catholiciser** fin XVIe s.

**catimini** fin XIVe s., Le Fèvre (var. *catamini*), « menstrues » (jusqu'au XVIe s.) ; *en catimini,* XVIe s. ; gr. byzantin *katamênia,* menstrues (avec prononc. *i* de *ê*), croisé avec le picard *catte-mini,* chatteminette.

**catin** 1547, Marot ; abrév. de *Catherine* ; péjor. lorsqu'il cessa d'être un hypocoristique ; au XXe s., « prostituée ».

***catir** fin XIIe s., *R. de Cambrai* (*quatir*), « presser, cacher » ; 1606, Nicot, « donner du lustre » ; lat. pop. **coactire,* de *coactus,* pressé. || **cati** 1694, La Bruyère, « apprêt ». || **catissage** 1838, *Acad.* || **décatir** 1753, *Encycl.* ; *se décatir,* 1815, *Encycl.,* pop., « vieillir ».

**catogan** 1768 ; du nom du général anglais *Cadogan.*

**catoptrique** 1584 ; gr. *katoptrikos,* de *katoptron,* miroir.

**cattleya** 1845 ; lat. bot. formé sur le nom du botaniste anglais *Cattley.*

**cauchemar** 1564, J. Thierry (var. *-are*) ; 1845, Besch., fig. ; mot picard, de *cauquer,* anc. fr. *chaucher,* fouler, presser (v. COCHE 2), et du néerl. *mare,* fantôme nocturne (allem. *Mahr,* cauchemar). || **cauchemarder** 1841, *Physiologie du parapluie.* || **cauchemardant** 1867, Delvau. || **cauchemardesque** début XXe s.

**caudal** fin XVIIIe s. ; lat. *cauda,* queue. || **caudataire** 1542, Rab. ; lat. eccl. *caudatarius,* dignitaire de la cour pontificale (celui qui portait la queue de la soutane du pape).

**caudrette** 1769, Duhamel, filet de pêche ; mot picard (*cauderette*), de *caudière,* chaudière ; comparé d'apr. sa forme à une petite chaudière.

**cause** 1120, *Ps. de Cambridge,* jurid. ; 1361, Oresme, « principe, origine » ; 1552, Rab., « ce qui occasionne » ; 1549, R. Est., polit. et relig. ; lat. *causa,* « cause » et « procès ». || **causal** XIIIe s. ; 1565, Meigret, sens gramm. ; lat. *causalis.* || **causalité** 1375, sens philos. || **causatif** fin XVe s., G. || **causer** XIIIe s., *Clef d'amor,* « être cause de » ; XIIIe s., « s'entretenir » ; *causer à quelqu'un,* XVIIe s. ; lat. *causari,* faire un procès, par ext. « alléguer des raisons ». || **causant** XVIIe s. || **causeur** 1534, Rab. || **causerie** milieu XVIe s. || **causette** 1790. || **causeuse** 1787, petit canapé. || **recauser** 1876, L.

**causse** 1791, *Encycl. méth.* ; mot rouergat (XVIe s.) signif. « terre calcaire », du lat. *calx, calcis,* chaux, par un dér. **calcĭnus* ou *calcēnus* (cf. *Caussenard,* habitant des Causses).

**caustique** 1490, Chauliac ; 1690, Furetière, fig., « mordant » ; lat. *causticus,* du gr. *kaustikos,* brûlant, de *kaiein,* brûler. || **caustiquement** 1863, L. || **causticité** 1738, Le Franc.

**cautèle** 1265, J. de Meung ; lat. *cautela,* défiance, de *cavere,* prendre garde. || **cauteleux** XIIIe s., *D. G.* || **cauteleusement** 1450, Gréban.

**cautère** XIIIe s., G. ; lat. impér. *cauterium,* du gr. *kautêrion,* de *kaiein,* brûler. || **cautériser** début XIVe s. ; lat. impér. *cauterizare* (IVe s., Végèce), du gr. || **cautérisation** 1314, Mondeville. || **thermocautère** fin XIXe s. ; gr. *thermos,* chaud.

**caution** 1283, Beaumanoir ; lat. *cautio,* précaution, garantie, de *cavere,* prendre garde. || **cautionner** 1360, G. || **cautionnement** 1535.

**cavaillon** 1473, Barennes ; occitan *cabalhon,* melon, de *Cavaillon* (Vaucluse).

**cavalcade** milieu XIVe s. (*-ate*) ; ital. *cavalcata,* de *cavalcare,* chevaucher, avec la prononc. piémontaise *-ada.* || **cavalcader** 1824, Balzac. || **cavalcadour** 1539, Gruget ; ital. *cavalcatore,* avec la prononc. piémontaise, correspondant au fr. *chevaucheur.*

**cavale** 1552, La Boétie ; ital. *cavalla,* de *cavallo,* cheval ; il a remplacé les mots issus du lat. *equa,* dans l'est et le sud de la France (*ive*), mais non *jument* ; devenu poétique dès le

XVII^e s. || **cavaler** 1575, « poursuivre » ; 1610, B. de Verville, « chevaucher » ; 1821, Ansiaume, *se cavaler,* se sauver. || **cavaleur, cavaleuse** fin XIX^e s., « coureur de filles », « coureuse », pop. || **cavale** 1829, Forban, arg. ; déverbal de *se cavaler.*

**cavalier** 1470 ; ital. *cavaliere,* qui va à cheval, mot qui avait pris le même sens fig. que *chevalier,* d'où « gentilhomme » en fr. (disparu au XVII^e s.) ; il reste le mot *cavalier* (*de bal*) ; 1540, Rab., terme de fortification. || **cavalerie** 1308, Aimé. || **cavalier** 1470, Chastellain, n., « gentilhomme » ; 1650, G. de Balzac, adj., « de cavalier » ; début XVII^e s., fig., « aisé, dégagé ». || **cavalièrement** 1613, Nostredame, « en galant homme » ; 1642, Oudin, « de façon impertinente ».

**cavatine** 1767, Rousseau ; ital. *cavatina,* dimin. de *cavata,* art de tirer un son harmonieux, de *cavare,* creuser.

1. **cave** XII^e s., adj. ; lat. *cavus,* creux ; *veine cave,* 1538. || **cave** n. f., XII^e s., *Marbode ;* lat. *cava,* fém. substantivé au sens de « fossé » en bas lat. || **caveau** fin XIII^e s., Rutebeuf. || **cavea** 1886, archéol. ; mot lat. || **caver** 1150, « creuser » ; lat. *cavare ;* 1642, Oudin, « tirer de sa poche » ; ital. *cavare.* || **caviste** fin XVIII^e s. || **cavité** XIII^e s. (*-eté*) ; bas lat. *cavitas.* || **cavitaire** 1838. || **encaver** 1295, G.

2. **cave** n.f., 1690, Furetière, fonds d'argent du joueur ; de *caver,* « tirer de sa poche », du précédent ; n. m., arg., 1835, dupe. || **décaver** 1819, Boiste, fig.

**caveçon** 1580, Pasquier ; ital. dial. *cavezzone,* du lat. pop. **capitia,* ce qu'on met autour de la tête.

**caverne** 1120, *Job ;* 1546, Ch. Est., méd. ; lat. *caverna,* de *cavus,* creux. || **caverneux** XIII^e s. ; 1546, Ch. Est., méd. ; 1845, Besch., fig. ; lat. *cavernosus.* || **cavernicole** 1877, L. ; lat. *colere,* habiter.

**cavet** 1545, G. ; ital. *cavette,* dimin. de *cavo,* creux ; moulure concave.

**caviar** 1432, La Broquière (*cavyaire*) ; 1553, Belon (*caviar*) ; 1877, L., enduit noir ; ital. *caviale,* du turc *khâviâr.* || **caviarder** 1907, Lar., fig. || **caviardage** 1907, Lar.

**cavité** V. CAVE 1.

1. ***ce** X^e s., *Eulalie,* démonstratif neutre, en position atone ; lat. pop. *ecce-hoc,* renforcement de *hoc,* ceci, par *ecce,* voici.

2. ***ce, cet** 842, *Serments de Strasbourg* (*cest*), en position atone ; lat. pop. *ecce-iste,* forme renforcée de *iste,* celui-ci, qui désigna la proximité par opposition à *ille* (v. CELUI, IL) ; la forme tonique de l'anc. fr. *icest* a disparu. Le cas régime *cestrui, cettui* (jusqu'au XVII^e s.) est resté longtemps pop. || **ceci** fin XII^e s., *Trois Aveugles de Compiègne.* || **ci** XIX^e s., forme contractée de *ceci* (*comme ci, comme ça*). || **cela** XIII^e s. V. ÇA. || **céans** V. ÇÀ.

**cécité** 1220, Coincy ; lat. *caecitas,* de *caecus,* aveugle ; il a remplacé au sens propre *aveuglement* (encore au XVIII^e s.), passé au fig.

**céder** fin XIV^e s., « s'en aller » ; 1537, *le Courtisan, céder à ;* lat. *cedere,* se retirer. || **cession** XIII^e s., *Cout. d'Artois ;* lat. *cessio,* de *cedere,* jurid. || **cessible** 1605, Loisel ; bas lat. *cessibilis.* || **cessibilité** 1845, Besch. || **cessionnaire** 1531, Delb. || **recéder** fin XVI^e s.

**cédille** début XVI^e s. (*cerille*) ; 1642, Oudin (*cédille*) ; esp. *cedilla,* petit *c,* d'abord « petit *z* », dimin. de *zeda,* z (le signe date de la fin du XV^e s.).

**cédrat** 1556 (*cedras*) ; 1680, Richelet (*cédrat*) ; ital. *cedrato,* de l'anc. ital. *cedro,* citron (auj. *limone*), lat. *citrus.* || **cédratier** 1823, Boiste.

**cèdre** 1170, *Rois ;* lat. *cedrus,* du gr. *kedros.*

**cédule** 1180 (*se-*), « acte, notification juridique » ; XVII^e s., « ordonnance » ; fin XIX^e s., spécialisé aux catégories d'impôt sur le revenu ; bas lat. *schedula,* feuillet, page (*Vulgate*), de *scheda,* bande de papyrus. || **cédulaire** 1796, *Néol. fr.*

**cégétiste** 1908, Lar., membre de la C. G. T. (Confédération générale du travail).

***ceindre** 1080, *Roland ;* lat. *cĭngĕre ;* éliminé par *entourer.* || **ceinture** 1120, *Ps. d'Oxford ;* lat. *cinctūra,* de *cinctus,* ceint ; *ceinture de murailles,* XVI^e s. || **ceinturon** 1579, G., avec valeur dimin. || **ceinturer** 1540, Yver. || **ceinturage** 1867. || **enceindre** XIII^e s. ; lat. *incingere.* || **enceinte** XIII^e s., part. passé substantivé.

**ceintrer** 1736, mar. ; bas lat. **cincturare,* avec infl. de *ceindre.* (V. CINTRER.)

**céladon** 1610 ; du nom d'un personnage de *l'Astrée* d'H. d'Urfé, amant sentimental ; 1617, d'Aubigné, couleur vert tendre, porcelaine vert tendre ; XIX^e s., abat-jour de porcelaine.

**célèbre** 1532, Rab. ; lat. *celeber,* fréquenté, illustre ; le sens de « somptueux » se maintient au XVII^e s. || **célébrer** 1130, *Couronn. de Loïs ;*

lat. *celebrare.* || **célébration** 1160, Benoît ; lat. *celebratio.* || **célébrité** XIII<sup>e</sup> s., G. ; 1842, *Acad.,* « personne célèbre » ; lat. *celebritas.*

**celer** Xe s., *Saint Léger ;* lat. *celare,* cacher. || **déceler** XIIIe s. || **receler** 1170, *Vie de saint Edmond.* || **recel** fin XIIe s., *Roman d'Alexandre,* « secret » ; 1842, *Acad.,* sens actuel ; déverbal. || **receleur** début XIVe s., « celui qui achète et revend des objets volés ».

**céleri** 1651, La Varenne ; lombard *seleri* (pluriel), du lat. *selinon,* ache, mot gr.

**célérifère** 1794, Sivrac, ancêtre de la bicyclette ; lat. *celer,* rapide, et suffixe *-fère,* qui porte.

**célérité** 1358, texte de Reims ; lat. *celeritas,* de *celer,* rapide.

**céleste** 1050, *Alexis ;* XVIe s., Rab., fig. ; lat. *caelestis,* de *caelum,* ciel. || **célestement** XVIe s. || **célesta** 1886, *Brevet,* mus.

**célibat** 1549, R. Est. ; lat. *caelibatus,* de *caelebs,* célibataire. || **célibataire** 1711, Danet.

1. **celle** V. CELUI.

2. **celle** XIIIe s., G., « cellule de moine » ; lat. *cella,* chambre, repris sous la forme lat. par l'archéologie au XVIIIe s.

**cellier** 1160, *Charroi ;* lat. *cellarium,* de *cella,* chambre. || **cellérier** fin XIIe s.

**Cellophane** 1911, Braunberger, nom déposé ; de *cellulose* et de *diaphane,* du gr. *phainein,* apparaître.

**cellular** V. CELLULE.

**cellule** début XVe s., « chambre de religieux » ; 1503, Champier, anat. ; 1845, Besch., en prison ; lat. *cellula,* dimin. de *cella,* chambre. || **cellulaire** 1740, P. Demours, anat. ; *voiture cellulaire,* 1845, Besch. || **cellular** 1904, *Mode pratique ;* mot angl. signif. « cellulaire ». || **celluleux** début XVIIIe s. || **cellulose** 1840, Jussieu. || **cellulosique** 1878. || **Celluloïd** 1877, *Année sc. et industr.,* n. déposé ; mot angl. créé par les inventeurs, les frères Hyatt, avec la finale *-oïd,* qui indique la forme d'une chose. || **cellulite** 1878, Lar., méd.

**celtique** 1495, J. de Vignay ; de *Celtes.* || **celtisme** fin XIXe s. || **préceltique** XXe s.

***celui, celle, ceux** Xe s., *Eulalie* (*celle*), formes atones correspondant aux formes toniques *icelui, icelle, icel* (disparues au XVIe s.) ; le cas sujet disparu était *cel, cil ;* lat. pop. *ecce-ille, -illa,* forme renforcée de *ille,* démonstratif exprimant l'éloignement ; *celui* représente le cas régime *ecce-illui.* Adj. jusqu'au XVIe s., remplacé en cet emploi par *ce, cet.* || **celui-ci** 1372, Corbichon. || **celui-là** XVe s., renforcement compensateur lorsque s'efface l'opposition entre *cet* et *cel.*

**cément** 1573, Liébault ; lat. *caementum,* moellon, infl. pour le sens par *ciment.* || **cémenter** 1675, Brunot. || **cémentation** 1567, Zecaire.

**cénacle** début XIIIe s., « salle où a eu lieu la Cène » ; 1829, cénacle littéraire, appliqué aux romantiques ; lat. *cenaculum,* salle à manger, de *cena,* dîner. || **cénaculaire** 1891, Bloy.

***cendre** XIe s. ; pl., 1170, *Floire et Blancheflor ;* lat. *cĭnis, cineris.* || **cendrée** XIIe s., *Chev. Ogier ;* XXe s., piste. || **cendrer** 1556, Papon. || **cendré** début XIVe s. || **cendreux** fin XIIe s., R. de Moiliens. || **cendrier** fin XIIe s., *Vie de saint Évroult,* « linge où on met les cendres » ; fin XIXe s., sens mod. || **cendrillon** 1697 ; du nom d'un personnage des contes de Perrault.

**cène** fin Xe s. ; lat. *cena,* dîner, au sens particulier de « dîner du Christ et des apôtres » en lat. chrét.

***cenelle** fin XIIe s., *R. de Cambrai ;* p.-ê. lat. pop. **acinella,* de *acinus,* grain de raisin, pépin ; fruit de l'aubépine.

**cénesthésie** 1838, *Acad. ;* gr. *koinos,* commun, et *aisthesis,* sensibilité. || **cénesthésique** 1898.

**cénobite** XIIIe s., *Règle de saint Benoît ;* lat. chrét. *coenobita* (IVe s., saint Jérôme), de *coenobium,* monastère, du gr. *koinobion,* vie en commun. || **cénobitique** 1586, N. Le Cerf. || **cénobitisme** 1835, Lamartine.

**cénotaphe** 1501, de La Vigne ; lat. impér. *cenotaphium* (IIIe s., Ulpien), du gr. *kenotaphion,* de *kenos,* vide, et *taphos,* tombeau.

**cens** fin XIIe s. ; lat. *census.* || **censier** XIIe s., *Roman d'Alexandre.* || **censitaire** 1718, finance ; 1842, *Acad.,* polit. || **censive** XIIIe s., *Livre de jostice ;* lat. médiév. *censiva,* terre assujettie au cens. || **censuel** 1266.

**censé** XVIe s., Brantôme, « censuré » ; 1690, Furetière, « réputé tel » ; part. passé de l'anc. verbe *censer,* lat. *censere,* estimer, juger. || **censément** 1852.

**censeur** 1213, *Fet des Romains* (*-or*) ; 1355, Bersuire (*-eur*) ; 1704, Trévoux, relig. ; 1732, Trévoux, qui censure les livres ; 1863, L., adjoint du proviseur ; lat. *censor,* magistrat romain. || **censorial** 1762, Rousseau. || **censorat**

1878, Lar. || **censure** fin XIVe s., relig. ; 1823, Boiste, examen des livres ; lat. *censura.* || **censurer** 1518, trad. de Pline. || **censurable** 1656, Pascal.

**censive, censuel, censure** V. CENS, CENSEUR.

***cent** 1080, *Roland ;* lat. *centum.* || ***centaine** 1170, *Rois* (*centeine*) ; lat. *centena,* fém., distributif de *centum.* || **centenaire** 1370 ; lat. *centenarius.* || **centenier** 1298, *Livre de Marco Polo,* forme plus francisée que *centenaire.* || **centésimal** 1804 ; lat. *centesimus,* centième. || ***centième** 1164, Chr. de Troyes ; lat. *centĕsimus* (le développement du suffixe *-ième* est mal éclairci). || **centiare** 1793. || **centigrade** 1811 ; appliqué au thermomètre inventé par A. Celsius (1744). || **centigramme** 1795. || **centilitre** 1800. || **centimètre** 1793. || **centime** 1793. || **centuple** 1370 ; bas lat. *centuplus,* lat. *centuplex.* || **centupler** 1542, P. de Changy ; bas lat. *centuplicare.* || **centurie** XIIe s. ; lat. *centuria,* groupe de cent. || **centurion** XIIe s., *Macchab. ;* lat. *centurio.* || **cent-cinquantenaire** XXe s.

**centaure** fin XIIe s. ; lat. *centaurus,* du gr. *Kentauros,* être mythologique ; fig., XIXe s. || **centaurée** milieu XIIIe s. ; lat. *centaurea,* du gr. *kentauriê,* (plante) du Centaure ; le centaure Chiron avait découvert, selon la légende, les propriétés des simples. || **centauresse** 1838.

**centenaire** V. CENT.

**centon** 1570, Hervet ; lat. *cento, -onis,* habit rapiécé, au sens fig. (VIIe s., Isid. de Séville).

**centre** 1265, J. de Meung ; lat. *centrum,* du gr. *kentron,* aiguillon, pointe (v. POINT pour le sens). || **central** milieu XIVe s. ; lat. *centralis ;* n. m., bureau télégraphique, 1883 ; n. f., 1927, techn. || **centraliser** 1790, Grégoire. || **centralisation** 1790, *Républicain.* || **centralisateur** 1839, Balzac. || **centralisme** 1842, J.-B. Richard. || **centraliste** 1845, Besch. || **centralité** 1792. || **centrer** fin XVIIe s. || **centration** 1876. || **centreur** 1842, *Acad.* || **centrage** 1834, Biot. || **centriste** 1936. || **centrifuge** 1700, *Mém. Acad. sc. ;* lat. *fugere,* fuir. || **centrifuger** 1871, *J. O.* || **centripète** *id. ;* lat. *petere,* gagner. || **concentrer** 1611, Cotgrave, fig. || **concentration** 1632, Gassendi ; XVIIIe s., sens mod. || **concentrationnaire** 1946, David Rousset. || **concentrique** 1361, Oresme. || **décentraliser** 1827, Eckstein. || **décentralisation** 1829, Boiste. || **décentrer** 1841. || **déconcentrer** 1959, Lar. || **déconcentration** 1959, Lar. || **égocentrisme** 1922, Lar. ; lat. *ego,* moi. || **égocentrisme** 1922, Lar. ; lat. *ego,* moi. || **égocentriste** 1922, Lar. || **allocentrisme** 1953, Lar. || **épicentre** 1898, Lar. || **excentré** 1870, milieu XVIIIe s.

**centuple, centurie, centurion** V. CENT.

***cep** XIIe s. ; lat. *cĭppus,* pieu (d'où, en anc. fr., « étrave »), tronc d'arbre ; spécialisé en fr. en « cep de vigne ». || **cépage** 1573, Baïf. || **cépeau** XIIIe s., Mousket, « billot pour frapper la monnaie » ; sur le sens de *cep,* pièce de bois. || **cépée** fin XIIe s., *Alexandre ;* sur le sens de *cep,* tronc.

**cèpe** 1798, Nemnich ; gascon *cep,* tronc, appliqué aux champignons à gros pédoncule.

**cependant** V. PENDANT.

**céphal(o)-,** gr. *kephalê,* tête. || **céphalalgie** 1495, J. de Vignay (*-argie*) ; lat. *cephalalgia,* du gr. *kephalalgia,* de *algeîn,* souffrir. || **céphalée** 1570, J. Daléchamp ; lat. *cephalaea,* du gr. *kephalaia.* || **céphalé** adj., 1809. || **céphalique** XIVe s. ; lat. *cephalicus,* du gr. *kephalikos.* || **céphalopode** 1795 ; gr. *pous, podos,* pied. || **céphalo-rachidien** v. 1850.

**cérambyx** 1775, Bomare ; mot du lat. entomol., du gr. *kerambux,* pot (*ambux*) à cornes (*keras*). Cet insecte a de longues antennes.

**céramique** 1806, Lunier ; gr. *keramikos,* de *keramon,* argile. || **céramiste** 1836, Landais. || **cérame** 1752, Trévoux. || **céramologie** v. 1960.

**cérat** 1539, Canappe, médicament à base de cire et d'huile ; lat. *ceratum,* de *cera,* cire. || **cératine** 1820, Laveaux, hyménoptère.

**cerbère** 1576, Marg. de France, mythol. ; 1867, Delvau, concierge ; lat. *Cerberus,* du gr. *Kerberos,* nom du chien qui gardait l'entrée des Enfers.

**cerce** V. CERCEAU.

***cerceau** XIIe s., *Saxons* (*cercel*) ; lat. impér. *circellus* (IIIe s., Apicius, « anneau »), dimin. de *circus,* cercle ; la valeur dimin. s'est perdue en fr. || **cerce** XIe s., *Gloses de Raschi ;* dér. régressif de *cerceau ;* planchette de bois entrant dans la confection d'un tambour.

***cercle** XIIe s., *Ps. ;* XVIIe s., « cercle de personnes » ; *cercle vicieux,* 1740, *Acad. ;* 1764, *Courrier de Vaugelas,* « association ayant un local » ; XIXe s., « club de jeu » (la taxe sur les cercles date du 16 sept. 1871) ; lat. *circulus,* cercle (v. CIRQUE), par ext. « circonscription de l'Empire germ. ». || **cercler** 1160, Benoît, « entourer d'un cercle » ; 1530, Marot, fig.

|| **cerclage** 1819, Boiste. || **cerclier** 1518, Delb. || **cercleux** 1897, Daudet, membre d'un club. || **demi-cercle** fin XIV^e s. || **encercler** 1160, Benoît. || **encerclement** XVI^e s. || **recercler** 1832, Raymond.

***cercueil** 1050, *Alexis* (*sarqueu*) ; XV^e s. (*sarcueil*), par modification de suffixe ; 1564, J. Thierry (*cercueil*), prononc. *e* ou *a* devant *r ;* bas lat. *sarcophagus,* tombeau, du gr. *sarkophagos* (v. SARCOPHAGE).

**céréale** 1550, Peletier, adj. ; n. f., 1792, *Encycl. méth. ;* lat. *cerealis,* adj., relatif au blé, de *Cérès,* déesse des Moissons. || **céréalier** 1962, Lar.

**cérébral** 1560, Paré ; lat. *cerebrum,* cerveau. || **cérébralité** 1801. || **cérébro-spinal** 1833, Duparcque. || **cérébelleux** 1814 ; lat. *cerebellum,* dimin. de *cerebrum,* cerveau.

**cérémonie** XIII^e s., *Bible* (*céri-*) ; lat. *caerĭmonia,* cérémonie religieuse. || **cérémonial** 1372, G. ; XVI^e s., fig. ; n. m., XVII^e s. ; lat. *caerimonialis,* adj., relatif aux cérémonies religieuses. || **cérémonieux** XV^e s., G. || **cérémonieusement** 1845, J.-B. Richard. || **cérémoniel** 1374.

***cerf** 1080, *Roland ;* lat. *cervus.* || **cervaison** 1398, *Ménagier.* || **cerf-volant** 1381, Gay, « nom d'insecte », puis « jeu d'enfant ».

***cerfeuil** fin XIII^e s., *Renart* (*-fueil*) ; lat. *caerefolium,* du gr. *khairephullon,* de *khairein,* réjouir, et *phullon,* feuille.

***cerise** 1190, Bodel ; lat. pop. **cerĕsia,* pl. neutre passé au fém., lat. class. *cerasus,* cerisier, du gr. *kerasos.* || **cerisier** 1165, G. d'Arras. || **cerisette** XIV^e s., G. || **cerisaie** fin XIV^e s.

**cérite** 1757, Adanson ; lat. zool. *cerithium,* du gr. *kerukion,* buccin (gastéropode d'un genre voisin).

**cérium** 1803, corps métallique découvert par Berzelius ; de *Cérès* (planète qui venait d'être découverte). || **ferrocérium** XIX^e s., alliage de fer et de cérium.

***cerne** XII^e s., « cercle » (jusqu'au XVII^e s.) ; XVII^e s., cerne des yeux ; lat. *circinus,* compas, cercle, de *circus* (v. CIRQUE). || **cerner** XII^e s., « entourer d'un cercle » ; rare jusqu'au XVI^e s. ; XVI^e s., fig., et *cerner une noix,* détacher par une incision circulaire. || **cerneau** XIII^e s., noix cernée (coupée en deux avec sa coque). || **cernoir** 1391, Du Cange, couteau à cerner les noix. || **cernure** 1863, Goncourt, « cerne de l'œil ».

***certain** 1130, *Eneas* (*certan*) ; 1190, Gace Brulé (*certain*) ; lat. pop. **certanus,* de *certus,* assuré ; il a tous les sens du français actuel dès le XII^e s. || **certainement** 1138, *Saint Gilles.* || **certes** 1080, *Roland ;* lat. pop. *certas,* du lat. *certo,* assurément. || **certitude** XIV^e s. (*sertetut*) ; 1470, *Livre disc.* (*-titude*) ; lat. *certitudo.* || **incertain** 1361, Oresme. || **incertitude** 1495, J. de Vignay.

**certificat** 1380, Delb. ; lat. médiév. *certificatum,* de *certificare,* de *certus,* assuré, et *facere,* faire. || **certification** 1310, G. ; lat. *certificatio.* || **certificateur** 1578, d'Aubigné ; lat. *certificator.* || **certifier** XII^e s. (*certefier*) ; XIII^e s. (*certi-*). || **certifié** 1950, pédag.

**cérulé** 1516, M. de Tours ; lat. *caeruleus,* bleu ciel (*caelum,* ciel). || **céruléen** 1797, Chateaubriand. || **cérulescent** 1842, Mozin. || **céruléine** ou **céruline** 1842, Mozin.

**cérumen** début XVIII^e s., « cire de l'oreille » ; mot du lat. médiév., de *cēra,* cire. || **cérumineux** 1735, Heister.

**céruse** XIII^e s. ; lat. *cerussa ;* produit utilisé dans la peinture. || **cérusite** 1878, Lar.

***cerveau** 1080, *Roland* (*cervel*) ; lat. *cerebellum,* dimin. de *cerebrum,* cerveau, cervelle. || **cervelle** 1080, *Roland* (*-elle*) ; *sans cervelle,* « étourdi », début XIX^e s. ; lat. *cerebella,* pl. passé au fém. || **cervelet** 1611, Cotgrave, dimin. réservé à l'anat. || **cervelas** 1552, Rab. (*-at*) ; 1623, Sorel (*-as*) ; ital. *cervellato,* mets milanais fait de viande et de cervelle de porc. || **décerveler** XIII^e s., *Grandes Chron. de France.* || **écerveler** fin XII^e s., *Loherains,* « faire jaillir la cervelle », et, comme adj., *écervelé,* « étourdi » (XII^e s., *Aliscans*).

**cervelas, cervelle** V. CERVEAU.

**cervical** 1560, Paré ; lat. *cervix, -icis,* nuque.

**cervidé** 1888, Lar. ; lat. *cervus,* cerf. || **cervicornes** 1842, *Acad.*

***cervoise** XII^e s. ; lat. *cerevĭsia* ou *cervēsia,* mot gaulois.

**ces** V. CE.

**césar** XIII^e s., « empereur » ; 1756, Voltaire, polit. ; de *Jules César* (lat. *Caesar*), dont les empereurs romains prirent le nom. || **césarisme** 1847, Romieu. || **césarien** 1527, hist. ; 1863, Lar., polit.

**césarienne** [opération] 1560, Paré ; lat. *caesar,* enfant mis au monde par incision, de *caedere,* couper ; le surnom *Caesar* a la même origine.

***cesser** 1080, *Roland ;* lat. *cessare,* tarder, différer, fréquentatif de *cedere* (v. CÉDER). || cesse fin XII^e s., *Mort d'Aymeri.* || **cessation** 1377, Oresme. || **cessez-le-feu** fin XIX^e s. ; calque de l'angl. *ceasefire,* de *to cease,* cesser, et *fire,* feu. || **incessant** milieu XVI^e s. || **incessamment** 1358, *Bible.*

**cessible, cession** V. CÉDER.

**c'est-à-dire** 1306, trad. du lat. *id est.*

**ceste** XV^e s. ; lat. *caestus,* de *caedere,* frapper, au sens de « courroie, ceinture ».

**cestode** 1820, Laveaux (*cestoïde*) ; 1888, Lar. (*cestode*) ; gr. *kestos,* ceinture, et *eidos,* forme.

**cestreau** 1783, *Encycl. méth.,* bot. ; lat. *cestrum,* bétoine, du gr. *kestron.*

**césure** 1537, Marot ; lat. *caesura,* coupure, de *caedere,* couper.

**cétacé** 1542, Du Pinet ; lat. scientifique *caetaceus,* du lat. *cetus,* du gr. *kêtos,* baleine, dauphin.

**cétérach** 1314, genre de fougères ; mot du lat. médiév., de l'ar. *chetrak.*

**cétoine** 1790, *Encycl. méth. ;* lat. des naturalistes *cetonia,* insecte qui vit sur les fleurs.

**cétone** V. ACÉTATE.

**cévadille** 1751 ; esp. *cebadilla,* dimin. de *cebada,* du lat. *cibus,* nourriture ; plante exotique.

**chabanais** 1820, Esnault, « lupanar » ; 1852, Esnault, « vacarme » ; du nom d'une maison close de Paris, rue *Chabanais.*

**chabichou** 1877, L. ; altér. de *chabrichou,* de *chabro,* forme limousine de *chèvre.*

***chable** 1190, Bodel (*cheable*), « grosse corde », infl. par *chaable* (*câble*) ; bas lat. *capulum.* || **chabier** 1676, Félibien, « haler un bateau », « hisser avec un câble ». || **chableur** 1415, G.

**chabler** XIV^e s., « abattre des noix » ; anc. fr. *chaable,* machine à lancer des pierres, du lat. pop. *catabola,* du gr. *katabolê,* action de lancer, de *ballein,* lancer. || **chablis** 1515, *Ordonn.* (*bois chablis*), bois presque abattu par le vent.

**chabot** 1220, Coincy (*cabot*), « têtard » ; 1544, *Anc. Poés.,* « poisson à grosse tête » ; prov. *cabotz,* du lat. pop. *capoceus,* de *caput,* tête.

**chabraque** 1803, Boiste ; allem. *Schabracke,* du turc *tchaprāk,* couverture d'un cheval de cavalerie, introduite en France en 1692 par les hussards hongrois.

**chacal** 1646, Gaudon (*ciacale*) ; 1667, Thévenot (*chakal*) ; turc *tchaqâl,* du persan *chagâl.*

**cha-cha-cha** v. 1955 ; onom. sud-amér.

**chaconne** 1655, Quevedo ; esp. *chacona,* nom d'une danse ; le sens de ruban vient d'une mode lancée en 1693 par le danseur Pécourt.

***chacun** 1050, *Alexis ;* du lat. pop. **casquūnus,* croisement entre *quisque-unus,* de *quisque,* chaque, et *unus,* un, et de **cata-unum,* de la prép. grecque *kata,* employé comme distributif, avec le sens de « un par un », et qui a donné *cadun*(*a*) [842, *Serments*], puis *chaün,* chacun. || **chaque** XII^e s., rare jusqu'au XV^e s., dér. régressif. || **chacunière** 1534, Rab.

**chafouin** début XVI^e s., terme d'injure ; 1611, Cotgrave, « putois » ; 1657, Tallemant des Réaux, fig., adj. ; mot de l'Ouest, de *chat* et *fouin,* forme masc. de *fouine.*

1. **chagrin** XVI^e s., *Fr. mod.* (*sagrin*), « cuir grenu » ; turc *çâgri,* avec infl. de *grain.* || **chagriner** 1692, Tournefort, « travailler le chagrin ».

2. **chagrin** 1389, J. Le Petit, adj., « affligé » ; 1450, n. m., « douleur » ; p.-ê. de *chat* et *grigner,* faire la moue, ou d'une rac. *cap-,* tête, et *grigner.* || **chagriner** début XV^e s., « rendre chagrin ». || **chagrinant** 1690, Fur.

**chah** V. SCHAH.

**chahuter** 1821, Desgranges, « danser » ; 1837, Sainéan, « faire du vacarme » ; mot du Vendômois qui avait le sens de « crier comme un chat-huant », d'où « crier en dansant » ou « en s'agitant ». || **chahut** *id.* (*-hu*), déverbal. || **chahuteur** 1837, Vidocq.

**chai** fin XV^e s., au pl. ; mot de l'Ouest, transmis par Bordeaux, forme régionale de *quai.*

***chaîne** 1080, *Roland* (*chaeine*) ; XVI^e s., « servitude » ; *chaîne de montagnes,* 1653 ; 1690, Furetière, « les galères » ; lat. *cătēna.* || **chaînage** début XVII^e s. || **chaînette** fin XII^e s., Delb. (*chaanette*). || **chaînetier** 1680. || **chaînon** 1260, Barbier. || **chaînée** 1836, Landais. || **chaîner** 1827, *Acad.* || **chaîneur** 1827, *Acad.* || **chaîniste** 1853. || **chaînier** 1795, Saint-Léger. || **déchaîner** XII^e s., *D. G.,* « délivrer des chaînes » ; 1460, Chastellain, fig. || **déchaînement** 1671, Sévigné. || **enchaîner** 1080, *Roland ;* 1636, Monet, « coordonner ». || **enchaînement** 1392,

E. Deschamps, « chaîne » ; 1678, La Rochefoucauld, fig.

***chainse** XIIe s., « toile de lin », puis « vêtement de dessous » ; lat. pop. **camĭsa*, var. de *camisia*, chemise.

***chaintre** début XVe s. ; lat. *cancer*, au sens de « grille, treillis », puis « borne », d'où « lisière du champ ».

***chair** 1080, *Roland* (*charn*) ; XVe s. (*chair*) ; la collision homonymique avec *chère* l'a fait remplacer dans une partie de ses emplois par *viande ;* lat. *caro, carnis*, chair. || ***charnel** 1050, *Alexis ;* bas lat. eccl. *carnalis.* || **charnellement** XIIe s., Delb. || **charneux** XIIIe s., *Ysopet ;* lat. *carnosus.* || **charnier** 1080, *Roland*, « endroit où on conservait la viande » ; « cimetière, dépôt d'ossements » (jusqu'à la Révolution) ; 1866, Lar., fig., lieu de massacre. || ***charnu** 1256, Ald. de Sienne ; lat. pop. **carnūtus.* || **charnure** fin XIIIe s. (*-neure*). || ***charogne** début XIIe s. ; lat. pop. **caronia.* || **charognard** début XIXe s. || ***carogne** fin XIIe s., *Aiol* (*caronge*), forme normanno-picarde de *charogne.* || **décharner** XIIe s., *Antioche ;* sur le rad. *charn.* || **charcutier** 1464, texte de Blois (*chaircuitier ;* encore fin XVIIIe s.) ; de *chair cuite.* || **charcuter** XVIe s., *Chron. bordelaise ;* 1879, Huysmans, fig. || **charcuterie** 1549, R. Est. (*chaircuicterie*). || **acharner** 1160, Benoît, terme de chasse ; fin XVe s., fig. ; sur *charn*, au sens de « mettre en appétit de chair » les chiens et les faucons. || **acharnement** 1611, Cotgrave. || **écharner** fin XIIe s., *D.G.* (V. INCARNER.)

***chaire** XIe s. (*chaiere*) ; spécialisé dès le XVIIe s. au sens de « chaire d'église », puis « chaire de professeur » ; lat. *cathĕdra*, siège à dossier, par opposition à *sella*, sans dossier. || **chaise** fin XIVe s. (*chaeze*) ; *chaise longue*, 1782, Mercier ; forme champenoise ou orléanaise (siège plus léger). || **chaisier** 1781, *Arch.*, « loueur de chaises à porteurs ». || **chaisière** 1842, *Acad.*, « loueuse de chaises ».

**chairman** 1829, *Rev. des Deux Mondes*, « président du dîner » ; XIXe s., « président d'assemblée » ; mot angl. signif. « homme (*man*) du fauteuil (*chair*, empr. au fr.) ».

1. **chaland** 1080, *Roland* (*caland*), « bateau plat » ; gr. byzantin *khelandion.*

2. ***chaland** 1190, Garn. (*chalant*), « client », d'abord « ami, connaissance » ; part. prés. substantivé de *chaloir*, au sens de « avoir de l'intérêt ». || **chalandise** XIIIe s. || **achalander** 1383, Delb., « fournir de la clientèle » ; fin XIXe s., *achalandé*, pourvu de marchandises. || **achalandage** 1820, Laveaux, même évolution que *achalander.*

**chalaze** 1792, *Encycl. méth.*, anat. ; gr. *khalaza*, grêlon, au fig. « orgelet » ; filaments d'albumine des jaunes d'œufs. || **chalazion** 1538, Canappe (*-ium*), tumeur bénigne sous la paupière.

**chalcographe** 1620, Delb. ; appellation prise par Jacques de Bié, du gr. *khalkos*, cuivre, et *graphein*, écrire. || **chalcographie** 1617, P. de Lanoue, « gravure sur cuivre » ; 1868, Goncourt, « dépôt de planches gravées ».

**châle** milieu XVIIe s. (*chal*) ; 1772, Raynal (*chaale*) ; rare jusqu'au XVIIIe s. ; 1793 (*gilet shall*) ; hindi *shal*, du persan, vulgarisé sous l'infl. de l'angl. *shawl*, de même origine. || **châlier** 1841, P. Bernard.

**chalet** 1723, Savary, popularisé par *la Nouvelle Héloïse ;* mot de la Suisse romande désignant les chalets primitifs des bergers sur les alpages, dimin. d'un mot prélatin **cala*, abri, que l'on retrouve en toponymie.

***chaleur** 1155, Wace (*chalour*) ; 1549, R. Est., « ardeur » ; lat. *calor, caloris.* || **chaleureux** 1398, Du Cange. || **chaleureusement** 1360, Du Cange.

***châlit** 1190, Garn. (*chaelit*), « lit de parade pour un mort » ; XVIe s., « monture d'un lit » ; lat. pop. *catalectus*, de *lectus*, lit, et prép. *cata*, issue du grec et signifiant « sur ». (V. ÉCHAFAUD.)

**challenge** 1865, Bonnafé, terme de sport ; angl. *challenge*, défi, repris à l'anc. fr. *chalenge*, débat, réclamation, défi, forme pop. du lat. *calŭmnia*, calomnie, par ext. de sens. || **challengeur** 1902, Bonnaffé. || **challenger** verbe, début XXe s.

***chaloir** Xe s., *Eulalie* (*chielt*, 3e pers. sing., ind. prés.) ; lat. *calēre*, être chaud, être ardent, enthousiaste, et « importer ». Le mot a disparu au XVIe s. ; il reste d'un usage littér. jusqu'au XVIIe s. ; auj., seulement dans quelques loc. vieillies. (V. CHALAND 2.)

**chaloupe** début XVIe s., *Chron. bordelaise* (*-oppe*) ; néerl. *sloep*, embarcation, ou fr. dial. *chalope*, coquille de noix, de *écale* avec une finale empr. à *enveloppe.* || **chalouper** 1858, Esnault, pop.

***chalumeau** XIIe s., *Ignaure* (*-mel*) ; 1464, *Quinze Joies du mariage* (*-umeau*) ; lat. impér. *calamellus* (IIIe s., Arnobe), de *calamus*, roseau.

**chalut** 1753, *Encycl.* ; mot de l'Ouest, d'un verbe *chaler,* sortir sa tête, se sauver ; orig. inconnue, ou p.-ê. doublet de *chaloupe.* || **chaluter** 1845. || **chalutage** 1866, Lar. || **chalutier** 1866, Lar.

**chamade** 1570, Monluc ; piémontais *ciamada,* appel (ital. *chiamata*), part. passé fém. du verbe *ciamà,* appeler (ital. *chiamare*). Restreint à l'expression *battre la chamade* (faire sonner la reddition et, en parlant du cœur, battre violemment).

**chamailler** v. 1300, « frapper, batailler, se battre » ; 1690, Furetière, « disputer » ; renforcement probable de l'anc. fr. *mailler,* frapper, de *mail,* avec un préfixe *cha-,* var. de *ca-.* || **chamaillerie** 1680, Motteville. || **chamailleur** fin XV^e s. || **chamaillis** 1540, des Essarts.

**chaman** 1699, A. Brand, « prêtre sorcier » ; mot d'une langue ouralo-altaïque. || **chamanisme** 1801, Fischer.

**chamarrer** début XVI^e s. ; moyen fr. *chamarre* (XV^e s.), var. de *samarre* (XV^e s.), de l'esp. *zamarra,* vêtement de berger (v. SIMARRE). || **chamarrage** 1828, Raymond. || **chamarrure** 1595, Charron.

**chambarder** 1859, pop. d'abord ; altér. de *chamberter* (1847), renverser, briser, d'orig. obscure. || **chambard** 1888, Lar., déverbal. || **chambardement** 1856, Magnard. || **chambardeur** fin XIX^e s.

**chambellan** 1050, *Alexis* (*chamberlenc*) ; francique **kamerling* (allem. *Kämmerling*), du lat. *camera,* chambre. (V. CAMERLINGUE.)

**chambouler** 1807, Michel, « chanceler comme un homme ivre » ; XX^e s., « bouleverser, déranger » ; p.-ê. de *cambo,* jambe (d'apr. la var. *camboler* [1866, Delvau], tomber en chancelant), avec un croisement sémantique de *sabouler,* tomber ; ou du prov. *champourla,* barboter. || **chamboulement** XX^e s.

**chambranle** 1313, Gay (*-brande*) ; début XVI^e s. (*-branle,* par infl. de *branler*) ; altér. de l'anc. fr. *chambril,* lattis, lambris, du lat. *camerare,* voûter.

***chambre** 1050, *Alexis* ; 1631, Liénard, « assemblée » ; *chambre à air,* 1891, Michelin ; lat. *camĕra,* voûte, du gr. *kamara* ; « chambre voûtée » en lat. pop., puis « pièce de l'habitation ». || **chambrette** 1190, Garn. || **chambrière** 1190, *Saint Bernard* ; le masc. *chambrier* a disparu plus tôt. || **chambrée** XIV^e s., « mesure de fourrage » ; 1539, R. Est., sens actuel. || **chambrer** 1678, Guillet, « tenir en chambre » ; 1877, L., « sermonner ». || **chambrelan** 1676, Félibien, « ouvrier en chambre » ; 1694, *Acad.,* « locataire d'une chambre », par croisement avec *chambellan.*

***chameau** 1080, *Roland* (*cameil*) ; 1828, Esnault, « personne méchante » ; lat. *camēlus,* du gr. *kamêlos,* mot sémitique. || **chamelle** 1160, Benoît. || **chamelier** 1430, A. Chartier. || **chamelon** 1845, Besch.

**chamérops** 1615, Daléchamp ; lat. *chamaerops,* du gr. *khamairôps,* buisson (*rôps*) à terre (*khamai*) ; nom d'arbuste mal déterminé.

***chamois** 1170, Chr. de Troyes ; bas lat. *camox, -ōcis* (V^e s., Polemius Silvius), mot prélatin. || **chamoiser** 1393, G. (*camoiser*) ; rare jusqu'au XVIII^e s. || **chamoisage** 1808, Cuvier. || **chamoiseur** 1393, G. || **chamoiserie** 1723, Savary. || **chamoisine** 1952.

***champ** 1080, *Roland,* « terrain » ; 1911, Ducom, en cinéma ; lat. *campus,* plaine, et terrain cultivé (chez Caton), la culture se faisant surtout en plaine ; le sens premier est resté dans *champ de bataille, champ clos.* || **champi** 1390, Du Cange, « enfant trouvé dans les champs » ; mot du Berry repris par G. Sand. || **champlever** 1753, *Encycl.* || **champlevage** 1866, Lar. || **champart** 1283, Beaumanoir ; de *champ* et *part.* || **champêtre** fin XI^e s., *Lois de Guill.* ; 1829, Boiste, *garde champêtre* ; lat. *campestris,* de *campus.* || **échamp** XIII^e s., *D.G.* || **échampir** 1701, Furetière ; d'après le fond de la gravure. || **réchampir** 1676, Félibien. || **réchampi** 1690, Furetière, techn.

***champagne** XV^e s., spécialisé en toponymie ; 1360, Froissart, blason ; lat. pop. *campania,* plaine, adj. fém. substantivé dér. de *campus.* || **champagne** 1695, vin, par abrév. de *vin de Champagne* (la fabrication en remonte à la fin du XVII^e s., à dom Pérignon † 1715). || **champagniser** 1839, Boiste. || **champagnisation** 1878. || **fine champagne** XIV^e s., terme de blason ; puis « eau-de-vie de la champagne de Cognac ».

**champêtre** V. CHAMP.

**champignon** 1398, *Ménagier* ; altér., par changement de suffixe, de l'anc. fr. *champegnuel* (XII^e s.), du lat. pop. (*fungus*) **campagniolus,* champignon des champs. || **champignonner** 1776, *Encycl.,* « former des champignons » ; fin XIX^e s., « se multiplier ». || **champignonnière** 1694, *Acad.* || **champignonniste** 1866, Lar.

***champion** 1080, *Roland* (*campium*), « celui qui combat en champ clos » ; 1877, L., sens sportif ; bas lat. *campio, -ōnis,* de *campus,* au sens de « champ de bataille », du germ. *kamp,* combat (allem. *Kampf*). || **championne** 1558, Des Périers. || **championnat** 1859.

**champis, champlever** V. CHAMP.

**champoreau** 1866, Lar., « mélange de vin et de café », argot milit., pop. vers 1880-1886 ; terme de l'armée d'Afrique ; esp. pop. *champorro,* de *cha(m)purrar,* mélanger des liquides.

***chance** fin XII<sup>e</sup> s., *Aiol ;* dès l'anc. fr., « hasard », puis « heureux hasard » ; « chute de dés » (jusqu'au XVII<sup>e</sup> s.) ; lat. pop. *cadentia,* pl. neutre substantivé comme fém., du part. prés. de *cadere,* tomber (v. CHOIR). || **chançard** 1859. || **chanceux** 1606, Nicot. || **malchance** XIII<sup>e</sup> s. (*male-*) ; 1864, L. (*mal-*).

***chanceler** 1080, *Roland ;* lat. *cancellare,* clore d'un treillis, avec évolution sémantique obscure (d'apr. les treillis qui vacillent) ; le sens fig. du lat. jurid. « barrer, biffer » existait en anc. fr. || **chancelant** 1190, *Saint Bernard.* || **chancellement** XIII<sup>e</sup> s., G.

***chancelier** 1050, *Alexis ;* lat. impér. *cancellarius,* huissier de l'empereur (III<sup>e</sup> s., Vopiscus) qui se tenait près des grilles (*cancelli*), puis chef du greffier d'un tribunal (VI<sup>e</sup> s., Cassiodore). || **chancellerie** 1190, Garn. || **chancelière** 1611, Cotgrave. || **vice-chancelier** XIII<sup>e</sup> s. (*vichancelier*) : 1583, forme mod.

***chancir** 1508, Éloy d'Amerval ; altér., par attraction de *rancir,* de l'anc. fr. *chanir,* du lat. pop. **canīre,* de *canus,* blanc. || **chancissure** 1538, R. Est.

***chancre** 1256, Ald. de Sienne (*cranche*) ; XVII<sup>e</sup> s., Saint-Simon, fig. ; lat. *cancer, -eris,* ulcère. || **chancreux** XIV<sup>e</sup> s., G. || **échancrer** 1546, Martin, c'est-à-dire « entamer comme fait un chancre ». || **échancrure** 1560, Paré.

**chandail** V. AIL.

***chandeleur** 1119, Ph. de Thaon (*-lur*) ; lat. pop. (puis eccl.) **candelorum* (génitif pl., abrév. de *festa candelarum,* fête des chandelles).

***chandelle** XII<sup>e</sup> s., *Roncevaux* (*-deile*) ; XIV<sup>e</sup> s. (*-ele*), refait sur le lat. ; 1636, Monet, objet en forme de colonne ; lat. *candēla ;* remplacée par la *bougie* au cours du XIX<sup>e</sup> s. || **chandelier** 1138, *Saint Gilles,* objet ; 1268, É. Boileau, « marchand de chandelles », sens disparu.

**chanfraindre** début XIV<sup>e</sup> s., « tailler en biseau » ; anc. fr. *fraindre,* briser (v. ENFREINDRE), et *chant* (v. CHANT 2), c.-à-d. « abattre de chant ». || **chanfrein** XV<sup>e</sup> s., La Curne, « demi-biseau ». || **chanfreiner** 1512, Lemaire (*champfrainer*).

1. **chanfrein** V. CHANFRAINDRE.

2. **chanfrein** 1175, Chr. de Troyes, « armure protégeant la tête du cheval », d'où partie antérieure de la tête du cheval ; sans doute différent du précédent, et dér. de *frein,* croisé avec le lat. *camus,* muselière, ou altér. de *caput,* tête. || **enchifrener** 1265, J. de Meung, au fig. (*d'amours enchifrené*) ; XVII<sup>e</sup> s., spécialisé pour le rhume de cerveau ; altér. d'un dér. de *chanfrein,* signif. « pris dans un chanfrein ».

***changer** 1130, *Couronn. de Loïs* (*-gier*) ; bas lat. *cambiare* (IV<sup>e</sup> s., Siculus Flaccus), du lat. impér. *cambire* (II<sup>e</sup> s., Apulée), mot gaulois. || **change** XII<sup>e</sup> s., *Roncevaux,* « changement » (jusqu'au XVII<sup>e</sup> s.), seulement dans la loc. *ne pas gagner au change ;* XIII<sup>e</sup> s., sens fin. d'apr. l'ital. *cambio,* à cause des banquiers lombards ; *lettre de change,* 1458, *Lettres de Louis XI.* || **changeant** 1160, Benoît. || **changeur** XII<sup>e</sup> s., Delb. ; fin XV<sup>e</sup> s. || **changement** 1120, *Ps. d'Oxford.* || ***échanger** 1155, Wace (*-gier*) ; lat. pop. **excambiare.* || **échange** 1080, *Roland* (*escange*) ; déverbal. || **échangeable** 1798, *Acad.* || **échangeur** 1764, Brunot, « changeur » ; 1953, Lar., appareil ; XX<sup>e</sup> s., voie de raccordement. || **inchangé** 1842, *Acad.* || **interchangeable** 1878, Lar. || **rechanger** 1160, Benoît. || **rechange** XIV<sup>e</sup> s.

**chanlatte** V. LATTE.

**chanoine** 1080, *Roland* (*cabunie*) ; d'abord « clerc » (connaissant les canons), spécialisé aux « chanoines du chapitre », au Moyen Âge ; lat. eccl. *canonicus,* du gr. *kanôn,* règle (v. CANON 2). || **chanoinesse** 1264, *Charte wallonne.* || **chanoinie** 1160, Benoît. (V. CANON 2.)

***chanson** 1080, *Roland ;* lat. *cantio, -onis,* de *cantus,* chant. || **chansonnette** 1175, Chr. de Troyes. || **chansonnier** XIV<sup>e</sup> s., Delb., « recueil de chansons » ; 1571, de La Porte, « chanteur » ; XVII<sup>e</sup> s., « auteur de chansons ». || **chansonner** 1584, de La Porte.

1. ***chant** XII<sup>e</sup> s., *Roncevaux ; faire chanter,* 1808, d'Hautel ; lat. *cantus,* chant. || **chanter** X<sup>e</sup> s., *Saint Léger ;* lat. *cantare,* fréquentatif qui a éliminé *canĕre.* || **chantage** 1837, Vidocq, arg. || **chantefable** début XIII<sup>e</sup> s., *Aucassin et Nicolette.*

|| **chantepleure** fin XII^e s., *D. G.* ; de *chanter* et *pleurer*, d'apr. le bruit du robinet qui coule. || **chanterelle** 1540, Yver, « corde de violon », par ext. « bobine des tireurs d'or » (var. *chanterille*), bruyante quand elle tourne. || ***chanteur** 1170, *Rois* (*-ur*) ; lat. *cantorem*, acc. cas régime. || ***chantre** XIII^e s., « chanteur » (jusqu'au XVII^e s.) ; XV^e s., « chantre d'église », sens qui l'a emporté ; lat. *cantor*, au cas sujet (nominatif). Le type *chanteor, chantere*, de *cantator*, s'est confondu avec le type *chantre, chanteur* ; le fém. *chanteresse* s'est maintenu jusqu'au XVI^e s., remplacé ensuite par *chanteuse*. || **chantonner** 1538, R. Est. || **chantonnement** 1838. || **déchanter** 1220, Coincy, « chanter en déchant, sur un autre ton ».

2. ***chant** XII^e s., Delb., « face étroite d'un objet » (var. *champ*, par confusion avec *champ*, issu du lat. *campus*) ; lat. *canthus*, bande de jante, p.-ê. du gaulois ou empr. au gr. *kanthos*, coin de l'œil. || **chanteau** 1160, Benoît (*-tel*), quartier d'un bouclier ; milieu XV^e s., spécialisé en *chanteau de pain*. || **chanterelle** 1552, Pontus de Tyard, « fausse équerre des menuisiers ». || **chantignole** 1676, Félibien, « console », qui a remplacé l'anc. fr. *chantille*. || **chantourner** 1611, Cotgrave, tourner le chant. || **chantournement** 1611, Cotgrave. (V. CANTON, *chanlatte* à LATTE.)

1. **chanterelle** V. CHANT 1 et 2.

2. **chanterelle** 1752, Trévoux, « girofle, champignon » ; lat. bot. *cantharella*, du gr. *kantharos*, coupe, à cause de la forme.

**chanteur** V. CHANT 1.

***chantier** fin XII^e s., J. Bodel (*gantier*) ; fin XIII^e s. (*chantier*), « support de tonneau » ; 1690, Furetière, « lieu où l'on dépose les matériaux » ; *mettre sur le chantier*, 1758, Diderot, fig. ; lat. *canterius*, mauvais cheval ; au fig., étai (I^er s., Columelle) [cf. CHEVALET, POUTRE].

**chantourner, chantre** V. CHANT 2, CHANT 1.

***chanvre** fin XI^e s. ; lat. *cannabis*, du lat. pop. **canapus* (*canabus, Notes tiron.*) postulé par le prov. *canebe*. Fém. en lat. et en fr. jusqu'au XVII^e s., où le masc. (attesté au XIII^e s.) l'a emporté ; le caractère dioïque de la plante explique la longue coexistence des deux genres. (V. CANEVAS, CHÈNEVIÈRE.) || **chanvreur** 1855. || **chanvrier** fin XIII^e s. || **chanvrière** 1429.

**chaos** 1377, Chr. de Pisan, mythol. ; fin XVI^e s., « confusion générale » ; lat. *chaos*, du gr. *khaos*. || **chaotique** 1827, *Acad.* || **chaomancie** 1827, *Acad.*, « divination faite au moyen d'observations faites sur l'air », du sens de *khaos*, immensité de l'espace.

**chaouch** 1519, Spandugino (*tausse*) ; turc *tchaouch*, sergent.

**chaparder** 1858, Larchey, d'abord arg. milit. algérien ; de *chapar*, vol, mot du sabir (début XIX^e s.) ; ou de *cape*, par l'anc. fr. *caper*, prendre. || **chapardage** 1871, Goncourt. || **chapardeur** 1858, Esnault.

***chape** 1080, *Roland*, « manteau » ; bas lat. *cappa*, capuchon (VII^e s., Isidore de Séville) ; refoulé par *cape*, s'est spécialisé comme manteau eccl. et dans les sens techn. || **chapier** 1611, Cotgrave. || **chapé** 1558, S. Fontaine. || ***chapeau** fin XI^e s., *Voy. de Charl.* ; lat. pop. **cappellus*, dimin. de *cappa* (a signifié aussi « couronne de fleurs » jusqu'au XVI^e s.). || **chapelier** fin XII^e s., R. de Moiliens. || **chapelière** 1877, L., « malle pour chapeaux ». || **chapellerie** 1268, É. Boileau. || **chapeauter** 1879. || **chape-chute** 1190, Bodel (*kape keue*), manteau que quelqu'un a laissé tomber ; XVI^e s., bonne aubaine. || **chapelet** fin XII^e s. ; de *chapel, -eau* ; spécialisé au XIV^e s. au sens de « couronne de fleurs », d'où le sens religieux, d'apr. la couronne de roses de la Vierge. Le mot *rosaire* a subi la même évolution sémantique. || ***chapelle** 1080, *Roland* (*capelle*) ; lat. pop. **cappella*, de *cappa* ; paraît avoir désigné d'abord l'endroit où on gardait la chape de saint Martin. || **chapelain** 1155. || **chapellenie** av. 1450, R. d'Anjou. || **archichapelain** début XVI^e s. || **chaperon** 1130, *Couronn. de Loïs*, « coiffure » ; de *chape*, « capuchon ». || **chaperonner** 1190, Garn. || **enchapper** XIV^e s., G. || **enchaperonner** 1160, Benoît. || **rechaper** XX^e s., techn. || **rechapage** 1905, *Pratique autom.*

**chape-chute, chapelain** V. CHAPE.

***chapeler** 1080, *Roland* (*capler*) ; 1398, *Ménagier* (*chapeler*, d'apr. *peler*) ; en anc. fr. « frapper, tailler » ; spécialisé à « enlever la croûte du pain » ; bas lat. *capulare*, couper, ou **cappulare*, du germ. *kappan*, fendre. || **chapelure** 1398, *Ménagier* (*chappeleure*).

**chapelet, chapelle, chapelure, chaperon** V. CHAPE, CHAPELER.

**chapiteau** 1160, Benoît ; lat. *capitellum*, dimin. de *caput*, tête, « chapiteau » en bas lat. (VI^e s., Corippus).

**chapitre** 1119, Ph. de Thaon (*chapitle*) ; emprunt, à l'époque carolingienne, du lat. *capĭtulum,* dimin. de *caput,* tête ; au sens fig., chapitre d'un ouvrage, article d'une loi en bas lat. (Tertullien, *Code Justinien*), d'où, en lat. chrét., passage de l'Écriture, lu au début des assemblées ; par ext., assemblée de religieux ; sens passés au fr. || **chapitrer** début XV<sup>e</sup> s., « réprimander un membre du chapitre » ; XX<sup>e</sup> s., « faire la leçon à qqn ».

***chapon** 1190, Garn. ; lat. pop. **cappo,* forme, avec gémination emphatique, de *capo, -onis.* || **chaponner** 1285, *Lapidaire de Cambridge.* || **chaponnage** 1701, Liger. || **chaponnière** 1462, *Cent Nouvelles.* || **chaponneau** 1363, Delb.

**chapoter** V. CHAPUIS.

**chapska** début XIX<sup>e</sup> s. (*shapka*) ; 1830, Bemelmans (*schapska*) ; polonais *czapka.* La *chapska,* coiffure des lanciers sous le premier Empire, a été conservée jusqu'en 1871.

**chaptalisation** 1866, Lar. ; du nom du chimiste français *Chaptal.* || **chaptaliser** *id.*

**chapuis** 1265, J. de Meung, « billot », et « charpentier », puis « ossature de bât, de selle » ; déverbal de *chapuiser,* menuiser du bois, frapper (XIII<sup>e</sup> s., Villehardouin), du lat. pop. **cappūtiare,* de *caput,* tête. || **chapoter** XVII<sup>e</sup> s., « dégrossir du bois », de même radical.

**chaque** V. CHACUN.

***char** 1080, *Roland* (*carre*), « voiture » ; XVII<sup>e</sup> s., fig. ; XX<sup>e</sup> s., *char de combat ;* lat. *carrus,* mot gaulois désignant le char à quatre roues. || **charrier** 1080, *Roland ;* fig., 1837, Vidocq, « duper », « mener en chariot », puis 1902, Colette, « se moquer de », « exagérer », d'où *char* ou *charre,* 1881, Esnault, n. m., arg. || **charriage** XIII<sup>e</sup> s. ; 1905, Lar., géologie. || **chariot** 1268, É. Boileau. || **charioter** 1928, Lar. || **charroi** 1155, Wace ; déverbal de *charroyer,* var. morphologique de *charrier.* || **charrette** 1080, *Roland,* dimin. || **charretier** 1175, Chr. de Troyes. || **charretée** fin XI<sup>e</sup> s. || **charton** 1175, Chr. de Troyes (*charreton*). || **charron** 1268, É. Boileau. || **charronnage** 1690, Furetière. || **char à bancs** 1786, J. Mayer (*charabas*), donné comme terme suisse. || **cherrer** fin XIX<sup>e</sup> s., pop., var. dial. de *charrier.* || **cherrage** 1911, Rozet.

**charabia** av. 1789, Sade, nom donné aux émigrants auvergnats (*charabiats*), d'apr. Fr. de Murat († 1838) ; 1821, Desgranges, « mauvais langage des Auvergnats », « jargon » ; formation expressive, p.-ê. de l'esp. *algarabia,* jargon, de l'ar. d'Espagne *al-arabīya,* la langue arabe, c.-à-d. le berbère.

**charade** 1770, Sabatier ; languedocien et prov. mod. *charrado,* causerie dans les veillées, de *charrà,* causer, formation expressive.

**charançon** fin XIV<sup>e</sup> s. ; 1546, Rab. (*charanton*) ; gaulois **karantionos,* petit cerf, du nom de l'animal par métaphore. || **charançonné** 1611, Cotgrave.

***charasse** 1839, Balzac, « caisse à claire-voie », faite avec des lattes ; forme régionale de *échalas,* lat. pop. *caracium,* du gr. *kharax,* pieu, échalas.

***charbon** XII<sup>e</sup> s., *Saxons ;* 1798, *Acad.,* maladie ; lat. *carbo, -ōnis.* || **charbonnier** fin XII<sup>e</sup> s., *Girart de Roussillon ;* bas lat. *carbonarius.* || **charbonner** XII<sup>e</sup> s., *Aliscans.* || **charbonneux** 1611, Cotgrave. || **charbonnage** XIV<sup>e</sup> s., texte liégeois, « action de charbonner » ; 1842, *Acad.,* « exploitation de charbon ». || **charbonnée** XI<sup>e</sup> s., *Gloses de Raschi,* « bœuf grillé sur des charbons ». || **charbonnerie** 1596, Hulsius.

**charcuter, charcutier** V. CHAIR.

***chardon** 1086 (*cardun*) ; bas lat. *cardo, -onis* (Marcus Empiricus), du lat. class. *carduus.* || **chardonnette** 1530, Marot, « artichaut sauvage ». || **chardonneret** 1398, *Ménagier* (*-ereul, -erel*), oiseau qui recherche les chardons (en lat. *carduelis*).

***charger** 1080, *Roland* (*cargier*) ; lat. pop. *carrĭcare,* de *carrus,* char. || **charge** fin XII<sup>e</sup> s., *Voy. de Charl. ;* 1773, Mercier, « critique » ; déverbal de *charger.* || **chargeure** fin XIII<sup>e</sup> s., *Passion,* en blason. || **chargeur** 1332, G., « docker » ; 1886, pièce d'armurerie. || **chargeoir** 1409, G. || **chargement** 1250, « obligation » ; XVII<sup>e</sup> s., sens actuel. || **décharger** 1130, *Couronn. de Loïs.* || **décharge** 1315, « paiement d'une dette » ; 1677, Miege, « salve ». || **déchargement** fin XIII<sup>e</sup> s. || **déchargeur** début XIII<sup>e</sup> s. || **recharger** 1125, G. ; 1564, Thierry, « mettre une nouvelle charge de poudre ». || **recharge** début XV<sup>e</sup> s. ; 1611, Cotgrave, « charge de poudre ». || **rechargement** XV<sup>e</sup> s., *D. G.* || **surcharger** fin XII<sup>e</sup> s. || **surcharge** v. 1500, Lemaire ; sur un timbre, 1933, Lar.

**charisme** 1928, Lar. ; gr. *kharisma,* grâce, faveur.

**charité** X<sup>e</sup> s., *Saint Léger* (*caritet*) ; empr., à l'époque carolingienne, au lat. eccl. *caritas,* amour du prochain, spécialisation au sens class. de « affection », de *carus,* cher ; *dame de* *charité,* 1688, Miege. || **charitable** fin XII^e^ s., R. de Moiliens. || **charitablement** XIII^e^ s., G. || **caritatif** début XIV^e^ s. ; lat. médiév. *caritativus.*

**charivari** 1320, *Fauvel* (*chalivali*) ; p.-ê. bas lat. *caribaria,* du gr. *karêbaria,* mal de tête ; ou formation expressive ; ou composé de *charrier* et *varier.* || **charivarique** 1841, *Français peints par eux-mêmes.*

**charlatan** 1543, Amyot ; ital. *ciarlatano,* de *ciarlare,* bavarder (v. CHARADE), ou altér. de *Cerretano,* habitant de *Cerreto* en Italie. || **charlataner** fin XVI^e^ s. || **charlatanerie** 1575, Delb. || **charlatanisme** 1741, J.-B. Rousseau. || **charlatanesque** fin XVI^e^ s.

**charlemagne** (*faire*) 1801, Esnault, « se retirer du jeu après avoir gagné », proprement après avoir tourné le roi de cœur qui représente Charlemagne.

**charleston** v. 1923 ; mot anglo-américain, désignant une danse créée par des Noirs du Sud ; de *Charleston,* ville de Caroline du Sud.

**charlotte** 1804, Kotzebue, « entremets » ; 1922, Lar., « chapeau de femme » ; d'un prénom de femme.

1. ***charme** 1175, Chr. de Troyes, arbre ; lat. *carpinus.* || **charmille** 1690, Furetière. || **charnier** XIII^e^ s., *Livre de jostice,* « échalas » ; d'une forme régionale **charne,* var. de *charme :* les échalas auraient été faits d'abord en charme.

2. ***charme** 1170, *Rois,* « influence magique » (jusqu'au XVII^e^ s.) ; XVII^e^ s., « agrément » ; *être sous le charme,* 1757, Diderot ; *se porter comme un charme,* 1808, d'Hautel ; lat. *carmen, -mĭnis,* chant sacré, oracle, formule magique. || **charmer** 1156, *Roman de Thèbes.* || **charmant** 1550, Ronsard. || **charmeur** XIII^e^ s., G. (*charmeor*).

**charmille, charnel, charneux, charnier** V. CHARME 1, CHAIR.

***charnière** XII^e^ s., Delb. ; lat. pop. *cardinaria,* de *cardo, -inis,* gond. || **charnon** 1790, *Encycl. méth.*

**charnu, charogne** V. CHAIR.

***charpenter** 1175, Chr. de Troyes, « tailler le bois » ; XIV^e^ s., fig. ; *bien charpenté,* 1836, Landais ; lat. pop. **carpĕntare,* du lat. *carpĕntum,* char à deux roues, mot gaulois. || **charpente** 1585, Brantôme, déverbal. || ***charpentier** 1190, Garnier ; lat. *carpentarius,* charron (encore au VIII^e^ s.). || **charpenterie** 1185, *Aliscans.* || **charpentage** XIII^e^ s.

***charpir** XI^e^ s., « carder, déchirer », puis « tailler du bois », d'apr. *charpenter ;* lat. pop. *carpire,* du lat. class. *carpĕre,* cueillir, par ext. carder (v. ÉCHARPER). || **charpi** 1560, Paré, techn. || **charpie** 1120, *Ps. Cambridge,* surtout fig. auj.

***charrée** fin XIII^e^ s., Guiart ; orig. obscure, p.-ê. bas lat. *cathera,* eau employée pour nettoyer.

**charrette, charrier, charron** V. CHAR.

***charrue** XII^e^ s., *Roncevaux ;* lat. impér. *carrūca,* de *carrus,* char, désignant un char gaulois, puis un « char rural » ; spécialisé comme « instrument aratoire muni de roues » ; inventé à l'époque de Pline et vulgarisé dans la Gaule du Nord entre le V^e^ s. (*Loi salique,* encore *aratrum*) et le IX^e^ s. (*Capit. « de Villis », carruca,* charrue) [v. ARAIRE]. || **charruer** début XIV^e^ s. || **charruage** XIII^e^ s.

***charte** XI^e^ s. (*chartre*) ; début XIII^e^ s. (*charte*) ; lat. *charta,* papier, du gr. *khartês,* feuille de papyrus ; terme de clercs ; 1814, *Charte constitutionnelle* d'apr. la *Grande Charte* octroyée en Angleterre par Jean sans Terre en 1215. || **chartisme** 1838, parti politique angl. || **chartiste** 1821, « élève de l'École des chartes » ; 1848, J.-B. Richard, polit. || **charte-partie** début XIV^e^ s., « contrat de louage d'un navire » : l'acte était partagé en deux, chaque contractant gardant une partie. || **chartrier** 1370, G. ; de la forme *chartre.*

**charter** v. 1950 ; mot angl.

***chartre** X^e^ s., *Saint Léger,* « prison » ; XVI^e^ s., fig. ; lat. *carcer, carceris,* même sens, qui a été éliminé par *geôle,* puis par *prison* (auj. seulement dans *tenir qqn en chartre privée,* séquestrer).

**chartreuse** fin XIII^e^ s., Rutebeuf, « nom du couvent » ; nom du lieu (auj. la *Grande-Chartreuse*) où saint Bruno fonda un monastère en 1084 ; 1863, L., « liqueur », n. déposé. || **chartreux** XIV^e^ s.

**chartrier** V. CHARTE.

**Charybde** 1552, Rab., dans la loc. *de Charybde en Scylla,* reprise au latin et désignant le gouffre et les récifs du détroit de Messine.

***chas** 1220, G. ; lat. *capsus,* coffre, case de damier (anc. fr. *chas,* partie d'une maison), avec rétrécissement progressif du sens « cavité » ; le fém. *capsa* a donné *châsse.*

**chasse** V. CHASSER.

***châsse** 1130, *Couronn. de Loïs ;* lat. *capsa,* coffre, puis coffre contenant des reliques.

|| châssis 1160, Benoît, « encadrement » ; 1866, Lar., « carcasse, bâti ». || **enchâsser** XIIe s., *Saint Brendan.*

**chasselas** 1680, Richelet (*chacelas*) ; de *Chasselas* en Saône-et-Loire.

**chassepot** 1867, Lar. (*fusil Chassepot*) ; du nom de l'inventeur (1833-1905), qui le fabriqua en 1866 ; son usage dans l'armée se maintint jusqu'en 1874.

***chasser** milieu XIIe s. (*-cier*) ; lat. pop. **captiare,* du lat. *captare,* fréquentatif de *capere,* au sens de « chercher à prendre » ; spécialisé en anc. fr. pour la chasse aux animaux. || **chasse** XIIe s., *Roncevaux ;* déverbal, ou du lat. **captia.* || **chasseur** fin XIe s., *Lois de Guill. ;* début XVIIIe s., *chasseurs à cheval.* || **chasseresse** fin XIIIe s. || **chassoir** XVe s. || **chassé-croisé** 1835, *Acad.,* part. passés. || **chasse-marée** 1260, Chauny. || **chasse-mouches** 1555, de Rochemore. || **chasse-neige** 1834, Balzac, « vent qui chasse la neige » ; 1880, « appareil pour locomotives » ; fin XIXe s., sens actuel. || **chasse-pierres** 1845, Besch. || **chasse-roue** 1836, Landais. || **déchasser** début XIIe s., Béroul, « chasser de », puis terme techn. || **pourchasser** 1080, *Roland,* « chercher à se procurer » ; XVIe s., « poursuivre » ; avec *pour-/pro-.* || **rechasser** 1190, Benoît.

***chassie** XIe s., *Gloses de Raschi* (*chacide*) ; XIIe s. (*chassie*) ; p.-ê. lat. pop. **caccīta,* chiure, forme redoublée, dér. de *cacare,* chier. || **chassieux** début XIIe s. (*chaceuol*).

**chaste** 1138, *Saint Gilles ;* lat. eccl. *castus,* pur. || **chastement** 1138, *Saint Gilles.* || **chasteté** 1119, Ph. de Thaon (*casteté*), qui a remplacé *chastée* (XIIe s.) ; lat. *castitas, -atis.*

***chasuble** 1138, *Saint Gilles ;* bas lat. **casubŭla* (*casubla, Notes tir.,* Grég. de Tours), var. de *casula,* manteau à capuchon (Isid. de Séville), signif. « petite maison », de *casa,* case ; spécialisé en « vêtement sacerdotal ». || **chasublier** XIIIe s., *D. G.* || **chasublerie** 1863.

1. ***chat, chatte** 1165, Marie de France ; bas lat. *cattus* (Ve s., Palladius), qui a remplacé *feles,* substitution qui paraît correspondre à l'introduction à Rome du chat domestique, d'origine gauloise ou africaine (le chat a été domestiqué d'abord en Égypte). || **chatière** 1265, J. de Meung. || **chaton** XIIe s., « jeune chat » ; 1530, Palsgrave, *chaton de noisetier,* fleur comparée à une queue de chat (angl. *cattail*). || **chatonner** fin XIIe s. || **chatterie** 1544, Des Périers, « espièglerie », puis « caresse » ; 1845, Besch., « friandise ». || **chattemite** 1295, Joinville ; de *mite,* nom enfantin et pop. de la chatte. || **chatoyer** 1745, Dezallier ; d'apr. les reflets de l'œil du chat. || **chatoyant** 1760, Brunot, adj. || **chatoiement** fin XVIIIe s. || **chat-cervier** apr. 1750, Buffon ; lat. *cervus,* cerf. || **chat-pard** 1690, Furetière ; sur *pard,* panthère, du lat. *pardus.* || **chat-tigre** 1688. (V. CHAFOUIN.)

2. **chat** XVIe s., « navire à voiles du Nord » ; francisation du néerl. *kat.*

***châtaigne** XIIe s., *Saxons* (*chastaigne*) ; 1635, *la Sage Folie,* « coup » ; lat. *castanea.* || **châtaignier** 1180, Marie de France. || **châtaigneraie** 1538, R. Est. || **châtain** XIIIe s. ; lat. *castaneus.* || **châtaigner** v. tr., arg., 1927, Esnault.

***château** 1080, *Roland* (*chastel*) ; lat. *castellum,* dimin. de *castrum,* camp, poste fortifié d'un camp, par ext. forteresse ; en anc. fr. « château fort », puis « habitation seigneuriale, palais ». || **châtelet** 1155. || **châtelain** 1155 (*chast-*), seigneur, puis propriétaire du château ; lat. *castellanus,* habitant d'une forteresse. || **châtellenie** 1260, G., seigneurie et juridiction d'un châtelain. (V. CASTEL.)

**chateaubriand** ou **châteaubriant** 1856, La Châtre ; inventé par Montmireil, cuisinier de Chateaubriand.

***chat-huant** 1265, J. de Meung ; lat. pop. *cavannus* (Ve s., Eucherius), mot gaulois, altér. par infl. de *chat* et de *huer.* (V. CHOUAN, CHOUETTE.)

***châtier** Xe s., *Saint Léger* (*castier*) ; lat. *castigare,* corriger, de *castus,* chaste, proprement « rendre pur ». || **châtiment** 1190, Garn. (*chastiement*).

1. **chaton** V. CHAT 1.

2. **chaton** [de bague] fin XIIe s., *D. G.,* « tête de la bague où est enchâssée une pierre précieuse » ; francique **kasto,* caisse (allem. *Kasten*).

1. **chatouille** V. CHATOUILLER.

2. ***chatouille** 1552, Rab., « jeune lamproie » ; altér., d'apr. *chatouiller,* de *satouille* (1220, Coincy), de *setueille ;* du lat. pop. *septŏcŭla,* du lat. *septem,* sept, et *oculi,* yeux ; la lamproie est appelée *sept-œil, bête à sept trous,* d'apr. les sept paires d'orifices branchiaux.

**chatouiller** XIIe s. ; p.-ê. de *chat* ou du néerl. *katelen.* || **chatouilleux** 1361, Oresme ; 1690, Furetière, « susceptible ». || **chatouillement**

XIIIe s., G. || **chatouille** 1787, Féraud. || **chatouillis** 1891. || **chatouillade** 1879, Vallès.

**chatoyer** V. CHAT 1.

* **châtrer** XIIe s. (*chast-*) ; lat. *castrare.* || **châtreur** 1416, G. || **châtron** 1907. (V. CASTRER.)

**chattemite, chatterie** V. CHAT 1.

**chatterton** 1882 ; mot angl., du nom de l'inventeur.

* **chaud** Xe s., *Valenciennes* (*chalt-*) ; XIIe s., « vif » ; lat. *calĭdus.* || **chaudeau** 1162, G. d'Arras. || **chaude** XIIIe s., « chaude attaque » ; récent au sens de « feu pour réchauffer ». || **chaudement** 1190, Garn. || **chaude-pisse** XIIIe s. ; *pisse chaude,* 1540, Rab. || **chaud-froid** 1858, Peschier. || * **chaudière** fin XIe s., *Gloses de Raschi* (*jaldiere*) ; XIIe s., *Aliscans* (*chaldière*) ; lat. impér. *caldaria,* chaudron (IIe s., Apulée), de *calidus.* || **chaudiériste** 1975. || **chaudron** XIIe s., *Fabliau* (*chauderon*), avec suffixe *-on.* || **chaudronnier** 1277, G. || **chaudronnée** XVe s. || **chaudronnerie** 1611, Cotgrave. || **chaudrée** XIIIe s., G. (*-derée*). || * **échauder** 1160, Benoît (*es-*) ; lat. pop. **excaldare.* || **échaudis** 1792, Romme, mar. || **échaudé** 1268, É. Boileau, « pâtisserie ». || **échaudoir** 1380, G. || **échaudure** XIIe s., *Marbode.*

* **chauffer** XIIe s., *Aliscans ;* lat. pop. **calefare,* du lat. *calefacere,* de *calere,* être chaud, et *facere,* faire. || **chauffage** 1265, Delb. || **chauffagiste** v. 1960. || **chauffe** XIVe s., combustible ; 1701, Furetière, sens métallurg. ; déverbal. || **chauffoir** XIIIe s., G. || **chaufferie** 1334, G., « chauffage » ; 1723, Savary, « forge ». || **chaufferette** fin XIVe s. || **chauffette** milieu XIVe s., passé ensuite au sens de « bouilloire ». || **chauffeur** 1680, Richelet, « ouvrier d'une forge » ; 1790, « émeutier » ; 1896, *le Sport,* « conducteur d'auto ». || **chauffard** fin XIXe s. || **chauffeuse** 1830, Balzac, « meuble ». || **chauffe-assiettes** 1845, Besch. || **chauffe-bain** 1890. || **chauffe-eau** début XXe s. || **chauffe-linge** 1753. || **chauffe-lit** 1471, Gay. || **chauffe-pieds** 1381, G. ; rare jusqu'au XIXe s. (1827, *Acad.*). || **chauffe-plat** 1890, Lar. || * **échauffer** 1120, *Ps. de Cambridge ;* lat. pop. **excalefare,* chauffer. || **échauffement** fin XIIe s., *Grégoire.* || **échauffure** 1265, Br. Latini. || **échauffaison** XIVe s., *D. G.* || **échauffe** 1790, *Encycl. méth. ;* déverbal. || **réchauffer** 1190, Garn. || **réchauffement** 1611, Cotgrave. || **réchaud** 1549, R. Est. ; croisement de **réchauf* et de *chaud.* || **surchauffer** fin XVIIe s. ; d'après *surchauffure* (1676, Félibien).

**chaufour, chauler** V. CHAUX.

1. * **chaume** XIIe s. ; lat. *calămus,* tige de roseau, de blé. || **chaumer** 1355, G. || **chaumage** 1393, G. || **chaumine** XVe s., adj., *maison chaumine ;* 1606, Nicot, n. f. || **chaumière** 1666, Furetière. || **déchaumer** 1732, Trévoux.

2. * **chaume** XVe s., texte de Bouillon, « haut plateau dénudé » ; lat. pop. **calmis,* mot prélatin, conservé surtout en toponymie.

* **chausse** 1138, *Saint Gilles* (*chauce*), « bas » ; XVe s., « guêtre, culotte », remplaçant *braie ;* début XVIe s., *haut-de-chausses,* opposé à *bas-de-chausses* (*bas,* par abrév.) ; lat. pop. **calcea,* forme fém. de *calceus,* soulier. || **chaussette** milieu XIIe s. (*chalcete*). || **chaussettier** 1337, G., remplacé par *bonnetier.* || **chausson** fin XIIe s., *Alexandre* (*chauçon*). [V. CHAUSSER.]

* **chaussée** 1160, *Charroi* (*chauciee*) ; XIIIe s. (*chaussée*) ; lat. pop. **calceata* (*via*), (chemin) chaussé, c.-à-d. butté (on dit *chausser des pommes de terre*), part. passé de *calceare,* chausser. Il a désigné d'abord les voies romaines, d'après leur substructure, puis les digues. (On y a vu aussi un dér. de *calx, calcis,* chaux [employée pour les routes].) [V. REZ-DE-CHAUSSÉE.]

* **chausser** 1080, *Roland* (*-cier*) ; lat. *calceare,* de *calceus,* soulier. || **chausse-pied** 1549, R. Est. || **chaussure** fin XIIe s., *Alexandre* (*-ceure*). || **chausseur** 1883. || **déchausser** fin XIe s., *Gloses de Raschi* (*desjalcier*) ; XVIe s. (*déchausser*) ; lat. pop. **discalceare.* || **déchaux** fin XIIe s., *Aliscans.* || **enchausser** 1732, Trévoux. || **rechausser** XIIe s.

**chausse-trape** 1220, Coincy (*kauketrape*), « piège » ; altér. de *chauchetrape,* foule la trappe, de *chaucher,* fouler, du lat. *calceare.*

**chaussette, chausson** V. CHAUSSE.

* **chauve** XIIe s., *Roncevaux* (*chauf*) ; masc. refait sur le fém., fin XIIe s. ; lat. *calvus.* || **calvitie** XIVe s., B. de Gordon ; lat. *calvities.*

**chauve-souris** XIe s., *Gloses de Raschi ; calvas sorices,* pl. (VIIIe s., *Reichenau*) ; il a remplacé *vespertilio* en lat. pop. du nord de la Gaule ; anc. altér. de *cawa sorix,* chouette-souris. (V. CHOUETTE.)

**chauvin** 1831, première représentation de *la Cocarde tricolore ;* du nom de Nicolas *Chauvin,* soldat de l'Empire, patriote naïf, personnage de théâtre. || **chauvinisme** 1834. || **chauviniste** 1867, Lar.

**chauvir** [des oreilles] XIII^e s., G., « dresser les oreilles », propr. « faire la chouette » ; lat. *cavannus,* chouette. (V. CHOUETTE.)

***chaux** 1155, Wace (*chaus*) ; lat. *calx, calcis ; à chaux et à sable,* XV^e s. || **chaufour** 1372, Du Cange ; de *four* et *chaux,* avec déterminant en tête. || **chaufournier** début XIII^e s. (*causfournier*). || **chauler** 1372, Barbier. || **chaulage** 1764, Brunot. || **chauleuse** 1929, Lar. || **échauler** 1700, Liger.

**chavirer** 1687, Desroches ; adaptation du prov. *cap virar,* tourner (*virar*) la tête (*cap*) en bas. || **chavirage** 1839. || **chavirement** 1845, Besch.

**chebec** 1771, Trévoux, « trois-mâts à rames » ; ital. *sciabecco,* de l'ar. *chabbāk.*

**chéchia** 1575, Thevet ; ar. algérien *chāchīya,* de *Chach,* ville de Sogdiane, où l'on fabriquait des bonnets au Moyen Âge.

**check-list** 1953 ; mot angl., de (*to*) *check,* contrôler, et *list,* liste.

**check-up** 1960 ; mot angl., de (*to*) *checkup,* vérifier.

**cheddite** 1908, Lar. ; du nom de *Chedde,* en Haute-Savoie, où cet explosif fut fabriqué.

***chef** X^e s., *Eulalie* (*chief*) ; XVII^e s., restreint à la désignation des reliques (*le chef de saint Jean*) ; XIII^e s., fig., « qui est à la tête » ; lat. *caput, -itis,* tête (sens conservé jusqu'au XVI^e s.). || **chef-d'œuvre** 1268, É. Boileau, « œuvre pour obtenir la maîtrise ». || **chef-lieu** 1257, « manoir principal du suzerain » ; 1790, sens actuel. || **chéfesse** 1867, Lar. || **chefferie** 1834, Landais. || ***achever** 1080, *Roland ;* lat. pop. **accapare,* arriver à la fin, arriver à chef (*caput*). || **achèvement** XIII^e s., G. || **acheveur** XIV^e s., J. de La Mote. || **achevé** 1538, R. Est., adj., « parfait ». || **couvre-chef** XII^e s. || **derechef** 1130, *Eneas.* || **inachevé** fin XVIII^e s., Delisle. || **parachever** XIV^e s. || **parachèvement** XIV^e s. || **sous-chef** 1791, Brunot.

**cheftaine** v. 1911 ; angl. *chieftain,* chef de groupe dans le langage scout, de l'anc. fr. *chevetain.* (V. CAPITAINE.)

**cheik** 1272, Joinville (*seic*) ; 1631, J. Armand (*cheik*) ; ar. *chaikh,* vieillard.

***cheire** XX^e s., mot régional d'Auvergne repris dans la langue des géographes ; lat. pop. **carium,* **caria,* rocher, pierre, mot d'orig. prélatine désignant une coulée de lave.

**cheiroptère** 1797, Cuvier, chauve-souris ; gr. *kheir,* main, et *pteron,* aile.

**chelem** 1773, Mackenzie ; altér. de l'angl. *slam,* écrasement, « coup de whist, de bridge qui consiste à faire toutes les levées ».

**chélicère** v. 1850 ; gr. *khêlê,* pince, et *kêras,* corne.

**chélidoine** XIII^e s., L. (*célidoine*) ; 1538, R. Est. (*chélidoine*) ; lat. *chelidonia herba,* du gr., de *khelidôn,* hirondelle, d'apr. la croyance que l'hirondelle se servait de cette plante pour rendre la vue à ses petits ; au sens d'« agate » parce que la pierre, appelée encore *pierre d'hirondelle,* passait pour se trouver dans l'estomac des hirondelles.

**chelléen** 1883, de Mortillet ; de *Chelles* en Seine-et-Marne, où cet étage quaternaire fut d'abord étudié.

**chéloniens** 1799 ; gr. *khelônê,* tortue ; ordre de reptiles comprenant la tortue.

***chemin** 1080, *Roland ;* 1490, Commynes, fig. ; lat. pop. *cammīnus,* mot gaulois. || **cheminer** 1175, Chr. de Troyes. || **cheminement** XIII^e s., Végèce. || **chemineau** 1853, Flaubert (*-au*) ; mot de l'Ouest popularisé par *le Chemineau* de Richepin (1897), et signif. « vagabond ». || **cheminot** 1872, « employé des chemins de fer », var. du précédent avec évolution sémantique : « manœuvre allant de chantier en chantier » ; puis « manœuvre travaillant aux terrassements des chemins de fer », 1908, Verrier-Ornillon. || **chemin de fer** 1784, de Givry ; en 1823, première ligne concédée de Saint-Étienne à Andrézieux ; calque de l'angl. *railway,* de *way,* route, et *rail,* barre. || **acheminer** 1080, *Roland.* || **acheminement** 1551, Du Parc, « action d'acheminer » ; 1660, Corneille, « degré ».

***cheminée** 1138, *Saint Gilles ; cheminée d'un volcan,* XVII^e s. ; bas lat. *caminata* (VI^e s.), de *caminus,* âtre, foyer, du gr. *kaminos,* avec infl. de *chemin.*

***chemise** XII^e s., *Roncevaux ;* XV^e s., enveloppe d'un livre ; 1907, Lar., « revêtement » ; bas lat. *camīsia* (IV^e s., saint Jérôme), d'orig. obscure, p.-ê. ar. *kamis.* || **chemisette** 1220, Coincy. || **chemisier** 1806, Wailly, « qui vend des chemises » ; 1906, Lar., « corsage ». || **chemiserie** 1845, Besch. || **chemiser** 1838 ; sur le sens techn. de *chemise,* revêtement métallique d'une pièce de machine. || **chemisage** 1892.

**chenal** 1120, *Job ;* var., refaite sur le lat., de l'anc. fr. *chenel* (début XIIᵉ s.), du lat. *canalis,* canal. || **chéneau** 1459, Gay (*chesneau,* d'apr. *chesne*) ; altér. de *chenau,* forme dialectale du Centre pour le mot *chenal.*

**chenapan** milieu XVIᵉ s. (*snaphaine*) ; 1653, *Voy. de La Boullaye* (*snapane*) ; 1694, Ménage (*schenapan*), « paysan maraudeur armé d'une arquebuse » ; allem. *Schnapphahn,* voleur de grand chemin, de *schnappen,* attraper, et *Hahn,* coq (coq qui happe), emprunté pendant la guerre de Trente Ans.

***chêne** 1170, *Rois ;* altér. de *chasne,* d'apr. *fresne,* du lat. pop. **cassanus,* mot gaulois. || **chênaie** 1211, G. || **chêneau** 1323, Delb., « jeune chêne ». || **chêne-liège** 1600, O. de Serres. || **chêne vert** 1600, O. de Serres.

**chéneau, chenet** V. CHENAL, CHIEN.

***chènevière** 1226, G. (*cha-*) ; lat. pop. **canaparia,* de **canapus,* chanvre. || **chènevis** 1268, É. Boileau ; lat. pop. **canaputium.* || **chènevotte** 1460, Villon, « partie ligneuse du chanvre » ; de *cheneve* (fin XIᵉ s., *Gloses de Raschi*), doublet de *chanvre.*

**chenil** V. CHIEN.

***chenille** 1212, Anger ; 1680, Richelet, « passementerie » ; 1922, Lar., « chaîne sans fin » ; lat. pop. **cănīcula,* petite chienne, d'apr. la tête, qui a éliminé *eruca.* || **chenillère** 1642, Oudin. || **chenillette** 1783, *Encycl. méth.* || **chenillé** XXᵉ s. || **écheniller** XIVᵉ s., G. || **échenillage** 1783, Rozier. || **échenilloir** 1700, Liger.

**chénopode** 1819, Boiste (*chénopodées*) ; 1823, Bory (*chénopodes*) ; lat. bot. de Linné *chenopodium,* patte d'oie, du gr. *khên, -nos,* oie, et *pous, podos,* pied. Les chénopodes sont des plantes qui poussent dans la rocaille.

***chenu** 1050, *Alexis* (*canu*) ; bas lat. *cānūtus,* de *canus,* blanc ; 1628, Chereau, « bon », d'apr. *vin chenu,* vin réputé bon d'apr. les fleurs.

***cheptel** fin XIᵉ s., *Lois de Guill.* (*chatel, chetel*), « patrimoine » ; le *p* a été ajouté au XVIIᵉ s., d'apr. le lat. ; 1835, *Acad.,* « bétail » ; lat. *capĭtale,* adj. substantivé au neutre, au sens de « principal » (d'un bien), de *caput, -itis,* tête.

**chèque** 1788, *Courrier de l'Europe* (*check*) ; 1863, L. (*chèque*) ; angl. *check,* puis *cheque,* de (*to*) *check,* faire échec, par ext. contrôler, repris au fr. *échec.* || **chéquard** 1893, Bonnafé pendant l'affaire de Panamá. || **chéquier** 1877, Darmesteter ; d'abord *carnet de chèques.*

***cher** 980, *Passion,* « aimé », « précieux » ; XIᵉ s., « coûteux » ; lat. *carus,* coûteux, précieux. || **chèrement** 1080, *Roland* (*chierement*). || **cherté** Xᵉ s., *Valenciennes,* « affection » ; lat. *caritas, -atis,* refait sur *cher.* || **chérir** 1050, *Alexis.* || **chérot** 1883, Esnault. || **enchérir** 1190, Garn., « chérir » ; XIIIᵉ s., *Chron. de Rains,* « rendre plus coûteux ». || **enchère** 1259, G., déverbal. || **enchérissement** 1213, *Fet des Romains.* || **enchérisseur** 1328, G. || **renchérir** 1175, Chr. de Troyes. || **renchérissement** 1283, Beaumanoir. || **surenchérir** fin XVIᵉ s. || **surenchère** milieu XVIᵉ s.

***chercher** 1080, *Roland* (*cercier*) ; XVIᵉ s. (*chercher*), par assimilation ; bas lat. *cĭrcāre,* aller autour (Vᵉ s., Servius), de *circa, circum,* autour ; il a éliminé *quérir* vers le XVIᵉ s. || **cherche** XIIIᵉ s., G., techn., déverbal. || **chercheur** 1538, R. Est. || **cherche-fiche** 1676, Félibien. || **cherche-pointe** 1676, Félibien. || **rechercher** 1080, *Roland.* || **recherche** début XVIᵉ s. || **recherché** 1580, Montaigne, « affecté ».

***chère** 1080, *Roland* (*chière*) ; sens « visage » conservé jusqu'au XVIIᵉ s. ; dès le XIIIᵉ s., « manière de traiter les convives » (auj. encore dans *faire bonne chère*) ; bas lat. *cara,* visage, tête (VIᵉ s., Corippus), du gr. *kara,* tête.

**chérif** 1528, Charrière (*sérif*) ; 1552, Rab. (*chériph*) ; ital. *sceriffo,* de l'ar. *charīf,* noble ; fin XIXᵉ s., repris par l'angl. || **chérifat** 1842, *Acad.* || **chérifien** 1866, Lar.

**chérir, cherrer** V. CHER, CHAR.

**chérubin** 1080, *Roland ;* lat. eccl., de l'hébreu *keroûbim,* pl. de *kerub,* l'un des noms des anges dans l'*Ancien Testament ;* 1610, *Vaux de Vire,* fig.

***chétif** 1080, *Roland* (*chaitif*), « prisonnier » (sens éliminé par *captif* au XVᵉ s.) ; XIIIᵉ s., « malheureux » (déjà en lat. impér. du IVᵉ s.) ; 1694, *Acad.,* « débile » ; lat. pop. **cactivus,* croisement entre le lat. *captivus,* prisonnier, et le gaulois **cactos* (irlandais *cacht*), de même sens. || **chétivement** 1190, *Saint Bernard.* || **chétiveté** XIIᵉ s., « captivité » ; le mot a disparu dans ce sens ; recréé au sens de « faiblesse physique » (fin XIXᵉ s.). || **chétivisme** fin XIXᵉ s., Bauer, méd., syn. de *infantilisme.*

**chevage** V. CHEVER.

**chevaine** 1220, Coincy (*chevesne*) ; lat. *capĭto, -ōnis,* poisson à grosse tête (IVᵉ s., Ausone), de *caput,* tête ; le bas lat. a dû avoir un génitif *capĭtinis.*

***cheval** 1080, *Roland ;* lat. *caballus,* cheval, avec valeur péjor. (Varron), mot gaulois pop. ; a éliminé *equus* en lat. pop. || **chevalier** 1080, *Roland,* « cavalier » ; spécialisé en anc. fr. pour les nobles qui montaient à cheval, supplanté dans son premier sens par *cavalier.* || **chevalerie** 1080, *Roland.* || **chevalière** 1821, *Observ. des modes ;* abrév. de *bague à la chevalière.* || **chevalet** XIII^e s., Adenet, « petit cheval » ; 1564, J. Thierry, « cheval de bois, support ». || **chevaler** 1420, A. Chartier, « poursuivre à cheval » ; 1676, Félibien, techn. || **chevalement** 1694, Th. Corn., techn. || **chevalin** début XII^e s. ; lat. *caballinus,* de *caballus.* || **chevau-léger** fin XV^e s. || **cheval-vapeur** 1822, Hachette. || **chevaleresque** 1642, Oudin ; ital. *cavalleresco,* de *cavalliere,* cavalier (v. CAVALIER). || **chevaleresquement** 1866, Lar. || **chevaucher** 1080, *Roland* (*chevalchier*), « monter à cheval » ; 1690, Furetière, techn. ; bas lat. *caballicare* (VI^e s.), monter à cheval. || **chevauchée** 1190, J. Bodel. || **chevauchement** 1360, Froissart, « fait d'aller à cheval » ; 1820, Laveaux, « superposition ».

**chevance** V. CHEVIR.

**chevêche** XIII^e s., G. (*chevoiche*) ; de la même rac. que *chat-huant* (lat. pop. *cav-*), avec suffixe prélatin *-ĭcca.*

**chevecier** V. CHEVET.

***chever** fin XII^e s., « évider », techn. ; lat. *cavare,* creuser (v. CAVE). || **chevage** [du verre] 1753, *Encycl.*

***chevet** 1256, Ald. de Sienne (*chevez*) ; XIV^e s. (*-et*), par confusion de suffixe, « partie du lit où l'on pose la tête, traversin » ; XIII^e s., *chevet* (tête) d'une église, d'un toit ; lat. *capitium,* ouverture supérieure de la tunique, capuchon, de *caput, -itis,* tête. || **chevecier** 1292, G., eccl., « celui qui surveillait le chevet, le trésor d'une église ».

***chevêtre** fin XI^e s., *Lois de Guill.,* « licou » ; 1312, G., « pièce de charpente » ; 1759, Richelet, « bandage » ; lat. *capistrum,* licou. || **enchevêtrer** 1190, Garn., « mettre un licou à un cheval » ; XVI^e s., « emmêler ». || **enchevêtrement** fin XVI^e s., Liébault, même évolution que *entraver.*

***cheveu** 1080, *Roland* (*chevel*) ; lat. *capīllus,* chevelure. || **chevelu** XII^e s., *Roncevaux.* || **chevelure** 1080, *Roland* (*-leüre*). || **écheveler** 1050, *Alexis ;* il a existé aussi un verbe *cheveler,* arracher les cheveux (XIII^e s.).

***cheville** 1180, Marie de France, dans les sens actuels ; 1609, Malherbe, « remplissage » ; lat. pop. **cavĭcŭla,* dissimilation de *clavĭcula,* de *clavĭs,* clef. || **cheviller** 1155, Wace. || **chevillette** XIII^e s., Adenet. || **chevillier** XII^e s., G. || **chevillon** fin XII^e s., *Renart.* || **chevillure** 1547, J. Martin, vén. || **chevillard** 1856, « boucher en gros », d'apr. *vendre à la cheville.*

**cheviotte** 1872, *J. O. ;* de *cheviot* (1856, *Rev. des Deux Mondes*), mouton d'Écosse et laine de ces moutons, d'apr. le nom des monts *Cheviot,* où ils paissent.

***chevir** 1190, Garnier, « être maître de » ; lat. pop. **capīre,* du lat. class. *capere,* prendre. || **chevance** fin XII^e s., Conon de Béthune, « bien-fonds ».

***chèvre** XII^e s., L. (*chievre*) ; 1753, *Encycl.,* appareil de levage ; lat. *capra.* || **chevreau** fin XII^e s. || **chevrette** 1265, J. de Meung, « musette » ; 1530, Marot, « jeune chèvre ». || **chevroter** 1566, G., « mettre bas » ; fig., 1708, « parler en tremblant » ; de *chevrot,* forme de *chevreau* au XVI^e s. || **chevrotement** 1542, Du Pinet, « bêlement » ; 1767, Rousseau, « tremblement de la voix ». || **chevrotin** 1277, G., « petit du chevreuil ». || **chevrotine** 1697, Surirey de Saint-Rémy, « balle pour tuer le chevrotin ». || **chèvre-pied** 1550, Ronsard ; sur le lat. *capripes.* || **chevreuil** début XII^e s., *Voy. de Charl.* (*chevroel*) ; 1540, Rab. (*-euil*) ; lat. *capreolus,* de *capra,* chèvre. || **chevrillard** 1740, *Acad.* || **chevrier** 1241, G. ; lat. *caprarius.*

***chèvrefeuille** 1180, Marie de France (*chevrefoil*) ; 1611, Cotgrave (*-feuille*) ; lat. pop. **caprifolium,* feuille de bouc, féminisé en fr. mod. d'apr. *feuille.*

**chevron** 1155, Wace, « pièce de bois » ; fig., 1771, Trévoux, « bande plate », puis « galon » ; lat. pop. **caprio, -onis* ou *capro,* dér. de *capra,* chèvre, avec une évolution sémantique comparable à *chevalet, poutre,* etc. || **chevronné** XII^e s., blas. ; XVIII^e s., milit. ; 1867, Delvau, « récidiviste ».

**chevroter, chevrotine** V. CHÈVRE.

**chewing-gum** 1904, Bonnafé ; mot anglo-américain, de (*to*) *chew,* mâcher, et *gum,* gomme.

***chez** 1190, J. Bodel (*chies,* var. *en chies, a chies*) ; forme atone de l'anc. fr. *chiese,* maison, du lat. *casa,* hutte (v. CASE). || **chez-soi** 1690, Fur., n. m.

**chiade** arg., 1835, Esnault, brimade ; puis travail acharné ; de *chier.* || **chiader** 1835. || **chiadeur** 1878, Esnault.

**chialer** V. CHIER.

**chianti** 1866, Lar. ; du nom d'un vignoble italien.

**chiasme** 1554 (*chiasmos*) ; 1842, *Acad.* (*chiasme*) ; gr. *khiasma,* croisement ; usité en gramm. et en anat.

**chiasse** V. CHIER.

**chibouque** 1831, Balzac ; ar. maghrébin *chibouk,* du turc *tchoibouq,* tuyau ; pipe turque.

**chic** 1793, « facilité de l'artiste » ; 1832, Gautier, « aisance » ; 1863, L., « allure élégante » ; allem. *Schick,* adresse, de *schicken,* préparer, d'abord terme de peinture. || **chiquer** 1823, faire avec adresse. || **chiqué** 1834. || **chiquement** 1866, Lar. || **chicocandard** 1842, Marchal, forme emphatique. || **chicard** 1840, *Français peints par eux-mêmes.* || **copurchic** 1886, *le Figaro ;* de *pur* et *chic.*

**chicaner** v. 1460, Villon, « poursuivre en justice » ; 1611, Cotgrave, sens actuel ; orig. obscure, p.-ê. de *chiquer,* donner un petit coup. || **chicane** 1582, Tabourot, déverbal. || **chicanerie** XV^e^ s., G. || **chicaneur** 1462, *Cent Nouvelles nouvelles.* || **chicanier** 1573, L'Hospital.

1. **chiche** 1175, Chr. de Troyes ; interj., 1866, Delvau ; bas gr. *kikkon,* fig., zeste, un rien, mot emprunté après le XI^e^ s., comme le montre le traitement du *c.* || **chichement** début XIII^e^ s. || **chicherie** 1866, Delvau. || **chicheté** 1462, *Cent Nouvelles nouvelles.*

2. **chiche** (*pois*) 1244, *Itinéraire à Jérusalem,* forme altérée de *cice* (XIII^e^ s.) ; lat. *cicer,* pois chiche, d'apr. l'ital. *cece* (prononcé *tchétché*), ou infl. du précédent.

**chichi** 1890, Esnault, surtout pl., *faire des chichis ;* formation expressive. || **chichiteux** 1920, Bauche.

**chicon** 1651, N. de Bonnefons, « laitue romaine » ; var. de *chicot* (cette salade offrant un trognon).

**chicorée** fin XIII^e^ s. ; ital. *cicorea,* du lat. *cichoreum,* gr. *kikkorion.* || **chicoracée** 1698, Tournefort.

**chicot** V. CHIQUE.

**chicotin** XV^e^ s., Tardif (*cicotin*) ; 1564, J. Thierry (*chicotin*), « suc de l'aloès » ; altér. de *socotrin* (1606, Nicot, *çocoterin*), aloès ; du nom de l'île de *Socotora,* dans la mer Rouge.

**chicotte** 1840 ; prov. *chicote,* probabl. du fr. *chicot.*

***chien** 1080, *Roland ; chien de mer,* XIII^e^ s. ; *chien d'arme à feu,* XVI^e^ s., d'Aubigné ; *avoir du chien,* pop., 1866, Delvau ; lat. *canis.* || **chienne** XII^e^ s. (V. CAGNE.) || **chenil** fin XIV^e^ s. ; lat. pop. **canile,* de *canis.* || **chenet** fin XIII^e^ s. ; dimin. de *chien,* d'apr. les têtes de chien qui ornaient les chenets. || **chiennerie** début XIII^e^ s. || **chiennaille** XII^e^ s. || **chiendent** 1340, G. ; formation anc. existant sous la forme *dent de chien* au N. et N.-O. || **chien-loup** 1775, Bomare ; calque de l'angl. *wolf-dog,* chien-loup. || **chien-assis** 1929, Lar.

***chier** fin XIII^e^ s., *Renart ;* lat. *cacare* (v. CACA). || **chiant** 1920. || **chiée** 1834, Maubeuge, « quantité ». || **chialer** 1847, Esnault ; altér., par dissimilation vocalique, de **chiailler* (cf. *chier des yeux,* pleurer, 1633, *Comédie des proverbes*). || **chiasse** fin XVI^e^ s. || **chieur** 1521, Fabri. || **chierie** XVI^e^ s. || **chiure** 1642, Oudin. || **chiottes** 1787, Cambresier, « fosses d'aisances ». || **chiard** fin XIX^e^ s. || **chienlit** 1534, Rab. ; de *chie-en-lit.*

**chiffe** 1611, Cotgrave ; 1810, Molard, *chiffe de pain* (morceau) ; var. de l'anc. fr. *chipe,* du bas allem. (moyen angl. *chip,* petit morceau ; moyen allem. *kipfe,* petit pain à deux pointes). || **chiffon** 1608, M. Régnier. || **chiffonner** milieu XVII^e^ s., fig. || **chiffonnage** 1740, d'Argenson. || **chiffonnement** v. 1650. || **chiffonnier** 1640, Oudin.

**chiffre** 1220, Coincy (*cifre*), « zéro » ; 1486, Commynes (*chiffre*), « écriture secrète » ; refait sur l'ital. *cifra* (prononcé *tchi-*), du lat. médiév. *cifra,* de l'ar. *sifr,* zéro. || **chiffrer** 1515, Lortie. || **chiffreur** 1529, G. Tory. || **déchiffrer** XV^e^ s., G. || **déchiffrement** milieu XVI^e^ s. || **déchiffrable** début XVII^e^ s. || **indéchiffrable** début XVII^e^ s.

**chigner** V. RECHIGNER.

***chignole** XII^e^ s. (*ceoignole*), « manivelle » ; 1753, *Encycl.,* « dévidoir de passementier » ; 1901, Esnault, « mauvaise voiture qui grince » ; mot normand, var. de l'anc. fr. *ceognole, cignole,* brimbale de puits (*cigognier* dans le Midi), du lat. pop. **ciconiola,* petite cigogne. Le mot a été infl. par *chigner,* pleurer.

**chignon** 1080, *Roland* (*caeignum*) ; en anc. fr. « carcan », puis « objet entourant le cou » ; XVI^e^ s., « nuque » ; 1745, Brunot, « masse de cheveux sur la nuque, ou au-dessus » ; lat. pop. *catenio, -onis, de catena, chaîne.

**chimère** 1220, Coincy, adj., « insensé » ; 1538, *le Courtisan,* « création imaginaire » ; 1803, Boiste, « poisson holocéphale » ; lat. *Chimarea,* du gr. *Khimaira,* monstre mythologique. || **chimérique** 1580, R. Benoist.

**chimie** V. ALCHIMIE.

**chimpanzé** 1738, La Brosse (*quimpezé*) ; mot d'une langue d'Afrique occidentale.

**chinchilla** 1598, trad. d'Acosta ; esp. *chinchilla,* dimin. de *chinche,* moufette du Brésil, d'où *chinche* en fr. (1714, Feuillée), signif. « punaise » (du lat. *cimex, -icis*), appliqué par ext. à des mammifères puants.

1. **chiner** 1753, *Encycl.,* « donner des couleurs différentes au fil d'un tissu » ; de *Chine,* d'apr. l'origine du procédé. || **chinage** 1753, *Encycl.* || **chinure** 1819, Boiste.

2. **chiner** 1844, Esnault ; d'abord « travailler » ; puis spécialisé dans la langue des chiffonniers, « chercher des occasions, duper » ; 1878, Esnault, « railler, critiquer », par affaiblissement du sens « duper » ; altér. de *échiner.* || **chine** (*faire la*) 1873, M. Du Camp, « voler ». || **chinage** 1883, Esnault. || **chineur** 1847, Balzac.

**chinois** début XVIIe s. (très antérieur à l'enregistrement). || **chinoiserie** 1838, *Acad.,* « objet de Chine » ; 1845, Besch., pl., « formalités compliquées », d'apr. les habitudes des fonctionnaires chinois. || **chinoiser** 1841, Balzac.

**chinook** 1866, Lar. ; mot indien d'Amérique du Nord.

**chintz** 1730, Savary (*chint*) ; hindi *chint,* toile de coton.

**chiot** 1551, Pontus de Tyard (*chiau*) ; lat. *catellus,* petit chien, qui a donné l'anc. fr. *chael.* La forme est régionale.

**chiourme** début XIVe s., *Geste des Cyprins* (*cheurme*), « équipe des rameurs d'une galère », de l'arg. des galériens ; ital. *ciurma,* altér. du lat. *celeusma,* chant des galériens, mot gr.

**chiper** début XVIIIe s., « prendre » ; 1723, Savary, « coudre des peaux » ; XVIIIe s., « voler » ; anc. fr. *chipe* (fin XIIIe s., Guiart), chiffon, var. de *chiffe,* empr. au bas allem. (v. CHIFFE). || **chipage** 1723, Savary. || **chipette** 1867, Delvau ; dimin. de *chipe.* || **chipeur** 1829, Vidocq, « voleur », emploi fig. d'origine obscure. || **chipoter** 1546, Rab., « s'arrêter à des bagatelles » ; 1704, Trévoux, « manger sans appétit ». || **chipotage** 1671, Sévigné. || **chipoteur** 1585, Cholières. || **chipotier** 1701, Fur.

**chipie** 1821, Desgranges (*chipi*), « femme acariâtre » ; d'un comp. *chie-pie* (*grippe-pie* en normand, Moisy, 1887) ou du précédent.

**chipolata** 1742, *Nouveau Traité de cuisine ;* ital. *cipollata,* saucisse préparée à l'oignon (*cipolla*). [V. CIBOULE.]

**chipolin, chipoter** V. CIPOLIN, CHIPER.

**chips** v. 1920, Bonnafé, « pommes de terre frites, séchées à la vapeur » ; mot angl. signif. « éclats, tranches minces ».

**chique** 1573, Liébault, « boule à jouer » ; 1640, Bouton, « puce pénétrante », à cause de la boule que forme la puce sous la peau ; *chique de tabac,* 1792, Romme ; mot de l'Est, sans doute de l'allem. *schicken,* envoyer ; ou p.-ê. du prov. *chico,* morceau, du lat. *cicca.* || **chiquer** 1794, « mâcher du tabac » ; 1798, Esnault, « manger » ; de *chique* de tabac. || **chicot** 1581, Baïf. || **chicoter** 1582, Tabourot, « se quereller sur des vétilles ».

**chiqué** V. CHIC.

**chiquenaude** 1530, Palsgrave (*chicquenode*) ; p.-ê. prov. mod. *chicanaudo,* de l'esp. *chico,* petit (v. PICHENETTE) ; ou de *chiquer,* donner un petit coup.

**chiro-,** gr. *kheir,* main. || **chirographe** 1190, Garn. (*cyr-*) ; lat. *chirographum,* autographe, du gr. *graphein,* écrire. || **chirographaire** fin XVIe s., Loysel ; lat. impér. *chirographarius* (*Digeste*). || **chiromancie** début XVe s. || **chiromancien** 1546, Saint-Gelais (*cheiro-*). || **chiromancienne** XIXe s. || **chiropracteur** 1959, Lar. || **chiropraxie** 1938.

**chirurgie** 1175, Chr. de Troyes (*cir-*) ; lat. méd. *chirurgia,* du gr. *kheirourgia,* opération manuelle. || **chirurgien** 1175, Chr. de Troyes. || **chirurgical** 1370 ; lat. médiév. *chirurgicalis.* || **chirurgicalement** 1866, Lar. || **chirurgique** 1545, Bouchet ; lat. *chirurgicus.* || **chirurgicat** XXe s.

**chistera** 1891 ; mot esp., du lat. *cĭstella,* petite corbeille.

**chitine** 1821, Odier, zool. ; gr. *kheitôn,* tunique. || **chitineux** 1877, L.

**chlamyde** 1502, Barbier ; lat. *chlamys, -ydis,* du gr.

**chlor(o)-**, gr. *khlôros,* vert, d'apr. la couleur du corps ou son effet. || **chloral** 1831, *Annales de chimie.* || **chlorate** 1816. || **chlore** 1815, Ampère. || **chlorique** *id.* || **chlorure** 1815, *Journ. de pharm.* || **chlorer** 1845, Besch. (*-é*). || **chloroforme** 1835, Dumas (*forme* abrév. de *formique*). || **chloroformiser** 1847 ; 1865, *Congrès de Genève de l'Internationale,* fig. || **chloroformer** 1856, Lachâtre. || **chlorhydrique** 1834, Jourdan. || **chlorophylle** 1817, *Journ. de pharm ;* gr. *phullon,* feuille. || **chlorophyllien** 1874, *J. O.* || **chlorhydrate** 1848, Allain. || **chlorose** 1694, Th. Corn., méd. ; 1829, Boiste, bot. (*-osis*) ; lat. méd. *chlorosis,* mot gr. || **chlorotique** 1766, Paulin ; lat. méd. *chloroticus.* || **chlorurémie** 1924, Lar. || **chlorure** 1816, *Journ. de pharm.* || **achloruré** 1912, Lar. || **bichlorure** 1845, Dorvault.

**choc, chocard** V. CHOQUER, CHOUCAS.

**chochotte** 1901, Esnault ; p.-ê. var. de *cocotte* ou dérivé de *faire des chichis.*

**chocolat** 1598, Acosta (*-ate*) ; 1671, *Tarif* (*-at*) ; esp. *chocolate,* du nahuatl du Mexique. || **chocolaté** 1771, Trévoux. || **chocolaterie** 1835, *Acad.* || **chocolatier** 1694, « fabricant ». || **chocolatière** 1675, Huet, « vase ».

**chocottes** 1882, Esnault, arg. ; p.-ê. de *chicot,* ou de *choquer.*

**choéphore** 1838, *Acad. ;* gr. *khoêphoros,* porteur de libations (*khoê*).

**chœur** 1120, *Ps. de Cambridge* (*cuer*) ; *enfant de chœur,* XIVe s. ; lat. eccl. *chorus,* chœur d'église, du gr. *khoros.* || **choral** 1827 ; n. m., mus., 1845, Besch. || **chorale** n. f., 1926. || **choriste** 1359, Delb. (*-istre*) ; lat. médiév. *chorista.* || **chorus** XVe s., seulement dans *faire chorus ;* mot lat. || **choreute** 1866.

***choir** Xe s., *Saint Léger* (*cadit,* passé simple) ; 1080, *Roland* (*cheoir*) ; lat. pop. **cadēre,* lat. class. *cadĕre,* qui a été éliminé par *tomber* à partir du XVIe s. (V. CHUTE, DÉCHOIR, ÉCHOIR, MÉCHANT.)

**choisir** début XIIe s., *Voy. de Charl. ;* germ. *kausjan,* éprouver, goûter (allem. *kiesen,* choisir) ; en anc. fr. aussi « apercevoir ». || **choix** 1155, Wace, déverbal.

**choke-bore** 1878, techn. ; mot angl., de (*to*) *choke,* étrangler, et (*to*) *bore,* forer.

**chol-**, gr. *kholê,* bile. || **cholagogue** 1560, Paré ; gr. *agein,* conduire. || **cholédoque** 1560, Paré ; lat. méd. *choledochus,* du gr. *kholêdokhos,* de *dekhesthai,* recevoir. || **cholérétique** XXe s. || **cholestérine** 1816, Chevreul ; isolée au XVIIIe s. (1769) ; devenu *cholestérol* (1829).

**choléra** 1546, Ch. Est. ; lat. *cholera,* du gr. *kholera,* de *kholê,* bile. || **cholérique** 1806, Lunier. || **cholérine** 1832, Marin. (V. COLÈRE.)

**cholette** V. CHOULE 2.

***chômer** 1156, *Roman de Thèbes,* « se reposer » ; XIIIe s., « ne pas travailler » ; 1740, *Acad.,* « cesser de fonctionner » ; lat. pop. **caumare,* du bas lat. *cauma,* chaleur (*Vulgate*), du gr. *kauma.* || **chômable** XVe s., G. || **chômage** XIIIe s., *Établ. de Saint Louis.* || **chômeur** 1876, *Opinion nationale.*

**chondriome** début XXe s. ; gr. *khondrion,* granule.

**chope** 1842, La Bédollière ; mot de l'Est, de l'allem. (et bas allem.) *Schoppen,* mesure de liquide. || **chopine** fin XIIe s., *Statuts des léproseries ;* dér. anc. de *Schoppen.* || **chopiner** 1482, *Myst. de saint Didier.* || **chopinette** XVe s., *Actes des Apôtres.* || **galope-chopine** mot lyonnais signif. « ivrogne ».

**choper** 1800, *Chauffeurs d'Orgères,* « arrêter » ; 1866, Lar., « voler » ; 1890, Esnault, « prendre un rhume » ; var. de *chiper,* par infl. de *chopper.* || **chopin** 1815, *Chanson de Winter,* « aubaine, conquête amoureuse ».

**chopper** 1175, Chr. de Troyes, « buter » ; orig. obscure, p.-ê. d'une onom. *tsopp-.* || **achopper** fin XIIe s., *Perceval.* || **achoppement** XIVe s., *Saint-Graal,* emploi réduit à *pierre d'achoppement.*

**choquer** 1230, G. (*chaquer*), « donner un choc » ; 1640, Corn., fig. ; moyen néerl. *schokken* (ou angl. *to shock*), heurter (sens conservé en fr. jusqu'au XVIe s.). || **choquant** 1650, Scarron. || **choc** 1523, Huguet, « heurt » ; 1740, *Acad.,* fig. ; *choc en retour,* 1845, Besch. ; *choc opératoire,* 1905, Lar. ; déverbal. || **entrechoquer** (s') 1540, Yver.

**choral** V. CHŒUR.

**chorée** 1558, danse ; 1753, *Encycl.,* « maladie nerveuse » ; gr. *khoreia,* danse en chœur.

**chorège** 1535, G. de Selve ; gr. *khorêgos,* de *khoros,* chœur, et *agein,* mener. || **chorégie** 1832, Raymond.

**chorégraphie** 1701, Feuillet ; gr. *khoreia,* danse, et *graphein,* écrire. || **chorégraphe** 1786, *Encycl. méth.* || **chorégraphier** 1827, *Acad.* || **chorégraphique** 1832, Raymond.

**choriste** V. CHŒUR.

**chorizo** v. 1850, Gautier ; mot esp.

**choroïde** 1538, Canappe ; gr. *khoroeidês,* en forme de membrane (*khorion*).

**chorus** V. CHŒUR.

***chose** 842, *Serments* (*cosa*) ; XII$^e$ s. (*chose*) ; lat. *causa,* qui, en lat. jurid., avait pris le sens de « chose » et avait éliminé en lat. pop. *res.* ‖ **chosette** fin XII$^e$ s., G. ‖ **chosier** 1560, Viret. ‖ **chosification** 1831, *Caricature.* ‖ **chosifier** 1943, Sartre. ‖ **chosisme, chosiste** 1936, Sartre. ‖ **quelque chose** XVI$^e$ s., qui a remplacé l'anc. fr. *auques,* du lat. *aliquid.* (V. CAUSE.)

**chott** 1849, *Rev.* ; mot ar. signif. « bord d'un fleuve » et désignant ensuite une dépression salée.

***chou** XII$^e$ s., L. ; 1894, Esnault, « tête » ; *faire chou blanc,* 1821, Cuisin ; lat. *caulis.* ‖ **chou-fleur** 1611, Cotgrave ; var. *-flori, -fleuri,* de l'ital. *cavolo-fiore* (*colifiori du Montferrat,* XVI$^e$ s., N. Du Fail), mot utilisé par O. de Serres. ‖ **chou-pille** XVII$^e$ s., vén., formation ironique. ‖ **chou-navet** 1611, Cotgrave (*-naveau*). ‖ **chou-rave** 1600, O. de Serres. ‖ **chouchou** 1780, mot de tendresse pour un enfant ; 1788, Guillemin, « favori », redoublement expressif. ‖ **chouchouter** 1842, Balzac. ‖ **chouchoutage** v. 1950. ‖ **choute** XX$^e$ s. ; fém. pop. de *chou,* terme d'affection.

**chouan** 1795, *Journ. des patriotes,* nom donné aux insurgés d'Anjou, d'apr. le surnom de leur chef, Jean Cottereau, dit Jean *Chouan,* qui imitait le cri du *chouan,* forme régionale de *chat-huant.* ‖ **chouannerie** 1794, *Représentants en mission.* ‖ **chouanner** 1794, *Actes du Comité de salut public.* ‖ **contre-chouan** 1871, Moriac.

**choucas** début XVI$^e$ s. (*chucas*) ; formation onomatop. ‖ **choquard** 1803, Boiste. ‖ **chouquette** 1617, d'Arcussia.

**choucroute** 1739, Marin (*sorcrote*) ; 1768, Cappe d'Auteroche (*saurcroute*) ; alsacien *sûrkrût* (allem. *Sauerkraut*), herbe (*krût*) sure (*sûr*), avec étymologie populaire d'apr. *chou.*

**chouette** 1175, Chr. de Troyes ; *faire la chouette,* 1770, Lecomte ; adj. pop., 1830, J. Arago, chez Larchey, emploi ironique ; dimin. de l'anc. fr. *choue,* du francique **kāwa* (v. CHAT-HUANT).

**chouïa** 1866 ; mot ar. maghrébin signif. « un peu ».

1. **choule** 1147, en Languedoc, jeu de balle ; lat. *solea,* pied (puisque la balle pouvait être disputée à coups de pied), ou irlandais *sull,* mêlée, ou haut allem. *kiulla,* objet arrondi.

2. ***choule** début XIV$^e$ s., boule ; lat. pop. **ciulla,* d'orig. germ. (v. le précédent). Désigne aujourd'hui un mode de pêche. ‖ **cholette** 1885, Zola ; mot du Nord.

**choupette** début XX$^e$ s. ; p.-ê. de *chou* (1708, Furetière), au sens de « nœud de rubans », avec infl. de *houpette.*

**chouque** V. SOUCHE.

**chouraver** 1938, Esnault, arg. ; romani *tchorav-.*

**chouriner** 1828, Vidocq, arg. ; var. de *suriner* (v. SURIN). ‖ **chourineur** 1842, Sue.

**choyer** av. 1240, G. de Lorris (*chuer*), « cajoler », « tromper » ; 1546, Rab. (*choyer*) ; d'apr. l'ital. *soiare,* lui-même du fr. *chouer,* de *choue, chouette,* oiseau réputé pour choyer ses petits, ou formation onomatop.

**chrême** 1150, Wace (*cresme*) ; lat. chrét. *chrisma* (III$^e$ s., Tertullien), du gr. *khrisma,* onction. ‖ **chrémeau** 1175.

**chrestomathie** 1623, Garasse ; rare jusqu'au XIX$^e$ s. ; gr. *khrêstomatheia,* de *khrêstos,* utile, et *manthanein,* apprendre (aoriste *emathon*), c.-à-d. « apprendre des textes utiles ».

**chrétien** V. CHRIST.

**Chris-Craft** 1958, n. déposé ; mot angl., avec la finale *craft,* embarcation.

**christ** X$^e$ s., *Eulalie* ; lat. chrét. *christus,* du gr. *khristos,* oint, calque de l'hébreu *māshīāh* (v. MESSIE). La prononc. [kri] (le *s* est tombé phonétiquement, comme dans *chrestien,* au XII$^e$ s.) est restée dans *Jésus-Christ.* La prononc. [krist] d'apr. le lat. a été mise à la mode par les prédicateurs à partir du XVII$^e$ s. ‖ **christianisme** XIII$^e$ s., *Poésies* ; lat. chrét. *christianismus.* ‖ **christianiser** fin XVI$^e$ s. ‖ **christianisation** 1843. ‖ **christique** fin XIX$^e$ s. ‖ **christologie** 1836. ‖ ***chrétien** 842, *Serments* (*christian*) ; XII$^e$ s. (*chrestien*) ; lat. chrét. *christianus.* ‖ **chrétiennement** 1546, *Palmerin.* ‖ **chrétienté** 1050, *Alexis* (*crestientet*) ; lat. chrét. *christianitas.* ‖ **déchristianiser** 1792, Brunot. ‖ **déchristianisation** fin XIX$^e$ s. ‖ **néochrétien** 1846, Reybaud. ‖ **néochristianisme** 1834, Th. Gautier.

**christe-marine** (vx) ou **criste-marine** XV$^e$ s. ; gr. *krêtmos,* fenouil de mer.

**christiania** début XX^e s., virage skis parallèles ; de *Christiania,* anc. nom d'Oslo, en Norvège (les Norvégiens ayant pratiqué les premiers ce mouvement).

**chrom(o)-,** gr. *khrôma,* couleur. || **chromatique** 1361, Oresme, musique ; 1630, d'Aubigné, optique ; 1897, *Année biologique,* biologie ; lat. *chromaticus,* mot gr. || **chromatisme** 1829. || **chrome** 1797, Vauquelin, parce qu'il a des composés très colorés. || **chromer** XIX^e s. || **chromique** 1797, Vauquelin. || **chromolithographie** 1837, *Soc. ind. de Mulhouse.* || **chromo** 1872, L. ; abrév. du précéd. || **chromosome** 1896, Carlet et Perrier ; gr. *sôma,* corps. || **chromosomique** 1931. || **bichromaté** 1951, Lar. || **achromatique** 1764, de La Lande.

**chron(o)-,** gr. *khronos,* temps. || **chronique** début XII^e s., n. f., recueil d'histoires ; XIX^e s., partie d'un journal ; lat. *chronica,* neutre pl. (f. sing. en bas lat.), gr. *khronika biblia ;* adj., 1398, *Somme Gautier,* méd., du lat. *chronicus.* || **chroniquement** 1845, Besch. || **chroniqueur** 1490, Commynes. || **chronicité** 1835, *Acad.* || **chronologie** 1579, Vigenère ; gr. *khronologia* (*logos,* discours). || **chronologique** 1584, Thevet. || **chronologiquement** 1836, Landais. || **chronomètre** 1701, Sauveur. || **chronométrer** fin XIX^e s. || **chronométreur** 1835. || **chronométrie** 1838. || **chronométrique** 1832, Raymond. || **chronobiologie** v. 1970. || **chronophotographie** 1882, Marey. || **chronaxie** 1909.

**chrys(o)-,** gr. *khrusos,* or. || **chrysalide** 1593, Bauhin ; lat. *chrysalis, -idis,* mot gr. (d'apr. l'aspect doré de quelques chrysalides). || **chrysanthème** 1543, Ant. Pierre (*-emon*) ; 1750, abbé Prévost (*-ème*) ; lat. *chrysanthemon,* mot gr. (*anthemon,* fleur, *khrusos,* d'or). || **chrysochalque** 1823, Boiste, ou **chrysocale** 1372, Corbichon (*crisocane*) ; 1825, Balzac (*-cale*) ; « alliage pour la fabrication des bijoux faux » ; gr. *khalkos,* cuivre. || **chrysolithe** XII^e s., *Marbode ;* lat. *chrysolithus,* mot gr. (*lithos,* pierre). || **chrysoprase** XII^e s., *Marbode ;* lat. *chrysoprasus,* mot gr. (*prasos,* poireau, à cause de la couleur). || **chryséléphantin** 1863, L. ; gr. *khrusos,* or, et *elephas,* ivoire.

**chthonien** 1819 ; lat. *chthonius,* du gr. *khthôn,* terre.

**ch'timi** début XX^e s. ; mot picard, de *ch'* (le), *ti* (toi) et *mi* (moi).

**chuchoter** XIV^e s., *Mir. de N.-D.* (*-eter,* jusqu'au XVI^e s.) ; 1611, Cotgrave (*-oter*) ; formation expressive. || **chuchotage** fin XVIII^e s. || **chuchotement** 1580, Montaigne. || **chuchoterie** 1650, Loret. || **chuchotis** 1895, Daudet.

**chuinter** 1776, Court de Gébelin, appliqué à la prononc. du *ch,* puis à toute prononc. défectueuse ; onom. d'apr. le cri de la chouette. || **chuintant** 1819, Boiste, en phonétique. || **chuintement** 1873, de Colleville.

**chut** 1529, *Anc. Théâtre fr. ;* XVI^e s. (*cheut*) ; onomat. || **chuter** 1834, Boiste, « faire chut ».

***chute** 1360, Froissart (var. *cheute*) ; réfection, d'apr. le part. passé *chu* (de *choir*), de l'anc. fr. *cheoite* (fin XIII^e s., *Renart*), part. passé fém. substantivé de *choir* (lat. pop. **cadecta*), sur le modèle de *collectus.* || **chuter** 1828, *le Figaro,* « échouer ». || **parachute** 1784, appareil inventé par l'aéronaute Blanchard. || **parachuter** XX^e s. || **parachutage** XX^e s. || **parachutiste** 1928, Nyrop. || **parachutisme** XX^e s.

**chyle** v. 1360 (*chile*) ; lat. méd. *chylus,* du gr. *khulos,* suc. || **chyleux** 1546, R. Est. || **chylification** *id.* || **chylifère** 1665, Graindorge.

**chyme** XV^e s., G. ; lat. méd. *chymus,* humeur, du gr. *khumos.*

**ci** X^e s. ; lat. *ecce,* voici, et *hīc,* ici. || **ci-devant** 1792, *Nouveau Dict. fr. ;* de *ci-devant noble,* qui était avant un noble.

**cibiste** 1980 ; amér. *C.B.* (pron. *sibi*), abrév. de *Citizen's Band,* « fréquence réservée au public ».

**cible** XIV^e s. (var. *cibe,* encore en 1842, Mozin) ; allem. dial. *Schîbe* (allem. *Scheibe,* disque, cible), par la Suisse romande (fin XV^e s.). || **cibler** v. 1970.

**ciboire** 1160, Benoît (*civoire*) ; lat. eccl. *ciborium,* spécialisation du lat. signif. « coupe » (du gr. *kibôreon,* fruit du nénuphar d'Égypte, dont on faisait des coupes).

**ciboule** 1180, *Alexandre ;* prov. *cebola,* du lat. *caepula,* dimin. de *caepa,* oignon (v. CIVE). || **ciboulette** 1373, trad. de P. Crescens. || **ciboulot** 1889, Esnault ; de *ciboule,* au sens de « tête ».

**cicatrice** XIV^e s., B. de Gordon ; fig., XVII^e s. ; lat. *cicatrix, -icis.* || **cicatriser** 1314, Mondeville ; lat. médiév. *cicatrizare,* lat. class. *cicatricare,* « marquer d'une cicatrice », « fermer une plaie ». || **cicatrisation** 1314, Mondeville. || **cicatriciel** 1845. || **cicatricule** milieu XVI^e s. ; lat. *cicatricula.*

**cicéro** 1550, Plantin, « caractère d'imprimerie », employé pour l'édit. princeps des œuvres de Cicéron par U. Gallus en 1458.

**cicerone** 1752, Trévoux ; mot ital., emploi ironique de *Cicerone,* Cicéron, à cause de la verbosité des guides à Rome.

**cicéronien** XIV^e s. ; lat. *ciceronianus,* de *Cicero.*

**cicindèle** 1548, Philieul, « ver luisant », repris par les entomologistes pour désigner un genre de coléoptères ; lat. *cicindela,* ver luisant, de *candere,* briller.

***cidre** 1120, *Ps. de Cambridge* (*sizre*), « boisson forte » ; 1155, Wace (*cidre*), sens actuel ; lat. *sīcĕra,* boisson enivrante, de l'hébreu *chekar,* par l'intermédiaire du gr. ; spécialisé au jus de poire et de pomme fermenté, puis de pomme en Normandie et en Picardie. || **cidrerie** 1872. || **cidricole** 1907, Lar.

***ciel** X^e s., *Eulalie ; ciel de lit,* 1360, Gay ; lat. *caelum.*

**cierge** XII^e s., *Roncevaux,* var. *cerge ;* lat. *cereus,* n. m. d'abord adj., de *cera,* cire. || **ciergier** 1480, *Doc.* || **cierger** 1842, *Acad.*

**cigale** 1457, R. d'Anjou (*sigalle*) ; prov. *cigala,* du lat. *cicada* (*cigade,* 1372, Corbichon) : l'insecte est propre au Midi.

**cigare** 1688, Exmelin (*cigarro*) ; 1775, Wailly (*-are*) ; esp. *cigarro,* d'origine inconnue, vulgarisé après l'expédition d'Espagne en 1823, p.-ê. du maya *zicar,* fumée, ou de l'esp. *cicarra,* cigale. || **cigarette** 1831, Balzac, usuel v. 1840 : l'emporte sur *cigarito* et *cigaret.* || **cibiche** 1881, Esnault ; de *ci*(*garette*) et suffixe pop. || **cigarière** milieu XIX^e s. ; d'apr. l'esp. *cigarrera.* || **cigarillo** 1863 (*cigarille*) ; mot esp., dimin. de *cigarro.* || **fume-cigarette** 1894, Sachs. || **porte-cigares** V. PORTE- 3. || **porte-cigarettes** V. PORTE- 3.

**cigogne** 1113, E. de Fougères ; prov. *cigogna,* du lat. *cĭcōnia,* qui a donné l'anc. fr. *ceoigne, soigne.* L'oiseau séjourne surtout dans l'Est et vient du Midi.

**ciguë** XII^e s. (*ceguë*) ; réfection de l'anc. fr. *ceuë,* d'apr. le lat. *cĭcūta.*

***cil** XII^e s. ; *l* mouillé jusqu'au XIX^e s. ; lat. *cĭlium.* || **ciliaire** 1665. || **cilié** 1786, *Encycl. méth.* || **ciller** début XII^e s. || **cillement** 1530, Palsgrave. || **déciller** ou **dessiller** 1360, *Modus,* « découdre les paupières » ; XVI^e s., fig. || **dessillement** 1636, Monet.

**cilice** XIII^e s., *Macchabées ;* lat. chrét. *cĭlĭcium* (VI^e s., Cassiodore), étoffe en poil de chèvre de Cilicie.

**cimaise** 1160, Benoît (*cimese*) ; lat. *cymatium,* du gr. *kuma,* vague, d'apr. la forme ondulée de la moulure.

***cime** fin XII^e s., *Myst. d'Adam* (*cyme*) ; lat. *cyma,* pousse de chou, pointe d'arbre, du gr. *kûma,* portée des animaux, par ext. pousse, spécialisé en lat. pop. à l'extrémité d'un objet élevé. || **cimier** 1160, Benoît.

***ciment** fin XII^e s. ; lat. *caementum,* pierre brute, les maçons ayant pris l'habitude de mettre de la pierre dans leur mortier (v. CÉMENT) ; l'*i* reste obscur. || **cimenter** XIII^e s. || **cimentation** 1845, Richard. || **cimenterie** XX^e s. || **cimentier** 1680, Richelet.

**cimeterre** 1420, J. Chartier ; ital. *scimitarra,* du persan *chimchîr,* par l'intermédiaire de l'ar.

**cimetière** 1150, Wace (*cimetire*) ; XIII^e s. (*cimetière*) ; lat. chrét. *coemeterium* (III^e s., Tertullien), du gr. *koimêtêrion,* lieu où on dort, équivalent du lat. *dormitorium,* dortoir.

**cimier** V. CIME.

**cinabre** XIII^e s., G. (*cenobre*) ; lat. *cinnabari,* du gr. *kinnibari,* d'origine orientale.

**cinchonine** 1820, alcaloïde extrait du quinquina ; lat. bot. *cinchona,* du nom du comte *Chinchon,* vice-roi du Pérou, qui en 1639 apporta le quinquina.

**cinématique** 1834, Ampère ; gr. *kinêmatikos,* de *kinêma,* mouvement. || **cinémographe** v. 1950. || **cinémomètre** 1904. || **cinétique** 1877, L. || **cinétisme** 1888, Lar.

**cinématographe** 1892, L.-G. Bouly, puis 1895, Lumière ; gr. *kinêma,* mouvement, et *graphein,* décrire. || **ciné** 1906, Esnault, abrév. || **cinéma** 1893, abrév. || **cinématographie** 1895. || **cinématographier** 1897, *le Progrès de Lyon.* || **cinématographique** 1896, *la Nature ; appareil cinématographique,* 1899, brevet d'invention. || **cinéaste** 1922, L. Delluc ; sur *ciné* d'apr. l'ital. || **ciné-club** 1920, L. Delluc. || **cinémathèque** 1921, L. Moussinac. || **CinémaScope** 1953, *Cahiers du cinéma.* || **cinéphile** 1912, *Ciné-Journal.* || **Cinérama** 1912, *le Sourire,* n. déposé. || **cinégraphie** 1917. || **cinéroman** 1918.

1. **cingler** 1080, *Roland* (*sigler*), « faire voile » ; XIV^e s. (*singler*), par infl. du suivant ; XVI^e s. (*cingler*), d'apr. le lat. *cingulum,* ceinture, par étymologie populaire ; scand. *sigla* ou ancien normand *segl.* || **cinglage** XIV^e s. || **cinglement** 1611, Cotgrave.

2. **cingler** 1125, *Doon de Mayence,* « frapper avec un objet flexible » ; début XVIe s., en parlant de la pluie ; prov. *cenglar, cinglar,* frapper avec une sangle, du lat. *cingŭla* (*cengla* a déjà le sens de « raclée » en anc. prov.). || **cinglé** 1882, Esnault, « ivre » ; 1925, Esnault, « fou », « toqué ». || **cinglage** 1827, *Acad.* || **cinglant** XIXe s., fig. || **cingleur** 1866.

**cinname** 1213, *Fet des Romains* (*cename*) ; lat. *cinnamum,* du gr. *kinnamon.* || **cinnamome** 1256, Ald. de Sienne ; lat. *cinnamomum,* du gr. *kinnamômon,* laurier dont les feuilles sont utilisées comme condiment.

***cinq** 1080, *Roland* (*cinc*) ; lat. pop. *cīnque* (*Inscriptions*), par dissimilation du lat. *quinque.* || **cinquième** 1175, Chr. de Troyes (*-isme*). || ***cinquante** 1080, *Roland ;* lat. pop. *cinquaginta,* lat. *quinquaginta,* par dissimilation. || **cinquièmement** 1550, Meigret. || **cinquantième** XIIIe s. || **cinquantaine** 1220, Coincy. || **cinquantenaire** 1775, Restif de La Bretonne.

***cintrer** 1349, texte wallon ; lat. pop. **cincturare,* de *cinctūra,* ceinture. || **cintre** fin XIIe s., « courbure d'une voûte » ; 1932, *Acad.,* « armature pour suspendre les habits » ; déverbal. || **cintrage** 1593, G. (*cein-*), mar. || **cintré** 1926, Esnault, « tordu, fou ». || **décintrer** 1690, Furetière. || **décintrage** 1863, Lar.

**cipaye** 1750 (*sepay*) ; 1768, Voltaire (*cipaye*) ; port. *sipay,* cipaye, du persan *sipāhi,* soldat, qui a donné aussi *spahi.* Nom donné aux soldats indiens engagés au service des Français, puis des Anglais.

**cipolin** 1694, Th. Corn. (*cipollini*) ; 1771, Schmidlin (*cipolin*), « marbre veiné rappelant la coupe de l'oignon » ; ital. *cipollino,* de *cipolla,* oignon. || **chipolin** 1789, *Encycl. méth.,* var. avec prononc. toscane.

**cippe** 1718, *Acad. ;* lat. *cippus,* colonne, borne (v. CEP).

**cirage** V. CIRE.

**circaète** 1820, Laveaux, rapace diurne ; gr. *kirkos,* faucon, et *aetos,* aigle.

**circée** 1572, Des Moulins, bot. ; lat. *circaea,* de *Circé,* la magicienne ; la plante est dite « herbe aux sorciers ».

**circoncire** 1190, *Saint Bernard ;* lat. chrét. *circumcīdĕre,* en lat. class. « couper autour ». || **circoncision** *id. ;* lat. *circumcisio.* || **incirconcis** XIVe s. ; lat. *incirconcisus.* || **incirconcision** 1530, Lefèvre d'Étaples ; lat. *incirconcisio.*

**circonférence** 1265, J. de Meung ; lat. *circumferentia,* de *circumferre,* faire le tour, calque du gr. *peripheria* (v. PÉRIPHÉRIE).

**circonflexe** début XVIe s. (*-flect*) ; 1550, Meigret (*-flexe*) ; lat. *circonflexus* (*accentus*), calque du gr. signif. « sinueux » ; indiquant un ton en gr., il est signe orth. en fr.

**circonlocution** XIIIe s., *Poème sur la confession ;* lat. *circumlocutio,* calque du gr. *periphrasis ;* du lat. *circum,* autour, et *loqui,* parler, « détour de parole pour éviter un mot ». (V. PÉRIPHRASE.)

**circonscrire** 1361, Oresme, « définir les limites » ; 1690, Furetière, géométrie ; lat. *circumscrībĕre,* de *scribere,* écrire. || **circonscription** XIIe s., « ce qui limite » ; 1495, J. de Vignay, « action de tracer une ligne autour » ; 1704, Trévoux, « division territoriale » ; lat. *circumscriptio.*

**circonspect** v. 1395, Chr. de Pisan ; lat. *circumspectus* (rad. *aspicere,* voir, regarder). || **circonspection** XIIIe s., G. ; lat. *circumspectio,* action de regarder autour.

**circonstance** 1265, Br. Latini, « détail » ; 1668, Molière, sens actuel ; lat. *circumstantia,* de *circumstare,* se tenir debout autour. || **circonstanciel** 1747, Girard, gramm. || **circonstancier** 1468, Chastellain (*-é*) ; 1632, Chapelain, « énoncer avec les circonstances » ; XIXe s., « préciser ».

**circonvallation** 1632, Chapelain ; lat. *circumvallare,* entourer d'un retranchement, de *vallis,* « vallée », par ext. « tranchée ».

**circonvenir** 1355, Bersuire, « entourer » ; XIVe s., sens actuel ; lat. *circumvenire,* venir autour, par ext. « entourer d'artifices ».

**circonvoisin** 1387, Runkewitz ; lat. médiév. *circumvicinus,* situé tout autour, de *vicinus,* voisin.

**circonvolution** XIIIe s., G., « enroulement » ; 1546, Ch. Est., appliqué à l'intestin ; lat. *circumvolutus,* roulé autour.

**circuit** 1220, *Queste du Saint-Graal* (*circuite,* fém.) ; 1257, Delb., masc. ; 1907, Lar., électr. et sport ; lat. *circuitus,* de *circum,* autour, et *ire,* aller. || **court-circuit** 1890. || **court-circuiter** début XXe s.

**circuler** 1361, Oresme, « faire le tour » ; 1680, Richelet, « se mouvoir » pour le sang ; 1829, Boiste, pour les véhicules ; lat. *circulari,* de *circŭlus,* cercle. || **circulaire** XIIIe s. ; lat. *circularis.* || **circulation** 1361, Oresme, « mouvement vers le point de départ » ; 1829, Boiste,

« mouvement des véhicules » ; lat. *circulatio.* || **circulatoire** 1560, Paré ; lat. *circulatorius.* || **circularité** XVI^e s. ; lat. *circularis.* (V. CERCLE.)

**circumnavigation** 1788, Pauw ; lat. *circum,* autour, et *navigation.*

**circumpolaire** 1700, Brunot (*circon-*) ; lat. *circum,* autour, et *pôle.*

***cire** 1080, *Roland ;* lat. *cēra.* || **cirer** fin XII^e s., *Aliscans.* || **ciré** n. m., 1896. || **cirier** fin XII^e s., *Aymeri,* n. et adj. || **cirage** 1554, Delb., « action de cirer » ; 1680, Richelet, « substance pour cirer », spécialisé pour les chaussures. || **cireux** début XVI^e s., sens propre ; 1856, Goncourt, fig. || **cireur** 1837. || **cireuse** n. f., 1925.

**ciron** XIII^e s., *D. G. ;* altér. de *suiron* (1220, Coincy), mot de l'Est, de l'anc. haut allem. **seuro ;* animal microscopique.

**cirque** 1355, Bersuire, sens latin ; fin XVIII^e s., géogr. ; 1832, Raymond, sens mod. ; lat. *cĭrcus.*

**cirre** 1545, Guéroult, bot. et zool. ; lat. *cĭrrus,* filament (v. CIRRUS). || **cirripède** 1817, *Dict. hist. nat. ;* lat. *pes,* pied.

**cirrhose** 1805, Laennec ; gr. *kirros,* jaune ; maladie du foie caractérisée par des granulations rousses. || **cirrhotique** 1892.

**cirrus** 1830 ; mot lat. signif. « filament » : « nuage qui s'effiloche ». || **cirrocumulus** 1830.

**cirsium** XVI^e s., Maignan (*cirsion*) ; rare jusqu'au XIX^e s. ; lat. *cirsion,* du gr. *kirsion,* chardon.

**cisailles** V. CISEAU.

**cisalpin** 1596, Hulsius ; de *cis-* et *alpin.*

***ciseau** 1160 (*cisel*), « lame d'acier » ; dès le XII^e s., ciseaux de couturière ; lat. pop. **cīsellus,* altér. d'apr. divers composés d'un dér. **caesellus,* de *caedere,* couper. Le mot fr. sing. est issu de la forme plur. || ***cisailles** début XIII^e s. ; lat. pop. **cīsalia,* lat. *caesalia,* pl. neutre passé au fém. || **cisailler** 1450, G. || **cisaille** 1324, Du Cange, « rognure de métal » ; 1866, Lar., machine. || **cisaillement** 1636, Monet. || **ciseler** début XIII^e s., *Yder.* || **ciseleur** XVI^e s., G. || **ciselet** 1491, G. || **ciselure** 1307, Dehaisnes. || ***cisoir** XIII^e s. (*cisoires*) ; lat. *cisorium,* de même rac.

1. **ciste** 1555, Aneau (*cisthe*), « arbrisseau » ; lat. *cisthos,* du gr.

2. **ciste** 1771, Trévoux, « corbeille » ; lat. *cista,* du gr. *kistê.*

**cistre** 1527, Marot (*citre*), « instrument à cordes » ; ital. *citara* (v. CITHARE) ; le *s* est dû à une confusion avec *sistre.*

**citadelle** fin XV^e s., G. ; ital. *cittadella,* petite cité.

**citadin** XIII^e s., Aimé ; ital. *cittadino,* de *città,* cité (anc. ital. *cittade*).

**citation** V. CITER.

***cité** 1050, *Alexis* (*ciptet*) ; au Moyen Âge, « partie ancienne de la ville » ; XIX^e s., *cité ouvrière ;* XX^e s., *cité-jardin, cité universitaire, cité-dortoir ;* le sens polit. et fig. a été repris au lat. au XVI^e s. ; lat. *cīvĭtas, -atis,* « ensemble des citoyens », « territoire où ils vivent », puis « ville » en bas lat. || **citoyen** XII^e s., *Roman d'Alexandre* (*citoien*) ; XVII^e s., sens polit. opposé à *serf ;* 1791, Brunot, appellation révolutionnaire. || **citoyenneté** 1783, *Courrier de l'Europe.* || **concitoyen** 1290, texte de Besançon (*concitien*) ; refait sur le lat. *concivis.*

**citer** milieu XIII^e s., « exhorter » ; 1355, Bersuire, jurid. ; fin XVI^e s., « invoquer un texte » ; lat. *citare,* mettre en mouvement, puis sens jurid. ; XVII^e s., reproduire un texte, signaler une personne. || **citateur** 1696, Bayle. || **citation** 1355, Bersuire ; lat. *citatio,* même évolution. || **citationnel** XX^e s. || **précité** fin XVIII^e s.

**citérieur** av. 1505, Le Baud ; lat. *citerior,* qui est en deçà.

***citerne** 1170, *Rois* (*cisterne*) ; lat. *cisterna,* de *cista,* coffre. || **citerneau** 1600, O. de Serres.

**cithare** XIII^e s. (*kitaire* par l'esp.) ; 1361, Oresme (*cithare*) ; lat. *cithara,* du gr. *kithara.* || **cithariste** XIII^e s. (V. GUITARE.)

**citoyen** V. CITÉ.

**citrin** XII^e s., *Marbode ;* lat. *citrus,* citron. || **citrate** 1782, Guyton de Morveau. || **citrique** 1782, Guyton de Morveau. || **citral** fin XIX^e s.

**citron** 1398, *Ménagier* (*chitron*) ; 1878, Rigaud, « tête » ; lat. *citrus,* citron. || **citronnier** 1373, trad. Crescens. || **citronnade** 1845, Besch., « mélisse » ; 1858, Peschier, sens actuel. || **citronnelle** 1601, Champlain.

**citrouille** 1256, Ald. de Sienne (*citrole*) ; 1549, R. Est. (*-ouille*), par changement de suffixe ; ital. *citruolo,* du lat. *citrus,* citron, d'apr. la couleur.

**civadière** 1540, Rab., « voile attachée sous le beaupré » ; prov. mod. *civadiero,* sac d'avoine, d'apr. la forme ; de *civada,* avoine, qui a donné régionalement *civade.*

***cive** fin XIIe s. ; lat. *caepa,* oignon (v. CIBOULE). || **civet** XIIe s., *Fabliau* (*civé*) ; 1636, Monet (*civet,* par confusion de suffixe), proprement « ragoût préparé aux cives ». || **civette** 1549, R. Est., « ciboulette ».

**civelle** 1555 ; lat. *caecus,* aveugle.

1. **civette** V. CIVE.

2. **civette** 1467, Laborde, « mammifère » ; ital. *zibetto,* de l'ar. *zabād,* musc. Cet animal sécrète un suc onctueux, employé en parfumerie.

***civière** XIIIe s., *Choses qui faillent en ménage,* « brancard servant à transporter les fardeaux, le fumier, etc. » ; 1690, Furetière, spécialisé pour les blessés ; lat. pop. **cibaria,* engin pour le transport des provisions (lat. *cibus*) ; il faut supposer un *ī.*

**civil** 1290, G., jurid. ; 1549, R. Est., « poli » ; opposé à « militaire », 1718, *Acad. ;* n. m., 1790, Brunot ; lat. *civilis,* dans ses divers sens, de *civis,* citoyen. || **civilement** 1370, Oresme. || **civiliser** 1568, Le Roy ; de *civil,* au sens fig. de « cultivé ». || **civilisation** 1734, Guyau de Pitavel, qui s'est substitué à *police ;* apr. 1800, « ensemble des caractères d'une société ». || **civilisable** fin XVIIIe s., Cuvier. || **civilisateur** 1829, *la Mode.* || **civiliste** 1866, Lar., « spécialiste de droit civil ». || **civilité** 1361, Oresme, « institutions d'une communauté » ; milieu XVe s., « politesse » ; lat. *civilitas,* affabilité. || **civique** 1504, Lemaire (*couronnes civiques*), hist. ; XVIIIe s., sens mod. ; lat. *civicus.* || **civisme** 1770, Restif de La Bretonne, vulgarisé pendant la Révolution. || **incivil** 1361, Oresme ; lat. *incivilis,* sur le sens de *civil,* poli. || **incivilité** 1426, Delb. ; lat. *incivilitas.* || **incivisme** 1791, *Journ. militaire ;* sur le sens de *citoyen.*

**clabaud** 1458, *Mystère Viel Testament ;* même rac. que *clapper,* onom. (cf. *clabet,* crécelle, texte lillois de 1420). || **clabauder** 1564, J. Thierry. || **clabaudage** 1560, Paré. || **clabaudeur** 1554, fig. || **clabauderie** 1611, Cotgrave.

**claboter** 1899, Nouguier, pop., mourir ; p.-ê. var. de *claquer.*

**clac** XVe s., onom. enregistrée tardivement, exprimant le bruit d'une gifle, d'un applaudissement, d'un objet gonflé qui se crève, etc. || **claquer** 1508, Lemaire ; 1842, de Kock, fam., « mourir » ; 1890, *D. G.,* « se casser ». || **claque** n. f., 1307, Guiart, « gifle, coup » ; 1743, Trévoux, « soulier pourvu de claques » ; 1801, le Cousin Jacques, au théâtre ; 1773, *Almanach,* n. m., chapeau claque. || **claquage** 1895, sport. || **claquet** XVe s., G. || **claquement** 1552, R. Est. || **claquette** 1549, R. Est. || **claqueur** 1781, *Corr. litt. secrète,* sens théâtral. || **claquoir** fin XIXe s., Zola. || **claquedent** av. 1450, Gréban, nom propre, « gueux ». || **claquemurer** 1644, Scarron, « réduire à *claque-mur* », « dans un lieu si étroit que le mur claque ». || **claquebois** 1636, Mersenne.

**clafoutis** milieu XIXe s. ; de *clafir,* remplir (980, *Valenciennes*), du lat. *clavo figere,* fixer avec un clou.

***claie** fin XIe s., *Gloses de Raschi* (*cloie*) ; lat. pop. **clēta,* mot gaulois. || **clayette** 1863, L., « panier à champignons ». || **clayère** 1856, Lachâtre, « parc à huîtres ». || **clayon** 1328, G. || **clayonnage** 1694, Th. Corn. || **cloyère** 1771, Trévoux, « panier à huîtres ».

***clair** 1050, *Alexis* (*clar*) ; 1080, *Roland* (*cler*) ; XIVe s. (*clair*), d'apr. le lat. ; lat. *clarus.* || **clairement** 1190, Garn. || **clairet** 1160, *Charroi* (*claré*), adj. ; 1726, n. m., de *vin clairet* (1460, Villon). || **clairière** 1660, La Fontaine. || **clairon** XIIIe s., Du Cange ; de *clair,* d'apr. la clarté du son. || **claironner** 1559, Buttet. || **claironnant** fin XIXe s. || **clairsemé** 1175, Chr. de Troyes. || **clairvoyant** début XIIe s. || **clairvoyance** 1190, Garn. (*clerveiaunce*) ; 1580, Montaigne (*clairvoyance*). || **claire-voie** 1344, Gay (cf., pour le sens, *voie d'eau*). || **clair-obscur** 1596, Vigenère (*chiar-oscuro*) ; 1668, R. de Piles, forme française ; ital. *chiaroscuro.* || **clarifier** 1190, *Saint Bernard,* « glorifier » (jusqu'au XVIe s.) ; puis prend les sens de *clair ;* lat. *clarificare,* glorifier. || **clarification** début XVe s. ; lat. *clarificatio.* || **clarine** XVIe s., Fauchet, « sonnaille à bestiaux ». La forme *clarin, clarain* est du XIIIe s. || **clarinette** 1753, *Encycl. ;* de *clarin,* hautbois, mot prov. || **clarinettiste** 1821. || **clarté** Xe s., *Saint Léger* (*claritet*) ; XIIe s. (*clarté*) ; adaptation du lat. *claritas, -atis,* de *clarus.* || ***éclaircir** début XIIe s., *Voy. de Charl.* (*esclarcir*) ; XIIIe s. (*esclair-*), d'apr. *clair ;* lat. pop. **exclaricire.* || **éclaircissage** 1835, *Maison rustique.* || **éclaircissement** XIIIe s., *Cout. d'Artois* (*esclar-*), fig. || **éclaircie** fin XVe s., d'Authon (*esclarcye*) ; rare jusqu'au XVIIIe s. || ***éclairer** 1080, *Roland* (*es-*) ; lat. pop. **exclariare* (class. *exclarare*). || **éclaireur** 1579, H. Est., « celui qui éclaire les autres » ; 1792, Frey, milit. ; XXe s., scout. || **éclairage** 1798, *Acad. ;* XXe s., fig. || **éclair** 1112, *Voy. saint Brendan* (*es-*) ; déverbal de *éclairer ;* 1864, L., gâteau. || **éclaire** XIIe s., bot.

***clamer** 1080, *Roland ;* lat. *clamare.* || ***clameur** fin XIe s., *Lois de Guill. ;* lat. *clamor, -oris.* || **acclamer** début XVIe s., Lemaire ; lat. *acclamare,* saluer par des cris. || **acclamation** 1504, Lemaire ; lat. *acclamatio.* || **déclamer** 1542, « crier » ; 1688, La Bruyère, péjor. ; lat. *declamare.* || **déclamation** fin XVe s., Tardif, même évolution. || **déclamateur** 1519 ; lat. *declamator.* || **déclamatoire** 1549, R. Est. ; bas lat. *declamatorius.* || **exclamer** 1495, J. de Vignay, v. tr. ; début XVIe s., v. pr. ; lat. *exclamare.* || **exclamation** 1311, texte relatif à Abbeville ; lat. *exclamatio.* || **exclamatif** 1747, abbé Girard, gramm. (V. RÉCLAMER.)

**clamp** 1643, Fournier, « pièce de bois formant applique » ; méd., 1856, *journ. ;* néerl. *klamp,* de sens voisin.

**clampin** V. CLOPIN-CLOPANT.

**clamser** 1867, Delvau, « mourir » ; pop., var. *clapser,* de *claps,* coup, pop., empr. à l'allem. *Klaps,* claque, taloche, ou d'orig. onomatop. (Cf. pop. *claquer,* au sens de « crever ».)

**clan** 1750, abbé Prévost, « tribu », d'abord celtique ; angl. *clan,* du gaélique *clann,* famille. || **clanique** 1935.

**clandestin** 1355, Bersuire ; lat. *clandestinus,* de *clam,* en secret. || **clandestinement** 1354, *Arch. de Reims.* || **clandestinité** fin XVIe s., Fontanon. || **clandé** 1948, Esnault, « maison close » ; abrév. de *clandestin.*

**clangoreux** fin XIXe s., méd., indiquant certain bruit du cœur ; lat. *clangor,* bruit éclatant. || **clangueur** fin XVe s., Auton.

**clapet** V. CLAPPER.

**clapier** 1210, *Chartes du Forez ;* anc. prov. *clapier,* lieu pierreux, amas de pierres, d'un rad. préceltique **clapp-,* de **cal* (v. CAILLOU). || **clapir** 1727, Furetière, « se cacher dans un terrier ».

**clapoter** V. CLAPPER.

**clapper** XVIe s., Bouchet ; d'une onom. *clapp,* figurant le clappement de la langue et les bruits similaires. || **clapoter** 1611, Cotgrave (*-eter*) ; XVIIIe s. (*-oter*). || **clapotement** 1654, Du Tertre. || **clapotage** début XVIIIe s. || **clapoteux** 1730, Labat. || **clapotis** 1792, Romme. || **clappement** début XIXe s. || **clapet** 1517, Delb. ; p.-ê. du prov.

1. **claque** V. CLAC.

2. **claque** n. m., 1883, arg., maison close ; orig. obscure, p.-ê. de *claquedent.*

**claquemurer, claquer, clarifier, clarine** V. CLAC, CLAIR.

**classe** 1355, Bersuire, « classe de citoyens » ; 1549, R. Est., « classe scolaire » ; XVIIe s., Colbert, « classes des gens de mer » ; XVIIe s., fig., « catégorie » ; fin XVIIIe s., milit. ; 1733, Sauvages de La Croix, « classe zoologique » ; lat. *classis,* classe de citoyens. || **classer** 1756, Th. de Bordeu. || **classement** 1784, *Courrier de l'Europe,* « rangement » ; 1790, Mirabeau, sens social. || **classeur** 1811, *Arch. découvertes.* || **classifier** v. 1500, « établir d'après une classification » ; 1787, Féraud, « ranger par classes, par catégories ». || **classification** 1752, Trévoux. || **classificateur** 1816. || **classificatoire** 1874. || **déclasser** 1813, Romme, « retirer de l'Inscription maritime » ; 1826, Mozin, sens social. || **déclassé** n., 1856, F. Béchard. || **déclassement** 1836, *Acad.* || **inclassable** 1845, J.-B. Richard.

**classique** 1548, Sébillet ; écrivain de premier ordre (en lat., IIe s., Aulu-Gelle) ; *enseignement classique,* 1798, *Acad. ;* lat. *classicus,* de la première classe de citoyens. || **classiquement** 1809. || **classicisme** 1823, Stendhal, fait sur le sens « qui appartient à la littérature classique du XVIIe s. » ; fin XIXe s., sens général.

**claudication** XIIIe s., *Miroir de saint Éloi ;* rare jusqu'au XVIIIe s. ; lat. *claudicatio,* de *claudus,* boiteux. || **claudicant** XIVe s., B. de Gordon ; lat. *claudicare,* boiter. || **claudiquer** 1880, Huysmans.

**clause** 1190, Garn., « vers » ; XIVe s., *Girart de Roussillon,* « conclusion » ; 1464, *Maître Pathelin,* sens actuel ; lat. médiév. *clausa,* de *claudere,* clore, confondu avec *clausula.* || **clausule** 1541, Calvin, « période » ; 1638, Chapelain, « fin de vers » ; lat. *clausula,* conclusion, fin de phrase.

**claustral** 1394, Tuetey ; lat. médiév. *claustralis, de claustrum,* enceinte, lieu clos (v. CLOÎTRE). || **claustration** 1791, *Journ. de Paris,* méd. ; 1842, J.-B. Richard, sens actuel. || **claustrer** 1845, J.-B. Richard ; lat. *claustrare,* enfermer. || **claustrophobie, claustrophobe** 1880, *Journ. de méd.*

**clausule** V. CLAUSE.

**clavaire** 1793, Nemnich, « champignon » ; lat. *clava,* massue, d'apr. la forme.

1. **claveau** V. CLEF.

2. ***claveau** XIIIe s., *Lapidaire de Cambridge* (*clavel*), maladie des moutons ; bas lat. *clavellus* (Ve s., Marcus Empiricus), de *clavus,* clou, à cause des pustules. || **clavelée** 1464, *Maître Pathelin.*

**clavecin** 1611, Cotgrave (*-essin*) ; lat. médiév. *clavicymbalum* (d'où *clavycimbale,* 1447, Gay), c.-à-d. cymbale à clavier, de *clavis,* clef. || **claveciniste** 1694, Regnard.

**clavelée, clavette, clavicorde** V. CLAVEAU 2, CLEF.

**clavicule** 1541, Canappe ; lat. *clavicula,* dimin. de *clavis,* clef. || **claviculaire** 1560, Paré. (V. CHEVILLE.)

**clavier, clayère, clayette, clayon** V. CLEF, CLAIE.

**clearing** 1948, Lar. ; mot angl. signif. « compensation ». || **clearing-house** 1833, Chevalier ; mot angl. signif. « chambre (maison) de compensation ».

**clebs** 1832, Lamartine (*kleb*) ; ar. algérien *klab,* pl. *kilāb,* chien. || **clébard** 1934, Esnault, pop.

***clef** 1080, *Roland ;* XIV^e^ s., *clef des champs ;* XV^e^ s., *clef de voûte ;* lat. *clavis.* || **clavier** XII^e^ s., « porte-clefs » ; 1564, Thierry, assemblage de touches dans divers instruments de musique. || **claviste** XIX^e^ s. || **clavette** 1160, Benoît. || **claveter** 1861. || **clavetage** 1892. || **claveau** 1380, G., archit. ; d'apr. *clef de voûte.* || **clavicorde** 1514, Gay (*-cordium*) ; 1776 (*-corde*).

**clématite** 1559, Mathée (*-ide*) ; lat. *clematitis,* mot gr., de *klêma,* sarment ; liane grimpante.

**clémence** X^e^ s., *Eulalie* (*clementia*) ; 1265, Br. Latini (*clemence*) ; lat. *clementia.* || **clément** 1213, *Fet des Romains ;* lat. *clemens.* || **inclément** 1546, Vaganay ; lat. *inclemens.* || **inclémence** 1521, Fabri ; lat. *inclementia.*

**clenche** XIII^e^ s., Rutebeuf (*clenque*) ; francique **klinka,* levier oscillant autour de l'axe d'un loquet (allem. *Klinke*). || **déclencher** 1732, Trévoux. || **déclenchement** 1863, L. ; 1916, fig., d'apr. *déclencher une offensive.* || **enclencher** 1870, Lar. || **enclenchement** 1870, Lar.

**clepsydre** XIV^e^ s., G. (*-idre*) ; 1611, Cotgrave (*-ydre*) ; lat. *clepsydra,* mot gr. signif. « qui vole (*kleptein,* voler) l'eau (*hudôr*) ».

**cleptomane** V. KLEPTOMANE.

***clerc** X^e^ s., *Saint Léger,* opposé à « laïc » ; 1160, Benoît, « lettré » ; XV^e^ s., « employé en écritures » ; lat. chrét. *clericus* (III^e^ s., Arnobe), de *clerus,* clergé. || **clergie** 1160, Benoît. || **clergeon** 1155, Wace, avec *g* de *clergé.* || **clergé** X^e^ s., L. ; lat. chrét. *clericatus* (IV^e^ s., saint Jérôme), de *clerus.* || **clergyman** 1815, de Maistre ; mot angl. || **clérical** XII^e^ s., « relatif aux clercs » ; 1815, sens polit. ; lat. *clericalis* (V^e^ s., Sid. Apoll.). || **cléricalement** 1517, G. || **cléricalisme** 1855, Block. || **cléricaliser** 1873, L. || **cléricalisation** 1876, L. || **cléricature** 1429, G. ; lat. eccl. *clericatura,* de *clericatus.* || **anticlérical** 1866, Lar. || **anticléricalisme** fin XIX^e^ s.

**clic** XV^e^ s., interj. ; 1866, terme de phonét. ; onom.

**clic-clac** 1836, Landais ; onom. avec redoublement et alternance *i-a,* comme *bric-à-brac, cric-crac, flic-flac, micmac, tic-tac, tric-trac, zigzag.*

1. **clicher** fin XVIII^e^ s., en imprimerie ; formation expressive d'apr. le bruit de la matrice s'abattant sur le métal en fusion ; ou de l'allem. dial. *Klitsch,* petite masse. || **cliché** 1809, Wailly. || **clichage** 1809, Wailly. || **clicheur** 1835, *Acad.* || **clicherie** 1866, Lar.

2. **clicher** 1836, Landais ; onom. exprimant un défaut de prononc. des chuintantes et des sifflantes. || **clichement** 1836, Landais. || **cliche** 1836, pop., « diarrhée » ; même orig.

**client** 1437, *Revue hist. littér.,* « protégé » ; 1539, R. Est., client d'un homme de loi ; 1826, Castellane, sens commercial ; lat. *cliens, -tis,* terme polit., puis jurid. || **clientèle** 1352, « état de client » ; lat. *clientela ;* 1838, *le Cabinet de lecture,* sens commercial se substituant à *chaland, achalandage.* || **clientélisme** XX^e^ s., polit.

**clifoire** 1552, Rab. (*glyphouoire*) ; 1611, Cotgrave (*cliquefoire*) ; onom. *clique* et *foire.*

***cligner** 1155, Wace ; p.-ê. lat. pop. **clinĭāre,* baisser les paupières, de *clīnare,* incliner, ou de *clūdiniāre,* de *clūdĕre,* fermer. || **clignement** XIII^e^ s., G. (*cloi-*). || **clin d'œil** XV^e^ s., déverbal. || **clignoter** XIII^e^ s. (*-eter*). || **clignotement** 1546, R. Est. || **clignotant** 1546, adj. ; n. m., 1953, Lar. || **cligne-musette** 1534, Rab. (*cline muzète*) ; altér. de *cligne-mussette* (XV^e^ s., encore *Acad.* 1798), dimin. de **cligne-musse,* de *cligner* et *musser,* cacher ; anc. nom du jeu de cache-cache.

**climat** XII^e^ s., sens actuel ; 1314, Mondeville, « région » ; lat. *clima, -atis,* du gr. *klima,* inclinaison (du soleil), d'où latitude, climat. || **climatique** apr. 1850, E. Reclus. || **climatologie** 1834, Jourdan. || **climatologique** 1842, *Acad.* || **climatiser** 1935. || **climatisation** v. 1920. || **climatiseur** 1955, *journ.* || **acclimater** 1775, Buffon, d'apr. Féraud. || **acclimatement** 1801, Mercier. || **acclimatation** 1832, Boiste.

**climatérique** 1564, Marcouville ; gr. *klimaktêrikos,* « qui va par échelons », pour désigner les années critiques de l'homme.

1. **clin** V. CLIGNER.

2. **clin** fin XII^e s., *D. G.,* « inclinaison » ; 1866, Lar., mar., « disposition du bordage » ; déverbal de *cliner,* lat. *clinare.* || **déclinquer** 1842, Mozin. (V. DÉGLINGUER.)

**clinfoc** 1792, Romme ; allem. *klein Fock,* petit foc.

**clinique** 1586, adj. ; n. f., début XVII^e s. ; lat. *clinicus,* du gr. *klinikos,* « qui visite les malades au lit (*klinê*) ». || **cliniquement** 1852. || **clinicien** 1838, *Acad.* || **clinicat** 1866, Lar., fonction de chef de clinique. (V. POLYCLINIQUE.)

**clinquant** XIV^e s. ; anc. fr. *clinquer,* var. de *cliquer,* faire du bruit (v. CLIQUE), par ext. briller. La nasalisation paraît due au néerl. *klinken,* résonner.

1. **clip** 1932 ; mot angl. signif. « petit bijou en forme d'agrafe ».

2. **clip** 1983 ; mot amér. signif. « extrait ».

**clipper** 1845, Itier, « voilier » ; mot angl. signif. « qui coupe les flots ».

**clique** début XIV^e s., Gilles li Muisis, déjà au fig. ; anc. fr. *cliquer,* faire du bruit, onom. (XIII^e s.). || **cliqueter** 1230, *Eustache le Moine.* || **cliquette** *id.* || **cliquetis** XIII^e s. || **cliquet** fin XIII^e s. || **cliquart** 1581, Dusseau, « sorte de marbre ». || **déclic** 1510, Delb. ; déverbal de l'anc. fr. *décliquer* (XIII^e s.).

**cliques** 1866 (*prendre ses cliques et ses claques*) ; mot rég. signif. « jambes », de l'onom. *clic.*

**clisse** 1160, Benoît (*clice*), « osier tressé » ; croisement probable entre *claie* et *éclisse,* les éclisses servant à faire des treillis. || **clisser** 1461.

**clitoris** 1611, Cotgrave ; gr. *kleitoris.* || **clitoridien** 1764.

**cliver** 1583, F. Bretin (*-é*), employé pour les diamants ; XX^e s., fig. ; néerl. *klieven,* fendre, spécialisé par les diamantaires d'Amsterdam. || **clivage** 1753, *Encycl.,* sens propre ; 1932, Romains, fig., « séparation ».

**cloaque** 1355, Bersuire, égout ; XVI^e s., Ronsard, fig. ; lat. *cloaca.* La *Cloaca maxima* était le grand égout collecteur de la Rome antique. || **cloacal** 1838.

***cloche** début XII^e s., *Voy. de Charl. ;* XVI^e s., objet en forme de cloche ; 1899, Esnault, « stupide » ; bas lat. *clocca* (VII^e s., *Vie de saint Colomban*), mot celtique importé par les missionnaires anglo-irlandais, qui a remplacé en Gaule le lat. chrét. *signum* (lat. class., « statue, signal »). || **clocher** début XII^e s. || **clocheton** fin XVII^e s., Valincourt. || **clochette** XII^e s., G.

1. **clocher** V. CLOCHE.

2. ***clocher** 1120, *Ps. d'Oxford ;* lat. pop. **cloppicare,* de *cloppus,* boiteux, syn. pop. de *claudus.* || **cloche-pied (à)** 1395, Chr. de Pisan. (V. CLOPIN-CLOPANT.) || **clochard** 1895, Esnault, vagabond, proprement « qui boitille ». || **cloche** n. m., v. 1300, boiteux ; n. f., 1882, pop. || **clodo** 1926 ; de *clo(chard)* et de l'élém. *-dot,* de *(cra)dot.* || **clochardisation** 1961, G. Tillion. || **déclochardisation** 1959, de Gaulle.

***cloison** 1160, Benoît, « enceinte fortifiée » (jusqu'au XVI^e s.) ; 1538, R. Est., « paroi » ; lat. pop. **clausio, -onis,* de *clausus,* clos. || **cloisonnage** 1505. || **cloisonné** 1742, Trévoux. || **cloisonner** 1803, Boiste. || **cloisonnement** 1845, Richard, fig.

***cloître** 1160, Benoît (*clostre*) ; lat. impér. *claustrum,* enceinte, en bas lat. « lieu clos », spécialisé à l'époque franque en « monastère (cloîtré) » ; le *i* de *cloistre* est dû à l'étymologie pop., qui a rapproché le mot de *cloison* (*cloisture, clôture,* Monluc). || **cloîtrer** 1623, *Cout. de Luxembourg ;* 1832, Raymond, fig.

**clope** 1902, arg. ; de *ciclope,* de *cigarette* par substitution d'élément. || **clopinettes** 1925, Esnault, fam. ; p.-ê. de *clope.*

**clopin-clopant** 1668, La Fontaine ; anc. adj. *clopin,* boiteux, et part. prés. de *cloper,* boiter (encore 1611, Cotgrave), lat. *cloppus* (v. CLOCHER). || **clopiner** 1155. || **clopinard** 1947. || **clampin** fin XVII^e s., G., pop. ; var. de *clopin.* || **clampiner** 1845, Besch. || **écloper** 1175, Chr. de Troyes (*-é*).

**cloporte** XIII^e s., G. (*choplote*) ; 1538, R. Est. (*cloporte*) ; p.-ê. de *clore,* fermer, et de *porte.* (V. CLOPIN-CLOPANT.)

**cloque** 1750, Ch. Bonnet ; forme picarde de *cloche* au sens fig. de « bulle ». || **cloquer** XVIII^e s., Genlis, hortic. ; 1866, Lar., peint. || **cloquage** 1866, Lar.

***clore** XI^e s., « fermer » ; XII^e s., « entourer d'une clôture » ; lat. *claudĕre ;* il a été remplacé peu à peu par *fermer* depuis le XVI^e s., par suite de l'homonymie de certaines formes avec celles de *clouer.* || ***clos** XII^e s., *Vie de saint Grégoire ;* part. passé substantivé (lat. *clausus*) de *clore.* || **closier** 1240, G. de Lorris, « fermier du clos » ; mot de l'Ouest. || **closerie** 1449, G. || **closoir** 1511, texte de Béthune, techn. (*clau-*). || * **clôture** XII^e s., Herman de Valenciennes ; XVI^e s., fig. ; lat. pop. **clausĭtūra,* qui remplaça *clausura,* de *claudere,* clore. || **clôturer** 1787, Féraud, finir. || **déclore** 1080, *Roland.* || * **éclore** 1155, Wace, « faire sortir » ; v. intr., sens actuel, 1600, O. de Serres ; lat. pop. **exclaudĕre,* du lat. class. *exclūdĕre,* faire sortir, restreint à « faire éclore des œufs ». || **éclosion** 1747, *Mémoires.* || * **enclore** 1050, *Alexis ;* lat. pop. **inclaudĕre,* réfection de *includere,* d'apr. *claudĕre.* || **enclos** 1250, *Prise de Defur.* || **enclosure** 1804, Bonnafé ; mot angl. signif. « enclos », de l'anc. fr. *encloseure,* enceinte. || **forclore** 1120, *Ps. d'Oxford,* jurid. || **forclusion** milieu XV^e s. ; d'apr. *exclusion.* (V. EXCLURE, RECLUS.)

**close-combat** 1966 ; mot angl. signif. « combat rapproché ».

**clôture** V. CLORE.

* **clou** 1080, *Roland ;* 1170, furoncle ; XIX^e s., attraction ; début XX^e s., mauvais véhicule ; lat. *clavus.* || **clouer** 1138, *Saint Gilles.* || **clouter** XIII^e s., surtout au part. passé. || **cloutage** fin XIX^e s. || **clouterie** début XIII^e s. (*claueterie*) ; XV^e s. (*clouterie*). || **cloutier** fin XIII^e s., G. (*cloitier, clotier*), tous ces mots avec un *t* analogique. || **déclouer** 1170, Chr. de Troyes. || **désenclouer** 1580, d'Aubigné. || **enclouer** fin XII^e s., *Enfances Vivien.* || **reclouer** fin XII^e s., *Naissance du chevalier au cygne.*

**clovisse** 1611, Cotgrave (*clouïsse*) ; rare jusqu'au XIX^e s. ; prov. mod. *clauvisso,* de *claure,* fermer, du lat. *claudĕre ;* le coquillage se ferme quand on le touche.

**clown** 1823, A. D. d'Arcieu ; mot angl. signif. « rustre ». || **clownesse** 1884, Huysmans. || **clownerie** 1842. || **clownesque** 1878.

**cloyère** V. CLAIE.

**club** 1702, Miege ; mot angl., au sens fig. « réunion, cercle » (XVII^e s.), vulgarisé dans la première moitié du XVIII^e s. (club de l'Entresol, 1724) et pendant la Révolution ; 1882, Old Nick, « gros bâton », a été repris en golf. || **clubisme** 1835, Carné. || **clubiste** 1784, *Journ. de Paris,* polit. || **clubman** 1784.

* **cluse** 1562, Du Pinet ; rare jusqu'au XIX^e s. (1834) ; mot jurassien, du lat. *clūsa,* fermée, de *clausa,* part. passé de *claudĕre,* clore.

**clystère** 1256, Ald. de Sienne (*clis-*) ; lat. *clyster,* du gr. *klustêr,* de *kluzein,* laver ; il est remplacé au XIX^e s. par *lavement* (1836, Landais).

**cnémide** 1788, *Encycl. méth. ;* gr. *knêmis, -idos,* jambière, de *knêmê,* jambe.

**co-** préf. signifiant « avec », du lat. *cum-*. Les mots commençant par ce préfixe sont répertoriés ici à partir de leur radical.

**coach** 1832, « diligence » ; mot angl., du fr. *coche* (v. ce mot).

**coaction** 1252, G. ; lat. *coactio,* de *cogĕre,* contraindre. || **coactif** 1361, Oresme ; lat. médiév. *coactivus.*

**coadjuteur** v. 1265, J. de Meung ; bas lat. *coadjutor,* de *adjuvare,* aider. || **coadjutorerie** 1617, *Mercure.*

**coaguler** XIII^e s., G. ; lat. *coagulare,* qui a donné *cailler.* || **coagulation** 1360. || **coagulable** 1594, Dariot. || **coagulant** 1827, *Acad.* || **anticoagulant** XX^e s. || **coagulum** 1743, Brunot.

**coalescence** 1537, Canappe ; lat. *coalescere,* « croître avec », de *alĕre,* nourrir. || **coalescent** 1539, Canappe.

**coalition** 1544, Mathée ; repris à l'angl. (1718, Mackenzie) au sens polit. ; 1836, Landais, sens social ; lat. *coalitus,* part. passé de *coalescere,* s'unir (d'où *coalescer,* 1611, Cotgrave). || **coaliser** 1784, *Courrier de l'Europe ;* 1847, Marx, sens social.

**coaltar** début XIX^e s. ; mot angl., de *coal,* charbon, et *tar,* goudron. || **coaltarer** 1866, Lar., qui s'est substitué à *coaltariser* (1872, L.).

**coasser** 1564, du Chesne (*coaxer*) ; 1611, Cotgrave (*coasser*) ; lat. *coaxare,* du gr. *koax,* onom., cri des grenouilles (Aristophane). || **coassement** 1600, O. de Serres.

**coati** 1558, Lokotsch ; mot indigène du Brésil, désignant un carnassier grimpeur des forêts américaines.

**cobalt** 1549, Belon, var. *cobolt* jusqu'au XIX^e s. ; allem. *Kobalt,* var. de *Kobold,* lutin (cf., pour le sens, NICKEL), par l'intermédiaire du lat. scientifique. || **cobalthérapie** v. 1960.

**cobaye** 1775, Bomare ; lat. zool. *cobaya* (1775, Bomare), du tupi-guarani *sabuja,* par le portugais.

**cobéa** 1801, *Encycl. méth. ;* lat. bot. : nom donné à la plante en l'honneur du missionnaire *Cobo.*

**cobra** 1587, Brunot ; abrév. de *cobra capel,* du port. *cobra capello,* couleuvre-chapeau, la tête de ce serpent indien rappelant un capuchon, du lat. pop. **colōbra.*

**coca** 1569, Fumée ; mot esp. empr. à une langue de La Plata. || **cocaïne** 1856, Lachâtre. || **cocaïnomane** 1897, Auscher. || **Coca-Cola** 1948 (marque déposée en 1886) ; mot amér. || **coco** 1912, Esnault ; abrév. de *cocaïne.*

**cocagne** fin XII^e s., *Aymeri,* souvent nom propre en anc. fr. ; p.-ê. d'origine méridionale (ital. *cuccagna,* même sens) ; le sens premier est représenté par le prov. *cocanha,* friandise (XV^e s., « pastel de pâte »), d'origine obscure.

**cocaïne** V. COCA.

**cocarde** 1532, Rab. (*bonnet à la cocarde*) ; anc. fr. *coquard,* vaniteux, dér. de *coq.* || **cocardeau** av. 1450, *Passion.* || **cocardier** 1858, Larchey, « patriote ». || **cocarder (se)** 1877, pop. ; de *avoir sa cocarde.*

**cocasse** 1739, *Étrennes de la Saint-Jean ;* var. péjor. de *coquard,* vaniteux, de *coq.* || **cocasserie** 1836, Vidocq.

**coccinelle** 1754, A. de La Chesnaye ; lat. *coccinus,* écarlate, de *coccum,* cochenille, d'après la couleur des élytres.

**coccyx** 1541, Canappe ; gr. *kokkux,* coucou, l'os ayant été comparé au bec du coucou. || **coccygien** 1753, *Encycl.*

1. **coche** V. COCHON.

2. ***coche** 1175, Chr. de Troyes, « entaille » ; p.-ê. lat. pop. **cŏcca,* d'orig. et de sens obscurs. || **cocher** v., début XIV^e s. || **cochoir** 1723, Savary (*-ois*). || **décocher** XII^e s. || **décochement** XII^e s. || **encocher** 1160, Benoît. || **encoche** 1542, Du Pinet.

3. **coche** 1283, Beaumanoir, « bateau pour voyageurs », fém. jusqu'au XVI^e s., masc. au XVII^e s., d'apr. *coche,* voiture, dont on le distingue en disant *coche d'eau ;* anc. néerl. *cogge,* lui-même issu du lat. *caudica,* sorte de bateau.

4. **coche** 1545, Barbier, « voiture » ; allem. *Kutsche,* n. f., du tchèque *kotchi,* c.-à-d. voiture à niche (*kotec*). || **cocher** 1560, R. Belleau. || **cochère** (*porte*) 1611, Cotgrave, porte pour voiture.

**cochenille** 1567, Fréville, « nopal », bois qui fournit une teinture rouge et sur lequel le cloporte vit ; esp. *cochinilla,* cloporte, de *cochino,* cochon.

**cocher** V. COCHE 2 et COCHE 4.

**côcher** 1256, Ald. de Sienne, « couvrir (la femelle) » ; pour *caucher,* de l'anc. fr. *chaucher,* lat. *calcare,* presser, fouler, croisé avec le picard *cauque.*

**cochère** (*porte*), **cochet** V. COCHE 4, COQ 1.

**cochevis** 1320, Watriquet, « alouette huppée » ; orig. obscure, p.-ê. onomatop.

**cochlearia** 1599, trad. de G. de Vera ; mot du lat. bot. signif. « cuiller », d'apr. la forme des feuilles.

**cochon** 1091, *Cart. de Redon,* « jeune porc », puis « porc » ; p.-ê. origine expressive (cri pour appeler les porcs) ; d'abord d'emploi grossier. || **coche** XIII^e s., *Roman de Renart,* « truie ». || **cochonner** 1403, G., « mettre bas » ; 1808, d'Hautel, « salir ». || **cochonnet** fin XIII^e s., « cochon de lait » ; 1530, Palsgrave, « petit cochon » ; 1534, Rab., au jeu de boules. || **cochonnaille** 1772, *les Porcherons.* || **cochonnerie** 1688, *Doc.,* au pr. et au fig. || **cochonceté** 1884, fam.

**cocker** 1863, Pichot, « épagneul anglais de chasse » ; mot angl., abrév. de *woodcocker,* bécassier.

**cockney** 1750, abbé Prévost ; mot angl. pop. signif. « badaud », d'origine inconnue, p.-ê. de *cocken-egg,* « œuf de coq ».

**cockpit** 1878, *le Yacht ;* mot angl. signif. « habitacle du pilote ».

**cocktail** 1755, abbé Prévost, « homme abâtardi » ; 1836, Defauconpret, sens actuel ; vulgarisé au XX^e s. ; mot d'argot anglais signif. « à queue redressée ». Il a d'abord désigné en anglais les chevaux bâtards, puis une boisson bâtarde faite d'eau et d'alcool.

1. **coco** V. COCA.

2. **coco** 1525, *Voy. Antoine Pigaphetta,* « fruit du cocotier », auj. *noix de coco ;* 1735, Leroux, « boisson à la réglisse », d'apr. le lait de *coco ;* mot port. signif. « croquemitaine », d'apr. l'aspect hirsute du fruit. || **cocotier** 1529, J. Parmentier. || **cocoteraie** 1929.

3. **coco** 1792, Hébert, « individu » ; d'apr. *coco,* œuf, onom. enfantine formée d'apr. le cri de la poule.

4. **coco** 1941 ; abrév. fam. de *communiste.*

**cocodès** 1845, Osmont, jeune viveur ; d'une chanson du Directoire, onomat. || **cocodette** 1860, Delvau, pop.

**cocon** 1600, O. de Serres ; prov. *coucoun,* même rac. que *coque.* || **coconner** 1845, Besch.

**cocorico** ou **coquerico** 1480, Villon (*coquericoq*) ; onom. d'apr. le chant du coq.

**cocoter** 1890, Chautard ; de *gogoter* (1881), dér. de *chlingoter, chlinguer,* ou de *sentir la cocotte* (la courtisane).

**cocotier** V. COCO 2.

1. **cocotte** 1789, *Cahier...des dames de la Halle,* « femme de mœurs légères » ; 1845, Besch., fièvre aphteuse, gonorrhée ; d'apr. l'onom. enfantine signif. « poule » (attestée seulement dans d'Hautel, 1808). || **cocotterie** 1860, Delvau.

2. **cocotte** 1807, Michel, « marmite ronde en fonte » ; il a été rapproché de *coquasse* (1552, Rab.) et de l'anc. fr. *coquemar,* bouilloire, p.-ê. du lat. *cŭcŭma,* chaudron, ou de *coque,* coquille.

**coction** 1560, Paré ; lat. *coctio,* cuisson. (V. *cuisson,* à CUIRE.)

**cocu** 1340, J. Le Fèvre ; var. anc. de *coucou,* qui a pris le sens fig. parce que la femelle du coucou pond dans le nid d'autres oiseaux ; le cri moqueur du coucou a été interprété comme une appellation ironique à l'égard de l'oiseau trompé ; lat. pop. **cŭccūlus,* forme redoublée de *cuculus ;* ou de *coque,* coquille (le *cocu* est coiffé comme d'une coquille, c.-à-d. trompé). || **cocuage** XVe s. || **cocufier** 1660, Molière. (V. COUCOU.)

**coda** 1821 ; mot ital. signif. « queue », en un sens musical ; du lat. *cauda.*

**code** 1220, d'Andeli, « recueil de lois » ; 1835, *Acad.,* « règles » ; 1866, Lar., « ensemble de symboles » ; lat. jurid. impér. *codex,* tablette, puis registre. || **codex** 1651, Hellot ; forme latine, spécialisée pour le recueil officiel de formules pharmaceutiques. || **codifier** 1836, Raymond. || **codification** 1819, Saint-Simon. || **codicille** 1269, G. ; lat. *codicillus,* dimin. de *codex.* || **codicillaire** 1562, Papon ; bas lat. *codicillaris.* || **coder** v. 1950. || **codage** 1960, Lar. || **codique** v. 1965. || **codeur** 1960. || **codicologie** 1961. || **décoder** XXe s.

**codéine** 1832, Robiquet ; gr. *kôdeia,* tête de pavot.

**codex, codicille, coefficient** V. CODE, EFFICIENT.

**cœlacanthe** 1890 ; gr. *koilos,* creux, et *akantha,* épine.

**cœlentérés** 1888, Lar. ; gr. *koilos,* creux, et *enteron,* intestin ; « qui ont pour appareil digestif un simple sac ».

**cœliaque** 1545, Guéroult ; lat. *cœliacus,* du gr. *koiliakos,* de *koilia,* ventre. || **cœlioscopie** 1911, Lar.

**coercible** 1766, Brunot ; lat. *coercere,* contraindre. || **coercibilité** 1842, *Acad.* || **coercitif** 1560, Postel ; part. passé *coercitus.* || **coercition** 1529, *Doc. ;* lat. *coercitio.* || **incoercible** 1767, Diderot. || **incoercibilité** 1867, L.

***cœur** 1080, *Roland* (*cuer*) ; *par cœur,* XIIIe s., le cœur étant considéré comme le siège de l'intelligence (v. COURAGE) ; XVIIe s., dans les jeux de cartes ; début XVe s., *cœur* d'un arbre ; *tenir à cœur,* XVIIe s. ; *grand cœur,* XVIe s. ; lat. *cŏr, cŏrdis.* || **contrecœur (à)** 1398, *Ménagier ; contrecœur d'une cheminée,* XIIIe s. || **écœurer** 1611, Cotgrave, « affaibli » ; 1642, Oudin, « dégoûter ». || **écœurement** 1870, Lar. || **sans-cœur** V. SANS.

**coffin** XIIIe s., *Saint-Graal ;* bas lat. *cŏphĭnus,* du gr. *kophinos,* corbeille. || **coffine** 1723, Savary ; forme féminine. (V. COUFFE, COUFFIN.)

***coffre** 1130, *Couronn. Loïs,* « bahut » ; XIIIe s., « caisse » ; 1650, Rotrou, *coffres de l'État ;* 1690, Furetière, *coffre d'une voiture ;* bas lat. *cŏphĭnus* (v. COFFIN). || **coffret** 1265, J. de Meung. || **coffrer** 1544, Mathée. || **coffrage** 1836, Raymond. || **coffre-fort** 1543.

**cogitation** 1120, *Ps. d'Oxford ;* lat. *cogitatio,* pensée. Emploi ironique aujourd'hui. || **cogiter** XVe s., « méditer ».

**cognac** 1783, *Encycl. méth. ;* de *Cognac,* ville de Charente.

**cognassier** V. COING.

**cognat** XIIIe s., *Griselidis ;* lat. *cognatus,* de *co-,* et *natus,* né. || **cognation** 1160, Benoît ; lat. *cognatio,* lien de parenté entre tous les parents de même sang (terme de droit).

***cognée** 1080, *Roland* (*cuignée*) ; lat. pop. *cuneāta* (*cuniada,* IXe s., *Capitulaires*), de *cuneus,* coin.

***cogner** 1130, *Couronn. de Loïs ;* lat. *cuneāre,* enfoncer un coin (*cuneus*). || **cogne** 1800, *Chauffeurs,* arg. et pop., « gendarme », puis « agent de police ». || **cognement** 1907, Lar.

**cognition** 1801, Ch. de Villers ; lat. *cognitio,* action de reconnaître. Terme de droit romain. || **cognitif** 1361, Oresme ; lat. *cognitum,* connu, de *cognoscere,* connaître.

**cohérent** 1524, G. ; lat. *cohaerens,* de *haerere,* adhérer. || **cohérence** *id. ;* lat. *cohaerentia.* || **incohérent** 1751, Voltaire. || **incohérence** 1775, Voltaire.

**cohésion** fin XVII^e s. ; lat. *cohaesio,* de *haerere,* adhérer, c'est-à-dire « action de s'attacher à quelque chose ». || **cohésif** 1866, Lar.

**cohober** 1615, Béguin, techn. ; lat. des alchimistes *cohobare,* de l'ar. *cohbé,* couleur foncée ; le liquide distillé devenant plus foncé. || **cohobation** 1615, Béguin.

**cohorte** 1213, *Fet des Romains,* hist. romaine ; 1530, Marot, « troupe » en général ; lat. *cohors, -ortis.*

**cohue** 1235, *D. G.,* « marché public » ; 1638, Chapelain, « affluence » ; moyen breton *cohuy,* réunion bruyante.

***coi** 1080, *Roland* (*quei*) ; lat. pop. *quētus,* du lat. class. *quiētus ;* fin XVIII^e s., fém. *coite.*

***coiffe** 1080, *Roland ;* bas lat. *cofea* (VI^e s., Fortunat), du germ. *kufia,* casque. || **coiffer** XIII^e s., *D. G.,* « mettre une coiffure » ; 1587, Crespet, fig. ; 1675, Widerhold, « arranger les cheveux ». || **coiffure** fin XV^e s., d'Authon. || **coiffeur** 1669, Widerhold, qui a remplacé *perruquier* et *barbier.* || **coiffeuse** milieu XVII^e s. ; 1901, Colette, « toilette ». || **décoiffer** XIII^e s., *D. G.*

***coin** XII^e s., « angle » et *coin* de monnaie ; XVI^e s., « endroit » ; lat. *cŭneus,* coin à fendre. || **coincer** 1773, Bourdé, avec un *c* analogique. || **coincement** 1888, Lar. || **écoinçon** 1334, G. || **coinçage** 1863, L. || **coinceur** 1950. || **encoignure** 1504, Barbier. || **rencogner** 1638, Chapelain ; d'apr. l'anc. fr. *encoignier.* || **recoin** 1549, R. Est., déverbal.

**coincher** v. 1900 ; p.-ê. forme régionale de *coincer.* || **coinchée** v. 1930.

**coïncider** 1361, Oresme, « concorder », fig. ; 1753, *Encycl.,* géométrie ; lat. médiév. *coincidere,* tomber ensemble, de *cadere,* tomber. || **coïncidence** milieu XV^e s., « similitude ». || **coïncident** 1503, Chauliac.

***coing** 1138, *Saint Gilles* (*cooin*) ; 1606, Nicot (*coing*), avec *g* d'apr. les dér. ; lat. *cotoneum,* ou *cydoneum,* du gr. *kudonia mala,* pommes de Cydonea (ville de Crète ou d'Asie Mineure). || **cognasse** 1534, de La Grise ; var. de *coing,* auj. coing sauvage. || **cognassier** 1611, Cotgrave ; a éliminé l'anc. fr. *coignier* (XIII^e s.).

***coint** 1050, *Alexis,* « prudent, habile », puis « joli » ; lat. *cŏgnĭtus,* part. passé de *cognoscĕre,* connaître, au sens de « réputé ». || **cointise** XII^e s., *Athis.*

**coït** 1378, J. Le Fèvre ; lat. *coitus,* de *coire,* aller ensemble. || **coïter** 1850, Flaubert.

**coke** 1758, Tilly (*coucke*) ; 1827, Dufrénoy (*coke*) ; angl. *coke,* même sens. || **cokéfaction** 1923, Lar. || **cokéfier** 1911, Lar. || **cokerie** 1882, *Génie civil.*

**col** V. COU.

**cola** 1610, Linschoten ; mot du lat. bot., issu d'une langue indigène du Soudan.

**colback** 1657, La Boullaye (*kalepak*) ; 1823, Boiste (*colback*) ; en 1799, coiffure des chasseurs de la Garde ; fin XIX^e s., fam., « col », par attraction de *col ;* du nom de la coiffure des mameluks *kalpak,* du turc *qalpack,* bonnet de fourrure.

**colchique** 1545, Guéroult ; lat. *colchicon,* mot gr. signif. « plante de Colchide », pays de Médée, la plante étant vénéneuse. || **colchicine** 1838 ; mot allem.

**colcotar** 1492, G. Tardif ; ar. *qolqotar,* oxyde de fer de couleur rouge.

**cold-cream** 1827, A. Martin ; mot angl. signif. « crème froide ».

**coléoptère** 1754, La Chesnaye ; gr. *koleopteros,* aile (*pteron*) en étui (*koleos*). Les élytres de ces insectes ont la forme d'étuis cornés.

**colère** 1265, Br. Latini, « bile » ; 1418, Caumont, fig. ; lat. *cholera,* bile, du gr. *kholê,* bile ; le sens fig. « colère » est déjà chez saint Jérôme ; il a éliminé l'anc. fr. *ire* (du lat. *ira*). [V. CHOLÉRA.] || **colérer** 1541, *Amadis.* || **colérique** 1256, Ald. de Sienne, « bilieux ». || **coléreux** 1574, R. Garn. || **décolérer** début XVI^e s. ; puis 1835, Stendhal ; de la négation *dé-,* et de *colérer.*

**colibacille** 1895, Courtois ; gr. *kôlon,* gros intestin, et *bacille.* || **colibacillose** 1897, Catrin.

**colibri** 1640, Bouton ; mot d'une langue indigène des Antilles.

**colichemarde** fin XVII^e s., « rapière à lame triangulaire » ; altér. de *Kœnigsmark* (1639-1688), qui passe pour l'avoir inventée.

**colifichet** 1640, Huet ; altér. de *coeffichier* (XV^e s., G., ornement de lingerie), ce qu'on *fichait* sur la *coiffe,* par infl. d'un autre mot formé sur *coller* et *ficher,* avec le sens de

« découpure de papier » collée sur du bois (XVIIe s.).

**colimaçon** 1390, *Doc.* (*caillemasson*) ; 1529, Parmentier (*coli-*) ; altér. du normanno-picard *calimaçon* (fin XIVe s.), de *limaçon* et du préfixe péjor. *ca-*. Ancien nom de l'escargot, qui ne subsiste plus que dans l'expression *en colimaçon* (1850, Balzac).

1. **colin** 1370, Deschamps, « poisson » ; altér., sous l'infl. de *Colin,* abrév. de *Nicolas,* de l'anc. fr. *cole* (1398, E. Deschamps), du néerl. *kool-*(*visch*) ou de l'angl. *coal* (*fish*), poisson-charbon, à cause de la couleur du dos.

2. **colin** XIIIe s. ; abrév. fam. de *Nicolas ;* 1530, Palsgrave, « poule d'eau », d'où perdrix d'Amérique.

**colin-maillard** 1532, Rab. (var. *colin-bridé*), avec deux noms de personnes. || **colin-tampon** 1567, Pasquier ; surnom plaisant donné à une batterie de tambours des Suisses.

**colique** fin XIIIe s. ; lat. *colica,* fém. substantivé de *colicus,* qui souffre de la colique, du gr. *kôlon,* gros intestin. || **coliqueux** 1560, Paré. || colite 1824.

**colis** 1723, Savary (var. *coli*) ; ital. *colli,* pl. de *collo,* cou, proprement « charges portées sur le cou ».

**collaborer** 1830 ; lat. chrét. *collaborare* (IIIe s., Tertullien), travailler ensemble (*laborare*). || **collaborateur** 1755, Mercier ; 1940, « qui travaille avec l'ennemi ». || **collabo** 1940 ; abrév. du précéd. || **collaboration** 1759, Richelet, « travaux communs des époux » ; 1829, Boiste, sens actuel ; 1940, polit. || **collaborationniste** 1929, « qui collabore » ; 1940, polit.

**collapsus** 1785, Cullen ; mot lat., part. passé subst. de *collabi,* s'affaisser, tomber en défaillance ; diminution rapide des forces, sans syncope. (V. LAPS.)

**collatéral** V. LATÉRAL.

**collation** 1276, Delb., jurid., *collation de bénéfice ;* XVe s., action de conférer avec quelqu'un ; 1200, *Règle de saint Benoît,* repas léger fait par les moines après la conférence du soir ; 1370, Oresme, « comparaison » (sens repris au lat.), d'où « comparaison de la copie avec l'original » ; lat. *collatio,* ce qu'on rapporte ensemble, de *collatus,* part. passé de *conferre,* rapporter, comparer. || **collationner** 1345, Fagniez, « comparer » ; 1549, R. Est., « faire le repas léger ». || **collationnement** 1866, Lar. || **collateur** 1460, Villon, « celui qui avait le droit de conférer un bénéfice ecclésiastique ». || **collatif** 1461, G.

***colle** 1268, É. Boileau, « matière gluante » ; 1819, Boiste, fig. pop. ; 1840, La Bédollière, arg. scol. (d'apr. *coller*) ; lat. pop. **cŏlla,* du gr. *kŏlla.* || **coller** 1320, Barbier ; *être collé,* 1840, pop. || **collant** 1572, Amyot. || **collante** 1900, Esnault, pop., « convocation ». || **collage** 1544, Delb. || **colleur** 1544, Delb. || **colleuse** XXe s., techn. || **collure** 1611. || **décoller** 1382, Barbier ; 1907, Lar., aviation. || **décollement** 1635, Monet. || **encoller** 1324, *D. G.* || **encollage** 1771, Schmidlin. || **encolleur** 1832, Raymond. || **encolleuse** 1877, L. || **recoller** fin XIVe s. || **recollement** 1845, Besch.

**collecte** XIIIe s., *Cout. des Chartreux,* sens liturgique ; XVe s., « levée des impôts » ; fin XVIIe s., « quête » ; lat. *cŏllecta,* quote-part, écot, part. passé substantivé de *cŏllĭgere,* placer ensemble. || **collecter** début XIVe s. || **collectage** début XVIe s. || **collecteur** 1325, G., « qui lève la taille » ; 1873, Lar., « conduite », n. m. ; bas lat. *collector.*

**collectif** XIIIe s. ; n. m., 1845, Besch. ; lat. *collectivus,* ramassé, de *collectus,* part. passé de *colligere,* réunir. || **collectivement** 1568, Le Roy. || **collectivité** 1836. || **collectivisme** 1836 ; sur *propriété collective* opposée à *propriété individuelle.* || **collectiviste** 1869. || **collectiviser** fin XIXe s. || **collectivisation** 1871, Lemonnier.

**collection** 1361, Oresme, « réunion » ; 1560, Paré, méd. ; 1680, Richelet, sens actuel ; lat. *collectio,* action de réunir (*colligere*). || **collectionner** 1840, Viel-Castel. || **collectionneur** 1828.

**collège** 1308, *Ystoire de li Normant ;* 1549, R. Est., spécialisation dans le sens scol. ; lat. *collegium,* confrérie, groupement. || **collégial** début XIVe s., Gilles li Muisis, sens eccl. || **collégialité** v. 1950. || **collégien** 1743, Trévoux, sens scol. ; indiqué comme provincial.

**collègue** v. 1500, Seyssel ; lat. *collega,* confrère.

**coller, collerette, collet, collier** V. COLLE, COU.

**colliger** 1535, E. de Granvelle ; lat. *cŏllĭgĕre,* réunir.

**collimation** 1646, Huet, astron. ; lat. des astronomes du XVIIe s. (Kepler) *collimare,* pour *collineare,* viser, de *linea,* ligne, faute de lecture reproduite dans les éditions de Cicéron. || **collimateur** 1866, Lar.

**colline** 1555, Belon ; bas lat. *collĭna* (Innocentius), de *collis,* colline. || **collinette** 1596, Hulsius.

**collision** XIV<sup>e</sup> s., *Catholicon françois ;* lat. *collisio,* choc.

**collodion** 1845, Schönbein ; gr. *kollôdês,* collant, de *kolla,* colle.

**colloïde** 1845, Besch., adj. ; n. m., 1888, Lar. ; angl. *colloïd,* tiré par Graham du gr. *kolla,* colle, avec suffixe *-oïd.* || **colloïdal** 1855, Nysten ; angl. *colloïdal.*

**colloque** 1495, *Mir. historial ;* lat. *colloquium,* entretien, de *loqui,* parler. Au XX<sup>e</sup> s., le sens de « entretien » s'est spécialisé comme « réunion scientifique ». || **colloquer** 1850.

1. **colloquer** V. COLLOQUE.

2. **colloquer** XII<sup>e</sup> s., *Sainte Thaïs,* « placer » ; lat. *collocare,* placer, de *locus,* lieu. || **collocation** 1375, R. de Presles ; lat. *collocatio.*

**collusion** 1290, *Livre Roisin,* jurid. ; lat. *collusio,* de *colludere,* s'entendre au préjudice d'un tiers. || collusoire 1336, jurid. ; d'apr. *illusoire.*

**collutoire** 1803, Boiste ; lat. *colluere,* laver.

**collyre** 1120, *Job* (*-ire*) ; lat. *collyrium,* du gr. *kollurion,* onguent, spécialisé dans le sens de « médicament pour les yeux ».

**colmater** 1820, Lasteyrie ; ital. *colmata,* terrain comblé, de *colmare,* combler ; le colmatage a pris naissance en 1781, en Toscane. || **colmatage** 1845, Besch.

**colocasie** 1547, Chesneau ; lat. *colocasia,* du gr. ; nom de plante.

**colombage** V. COLOMBE 2.

1. **colombe** 1120, *Ps. Oxford,* pigeon ; lat. *colŭmba* (v. COULON). || **colombier** 1120 ; d'apr. le lat. *columbarium.* || **colombin** XIII<sup>e</sup> s., *D. G.,* « qui a la couleur de la gorge de pigeon » ; 1701, Liger, « fiente de pigeon », au fém. ; 1867, Esnault, « étron » ; lat. *columbinus.* || **colombophile** 1855. || **colombophilie** 1878, Lar.

2. **colombe** 1080, *Roland,* « colonne » ; XIII<sup>e</sup> s., La Curne, « solive pour colombage » ; anc. forme de *colonne,* due à une confusion entre le lat. *columna,* colonne, et *columba,* colombe. || **colombage** 1340, Havard.

**colombier** 1739, « format de papier » ; d'apr. le nom du fabricant.

**colombium** 1801, Hatchett ; d'un minerai dit *la colombite,* du nom de Christophe *Colomb.*

**côlon** 1314 ; lat. *colon,* du gr. *kôlon,* gros intestin. || **coloscopie** v. 1970.

**colonel** 1534, *Archives Gironde* (var. *coulonel*) ; ital. *colonello,* qui commande la colonne. Désigne depuis 1803 le commandant d'un régiment. || **colonelle** 1834, Landais, épouse de colonel.

**colonial** V. COLONIE.

**colonie** 1308, *Ystoire de li Normant ;* 1556, jurid. ; 1835, « groupe d'individus en dehors du pays d'origine » ; 1879, *Année sc. et ind., colonie d'enfants ;* lat. *colonia.* || **colon** fin XIII<sup>e</sup> s., Aimé, même évolution ; lat. *colonus.* || **colonial** 1776, Vergennes. || **coloniser** 1790, Mackenzie. || **colonisation** 1769, Mackenzie. || **colonisateur** 1835, *Acad.* || **colonisable** 1838. || **colonialisme** 1902, Péguy. || **colonialiste** *id.,* qui remplace *coloniste* (1776, *Affaires de l'Angleterre*). || **anticolonialisme** 1903, Péguy. || **anticolonialiste** 1931, Guérin. || **décolonisation** 1845, J.-B. Richard. || **décoloniser** *id.* || **néocolonialisme** 1955, *journ.*

***colonne** 1170, *Rois* (*columpne*) ; lat. *cŏlŭmna,* avec infl. de l'ital. *colonna.* || **colonnette** 1546, Ch. Est. || **colonnade** 1675, Blondel (*-ate*) ; 1740, *Acad.* (*-ade*) ; ital. *colonnato,* n. m. || **entrecolonnement** 1567, d'après Cotgrave.

**colophane** XIII<sup>e</sup> s. (*colofonie*) ; XV<sup>e</sup> s., *Grant Herbier* (*-foine*) ; 1560, Paré (*-phane*) ; lat. *colophonia,* du gr. *kolophônia,* résine de *Colophon,* ville de l'Asie Mineure.

**coloquinte** fin XIII<sup>e</sup> s., *Antidotaire Nicolas* (*-quintide*) ; 1372, Corbichon (*-quinte*) ; lat. *colocynthis,* mot gr. désignant une plante grimpante.

**colorer, coloris** V. COULEUR.

**colosse** 1495, J. de Vignay, hist. ; 1668, La Fontaine, « homme énorme » ; lat. *colossus,* du gr. *kolossos,* statue d'une grandeur extraordinaire. || **colossal** 1596, Vigenère. || **colossalement** 1845, Gautier.

**colostrum** 1564, J. Thierry (*-ostre*) ; 1585, Cholières (*-ostrum*) ; mot lat. de même sens (sécrétion mammaire de la femme).

**colporter** 1539, R. Est., « porter de place en place » ; 1798, *Acad.,* « faire connaître » ; réfection, d'apr. *cou-porter* (porter sur le cou), de l'anc. fr. *comporter,* transporter, du lat. *comportare.* || **colporteur** 1388, adj. ; n. m., 1533, Félibien. || **colportage** 1723, Savary.

**colt** 1862 ; du nom de l'inventeur Samuel *Colt* en 1829.

**coltiner** 1790, *Rat du Châtelet,* « arrêter » ; 1828, *Glossaire* (*colletiner*), proprement « prendre au collet » ; 1849, *Jargon,* « porter un fardeau », proprement « porter sur le collet » ; de *collet.* || **coltineur** 1824, *Ordonn. de police.*

**colubrin** 1501, J. Lemaire ; lat. *colubrinus,* de couleuvre.

**columbarium** 1752, Trévoux, « monument funéraire romain » (var. *-baire*) ; fin XIXe s., « niches pour les cendres » dans un monument funéraire ; le premier columbarium français au Père-Lachaise date de 1894 ; mot lat. signif. « colombier ».

**colure** 1361, Oresme, « méridien » ; lat. *colurus,* du gr. *kolouros.*

**colza** 1664, *Tarif* (*colzat*) ; néerl. *coolzaad,* semence (*zaad*) de chou (*cool*) ; plante oléagineuse.

**coma** 1658, Thévenin ; gr. méd. *kôma, -atos,* sommeil profond. || **comateux** 1616, J. Duval.

**combattre** V. BATTRE.

***combe** 1160, *Moniage Guillaume ;* gaulois **cŭmba,* vallée. || **combette** 1615, É. Binet.

**combien** V. COMME.

**combiner** XIIIe s., *Roman de Renart,* « se tenir à deux » ; 1361, Oresme, « assembler » ; 1690, Furetière, « joindre » ; bas lat. *combinare,* unir deux choses, réunir. (V. BINAIRE.) || **combinaison** XIVe s. (*-ation*) ; 1669 (*-aison*), « arrangement » ; 1895, Bourget, « vêtement de dessous », repris à l'angl. *combination ;* bas lat. *combinatio.* || **combine** fin XIXe s., pop. || **combinard** 1920, Bauche, pop. || **combinat** 1949, Lar. ; mot russe de même orig. || **combinatoire** 1732, Trévoux.

***comble** 1175, Chr. de Troyes, « tertre » ; XIIIe s., *Chron. de Reims* (*comble d'un édifice*) ; sens fig. repris au lat. au XVe s. ; lat. *cŭmŭlus,* monceau, désignant en lat. pop. le sommet d'un édifice, par confusion avec *culmen.*

***combler** fin XIe s., *Chanson Guillaume,* « remplir » ; 1564, J. Thierry, « donner à profusion » ; lat. *cŭmŭlāre,* amonceler, de *cumulus,* monceau (v. CUMULER). || **comble** adj., fin XIIe s., « rempli » ; 1835, *Acad.,* fig. || **comblement** 1560, Ronsard.

**combrière** 1681, Pardessus, « filet de pêche » ; 1690, Furetière (*-ier*) ; prov. mod. *coumbriero,* même sens.

**comburant** 1789, Lavoisier ; lat. *combŭrens,* part. prés. de *combŭrere,* brûler. || **comburer** début XVe s. || **combustion** XIIe s., *Vie saint Évroult ;* lat. *combustio,* même orig. || **combustible** 1380, Conty. || **combustibilité** XVIe s. || **incombustible** 1361, Oresme ; rare jusqu'au XVIIe s. ; lat. médiév. *incombustibilis.* || **incombustibilité** 1751, *Journ. économique.*

**come-back** 1961 ; mot angl., de (*to*) *come,* venir, et *back,* de retour.

**comédie** 1361, Oresme, « pièce de théâtre » (jusqu'au XVIIe s.) ; XVIIe s., « pièce comique » ; lat. *comoedia,* du gr. *kômôdia.* || **comédien** fin XVe s., d'Authon.

**comédon** 1855 ; lat. *comedo,* mangeur.

**comestible** 1380, Conty ; lat. *comestus,* part. passé de *comedere,* manger. || **incomestible** 1875, *J. O.*

**comète** 1138, Gaimar ; lat. *cometa,* du gr. *komêtês,* (astre) chevelu.

**comice** 1355, Bersuire, hist., au sing. ; 1760, Brunot, *comices agricoles ;* lat. *comitium,* assemblée du peuple.

**comique** 1375, R. de Presles, « de la comédie » ; 1680, Richelet, « drôle » ; lat. *comicus,* du gr. *kômikos,* qui appartient à une pièce de théâtre. (V. COMÉDIE.) || **comiquement** 1546, R. Est. || **comics** v. 1950 ; mot anglo-américain.

**comité** 1650, du Gard ; angl. *committee,* de (*to*) *commit,* confier, du lat. *committere ;* le mot a connu une grande faveur au XVIIIe s. (1770, Brunot) et pendant la Révolution. || **comitard** 1911.

**comma** 1550, Meigret, « point-virgule » ; 1552, Pontus de Tyard, sens actuel ; mot lat., du gr. *komma,* membre d'une phrase, de *koptein,* couper.

***commander** Xe s., *Saint Léger,* « donner en dépôt » ; 1080, *Roland,* « ordonner » ; 1573, Du Puys, milit. ; 1690, Furetière, sens commercial ; 1929, Lar., *commander un mécanisme ;* lat. pop. **commandare* (lat. *commendare*), refait d'apr. *mandare,* prescrire, confier. || **command** 1050, *Alexis,* jurid., « commandement ». || **commandement** 1050, *Alexis.* || **commande** 1213, *Fet des Romains,* « protection » ; fin

XVe s., mécanique ; 1540, sens commercial. || **commandeur** 1167, G. d'Arras, « commandant » (jusqu'au XVIe s.). || **commanderie** 1387, G. || **commandant** 1671, Pomey. || **commandcar** v. 1945 ; mot angl. || **décommander** milieu XIVe s. || **décommandement** 1911, Lar. || **recommander** Xe s., *Saint Léger.* || **recommandation** 1150, Barbier. || **recommandable** milieu XVe s.

**commandite** 1673, *Ordonn.* ; ital. *accomandita,* dépôt, garde, avec infl. de *commander.* || **commanditaire** 1727, Furetière. || **commanditer** 1807, *Code de commerce.*

**commando** 1843, *Revue des Deux Mondes* ; mot port., vulgarisé ensuite pendant la guerre des Boers, puis revenu par l'allem. et l'angl. pendant la Seconde Guerre mondiale (v. 1941).

***comme** 842, *Serments* (*cum*) ; Xe s., *Eulalie* (*com* jusqu'au XIVe s.) ; 1750, Vadé, *comme il faut* ; 1564, J. Thierry, *comme tout* ; lat. *quomŏdo,* de quelle (*quo*) façon (*modo*), devenu en lat. pop. **quomo* ; la forme allongée *comme* apparaît au XIIe s. Il a gardé la valeur de *comment* dans les interrogations jusqu'au XVIIIe s. || **combien** début XIIe s., *Voy. de Charl.* ; de *com* et *bien.* || **combientième** début XXe s. || **comment** 1080, *Roland* ; de *com* et de la finale adverbiale *-ment,* qui représente l'ablatif lat. *mente,* de *mens,* esprit, principe, façon (*claramente,* de façon claire).

**commémorer** 1355, Bersuire ; lat. *commemorare,* de *memoria,* mémoire. || **commémoratif** fin XVIe s., Ph. de Mornay. || **commémoration** 1200, *Règle saint Benoît.* || **commémoraison** 1386, G., eccl. ; lat. *commemoratio.*

***commencer** 980, *Valenciennes* (*comencier*) ; lat. pop. **cumĭnĭtiare,* de *initium,* commencement. || **commençant** 1470, *Livre discipline d'amour.* || **commencement** 1119, Ph. de Thaon. || **recommencer** 1080, *Roland.* || **recommencement** milieu XVIe s.

**commende** 1213, *Fet des Romains* ; lat. eccl. *commenda,* de *commendare,* confier. || **commendataire** XVe s., G. ; lat. *commendatarius,* pourvu d'un bénéfice ecclésiastique. (V. COMMANDER.)

**commensal** 1420, J. des Ursins ; lat. médiév. *commensalis,* de *mensa,* table.

**commensurable** 1361, Oresme ; bas lat. *commensurabilis* (VIe s., Boèce), de *mensura,* mesure. || **commensurabilité** *id.* || **incommensurable** 1361, Oresme, rare jusqu'au XVIIIe s. ; 1833, Gautier, « qu'on ne peut mesurer » ; bas lat. *incommensurabilis.*

**comment** V. COMME.

**commenter** 1314, Mondeville, « expliquer » ; lat. *commentari,* de *mens,* esprit. || **commentateur** 1361, Oresme. || **commentaire** 1495, J. de Vignay ; lat. *commentarius.*

**commerce** 1370, Machaut (*commerque*), sens actuel ; milieu XVIe s., « relations sociales » ; lat. *commercium,* de *merx, -cis,* marchandises. || **commercer** 1405, Runkewitz. || **commerçant** 1695, Boisguillebert ; dès le XVIIIe s., il supplante *marchand.* || **commercial** 1749, Brunot ; p.-ê. repris à l'angl. ; n., XXe s. || **commercialisation** 1845, J.-B. Richard. || **commercialiser** *id.* || **commercialisable** 1955. || **commercialité** 1866, Lar.

**commère** 1283, Beaumanoir, « marraine » ; fin XIVe s., Chr. de Pisan, péjor. ; lat. eccl. *commater,* « mère avec », c.-à-d. seconde mère. || **commérage** 1546, Rab., « baptême » ; 1776, Beaumarchais, sens actuel.

***commettre** 1265, *Livre de jostice,* « confier » ; 1389, Runkewitz, « préposer » ; sens conservés jusqu'au XVIIe s. ; 1694, *Acad.,* jurid. ; lat. *committere,* mettre ensemble, mettre aux prises, mettre à exécution, exécuter une action blâmable. || **commettant** 1563, Kuhn. || **commis** début XIVe s. ; part. passé substantivé de *commettre,* « préposé ». || **commise** 1315, G., jurid. ; 1900, fém. de *commis.* || **commissaire** 1310, Langlois ; lat. médiév. *commissarius.* || **commissaire-priseur** 1802. || **commissariat** 1752, Trévoux. || **commission** 1300, *Cout. d'Artois,* « mandement » ; 1611, Cotgrave, « message quelconque » ; lat. *commissio* ; 1704, Mackenzie, *commission parlementaire* ; pl., XXe s. || **commissionner** milieu XVe s. || **commissionnaire** 1506, Saige. || **sous-commission** 1871.

**comminatoire** 1517, Bouchet ; lat. médiév. *comminatorius,* de *minari,* menacer.

**commis** V. COMMETTRE.

**commisération** 1160, Benoît ; lat. *commiseratio,* de *miserari,* avoir pitié, et du préfixe *cum,* avec.

**commissaire, commission** V. COMMETTRE.

**commissure** 1314, Mondeville ; lat. *commĭssūra,* de *committere,* mettre ensemble, joindre.

**commodat** 1585, J. Des Caurres, jurid. ; lat. jurid. *commodatum,* prêt à l'usage, de *commodare,* prêter. || **commodataire** 1584, *Somme des pechez,* jurid.

**commode** 1475, Delb. ; n. f., 1705, « meuble » ; lat. *commodus,* convenable. || **commodément** 1531. || **commodité** 1400, *Chron. de Boucicaut ;* lat. *commoditas ;* pl., 1596, Du Vair, « richesses » ; 1677, Miege, « lieux d'aisances ». || **accommoder** 1336, Fr. de La Chaise de Dombief. || **accommodable** 1568, Loys Le Roy. || **accommodement** 1585, J. Burel. || **incommode** 1534, Rab. ; lat. *incommodus.* || **incommoder** 1418, J. des Ursins, « endommager » ; 1596, Hulsius, « gêner » ; lat. *incommodare.* || **incommodité** 1389, Delb., « immondice » ; 1549, R. Est., « gêne » ; lat. *incommoditas.*

**commodore** 1763, Voltaire ; mot angl., du néerl. *kommandeur,* du fr. *commandeur.*

**commotion** 1155, Wace, « ébranlement » ; 1772, Villeneuve, méd. ; lat. *commotio,* mouvement, de *movere,* mouvoir. || **commotionner** 1875, Fort.

**commuer** 1361, Oresme, « modifier » ; 1680, Richelet, « convertir » ; lat. *commutare,* échanger, d'apr. *muer.* || **commuable** 1486, G., « modifiable ». || **commutation** 1120, *Ps. de Cambridge,* « changement » ; 1680, Richelet, jurid. ; lat. *commutatio.* || **commutateur** 1858, *Année sc. et industr.* || **commuter** 1611. || **commutatif** 1361, Oresme. || **commutable** XVI$^e$ s.

***commun** 842, *Serments ;* lat. *commūnis ;* pl., 1704, Trévoux, « bâtiments de service ». || **communal** 1160, Benoît, « commun à un groupe » ; 1611, Cotgrave, « de la commune ». || **communauté** 1283, Beaumanoir, « groupe humain » ; 1793, Grenus, chez les babouvistes, polit., « doctrine égalitaire » ; réfection de l'anc. fr. *communité,* sur *communal.* || **communautaire** 1842, Cabet. || **communautiste** 1841, Reybaud. || **communément** 1080, *Roland.* || **communalisme** 1842, J.-B. Richard. || **communaliste** 1800, Boiste, relig. ; 1871, Blouet, polit. || **communalisation** 1842, J.-B. Richard. || **communaliser** *id.* || **communisme** 1840, Landais. || **communiste** 1706, adj., « qui a le souci du bien commun » ; 1769, Mirabeau, « copropriétaire » ; adj., polit., 1834, Lamennais ; 1840, n. m., Dezamy. || **communitaire** 1842, Cabet. || **communisant** 1930. || **communisation** 1941. || **communiser** 1919. || **anticommuniste** 1842, Cabet. || **anticommunisme** 1939, Vermeil. || **commune** XII$^e$ s., *Ogier* (*comugne*), « ville affranchie », et « corps des bourgeois d'une ville » ; 1789, « circonscription territoriale » ; 1793, *commune révolutionnaire ;* lat. *communia,* pl. neutre substantivé de l'adj. *communis,* groupe de gens vivant en commun. || **communard** 1871, d'apr. le mouvement révolutionnaire du 18 mars 1871, qui avait pris pour symbole la « commune révolutionnaire », c.-à-d. l'égalité des droits municipaux pour Paris. || **communeux** février 1871, *l'Opinion nationale.* || **communier** n. m., XVI$^e$ s., « membre d'une commune » ; 1842, Fourier, « membre d'un phalanstère ».

1. **communier** n. m. V. COMMUN.

2. **communier** fin X$^e$ s., *Saint Léger,* 1849, Sainte-Beuve, fig. ; lat. chrét. *commūnĭcāre,* s'associer à, participer (d'abord *communicare altari* [saint Augustin], c.-à-d. participer à l'autel). || **communiant** 1531, Delb. || **communion** 1120, *Ps. d'Oxford ;* lat. chrét. *commūnio,* communauté des fidèles ; XIII$^e$ s., action de communier, par infl. de *communier.* || **communiel** 1939, Caillois. || **communionisme** 1842, Cabet, polit. || **communioniste** 1841, L. Reybaud, polit. || **excommunier** 1120, *Ps. d'Oxford ;* adaptation, d'apr. *communier,* du lat. eccl. *excommunicare,* mettre hors de la communauté ; il a éliminé la forme pop. *escomengier.* || **excommunication** 1160, Benoît (*escomination*) ; XIV$^e$ s. (*excommunication*) ; lat. eccl. *excommŭnicatio.*

**communiquer** 1361, Oresme, « mettre en commun », « être en rapport avec » ; 1704, Trévoux, « transmettre », mécanique ; 1671, Pomey, *se communiquer ;* lat. *commūnicare,* de *communis,* commun. || **communication** 1361, Oresme ; lat. *communicatio.* || **communicatif** 1361, Oresme, « libéral » ; 1564, J. Thierry, sens actuel ; bas lat. *communicativus.* || **communicable** XII$^e$ s. || **communicationnel** v. 1975. || **communiqué** n. m., 1840, Sainte-Beuve. || **incommunicable** 1470, *Livre discipline d'amour.* || **incommunicabilité** 1802, Flick.

**compact** 1377, Oresme ; lat. *compactus,* part. passé de *compingere,* amasser, serrer. || **compacité** 1762, *Acad.* || **compactage** 1953, Lar. || **compacteur** 1953, Lar. ; par l'angl.

***compagnon** 1080, *Roland ;* lat. pop. **companio, -onis,* « celui qui mange son pain avec » ; p.-ê. calque du gotique *gahlaiba,* de *ga,* avec, et *hlaiba,* pain. || **copain** 1708, Furetière, « grand sot » ; 1838, camarade de classe, du cas sujet *compain* (XII$^e$ s., encore au XVI$^e$ s.). || **copine** fin XIX$^e$ s. ; d'apr. le suffixe *-in.* || **copiner** 1928, Esnault. || **copinage** v. 1960. || copinerie 1936. || copineur 1968. || **compagne** fin XIIe s., *Grégoire ;* de *compain.* || **compagnonne** fin XVIe s., Bouchet. || ***compagnie** 1080, *Roland ;* 1706, Grimarest, « troupe théâtrale » ; lat. pop. **compania,* qui a donné aussi *compagne* (XIIe-XIVe s.). || **compagnonnage** 1719, Delb. || **accompagner** XIIe s., *Roncevaux ;* XVe s., sens musical ; XVIe s., *s'accompagner avec ;* anc. fr. *compain,* « être de compagnie avec ». || **accompagnement** 1283, Beaumanoir ; 1690, Furetière, musique. || **accompagnateur** v. 1670, Sévigné.

**comparaître** début XVe s. ; réfection, d'apr. *paraître,* de *comparoir* (XIIIe s., *Cout. d'Artois*) ; lat. jurid. *comparēre* (v. PARAÎTRE). || **comparution** 1453, d'Épinay ; d'apr. le part. passé *comparu.*

**comparer** fin XIIe s., R. de Moiliens ; lat. *comparare.* || **comparaison** 1190, Garnier ; lat. *comparatio.* || **comparatif** 1290, Drouart ; 1680, Richelet, n. m., gramm. || **comparable** fin XIIe s. ; lat. *comparabilis.* || **comparativement** 1556, *Disc.* || **comparatiste** fin XIXe s., spécialiste de littérature comparée. || **comparatisme** v. 1950. || **incomparable** 1453, Monstrelet ; sans aucun doute plus ancien ; lat. *incomparabilis.* || **incomparablement** XIIe s., *Grégoire.*

**comparse** 1669, Ménétrier, « figurant de carrousel » ; 1798, *Acad.,* « comparse de théâtre » ; XIXe s., fig. ; ital. *comparsa,* n. f., personnage muet, proprement « apparition » (part. passé de *comparire,* apparaître).

**compartiment** 1546, J. Martin, « division d'une surface » ; 1749, Havard, pour un meuble ; 1866, Lar., pour les chemins de fer ; ital. *compartimento,* de *compartire,* partager. || **compartimenter** fin XIXe s., qui a remplacé *compartir* (1842, Mozin). || **compartimentage** 1898, Lar.

**comparution, compas** V. COMPARAÎTRE, COMPASSER.

***compasser** 1155, Wace, « mesurer, ordonner » (jusqu'au XVIIe s.) ; fig., XVIIe s., « raide » ; lat. pop. **compassare,* mesurer avec le pas. || **compassement** fin XIIe s., *Alexandre.* || **compas** début XIIe s., *Voy. de Charl.,* « mesure, règle » ; XIIe s., « instrument de mesure » ; déverbal.

**compassion** 1155, Wace ; lat. chrét. *compassio* (IIIe s., Tertullien), du lat. impér. *compati,* souffrir (*pati*) avec. || **compatir** 1549, R. Est., « se concilier » ; 1635, Monet, « avoir pitié » ; lat. impér. *compati,* souffrir avec. || **compatible** 1447, *Ordonn. ;* lat. *compati,* sympathiser. || **compatibilité** 1570, Pasquier. || **compatissant** 1669, Fénelon. || **incompatible** fin XIVe s. || **incompatibilité** 1484, *Procès-verbaux conseil de régence.*

**compatible, compatriote** V. COMPASSION, PATRIE.

**compendium** 1584, *Somme des pechez ;* lat. *compĕndium,* abréviation. || **compendieux** 1395, Chr. de Pisan ; lat. *compendiosus,* abrégé. || **compendieusement** 1282, Gauchi, « brièvement » ; il a pris au XIXe s. le sens contraire de « longuement » (1862, Goncourt).

**compenser** fin XIIIe s., « solder une dette » ; XVIe s., Marot, « neutraliser » ; lat. *compensare,* de *pensare,* peser. || **compensation** fin XIIIe s. ; lat. *compensatio.* || **compensateur** 1791, Mirabeau, n. ; 1829, Boiste, adj. || **compensatoire** 1829, Boiste.

**compère** 1175, Chr. de Troyes ; lat. eccl. *compater,* parrain, et, au fig., camarade ; 1594, *Ménippée,* « qui est d'intelligence avec quelqu'un ». || **compérage** fin XIIIe s., *Renart.* || **compère-loriot** V. LORIOT.

**compétent** 1240, Delb., « convenable » ; 1480, Bartzsch, jurid. ; 1680, Richelet, sens actuel ; lat. jurid. *competens,* de *competere,* revenir à. || **compéter** 1371, Oresme ; directement issu du verbe. || **compétence** 1468, Chastellain. || **incompétent** 1505, Huguet ; bas lat. *incompetens.* || **incompétence** 1537, Canappe.

**compétiteur** 1402, N. de Baye ; lat. *competitor,* de *competere,* rechercher, briguer. || **compétition** 1759, suivant Féraud ; repris à l'angl. *competition,* du lat. *competitio.* || **compétitif** 1907, Lar. || **compétitivité** 1960.

**compiler** 1190, *Saint Bernard ;* lat. *compilare,* de *pilare,* piller. || **compilation** XIIIe s., *Image du monde ;* lat. *compilatio.* || **compilateur** 1425, O. de La Haye ; lat. *compilator.*

**complainte** 1175, Chr. de Troyes, « plainte en justice » ; 1590, L'Estoile, « chanson populaire » ; anc. fr. *complaindre.* (V. PLAINDRE.)

**complaire** début XIIe s. ; lat. *complacēre,* d'apr. *plaire.* || **complaisance** 1361, Oresme. || **complaisant** adj., 1555, Pasquier. || **complaisamment** 1680, Richelet.

**complément** fin XIIIe s., Aimé, « ce qui complète entièrement » ; 1690, Furetière, « ce qui s'ajoute » ; gramm., 1798, *Acad. ;* lat.

*complementum,* de *complere,* remplir, compléter. || **complémentaire** 1794, *Journ. de la Montagne.* || **complémentarité** 1907, Lar. || **complémentation** 1914. || **complémenter** fin XIX$^e$ s.

**complet** adj., 1300, Cantimpré ; XVII$^e$ s., n. m., « habit » ; lat. *completus,* part. passé de *complere,* achever. || **complètement** adv., XIII$^e$ s. || **compléter** 1733, *Mémoires de Trévoux.* || **complètement** n. m., 1750, d'après Féraud. || **complétif** 1503, Chauliac ; repris au lat. gramm. (V$^e$ s., Priscien). || **complétude** 1928. || **décompléter** 1779. || **incomplet** 1372, Corbichon ; rare jusqu'au XVIII$^e$ s. ; bas lat. *incompletus.* || **incomplètement** 1503, Vaganay. || **incomplétude** 1907, Lar.

**complexe** 1378, Le Fèvre, philos. ; n. m., 1906, psychol. ; lat. *complexus,* part. passé de *complecti,* embrasser, contenir. || **complexer** v. 1960. || **complexité** 1755, Morelly. || **complexion** 1256, Ald. de Sienne ; lat. *complexio,* « assemblage », en bas lat. « tempérament » (IV$^e$ s., Firmicus Maternus). || **complexifier** 1951. || **incomplexe** 1503, Chauliac ; bas lat. *incomplexus.*

**complice** 1320, *Girart de Roussillon ;* lat. médiév. *complex, -icis,* « impliqué dans », de *complecti,* embrasser, contenir. || **complicité** 1420, Delb.

**complies** 1120, *Voy. de saint Brendan,* sing. eccl. ; 1175, Chr. de Troyes, pl. ; part. passé fém. substantivé de l'anc. fr. *complir,* achever, d'apr. le lat. eccl. *completa* (*hora*) ; le pl. est dû à *vêpres, heures.*

**compliment** 1604, Du Perron ; esp. *cumplimiento* (auj. *cum-*), accomplissement (des vœux et souhaits). || **complimenter** 1634, *les Advis de... Gournay ;* mot de courtisan. || **complimenteur** 1622, Sorel.

**compliquer** début XV$^e$ s. (*compliqué*) ; XVII$^e$ s. (*compliqué*), « composé de plusieurs choses » ; 1823, Boiste, sens actuel ; lat. *complicare,* lier ensemble, au sens fig. du bas lat. || **complication** 1377, Oresme ; bas lat. *complicatio.*

**complot** 1150, *Thèbes,* « foule, rassemblement », et sens fig. qui l'a emporté ; orig. obscure. || **comploter** 1450, J. Chartier. || **comploteur** 1580, Th. de Bèze.

**componction** 1120, *Ps. d'Oxford ;* lat. chrét. *compunctio* (V$^e$ s., Salvien), piqûre, de *pungere,* poindre.

**componé** 1302, J. Richard ; de *compon,* en blason division de forme carrée, déverbal de l'anc. fr. *compondre* (XIV$^e$ s.), disposer, régler, du lat. *componere.*

***comporter** XII$^e$ s., « porter » ; XV$^e$ s., sens actuel ; XIII$^e$ s., *se comporter ;* lat. *comportare,* transporter. || **comportement** 1475, Delb., repris en psychol. par Piéron (1908) pour traduire l'américain *behavior.* || **comportemental** v. 1949.

**composer** 1120, *Ps. d'Oxford,* « susciter des exactions » ; 1559, Amyot, sens actuels ; fin XVI$^e$ s., *se composer ;* adapt., d'apr. *poser,* du lat. *componere.* || **composite** 1361, Oresme ; lat. *compositus.* || **composant** n. m., XVIII$^e$ s. || **composante** n. f., 1863. || **compositeur** 1274, G., « qui arrange une querelle » ; 1406, N. de Baye, « qui compose un ouvrage littéraire » ; lat. *compositor.* || **composeuse** n. f., techn., 1866. || **composition** 1155, Wace ; lat. *compositio.* || **décomposer** 1541, Calvin, « analyser » ; 1734, Montesquieu, « diviser en parties ». || **décomposable** début XVIII$^e$ s. || **décomposition** 1694, *Acad. ;* d'apr. *composition.* || **indécomposable** 1738, Voltaire. || **recomposer** 1549, R. Est. || **surcomposé** milieu XVIII$^e$ s., gramm. || **recomposition** milieu XVIII$^e$ s.

**compost** 1732, Trévoux ; mot angl., de l'anc. fr. *compost,* composé. Terme d'agriculture désignant des résidus organiques mêlés à de la terre. || **composter** XIV$^e$ s., G.

**composteur** 1673, d'après Richelet, en imprimerie ; ital. *compositore,* compositeur. || **composter** 1922, Lar.

***compote** fin XII$^e$ s., *Aiol* (*composte*) ; lat. *compŏsĭta,* part. passé substantivé au fém. de *componere,* mettre ensemble. || **compotier** 1746, Havard.

**compound** 1874, Mackenzie, techn. ; mot angl. signif. « composé ». || **compounder** 1960, Lar.

***comprendre** 1120, *Ps. d'Oxford,* « s'emparer de » ; début XIII$^e$ s., « saisir par la pensée » ; lat. *comprehendere,* saisir, sens fig., repris au lat. au XIV$^e$ s. || **compréhension** 1372, Corbichon ; du lat. au sens fig. *comprehensio.* || **compréhensible** 1375, R. de Presles. || **compréhensibilité** 1829, Boiste. || **compréhensif** 1503, Chauliac, rare jusqu'au XIX$^e$ s. ; bas lat. *comprehensivus.* || **incompréhensible** XIV$^e$ s., Lanfranc ; lat. *incomprehensibilis.* || **incompréhensiblement** 1867, L. || **incompréhensibilité** 1557, Vaganay. || **incompris** 1460, Chastellain. || **comprenette** 1807, Michel, fam. || **comprenoire** 1904, Mouëzy-Éon.

**compresse** 1265, J. de Meung, « compression » ; 1539, R. Est., méd. ; anc. fr. *compresser,* « presser sur », d'apr. le part. passé *compressus,* de *comprimere,* presser. || **compresser** XIII^e^ s. ; reformé au XIX^e^ s. || **compresseur** 1808, Boiste. || **compressible** 1648, Pascal. || **compressibilité** 1680, Richelet. || **compression** 1314 ; XVIII^e^ s., fig. ; lat. *compressio.* || **compressif** 1478 ; lat. médiév. *compressivus,* de *comprimere.* || **comprimer** 1314, Mondeville, « presser » ; 1832, Fontaney, « réprimer » ; lat. *comprimere,* de *premere,* presser. || **comprimé** n. m., fin XIX^e^ s., méd. || **décompression** 1868, *journ.* || **incompressible** 1690, Furetière. || **incompressibilité** fin XVII^e^ s.

**compromettre** 1283, G. ; fig., 1690, Furetière, « mettre en mauvaise posture » ; lat. jurid. *compromittere,* s'en remettre à un arbitre (*Code civil*). || **compromettant** 1842, J.-B. Richard. || **compromis** XIII^e^ s., *Cout. d'Artois ;* lat. jurid. *compromissus.* || **compromission** 1262, G., « compromis » ; 1842, J.-B. Richard, sens mod.

***compter** 1080, *Roland* (*cunter*) ; XIII^e^ s. (*compter*) ; cette graphie l'emporte afin de distinguer le sens de « calculer » de la variante sémantique *conter ;* lat. *compŭtare,* calculer. || **compte** 1080, *Roland* (*conte*) ; lat. pop. *computus,* calcul. || **comptant** milieu XIII^e^ s. || **comptable** XIII^e^ s., *Digeste,* adj., « qui peut être compté » ; n. m., 1461, Bartzsch. || **comptabiliser** 1922, Lar. || **comptage** 1416, G. || **comptabilité** 1579, F. de Foix. || **compteur** 1268, É. Boileau, « celui qui compte » ; 1752, « appareil à compter ». || **comptoir** 1345, Gay, « table » ; 1690, Furetière, « établissement de commerce ». || **compte-fils** 1836, Landais. || **compte-gouttes** 1850, Dorvault. || **compte-tours** XX^e^ s. || **compte courant** 1675, Savary ; calque de l'ital. *conto corrente.* || **compte rendu** 1483, Bartzsch. || **comptine** 1922, Lar., chanson. || **décompter** XII^e^ s., G. || **décompte** fin XIII^e^ s., Joinville ; déverbal. || **acompte** XII^e^ s., « compte » ; XVIII^e^ s., sens actuel ; déverbal de *acompter.* || **recompter** début XV^e^ s. || **mécompte** fin XII^e^ s., R. de Moiliens ; déverbal de l'anc. fr. *mécompter.*

**compulser** XV^e^ s., G., « exiger » ; XVI^e^ s., sens actuel, d'apr. le sens jurid. « exiger la production d'une pièce » ; lat. *compulsare,* pousser, au fig. « contraindre ». || **compulsion** 1298, G., jurid. ; 1760, Ritter, « contrainte ». || **compulsif** 1584.

**comput** 1584, Thevet, eccl. ; bas lat. *computus,* compte. || **computiste** 1611, Cotgrave. || **computation** 1375, R. de Presles, « supputation » ; lat. *computatio.*

**computer** 1964, ordinateur, n. m. ; mot angl., de (*to*) *compute,* compter.

***comte** 1080, *Roland* (cas sujet *cuens* en anc. fr.) ; lat. *comes, -ĭtis,* compagnon, attaché à la suite de l'empereur et haut dignitaire en lat. du V^e^ s. (*Code Théodosien*) ; « chef militaire commandant une province » à partir du VI^e^ s. ; « province devenue fief héréditaire » au IX^e^ s. || **comtesse** 1080, *Roland.* || **comté** fin XI^e^ s., *Lois de Guill. ;* lat. *comitatus,* n. m. (VII^e^ s.), d'apr. le type *bonté ;* XIX^e^ s., « fromage », par abrév. de *Franche-Comté,* le mot étant resté au fém. jusqu'au XVI^e^ s. || **comtal** XIII^e^ s. || **comtat** XIV^e^ s.

***con** 1200, *Roman de Renart ;* 1725, Granval, sexe de la femme ; adj., 1831, Mérimée ; lat. *cŭnnus,* n. m., de *cŭneus,* coin. || **conard** XIII^e^ s. ; nom péjor., 1791. || **conasse** 1610, Esnault. || **connerie** 1845. || **déconner** 1866, Delvau.

**concasser** 1230, Merlin ; lat. *conquassare,* casser. || **concassage** 1845, Besch. || **concasseur** 1848.

**concaténation** 1504, Lemaire ; lat. *concatenatio,* enchaînement, de *catena,* chaîne. || **concaténer** 1536.

**concave** 1314, Mondeville ; lat. *concăvus,* de *cum,* avec, et *căvus,* creux. || **concavité** 1314, Mondeville ; bas lat. *concavitas.* || **biconcave** 1842, *Acad.*

**concéder** fin XIII^e^ s., Aimé ; lat. *concedere,* céder la place, au fig. céder, accorder (v. CÉDER). || **concession** 1265, Br. Latini ; 1885, gramm. ; lat. *concessio.* || **concessif** 1842, J.-B. Richard. || **concessionnaire** 1664, Savary.

**concentrer, concept** V. CENTRE, CONCEVOIR.

**concerner** fin XIV^e^ s., « être relatif à » ; lat. *concernere,* de *cernere,* considérer.

**concert** 1560, Pasquier, « conférence » ; 1608, Régnier, sens musical ; 1665, Molière, *de concert ;* ital. *concerto,* accord, du lat. *concertus,* concerté. || **concerter** 1437, Chartier, « projeter en commun » ; début XVII^e^ s., mus. ; ital. *concertare,* au sens propre. || **concertation** milieu XVI^e^ s., « lutte » ; v. 1960, sens actuel. || **concerto** 1739, de Brosses ; mot ital. || **concertiste** 1834, Fétis. || **déconcerter** fin XVI^e^ s., Delb., « troubler » ; 1664, Corn., fig.

**concessif, concession** V. CONCÉDER.

**concetti** 1720, Huet, d'abord pl., qui a remplacé *concet* (XVI^e s., R. Est.) ; mot ital., pl. de *concetto,* concept, et, par ext., pensée originale, mot d'esprit.

***concevoir** 1130, *Job ;* lat. *concĭpĕre,* avec changement de *ĕ* en *ē,* recevoir, par ext. « devenir enceinte » ; le sens fig. « former une conception » (XIV^e s.) a été repris au lat. || **concevable** 1547, Budé. || **concevabilité** 1866, Lar. || **inconcevable** 1584, Vaganay. || **préconçu** milieu XVII^e s. || **concept** 1404, Chr. de Pisan ; lat. *conceptus,* part. passé de *concipere,* au fig. « concevoir ». || **conceptuel** 1845 ; lat. scolastique *conceptualis.* || **conceptualisme** 1832, Raymond. || **conceptualiser** 1920. || **conceptualisation** 1936. || **conception** 1190, *Saint Bernard,* « fait de devenir enceinte » ; 1315, « formation d'une idée » ; lat. *conceptio,* dans les deux sens. || **concepteur** 1795 ; de *conception.* || **anticonceptionnel** XX^e s.

***conche** XIII^e s., « coquille d'huître » ; 1484, Garcie, « baie, plage, bassin de marais salant » ; lat. *concha,* coquillage, coupe. || **conchite** 1702, Trévoux, en minéralogie.

**conchylien** 1834, Jourdan ; lat. *conchylium,* du gr. *konkhulion,* coquillage. || **conchyliologie** 1742, Dezallier d'Argenville. || **conchyliculture** 1953.

***concierge** 1195, G. (*cumcerge*), « gardien » ; p.-ê. lat. pop. **consĕrvius,* de *cum,* avec, et *sĕrvus,* esclave. || **conciergerie** 1318 (*-sirgerie*) ; 1328, G. (*-ciergerie*) ; resté comme nom de prison au Palais de Justice de Paris.

**concile** 1138, Gaimar ; lat. *concilium,* assemblée, au sens eccl., d'évêques et de docteurs. || **conciliaire** 1586.

**conciliabule** 1549, Calvin, « assemblée » ; 1594, *Satire Ménippée,* « conférence » ; lat. eccl. *conciliabulum,* concile irrégulier (sens du XVI^e s.), en lat. « lieu de réunion ».

**concilier** 1175, « réconcilier » ; lat. *conciliare,* assembler au sens fig. || **conciliable** 1536. || **conciliant** fin XVII^e s., Sévigné. || **conciliatoire** 1583, Papon. || **conciliateur** 1380, Conty ; lat. *conciliator,* médiateur. || **conciliation** XIV^e s., J. Le Fèvre ; lat. *conciliatio.* || **inconciliable** 1752, Trévoux. || **réconcilier** 1190, Garn. ; lat. *reconciliare.* || **réconciliateur** 1355, Bersuire. || **réconciliation** XIII^e s. || **irréconciliable** 1559, Amyot ; 1868, *journ.,* polit., « radical ».

***concis** 1553, M. Heret ; lat. *concisus,* coupé, au fig. bref ; part. passé de *concidere,* de *caedere.* || **concision** 1488, *Mer des hist.,* « action de retrancher » ; 1709, Grimarest, « brièveté ».

**concitoyen** V. CITÉ.

**conclave** 1360, Froissart ; lat. médiév. *conclave,* chambre fermée à clef (*clavis*). || **conclaviste** 1546, Rab.

**conclure** 1120, *Ps. d'Oxford,* « enfermer » ; XIII^e s., « aboutir à » ; 1360, Froissart, « terminer » ; lat. *concludere,* de *claudere,* clore. || **concluant** 1585, Cholières. || **conclusion** 1265, J. de Meung ; lat. *conclusio.* || **conclusif** 1460, Chastellain.

**concoction** 1528 ; lat. *concoctio,* de *cum-* et *coctio,* cuisson. || **concocter** 1945.

**concombre** 1256, Ald. de Sienne (*cocombre*) ; 1432, Baudet Herenc (*concombre*) ; prov. *cocombre,* du lat. *cŭcŭmis, -meris.*

**concomitant** 1503, Chauliac ; lat. *concomitans,* part. prés. de *concomitari,* accompagner, de *comes, -itis,* compagnon (v. COMTE). || **concomitamment** 1874, *J. O.* || **concomitance** XIV^e s., B. de Gordon.

**concordat** 1482, Bartzsch, « accord » ; XVI^e s., sens eccl. ; lat. *concordatum,* part. passé de *concordare,* mettre d'accord. || **concordataire** 1838, *Acad.*

**concorde** 1155, Wace ; lat. *concordia.* || **concorder** 1130, *Eneas,* « accorder » (jusqu'au XV^e s.) ; 1777, Linguet, sens actuel ; lat. *concordare.* || **concordance** 1160, Benoît, « accord » ; XIII^e s., sens actuel. || **concordant** 1260, A. de la Halle.

**concourir** fin XV^e s. (*concurrer*), « se produire en même temps » ; milieu XVI^e s. (*concourir*), « se rencontrer » ; 1636, Monet, « tendre vers un résultat » ; 1751, Voltaire, « être sur le même rang » et « entrer en concurrence » ; lat. *concurrere,* d'apr. *courir ;* il a été influencé pour le sens par *concurrent.* || **concours** début XIV^e s., « recours » ; 1572, Amyot, « réunion » ; 1660, Oudin, « compétition » ; lat. *concursus,* affluence.

**concrescence** 1888, Lar., bot. ; lat. *concrescere,* « croître ensemble ».

**concret** 1508, « solide », opposé à « fluide » ; XVII^e s., fig. ; lat. *concretus,* part. passé de *concrescere,* se solidifier. || **concréter** 1789. || **concrétion** 1538, Canappe, « solidification » ; lat. *concretio,* spécialisé en géologie. || **concrétionné** 1801. || **concrétionnement** XX^e s. || **concrétiser** 1890. || **concrétisation** XX^e s.

**concubine** 1213, *Fet des Romains ;* lat. *concŭbina,* « qui couche avec ». || **concubin** XIV^e^ s. || **concubinage** v. 1377. || **concubinaire** XIV^e^ s., G. || **concubinat** 1590, Marnix.

**concupiscence** 1265, Br. Latini ; lat. *concupiscentia,* désir ardent, au sens chrétien. || **concupiscent** 1558, Des Périers ; lat. *concupiscens,* part. prés. de *concupiscere,* désirer ardemment, de *cupere,* désirer.

**concurrent** 1119, Ph. de Thaon, « (jour) intercalaire » ; 1546, Ch. Est., « accourant ensemble » et sens mod. ; lat. *concurrens,* part. prés. de *concurrere,* accourir, et en lat. jurid. « venir en concurrence ». || **concurremment** 1596, Guénoys. || **concurrence** 1398, É. Deschamps, « rencontre » ; 1559, Amyot, « rivalité », sens mod. || **concurrentiel** 1872, *J. O.* || **concurrencer** 1868, *le Moniteur.*

**concussion** 1300, « secousse » ; 1539, *Doc.,* « malversation » ; lat. jurid. *concussio,* extorsion d'argent, de *concutere,* frapper, émouvoir. || **concussionnaire** 1559, Amyot. || **concuteur** 1908, Alvin, syn. de *percuteur.*

**condamner** XII^e^ s., Herman de Valenciennes (*-emner,* jusqu'au XVI^e^ s.) ; lat. *condemnare ;* le *a* du fr. est dû à *damner.* || **condamné** 1580, Montaigne, n. || **condamnable** 1404, *Ordonn.* || **condamnation** XIII^e^ s., *Cout. d'Artois.* || **recondamner** 1611, Cotgrave.

**condé** 1822, Esnault, arg. ; p.-ê. de la même rac. que *compte* ou du port. *conde,* compte, gouverneur.

**condenser** 1314, Mondeville ; lat. *condensare,* rendre épais, de *densus,* dense ; *lait condensé,* 1873. || **condensé** n., XX^e^ s. || **condensateur** 1753, *Encycl.* || **condensation** 1361, Oresme ; lat. impér. *condensatio* (III^e^ s., Aurelius).

**condenseur** 1796, Prony ; angl. *condenser,* du verbe *(to) condense,* par Watt (1769), inventeur de l'appareil.

**condescendre** XIII^e^ s. ; bas lat. *condescendere* (VI^e^ s., Cassiodore), de *descendere,* descendre. || **condescendant** XIV^e^ s., G. || **condescendance** 1609, Fr. de Sales, « action de s'abaisser, de descendre à exécuter les désirs d'autrui » ; fin XIX^e^ s., péjor.

**condiment** fin XII^e^ s., G., fig. (jusqu'au XVI^e^ s.) ; lat. *condimentum,* assaisonnement (pr. et fig.), de *condire,* assaisonner, confire. || **condit** 1458, *Mystère du Viel Testament.* || **condimenter** 1889, Huysmans. || **condimenteuré** 1863.

**condisciple** 1470, *Livre disc. amour ;* lat. *condiscipulus.* (V. DISCIPLE.)

**condition** fin XII^e^ s., *Grégoire,* sens actuel ; XIII^e^ s., « rang, ordre social » ; lat. *condicio,* devenu *conditio* en bas lat. || **conditionner** 1265, J. de Meung, « soumettre à des conditions » ; 1694, *Acad.,* « pourvoir de qualités ». || **conditionnement** 1845, Besch., commerce ; 1857, *Année sc. et industr.,* techn. || **conditionneur** 1929, Lar. || **conditionné** début XIV^e^ s. ; *air conditionné,* apr. 1945. || **conditionnel** 1361, Oresme ; gramm., XVI^e^ s., pour désigner un mode inconnu du lat. ; lat. *condictionalis,* soumis à des conditions. || **inconditionnel** 1777, Vergennes. || **inconditionné** début XIX^e^ s.

**condoléance** v. 1460, Chastellain ; de *condouloir* (XIII^e^ s., jusqu'au XVII^e^ s.), du lat. *dolere,* souffrir, d'apr. *doléance.*

**condom** 1795 ; angl. *condum,* d'orig. inconnue.

**condominium** 1866, Lar. ; mot du lat. diplomatique, de l'angl., tiré du lat. *domĭnĭum,* souveraineté, avec le préfixe *con-.*

**condor** 1598, Acosta (var. *cuntur,* au XVII^e^ s.) ; mot esp. du quichua du Pérou.

**condottiere** 1770, *Hist. philos. des deux Indes ;* mot ital. signif. « chef des soldats mercenaires », du lat. *conducere,* au sens de « louer » ; le sens péjor. appartient au fr.

**conducteur** V. CONDUIRE.

***conduire** 980, *Passion* (*conducent*) ; 1690, Furetière, « diriger un véhicule » ; lat. *condūcĕre,* mener, conduire, de *ducere.* || **conduiseur** XII^e^ s., *Fierabras,* techn. ; lat. *conductor.* || **conduit** 1175, Chr. de Troyes, « action de conduire » ; XIII^e^ s., « escorte » ; XIII^e^ s., « conduit de l'oreille » ; fin XVI^e^ s., nom d'objet. || **conduite** XIII^e^ s., « action de conduire » ; XV^e^ s., « guide » ; 1498, Coyecque, « manière de se conduire » ; part. passé fém., substantivé. || **conducteur** début XIII^e^ s. (*conduiteur*) ; 1453, Monstrelet (*conducteur*), « qui dirige » ; milieu XVI^e^ s., « qui conduit un véhicule » ; lat. *conductor,* de *conducere.* || **conductible** 1832, Raymond ; lat. *conductus,* conduit. || **conductibilité** 1808. || **conduction** 1253, P. de Fontaines ; lat. *conductio,* louage, de *conducere,* louer. || **conductance** 1893, *Congrès de Chicago.* || **inconduite** 1693, Bouhours. || **reconduire** XII^e^ s. || **reconduction** XVI^e^ s., Charondas. || **sauf-conduit** XII^e^ s.

**condyle** 1538, R. Est. ; lat. *condylus,* du gr. *kondulos,* articulation. || **condylome** 1560, Paré ; lat. *condyloma, -atis,* mot gr.

**cône** 1552, Rab. ; lat. *conus,* du gr. *kônos.* || **conique** début XVIIe s. ; gr. *kônikos.* || **conicité** 1833, Forget. || **conoïde** 1556, Leblanc ; gr. *kônoeidês.* || **conirostre** 1809, Wailly ; lat. *rostrum,* bec. || **conifère** 1523, J. de Mortières ; lat. *conifer,* c'est-à-dire « végétal qui porte des cônes ».

**confabulation** V. FABLE.

**confection** 1155, Wace, « action de faire » ; XIIIe s., G., « préparation pharmaceutique » ; 1863, L., vêtement de confection ; lat. *confectio,* achèvement, de *conficere,* mener à sa fin. || **confectionner** 1598, Marnix, « faire des drogues » ; 1794, *Journ. de la Montagne,* en parlant de vêtements. || **confectionnement** 1922, Lar. || **confectionneur** 1830, *la Mode.*

**confédérer** 1355, Bersuire ; lat. *confœderare,* de *fœdus, -eris,* traité. || **confédérateur** 1845, Besch. || **confédération** 1358, *D. G. ;* bas lat. *confœderatio* (IVe s., saint Jérôme), action de réunir en une ligue. || **confédéral** 1598. || **confédéré** v. 1475, *D. G. ;* 1866, Lar., pendant la guerre de Sécession.

**conférence** 1346, *Chartes,* « discussion » ; 1636, Monet, « exposé » ; 1836, Landais, *maître de conférences ;* lat. *conferentia,* de *conferre,* rapporter. || **conférencier** 1752, Trévoux, théologie ; 1827, *Acad.,* « orateur ».

**conférer** 1361, Oresme, « attribuer » ; 1552, R. Est., « comparer » ; 1450, Chastellain, « s'entretenir » ; lat. *conferre,* « porter avec, réunir ».

**conferve** 1615, J. Deschamps (*conserva*) ; de *confervere,* fig. se consolider : la conferve était censée souder les corps.

***confesser** 1175, Chr. de Troyes ; lat. pop. **confessare,* de *confessus,* part. passé de *confiteri,* avouer, spécialisé en lat. chrét. || **confesse** XIIe s., *D. G. ;* déverbal. || **confesseur** milieu XIIe s. (*confesseur de la foi*) ; fin XIIe s., « prêtre qui confesse » ; lat. eccl. *confessor* (IVe s., Lactance, au sens de « chrétien qui a confessé sa foi »). || **confession** 980, *Passion ;* lat. *confessio,* aveu. || **confessionnal** 1605, H. de Santiago ; ital. *confessionnale.* || **confessionnel** 1863, L.

**confetti** 1845, Delavigne ; mot niçois que vulgarise le carnaval de Nice à partir de 1873, d'abord « boulettes de plâtre », puis « petites rondelles de papier » (confetti parisiens, à Nice), vers 1892 ; pl. ital. de *confetto,* dragée (propr. « confit »).

**confidence** 1361, Oresme, « confiance » (jusqu'au XVIIe s.) ; 1647, Corn., sens mod. d'apr. *confident ;* lat. *confidentia,* de *confidere,* confier. || **confidentiel** 1775, Vergennes. || **confidentiellement** 1775, Vergennes. || **confidentialité** XXe s. || **confident** début XVe s., « qui a confiance » ; 1536, M. Du Bellay, « qui accompagne le chevalier » ; 1587, d'Aubigné, sens actuel ; ital. *confidente,* confiant. (V. CONFIER.)

**confier** XIVe s., Le Bel ; lat. *confidere,* d'apr. *fier.* || **confiance** XIIIe s., G. (*-ience*) ; lat. *confidentia,* d'apr. *fiance.* || **confiant** XIVe s., G.

**configurer** 1190, *Saint Bernard ;* lat. *configurare,* de *figura* (v. FIGURE). || **configuration** 1190, *Saint Bernard ;* lat. *configuratio,* action de donner une forme, une figure.

**confins** fin XIIIe s., Aimé, au sing. ; 1498, Commynes (*-ins*) ; lat. médiév. *confinia,* issu du lat. *confine,* de *finis,* limite. || **confiner** 1225, « enfermer » ; *air confiné,* 1842, *Annales.* || **confinement** 1481, Bartzsch.

***confire** 1175, Chr. de Troyes, « préparer, façonner » ; fin XVIe s., sens restreint ; lat. *conficĕre,* achever, puis préparer (des mets), de *facere,* faire. || **confiseur** 1600, O. de Serres. || **confiserie** 1753, *Encycl.* || **confit** début XIIIe s., adj. ; 1268, É. Boileau, n. m., « préparation » ; auj. seulement *confit d'oie* comme n. m. || **confiture** XIIIe s., L. ; 1866, Lar., fam., *en confiture.* || **confiturier** 1584, de Barrand. || **confiturerie** 1823, Boiste. || **déconfire** 1080, *Roland,* « défaire un ennemi » ; de *confire,* achever. || **déconfiture** fin XIIe s., *R. de Cambrai.*

**confirmer** 980, *Passion* (*-ermer,* jusqu'au XVIe s.) ; lat. *confirmare,* de *firmus,* ferme. || **confirmation** 1190, Garnier ; lat. *confirmatio.* Le sens relig. apparaît dès le lat. eccl. || **confirmatif** 1473, *D. G. ;* bas lat. *confirmativus* (Ve s., Priscien, gramm.).

**confisquer** début XIVe s. ; lat. *confiscare,* de *fiscus,* fisc. || **confiscation** fin XIVe s. ; lat. *confiscatio,* action de saisir au nom du fisc. || **confiscatoire** XXe s.

**confiteor** début XIIIe s. ; mot lat. signif. « je confesse », et qui commence cette prière.

**confiture** V. CONFIRE.

**conflagration** 1375, R. de Presles ; 1790, Mirabeau, fig., « bouleversement », « incendie » ; lat. *conflagratio,* de *flagrare,* brûler.

**conflit** 1170, *Rois,* « combat » ; 1685, Fléchier, fig. ; lat. *conflictus,* choc, de *confligere,* heurter. || **conflictuel** 1961, *journ.*

**confluer** 1330, G. ; rare jusqu'au XIX^e s. ; lat. *confluere,* « couler ensemble ». || **confluent** n. m., 1510, J. Lemaire, géogr. ; 1734, *Journ. des savants,* méd. et bot., adj. ; part. prés. lat. *confluens* (déjà géogr. en lat., d'où les noms de lieux, Conflans, Confolens). || **confluence** 1450, Chastellain.

***confondre** 1080, *Roland,* « détruire » ; XII^e s., « bouleverser » ; lat. *confŭndere,* mêler, et sens fig. surtout en lat. pop. (lat. eccl. « couvrir de confusion »). || ***confus** 1120, *Ps. d'Oxford ;* lat. *confūsus,* part. passé. || **confusément** 1213, *Fet des Romains.* || **confusion** 1080, *Roland,* « défaite » ; 1361, Oresme, « état mêlé » ; 1691, Racine, fig. ; lat. *confusio.* || **confusionnisme** 1907, Péguy. || **confusionniste** 1920, Allard. || **confusionnel** XX^e s.

**conformer** 1190, *Saint Bernard ;* lat. *conformare,* de *forma* (v. FORME). || **conformateur** 1611, Cotgrave. || **conforme** 1372, Corbichon ; lat. *conformis.* || **conformément** 1503, Chauliac. || **conformité** 1361, Oresme ; bas lat. *conformitas.* || **conformateur** 1611, Cotgrave. || **conformation** 1560, Paré ; bas lat. *conformatio.* || **conformiste** 1666, Sorbière, eccl. ; 1794, Révolution, sens mod. ; mot angl., de *conform,* conforme. || **conformisme** 1907, Lar. ; par l'angl. || **anticonformiste** 1955, *le Figaro.* || **anticonformisme** 1948, Saint-Aulaire. || **non-conformiste** 1672, Mackenzie, eccl. ; 1791, Marat, polit., désignant le prêtre réfractaire. || **non-conformité** 1704, Trévoux.

**confort** 1080, *Roland,* « courage » ; déverbal du verbe *conforter* (XII^e s.), du lat. *confortari,* soutenir le courage, de *fortis,* courageux ; 1815, Chateaubriand, « bien-être matériel », repris à l'angl. *comfort,* lui-même repris à l'anc. fr. (souvent écrit au XIX^e s. comme l'angl.). || **confortable** 1786, Bonnafé ; angl. *comfortable.* || **confortablement** av. 1750. || **confortabilité** 1826, *Revue encycl.* || **conforter** fin X^e s., *Vie de saint Léger,* repris au XX^e s. || **inconfort** 1893, J. Verne. || **inconfortable** 1850, Sainte-Beuve. || **réconforter** 1050, *Alexis.* || **réconfort** 1230, G. de Lorris, déverbal.

**confrère** V. FRÈRE.

**confronter** milieu XIV^e s., « être situé en face » ; 1499, Laurière, « mettre en présence » ; lat. jurid. médiév. *confrontare,* de *frons,* front. || **confrontation** 1346, *Bible ;* lat. *confrontatio,* action de mettre en présence.

**confus, confusion** V. CONFONDRE.

**congaï** fin XIX^e s., « femme annamite » ; annamite *con gai,* la fille.

**conge** 1545, Guéroult, « récipient » ; lat. *congius ;* récipient en cuivre pour la préparation des liqueurs (1907, Lar.).

***congé** X^e s., *Saint Léger* (*cumgiet*), « autorisation de partir » ; a pris au XV^e s. le sens de congé militaire ; 1611, Cotgrave, « renvoi » ; lat. *commeatus,* action de s'en aller, de *meare,* circuler. || **congédier** fin XIV^e s., *Chron. de Boucicaut ;* ital. *congedare,* de *congedo,* repris au fr. *congé ;* a remplacé *congier.* || **congédiement** 1842, *Acad.* || **incongédiable** 1778, *Almanach.*

**congeler** V. GELER.

**congénère** 1562, Paré ; lat. *congener,* de *genus, -eris,* genre, c'est-à-dire « qui est du même genre ».

**congénital** V. GÉNITAL.

***congère** 1866, Lar., « amas de neige » ; mot dial. (Wallonie, Massif central, Dauphiné), repris en géogr., du lat. pop. **congĕria* (lat. *congĕries*), amas, de *congĕrĕre,* amonceler.

**congestion** XIV^e s., Chauliac ; lat. *congestio,* au sens méd., de *congerere,* accumuler. || **congestionner** 1833, *Journ. de méd.* || **congestif** 1833, Duparcque. || **congestionnement** 1864, Goncourt. || **décongestionner** 1874, Flaubert.

**conglomérer** 1672, M. Charas ; lat. *conglomerare,* de *glomus, -eris,* pelote. || **conglomérat** 1818. || **congloméré** 1672, M. Charas. || **conglomération** 1829, Boiste.

**conglutiner** 1314, Mondeville ; lat. *conglutinare,* de *glutinare,* coller. || **conglutination** 1314, Mondeville; lat. *conglutinatio.* (V. AGGLUTINER.)

**congratuler** 1355, Bersuire ; lat. *congratulari,* de *gratus,* gré. || **congratulation** 1468, Chastellain ; lat. *congratulatio.* || **congratulateur** 1831, Hugo.

**congre** XIII^e s., *Bataille de Caresme ;* mot prov., du bas lat. *congrus,* gr. *gongros.*

**congréer** 1773, Bourdé, « garnir un cordage d'étoupe » ; croisement probable entre l'anc. fr. *conréer,* disposer, apprêter (v. CORROYER) et *gréer.*

**congréganiste** V. CONGRÉGATION.

**congrégation** 1120, *Ps. d'Oxford,* « assemblée » ; fin XVI^e s., relig. ; lat. *congregatio,* réunion, assemblée (sens de l'anc. fr.), de *grex, gregis,* troupeau. || **congréganiste** 1680, Richelet, formation régressive d'apr. *organiste, ornemaniste,* etc.

**congrès** XVI^e s., « union sexuelle » ; 1611, Cotgrave, « entretien », « réunion » ; 1774, *Journ. de Bruxelles,* corps législatif des États-Unis, repris à l'anglo-américain, lui-même issu de l'anc. français ; lat. *congrĕssus,* de *congredi,* se rencontrer. || **congressiste** 1866, Lar.

**congru** 1280, *Clef d'amour ; portion congrue,* eccl., 1615 ; lat. *congruus,* convenable, de *congrŭĕre,* « s'adapter à ». || **congruisme** 1753, *Encycl.* || **congruité** 1365, Delb. || **congruence** 1374. || **congruent** 1542, Changy. || **incongru** 1495, J. de Vignay ; lat. *incongruus* (gramm.). || **incongrûment** 1361, Oresme. || **incongruité** 1501, Vérard ; lat. *incongruitas.*

**conifère** V. CÔNE.

**conjecture** 1246, *Image du monde ;* lat. *conjectura,* de *jacere,* jeter. || **conjecturer** 1265, J. de Meung ; lat. *conjecturare* (VI^e s., Boèce). || **conjectural** fin XIII^e s., Jean d'Antioche. || **conjecturalement** 1488, *Mer des hist.* || **conjectureur** 1752, *Journ. de Trévoux.*

***conjoindre** 1130, *Job ;* lat. *conjungere,* unir (v. JOINDRE). || ***conjoint** 1160, Benoît, « associé » ; 1413, G., « époux » ; lat. *conjunctus,* jurid., époux. || **conjointement** 1254, *Ordonn.* || **conjonctif** 1372, Corbichon, anat. et gramm. ; lat. *conjunctivus,* qui sert à lier. || **conjonctive** anat., v. 1370. || **conjonctivite** 1832, Raymond. || **conjonction** 1160, Benoît, « action de joindre » ; XIV^e s., gramm. (repris au lat.) ; 1392, E. Deschamps, astron. ; lat. *conjonctio.* || **conjoncture** XIV^e s., « jonction » ; 1611, Cotgrave, « situation » ; réfection de l'anc. fr. *conjointure,* d'apr. le lat. *conjunctus.* || **conjoncturiste** apr. 1945. || **conjoncturel** 1961, *journ.*

**conjugal** 1282, Gauchi ; lat. *conjugalis,* de *conjugare,* unir. || **conjugalement** 1580, Montaigne. || **conjugalité** 1846.

**conjuguer** 1572, Ramus ; lat. gramm. *conjugare,* unir, de *jugum,* joug ; XVI^e s., fig. || **conjugaison** XII^e s., *le Bal des sept arts,* gramm. ; lat. *conjugatio.* || **conjugable** 1829, Boiste.

**conjungo** 1670, Th. Corneille, ironique ; mot lat. signif. « j'unis », tiré de la formule du mariage religieux.

**conjurer** 980, *Passion,* « prier » ; fin XII^e s., « adjurer », « exorciser » ; XIII^e s., « conspirer », sens repris au lat. ; lat. *conjurare,* « jurer ensemble ». || **conjuré** 1213, *Fet des Romains ;* lat. *conjuratus,* « qui a prêté serment » (en anc. fr.). || **conjuration** 1160, Benoît ; 1470, Bartzsch, « complot » ; lat. *conjuratio.* || **conjuratoire** 1891.

***connaître** fin XI^e s., *Lois de Guill. ;* lat. *cognŏscĕre.* || **connaissance** 1080, *Roland,* « acte de connaître » ; XVII^e s., G. de Balzac, « liaison ». || **connaissement** XII^e s., G., « fait de connaître » ; 1643, Fournier, mar. || **connaisseur** 1160, Benoît. || **connaissable** XIII^e s. || **inconnaissable** milieu XV^e s. || **inconnu** 1392, E. Deschamps, adj. ; 1640, Corn., n. ; lat. *incognitus.* || **méconnaître** fin XII^e s., *Aliscans.* || **méconnaissable** fin XIII^e s. || **méconnaissance** 1175, Chr. de Troyes. || **reconnaître** 1080, *Roland,* « identifier » ; XIV^e s., « reconnaître pour vrai » ; lat. *recognoscere,* qui suit l'évolution de *connaître.* || **reconnaissance** *id.* (*-nuisance*), « action de reconnaître ». || **reconnaissant** v. 1350. || **reconnaissable** 1080, *Roland.*

**connecter** 1780, Frédéric II, « être en rapport » ; 1834, Landais, « unir » ; lat. *connectere,* « lier ensemble ». || **connecteur** 1799, Richard. || **connexe** 1290, Drouart ; lat. *connexus,* de *connectere.* || **connexité** 1414, Juvénal des Ursins. || **connexion** 1361, Oresme ; lat. *connexio.* || **interconnexion** 1954, Lar.

**connétable** 1170, *Rois* (*cunestable*) ; bas lat. *cŏmes stabuli,* comte de l'étable, grand écuyer (*Code Théodosien*). Le *n* pour *m* n'est pas expliqué.

***con(n)il** 1240, G. de Lorris, « lapin », encore dans le blason ; lat. *cŭniculus,* mot d'origine ibérique d'apr. Pline.

**connivence** 1539, *Doc.,* « complicité » ; bas lat. *conniventia* (V^e s., *Code Théodosien*), du lat. *connivere,* cligner, fermer les yeux, d'où *conniver* au fig. (XVI^e s., jusqu'au XVIII^e s.).

**conque** 1375, R. de Presles ; lat. *concha,* du gr. *konkhê,* coquille. (V. CONCHE 1.)

***conquérir** 1080, *Roland* (*conquerre*) ; XIV^e s. (*-quérir,* qui s'imposera au XVI^e s.) ; lat. pop. **conquaerere,* chercher à prendre, du lat. *conquīrĕre,* refait sur *quaerere,* chercher (v. QUÉRIR). || **conquête** 1160, Benoît (*conqueste*) ; anc. part. passé fém., du lat. pop. **conquaesita.* || **conquêter** 1190, Garnier. || **conquêt** XII^e s., jurid. ; lat. pop. **conquaesitas.* || **conquérant** 1160,

Benoît. || **reconquérir** 1175, Chr. de Troyes. || **reconquête** XIV^e^ s. (*-quest*).

**conquistador** 1841, G. Sand ; mot esp. signif. « conquérant ».

**consacrer** 1119, Ph. de Thaon ; lat. *consecrare,* refait sur *sacré.* || **consécration** 1160, Benoît ; lat. chrét. *consecratio.* || **consécrateur** 1568, Despence ; lat. chrét. *consecrator.*

**consanguin** V. SANGUIN.

**conscience** 1170, *Rois ;* lat. *conscientia,* connaissance. || **consciencieux** 1500, Gringore. || **consciencieusement** 1570, Carloix. || **conscient** 1754, Ch. Bonnet ; lat. *consciens,* part. prés. de *conscire,* avoir conscience, de *scire,* savoir. || **consciemment** 1834. || **inconscience** 1836, Raymond. || **inconscient** 1820, Michelet. || **inconsciemment** 1876, Fromentin. || **subconscience** 1907, Lar. || **subconscient** 1907, Lar.

**conscrit** 1355, Bersuire, hist. (*pères conscrits*), trad. du lat. *patres conscripti,* titre des sénateurs romains ; 1789, sens mod. d'apr. *conscription ;* lat. *conscriptus,* part. passé de *conscribere,* enrôler, de *scribere,* écrire. || **conscription** 1789, Lacuée ; bas lat. *conscriptio ;* appliqué d'abord à la conscription maritime (décret mai 1790), puis à l'armée de terre (19 fructidor an VI).

**consécration, consécutif** V. CONSACRER, CONSÉQUENT.

***conseil** 980, *Passion,* « avis » ; XII^e^ s., « conseilleur » ; 1080, *Roland,* « assemblée » ; X^e^ s., *Saint Léger ;* lat. *consĭlium,* délibération, avis. || **conseiller** n. m., X^e^ s., *Eulalie* (*-ier*) ; lat. *consĭliarius.* || **conseiller** 1050, *Alexis ;* lat. pop. **consĭliare* (lat. *-ari*). || **conseilleur** 1190, Bodel (*-eor*). || **déconseiller** 1138, *Saint Gilles,* « rendre perplexe » ; 1190, Garnier, sens actuel.

**consensuel** XVIII^e^ s. ; lat. *consensus,* sur le modèle de *sensuel.* Se dit en droit d'un contrat formé par le seul consentement des parties.

***consentir** X^e^ s., *Saint Léger ;* lat. *consentīre,* être d'accord. || **consentement** 1160, Benoît.

**conséquent** 1361, Oresme ; lat. *consequens,* part. prés. de *consequi,* suivre. || **conséquemment** 1379, G. || **conséquence** XIII^e^ s., de Fontaines ; lat. *consequentia.* || **consécutif** fin XV^e^ s., « sans interruption » ; 1907, Lar., gramm. ; lat. *consecutus,* part. passé de *consequi.* || **consécutivement** 1373, G. || **consécution** 1265, J. de Meung ; lat. *consecutio,* terme d'astronomie. || **inconséquent** 1552, R. Est. ; lat. *inconsequens.* || **inconséquence** 1538, R. Est. ; bas lat. *inconsequentia.*

***conserver** 842, *Serments,* « observer un serment » ; 1530, Palsgrave, « protéger de l'altération » ; lat. *conservāre,* garder. || **conserve** milieu XIV^e^ s., sens actuel ; XVI^e^ s., mar., repris à l'ital. ; déverbal. || **conserverie** 1953, Lar. || **conserveur** XX^e^ s. || **conservation** 1290, *Livre Roisin.* || **conservateur** 1361, Oresme, « qui conserve » ; XVIII^e^ s., polit., repris à l'angl. ; lat. *conservator.* || **conservatisme** 1851, A. Herzen. || **conservatiste** 1870, A. Blanqui. || **conservatoire** 1361, Oresme, « lieu où l'on conserve » ; 1787, Féraud, jurid., adj. ; 1778, *Conservatoire de musique,* d'apr. l'ital. ; 1794, *Conservatoire des arts et métiers ;* d'apr. le lat. *servatorium.*

**considérer** 1130, *Job ;* lat. *considerare,* qui a donné la forme pop. *consirier,* réfléchir, s'abstenir. || **considérable** 1564, J. Thierry, « digne d'être remarqué » ; 1637, Descartes, « important, notable » ; 1668, Molière, sens actuel. || **considérablement** 1675, Maucroix. || **considération** 1170, *Rois ; prendre en considération,* 1775, *Journ. de Bruxelles ;* lat. *consideratio.* || **considérant** 1792, Brunot. || **déconsidérer** 1790, Brunot. || **déconsidération** 1798, Bignon. || **inconsidéré** 1525, Lemaire ; lat. *inconsideratus.* || **inconsidération** 1488, Vaganay ; lat. *inconsideratio.* || **inconsidérément** 1504, Lemaire. || **reconsidérer** 1549, R. Est. || **reconsidération** 1779, Gérard.

**consigner** milieu XIV^e^ s., « délimiter » ; 1402 N. de Baye, « déposer en garantie » ; 1690, Furetière, « mentionner » ; 1723, Savary, « consigner des marchandises » ; lat. *consignare,* sceller, puis souscrire, consigner par écrit. || **consigne** fin XV^e^ s., Robertet, « marque » ; 1740, *Acad.,* « instruction » ; 1803, Boiste, « punition » ; 1866, Lar., « local de gare pour déposer les bagages » ; déverbal. || **consignation** 1396, *Cout. de Dieppe.* || **consignataire** 1690, Furetière.

**consister** XIV^e^ s., *Nature a alchimie,* « avoir de la consistance » ; XV^e^ s., sens fig. actuel ; lat. *consistere,* « se tenir ensemble » et sens fig. || **consistance** fin XIV^e^ s., « consistance » ; 1671, Pomey, « compacité ». || **consistant** 1560, Paré, « qui a de la force » ; 1754, *Encycl.,* « ferme ». || **inconsistant** début XVI^e^ s. ; rare jusqu'au XVIII^e^ s. (1775, Beaumarchais). || **inconsistance** 1738, d'Argenson.

**consistoire** 1190, Garn., assemblée, dans son sens eccl. spécialisé ; bas lat. *consistorium,* endroit où l'on se tient. || **consistorial** 1432.

**consœur** V. SŒUR.

**console** 1565, Barbier ; de *sole,* poutre (v. SOLE) ; par étymol. pop., fait sur *consoler,* avec infl. de *consolider ;* on trouve *consolateur* (1564, J. Thierry), dans le même sens.

**consoler** XIIIe s. ; lat. *consōlāri.* || **consolation** 1050, *Alexis ;* lat. *consolatio.* || **consolateur** 1265, J. de Meung ; lat. *consolator.* || **consolable** 1458, *Mystère du Viel Testament,* « qui console » ; fin XVe s., d'Authon, sens actuel ; lat. *consolabilis.* || **inconsolable** début XVIe s. ; lat. *inconsolabilis.* || **inconsolé** 1500.

**consolider** 1314, Mondeville ; le sens fin. (*annuités consolidées,* 1768) a été repris à l'angl. (*consolidated annuities,* 1751) ; lat. *consolidare* (v. SOLIDE). || **consolidation** 1314, Mondeville, « cicatrisation » ; 1380, Conty, « acte de consolider ». || **consolidable** 1842, J.-B. Richard. || **reconsolider** 1468, Chastellain.

**consommer** 1155, Wace, « achever » ; *consommer le mariage, consommer une denrée,* XVIe s. ; lat. *consŭmmare,* « faire la somme », d'où « compléter ». Souvent confondu jusqu'au XVIIe s. avec *consumer,* d'apr. la graphie commune *consummer* et la parenté de sens en lat. || **consommable** 1580, Montaigne. || **inconsommable** 1867, L. || **consommateur** 1525, Le Fèvre, eccl. ; 1745, Brunot, sens actuel. || **consommation** 1120, *Ps. d'Oxford.* || **consommé** 1361, Oresme, adj. ; 1560, Paré, n. m., « bouillon ».

**consomption** V. CONSUMER.

**consonance** 1155, Wace ; lat. *consonantia,* de *sonus,* son. || **consonant** 1175, Chr. de Troyes ; lat. *consonans.* || **consoner** début XIIIe s., *Guillaume de Dole,* « raconter » ; milieu XVe s., aller de pair ; 1853, mus. || **consonne** 1529, Tory ; lat. gramm. *consona* (IIe s., Ter. Maurus ; var. *consonans,* Quintilien), « qui sonne avec (la voyelle) ». || **consonantique** 1872. || **consonantisme** 1878, Lar. || **semi-consonne** 1901, Lar.

**consort** 1392, *Songe du vergier,* « complice » ; XIVe s., Chr. de Pisan, « compagnon » ; lat. *consors, -ortis,* qui partage le sort ; *prince consort* (d'abord au sujet des reines, 1669, Chamberlayne), calque de l'angl. *queen-consort,* 1634.

**consortium** 1869 ; mot lat. signif. « association », repris à l'angl. commercial. (V. CONSORT.)

***consoude** 1200, G. (*-oulde*) ; lat. *consolida* (v. CONSOLIDER), à cause des propriétés astringentes de la plante.

**conspirer** XIIe s., G. ; lat. *conspirare,* « souffler ensemble ». || **conspirateur** 1302, G., « qui machine » ; XVIe s., « qui conspire contre le pouvoir ». || **conspiration** 1160, Benoît ; lat. *conspiratio.*

**conspuer** 1530, *Postilles,* « cracher » ; 1743, Voltaire, sens actuel ; lat. *conspuere,* « cracher sur ».

**constable** 1776, Linguet ; mot angl., de l'anc. fr. *conestable* (connétable), et désignant un officier de police.

**constant** XIIIe s. (*costan*) ; 1355, Bersuire, « ferme » ; 1398, *Ménagier,* « stable » ; 1640, Corn., « avéré » ; lat. *constans,* de *constare,* se tenir ferme, de *stare,* se tenir debout (anc. fr. *conster,* XIVe s., *Traité d'alchimie*). || **constance** 1220, Coincy, « force morale » ; 1265, Br. Latini, « persévérance » ; lat. *constantia.* || **conster** XIVe s. ; lat. *constare,* être certain. || **constante** n. f., 1699. || **constamment** 1355, Bersuire. || **inconstant** 1265, J. de Meung ; lat. *inconstans.* || **inconstance** 1220, Coincy ; lat. *inconstantia.*

**constater** 1726, *Mém. de Trévoux ;* lat. *constat,* « il est certain », 3e pers. sing. ind. prés., de *constare,* se tenir ferme. || **constatable** 1845, J.-B. Richard. || **constat** n. m., fin XIXe s. || **constatation** 1586, Scaliger ; rare jusqu'au XIXe s. (1845, Besch.).

**constellation** 1265, J. de Meung ; lat. *constellatio,* de *stella,* étoile, d'abord, au sens astrologique, « groupement des étoiles déterminant un horoscope ». || **constellé** 1519, G. Michel, d'abord sens astrologique ; 1694, Nodot, « parsemé d'étoiles ». || **consteller** 1838, Lamartine.

**conster** V. CONSTANT.

**consterner** 1355, Bersuire, fig. ; 1450, Chastellain (*consternir*), « jeter à bas » (sens conservé jusqu'au XVIIe s.) ; lat. *consternāre* et *consternere,* abattre, jeter à terre, de *sternere,* abattre. || **consternation** XIVe s., « émeute » ; 1512, J. Lemaire, sens fig. ; lat. *consternatio.*

**constiper** 1398, *Somme Gautier ;* lat. *constīpāre,* resserrer ; il a eu le sens de « condenser » jusqu'au XVIe s. || **constipation** fin XIIIe s.

**constituer** XIIIe s., *Cout. d'Artois,* pronominal ; 1361, Oresme, « placer » ; 1690, Furetière,

« former un tout » ; lat. *constituĕre,* de *statuere,* établir (v. STATUER). || **constituant** 1476, Bartzsch, adj. ; polit., n. m., 1750, *Encycl.,* d'où la *Constituante* de 1790 ; n. m., chimie, anat., etc., fin XVIII^e s. || **constitutif** 1488, *Mer des hist.* ; fin XVIII^e s., polit. || **reconstituer** début XVI^e s., « rétablir dans son état premier » ; rare jusqu'au XVIII^e s. (1790, Brunot). || **reconstitutif** 1869, méd. || **reconstituant** 1845, *Journ. de méd.* || **reconstitution** 1734, Féraud.

**constitution** 1160, Benoît ; d'abord « institution », puis (1683, Burnet) spécialisé en « régime politique » ; 1546, Ch. Est., *constitution du corps,* repris au lat. ; lat. *constĭtutio,* établissement. || **constitutionnalisme** 1828, Saint-Simon. || **constitutionnaliste** 1845, Cabet. || **constitutionnaliser** 1830, Balzac. || **constitutionnalité** 1797, *Doc.* || **constitutionnellement** 1776, *Aff. de l'Angleterre.* || **constitutionnel** 1775, *Journ. de Bruxelles,* sous l'infl. de *constitutional* (en fr., 1776, *Courrier de l'Europe*). || **anticonstitutionnel** 1774, *Journ. de Bruxelles.* || **inconstitutionnel** 1775, *Journ. de Bruxelles.* || **inconstitutionnellement** 1783, Linguet. || **inconstitutionnalité** 1797, *Rapp. du bureau central.*

**constricteur** fin XVII^e s., méd. ; lat. *constrictor,* de *constringere,* serrer (v. ASTREINDRE) ; *boa constrictor,* 1754, A. de La Chesnaye. || **constriction** 1314, Mondeville ; lat. *constrictio.* || **constringent** 1743, Trévoux ; lat. *constringens.* || **constrictif** milieu XIV^e s., méd., « propre à resserrer ».

**construire** XIII^e s. ; lat. *construere,* de *struere,* élever. || **constructeur** XIV^e s., G. ; bas lat. *constructor.* || **construction** 1130, *Job* ; lat. *constructio.* || **constructif** 1487, Garbin. || **constructible** 1863. || **constructibilité** 1863. || **constructivisme** v. 1925. || **constructiviste** v. 1925. || **reconstruire** 1549, R. Est. || **reconstruction** début XVIII^e s.

**consubstantiel** V. SUBSTANCE.

**consul** 1213, *Fet des Romains,* hist. ; lat. *cōnsŭl,* qui a désigné aussi des magistrats municipaux du Midi, les juges-consuls, le chef du pouvoir exécutif (1799-1804), et les agents diplomatiques (1690, Furetière). || **consulat** 1246, G., hist. ; 1799, polit. ; lat. *consulatus.* || **consulaire** 1355, Bersuire ; lat. *consularis.* || **vice-consul** 1700, Le Bruyn.

**consulter** 1410, Cabaret, « délibérer » (jusqu'au XVII^e s.) ; XV^e s., « demander conseil » ; lat. *consultare,* dans les deux sens. || **consultant** 1584, Duret. || **consultatif** 1608, du Sin. || **consultation** 1355, Bersuire, « conférence » ; 1580, Montaigne, « délibération » ; 1636, Monet, méd. ; lat. *consultatio.*

**consumer** XII^e s., *D. G.* ; lat. *consumere,* détruire peu à peu (et aussi *consommer,* du XVI^e au XVII^e s.). || **consumable** 1842, J.-B. Richard. || **consumptible** 1585, Papon (*-omptible*) ; bas lat. *consumptibilis* (VI^e s., Cassiodore). || **consomption** 1314, Mondeville ; lat. *consumptio.* (V. CONSOMMER.) || **consumérisme** 1972 ; angl. *consumerism.*

**contact** 1586, Suau ; fin XVIII^e s., fig. ; lat. *contactus,* de *tangere,* toucher (v. TACT). || **contacteur** 1929, Lar., électr. || **contacter** 1842, J.-B. Richard.

**contagion** début XIV^e s. ; lat. *contagio,* de *tangere,* toucher. || **contagionner** 1845, J.-B. Richard. || **contagieux** v. 1300 ; lat. *contagiosus.* || **contagiosité** 1425.

**container** 1932, Lar. ; mot angl. signif. « récipient ».

**contaminer** 1213, *Fet des Romains,* « souiller » ; 1866, Lar., « infecter » ; lat. *contaminare,* souiller. || **contamination** milieu XIV^e s. ; lat. *contaminatio.* || **décontaminer** 1952, Lar. || **décontamination** *id.*

**conte** V. CONTER.

**contempler** 1265, J. de Meung ; lat. *contemplāri.* || **contemplation** 1190, Garn. ; lat. *contemplatio.* || **contemplatif** 1160, Benoît ; lat. *contemplativus.* || **contemplateur** 1355, Bersuire ; lat. *contemplator.*

**contemporain** V. TEMPS.

**contempteur** 1449, G. ; lat. *contemptor,* de *contemnere,* mépriser.

***contenir** 1080, *Roland* ; 1050, *Alexis, se contenir* ; lat. *continere,* refait en **contenere* (v. TENIR). || **contenance** 1080, *Roland,* « comportement » ; XIII^e s., « mesure ». || **conteneur** 1956. || **porte-conteneurs** 1956. || **décontenancer** 1549, R. Est. || **décontenancement** 1671, Sévigné. (V. CONTINENT.)

***content** 1280, *Clef d'amors* ; lat. *contentus,* « qui se contente de », de *continere,* contenir. || **contenter** 1314, *Charte* ; 1360, Froissart, *se contenter.* || **contentement** 1468, Chastellain. || **mécontent** 1501, Joubert, qui a remplacé *malcontent* (XIII^e s.). || **mécontenter** XIV^e s., Delb. || **mécontentement** 1539, R. Est.

**contentieux** 1257, G., « qui donne lieu à une querelle » ; lat. jurid. *contentiosus ;* n. m., 1797, Brunot.

**contention** 1257, G. ; XVIe s., tension intellectuelle ; 1771, Trévoux, chirurgie, avec infl. de *contenir ;* réfection de l'anc. fr. *contençon,* lutte, débat, du lat. *contentio,* de *contendere,* « tendre vers », lutter.

***conter** 1080, *Roland,* même mot que *compter,* qui s'en est séparé par une divergence graphique pour distinguer les sens. || **conte** 1190, J. Bodel ; *conte bleu,* 1664, Molière, sans doute d'apr. *Bibliothèque bleue,* recueil de contes ; déverbal. || **conteur** 1155, Wace (*-eor*). || **raconter** 1175, Chr. de Troyes. || **racontar** 1867, Delvau, fam. (*-ard*). || **racontable** fin XIIe s., *Grégoire.* || **irracontable** XVe s., La Curne.

**contester** XIIe s. (*-testar*) ; XIVe s. (*-tester*) ; lat. jurid. *contestari,* plaider en produisant des témoins (*testes*). || **conteste** 1585, Cholières ; auj. seulement dans *sans conteste* (1656, Molière). || **contestable** 1690, Furetière. || **contestablement** 1611, Cotgrave. || **contestation** fin XIVe s. ; lat. *contestatio.* || **contestateur** 1842, J.-B. Richard. || **contestataire** 1968. || **incontesté** 1668, Mézeray. || **incontestable** 1611, Cotgrave. || **incontestablement** milieu XVIIe s.

**contexte, contexture** V. TEXTE, TEXTURE.

**contigu** milieu XIVe s. ; lat. *contiguus,* de *tangere,* toucher. || **contiguïté** XVe s., G.

1. **continent** 1160, Benoît, adj., « chaste » ; lat. *continens,* part. prés. de *contĭnēre,* contenir, fig. « maîtriser ». || **continence** fin XIIe s., R. de Moiliens. || **incontinent** 1361, Oresme ; adv., 1332, *Doc.,* « tout de suite » (lat. *in continenti tempore*) ; lat. *incontinens.* || **incontinence** XIIe s., *D. G.*

2. **continent** n. m., 1532, Fabre ; lat. (*terra*) *continens,* « terre qui tient ensemble », de *continere.* || **continental** 1773, Favier.

**contingent** adj., 1370, Oresme ; n. m., XVIe s. ; lat. *contingens,* part. prés. de *contĭngĕre,* toucher, fig. « arriver par hasard ». || **contingence** début XIVe s. ; bas lat. *contingentia* (VIe s., Boèce). || **contingenter** 1922, Lar. ; du substantif. || **contingentement** 1922, Lar.

**continu** 1272, Joinville (*contenu*) ; 1314, Mondeville (*continu*) ; lat. *continuus.* || **continuer** 1160, Benoît ; lat. *continuare.* || **continuateur** 1579, Vignier. || **continuation** 1283, Beaumanoir ; lat. *continuatio.* || **continuel** 1155, Wace. || **continuellement** 1160, Benoît. || **continuité** 1390, Conty. || **continûment** 1302, G. || **continuum** 1905 ; mot lat. || **discontinu** 1361, Oresme ; rare jusqu'au XIXe s. || **discontinuer** 1314, Mondeville ; lat. médiév. *discontinuare.* || **discontinuation** 1355, Bersuire ; lat. médiév. *discontinuatio.* || **discontinuité** 1775, Grignon.

**contondant** 1503, Chauliac ; de *contondre* (XVIe-XVIII[e] s.), du lat. *contundere,* blesser ; se dit de ce qui blesse sans couper ni percer. (V. CONTUS.)

**contorniate** 1754, *Encycl. ;* mot ital., de *contorno,* contour. Nom donné à des médaillons romains, à cause de la bordure, ou contour en creux qui les caractérise.

**contorsion** 1380, Conty ; bas lat. *contorsio,* de *torquere,* tordre. || **contorsionner (se)** 1771, Masson. || **contorsionniste** v. 1860.

**contour** XIVe s., Froissart ; ital. *contorno,* de *contornare,* infl. par *tour.* || **contourner** 1311, G. ; ital. *contornare.* || **contournement** 1544.

**contraceptif** adj. et n. m., v. 1955 ; angl. *contraceptive,* de *contra* et *conceptive,* « de la conception ». || **contraception** 1929 ; angl. *contraception.*

**contracter** 1361, Oresme, « faire un contrat » ; 1740, *Acad.,* « réduire, resserrer », physique ; lat. jurid. *contractus,* de *contrahere,* resserrer. || **contractant** 1472, Bartzsch. || **contrat** 1361, Oresme (var. *contract*) ; lat. jurid. *contractus.* || **contractuel** 1596, Basmaison. || **contractile** 1755, *Encycl.* || **contractilité** 1735. || **contracture** 1620, Béguin, « rétrécissement » ; 1611, Cotgrave, architecture, repris au lat. ; 1819, Boiste, méd. ; lat. *contractura.* || **contracturer** 1837, en architecture et en méd. || **contraction** 1256, Ald. de Sienne, « diminution de volume » ; lat. *contractio.* || **décontraction** 1956, Lar. || **décontracter** 1956, Lar.

**contradiction** V. CONTREDIRE.

***contraindre** v. 1120 (*constreindre*) ; lat. *constringĕre,* serrer (v. CONSTRICTEUR). || **contrainte** XIIe s. ; part. passé fém.

**contraire** 1080, *Roland ;* lat. *contrarius.* || **contrairement** XVe s. || **contrarier** 1080, *Roland,* « se quereller » ; 1690, Furetière, « chagriner » ; bas lat. *contrariare.* || **contrariant** 1300, Bozon. || **contrariété** 1160, Benoît, pl., « choses opposées » ; 1831, Stendhal, « déplaisir » ; lat. *contrarietas.*

**contralto, contrapuntiste** V. ALTO, POINT.

**contraste** 1580, Montaigne, « lutte, contestation » (jusqu'au XVII^e s.) ; 1699, Dupuy du Grez, sens pictural ; ital. *contrasto,* de *contrastare,* « s'opposer à », du lat. *contra,* contre, et *stare,* se tenir debout. || **contraster** milieu XVI^e s. ; réfection de l'anc. fr. *contrester,* d'apr. l'ital. *contrastare.*

**contrat, contravention** V. CONTRACTER, CONTREVENIR.

1. ***contre** 842, *Serments* (*contra*) ; lat. *contra.* || **contrer** 1838, *Acad.* || **encontre** 980, *Passion,* prép., « vers » ; XII^e s., *à l'encontre.* || **rencontrer** XIV^e s., Cuvelier ; anc. fr. *encontrer.* || **rencontre** XIII^e s., Huon de Méry, déverbal, masc. jusqu'au XVI^e s. || **malencontreux** 1400 ; de *malencontre,* malheur (mauvais hasard).

2. **contre-,** préfixe lat. *contra,* contre, opposé à. Les mots construits avec le préfixe *contre-* sont étudiés, sauf exception, à la place alphabétique du radical.

**contrebande** 1512, Thenaud ; vénitien *contrabbando,* contre le ban. || **contrebandier** 1715, Guyot de Pitaval.

**contrebasse** V. BASSE.

**contrecarrer** 1535, G. de Selve ; anc. fr. *contrecarre,* opposition (1470, Chastellain).

**contredanse** 1626, Bassompierre ; angl. *country-dance,* danse de campagne, rapproché par étymologie pop. de *contre ;* 1901, pop., contravention.

***contredire** X^e s., *Eulalie,* « refuser de faire » ; 1170, *Rois,* « opposer un démenti » ; lat. *contradicere,* dire contre. || **contradiction** XII^e s., *Ps. ;* lat. *contradictio.* || **contradicteur** début XIII^e s. (*contraditor*) ; milieu XIV^e s. (*contradicteur*) ; lat. *contradictor.* || **contradictoire** 1361, Oresme ; lat. *contradictorius.* || **non-contradiction** XX^e s.

***contrée** 1050, *Alexis ;* lat. pop. **contracta* (*regio*), de *contra,* contre, c.-à-d. « pays en face ».

***contrefaire** 1155, Wace ; bas lat. *contrafacere,* au sens de « imiter », de *contra,* contre, en face, et *facere,* faire. || **contrefaçon** 1268, É. Boileau ; d'apr. *façon.* || **contrefacteur** 1754, *Encycl. ;* d'apr. le lat. *factor* (v. FACTEUR). || **contrefaction** *id.* || **contrefait** adj., XI^e s., « difforme » ; croisement de l'anc. fr. *contrait,* du lat. *contractus,* contracté, au fig. perclus, avec le part. passé de *contrefaire.*

**contrepèterie** 1582, Tabourot, « modification volontaire des mots », puis « inversion de sons ou de mots par lapsus » ; anc. fr. *contrepéter* (1466, Machault), contrefaire, « altérer un son » au fig.

**contrepoint** 1380, Deschamps, mus. ; de *contre* et *point,* note de musique. || **contrapuntiste** 1831, Balzac ; ital. *contrappuntista,* de *contrappunto,* contrepoint.

**contrevallation** 1678, Guillet ; de *contre* et du bas lat. *vallatio,* retranchement, de *vallum,* même sens.

**contrevenir** 1331, Runkewitz ; lat. jurid. médiév. *contravenire.* || **contrevenant** 1611, Cotgrave. || **contravention** XIV^e s., *Traité d'alchimie,* infraction ; 1932, *Acad.,* procès-verbal. || **contredanse** 1902, Esnault ; avec suffixe fantaisiste.

**contribuer** début XIV^e s. ; lat. *contribuere,* fournir sa part. || **contribuable** 1401, *Ordonn.,* au sens fiscal ; d'apr. *contribution.* || **contribution** 1317, G. ; lat. *contributio* qui avait le sens général (« action de fournir ») et le sens fiscal (« tribut ») du français. || **contributif** fin XVI^e s.

**contrister** V. TRISTE.

**contrit** 1190, Garn. ; lat. *contritus,* broyé, au sens chrét. de « broyé de douleur ». || **contrition** 1120, *Ps. d'Oxford ;* lat. *contritio.*

**contrôle** 1367, *Comptes de Macé Darne ;* début XV^e s., contraction de *contre-rôle* (XIV^e s.), registre tenu en double. || **contrôler** 1210, Barbier (*contreroller*), « inscrire sur double registre » ; milieu XV^e s. (*controoler*), « vérifier ». || **contrôleur** 1292, Barbier (*contrerolleur*). || **contrôlable** 1845. || **incontrôlable** 1624, Nostredame. || **incontrôlé** 1845, Besch.

***controuver** X^e s., *Saint Léger,* « imaginer » ; 1119, Ph. de Thaon, « inventer mensongèrement » ; lat. pop. *contropare,* comparer (VI^e s., *Lois des Wisigoths*), de même rac. que *trouver.*

**controverse** 1236, *Charte de Liège* (*-versie*) ; 1311, Prarond (*-verse*) ; lat. *controversia,* choc, d'où « choc des idées », de *vertere,* tourner. || **controverser** 1611, Cotgrave (*-é*) ; 1640 (*-er*). || **controversiste** 1636, Monet. || **controversable** 1832, Raymond.

**contumace** ou **contumax** XIII^e s., *Bible* (*-al*), « opiniâtre » ; 1265, Br. Latini (*-ace*), par changement de suffixe ; lat. *contumax, -acis,* orgueilleux, obstiné, de *tumēre,* se gonfler. || **contumace** XIII^e s., *Miracles de saint Éloi ; par contumace,* 1536, *Doc. ;* lat. *contumacia,* orgueil ; le français a aussi les sens propres jusqu'aux XVI^e-XVII^e s.

**contus** 1503, Chauliac ; lat. méd. *contusus,* part. passé de *contundere,* frapper, meurtrir. || **contusion** 1314, Mondeville ; lat. méd. *contusio.* || **contusionner** 1672, Sévigné, qui a remplacé *contuser* (1314, Mondeville). || **contusif** 1835, Bayle.

**conurbation** 1922, É. Richard ; préfixe *con-,* avec, autour, et lat. *urbs, -is,* ville ; centre urbain avec sa banlieue.

**convaincre** 1190, Garn. ; lat. *convincere,* au sens fig., refait sur *vaincre.* || **conviction** 1579, Bodin, « preuve de culpabilité » ; 1636, Monet, « certitude » ; lat. impér. *convictio* (IVe s., saint Augustin).

**convalescent** XIVe s., Chauliac ; lat. *convalescens,* part. prés. de *convalescere,* reprendre des forces, de *valere,* bien se porter. || **convalescence** 1355 ; lat. *convalescentia* (IVe s., Symmaque).

**convecteur** 1901 ; lat. *convectus.* || **convection** 1877, L. ; lat. *convectum,* de *con-* et *vehere,* transporter.

***convenir** 1080, *Roland* (*covenir*), puis *convenir ;* d'apr. le lat. *convĕnīre,* venir ensemble, et au fig. « être d'accord », d'où « être convenable, falloir », etc. || **convenable** 1160, Benoît. || **convenablement** 1150, Barbier. || **convenance** fin XIIe s., *Chev. Ogier.* || **déconvenue** XIIe s., Raimbert de Paris ; du préfixe *des-* et du part. passé de *convenir,* « événement qui ne convient pas ». || **disconvenir** 1521, Fabri ; lat. *disconvenire.* || **disconvenance** 1488, *Mer des hist.* || **inconvenance** 1573, Vaganay. || **inconvenant** 1790, Mirabeau.

**convent, conventicule** V. COUVENT.

**convention** milieu XIIIe s., « contrat » ; lat. *conventio,* de *venire,* venir (avec), au sens fig. ; 1776, *Aff. d'Angleterre,* « assemblée », empr. à l'angl. || **conventionnel** adj., 1453, *Cout. de Touraine ;* n. m., polit., 1792, Mercier, sur *convention,* assemblée. || **conventionnalité** 1908. || **conventionné** 1550, Seyssel ; v. 1958, *médecin conventionné.* || **conventionnement** v. 1958, méd. || **reconvention** 1283, Beaumanoir. || **reconventionnel** 1421, jurid.

**conventuel** V. COUVENT.

**converger** 1720, Coste, « tendre vers le même point » ; 1863, L., « avoir le même but » ; lat. médiév. *convergere,* de *vergere,* tourner, incliner, c'est-à-dire « tendre vers un même point ». || **convergent** 1611, Barbier ; lat. *convergens,* même évol. que le verbe. || **convergence** 1671, le P. Chérubin, phys. ; 1866, Lar., fig.

**convers, conversation** V. CONVERTIR, CONVERSER 1.

1. **converser** 1050, *Alexis ;* lat. *conversari,* fréquenter, sens fr. jusqu'au XVIIe s. ; XVIe s., « s'entretenir ». || **conversation** 1160, Benoît ; lat. *conversatio,* fréquentation ; XVIIe s., entretien. || **conversationnel** 1902.

2. **converser** 1835, *Acad.,* milit., « exécuter une conversion » ; lat. *conversus,* pour servir de verbe à *conversion* au sens propre.

**convertir** 980, *Passion,* relig. ; 1690, Furetière, math. ; 1866, Lar., finances ; lat. *convertĕre,* « se tourner vers », au propre (alchimie et religion). || **conversion** 1190, *Saint Bernard,* relig. ; 1690, Furetière, finances ; 1704, Trévoux, math. ; lat. *conversio.* || **convers** 1050, *Alexis ;* lat. *conversus,* « tourné », au sens religieux. || **convertissement** XIIIe s., *Psautier.* || **convertisseur** 1530, Palsgrave ; 1876, *Gazette,* appareil. || **convertible** 1265, J. de Meung, « modifiable » ; XIXe s., finances. || **convertibilité** 1265, J. de Meung ; 1845, Besch., finances. || **inconvertible** 1546, Caigny, eccl. ; 1866, L., finances. || **reconversion** 1874, L., « seconde conversion » ; 1877, finances ; XXe s., *reconversion industrielle.* || **reconvertir** 1611, Cotgrave, même évolution sémantique que *reconversion.*

**convexe** 1361, Oresme ; lat. *convexus,* voûté. || **convexité** 1450, *Livre des eschez amoureux ;* lat. *convexitas.* || **biconvexe** 1842, *Acad.*

**convict** 1796, Mackenzie ; mot angl. signif. « forçat », du lat. *convictus,* convaincu d'une faute.

**conviction** V. CONVAINCRE.

***convier** début XIIe s., *Marbode ;* lat. pop. **convītare,* d'apr. *invitare.* (V. ENVI, INVITER.)

**convive** 1213, *Fet des Romains,* « festin » ; XVe s., sens actuel ; lat. *conviva,* de *vivere,* se nourrir. || **convivial** 1541 ; lat. impér. *convivialis.* || **convivialité** 1816, repris vers 1970 à l'angl. *conviviality.*

**convocation, convoi** V. CONVOQUER, CONVOYER.

***convoiter** 1155, Wace (*coveitier*) ; XIIe s. (*convoiter*), refait d'apr. le préfixe *con- ;* lat. pop. **cŭpĭdietare,* altér. de *cupĭdĭtas,* de *cŭpĭdus,* avide. || **convoiteux** 1138, *Vie de saint Gilles* (*coveitos*) ; lat. pop. **cupidietosus.* || **convoitable** XIIe s., *Élie* *de Saint-Gilles.* || **convoitise** 1130, *Couronn. Loïs* (*coveitise*).

**convoler** début XV^e s. ; lat. *convolare,* se remarier, qui signifiait au propre « voler vers, accourir ».

**convoquer** 1355, Bersuire ; lat. *convocare,* de *vox, vocis,* voix. || **convocation** début XIV^e s. ; lat. *convocatio.* || **convocateur** fin XVII^e s., Saint-Simon.

***convoyer** 1170, *Rois ;* lat. pop. **conviare,* « faire route avec » (v. VOIE). || **convoi** 1160, Benoît, « cortège » ; XVI^e s., d'Aubigné, convoi des véhicules ; 1847, sens ferroviaire. || **convoyeur** 1196, Ambroise, « qui escorte » ; 1907, Lar., n. m., sens actuel. || **convoyage** 1926.

**convulser** XVI^e s., G. ; lat. *convulsus,* au sens méd., part. passé de *convellere,* arracher. || **convulsif** 1546, Rab., méd. ; 1791, Arnault, fig. || **convulsivement** 1829, Boiste. || **convulsion** 1539, Canappe ; lat. *convulsio.* || **convulsionnaire** 1732, Ch. Colbert. || **convulsionner** 1783.

**cool** 1952 ; mot angl. signif. « frais ».

**coolie** 1575, Postel (*culi*) ; XVII^e s. (*coly*) ; mot angl., de l'hindi, nom d'une peuplade misérable du Gujerat.

**coopérer, coopter, coordonner** V. OPÉRER, OPTER, ORDONNER.

**copahu** 1578, Lévy ; tupi-guarani *copaü* (var. anc. *capaïba,* 1610, Du Jarric, d'un comp. de *copaü* [var. *copay*] avec *ba,* arbre). || **copaïer** ou **copayer** 1786, *Encycl.,* arbre à suc résineux et balsamique d'Amérique et d'Afrique.

**copain** V. COMPAGNON.

**copal** 1588, *Voy. de Cortez ;* mot esp., de l'aztèque *copalle,* résine extraite de certains arbres.

**copayer** V. COPAHU.

***copeau** 1213, *Fet des Romains* (*cospel*) ; 1611, Cotgrave (*copeau*) ; anc. fr. *coispel,* pointe, p.-ê. du lat. pop. **cŭspellus,* lat. *cŭspis,* pointe.

**copeck** V. KOPECK.

**copie** XII^e s., Du Cange, « abondance, ressources » (jusqu'au XVI^e s.) ; XIII^e s., « reproduction d'un écrit », d'abord jurid., avec évolution : « faculté de transcrire », « droit de reproduction », « reproduction » ; *copie d'élève,* 1828 ; lat. *copia* (v. COPIEUX). || **copier** 1339, Delb. || **copiable** 1859, Mérimée. || **copiage** 1766. || **copieur** fin XV^e s. || **copiste** 1493, Coquillart, *Recueil Trepperel.* || **recopier** milieu XIV^e s.

**copieux** milieu XIV^e s., « bien pourvu » ; 1694, *Acad.,* « abondant » ; lat. *copiosus,* de *copia,* abondance (v. COPIE).

**copine** V. COMPAGNON.

**coprah** 1602, Colin (*copra*) ; mot angl., du malabar *kopparah.*

**coprophage** fin XVIII^e s., Latreille ; gr. *kopros,* excrément, et *phagein,* manger. || **coprophagie** 1884. || **coprolalie** 1893.

**copte** 1664, Thévenot (*cofte*) ; désigna d'abord les chrétiens d'Égypte, puis l'anc. langue démotique ; ar. *kupt,* du gr. *aiguptios,* égyptien : chute de la syllabe initiale après la première période arabe.

**copulation** XIII^e s., G. ; lat. *cōpŭlatio,* assemblage, liaison. || **copule** XV^e s., G., « lien charnel » ; 1752, Trévoux, gramm. || **copuler** 1361, Oresme, « joindre » ; fin XIV^e s., « s'accoupler » ; lat. *copulare,* lier. || **copulatif** fin XIV^e s.

**copurchic** V. CHIC.

**copyright** 1830, *Rev. brit. ;* mot angl. signif. « droit (*right*) de copie ».

1. **coq** 1138, *Saint Gilles* (*coc*) ; il a éliminé l'anc. fr. *jal, jau,* du lat. *gallus ; coq du village,* 1549, R. Est. ; *coq en pâte,* 1694, *Acad.,* d'abord « coq à l'engrais », puis fig. ; onom. d'apr. le cri du coq. || **cochet** fin XIII^e s., *Renart.* || **coquelet** 1285, A. de la Halle. || **coquâtre** 1507, G., « demi-chapon ». || **coq-à-l'âne** 1532, Marot ; discours où l'on passe du coq à l'âne (*saillir du coq en l'asne,* XIV^e s.).

2. **coq** 1671, Arnoul, cuisinier de la mar. ; néerl. *kok* ou ital. *cuoco,* du lat. *cŏquus,* cuisinier. (V. CUIRE, QUEUX 1.)

**coquard, coquart** V. COQUE.

**coque** 1265, J. de Meung, « coquille d'œuf » (déjà *coco* en bas lat., VII^e s.) ; 1751, *Encycl.,* « coquillage » ; lat. *coccum,* excroissance d'une plante. || **coquetier** 1307, Fagniez, « marchand d'œufs » ; 1524, Gay, « ustensile ». || **coquard** ou **coquart** 1863, Delvau, « œil poché ».

**coquebin** fin XVI^e s., Béroalde de Verville ; p.-ê. turc *kakavan,* sot, hurluberlu, ou dér. de *coq.*

**coquecigrue** 1534, Rab., « animal chimérique » ; p.-ê. de *coq-grue* (XVI^e s.) et *ciguë,* élément de nom de plante (*coqsigrue,* « bugrane », Berry, etc.).

**coquelicot** 1545, Guéroult (*-coq*) ; altér. de *cocorico ;* il a désigné d'abord le coq (XIVᵉ s.), puis la fleur par comparaison avec la crête du coq.

**coquelle** 1750, mot rég. ; altér. de *coquemar.*

**coquelourde** 1539, R. Est., nom de diverses fleurs ; p.-ê. anc. fr. *coquelourde,* gobelet (*coque lourde*), avec infl. de *coq* (dial. *coqueton,* « narcisse », c.-à-d. « petit coq »).

**coqueluche** 1414, Du Cange, « capuchon » ; 1453, Monstrelet, grippe, puis sens actuel (maladie dans laquelle on se couvrait la tête d'un capuchon) ; 1686, Baron, « passion » (cf. *béguin, avoir le béguin, être coiffé de*) ; p.-ê. mot ital. ou esp., du lat. *cucullus,* capuchon, avec infl. de *coq,* pour la maladie, dont la toux a été appelée *chant du coq.* || **coquelucheux** 1868.

**coquemar** 1281, Gay ; néerl. *kookmoor,* de *kooken,* bouillir, et *moor,* maure, noir, par ext. « chaudron » (noirci par le feu ; *moor* signifie « bouilloire » en flamand) ; ou du lat. *cŭcŭma,* chaudron.

**coqueret** fin XIIIᵉ s. (*cokelet*), « alkékenge » ; dér. de *coq ;* c'est l'enveloppe du fruit (et non le fruit qu'on ne voit pas) qui a été comparée à une crête de coq.

**coquet** XIIIᵉ s., « petit coq » ; n. et adj., XVᵉ s., sens fig. actuel. || **coqueter** 1611, Cotgrave, « se pavaner comme un coq » (*caqueter* au XVIᵉ s., d'où *coquette,* femme qui caquette). || **coquetterie** 1651, Scarron.

**coquetier** V. COQUE.

***coquille** 1265, Br. Latini ; lat. *conchylia,* pl. neutre passé au fém. en lat. pop., du gr. *kogkhulion ;* par croisement avec *coque.* || **coquillé** 1350, *Ordonn.* || **coquillon** 1399, G. || **coquillard** 1455, *Coquillards,* « coquetier ». || **coquillage** 1573, de Billy. || **coquillier** XVIᵉ s., La Porte, adj. ; n. m., 1743, Trévoux. || **coquillette** XIIIᵉ s., « petite coquille » ; XXᵉ s., sens actuel.

**coquin** fin XIIᵉ s., *Loherains,* « gueux, mendiant » (jusqu'au XVIᵉ s.) ; p.-ê. de *coque,* coquille, au sens fig. « pèlerin, faux pèlerin » (sur le modèle des *Coquillards* dijonnais du XVᵉ s.) ; ou dér. de *coq.* || **coquinerie** XIIIᵉ s., Du Cange. || **acoquiner (s')** 1530, Palsgrave, « se mêler à des coquins ». || **acoquinant** 1743, Trévoux. || **acoquinement** 1845, J.-B. Richard.

***cor** 1080, *Roland* (*corn*), « olifant » ; lat. *cŏrnu,* au sens propre de « corne » (anc. fr. *cerf à dix cors*), resté dans *cor au pied* (XVIᵉ s.), comparé par sa dureté à la corne ; le sens d'« instrument de musique » (Iᵉʳ s., Ovide), issu directement du lat., vient du fait qu'il était d'abord fait dans une corne évidée. || **corner** 1080, *Roland,* émettre un son par le cor ; 1866, Lar., « râler », en parlant du cheval ; XIXᵉ s., « plier en corne » ; sur le radical *corn.* || ***corne** [d'animal] XIIᵉ s., *Ps. ;* XVᵉ s., pl., symbole des maris trompés, à cause des coqs châtrés auxquels on avait implanté dans la crête leurs ergots ; XVIᵉ s., *corne d'abondance ;* forme anc. du lat. *cornu,* dont le pl. *cornua* est passé au fém. (lat. pop. *corna*). || **cornu** v. 1150, *Aliscans.* || **cornier, -ière** 1170, *Rois.* || **cornard** 1265, J. de Meung, « mari trompé ». || **corniaud** 1845, chien ; 1949, fam., imbécile. || **cornette** XIIIᵉ s., « coiffe de femme », puis coiffe de religieuse (XIXᵉ s.) ; XVᵉ s., « étendard de cavalerie, officier qui le porte » ; 1821, Desgranges, pop., fém. de *cornard.* || **cornet** début XIIIᵉ s., « trompe » ; 1328, Havard, « objet en forme de corne ». || **cornichon** 1530, Marot, « petite corne » ; 1651, N. de Bonnefons, sens actuel. || **cornillon** 1842, *Acad.* || **corné** 1752, Trévoux ; refait sur le lat. *corneus.* || **cornée** 1314, Mondeville ; lat. méd. *cornea,* abrév. de *tunica cornea.* || **cornéen** 1864. || **corniste** 1821, sur le sens de *cor,* instrument de musique. || **cornecul** 1936, arg. || **cornegidouille** 1888, Jarry ; de *corne* et *gidouille,* bedaine. || **bicorne** 1302, Delb. ; lat. *bicornis.* || **écorner** fin XIIᵉ s., *Aliscans.* || **écornifler** XVᵉ s. ; croisement avec *nifler* (v. RENIFLER). || **écornifleur** 1537, Molinet. || **écorniflerie** fin XVIᵉ s., Baïf. || **encorner** 1125, *Doon de Mayence,* « garnir de cornes » ; 1530, Palsgrave, « blesser ». || **racornir** 1335, Digulleville, « devenir de la corne ». || **racornissement** 1748, *Acad.* (V. aussi CORNU, CORNICHE.)

**corail** XIIᵉ s., *Marbode* (*coral*) ; XIVᵉ s., Laborde (*courail*) ; XVᵉ s. (*corail*) ; lat. *corallium* (var. *allus*), du gr. *korallion.* || **corailleur** 1679, Savary. || **corallin** 1500, Lemaire ; bas lat. *corallinus.* || **corallien** 1866, Lar.

**coran** XIVᵉ s., Delb. (*alcoran*) ; 1657, La Boullaye (*koran*) ; ar. *al-Qur'ān,* la Lecture (cf. *l'Écriture*) ; *s'en moquer comme de l'an quarante* paraît une altér. de *l'alcoran.* || **coranique** 1877, *Débats.*

**corbeau** 1180, Marie de France ; XVIIᵉ s., croc d'abordage ; dér. gallo-roman tardif du lat. *cŏrvus* (anc. fr. *corp,* V. CORMORAN) ; il a éliminé le simple. || **corbin** XII<sup>e</sup> s., Herman de Valenciennes, « corbeau » (V. BEC-DE-CORBIN) ; lat. *corvinus.* || **corbillat** XVI<sup>e</sup> s., Laval ; d'apr. *cornillat* (*id.*). || **encorbellement** 1394, G. ; de *corbel,* anc. forme de *corbeau,* fig. de « poutre » ou « pierre en saillie ».

***corbeille** fin XII<sup>e</sup> s., *Aliscans ;* lat. *cŏrbĭcŭla,* dimin. de *corbis.* || **corbillon** XII<sup>e</sup> s., G. (*-ellon*). || **corbeille-d'argent** 1866, Lar.

**corbillard** début XVI<sup>e</sup> s., *les Triolets du temps,* « coche d'eau faisant le service de *Corbeil* à Paris » (il y avait le *Melunois,* le *Montrelois,* de Montereau) ; 1688, Sévigné, « grand carrosse » ; 1798, *Acad.,* « char mortuaire ».

**corbillat, corbillon, corbin, corbleu** V. CORBEAU, CORBEILLE, DIEU.

***corde** XI<sup>e</sup> s. ; lat. *chŏrda,* du gr. *khordê,* d'où « corde de boyau pour instruments de musique ». || **cordon** fin XII<sup>e</sup> s., *Aiol ;* 1612, Régnier, *cordon bleu,* homme distingué, d'apr. la couleur du ruban de l'ordre du Saint-Esprit, d'où, iron., « cuisinière » ; 1814, chez Brunot. || **cordonnet** 1515, Laborde. || **cordonner** fin XII<sup>e</sup> s., *Aiol.* || **cordée** XV<sup>e</sup> s. ; fin XIX<sup>e</sup> s., alpinisme. || **cordeau** 1160, *Thèbes* (*cordel*). || **cordelle** fin XII<sup>e</sup> s., *Alexandre.* || **cordelier** XIII<sup>e</sup> s., G. (*-olier*), puis nom de religieux seulement ; 1796, *Néol. fr.,* polit. || **cordelette** 1213, *Fet des Romains.* || **cordelière** fin XV<sup>e</sup> s., La Curne. || **corder** XII<sup>e</sup> s. || **cordier** 1240, Delb. || **corderie** XIII<sup>e</sup> s., *Fabliau.* || **cordage** 1367, Delb. || **décorder** XII<sup>e</sup> s. || **encorder** 1160, Benoît, « munir de cordage » ; fin XIX<sup>e</sup> s., alpinisme.

**cordial** 1314, Mondeville, méd. ; XV<sup>e</sup> s., « qui part du cœur » ; n. m., XV<sup>e</sup> s. ; lat. *cordialis,* de *cor, cordis,* cœur. || **cordialité** XV<sup>e</sup> s., Delb. || **cordialement** 1398, *Ménagier.* (V. CŒUR.)

**cordillère** 1611, Cotgrave ; esp. *cordillera,* chaîne de montagnes, du lat. *chorda.*

**cordon** V. CORDE.

**cordonnier** XIII<sup>e</sup> s., *D. G.* (*cordoanier*) ; 1307, Fagniez (*-donnier*) ; anc. fr. *cordoan,* cuir de *Cordoue,* avec infl. de *cordon ;* il a éliminé l'anc. fr. *sueur,* du lat. *sutor.* || **cordonnerie** 1236, G. (*-ouannerie*) ; début XVI<sup>e</sup> s. (*-donnerie*).

**corégone** 1839, Boiste, poisson ; gr. *korê,* pupille de l'œil, et *gônia,* angle.

**coriace** XV<sup>e</sup> s., *Perceforest* (*corias*) ; 1549, R. Est. (*-ace*) ; lat. *coriaceus* (IV<sup>e</sup> s.), de *corium,* cuir, c'est-à-dire « dur comme le cuir ».

**coriandre** XIII<sup>e</sup> s., *Médicinaire ;* lat. *coriandrum,* du gr. *koriandron,* nom d'une plante utilisée comme condiment.

**corindon** fin XVII<sup>e</sup> s., J. Thévenot (*corind*) ; 1795, Delamétherie (*-indon*) ; du télougou, langue de l'Inde ; désigne l'alumine à l'état naturel.

***corme** début XIII<sup>e</sup> s. ; lat. pop. *corma,* postulé par *curmus,* boisson fermentée, mot gaulois (V<sup>e</sup> s., Marcus Empiricus) : l'*o* est dû à l'attraction de *cornum,* cornouille, dont *corme* a pris le sens dans l'Ouest. || **cormier** 1130, *Eneas.*

**cormoran** XII<sup>e</sup> s. (*cormare[n]g*) ; fin XIV<sup>e</sup> s. (*cormoran*) ; anc. fr. *corp,* corbeau, et adj. **marenc,* marin, dér. de *mer,* avec le suffixe germ. *-ing.*

**cornac** 1637, Davity (*-aca*) ; port. *cornaca,* altér. d'un mot hindi signif. « dompteur d'éléphants ».

**cornaline** XII<sup>e</sup> s., *Marbode* (*-eline*) ; de *corne,* cornouille, la couleur rappelant celle du fruit, dont il a le sens chez Cottereau au XVI<sup>e</sup> s.

1. ***corne** V. COR.

2. ***corne** 1175, Chr. de Troyes, « fruit » ; lat. *corna,* pl. neutre féminisé de *cornum,* cornouille. || **cornouille** 1175, Chr. de Troyes (*-olle*) ; lat. pop. **cornŭcula* (var. *-icula*) ; le mot a éliminé *corne.* || **cornouiller** 1175, Chr. de Troyes (*-ellier*). [V. CORME.]

**corned-beef** 1716, *le Cuisinier royal ;* mot angl., de *corned,* salé, et *beef,* bœuf.

**cornée** V. COR.

***corneille** 1175, Chr. de Troyes ; lat. pop. *cornĭcŭla,* de *cornix, -icis,* de même sens.

**cornélien** 1657, Tall. des Réaux (*-neillien*) ; 1764, Voltaire (*-nélien*) ; du nom de Pierre *Corneille.*

**cornemuse** XIII<sup>e</sup> s., *Dame à la licorne ;* déverbal de l'anc. fr. *cornemuser,* de *corner* et *muser* (V. MUSETTE).

1. **corner** V. COR.

2. **corner** 1903, Mackenzie ; mot angl. signif. « coin ».

**cornet, cornette** V. COR.

**corniche** 1528, Huguet, « bordure » ; 1850, Balzac, « passage étroit » ; ital. *cornice,* fait sur le lat. *cornu,* corne.

**cornichon, cornier, cornouille** V. COR, CORNE 2.

***cornu** fin XII$^{e}$ s., *Aliscans ;* lat. *cornūtus,* de *cornu,* corne. || **cornue** 1405, G. || **biscornu** fin XIV$^{e}$ s. (*bicornu*) ; XVI$^{e}$ s. (*biscornu*), réfection sur le préfixe.

**cornue** V. CORNU.

**corollaire** 1361, Oresme ; spécialisé en math. au XVII$^{e}$ s. ; lat. *corollarium,* petite couronne au sens philos. (VI$^{e}$ s., Boèce).

**corolle** 1749, Trévoux ; lat. *cŏrōlla,* dimin. de *cŏrōna,* couronne. || **corollé** 1836, Landais. || **corollin** 1842, *Acad.*

**coron** 1220, Coincy, « bout, extrémité » ; mot du Nord et de l'Est, dér. de *cor,* au sens fig. « angle » en anc. fr. ; en Wallonie, il a pris comme le simple (devenu *cwè*) le sens de « groupe de maisons de mineurs », popularisé par Zola (*Germinal*) en 1885.

**coronaire** 1560, Paré ; lat. *coronarius,* de *corona,* couronne. En anat., se dit de certains organes, à cause de leur disposition en couronne. || **coronarien** 1897, Achard. || **coronarite** 1897, Barbier. || **coronal** 1314, Mondeville ; lat. *coronalis,* en astron. || **coronule** 1823, Boiste.

**coroner** 1624 ; mot angl., de l'anc. normand *coroneor,* de couronne.

**coronille** 1700, Liger (*-illa*) ; esp. *coronilla,* petite couronne (lat. *corona*).

**coronoïde** 1654, Gelée ; gr. *korônê,* corneille, et *eidos,* forme, c.-à-d. « en bec de corneille » ; se dit de certaines apophyses, à cause de leur forme.

**corossol** 1599, Champlain ; créole des Antilles, altér. possible de *Curaçao.* || **corossolier** 1709, Gautier de Tronchoy, arbre tropical à fruits comestibles.

**corozo** 1838 ; mot esp. de l'Équateur signif. « fruits dont les grains sont utilisés pour fabriquer cet ivoire végétal ».

**corporal, corporation, corporel** V. CORPS.

***corps** fin IX$^{e}$ s., *Eulalie* (*cors*) ; XIV$^{e}$ s. (*corps,* d'apr. le lat.) ; *corps législatif, politique,* XVIII$^{e}$ s., Montesquieu ; *corps industriel, social,* 1817, Saint-Simon ; lat. *cŏrpus, -oris.* || **corporal** 1264, Delb. ; lat. eccl. *corporale,* l'hostie, ou corps du Christ, étant posée sur ce linge. || **corporation** 1530, Palsgrave ; mot angl., du lat. médiév. *corporari,* se réunir en corps. || **corporatif** 1830. || **corporatisme** 1913, Lar. || **corporativement** 1877, L. || **corporel** 1130, *Eneas ;* lat. *corporalis.* || **corporellement** 1190, *Saint Bernard.* || **corpulent** XIV$^{e}$ s., *Ystoire sages ;* lat. *corpulens.* || **corpulence** début XIV$^{e}$ s. ; lat. *corpulentia.* || **corpus** 1642, Oudin, « hostie » (*corpus Dei*) ; 1863, L., fig., « recueil de droit, d'inscriptions, etc. » (*corpus juris*) ; mot lat. lui-même. || **corpuscule** 1495, J. de Vignay ; lat. *corpusculum,* dimin. de *corpus.* || **corpusculaire** 1721, Trévoux. || **corsage** 1175, Chr. de Troyes, « corps », puis « buste » (jusqu'au XVII$^{e}$ s.) ; 1778, Rousseau, « partie de la robe qui recouvre le buste ». || **corselet** fin XII$^{e}$ s., *Grégoire,* « petit corps » et « cuirasse » (jusqu'au XVI$^{e}$ s.) ; « corsage », 1546, Ch. Est., spécialisé aux insectes. || **corser** av. 1589, Baïf, « saisir corps à corps, donner du corps » ; 1828, Stendhal, « renforcer ». || **corset** 1239, G., « vêtement de dessus » (jusqu'au XVI$^{e}$ s.), remplacé par *corsage* en ce sens et spécialisé au sens actuel. || **corseter** 1842 (1829, Boiste). || **corsetier** 1842 (*corsetière*). || **arrière-corps** 1546, J. Martin. || **avant-corps** 1658, La Fontaine. || **incorporel** 1160, Benoît ; lat. *incorporalis.* || **incorporer** 1190, *Saint Bernard* (*en-*) ; XV$^{e}$ s., milit. ; lat. *incorporare,* faire entrer dans un corps. || **incorporation** 1468, Chastellain, relig. ; 1560, Paré, méd. ; 1835, *Acad.,* milit. ; lat. *incorporatio.*

**corpuscule, correct, correction** V. CORPS, CORRIGER.

**Corrector** 1947, nom de marque ; de *correction.*

**corregidor** 1579, *Registre de Bayonne ;* mot esp. dér. de *corregir,* corriger.

**corrélatif** milieu XIV$^{e}$ s. ; lat. scolast. *correlativus,* de *relatio,* relation. || **corrélativement** 1653, Oudin. || **corrélation** 1412, *Règles de seconde rhétorique ;* lat. *correlatio,* état de ce qui a des relations, des rapports avec d'autres choses. || **corrélat** XX$^{e}$ s. || **corréler** 1963.

**correspondre** 1355, Bersuire, « être en rapport de conformité » ; XVII$^{e}$ s., correspondre par lettre ; lat. scolastique *correspondere,* de *respondere,* répondre. || **correspondant** 1361, Oresme ; XVII$^{e}$ s., n., sens actuel. || **correspondance** XIV$^{e}$ s., *Nature a alchimie,* « conformité » ; XVII$^{e}$ s., sens actuel. || **correspondancier** 1900.

**corrida** 1804 ; mot esp. signif. « course ».

**corridor** fin XVI$^{e}$ s., d'Aubigné (*couridor*), terme de fortification ; 1636, Monet, sens actuel ; ital. *corridore,* « (galerie) où l'on court ».

**corriger** 1268, É. Boileau ; lat. *cŏrrĭgĕre,* redresser, de *regere,* dresser. || **corrigible** 1300, G. || **incorrigible** 1334, G. ; bas lat. *incorrigibilis.* || **incorrigibilité** 1500, Auton. || **incorrigiblement** 1788, Mirabeau. || **correct** 1512, Lemaire ; lat. *correctus,* part. passé de *corrigere.* || **incorrect** 1421, de Lannoy. || **incorrectement** 1538, Vaganay. || **correcteur** fin XIIIe s. ; lat. *corrector ;* typogr., 1539, L. Morin. || **correctif** 1361, Oresme ; lat. médiév. *correctivus,* adj. || **correction** XIIIe s., *Isopet de Lyon ; maison de correction,* 1771, Trévoux ; lat. *correctio.* || **incorrection** 1512, J. Lemaire, « faute » ; 1587, La Noue, « impolitesse ». || **correctionnel** av. 1450, R. d'Anjou, « qui corrige » ; XVIIIe s., jurid. || **correctionnaliser** 1823, Boiste.

**corroborer** 1329, G. ; lat. *corroborare,* de *robur,* force. || **corroboration** 1296, G. ; bas lat. *corroboratio,* action de renforcer, d'abord jurid.

**corroder** 1314, Mondeville ; lat. *cŏrrōdĕre,* ronger. || **corrosif** XIIIe s., L. ; bas lat. *corrosivus.* || **corrosion** 1314, Mondeville ; lat. *cŏrrōsio.* (V. RODER.)

**corrompre** 1190, Garn. (*-umpre*) ; lat. *corrŭmpĕre* (v. ROMPRE). || **corrupteur** 1495, J. de Vignay ; lat. *corruptor.* || **corruptible** 1265, J. de Meung ; lat. chrét. *corruptibilis.* || **corruptibilité** XVe s., Farget ; lat. chrét. *corruptibilitas.* || **corruption** 1119, Ph. de Thaon ; lat. *corruptio.* || **incorruptible** 1361, Oresme, sens propre ; 1580, Montaigne, fig. ; bas lat. *incorruptibilis.* || **incorruptibilité** 1495, J. de Vignay.

**corrosif, corrosion** V. CORRODER.

***corroyer** 1050, *Alexis* (*conreer*) ; « préparer, équiper » (jusqu'au XVIe s.) ; XVIe s. (*conroyer* d'apr. les formes toniques et *corroyer* par assimilation) ; à partir du XIIIe s., sens techn. ; lat. pop. **conredare,* du germ. *garêdan,* réfléchir à quelque chose (même rac. que l'allem. *raten,* conseiller). || **corroi** 1155, Wace (*conroi*), « ordre, soin » ; 1611, Cotgrave, « façon donnée au cuir », « enduit ». || **corroyage** XVe s. || **corroyeur** 1268, É. Boileau (*conreeur*). || **corroierie** 1207, G. (*couroierie*).

**corrupteur, corruptible, corruption, corsage** V. CORROMPRE, CORPS.

**corsaire** fin XIIe s., *Estoire de Éracles* (*corsari*) ; ital. *corsaro,* « (pirate) qui fait la course (sur mer) ».

**corselet, corser, corset** V. CORPS.

**corso** 1807, « réjouissance carnavalesque à Nice » (qui a lieu sur le cours) ; ital. *corso,* cours, avenue.

**cortège** 1622, G. de Balzac ; ital. *corteggio,* suite de personnes, de *corteggiare,* faire la cour (*corte*).

**cortès** 1526, *Recueil des lois ;* esp. *cortes,* assemblée nationale, pl. de *corte,* cour.

**cortical** fin XVe s. ; lat. *cortex, -icis,* écorce, dans les sens d'écorce cérébrale et d'écorce végétale. || **cortex** 1896, Thoinot. || **corticine** 1842, *Acad.* || **corticoïde** milieu XXe s., méd. || **cortisone** 1950, Lar. || **corticosurrénal** XXe s.

**cortine** 1762, *Acad. ;* lat. *cortina,* vase ; filaments qui réunissent le bord d'un champignon à son pied. (V. COURTINE.)

**coruscation** fin XIIIe s. ; lat. *coruscatio,* de *coruscare,* étinceler. || **coruscant** fin XVe s., Lemaire ; part. prés. *coruscans.*

***corvée** 1160, Benoît ; « tâche pénible » depuis l'abolition de la corvée féodale (4 août 1789) ; 1835, milit., « travail de courte durée » ; lat. pop. *corrŏgāta* (*opera*), travail en participation, du lat. *corrogare,* inviter ensemble. || **corvéable** fin XVIe s., Loisel ; 1740, Laurière, fig.

**corvette** 1476, G., texte picard ; moyen néerl. *korver,* bateau chasseur, comme les var. *corbe, corvot* (XVe-XVIe s.), *corbette* (XVIIe s., Ménage).

**corvidé** 1838 ; lat. *corvus,* corbeau.

**corybante** 1375, R. de Presles ; gr. *korubas.*

**corymbe** XIVe s., bot. ; lat. *corymbus,* du gr. *korumbos.*

**coryphée** 1579, Lostal ; lat. *coryphaeus,* du gr. *koruphaios,* de *koruphê,* tête, « chef du chœur ».

**coryza** 1398, *Somme Gautier* (*coryze*) ; 1655, Fernel (*-ysa*) ; lat. méd. (IIIe s., C. Aurelius), du gr. *koruza,* écoulement nasal.

**cosaque** 1578, *Négoc. du Levant ;* russe *kozak.*

**cosmétique** 1555, Aneau, adj. ; n. m., 1676 ; gr. *kosmetikos,* relatif à la parure, de *kosmos,* ordre, au sens fig. « ornement ». || **cosmétiqué**
**métologie** 1970.
**métologie** 1970.

**cosmique** fin XIVe s. ; gr. *kosmikos,* de *kosmos,* ordre de l'univers, puis univers. || **cosmos movision** XXe s. || **cosmogonie** 1585, J. Des Caurres ; gr. *kosmogonia.* || **cosmographe** 1361,
Caurres ; gr. *kosmogonia.* || **cosmographe** 1361,

Oresme. || **cosmographie** 1512, Lemaire ; gr. *kosmographia.* || **cosmologie** 1582, Barbier. || **cosmonaute** 1934, Guilbert. || **cosmopolite** adj., 1560, Postel ; subst., 1665, *Comédie du Cosmopolite ;* gr. *kosmopolitês.* || **cosmopolitisme** 1823, Boiste, a remplacé *cosmopolisme* (1739, Argenson). || **cosmotron** 1953, Lar.

**cossard** 1898, Esnault, « paresseux » ; mot de l'Ouest signif. « buse, canard sauvage », oiseau indolent ; origine obscure. || **cosse** 1899, Esnault ; dérivé.

1. ***cosse** [de légume] fin XII^e s., *Aliscans ;* lat. pop. **coccia,* du même type que *coque.* || **écosser** *id.* || **écosseur** 1560, Viret.

2. **cosse,** paresse V. COSSARD.

3. **cosse** 1552, Rab., anneau ; néerl. *kous,* de l'anc. picard *calce,* chausse.

**cosson** fin XI^e s., *Gloses de Raschi,* « charançon » ; lat. *cossus,* ver de bois, larve et insecte rongeant les grains.

**cossu** XIV^e s., *Miracles de Nostre-Dame,* « bien fourni de cosses » ; XVI^e s., « aisé » ; de *cosse* 1.

**costaud** 1806 (*costeau*), « souteneur » ; 1881, abbé Moreau (*costaud*), « gaillard » ; romani *cochto,* bon, solide ; ou de *côte,* avec infl. du prov. *costo,* côte.

**costière** XII^e s., rivage, versant ; XIV^e s., encadrement de pierre ; XIX^e s., trappe sur une scène de théâtre ; prov. *coste,* côte.

**costume** 1641, Poussin, « naturel extérieur » ; 1676, Félibien, « manière d'être extérieure », « couleur locale » ; 1747, Rémond, sens actuel ; ital. *costume,* coutume. || **costumer** 1787, Féraud (*-é*). || **costumier** 1801, Mercier. || **costard** 1966, Esnault.

**cosy-corner** ou **cosy** 1906, Bonnafé ; mot angl. signif. « petit canapé à deux places » (lit de coin).

**cote** fin XIV^e s. (*quote,* encore au XVI^e s.), « indication de la somme à payer » ; 1784, Brunot, « indication de la valeur en Bourse d'une action » ; lat. médiév. *quŏta,* fém. substantivé de l'interrogatif lat. *quŏtus,* combien, d'apr. *quota pars,* « part qui revient à chacun ». || **coter** XV^e s., La Curne, « imposer » ; 1834, Landais, « indiquer le taux ». || **coteur** 1891. || **cotation** 1530, Marot. || **cotiser** début XIV^e s., « taxer ». || **cotisation** 1515, Huguet. || **cotisant** 1959, Lar., n. m. || **décote** 1952, Lar. || **quote-part** fin XV^e s., « part qui revient à chacun ». || **quotité** début XV^e s. ; refait sur le lat. *quŏtus.*

***côte** XI^e s., os plat du thorax ; fin XII^e s., *Roman de Renart,* versant d'une montagne ; 1530, Palsgrave, bord de mer ; lat. *cŏsta,* côte, côté. || **côtelé** fin XII^e s., *Aliscans.* || **coteau** 1130, *Eneas,* qui a remplacé en ce sens *côté.* || **côteline** 1796, *Not. Cavussin,* « étoffe ». || **côtelette** 1398, *Ménagier.* || **côtoyer** 1131, *Couronn. de Loïs* (*costeier*). || **côtoiement** 1876, Huysmans. || **côtière** 1175, Chr. de Troyes. || **côtier** 1160, Benoît, n. m., « côte de la mer » ; adj., 1539, Gruget. || **entrecôte** 1746, Menon. || **intercostal** 1536, Chrestian. (V. ACCOSTER.)

***côté** 1080, *Roland* (*costet*), « partie latérale du corps » ; XIII^e s., « partie latérale de qqch » ; *côté droit, gauche,* polit., 1792, *Journ. de Paris ;* lat. pop. **cŏstātum,* partie du corps où sont les côtes ; il a éliminé *lez,* du lat. *latus,* au XV^e s. || **écôter** XIV^e s. (*-té*), enlever les côtes des feuilles. || **écôteur** 1768, Duhamel du Monceau. || **écôtage** 1768, Duhamel du Monceau.

**coter** V. COTE.

**coterie** 1376, G., « bien roturier », « association de paysans tenant une terre seigneuriale » ; 1660, Oudin, « société » ; 1688, La Bruyère, sens actuel, péjor. ; 1791, *Ami des hommes,* « clientèle de parti politique » ; anc. fr. *cotier* (fin XIV^e s.), au sens féodal, d'un germ. *kote,* cabane (angl. *cottage*).

**cothurne** XV^e s. ; lat. *cothurnus,* du gr. *kothornos.*

**côtier** V. CÔTE.

**cotignac** 1398, *Ménagier* (*coudoignac*) ; 1530, Goeurot (*cotignac*), d'apr. le lat. *cotoneum ;* prov. *codonat, coudounhat,* de *codouh,* coing.

**cotillon** V. COTTE.

***cotir** 1265, J. de Meung, « heurter » ; 1690, La Quintinie, « meurtrir un fruit » ; lat. pop. **cottire,* du gr. *kottê,* tête, comme *cosser,* heurter (XVI^e s.), de l'ital. *cozzare,* du lat. pop. **cottiare.* || **cotissure** 1701, Furetière.

**cotisation, cotiser** V. COTE.

**coton** fin XII^e s., *Alexandre ;* ital. de Gênes *cottone,* de l'ar. *koton.* || **coton-poudre** 1847, *Doc.* || **cotonner** 1244, Barbier. || **cotonneux** 1552, Ch. Est. || **cotonnier** n. m., XIII^e s. ; adj., 1837. || **cotonnade** 1615, Loys Guyon.

**cotre** 1777, Lescallier, « petit croiseur » (var. *cutter*) ; angl. *cutter,* « qui coupe (l'eau) ».

**cotriade** 1877, Lar. ; orig. obsc.

**cottage** 1754, *Encycl.* ; mot angl. signif. « maison de paysans » ; fin XVIIIe s., « maison de campagne ». (V. COTERIE.)

**cotte** 1138, *Saint Gilles,* « tunique d'homme » (*cotte d'armes, de mailles*) ; 1534, B. Des Périers, « jupe de paysanne » ; 1867, pantalon de travail d'ouvrier ; francique **kotta* (anc. haut allem. *chozza,* manteau de laine grossière). || **cotillon** 1461, Villon, « jupon » ; auj. seulement, au fig., *courir le cotillon* (Wailly, 1809) ; 1708, Regnard, « danse avec accessoires, avec cotillon » ; XVIIIe s., « danse avec figures » ; de *cotte,* robe.

**cotyle** XIVe s. ; gr. *kotulê,* cavité. || **cotylédon** 1314, Mondeville ; gr. *kotulêdon,* cavité. || **dicotylédone** milieu XVIIIe s. || **monocotylédone** milieu XVIIIe s.

***cou** 1080, *Roland* (*col*) ; milieu XIVe s., « partie d'un récipient » ; lat. *collum.* || **cou-de-pied** 1190, Garn. ; compris *coude-pied,* il désigne auj. la cambrure du pied. || ***col** XIIe s., var. de *cou,* refait d'apr. le lat. au sens fig. (*col* d'une bouteille, d'un habit, passage étroit) ; 1546, Ch. Est., anat. || **collet** fin XIe s., dimin. de *col ;* d'abord « petit cou » (d'où, au fig., divers sens techn.) ; par ext., « vêtement qui entoure le cou ». || **colleter** 1580, « saisir au collet ». || **colletin** fin XVIe s. || ***collier** fin XIIe s. (*coler*), puis *collier* par changement de suffixe ; lat. *collarium.* || **collerette** 1309, Gay. || **colleret** 1553, Gouberville. || **accoler** 1050, *Alexis.* || **accolade** début XVIe s., « embrassade » ; 1659, Loret, en cuisine. || **accolement** 1213, *Fet des Romains.* || **accolure** 1743, Trévoux. || **décoller** fin Xe s., *Saint Léger,* « décapiter » ; lat. *decollare,* de *collum,* cou. || **décollation** 1268, Delb., eccl. et chirurgie. || **décolleter** 1265, J. de Meung, « découvrir en laissant voir le cou » ; 1700, Regnard, « échancrer de manière à laisser voir le cou » (*robe décolletée*). || **décolletage** 1835, *Maison rustique.* || **encolure** v. 1559, Amyot ; de *col* et suffixe *-ure.* || **faux-col** 1827, *Journ. des femmes.* || **racoler** XIIe s., *Floire,* « embrasser de nouveau » ; XVIIIe s., « recruter ». || **racolage** 1747, *les Bals de bois.* || **racoleur** 1747, *les Bals de bois.*

**couac** 1530, Marot ; onomatopée.

**couard** 1080, *Roland,* « lâche » ; de *coe,* forme anc. de *queue,* « qui porte la queue basse ». || **couardise** *id.*

***coucher** 1080, *Roland* (*colchier*), « étendre », et *se coucher* (en parlant des astres) ; XIIIe s., « rédiger » ; 1440, Ch. d'Orléans, « insérer dans un compte » ; lat. *collŏcare,* placer dans le lit, de *locare,* placer, de *locus,* lieu. || **coucher** n. m., XIIe s. ; *coucher du roi,* 1635, Monin. || **couchage** 1657, Tallemant. || **couchailler** XXe s., fam. || **couchotter** 1877. || **couche** 1170, *Rois,* déverbal, « lit », puis « lit primitif » (XIVe s.), auj. archaïque ; 1505, « linge d'enfant » ; 1600, O. de Serres, agric. ; fin XVIe s., « couche de peinture » ; 1867, Lar., « couches de la population ». || **fausse couche** 1652, Sévigné. || **coucherie** 1760, Voltaire. || **couchette** XIVe s., G. ; fin XIXe s., dans les trains ; *mignon de couchette,* 1611, Cotgrave. || **coucheur** 1534, Des Périers ; *mauvais coucheur,* 1690, Fur. || **couchis** 1694, Th. Corn. || **couchoir** 1680, Richelet. || **couchure** 1754, *Encycl.* || **couche-culotte** XXe s. || **couche-dehors** 1881. || **couche-tard** 1971. || **couche-tôt** 1870. || **accoucher** 1170, *Rois,* « coucher » ; XIIIe s., « mettre au monde » (seul sens à partir du XVIe s., éliminant *gésiner* et *agésir*). || **accouchée** 1321, Richard. || **accoucheur** 1677, D. Fournier. || **accouchement** fin XIIe s. || **découcher** 1196, J. Bodel, « faire lever » ; 1564, J. Thierry, « coucher hors de la maison ». || **recoucher** 1130, *Eneas.*

**couci-couça** 1648, Scarron (*coussi-coussi*) ; d'apr. *comme ci comme ça,* de l'ital. *così-così,* ainsi.

**coucou** fin XIe s., *Gloses de Raschi* (*cucu*) ; 1538, R. Est. (*coucou*) ; lat. *cŭcūlus,* altéré par l'imitation du cri de l'oiseau ; le mot a aussi donné *cocu ;* 1813, Jouy, « voiture ». (V. COCU.)

**coucoumelle** 1816, Candolle, « oronge blanche » ; prov. mod. *coucoumèlo.*

***coude** XIIe s., *Roncevaux* (*keute*), partie du corps ; 1690, Furetière, « angle d'un chemin, d'une chose » ; 1869, Lar., fig., *jouer des coudes ;* lat. *cŭbĭtus.* || **coudée** 1155, Wace (*coltée*) ; 1611, Cotgrave, *avoir ses coudées franches.* || **couder** 1493, Aubrion. || **coudoyer** 1588, Montaigne. || **coudière** 1898, Lar. || **coudoiement** 1832, Hugo. || **accouder** XIIe s., *D. G.* || **accoudoir** XIVe s., G. || **accoudement** 1611, Cotgrave.

1. ***coudre** n. m., XIIe s., *Roncevaux ;* lat. *corylus, corŭlus,* noisetier, devenu **colurus* en lat. pop., sous l'infl. du gaulois **collo.* || **coudraie** XIIe s., *Pastourelle.* || **coudrette** XIIe s., G. || **coudrier** 1503, Lemaire, éliminé par *noisetier.*

2. ***coudre** XIIe s., L. ; lat. pop. **cōsĕre,* du lat. class. *consŭĕre,* de *sŭĕre,* coudre. || **couseuse** 1803, Boiste ; le masc. *couseur* est attesté au XIIIe s. || **cousoir** début XVIe s. || **cousette** 1865, Barbey. || ***couture** 980, *Passion* (*cousture*) ; lat.

pop. *cosutura. || **couturer** XVe s., G., « coudre » ; 1787, Féraud, « balafrer » (au part. passé). || **couturier, -ière** XIIe s. ; le masc., éliminé par *tailleur* au XVIe s., a été repris au XIXe s. (1863, L.) et spécialisé pour les costumes féminins. || **découdre** fin XIIe s., *Aliscans ;* 1675, Widerhold, *en découdre ; machine à coudre,* 1829, B. Thimonnier. || **recoudre** XIIe s., Delb.

***couenne** XIIIe s., *Roman de Renart ;* lat. pop. **cŭtĭna,* dér. du lat. *cutis,* peau, avec un suffixe sans doute gaulois. || **couenneux** 1611, Cotgrave.

1. ***couette** XIIe s., L. (var. *cuilte*) ; lat. *cŭlcĭta,* matelas, lit de plume. (V. COURTEPOINTE, COUTIL.)

2. **couette** fin XIIIe s., « petite queue » ; 1896, Goncourt, « mèche de cheveux » ; de *coue,* forme anc. de *queue.*

**couffe** 1666, Thévenot, **couffin** XVe s. ; prov. mod. *coufo, coufin,* panier, ar. *guffa,* du bas lat. *cophinus,* gr. *kophinos.* (V. COFFIN.)

**couguar** 1761, Buffon ; port. *cucuarana,* mauvaise graphie du tupi-guarani *susuarana,* refait avec *jaguar.* Ancien nom du puma.

**couic** 1809 ; onom.

***couille** 1178, *Roman de Renart* (*coil*), pop. ; 1256, Ald. de Sienne (*coille*) ; lat. pop. **cōlea,* du lat. *cōleus,* sac de cuir, et testicule. || **couillard** XIIe s. || ***couillon** XIIIe s., *Fabliau,* « testicule » ; lat. pop. **coleo, -onis ;* XVIe s., « poltron » ; sans doute de l'ital. (var. *coïon*). || **couillonnerie** XVIe s. (*coïonnerie*). || **couillonnade** fin XVIe s. (*couïonnade*). || **couillonner** 1656, Oudin (*-é*).

**couiner** 1867, « crier en parlant du lapin » ; onom. || **couinement** 1866, Lar. || **couineur** 1917, Esnault, techn.

**coulage** V. COULER.

1. ***coule** XIIe s., Du Cange, « capuchon » ; lat. *cucullа.* (V. CAGOULE.)

2. **coule** V. COULER.

**coulemelle** fin XVIe s. ; lat. *columella,* petite colonne.

***couler** XIIe s., *Roncevaux,* « filtrer » ; XIIe s., « se répandre », en parlant des liquides ; 1680, Richelet, « jeter dans un moule » ; 1806, Lelivec, métallurgie ; 1690, Furetière, *couler la lessive ;* 1690, Furetière, *nœud coulant ;* lat. *cōlare,* filtrer. || **coule** fin XIIIe s., *Renart,* dans *être à la coule.* || **coulée** début XVIe s. || **coulé** XIIIe s. || **coulure** fin XIIIe s. || **coulage** fin XVIe s., *Guidon de la mer.* || **couleur, -euse** 1877, L., « ouvrier qui fait une coulée ». || **coulis** 1170, *Fierabras* (*couleis*), adj. et n. ; de *couler,* surtout au fig. || **coulisse** fin XIIIe s. ; d'apr. *porte coleice* (fin XIIIe s., *Renart*) ; 1718, théâtre ; 1841, *Français peints par eux-mêmes,* terme de Bourse. || **coulisseau** fin XVe s., G. de Villeneuve. || **coulisser** 1690, Furetière, spécialisé pour les coulisses de tissus. || **coulissement** 1522, Lar. || **coulissier** 1815, Jouy, courtier de la coulisse en Bourse. || **couloir** fin XIe s., *Gloses de Raschi,* « ce qui sert à couler » ; 1376, G., « passage ». || **couloire** 1376, G., « passoire ». || **découler** fin XIIe s., « dépérir » ; 1690, Furetière, sens actuel. || **découlement** 1519, G. Michel. || **découloir** 1744, Dalibard. || **écouler** 1130, *Eneas* (*escoler*) ; 1835, *Acad.,* commerce. || **écoulement** 1538, R. Est. || **recouler** début XIXe s.

***couleur** 1080, *Roland ;* 1820, Matoré, polit. ; lat. *color, -oris.* || **colorer** 1050, *Alexis ;* sur *couleur,* refait d'apr. le lat. *colorare.* || **coloration** 1370. || **colorant** 1690, Furetière. || **coloris** adj. pl., XVIe s., Papon ; n. m., 1615, Binet ; ital. *colorito,* part. passé de *colorire,* avec confusion de finale. || **colorier** v. 1550. || **coloriage** 1830, Balzac. || **colorisation** 1690, Furetière. || **coloriste** 1660, Brunot. || **colorature** milieu XXe s., mus. ; mot all. || **bicolore** fin XVe s., *Anc. Poés. fr.* (*bicoloré*) ; 1842, *Acad.* (*-colore*). || **décolorer** 1080, *Roland ;* lat. *decolorare.* || **décolorant** n. m., 1792, *Ann. chimie.* || **décoloration** 1478, Panis ; lat. *decoloratio.* || **incolore** 1829, Boiste ; bas lat. *incolor.* || **multicolore** 1510, J. Lemaire. || **tricolore** 1695, Regnard.

***couleuvre** 1180, Marie de France ; *faire avaler des couleuvres,* 1667, Sévigné ; lat. pop. **cŏlobra,* du lat. class. *cŏlŭbra.* || **couleuvreau** 1565, R. Belleau. || **couleuvrine** 1360, Froissart (*coulouvrine*).

**coulis, couloir** V. COULER.

**coulomb** 1881, *Congrès des électriciens ;* du nom du physicien *Coulomb* (1736-1806). [V. AMPÈRE.]

***coulon** fin IXe s., *Eulalie,* « pigeon » ; lat. *columbus.* (V. COLOMBE.)

***coulpe** fin IXe s., *Eulalie* (*colpe*) ; XIIe s. (*coupe*), « faute », en usage dans ce sens jusqu'au XVIe s. ; lat. *cŭlpa,* faute, péché (eccl.). || ***coupable** 1130, *Job ;* lat. *cŭlpabĭlis.* || **coupablement** 1590, Baïf. || **culpabilité** 1791, Condorcet, formation savante. || **culpabiliser** v. 1950. (V. INCULPER.)

***coup** 1080, *Roland* (*colp*) ; *être sous le coup de,* 1845, Besch. ; *coup de chapeau,* 1690, Furetière ; *coup de filet,* 1635, Monin ; *coup de soleil,* 1582, Montaigne, « insolation » ; lat. impér. *cŏlăphus* (IIe s.), coup de poing, soufflet, du gr. *kolaphos.* || **à-coup** 1260, adv. ; n. m., fin XIXe s. || **contrecoup** 1560, Paré. || **tout à coup** XVIe s.

**coupable** V. COULPE.

1. **coupe** V. COUPER.

2. ***coupe** 1170, *Rois ;* 1851, *Doc.,* « récompense dans les compétitions » ; lat. *cŭppa,* vase (var. spécialisée de *cūppa*). || **coupelle** 1431, Delb. || **soucoupe** 1615, Fougasses (*soutecoupe*) ; 1640, Oudin (*soucoupe ;* calque de l'ital. *sotto coppa*).

**couper** fin XIe s., *Lois de Guill.* (*colper*), de « diviser d'un coup » ; *couper les cartes,* 1640, Oudin ; de *coup.* || **coupe** 1283, Beaumanoir, « abattage » ; *être sous la coupe de,* 1690, Furetière ; *coupe réglée, sombre,* 1863 ; déverbal. || **couperet** 1328, *Arch.* || **coupeur** 1283, Beaumanoir. || **coupé** 1718, *Acad.* || **coupée** 1733, Bourdé, mar. || **coupage** XIVe s. ; 1836, Landais, techn. || **coupon** fin XIIe s., *Alexandre,* « morceau ». || **couponnage** XXe s. || **coupure** fin XIIIe s. || **coupe-bourse** XIVe s. || **coupe-choux** 1344, *D. G.,* surnom ; XIXe s., ironique, « baïonnette ». || **coupe-cigare** 1869. || **coupe-coupe** 1912. || **coupe-feu** 1882. || **coupe-jarret** 1578, d'Aubigné. || **coupe-file** 1869. || **coupe-circuit** 1888, Lar. || **coupe-papier** 1842, Cerfberr. || **coupe-tête** 1360, Froissart. || **coupe-racines** 1832, Raymond. || **coupe-vent** 1894. || **coupe-gorge** XIIIe s., La Curne, « coutelas » ; XVIe s., sens actuel. || **découper** 1155, Wace, « diviser » ; 1917, *le Film,* en cinéma. || **découpage** 1497, G. ; 1917, *le Temps,* en cinéma. || **découpeur** XIIe s. || **découpure** XIIIe s., G. || **entrecouper** 1160, Benoît. || **entrecoupé** adj., XVIe s., « saccadé ». || **entrecoupe** fin XIIIe s. || **entrecoupement** v. 1560, Ronsard. || **recouper** 1190, Garn. || **recoupement** 1190, Saint Bernard, « retranchement » ; 1923, Lar., « rapprochement de témoignages ». || **recoupage** fin XIXe s. || **surcouper** 1730, texte anonyme, jeu de cartes. || **surcoupe** milieu XIXe s., déverbal.

**couperose** XIIIe s., *Clef d'amors,* « sulfate » ; lat. médiév. *cupri rosa,* rose de cuivre ; 1530, Goeurot, « affection de la peau » ; croisement de *goutte rose* (ancien nom de cette affection) [encore 1793, Lavoisien] avec le précédent ; ou du moyen néerl. *copperose,* vitriol. || **couperosé** fin XVe s.

***couple** XIIe s., *Jeu d'Adam* (*cople*), « mariés » ; 1175, Chr. de Troyes, « liens » ; XIIIe s., « paire » ; lat. *cōpŭla,* lien, liaison. || **coupler** XIIe s. ; lat. *copulare.* || **couplage** milieu XVIIIe s. || **accoupler** XIIe s., *Roncevaux.* || **accouplement** XIIIe s., G. || **accouplage** 1580, Montaigne. || **découpler** 1138, *Saint Gilles,* vénerie ; 1690, Furetière (*-é*), « bien proportionné ».

**couplet** 1364, G., « réunion de deux pièces jointes par charnières » ; *couplet de chanson,* XVIe s. (repris au prov. *cobla,* couple de vers) ; de *couple.*

**coupole** 1666, Thévenot ; ital. *cupola,* du lat. *cūpŭla,* petite cuve.

**coupon, coupure** V. COUPER.

**couque** 1790, « gâteau » ; néerl. *koek* (prononcé *kouk*) [allem. *Kuchen*].

***cour** 980, *Passion* (*cort*), « espace entouré de murs » ; XIIe s., « assemblée de vassaux » ; XVe s. (*cour*), d'apr. le lat. *curia,* par fausse étymologie ; *faire sa cour,* 1549, R. Est. ; *eau bénite de cour,* v. 1500 ; lat. pop. *cōrtis* (*curtis,* à l'époque franque), du lat. *cohors, -ortis,* cour de ferme, par ext. « ferme, domaine rural », puis « domaine seigneurial et royal, entourage du roi, cour de justice ». || **courée** 1845. || **courette** 1797. || **avant-cour** milieu XVIe s. || **arrière-cour** fin XVIe s. || **basse-cour** XIIIe s., au pr. et au fig. || **haute-cour** 1791. (V. COURTIL, COURTISAN, COURTOIS.)

**courage** 1080, *Roland ;* dér. anc. de *cœur,* au sens fig. ; il avait aussi le sens de « disposition du cœur », et « cœur » jusqu'au XVIIe s. || **courageux** 1160, Benoît. || **décourager** 1283, Beaumanoir. || **découragement** XIIe s., *D. G.* || **encourager** 1160, Benoît. || **encouragement** fin XIIe s., G. || **encourageant** 1707, H. de La Motte.

**courant** V. COURIR.

**courbache** 1842, *Acad. ;* ar. *kurbadj,* du turc *qïrbātch,* long fouet à lanière de cuir. (V. CRAVACHE.)

**courbature** XVIe s., Loysel ; altér. du prov. *courbaduro,* courbature, par attraction de *court* et de *battu.* || **courbatu** 1460, Martial d'Auvergne, « qui sert mal sa femme » ; 1654, Sarrasin, en parlant du cheval ; début XIXe s., sens actuel. || **courbaturer** 1835, Noël et Chapsal.

***courbe** fin XIIe s. ; lat. pop. *curbus,* du lat. class. *cŭrvus ;* le masc. a été refait sur le fém. ; n. f., fin XVIIe s. || ***courber** 1170, *Rois ;* lat.

*cŭrvare.* || **courbure** XVe s. || **courbement** 1478, Chauliac. || **courbette** 1351, G., « selle » ; XVIe s., « saut de cheval » ; 1578, Ronsard, fig., « salut bas ». || **recourber** 1130, *Eneas.* || **recourbure** 1600, O. de Serres.

**courge** 1256, Ald. de Sienne (*cohourde*) ; 1390, Conty (*cohourge*) ; forme de l'Ouest, altér. du lat. *cŭcŭrbita.* || **courgette** 1929, Lar. || **cucurbitacée** 1721, Trévoux.

***courir** 1050, *Alexis* (*courre*) ; XIVe s., J. Le Fèvre (*courir,* réfection sur les verbes en *-ir*) ; la forme *courre* est conservée dans *chasse à courre ;* lat. *cŭrrĕre.* || **courailler** 1732. || **courant** début XIIIe s., Villehardouin, courant d'eau ; XVIIe s., fig. ; 1806, Lunier, courant électrique. || **courante** XIVe s., *Chron. de Morée,* « diarrhée » ; début XVe s., nom d'une danse. || **coureur** fin XIIe s., *Loherains.* || **courrier** XIIIe s., *Geste des Chyprois ;* repris à l'ital. *corriere.* || **courriériste** 1857. || ***cours** 1080, *Roland ;* lat. *cursus ;* XIIIe s., « conférence » ; XVIIe s., « avenue », repris en ce sens à l'ital. où il existe fin XIIIe s. (Villani). || **course** XIIIe s. (*corse*) ; part. passé fém. de *courir ;* fin XIVe s. (*course*) ; sans doute infl. par l'ital. *corsa,* de *correre,* courir. || **courser** 1843. || **coursier** XIIe s., *Roncevaux,* « course », dér. de *cours ;* fin XIXe s., de *course.* || **accourir** 1050, *Alexis* (*acorent*) ; lat. *accurrere.* || **contre-courant** 1783. || **avant-coureur** XIVe s. ; XVIe s., fig. || **encourir** 1190, Garn. (*encourre*), « commettre une faute » ; lat. *incurrere,* « courir sur » (jusqu'au XVIIe s.), puis, au fig., « s'exposer à ». || **parcourir** XIIIe s. (*percorre*) ; v. 1500 (*-rir*) ; lat. *percurrere,* refait avec le préfixe *par-.* || **parcours** 1268, Du Cange, déverbal. || **recourir** 1175, Chr. de Troyes (*recourre*), « courir de nouveau » ; v. 1559, Amyot, *recourir à ;* refait sur le modèle de *courir.* || **recours** fin XIIIe s., Rutebeuf ; lat. jurid. *recursus.* || **secourir** 1080, *Roland* (*secorre*) ; lat. *succurrere,* refait sur *courir.* || **secours** 1080, *Roland ;* lat. *succursus.* || **secourable** début XIIIe s., *Floire.* || **secouriste** XVIIIe s. || **secourisme** XXe s.

**courlis** XIIIe s., *Bible* (*courlieus*) ; 1555, Belon (*-lis*) ; onomatopée d'apr. le cri de l'oiseau.

***couronne** fin XIe s., *Lois de Guill. ;* XVIIe s., Bossuet, « royauté » ; lat. *cŏrōna,* du gr. *koronê.* || couronner fin Xe s., *Saint Léger ;* lat. *coronare.* || couronnement 1190, Garn. || **découronner** 1160, Benoît.

**courrier** V. COURIR.

***courroie** 1080, *Roland* (*correie*) ; lat. *cŏrrĭgia.*

***courroucer** 1050, *Alexis* (*corocier*) ; lat. pop. **corruptiare,* de *corrŭptus,* corrompu, aigri, ou de *cor ruptum,* cœur brisé. || **courroux** fin Xe s., *Saint Léger,* « chagrin », déverbal.

**cours, course, coursier** V. COURIR.

**coursive** 1495, G. de Villeneuve (*coursie*) ; 1687, Desroches (*-cive*) ; ital. *corsiva* (dial. *corsia*), passage où l'on peut courir.

1. ***court** 1080, *Roland ; prendre de court,* 1660, Oudin ; *couper court,* 1560, Pasquier ; *avoir la vue courte,* 1540, Rab. ; lat. *cŭrtus.* || **courtaud** 1439, *Journ. de Paris.* || **court-bouillon** 1622. || **court-circuit** 1903. || **court-circuiter** 1890. || **court-jus** 1914, pop. || **court-jointé** 1661, Molière. || **accourcir** 1175, Chr. de Troyes ; de *court,* avec infl. de *accorcier,* du lat. **accurtiare.* || **accourcissement** 1503, Chauliac. || **écourter** 1190, Garn. (*escurter*). || **raccourcir** XIIIe s. || **raccourci** 1400. || **raccourcissement** 1564, J. Thierry.

2. **court** [de tennis] 1880 ; dans Giffard (1641), *a tennis-court, un jeu de paulme ;* mot angl., de l'anc. fr. *court,* cour.

**courtepointe** 1180, *Alexandre ;* XVe s. (*contrepointe*) ; altér. de *coute-pointe* (XIIe s.), couvre-pied piqué (v. COUETTE), par attraction de *courte ;* usité surtout du XIVe s. au XVIIIe s.

**courtier** début XIIIe s., *Assises de Jérusalem* (*coretier*) ; 1538, R. Est. (*courtier*) ; prov. *couratier,* coureur, intermédiaire dans des opérations commerciales. || **courtage** 1248, G. (*couratage*).

***courtil** 1155, Wace ; bas lat. **cohortile,* jardin attenant à la ferme (v. COUR), du lat. *cohors, -ortis.* || **courtilier** XIIe s., G., « jardinier », au masc. ; 1547, J. Martin, fém., désigne l'insecte.

***courtine** Xe s., « rideau de lit » ; bas lat. *cortina,* tenture (VIIe s., Isidore de Séville) ; fin XIXe s., « tenture de porte », repris directement à l'ital. *cortina,* même orig.

**courtisan** fin XIVe s. ; ital. *cortigiano,* de *corte,* cour. || **courtisane** 1500, *Anc. Poésies* (*courtisienne*) ; 1597, *le Courtisan* ; a pris un sens péjor. dès le XVIe s. (Du Bellay). || **courtisanerie** XVIe s., La Curne. || **courtisanesque** 1578, H. Est. || **courtiser** 1557, de Magny ; réfection de l'anc. fr. *courteier, -oyer,* de *court,* cour.

**courtois** 1080, *Roland* (*corteis*) ; anc. fr. *court,* cour au sens fig. || **courtoisement** 1080, *Roland.* || **courtoisie** fin XIIe s., Conon de Béthune. || **discourtois** 1416, Delb. (*des-*) ; XVIe s. (*dis-*) ; ital. *discortese.* || **discourtoisie** XVe s. (*des-*) ; 1580, Montaigne (*dis-*) ; ital. *discortesia.*

**couscous** 1505, Gonneville (*couchow*) ; 1649 (*couscous*) ; ar. *kouskous ;* importé aux Antilles, il a pris le sens de graine de maïs.

**cousette, couseur** V. COUDRE 2.

1. **cousin** [terme de parenté] 1080, *Roland,* se rattache à une forme abrégée mal expliquée (peut-être enfantine) du lat. *consobrīnus.* || **cousinage** XIIe s., Fantosme. || **cousiner** 1560, Pasquier.

2. ***cousin** [diptère] XIIe s. (*cussin*) ; XVIe s. (*cusin*) ; lat. pop. **cūlicinus,* de *cūlex, -icis,* moustique.

***coussin** début XIIe s., *Voy. de Charlemagne ;* lat. pop. **cŏxīnum,* de *cŏxa,* cuisse, proprement « coussin de hanche ». || **coussinet** XIIIe s., J. de Garlande.

***couteau** XIIIe s., *Roncevaux* (*coltel*) ; *être à couteaux tirés,* 1680, Richelet ; lat. *cŭltellus,* dimin. de *culter* (v. COUTRE). || **couteler** XIIIe s., *D. G.* || **coutelier** 1160, Benoît. || **coutellerie** 1268, É. Boileau. || **coutelet** 1265, J. de Meung. || **coutelas** 1410, G. (*-asse*) ; XVIe s., Monluc (*-as*) ; ital. *coltellaccio.*

***coûter** 1190, Couci (*coster*) ; lat. *constare,* être certain, être fixé, spécialisé en lat. pop. pour indiquer le prix. || **coût** 1155, Wace (*cost*) ; déverbal. || **coûteux** fin XIIe s. || **coûteusement** 1833.

**coutil** début XIIIe s., *D. G.* (*keutil*) ; dér. de *coute,* anc. forme de *couette* (v. ce mot).

**coutille** 1351, Du Cange, « grand couteau » et « fétuque dorée » (plante méridionale) ; esp. *cuchillo,* couteau, et *cuchilla,* fétuque.

**couton** 1600 (*couston*), « petite plume qui reste sur les volailles plumées » ; prov. *coustoun,* de *costa,* côte (plume de côté).

***coutre** 1160, Benoît, « grand couteau qui précédait le soc de la charrue » ; lat. *culter, cultri,* grand couteau, dont la spécialisation de sens est ancienne.

***coutume** 1080, *Roland* (*coustume*) ; lat. *consuētūdo, -dinis,* devenu en lat. pop. **cosetudine,* avec changement de suffixe. || **coutumier** adj., 1167, G. d'Arras ; n. m., 1396, *D. G.* || **accoutumer** 1170, *Rois* (*acustumer*). || **accoutumance** 1160, Benoît. || **désaccoutumer** fin XIIe s., *Grégoire.* || **désaccoutumance** XIIIe s., *Livre de jostice.* || **inaccoutumé** 1380, Conty. || **inaccoutumance** 1614, Hulsius. || **raccoutumer** début XVIe s.

**couture** V. COUDRE 2.

***couvent** début XIIe s. (*covent*) ; lat. *convĕntum,* assemblée, au sens eccl. || **convent** anc. forme de *couvent* (jusqu'au XVIIe s.) ; 1877, L., terme de franc-maçonnerie, mot angl., spécialisé pour les loges écossaises. || **conventicule** 1384, Delb. ; lat. *conventiculum,* petite réunion. || **conventuel** 1249, G. ; lat. eccl. *conventualis.* || **conventuellement** 1462, G. || **conventualité** 1690, Furetière.

***couver** XIIe s., *Ps. ;* XIIIe s., *Roman de Renart,* fig. ; lat. *cŭbare,* être couché, spécialisé pour les volatiles en lat. pop. (cf. PONDRE, SAILLIR, TRAIRE). || **couvade** 1538, R. Est. ; mot prov. || **couvage** 1842, *Acad.* || **couvée** fin XIe s., *Gloses de Raschi.* || **couvain** XIVe s., *Recettes médicales* (*-in*). || **couveuse** XVIe s. || **couvaison** milieu XVIe s. || **couvi** XIIIe s., G. (*couveïs*). || **couvoir** 1564, Liébault. || **couvet** 1350 ; d'apr. la prononciation pop. de *couvoir* (*-oué*). || **incouvé** 1873, Lar.

**couvercle, couverture** V. COUVRIR.

***couvrir** fin Xe s. ; *allée couverte,* 1835, *Acad. ; à mots couverts,* 1798, *Acad. ;* lat. *coopĕrīre,* couvrir entièrement, qui a pris dès le début le sens de « protéger ». || **couvert** XIIe s., « ce qui couvre » ; par ext. « ce dont on couvre la table » ; part. passé substantivé. || **couverte** XIIe s., *Florimond.* || **couvreur** 1268, É. Boileau. || **couvre-chef** XIIe s. || **couvre-feu** XIIIe s. || **couvre-pied** 1697, Havard. || **couvre-lit** 1863, L. || **couvre-nuque** 1833. || **couvre-plat** 1688, Miege. || **couvre-radiateur** 1950. || **couverture** 1155, Wace ; bas lat. *coopertura.* || **découvrir** XIIe s., *Ps.,* « révéler » ; bas lat. *discooperire ;* XIVe s., « trouver en parcourant ». || **découverte** fin XIIe s., R. de Moiliens. || **découvert** n. m., 1387, J. d'Arras ; XVIIIe s., sens commercial. || **découvreur** XIIIe s., Ernoul, « éclaireur » ; XVIe s., « qui trouve ». || **recouvrir** 1130, *Eneas.* || **recouvrement** milieu XVe s. || **couvercle** XIIe s. ; lat. *coperculum,* qui recouvre. || **redécouvrir** 1862, Sainte-Beuve.

**cover-girl** 1946 ; mot amér.

**cow-boy** 1839 ; mot angl. signif. « garçon chargé de garder les vaches ».

**coxal** 1811 ; lat. *coxa,* hanche, cuisse. || **coxalgie** début XIXe s. (gr. *algos,* souffrance). || **coxalgique** 1863. || **coxarthrose** 1959.

**coyote** 1866, Lar. ; mot esp., de l'aztèque *coyotl,* chacal.

**crabe** début XIIe s., fém. jusqu'au XVIIIe s. ; anc. norm. *krabbi,* masc., et moyen néerl.

*krabbe,* fém. || **crabot** XXe s., « dent d'un manchon d'embrayage » ; dimin. fig. de *crabe.* || **crabotage** 1836, Landais, « première foncée d'une ardoisière » ; peut-être d'une rac. différente.

**crabron** 1530, Lefèvre d'Étaples ; 1638, Chapelain, fig., « critique » ; lat. *crabro,* frelon.

**crac** 1492, Tardif ; onom. *krakk.* || **craquer** 1546, *Palmerin,* sens propre ; 1718, Destouches, fig. || **craqueter** 1538, R. Est. || **craquement** 1553, Martin. || **craqueler** 1761, *Dict. du citoyen* (*-é*). || **craquelure** 1863, L. || **craquerie** fin XVIIe s. || **craque** 1802, « mensonge ». || **craqueur** 1640, D. Ferrand. || **craquage** 1921, techn., de *craquer ;* trad. de l'angl. *cracking.*

***cracher** XIIe s., *Marbode ;* lat. pop. **craccare,* onom. qui paraît d'origine germ. || **crachat** 1265, Br. Latini ; suffixe ancien *-as.* || **crachement** XIIIe s., G. || **cracheur** 1538, R. Est. || **crachoir** 1546, Rab. || **crachoter** 1578, d'Aubigné (*-eter*) ; XVIIe s. (*-oter*). || **crachotement** 1694, *Acad.* || **crachottis** 1657, Tall. des Réaux. || **crachouiller** 1924. || **crachin** fin XIXe s. ; mot régional de Bretagne. || **recracher** 1468, Chastellain.

1. **crack** 1854, Dillon ; mot angl. signif. « fameux », du verbe (*to*) *crack,* se vanter. D'abord comme terme du turf.

2. **crack** 1987, *journ.,* cocaïne ; anglo-américain *crack,* coup de fouet.

***craie** fin XIe s., *Gloses de Raschi* (*crete*) ; lat. *creta,* craie. || **crayère** 1379, G. || **crayeux** XIIIe s., *D. G.* || **crayon** 1309, G. (*croion*), « sorte de craie » ; XVIe s., sens actuel ; la craie fut la matière des premiers crayons ; puis vint la plombagine sous Louis XIII. || **crayonner** 1584, du Bartas. || **crayonnage** 1790, Brunot. || **crayonneur** milieu XVIIIe s. || **crayonneux** 1732, Pluche. || **porte-crayon** 1676, Félibien.

***craindre** Xe s. (*criembre*), refait en *criendre, craindre* d'apr. les verbes en *-aindre ;* lat. pop. **crĕmere,* spécial en Gaule, altér. du lat. *trĕmere,* trembler, craindre, par le gallois **cremo-* ou **crito-,* tremblement. || **crainte** XIIIe s., *Clef d'amors,* qui a remplacé *crieme,* déverbal de *criembre.* || **craintif** 1398, *Ménagier.* || **craintivement** XIVe s., Beauveau. || **craignos** v. 1980, arg.

**cramer** 1823 ; var. rég. de *crémer,* XVIe s., du lat. *cremare,* brûler.

**cramoisi** 1298, Marco Polo (*cremoisi*) ; ar. *qirm'zī,* rouge de kermès.

**crampe** fin XIe s., *Gloses de Raschi ;* adj. en anc. fr. (*goutte crampe* en méd.) et n. f. ; francique **kramp* (allem. *Krampf,* moyen néerl. *crampe*), courbé ; XVIIIe s., sens érotique. || **crampette** 1901, Esnault, coït.

**crampon** 1268, É. Boileau ; fig., « personne tenace », 1867, Delvau ; francique **krampo,* courbé. || **cramponner** 1456, de La Sale. || **cramponnement** 1873, Goncourt. || **décramponner** fin XVIe s., « enlever un crampon » ; 1867, Lar., « lâcher prise ».

**cran** XIe s., « entaille » (*cren*) ; v. 1900, *avoir du cran,* dans la langue militaire d'abord ; déverbal de *créner.* || **créner** 1539, R. Est. ; lat. impér. *crena,* entaille, restreint à des emplois techn. || **créneau** 1160, Benoît (*crenel*) ; dér. pop. du lat. *crena,* cran. || **créneler** XIIe s., *Roncevaux.* || **crénelage** 1723, Savary. || **crénelure** XIVe s. || **crénure** fin XIIe s., *Alexandre* (*-eüre*). || **crénon** 1754, *Encycl.,* techn.

**crâne** 1314, Mondeville ; fig., 1787, Féraud, « téméraire » ; 1833, Balzac, « homme décidé » ; lat. médiév. *cranium,* du gr. *kranion.* || **crânement** 1833. || **crâner** 1845, J.-B. Richard, être orgueilleux. || **crâneur** 1862, Vallès. || **crânien** début XIVe s. || **crânerie** 1784, *Courrier de l'Europe.* || **craniologie** 1807. || **craniométrie** XIXe s.

**crapaud** 1185, *Moniage Guill.* (*crapot*) ; de *crape* (1398, *Ménagier*), « ordure », déverbal de *escraper,* nettoyer en raclant, du francique **krappan.* || **crapaudière** 1394, G. || **crapaudine** XIIIe s., de Méry. || **crapouillot** 1880, d'apr. Lar., 1916 ; canon trapu comme le *crapaudeau* (XVe-XVI[e] s.). || **crapoussin** 1752, Trévoux.

**crapouillot** V. CRAPAUD.

**crapule** 1373, Gace de La Bigne ; lat. *crapula,* ivresse (sens conservé au XVIIe s.). || **crapuleux** 1495, J. de Vignay. || **crapulerie** 1854.

**craqueler** V. CRAC.

**craquelin** 1265, G. Espinas, « gâteau » ; moyen néerl. *crakelinc.*

**craquer** V. CRAC.

**crase** 1613, Duret ; gr. *krasis,* mélange en phys. et en gramm.

**crash** 1956 ; mot angl., de (*to*) *crash,* s'écraser. || **crasher (se)** v. 1950.

**crasse** 1130, *Job,* adj. resté dans *ignorance crasse ;* n. f., début XIVe s. ; lat. *crassus,* épais, gras, au fig. grossier (v. GRAS). || **crasser** 1836,

Landais. || **crasseux** XIII^e s. || **craspec** 1948, pop. || **crassier** 1754, *Encycl.* || **décrasser** fin XIV^e s. || **décrassage** 1907, Lar. || **décrassement** fin XVII^e s., Saint-Simon. || **encrasser** XIV^e s.

**crassula** 1390, Conty, « plante grasse » ; lat. *crassus,* gras. || **crassulacée** fin XVIII^e s.

**cratère** fin XV^e s., O. de Saint-Gelais, « vase antique » ; 1570, Hervet, cratère de l'Etna, donné comme expression sicilienne ; lat. *crater,* du gr. *kratêr,* qui avait les deux sens.

**cravache** 1790, *Encycl. méth.* ; allem. *Karbatsche,* empr. au turc par l'intermédiaire du polonais. || **cravacher** 1834. (V. COURBACHE.)

**cravant** 1534, Rab., « oie sauvage, anatife », mot de l'Ouest ; sans doute du gaulois **crago,* avec un suffixe obscur. || **crave** 1827, *Acad.,* « choucas ».

**cravate** 1651, Loret, masc., puis fém. ; forme francisée de *Croate* (cf. le régiment de *Royal-Croate* sous Louis XIV) ; il désigna d'abord la cravate des cavaliers croates ; l'usage en est généralisé en 1636 (Ménage). || **cravater** 1823, *Cravatina.*

**crawl** 1906 ; mot angl., de (*to*) *crawl,* ramper. || **crawlé** 1921. || **crawleur** 1933.

**crayon, créance, créateur** V. CRAIE, CROIRE, CRÉER.

**créatine** 1823, Chevreul ; gr. *kreas, kreatos,* chair.

**créature** V. CRÉER.

**crécelle** 1175, Chr. de Troyes (*cresselle*) ; onom. *crec* ou lat. pop. **crepicella,* du lat. class. *crepitacillum,* sorte de hochet, de *crepitare,* craquer. || **crécerelle** 1220, Coincy (*cresserelle*) ; les deux mots ont été souvent confondus, ainsi qu'avec *sarcelle.*

**crèche** 1150, *Ps.* ; francique **krippia* ; 1789, Brunot, « asile ». || **crécher** 1921, Esnault, pop.

**crédence** v. 1360, Froissart, « croyance » ; XVI^e s., « meuble » ; ital. *credenza,* croyance, confiance, d'où *fare la credenza,* faire l'essai (des mets) sur un meuble qui en a pris le nom. || **crédencier** v. 1540, Rab., « valet qui goûtait les mets avant de les servir ».

**crédibilité** V. CROIRE.

**crédit** 1498, Commynes, « confiance » ; lat. *creditum,* part. passé de *credere,* croire ; le sens financier a été repris à l'ital. au début du XVI^e s. || **créditer** 1671, Delb. || **créditeur** XIII^e s. || **accréditer** 1553, *Papiers de Granvelle* ; *s'accréditer,* fig., 1955, *le Monde.* || **accréditif** 1946. || **accréditement** 1948, *Témoignage chrétien.* || **accréditation** 1866, Lar. || **discrédit** 1719, *Arrêt du Conseil d'État* ; ital. *discredito.* || **discréditer** 1572, Barbier, « faire perdre son crédit » ; fig., 1671, Pomey.

**credo** V. CROIRE.

**crédule** 1398, *Ménagier* ; lat. *credulus,* de *credere,* croire. || **crédulité** fin XII^e s., *Rois* ; lat. *credulitas.* || **incrédule** 1360, Froissart ; lat. *incredulus.* || **incrédulité** 980, *Valenciennes* ; lat. *incredulitas.*

**créer** 1120, *Ps. d'Oxford* ; lat. *creare.* || **créateur** 1119, Ph. de Thaon ; lat. *creator,* au sens chrét. || **création** 1265, J. de Meung ; lat. *creatio.* || **créature** 1050, *Alexis* ; lat. *creatura,* au sens eccl. ; le sens de « favori » (XVI^e s.) est repris à l'ital. ; XVII^e s., « femme méprisable ». || **créatif** XIV^e s. ; repris au XIX^e s., d'après l'angl. *creative.* || **créativité** 1946. || **créationnisme** fin XIX^e s. || **incréé** 1470, *Livre de la discipline d'amour divine* ; lat. *increatus.* || **recréer** milieu XIV^e s.

**crémaillère** XIII^e s., G. ; lat. pop. *cramaculus,* du gr. *kremastêr,* qui suspend.

**crémaster** 1540, Rab., « muscle suspenseur du testicule » ; gr. *kremastêr,* suspenseur.

**crémation** XIII^e s., G. ; rare jusqu'au XIX^e s. (1829, Boiste) ; lat. *crematio,* de *cremare,* brûler. || **crématoire** 1882, *Année sc. et industr.* (*crematorium*) ; *four crématoire,* 1879, *Année sc. et industr.* || **crématiste** 1960.

**crème** 1155, Wace (*cresme*) ; gaulois *crama* (VI^e s., Fortunat), croisé avec le lat. chrét. *chrisma,* chrême. || **crémer** v. 1580, Palissy. || **crémant** 1846. || **crémeux** 1572, Peletier. || **crémier** 1762, *Acad.* ; adj., XVI^e s. || **crémerie** milieu XIX^e s. || **écrémer** XIV^e s., G. (*escramer*). || **écrémage** 1791, *Encycl. méth.,* fig., XX^e s. || **écrémeuse** 1893, Lar.

**crément** 1743, Trévoux, gramm. ; lat. *crementum,* accroissement, de *crescere,* croître.

**crémone** 1724, Brunot, « collerette » ; p.-ê. de *crémaillère,* ou de la ville de *Crémone.*

**créneau, créner** V. CRAN.

**créole** 1598, Acosta (*crollo*) ; 1676, Beaulieu (*criole*) ; esp. *criollo,* mot port., de *criar,* nourrir, du lat. *creare,* spécialisé au Brésil. || **créoliser** 1838. || **créoliste** v. 1950. || **créolophone** v. 1960.

**créosote** début XIX^e s., fabriqué par Reichenbach ; gr. *kreas,* chair, et *sôzein,* conserver.

|| créosol fin XIX^e s. || créosal 1914, Lar. || créosoter 1868.

***crêpe** XII^e s. (*cresp*), masc. ; adj. jusqu'au XVI^e s. ; lat. *crĭspus,* frisé ; substantivé fém. (pâtisserie XIII^e s.) et masc. (tissu XVI^e s.). || **crêperie** 1929. || **crêpier** 1863. || **crêpière** 1863. || **crépon** 1550. || **crêpage** 1723, Savary. || **crépu** 1175, Chr. de Troyes. || **crêper** 1523, R. Belleau ; lat. *crispare,* friser ; le sens de « préparer le crêpe » a été repris de *crêpe* masc. || **crêpure** XIV^e s., B. de Gordon (*crespeüre*). || **crêpelu** 1560, Paré. || **crêpeler** 1530. || **crêpelage** 1877. || **crépine** 1265, J. de Meung (*cresp-*), « petite bourse » et « parure de crêpe » ; XIV^e s., « membrane d'animaux de boucherie » ; 1740, sens culinaire. || **crépinette** 1265, J. de Meung. || **crépinière** 1820, Laveaux, épine-vinette ; croisement entre *crépinette* et le lat. médiév. *Christi-spina,* épine du Christ. || **crépir** fin XII^e s., *Alexandre,* « friser » ; XIII^e s., « rendre le cuir grenu » ; XIV^e s., *crépir un mur.* || **crépi** n. m., 1528, *Comptes des bâtiments du roi.* || **crépissage** 1611. || **décrépir** milieu XIX^e s. || **recrépir** 1549, R. Est.

**crépiter** XV^e s. ; rare jusqu'au XVIII^e s. ; lat. *crepitare,* fréquentatif de *crepare,* craquer. || **crépitement** 1869, Daudet. || **crépitation** 1560, Paré ; bas lat. *crepitatio.* (V. CREVER.)

**crépon, crépu, crêpure** V. CRÊPE.

**crépuscule** XIII^e s., G., aube ; XVI^e s., sens actuel ; XVIII^e s., fig. ; lat. *crepusculum.* || **crépusculaire** 1705.

**crescendo** 1775, Beaumarchais ; ital. *crescendo,* gérondif de *crescere,* croître. || **decrescendo** XVIII^e s., Bauni ; mot ital. signif. « en décroissant », gérondif de *decrescere,* décroître.

**cresson** 1138, *Vie de saint Gilles ;* francique **kresso* (allem. *Kresse*). || **cressonnière** 1286, G. || **cressiculteur** 1869.

**crésus** 1540, Marot ; du nom d'un roi de Lydie (lat. *Croesus,* gr. *Kroisos*), célèbre par ses richesses ; déjà nom symbolique en gr. et en lat.

**Crésyl** 1866, nom de marque ; de *crésol* et *-yl.* || **crésylé** 1928.

**crétacé** 1735, Quesnay ; lat. *cretaceus,* de *creta,* craie. Comme adj., « qui contient de la craie ».

***crête** XII^e s. (*creste*) ; lat. *crĭsta ;* XIII^e s., « sommet d'une montagne » et « faîte d'un toit ». || crêter 1175, Chr. de Troyes. || **crête-de-coq** 1539, R. Est., « plante ». || **écrêter** 1611, Cotgrave.

**crétin** 1750, Maugiron, désigna d'abord les crétins des Alpes ; mot bas-valaisan et savoyard, équivalent du fr. *chrétien* (cf. BENÊT). || **crétinerie** 1860, Goncourt. || **crétinisme** 1784, Razoumowsky. || **crétiniser** 1834, Balzac. || **crétinisation** 1870.

**cretonne** 1723, Savary ; de *Creton,* village de l'Eure où l'on fabriquait des toiles (XVI^e-XVII^e s.).

**creuser** V. CREUX.

**creuset** 1515, *Arch. ;* altér. par *creux,* avec changement de suffixe, de l'anc. fr. *croisuel, cruisel* (1220, Coincy), lampe ; p.-ê. lat. pop. *cruciolum,* de *crux, -cis,* croix (la lampe devait avoir deux mèches en croix) ; le sens de « creuset » apparaît au XIII^e s. (*croiseus,* Tailliar).

***creux** XII^e s. ; lat. pop. **crŏssus,* sans doute gaulois. || **creuser** 1190, Bodel (*croser*). || **creusement** 1295, G. || **creusage** début XVIII^e s. || **recreuser** 1549, R. Est.

***crevasse** 1120, *Ps. d'Oxford ;* lat. pop. **crepacia,* de *crepare,* craquer. || **crevasser** fin XIV^e s., G.

***crever** fin X^e s., *Saint Léger,* trans. d'apr. le bruit, et intrans. au fig. « mourir » (XIII^e s.) ; lat. *crĕpare,* craquer, d'où en roman « crever ». || **crève** 1911, Machard ; déverbal. || **crevaille** v. 1540, Rab. || **crevage** 1883, Daudet. || **crevant** 1857, Monrose, « ennuyeux » ; 1889, Larchey, « qui fait rire ». || **crevaison** XIII^e s. ; 1906, à propos d'un pneu. || **crevard** 1861, Esnault. || **crève** n. f., 1902, pop. || **crève-cœur** XII^e s., *Parthenopeus.* || **crève-la-faim** 1870, Poulot. || **increvable** 1922, Lar. || **crevé** 1867, Delvau, pop., épuisé.

**crevette** 1532, Du Guez ; forme normande de *chevrette,* usité en ce sens dans l'Ouest à partir de Granville.

**cri, criard** V. CRIER.

***crible** fin XIII^e s., Rutebeuf ; lat. pop. *crīblum,* du lat. *crībrum.* || **cribler** XIII^e s. ; lat. pop. *crīblare* (lat. class. *cribrare*). || **criblure** XIV^e s., *Traité d'alchimie.* || **cribleur** 1556, Delb. || **criblage** fin XVI^e s. || **cribleuse** 1877, Lar. || **cribleux** 1561.

**cric** 1445, Suisse rom. ; orig. obscure, peut-être du haut allem. *kriec.*

**cric-crac** 1552, Ch. Est. ; onom.

**cricket** 1728, C. de Saussure ; mot angl. signif. « bâton ».

***crier** 1080, *Roland ;* lat. pop. *crītare,* contraction du lat. *quirītare,* appeler les citoyens (*quirites*) au secours. || **cri** Xe s., *Passion,* déverbal. || **criée** 1130, *Saint Gilles.* || **criard** 1495, J. de Vignay. || **criailler** 1564, Ronsard. || **criaillement** 1611. || **criaillerie** fin XVIe s. || **crierie** XIIIe s., G. || **crieur** 1190, Bodel. || **décrier** XIIIe s., sens propre ; fig., *décrier une monnaie,* XIIIe s. (la proclamer hors d'usage). || **écrier (s')** 1080 *Roland.* || **récrier (se)** 1080, *Roland.*

**crime** 1160, Benoît (*crimne*) ; lat. *crimen, -inis,* accusation, grief. || **criminel** 1080, *Roland ;* lat. *criminalis.* || **criminalité** 1539. || **criminaliser** 1584, Guevarre. || **criminalisation** 1922, Lar. || **criminologie** 1890, Lar. || **criminologiste** XXe s. (1959, Lar.). || **criminogène** v. 1950. || **criminalisme** 1842, J.-B. Richard. || **criminaliste** 1660. || **criminalité** milieu XVIe s.

**crin** XIIe s., *Saxons ;* lat. *crinis,* cheveu, au sens de « crin » en lat. pop. || **crinière** 1556, Saliat.

**crincrin** 1661, Molière ; onomatopée.

**crinoline** 1829, *Journ. des dames,* « tissu » ; 1856, « jupe cloche faite avec ce tissu » ; ital. *crinolino,* tissu à trame de crin (*crino*) et chaîne de lin (*lino*). || **crinoliné** v. 1830.

**crique** 1336, texte normand ; scand. *kriki.*

**criquet** début XIIe s., nom donné à divers insectes, spécialisé par l'entomologie ; 1656, Ménage, « petit cheval », puis « homme malingre » ; 1855, Gautier, « jeu » ; anc. fr. *criquer,* craquer, onom. (1539, R. Est.). || **criquetis** 1583, Gauchet ; de l'anc. verbe *criqueter,* onomatop., de *cric.*

**crise** fin XIVe s. (*crisin*) ; d'abord méd., il a pris un sens fig. au XVIIe s., un sens polit. au XVIIIe s. ; lat. méd. *crisis,* du gr. *krisis,* décision.

**crisper** 1650, Descartes ; lat. *crĭspare,* friser (v. CRÊPE), au sens fig. « contracter en ridant ». || **crispant** 1845, J.-B. Richard, fig. || **crispation** 1743, Trévoux.

**crispin** 1825, type de valet de comédie (1654, Scarron) ; ital. *Crispino ;* puis *gants à la Crispin,* d'où *crispin,* manchette de gant ; le lat. *crispinus* a donné le fr. *crépin* (dans *saint-crépin,* 1660, Oudin, « outils du cordonnier »).

**criss** 1529, Parmentier ; malais *kris.*

**crisser** 1549, R. Est., en parlant du fer chaud jeté dans l'eau, et *crisser des dents* (XVIe s., Joubert) ; francique **krîsan,* craquer, qui a donné aussi *croissir* (XVIe s.) et *crisner* (XIIIe s.). || **crissement** 1567, Junius. || **crissure** 1789, *Encycl. méth.*

**cristal** 1080, *Roland,* « quartz » ; XIVe s., « verre spécial plus lourd » ; lat. *crystallus,* du gr. *krustallos,* glace. || **cristallerie** 1745, Dupin. || **cristallier** 1260. || **cristallin** XIIe s., G. ; anat., 1546, Ch. Est. ; lat. *crystallinus.* || **cristalliser** milieu XIIIe s. ; fig., 1845, Besch. || **cristallisation** 1651, Hellot ; 1792, Saint-Martin, fig. || **cristallisable** 1825, Brillat. || **incristallisable** 1762, Brunot. || **cristallographie** 1772, Romé de Lisle. || **cristallomancie** 1721, Trévoux.

**critérium** 1653, Du Bosc ; lat. scolastique *criterium,* du gr. *kritêrion,* de *krinein,* discerner ; 1878, Lar., « épreuve sportive ». || **critère** milieu XVIIIe s., forme francisée.

**critique** adj., 1372, Corbichon, méd. ; XVIIIe s., « difficile, décisif » ; n. m. et f., 1580, Scaliger ; adj. en littérature, 1667, Boileau ; lat. *criticus,* du gr. *kritikos,* de *krinein,* discerner, aux sens méd. et litt. || **critiquer** 1552, Rab., intr., « diminuer » ; 1611, Cotgrave, « relever un défaut ». || **criticailler** 1907. || **critiquable** 1737, *le Mercure.* || **incritiquable** 1845, Besch. || **critiqueur** fin XVIe s. || **criticisme** 1828, Laurent. || **hypercritique** 1638, Ménage.

**croasser** XVe s., G. (*croescer*) ; onom., du cri du corbeau. || **croassement** 1549, Du Bellay.

1. **croc** début XVIIe s., Saint-Amant, interj. ; onom., var. de *crac, cric.* || **croquer** XIIIe s., « craquer » et faire un bruit sec ; fig., XVIIe s., en peinture. || **croquet** 1642, Oudin, « biscuit » ; 1835, jeu, de l'angl. *crocket,* altér. du moy. fr. *croquet,* coup sec. || **croquette** 1740, boulette. || **croqueur** 1548, Rab. || **croquis** XVIIIe s. || **croquade** 1814, Jouy. || **croque-au-sel (à la)** 1718. || **croquembouche** 1818. || **croque-monsieur** 1918. || **croque-noisette** 1564, J. Thierry, loir. || **croque-note** 1767, Rousseau. || **croque-mitaine** 1820, Hugo, certainement plus ancien dans le langage enfantin ; terme obscur. || **croque-mort** 1788, Mercier.

2. **croc** n. m., 1155, Wace ; scand. *krôkr.* || **crocher** 1180, Marie de France. || **croche** n. f., XIIIe s., « crochet » ; adj., 1540, Ronsard (v. BANCROCHE) ; mus., n. f., 1611, Cotgrave (*crochuë*). || **crochet** fin XIIe s., *Aliscans.* || **crocheter** 1457, G. || **crocheteur** 1440, Ch. d'Orléans, « qui ouvre avec un crochet » ; 1533, Rab., « qui porte des fardeaux avec un crochet ». || **crochetage** 1819, Boiste. || **crochetable** 1845, Besch. || **incrochetable** début XIXe s.

|| **crochu** fin XII^e s., R. de Moiliens. || **croc-en-jambe** 1554, Amyot. || **accrocher** début XII^e s., *Thèbes.* || **accroc** 1530, *Grans Décades de Titus Livius,* « harpon » ; sens actuel, XVI^e s. ; déverbal. || **accroche-cœur** 1827. || **accrocheur** 1636, Monet ; 1808, *Archives,* techn. ; adj., milit. et sport, XX^e s. || **accrochement** 1480, G. Alexis. || **accrochage** 1583, Gauchet, syn. d'*accroc ;* 1784, Saint-Léger, fig. ; milit., 1954, *le Monde.* || **anicroche** 1546, Rab. (*hani-*), « arme » ; 1584, Delb., sens actuel. || **décrocher** v. 1220, *Aymeri ;* XIV^e s., fig. || **décrochez-moi-ça** 1867, Delvau. || **raccrocher** début XIV^e s. || **raccroc** 1374, Du Cange. || **raccrocheur** fin XVIII^e s.

**crocher, crochet, crochu** V. CROC 2.

**crocodile** XII^e s., *Bestiaire* (*cocodrille,* encore au début du XVII^e s.) ; fig., XIX^e s., « appareil de sécurité sur les chemins de fer » ; lat. *crocodilus,* du gr. *krokodeilos.*

**crocus** 1372, Corbichon ; mot lat., du gr. *krokos,* safran.

***croire** X^e s., *Saint Léger* (*credre*) ; 1080, *Roland* (*creire*) ; lat. *crēdĕre.* || **croyance** 1361, Oresme ; réfection de *créance.* || **croyable** 1120, *Ps. d'Oxford* (*credable*) ; 1361, Oresme (*croyable*). || **croyant** 1190, Bodel. || **incroyable** 1498, Commynes. || **incroyablement** fin XV^e s., A. de La Vigne. || **incroyant** 1783, Proschwitz. || **incroyance** 1836, Chateaubriand. || **créance** 1050, *Alexis ;* dér. ancien de *croire* (*creire, creons*) ; il a signifié *croyance* jusqu'au XVII^e s. ; *lettre de créance,* v. 1360, Froissart. || **créancier** 1170, *Rois,* sur le sens fin. || **crédibilité** 1651, G. de Balzac ; lat. scolastique *credibilitas,* de *credere,* croire. || **crédible** XV^e s. ; repris v. 1960. || **incrédibilité** début XVI^e s. ; lat. *incredibilitas.* || ***accroire** 1120, *Ps. d'Oxford,* « prêter » ; lat. *accredere ;* XVI^e s., « croire » ; XVII^e s., *faire accroire.* || **credo** fin XII^e s., G. ; fig., 1771, Linguet ; mot lat. signif. « je crois », qui commence le symbole des Apôtres.

**croisade, croisée, croiser, croiseur, croisillon, croissance, croissant** V. CROIX, CROÎTRE.

***croître** 1080, *Roland* (*creistre*) ; lat. *crēscĕre.* || **croît** XII^e s., *Parthenopeus,* « accroissement », spécialisé pour le croît du bétail. || **cru** début XIV^e s., « ce qui croît dans un terrain », part. passé. || **crue** v. 1272, Joinville (*creue*), part. passé fém. || **croissance** 1190, *Saint Bernard.* || **croissant** XII^e s., *Parthenopeus,* « temps pendant lequel la lune croît », par ext. *croissant de lune ;* part. prés. ; *croissant* de boulanger, calque de l'allem. *Hornchen,* d'apr. le croissant turc symbolique (les premiers furent fabriqués en 1689 à Vienne après la levée du siège par les Turcs). || ***accroître** 1170, *Rois* (*-creistre*) ; lat. *accrēscĕre.* || **accroît** 1552, Aneau. || **accroissement** 1190, G. d'Arras. || **décroître** 1130, *Eneas ;* lat. pop. **discrescere.* || **décroissement** fin XII^e s., Villehardouin. || **décroît** 1190, Garn. || **décroissance** 1260, Br. Latini. || **décrue** 1542, Du Pinet. || **excroissance** 1314, Mondeville (*excressance*) ; bas lat. *excrescentia.* || **recroître** fin XII^e s., Villehardouin, « ce qui vient compléter un régiment », part. passé fém. substantivé. (V. RECRU, RECRUE.)

***croix** fin X^e s., *Saint Léger ;* 1802, décoration ; *faire le signe de croix,* XVI^e s. ; *Croix du Sud,* 1704, Trévoux ; *chemin de croix,* 1845, Besch. ; lat. *crŭx, crŭcis.* || **croiser** 1080, *Roland ; croiser la baïonnette,* 1835, *Acad. ; croiser les desseins de quelqu'un,* 1578, d'Aubigné ; *feu croisé,* 1752, Trévoux ; *mots croisés,* 1929, Lar. || **croisée** XII^e s., transept ; 1379, « objet en croix, croisement, croisade » ; puis fenêtre *à croisée,* à croix de pierre ; 1490, fenêtre. || **croisement** 1539, Amyot ; au XIII^e s., « croisade ». || **croisade** XV^e s. ; réfection de l'anc. fr. *croisée,* var. *croisement,* sous l'infl. des langues du Midi, pour le distinguer des autres sens. || **croisille** 1175, Chr. de Troyes, « petite croix ». || **croisillon** 1375, *D. G.,* « petit bras de la croix ». || **croisière** 1678, Guillet. || **croisette** 1175, Chr. de Troyes. || **croiseur** 1690, Furetière, bateau qui navigue en sens divers. || **crucial** 1560, Paré, méd. ; XX^e s., « décisif », repris à l'anglais qui l'avait empr. au fr. || **crucifère** 1701, Furetière, « qui porte une croix » ; 1762, *Acad.,* bot. ; lat. chrét. *crucifer,* « qui porte la croix » (IV^e s., Prudence). || **cruciforme** fin XVII^e s. || **crucifier** 1119, Ph. de Thaon ; lat. *cruci figere,* fixer sur la croix, avec infl. des verbes en *-fier,* spécialisé par le christianisme. || **crucifiement** 1175, Chr. de Troyes. || **crucifix** 1138, *R. de Cambrai ;* lat. chrét. *crucifixus,* part. passé, substantivé au Moyen Âge, de *crucifigere.* || **crucifixion** v. 1500, Fr. de Sales ; lat. *crucifixio* (V^e s., saint Avit). || **cruciverbiste** 1959, Lar. ; de *verbum,* mot, c.-à-d. « qui fait des mots croisés ». || **décroiser** milieu XVI^e s. || **décroisement** 1836, Landais. || **entrecroiser** 1320, Delb. || **entrecroisement** 1600, O. de Serres. || **recroiser** milieu XV^e s.

**cromorne** 1610 ; allem. *Krummhorn,* de *Krumm,* courbe, et *Horn,* corne.

**crône** 1694, Th. Corn., « grue » ; néerl. *kraan.*

**crooner** 1946 ; mot amér., de (*to*) *croon,* chanter des chansons sentimentales.

**croquant** 1594, Monluc, nom donné aux paysans révoltés du S.-O. ; origine obscure ; les contemporains donnent des interprétations diverses, dont le rapport avec *croquer* ou *croc* est incertain.

**croquenot** 1867, Delvau, « soulier », onom. ; var. de *craquer* avec la même finale que *goguenot.*

**croquer** V. CROC 1.

**croquignole** fin XV^e s., « chiquenaude » ; milieu XVI^e s., « pâtisserie croquante ». Le deuxième sens vient de *croquer,* auquel le premier se rattache plus difficilement. || **croquignolet** 1866, Lar., adj.

**crosne** 1882 ; du nom de *Crosne* (Essonne), où la plante, originaire du Japon, fut d'abord cultivée par Pailleux.

**cross-country** 1885, Pharaon ; mot angl. issu de *across the country,* à travers la campagne.

**crosse** 1080, *Roland ;* 1881, Segré, « querelle » ; croisement entre le francique **krukkja,* béquille (sens conservé dans divers dialectes), et *croc.* || **crosser** XII^e s., Delb., « chasser avec une crosse » et « jouer à la crosse » ; 1847, Féval, pop., « battre ». || **crosseur** 1680, Richelet, « joueur de crosse ». || **crossette** 1260, Br. Latini.

**crotale** 1596, Tabourot, « castagnette » ; 1806, Wailly, « serpent à sonnettes » ; lat. *crotalum,* du gr. *krotalon,* castagnette.

**crotte** fin XII^e s. ; francique **krotta,* boue qui reste sur les vêtements. || **crotter** XII^e s. || **crottin** 1346, Barbier. || **décrotter** fin XII^e s., R. de Moiliens. || **décrottoir** ou **décrottoire** 1483, La Curne. || **indécrottable** 1611, Cotgrave.

***crouler** 980, *Passion* (*crollet*), « secouer », v. tr. ; trembler, branler, v. intr. ; XVII^e s., « tomber » ; lat. pop. **crotalare,* agiter les crotales, ou de **corrŏtŏlare,* faire rouler. || **croulement** XII^e s. || **écrouler (s')** fin XII^e s. || **écroulement** milieu XVI^e s.

**croup** 1777, Mahon ; mot angl. dialectal, onom. d'apr. le bruit rauque de la toux.

**croupe** 1080, *Roland ;* francique **krŭppa.* || **croupier** 1651, Scarron, « celui qui est en croupe » ; 1690, Furetière, « celui qui s'associe à un autre joueur », d'où le sens actuel. || **croupière** 1155, Wace ; au fig. *tailler des croupières,* d'abord milit., d'apr. la poursuite de la cavalerie avec l'épée. || **croupion** 1460, Villon. || **croupon** 1723, Savary, techn., cuir de vache. || **croupir** fin XII^e s., *Loherains,* « être accroupi » (encore au XVI^e s.), puis par ext. rester au même endroit en parlant de l'eau, XVI^e s. || **croupissement** début XVII^e s. || **accroupir** fin XIII^e s., *Renart.* || **accroupissement** 1555, Belon.

**croupier, croupir, croustade, croustille** V. CROUPE, CROÛTE.

***croûte** XI^e s. ; lat. *crŭsta ; casser la croûte,* 1798, *Acad.* || **croûteux** 1377, de Gordon. || **croûton** 1596, Vigenère. || **croûter** XI^e s. ; 1879, pop., manger (de *casser la croûte*). || **croustade** 1712, Massiallot ; prov. mod. *croustado,* de *crousto,* croûte. || **croustille** 1680, Sévigné, « collation » ; prov. mod. *croustilho,* petite croûte. || **croustiller** début XVI^e s., « manger la croûte », puis « être croquant ». || **croustilleux** 1680, Richelet, « plaisant », « graveleux ». || **croustillant** XVIII^e s., « amusant ». || **encroûter** 1539, R. Est. || **encroûtement** 1546, du Bartas.

**croyable, croyance** V. CROIRE.

1. ***cru** milieu XII^e s. ; lat. *crūdus,* saignant, puis cru, dér. de *cruor,* sang. || **crudité** 1398, *Somme Gautier ;* lat. *cruditas.* || **décruer** 1669, *Règlement.* || **décruser** 1690, Furetière, « lessiver les cocons » ; prov. mod. *decruza,* même mot que *décruer.*

2. **cru** 1307, *Doc.,* « terroir » ; part. passé substantivé de *croître.*

**cruauté** V. CRUEL.

**cruche** XII^e s. (*cruie*) ; XIII^e s. (*cruche*) ; anc. haut allem. **krūka* (allem. dialectal *Krauche,* allem. *Krug*) ; 1633, Gassendi. || **cruchon** XIII^e s., G.

**crucial, crucifier, cruciverbiste, crudité, crue** V. CROIX, CRU 1, CROÎTRE.

***cruel** fin X^e s., *Saint Léger ;* lat. *crudelis,* dér. de *crudus,* saignant, avec changement de suffixe. || ***cruauté** 1130, *Couronn. Loïs ;* lat. *crudelitas, -atis.*

**cruiser** 1879, *Yacht,* « bateau de plaisance » ; mot angl., du fr. *croiseur* par l'intermédiaire du néerl.

**cruor** 1765, *Encycl. ;* mot lat. signif. « sang » et désignant en physiologie la partie du sang qui se coagule.

**crural** 1560, Paré ; lat. *cruralis,* de *crus, cruris,* jambe. En anat., « qui appartient à la cuisse ».

**crustacé** 1713, A. de Boisregard ; lat. sc. *crustaceus* (1476, Gaza), trad. du gr. *malakostrakos* par le lat. *crusta,* croûte.

**cry(o)-,** gr. *kruos,* froid. || **cryergie** 1952, Lar. || **cryoscopie** 1888, Lar. || **cryothérapie** 1907, Lar. || **cryoturbation** 1952, Lar. || **cryogénie** XX^e^ s.

**crypt(o)-,** gr. *kruptos,* caché. || **crypte** XIV^e^ s. (*cripte*) ; lat. *crypta,* galerie couverte, souterrain (v. GROTTE). || **cryptique** 1576 ; repris au XX^e^ s., « secret, caché ». || **cryptogame** 1783, Bulliard ; gr. *gamos,* mariage. || **cryptographie** 1625, Naudé. || **cryptocommuniste** 1949. || **cryptonyme** 1842. || **décrypter** XX^e^ s.

**cube** adj., XIII^e^ s., *Comput ;* n. m., 1361, Oresme ; lat. *cubus,* du gr. *kubos,* dé à jouer ; argot scolaire, 1867, Delvau. || **cuber** 1549, J. Peletier ; 1889, Chautard, pop. || **cubage** 1783, *Encycl. méth.* || **cubisme** 1908, *Documents.* || **cubiste** 1894, Jarry (*demi-*). || **cubique** 1361, Oresme ; lat. *cubicus,* du gr. *kubikos.*

**cubèbe** XIII^e^ s., G., « poivrier » ; lat. médiév. *cubaba.*

**cubitus** 1541, *Anatomie ;* mot lat. qui a donné *coude.* || **cubital** 1503, Champier ; lat. *cubitalis,* haut d'une coudée, devenu le dér. du mot français.

**cuculle** 1308, trad. Aimé ; lat. eccl. *cuculla,* capuchon (v. CAGOULE).

**cucurbitacée** V. COURGE.

***cueillir** 1080, *Roland,* « accueillir, recueillir », et sens actuel ; lat. *cŏllĭgĕre,* de *legere,* cueillir, avec changement ancien de conjugaison. || **cueillette** début XIII^e^ s., R. de Clary ; lat. *collecta,* part. passé substantivé, au fém., de *colligere,* avec finale assimilée à *-ette.* || **cueilleur** 1270, G. || **cueillage** 1343, G. || **cueillie** XV^e^ s., *Journ. de Paris.* || **cueille** 1563, *Bible.* || ***accueillir** 1080, *Roland ;* lat. pop. **accolligere.* || **accueil** XII^e^ s., *Parthenopeus,* déverbal. || ***recueillir** 1080, *Roland,* sens actuel, et « accueillir » ; lat. *recolligere.* || **recueil** 1360, Froissart, « accueil » ; XV^e^ s., « action d'accueillir » ; XVI^e^ s., « réunion de choses recueillies ». || **recueillement** 1429, Delb., « action de recueillir » ; fig., XVII^e^ s.

**cufat** 1855, Audibaud, « tonneau d'extraction dans les mines » ; liégeois anc. *coufade,* de *coûfe,* cuve.

***cuider** 1080, *Roland* (*cuidier*) ; lat. *cōgĭtāre,* penser, encore parfois au XVII^e^ s. (Saint-Simon). [V. OUTRECUIDANT.]

***cuillère** fin XII^e^ s., *Aliscans* (*cuillier*), masc., puis fém. ; lat. *cŏchlearium,* petite cuillère pour les œufs et les escargots (*cochlea*), d'apr. Martial. || **cuillerée** XIV^e^ s. || **cuilleron** milieu XIV^e^ s.

***cuir** 1080, *Roland* (*quir*) ; lat. *cŏrium.* || **cuirer** 1190, Garn. || **cuiret** XIII^e^ s., *Fabliau.* || **cuirier** fin XIX^e^ s. || **cuirasse** début XIII^e^ s. (*curasse*) ; 1418, Douet d'Arcq (*cuir-*) ; anc. aragonais *cuyraza,* du lat. *coriaceus* au fém., dér. de *corium,* cuir. || **cuirassier** milieu XVI^e^ s., adj. ; XVII^e^ s., « soldat porteur de cuirasse » ; XVII^e^ s., « corps de cavalerie ». || **cuirasser** 1611, Cotgrave (*-é*). || **cuirassé** n. m., fin XIX^e^ s. ; le premier a été lancé en 1859. || **cuirassement** 1876, de Parville. || **excorier** 1532, Rab. ; bas lat. *excoriare,* de *corium.* || **excoriation** 1398, *Somme Gautier.*

***cuire** fin IX^e^ s., *Eulalie,* au passé simple ; lat. pop. **cŏcĕre,* forme dissimilée de *cŏquĕre.* || **cuite** 1268, É. Boileau, « cuisson » ; 1864, Esnault, « ivresse ». || **cuiter (se)** 1869, pop. || **cuisant** 1160, Benoît. || **cuiseur** 1270, *Ordonn.* || **cuisage** 1350, G. || ***cuisine** 1170, *Rois ;* lat. *cŏcīna,* var. dissimilée de *cŏquīna,* de *cŏquĕre,* cuire. || **cuisiner** XIII^e^ s., *Chron. d'Antioche.* || **cuisinier** 1200 ; *cuisinière,* fourneau, fin XIX^e^ s. || **cuisinette** 1936. || ***cuisson** XIII^e^ s., Guiart ; lat. *cŏctio, -onis,* avec infl. de *cuire.* || **cuistance** fin XIX^e^ s., avec double suffixe (*et-ance*). || **cuistot** 1914, Esnault (avec suffixe *-ot*) [v. BISCUIT]. || **recuire** 1130, *Eneas.* || **recuit** 1505, Delb.

***cuisse** 1080, *Roland ;* lat. *cŏxa,* hanche. || **cuissière** milieu XII^e^ s. || **cuissot** fin XII^e^ s. || **cuisseau** milieu XVII^e^ s., var. graphique du précédent. || **cuissard** 1571, Drot. || **cuissardes** fin XIX^e^ s. || **cuissage** XVI^e^ s. || **entrecuisses** n. m., milieu XVI^e^ s. || **cuisse-de-nymphe** XVIII^e^ s.

***cuistre** XVI^e^ s., d'apr. Oudin, « surveillant subalterne » ; XVII^e^ s., « pédant » ; argot scolaire, représentant l'anc. fr. *quistre* (cas régime *coistron*), marmiton ; bas lat. *coquistro,* officier chargé de goûter les mets, de *coquere,* cuire. || **cuistrerie** 1844.

***cuivre** début XII^e^ s. ; lat. *cŭpreum,* var. pop. de *cyprium,* abrév. de *aes cyprium,* bronze de Chypre ; l'anc. fr. *cuevre* repose sur la var. *cŭprum.* || **cuivreux** fin XVI^e^ s. || **cuivrer** 1723, Savary. || **cuivré** adj., fin XVI^e^ s. || **cuivrage** fin XVIII^e^ s. || **cuivrique** 1834. || **cuprique** fin XIX^e^ s. || **cuprifère** 1836, Landais. || **cuprite** fin XIX^e^ s.

***cul** XII^e s. ; lat. *cūlus.* || **cucu** 1933, Colette, niais. || **culasse** 1598, Barbier. || **culée** 1355, G., au fig. en maçonnerie. || **culer** 1482, Flamang, « reculer », en mar. || **culière** 1268, É. Boileau, « relatif à l'anus ». || **cul-de-jatte** 1640, Scarron. || **cul-de-sac** début XIII^e s. || **cul-de-lampe** XV^e s. || **culot** XIII^e s., « partie inférieure d'un objet » ; au fig., « dernier-né d'une couvée » ; XVII^e s., « résidu au fond d'une pipe » ; fin XIX^e s., fig., « toupet », du sens premier (base solide) avec même évolution que *aplomb.* || **culotte** 1515, *Chron. bordelaise* (*hauts de chausses à la culotte*) ; 1842, *Acad.*, « perte au jeu ». || **culottier** 1790, *Encycl. méth.* || **culotter** fin XVIII^e s., « mettre une culotte ». || **culotté** 1792, Aulard, « qui a du toupet ». || **déculotter** 1739, de Brosses. || **sans-culotte** 1792 (les hommes du peuple portant le pantalon et non la culotte aristocratique). || **culbuter** 1480, J. Marot (*culebuter*) ; de *cul* et *buter.* || **culbute** 1493, Coquillart. || **culbuteur** 1599, Hornkens, « acrobate » ; 1877, L., « dispositif pour basculer » ; 1907, Lar., autom. || **acculer** fin XIII^e s., *Roman de Renart,* « poser sur le derrière » (jusqu'au XVI^e s.) ; XVI^e s., « buter contre ». || **accul** 1561, Du Fouilloux, déverbal. || **acculement** 1687, Desroches, mar. || **bacul** XV^e s., Coquillart ; de *battre* et *cul* (v. BASCULE). || **déculasser** 1793, Barbier. || **éculer** 1564, J. Thierry, « déformer en affaissant le derrière ». || **reculer** 1130, *Eneas.* || **recul** XIII^e s. || **reculade** 1611, Cotgrave. || **reculement** milieu XIV^e s. || **reculons (à)** XIII^e s. || **torche-cul** début XVI^e s.

**culinaire** 1546, Rab. ; lat. *culinarius,* de *culina,* cuisine.

**culminer** 1751, Voltaire, d'abord astron. ; 1908, Lar., « atteindre le plus haut degré » ; lat. médiév. *culminare,* de *culmen, -inis,* comble ; repris par les géogr. fin XIX^e s. || **culminant** 1708, Furetière, astron. ; 1823, Boiste, sens élargi. || **culmination** 1593, B. de Verville.

**culot, culotte, culpabilité** V. CUL, COULPE.

**culte** début XVI^e s. (var. *cult*) ; lat. *cŭltus,* part. passé de *colere,* adorer. || **cultisme** 1823, Boiste. || **cultuel** 1877, L.

**cultiver** début XII^e s., « cultiver la terre » ; 1538, R. Est., fig., *cultiver l'esprit ;* XVII^e s., *cultiver ses relations ;* lat. médiév. *cultivare,* de *cŭltūs,* cultivé. || **cultivable** 1284, G. (*cout-*). || **cultivateur** 1361, Oresme, « qui cultive la terre », équivalent de *laboureur* chez les physiocrates ; XV^e s., J. des Ursins, fig. ; réfection de l'anc. fr. *cultiveor.* || **culture** XII^e s. ; XV^e s., fig. ; *culture microbienne,* 1878, *Année sc. et industr. ;* lat. *cultura,* de *colere,* cultiver. || **cultural** 1846. || **culturel** 1907, relatif à la civilisation ; d'apr. l'allem. *kulturell.* || **acculturation** 1911, Lar. || **culturalisme, culturaliste** v. 1950. || **culturiste** 1910. || **culturisme** v. 1950. || **inculte** XV^e s., « ignorant » ; 1475, Chastellain, « non cultivé » ; lat. *incultus.* || **inculture** 1789, Brunot.

**cumin** XII^e s. (*comin*) ; lat. *cuminum,* du gr. *kuminon,* mot oriental.

**cumuler** 1355, Bersuire ; lat. *cŭmŭlare,* mettre en tas, qui a donné aussi *combler ;* spécialisé en fr. mod. || **cumulatif** 1690, Furetière. || **cumul** fin XVII^e s. || **cumulard** 1821, *Almanach des cumulards.* || **accumuler** 1495, J. de Vignay ; lat. *accumulare ;* il a remplacé l'anc. fr. *acombler.* || **accumulation** 1336, G. || **accumulateur** 1564, J. Thierry, « celui qui accumule » ; 1881, *la Nature,* « appareil ». || **accu** 1898, *Vie autom.*, abrév. || **accumulatif** 1955, *le Figaro.* || **cumulus** mot lat. signif. « amas, monceau », d'apr. le type de nuages mamelonnés, souvent amoncelés ; XX^e s., réservoir d'eau chaude. || **cumulonimbus** 1891. (V. COMBLE.)

**cunéiforme** 1560, Paré, méd. ; refait au XIX^e s. (1829, Boiste), pour désigner l'écriture assyrienne ; cette écriture est caractérisée par des éléments en forme de coins ; lat. *cuneus,* coin.

**cunette** 1642, Oudin, fossé de fortification ; ital. *cunetta,* de *lacunetta,* dimin. de *lacuna,* mare, fossé plein d'eau, du lat. *lacus,* lac ; la syllabe initiale a été prise pour l'article ; ou dimin. du lat. *cūna,* berceau.

**cupide** 1371, *Concile de Trente ;* lat. *cŭpĭdus,* avide. || **cupidement** 1582, Bretin. || **cupidité** 1398, E. Deschamps ; lat. *cupiditas.* (V. CONVOITER.)

**cupidon** 1265, J. de Meung, n. propre ; 1827, *Acad.*, n. commun ; lat. *Cupido,* dieu de l'Amour.

**cuprifère, cuprique** V. CUIVRE.

**cupule** 1611, Cotgrave ; lat. *cŭpŭla,* petit tonneau, confondu avec *cuppa,* coupe. (V. COUPOLE.)

**curable** V. CURER.

**curaçao** 1801, *Confiseur ;* du nom d'une île des Antilles productrice des oranges dont l'écorce sert à faire le curaçao.

**curare** 1758, trad. de Gumilla ; mot d'une langue indigène des Caraïbes. || **curarisation** 1879, Duval.

**curatelle, curateur, curatif** V. CURER.

**curcuma** 1559, Mathée ; mot esp., de l'ar. *kūrkūm,* safran, mot hindi.

**cure, curé** V. CURER.

**curée** 1160 (*curiée*) ; v. 1360, *Modus* (*cuirée*) ; XVe s. (*curée*) ; fig., XVIe s. ; de *cuir* d'apr. l'explication de *Modus* (*et puis doit on laissier aler les chiens à la cuirée sur le cuir*).

***curer** XIIe s., « nettoyer », et sens méd. ; lat. *cūrāre,* prendre soin, spécialisé dès l'anc. fr. || **curage** 1328, G. || **curable** XIIIe s., G. ; lat. méd. *curabilis.* || **incurable** 1314, Mondeville ; bas lat. *incurabilis,* sur le sens méd. de *curare,* soigner. || **incurablement** milieu XVIe s. || **incurabilité** 1707, Dionis. || **curatelle** XIVe s. ; lat. médiév. *curatela,* réfection de *curatio,* sur *tutela,* avec changement de suffixe, sens jurid. || **curateur** 1227, G. ; lat. jurid. *curator,* « qui prend soin ». || **curation** XIIe s., *Ysopet ;* lat. *curatio,* action de prendre soin. || **curatif** 1314, Mondeville. || ***cure** 1080, *Roland,* « soin » (jusqu'au XVIe s.) ; lat. *cūrā,* resté dans la loc. *n'en avoir cure ;* 1863, spécialisé au sens méd. ; au sens eccl., passé de « fonction de curé » à « presbytère » (fin XVIe s.), d'apr. *curé.* || **curiste** 1899, Sachs. || **curé** XIIIe s., Rutebeuf ; lat. *curatus,* de *curare,* au sens de « prendre soin » ; spécialisé, en lat. eccl., dans le sens « qui a la charge d'une paroisse ». || **cureton** 1916, Esnault, pop. || **curette** 1451, Du Cange, outil à curer, spécialisé en chirurgie. || **curetage** fin XIXe s. || **cureter** fin XIXe s. || **cure-dents** 1416. || **cure-oreille** fin XIXe s. || **curoir** 1378, Du Cange. || **écurer** XIIe s., *Thèbes.* || **écurette** XIIIe s., G. || **récurer** XIIIe s., *Fabliau.* || **récurage** 1509, G.

**curie** 1611, Cotgrave, hist. ; lat. *curia ;* 1863, L., repris à l'ital. pour la curie papale. || **curial** XIIIe s., n. ; 1546, Rab., adj. ; lat. *curialis,* pour servir de dér. à *cure,* fonction eccl.

**curieux** 1170, *Rois ;* lat. *cūriosus,* « qui a soin de » (sens dominant en fr. jusqu'au XVIe s.). || **curiosité** 1180, Marie de France (*-eté*) ; lat. *curiositas,* désir de savoir. || **incurieux** XVe s., G., « qui ne se soucie pas ». || **incuriosité** 1495, J. de Vignay ; bas lat. *incuriositas.* || **curiosa** XIXe s. ; plur. latin.

**curium** 1945, Seaborg ; du nom des *Curie,* physiciens français. || **curiethérapie** 1922, Lar.

**curling** 1792, Chantreau ; mot angl., de (*to*) *curl,* enrouler, faire boucler.

**curry** 1820 ; mot angl., d'un mot malabar.

**curseur** 1372, Corbichon (*courseur*), « coureur » ; XVIe s., techn. ; lat. *cursor,* coureur.

**cursif** 1532, Rab. ; rare jusqu'au XIXe s. ; n. f., 1797, Gattel ; lat. médiév. *cursivus,* de *currere,* courir. || **cursivement** 1836, Landais.

**cursus** 1868, Thurot, prose rythmique médiévale ; milieu XXe s., études ; mot lat. signif. « course ».

**curvi-,** lat. *curvus,* recourbé. || **curviligne** 1613, qui remplace *courbeline* (XVIe s., Chauvet). || **curvigraphe** 1836, Landais. || **curvimètre** 1874, *J. O.*

**cuscute** XIIIe s. ; lat. médiév. *cuscuta,* de l'ar. *kuchūt.*

**custode** 980, *Passion,* « gardien » ; fin XIIIe s., relig. ; lat. *custodia,* garde (*cŭstos, -dis,* gardien).

**cuti-,** lat. *cutis,* peau. || **cutané** 1546, Ch. Est. || **cuti-réaction** XXe s. || **cutine** 1878, Lar. || **cuticule** 1534, Rab. ; lat. *cuticula,* petite peau. || **sous-cutané** 1765, *Encycl.*

**cutter** 1971 ; mot angl., de (*to*) *cut,* couper.

***cuve** XIe s. ; lat. *cūpa,* coupe. || **cuver** milieu XIVe s. ; 1787, Féraud, *cuver sa colère.* || **cuveau** XIIe s., Barbier. || **cuvée** 1220, Coincy. || **cuvage** XIIe s., *Cart. de Lagny* (*-aige*). || **cuvette** 1175, Chr. de Troyes. || **cuveler** 1758, de Tilly. || **cuvelage** 1756, Grar. || **cuvier** XIIe s.

**cyan(o)-,** gr. *kuanos,* bleu (vocabulaire de la chimie). || **cyanure** 1815, Gay-Lussac. || **cyanique** 1836, N. Landais. || **cyanine** 1878, Lar. || **cyanamide** 1869, Lar. || **cyanogène** 1815, Gay-Lussac. || **cyanose** 1814. || **cyanosé** 1835. || **cyanhydrique** 1846, Dorvault.

**cybernétique** 1834, Ampère, d'apr. L., au sens polit. ; spécialisé au XXe s. en technologie ; gr. *kubernan,* gouverner. || **cybernéticien** XXe s.

**cyclade** V. CYCLO-.

**cyclamen** XIVe s., *D. G. ;* mot lat., du gr. *kuklaminos,* de *kuklos,* cercle.

**cyclo-,** gr. *kuklos,* cercle, par lat. *cyclus.* || **cycle** XVIe s., « cercle » ; 1889, « vélocipède », repris à l'angl. || **cyclique** fin XVIe s. || **cycler** XXe s., « tourner ». || **cycliste** 1888, Lar. ; abrév. de *bicycliste.* || **cyclisme** 1891, Baudry. || **bicycle** 1877, Lar. || **bicyclette** 1880 (1892, Guérin). || **tricycle** 1830, *la Mode.* || **cyclecar** 1914 ; de l'angl. || **cyclomoteur** v. 1939. || **cyclomotoriste** 1953, Lar. || **cyclotouriste** 1893. || **cycloïde** 1640, Mersenne. || **cyclométrie** 1813, Gattel. || **cyclostome** 1819, Boiste. || **cyclothymique, cyclothymie** 1909. || **cyclone** 1863, L., d'abord fém. ; mot angl. formé par Piddington (1848). || **cyclonique** 1878, Lar. || **cyclotron** 1930. || **cyclade** 1819, Boiste, zool. || **anticyclone** 1874, *Ann. scient.*

**cyclone** V. CYCLO-.

**cyclope** 1372, Corbichon ; lat. *cyclops,* du gr. *kuklôps,* de *kuklos,* cercle, et *ôps,* œil. || **cyclopéen** 1809, Wailly.

***cygne** fin XII^e s., *R. de Cambrai* (*cine*) ; XIII^e s. (*cygne*), d'apr. le lat. ; lat. pop. *cicĭnus* (*Loi salique*), réfection du lat. *cycnus,* du gr. *kuknos.*

**cylindre** début XIV^e s., Conty ; lat. *cylindrus,* du gr. *kulindros.* || **cylindrique** 1596, Delb. || **cylindrer** 1765, *Encycl.* || **cylindrage** *id.* || **cylindroïde** 1721, Trévoux. || **cylindrée** 1886, *Génie civil.*

**cymbale** 1170, *Rois ;* lat. *cymbolum,* du gr. *kumbalon.* || **cymbalier** 1671, Pomey.

**cyn(o)-,** gr. *kuôn, kunos,* chien. || **cynégétique** 1750, Prévost, adj. ; gr. *kunêgetikos,* « qui conduit les chiens ». || **cynique** XIV^e s., sens propre ; fig., 1674, Boileau ; lat. *cynicus,* du gr. *kunikos,* appliqué à une école de philosophes grecs, qui défiaient les conventions sociales et se réunissaient dans le faubourg athénien de Cynosargue. || **cynisme** 1750, d'Argenson, sens propre ; bas lat. *cynismus,* du gr. *kunismos.* || **cynocéphale** 1372, Corbichon ; lat. *cynocephalus,* du gr. *kunokephalos,* « à tête de chien ».

**cypéracée** fin XVIII^e s. ; lat. *cyperus,* du gr. *kupeiros,* souchet.

**cyprès** XII^e s., *Chev. au cygne ;* bas lat. *cypressus,* lat. *cupressus,* du gr. *kuparissos.*

**cyprin** 1783, *Encycl. méth. ;* lat. *cyprinus,* du gr. *kuprinos,* carpe.

**cyrillique** 1842, *Acad. ;* de saint *Cyrille* (827-869), qui fit l'alphabet slave.

**cyst(o)-,** gr. *kustis,* vessie, vésicule (méd. et zool.). || **cystalgie** 1819, Boiste. || **cysticerque** 1819, Boiste. || **cystinurie** 1878, Lar. || **cystique** 1560, Paré. || **cystite** fin XVIII^e s. (*-titis*) ; 1803, Morin (*-te*). || **cystotomie** 1617, Habicot. || **cystolithe** 1878, Lar. || **cystoscope** 1842, *Acad.* || **cystoscopie** 1846. || **cystopexie** 1906, Lar. || **cystectomie** 1617 (*khystotomie*).

**cytise** début XVI^e s. (*cythison*) ; 1582, d'Aigneaux (*-ise*) ; lat. *cytisus,* du gr. *kutisos.*

**cyt(o)-,** du gr. *kutos,* cellule. || **cytologie** 1878, Littré. || **cytoplasme** 1878, Lar.

# d

**da** 1160, *Charroi de Nîmes* (*diva*) ; XV^e s., *Miracles de sainte Geneviève* (*dea*) ; XVI^e s. (*da*), dans *oui-da ;* du double impératif *dis va ; nenni-da* (XVII^e s., Molière).

**dabe** 1576, Larivey (*dabo*), « celui qui paie » (jusqu'au XVII^e s. [Oudin 1642]) ; 1628, *Jargon* (*dasbuche*), « roi » ; m. et f. 1827, *Monsieur comme il faut* (*dabe*), argot, « père » et « mère » ; futur lat. *dabo,* « je donnerai », terme de jeu empr. par l'ital. et accentué sur *a* (d'où *dabe*).

**da capo** début XVIII^e s. ; loc. ital. signif. « depuis le commencement ».

**dactylo-,** gr. *daktulos,* doigt. || **dactyle** milieu XIV^e s., Le Fèvre, sens métrique ; lat. *dactylus,* du gr. *daktulos ;* XVI^e s., « datte, coquillage, graminée ». || **dactylique** fin XVI^e s., Baïf, en métrique. || **dactylo** 1907, Lar., abrév. de *dactylographe.* || **dactylographe** 1842, *Acad.,* « clavier pour sourds-muets et aveugles pour transmettre les signes de la parole » ; 1873, « machine à écrire » ; fin XIX^e s., « personne qui écrit à la machine ». || **dactylographie** 1833, Gattel, communication avec les sourds-muets ; 1907, Lar., sens actuel. || **dactylographier** 1907, Larousse. || **dactylologie** 1797, Gattel. || **dactylonomie** 1732, Trévoux ; gr. *nomos,* loi. || **dactyloscopie** 1907, Lar.

**dada** 1507, Amerval, « cheval » ; peut-être redoublement de *da,* var. de *dia,* cri pour exciter les chevaux ; 1776, Frenais, trad. de *Tristram Shandy,* « manie », calque de l'angl. *hobby horse ;* v. 1916, nom d'un mouvement artistique, par suite d'un choix purement arbitraire. || **dadaïsme** v. 1916. || **dadaïste** *id.*

**dadais** 1585, Cholières (*dadée*), « plaisanterie » ; 1642, Oudin (*dadais*), « sot » ; onomatopée.

**dague** début XIII^e s., « poignard » ; XVI^e s. « corne de cerf » ; prov. *daga* (aussi ital. et esp.), orig. obscure, p.-ê. ital. *daga,* poignard, du lat. *daca ensis,* épée dace. || **daguer** 1572, Des Moulins. || **daguet** fin XVI^e s., L'Estoile, « jeune cerf ».

**daguerréotype** 1839, D^r Donné ; de *Daguerre* (1787-1851), nom de l'inventeur, et du gr. *tupos,* caractère. || **daguerréotypie** *id.* || **daguerréotypé** 1842, *le Charivari,* « stéréotypé ».

**dahlia** 1804, *Annales du Museum ;* lat. bot., créé en l'honneur du botaniste suédois Dahl ; les premières graines furent envoyées de Mexico en 1788 par V. Cervantes.

***daigner** fin IX^e s., *Eulalie* (*degnet,* subj. prés.) ; lat. *dĭgnari,* juger digne. || **dédaigner** 1120, *Ps. de Cambridge.* || **dédaignable** milieu XII^e s., *Thèbes.* || **dédain** 1155, Wace, déverbal. || **dédaigneux** 1175, Chr. de Troyes. || **dédaigneusement** 1220, Coincy.

***dail** m., **daille** f. XV^e s., « faux », mot du Midi (prov. *dalh*) ; lat. pop. *daculum* (*Gloses*), de *daca,* dague, ou d'orig. ligure.

***daim** XIII^e s. (*dain*) ; bas lat. *damus,* lat. *dama,* sans doute d'orig. libyenne. || **daine** 1387, G. Phébus.

***daintier** XI^e s., « morceau d'honneur », puis « testicules de cerf » ; lat. *dignitas, -atis,* dignité.

***dais** 1160, Benoît (*deis*), « table, estrade » ; XVI^e s., Du Cange, « tente dressée au-dessus » ; lat. *dĭscus,* plateau où on disposait les mets.

**dalaï-lama** 1699, A. Brand (*dalaé-lama*) ; 1762, *Acad. ;* mots tibétains, par une trad. mongole.

**dalle** début XIV^e s., « évier » ; 1676, Félibien, « plaque de pierre » ; fin XV^e s., Molinet, « gosier » ; anc. scand. *daela,* gouttière ; *que dalle* 1884, Esnault, orig. discutée. || **daller** 1319, G. || **dallage** 1831, Hugo. || **dalot** 1382, *Comptes du clos des Galées de Rouen.*

**dalmatique** 1170, Saint-Pair ; lat. chrét. *dalmatica,* blouse faite en laine blanche de Dalmatie.

**daltonisme** 1841, P. Prevost ; du physicien *Dalton* (1766-1844). || **daltonien** 1827, P. Prevost.

***dam** 842, *Serments* (*damno*) ; fin Xe s., *Vie de saint Léger* (*dam*) ; lat. *damnum ;* remplacé par *dommage,* il ne subsiste plus que dans *à son dam.*

**daman** 1808, Boiste ; mot arabe.

**damas** XIVe s., G., « étoffe » ; 1732, Trévoux, « épée » ; nom de la ville de Damas, appliqué à divers produits de cette région. || **damasser** 1386, Delb. || **damassure** 1611, Cotgrave. || **damasquin** 1546, Rab., habitant de Damas. || **damasquiner** 1553, Palissy. || **damasquineur** 1558, Gay. || **damasquinage** 1611, Cotgrave. || **damasquinerie** 1688, Miege. || **damasquinure** 1611, Cotgrave.

1. ***dame** 1080, *Roland,* « femme noble » ; XVIe s., « femme mariée d'une certaine condition » ; 1548, R. Est., aux échecs ; 1755, *Encycl.,* outil de paveur ; lat. *dŏmina,* maîtresse (v. DOM) ; interj., ellipse d'un anc. juron *par Nostre Dame !* ou *Dame-dieu ! (Domine Deus !).* || **dameret** 1505, Gringore. || **damier** 1548, R. Est., « plateau du jeu de dames ». || **damer** 1552, Rab., au jeu de dames ; *damer le pion à* 1688, Miege ; 1851, Landais, « tasser avec la dame ». || **madame** 1175, Chr. de Troyes, « femme noble » ; XVIIe s., appellation de politesse.

2. **dame** 1442, *Romania* (*dam*), « digue » ; néerl. *dam,* digue, avec infl. de *dame.*

**dame-jeanne** 1586, Laudonnière (*-jane*), « grosse bouteille ventrue » ; de *dame Jeanne* par plaisanterie.

**damelopre** 1702, Aubin, « bateau hollandais » ; néerl. *damloper,* bateau qu'on peut tirer par-dessus les digues. (V. DAME 2.)

**dameret, damier** V. DAME 1.

**damnar** 1827, *Acad.* (*dammar*) ; 1865, L. (*damnar*) ; mot malais désignant l'arbre d'où est extraite la résine.

**damner** Xe s., *Épître de saint Étienne ;* lat. eccl. *damnare,* condamner (en lat. class. « blâmer ») || **damné** *id. ; âme damnée* 1690, Furetière. || **damnable** fin XIIe s., *Grégoire.* || **damnation** 1170, *Rois* (*dampnation*) ; lat. eccl. *damnatio.*

***damoiseau** 1131, *Couronn. de Louis* (*dameisel*), « jeune seigneur » ; fin XVIe s., Ronsard, péjor. ; lat. pop. **dŏm(i)nicellus,* dimin. de *dominus,* maître, puis seigneur. || **damoiselle** fin IXe s., *Eulalie ;* forme anc. de *demoiselle.*

**dan** v. 1950, mot japonais.

**dancing** v. 1919 ; abrév. de l'angl. *dancing-house,* maison de danse (*dancing,* part. prés. de *to dance,* danser).

**dandiner** 1512, Gringore ; 1680, Richelet, comme pronominal ; de l'anc. fr. *dandin,* cloche, onom. d'apr. le son. || **dandin** 1526, Bourdigné, « niais », déverbal de *dandiner ;* d'où les personnages de *Perrin Dandin, George Dandin.* || **dandinement** 1725, *Mercure.* || **dandinette** 1902, Drouin, pêche.

**dandy** 1813, Mme de Staël, « élégant », mot angl., d'orig. obscure, en vogue à propos de Brummell. || **dandysme** 1830, *Débats.*

***danger** 1130, *Eneas* (*dangier*), « domination, pouvoir » ; XIIIe s., « fait d'être au pouvoir, à la merci de quelqu'un », d'où « péril » ; lat. *dŏm(i)niarium,* pouvoir, de *dŏmĭnus,* maître. || **dangereux** fin XIIe s., R. de Moiliens, « difficile, sévère ». || **dangereusement** 1539, R. Est.

**danois** 1160, Benoît (*danesche*) ; germ. *danisk.*

***dans** XIIe s., *Roncevaux* (*denz*) ; adv., puis prép., qui a remplacé peu à peu *en ;* lat. pop. *de-ĭntus,* renforcement de *intus,* dedans (anc. fr. *enz*). || **dedans** 1050, *Alexis* (*dedenz*) ; prép. et adv. en anc. fr., puis seulem. adv. au XVIIe s. ; forme renforcée.

**danser** fin XIIe s., *Loherains* (*dencier*) ; francique **dintjan,* se mouvoir de-ci de-là (néerl. *deinzen*) ; les danses romaines ayant été proscrites par le christianisme, la danse, sous d'autres formes, a été réintroduite par les Germains. || **danse** 1175, Chr. de Troyes ; *danse de Saint-Guy,* 1819, Boiste. || **danseur** 1440, Ch. d'Orléans. || **dansotter** 1660, Scarron.

**dantesque** 1828, Nodier, « grandiose » ; de *Dante.*

**daphné** 1552, Rab. ; gr. *daphnê,* laurier.

**daphnie** 1808, Boiste ; lat. scient. *daphnia,* du gr. *daphnê,* laurier, à cause de la forme.

**darbouka** 1859, A. Daudet, tambourin ; mot arabe.

1. **dard** 1080, *Roland,* « aiguillon » ; lat. *dardus,* du francique **darod* (anglo-saxon *darodh,* anc. allem. *tart*). || **darder** XVe s., *Perceforest.* || **dardillon** 1501, *D. G.*

2. ***dard** 1193, Hélinand (*dars*), « vandoise » ; bas lat. *darsus,* mot gaulois.

**dare-dare** 1642, Oudin ; orig. obscure, peut-être de *courir comme un dard.*

**dariole** 1385, Du Cange ; anc. prov. *dariola,* de *daurar,* dorer.

**darling** 1842, Balzac ; mot angl. signif. « chéri », de *dear,* cher.

**darne** 1528, Desdier, « tranche de gros poisson » ; breton *darn,* morceau.

**daron** 1726, Cartouche, « maître », puis « père » ; mot de l'Ouest signif. « radoteur », orig. obscure ; au pl. 1928, Esnault. || **daronne** 1726, Granval.

**darse** 1415, *Chron. de Boucicaut* (à propos du port de Gênes) ; génois *darsena,* de l'ar. *dār sinā'a,* atelier, maison de travail.

***dartre** XIII<sup>e</sup> s., *Livre des simples médecines* (*dertre*) ; bas lat. *derbĭta,* mot gaulois. || **dartreux** XV<sup>e</sup> s., *Glossaire* (*dertreux*).

**darwinisme** 1867, Quatrefages ; du naturaliste anglais Darwin (1809-1882). || **darwinien** 1870, Lar.

**dash-pot** 1889, Lar. ; mot angl., de (*to*) *dash,* jeter, et *pot,* récipient. Désigne un appareil utilisé pour la régulation des turbines.

**dasyure** fin XVIII<sup>e</sup> s., G. Saint-Hilaire ; gr. *dasus,* velu, et *oura,* queue.

**datcha** v. 1950, maison de campagne ; mot russe.

**date** 1283, Beaumanoir ; lat. médiév. *data littera,* lettre donnée, premier mot de la formule indiquant la date. || **dataire** 1598, Villamont. || **dater** milieu XIV<sup>e</sup> s., « inscrire la date » ; 1769, Voltaire, « déterminer la date » || **datable** début XIX<sup>e</sup> s. || **daterie** 1666, *Vie de Maldachini* ; ital. *dataria,* du lat. eccl. *datarius.* || **datation** fin XIX<sup>e</sup> s. || **dateur** XX<sup>e</sup> s. || **antidater** 1462, Fierville. || **antidate** 1462, Fierville. || **postdater** 1549, R. Est. (*posti-*) ; 1752, Trévoux (*post-*). || **postdate** *id.*

**datif** XIII<sup>e</sup> s. ; lat. gramm. *dativus* (*casus*), cas attributif, de *dare,* donner.

**dation** 1272, G., jurid. ; lat. *datio,* action de donner.

**datte** 1180, *Alexandre* (*dade*) ; XIII<sup>e</sup> s. (*date*) ; prov. *datil,* m., lat. *dactylus,* datte, du gr. *daktulos,* doigt. || **dattier** v. 1230, G. de Lorris (*dadier*) ; 1298, *Marco Polo* (*datier*).

**datura** 1597, Palma Cayet ; mot port., de l'hindî *dhatūra.*

**daube** 1640, Oudin ; esp. **doba,* de *dobar,* cuire à l'étouffée, du francique **dubban,* frapper. || **dauber** 1743, Trévoux, « accommoder en daube ». || **daubière** 1829, Boiste.

***dauber** (sur quelqu'un) 1662, Molière, forme régionale de *adouber* (1220, Coincy), au sens de « malmener ». || **daubeur** 1678, Montfleury.

**daumont** (*attelage à la*) 1837, Gautier ; du nom du duc d'Aumont, sous la Restauration.

1. ***dauphin** XII<sup>e</sup> s. (*-fin*), « cétacé » ; bas lat. *dalfinus* (VIII<sup>e</sup> s.), altér. du lat. *delphinus,* du gr. *delphis.*

2. **dauphin** 1349, date de cession du Dauphiné, « fils aîné du roi de France » ; c'était le nom des comtes d'Albon (lat. *Delphinus*), issu d'un surnom, qui devint héréditaire ; nom de dignité, au XIII<sup>e</sup> s., en Dauphiné et en Auvergne. || **dauphine** 1680, M<sup>me</sup> de Sévigné.

**dauphinelle** 1786, *Encycl. méth.,* plante ornementale ; gr. *delphinion,* sous l'infl. de *dauphin.*

**daurade** V. DORADE.

**davantage** 1360, Froissart, de *d'avantage* (encore au XVI<sup>e</sup> s.).

**davier** 1540, Rab. (*daviet*) ; 1549, R. Est. (*davier*) ; dimin. de *david* (prononcé *davi*), outil de menuisier (XIV<sup>e</sup> s.), du nom propre *David* (cf. ROBINET).

***de** 842, *Serments ;* lat. *de,* prép. exprimant la séparation, la provenance et, en lat. pop., le complément du nom.

**dé-** préfixe issu du lat. *de,* qui représente soit un mouvement de haut en bas (*décliner, déchoir*), soit le renforcement ou le commencement de l'action (*définir, démarcation*) ; ou issu du lat. *dis-* indiquant l'éloignement, la séparation ou la négation (*dégénérer, débander, dépolitiser, dénucléariser,* etc.). Les termes composés avec le préfixe *dé-* sont placés à l'ordre alphabétique du radical.

1. ***dé** *à jouer* 1190, Garn. ; lat. *datum,* part. passé de *dare,* donner, substantivé en « pion de jeu » (I<sup>er</sup> s., Quintilien).

2. ***dé** (*à coudre*) 1348, Du Cange (*deel*), d'où *dé* (1460, Villon) sous l'infl. de *dé à jouer* ; lat. pop. **dĭtale,* lat. class. *digitale,* de *digitus,* doigt. || **délot** 1530, Palsgrave, « doigtier de cuir de la dentellière ».

**dead-heat** 1841, Mackenzie ; mots angl. signif. « course (*heat*) morte, nulle (*dead*) » :

quand deux chevaux arrivent au poteau en même temps.

**déambuler** fin XV^e s. ; lat. *deambulare,* se promener. || **déambulation** *id.* || **déambulatoire** XVI^e s.

**débâcle, débagouler, déballer, débander, débarbouiller, débarcadère, débardeur, débarquer** V. BÂCLER, BAGOU, BALLE 1, BANDE 2, BARBOTER, BARQUE, BARD.

**debater** 1830, *Rev. brit.* ; mot angl. signif. « qui débat », « qui discute », spécialisé dans le langage parlementaire.

**débattre** V. BATTRE.

**débaucher** fin XII^e s., « disperser » ; fin XIII^e s., Guiart, « provoquer la défection » ; 1469, Bartzsch, « détourner de ses devoirs » ; 1460, Villon, « détourner les ouvriers de leur travail » ; XV^e s., « entraîner à l'inconduite » ; de *bauch,* forme ancienne de *bau,* poutre, proprem. « dégrossir le bois ». || **débauche** 1499, Gringore, déverbal. || **débauché** 1549, R. Est. || **débauchage** 1900, Lar. || **débaucheur** 1534, Des Périers.

**débecqueter** 1883, Esnault ; de *bec,* gueule.

**débet** 1441, Delb. ; lat. *debet,* « il doit », d'apr. les formules juridiques.

**débile** 1265, Le Grand ; lat. *debilis,* faible. || **débilement** fin XV^e s. ; G. || **débilité** XIII^e s., *Yst. de li Normant ;* lat. *debilitas.* || **débiliter** XIII^e s., Aimé ; lat. *debilitare.*

**débiner** fin XVIII^e s., « calomnier » ; 1808, d'Hautel, « tomber dans la misère » ; *se débiner,* 1852, Paillet, « se sauver » ; de *biner,* sarcler, au sens fig., et pop. (cf. BÊCHE). || **débine** 1808, d'Hautel, « misère », déverbal. || **débinage** 1837, Vidocq. || **débineur** 1875, Esnault.

**débit** 1723, Savary, « ce qui est dû » ; lat. *debitum,* dette, de *debere,* devoir. || **débiter** *id.,* « inscrire au débit ». || **débiteur** début XIII^e s., « celui qui doit » ; lat. *debitor ;* il a remplacé la forme *detteur* (encore au XVII^e s.).

**débiter** 1340, Tobler-Lommatzsch, « débiter du bois » ; XV^e s., « vendre au détail » ; 1608, Régnier, « réciter » ; 1838, *Acad.,* « laisser s'écouler » ; de *dé-* et *bitte,* billot, « faire des bittes ». || **débit** XVI^e s., « vente au détail » ; XVII^e s., « façon de réciter » ; début XIX^e s., « boutique où l'on débite » ; déverbal. || **débitant** 1730, Savary. || **débiteur** 1611, Cotgrave, « qui vend au détail » ; 1690, Furetière, « qui débite des nouvelles ».

**déblatérer** 1798, *Acad.* ; lat. *deblaterare,* parler à tort et à travers, de *blaterare,* babiller.

**déblayer** 1265, *Livre de jostice* (*desbleer*), « enlever la moisson » ; 1388, G. (*-bloyer*), « enlever les matériaux » ; de *blé.* || **déblai** 1641, Patin, déverbal de *déblayer.* || **déblaiement** 1301, G. (*desblafviement*) ; 1775, Grignon.

**déboire** V. BOIRE.

**débonnaire** 1080, *Roland ;* de *de bonne aire,* de bonne race, de *aire* (d'aigle). || **débonnairement** 1175, Chr. de Troyes || **débonnaireté** 1265, *Livre de jostice.*

**déborder, déboucler, débouler, debout, débraillé, débrayer, débris, débucher, débuter** V. BORD, BOUCLE, BOULE, BOUTER, BRAIE, BRISER, BÛCHE, BUT.

**décade** 1352, Bersuire, « série de dix » ; 1793, Fabre d'Églantine, « période de dix jours » ; lat. *decas, -adis,* groupe de dix, du gr. *deka,* dix. || **décadaire** 1808, Boiste.

**décadence** 1413, G., « fait de tomber en ruine » ; 1671, Pomery, « déchéance » ; 1870, Lar., « déclin » ; lat. médiév. *decadentia,* de *cadere,* tomber (v. aussi DÉCHOIR). || **décadent** 1516, G. Michel, « vieux » ; 1546, Rab., « décrépit » ; 1885, appliqué à une école littér. || **décadentiste** 1917, Lar.

**décadi** 1793, Fabre d'Églantine, « dixième jour de la décade révolutionnaire » ; gr. *deka,* dix, et lat. *dies,* jour (d'apr. *lundi*).

**décaèdre** 1801, Haüy ; gr. *deka,* dix, et *êdra,* face.

**décagone** 1652, *D. G.* ; gr. *deka,* dix, et *gônia,* angle.

**décalogue** 1455, Fossetier ; lat. chrét. *decalogus,* du gr. *dekalogos,* de *deka,* dix, et *logos,* parole.

**décan** 1839, Boiste, astrologie ; bas lat. *decanus,* génie qui préside à dix degrés du zodiaque.

**décanat** 1650, Patin ; lat. eccl. *decanatus,* de *decanus,* doyen. || **décanal** 1476, *Inventaire Surreau.*

**décaniller** 1792, Marat, « décamper » ; du lyonnais *canille,* jambe, dimin. métaphorique de *canne.*

**décanter** 1701, Furetière ; lat. des alchim. *decanthare,* de *canthus,* bec de cruche (v. CHANT 2). || **décantage** 1842, *Acad.* || **décantation** 1690, Furetière ; lat. des alchim. *decanthatio.*

**décaper** V. CAPE.

**décapiter** 1320, *Ovide moralisé ;* lat. médiév. *decapitare,* de *caput, -itis,* tête. || **décapité** XIV^e^ s. || **décapitation** 1392, E. Deschamps.

**décapodes** 1804, Latreille ; gr. *deka,* dix, et *pous, podos,* pied. Animaux qui ont cinq paires de pattes marcheuses.

**décathlon** 1912, aux jeux Olympiques ; de *déca-* (dix) et [*penta*]*thlon.* || **décathlonien** *id.*

**décatir** V. CATIR.

**decauville** fin XIX^e^ s., du nom de son inventeur ; le premier chemin de fer à voie étroite relia les Invalides au Champ-de-Mars, lors de l'Exposition de 1889 à Paris, et fut transféré à Royan.

**décaver** V. CAVER 2.

**décéder** XIV^e^ s., G. (*-dir*) ; 1460, Villon (*-der*) ; lat. *decedere,* sortir de la vie. || **décès** 1050, *Alexis ;* lat. *decessus,* part. passé de *decedere.*

**déceler, décélérer** V. CELER, ACCÉLÉRER.

**décembre** milieu XII^e^ s., du lat. *decembris,* de *decem,* dix (à l'origine le dixième mois). || **décembriseur** 1849, nom donné aux membres de la Société du Dix-Décembre, puis aux fauteurs du coup d'État du 2 décembre 1851. || **décembriste** *id.*

**décemvir** 1355, Bersuire ; mot lat., de *decem,* dix, et *vir,* homme.

**décence** 1282, Gauchi ; lat. *decentia,* de *decere,* convenir. || **décent** XV^e^ s., Wavrin ; lat. *decens.* || **décemment** 1580, Montaigne || **indécence** 1568, Loys Le Roy. || **indécent** XIV^e^ s., *D. G. ;* lat. *indecens.*

**décennal** 1540, Rab. ; lat. *decennalis,* de *decem,* dix, et *annus,* année. || **décennie** 1888, Lar.

**déception** V. DÉCEVOIR.

**décerner** 1318, G., « décréter » (jusqu'au XVIII^e^ s.) ; XVI^e^ s., Amyot, « attribuer » ; lat. *decernare,* décider, décréter.

**décès** V. DÉCÉDER.

***décevoir** 1160, *Roman de Tristan,* « tromper » ; 1360, Froissart, « causer une déconvenue » ; lat. *decipĕre* (lat. pop. *-ēre*), de *capere* prendre. || **déception** XII^e^ s., « action de tromper » (jusqu'au XVI^e^ s.) ; lat. impér. *deceptio* (IV^e^ s., saint Augustin). || **décevant** 1170, *Rois* « trompeur ».

**déchaîner, décharner, *déchausser,** V. CHAÎNE, CHAIR, CHAUSSER.

**dèche** 1835, Raspail, « perte au jeu » ; 1846, Esnault, sens actuel ; de *déchoir* ou de *déchéance* par le provençal *decho,* tare.

***déchéance** V. DÉCHOIR.

**déchiqueter** 1338, *Actes normands,* « bariolé » ; 1450, Ch. d'Orléans, sens actuel ; anc. fr. *eschiqueté* (début XIII^e^ s.), « découpé en cases comme un échiquier ». || **déchiquetage** fin XIV^e^ s. || **déchiqueteuse** 1953, Lar. || **déchiqueture** 1534, Rab.

**déchirer** 1120, *Ps. d'Oxford ;* fig. 1165, Marie de France ; francique **skerjan,* gratter (anglo-saxon *scīran,* nettoyer). || **déchirant** 1611, Cotgrave. || **déchirement** 1120, *Job ;* fig. fin XVII^e^ s., M^me^ de Sévigné. || **déchirure** 1250, *Aubery le Bourgoing.* || **s'entre-déchirer** 1544, d'Aurigny.

***déchoir** 1080, *Roland ;* lat. pop. **decadēre,* réfection de *decĭdere,* de *cadere,* tomber. || **déchéance** 1190, Garn. || **déchet** 1283, Beaumanoir (*déchié*), devenu *dechiet,* par confusion avec *il déchet.*

**deci-** lat. *decem,* dix || **décigramme** 1795, *Bull. des lois.* || **décilitre** *id.* || **décimètre** *id.*

**décider** 1403, N. de Baye ; 1834, Ségur, « pousser à faire » ; lat. *decidere,* trancher, de *caedere,* couper. || **décision** 1314, G. ; lat. jurid. *decisio.* || **décisif** 1413, G ; lat. jurid. *decisivus.* || **décisoire** XIV^e^ s., G. || **indécis** 1521, Fabri ; bas lat. *indecisus,* non tranché. || **indécision** 1611, Cotgrave.

**déciller** V. CIL.

**décime** 1486, G. Alexis, « taxe du dixième » ; 1795, *Bull. des lois,* « terme du système métrique » ; du lat. *decimus,* dixième. || **décimal** 1746, Petit Vandon.

**décimer** XV^e^ s., « punir de mort un soldat sur dix » ; 1793, Damade, fig. ; lat. *decimare,* de *decem,* dix.

**décision, déclamer** V. DÉCIDER, CLAMER.

**déclarer** milieu XIII^e^ s. ; lat. *declarare.* || **déclaration** début XIII^e^ s. ; 1659, Molière, « aveu d'amour » ; lat. *declaratio.* || **déclaratif** 1380, Conty ; lat. *declarativus,* qui éclaire.

**déclencher, déclic** V. CLENCHE, CLIQUE.

**décliner** 1080, *Roland,* « redescendre après un point culminant » ; 1175, Chr. de Troyes, « s'affaiblir » ; 1220, d'Andeli, gramm. ; 1361, Oresme, jurid. ; 1360, Froissart, « réciter » ; lat. *declinare,* redescendre. || **déclin** 1080, *Roland,* déverbal. || **déclinaison** 1220, d'Andeli, gramm. || **déclinable** 1378, J. Le Fèvre. || **déclinatoire** début XIV^e^ s., jurid. || **indéclinable** 1380, *Aalma,* gramm. ; lat. *indeclinabilis.* || **indéclinabilité** 1714, Fénelon.

**décliquer** V. CLIQUE.

**déclive** 1560, Paré ; lat. *declivis,* qui va en pente, qui est le plus bas. || **déclivité** 1487, Garbin ; lat. *declivitas.*

**décoction** XIII^e^ s., *Antidotaire Nicolas ;* lat. impér. *decoctio* (II^e^ s., Apulée), de *coquere,* cuire.

**décoller, décolleter, décolorer** V. COU, COULEUR.

**décombres** 1404, G., « action de désencombrer » ; 1611, Cotgrave, pl. « ruines » ; anc. fr. *décombrer* (1175, Chr. de Troyes), remplacé par *désencombrer ;* de l'anc. fr. *combre,* barrage de rivière (IX^e^ s., *combrus,* abattis d'arbres), du gaulois **comboros,* rencontre, confluent, composant de nombreux noms de lieux.

**déconfire, déconvenue** V. CONFIRE, CONVENIR.

**décorer** 1361, Oresme, « garnir » ; 1863, L., « conférer une décoration » ; lat. *decorare,* de *decus, -oris,* ornement. || **décoratif** 1460, Chastellain. || **décorateur** fin XVI^e^ s., Gaultier-Garguille ; 1560, Amyot, fig., « qui illustre ». || **décor** 1530, Marot (*-ore*), rare jusqu'au XVIII^e^ s. (1790, Linguet). || **décoration** 1393, G., « action de décorer » ; 1740, *Acad.,* « signe de distinction » ; bas lat. *decoratio.* || **décorum** 1594, *Ménippée ;* lat. *decorum,* convenance.

**décortiquer** 1826, Mozin ; fig., fin XIX^e^ s. ; lat. *decorticare,* de *cortex, -icis,* écorce. || **décortication** 1747, James ; fig., 1870, Lar. ; lat. *decorticatio.*

**décours** 1190, Garn. ; francisation du lat. *decursus,* course sur une pente, d'où, en fr., déclin, période décroissante du cours de la lune.

**découvrir** V. COUVRIR.

**décrépit** fin XIV^e^ s. (*-ite,* masc. au XVII^e^ s.) ; lat. *decrepitus,* parfois confondu avec *décrépi* (v. CRÉPIR). || **décrépitude** 1387, G. Phébus.

**decrescendo** V. CRESCENDO.

**décret** 1190, Garn., « décision d'une autorité, droit canon, jugement » ; 1789, « acte du pouvoir exécutif » (par opposition à *loi*) ; lat. *decretum,* décision, sentence, part. passé de *decernere* (v. DÉCERNER). || **décret-loi** 1926, date de l'institution. || **décréter** fin XIV^e^ s. || **décréteur** 1796, *Néolog. fr.* || **décrétale** XIII^e^ s., *Assises de Jérusalem ;* lat. eccl. *decretalis,* ordonné par décret.

**décrire** 1130, *Eneas* (*des-*), « dépeindre » ; milieu XVI^e^ s., Amyot, « se déplacer selon une courbe » ; lat. *describere,* d'apr. *écrire.* || **descriptif** 1464, G., puis 1787, Féraud ; lat. *descriptus,* part. passé. || **descriptible** 1870, Lar. || **description** 1160, Benoît, lat. *descriptio.* || **descripteur** XV^e^ s., rare avant 1761, Buffon. || **indescriptible** 1801, Mercier.

**décrue, décruer, décruser** V. CROÎTRE, CRU.

**de cujus** XVIII^e^ s. ; abrév. du lat. jurid. *de cujus successione agitur,* de la succession de qui il est question.

**décuple** milieu XIV^e^ s., *D. G. ;* lat. *decuplus,* de *decem,* dix. || **décupler** 1584, Thevet, « porter au décuple » ; 1850, Balzac, « accroître beaucoup ». || **décuplement** 1870, Lar.

**dédaigner** V. DAIGNER.

**dédale** 1555, Pasquier, du nom du constructeur légendaire du labyrinthe de Crète (lat. *Daedalus,* gr. *Daidalos*). || **dédaléen** 1862, Hugo. || **dédalien** 1835, Gautier.

**dedans** V. DANS.

**dédicace** fin XII^e^ s., *Grégoire* (*dicaze*) ; XIV^e^ s., Du Cange (*dédicace*), « fête patronale » (var. *ducasse*) ; 1549, R. Est., « dédicace d'une église » ; 1613, Pasquier, — *d'un livre ;* lat. *dedicatio,* de *dedicare,* dédier. || **dédicatoire** 1542, Du Perron. || **dédicacer** 1836, Landais.

**dédier** 1131, *Couronn. de Loïs,* « consacrer au culte » ; 1660, Scarron, *dédier un livre ;* lat. *dedicare,* consacrer, dédier.

**dédire** V. DIRE.

**déduire** 1050, *Alexis ;* adapt., d'apr. *conduire,* du lat. *deducere,* faire descendre, mener, sens passé en anc. fr., où le verbe a aussi l'emploi fig. « divertir ». || **déduit** 1130, *Eneas,* « divertissement ». || **déduction** 1361, Oresme, « démarche de la pensée » ; XV^e^ s., L., « soustraction » ; lat. *deductio.*

**de facto** 1870, Lar. ; mots lat. signif. « de fait ».

**défaire, défaite** V. FAIRE.

**défalquer** 1384, *Archives de Reims ;* lat. médiév. *defalcare,* trancher avec la faux (*falx, -cis*). || **défalcation** 1307, G.

***défaut** V. FAILLIR.

**défectif** 1341, G., « défectueux » ; début XVII^e s., gramm. ; lat. *defectivus,* de *deficere,* faire défaut. || **défection** XIII^e s., *Alexandre,* « éclipse » ; 1464, Commynes, « défaite » ; 1772, Raynal, « défaillance » ; lat. *defectio.* || **défectueux** 1336, R. de Louhans ; lat. *defectuosus.* || **défectueusement** 1380, Conty. || **défectuosité** XV^e s., *Procès-verbal du conseil de régence de Charles VIII ;* lat. *defectuositas.*

***défendre** 1080, *Roland,* « aider » ; 1265, J. de Meung, « interdire » ; lat. *defendĕre,* protéger, écarter. || **défendable** 1240, G. de Lorris. || **défendeur** 1120, *Ps. d'Oxford,* « défenseur » ; 1283, Beaumanoir, jurid. || ***défens** 1119, Ph. de Thaon, « défense » ; lat. *defensus,* part. passé substantivé en bas lat. || **défense** fin XI^e s., *Lois de Guill.,* part. fém. || **défenseur** 1213, *Fet des Romains* (*-eor*), remplace *défendeur* au XVI^e s. ; au sens jurid. 1863, L. || **défensif** XIV^e s., G. || **indéfendable** 1663, Molière.

**déféquer** 1583, Liébault ; lat. *defaecare,* débarrasser des impuretés, de *faex,* lie. || **défécation** 1660, N. Le Febvre ; lat. *defaecatio.*

**déférer** 1355, Bersuire, « se soumettre à » ; 1541, Calvin, « attribuer à une juridiction » ; lat. *deferre,* porter (d'où le sens jurid. repris en fr.), en bas lat. « faire honneur ». || **déférence** 1392, E. Deschamps. || **déférent** 1560, Paré, anatomie ; 1690, Furetière, « respectueux » ; part. prés. *deferens.*

**déferler** fin XVI^e s., d'Aubigné (part. passé *défrelée*), « déployer les voiles » ; 1773, Bourdé, « se briser en écumant » ; fin XIX^e s., « se répandre brutalement » ; de *dé-* et *ferler,* plier une voile. || **déferlement** XX^e s., a remplacé *déferlage* (XVIII^e s.). || **déferlant** 1870, Lar.

**défet** 1265, J. de Meung (*defect*) ; XIV^e s., *Alchimie à Nature,* « défaut » ; 1752, Trévoux, sens actuel ; lat. *defectus,* manque, part. passé de *deficere,* manquer.

**défi, défiance** V. FIER 1.

**déficient** 1587, Crespet ; lat. *deficiens,* part. prés. de *deficere,* manquer. || **déficience** 1907, Lar. || **indéfectible** 1501, Le Roy ; lat. *defectus,* qui manque. || **indéfectibilité** 1677, M^me de Sévigné. || **indéfectiblement** 1873, Lar.

**déficit** 1589, L'Estoile ; lat. *deficit,* « il manque », mot qui figurait aux inventaires, en regard des articles manquants ; 1771, Trévoux, sens financier. || **déficitaire** 1909, Lar.

**défiler** V. FIL.

**définir** 1425, A. Chartier ; lat. *definire,* de *finis,* fin, limite. || **définissable** fin XVII^e s., Saint-Simon. || **définiteur** 1646, *D. G.* || **définition** 1160, Benoît ; lat. *definitio.* || **définitif** fin XII^e s., *Ysopet de Lyon* (*diffinitif*), « qui met fin » ; lat. *definitivus,* limité. || **définitivement** XVI^e s., Amyot. || **indéfini** XIV^e s., « qui n'est pas limité » ; 1607, Maurepas, gramm. ; lat. *indefinitus.* || **indéfiniment** 1501, Rab. || **indéfinissable** 1731, Voltaire.

**déflagration** 1691, Chastellain ; lat. *deflagratio,* de *flagrare,* brûler. (V. FLAGRANT.)

**déflation** V. INFLATION.

**déflecteur** 1888, Lar. ; lat. *deflectere,* fléchir. Désigne un appareil qui modifie la direction de l'air, de l'eau.

**déflorer** V. FLEUR.

**défrayer** 1373, *Mandement de Charles V* (*deffroyer*) ; *dé-* et anc. fr. *fraier,* dépenser, faire les frais ; 1663, Molière, « amuser ». || **défrai** 1403, G.

**défroquer** V. FROC.

**défunt** XIII^e s. ; lat. *defunctus,* part. passé de *defungi,* accomplir sa vie.

**dégaine, dégainer** V. GAINE.

**dégât** début XIV^e s., « partie de la forêt abattue » ; 1360, Froissart, « dommage » ; déverbal de l'anc. fr. *degaster,* dévaster, de *gâter.*

**dégénérer** 1361, Oresme ; lat. *degenerare,* de *genus, -eris,* race. || **dégénération** 1455, Fossetier, rare jusqu'au XVII^e s. ; lat. *degeneratio.* || **dégénérescence** av. 1794, Condorcet. || **dégénérescent** 1839, Boiste.

**dégingandé** 1546, Rab. (*deshin-*), « disloqué » ; fin XIV^e s., Vigenère, altér. en *desgin- ;* 1690, Furetière, sens actuel ; anc. fr. *deshingander,* sortir de ses gonds, néerl. *henge,* gond, et français *ginguer,* sauter.

**déglinguer** 1889, Barrère, « disloquer » ; altér. de *déclinquer* (1792, Romme). [V. CLIGNER.]

**déglutiner** milieu XIX^e s. ; lat. *deglutinare,* décoller, détacher. || **déglutination** 1950, Lar.

**déglutir** 1120, *Ps. d'Oxford,* « engloutir » ; 1839, Boiste, sens actuel ; bas lat. *deglutire,* avaler. || **déglutition** 1560, Paré.

**dégobiller** 1611, Cotgrave ; de *gober* (cf. *dégober,* vomir, en Anjou, et *gobille,* gorge, en Lyonnais), avec une finale que l'on trouve dans *égosiller.*

**dégoiser, dégorger** V. GOSIER, GORGE.

**dégoter** début XVIIe s., Ménage, indiqué comme mot de l'Ouest, « déplacer la balle ou la pierre appelée *go* » (*gal* en Normandie) ; 1740, Desfontaines, « déplacer » ; 1757, d'Argenson, « chasser d'un poste » ; 1808, d'Hautel, « l'emporter » et « trouver » ; origine discutée.

**dégouliner** 1757, Vadé, de *dégouler* (XIIIe s.), se laisser glisser, de *dé-* et *goule,* forme de *gueule.* || **dégoulinade** XXe s.

**dégourdir, dégoût, dégoutter** V. GOURD, GOÛT, GOUTTE.

1. **dégrader** V. GRADE.

2. **dégrader** (*les tons*) 1651, Brunot ; ital. *digradare,* de *grado,* degré. || **dégradation** 1660, Molière ; ital. *digradazione.*

**dégrafer, degras** V. AGRAFER, GRAS.

**dégrat** XIIIe s., « bateau de pêche en dégrat », c.-à-d. « qui va quitter le port » (*degrater,* fin XIIIe s., Guiart) ; prov. *degrat,* degré, échelon (cf. les *Échelles* du Levant).

**degré** 1050, *Alexis* (*degret*), comp. anc. par renforcement du lat. *gradus,* échelon ; d'abord au sens de « escalier, marche », puis « état intermédiaire » ; 1694, Th. Corneille, « division du thermomètre ».

**dégressif** 1907, Lar. ; lat. *degressus,* de *degredi,* descendre. || **dégressivité** milieu XXe s.

**dégrever** V. GREVER.

**dégringoler** fin XVIe s. (*desgringueler*), de *gringoler* (1583, Gauchet, même sens) ; du moyen néerl. *cringhelen,* de *crinc,* courbure, c.-à-d. tomber de la *gringole* (colline). || **dégringolade** 1825, C. Ritter.

**déguerpir** 1120, *Ps. de Cambridge,* « abandonner » ; XVIe s., Loisel, jurid. « abandonner un bien » ; début XVIIe s., Scarron, « vider les lieux » ; anc. fr. *guerpir,* abandonner, du francique **werpjan* (allem. *werfen,* jeter ; angl. *to warp,* détourner).

**déguiser** V. GUISE.

**déguster** 1802, Laveaux ; lat. *degustare,* de *gustare,* goûter ; début XXe s., « supporter ». || **dégustation** 1470, *Livre de la discipline d'amour divine ;* bas lat. *degustatio.* || **dégustateur** 1793, Frey.

**déhiscent** 1798, Richard ; lat. *dehiscere,* s'ouvrir. || **déhiscence** *id.,* en bot., « action par laquelle un organe clos s'ouvre naturellement ».

**dehors, déicide, déifier, déiste, déité, déjà** V. HORS, DIEU, JÀ.

**déjection** 1538, Canappe ; lat. méd. *dejectio,* « action de jeter hors », de *dejicere,* évacuer.

**déjeter** V. JETER.

**déjeuner** v. 1155, Wace, « rompre le jeûne » et « prendre le repas du matin » ; lat. pop. **disjunare,* de **disjejunare,* du bas lat. *jejunare,* jeûner, et *dis-,* cessation ; comme n. m. 1540, Yver.

**délabrer** 1561, Maumont (au part. passé), appliqué d'abord aux vêtements ; *dé-* et anc. fr. *label,* frange, du francique **labba,* chiffon. || **délabrement** 1718, *Acad.*

**délai** 1172, *Chanson ;* déverbal de *deslaier* (1175, Chr. de Troyes), de l'anc. fr. *laier,* laisser, issu de *laisser,* croisé avec des formes de *faire* (v. RELAYER).

**délaisser** V. LAISSER.

**délateur** 1538, R. Est. ; lat. *delator,* de *deferre,* rapporter, dénoncer (part. passé *delatus*). || **délation** 1549, R. Est. ; lat. *delatio.*

***délayer** XIIIe s., *Lapid. fr. ;* lat. *delicare,* var. de *deliquare,* transvaser, décanter ; 1766, Voltaire, « exposer de façon diffuse », altér. en Gaule en **delicare,* par infl. de *delicatus,* délicat. || **délaiement** 1549, R. Est. || **délayage** 1836, Landais.

**deleatur** 1797, Gattel, mot lat. signif. « qu'il soit détruit », en typographie. || **déléaturer** 1914, Gide.

**délébile** 1823, Boiste ; lat. *delebilis,* de *delere,* détruire. || **indélébile** 1541, Calvin ; lat. *indelebilis,* indestructible ; *encre indélébile,* 1611, Cotgrave.

**délecter** début XIVe s. ; lat. *delectare ;* il a remplacé la forme pop. *delitier* (1120, *Ps. d'Oxford*), de *delicere,* attirer. || **délectable** 1361, Oresme ; lat. *delectabilis.* || **délectation** 1120, *Ps. d'Oxford ;* lat. *delectatio.*

**déléguer** début XIVe s. ; lat. *delegare,* envoyer. || **délégué** n. 1534, Des Périers ; *délégué du peuple* 1793. || **délégation** XIIIe s., Delb., « procuration » ; 1878, Lar., « ensemble de personnes déléguées » ; lat. *delegatio.* || **délégataire** 1839, Boiste. || **subdéléguer** fin XIVe s. || **subdélégation** 1555, Paradin.

**délétère** XVIᵉ s., Joubert ; 1863, L., « malsain » ; gr. *dêlêtêrios,* nuisible.

**délibérer** XIIIᵉ s. ; lat. *deliberare.* || **délibération** XIIIᵉ s., G., lat. *deliberatio.* || **délibératif** 1372, Corbichon ; lat. *deliberativus.* || **délibéré** 1534, Rab., « résolu ». || **délibérément** XIVᵉ s., G.

**délicat** 1492, Tardif ; rare jusqu'au XVIᵉ s. ; lat. *delicatus,* de *deliciae,* délices ; il a éliminé la forme pop. *delgié, dougié,* délicat, mince (v. DÉLIÉ). || **délicatement** *id.* || **délicatesse** 1539, R. Est., peut-être d'apr. l'ital. *delicatezza.* || **indélicat** 1787, Féraud, « qui manque de délicatesse » ; av. 1924, A. France, « malhonnête ». || **indélicatesse** 1808, Mᵐᵉ de Staël, « manque de délicatesse » ; 1922, Lar., « malhonnêteté ».

**délice(s)** 1120, *Ps. d'Oxford,* au sing. et au pl. ; lat. *delicium,* neutre sing. et *deliciae,* fém. pl., formes qui expliquent les deux genres en fr. || **délicieux** 1190, Saint Bernard ; lat. *deliciosus.* || **délicieusement** 1265, J. de Meung

**délicoter, délictueux** V. LICOU, DÉLIT 1.

**délié** 1181, Chr. de Troyes ; lat. *delicatus,* mince, délicat ; avec infl. du part. passé de *délier.* (V. LIER.)

**délinéer** 1845, Besch. ; lat. impér. *delineare,* esquisser, de *linea,* ligne. || **délinéament** 1560, Paré, « contour ». || **délinéation** 1549, R. Est. ; bas lat. *delineatio.*

**délinquer** 1429, G. ; lat. *delinquere,* manquer (à son devoir), de *linquere,* laisser. || **délinquant** milieu XIVᵉ s., du part. prés. *delinquens.* || **délinquance** XXᵉ s.

**déliquescent** milieu XVIIIᵉ s. ; lat. *deliquescens,* part. prés. de *deliquescere,* se liquéfier. || **déliquescence** 1757, Macquer et Baumée, phys. ; fin XIXᵉ s., « affaiblissement ».

**délirer** début XVIᵉ s. ; lat. *delirare,* « sortir du sillon » et « déraisonner ». || **délire** 1538, Canappe ; lat. *delirium,* de *delirus,* fou. || **delirium tremens** 1819, *Dict. sc. nat.,* express. créée en 1813 par l'Anglais Sutton et signif. « délire tremblant ».

1. **délit** début XIVᵉ s. (*delict*) ; XVIᵉ s., Loisel (*délit*), « infraction » ; lat. *delictum,* part. passé substantivé de *delinquere,* manquer. || **délictueux** 1863, L. ; de *delictum,* d'après les adj. en *-eux.*

2. **délit** [d'une pierre], **déliter** V. LIT.

* **délivrer** fin XIᵉ s., *Lois de Guill.,* « libérer » ; XIIIᵉ s., « remettre quelque chose » ; d'apr. *livrer ;* bas lat. *deliberare,* renforcement de *līberāre,* mettre en liberté, de *liber,* libre. || **délivrance** XIIᵉ s., *Marbode,* « accouchement » ; fin XIIᵉ s., Conon, « action de délivrer ». || **délivre** adj., début XIIᵉ s., *Thèbes ;* « dégagé » 1611, Cotgrave, « ce qui délivre, arrière-faix », déverbal.

**délot** V. DÉ 2.

**delphax** 1819, *Dict. des sc. nat. ;* lat. des entomol. (1783, Fabricius), du gr. *delphax,* cochon de lait. Désigne un insecte sauteur.

**delphinidé** 1845, Besch. ; lat. *delphinus,* dauphin, et *eidos,* aspect.

**delphinium** 1552, Rab. ; lat. bot. *delphinium,* du gr. *delphinion,* dauphinelle, pied-d'alouette.

**delta** (du Nil) XIIIᵉ s. ; n. m. 1818, Cuvier, mot gr. désignant la lettre *d,* dont la majuscule en gr. [Δ] évoque, lorsqu'elle est renversée, la forme de l'embouchure du Nil. || **deltaïque** 1854, Nerval. || **deltoïde** 1560, Paré ; gr. *deltoeidês,* en forme de *delta.*

**déluge** 1175, Chr. de Troyes (var. *diluvie* en anc. fr.) ; lat. chrét. *diluvium,* en lat. class. « inondation ».

**déluré** fin XVIIIᵉ s., mot berrichon d'apr. Raynal (1844), forme dial. de *déleurré,* « qui ne se laisse plus prendre au leurre » (*déleurrer,* détromper, 1787, Féraud).

**démagogue** 1361, Oresme, puis au XVIIᵉ s. ; péjor. en 1790 ; gr. *dêmagôgos,* qui conduit le peuple (*dêmos*). || **démagogie** 1791, Brissot ; gr. *dêmagôgia.* || **démagogique** 1791, Frey ; gr. *dêmagôgikos.* || **démagogisme** 1796, *Néol. fr.*

**demain** 1080, *Roland ;* lat. pop. *demane,* renforcement de *mane,* matin, proprem. « à partir du matin » (le passage de *matin* à *demain* est le même dans l'allem. *morgen,* l'esp. *mañana*) ; le mot a éliminé le lat. *cras.* || **lendemain** 1130, *Eneas* (*l'endemain*). || **après-demain** 1690, Furetière. || **surlendemain** 1715, Lesage.

***demander** 1080, *Roland ;* lat. *demandare,* remettre, confier, de *mandare,* mander, passé au sens « attendre quelque chose de quelqu'un », « solliciter » en lat. pop. d'Occident. || **demandable** 1870, Lar. || **demande** 1160, *Roman de Tristan,* déverbal. || **demandeur** 1253, Langlois, spécialisé au sens jurid. || **redemander** 1175, Chr. de Troyes.

**démanger, démanteler, démantibuler, démarcation, démarrer, démêler, déménager** V. MANGER, MANTEAU, MANDIBULE, MARQUER, AMARRER, MÊLER, MÉNAGE.

**dément** fin XVᵉ s., Tardif ; rare jusqu'au XIXᵉ s. ; lat. *demens,* privé de raison (*mens, -tis*). || **démence** fin XIVᵉ s. ; lat. *dementia.* || **démentiel** 1883, A. Daudet.

**démentir** V. MENTIR.

***demeurer** 1080, *Roland* (*-ourer*) ; lat. pop. **demorare,* du lat. *demorari,* tarder (aussi en anc. fr.), rester, d'où séjourner, habiter, en lat. pop., de *morari,* s'attarder. || **demeure** 1190, Couci, « retard, séjour » ; XVIᵉ s., Amyot, « habitation » ; déverbal. Le sens de « retard » subsiste dans : *il n'y a pas péril en la demeure ; mettre en demeure* (rendre responsable du retard, à l'origine). || **demeuré** début XXᵉ s., « attardé mental ».

***demi** 1080, *Roland ;* lat. pop. **dimĕdius,* réfection de *dĭmĭdius,* d'apr. *mĕdius,* au milieu. *Demi-* a été utilisé comme préfixe dès l'anc. fr. ; son aire d'emploi a été, au XVIIᵉ s., limitée par celle de *semi-* dont la valeur s'est ensuite différenciée ; *à demi* 1534, Rab. || **demie** 1450, Ch. d'Orléans, « la moitié d'une heure ».

**démission** 1338, G. ; lat. *demissio,* abaissement, de *demittere,* laisser tomber, pour servir de dér. à *démettre.* || **démissionnaire** XVIIIᵉ s., *Journ. du Palais.* || **démissionner** 1793, Babeuf.

**démiurge** 1546, Rab. (*demiourgon*) ; 1823, Boiste (*-iurge*) ; lat. *demiurgus,* du gr. *dêmiourgos,* créateur de l'univers, de *dêmios,* général, et *ergon,* création.

**démocratie** 1361, Oresme ; gr. *dêmokratia,* de *dêmos,* peuple, et *kratein,* commander. || **démocrate** 1550, Bonivard, fait d'apr. *aristocrate,* usuel à partir du XVIIIᵉ s. (1790, Linguet). || **démocratique** 1361, Oresme ; gr. *dêmokratikos.* || **démocratiquement** 1579, Lostal. || **démocratisation** fin XVIIIᵉ s. || **démocratiser** 1792, Vergniaud. || **démocratisme** 1794, Babeuf. || **antidémocratique** 1794, *Journ. de la Montagne.* || **démocrate-chrétien** v. 1950.

**démographie** 1850, Guillard ; gr. *dêmos,* peuple, et *graphein,* décrire. || **démographique** 1861, *Rev. des Deux Mondes.*

***demoiselle** Xᵉ s., *Eulalie* (*domnizelle*) ; XIIᵉ-XIIIᵉ s. (*damoiselle*), « fille noble » (jusqu'au XVIIᵉ s.) et « femme mariée de la petite noblesse » ; 1870, Lar., « jeune fille d'honnête famille » (*demoiselle d'honneur, demoiselle de compagnie,* etc.) ; auj. fam. surtout ; 1738, Lémery, « fourmilion » ; 1802, Chateaubriand, « libellule » ; lat. pop. **dŏmĭnĭcella,* dimin. de *domina,* maîtresse (V. DAME 1, DONZELLE). *Damoiselle,* forme archaïque, reprise comme péjor. || **mademoiselle** 1534, Des Périers. || **mam'zelle** 1680, Richelet (*mameselle*) ; 1867, L. (*mam'zelle*), abrév. fam.

**démolir** 1383, Varin ; lat. *demoliri,* de *moliri,* bâtir, de *moles,* masse. || **démolissage** 1882, Goncourt. || **démolissement** 1377, G. || **démolisseur** 1547, J. Martin ; fig. XVIIIᵉ s., Voltaire. || **démolition** XIVᵉ s., La Curne ; lat. *demolitio.*

**démon** XIIIᵉ s., *Psautier* (*demoygne*) ; lat. *daemonium ;* XVIᵉ s. (*démon*) ; lat. impér. *daemon* (IIᵉ s., Apulée, « esprit, génie », sens repris au XVIᵉ s. du gr.), avec spécialisation chrétienne ; 1652, G. de Balzac, fig. || **démoniaque** XIIIᵉ s., G., lat. chrét. *daemoniacus* (IIIᵉ s., Tertullien), gr. ecclés. *daimoniakos.* || **démonographe** 1625, Naudé. || **démonographie** 1833, Gautier. || **démonologie** fin XVIᵉ s., d'Aubigné.

**démonétiser** V. MONÉTAIRE.

**démontrer** Xᵉ s., *Saint Léger* (*-monstrer,* forme latinisée, var. *-mostrer*) ; lat. *demonstrare,* montrer (jusqu'au XVIIᵉ s.), puis sens actuel repris au lat. || **démontrable** 1265, J. de Meung. || **démonstration** 1361, Oresme, qui a remplacé *demostraison* (1155, Wace), « raisonnement » ; XVIIᵉ s., « action de montrer » ; lat. *demonstratio.* || **démonstrateur** 1495, J. de Vignay ; rare jusqu'au XVIIIᵉ s. || **démonstratif** 1327, *Mir. hist. ;* lat. *demonstrativus.* || **indémontrable** 1726, *Dict. néol. ;* lat. impér. *indemonstrabilis.*

**démotique** 1361, Oresme, « démocratique » ; 1835, *Acad. ;* sens mod. ; gr. *dêmotikos,* de *dêmos,* peuple.

***denché** V. DENT.

**dendrite** 1732, Trévoux, gr. *dendron,* arbre. Désigne le dessin ramifié d'une pierre. || **dendrologie** 1863, L. || **dendrophage** 1823, Boiste (gr. *phagein,* manger).

**dénégation** V. DÉNIER.

**dengue** 1829, Robert, mot esp. signif. « manières affectées ».

**déni, dénicher** V. DÉNIER, NICHER.

***denier** 1080, *Roland* (*dener*) ; XIIᵉ s. (*denier*) ; lat. *denarius,* monnaie dont la valeur a varié (au XVIIIᵉ s., douzième partie du sou), puis « somme d'argent » (d'où *denier à Dieu,* 1283, Beaumanoir : taxe du marché affectée aux œuvres pies) ; *denier de saint Pierre,* 1739, Barbeyrac, *Hist. des anc. traités ; denier du culte,* 1906, Lar. (V. DENRÉE.)

***dénier** 1160, Benoît (*deneier*) ; XIII^e^ s. (*dénier*) ; lat. *denegare,* de *negare,* nier. || **déni** XIII^e^ s., *Aubery,* déverbal ; *déni de justice,* XVI^e^ s. || **dénégation** XIV^e^ s., *Registre du Châtelet,* d'abord jurid. ; lat. *denegatio.*

**dénigrer** 1358, G. ; lat. *denigrare,* noircir, de *niger,* noir. || **dénigrement** 1527, Dassy. || **dénigreur** fin XVIII^e^ s.

**dénombrer, dénommer** V. NOMBRE, NOMMER.

**dénoncer** 1190, Garn. (*denuntier*) ; XIII^e^ s. (*dénoncer*), « faire savoir » ; 1265, *Livre de jostice,* « signaler à la justice » ; adaptation du lat. *denuntiare,* faire savoir (l'anc. fr. a eu *noncier,* lat. *nuntiare*). || **dénonciation** 1283, Beaumanoir, « notification » ; 1680, Richelet, « accusation » ; lat. *denuntiatio.* || **dénonciateur** début XIV^e^ s. ; lat. *denuntiator* (en anc. fr. *denonceor*).

**dénoter** V. NOTE.

**denrée** 1160, *Charroi* (*denerée*) ; XIII^e^ s., L. (*denrée*), « marchandise » ; 1283, Beaumanoir, « produit alimentaire » ; de *denier.*

**dense** XIII^e^ s., G., « épais » ; XVII^e^ s., phys. ; lat. *densus.* || **densité** XIII^e^ s., G., « épaisseur » ; XVII^e^ s., phys. ; lat. *densitas.* || **densifier** v. 1950. || **densimètre** 1870, Lar.

***dent** 1080, *Roland ;* masc. jusqu'au XIV^e^ s. ; 1646, Rotrou, pointe en forme de dent ; lat. *dens, dentis,* masc. || ***denché** XIII^e^ s., « dentelé » ; lat pop. **dentic̄atus,* lat. class. *denticulatus.* || **dentaire** 1572, J. Des Moulins ; lat. *dentaria,* jusquiame (employée contre le mal de dents) ; adj. 1700, Andry ; lat. *dentarius.* || **dental** 1503, G. de Chauliac. || **denté** XV^e^ s., G., « pourvu de dents » ; 1864, L., techn. || **dentelaire** 1572, Trévoux, bot. || **denticule** 1545, Delb., en architecture ; lat. *denticulus.* || **dentelle** XIV^e^ s., « petite dent », spécialisé au fig., XVI^e^ s. (Gay) ; dimin. de *dent.* || **denteler** 1554, Thevet, « déchirer avec des dents » ; 1549, Gay, « ajourer un tissu » ; 1555, Belon, sens actuel. || **dentelure** 1547, J. Martin. || **dentier** fin XVI^e^ s., d'Aubigné, « rangée de dents » ; 1611, Cotgrave, « partie du heaume qui couvre les dents » ; XVII^e^ s., « rangs de dents » ; 1829, Boiste, « rangs de dents artificielles ». || **dentifrice** 1560, Paré ; lat. *dentifricium,* de *fricare,* frotter. || **dentine** v. 1850. || **dentiste** 1735, *Mercure de France.* || **dentisterie** 1898, Lar. || **dentition** début XVIII^e^ s., Duchemin, lat. *dentitio.* || **dentirostres** 1808, Boiste (lat. *rostrum,* bec). || **dent-de-chien** 1547, R. Est., bot. || **dent-de-lion** 1596, Hulsius, bot. || **adenter** fin XIII^e^ s., Guiart. || **dentu** 1180, *Horn.* || **denture** 1398, E. Deschamps ; 1752, Trévoux, techn. || **bident** 1827, *Acad.* || **bidenté** 1827, *Acad.* || **édenter** XIII^e^ s., Trubert. || **endenter** 1119, Ph. de Thaon. || **redent** 1611, Cotgrave ; 1677, Colbert (*redan*). || **surdent** 1160, Benoît (*sordent*), « outrage » ; 1560, Paré, dent surnuméraire.

**denteler, dentelle, denture, dénuder, dénuer, dénutrition** V. DENT, NU, NUTRITIF.

**déontologie** 1839, Boiste ; gr. *deon, -ontos,* devoir, et *logos,* science. Ensemble des règles qui régissent une activité. || **déontologique** 1834, Laroche.

**départir, dépecer** V. PARTIR 1, PIÈCE.

**dépêcher** 1225, G. (*despeechier*) ; XVI^e^ s. (*dépêcher*), « délivrer » ; 1462, *Cent Nouvelles,* « se débarrasser de qqn » ; 1498, Commynes, « envoyer en mission » ; *se dépêcher* 1490, *Recueil de farces ;* de *dé-* et *empêcher.* || **dépêche** 1464, Bartzsch, « action de dépêcher, lettre patente » ; 1690, Furetière, « message » ; déverbal.

**dépeindre, dépenaillé** V. PEINDRE, PENAILLE.

1\. **dépendre** (*de*) 1130, *Eneas,* « se rattacher à » ; 1580, Montaigne, « être sous la puissance » ; lat. *dependere,* pendre de. || **dépendant** 1355, Bersuire. || **dépendance** 1339, Fagniez, « liaison étroite » ; 1630, Monet, « subordination ». || **indépendant** 1584, saint François de Sales ; polit., 1640, Corn. || **indépendance** 1630, *Rev. de philologie ;* polit. 1663, Corn. || **indépendantisme** 1682, Bossuet, relig. ; av. 1778, Rousseau, polit. || **indépendamment** 1630, Monet. || **interdépendance** 1867, L.

2\. **dépendre,** « détacher » V. PENDRE.

***dépens** 1175, Chr. de Troyes (*despans*), « dépense » ; XIII^e^ s. (*despens*), jurid. seulement et dans la loc. *aux dépens de ;* lat. *dispensum,* part. passé substantivé au neutre de *dispendere,* peser, qui a donné en anc. fr. *despendre* (XII^e^ s.), dépenser. || **dépense** 1175, Chr. de Troyes (*despanse*), « endroit où l'on garde les provisions » ; 1207, Villehardouin (*despense*), « action de dépenser » ; part. passé fém. refait sur le lat. (XIV^e^ s.). || **dépenser** 1360, Froissart, « employer l'argent » ; *se dépenser* 1850, Balzac. || **dépensier** 1131, *Couronn. de Loïs,* « celui qui garde la dépense » ; XV^e^ s., adj., « prodigue ».

**déperdition, dépiauter, dépiler, dépioter, dépister** V. PERDRE, PEAU, POIL, PISTE.

***dépit** 1175, Chr. de Troyes (*despit*), « mépris » (d'où *en dépit de,* 1530, Marot) ; début XVIIe s., Voiture, « irritation » ; lat. *despĕctus,* regard jeté de haut. || **dépiter** 1272, Joinville, « mépriser » ; 1530, Marot, « irriter » ; lat. *despectare,* regarder de haut. || **dépité** début XVIIe s., Malherbe, « vexé ».

***déplaire** V. PLAIRE.

**déplorer** fin XIIe s., *Grégoire,* « pleurer » (jusqu'au XVIIe s.) et « regretter » ; lat. *deplorare,* pleurer. || **déplorable** fin XVe s., « digne de pitié » ; XIXe s., « très mauvais ». || **déplorablement** 1690, Furetière. || **déploration** 1522, Marot, « lamentation ».

**déponent** 1521, Fabri ; lat. *deponens,* quittant, de *ponere,* placer ; le verbe a « déposé » le sens passif.

**dépopulation** V. POPULATION.

1. **déport** 1864, L. ; de *dé-* et [*re*]*port.* (V. PORTER.)

2. **déport** V. DÉPORTER.

***déporter** 1130, *Eneas* (*se desporter*), « s'acquitter de » ; 1155, Wace (*se desporter*), « s'amuser » ; v.t. fin XVe s., puis 1791, Brunot, « exiler » ; v. 1942, sens actuel ; lat. *deportare,* emporter, exiler. || **déport** 1130, *Eneas,* « amusement ». || **déportation** 1455, Fossetier, « exil » ; lat. *deportatio.* || **déporté** n. m. 1797, Laffon. || **déportement** XIIIe s., G., « conduite, amusement ».

**déposer, dépôt** V. POSER.

***dépouiller** XIIe s., *Roncevaux* (*despoiller*), « ôter les vêtements » ; 1611, Cotgrave, « écorcher » ; 1690, Furetière, « dépouiller un document » ; lat. *despoliare,* de *spolia,* dépouilles. || **dépouille** 1190, Saint Bernard, déverbal. || **dépouillement** *id.,* « action de dévêtir » ; 1792, Frey, polit. || **empouiller** XIVe s., texte de Reims, sur le rad. de *dépouiller.* || **empouilles** 1752, Trévoux, « récoltes sur pied », déverbal.

**dépourvu** XIIe s., Du Cange, part. passé de l'anc. fr. *dépourvoir,* de *pourvoir ; au dépourvu* 1544, M. Scève.

**dépraver** début XIIIe s. ; lat. *depravare,* de *pravus,* perverti. || **dépravateur** 1551, Aneau ; lat. *depravator.* || **dépravation** 1559, Amyot ; lat. *depravatio.*

**déprécation** 1120, *Ps. d'Oxford ;* lat. *deprecatio,* prière pour conjurer, de *precari,* prier. || **déprécatif** 1361, Oresme. || **déprécatoire** XVe s., *Myst. du Vieil Testament ;* bas lat. *deprecatorius.*

**déprécier** V. PRIX.

**déprédation** 1372, Oresme, puis 1417, *Pièces relatives à Charles VI ;* rare jusqu'au XVIIe s. ; bas lat. *depraedatio,* de *praeda,* proie. || **déprédateur** fin XIIIe s. ; bas lat. *depraedator.*

**déprimer** 1170, *Rois,* « humilier » ; 1560, Paré, anatomie ; 1907, Lar., « abattre moralement » ; lat. *deprimere,* peser de haut en bas. || **dépressif** 1856, Lachâtre. || **dépression** 1314, Mondeville, « enfoncement » ; 1690, Furetière, dépression atmosphérique ; 1870, Lar., dépression morale ; lat. *depressio,* enfoncement.

**de profundis** XVIe s., *D. G.,* premiers mots lat. du psaume CXXX (« du fond de l'abîme »), chanté à l'office des morts.

**dépuceler, depuis, dépurer** V. PUCELLE, PUIS, PUR.

**député** début XIVe s., « représentant de l'autorité » (déjà en bas lat.) ; 1748, Montesquieu, « désigné par élection », vulgarisé en 1789 ; lat. *deputatus,* envoyé, délégué, de *deputare,* tailler, et par ext. estimer, assigner. || **députation** début XVe s., « délégation » ; 1789, Brunot, « mandat de député » ; bas lat. *deputatio,* délégation. || **députer** 1265, Le Grand, « assigner » ; XVIe s., Amyot, sens actuel ; lat. *deputare.*

**déranger** V. RANG.

**déraper** début XVIIe s., Peiresc, « arracher » ; 1687, Desroches, « lever l'ancre » ; 1896, *France autom.,* pour la bicyclette, l'auto ; prov. mod. *derapa,* de *rapar,* saisir, germ. **rapôn.* || **dérapage** fin XIXe s.

**dératé** V. RATE.

**derby** 1829, *Journ. des haras ;* mot angl., du nom de *lord Derby,* qui créa le derby d'Epsom en 1780 ; depuis 1860, désigne la course de Chantilly.

**derechef, dérision** V. CHEF, RIRE.

1. **dériver** 1120, *Job,* « détourner l'eau » ; 1265, J. de Meung, gramm. ; 1361, Oresme, « tirer son origine » ; lat. *derivare,* de *rivus,* ruisseau. || **dérivation** 1377, Lanfranc ; XVIe s., Amyot, gramm. ; 1870, Lar., math. ; lat. *derivatio.* || **dérivatif** XVe s., *Donat fr.,* gramm. ; 1879, Loti, n. m., fig. ; lat. *derivativus.*

2. **dériver** fin XVIe s., « aller à la dérive » ; angl. *to drive,* pousser, d'après *dériver.* || **dérive**

1628, Figuier ; fin XIX^e s., fig. ; déverbal de *dériver*. || **dérivation** 1690, Furetière.

**derme** 1611, Cotgrave ; gr. *derma,* peau. || **dermatologie** 1836, Raymond. || **dermologie** 1793, Lavoisier. || **dermatologue** 1838, *Doc.* || **dermatologiste** 1845, Besch. || **dermatose** 1832, Alibert. || **dermatite** 1836, Landais. || **dermeste** 1769, Eidous ; gr. *derma,* peau, et *esthein,* manger. || **épiderme** 1552, Rab. ; lat. *epidermis,* gr. *epi,* sur, et *derma,* peau. || **épidermique** 1811, *Encycl. méth.* ; XX^e s., fig.

***dernier** fin XII^e s., *Couci* (*derrenier*) ; 1360, Froissart (*dernier*) ; anc. fr. *derrain,* dernier, du lat. pop. **deretranus,* de *deretro* (V. DERRIÈRE). || **dernièrement** 1294, *D. G.* (*darrenierement*) ; 1360, Froissart (*dernièrement*). || **dernier-né** 1691, Rac. || **avant-dernier** 1759, Restaut.

**dérober** 1155, Wace, « dépouiller » ; anc. fr. *rober* (1131, *Couronn. de Loïs*), du francique **raubon.* || **dérobade** fin XVI^e s., Brantôme (*à la dérobade*) ; 1889, *le Matin,* n. f. || **dérobée (à la)** 1549, R. Est.

**dérocher** V. ROCHE.

**déroger** 1361, Oresme (*desroguer*) ; XVI^e s. (*déroger*) ; lat. *derogare,* de *rogare,* demander, d'abord jurid. || **dérogation** 1408, G. ; lat. *derogatio.* || **dérogatoire** 1341, G. ; lat. *derogatorius.*

**déroute** V. ROUTIER 2.

**derrick** 1888, Lar., mot angl. qui a signifié d'abord « gibet », d'après le nom d'un bourreau.

***derrière** 1080, *Roland* (*deriere*), refait sur *derrain* (V. DERNIER) ; 1360, Froissart, « fesses » ; lat. pop. *de retro,* renforcement de *retro,* « en arrière », qui a éliminé *post.*

**derviche** 1546, Geoffroy (*derviz*) ; persan *darvich,* pauvre.

**des** V. LE.

1. **dès** 1080, *Roland,* adv. ; lat. pop. *de-ex,* renforcement de *ex,* hors de.

2. **dés-,** préfixe V. DÉ-.

**désappointé** 1761, Voltaire ; anc. fr. *desappointer* (1395, G.), destituer, de *appointer* ; repris à l'angl. *disappoint,* décevoir. || **désappointement** 1783, *Courrier de l'Europe* (en anc. fr. [XIV^e s.] « destitution »).

**désarroi** XIII^e s., « désordre » ; 1690, Furetière, « trouble » ; anc. fr. *desarroyer,* mettre en désordre, de *dés-* et *arroyer,* arranger, lat. **arredare* (v. ARROI).

**désastre** 1544, Scève ; ital. *disastro,* de *astro,* astre ; d'apr. l'infl. supposée de la mauvaise étoile. || **désastreux** 1570, Carloix ; ital. *disastroso.* || **désastreusement** 1787, Féraud.

***descendre** 1080, *Roland* ; lat. *descendĕre.* || **descendance** 1283, Beaumanoir. || **descendant** XIII^e s., *Livre de jostice,* jurid. ; comme adj. 1690, Furetière. || **descente** 1304, G., jurid., part. passé fém., qui a remplacé *descendement.* || **descenderie** 1771, Schmidlin. || **descendeur** sports, 1913, Esnault. || **descenseur** 1876, *l'Illustration,* d'apr. *ascenseur.* || **descension** 1620, Béguin ; lat. *descensio.* || **descensionnel** 1827, *Acad.,* d'apr. *ascensionnel.* || **redescendre** 1220, Coincy.

**descriptif, description, désemparer** V. DÉCRIRE, EMPARER.

***désert** 1080, *Roland,* adj. ; lat. *desertus,* abandonné (sens conservé en anc. fr.) ; XII^e s., « sans habitants ». || **désert** n. m., fin XII^e s., *Livre des Rois,* lat. chrét. *desertum* (IV^e s., saint Jérôme), issu de l'adj. || **déserter** 1050, *Alexis,* « rendre désert » ; XII^e s., *Roncevaux,* « abandonner » ; XVII^e s., milit., repris à l'ital. || **déserteur** 1253, Fontaines, « qui abandonne sa fonction » ; 1690, Furetière, milit. || **désertique** 1877, L. || **désertion** 1361, Oresme, « abandon », jurid. ; 1690, Furetière, milit. ; lat. *desertio.*

**déshérence** V. HOIR.

**desideratum** 1783, *Courrier de l'Europe* (pl. *-ata*), mot lat., part. passé neutre substantivé, de *desiderare,* désirer. || **désidératif** 1842, *Acad.,* gramm.

**design** 1950, mot angl. signif. « modèle ». || **designer** *id.*

**désigner** 1265, Le Grand (*désinner*) ; XVI^e s. (*désigner*) ; lat. *designare,* de *signum,* signe. || **désignation** XIV^e s., G. ; rare jusqu'au XVII^e s. ; lat. *designatio.* || **désignatif** 1611, Cotgrave ; bas lat. *designativus.* (V. DESSINER.)

**désinence** XIV^e s. ; lat. médiév. *desinentia,* de *desinere,* se terminer. || **désinentiel** XX^e s.

**désinvolte** fin XVII^e s., Saint-Simon ; esp. *desenvuelto,* développé, dégagé ; lat. *dis-* et *involvere,* envelopper. || **désinvolture** 1761, Rousseau (*-ura*) ; 1813, M^me de Staël (*-ure*) ; ital. *desinvoltura.*

***désirer** 1050, *Alexis* ; lat. *desiderare,* chercher, désirer. || **désir** fin XII^e s., Conon de Béthune, déverbal. || **désirable** 1050, *Alexis,* « désireux » ; 1361, Oresme, « digne d'être désiré ». || **désirabilité** 1911, Lar. || **désireux** 1050, *Alexis* (*desidros*) ; XV^e s. (*désireux*). || **indésirable** 1801, Mercier ; vulgarisé, en 1911, par l'aventure d'Abbadie d'Arrast déclaré indésirable au Canada ; adapté de l'angl. *undesirable.*

**désister (se)** 1358, É. Marcel, « renoncer à » ; 1690, Furetière, jurid. ; lat. *desistere,* de *sistere,* être placé. || **désistement** 1564, J. Thierry.

**désœuvré** V. ŒUVRE.

**désoler** 1330, *Baudouin de Sebourg,* « affliger » ; 1355, Bersuire, « ravager » ; lat. *desolare,* laisser seul (*solus*), d'où « dépeupler ». || **désolation** fin XII^e s., *Grégoire,* « action de ravager » ; XIV^e s., « affliction » ; bas lat. *desolatio ;* le sens fig. date du bas lat. d'apr. *consolari,* consoler. || **désolateur** 1516, Lemaire.

**désopiler** 1546, Rab., méd., « déboucher un organe », vulgarisé dans *désopiler la rate,* dégorger la rate, qui, engorgée, cause des humeurs noires ; 1690, Sévigné, « faire rire » ; anc. fr. *opiler,* obstruer (XIV^e s.), du lat. *oppilare.* || **désopilation** 1694, *Acad.* || **désopilant** 1814, Nysten, « qui débouche » ; 1845, Besch., « hilarant ».

**désormais, désosser** V. MAIS, OS.

**despote** fin XII^e s., *Alexandre ;* gr. *despotês,* par le lat. de trad. d'Aristote. || **despotique** 1361, Oresme ; gr. *despotikos.* || **despotiquement** 1361, Oresme. || **despotiser** 1776, d'Holbach. || **despotisme** 1678, Fénelon.

**desquamer** 1836, Landais ; lat. *desquamare,* de *squama,* écaille. || **desquamation** 1752, Trévoux.

**dessein** XV^e s., *Chronique des chanoines de Neuchâtel,* « intention », déverbal de l'anc. fr. *desseigner,* avoir comme dessein, avec infl. de l'ital. *disegno.* (V. DESSINER.)

**dessert, desservir** V. SERVIR.

**dessiccatif** XIV^e s., G. ; bas lat. *dessiccativus,* de *desiccare,* dessécher, *siccus,* sec. || **dessiccation** XIV^e s., Brun de Long Borc ; lat. *dessiccatio.*

**dessiller** V. CIL.

**dessiner** 1559, Amyot (*desseigner*) ; 1664, Pomey (*dessiner*) ; ital. *disegnare,* du lat. *disignare,* de *signum,* signe. || **dessin** 1265, Le Grand, écrit d'abord *dessein* ou *dessin* jusqu'au XV^e s. ; déverbal de *dessiner,* spécialisé au XVIII^e s. sous l'infl. de l'ital. *disegno ; dessin animé,* 1916, *le Temps.* || **dessinateur** 1664, Pomey ; d'apr. l'ital. *disegnatore.* || **redessiner** 1762, Rousseau. (V. DESSEIN.)

**dessous, dessus** V. SOUS, SUS.

**destiner** 1130, *Eneas ;* lat. *destinare,* fixer par le destin (jusqu'au XVII^e s.) ; 1580, Montaigne, « déterminer ». || **destin** 1160, Benoît, « destination », « projet » (jusqu'au XVII^e s.), déverbal de *destiner.* || **destinée** 1131, *Couronn. de Loïs,* part. passé féminin de *destiner.* || **destinataire** 1829, Boiste. || **destination** 1190, *Grégoire ;* lat. *destinatio.*

**destituer** 1322, *Ordonn.,* « écarter, priver de » ; 1482, L., « déposséder d'une place » ; lat. *destituere,* priver de. || **destitution** 1316, G., « privation » ; XV^e s., « dépossession d'une place » ; lat. *destitutio.*

**destrier** V. DEXTRE.

**destroyer** 1893, *Rev. générale des sc.,* croiseur ; 1941, avion ; mot angl., de *to destroy,* détruire.

**destruction** V. DÉTRUIRE.

**désuet** fin XIX^e s. ; lat. *desuetus,* participe passé de *desuescere,* déshabituer, de *suescere,* avoir l'habitude. || **désuétude** 1596, Lecaron ; rare jusqu'au XVIII^e s. ; lat. *desuetudo.*

**détacher, détailler, détaler** V. ATTACHER, TAILLER, ÉTAL.

**détecter** 1948, Lar. ; angl. *to detect,* déceler, lat. *detegere,* découvrir. || **détecteur** *id.* || **détection** 1933, Lar. ; angl. *detection.* || **détective** 1872, J. Verne, mot angl.

**déteindre, dételer** V. TEINDRE, ATTELER.

**détenir** 1138, *Saint Gilles,* comme pronominal, « se retenir de » ; v.t. 1207, Villehardouin ; lat. *detinere,* refait sur *tenir.* || **détenu** XVIII^e s., Voltaire. || **détention** 1287, G., « emprisonnement », rare avant le XVI^e s. ; lat. *detentio.* || **détenteur** 1320, G. (*detemptor*) ; 1344, Varin (*détenteur*). || **codétenteur** XVI^e s., G. || **codétenu** 1858, Peschier.

**détente** V. TENDRE.

**déterger** 1538, Canappe, méd. ; XX^e s., industr. ; lat. *detergere,* nettoyer. || **détergent** 1611, Cotgrave, méd. ; XX^e s., industr., part. prés. || **détersif** 1538, Canappe, méd., XX^e s., industr. ; lat. *detersus,* part. passé de *detergere.* || **détersion** 1560, Paré, méd. ; lat. méd. *detersio.*

**détériorer** 1411, *Coutumes d'Anjou ;* bas lat. *deteriorare,* de *deterior,* pire. || **détérioration** XV<sup>e</sup> s., G. ; rare jusqu'au XVIII<sup>e</sup> s. ; lat. *deterioratio.*

**déterminer** 1119, Ph. de Thaon, du lat. *determinare,* de *terminus,* borne. || **déterminable** fin XII<sup>e</sup> s., « déterminé » ; XVIII<sup>e</sup> s., sens actuel. || **détermination** 1361, Oresme, « précision » ; 1541, Calvin, « résolution » ; lat. *determinatio.* || **déterminatif** 1460, Chastellain, « qui détermine » ; fin XVII<sup>e</sup> s., gramm. || **déterminant** 1662, Pascal. || **déterminisme** 1836, *Acad. ;* allem. *Determinismus,* de même origine. || **déterministe** 1811, Gall. || **indétermination** 1651, Delb. || **indéterminé** 1370, Oresme. || **indéterminable** 1470, *Livre de la disc. d'amour ;* rare jusqu'au XVIII<sup>e</sup> s. || **prédéterminer** 1530, Palsgrave. || **prédétermination** 1636, Dereyroles.

**détersif** V. DÉTERGER.

**détester** fin XIII<sup>e</sup> s., Raymond Lulle, « avoir en horreur » ; lat. *detestari,* prendre les dieux à témoin (*testis*). || **détestable** 1361, Oresme. || **détestation** XIV<sup>e</sup> s., G. ; lat. *detestatio.*

**détoner** 1680, Richelet, « exploser » ; lat. *detonare,* tonner fortement. || **détonation** 1690, Furetière. || **détonateur** 1874, *Journ. officiel.*

**détonner, détour, détourner** V. TON, TOURNER.

**détracteur** XIV<sup>e</sup> s., *Chron. de Flandre,* lat. *detractor,* de *detrahere,* tirer en bas. || **détracter** fin XIV<sup>e</sup> s., « rabaisser ».

**détraquer** 1464, G., « détourner de la voie » ; 1580, Montaigne, fig., « déranger » ; de *dé-* et *trac,* trace. || **détraquement** XVI<sup>e</sup> s., Fr. de Sales.

***détremper** V. TREMPER.

***détresse** 1160, Benoît, « passage étroit » ; fin XII<sup>e</sup> s., *Alexandre,* « étroitesse » ; XIII<sup>e</sup> s., Moniot d'Arras, « angoisse » ; lat. pop. **dĭstrĭctia,* étroitesse, de *distringere,* serrer ; même évolution sémantique que pour *angoisse.* (V. DÉTROIT.)

**détriment** 1236, G., « dommage » ; lat. *detrimentum,* de *deterere,* user en frottant.

**détritus** milieu XVIII<sup>e</sup> s., « débris » ; 1870, Lar., « ordures » ; lat. *detritus,* usé, broyé, part. passé de *deterere,* user en frottant. || **détritique** milieu XIX<sup>e</sup> s.

***détroit** 1080, *Roland* (*-treit*), « défilé » ; milieu XVI<sup>e</sup> s., « bras de mer » ; en anc. fr., fig., « tourment » ; anc. adj. substantivé, du lat. *dĭstrĭctus,* resserré. (V. DÉTRESSE.)

**détrousser** V. TROUSSER.

***détruire** 1080, *Roland ;* lat. pop. **destrugere,* réfection de *destruere* d'après le participe passé *destructus* (v. TRAIRE). || **destruction** 1119, Ph. de Thaon ; lat. *destructio.* || **destructeur** 1420, Delb. ; lat. *destructor ;* il a éliminé *détruiseur* (encore au XVII<sup>e</sup> s.). || **destructif** 1372, G., rare jusqu'au XVII<sup>e</sup> s. ; lat. *destructivus.* || **destructible** 1764, Ch. Bonnet ; lat. sc. *destructibilis.* || **destructibilité** 1739, Desfontaines. || **s'entre-détruire** 1559, Amyot. || **indestructible** fin XVII<sup>e</sup> s., Leibniz. || **indestructibilité** XX<sup>e</sup> s.

***dette** 1160, Benoît ; bas lat. *debita,* pluriel neutre du lat. *debitum,* participe de *debere,* devoir, parfois masc. en anc. fr.

***deuil** X<sup>e</sup> s., *Saint Léger* (*dol*), « douleur » ; XII<sup>e</sup> s. (*duel*) ; XV<sup>e</sup> s. (*dueil*), « douleur causée par une mort » (encore au XVII<sup>e</sup> s.), puis « marques extérieures de la douleur » ; bas lat. *dŏlus* (III<sup>e</sup> s.), de *dŏlēre,* souffrir (v. DOULOIR). || **demi-deuil** 1762, Geoffroy. || **endeuiller** fin XIX<sup>e</sup> s.

**deutéro-,** gr. *deuteros,* deuxième. || **deutéranopie** v. 1950, gr. *ana,* privatif, et *ôps, ôpos,* œil. || **deutérium** XX<sup>e</sup> s. || **deutéronome** XIII<sup>e</sup> s., *Bible,* gr. *nomos,* loi.

***deux** 1080, *Roland* (*deus*) ; lat. *dŭos,* acc. de *duo.* || **deuxième** XIV<sup>e</sup> s., Cuvelier (*deusime*). || **deuxièmement** 1740, *Acad.* || **entre-deux** 1130, *Eneas,* terme d'escrime.

**dévaler** 1155, Wace ; de *val* (v. ce mot). || **dévalement** XIII<sup>e</sup> s.

**dévaluer, devancer, devant** V. VALOIR, AVANT.

**dévaster** X<sup>e</sup> s., *Saint Léger,* rare jusqu'au XVIII<sup>e</sup> s. ; lat. *devastare,* de *vastus,* vide, ravagé. || **dévastation** 1502, d'Authon, rare jusqu'au XVII<sup>e</sup> s. ; lat. *devastatio.* || **dévastateur** 1502, d'Authon ; bas lat. *devastator.*

**développer** V. ENVELOPPER.

***devenir** 1080, *Roland ;* lat. *devenire,* arriver, devenir (en lat. pop.) ; n. m. 1864, L. || **redevenir** fin XII<sup>e</sup> s., Delb.

**dévergondé** 1160, B. de Sainte-Maure ; de *vergonde,* du lat. *verecundia.* || **dévergondement** 1677, Sévigné. || **dévergonder** 1360, Froissart.

**devers, déverser, dévider** V. VERS, VERSER, VIDE.

**dévier** 1361, Oresme ; lat. impér. *deviare,* sortir de la voie (*via*). || **déviation** 1461, *Remon-*

*trances ;* bas lat. *deviatio.* || **déviationnisme** 1956, Lar. || **déviationniste** XXe s.

***devin** 1119, Ph. de Thaon ; lat. pop. **devinus,* de *divinus,* divin, puis devin, de *divus,* dieu. || ***deviner** 1130, *Eneas ;* lat. pop. **devinare,* de *divinare,* prédire, conjecturer. || **devinable** 1845, Besch. || **devineur** 1170, *Livre des Rois.* || **devineresse** 1119, Ph. de Thaon. || **devinette** 1864, *la Vie parisienne,* mot de petite fille.

***deviser** XIIe s., *Roncevaux,* « diviser, partager », puis « disposer, ordonner », et, au fig., « discourir » ; du lat. pop. **divisare,* fréquentatif de *dividere,* partager. || **devis** fin XIIe s., *Couronn. de Loïs,* « division » et « intention » ; 1464, Commynes, « propos » (jusqu'au XVIIe s.) ; XVIe s., L., « description d'un projet ». || **devise** 1130, *Eneas,* « signe distinctif » ; fin XIe s., *Lois de Cuill.,* « action de diviser » ; en anc. fr., spécialisé dans le sens de « blason » ; fin XVe s., H. Baude, « pièce de vers » ; 1668, La Fontaine, « sentence caractéristique » ; 1842, Mozin, « lettre de change ».

***devoir** 842, *Serments* (*dift,* il doit) ; XIe s. (*deveir*) ; lat. *debēre.* || **devoir** n. m. XIIIe s., *Ysopet de Lyon,* infinitif substantivé. || **doit** XVIIIe s., commerce, présent indicatif substantivé. || **dû** XIVe s., *Livre du bon roy Jehan,* « devoir » ; 1668, La Fontaine, « ce que l'on doit » ; part. passé substantivé. || **dûment** 1360, Froissart. || **indu** 1361, Oresme. || **indûment** début XIVe s. || **redevoir** 1130, *Eneas.* || **redevable** fin XIIe s., Reclus de Moiliens. || **redevance** XIIIe s., *Assises de Jérusalem.* (V. DETTE.)

**dévolu** adj. 1354, Bersuire ; n. m. 1549, R. Est., d'abord jurid., lettres de provision sur un bénéfice vacant ; 1697, Regnard, prétention juridique (*jeter son dévolu*), d'où le sens fig. ; lat. *devolutus,* part. passé de *devolvere,* rouler, puis au sens médiév. fig., « faire passer à ». || **dévolution** fin XIVe s., « attribution d'un bénéfice » ; 1690, Furetière, sens actuel ; lat. médiév. *devolutio.* || **dévolutif** XVIe s., Loisel.

**devon** 1907, Lar., « poisson artificiel servant d'appât » ; mot angl., abrév. de *Devonshire,* comté où se pratiquait cette pêche dite « au roulant ». || **dévonien** 1870, Lar., géol., comté angl. où on commença à étudier ces terrains.

**dévorer** 1120, *Ps. d'Oxford ;* lat. *devorare,* de *vorare,* manger avec avidité. || **dévorant** 1340, J. Le Fèvre. || **dévoreur** fin XIIe s., G. || **dévorateur** 1308, Aimé. || **s'entre-dévorer** 1460, G. Chastellain.

**dévot** 1170, *Rois* « pieux » ; 1669, Molière, « bigot » ; lat. *devotus,* dévoué, en lat. eccl. « dévoué à Dieu ». || **dévotement** 1138, *Saint Gilles.* || **dévotieux** 1470, G. || **dévotion** 1160, Benoît, « piété » ; XIVe s., *Ordonn. royale,* « attachement » ; lat. *devotio,* sens eccl., « dévouement à Dieu ».

**dévouer** XIIIe s., *Renart,* « révoquer un vœu » ; 1559, Amyot, sens mod. ; de *vœu,* d'après lat. *devovere.* || **dévoué** 1656, Pascal. || **dévouement** début XIVe s., « vœu » ; XVIe s., « fait d'être victime expiatoire » ; 1690, Furetière, sens mod. (V. VŒU.)

**dévoyer** 1155, Wace, « sortir de la route, du droit chemin » ; de *voie.* || **dévoyé** n. m., 1273, Adenet. || **dévoiement** 1120, *Ps. de Cambridge,* « chemin impraticable » ; XIIIe s., sens psychol. (V. VOIE.)

**dextre** 1080, *Roland,* n. f. (*destre*), « main droite » ; lat. *dextera,* fém. de *dexter,* droit, opposé à *gauche ;* le fr. a eu la forme *destre* jusqu'au XVIe s. ; la forme refaite adj. est du XIVe s. (1361, Oresme). || **dextérité** 1504, Lemaire ; lat. *dexteritas.* || **destrier** 1080, *Roland* (*destrer*) ; XIIe s., *Roncevaux* (*destrier*), repris au XVIIIe s., comme terme hist. ; anc. fr. *destre,* main droite : à l'origine cheval conduit de la main droite par l'écuyer. || **dextrement** 1549, R. Est. || **dextrine** 1833, Biot ; fait tourner le plan de polarisation à droite. || **ambidextre** 1547, Budé ; lat. *ambo,* deux, « qui se sert des deux mains ». || **dextrogyre** 1864, L. ; lat. *gyrare,* faire tourner. || **dextrose** 1898, Lar.

**dey** 1628, de Brèves (*day*) ; 1693, Boulan (*dey*) ; turc *dai,* oncle maternel, puis souverain.

**dia** 1548, N. Du Fail (*diai*) ; 1656, Molière (*dia*) ; onomatopée pour faire aller les chevaux à gauche, anc. forme de *da.*

**diabète** XVe s. (*dya-*), 1539, Canappe (*dyabète*) ; lat. méd. *diabetes,* du gr. *diabêtês,* siphon, à cause de l'écoulement continu d'urine. || **diabétique** XIVe s., *Chir. de Gordon ;* rare jusqu'au XVIIIe s. || **diabétologue** XXe s.

**diable** fin IXe s., *Eulalie* (*diavle*) ; lat. chrét. *diabolus* (IIIe s., Tertullien), du gr. ecclés. *diabolos,* calomniateur. || **diablement** fin XVIe s. || **diablesse** 1320, *Ovide moralisé.* || **diablerie** 1265, J. de Meung. || **diablotin** 1534, Des Périers. || **diabolique** 1180, *Enfances de Vivien ;* lat. chrét. *diabolicus,* du gr. *diabolikos.* || **dia-**

boliquement XVe s., *D. G.* || **diabolo** 1906, *l'Illustration ;* de *diable* (nom de ce jeu en 1825), d'apr. le lat., avec infl. de l'ital. *diavolo.* || **endiablé** XVe s., G., « possédé du diable » ; XVIe s., « infernal », fig. || **endiabler** 1611, Cotgrave.

**diachronie** XXe s. ; gr. *dia,* à travers, et *khronos,* temps. || **diachronique** XXe s.

**diachylon** XIVe s., G. (*diaculon*) ; 1560, Paré (*diachylon*) ; lat. méd. *diachylum,* du gr. *dia khulôn,* au moyen de sucs.

**diaclase** 1870, Lar. géol., gr. *diaklasis,* cassure, de *diaklân,* briser.

**diacode** XVIe s. (*-codion*) ; 1721, Trévoux (*-code*), « sirop à base d'opium » ; lat. méd. *diacodion,* du gr. *dia kôdeiôn,* « au moyen de têtes de pavot ». (V. CODÉINE.)

**diacre** 1170, *Livre des Rois* (*diacne*) ; 1283, Beaumanoir (*diacre*) ; lat. chrét. *diaconus* (IIIe s., Tertullien), du gr. *diakonos,* serviteur. || **diaconal** 1495, J. de Vignay, lat. *diaconalis.* || **diaconat** *id. ;* bas lat. eccl. *diaconatus.* || **diaconesse** 1495, J. de Vignay. || **diaconie** 1611, Cotgrave ; bas lat. ecclés. *diaconia,* charge de diacre. || **archidiacre** XIIe s., Garnier (*arcediakesse*) ; 1534, Rabelais (*archidiacre*). || **sous-diacre** 1190, Marie de France ; bas lat. ecclés. *subdiaconus.*

**diacritique** 1842, *Acad. ;* gr. *diakritikos,* de *diakrinein,* distinguer.

**diadème** fin XIIe s. ; lat. *diadema,* du gr. *diadêma,* bandeau.

**diadoque** fin XIXe s. ; gr. *diadokhos,* successeur.

**diagnostic** n. m., milieu XVIIIe s. ; gr. *diagnôstikos,* apte à reconnaître. || **diagnostique** adj., milieu XVIIIe s. (*diagnostic* ou *-que*). || **diagnostiquer** 1836, Raymond. || **diagnostiqueur** 1870, Lar.

**diagonal** XIIIe s., *Comput ;* bas lat. *diagonalis,* du gr. *diagônios,* ligne reliant deux angles ; n. f. 1561, Delorme. || **diagonalement** 1561, Franco (*-nellement*).

**diagramme** 1584, Du Monin, astronomie ; 1767, Rousseau, mus. ; 1888, Lar. techn. ; gr. *diagramma,* dessin. || **diagraphe** 1836, Landais ; gr. *graphein,* écrire.

**dialecte** 1550, Ronsard ; parfois fém. ; lat. *dialectus,* au fém., du gr. *dialektos,* langage. || **dialectal** 1864, M. Müller. || **dialectalisme** 1933, *Français mod.* || **dialectologie** 1881, enseignement créé à l'École pratique des hautes études. || **dialectologue** fin XIXe s.

**dialectique** 1130, *Eneas,* « art de discuter » ; lat. phil. *dialectica,* du gr. *dialektikê,* discussion ; repris au XIXe s. (1864, L.), « démarche de la pensée » ; adj. 1865, Proudhon, lat. *dialecticus,* du gr. *dialektikos.* || **dialecticien** fin XIIe s., G. || **dialectiquement** 1549, R. Est.

**diallèle** 1762, Rousseau ; gr. *diallêlos tropos,* figure de style réciproque (chiasme).

**dialogue** XIe s. (*-oge*), « conversation » ; 1578, H. Est., « ouvrage littéraire » ; XXe s., « pourparlers » ; lat. *dialogus,* entretien philosophique, du gr. *dialogos,* de *logos,* discours. || **dialoguer** 1717, *Mercure de Fr.,* v.t. ; comme v.i. 1767, Voltaire ; *scène dialoguée,* 1930, Moris, cinéma. || **dialoguiste** 1955, Robert.

**dialyse** 1842, *Acad. ;* gr. *dialusis,* séparation. || **dialyser** 1864, L.

**diamant** 1170, *Floire et Blancheflor ;* bas lat. *diamas,* croisé avec *adamas, -antis,* fer très dur, empr. au gr. (v. AIMANT). || **diamantaire** 1680, Richelet. || **diamanter** 1823, Boiste. || **diamanté** fin XVIIIe s. || **diamantin** 1540, Yver. || **diamantifère** 1856, Lachâtre.

**diamètre** XIIIe s., *Comput ;* lat. *diametrus,* du gr. *diametros,* de *dia,* à travers, et *metron,* mesure. || **diamétral** 1282, Gauchi ; bas lat. *diametralis.* || **diamétralement** 1380, Conty ; 1588, Montaigne, fig.

**diandre** 1798, Richard ; lat. bot. *diandria* (Linné), du gr. *dis,* deux fois, et *anêr, andros,* homme, mâle. || **diandrie** *id.* || **diandrique** *id.*

**diane** 1555, Ronsard ; esp. *diana,* de *día,* jour, indique une sonnerie au lever du jour.

**diantre** 1524, Des Périers, « diable » ; juron, depuis le XVIIe s. (1668, Molière) ; altér. euphémique de *diable.* || **diantrement** 1700, Gherardi.

**diapason** début XIIe s., *Thèbes ;* rare jusqu'au XVIIe s. ; « partie de l'échelle musicale » ; début XVIIe s., « instrument » ; 1691, Regnard, fig. ; lat. *diapason,* du gr. *dia pasôn khordôn,* « par toutes les cordes (de l'octave) ».

**diapédèse** 1560, Paré ; gr. *diapedêsis,* de *dia,* à travers, et *pedân,* jaillir, épanchement de sang à travers les tissus.

**diaphane** 1361, Oresme ; gr. *diaphanês,* de *diaphainein,* laisser entrevoir, par les trad. latines d'Aristote. || **diaphanéité** 1335, Digulleville. || **diaphanoscope** 1908, Lar., gr. *skopein,* examiner.

**diaphorèse** 1741, Col de Vilars ; bas lat. *diaphoresis,* du gr. *diaphorêsis,* transpiration, de *dia,* à travers, et *pherein,* porter. || **diaphorétique** 1372, Corbichon.

**diaphragme** 1314, Mondeville, méd. ; 1690, Furetière, optique ; lat. méd. *diaphragma,* du gr. méd. *diaphragma,* cloison, cartilage. || **diaphragmatique** 1560, Paré.

**diaphyse** 1864, L. ; gr. *diaphasis,* interstice.

**diapositive** 1907, Lar. ; de *dia,* à travers, et *positif.*

**diaprer** 1160, Benoît ; anc. fr. *diaspre,* drap à fleurs, du lat. médiév. *diasprum,* altér. de *jaspis,* jaspe. || **diapré** XIV^e^ s., Du Cange. || **diaprure** 1360, G.

**diarrhée** 1372, Corbichon (*-rrie*) ; 1560, Paré (*-rrhée*) ; lat. méd. *diarrhoea* (III^e^ s., Aurélien), du gr. *diarrhoia,* de *rhein,* couler. || **diarrhéique** 1827, *Acad.* (*-oïque*).

**diarthrose** 1560, Paré ; gr. *diarthrosis,* articulation mobile, de *dia,* au moyen de, et *arthron,* articulation.

**diascope** 1961, Lar. ; gr. *dia,* à travers, et *skopein,* examiner.

**diaspore** 1801, Haüy ; gr. *diaspora,* dispersion, de *diaspeirein,* disséminer, parce que ce corps (l'hydrate d'alumine), exposé au feu, se disperse en parcelles.

**diastase** 1752, Trévoux ; gr. *diastasis,* séparation. || **diastasique** 1859, Cl. Bernard.

**diastole** 1340, Le Fèvre, gramm. ; début XVI^e^ s., anat. (v. SYSTOLE) ; gr. *diastolê,* séparation, intervalle, de *diastellein,* séparer.

**diathermane** 1838, *Acad.* ; gr. *dia,* à travers, et *thermos,* chaleur, c'est-à-dire « qui laisse passer la chaleur ». || **diathermie** 1922, Lar.

**diathèse** 1560, Paré, « disposition de qqn » ; début XX^e^ s., ling. ; gr. *diathesis,* disposition.

**diatomée** 1845, Besch. ; gr. *diatomos,* coupé en deux, de *diatemnein,* partager.

**diatonique** 1361, Oresme ; bas lat. *diatonicus,* du gr. *diatonikos,* de *dia,* à travers, et *tonos,* ton. || **diatoniquement** 1732, Trévoux.

**diatribe** 1558, S. Fontaine, « discussion d'école » ; 1734, Voltaire, « critique virulente » ; lat. *diatriba,* du gr. *diatribê,* exercice d'école.

**diazoïque** 1870, Lar. ; de *di-,* deux fois, et *azote.*

**dichotome** 1752, Trévoux ; gr. *dikhotomos,* coupé en deux, de *temnein,* couper. || **dichotomie** 1754, *Encycl.,* astronomie ; 1907, Lar., « partage illicite d'honoraires » ; gr. *dikhotomia.* || **dichotomique** 1833, Forget.

**dichroïsme** 1842, *Acad.* ; gr. *dikhroos,* de deux couleurs. Indique la propriété de certaines substances de paraître sous plusieurs couleurs. || **dichroïque** 1870, Lar.

**dicline** fin XVIII^e^ s. ; gr. *dis,* deux fois, et *klinê,* lit. Se dit de plantes à fleurs unisexuées.

**dicotylédone** 1782, Bulliard, bot. ; de *di-,* deux fois, et *cotylédon.*

**dicrote** 1754, *Encycl.* ; gr. *dikrotos,* qui heurte deux fois, de *krotos,* bruit.

**dictame** 1130, *Eneas* (*ditan*) ; 1552, Rab. (*dictame*) ; lat. *dictamnum,* du gr. *diktamon,* plante aromatique.

**dicter** 1190, Garnier (*ditier*) ; XV^e^ s. (*dicter,* forme refaite), « lire pour que qqn écrive » ; 1580, Montaigne, « prescrire » ; lat. *dictare,* de *dicere,* dire. || **Dictaphone** 1935, marque déposée ; gr. *phônê,* voix. || **dictée** XII^e^ s., *Livre de la loi au Sarrasin* ; 1680, Richelet, « exercice scolaire », part. passé fém. || **dictateur** 1213, *Fet des Romains,* hist. ; fin XVII^e^ s., polit. ; lat. *dictator,* magistrat extraordinaire à Rome. || **dictatorial** 1777, *Courrier de l'Europe,* d'apr. *sénatorial.* || **dictature** 1355, Bersuire (*dictaturie*) ; 1422, A. Chartier ; lat. *dictatura.*

**diction** 1165, Gautier d'Arras, « expression » (jusqu'au XVII^e^ s.) ; 1653, Pellisson, « style » ; 1850, Balzac, « manière de dire » ; lat. *dictio,* action de dire, sentence. || **dictionnaire** 1501, Vérard ; lat. médiév. *dictionarium.*

**dicton** 1488, *Mer des hist.* ; lat. *dictum,* sentence, écrit d'apr. l'anc. prononciation du latin, de *dicere,* dire.

**didactique** 1554, de Maumont ; gr. *didaktikos,* de *didaskein,* enseigner. || **didactiquement** 1754, *Encycl.* || **didactisme** milieu XIX^e^ s.

**didelphes** 1770, Duchesne ; gr. *dis,* deux fois, et *delphos,* matrice.

**diduction** 1870, Lar. ; lat. *diductio,* séparation, de *diducere,* séparer.

**didyme** 1783, Bulliard, bot. ; gr. *didumos,* jumeau, c'est-à-dire « formé de deux parties accouplées ».

**dièdre** 1783, Romé de l'Isle ; gr. *dis,* deux fois, et *hedra,* plan, base.

**diérèse** 1529, *Traicté de l'art d'orth.* ; lat. gramm. *diaeresis,* du gr. *diairesis,* division.

**dièse** 1551, Le Roy, fém. jusqu'au XVIIe s., puis masc. d'apr. *bémol, bécarre* ; lat. *diesis,* du gr. *diesis,* intervalle. || **diéser** 1704, Montéclair (*-é*).

**diesel** 1929, Lar. ; du nom de l'inventeur de ce moteur à combustion interne (1858-1913). || **diéséliser** 1957, Lar.

1. **diète** 1256, Ald. de Sienne, « régime de nourriture » ; 1512, Cl. de Seyssel, « régime d'abstinence » ; lat. méd. *diaeta,* du gr. *diaita,* genre de vie. || **diététique** 1560, Paré ; lat. *diaeteticus,* du gr. *diaitêtikos.* || **diététicien** XXe s.

2. **diète** début XVIe s., « assemblée politique » ; lat. médiév. *dieta,* jour d'assemblée, puis assemblée ; de *dies,* jour, pour traduire l'allem. *Tag* (jour) en ce sens.

***dieu** 842, *Serments* (*deo*) ; XIe s. (*deu*) ; XIIe s. (*dieu*) ; lat. *dĕus,* dieu. || **adieu** XIIe s., *Mort de Garin,* interj. ; on recommandait son interlocuteur à Dieu en prenant congé ; n. m. 1588, Montaigne. || **corbleu** XIIe s., Renaud (*carbieu*), juron par le *corps de Dieu.* || **demi-dieu** XIIIe s., calque du lat. *semideus* et du gr. *hemitheos.* || **jarnidieu (-bleu)** 1611, Cotgrave, juron qu'aurait affectionné Henri IV, *je renie Dieu.* || **morbleu** XVe s., La Curne (*morbieu*) ; 1612, *D. G.,* juron par la *mort de Dieu,* altér. en *mordienne, mordieu* (1540, Rab.). || **palsambleu** 1540, Rab., juron *par le sang de Dieu.* || **parbleu** 1553, Rab., juron *par Dieu.* || **sacrebleu,** 1808, Wailly, altér. de *sacrédieu* (XIVe s.), *par le sacre de Dieu* (XIVe s.). || **têtebleu** 1657, Loret, par la *tête de Dieu.* || **tudieu** 1537, Des Périers, par la *vertu de Dieu.* || **ventrebleu** XVe s., *Franc Archet de Bagnolet,* par le *ventre de Dieu.* || **déesse** 1130, *Eneas* ; lat. *dea,* avec suffixe féminin. || **déicide** 1585, Fr. Feuardent, « meurtre de Dieu » ; XVIIe s., Bourdaloue, « meurtrier de Dieu » ; lat. chrét. *deicida* (deuxième sens), fait d'apr. *homicida.* || **déifier** 1265, J. de Meung ; lat. *deificare.* || **déification** 1375, R. de Presles ; lat. *deificatio.* || **déisme** 1657, Pascal. || **déiste** 1564, Viret. || **déité** 1119, Ph. de Thaon (*deitet*) ; 1190, Garnier (*déité*) ; lat. chrét. *deitas* (IVe s., saint Augustin).

**diffamer** 1265, J. de Meung ; lat. *diffamare,* décrier ; de *dis-,* dispersion, et *fama,* renommée. || **diffamateur** 1460, *Mystère du siège d'Orléans,* adj. ; 1495, J. de Vignay, n. m. || **diffamation** XIIIe s. ; bas lat. *diffamatio,* action de divulguer. || **diffamatoire** 1400, M. de Baye.

**différer** 1314, Mondeville, « être dissemblable » ; 1355, Bersuire, « retarder, éloigner dans l'accomplissement » ; lat. *differre,* être différent, retarder. || **différé** n. m. milieu XXe s., radio. || **différence** 1160, Benoît ; lat. *differentia.* || **différent** 1360, Froissart ; lat. *differens.* || **différend** 1360, Froissart (écrit d'abord *différent*), var. orth. || **différemment** 1361, Oresme. || **différencier** 1395, Chr. de Pisan ; v. pron. 1851, Sainte-Beuve. || **différenciation** 1808, Cuvier. || **différenciateur** début XXe s. || **différentiel** XVIe s., relatif aux différences techniques ; début XVIIIe s., math. ; XIXe s., *tarif, seuil différentiel* ; bas lat. *differentialis.*

**difficile** début XIVe s., pour qqch ; 1587, La Noue, « exigeant » ; lat. *difficilis.* || **difficilement** 1539, R. Est. || **difficulté** XIIIe s. ; lat. *difficultas.* || **difficultueux** 1584, Guevaere, d'apr. *majestueux.*

**diffluent, difforme** V. AFFLUER, FORME.

**diffraction** 1666, *Journ. des savants* ; lat. scientifique *diffractio,* d'après *diffractus,* de *diffringere,* briser en sens divers. || **diffringent** 1738, *Mém. Acad.,* du part. prés. *diffringens.* || **diffracter** 1842, *Acad.* || **diffractif** 1864, L.

**diffus** 1361, Oresme, « disséminé » ; 1690, Furetière, « qui délaie sa pensée » ; lat. *diffusus,* de *diffundere,* répandre. || **diffusément** 1361, Oresme. || **diffusible** milieu XIXe s. || **diffuser** XVe s., J. Castel, « répandre » ; rare jusqu'au XIXe s. || **diffusion** 1586, Crespet, « fait de se répandre » ; 1772, Rousseau, « verbosité » ; lat. impér. *diffusio.* || **diffuseur** 1899, Lar.

**digérer** 1361, Oresme, « calmer la colère », « mettre en ordre » (jusqu'au XVIIe s.) ; XIVe s., « faire la digestion » ; 1460, Chastellain, « endurer » ; lat. *digerere,* distribuer. || **digestion** 1265, J. de Meung, « répartition » ; 1361, Oresme, sens physiologique ; lat. *digestio.* || **digestif** XIIIe s., adj. ; n. m. 1560, Paré, « onguent » ; 1835, *Acad.,* « liqueur » ; part. passé *digestus.* || **digestible** 1374, G. de la Bigne, rare jusqu'au XVIIIe s. || **digest** v. 1948, « abrégé » ; angl. *digest,* du lat. *digesta.* || **digeste** 1880, Flaubert, d'après *indigeste.* || **indigeste** 1270, Mahieu le Vilain, « qui n'est pas digéré » ; 1588, Montaigne, « qui digère mal » ; 1501, *Jardin de Plaisance,* « difficile à comprendre » ; lat. *indigestus,* de *digerere.* || **indigestion** XIIIe s., *Simples Médecines* ; 1686, Sévigné, fig. ; lat. *indigestio.* || **indigestionner** 1873, Goncourt.

**digital** V. DOIGT.

**digne** 1050, *Alexis ;* lat. *dignus.* || **dignement** 1196, J. Bodel. || **dignifier** 1606, Nicot. || **dignité** 1080, *Roland* (*deintié*) ; 1190, Garnier (*dignité*) ; lat. *dignitas.* || **dignitaire** 1752, Trévoux. || **indigne** fin XII^e s., *Grégoire* (*en-*) ; lat. *indignus.* || **indignement** fin XII^e s., *Grégoire.* || **indigner** 1355, Bersuire, « braver » ; 1611, Cotgrave, sens actuel ; a remplacé l'anc. fr. *endeignier,* lat. *indignari.* || **indignation** 1120, *Ps. d'Oxford ;* lat. *indignatio.* || **indignité** début XV^e s. ; lat. *indignitas.* (V. aussi DAINTIER.)

**digression** 1190, Garn. ; lat. *digressio,* de *digredi,* s'éloigner. || **digressif** 1870, Lar.

**digue** 1303, Du Cange (*diic*) ; 1360, Froissart (*digue*) ; moyen néerl. *dijc.* || **contre-digue** fin XVI^e s. || **endiguer** 1827, *Acad. ;* 1870, Lar., fig. || **endiguement** 1827, *Acad. ;* 1864, L., fig.

**diktat** XX^e s., mot allem. signif. « ce qui est ordonné », du lat. *dictare,* dicter.

**dilapider** 1220, Coincy ; lat. *dilapidare,* de *dis-,* division, et *lapidare,* lapider. || **dilapidateur** 1432, Lannoy. || **dilapidation** milieu XV^e s. ; bas lat. *dilapidatio.*

**dilater** 1361, Oresme, comme v. pron. ; v.t. 1580, Montaigne ; lat. *dilatare,* étendre, de *latus,* large. || **dilatable** XVI^e s., Huguet. || **dilatation** 1314, Mondeville ; lat. *dilatatio.*

**dilatoire** 1283, Beaumanoir, jurid. ; 1851, Poitevin, sens général ; lat. *dilatorius,* de *differre,* différer. || **dilation** 1294, G. ; lat. *dilatio.*

**dilection** 1160, Benoît ; lat. *dilectio,* de *diligere,* chérir. || **prédilection** 1460, Chastellain, d'un emploi plus étendu.

**dilemme** 1578, d'Aubigné ; lat. *dilemma,* du gr. *dis,* deux fois, et *lêmma,* argument.

**dilettante** 1740, de Brosses, « amateur de musique italienne » ; 1885, Hugo, sens actuel ; mot ital. signif. « amateur d'art », part. prés. de *dilettare,* délecter. || **dilettantisme** 1821, Castil-Blaze, « amour de la musique » ; v. 1850, Baudelaire, sens actuel.

**diligent** fin XII^e s., « soigneux » et « zélé » ; lat. *diligens,* de *diligere,* aimer. || **diligence** fin XII^e s., « soins empressés » (jusqu'au XVII^e s.) ; XIII^e s., « rapidité » ; 1464, Commynes, « empressement » ; lat. *diligentia ;* 1680, Richelet, « voiture publique », de *voiture de diligence.* || **diligemment** 1218, Novare. || **diligenter** 1464, Commynes, « presser ».

**diluer** XV^e s., G. ; rare jusqu'au XIX^e s. ; lat. *diluere,* détremper. || **dilution** 1836, Landais.

**diluvien** 1764, *D. G. ;* lat. *diluvium,* déluge. || **diluvial** 1864, L. || **antédiluvien** 1750, abbé Prévost ; angl. *antediluvian* (1646, Th. Browne).

***dimanche** 1119, Ph. de Thaon (*diemanche*) ; fin XIII^e s., Joinville (*dimanche*) ; lat. chrét. *dies dŏminica,* jour du seigneur, avec dissimilation **didominicus* entraînant la chute du second *d ;* l'anc. fr. *diemenche* s'explique par une variante *dia* pour *dies.* || **endimancher** XVI^e s., J. de La Taille. || **endimanchement** av. 1850, Balzac.

***dîme** XII^e s., G. (*disme*) ; fém. lat. *dĕcima pars* (déjà impôt du dixième, à Rome), de *decimus,* dixième. || **dîmer** 1155, Wace. || **dîmeur** 1241, G.

**dimension** 1425, O. de La Haye ; lat. *dimensio,* de *dimetiri,* mesurer en tous sens, de *dis-* et *metiri,* mesurer. || **dimensionnel** 1877, L.

**diminuer** 1308, G. ; 1464, Commynes, « tempérer » ; lat. *diminuere,* de *minus,* moins. || **diminué** 1677, Sévigné, « amoindri intellectuellement ». || **diminuendo** 1838, *Acad.* || **diminution** XIII^e s. ; lat. *diminutio.* || **diminutif** 1380, Conty, gramm. ; lat. *diminutivus.*

**dimissoire** 1680, Richelet, relig. ; lat. ecclés. *dimissorius,* qui renvoie, de *dimittere,* renvoyer.

**dinandier** fin XIII^e s., La Curne ; de *Dinant,* ville de Belgique célèbre par ses cuivres. || **dinanderie** 1387, G.

**dinar** 1870, Lar. ; mot ar., lat. *denarius,* denier, gr. *dênarion.*

**dinde** 1600, O. de Serres, abrév. de *poule d'Inde* (1548, Rab.), désignant la pintade ou poule d'Abyssinie. Le mot *Inde* (occidentale) désigne ici le Mexique, où le dindon fut découvert par les Espagnols (1520). || **dindon** 1600, O. de Serres. || **dindonneau** 1680, Richelet. || **dindonnière** 1650, Scarron. || **dindonner** 1828, Vidocq, au fig.

***dîner** v. i. 1131, *Couronn. de Loïs* (*disner*) ; n. m. début XII^e s., *Voy. de Charlemagne ;* lat. pop. **disjunare,* rompre le jeûne ; à l'origine, le repas du matin, puis, par glissement progressif d'horaire, le déjeuner, enfin le dîner. || **dînée** 1668, La Fontaine. || **dînette** XVI^e s. || **dîneur** 1609, Régnier. || **dînatoire** fin XVI^e s., Béroalde de Verville, auj. seulement dans *déjeuner dînatoire* (1811, Wailly). || **après-dîner** 1362, Froissart. (V. JEÛNE.)

**dinghy** 1870, Lar. ; mot angl., de l'hindi *dingi.*

**dinguer** 1833, Vidal-Delmart, rac. onom. *dan-, din-,* exprimant un balancement. || **dingo**

1907, Esnault, même orig. ; il a pu subir l'infl. de *dingo* (1870, Lar.), chien d'Australie (mot indigène d'Australie). || **dingue** 1915, Esnault.

**dinornis** 1870, Lar. ; lat. scientif. *dinornis*, gr. *deinos*, effrayant, et *ornis*, oiseau.

**dinosaure** 1845, Besch. ; gr. *deinos*, qui inspire la crainte, l'étonnement, et *saura*, lézard.

**diocèse** fin XIIe s., fém. en anc. fr. (jusqu'au XVIe s.) ; lat. *diœcesis*, étendue d'une juridiction au sens eccl., du gr. *dioikêsis*, administration. || diocésain milieu XIIIe s.

**diogot** 1796, *Encycl. méth.* ; russe *djogot'*, sorte de poix ou de goudron.

**dioïque** 1768, Bomare (*dioïke*) ; lat. bot. *diœcia*, créé par Linné, du gr. *dis*, deux fois, et *oikia*, maison ; les fleurs mâles et femelles de cette classe de végétaux étaient sur des pieds distincts.

**dionée** 1786, *Encycl. méth.* ; lat. bot. *dionaea*, plante de Dioné, mère de Vénus.

**dionysiaque** 1762, *Acad.* ; bas lat. *dionysiacus*, du gr. *dionusiakos*, de *Dionusos* (Bacchus).

**dioptre** 1547, J. Martin ; gr. *dioptron*, miroir, « ce qui sert à voir (*orân*) au travers (*dia*) ». || **dioptrie** 1888, Lar. || **dioptrique** 1637, Descartes.

**diorama** 1822, *D. G.*, installé par Daguerre à Paris, formé d'apr. *panorama*, avec le préfixe *dia*, à travers.

**diorite** 1817, Haüy ; gr. *diorizein*, distinguer, cette roche étant formée de parties distinctes.

**diphtérie** 1821, Bretonneau (*diphtérite*) ; 1855, Trousseau (*-ie*) ; gr. *diphtera*, membrane. || **diphtérique** 1837, Raciborski.

**diphtongue** 1220, Coincy (*ditongue*) ; 1497, *D. G.* (*dytongue*) ; 1690, Furetière (*diphtongue*) ; lat. gramm. *diphtongus*, masc., du gr. *diphtongos*, double son. || **diphtonguer** 1550, Meigret. || **diphtongaison** 1864, L.

**diplodocus** 1888, Lar. ; gr. *diplos*, double, et *dokos*, poutre, à cause de sa forme.

**diploé** 1539, Canappe ; gr. *diploê*, chose double. Terme d'anat. désignant un tissu spongieux compris entre les deux lames de tissu compact des os de la voûte du crâne.

**diplôme** XVIIe s. (*-mat*), « décret » ; 1732, Richelet, « acte officiel » ; 1829, Boiste, « ce qui confère un titre » ; lat. *diploma*, du gr. *diplôma*, tablette pliée en deux. || **diplomatique** n. f., 1681, Mabillon ; adj., 1708, Lallement, « relatif aux chartes » ; 1726, Dumont, *corps diplomatique* ; lat. scientif. *diplomaticus*. || **diplomate** 1792, *le Défenseur de la Constitution*. || **diplomatie** 1791, Linguet, d'apr. les mots du type *aristocratie, -ate*. || **diplômé** 1841, *Français peints par eux-mêmes*. || **diplômer** 1878, Lar. || **diplomatiquement** 1788, *Courrier de l'Europe*.

**dipneuste** 1888, Lar. ; lat. scientif. *dipneusta*, gr. *dis*, deux fois, et *pneîn*, respirer.

**dipsomanie** 1864, L. ; gr. *dipsa*, soif, et *mania*, folie.

**diptère** 1694, Th. Corn., adj., architecture ; lat. *dipterus*, du gr. *dipteros*, « qui a deux ailes » (*pteron*) ; n. m., zool., 1791, *Encycl. méth.* ; lat. scientif. *diptera*.

**diptyque** fin XVIIe s., Du Pin, « tablette double » ; 1838, *Acad.*, « tableau à deux volets » ; bas lat. *diptycha*, pl. neutre, « tablettes pliées en deux », du gr. *diptukhos*, plié en deux.

***dire** 980, *Valenciennes* ; lat. *dicĕre*. || **dire** n. m., XIIIe s. || **diseur** 1233, G., « juge » ; 1361, Oresme, « phraseur » ; 1530, Marot, « qui récite » || **dédire** 1155, Wace, « désavouer » ; 1580, Montaigne, pronominal, « ne pas tenir sa parole ». || **dédit** fin XIIe s., *Roman de Renart*, part. passé. || **indicible** XIVe s. (*indisible*) ; 1470, *Livre de la discipline d'amour* ; lat. médiév. *indicibilis*, « qui ne peut être dit ». || **médire** fin XIe s., *Chanson de Guillaume* (*mesdire*), avec préfixe *mes-*. || **médisance** 1559, Amyot. || **médisant** 1155, Wace. || **on-dit** 1752, Trévoux || **qu'en-dira-t-on** 1650, Loret. || **redire** 1130, *Eneas* ; *trouver à redire* XVIIe s. || **redite** fin XIVe s., E. Deschamps || **soi-disant** XVe s. ; comme adv. 1834, Béranger. || **susdit** 1318, G. (*surdit*) ; XVe s. (*susdit*) ; *sus* a ici le sens de *ci-dessus*. (V. aussi CONTREDIRE, MAUDIRE, PRÉDIRE.)

**direct** XIIIe s., G., rare jusqu'au XVIe s. ; boxe début XXe s. ; lat. *directus*, sans détour, de *dirigere*, diriger. || **directeur** fin XVe s. ; lat. *director*. || **direction** 1372, Oresme, « action de diriger » ; 1834, Ségur, « côté où on va » ; lat. *directio*. || **directif** 1282, Gauchy. || **directionnel** 1953, Lar. || **directive** n. f., 1888, Lar. || **directivité** XXe s.. || **directoire** XVe s., G., « qui est destiné à diriger » ; 1798, *Acad.*, polit. || **directorial** XVIIe s. ; 1796, Lallement, polit. ; 1829, Boiste, sens actuel. || **directorat** 1672, Ménage. || **codirecteur** 1842, *Acad.* || **indirect** début XVe s. || **directement** XIVe s., G. || **indirectement** 1507, Delb.

**diriger** 1495, J. de Vignay ; lat. *dirigere,* de *regere,* guider || **dirigeant** 1835, *Acad.* || **dirigeable** adj. 1787, Féraud ; n. m. 1885, *l'Aéronaute,* abrév. de *ballon dirigeable.* || **dirigiste** 1930, Lar. || **dirigisme** 1948, Lar. || **indirigeable** 1789, Proschwitz.

**dirimant** 1701, Furetière ; part. prés. lat. de *dirimere,* annuler.

**discerner** 1226, *Cout. d'Artois,* « séparer » (jusqu'au XVIIe s.) ; 1355, Bersuire, « distinguer » ; lat. *discernere,* séparer. || **discernement** début XVIe s., « distinction, séparation » (jusqu'au XVIIe s.) ; 1640, Corn., sens actuel. || **discernable** milieu XVIe s., Tagault. || **indiscernable** 1582, d'Agneaux.

**disciple** 1175, Chr. de Troyes (*deciple*) ; XIVe s. (*disciple*) ; lat. *discipulus,* disciple du Christ (lat. eccl.).

**discipline** 1080, *Roland,* « massacre » ; 1120, *Ps. d'Oxford,* « châtiment » ; 1355, Bersuire, « règles, ordre » ; lat. *disciplina,* règles de vie, de *discipulus,* disciple. || **discipliner** 1190, Garnier, « châtier » ; 1361, Oresme, sens actuel. || **disciplinaire** 1611, Cotgrave, rare jusqu'au XIXe s. || **disciplinable** fin XIVe s. || **indiscipline** 1501, Le Roy. || **indiscipliné** 1361, Oresme. || **indisciplinable** 1530, Laigue.

**discobole, discontinu, disconvenir** V. DISQUE, CONTINU, CONVENIR.

**discorde** 1130, *Eneas ;* lat. *discordia,* de *discord,* en mésentente. || **discordant** 1130, *Job ;* part. prés. de l'anc. fr. *descorder,* du lat. *discordare,* être en désaccord. || **discordance** 1160, Benoît, « dissension » ; 1704, Regnard, mus. ; réfection de l'anc. fr. *descordance* (XIIe s.). || **discord** 1304, G., en désaccord, lat. *discors.*

**discourir** fin XIIe s., *Grégoire* (*discurre*) ; 1539, R. Est. (*-courir*), d'apr. *courir ;* lat. *discurrere,* aller de côté et d'autre, au fig. « discourir » en bas lat. || **discoureur** 1542, Marg. de Navarre. || **discours** 1534, Des Périers ; lat. *discursus* au sens bas lat., refait sur *cours.* || **discursif** 1551, Du Parc ; lat. scolast. *discursivus,* de *discursus.* || **discursivité** XXe s.

**discourtois, discrédit** V. COURTOIS, CRÉDIT.

**discret** 1160, Benoît, « avisé, capable de discerner » ; 1640, Corn., sens actuel ; lat. *discretus,* séparé, au sens médiév. « capable de discerner », de *discernere,* discerner. || **discrètement** 1160, Benoît. || **discrétion** 1160, Benoît, « discernement » ; 1666, Molière, sens actuel ; lat. *discretio.* || **discrétionnaire** 1794, Frey || **discrétionnel** 1780, *Courrier de l'Europe.* || **indiscrétion** fin XIIe s., *Grégoire,* « manque de jugement » ; 1588, Montaigne, sens actuel ; lat. *indiscretio.* || **indiscret** 1360, Froissart, « intempestif » ; 1587, *Satires,* sens actuel ; lat. *indiscretus.* || **indiscrètement** 1370, Oresme.

**discriminant** 1877, L. ; bas lat. *discriminans,* de *discriminare,* de *crimen,* point de séparation. || **discrimination** 1870, Ribot. || **discriminatoire** v. 1950. || **discriminer** 1897, Marillier ; lat. *discriminare.*

**disculper** 1674, Bouhours ; réfection, d'apr. le lat. *culpa,* faute, de l'anc. fr. *descoulper* (XIIe s.), de *coulpe,* faute, péché. || **disculpation** fin XVIIe s., Boileau.

**discursif** V. DISCOURIR.

**discuter** XIIIe s. ; lat. *discutere,* écarter, dissiper, et, en bas lat. « discuter » ; *discuter de* 1829, Boiste. || **discutable** 1791, Frey. || **discutailler** XIXe s. || **discutaillerie** début XXe s. || **discutailleur** 1850, Balzac. || **discuteur** av. 1450, Gréban ; rare jusqu'au XIXe s. || **discussion** 1120, *Job ;* lat. *discussio,* secousse, et, en bas lat. « vérification, discussion ». || **indiscutable** 1836, Raymond.

**disert** 1321, de Picquigny ; lat. *disertus,* « qui parle avec facilité ». || **disertement** 1282, Gauchy.

**disette** XIIIe s., *Chans. d'Antioche* (*disiete*), fin XIIIe s., Tailliar (*disette*) ; orig. douteuse, peut-être du gr. *disekhtos,* année bissextile, année malheureuse. || **disetteux** 1213, Villehardouin.

**diseur, disgrâce, disjoindre** V. DIRE, GRÂCE, JOINDRE.

**disloquer** 1549, R. Est., « déboîter » ; 1580, Montaigne, « séparer » au fig. ; lat. médiév. *dislocare,* du lat. *delocare,* de *locus,* lieu (enlever du lieu), qui a remplacé la forme pop. *deslouer* (XIIe s., G.). || **dislocation** 1314, Mondeville, méd. ; 1580, Montaigne, fig.

**disparaître, disparition** V. PARAÎTRE.

**disparate** adj., début XVIIe s. ; n. f., av. 1674, Chapelain ; esp. *disparate,* n. m., lat. *disparatus,* inégal, de *disparare,* séparer.

**dispatcher** 1948, Lar. ; mot angl., de *to dispatch,* répartir. || **dispatching** 1948, Lar. ; mot angl. signif. « expédition, mise en route ».

**dispendieux** 1737, *Mémoires de Trévoux ;* lat. *dispendiosus,* nuisible, de *dispendium,* dépense, frais, de *dispendere,* partager. || **dispendieusement** 1843, Landais.

**dispensaire** 1573, Liébault, « recueil de formules de pharmacie » ; 1775, *Journ. anglais,* « établissement hospitalier anglais » ; 1827, *Acad.,* en parlant de la France ; angl. *dispensary,* de *to dispense,* distribuer. (V. DISPENSER.)

**dispenser** 1283, Beaumanoir, « accorder une dispense » ; XVIe s., Amyot, « autoriser à ne pas faire » ; lat. *dispensare,* distribuer, en lat. eccl. « faire une faveur ». || **dispensable** 1536, M. Du Bellay. || **dispense** XVe s., Basselin ; déverbal de *dispenser.* || **dispensateur** 1190, Garnier ; lat. *dispensator.* || **dispensation** 1170, *Rois ;* lat. *dispensatio.* || **indispensable** 1654.

**disperser** 1458, *Mystère du Vieil Testament ;* lat. *dispersus,* part. passé de *dispergere,* répandre çà et là. || **dispersement** 1877, *le Temps.* || **dispersif** milieu XIXe s. || **dispersion** XIIIe s., G. ; rare jusqu'au XVIIe s. ; bas lat. *dispersio,* dispersion, destruction.

**dispos** 1465, Delb. ; ital. *disposto,* en bonne disposition ; lat. *dispositus,* disposé, francisé d'après *poser.*

**disposer** 1180, *Enfances Vivien,* « arranger » ; *disposer de* 1298, Varin ; adaptation, d'apr. *poser,* du lat. *disponere,* régler. || **disposition** 1130, *Job,* « état d'esprit » ; XVe s., « action d'arranger » ; 1541, Calvin, « usage » ; lat. *dispositio.* || **dispositif** 1314, Mondeville, adj., méd. ; n. m. 1690, Furetière ; lat. *dispositus,* part. passé de *disponere.* || **disponible** XIVe s., *Traité d'alchim. ;* lat. médiév. *disponibilis.* || **disponibilité** 1492, G., rare jusqu'au XVIIIe s. ; au pl. 1864, L. || **indisposer** début XVe s., Gerson (*indisposé*) ; 1700, Trévoux (*indisposer*). || **indisposition** 1459, *Lettres de Louis XI.* || **indisponible** 1752, Trévoux. || **indisponibilité** 1827, *Acad.* || **prédisposer** XVe s., Delb. || **prédisposition** 1798, *Acad.*

**disputer** 1170, *Livre des Rois,* « discuter de » ; 1637, Descartes, « débattre » ; 1651, Corn., « quereller » ; lat. *disputare,* discuter. || **dispute** fin XVe s., « discussion » ; 1665, Molière, « querelle », déverbal. || **disputailler** 1596, Vigenère. || **disputeur** XIIIe s., G. || **disputation** 1464, Commynes, « discussion » ; 1541, Calvin, « joute oratoire ».

**disqualifier** V. QUALIFIER.

**disque** 1556 Du Choul, « palet » ; 1690, Furetière, « surface d'un astre » ; début XXe s., sens techn. ; lat. *discus,* palet circulaire, gr. *diskos.* || **discobole** 1556, Du Choul, « lanceur de disque » ; 1817, Cuvier, nom de poisson ; gr. *diskobolos,* lanceur de disque. || **discothèque** 1932, Lar., d'apr. *bibliothèque.* || **discophile** 1932, Lar. || **disquaire** 1949, Lar.

**dissection** V. DISSÉQUER.

**disséminer** 1503, Chauliac, « répandre la semence » et « disperser » ; rare jusqu'au XVIIIe s. ; lat. *disseminare,* de *semen, -inis,* semence. || **disséminateur** 1675, Le Gallois. || **dissémination** 1674, Le Gallois ; lat. *disseminatio.* || **disséminement** fin XVIIIe s.

**dissentir** V. SENTIR.

**disséquer** 1578, R. Le Baillif ; lat. *dissecare,* de *secare,* couper. || **dissection** 1538, Canappe ; 1771, Trévoux, fig. ; lat. *dissectio.* || **dissecteur** 1680, Richelet. || **disséqueur** 1655, Fernel.

**disserter** fin XVIIe s., Saint-Simon ; lat. *dissertare,* de *disserere,* enchaîner à la file. || **dissertation** 1645, Patin, « discussion, développement » ; 1864, L., « exercice scolaire » ; lat. *dissertatio.* || **dissertateur** 1724, Marivaux ; lat. *dissertator.*

**dissident** 1539, Canappe, « séparé », anat. ; 1767, Diderot, relig. ; début XXe s., polit. ; lat. *dissidens,* part. prés. de *dissidere,* de *sedere,* s'asseoir. || **dissidence** XVe s., rare avant le XVIIIe s. ; lat. *dissidentia,* même évolution.

**dissimiler, dissimuler** V. ASSIMILER, SIMULER.

**dissiper** XIIIe s., *Bible,* « anéantir en dispersant » ; 1580, Montaigne, « dépenser, gaspiller » ; 1671, Sévigné, « laisser aller son esprit » ; lat. *dissipare,* disperser. || **dissipation** début XVe s., « dispersion » ; 1680, Sévigné, « distraction » ; lat. *dissipatio.* || **dissipateur** 1392, E. Deschamps.

**dissocier** 1495, *Mir. historial,* « distinguer » ; 1838, *Acad.,* « séparer » ; lat. *dissociare,* de *socius,* allié. || **dissociable** 1580, Montaigne. || **dissociabilité** 1793, Brunot, « corruption ». || **dissociation** XVe s., La Curne.

**dissoner** V. SONNER.

**dissoudre** 1190, Saint Bernard, fig. ; XIVe s., *Nature à l'alchimie,* sens propre ; adaptation du lat. *dissolvere,* d'apr. *absoudre.* || **dissolu** 1190, Saint Bernard ; lat. *dissolutus,* au fig., part. passé. || **dissolution** XIIe s., *D. G.,* « mort » ; 1240, G. de Lorris, « dérèglement des mœurs » ; 1370, Le Bel, « décomposition » ; 1636, Monet, « absorption d'un liquide » ; 1361, Oresme, « désagrégation » ; 1314, Mondeville, au propre ; lat. *dissolutio.* || **dissolvant** 1580, Joubert. || **dissoluble** XIIIe s. || **dissolubi-**

lité 1757, *Annales de chimie.* || **indissoluble** 1495, J. de Vignay ; lat. *indissolubilis.* || **indissolublement** 1471, *Lettres de Louis XI.* || **indissolubilité** 1609, Brunot.

**dissuader** 1355, Bersuire ; lat. *dissuadere,* de *suadere,* persuader. || **dissuasion** *id.* ; lat. *dissuasio.* || **dissuasif** XX^e^ s.

**dissyllabe** V. SYLLABE.

**distant** 1361, Oresme ; lat. *distans,* part. prés. de *distare,* de *stare,* être debout, se tenir ; 1829, Stendhal, « qui observe les distances », d'après l'angl. || **distance** 1265, J de Meung ; lat. *distantia.* || **distancer** 1361, Oresme, v. i., « être éloigné de » ; v. t., 1838, *Acad.,* dans une course ; d'après angl. *to distance.* || **distanciation** v. 1950.

**distendre** V. TENDRE.

**distiller** XIII^e^ s., *Psautier,* « couler goutte à goutte » ; XIV^e^ s., *Nature à l'alchimie,* « opérer la distillation » ; 1660, Boilon, fig. ; lat. *distillare,* dégoutter, de *stilla,* goutte. || **distillateur** milieu XVI^e^ s., Palissy. || **distillation** fin XIV^e^ s. ; lat. *distillatio.* || **distillatoire** 1560, Paré. || **distillerie** fin XVIII^e^ s.

**distinguer** milieu XIV^e^ s. ; lat. *distinguere,* séparer, différencier. || **distingué** 1671, Fléchier, « qui a de la distinction ». || **distinguo** 1578, H. Est. ; lat. scolast., 1^re^ pers. sing. ind. prés. « je distingue ». || **distinct** 1308, Aimé ; lat. *distinctus.* || **distinctement** XIII^e^ s., G. || **distinctif** 1314, Mondeville. || **distinction** 1170, *Livre des Rois,* « action de distinguer » ; 1670, Bossuet, « marque honorifique » ; av. 1850, Balzac, « manières élégantes » ; lat. *distinctio.* || **indistinct** XV^e^ s. ; lat. *indistinctus.* || **indistinctement** 1495, J. de Vignay.

**distique** 1510, *D. G.* (*distichon*) ; 1549, R. Est. (*distique*), versification ; lat. *distichon,* du gr. *distikhon,* de *dis,* deux fois, et *stikhos,* vers.

**distome** fin XIX^e^ s., du gr. *dis,* deux fois, et *stoma,* bouche ; le *distome* a deux suçoirs.

**distordre** 1560, Paré ; lat. *distorquere,* tordre, tourner. || **distors** 1842, Mozin ; lat. *distorsus,* part. passé de *distorquere,* tordre. || **distorsion** 1538, Canappe ; lat. *distorsio.*

**distraire** 1361, Oresme, « tirer en sens divers » ; XVI^e^ s., « amuser » ; adaptation du lat. *distrahere,* de *trahere,* tirer, d'après *traire.* || **distraction** 1335, G., « action d'écarter » ; fin XVI^e^ s., « séparation » ; 1686, M^me^ de Sévigné, « amusement » ; lat. *distractio.* || **distrait** 1662, Corn., part. passé de *distraire.* || **distraitement** 1870, Lar. || **distrayant** 1539, R. Est.

**distribuer** 1248, *Charte de Namur* (*des-*) ; 1355, Bersuire (*dis-*) ; lat. *distribuere.* || **distribuable** fin XVI^e^ s., d'Aubigné. || **distributeur** 1361, Oresme ; bas lat. *distributor.* || **distributif** *id.* ; bas lat. *distributivus.* || **distribution** 1307, Guiart, « contribution » ; XVI^e^ s., « répartition » ; XIX^e^ s., techn. ; lat. *distributio.* || **distributionnel** v. 1960. || **redistribuer** 1690, Furetière. || **redistribution** *id.*

**district** début XV^e^ s., « circonscription administrative » ; 1789, date de la loi, « subdivision de département » ; lat. *districtus,* fortement attaché, part. passé substantivé de *distringere* ; il a éliminé l'anc. fr. *détroit.*

**dithyrambe** 1540, Rab., « poème » ; 1864, L., « éloge exagéré » ; lat. *dithyrambus,* du gr. *dithurambos,* poème lyrique à la louange de Dionysos. || **dithyrambique** 1553, Ronsard, littér. ; 1870, Lar., « élogieux avec excès » ; lat. *dithyrambicus,* du gr. *dithurambikos.*

**dito** 1723, Savary ; ital. *ditto,* ce qui vient d'être dit (anc. var. toscane de *detto,* part. passé de *dire*).

**diurèse** 1750, Prévost ; lat. méd. *diuresis,* du gr. *diourêsis,* de *ourein,* uriner. || **diurétique** XIV^e^ s., G. ; lat. méd. *diureticus,* du gr. *diourêtikos.*

**diurne** 1425, de La Haye ; rare jusqu'au XVII^e^ s. ; lat. *diurnus,* de jour, de *dius,* forme archaïque de *dies,* jour. || **diurnal** fin XVII^e^ s., Huet ; bas lat. *diurnalis,* de *diurnus.* Désigne un livre de prières contenant l'office du jour.

**diva** 1835, Gautier ; mot ital. signif. « déesse », hyperbole appliquée aux cantatrices, du lat. *diva,* fém. de *divus,* divin. || **divette** 1888, Lar.

**divaguer** début XVI^e^ s., « s'écarter de la vérité » ; 1560, G. Postel, « aller sans but » ; 1864, L., « délirer » ; bas lat. *divagari,* de *vagari,* errer. || **divagation** fin XVI^e^ s., Fr. de Sales, « action de s'écarter » ; 1845, Besch., « fait de déraisonner ». || **divagateur** 1838, *Acad.*

**divan** 1558, G. Postel, « conseil des Turcs » ; 1653, La Boullaye, « estrade à coussins » ; 1742, Havard, « canapé » [repris à l'arabe] ; turc *dīwān,* mot persan signif. « registre de comptabilité », puis bureau administratif, département ministériel.

**dive** 1546, Rab. (*dive bouteille*), express. plaisante ; lat. *diva,* fém. de *divus,* divin.

**diverger** début XVIIIe s., phys. (opposé à *converger*) ; 1798, Lallement, fig. ; lat. *divergere,* incliner. || **divergent** début XVIIe s., phys. ; 1792, Lallement, fig. ; lat. *divergens,* même évolution. || **divergence** *id.*, phys., 1865, Proudhon, fig. ; lat. *divergentia.*

**divers** 1080, *Roland ;* lat. *diversus,* opposé, part. passé de *divertere ;* en bas lat. a signifié « varié ». || **diversement** 1119, Ph. de Thaon. || **diversité** 1160, Benoît, « singularité » ; 1190, Marie de France, « variété » ; lat. *diversitas.* || **diversifier** XIIIe s.. G. de Metz ; bas lat. *diversificare.* || **diversification** fin XIIIe s., Végèce. || **diversion** 1314, Mondeville, méd. ; 1587, La Noue, milit. ; 1580, Montaigne, fig. ; bas lat. *diversio.*

**diverticule** XVe s., G., « recoin » ; 1870, Lar., anat. ; bas lat. *diverticulum,* de *divertere,* détourner.

**divertir** XVe s., *Perceforest,* « détourner » (jusqu'au XVIe s.) ; 1580, Montaigne, « détourner de ses occupations » ; lat. *divertere,* de *vertere,* se tourner. || **divertissant** 1637, Tristan l'Hermite. || **divertissement** 1494, G., « détournement » ; 1649, Scarron, sens mod.

**divette, dividende** V. DIVA, DIVISER.

**divin** 1119, Ph. de Thaon (*devin*) ; 1361, Oresme (*divin*) ; 1613, M. Régnier, « merveilleux » ; lat. *divinus.* || **divinement** 1327, *Mir. hist.* || **diviniser** fin XVIe s., Fr. de Sales. || **divinité** 1119, Ph. de Thaon, « théologie » ; 1647, Descartes, « nature divine » ; lat. *divinitas.* || **divination** 1212, Anger (*devi-*) ; XIVe s., G. (*divi-*) ; 1796, Staël, « prescience » ; lat. *divinatio.* || **divinateur** XVe s. ; bas lat. *divinator.* || **divinatoire** 1380, Conty.

**divis** V. DIVISER.

**diviser** 1190, Saint Bernard ; rare jusqu'au XVIe s. ; réfection de l'anc. fr. *deviser,* lat. *dividere,* diviser. || **division** 1120, *Ps. d'Oxford ;* 1580, Montaigne, « désunion » ; 1690, Furetière, milit. ; lat. *divisio.* || **divisible** 1361, Oresme ; bas lat. *divisibilis* || **divisibilité** XVe s., *Catholicon.* || **divisionnaire** 1797, *Encycl. méth.*, milit. || **diviseur** 1213, *Fet des Romains,* « agent répartiteur » ; 1484, Chuquet, math. ; début XXe s., « qui désunit » ; lat. *divisor.* || **dividende** début XVIe s., J. Peletier, math. ; 1770, Raynal, sens financier, souvent fém. ; lat. *dividendus,* qui doit être divisé. || **divis** 1374, G. (*par divis*) ; lat. *divisus,* part. passé de *dividere.* || **indivis** 1349, G. ; lat. *indivisus.* || **indivision** XVIe s., Delb. ; rare jusqu'en 1801 (Mercier) ; d'apr. *division.* || **indivisible** 1314, Mondeville ; 1765, *Encycl.,* droit ; bas lat. *indivisibilis.* || **indivisibilité** 1380, *Aalma* (*indivisibleté*) ; début XVIe s. (*indivisibilité*), « indissolubilité du mariage » ; 1691, Brunot, sens actuel ; 1790, polit. || **indivisiblement** 1470, *Livre de la discipl. d'amour.*

**divorce** XIVe s., G., hist. et « séparation » (jusqu'au XVIIIe s.) ; 1792-1816, établissement légal du divorce ; lat. *divortium,* séparation, de *dis,* en sens contraire, et *vertere,* tourner. || **divorcé** milieu XVIIIe s. || **divorcer** XIVe s., Boutillier ; 1826, Chateaubriand, fig.

**divulguer** XIVe s., G. ; lat. *divulgare,* de *vulgare,* propager, de *vulgus,* peuple. || **divulgation** 1510, Marg. de Valois ; lat. *divulgatio.* || **divulgateur** XVIe s., L. ; bas lat. *divulgator.*

**divulsion** milieu XVIe s., Amyot ; lat. *divulsio,* de *divellere,* arracher. || **divulseur** 1878, Lar., participe lat. *divulsus.*

***dix** 1080, *Roland* (*dis*) ; lat. *dĕcem.* || **dixième** 1196, J. Bodel (*diseme*) ; milieu XVIe s. (*dixième*). || **dixièmement** début XVIe s. || **dix-sept, dix-huit, dix-neuf** 1170, *Rois* (*dis e set, e uit, e nuef*). || **dix-septième** *id.* (*dis e setime*) ; XVIe s. (*dix-septième*). || **dix-huitième** *id.* (*dis e uitime*) ; XVIe s. (*dix-huitième*). || **dix-neuvième** *id.* (*dis e noime*) ; 1539, R. Est. (*dix-neufième*). || **dizain** XVe s., Delb. || **dizaine** 1515, Lortie (*dizeine*). || **dizenier** XVe s., *D. G.*

**djebel** 1870, Lar. ; mot ar. signif. « montagne ».

**djellaba** 1870, Lar. ; mot ar.

**djinn** 1671, Bernier (*djen*) ; 1674, Thévenot (*djinn*) ; mot arabe signif. « démon ».

**do** 1767, Rousseau ; ital. *do,* syllabe arbitrairement choisie, comme plus sonore pour remplacer *ut.*

**docile** 1495, J. de Vignay ; lat. *docilis,* de *docere,* enseigner. || **docilement** 1642, Oudin. || **docilité** 1480, Meschinot ; lat. *docilitas.* || **indocile** 1490, Saint-Gelais ; lat. *indocilis,* rebelle. || **indocilité** début XVIIe s., Montlyard ; bas lat. *indocilitas.*

**docimasie** 1754, *Encycl. ;* gr. *dokimasia,* épreuve, enquête, de *dokimos,* essayé. || **docimologie** v. 1950 ; gr. *dokimê,* essai, et *logos,* science.

**dock** 1671, Seignelay, pour l'Angleterre ; 1679, *id.* (*dogue qui doit être construit à Brest*) ; 1864, L. (*dock*) ; mot angl. du néerl. *docke,* bassin. || **docker** 1899, Bourdeau.

**docte** 1532, Rab. ; lat. *doctus,* part. passé de *docere,* instruire. || **doctement** 1549, R. Est. || **doctissime** 1558, Blondel ; superl. lat. *doctissimus.* || **docteur** 1160, Benoît, « docteur de la loi » ; fin XIIe s., grade universitaire, pour remplacer *maître* (*magister*) devenu trop commun (première réception de docteur en 1140, à Bologne ; puis à Paris, d'abord pour le droit, ensuite pour la théologie) ; le sens de « médecin » (1460, Villon) a prévalu au XIXe s. || **doctoral** 1378, Le Fèvre. || **doctorat** 1575, Belleforest ; lat. médiév. *doctoratus.* || **doctoresse** XVe s., Delb., plaisant jusqu'au XIXe s. ; 1855, *Rev.,* femme médecin.

**doctrine** 1160, Benoît, « enseignement », sens conservé jusqu'au XVIIe s. ; 1688, La Bruyère, sens actuel ; lat. *doctrina,* éducation, de *docere,* instruire. || **doctrinaire** XIVe s., L., « abstrait » ; 1787, polit. || **doctrinairement** 1864, L. || **doctrinarisme** 1834, Boiste. || **doctrinal** fin XIIe s., R. de Moiliens ; lat. *doctrinalis.* || **endoctriner** 1170, *Rois.* || **endoctrinement** XVe s., « enseignement ».

**document** 1212, Fr. Anger, « enseignement » (jusqu'au XVIIe s.) ; 1690, Furetière, « renseignement » ; XXe s., pièce officielle ; lat. *documentum,* de *docere,* enseigner. || **documenter** 1769, Dixmérie. || **documentation** 1877, L. || **documentaire** 1876, *J.O.* ; *film documentaire,* 1924, *la Science et la Vie ;* n. m. 1929, A. Gance. || **documentaliste** v. 1950. || **documentariste** 1949, Lar., « auteur de films documentaires ».

**dodeca-,** gr. *dôdeka,* douze. || **dodécaèdre** milieu XVIe s. ; gr. *dôdekaedron,* de *edra,* face. || **dodécagone** 1690, Furetière ; gr. *gônia,* angle. || **dodécaphonisme** 1948, Lar. || **dodécaphoniste** XXe s. || **dodécaphonie** 1955, *Combat.* || **dodécaphonique** v. 1950. || **dodécasyllabe** 1555, Peletier ; gr. *dôdekasullabos.*

**dodeliner** 1532, Rab. ; onom. *dod-* exprimant le balancement. || **dodelinement** 1611, Cotgrave. || **dodiner** XIVe s., de La Tour-Landry, v. i. ; 1690, Furetière, v. pr. || **dodinage** 1775, Béguillet. || **dodinement** milieu XVIe s.

**dodo** 1440, Ch. d'Orléans ; formation expressive, redoublement de l'initiale de *dormir,* avec infl. de *dodiner.*

**dodu** fin XVe s. ; onom. *dod.* (V. DODELINER.)

**dog-cart** 1860, Bonnafé ; mot angl. signif. « charrette à chiens ».

**doge** 1487, Lengherand ; ital. de Venise *doge,* du lat. *dux, ducis,* chef. || **dogaresse** 1691, Misson, remplaçant *dogesse* (fin XVIIe s., Saint-Évremond) ; ital. *dogaressa.*

**dogme** 1580, Montaigne, « thèse » ; 1679, Bossuet, relig. ; lat. eccl. *dogma,* du gr. *dogma,* opinion, de *dokein,* croire. || **dogmatique** 1537, Canappe ; bas lat. *dogmaticus,* du gr. *dogmatikos.* || **dogmatiser** XIIIe s. *Miracle de saint Éloi ;* bas lat. eccl. *dogmatizare,* établir en dogme, du gr. *dogmatizein.* || **dogmatiste** 1558, S. Fontaine ; bas lat. *dogmatista,* du gr. *dogmatistês.* || **dogmatisme** 1580, Montaigne.

**dogre** 1678, Seignelay ; néerl. *dogger,* bateau de pêche.

**dogue** 1398, E. Deschamps ; angl. *dog,* chien (v. BOULEDOGUE). || **doguin** 1611, Cotgrave. || **doguer (se)** 1680, Richelet.

***doigt** fin XIe s., *Lois de Guill.* (*deï*) ; XIIIe s., Du Cange (*doit*) ; 1360, Froissart (*doigt*), refait sur le lat. ; lat. pop. **dĭtus,* contraction de *dĭgitus.* || **doigtier** XIVe s., *Registre du Châtelet* (*doitier*) ; XVIe s. (*doigtier*). || **doigté** 1798, *Acad.,* du verbe *doigter* (début XVIIIe s.), disparu. || **digital** 1732, Winslow, adj. ; lat. *digitalis,* de *digitus,* doigt. || **digitale** 1545, Guéroult, plante en forme de doigt. || **digitaline** 1831, Balzac. || **digitiforme** 1842, *Acad.* || **digitigrade** 1817, Cuvier ; lat. *gradi,* marcher.

**dol** milieu XIIIe s. ; lat. *dolus,* ruse. || **dolosif** 1864, L. ; lat. *dolosus.* || **dolosivement** 1626, Delb.

**dolage, doleau** V. DOLER.

**dolce** 1767, Rousseau, mus. ; mot ital. signif. « doux ».

**doléance** fin XIIe s., *Grégoire* (*douliance*) ; XVe s. (*doléance,* réfection de *douliance*) ; de *douloir,* souffrir, lat. *dolere.* || **dolent** 1050, *Alexis ;* lat. pop. **dolentas,* de *dolens, -tis,* de *dolere,* souffrir. || **dolemment** 1175, Chr. de Troyes (*dolentement*) ; 1642, Oudin (*dolemment*). || **dolenter (se)** 1834, Landais. || **indolent** 1590, Sully, « insensible » ; XVIIe s., « apathique » ; bas lat. *indolens,* « qui ne souffre pas ». || **indolence** XIVe s.

**doler** 1170, *Rois ;* lat. *dŏlare,* façonner. || **dolage** 1364, G. || **doleau** 1751, *Encycl.* || ***doloire** 1160, *Charroi* (*doleoire*) ; 1596, Hulsius (*doloire*) ; lat. **dŏlatŏria,* pl. neutre devenu fém. en lat. pop.

**dolichocéphale** 1842, Betzius ; gr. *dolikhos,* long, et *kephalê,* tête.

**doline** 1906, Lar. ; slave *dole,* bas, creux.

**dolique** XVIe s. (*-che*) ; 1796, *Encycl. méth ;* lat. *dolichos,* du gr. *dolikhos,* haricot.

**dollar** 1773, *Courrier de l'Europe,* mot anglo-américain ; bas allem. *daler,* allem. *Thaler.*

**dolman** 1537, Saint-Blancard (*doloman*) ; 1560, Postel (*doliman*) ; 1763, Rousseau, « manteau militaire » ; 1835, *Acad.,* sens actuel ; allem. *Dolman,* du turc *dolāmān,* par le hongrois *dolmany.*

**dolmen** 1809, Chateaubriand (*dolmin*) ; du breton *taol, tol,* table, et *men,* pierre.

**doloire** V. DOLER.

**dolomite** 1792, Saussure ; du nom de *Dolomieu* (1750-1801), qui a découvert cette roche. || **dolomitique** 1864, L.

**dolorisme** V. DOULEUR.

***dom** 1080, *Roland* (*dam*), « sire » ; XVIe s., titre de religieux refait d'apr. le lat. ; 1594, *Satire Ménippée,* titre espagnol ; lat. *dominus,* seigneur, qui précéda, antérieurement à *sanctus,* les noms de saints à l'époque carolingienne (cf. noms de lieux : *Dampierre,* etc.).

**domaine** fin XIe s., *Lois de Guill.* (*demaine*) ; XIVe s. (*domaine*) ; milieu XIXe s., fig. ; bas lat. *dominium,* propriété, de *dominus,* maître. || **domanial** XVIe s., G. ; bas lat. *domanialis.* || **domanialité** 1839, Boiste.

1. **dôme** XVe s., Desrey, « cathédrale italienne » ; ital. *duomo,* du lat. *domus,* maison, au sens eccl. « maison de Dieu ».

2. **dôme** 1600, O. de Serres (*dosme*), « coupole » ; prov. *doma,* du bas lat. *doma,* terrasse d'une maison, du gr. *dôma,* maison, qui a désigné un type de toiture venu d'Orient.

**domestique** 1398, *Ménagier,* adj. ; lat. *domesticus,* de la maison (*domus*) ; n. m. 1539, *Doc.* || **domestiquer** 1492, Tardif. || **domestication** 1836, Raymond. || **domesticité** 1583, Huguet, condition de domestique ; 1792, Beaumarchais, ensemble de domestiques ; bas lat. *domesticitas.*

**domicile** 1360, Froissart ; lat. *domicilium,* de *domus,* maison. || **domicilier** début XVIe s., v. i. ; 1680, Richelet, v. t. || **domiciliaire** 1540 *Coutumier.* || **domiciliation** 1907, Lar.

**dominer** fin Xe s., *Saint Léger ;* XVIe s., fig., lat. *dominare,* de *dominus,* maître. || **domination** 1120, *Ps. d'Oxford ;* lat. *dominatio.* || **dominateur** 1282, Gauchy ; lat. *dominator.* || **dominant** 1282, Gauchy. || **dominance** XVIe s. || **prédominant** fin XIVe s. || **prédominer** 1580, Montaigne. || **prédominance** 1595, Champaignac, rare jusqu'au XIXe s.

**dominicain** 1546, Saint-Gelais ; nom de saint *Dominique,* fondateur de l'ordre (propr. *Frères prêcheurs*).

**dominical** 1417, G. ; bas lat. *dominicalis.* (V. DIMANCHE.)

**dominion** 1872, *J. O. ;* mot angl. signif. « puissance, domination » ; appliqué au Canada en 1867.

**domino** début XVIe s., « camail de prêtre à capuchon » ; 1665, Colletet, « robe à capuchon et loup pour bal masqué », puis le loup lui-même ; 1771, Trévoux, « jeu de dominos », d'apr. l'envers noir comparé au loup ; peut-être abrév. de *benedicamus domino,* « bénissons le seigneur », qui a pu être une appellation eccl. plaisante d'un manteau ; il a pris aussi le sens de « papier peint ou imprimé » (1690, Furetière), de filiation obscure. || **dominotier** 1532, Rab. || **dominoterie** 1690, Furetière.

**dommage** 1080, *Roland* (*damage*), avec un passage de *am-* à *om-,* dû à l'anc. fr. *dongier,* danger ; 1207, Villehardouin, fig. ; dér. ancien de *dam,* qu'il a remplacé. || **dommageable** 1314, Mondeville (*damageable*) ; 1361, Oresme (*domageable*). || **dédommager** 1283, Beaumanoir. || **dédommagement** 1367, *D. G.* || **endommager** 1160, Benoît. || **endommagement** XIIIe s.

***dompter** 1155, Wace (*donter*) ; 1355, Bersuire (*dompter*) ; la graphie *-pt-* date du Moyen Âge ; lat. *domitare.* || **domptage** 1870, Lar. || **domptable** XIIe s. || **dompteur** 1213, *Fet des Romains.* || **indompté** 1525, J. Lemaire. || **indomptable** 1420, Delb.

1. ***don** V. DONNER.

2. **don** XVe s. (*doint*) ; 1594, *Satire Ménippée* (*dom*) ; 1606, Nicot (*don*), mot esp. ; lat. *dominus,* maître. || **doña** 1650, Corn. (*donne*) ; 1864, L. (*dona*) ; esp. *doña,* féminin de *don,* du lat. *domina.*

**donacie** 1791, *Encycl. méth.,* insecte ; lat. scientif. *donacia,* du gr. *donak, donakos,* roseau.

**donation** V. DONNER.

***donc** 980, *Valenciennes* (*dunc*) ; XII^e^ s. (*donc*), lat. impér. *dunc,* croisement entre *dumque,* forme allongée de *dum,* allons ! (dans *agedum*), et *tunc,* alors.

**dondon** 1579, H. Est. (*domdom*), onom. exprimant un balancement (V. DODELINER).

***donjon** 1130, *Eneas ;* lat. pop, **dŏm(i)nio, -onis,* tour du seigneur, de *dominus,* seigneur. || **donjonné** 1669, Vulson.

**don Juan** 1814, Jouy, héros d'une pièce de Molière (1665), devenu le type du séducteur. || ***donjuanesque** 1851, Nerval. || **donjuanisme** 1869, Sainte-Beuve.

***donner** 842, *Serments* (*dunar*) ; X^e^ s. (*doner*) ; XIII^e^ s. (*donner*) ; lat. *donare,* gratifier, qui a éliminé *dare* en bas lat. de Gaule. || **donnant** 1864, L. (*donnant donnant*). || ***don** 1080, *Roland ;* 1361, Oresme « talent » ; lat. *donum.* || **donation** 1264, G., lat. *donatio ;* il a éliminé la forme pop. *donaison* (encore en 1642, Oudin). || **donataire** XIV^e^ s. *Songe du vergier ;* lat. *donatorius.* || **donateur** 1320, G. ; lat. *donator.* || **donne** 1732, Trévoux, terme de jeu. || **donnée** 1279, G., distribution d'argent ; XVII^e^ s., sens actuel. || **donneur** 1120, *Ps. d'Oxford.* || **adonner (s')** fin XII^e^ s., Gautier d'Arras ; lat. pop. **addonare.* || **maldonne** 1827, Lebrun. || **redonner** 1120, *Ps. de Cambridge.*

**don Quichotte** av. 1834, Béranger, redresseur de torts, de Don Quichotte, héros d'un roman de Cervantès (1605). || **donquichottisme** v. 1850.

***dont** fin IX^e^ s., *Eulalie ;* lat. pop. *de-unde,* renforcement de *unde ;* d'où extension d'emploi en fr., où il a été aussi interrogatif.

**donzelle** 1130, *Eneas,* « demoiselle » ; 1645, Scarron, péjor. (repris à l'ital.) ; anc. prov. *donzela,* même mot que *demoiselle.*

**doper** 1907, Lar. ; angl. *to dope,* faire prendre un excitant. || **dopage** début XX^e^ s. || **dope** v. 1950, par l'anglais. || **doping** 1903, *Sport univ.,* part. prés. angl. signif. « drogue, stupéfiant ».

**dorade** 1525, A. Fabre (*daurade*) ; 1539, R. Est. (*dorade*) ; prov. *daurada,* dorée.

**dorême** 1786, *Encycl. méth.* (*-ène*) ; lat. bot. de Linné *dorema,* du gr. *dôrêma,* présent, à cause des propriétés bienfaisantes de la plante.

**dorénavant** 1160, *Tristan* (*d'or en avant*) ; 1573, Chesneau (*dorénavant*) ; anc. fr. *ore, or,* maintenant, et *avant.*

***dorer** XII^e^ s., *Roncevaux,* lat. impér. *deaurare* (III^e^ s., Tertullien), renforcement de *aurare* (v. OR). || **dorage** 1752, Trévoux. || **doré** 1080, *Roland.* || **dorure** 1167, Gautier d'Arras. || **doreur** début XIV^e^ s., *Livre de la taille de Paris.* || **doroir** 1680, Richelet. || **dédorer** fin XIII^e^ s. || **mordoré** 1669, L. (*more doré*). || **redorer** 1328, Delb. || **surdorer** 1361, *D. G.*

**dorique** 1545, *D. G. ;* lat. *doricus,* du gr. *dorikos,* de *Dôris,* Doride.

**doris** 1808, Boiste, « mollusque » ; lat *Doris,* gr. *Dôris,* divinité mythologique ; 1874, *Rev. Deux Mondes,* « barque » ; mot anglo-américain.

**dorloter** XIII^e^ s. sens actuel, et « friser » (jusqu'au XVI^e^ s.) ; anc. fr. *dorelot,* boucle de cheveux ; peut-être de l'anc. refrain *dorelo.* || **dorlotement** 1675, Widerhold.

***dormir** 1080, *Roland ;* lat. *dormīre.* || **dormant** 1678, Guillet, n. m. techn. || **dormeur** XIV^e^ s. || **dormitif** 1545, Guéroult. || **dormition** 1450, Gréban ; lat. *dormitio.* || **endormir** 1080, *Roland.* || **endormeur** 1299, *D. G.* || **endormant** XVI^e^ s., G. || **rendormir** 1170, *Floire et Blancheflor.*

**doronic** 1425, O. de La Haye (*deronic*) ; 1694, Tournefort (*doronic*) ; lat. médiév. *doronicum,* de l'ar. *daraunidj.*

**dorsal** 1314, Mondeville ; lat. médiév. *dorsalis,* lat. *dorsualis.* || **dorsale** v. 1950, océanographie. (V. DOS.)

***dortoir** fin XII^e^ s., *R. de Cambrai,* « dortoir de couvent » ; lat. *dormitorium,* chambre à coucher, de *dormire,* dormir.

**doryphore** 1752, Trévoux, « porte-lance » ; 1827, *Académie,* « coléoptère d'Amérique », d'apr. les bandes noires des élytres ; lat. *doryphorus,* du gr. *doruphoros,* de *pherein,* porter, et *doru,* lance.

***dos** 1080, *Roland ;* sens techn. à partir du XV^e^ s. ; lat. pop. **dossum,* du lat. class. *dorsum,* avec assimilation *rs,* qui s'appliquait surtout aux animaux et qui s'est substitué à *tergum.* || **dos-d'âne** XV^e^ s., Du Cange. || **dossard** 1909, *L. M.* || **dosse** XIV^e^ s., Du Cange. || **dosseret** 1360, Froissart. || **dossier** XIII^e^ s., « partie postérieure d'un siège » ; 1680, Richelet, « liasse de pièces » qui porte une étiquette au dos. || **dossière** 1268, É. Boileau. || **adosser** 1155, Wace, « renverser sur le dos », « appuyer sur le dos ». || **ados** 1160, Benoît (*adoub*), « soutien » ; XVII^e^ s., La Quintinie, « plate-bande » ; déverbal de *adosser.* || **adossement** début XV^e^ s.

|| **endosser** début XII^e s. *Voy. de Charl.* « mettre sur le dos » ; 1600, *Édit,* sens commercial. || **endos** 1599, Delb. || **endosse** XV^e s., G. || **endossage** fin XIII^e s., Rutebeuf. || **endossement** XIV^e s., action de mettre sur le dos ; 1596, Poiton, sens commercial. || **endosseur** 1664, *Déclaration de janvier,* sens commercial. || **extrados** 1680, Richelet. || **extradosser** *id.* || **intrados** 1704, *Acad. des sc.* || **surdos** 1680, Richelet.

**dose** 1462, *Cent Nouvelles nouvelles ;* lat. médiév. *dosis,* du gr. *dosis,* action de donner. || **doser** 1534, Des Périers. || **dosage** 1812, *Encycl. méth.* || **dosable** v. 1850. || **doseur** 1915, Lar. || **dosimètre** 1888, Lar.

**dot** fin XII^e s., G. ; rare jusqu'au XVI^e s. ; lat. jurid. *dos, -tis,* don, de *dare,* donner ; usité d'abord dans le Midi et le Lyonnais, pays de droit écrit où s'était conservé le régime dotal. || **dotal** milieu XV^e s. ; lat. *dotalis.* || **doter** XIII^e s., Adenet ; rare jusqu'au XVI^e s. ; lat. *dotare* (v. DOUER). || **dotation** 1325, *Cartulaire ;* lat. *dotatio.*

**douaire** 1130, *Eneas* (*doaire*) ; XIII^e s., Rutebeuf (*douaire*) ; lat. médiév. *dotarium,* de *dos, dotis,* dot, francisé d'après *douer.* || **douairière** milieu XIV^e s. ; fém. de l'anc. fr. *douairier,* qui a un douaire.

**douane** 1372, Corbichon ; anc. ital. *doana* (ital. *dogana*), de l'ar. *diouān,* bureau de douane, venu du persan (v. DIVAN). || **douanier** n. m., milieu XVI^e s. ; 1836, Landais, adj. || **douaner** 1675, Savary. || **dédouaner** 1901, Lar. ; 1948, Lar., fig. || **dédouanage, -anement** 1901, Lar.

**douar** 1628, de Brèves (*-art*) ; 1637, Davity (*-ard*) ; rare jusqu'au XIX^e s. ; ar. maghrébin *dwār.*

***double** 1080, *Roland* (*duble*) ; XII^e s. (*double*), adj. ; lat. *dŭplus ;* n. m. XII^e s., *Lois de Guill. ; en double* 1690, Furetière. || **doublé** XIV^e s., garni d'une doublure. || **doubler** 1170, *Rois,* rendre double ; 1771, Trévoux, garnir de doublure ; 1552, Rab., « franchir » ; 1912, *Ciné-Journal,* cinéma ; lat. impér. *duplare* (III^e s., Ulpien). || **doubleur** 1700, *Arrêt du Conseil.* || **doubleau** 1268, É. Boileau, « double » ; 1676, Félibien, archit. || **doublement** adv., 1167, Gautier d'Arras. || **doublement** m., 1298, G. || **doublet** XII^e s., *Athis,* « robe de dessous » ; gramm. 1835, *Acad.* || **doublon** XIII^e s., G., « chose double ». || **doublure** 1376, *Mandement ;* 1849, Besch. au théâtre. || **doublage** début XV^e s., action de doubler ; 1919 *la Cinématographie fr.* || **double-fond** XX^e s. || **dédoubler** 1429, Delb. ; rare jusqu'au XVIII^e s. ; v. pr. 1870, Lar. || **dédoublement** fin XVII^e s., Saint-Simon ; *de la personnalité* XX^e s. || **redoubler** 1220, Coincy, v. i. ; 1379, J. de Brie, v. t. ; *redoubler une classe* 1875, Lar. || **redoublement** XIV^e s. || **redoublant** n. m., 1875, Lar.

1. **doublon** V. DOUBLE.

2. **doublon** 1594, *Satire Ménippée,* monnaie esp. ; esp. *doblón,* de *doble,* double d'un écu.

**douceâtre, douceur** V. DOUX.

**douche** 1588, Montaigne, « gargouille » ; 1640, Oudin (*douge*), « jet d'eau » ; XX^e s., sens actuel ; ital. *doccia.* || **doucher** 1642, Oudin. || **doucheur** 1687, Huet.

**doucine, douelle** V. DOUX, DOUVE 1.

***douer** fin XII^e s., *R. de Cambrai,* « doter » (jusqu'au XVII^e s.) ; 1265, J. de Meung, « pourvoir de qualités » ; lat. *dotare,* doter (V. DOT).

1. **douille** 1398, *Ménagier ;* francique **dulja* (moyen haut allem. *tülle*).

2. **douille** 1858, Esnault, argot « argent ». || **douiller** *id.* « payer ».

**douillet** 1361, Oresme, « mou » ; 1690, Furetière, sens actuel ; dimin. de l'anc. fr. *doille, douille,* lat. *ductilis,* malléable. || **douillette** (de prêtre) 1803, Wailly, fém. || **douillettement** 1370, Machaut. (V. DUCTILE, ANDOUILLE.)

***douleur** 1080, *Roland* (*dulur*) ; lat. *dolorem,* de *dŏlōr, -oris.* || ***douloir** 980, *Valenciennes ;* lat. *dŏlēre,* souffrir (v. DOLÉANCE). || ***douloureux** 1080, *Roland* (*dulurus*) ; bas lat. *dolorōsus,* refait sur *douleur.* || **douloureuse** 1880, Esnault, note à payer, pop. || **doloriste** début XX^e s. || **dolorisme** 1919, Souday.

**douro** 1845, Besch., monnaie ; esp. *peso duro,* poids d'argent.

***douter** 1080, *Roland,* « craindre » (jusqu'au XVII^e s.) ; XII^e s. « hésiter » ; lat. *dŭbĭtāre,* douter. || **doute** 1050, *Alexis ; sans doute* XIII^e s. || **douteur** 1273, Adenet. || **douteux** 1120, *Ps. d'Oxford.* || **douteusement** 1160, Benoît. || **dubitation** 1220, Coincy ; lat. *dubitatio.* || **dubitatif** 1314, Mondeville ; bas lat. *dubitativus.* || **indubitable** XV^e s., du lat. *indubitabilis.* || **indubitablement** XV^e s., Tardif. || **redouter** 1050, *Alexis,* craindre. || **redoutable** fin XII^e s., *Grégoire.* || **douteur** 1760, Voltaire.

1. ***douve** 1160, Benoît, « fossé » ; 1196, Bodel, « planche d'un tonneau » ; lat. impér. *dōga,* vase (III^e s., Vopiscus), du gr. *dokhê,*

récipient. || **douvain** 1491, Delb. || **douelle** 1296, G. (*doelle*) ; anc. fr. *doue,* autre forme de *douve.*

2. ***douve** XI^e s., « ver trématode » ; 1564, J. Thierry, « renoncule des marais qui passait pour engendrer ce ver » ; bas lat. *dolva* (V^e s., Eucherius).

***doux** 1080, *Roland* (*dulz*) ; XVI^e s. (*doux*) ; lat. *dŭlcis.* || **doucement** 1080, *Roland* (*dulcement*) ; XII^e s. (*doucement*). || **douceur** 1119, Ph. de Thaon (*dulçur*) ; bas lat. *dulcor,* refait sur *doux.* || **doucereux** XII^e s., « plein de douceur » ; 1648, Scarron, péjor. || **douceâtre** 1534, Des Périers. || **doucet** 1190, Couci. || **doucettement** fin XIII^e s., *Doon de Mayence.* || **doucine** 1520, Sagredo. || **doucir** 1694, Th. Corn. || **dulcifier** 1620, Béguin ; lat. *dulcificare.* || **dulcification** 1651, Hellot. || **dulcinée** 1755, abbé Prévost, héroïne de *Don Quichotte.* || **adoucir** 1160, Benoît. || **adoucissement** 1402, Gerson. || **adoucissage** 1723, Savary. || **adoucissant** adj., 1698, Alliot ; m., 1721, *Journ. des savants.* || **édulcorer** début XVII^e s. ; lat. médiév. *edulcorare,* de *dulcis.* || **édulcorant** XX^e s. || **édulcoration** 1620, Béguin ; lat. *edulcoratio.* || **radoucir** 1175, Chr. de Troyes. || **radoucissement** 1660, Retz.

***douze** 1080, *Roland ;* lat. pop. *dōdecim,* du lat. class. *duodecim.* || **douzième** XII^e s., *Lois de Guill.* (*dudzime*). || **douzièmement** 1690, Furetière. || **douzaine** fin XII^e s. || **in-douze** 1666, Furetière.

**doxologie** 1610, Roulliard ; gr. eccl. *doxologia,* de *doxa,* opinion, et *logos,* parole, c'est-à-dire « formule de louange ».

***doyen** 1190, Garnier (*deien*), curé ; XIV^e s., Du Cange, « personne la plus âgée » (*deien*) ; lat. chrét. *decānus* (sens du lat. class. « dizenier »), chanoine ayant au moins dix moines sous ses ordres. || **doyenné** 1260, G. (v. DÉCANAT).

**dracena** 1629, Citoys, myth., « dragon femelle » ; 1806, Wailly, bot. ; lat. bot. mod. *dracaena,* en lat. « dragon femelle », du gr. *drakaina.*

**drachme** 1256, Ald. de Sienne (*drame*) ; XVI^e s. (*drachme*) ; lat. médiév. *dragma,* du lat. class. *drachma,* gr. *drakhmê.*

**draconien** 1796, *Néologie fr. ;* de *Dracon,* législateur athénien réputé pour sa sévérité (VII^e s. av. J.-C.).

**dracontium** 1747, James, mot lat. signif. « serpentaire » ; gr. *drakontion,* petit dragon.

**drag** 1859, *le Sport,* « chasse à courre simulée » ; mot angl., de *to drag,* traîner.

1. **dragée** début XIII^e s. (*dragie*) ; 1398, *Ménagier* (*dragée*), « bonbon » ; altér. du lat. *tragemata,* gr. *tragema,* friandise. || **drageoir** XII^e s., G. (*drajouer*), coupe à dragées. || **dragéifier** 1850, Garot.

2. ***dragée** 1268, É. Boileau (*dragie*) ; 1268, Boileau (*dragée*), « fourrage » ; lat. pop. **dravocata,* dér. de *dravoca,* ivraie, mot gaulois.

**drageon** 1553, Belon ; francique **draibjo,* pousse (allem. *Treib*). || **drageonner** 1636, Monet.

**dragon** 1080, *Roland,* « serpent fabuleux » ; 1594, *Satire Ménippée,* « soldat de cavalerie », d'apr. le nom de l'étendard (*dragon,* au sens d'étendard, date du XII^e s. : un dragon devait y figurer) ; lat. *draco, -onis.* || **dragonneau** XIII^e s., *Otinel* (*-nel*). || **dragonnier** 1190, Bodel, « porte-étendard » ; XV^e s., *D. G.,* « arbre exotique », dont la résine rouge était dite *sang-dragon.* || **dragonne** 1673, Molière, « femme acariâtre » ; 1771, Trévoux, « batterie de tambour ». || **dragonnade** 1708, Furetière.

**drague** milieu XVI^e s., « filet » ; 1505, Gonneville, « racloir adapté au filet » ; 1642, Oudin, sens actuel ; angl. *drag,* crochet, filet, de *to drag,* tirer. || **draguer** début XVII^e s. ; 1914, Esnault, « racoler une fille ». || **dragueur** 1664, Jal. || **dragage** 1765, *Encycl.*

**drain** 1850, St. Faivre, agric. ; 1859, méd., mot angl., de *to drain,* dessécher. || **drainer** *id.* || **drainage** milieu XIX^e s.

**draine** XVI^e s., *Menus de Tonnerre* (*drine*) ; 1755, *Encycl.* (*drenne*), « grive » ; origine sans doute gauloise ou germ.

**draisienne** 1816, *D. G. ;* du nom du baron *Drais von Sauerbronn,* l'inventeur (1785-1851). || **draisine** 1873, *J. O.*

**drakkar** 1870, Lar. (*drake*) ; 1906, Lar. (*drakkar*), mot scand. signif. « dragon ». Le nom de ces bateaux scandinaves vient du dragon qui ornait leur proue.

**drame** 1707, Lesage ; 1787, *Correspondance littér.,* fig. ; bas lat. *drama,* action théâtrale (IV^e s., Ausone), gr. *drâma,* de *drân,* agir. || **dramatique** 1370, Lefèvre ; rare jusqu'au XVII^e s. ; bas lat. *dramaticus,* du gr. *dramatikos.* || **dramatiquement** 1777, Cubières-Palmézeaux.

|| **dramatiser** 1801, Mercier. || **dramatisation** 1889, Goncourt. || **dramaturge** 1773, Clément, du gr. *dramatourgos* (*ergein,* faire). || **dramaturgie** 1668, Chapelain, « catalogue » ; 1775, *Année littér.,* sens actuel.

**dranet** 1691, Ozanam ; angl. *dragnet,* filet (*net*) à draguer.

***drap** 1160, *Charroi,* « vêtement » ; XIII^e s., « étoffe », bas lat. *drappus* (V^e s., trad. d'Oribase), mot gaulois. || **draper** 1268, É. Boileau, « fabriquer le drap » ; 1636, R. François, « disposer une étoffe ». || **drapant** 1566, H. Est. || **drapé** n. m. XX^e s. || **drapier** 1244, Fagniez. || **draperie** 1160, *Tristan,* « étoffe de drap » ; 1677, Miege, disposition d'une étoffe. || **drapeau** 1170, *Rois,* « morceau de drap, lange, vêtement » ; XVI^e s., La Curne, « étoffe attachée à une hampe » ; 1784, B. de Saint-Pierre, « étendard », avec infl. de l'ital. *drappello.*

**drastique** 1741, Col de Vilars, « qui purge énergiquement », gr. *drastikos,* actif, de *drân,* agir.

**drave** XV^e s., *D. G.,* bot. ; esp. *draba,* gr. *drabê.*

**dravidiennes** (*langues*) 1856, Lachâtre (*-ique*) ; 1888, Lar. ; sanskrit *Dravida,* nom d'une province du sud de l'Inde.

**drawback** 1755, Forbonnais, mot angl. signif. « remise » ; de *to draw,* tirer, et *back,* en arrière.

**drayer** 1746, Savary, « travailler le cuir » ; néerl. *draaien,* tordre.

**dreadnought** 1906, lancement d'un cuirassé angl., mot angl. signif. « qui ne craint rien » (*which dreads nought*), et qui servit à désigner un type de navire.

**drèche** 1688, Miege ; altér. de l'anc. fr. *drasche,* cosse ; du lat. médiév. *drasca,* sans doute d'un gaulois ou d'un prélatin.

1. **drège** 1584, Pardessus, « peigne de fer » ; allem. *Dresche,* machine à égrener, de *dreschen,* battre au fléau.

2. **drège** 1584, *D. G.,* « filet » ; angl. *dredge.*

**drelin** 1630, Neufgermain, onomat.

***dresser** fin XI^e s., *Alexis* (*-cier*) ; XII^e s. (*dresser*) « mettre droit » ; milieu XVI^e s., Amyot, « dresser un animal » ; lat. pop. **directiare,* de *directus,* droit. || **dressage** 1791, Pajot. || **dressement** 1120, *Ps. d'Oxford.* || **dresse** 1680, Richelet. || **dressée** 1755, *Encycl.* || **dresseur** 1536, Collerye, « critique ». || **dressoir** 1285, G. (*drecher*) ; XIV^e s., Laborde (*dressoir*) : on dressait les assiettes debout contre la paroi. || **adresser** XII^e s., *Rois* (*adrecier*), « dresser, diriger ». || **adresse** 1190, Saint Bernard, « direction » (jusqu'au XVII^e s.), et « bonne direction » ; XVII^e s., « habileté » et « adresse d'une lettre » ; 1656, Dugard, sens parlementaire par l'angl. || **adressier** 1911, Lar. || **maladresse** 1731, Marivaux, d'apr. *adresse,* pour servir de dér. à *adroit.* || **redresser** 1131, *Couronn. Loïs ;* XVI^e s., fig. || **redressement** 1155, Wace. || **redresseur** 1566, Delb.

**dribbler** 1895, *Sports athlét. ;* angl. *to dribble.* || **dribble** 1961, Lar. ; déverbal. || **dribbleur** XX^e s. || **dribbling** *id.*

1. **drille** 1628, Chereau, « soldat vagabond », « pauvre diable », emploi fig. de *drille,* chiffon.

2. **drille** fin XIV^e s., « chiffon » ; moyen néerl. *drille,* trou de vrille, ou haut all. *durchilon,* mettre en lambeaux.

3. **drille** 1690, Furetière, « chêne » ; lat. pop. **druilia,* apparenté au gaulois *dervo,* chêne.

4. **drille** 1752, Trévoux, « porte-foret » ; néerl. *drillen,* percer en tournant.

**drink** 1875, Mackenzie ; mot angl., de *to drink,* boire.

**drisse** 1639, Cleirac ; ital. *drizza,* de *drizzare,* dresser, c'est-à-dire « cordage servant à hisser ».

**drive** 1896, Bonnafé ; mot angl., de *to drive,* pousser.

**driver** 1900, Mackenzie ; mot angl., de *to drive,* conduire.

**drogman** fin XII^e s., *Prise d'Orange* (*drugement*) ; XIV^e s., *Chron. de Morée* (*droguement*) ; ital. *drogomanno,* du gr. byzantin *dragoumanos,* interprète, d'orig. sémitique. (V. TRUCHEMENT.)

**drogue** XIV^e s., *Nature à Alch. ;* néerl. *droog,* chose sèche. || **droguerie** 1462, G. || **droguer** milieu XVI^e s. || **drogué** début XX^e s. || **drogueur** milieu XV^e s. || **droguiste** 1549, Maignan. || **droguet** 1554, Gay, « étoffe de laine de bas prix », d'apr. le sens fig. de *drogue,* « chose sans valeur ».

**droguerie** milieu XV^e s., « sécherie de harengs », du néerl. *drogerij,* sécherie, de *droog,* sec. (V. aussi DROGUE.) || **drogueur** 1755, *Encycl. ;* néerl. *drogen,* sécher, « pêcheur de harengs ».

***droit** adj., 1080, *Roland* (*dreit*) ; XII^e s. (*droit*) ; lat. *dirēctus ;* il a pris au XV^e s. le sens de l'anc.

fr. *destre,* « qui est à droite » (v. DEXTRE, DIRECT). || **droit** n. m., 842, *Serments Strasbourg ;* bas lat. *directum* (VI^e s., Grégoire de Tours). || **droite** 1656, Pascal, « main droite » ; fin XVIII^e s., polit., d'après l'usage angl. || **droitement** 1155, Wace. || **droitier** XVI^e s., G. || **droitiste** XX^e s., polit. || **droiture** 1190, Couci, « justice, devoir » (aller droit) ; XII^e s., *Vie de saint Thomas Becket,* fig. || **adroit** 1175, Chr. de Troyes (v. DRESSER). || **endroit** 1050, *Alexis ;* prép., « vers » (jusqu'au XVI^e s.) ; XII^e s., « lieu » et « le côté droit ». || **maladroit** début XVI^e s., avec l'adv. *mal,* pour *maladresse* (v. DRESSER). || **adret** début XX^e s., mot prov. *adreit,* droit (vers le soleil). || **ayant droit** milieu XIX^e s.

**drôle** fin XV^e s. (*drolle*), « plaisant coquin » ; 1652, Scarron, « mauvais sujet » ; adj., 1636, Monet ; néerl. *drol,* lutin, petit bonhomme. || **drolatique** 1564, Rab. || **drôlerie** milieu XVI^e s. || **drôlesse** 1585, Cholières. || **drôlet** 1739, Favart. || **drôlichon** 1827, Ricard (n. pr. dans *les Plaideurs,* 1668).

**dromadaire** milieu XII^e s., *Thèbes ;* bas lat. *dromedarius* (IV^e s., saint Jérôme), du gr. *dromas,* coureur. || **dromas** 1836, Landais, empr. direct au gr. Désigne un échassier de l'Inde.

**drome** 1755, *Encycl.,* mar. ; bas allem. *drōm* ou néerl. *drommer,* poutre.

**drongo** 1760, Brisson, « passereau », mot malgache.

**drop-goal** 1895, Bonnafé ; mot angl., de *to drop,* laisser tomber, et *goal,* but.

**dropper** XX^e s. ; angl. *to drop,* larguer. || **drop-page** 1961, Lar.

**drosera** 1804, *Encycl. méth. ;* mot du lat. bot. du gr. *droseros,* humide de rosée.

**drosophile** v. 1850 ; gr. *drosos,* rosée, et *philos,* qui aime.

**drosse** 1634, *Doc. ;* altér. de l'ital. *trozza,* lat. *tradux,* sarment.

**drosser** 1777, Lescallier ; néerl. *drossen,* entraîner.

**dru** 1080, *Roland,* « vigoureux » (jusqu'au XVII^e s.), et « dense » ; gaulois **druto,* fort. || **drument** 1167, G. d'Arras.

**drugstore** v. 1950 ; mot anglo-américain, de *drug,* drogue, et *store,* boutique.

**druide** 1213, *Fet des Romains ;* lat. *druida,* mot gaulois, de **dervo,* chêne (fém. au XVII^e s.). || **druidesse** 1727, J. Martin. || **druidisme** 1727, *id.* || **druidique** 1773, Voltaire.

**drupe** 1796, *Encycl. méth. ;* lat. *drupa,* pulpe. || **drupacé** 1798, Richard. || **drupéole** 1827, *Acad.* (*drupole*) ; 1842, *Acad.* (*drupéole*).

**dry** 1877, Bonnafé ; mot angl. signif. « sec ».

**dryade** 1265, J. de Meung, myth. ; 1786, *Encycl. méth.,* « arbuste » ; lat. *dryas, -adis,* du gr. *druas, -ados,* nymphe du chêne (*drus*).

**dualité** XIV^e s., L., puis 1585, Stevin, rare avant le XIX^e s. ; bas lat. *dualitas,* de *dualis,* double. || **dualisme** 1755, *Encycl.* || **dualiste** 1702, Bayle (v. DEUX).

**dubitation** V. DOUTER.

**duc** 1080, *Roland ;* fin XIII^e s., espèce de lat. *dux, ducis,* chef. || **ducal** 1150, Barbier ; bas lat. *ducalis.* || **ducat** 1395, Anglure ; ital. *ducato,* monnaie à l'effigie d'un duc (*duca*). || **ducaton** fin XVI^e s. || **duce** 1922, mot ital. du lat. *dux, ducis,* titre pris par Mussolini. || **duché** XII^e s., *Huon de Bordeaux* (*duchée,* fém., jusqu'au XVII^e s.) ; 1360, Froissart (*duché* n. m.). || **duchesse** XII^e s., *Roncevaux.* || **archiduc** 1486, Delb. || **archiduché** 1512, J. Lemaire. || **archiducal** v. 1500. || **archiduchesse** 1504, J. Lemaire. || **grand-duc** 1690, Furetière.

**ducasse** XV^e s., forme dialectale de l'anc. fr. *dicaze, dicasse* (fin XII^e s., *Grégoire*), abrév. de *dédicace :* fête de la Dédicace dans le nord de la France.

**ducat, duce, duché** V. DUC.

**ducroire** 1723, Savary, de *demeurer du croire,* « vendre à crédit ».

**ductile** 1282, Gauchi ; lat. *ductilis,* de *ducere,* conduire (v. DOUILLE). || **ductilité** 1671, Rohault.

**duègne** 1655, Quevedo (*douegna*) ; 1655, Scarron (*douègne*) ; esp. *dueña,* du lat. *domina.* (V. DAME 1.)

1. **duel** 1539, R. Est., « combat singulier » ; 1869, Lamartine, fig. ; lat. *duellum,* forme archaïque de *bellum,* guerre ; rattaché à *duo,* deux, par étymol. pop. || **duelliste** fin XVI^e s., Brantôme ; ital. *duellista.*

2. **duel** fin XVI^e s. ; lat. gramm. *dualis,* de *duo,* deux. (V. DEUX.)

**duetto** 1870, Lar. ; mot ital. || **duettiste** 1922, Lar.

**duffel-coat** v. 1950 ; mot angl. de *duffel,* molleton de laine, et *coat,* vêtement.

**dugazon** 1845, Besch. ; du nom d'une cantatrice (1755-1821).

**dugon(g)** 1756, Brisson (*dujung*) ; 1765, Buffon (*dugon*) ; malais *doûyoung*.

1. **duire** 980, *Valenciennes*, « dresser », forme refaite sur le lat. *docĕre*, instruire.

2. ***duire** fin Xᵉ s., *Saint Léger*, « conduire », « attirer » ; lat. *dūcĕre*, conduire. || **duit** 1112, *Voy. saint Brendan*, « conduit », anc. part. passé. || **duite** 1755, *Encycl.* || **duitage** 1877, L.

**dulcifier, dulcinée** V. DOUX.

**dulie** 1372, Golein ; lat. eccl. *dulia*, du gr. *douleia*, servitude.

**dum-dum** XIXᵉ s. ; mot angl., de *Dumdum*, n. d'un cantonnement angl. en Inde.

**dumping** 1904, Fleury ; mot anglo-américain signif. « vente au rabais », de *to dump*, décharger, jeter en tas.

**dundee** 1907, Bonnafé ; mot angl., peut-être altér. de *dandy* (1877, *J. O.*), d'après *Dundee*, port écossais.

**dune** XIIIᵉ s., trad. de Guill. de Tyr ; moyen néerl. *dûne* (auj. *duin*), orig. gauloise (*duno-*, hauteur, conservé dans *Augustodunum*, Autun, et de nombreux noms de lieux). || **dunette** 1550, Jal, « levée de terre » ; 1564, J. Thierry, « petite dune » ; XVIIᵉ s., dunette du navire.

**duo** 1548, N. Du Fail, mot ital. signif. « deux » (anc. forme de *due*). [V. DEUX.]

**duodécimal** 1801, Haüy ; lat. *duodecimus*, douzième, d'apr. *décimal*. || **duodécennal** 1861, d'après L. ; bas lat. *duodecennis*, de douze ans, de *duodecim*, douze, et *annus*, an.

**duodénum** 1478, Panis, abrév. du lat. méd. *duodenum digitorum*, de douze doigts, d'apr. la longueur de cette portion de l'intestin (appelé *douzedoigtier* au XVIᵉ s.). || **duodénal** 1808, Boiste. || **duodénite** 1835, Bricheteau.

**dupe** 1426, Du Cange, d'abord argot ; emploi fig. de *duppe*, huppe (forme de l'Ouest avec agglutination du *d* de la prép. *de*) [pour l'évolution v. PIGEON]. || **duper** 1460, Villon (*dupé*). || **duperie** 1690, Furetière. || **dupeur** 1669, Widerhold.

**duplex** 1883, Jacquez, mot lat. signif. « double ». || **duplexer, duplexeur** XXᵉ s.

**duplicité** 1265, J. de Meung, « caractère de ce qui est double » (jusqu'au XVIIᵉ s.) ; milieu XVIᵉ s., Amyot, « hypocrisie » ; lat. *duplicitas*, de *duplex, -cis*, double.

**dupliquer** XIIIᵉ s., G., jurid., du lat. *duplicare*, doubler. || **duplicata** fin XVIᵉ s., abrév. de *duplicata littera*, lettre redoublée, d'abord en lat. médiév. || **duplique** f., 1512, J. Lemaire ; adj., 1732, Trévoux. || **duplication** XIIIᵉ s., G., lat. *duplicatio*. || **duplicateur** 1842, *Acad.*, phys. ; XXᵉ s., techn.

***dur** 1050, *Alexis* ; lat. *dūrus*. || **durement** 1080, *Roland*. || **durcir** fin XIIᵉ s., *Alexandre*, v. i. ; v. t. 1580, Montaigne. || **durcissement** milieu XVIIIᵉ s., Buffon. || **dure-mère** 1314, Mondeville ; lat. médiév. *dura mater*, comme *pie-mère*. || **duret** XIIᵉ s., *Ignaure*. || **dureté** XIIIᵉ s., *Saint-Graal* (*durté*) ; XIVᵉ s. (*dureté*). || **durillon** XIIIᵉ s., *Livre des simples médecines*. || **endurcir** 1170, *Rois*, fig. ; milieu XVIᵉ s., sens propre. || **endurcissement** 1495, J. de Vignay, fig. ; 1560, Paré, sens propre.

**Duralumin** 1909, formé avec le rad. de *Düren*, ville de Westphalie où l'alliage fut créé, et celui d'*aluminium*.

**duramen** 1839, Boiste, « cœur de tronc d'arbre », mot lat. signif. « bois dur », de *durus*, dur.

***durer** 1050, *Alexis* ; lat. *dūrāre*, durcir, durer, de *durus*, dur. || **durable** *id.* || **durablement** 1160, Benoît. || **durée** 1131, *Couronn. de Loïs*. || **duratif** 1910, Lar., gramm. || **durant** 1283, Beaumanoir, en finale (*le mariage durant*) ; 1580, Montaigne, inversion de la construction ; *durant que* XVᵉ s., part. prés. de *durer*.

**durion** 1588, La Porte, malais *dourian* ; grand arbre d'Asie.

**Durit** v. 1950, nom déposé ; de *dur*.

**duumvir** 1586, Crespet, mot lat. ; de *duo*, deux, et *vir*, homme. || **duumviral** 1732, Trévoux.

**duvet** début XIVᵉ s., var. inexpliquée de *dumet* (XVᵉ s.), dimin. de l'anc. fr. *dum* (1170, G. ; le *m* paraît dû à *plume*) ou *dun* (XIIIᵉ s.), du nordique *dūnn* ; les duvets venaient de Scandinavie (v. ÉDREDON). || **duveté** 1534, Rab. (*dumeté*) ; 1611, Cotgrave (*-veté*). || **duveter** (se) 1875, Zola. || **duveteux** 1579, R. Garnier. || **duvetine** 1929, Lar.

**dyade** 1546, Rab. (*dyas*) ; lat. *dyas*, du gr. *duas, -ados*, dualité.

**dyke** 1768, Morand (*dike*) ; angl. *dicke*, veine minérale.

**dynam(o)-,** gr. *dunamis,* force. || **dynamique** 1692, *D. G. ;* XXe s., fig. ; gr. *dunamikos,* puissant, efficace ; n. f., 1752, Trévoux. || **dynamiser** 1872, *Rev. des Deux Mondes.* || **dynamisme** 1835, *Acad.,* philos. ; 1870, Lar., fig. || **dynamie** 1836, Landais, mécanique. || **dynamite** 1866, Nobel. || **dynamiter** 1890, A. Daudet. || **dynamitage** XXe s. || **dynamiterie** 1875, *J. O.* || **dynamitero** 1892, *Figaro ;* mot esp. || **dynamiteur** 1871, *J. O.* || **dynamo** 1886, Benz, de *machine dynamoélectrique.* || **dynamographe** 1878, Lar. || **dynamomètre** 1802, Laveaux.

**dynaste** v. 1500 ; gr. *dunastês,* souverain (sens restreint en fr.). || **dynastie** 1455, Fossetier ; rare jusqu'au XVIIIe s. ; gr. *dunasteia,* domination. || **dynastique** 1834, Landais. || **dynastisme** 1870, *Centre gauche.*

**dyne** 1881, *Congrès des physiciens* (Paris), du gr. *dunamis,* force.

**dys-,** gr. *dus,* préfixe péjor. signif. « mauvais ». || **dysarthrie** XXe s. || **dyscinésie** 1772, Gouvion ; gr. *duskinêsia,* difficulté à se mouvoir. || **dysenterie** XIIIe s., trad. de Guill. de Tyr (*dissintere*) ; 1560, Paré (*dysenterie*) ; lat. méd. *dysenteria,* du gr. *dusenteria* (*entera,* entrailles). || **dysentérique** fin XIVe s., G. ; lat. méd. *dysentericus,* du gr. *dusenterikos.* || **dysfonctionnement** XXe s. || **dysgraphie** 1878, Lar. ; gr. *graphein,* écrire. || **dysharmonie** 1878, Lar. || **dyslexie** 1907, Lar. ; gr. *lexis,* élocution, pris pour dérivé de *lecture.* || **dysménorrhée** 1805, Lunier. || **dyspepsie** milieu XVIe s. ; lat. méd. *dyspepsia,* du gr. *duspepsia* (*peptein,* cuire, digérer). || **dyspepsique** 1845, Besch. (*-peptique*). || **dyspnée** 1363, Martin de Saint-Gille (*-pnœe*) ; XVIIe s. (*dyspnée*) ; lat. méd. *dyspnœa,* du gr. *duspnoia,* de *pnein,* respirer. || **dysthénie** XXe s. ; gr. *sthenos,* vigueur. || **dystocie** 1864, L. ; gr. *tokos,* enfantement. || **dysurie** 1505, Christol.

**dytique** milieu XVIIIe s. ; lat. bot. *dytiscus,* du gr. *dutikos,* plongeur, de *duein,* plonger.

# e

*__eau__ 1080, *Roland* (*ewe*) ; XIII^e s. (*eaue*) ; XV^e s. (*eau*) ; lat. *aqua*. || **eau-de-vie** XIV^e s., *Nature à alchimie* ; trad. du lat. des alchimistes *aqua vitae*. || **eau-forte** 1543, *Doc.*, acide azotique ; 1808, Boiste, « gravure à l'eau-forte ». || **morte-eau** 1484, Garcie.

**ébahir, ébarber, ébattre** V. BAYER, BARBE 1, BATTRE.

**ébaubi** 1273, Adenet (*es-*), var. avec préfixe *é-* de l'anc. fr. *abaubi*, part. passé de *abaubir* (1220, Coincy), rendre bègue, du lat. *balbus*, bègue. || **ébaubir (s')** 1530, Marot.

**ébaucher** 1380, Delb. (*esbochier*) ; 1636, Monet (*ébaucher*) ; de l'anc. fr. *esbaucheïs* (XII^e s.), de l'anc. fr. *balc, bauc*, poutre (v. BAU). || **ébauchage** XVI^e s., G. || **ébauche** 1643, Rotrou, « production informe » ; 1701, Massillon, fig. || **ébauchement** 1548, Delb. || **ébauchoir** 1676, Félibien.

**ébaudir (s')** 1080, *Roland* (*es-*) ; 1646, Scarron (*ébaudir*) ; de l'anc. fr. *bald, baud*, joyeux (XII^e s.). || **ébaudissement** XIII^e s., *Anseïs de Carthage*.

**ébène** 1130, *Eneas* (*ebenus*) ; 1180, *Alexandre* (*ébaine*) ; lat. *ebenus*, du gr. *ebenos*, mot égyptien. || **ébénier** 1680, Richelet. || **ébéniste** 1676, Pomey, « qui travaille l'ébène » ; 1690, Furetière, « fabricant de meubles de choix ». || **ébénisterie** 1732, Trévoux.

**éberluer** V. BERLUE.

***éblouir** 1180, *Alexandre* (*esbleuir*) ; 1636, Monet (*éblouir*) ; lat. pop. **exblaudire*, du francique **blaudi*, faible (allem. *blöde*, faible des yeux), avec l'infl. ancienne de *bleu*. || **éblouissant** 1551, Pontus de Tyard. || **éblouissement** 1460, Chastellain.

**ébonite** 1862, Bonnafé ; angl. *ebony*, bois d'ébène.

**ébouler** 1155, Wace (*esboeler*), « éventrer » ; 1283, Beaumanoir (*esboouler*) ; XVII^e s. (*ébouler*), « faire tomber » ; anc. fr. *boel*, forme anc. de *boyau*. || **éboulement** 1547, J. Martin. || **ébouleux** 1795, *journ. des Mines*. || **éboulis** 1701, Furetière.

**ébouriffer** 1671, Sévigné (*-fé*) ; 1778, Rousseau (*-ffer*) ; prov. mod. *esbourifat*, « aux cheveux retroussés comme de la bourre », avec une finale obscure. || **ébouriffant** début XIX^e s. (1842, *Acad.*). || **ébouriffement** fin XIX^e s.

**ébraser, ébrécher** V. EMBRASURE, BRÈCHE.

**ébriété** début XIV^e s. ; rare jusqu'au XIX^e s. ; lat. *ebrietas*, de *ebrius*, ivrogne. || **ébrieux** 1870, Lar. ; lat. *ebriosus*, adonné au vin.

**ébroudir** 1768, Duhamel du Monceau ; origine inconnue.

**ébrouer** 1564, J. Thierry, « éternuer pour dégager les naseaux » ; v. pr. 1688, Miege ; fin XVII^e s., Saint-Simon, « se secouer » ; anc. fr. *brou*, bouillon, d'où « écume ». || **ébrouement** 1611, Cotgrave, « éternuement » ; 1755, *Encycl.*, « vive secousse ».

**ébuard** 1743, Trévoux, « coin pour fendre les bûches » ; altér. probable de *ébuoir*, de *bu*, trou, mot dial. d'origine obscure.

**ébullition** XII^e s. ; bas lat. *ebullitio*, jaillissement, de *bullire*, bouillir. || **ébullioscope** 1864, L. ; gr. *skopein*, examiner.

**écacher** V. CACHER.

**écaffer** 1680, Richelet, « fendre une tige » ; d'orig. obscure.

**écaille** 1190, Garn. (*escale*) ; 1636, Monet (*écaille*) ; 1611, Cotgrave, méd. ; mot normanno-picard, du germanique **skal(j)a*, coquille. || **écailler** fin XII^e s., R. de Moiliens ; 1467, Gay (*s'écailler*) ; n. m., début XIV^e s. || **écaillage** 1755, *Encycl.* || **écailleux** 1560, Paré. || **écaillement** 1611, Cotgrave. || **écailleur** *id.* || **écaillure** 1538, R. Est.

**écale** 1190, Garn. (*esc-*) ; mot normanno-picard, de l'anc. haut allem. **skala*, coquille, écaille. || **écaler** 1549, R. Est. || **écalure** 1840, *Acad.*

**écarlate** 1160, Benoît (*esc-*) ; XV^e^ s. (*écarlate*) ; lat. médiév. *scarlatum,* altér. du persan *saqīrlat,* nom d'étoffe, primitivement bleue, puis rouge, de l'ar. *siguillat,* moyen gr. **sigillatos,* de *sigillum,* sceau. (V. SCARLATINE.)

**écarquiller** 1530, Palsgrave ; anc. fr. *escarquiller,* lat. *ex,* hors de, et *quart.* || **écarquillement** 1559, Amyot. (V. QUART.)

**écarteler** 1160, Benoît, « mettre en quartiers » ; anc. fr. **esquarterer,* partager en quatre parties, de *quartier,* dér. de *quart.* || **écartèlement** 1557, P. de Mesmes. || **écartelure** 1352, G. (v. QUART).

1. ***écarter** 1249, Sarrazin (*es-*) ; XVII^e^ s. (*écarter*) ; *s'écarter,* « s'éloigner », milieu XVI^e^ s., Amyot ; lat. pop. **exquartare,* partager en quatre (ital. *squartare,* écarteler), par ext. séparer, éloigner. || **écart** 1160, Benoît, déverbal ; fig. XVI^e^ s. ; XVII^e^ s., « hameau ». || **écartement** 1557, P. de Mesmes. || **écarteur** 1864, L.

2. **écarter** [*une carte*] V. CARTE.

**ecballium** 1870, Lar. (*ecbalion*) ; lat. scientif. *ecballium,* du gr. *ekballein,* jeter hors de ; plante qui s'ouvre en lançant ses graines.

**ecce homo** 1690, Furetière, « christ couronné d'épines » ; mots lat. signif. « voici l'homme », prononcés par Ponce Pilate d'apr. l'Évangile de saint Jean, en présentant aux Juifs le Christ couronné d'épines.

**eccéité** 1951, Lalande ; lat. scolastique (Scott) *ecceitas,* de *ecce,* voici.

**ecchymose** 1540, *Chirurgie ;* gr. *egkhumôsis,* masc., de *khamos,* suc, liquide, c'est-à-dire tache produite par le sang extravasé. || **ecchymosé** 1833, *Doc.*

**ecclésiastique** adj., fin XIII^e^ s. ; lat. chrét. *ecclesiasticus* (III^e^ s., Tertullien), du gr. *ekklêsiastikos,* de l'assemblée du peuple (*ekklesia*) (v. ÉGLISE). || **ecclésiastiquement** fin XVI^e^ s., Béroalde de Verville. || **ecclésial** 1190, Garnier ; lat. médiév. *ecclesialis,* de *ecclesia,* assemblée de chrétiens.

**écervelé** V. CERVEAU.

**échafaud** 1160, Benoît (*eschaiphalt*) ; XVI^e^ s., Amyot (*échafaud*), « plate-forme, estrade » ; 1464, Commynes, sens actuel ; forme renforcée d'apr. *échelle* de l'anc. fr. *chafaud* (1160, Benoît), échafaudage ; lat. pop. **catafalĭcum,* de *fala,* tour de bois, et *catasta,* estrade pour la vente des esclaves. || **échafauder** 1268, É. Boileau. || **échafaudage** début XVI^e^ s.

**échalas** fin XII^e^ s., *Loherains* (*esca-*) ; alter., par croisement avec *échelle,* de l'anc. fr. *charas* (XII^e^ s.), caisse faite avec des lattes, du lat. pop. **caracium,* gr. *kharax,* pieu. || **échalasser** 1396, Du Cange.

**échalote** début XII^e^ s., *Voy. de Charl.* (*escaluigne*) ; 1514, Houssemaine (*eschalote*) ; altér. du lat. *ascalonia* (*cepa*), oignon d'Ascalon, ville d'Israël.

**échamp, échancrer** V. CHAMP, CHANCRE.

**échandole** 1552, Ch. Est., « bardeau » ; mot dauphinois, du lat. *scindula,* d'où l'anc. fr. *essende.*

***échanger** V. CHANGER.

**échanson** VIII^e^ s., *Gloses Reichenau* (*scantione*) ; fin XII^e^ s., *Loherains* (*eschanson*) ; francique **skankjo ;* même rac. que l'allem. *schenken,* donner à boire.

**échantillon** 1268, É. Boileau (*es-*), « étalon de poids » ; XV^e^ s., « épreuve, essai » et « morceau de produit pour évaluer » ; 1611, Cotgrave, « spécimen » ; altér. de l'anc. fr. *eschandillon* (XIII^e^ s.), « étalon », de *eschandiller,* vérifier les mesures des marchands, mot surtout lyonnais ; lat. pop. **scandaculum,* échelle pour monter, de *scandere,* monter. || **échantillonner** 1452, G. || **échantillonnage** *id.* || **échantillonneur** 1922, Lar.

***échapper** 1080, *Roland* (*escaper*) ; XVII^e^ s. (*échapper*) ; lat. pop. **excappare,* sortir de la chape, en la laissant aux mains du poursuivant. || **échappement** XII^e^ s., Herman de Valenciennes, « fait d'échapper » ; XVIII^e^ s., techn. ; *s'échapper* XV^e^ s. || **échappatoire** XV^e^ s., d'Escouchy. || **échappade** 1755, *Encycl.* || **échappée** 1475, *D. G.,* part. passé. || **réchapper** fin XII^e^ s. (V. RESCAPÉ.)

**écharde** fin XI^e^ s., *Gloses Raschi* (*esjarde*) ; 1119, Ph. de Thaon (*escherde*) ; XVI^e^ s. (*écharde*) ; francique *skarda,* entaille, éclat (allem. *Scharte*).

**écharner** V. CHAIR.

**écharpe** début XII^e^ s., *Voy. de Charl.* (*escrepe*) ; XII^e^ s. (*escherpe*), « sacoche, bourse » ; XIII^e^ s., « bande d'étoffe passée autour du corps » ; francique **skirpja,* sacoche en bandoulière (scand. *skreppa*), sens premier en anc. fr. ; du lat. *scirpus,* jonc.

**écharper** XV^e s. (*escharpir*), « mettre en pièces » ; 1668, Hauteroche (*écharper*), « couper » ; fin XVII^e s., « mettre en pièces » ; anc. fr. *charpir,* déchirer, du lat. pop. **carpire,* cueillir, carder. (V. CHARPIR.)

***échars** 1130, *Eneas* (*eschars*), « avare » ; auj. *monnaie écharse :* au-dessous de sa valeur ; lat. pop. **excarpsus,* réfection de *excerptus,* extrait, d'où « resserré » (v. ESCARCELLE). || **écharser** XII^e s., « user avec épargne » ; XIV^e s., « faire de la fausse monnaie ».

**échasse** fin XII^e s., *Aliscans* (*eshace*), « long bâton » ; XIII^e s., « jambe de bois » ; 1676, Félibien, techn. ; francique **skakkja* (cf. angl. *skate,* patin). || **échassier** début XII^e s., *Thèbes,* « qui porte une jambe de bois » ; 1798, *Bull. des sciences,* zool.

**échauboulure** 1549, R. Est. (*échaubouillure*) ; 1611, Cotgrave (*-boulure*) ; de *chaud* et *bouillir.*

**échauder, échauffer** V. CHAUD, CHAUFFER.

**échauffourée** XIII^e s., Guillot (*es-*), « rencontre malheureuse » ; XVIII^e s., sens actuel ; croisement entre *échauffer* et *fourrer,* au part. passé substantivé.

**échauguette** 1080, *Roland* (*escalguaite*), « action de veiller » ; 1175, Chr. de Troyes, « sentinelle », « troupe » ; XV^e s., « petite tour » ; francique **skarwahta,* de *skara,* troupe, et *wahta,* guet.

***èche, aiche** XII^e s. (*esche*) ; lat. *esca,* nourriture.

**échéance** V. ÉCHOIR.

**échec** 1080, *Roland* (*eschac*) ; 1170, *Floire et Blancheflor* (*eschec*) ; 1611, Cotgrave (*échec*), au jeu d'échecs et « insuccès » ; arabo-persan *chāh,* roi (par l'intermédiaire de l'esp.) ; dans la loc. *chāh mat,* « le roi est mort » (v. MAT 1). || échiquier 1130, *Eneas* (*eschaquier*) ; 1690, Furetière, au sens de « trésor public », calque de l'angl. *exchequer.*

***échelle** 1175, Chr. de Troyes (*eschiele*) ; XIV^e s. (*eschelle*) ; lat. *scala ;* le sens mar. « escale », proprement « lieu où l'on mettait une échelle pour débarquer », est resté dans *Échelles du Levant* (1678, Guillet) ; fig. *échelle sociale,* XVIII^e s. ; *échelle d'un baromètre,* XIX^e s. || **échelon** fin XII^e s., *Aiol* (*es-*). || **échelonner** XV^e s., *D. G.,* « ranger » ; rare jusqu'au XIX^e s. || **échelonnement** 1875, Verlaine. || **écheler** XIII^e s., G., « escalader ». || **échelette** XIII^e s., « petite échelle ». || **échelage** 1509, *Cout. de Meaux.* || **échelier** 1685, Furetière, techn.

***écheveau** 1200, Tobler-Lommatzsch (*eschevel*) ; 1460, Villon (*escheveau*) ; fig. 1842, Mozin ; lat. *scabellum,* petit banc, par ext. dévidoir, puis écheveau à dévider. || **échevette** 1407, Du Cange. (V. ESCABEAU.)

**échevelé** V. CHEVEU.

**échevin** 1175, Chr. de Troyes (*es-*) ; mot du Nord, du francique **skapin,* juge (lat. mérovingien *scabinos,* à l'accusatif pl., *Loi des Longobards*). || **échevinage** 1211, *D. G.*

**échidné** 1611, Cotgrave (*échidne*), « vipère » ; début XIX^e s. (*échidné*) ; gr. *ekhidna,* vipère, d'apr. les piquants des oursins comparés aux crochets de la vipère.

**échiffe, échiffre** début XII^e s., *Thèbes* (*eschive*) ; 1676, Félibien (*échiffre*) ; anc. verbe *eschiver,* var. de *esquiver,* « guérite de bois élevée au Moyen Âge sur les murs d'une ville ».

**échine** 1080, *Roland* (*eschine*) ; 1655, Bonnefons (*échine*) ; francique **skina,* « os de la jambe » (allem. *Schienbein*) et « aiguille » (même évolution que *épine dorsale*). || **échinée** 1131, *Couronn. de Loïs.* || **échiner** 1515, *D. G.,* « rompre l'échine » ; *s'échigner* 1660, Oudin, « se fatiguer » ; *s'échiner* 1644, Scarron.

**échino-,** lat. *echinus,* hérisson, gr. *ekhinos.* || **échinocarpe** 1864, L. || **échinocoque** 1839, Boiste. || **échinoderme** 1792, *Encycl. méth. ;* gr. *derma,* peau.

**échiquier** V. ÉCHEC.

**écho** XIII^e s., G. ; fig. 1748, Voltaire, « parole rapportée » ; 1870, Lar., « journal » ; lat. *echo,* du gr. *êkhô.* || **échographie** XX^e s. || **écholocation** XX^e s. || **échotier** 1866, Barbey d'Aurevilly.

***échoir** 1131, *Couronn. de Loïs* (*escheoir*), au prop. et au fig. ; lat. **excadĕre,* réfection de *excidĕre,* sur *cadĕre,* tomber. (V. CHOIR.) || **échéance** 1193, Hélinant, « ce qui échoit » ; 1630, *Arrêt de septembre,* sens commercial ; part. prés., au neutre pl. pris comme fém.

1. **échoppe** XII^e s., Ernoul (*escope*), « boutique » ; 1460, Coquillart (*eschope*) ; anc. néerl. *schoppe,* petite baraque.

2. ***échoppe** XIV^e s. (*eschaulbre*), « burin » ; XV^e s. (*eschaupre*) ; 1625, Stoer (*échoppe*), sens actuel ; lat. *scalprum,* burin, ciseau (v. SCALPEL). || **échopper** 1621, Brunot.

***échouer** 1559, Amyot (*eschoué*) ; orig. douteuse, p.-ê. du lat. pop. **excautare,* de *cautes,* rocher. || **échouage** 1674, J.-B. Colbert. || **échouement** 1637, Crespin.

**éclabousser** 1564, J. Thierry (*esclabocher,* forme picarde) ; 1669, Widerhold (*éclabousser*) ; altér. de l'anc. fr. *esclaboter* (XIIIe s., *Fabliau*), formation expressive comme *clapoter.* || **éclaboussement** 1835, *Acad.* || **éclaboussure** XVe s., *Perceforest ;* 1829, Boiste, fig.

**éclair, *éclaircir, *éclairer** V. CLAIR.

**éclampsie** 1792, *Encycl. méth. ;* lat. médical *eclampsis,* du gr. *eklampsis,* manifestation subite, d'où convulsion, de *eklampein,* briller.

***éclater** XIIe s., *Marbode* (*es-*), « briser » ; XVe s., Mantellier, « se fendre » ; 1564, Thierry, « briller » ; 1671, Pomey, « produire un bruit » ; fig. XVIIe s. ; francique **slaitan,* fendre. || **éclat** 1175, Chr. de Troyes, « fragment » ; 1564, Thierry, « lumière » ; XVe s., La Curne, « bruit » ; XVIIe s., fig. ; déverbal. || **éclatement** 1553, G. || **éclateur** 1922, Lar.

**éclectique** milieu XVIIe s. ; gr. *eklektikos,* de *eklegein,* choisir, c.-à-d. « formé d'éléments empruntés à d'autres systèmes ». || **éclectisme** 1755, *Encycl.*

**éclipse** XIIe s., *Marbode ;* 1265, J. de Meung, fig. ; lat. *eclipsis,* du gr. *ekleipsis,* orbite du soleil, sur laquelle se produisent les éclipses. || **éclipser** 1265, J. de Meung, pour un astre ; fig. 1761, Rousseau. || **écliptique** XIIIe s., G. ; rare jusqu'au XVIIIe s. ; lat. *eclipticus,* du gr. *ekleiptikos.*

**éclisse** 1080, *Roland* (*esclice*) ; début XVIIe s. (*éclisse*) ; déverbal de *éclisser.* || **éclisser** 1080, *Roland* (*esclicer*) ; XVIIe s. (*éclisser*) ; francique **slitan,* fendre (anc. fr. *esclier*).

**écloper, *éclore** V. CLOPIN-CLOPANT, CLORE.

***écluse** XIIIe s., *Chron. de Rains* (*es-*) ; bas lat. *exclūsa* (VIe s.), part. passé féminin de *excludere,* faire sortir, abrév. d'« eau *séparée* du courant », loc. liée à l'invention du moulin à eau. || **écluser** fin XIIe s., R. de Moiliens ; 1936, Esnault, pop. « boire ». || **éclusier** fin XIVe s., G. ; rare jusqu'en 1798, *Acad.* || **éclusée** av. 1621, Courval-Sonnet.

**écobuer** 1539, *Cout. général* (*ego-*), « défricher » ; 1721, Réaumur (*eco-*) ; mot de l'Ouest, sans doute du dial. *gobuis,* terre pelée, de *gobe,* motte de terre, d'orig. gauloise. || **écobue** 1753, Duhamel du Monceau. || **écobuage** 1797, *Ann. de l'agriculture.*

**écœurer, écoinçon** V. CŒUR, COIN.

**écoine** 1344, G. (*escohine*), « grosse râpe » ; 1676, Félibien, « lime » ; lat. *scobina,* de *scobis,* raclure, de *scabere,* gratter. || **écoiner** 1723, Savary.

***école** 1050, *Alexis* (*escole*) ; 1636, Monet (*école*) ; lat. *schola,* du gr. *skholê.* || **écolage** 1340, *Tombel de Chartrose.* || ***écolier** XIIe s., *Roncevaux* (*escoler*), puis *écolier* (début XIIIe s.) par changement de suffixe ; bas lat. *scholaris* (IVe s., Prudence). || **écolâtre** XIIIe s., G. ; lat. *scholasticus,* « qui appartient à l'école » ; le suffixe a pris une valeur péjor.

**écologie** début XXe s. ; gr. *oikos,* maison, et *-logie,* science. || **écologiste** *id.* || **écosystème** XXe s.

**éconduire** XVe s., *Perceforest* (*es-*) ; XVIIe s. (*éconduire*) ; altér., sous l'infl. de *conduire,* de l'anc. fr. *escondire,* refuser (*s'escondire,* s'excuser, 1050, *Alexis*) ; bas lat. *excondicĕre* (IXe s.), du lat. *condicere,* « convenir de », de *dicere,* dire.

**économe** 1337, G. (*aconome*), « religieux qui a soin de la dépense d'un couvent » ; 1546, R. Est. (*économe*) ; lat. jurid. *œconomus,* administrateur, du gr. *oikonomos,* de *oikos,* maison, et *nomos,* administration ; 1615, Montchrestien, adj., « qui épargne », fig. || **économat** milieu XVIe s. || **économie** 1370, Oresme (*yconomie*) ; 1546, R. Est. (*économie*), « administration » ; début XVIe s., « épargne » ; lat. *economia,* du gr. *oikonomia ; économie politique,* 1615, Montchrestien, rare jusqu'au XVIIIe s. || **économique** *id. ;* lat. *economicus,* du gr. *oikonomikos,* même évol. de sens. || **économiquement** 1690, Furetière. || **économiser** 1718, *Acad.,* « administrer » ; 1747, Graffigny, « épargner ». || **économiseur** 1888, Lar. || **économisme** 1774, Linguet. || **économiste** 1767, Ritter, sur *économie politique.* || **économétrie** milieu XXe s.

**écope** XIIIe s. (*escope*) ; XVIIe s. (*écope*), « pelle de bois » ; francique **skôpa.* || **écoper** 1867, Delvau, fig. pop., « recevoir un coup » ; du sens propre « vider ou frapper avec l'écope » (enregistré seulement en 1870, Lar.).

**écoperche** 1470, G. (*es-*), « perche » ; sans doute de *escot,* rameau (XIIIe s.), du francique **skot,* pousse, et de *perche.*

**écorce** 1175, Chr. de Troyes (*es-*) ; XVIIe s (*écorce*) ; lat. *scortea,* vêtement de peau, de *scortum,* peau. || **écorcer** 1155, Wace (*escorcier*). || **écorçage** 1799, *Annales.* || **écorcement** 1539, R. Est. || **écorceur** 1930, Lar.

***écorcher** 1160, Benoît (*escorcier*) ; XVIIe s. (*écorcher*) ; bas lat. *excorticare* (IVe s., saint Augustin), écorcer, enlever la peau, de *cortex, -icis,* écorce. || **écorchage** XXe s. || **écorché** 1766, Diderot, bx-arts. || **écorcheur** XIIIe s., G. || **écorchure** XIIIe s., L. || **écorchement** XIIIe s., G. || **écorcherie** XIIIe s., *D. G.*

**écorner, écornifler, écosse, écosser** V. COR, COSSE 1.

**écot** fin XIIe s., *Huon de Bordeaux* (*escot*) ; XVIIe s. (*écot*), « part de dépense » ; francique **skot*, contribution (angl. *scot*, écot).

**écoufle** 1120, *Ps. de Cambridge* (*escufle*) ; fin XIIe s. (*escoufle*), « milan » ; anc. breton **skofla* (auj. *skoul*).

**écouler** V. COULER.

1. **écoute** V. ÉCOUTER.

2. **écoute** 1155, Wace (*escote*) ; francique **skôta*, cordage de voile.

***écouter** fin IXe s., *Eulalie* (*escolter*) ; XVIIe s. (*écouter*) ; bas lat. *ascŭltare*, du lat. *auscŭltare*, écouter (v. AUSCULTER), avec changement de préfixe. || **écoute** début XIIe s., *Voy. de Charl.*, « action d'écouter » ; fin XIXe s., radio. || **écouteur** fin XIIe s., *Alexandre*, « qui écoute » ; 1922, Lar., appareil. || **écoutoir** fin XVIIIe s., Dellile.

**écoutille** 1538, Jal, mar. ; esp. *escotilla*, échancrure, d'où « trappe » ; du gotique **skaut*, bord, lisière. || **écoutillon** 1552, Rab.

**écouvillon** XIIe s., *Audiguier* (*escoveillon*) ; 1460, Villon (*escouvillon*) ; anc. fr. *escouve*, balai (fin XIe s., *Gloses Rachi*), du lat. *scōpa*. || **écouvillonner** 1611, Cotgrave. || **écouvette** XIVe s., G. (*es-*).

**écrabouiller** fin XVe s. (*escrabouiller*) ; 1840, Mérimée (*écrabouiller*) ; croisement de *écraser* et de l'anc. fr. *esboilier*, éventrer (1155, Wace), de *bueille*, ventraille (1080, *Roland*), du lat. *botulus*, boyau. || **écrabouillage** 1953, Lar. || **écrabouillement** 1871, Goncourt.

**écran** 1318, *D. G.*, « paravent contre le feu » ; 1820, Gaucheret, « tableau sur lequel on projette une image » ; 1895, Lumière, cinéma ; *passer à l'écran*, 1921, *Cinémagazine ; mettre à l'écran*, 1917, *le Temps ;* moyen néerl. *scherm*, paravent.

**écraser** 1570, Monluc ; moyen angl. *crasen*, broyer (pendant la guerre de Cent Ans) ; *s'écraser* 1659, Corn. || **écrasable** 1870, Lar. || **écrasage** 1845, Besch. || **écraseur** fin XVIe s. ; 1870, Lar., pour un cocher. || **écrasant** 1771, Garnier. || **écrasement** 1611, Cotgrave.

**écrémer, écrêter** V. CRÈME, CRÊTE.

**écrevisse** 1213, *Fet des Romains* (*crevice*) ; 1265, Br. Latini (*escrevice*) ; fin XIIIe s. (*écrevisse*) ; francique **krebitja*, le *é* est dû à l'agglutination de l'article (cf. ÉMOUCHET).

***écrin** fin XIe s., *Gloses de Raschi* (*escrin*) ; 1671, Pomey (*écrin*) ; lat. *scrīnium*, boîte.

***écrire** 1050, *Alexis* (*escrire*) ; 1636, Monet (*écrire*) ; anc. fr. *escrivre* (XIIe s.), d'apr. *lire ;* lat. *scrībĕre*. || **écrit** 1080, *Roland*, adj. ; 1155, Wace, n. m. ; part. passé. || **écriteau** 1335, Digulleville (*escriptel*) ; fin XIVe s. (*écriteau*). || **écrivailler** 1611, Cotgrave. || **écrivailleur** 1580, Montaigne. || **écrivaillon** 1885, Maupassant. || **écrivasser** fin XVIIIe s. || **écrivassier** 1745, Gohin. || **écritoire** 1190, Garn. (*escriptoire*), « cabinet de lecture » ; 1223, G., « meuble à écrire » ; 1617, Crespin, « encrier » ; lat. médiév. *scriptorium*, « cabinet de travail ». || **écriture** 1050, *Alexis ;* lat. *scriptura*, de *scriptum*, écrit ; le sens de *écriture sainte* est repris au lat. chrét., calque du gr. *biblos*, livre. || **écrivain** 1120, *Ps.* (*es-*), « écrivain public » ; fin XIIIe s., « auteur » ; lat. pop. **scribanus*, de *scriba*, scribe. || **récrire** XIIIe s., *Livre de jostice.*

1. ***écrou** 1392, G. (*escroue*), féminin ; 1671, Pomey (*écrou*), masculin, « pièce où on introduit une vis » ; métaphore du lat. *scrōfa*, truie (« écrou », IXe s., *Polyptique d'Irminon*), proprement « partie femelle de l'écrou ».

2. **écrou** (*d'une prison*) 1170, Sully (*escroue*), « morceau d'étoffe », puis « morceau de parchemin » ; 1611, Cotgrave (*escrou*) ; même étymologie que *écrou* 1. || **écrouer** XIIIe s., « mettre en pièces » ; 1642, Oudin, sens actuel.

***écrouelles** XIIe s., *Vie d'Édouard* (*escrouele*) ; 1265, J. de Meung (*escrouelles*) ; lat. pop. **scrofellae*, du bas lat. *scrofulae*, scrofules, de *scrofa*, truie, le porc étant sale. || **écrouelleux** 1560, Paré.

**écrouir** 1564, J. Thierry (*es-*), « rendre un métal plus dense en le battant » ; de *ex-*, négatif, et *crou, cru*, qui n'a pas été préparé. || **écrouissage** 1803, Cadet. || **écrouissement** 1680, Richelet.

**écrouler** V. CROULER.

**écru** 1268, É. Boileau (*escru*) ; renforcement de *cru*.

**écrues** 1291, G. (*escreues*), « broussailles récemment poussées », en anc. fr. « crue de rivière » aussi ; anc. fr. *escroistre*, du lat. *crescere*, croître.

**ecto-,** gr. *ektos,* au-dehors. || **ectoblaste** XX^e s., gr. *blastos,* germe. || **ectoderme** 1877, L. || **ectoplasme** fin XIX^e s. ; gr. *plasma,* ouvrage façonné.

**ectropion** 1560, Paré ; gr. *ektropion,* renversement de la paupière, de *ektrepein,* détourner.

***écu** 1080, *Roland* (*escut*), « bouclier » ; XIII^e s., à partir de Saint Louis, « monnaie d'or ornée à l'écu de France » ; fin XIV^e s., Deschamps, « pièce d'or fin » ; XVI^e-XVII^e s., « pièce d'argent », d'abord *écu blanc ;* lat. *scūtum,* bouclier. || **écuage** 1215, G. (v. ÉCURIE, ÉCUYER). || **écusson** fin XIII^e s., Du Cange (*escuchon*) ; 1334, Havard (*escusson*), « petit écu » ; 1538, R. Est., « greffon ». || **écussonner** 1600, O. de Serres, « greffer ». || **écussonnage** 1870, Lar.

**écubier** 1382, *Compte du clos des Galées de Rouen* (*esquembieu*) ; 1643, Fournier (*escubier*) ; origine inconnue.

**écueil** 1538, R. Est. (*escueil*) ; 1669, Widerhold ; anc. prov. *escueyll,* du lat. pop. **scoclus,* lat. class. *scopulus,* rocher, gr. *skopelos.*

***écuelle** début XII^e s., *Voy. de Charl.* (*escuele*) ; lat. pop. **scūtella,* lat. *scūtella,* sous l'infl. de *scūtum,* écu. || **écuellée** XIII^e s., G. (*es-*).

**écume** 1130, *Eneas* (*es-*) ; XVII^e s. (*écume*) ; lat. pop. **scuma,* du francique **skūm* (allem. *Schaum*), du lat. class. *spuma,* écume, de *spuere,* cracher. || **écumer** 1131, *Couronn. de Loïs,* fig. ; 1155, Wace, sens propre. || **écumeur** 1360, Froissart. || **écumeux** XIV^e s., *D. G.* || **écumoire** 1333, Delb. (*escumoir*).

**écurer** V. CURER.

***écureuil** 1175, Chr. de Troyes (*escuriuel, -riau*) ; lat. pop. **scuriolus,* diminutif de *sciurus,* devenu par métathèse **scurius.*

**écurie, écusson** V. ÉCUYER, ÉCU.

***écuyer** 1080, *Roland* (*escuier*) ; 1636, Monet (*écuyer*) ; bas lat. *scutarius,* soldat armé de bouclier, de *scutum,* écu. || **écuyère** 1690, Furetière, « qui monte à cheval » ; 1842, Balzac, cirque. || **écurie** début XIII^e s., G., « local » ; 1285, G., « ensemble de chevaux » ; XX^e s., étendu à des coureurs.

**eczéma** 1836, Landais (*eczème*) ; XIX^e s. (*eczéma*) ; lat. méd. (1747, James), du gr. *ekzema,* ébullition. || **eczémateux** 1838, journ.

**édam** XX^e s. ; du nom de la ville hollandaise *Edam,* centre de production de ce fromage.

**edelweiss** 1861, *Rev. ;* mot allem., de *edel,* noble, et *weiss,* blanc ; plante remarquable par le duvet blanc et laineux qui recouvre toutes ses parties.

**éden** 1762, *Acad.,* hébreu *'eden,* « paradis terrestre » (*Bible*) ; 1826, Brillat-Savarin, « volupté ». || **édénien** 1838, *Acad.* || **édénique** 1840, Gautier. || **édénisme** 1870, Lar.

**édicter** V. ÉDIT.

**édicule** 1863, Flaubert ; lat. *aedicula,* petite maison.

**édifice** 1120, *Ps. d'Oxford ;* lat. *aedificium.* || **édifier** 1120, *Ps. de Cambridge,* « enseigner » ; 1170, *Rois,* « construire » ; lat. *aedificare,* construire, enseigner, de *aedes,* maison. || **édification** fin XII^e s., *Grégoire,* « action de construire » ; XIII^e s., Rutebeuf, fig. ; lat. *aedificatio.* || **réédifier** XIII^e s., *D. G.* || **réédification** fin XIII^e s.

**édile** 1213, *Fet des Romains,* hist. ; 1748, Montesquieu, magistrats municipaux actuels ; lat. *aedilis,* de *aedes,* maison. || **édilité** XIV^e s., G. ; lat. *aedilitas.* || **édilitaire** 1875, *le Temps.*

**édit** XIII^e s., G. ; lat. *edictum,* de *dicere,* dire. || **édicter** 1399, *Coutumier général ;* rare jusqu'au XIX^e s. (1842, *Acad.*) ; réfection, d'apr. le lat. *edictum,* du moyen fr. *éditer* (XIV^e s., dér. de *édit*), pour le distinguer d'*éditer,* publier.

**éditer** 1784, Restif, « publier » ; lat. *éditus,* part. passé de *edere,* publier. || **édition** fin XIII^e s., Guiart, « préparation d'un texte » ; 1690, Furetière, sens actuel ; lat. *editio.* || **éditeur** 1732, Trévoux ; lat. *editor.* || **éditorial** adj. 1856, Montégut ; n. m., 1895, Bourget ; anglo-américain *editorial,* de *editor,* éditeur. || **éditorialiste** 1945, J. Lacroix. || **inédit** 1801, Mercier, du lat. *ineditus,* « qui n'a pas été publié ». || **rééditer** 1845, Besch. || **rééditeur** début XVIII^e s. || **réédition** 1788, Féraud.

**édredon** 1700, Liger (var. *éderdon*), « duvet d'eider » ; 1835, *Acad.,* « couvre-pied » ; danois *ederduun,* de *eder,* eider, et *duun,* duvet.

**éducation, édulcorer** V. ÉDUQUER, DOUX.

**éduquer** 1385, *Charte ;* rare jusqu'au XVIII^e s. (1761, Voltaire) ; lat. *educare,* de *ducere,* conduire. || **éducable** 1845, Besch. || **éducation** 1495, J. de Vignay ; lat. *educatio.* || **éducatif** 1870, Lar. || **éducateur** 1527, Dassy ; lat. *educator.* || **rééduquer** fin XIX^e s. || **rééducation** *id.*

**efendi** 1624, Des Hayes ; turc *efendi,* altér. du gr. mod. *afentis,* maître, gr. ancien *authentês,* maître.

**effacer** 1120, *Ps. d'Oxford* (*esfacer*) ; XIIIe s. (*effacer*) ; 1253, Thibaut de Champagne, « surpasser qqn » ; de *é-, es-*, privatif, et *face,* « faire disparaître une figure ». || **effaçable** 1525, Lemaire de Belges. || **effaçage** 1866, *Ordonn.* || **effacé** XIIe s., sens propre ; 1778, Rousseau, « modeste ». || **effacement** XIIIe s., *Queste del Saint Graal.* || **ineffaçable** 1523, Mortières.

**effarer** 1190, Bodel (*efferé*) ; début XIVe s., *Girart de Roussillon* (*esfaré*), « effrayé » ; milieu XVIIe s., à l'inf. ; lat. *efferare,* rendre sauvage, comme le prov. *esferar,* effaroucher, avec infl. de *farouche.* || **effarement** 1790, Guibert.

**effectif, efféminer** V. EFFET, FEMME.

**efférent** 1813, *Encycl. méth.* ; lat. *efferens,* part. prés. de *efferre,* porter hors.

**effervescence** milieu XVIIe s., sens propre ; 1772, Rousseau, fig. ; lat. *effervescens,* part. prés. de *effervescere,* bouillonner (v. FERVEUR). || **effervescent** 1755, *Encycl.*, sens propre ; fin XVIIIe s., sens fig.

**effet** XIIIe s., G. ; lat. *effectus,* résultat, effet, de *facere,* faire ; *en effet* 1637, Descartes ; *effet de change* XIVe s., fin. ; pl. début XIVe s., « vêtements » ; 1870, Lar., fin. || **effectif** adj. XIVe s. ; lat. médiév. *effectivus ;* fin XVIIIe s., n. m., milit. || **effectivement** 1495, J. de Vignay. || **effectuer** 1420, A. Chartier ; lat. médiév. *effectuare.* || **effectuation** fin XIXe s.

**efficace** n. f., 1155, Wace ; lat. *efficacia,* de *efficax,* qui produit de l'effet ; adj. début XIIIe s. || **efficacement** 1309, G. || **efficacité** 1495, J. de Vignay ; rare jusqu'au XVIIe s., où il remplaça *efficace,* n. f. ; lat. *efficacitas.*

**efficient** fin XIIIe s. ; lat. philos. *efficiens,* part. prés. de *efficere,* produire. || **efficience** XXe s. ; angl. *efficiency,* du lat. *efficientia.* || **coefficient** début XVIIe s. ; préfixe *co-,* avec, spécialisé en math.

**effigie** 1460, Chastellain ; lat. *effigies,* figure, image, de *fingere,* façonner.

**effiler, effilocher, efflanquer, effleurer, efflorescence** V. FIL, FLANC, FLEUR.

**effluent** 1745, *Mémoires Acad. sciences,* adj., « qui s'écoule » ; lat. *effluens,* de *effluere,* couler ; n. m., v. 1950.

**effluve** 1755, *Encycl.* ; lat. *effluvium,* écoulement, de *fluere,* couler.

**effondrer** 1170, *Rois* (*esfundrer*) ; fin XIIe s. (*effondrer*), « briser » ; *s'effondrer* 1690, Furetière ; de *ex-,* négatif, et lat. pop. **fundora,* pl. neutre de **fundus, funderis,* lat. *fundus, fundi,* fond. || **effondrement** 1645, Brunot. || **effondrilles** 1564, Liébault, réfection de *fondrilles* (fin XIe s.), dépôt de liquides, d'après *effondrer.*

**efforcer (s')** V. FORCE.

**effraction** 1559, Amyot ; lat. pop. **effractio,* de *effractus,* part. passé de *effringere,* briser, de *frangere.*

**effraie** 1555, Belon, altér. de *orfraie,* sous l'infl. de *effrayer ;* mot de l'Ouest et du Centre.

***effrayer** 980, *Passion* (*esfreder*) ; 1080, *Roland* (*esfrer*) ; 1530, Palsgrave (*effrayer*) ; lat pop. **exfridare,* faire sortir de la paix, du francique *fridu,* paix (allem. *Friede*). || **effroi** 1130, *Eneas* (*esfrei*), déverbal. || **effroyable** XIVe s., *Traité d'alchimie.*

**effréné** fin XIIe s., *Grégoire ;* lat. *effrenatus,* « qui n'a plus de frein », de *frenare,* brider. || **effrénément** 1549, R. Est.

**effriter** 1611, Cotgrave, « rendre le sol incapable de porter des fruits » ; altér. de l'anc. fr. *effruiter,* dépouiller de ses fruits ; 1858, Gautier, « réduire en poussière », dû à l'infl. de *friable.* || **effritement** milieu XIXe s.

**effroi, effronté** V. EFFRAYER, FRONT.

**effusion** fin XIIIe s., G., « action de verser un liquide » ; 1690, Furetière, fig. ; lat. *effusio,* qui a les deux sens, de *fundere,* répandre.

**égagropile** 1752, Trévoux ; gr. *aigagros,* chèvre sauvage, et *pílos,* boule de laine.

**égailler** XIIe s., « égaliser, répartir, répandre » ; fin XVIe s., Baïf, « disperser, s'étendre » ; XVIIe s., Colbert, « répartir » ; mot de l'Ouest, vulgarisé par *les Chouans* de Balzac, sens venu du Midi ; lat. pop. **aequāliare,* de *aequalis,* égal.

**égal** 1155, Wace (*esgal*) ; 1130, *Eneas* (*igal*) ; n. m. 1361, Oresme ; adapt. du lat. *aequalis,* qui a donné l'anc. fr. *evel, ivel.* || **égaler** XIIIe s., G. ; rare jusqu'au XVIe s. || **égalable** fin XIIIe s., Macé. || **également** 1130, *Eneas.* || **égaliser** 1458, *Mystère* (*equa-*) ; 1539, R. Est. (*éga-*). || **égalisation** XVIe s., Joubert. || **égalisateur** 1870, Lar. || **égalisoir** 1812, *Encycl. méth.* || **égaliseur** 1793, *Amis de la vérité.* || **égalité** 1265, J. de Meung (adaptation du lat. *aequalitas*). || **égalitaire** 1840, Dezamy. || **égalitairement** 1870, Lar. || **égalitarisme** 1870, A. Richard. || **inégal** 1370, Oresme (*inequal*) ; XVIe s. (*inégal*) ; lat. *inaequalis.* || **inégalement** 1484, Chuquet (*inegualement*). || **inégalité** 1290,

Drouart (*inequalité*) ; 1538, R. Est (*inegualité*) ; lat. *inaequalitas.* || **inégaliser** 1839, Lahautière. || **inégalitaire** 1876, Janet.

**égard** 1138, Gaimar (*esgard*) ; XVII<sup>e</sup> s. (*égard*) ; déverbal de l'anc. fr. *esguarder,* regarder (1050, *Alexis*), de *es-* et de *garder ; à cet égard* fin XVI<sup>e</sup> s. ; *à tous égards* 1740, Vauvenargues ; pl. 1671, Bouhours.

**égarer** 1050, *Alexis* (*esguaré*) ; XII<sup>e</sup> s. (*esgarer*) au sens propre et au sens fig ; *s'égarer* fin XIV<sup>e</sup> s., Chr. de Pisan ; de *es-*, privatif, et francique **warôn,* conserver, placer qqch, qqn hors de son abri. || **égarement** 1160, Benoît, « folie » ; fin XVI<sup>e</sup> s., « fait de perdre son chemin ».

**égérie** 1839, Boiste, « inspiratrice » ; 1827, *Acad.,* « genre de crustacé » ; nom d'une nymphe qui aurait inspiré Numa Pompilius, deuxième roi légendaire de Rome.

**égide** 1512, Lemaire, hist. ; 1559, Du Bellay, fig., « protection » ; *sous l'égide de* 1870, Lar. ; lat. *aegis, -idis,* du gr. *aigis, -idos,* peau de chèvre, de *aix,* chèvre. Le bouclier merveilleux de Zeus et d'Athéna était couvert de la peau de la chèvre Amalthée.

***églantier** 1080, *Roland* (*-entier*) ; anc. fr. *aiglent* (XII<sup>e</sup> s.), même sens, du lat. pop. **aquilentum,* pour **aculentum,* de *acus,* pointe. || **églantine** 1600, O. de Serres, fém. substantivé de l'anc. fr. *aiglantin,* adj. (1572, R. Belleau), de *aiglent.*

**églefin** V. AIGREFIN 2.

**église** 1050, *Alexis ;* repris au VI<sup>e</sup> s. (selon le traitement de *cl* en *gl,* cf. AVEUGLE) au lat. eccl. *eclesia,* var. de *ecclesia,* du gr. *ekklesia,* assemblée, au sens « assemblée des fidèles » en gr. chrét., qui a pris vers le VI<sup>e</sup> s. le sens de « maison du culte », donné auparavant par *basilica,* basilique.

**églogue** 1495, *Mir. historial,* masc. ; XVI<sup>e</sup> s., féminin ; lat. *ecloga,* du gr. *eklogê,* pièce choisie ; la var. *eclogue* se trouve encore au XVII<sup>e</sup> s. (Sorel).

***égoïne** 1344, G. (*escohine*) ; 1690, Furetière (*egohine*) ; du lat. *scobīna,* lime, râpe.

**ego** début XX<sup>e</sup> s. ; mot lat. signifiant « moi ». || **égocentrique** 1922, Lar., de *centre.* || **égocentrisme** *id.* || **égoïsme** 1755, *Encycl.* || **égoïste** *id.* || **égoïstement** 1864, L. || **égotisme** 1726, Mackenzie ; angl. *egotism,* même origine. || **égotiste** *id.*

**égosiller, égout, égoutter, égratigner, égrener** V. GOSIER, GOUTTE, GRATTER, GRAIN.

**égrillard** 1580, Alcrippe (*esgrillard*), « malfaiteur » ; 1640, Oudin, adj., sens actuel ; normand *égriller,* glisser, de l'anc. scand. **skridla,* marcher sur la neige. || **égrillardise** 1867, Goncourt.

**eider** fin XII<sup>e</sup> s. (*edre*) ; 1755, *Encycl.* (*eider*) ; islandais *aedhar,* par l'intermédiaire du lat. scientifique.

**eidétique** début XX<sup>e</sup> s. ; allem. *eidetisch,* du gr. *eidos,* forme, essence.

**éjaculer** milieu XVI<sup>e</sup> s., G., « lancer une flèche » ; 1835, *Acad.,* sens actuel ; lat. *ejaculari,* lancer ; d'abord emploi eccl., puis seulement physiol. || **éjaculation** 1552, Rab., appliqué à l'atmosphère ; 1611, Cotgrave, physiol. || **éjaculateur** 1580, Montaigne. || **éjaculatoire** 1611, Cotgrave.

**éjecter** 1888, Lar. ; lat. *ejectare,* lancer. || **éjection** XIII<sup>e</sup> s., *Bible ;* lat. *ejectio,* action de lancer, de *jacĕre,* jeter. || **éjecteur** 1874, *J. O.* || **éjectable** 1956, Lar.

**élaborer** 1534, Rab. (*élabouré*) ; 1650, Descartes (*élaborer*) ; lat. *elaborare,* « obtenir par le travail » (*labor*). || **élaboration** 1478, Chauliac (*élabouration*) ; 1719, *Journ. des savants* (*élaboration*) ; lat. *elaboratio.*

**élaguer** 1373, Gace de la Bigne (*alaguer*) ; 1425, Du Cange (*eslaver*) ; 1535, G. (*eslaguer*) ; de *ex-,* intensif, et anc. nordique *laga,* arranger. || **élagueur** 1200, *Charte normande* (*allaigneur*) ; 1756, Mirabeau (*élagueur*). || **élagage** 1760, Duhamel.

1. **élan, élancer** V. LANCER.

2. **élan** 1414, Lannoy (*hellent*) ; 1564, J. Thierry (*ellend*) ; 1611, Cotgrave (*élan*) ; moyen haut allem. *elend* (auj. *Elentier*), du balto-slave *elnis.*

**élastique** 1674, Le Gallois, adj. ; n. m. 1839, Boiste ; lat. *elasticus,* empr. au gr. *elastos,* ductile. || **élasticité** 1687, Dubois ; lat. *elasticitas.* || **élasticimètre** v. 1950. || **élastomère** *id.*

**elbeuf** 1743, Trévoux ; du nom de la ville, renommée pour ses draps.

**eldorado** 1579, Benzoni (*Dorado*) ; 1640, Laet (*el-*) ; esp. *el dorado,* le doré, c.-à-d. le pays de l'or ; popularisé après 1759 par *Candide* de Voltaire.

**électeur** V. ÉLIRE.

**électrique** 1600, Gilbert ; lat. scient. *electricus,* de *electrum,* gr. *êlektron,* ambre jaune, d'apr. sa propriété d'attirer les corps légers quand on l'a frotté. || **électriquement** av. 1850, Balzac. || **électricité** 1722, Newton, trad. Coste ; lat. *electricitas.* || **électricien** 1764, Nollet. || **électrifier** 1877, L. || **électrification** *id.* || **électriser** 1733, *Hist. Acad. des sc.* ; 1807, Staël, fig. || **électrisable** 1746, Nollet. || **électrisant** 1764, *Mém. Acad. des sciences* ; 1864, L. fig. || **électroacoustique** 1948, Lar. || **électrochimie** 1826, *Mém. Acad. des sciences.* || **électrocuter** 1899, *Année sc.* ; anglo-américain *to electrocute,* croisement entre *électro-* et *to execute,* exécuter ; la première électrocution eut lieu aux États-Unis, le 6 août 1890. || **électrocution** 1890, *le Temps.* || **électrocardiographe** 1919, Lar. || **électrochoc** 1938, Lar. || **électrode** 1838, *Acad.,* mot créé en Angleterre par Faraday en 1834 ; gr. *hodos,* chemin. || **électro-encéphalogramme** 1929, Berger, procédé inventé en 1923. || **électrolyte** 1842, Mozin (gr. *lutos,* soluble). || **électrolyse** 1842, *Acad.* || **électrolyser** 1838, *Acad.* || **électrolytique** 1836, Landais. || **électromagnétique** 1823, *Mém. Acad. des sciences.* || **électroménager** XX^e^ s. || **électrométallurgie** 1858, Peschier. || **électron** 1829, Boiste, créé en Angleterre par Stoney ; mot angl., sur gr. *êlektron.* || **électronique** 1947, Chauvineau. || **électronicien** 1955, *Dict. des métiers.* || **électrophone** 1870, Ader. || **électroradiologie** v. 1950. || **électrotechnique** début XX^e^ s. || **électrothérapie** 1864, L. || **électrum** 1530, Lefèvre (*électron*) ; XVII^e^ s. (*électrum*) ; lat. *electrum,* gr. *êlektron,* ambre jaune.

**électuaire** 1165, Marie de France (*lettuaire*) ; XIV^e^ s. (*élect-*) ; bas lat. *electuarium* (VII^e^ s., Isid. de Séville), altér. du gr. méd. *ekleikton,* sous l'infl. de *electus,* choisi.

**élégant** 1150, Barbier ; rare jusqu'au XV^e^ s. ; n. 1837, Balzac ; lat. *elegans.* || **élégance** XV^e^ s., G. ; lat. *elegantia.* || **élégamment** 1373, Gace de la Bigne. || **inélégant** 1520, Seyssel. || **inélégance** 1523, Lefèvre d'Étaples.

**élégie** 1500, d'Authon ; lat. *elegia,* du gr. *elegeia,* chant de deuil. || **élégiaque** 1480, Delb. ; bas lat. *elegiacus.*

**élément** fin IX^e^ s., *Eulalie,* « doctrine » ; 1453, Monstrelet, « principe de base » ; av. 1869, Lamartine, « individu » ; pl. 1691, Racine ; lat. *elementum.* || **élémentaire** 1380, Conty ; lat. *elementarius.*

**élémi** 1573, Liébault ; esp. *elemi,* de l'ar. *al-lami,* nom de l'arbuste.

**éléphant** 1119, Ph. de Thaon (*elefant*) ; on trouve surtout *olifant* (1080, *Roland*) jusqu'au XV^e^ s. ; lat. *elephantus,* du gr. *elephas, antos.* || **éléphante** 1856, Lachâtre. || **éléphantesque** XX^e^ s. || **éléphantin** 1256, Ald. de Sienne. || **éléphanteau** 1562, Du Pinet. || **éléphantidé** 1842, Mozin. || **éléphantique** *id.* || **éléphantiasis** 1538, Canappe ; lat. *elephantiasis,* lèpre tuberculeuse, mot gr. ; la maladie rend la peau rugueuse comme celle d'un éléphant.

**élever** 1120, *Ps. d'Oxford* (*eslever*), « porter vers le haut » ; 1530, Palsgrave, « augmenter » ; 1270, A. de la Halle, « élever un enfant » ; 1499, Bartzsch, « élever un animal » ; dér. ancien de *lever.* || **élève** masc., 1653, Oudin (*élève d'artisan*) ; pour un animal 1845, Besch., d'apr. l'ital. *allievo.* || **élève** fém., 1770, Brunot, « action d'élever ». || **élèvement** 1120, *Ps. d'Oxford.* || **élévation** XIII^e^ s., *D. G.* (*elevacion du corpus Domini*), Delb. ; lat. *elevatio,* au sens eccl. ; il a pris un sens étendu au XIV^e^ s. en remplaçant *élèvement* (1120, *Ps. d'Oxford*). || **élévateur** fin XVI^e^ s., Brantôme (*eslevateur*) ; bas lat. *elevator,* « qui élève » ; techn., 1801, *Ann. des arts et manuf.* ; 1873, Malézieux, « magasin où le grain est monté mécaniquement ». || **éleveur** 1120, *Ps. de Cambridge.* || **élevage** 1836, Landais. || **surélever** début XV^e^ s., Gerson. || **surélévation** milieu XIX^e^ s.

**elfe** fin XVI^e^ s., « fée d'Écosse » ; rare jusqu'au XIX^e^ s. ; angl. *elf,* de l'anc. suédois *älf.*

**élider** 1549, R. Est. ; lat. gramm. *elidere,* arracher, enlever, de *laedere,* endommager. || **élision** milieu XVI^e^ s. ; lat. *elisio.*

**éligible, élimer** V. ÉLIRE, LIME.

**éliminer** 1495, J. de Vignay ; lat. *eliminare,* faire sortir du seuil (de *limen, -inis,* seuil). || **élimination** 1765, Bezout. || **éliminateur** 1856, Lachâtre. || **éliminatoire** 1836, Bourdon, adj. ; v. 1900 n. f., par abrév. de *épreuve éliminatoire.* || **éliminable** 1908, Lar.

**élingue** 1170, *Vie de saint Edmond* (*eslinge*) ; 1310, Guiart (*eslingue*), « fronde » ; début XIV^e^ s., sens actuel ; francique **slinga,* fronde ; « cordage, filin ». || **élinguet** 1694, Th. Corn., mar. || **élinguer** 1310, Guiart, « lancer avec une fronde » ; 1771, Trévoux.

***élire** 1080, *Roland* (*esl-*) ; lat. pop. **exlĕgĕre,* réfection de *eligĕre,* choisir, d'apr. *legere.* || **électeur** 1361, Oresme ; lat. *elector,* « qui choisit ». || **électoral** 1571, Barbier. || **électoralement** 1850, Balzac. || **électorat** 1593, Holyband. || **électoralisme** XX^e^ s. || **élection** 1190, Garn., « choix » ; 1207, Villehardouin, « nomination par suffrage » ; lat. *electio,* choix. || **électif** 1361, Oresme, « qui fait choix » ; fin

XIVe s., « nommé par élection » ; bas lat. *electivus.* || **éligible** fin XIIIe s., Gauchy ; lat. *eligibilis,* « qui peut être choisi ». || **éligibilité** 1732, Trévoux. || **inéligible** 1752, Trévoux. || **inéligibilité** 1791, Ranft. || **réélire** 1570, Vaganay, « choisir » ; rare jusqu'au XVIIIe s. || **rééligible** 1791, Ranft. || **irrééligible** 1871, Blanqui. || **réélection** 1784, *Courrier de l'Europe.*

**élision** V. ÉLIDER.

***élite** 1180, *Alexandre* (*eslite*) ; anc. part. passé fém. substantivé de *élire ;* d'abord « action de choisir » et « ce qui est choisi », d'où le sens actuel. || **élitisme** v. 1950.

**élixir** 1265, J. de Meung (*eslissir*) ; XIVe s. (*elixir*) ; ar. *al iksir,* la pierre philosophale, et médicament, du gr. *xêrion,* médicament.

***elle** fin IXe s., *Eulalie* (*ele*) ; forme tonique du lat. *ĭlla,* celle, celle-là, correspondant à la forme atone *la.*

**ellébore** milieu XIIIe s. ; lat. *helleborum,* du gr. *helleboros.*

1. **ellipse** fin XVIe s., gramm. ; lat. gramm. *ellipsis,* du gr. *elleipsis,* manque. || **elliptique** fin XVIIe s. ; gr. gramm. *elleiptikos.* || **elliptiquement** 1835, *Acad.*

2. **ellipse** début XVIIe s., géom. ; lat. astronom. *ellipsis,* mot créé par Kepler, d'apr. le gr. *elleipsis,* manque, l'ellipse étant un cercle imparfait. || **ellipsoïde** début XVIIIe s. || **ellipsoïdal** milieu XIXe s. || **elliptique** début XVIIe s. ; lat. de Kepler *ellipticus.* || **ellipticité** 1755, *Encycl.*

**Elme (feu Saint-)** XVIe s. ; ital. (*fuoco*) *sant'Elmo,* trad. du lat. médiév. *lumen sancti Elemi* (XIVe s., Du Cange), déformation de *sanctus Erasmus.*

**élocution** 1521, Fabri, « manière de s'exprimer » ; av. 1850, Balzac, « articulation des sens » ; lat. *elocutio,* de *loqui,* parler. (V. ÉLOQUENCE.)

**éloge** 1580, Pasquier (*euloge*) ; 1685, Racine (*éloge*), d'abord « panégyrique » ; bas lat. *eulogium,* du gr. *eulogia,* louange. || **élogieux** 1836, Raymond. || **élogieusement** 1878, Lar.

**éloigner, élongation** V. LOIN, LONG.

**éloquence** 1155, Wace ; lat. *eloquentia,* de *eloqui,* parler. || **éloquent** 1213, *Fet des Romains ;* lat. *eloquens.* || **éloquemment** 1548, P. Le Febvre.

**élucider** V. LUCIDE.

**élucubration** 1594, *Sat. Ménippée* (*lucubrations*) ; 1750, Prévost (*élucubration*), « recherches » ; 1762, *Acad.,* péjor. ; bas lat. *elucubratio,* travail pendant la veille, de *lucubrum,* « flambeau ». || **élucubrer** 1849, Besch. ; repris tardivement au lat. *elucubrare.*

**éluder** XVIe s., « jouer » ; 1611, Cotgrave, « tromper » ; 1671, Pomey, « se soustraire » ; lat. *eludere,* se jouer de, de *ludus,* jeu. || **élusif** 1801, Dupré ; angl. *elusive.*

**élution** 1865, Scheibler, « procédé pour extraire le sucre » ; lat. *elutio,* action de laver, de *luere,* laver.

**élymus** 1778, Lamarck (*élyme*) ; 1786, *Encycl.* (*elymus*), « plante herbacée » ; gr. *elumos,* millet.

**Élysées** (*champs*) 1372, Foulechat (*champs elisies*) ; 1516, Lemaire (*champs Élysées*) ; bas lat. *elysei* (lat. *elysii*) *campi,* calque du gr. *êlusia pedia,* lieu où se rendent les âmes, de *elthein,* venir ; au sing., siège de la présidence, 1870, Lar. || **élyséen** 1512, Lemaire (*-ien*) ; 1600, O. de Serres (*-éen*) ; polit., 1962, D. Mayer.

**élytre** 1762, Geoffroy ; gr. *elutron,* étui. || **élytral** XXe s.

**elzévir** fin XVIIe s. ; de *Elzevier,* nom d'une famille d'imprimeurs hollandais. || **elzévirien** 1829, Nodier.

**émacié** 1560, Paré ; rare jusqu'au XVIIIe s. ; lat. *emaciatus,* de *macies,* maigreur. || **émaciation** *id.*

**émail** début XIIe s., *Voy. de Charl.* (*esmal*), puis *-ail* (1170, *Floire et Blancheflor*) par substitution de finale ; francique **smalt* (allem. *Schmelz,* de *schmelzen,* fondre). || **émailler** XIIIe s. || **émaillage** 1870, Lar. || **émailleur** XIIIe s., L. || **émaillure** 1328, Richard.

**émanciper** début XIVe s. ; *s'émanciper* 1585, Du Fouilloux ; lat. jurid. *emancipare,* affranchir du droit de vente ; l'acquisition se faisait en prenant avec la main : *manu capere,* d'où *mancipare.* || **émancipation** 1317, G. || **émancipateur** début XIXe s., Chateaubriand.

**émaner** milieu XVe s., fig ; 1829, Hugo, sens propre ; lat. *emanare,* « couler de ». || **émanation** fin XVIe s., Vigenère ; bas lat. *emanatio.* || **émanateur** 1870, Lar.

**émasculer, embâcle, emballer, embarcadère, embarcation** V. MÂLE, BÂCLER, BALLE, BARQUE.

**embarder** 1687, Desroches, mar. ; prov. mod. *embardar,* embourber, de *bart,* boue (lat.

pop. **barrum*, boue), par ext. « tournoyer ». ‖ **embardée** 1694, Th. Corn., mar. ; fin XIXᵉ s., mouvement d'un véhicule.

**embargo** 1626, Richelieu, mar. ; 1825, Courier, sens général ; esp. *embargo,* déverbal de *embargar,* mettre l'embargo, propr. embarrasser, du lat. pop. **imbarricare,* de **barra,* barre.

**embarquer** V. BARQUE.

**embarrasser** 1580, Montaigne ; esp. *embarazar,* de *barra,* barre (lat. pop. **barra*). ‖ **embarras** milieu XVIᵉ s., d'Aubigné, « obstacle » ; XVIIᵉ s., fig. ‖ **embarrassant** 1642, Oudin ; déverbal. ‖ **débarrasser** fin XVIᵉ s. ; de *désembarrasser,* sous l'infl. de l'ital. *sbarazzare.* ‖ **débarras** 1798, *Acad.,* « fait d'être débarrassé » ; 1863, L., fig.

**embase** 1752, Trévoux, techn. ; déverbal de l'anc. fr. *embaser* (1611, Cotgrave), de *base.* ‖ **embasement** 1694, Th. Corn. ; avec infl. de l'ital. *imbasamento,* qui a remplacé *embassement.*

**embaucher** 1564, Thierry ; formé d'apr. *ébaucher* au sens de dégrossir (un ouvrage), de *bau* (v. ce mot). ‖ **embaucheur** 1680, Richelet. ‖ **embauchage** 1752, Trévoux. ‖ **embauche** 1660, Oudin ; déverbal de *embaucher.*

**embaumer, embellir** V. BAUME 1, BEAU.

**emberlificoter** 1790, Brunot, « circonvenir » ; *s'emberlificoter* 1864, L. ; mot champenois, déformation de *embirelicoquier* (1320, *Fauvel*), d'orig. obscure et à multiples variantes (*emberloquer* 1721, Trévoux ; *embrelicoquer* 1674, Hauteroche).

**embêter, emblaver** V. BÊTE, BLÉ.

***emblée (d')** 1454, Monstrelet, « en enlevant du premier coup » ; d'abord *à l'emblée* (XIIᵉ s.) ; anc. fr. *embler* (980, *Passion*), « dérober », du lat. *involare,* voler vers.

**emblème** 1560, Montaigne ; 1704, Trévoux, « symbole » ; souvent fém. aux XVIᵉ-XVIIᵉ s. ; lat. *emblema, -atis,* ornement rapporté, du gr. *emblêma.* ‖ **emblématique** av. 1553, Rab. ; bas lat. *emblematicus,* surajouté.

**embobeliner, emboîter** V. BOBELIN, BOÎTE.

**embolie** milieu XIXᵉ s. ; gr. *embolê,* « action de jeter dans », « obstruction », de *emballein,* jeter. ‖ **embolique** 1870, Lar.

**embolisme** 1119, Ph. de Thaon, intercalation d'un mois lunaire ; bas lat. *embolismus,* du gr. *embolimos, -ismos,* de *ballein,* jeter.

**embonpoint,** 1462, *Cent Nouvelles ;* de *estre en bon point,* être en bonne condition (1210, *Perlesvaus*), de *en, bon* adj., et *point,* état de qqn.

**emboucher, embouchure, emboutir, embraser, embrasser** V. BOUCHE, BOUTER, BRAISE, BRAS.

**embrasure** 1522, J. Bouchet, « ouverture où on pointait le canon » ; de *embraser* (1567, Delorme), élargir une fenêtre ; peut-être issu de *embraser,* enflammer, l'embrasure étant l'endroit où s'embrasait le canon. ‖ **embrasement** 1611, Cotgrave, archit., remplacé par *ébrasement.* ‖ **ébraser** 1636, Monet ; var. par changement de préfixe. ‖ **ébrasement** 1694, Th. Corn.

**embrayer** V. BRAIE.

**embreler** 1309, G. (*embraeler*), « fixer un chargement avec des cordes » ; anc. fr. *brael, braeil,* cordage, du bas lat. *brogilus,* d'origine gauloise.

**embrener** V. BRAN.

***embrever** XIIᵉ s., G. (*enbevrer*) ; XVIIᵉ s. (*embrever*), « abreuver, imbiber » ; 1223, *D. G.,* sens techn., « assembler des pièces de bois à rainure » ; lat. pop. **imbiberare.* (V. ABREUVER.) ‖ **embrèvement** 1676, Félibien.

**embrocation** XIVᵉ s., Gordon ; lat. médiév. *embrocatio,* du gr. *embrokhê,* lotion, de *embrekhein,* arroser.

**embrouillamini** V. BROUILLAMINI.

**embrun** début XVIᵉ s. (*anbrun*) ; rare jusqu'au XIXᵉ s. (1828, Laveaux) ; mot du prov. mod., déverbal de *embruma,* bruiner, de *brumo,* brume.

**embryon** 1361, Oresme (*embrion*) ; XVIIᵉ s. (*embryon*) ; 1674, Chapelain, fig. ; lat. des trad. d'Aristote, du gr. *embruon,* fœtus, de *bruein,* croître et *en,* dans. ‖ **embryonnaire** 1842, *Acad.* ‖ **embryogénie** 1836, Raymond. ‖ **embryogenèse** 1905, Vialleton. ‖ **embryologie** 1762, *Acad.* ‖ **embryologiste** 1864, L. ‖ **embryopathie** XXᵉ s. ‖ **embryotomie** 1707, Dionis (*embruo-*).

**embûcher, embusquer** V. BÛCHE.

**embut** 1532, Rab., « entonnoir, puisard » ; mot méridional, du lat. pop. **imbutum,* entonnoir, de *imbuere,* imbiber, remplir.

**émender** 1549, R. Est., « corriger » ; 1743, Trévoux, droit ; lat. *emendare,* qui a donné aussi *amender.*

**émeraude** 1119, Ph. de Thaon (*esmeragde*) ; 1130, *Eneas* (*-eralde*) ; 1636, Monet (*émeraude*) ; lat. *smaragdus,* du gr. *smaragdos,* orig. orientale. (V. SMARAGDITE.)

**émerger** XV^e^ s., La Curne ; rare jusqu'au XIX^e^ s. ; du lat. *emergere,* sortir de l'eau. || **émergement** 1864, L. || **émergent** 1471, G., « dépendant », jurid. ; 1720, Coste (avec infl. de l'angl.), techn. ; part. prés. lat. *emergens.* || **émergence** 1498, *Ordonn.* || **émersion** 1694, Th. Corn. ; du part. passé *emersus.*

**émeri** 1486, Gay (*emmery*) ; 1636, Monet (*émeri*) ; on trouve la forme *emeril* au XIII^e^ s. ; ital. *smeriglio,* du gr. byzantin *smeri,* gr. class. *smuris.* || **émeriser** 1870, Lar.

**émerillon** 1175, Chr. de Troyes (*esm-*) ; diminutif de l'anc. fr. *esmeril* (fin XII^e^ s.), du francique **smeril* (allem. *Schmerl*). || **émerillonné** av. 1493, Coquillart.

**émérite** 1355, Bersuire (*esmerit*) ; XVIII^e^ s. (*émérite*) ; lat. *emeritus,* « qui a accompli son service militaire », de *mereri,* mériter, par ext. « servir dans l'armée ».

**émersion** V. ÉMERGER.

**émétique** 1560, Paré ; lat. *emeticus,* du gr. *emetikos,* de *emein,* vomir. Se dit de médicaments qui font vomir. || **émétisant** XX^e^ s. ; de *émétiser* (1798, *Acad.*).

**émettre** 1476, G., « interjeter appel », jurid., repris au XVIII^e^ s. avec divers sens ; adaptation, d'apr. *mettre,* du lat. *emittere,* envoyer dehors. || **émetteur** 1792, Brunot. || **émissaire** début XVI^e^ s. ; lat. *emissarius ; bouc émissaire* 1690, Furetière ; fig. fin XVII^e^ s., Saint-Simon ; calque du lat. eccl. *caper emissarius.* || **émission** 1380, Conty, « action d'émettre » ; 1721, phys., Mackenzie ; d'apr. l'angl. ; 1790, Mirabeau, finances ; lat. *emissio,* action d'émettre, du part. pass. *emissus.* || **émissif** 1839, Boiste.

**émeu** 1598, Lodewijcksz (*eeme*) ; 1605, Clusius (*émeu*) ; mot des Moluques.

**émeut** 1360, *Modus ;* déverbal de l'anc. fr. *émeutir,* fienter (1180, Marie de France), du francique **smeltjan,* fondre (allem. *schmelzen*).

**émeute, émietter** V. ÉMOUVOIR, MIE 1.

**émigrer** 1797, Féraud ; lat. *migrare,* changer de demeure, se déplacer. (V. MIGRATION.) || **émigrant** 1770, Du Deffand. || **émigré** 1791, *D. G.* || **émigration** 1752, Brunot ; lat. *emigratio.* (V. IMMIGRER.)

**éminent** 1212, Anger, « élevé, haut » ; milieu XVI^e^ s., Amyot, fig. ; lat. *eminens,* part. prés. de *eminere,* s'élever. || **éminence** 1314, Mondeville ; lat. *eminentia ;* début XVII^e^ s., titre des cardinaux d'apr. un titre honorifique du Bas-Empire. || **éminemment** 1611, Cotgrave. || **éminentissime** 1680, Richelet ; ital. *eminentissimo.*

**émir** XIII^e^ s., G. de Tyr ; rare jusqu'au XVI^e^ s. ; ar. *amir,* « celui qui ordonne ». || **émirat** 1948, Lar. (V. AMIRAL.)

**émissaire, émission** V. ÉMETTRE.

**emménagogue** 1720, Vaux ; gr. *emmêna,* menstrues, et *agôgos,* « qui amène ». Se dit de médicaments qui provoquent l'apparition des règles.

**emmenthal** 1901, Lar. ; du nom d'une vallée où ce fromage est fabriqué.

**emmitonné, emmitoufler** V. MITAINE.

**émoi** 1160, Benoît (*esmai*) ; déverbal de l'anc. fr. *esmaier, -ayer* (1131, *Couronn. Louis*), lat. pop. **exmagare,* se troubler, du germ. **magan,* pouvoir (allem. *mögen*), avec *ex-* privatif.

**émollient** 1560, Paré ; lat. *emolliens,* part. prés. de *emollire,* amollir, de *mollis,* mou.

**émolument** 1265, J. de Meung ; pl. 1690, Furetière, « rémunération » ; lat. *emolumentum,* profit.

**émonctoire** 1314, Mondeville ; lat. *emunctus,* part. passé de *emungere,* moucher. Se dit de l'ensemble des organes qui servent à l'évacuation (excréments, urine, etc.).

***émonder** 1170, Sully (*esmonder*), « purifier » ; 1354, *Modus,* « couper les branches » (*esm-*) ; lat. pop. **exmundare,* réfection de *emundare,* nettoyer. || **émondation** 1523, Lefèvre, « purification » ; 1864, L., pharm. || **émondage** 1573, Liébault. || **émondeur** 1549, R. Est.

**émotif, émotion** V. ÉMOUVOIR.

**émoucher** XIII^e^ s., *Renart,* « débarrasser des mouches » ; 1838, *Acad.,* techn., « débarrasser le grain de l'enveloppe ». || **émouchoir** *id.* || **émouchette** 1549, R. Est., « filet dont on couvre les chevaux pour les protéger des mouches ». || **émouchet** 1558, Boistuau, petit rapace.

***émoulu** 1119, Ph. de Thaon ; part. passé de l'anc. fr. *esmoudre,* issu du lat. pop. **exmŏlĕre,* réfection de *emŏlĕre,* moudre entièrement ; il a pris en fr. le sens de « passer sur la meule, affiler » ; au fig., *frais émoulu* (du collège), 1615, Pasquier.

**émousser** V. MOUSSE.

**émoustiller** 1718, Leroux ; var. avec sens fig. de *amoustiller* (1540, Rab.), « gorger de vin mousseux », de *mousse* (* *émoussetiller*). || **émoustillant** 1842, Sainte-Beuve. || **moustille** 1827, *Acad.*

* **émouvoir** 1080, *Roland* (*esm-*), « remuer » ; 1196, J. Bodel, « susciter un sentiment » ; 1170, *Rois,* « toucher » ; lat. pop. * *exmŏvēre,* réfection de *emŏvēre,* mettre en mouvement ; le sens fig. a éliminé au XVII^e s. le sens propre, réservé à *mouvoir.* || **émouvant** fin XVI^e s., Palissy. || **émotif** 1877, L. ; part. lat. *emotus.* || **émotion** 1534, Saint-Gelais, « excitation » ; 1580, Montaigne, « mouvement populaire », « malaise » ;1641, Corn., sens actuel ; d'apr. le lat. *motio.* || **émotionner** 1829, Boiste. || **émotionnable** 1870, Lar. || **émotionnant** 1896, Goncourt. || * **émeute** 1155, Wace (*esmote*), « émoi » ; 1362, Varin, « agitation » ; milieu XVI^e s., Ronsard, sens actuel ; anc. part. passé de *émouvoir,* substantivé au fém. (lat. pop. * *exmovĭta*). || **émeutier** 1836, Landais. || **émeuter** *id.*

**empaler** V. PAL.

**empalmer** 1907, Lar., terme de prestidigitation ; lat. *palma,* paume de la main. || **empalmage** 1870, Lar.

**empan** 1532, Rab., anc. mesure ; altér., par changement d'initiale, de *espan,* (1150, *Thèbes*), var. de *espanne* (XII^e s.), du francique * *spanna,* de *spannjan,* étendre, tirer (allem. *spannen*). [V. ÉPANOUIR.]

**emparer** 1323, G., « fortifier » ; *s'emparer de* 1514, *Coutumier général ;* prov. *amparar* (*emparar,* par substitution de préfixe), protéger ; du lat. pop. * *anteparare,* se protéger devant. || **emparement** 1611, Cotgrave. || **désemparer** 1364, Du Cange, « démanteler » ; début XVI^e s., mar. ; dér. de *emparer,* au sens anc. de « fortifier » ; il a pris au XV^e s. (1464, Commynes) le sens de « cesser d'occuper », d'où l'expression *sans désemparer* (1835, *Acad.*). || **remparer** 1360, Froissart, « renforcer » ; 1559, Amyot, fig. || **rempart** fin XIV^e s. ; *t* dû à l'anc. *boulevart* au XVI^e s.

* **empêcher** 1120, *Ps. d'Oxford* (*empedecad*), « entraver, embarrasser » ; 1155, Wace (*empeechier*) ; XVI^e s. (*empêcher*) ; 1420, A. Chartier, « interdire » ; *s'empêcher* 1580, Montaigne ; bas lat. *impedicare,* prendre au piège (v. PIÈGE). || **empêchement** 1190, Garn. (*empee-*). || **empêcheur** 1265, J. de Meung ; disparu au XVII^e s. ; refait au XIX^e s. (*empêcheur de danser en rond*), d'apr. un pamphlet de P.-L. Courier. (V. DÉPÊCHER.)

**empeigne** XIII^e s., de Garlande (*empeine*) ; 1460, Villon (*empeigne*) ; origine obscure, p.-ê. de *peigne,* au sens anc. de « métacarpe ». || **empeigner** 1877, L.

**empennage** V. PENNE.

* **empereur** 1050, *Alexis* (*emperedre,* cas sujet) ; 1080, *Roland* (*empereor,* cas régime) ; mot qui avait été repris après le couronnement de Charlemagne ; lat. *imperator, -oris.* || **impératrice** fin XV^e s. ; lat. *imperatrix,* qui a remplacé *empereris,* l'anc. fém. de *empereur.*

**empeser, empester** V. POIX, PESTE.

* **empêtrer** 1160, Benoît (*enpaistrié*) ; 1460, Villon (*empestrer*), « mettre une entrave » ; fig. milieu XVI^e s., Ronsard ; lat. pop. * *impastoriare,* de *pastoria,* entrave (*Loi des Longobards*), de *pastus,* pâturage. || **dépêtrer** fin XIII^e s., G., « débarrasser de son entrave » ; 1538, R. Est., fig. (V. PATURON.)

**emphase** 1546, Discret ; lat. *emphasis,* du gr. *emphasis,* « exagération pompeuse », de *emphainein,* montrer. || **emphatique** 1579, H. Est. ; lat. *emphaticus,* du gr. *emphatikos.* || **emphatiquement** XVI^e s., Huguet.

**emphysème** 1628, Planis ; gr. méd. *emphusêma,* gonflement, de *emphusân,* souffler sur, enfler. || **emphysémateux** 1755, *Encycl.*

**emphytéose** 1271, Delisle ; lat. médiév. *emphyteosis,* altér. du lat. jurid. *emphyteusis,* du gr. *emphuteusis,* de *emphuteuein,* planter ; ce bail à long terme donnait le droit de faire des plantations. || **emphytéotique** XIV^e s. ; lat. médiév. *emphyteoticus.* || **emphytéote** fin XV^e s. ; lat. médiév. *emphyteota.*

**empiéter** V. PIED.

**empiffrer** XVI^e s., Le Clercq, « avaler avec voracité » ; *s'empiffrer* 1669, Widerhold ; de *pifre,* gros individu (XVI^e s.) ; au fig., personne ventrue ; orig. onomat. || **piffrer** 1747, Rousseau ; sans doute par troncation du précédent.

**empire** 1050, *Alexis* (*empirie*) ; 1080, *Roland* (*empire*) ; lat. *imperium,* de *imperare,* commander.

**empirer** V. PIRE.

**empirique** 1314, Mondeville, méd. ; XVII^e s., sens actuel ; lat. *empiricus,* du gr. *empeirokos,* de *empeiros,* expérimenté. || **empirisme** 1732, Ph. Hecquet, méd. ; 1808, Laplace, « méthode fondée sur l'expérience ». || **empiriquement** 1596, Vigenère.

**emplastique** 1538, Canappe ; gr. *emplastikos ;* il a servi de dér. à *emplâtre.*

***emplâtre** 1170, *Rois* (*emplastre*) ; XVII^e s. (*emplâtre*) ; parfois fém. jusqu'au XVIII^e s. ; lat. *emplastrum,* du gr. *emplastron,* de *emplattein,* façonner, appliquer sur. (V. PLÂTRE.)

***emplette** fin XII^e s., R. de Moiliens (*emploite*) ; 1360, Froissart (*emplette*) par attraction du suffixe ; lat. pop. **implĭcĭta,* part. passé substantivé au fém. de *implicare* (v. EMPLOYER) ; emploi de l'argent en achats (*faire emplette*), d'où « achat » (1611, Cotgrave).

***emplir** début XII^e s., *Voy. de Charl. ;* lat. pop. **implīre* (lat. *implēre*). || **désemplir** XII^e s., *Roncevaux.* || **remplir** 1130, *Eneas,* qui a remplacé *emplir ; remplir un objet,* 1756, Beaumarchais ; *remplir un but,* 1761, *Année littér.* || **remplissage** fin XV^e s., « dessin dans un vitrail » ; 1508, *Comptes de Gaillon,* « terre de soutien ».

***employer** 1080, *Roland* (*empleier*), « faire usage » ; 1636, Monet, « faire travailler » ; lat. *implĭcare,* « enlacer, engager, impliquer ». || **emploi** 1538, R. Est. ; 1630, Monet, « occupation rémunérée » ; *emploi du temps* 1870, Lar. || **employeur** début XIV^e s., « dépensier » ; fin XVIII^e s. ; de l'angl. *employer.* || **employé** 1723, Savary. || **remployer** 1320, G., « dépenser » ; 1690, Furetière, sens actuel. || **remploi** fin XVI^e s.

**empoigner, empois, empouiller** V. POING, POIS, DÉPOUILLER.

***empouter** 1789, Paulet, « ajuster » ; prov. *empeuta,* lat. pop. **impeltare,* boucher, greffer, de *pelta,* bouclier, écusson, d'où d'abord « enter ». || **empoutage** *id.*

***empreindre** 1213, *Fet des Romains ;* lat. pop. **imprĕmĕre,* réfection de *imprimere,* d'apr. *premere,* avec changement de radical d'apr. les verbes en *-eindre.* || **empreinte** 1265, J. de Meung ; part. passé fém. (V. IMPRIMER.)

**empresser** V. PRESSER.

***emprise** 1160, Benoît, « entreprise, prouesse », restreint au sens jurid. ; 1886, Huysmans, fig., sens actuel ; part. passé substantivé de l'anc. fr. *emprendre,* entreprendre, de *prendre.*

***emprunter** début XII^e s., *Voy. de Charl. ;* lat. pop. **impromuntare,* par altér. du lat. jurid. *promutari,* emprunter d'avance, marquant l'antériorité, du lat. *mutare,* échanger. || **emprunt** fin XII^e s. (*empront*) ; 1212, *D. G.* (*emprunt*). || **emprunteur** milieu XIII^e s. || **remprunter** 1549, R. Est.

**empuantir** V. PUER.

**empyème** 1400, G. (*empeime*) ; 1560, Paré (*empyème*), « amas purulent », méd. ; gr. *empuêma,* de *puon,* pus.

**empyrée** XIII^e s., G. (*les cieux empirées*) ; 1544, M. Scève (*empyrée*) ; 1578, d'Aubigné, fig. ; 1830, Lamartine, astron. et hist. ; lat. eccl. *empyrius,* adj. épithète de « ciel », du gr. *empurios,* qui est en feu, de *pûr,* feu.

**empyreume** 1560, Paré, chimie ; gr. *empureuma,* de *pûr,* feu ; indique la saveur et l'odeur âcre et forte que contracte une matière organique soumise au feu. || **empyreumatique** 1728, *Mém. Acad. sciences.*

**émule** XIII^e s., péjor., « rival » ; 1870, Lar., sans péjoration ; lat. *aemulus,* rival. || **émulation** v. 1200, *Règle de saint Benoît,* « rivalité » ; XVI^e s., terme scolaire ; lat. *aemulatio.* || **émulateur** 1495, J. de Vignay.

**émulsion** 1560, Paré ; lat. *emulsus,* part. passé de *emulgere,* traire. || **émulsionner** 1690, Furetière. || **émulsif** 1755, *Encycl.* || **émulsifier** XX^e s. || **émulsine** 1837, Vallet, « diastase ».

1. ***en** prép. 842, *Serments* (*in*) ; X^e s. (*en*) ; lat. *in,* dont l'emploi s'est trouvé progressivement limité par *dans ;* la forme contractée *ou* (*en le*) a disparu au XVI^e s. ; *ès* (*en les*) est resté dans *bachelier, licencié, docteur ès lettres.*

2. ***en** adv. 842, *Serments* (*int*) ; fin IX^e s., *Eulalie* (*ent*) ; lat. *inde,* de là, et, par ext., adv. pronominal (de cela...) en bas lat.

**énallage** fin XVI^e s., Du Perron ; bas lat. gramm. *enallage,* du gr. gramm. *enallagê,* changement, interversion. Désigne l'emploi exceptionnel d'un temps, d'un genre, etc., pour celui que l'on attend.

**énarthrose** 1611, Cotgrave ; gr. *enarthrosis,* action d'articuler ; de *arthron,* articulation.

**énaser** V. NEZ.

**encan** v. 1400, N. de Baye (*inquant*) ; début XVII^e s. (*encan*) ; lat. médiév. *inquantum,* « pour combien ? », de *quantum,* combien

**en-cas** V. CAS 1.

**encasteler (s')** fin XVIe s., Régnier, en parlant du cheval, dont le sabot se rétrécit ; ital. *incastellare,* fermé dans son château fort (*castello*), c.-à-d. « cheval qui a le pied serré ». ‖ **encastelure** 1611, Cotgrave.

**encaster** V. CASE.

**encastrer** 1560, Paré (*incastré*) ; 1694, Th. Corn. (*encastrer*) ; ital. *incastrare,* emboîter, et refait d'apr. l'anc. fr. *enchâtrer,* tailler pour introduire, de même rac. que *châtrer.* ‖ **encastrement** 1694, Th. Corn.

**encaustique** 1578, Vigenère ; rare jusqu'au XVIIIe s. ; lat. *encaustica,* du gr. *egkaustikê* (*teknê*), art de peindre à la cire fondue, de *egkaiein,* brûler (v. ENCRE). ‖ **encaustiquer** 1864, L.

**enceindre, enceinte** V. CEINDRE.

***enceinte** (*femme*) 1160, Benoît ; bas lat. *incincta* (VIIe s., Isid. de Séville), « entourée d'une ceinture », qui a remplacé par étymologie pop. le lat. *inciens, -entis.*

**encens** 1120, *Ps d'Oxford ;* 1640, Corn., fig. ; lat. chrét. *incensum,* ce qui est brûlé, part. passé de *incendere,* incendier. ‖ **encenser** 1080, *Roland,* « brûler de l'encens » ; 1666, Molière, fig. ‖ **encensement** 1180, Barbier ; XVIIe s., fig. ‖ **encenseur** 1372, Golein ; rare jusqu'au XVIIe s. (1690, Furetière). ‖ **encensoir** début XIIe s., *Couronn. Loïs.*

**encéphale** 1700, Andry (*vers encéphales*) ; 1755, *Encycl.,* anat. ; gr. *egkephalos,* ce qui est dans le cerveau, de *kephalê,* tête. ‖ **encéphalique** 1771, Schmidlin. ‖ **encéphalite** 1752, Trévoux, « pierre graveleuse » ; 1806, Lunier, méd. ‖ **encéphalocèle** 1790, *Encycl. méth. ;* gr. *kêlê,* tumeur. ‖ **encéphalographie** 1948, Lar. ‖ **encéphalogramme** *id.* ‖ **encéphalopathie** milieu XIXe s. ‖ **diencéphale** XXe s.

***enchanter** 1119, Ph. de Thaon, « exercer un pouvoir magique sur » ; 1190, Garnier, « charmer » ; 1648, Voiture, « ravir » ; lat. *incantare,* prononcer des formules magiques, de *cantare,* chanter. ‖ **enchantement** 1120, *Ps. de Cambridge,* « pouvoir magique » ; milieu XVIe s., Amyot, « charmer ». ‖ **enchanteur** 1080, *Roland,* « magicien » ; 1632, Rotrou, « charmeur ». ‖ **désenchanter** 1260, Rutebeuf, « rompre l'enchantement » ; 1648, Voiture, « désillusionner ». ‖ **désenchantement** milieu XVIe s.

**enchérir, enchevêtrer** V. CHER, CHEVÊTRE.

**enchifrené** 1611, Cotgrave ; de *en-,* et de l'anc. fr. *chief,* tête (lat. *caput*) et *frener,* brider (v. FREINER), « avoir la tête, le nez bridés ». ‖ **enchifrènement** 1680, Richelet.

**enchondrome** 1863, Graves ; gr. *egkhondros,* cartilage, et suffixe *-ome* qui marque le gonflement, c.-à-d. « tumeur cartilagineuse ».

***enclaver** 1283, Beaumanoir ; 1409, Runkewitz, « encastrer » ; lat. pop. **inclavare,* fermer avec une clef (*clavis*). ‖ **enclave** 1312, Du Cange. ‖ **enclavement** 1453, Monstrelet.

**enclencher** V. CLENCHE.

***enclin** 1080, *Roland,* « baissé » (jusqu'au XVIe s.) ; 1190, Saint Bernard, fig., « disposé », sens qui a prévalu ; anc. fr. *encliner,* saluer en s'inclinant, lat. *inclinare,* incliner, baisser. (V. INCLINER.)

**enclitique** 1533, Montflory ; lat. *encliticus,* du gr. *egklitikos,* penché, prononcé comme enclitique. ‖ **enclise** XXe s., gramm., « fusion d'une particule avec le mot précédent vers lequel elle incline » ; gr. *enklisis,* inclinaison, flexion des verbes.

***enclore, enclosure** V. CLORE.

***enclume** 1130, *Eneas ;* lat. pop. **inclūdo, -inis,* du lat. *incus, -udis,* avec substitution de suffixe (cf. *amertume, coutume*) ; le *l* est dû à *includere,* enfermer. ‖ **enclumeau** 1392, E. Deschamps. ‖ **enclumette** 1755, *Encycl.*

**encoigner, encolure** V. COIN, COU.

**encombrer** 1050, *Alexis ;* de *en-* et de l'anc. fr. *combre,* barrage de rivière, gaulois **comboros,* abattis d'arbres (lat. du IXe s., *combrus*). ‖ **encombre** 1160, Benoît, « dommage » ; *sans encombre* 1526, Marot. ‖ **encombrement** 1172, G., « difficulté » ; 1762, *Acad.,* « obstruction ». ‖ **désencombrer** 1170, Sully.

**encontre, encorbellement** V. CONTRE, CORBEAU.

**encore, *encourir** V. OR, COURIR.

***encre** 1050, *Alexis* (*enque*) ; 1160, *Eneas* (*encre*) ; bas lat. *encautum,* « encaustique pour peinture », puis « encre rouge des empereurs » (*Code Théodosien*), var. de *encaustum,* du gr. *egkauston,* qui a gardé son accent en gallo-romain sur la première syllabe (v. ENCAUSTIQUE). ‖ **encrier** 1380, de Laborde. ‖ **encrer** 1530, Palsgrave. ‖ **encrage** 1842, *Acad.* ‖ **encreur** 1856, Lachâtre.

***encroué** 1155, Wace, « fixer, attacher au croc » ; lat. pop. **incrocare,* même rac. que *croc.*

**encyclique** 1798, *Encycl.*, adj. ; gr. *egkuklos.*, circulaire (v. CYCLO-) ; n. m. 1834, Landais, abrév. de *lettre encyclique,* s'appliquant aux bulles du pape.

**encyclopédie** 1532, Rab. ; lat. de la Renaissance *encyclopaedia* (1508, Budé), adaptation du gr. *egkuklios paideia* (Plutarque), instruction complète, c.-à-d. embrassant le cercle des connaissances. (V. ENCYCLIQUE.) || **encyclopédique** 1755, *Encycl.* || **encyclopédiste** 1683, Lamy, « qui possède tout le savoir » ; 1755, *Encycl.*, « auteur de l'*Encyclopédie* ». || **encyclopédisme** XXe s.

**endéans** fin XIVe s. ; de *en-,* de la préposition *de* et de l'anc. fr. *ens* (1050, *Alexis*), dedans, lat *intus,* à l'intérieur.

**endémie** 1495, Le Forestier, « maladie fixée dans une région » ; gr. *endêmon nosêma,* de *dêmos,* peuple, pays, et *nosêma,* maladie (v. ÉPIDÉMIE). || **endémique** 1586, Suau. || **endémicité** 1844, Marchant. || **endémisme** XXe s.

**endêver** fin XIIe s., *Loherains,* « enrager » ; renforcement de l'anc. fr. *desver, derver,* perdre le sens, de *dé-* et de l'anc. fr. *esver,* vagabonder, de même rac. que *rêver.*

**endive** XIIIe s., G. ; lat. médiév. *endivia,* du gr. byzantin *endivi,* gr. ancien *entubon,* qui a donné le lat. *intubus.*

**endo-,** gr *endon,* dedans. || **endocarde** 1841, Bouillaud ; gr. *kardia,* cœur. || **endocardite** *id.* || **endocarpe** 1808, Cl. Richard ; gr. *karpos,* fruit. || **endocrine** début XXe s. ; gr. *krinein,* sécréter. || **endocrinien** v. 1950. || **endocrinologie** 1915, Lar. || **endogène** 1813, Candolle ; gr. *gennân,* engendrer. || **endogamie** XXe s.. || **endoréisme** 1956, Lar. ; gr. *rhein,* couler. || **endoscope** 1852, d'après Lar. ; gr. *skopein,* examiner. || **endosmose** 1826, Dutrochet ; gr. *ôsmos,* poussée. || **endosperme** 1808, Richard ; gr. *sperma,* graine. || **endothélium** 1878, Lar. ; sur *épithélium.*

**endolorir, endosser, endroit** V. DOULEUR, DOS, DROIT.

***enduire** XIIIe s., *l'Escoufle ;* lat. *indūcĕre,* « mettre dans, sur » ; l'anc. fr. avait aussi le sens de « absorber, digérer » (v. INDUIRE). || **enduit** 1160, Benoît, rare av. début XVIe s., « produit qu'on répand sur quelque chose ».

**endurcir** V. DUR.

***endurer** 1050, *Alexis ;* lat. *indurare,* endurcir, au sens chrét. « s'endurcir le cœur » (saint Jérôme), d'où en fr. « supporter ». || **endurable** fin XVIe s. || **endurance** XIVe s., G. || **endurant** fin XIIe s., *Alexandre.*

**endymion** 1870, Lar. ; de *Endymion,* jeune chasseur de la mythologie grecque, plongé dans un sommeil éternel.

**énéolithique** XXe s. ; lat. *aeneus,* d'airain, et gr. *lithos,* pierre.

**énergie** XVe s., *Jardin de santé,* « efficacité » ; 1673, Molière, « force morale » ; 1877, L., en physique ; bas lat. *energia* (saint Jérôme), du gr. *energeia,* force en action. || **énergique** fin XVIe s. || **énergiquement** 1718, *Acad.* || **énergétique** 1755, *Encycl.*, « qui paraît avoir une énergie innée » ; 1909, Lar., sens actuel ; gr. *energetikos.*

**énergumène** 1579, Bodin ; lat. chrét. *energumenus* (Ve s., Sulpice Sévère), possédé (du démon), du gr. *energoumenos,* part. prés. passif de *energein,* agir, opérer (au sens fig. inspirer, posséder) ; 1734, Lesage, « personne emportée ».

**énerver** début XIIIe s., « affaiblir » ; fin XVIIIe s., Chénier, « irriter » ; lat. *enervare,* couper les nerfs (en ce sens « les Énervés de Jumièges », fils de Clovis II, VIIe s.). || **énervement** 1413, *Ordonn.*, « affaiblissement » ; rare jusqu'au XVIIIe s. ; 1907, Lar., « irritation ». || **énervant** 1586, Crespet. || **énervation** 1401, G.

**enfance, enfançon** V. ENFANT.

***enfant** fin Xe s., *Saint Léger,* « enfant en bas âge » ; 1080, *Roland,* « garçon ou fille jeune » ; 1050, *Alexis,* « fils, fille » ; lat. pop. *infans, infantis* (le cas sujet *enfes* de l'anc. fr. a disparu), désignant d'abord l'enfant qui ne parle pas (*in* priv. et *fari,* parler), puis l'enfant jusqu'à treize ans ; en lat. impér., remplace *puer* (Celse, Columelle), qui désignait l'enfant de sept à *Jeu d'Adam.* || **enfantement** 1160, Benoît. || **enfantin** fin XIIe s., *Grégoire.* || **enfantillage** 1210, *Estoire d'Eustachius ;* de l'adj. *enfantil* (XIIe s.),
*Estoire d'Eustachius ;* de l'adj. *enfantil* (XIIe s.),
*Roncevaux ;* lat. *infantia.* || ***enfançon** XIIe s.,
*Roncevaux ;* lat. *infantia.* || ***enfançon** XIIe s.,
G. ; lat. pop. **infantio, -ionis ;* il est attesté enfant ; *Fanfan la Tulipe* début XIXe s.
enfant ; *Fanfan la Tulipe* début XIXe s.

***enfer** 980, *Passion* (*enfern*) ; 1080, *Roland* (*enfer*) ; bas lat. chrét. *infernum,* lieu d'en bas (déjà employé au Ier s. au pl., chez Properce, à côté de *inferi* pour les Enfers païens ; proprement « les dieux d'en bas »). || **infernal** 1130, *Eneas,* « de l'enfer » ; XVIIIe s., fig. ; bas lat. *infernalis,* de *infernus,* qui est relatif aux Enfers.

**enfeu, enfiler, enfin, enflammer** V. FOUIR, FIL, FIN 1, FLAMME 1.

***enfler** 980, *Passion ;* XIIe s., « rendre orgueilleux » ; 1587, Cholières, « faire paraître plus important » ; lat. *inflare,* « souffler (*flare*) dans ». || **enflure** XIIe s., Marbode (*enfleüre*) ; XIIIe s. (*enflure*) ; fin XVIe s., d'Aubigné, fig. || **désenfler** 1138, *Saint Gilles.* || **renfler** 1160, Benoît. || **renflement** 1553, Vaganay.

**enfoncer, enforcir, enfouir, enfourner** V. FOND, FORT, FOUIR, FOUR.

***enfreindre** 1090, G. (*-fraindre*) ; XIIIe s. (*enfreindre*) ; lat. pop. **infrangere,* réfection de *infringere,* d'apr. *frangere,* briser ; surtout jurid. (V. INFRACTION.)

**engager** V. GAGE.

**engeance** 1539, R. Est., « race d'animaux » ; 1560, *Bible,* « race méprisable d'hommes » ; anc. fr. *aengier, enger* (disparu au XVIIe s.), pourvoir, puis « pourvoir d'animaux, de plantes » ; p.-ê. lat. *indicare,* révéler.

**engeigner, engeler, engelure** V. ENGIN, GEL.

***engendrer** XIIe s., *Roncevaux,* « produire par voie de génération » ; 1226, G., « être cause de » ; lat. *ingenerare,* de *genus, generis,* race. || **engendreur** 1160, Benoît.

***engin** 1155, Wace (*enging*) ; XIIe s., *Roncevaux* (*engien*), « talent, adresse » (jusqu'au XVIIe s.) ; le sens d'« instrument, machine » (1165, G.), formé peut-être dès le bas lat., l'a emporté ; lat. *ingenium,* caractère, talent. || **engeigner** 1080, *Roland* (*engignier*), « duper », encore au XVIIe s.

**englanter, englober** V. GLAND, GLOBE.

***engloutir** 1050, *Alexis,* déjà au fig. ; bas lat. *ingluttire,* avaler (v. GLOUTON). || **engloutissement** 1429, Gerson ; rare jusqu'au XIXe s. (1842, *Acad.*). || **engloutisseur** 1571, de La Porte.

**engoncer** V. GOND.

**engouer** 1360, Froissart, « obstruer le gosier » ; transitif encore en 1793 (Lavoisien) ; *s'engouer* 1555, Ronsard ; mot dial. de même rac. que *gaver.* || **engouement** 1694, *Acad.,* « étouffement » et « admiration ». (V. GOUAILLER, GOUALER.)

**engoulevent** 1292, *D. G.,* comme n. propre ; 1656, Oudin, « qui boit beaucoup » ; 1778, Buffon, passereau ; mot dial. de l'Ouest, de *engouler,* avaler (de *gueule*) et de *vent.*

**engourdir, engrais, engraisser, engraver, engrener, engrois** V. GOURD, GRAS, GRAVER et GRAVIER, GRAIN, GROS.

**enhendé** 1644, Vulson, croix terminée par trois pointes ; esp. *enhendido,* fendu, correspondant à l'anc. fr. *enfendu,* de *enfendre,* fendre.

**enhydre** XIIe s., Marbode (*enidros*) ; XVIIIe s. (*enhydre*), « serpent d'eau » ; 1827, *Acad.,* « loutre de mer » ; gr. *enudros* (d'abord dans les trad. lat. d'Aristote), de *en,* dans, et *hudôr,* eau.

**énigme** fin XIVe s., Le Fèvre (*enigmat*) ; XVe s., *Alector* (*ainigme*), masc. jusqu'au XVIIe s. ; lat. *aenigma,* du gr. *ainigma.* || **énigmatique** XIIIe s., G., « de l'énigme » ; rare jusqu'au XVIe s. ; 1864, L., « secret, mystérieux » ; lat. *aenigmaticus,* empr. au gr. *ainigmatikos.* || **énigmatiquement** 1488, *Mer des hist.*

**enjeu, enjoindre, enjôler, enjoué** V. JEU, JOINDRE, GEÔLE.

**enlarme** 1771, Trévoux, techn. ; altér. de l'anc. fr. *enarme* (1160, G. ; encore 1611, Cotgrave), « courroie pour passer le bouclier au bras » ; déverbal de *enarmer* (fin XIIe s.), « garnir de courroies », d'où le sens de « garnir de mailles un filet », du lat. pop. **inarmare,* de *in,* dans, et *armus,* bras. || **enlarmer** 1688, Fortin.

**enliser** XVe s., Gruel ; rare jusqu'au XIXe s. (popularisé par V. Hugo) ; mot normand, de *lise,* sable mouvant (XIIe s.), var. probable de *glise,* glaise. || **enlisement** 1862, Hugo.

**enluminer** 1080, *Roland,* « orner » ; lat. *illuminare,* avec changement de préfixe ; 1170, *Rois,* « rendre lumineux » (jusqu'au XVIe s.) ; appliqué aux enluminures dès le XIIe s. || **enluminure** 1352, Gay. || **enlumineur** 1268, É. Boileau.

**ennemi** fin IXe s., *Eulalie* (*inimi*) ; XIe s. (*ennemi*) ; lat. *inimicus,* par emprunt ancien. (V. INIMITIÉ.)

**ennième** 1834, Esnault ; de *n,* nombre indéterminé, et finale de *deuxième.*

***ennuyer** 1080, *Roland* (*-uiet*), « recru de fatigue » ; XIIe s., *Roncevaux,* « chagriner, nuire » ; XIIIe s., « lasser » ; bas lat. *ĭnŏdiare,* avoir de la haine (*odium*). || **ennui** 1120, *Ps.*

d'Oxford, déverbal ; d'abord peine vive, puis, dès le XIIIe s., malaise d'un esprit inoccupé. || **ennuyeux** 1112, *Voy. saint Brendan* (*annuus*) ; XIIe s. (*ennuyeux*) ; bas lat. *ĭnŏdiŏsus,* de *odiosus,* désagréable. || **ennuyeusement** XIIe s., Couci.

**énoncer** fin XIVe s. ; rare avant le XVIIe s. (1611, Cotgrave) ; lat. *enuntiare,* de *nuntiare,* annoncer (v. ANNONCER). || **énonçable** 1845, Richard. || **énoncé** 1690, Furetière. || **énonciation** 1361, Oresme ; lat. *enuntiatio.* || **énonciatif** fin XIVe s. ; lat. *enuntiativus.*

**énorme** 1355, Bersuire, « hors des règles » ; 1560, Paré, sens actuel ; lat. *enormis,* « qui sort de la règle (*norma*) ». || **énormité** 1220, Coincy, « crime énorme » ; 1361, Oresme, sens actuel ; lat. *enormitas.* || **énormément** 1340, Le Fèvre (*-mement*) ; 1549, R. Est. (*-méement*).

***enquérir** 1080, *Roland* (*enquerre*) ; XIVe s. (*enquérir*), réfection d'après *quérir* ; lat. *inquirĕre,* s'enquérir ; devenu pronominal (1460, Chastellain) et jurid. || ***enquête** fin XIIe s., R. de Moiliens ; part. passé fém. substantivé, lat. **inquaesīta* (v. QUÊTE), « recherche », puis jurid. (1530, Palsgrave). || **enquêter** fin XIIe s., G., « chercher » ; 1907, Lar., sens actuel. || **enquêteur** 1283, Beaumanoir, « juge ».

**enrayer** V. RAI.

**enrouer** XIIe s., Marbode (*-oer*) ; anc. fr. **rou* (fém. *roue*), rauque (XIe s., *Gloses Raschi*), du lat. *raucus.* || **enrouement** XVe s., G. || **désenrouer** 1580, Chapuis.

**ensacher** V. SAC.

***enseigne** 980, *Passion* (*ensenna*) ; XIe s. (*enseigne*), « signe distinctif » ; 1080, *Roland,* « étendard », « porte-drapeau » ; *enseigne de vaisseau* 1573, Du Puys ; *enseigne de boutique* 1458, *Mystère ; à telles enseignes* XIIIe s., Joinville ; pl. neutre lat. *insignia,* passé au fém., de *insignis,* remarquable (v. INSIGNE).

***enseigner** 1050, *Alexis* (*enseignier*) ; XIVe s. (*enseigner*) ; lat. pop. **insĭgnare,* renforcement du lat. *signare,* indiquer, de *signum,* signe, d'où, par ext., en fr. « instruire ». || **enseignant** 1771, Trévoux. || **enseignable** 1265, Br. Latini, « docile à l'enseignement » ; 1838, *Acad.,* sens actuel. || **enseignement** 1180, *Alexandre,* « avis, exemple » et « instruction ». || **renseigner** 1358, *D. G.,* « mentionner, assigner » (jusqu'au XVIe s.) ; puis indiquer de nouveau ; 1762, *Acad.,* « donner un renseignement » ; *se renseigner* 1829, Boiste ; de *enseigner* au sens de « indiquer ». || **renseignement** 1429, G., « mention, libellé » ; 1762, *Acad.,* sens actuel.

***ensemble** 1050, *Alexis ;* fin XIXe s., math. ; lat. pop. *ĭnsĭmul,* renforcement de *simul,* ensemble. || **ensemblier** v. 1920, artiste décorateur qui fait des ensembles.

**ensevelir** 1120, *Ps. d'Oxford ;* de *en* et de l'anc. fr. *sevelir* (1120, *Ps. de Cambridge*), lat. *sepĕlīre,* ensevelir. || **ensevelissement** 1155, Wace.

**ensiler** V. SILO.

**ensimer** 1120, *Ps. d'Oxford,* « graisser » (*enssaïmer*) ; XIVe s., Poerck, terme de textile ; 1723, Savary (*ensimer*) ; anc. fr. *saïm,* graisse, du lat. pop. **sagīmen,* lat. *sagīna,* engraissement ; terme techn., « incorporer aux matières textiles un certain pourcentage de corps gras ». (V. SAINDOUX.)

**ensorceler** V. SORCIER.

**ensouple** XIe s., *Gloses de Raschi* (*ensoble*) ; 1440, Marquant (*ensouple*), sous l'infl. de *souple ;* bas lat. *insubulum* (VIIe s., Isid. de Séville). || **ensoupleau** 1606, Nicot. Terme techn. désignant un gros cylindre de métier à tisser.

**ensuite, entacher** V. SUITE, TACHE.

***entamer** 1155, Wace, « blesser » ; XIIIe s., sens actuel ; bas lat. *intaminare,* souiller, qui a dû avoir aussi le sens de « toucher », de *tangere,* toucher. || **entame** 1360, Froissart, « blessure » ; 1675, Widerhold, « première tranche ». || **entamure** 1339, Jean de La Mote. || **rentamer** début XIVe s.

**entasser, ente** V. TAS, ENTER.

**entéléchie** milieu XIVe s., Le Fèvre (*ende-*) ; 1553, Rab. (*entéléchie*) ; lat. *entelechia,* du gr. *entelekheia,* ce qui a de la perfection. Désigne en philosophie la réalité parvenue à un état de perfection.

***entendre** 1050, *Alexis,* « percevoir par l'ouïe » ; 1080, *Roland,* « comprendre » ; du lat. *intendĕre,* « tendre vers », au fig. « être attentif à », d'où « comprendre » (sens dominant au XVIIe s.) ; puis seulement « percevoir un son » remplaçant *ouïr,* disparu. || **entente** 1130, *Eneas,* anc. part. passé, du lat. pop. *intendĭtus,* compris ; *entente cordiale* 1840, d'apr. L. || **entendeur** XIIIe s., G. || **entendement** milieu XIe s. ; de *entendre,* comprendre. || **entendu** XIIIe s., G., adj. ; *bien entendu* 1671, La Fontaine ; *faire l'entendu* 1549, R. Est. || **mésentente** XVIe s., « malentendu » ; 1848, *Journ. de Genève,* sens actuel. || **malentendant** 1962, Lar. || **mal-**

entendu 1601, J. Le Petit. || **sous-entendu** 1657, Pascal, adj. ; 1706, Richelet, n. m. || **sous-entendre** début XIVe s.

***enter** fin XIe s., *Gloses de Raschi,* « greffer » ; 1220, Coincy, fig. ; lat. pop. **impŭtare,* de *pŭtāre,* tailler, émonder, spécialisé au sens de « greffer », par croisement avec le gr. *emphuton,* greffe. || **ente** début XIIe s., *Voy. de Charl.* ; déverbal. || **enture** XIVe s., *Glossaire de Salins.*

**entériner** V. ENTIER.

**entérite** 1805, Lunier ; lat. scientif. *enteritis,* gr. *enteron,* intestin. || **entérique** 1855, Nysten. || **entérocèle** 1560, Paré ; gr. *kêlê,* tumeur. || **entérocolite** 1855, Nysten. || **entéropathie** 1870, Lar. || **entérotomie** 1755, *Encycl.* || **entérozoaires** milieu XIXe s.

**enthousiasme** 1546, Rab., « inspiration de l'artiste » ; 1664, Molière, « ardeur » ; gr. *enthousiasmos,* transport divin, de *enthousia,* inspiration divine, de *theos,* dieu. || **enthousiasmer** fin XVIe s., Charles IX ; *s'enthousiasmer* fin XVIIe s., Sévigné. || **enthousiaste** 1544, Mathée, « inspiré » ; 1778, Diderot, « passionné » ; gr. *enthousiastês.*

**enthymème** 1440, Ch. d'Orléans (*emptimeme*) ; 1690, Furetière (*enthymème*), philos. ; gr. *enthumêma,* ce qu'on a dans la pensée ; syllogisme dans lequel une des prémisses est sous-entendue.

**enticher** XIIe s., *Guill. d'Angleterre* (*enticier*), « tacher, gâter », surtout au part. passé, « pourvu de tel vice » (1240, G. de Lorris) ; 1664, Molière, fig., sens actuel, ; *s'enticher de* 1845, Besch. ; var. de l'anc. fr. *entechier,* de *teche,* var. de *tache.* || **entichement** XIIIe s. (*entechement*), « corruption » ; XIXe s., Sainte-Beuve (*enti-*), sens actuel.

***entier** XIe s., « complet » ; fin XIIe s., Couci, « intact » ; milieu XVIe s., Amyot, « sans compromis » ; lat. *integer,* non touché, de *in* négatif et *tangere,* toucher ; il a aussi le sens d'« intègre » en anc. fr. ; la finale a subi l'infl. du suffixe *-ier.* || **entièrement** fin XIIe s., Couci. || **entériner** 1268, É. Boileau, « parfaire un acte en le ratifiant » ; 1695, La Fontaine, « approuver comme valable » ; de l'anc. fr. *enterin,* complet, achevé, de *entier.* || **entérinement** 1316, G.

**entité** 1502, O. de Saint-Gelais ; lat. scolast. *entitas,* de *ens, entis,* part. prés. de *esse,* être. (V. NÉANT.)

**entomologie** 1745, Bonnet ; gr. *entomon,* insecte, et *logos,* science, traité. || **entomologique** 1789, G.-A. Olivier. || **entomologiste** 1783, Bertholon. || **entomophage** 1839, Boiste. || **entomophile** 1845, Besch. || **entomozoaire** 1864, L. ; gr. *zôon,* être vivant.

**entonner, entonnoir** V. TON, TONNÉ.

**entorse** 1560, Amyot ; part. passé fém. de l'anc. fr. *entordre* (XIIe s., *Roman Thèbes*), du lat. pop. **intorquere,* lat. class. *intorquēre,* tordre en dedans.

**entortiller** V. TORDRE.

**entour** 980, *Passion* ; de *en* et *tour* ; *à l'entour* 1424, A. Chartier, devenu *alentour* ; *alentours* 1766, Voltaire. || **entourer** 1538, R. Est. || **entourage** milieu XVe s. ; 1776, Beaumarchais, « ensemble de personnes ».

**entournure** 1538, R. Est. ; anc. fr. *entourner,* se tenir autour (1395, G.), de *en* et *tourner.*

**entozoaire** V. PROTOZOAIRE.

**entrailles** 1120, *Ps. de Cambridge,* « siège de la sensibilité » ; 1130, *Eneas,* au sing. « viscères » ; 1155, Wace, au pl. ; bas lat. *intralia* (VIIIe s., *Reichenau*), ce qui est à l'intérieur (*intra*).

**entrain, entraîner, entrait** V. TRAIN, TRAÎNER, TRAIRE.

1. **entraver** 1493, Coquillart, « retenir par une entrave » ; XVIe s., fig., empêcher ; anc. fr. *tref,* poutre (fin XIe s., *Gloses de Raschi*), du lat. *trabs, trabis.* || **entrave** 1530, Palsgrave. || **entravement** 1870 Lar. || **entravon** 1678, Guillet.

2. **entraver** 1460, Villon, « comprendre », arg. ; altér. d'*enterver* (XIIe s.), chercher, mot de l'Est et du Nord-Est, du lat. *interrogare.* (V. INTERROGER.)

***entre** 1080, *Roland* ; lat. *inter* ; il a formé en anc. et en moyen fr. de nombreux composés indiquant la réciprocité ou l'atténuation (*entrevoir*). [ V. au mot simple.]

**entrechat** 1609, Régnier (*entre-chat*) ; 1611, Cotgrave (*entrechasse*) ; ital. *intrecciata,* abrév. de *capriola intrecciata,* saut entrelacé, d'apr. Ménage, avec infl. du fr. *chasser.* (V. CHASSER.)

**entrefaites, entregent, entreposer, entreprendre** V. FAIRE, GENS, POSER, PRENDRE.

***entrer** Xe s., *Saint Léger* (*intrer*) ; 1050, *Alexis* (*entrer*) ; lat. *intrare,* de *inter,* entre. || **entrée** 1130, *Eneas.* || **rentrer** début XIIe s., *Voy. de*

*Charl.* ‖ **rentrée** 1538, R. Est., fig. ; XVIIIe s., « retour ».

**entresol** V. SOLE 2.

**entre-temps** 1155, Wace (*entretant*) ; 1462, *Cent Nouvelles* (*entretemps*) ; composé de *entre* et de *tant,* avec infl. de *temps.*

**entretenir, entretoise** V. TENIR, TOISE.

**entropie** 1877, L., phys. ; gr. *entropê,* action de retourner, de *entrepein,* tourner.

**entropion** 1792, *Encycl. méth.* (*antropium*) ; 1864, L. (*entropion*), méd. ; gr. *entropê,* retournement.

**énucléation** 1493, Coquillart, fig., « éclaircissement » ; 1611, Cotgrave, « extraction d'un noyau d'amande » ; chir., 1836, Raymond ; lat. *enucleare,* extraire un noyau (*nucleus*). ‖ **énucléer** chir., 1836, Raymond.

**énumérer** 1521, Fabri, en rhétorique ; rare jusqu'au XVIIIe s. ; lat. *enumerare,* de *numerus,* nombre. ‖ **énumérable** 1922, Lar. ‖ **énumérateur** 1688, La Bruyère. ‖ **énumératif** 1794, d'Arçon. ‖ **énumération** 1488, *Mer des hist.* ; lat. *enumeratio,* action de compter complètement.

**énurésie** 1808, Boiste ; de *en-,* dans, et gr. *ourein,* uriner. ‖ **énurétique** XXe s.

***envahir** 1080, *Roland* (*-aïr*), « attaquer » ; fin XVIe s., « occuper brusquement » (sens qui s'est imposé) ; lat. *invadĕre,* « pénétrer dans », de *vadere,* aller, avec chang. de conjugaison. ‖ **envahissant** 1760, d'après Féraud. ‖ **envahissement** 1080, *Roland.* ‖ **envahisseur** fin XIVe s., « qui attaque » ; 1787, Féraud, sens actuel. (V. INVASION.)

**envelopper** 980, *Passion* (*envolopet,* 3e pers. sing. prétérit) ; anc. fr. *voloper* (XIIe s.), p.-ê. du bas lat. *faluppa,* balle de blé, avec infl. de *volvere,* tourner. ‖ **enveloppe** 1292, Delb. ; 1690, Furetière, pour la lettre. ‖ **enveloppement** fin XIe s. ; rare jusqu'au XVIIIe s. ‖ **envelopeur** milieu XIVe s. ‖ **développer** fin XIIe s., « ôter de l'enveloppe » ; 1580, Montaigne, « exposer en détail » ; 1807, Staël, « étendre » ; fait sur la même rac. ‖ **développement** XVe s., G.

**envenimer, envergure** V. VENIN, VERGUE.

***envers** 980, *Passion* (*enver*) ; bas lat. *inversus,* part. passé de *invertere,* retourner ; adj. (jusqu'au XVIe s.), prép. (XIIe s.) et n. m. (XIIIe s.) ; *à l'envers* XIVe s., Cuvelier. ‖ **renverser** 1280, Poerck ; de *envercier* (XIIe s.). ‖ **renverse** XVe s., *Franc Archer de Bagnolet* (*avoir la renverse*) ; *à la renverse* 1433, d'après Régnier. ‖ **renversement** 1478, Chauliac. ‖ **renversant** 1830, Balzac, fig. ‖ **renversable** 1838, *Acad.*

**envi (à l')** 1540, Marot ; anc. fr. *envi,* défi, gageure, réduit à cette seule loc. auj. ; déverbal de l'anc. fr. *envier,* du lat. *invītare,* inviter, provoquer au jeu. ‖ **renvier** 1160, Benoît, « inviter de son côté » ; début XIIIe s., R. de Houdenc, « renchérir au jeu ». ‖ **renvi** 1468, Chastellain, « action de renchérir » ; déverbal.

***envie** 980, *Passion* (*enveie*) ; 1130, *Eneas* (*envie*) ; lat. *invidia,* jalousie, passé en fr. au sens de « désir » ; 1611, Cotgrave, « tache sur la peau ». ‖ **envier** 1155, Wace. ‖ **enviable** 1398, E. Deschamps ; rare jusqu'au début XIXe s. (B. Constant). ‖ **envieux** 1119, Ph. de Thaon (*invidius*) ; fin XIIe s. (*envieux*) ; lat. *invidiosus.*

**environ** 1080, *Roland ;* anc. fr. *viron,* ronde, pays d'alentour, et adv. « environ » ; prép., « autour de » (jusqu'au XVIIe s.), puis seulement adv. (dès le XVIe s.) ; n. m., *à l'environ* 1360, Froissart. ‖ **environnant** 1775, Mercier. ‖ **environner** 1130, *Saint Gilles.* ‖ **environnement** 1300, G., « circuit » ; milieu XXe s., sens actuel.

**envisager** V. VISAGE.

**envoûter** XIIIe s., Delb. ; XIXe s., fig. ; anc. fr. *volt, vout,* visage (XIIe s.), et, par ext., image de cire servant à l'envoûtement, du lat. *vultus,* visage. ‖ **envoûtant** XXe s., fig. ‖ **envoûtement** XIVe s., *Registre du Châtelet.* ‖ **envoûteur** 1888, Daudet.

***envoyer** 980, *Passion* (*enveier*) ; bas lat. *inviāre,* parcourir (IIIe s., Solinus) ; de *vĭa,* route, voie ; d'où par ext. faire parcourir, envoyer. ‖ **envoyé** 1290, *Glossaire de Douai.* ‖ **envoi** 1130, *Saint Gilles* (*envei*) ; déverbal. ‖ **envoyeur** XVe s., *D.G.* ‖ **renvoyer** 1130, *Eneas.* ‖ **renvoi** 1396, Runkewitz.

**enzyme** V. ZYMIQUE.

**éocène** 1843, Mackenzie ; trad. Tullia, tiré par Lyell en 1833 du gr. *êôs,* aurore, et *kainos,* récent. ‖ **miocène** *id. ;* gr. *meiôn,* plus petit. ‖ **pliocène** *id. ;* gr. *pleiôn,* plus grand.

**éolien** 1615, Binet (*harpe éolienne*) ; début XXe s., relatif au vent ; lat. *Aiolus* (gr. *Aiolos*), Éole, dieu des vents ; géogr., nom d'une région de Grèce. ‖ **éoliser** XXe s.

**éon** 1732, Trévoux, philos. ; gr. *aiôn,* temps, éternité.

**éosine** 1877, L. ; gr. *êôs,* aurore, par comparaison de couleur. || **éosinocyte** XXe s. ; gr. *kutos,* objet creux. || **éosinophile** début XXe s. ; gr. *philos,* ami.

**épacte** 1119, Ph. de Thaon, cosmographie ; bas lat. *epactae,* du gr. *epaktai* (*hêmêrai*), [jours] intercalaires. || **épactal** 1771, Trévoux.

***épagneul** 1354, *Modus* (*espaignol*) ; milieu XVe s. (*épagneul*) ; var. de *espagnol* (repris à l'esp. *español*), du lat. pop. **hispaniolus,* de *Hispania,* Espagne, spécialisé à la fin du Moyen Âge pour désigner un chien de chasse originaire d'Espagne.

**épagogique** 1842, Mozin ; de *épagogue* (1697, Verduc), du gr. *epagôgê,* action d'amener, d'attirer. Terme de logique indiquant un argument par induction.

**épagomène** 1752, Trévoux, jour intercalaire ; gr. *epagomenai (hêmêrai),* [jours] complémentaires, de *epagomenos,* ajouté.

**épais** 1080, *Roland* (*espes*) ; fin XIIe s. (*espeis, espois*) ; déverbal de l'anc. fr. *espoissier,* du lat. **spĭssiare,* de *spĭssus,* épais. || **épaisseur** 1377, Oresme (*espesseur*) ; 1638, Rotrou (*épaisseur*). || **épaissir** 1165, Thomas (*espessir*) ; XVIIe s. (*épaissir*) ; *s'épaissir* 1538, R. Est. || **épaississant** 1888, Lar. || **épaississement** 1538, R. Est. || **épaississeur** 1948, Lar.

**épaler** 1262, G. (*espaeler*) ; anc. fr. *païele,* parcelle de terre, du bas lat. *pagella,* feuille de papier, devenu « mesure de surface ».

***épancher** 1312, G. (*esp-*), « verser un liquide » ; 1669, Racine, « donner libre cours » ; *s'épancher* 1583, Tabourot ; lat. pop. **expandĭcare,* de *expandere,* répandre. || **épanchement** 1606, Fr. de Sales, « action de se confier à qqn » ; 1651, Corn., « action de verser un liquide ». || **épanchoir** 1716, H. Gautier, techn., « ouvrage d'art par lequel peut se déverser un trop-plein d'un étang, d'un canal ».

***épandre** 1080, *Roland* (*espandre*) ; XVIIe s. (*épandre*) ; lat. *expandere,* qui a éliminé *pandere.* || **épandage** 1765, Brunot, limité au sens techn. || **épandeur** XXe s. || **répandre** 1170, *Floire et Blancheflor,* « épandre de nouveau » puis « faire couler » (XIIe s.) ; 1653, Bossuet, fig. ; il a perdu au XVIIe s. le sens itératif. || **répandu** 1679, Sévigné, « communément admis ».

**épanouir** fin XIe s., *Gloses de Raschi* (*espenir*) ; 1538, R. Est. (*-nouir,* d'apr. *évanouir*) ; francique **spannjan,* étendre. || **épanouissement** 1460, G. Chastellain (*-nissement*) ; 1559, Amyot (*-nouis-*).

**épar** 1175, Chr. de Troyes (*esparre*), pièce de charpente ; germ. *sparro, -a,* poutre (allem. *Sparren*).

**épargner** 1080, *Roland* (*esparnier*), « laisser la vie sauve » ; XIIe s., « dépenser avec parcimonie » ; germ. **sparanjan,* de *sparan,* épargner (allem. *sparen*). || **épargnant** 1361, Oresme, adj. ; 1876, *Journ. des débats,* n. m. || **épargne** 1155, Wace (*esparne*), « action de faire quartier » ; 1265, J. de Meung (*espergne*), « mise en réserve » ; déverbal.

***éparpiller** 1120, *Ps. d'Oxford* (*esparpeillier*) ; anc. fr. *desparpeillier,* éparpiller, du lat. pop. **disparpiliare,* croisement probable du lat. *palea,* paille, et de *dispare palare,* répartir inégalement, « jeter çà et là comme de la paille ». || **éparpillement** 1290, Végèce (*esperpillement*) ; 1636, Monet (*éparpillement*).

***épars** 1160, Benoît (*espars*) ; 1636, Monet (*épars*) ; part. passé de l'anc. fr. *espardre,* du lat. *spargĕre,* répandre (*sparsus,* répandu), qui a disparu devant *répandre* et *disperser.*

**éparvin** fin XIIe s., *Assises de Jérusalem* (*esp-*), « tumeur au jarret du cheval » ; p.-ê. francique **sparo, sparwun,* passereau, par métaphore avec la forme de l'oiseau.

**épater** 1399, J. des Preis (*espatter*), « casser la patte, écraser » ; 1690, Furetière « aplatir en élargissant la base » ; 1808, d'Hautel, *s'épater ;* 1835, Raspail, « étonner, bluffer » ; de *patte.* || **épate** 1835, Raspail. || **épaté** 1611, Cotgrave (*nez épaté*). || **épatement** 1583, Liébault, techn. ; 1864, L., « écrasement » ; 1859, Goncourt, « surprise », fig. || **épateur** 1835, Esnault. || **épatant** 1860, Esnault. || **épatamment** 1867, Delvau.

**épaufrer** fin XVIIIe s. ; altér. de l'anc. fr. *épautrer* (XIIIe s. ; encore 1611, Cotgrave), probablement francique **spalturōran,* briser. || **épaufrure** 1694, Corn.

***épaule** 1080, *Roland* (*espalle*) ; 1740, *Acad.* (*épaule*) ; lat. impér. *spathŭla,* dimin. de *spatha,* spatule, omoplate (Apicius), par ext. épaule (v. ÉPÉE). || **épaulé** XXe s., sport. || **épaulée** XIVe s., Cuvelier. || **épaulard** 1554, Rondelet (*espaulart*) ; 1752, Trévoux (*épaulard*), dauphin allongé. || **épaulement** 1501, *Doc.* || **épauler** 1268, É. Boileau (*espauler*) ; XVIIe s. (*épauler*). || **épaulette** 1534, *Recueil des lois,* armure ; 1560, Paré, anat. ; 1694, *Acad.,* ornement d'un vêtement ; XVIII^e s., insigne milit. || **épaulière** XII^e s., *Aliscans.*

**épave** adj., 1283, Beaumanoir (*espave*), « égaré » ; n. f., XIV^e s., *Ordonn.* ; XVI^e s., sens actuel ; lat. *expavidus,* « épouvanté », de *pavidus,* effrayé, appliqué aux animaux égarés.

***épeautre** fin XI^e s., *Gloses de Raschi* (*espelte*) ; 1256, Ald. de Sienne (*espiaute*) ; milieu XVI^e s. (*épeautre*) ; les formes sans *r* se rencontrent encore au XVIII^e s. (1771, Trévoux) ; lat. impér. *spelta* (I^er s., Rhemnius), du germanique **spelta.*

***épée** fin IX^e s., *Eulalie* (*spede*) ; 1080, *Roland* (*espee*) ; 1636, Monet (*épée*) ; lat. impér. *spatha* (II^e s., Tacite), large épée à deux tranchants qui remplaça l'épée romaine, *ensis* (v. ÉPAULE, SPATULE). || **épéiste** 1907, Lar., « qui pratique l'escrime à l'épée ».

**épeiche** 1611, Cotgrave ; réfection sur *sec, sèche,* de l'anc. fr. *espec* (XII^e s.), du haut allem. *spëch,* pivert, du francique **speht,* qui a donné directement *espoit* (1155, Wace). || **épeichette** 1864, L.

**épeire** 1845, Besch. ; lat. scientif. *epeira,* du gr. *êpeiros,* terre ferme, à cause de l'habitat de cette araignée.

**épeler** 1050, *Alexis* (*espelt*) ; XIII^e s. (*espelir*) ; XV^e s. (*espeler*) ; francique *spellôn,* raconter, refait d'après *appeler* ; en anc. fr. « expliquer », spécialisé à la lecture des lettres au XV^e s. || **épellation** 1732, Trévoux.

**épendyme** 1856, Lachâtre ; gr. *ependuma,* vêtement de dessus.

**épenthèse** 1675, *Rem. sur l'orthographe* ; lat. gramm. *epenthesis,* du gr. *epenthesis,* intercalation, ajout (*epi,* sur, *en,* dans, *thesis,* action de placer). || **épenthétique** 1782, *Encycl. méth.*

**éperdu** 1130, *Eneas* (*esp-*) ; part. passé de l'anc. fr. *esperdre* (1160, Benoît), perdre complètement, au sens fig., et pronominal « se troubler ». || **éperdument** 1520, La Curne.

**éperlan** XIII^e s., Delb. (*espellens*) ; 1560, Paré (*esperlan*) ; moyen néerl. *spierlinc* (allem. *Spierling*).

**éperon** 1080, *Roland* (*esp-*) ; XVI^e s. (*éperon*) ; francique **sporo* (*sporonus, Gloses* du VIII^e s.). || **éperonner** *id.* || **éperonnement** 1538, R. Est. || **éperonnerie** XVI^e s., G. || **éperonnier** 1292, *Taille de Paris.* || **éperonnière** *id.* || **éperonnelle** 1617, Delb., bot., plante à éperon.

**épervier** 1080, *Roland* (*esprevier*) ; fin XI^e s., *Gloses de Raschi* (*esparvier*) ; XVIII^e s. (*épervier*) ; francique *sparwāri* (allem. *Sperber*). || **épervière** 1786, *Encycl. méth.,* ou *herbe d'épervier,* plante qui passait pour fortifier la vue de l'épervier.

**épeuler** V. POIL.

**éphèbe** fin XV^e s., hist., jeune homme grec ; fin XIX^e s., ironiq. ; lat. *ephebus,* adolescent, du gr. *ephêbos,* de *epi,* sur, et *hêbê,* jeunesse. || **éphébie** 1870, Lar., hist. ; lat. *ephebia,* mot grec. || **éphébisme** 1868, Goncourt.

**éphédra** 1752, Trévoux (*éphèdre*) ; XX^e s. (*éphédra*), bot. ; lat. *ephedra,* mot grec.

**éphélide** 1752, Trévoux, tache de rousseur ; lat. *ephelis,* du gr. *ephêlis,* de *hêlios,* soleil.

**éphémère** 1256, Ald. de Sienne ; 1314, Mondeville (*fièvre effimère*) ; 1560, Paré (*éphémère*) ; gr. méd. *ephêmeros,* qui dure un jour (*hêmera,* jour) ; le sens général a été repris au gr. au XVIII^e s. ; n. m. 1690, Furetière, insecte. || **éphémérine** 1786, *Encycl. méth.,* « plante des tropiques ». || **éphémérides** 1537, *Anc. poés. fr.* ; lat. *ephemeris, -idis,* récit de faits quotidiens, calendrier chez Ovide, mot grec, de *hêmera,* jour.

**éphialte** fin XVI^e s., Bouchet, « démon, cauchemar » ; bas lat. *ephialtes,* mot grec, « qui saute sur », par métaphore genre d'hyménoptères.

**éphod** 1495, J. de Vignay (*ephot*) ; 1672, Sacy (*éphod*), vêtement hébreu ; hébreu *efod,* par les trad. lat. de la Bible.

**éphore** 1361, Oresme (*effore*), hist. ; 1690, Furetière (*éphore*) ; lat. *ephorus,* gr. *ephoros,* de *horân,* voir.

***épi** 1160, Benoît (*espi*) ; 1636, Monet (*épi*) ; lat. *spīcum.* || **épier** fin XIII^e s., *Renart* (*espier*), monter en épi. || **épiage** 1864, L. || **épiaison** 1870, Lar. || **épiet** 1786, *Encycl. méth.* || **épillet** *id.*

**épice** début XII^e s., *Voy. de Charl.* (*espice*) ; adaptation anc. du lat. *species,* espèce (v. ce mot), puis « denrée », et spécialisé aux aromates. || **épicer** XIII^e s., *D. G.* (*espicer*), « vendre des épices » ; 1549, R. Est., sens actuel ; 1870, Lar., fig. || **épicé** 1835, Gautier, « grivois ». || **épicier** XIII^e s., Huon de Méry, « vendeur d'épices et de denrées exotiques » (jusqu'au XVIII^e s.) ; 1674, Boileau, sens actuel ; XVI^e s., « benêt ». || **épicerie** milieu XIII^e s., Rutebeuf.

**épicéa** milieu XVIII^e s. (*-éa*) ; 1796, *Encycl. méth.* (*-cia*) ; altér. de *picéa* (*arbre de picea,* 1553,

Belon) ; lat. *picea,* sapin, proprement « arbre à résine », de *pix,* poix.

**épicène** XVe s., G. (*epichene*) ; 1762, *Acad.* (*épicène*) ; lat. *epicœnus,* du gr. *epikoinos,* possédé en commun, de *koinos,* commun.

**épicurien** fin XIIIe s., hist. ; 1512, J. Lemaire, fig. ; lat. *epicurius,* disciple d'Épicure, aussi fig. en lat. || **épicurisme** 1585, Cholières.

**épicycle** milieu XIVe s., Digulleville (*épicicle*) ; bas lat. *epicyclus,* du gr. *epikuklos,* cercle concentrique.

**épidémie** fin XIIe s., *Alexandre* (*espydymie*) ; fin XIVe s., Deschamps ; lat. méd. *epidemia,* du gr. *epidêmos,* « qui circule dans le peuple » (v. ENDÉMIE). || **épidémique** milieu XVIe s. || **épidémicité** 1870, Lar. || **épidémiologie** 1864, L.

**épiderme** V. DERME.

1. **épier** 1080, *Roland* (*espier*), « trahir » ; 1155, Wace, « chercher à découvrir » ; 1538, R. Est., « observer secrètement » ; francique **spehôn* (allem. *spähen*). || **épie** début XIIe s., *Voy. de Charl.,* « espion » (jusqu'au XVIIe s.). || **épieur** 1260, Br. Latini.

2. **épier** V. ÉPI.

**épieu** 1080, *Roland* (*espiet*) ; XIIIe s. (*espieu*), par infl. de *pieu ;* anc. fr. *inspieth* (Xe s.), du francique **speut* (allem. *Spiess*).

**épigastre** 1538, Canappe ; gr. *epigastrion,* de *epi,* sur, et *gastêr,* ventre, estomac ; partie de l'abdomen située au-dessus de l'ombilic.

**épiglotte** V. GLOTTE.

**épigone** 1752, Trévoux, hist. ; 1876, *le Temps,* « successeur » ; lat. *Epigoni,* les Épigones, du gr. *epigonos,* né après.

**épigramme** 1378, Le Fèvre ; rare jusqu'au XVIe s. ; lat. *epigramma,* mot gr. signif. « inscription », de *epi,* sur, et *graphein,* écrire ; le sens du fr. existe en lat. : « petit poème satirique ». || **épigrammatique** 1455, Fossetier ; rare jusqu'au XVIIIe s. ; lat. *epigrammaticus,* du gr. *epigrammatikos.*

**épigraphe** 1694, Th. Corn. ; gr. *epigraphê,* inscription, de *graphein,* écrire. || **épigraphie** 1838, *Acad.* || **épigraphique** 1845, Besch. || **épigraphiste** 1845, Besch.

**épilepsie** 1503, G. de Chauliac ; lat. méd. *epilepsia,* du gr. *epilêpsia,* attaque ; il a remplacé peu à peu *haut mal* (XIVe s.) et *mal caduc* (XVe s.).

|| **épileptique** XIIe s., *Édouard le Confesseur* (*epilentic*) ; 1545, Guéroult (*épileptique*) ; lat. *epilepticus,* du gr. *epilêptikos.* || **épileptiforme** 1864, L.

**épiler** V. POIL.

**épilobe** 1786, *Encycl. méth. ;* du gr. *epi,* sur, et *lobos,* lobe, d'apr. la position de l'ovaire de cette plante.

**épilogue** XIIe s., *Ysopet ;* début XXe s., « conclusion » ; lat. *epilogus,* du gr. *epilogos,* « après le discours ». || **épiloguer** 1493, Coquillart, « récapituler » ; 1676, Sévigné, « faire des commentaires malveillants ». || **épilogueur** 1683, Sévigné.

**épinard** 1256, Ald. de Sienne (*espinache*) ; 1398, *Ménagier* (*espinars*) ; lat. médiév. *spinachium, spinarguim,* de l'ar. d'Espagne *isbinākh,* d'origine arabo-persane.

***épine** 980, *Passion* (*espine*) ; lat. *spīna.* || **épinette** 1360, Machault, « arbrisseau », dimin. de *épine ;* 1514, Havard, « instrument de musique », par l'ital. *spinetta* (on pinçait les cordes avec des pointes de plumes). || **épinier** fin XVIe s., Brantôme. || **épinière** (*moelle*) 1660, Habicot. || ***épineux** 1170, *Rois* (*espinus*) ; lat. *spinosus.* || **épine-vinette** XVe s., *Grant Herbier* (*espinete vinete*) ; 1536, Ch. Est., forme actuelle ; de *épine,* arbrisseau, et *vinette,* dér. de *vin,* d'apr. l'analogie des grappes. || **épinoche** XIIIe s., *Fabliau.*

***épingle** 1268, É. Boileau (*esp-*) ; lat. pop. **spinguler,* croisement du lat. *spīnŭla,* petite épine et de *spicula,* petit épi ; l'épine servant à attacher existait chez les Germains. || **épinglier** 1268, É. Boileau. || **épinglerie** 1268, É. Boileau. || **épingler** 1596, Hulsius. || **épinglette** 1380, *Aalma.*

**épinoche** V. ÉPINE.

**épiornis** 1856, Lachâtre ; gr. *aipus,* très élevé, et *ornis,* oiseau.

**Épiphanie** 1190, Saint Bernard ; lat. chrét. *epiphania,* mot gr. signif. « manifestation », de *epi,* sur, et *phainein,* apparaître.

**épiploon** 1541, Canappe ; gr. méd. *epiploon,* flottant, de *epiploos,* qui navigue ; en anat. « replis péritonéaux ». || **épiploïque** 1611, Cotgrave. || **épiploïte** 1793, *Encycl. méth. ;* lat. scientif. *epiploïtis.*

**épique** 1578, d'Aubigné ; lat. *epicus,* du gr. *epikos,* de *epos,* épopée, proprement « parole ».

**épirogenèse** v. 1950 ; gr. *êpeiros,* terre ferme, et *genesis,* origine.

**épiscopal** V. ÉVÊQUE.

**épisode** XV$^e$ s., *Évangile des Quenouilles* (*-die*) ; 1660, Corn. (*episode*) ; 1696, La Bruyère, « circonstance » ; gr. *epeisodion,* digression, incident, de *epeisodios,* accessoire. || **épisodique** 1637, Scudéry. || **épisodiquement** 1864, L.

**épisser** 1631, Anthiaume, altér. du néerl. *splissen,* attacher deux cordes en entrelaçant les torons. || **épissoir** 1678, Guillet. || **épissure** 1677, Dassié, réunion de deux bouts de cordage.

**épistémologie** 1906, Lar. ; gr. *epistêmê,* science, et *logos,* discours ; étude philosophique de la science. || **épistémologique** début XX$^e$ s.

**épistolaire** 1542, Dolet ; lat. *epistolaris,* de *epistola,* épître. || **épistolier** 1539, Ch. Fontaine.

**épitaphe** 1130, *Eneas* (*-afe*) ; XV$^e$ s., La Curne (*-aphe*) ; bas lat. *epitaphium,* du gr. *epitaphion,* de *epi,* sur, et *taphos,* tombeau.

**épithalame** début XVI$^e$ s. ; lat. *epithalamium,* du gr. *epithalamion,* chant nuptial, de *thalamos,* lit nuptial.

**épithélium** 1836, Landais ; mot lat. scientif., du gr. *epi,* sur, et *thêlê,* mamelon, pour désigner la membrane qui recouvre le mamelon du sein. || **épithélial** 1855, Nysten.

**épithème** 1314, Mondeville (*epitime*) ; lat. méd. *epithema,* du gr. signif. « ce qui se place sur » ; passé du voc. de la pharmacie à celui de la bot.

**épithète** 1517, Bouchet, au propre et au fig. ; masc. jusqu'au XVII$^e$ s. ; lat. gramm. *epitheton,* du gr. *epithetos,* ajouté, de *epitithenai,* placer sur. || **épithétique** 1864, L.

**épitoge** 1484, G., masc., puis fém., d'apr. *toge ;* lat. *epitogium,* de *toga,* toge.

**épitomé** début XVI$^e$ s. (*épitome*) ; 1829, Boiste (*épitomé*) ; lat. *epitome,* du gr. *epitomê,* abrégé, de *temnein,* couper.

**épître** 1190, Garn. (*epistre*), « lettre, missive » ; 1690, Furetière, sens relig. ; 1530, Marot, genre littéraire ; lat. *epistola,* du gr. *epistolê.*

**épizootie** 1775, *Arrêt du Conseil ;* gr. *zôotês,* nature animale, d'apr. *épidémie.* || **épizootique** 1772, *Journ. de médecine.*

**éploré** V. PLEURER.

**éployer** V. PLOYER.

***éplucher** 1180, Marie de France (*espeluchier*), « débarrasser d'ordures » ; 1508, *Comptes de Gaillon* (*esplucher*), « enlever les bourres d'une étoffe » ; 1549, R. Est., « enlever la peau d'un légume » ; anc. fr. *peluchier,* du lat. pop. **pilūccare,* de *pilare,* peler, de *pilus,* poil. || **épluchage** 1755, *Encycl.* || **éplucheur** 1566, Du Pinet. || **épluchure** 1611, Cotgrave. || **épluchoir** 1680, Richelet.

**épode** 1550, Ronsard ; lat. *epodos,* du gr. *epôdos,* de *epi,* sur, et *ôdê,* ode ; couplet lyrique composé de deux vers inégaux.

**épointre, épointer** V. POINDRE, POINTE.

1. ***éponge** XIII$^e$ s. (*esponge*), zool. ; 1636, Monet (*éponge*) ; lat. pop. **sponga,* de *spongia,* mot gr. de *spongos,* substance spongieuse. || **éponger** 1220, Coincy ; 1870, Lar., fig. || **épongeage** 1877, L.

2. **éponge,** « bord », fin XI$^e$ s., *Gloses de Raschi* (*esponde*) ; début XVI$^e$ s. (*esponge*) ; XVIII$^e$ s. (*éponge*) ; lat. *sponda,* bord, rive, sous l'infl. du précédent ; il désigne chacune des branches du fer à cheval. || **éponte** 1774, Jars, « partie d'un filon », var. picarde.

**épontille** 1678, Guillet, « étai » ; de *pontille* (1642, Oudin) ; de *pointe* ou ital. *pontile,* ponton, par ext. étai, avec chang. de suffixe. || **épontiller** 1773, Bourdé. || **épontillage** 1787, Vial de Clairbois.

**éponyme** 1755, *Encycl. ;* gr. *epônumos,* de *epi,* sur, et *onoma,* nom ; désigne celui qui donne son nom à quelque chose.

**épopée** 1623, Chapelain ; gr. *epopoiia,* de *epos,* poésie, et *poieîn,* faire.

**époque** 1619, Davity ; 1808, Lagrange, « état du ciel » ; gr. *epokhê,* temps d'arrêt ; le sens de « état remarquable » reste dans l'expression *faire époque* (1762, Rousseau).

**époule** XIII$^e$ s., Garlande (*espole*), « tuyau » ; francique **spôla* (allem. *Spule*). || **époulin** 1723, Savary (*espoullin*) ; navette utilisée dans le tissage.

***épouser** 1050, *Alexis* (*espuser*), « marier » ; 1671, Pomey (*épouser*), « prendre pour époux » ; XVI$^e$ s., fig. ; lat. *sponsare,* par le lat. pop. **sposare.* || **épouseur** XIV$^e$ s., G. (*espouseor*) ; 1665, Molière (*épouseur*). || ***époux** 1050, *Alexis* (*espus*) ; 1671, Pomey (*époux*) ; lat. *sponsus ;* le *ou* au lieu de *eu* est dû à *épouser.* || ***épousailles** 1155, Wace (*espusailles*) ; lat. *sponsalia,* fiançailles.

**épousseter, époux, -se** V. POUSSIÈRE, ÉPOUSER.

**époutir** XIVe s. (*espoutier*) ; 1679, J. Savary (*époustier*) ; 1864, L. (*époutir*) ; anc. fr. *poutie,* ordure, de *pou,* bouillie de farine (1175, Chr. de Troyes), lat. *puls, pultis,* bouillie. || **épouti** 1723, Savary. || **époutissage** 1785, *Encycl. méth.*

***épouvanter** 1080, *Roland* (*espaenter*) ; XIIe s., *Roncevaux* (*espoanter*) ; milieu XVIe s. (*espouvanter*) ; lat. pop. **expaventare,* du lat. impér. *expavere,* de *pavere,* avoir peur. || **épouvantable** 1120, *Ps. de Cambridge.* || **épouvantablement** *id.* || **épouvantement** *id.* || **épouvantail** XIIIe s., *Fabliau.* || **épouvante** 1570, Carloix (*espavente*) ; 1611, Cotgrave (*épouvante*).

***épreinte** 1354, *Modus ;* part. passé de l'anc. fr. *espreindre* (fin XIIe s., R. de Moiliens), du lat. *exprĭmĕre ;* désigne de fausses envies d'aller à la selle.

**épreuve, éprouver, épuiser** V. PROUVER, PUITS.

**épulide** 1560, Paré, « tumeur des gencives » ; gr. *epoulis, -idos,* de *epi,* sur, et *oûlon,* gencive.

**épure, épurer, épurge** V. PUR, PURGER.

**équanime** fin XVIe s., d'Aubigné ; bas lat. *aequanimus,* dont l'esprit est égal, de *aequus,* égal, et *animus,* esprit. || **équanimité** milieu XVIe s., Amyot ; lat. *aequanimitas.*

***équarrir** XIIIe s., *D. G.* (*esq-*) ; XVIIe s. (*équarrir*) ; 1780, *Doc.,* « dépecer en quartiers » (un animal) ; var. de l'anc. fr. *équarrer,* lat. pop. **exquadrare,* rendre carré (sens conservé en techn.). || **équarrissement** 1328, G. || **équarrissage** 1364, G. || **équarrisseur** 1552, Ch. Est. || **équarrissoir** 1671, le P. Chérubin.

**équateur** 1378, Le Fèvre ; lat. *aequator* (de *aequus,* égal), au sens médiév., calque du gr. *isêmerinos kuklos* (*circulus aequinoctialis*), « qui rend égaux les jours et les nuits ». || **équatorial** 1778, Buffon.

**équation** XIIIe s., Th. de Kent, « égalité » ; 1637, Descartes, sens math. ; *équation personnelle* 1864, L. ; lat. *aequatio,* égalité, qui prit le sens math. au Moyen Âge.

***équerre** 1170, *Rois* (*esquire*) ; XIIIe s. (*esquerre*) ; XVIIe s. (*équerre*) ; lat. **exquadra,* déverbal de *exquadrare,* tailler en forme de carré ; l'équerre servait à tracer les angles des carrés. || **équerrer** 1786, *Encycl. méth.*

**équestre** 1355, Bersuire ; lat. *equestris,* de *equus,* cheval.

**équi-,** lat. *aequus,* égal. || **équiangle** 1556, Le Blanc. || **équidistant** 1361, Oresme ; lat. *aequidistans.* || **équidistance** 1361, Oresme. || **équilatéral** début XVIe s. ; lat. *aequilateralis,* de *latus, -eris,* côté. || **équilatère** XIIIe s., L. ; bas lat. *aequilaterus.* || **équimultiple** 1667, Arnauld. || **équipotent** XXe s. ; lat. *potens,* qui peut. || **équiprobable** v. 1950. || **équivalve** 1811, Mozin.

**équilibre** 1540, M. Scève (*équalibre*) ; 1611, Cotgrave (*équilibre*) ; 1778, Rousseau, équilibre de l'esprit ; lat. *aequilibrium,* de *aequus,* égal, et *libra,* balance. || **équilibrer** début XVIe s. || **équilibré** 1867, Michelet, « pondéré ». || **équilibriste** fin XVIIIe s. || **équilibrage** 1906, *l'Illustration.* || **équilibration** 1870, Lar. || **équilibrateur** XXe s. || **déséquilibrer** 1877, L. || **déséquilibre** 1907, Lar.

**équille** 1612, Marc Lescarbot, « lançon » ; de *qule* (fin XIVe s.), mot normand, d'origine obscure ; p.-ê. même mot que *esquille.*

**équin** 1502, O. de Saint-Gelais ; lat. *equinus,* de *equus,* cheval ; désigne une déformation du pied qui ne peut s'appuyer que sur sa pointe.

**équinoxe** 1119, Ph. de Thaon (*-noce*) ; 1690, Furetière (*-noxe*) ; lat. *aequinoctium,* de *aequus,* égal, et *nox, noctis,* nuit. || **équinoxial** XIIIe s., Végèce ; lat. *aequinoxialis.*

**équiper** 1130, *Eneas* (*eschiper*), « embarquer », et « pourvoir une embarcation du nécessaire » ; 1535, Olivétan, « munir du nécessaire » ; 1606, Nicot, « pourvoir pour un usage » ; anc. nordique *skipa,* arranger, installer. || **équipage** XVe s., *Débat des hérauts* (*écupage*) ; XVIe s. (*équipage*), équipage d'un bateau ; 1549, R. Est., « voitures d'une armée » ; 1580, Montaigne, pour la chasse. || **équipe** 1456, Jal., mar. ; 1469, Mantellier, en sport ; 1864, L., pour des ouvriers. || **équipée** fin XVe s., Molinet, « expédition » ; 1611, Cotgrave, « entreprise irréfléchie ». || **équipement** 1671, Pomey. || **équipier** 1870, *Gazette des tribunaux.* || **déséquiper** 1669, Widerhold. || **suréquiper** XXe s. || **suréquipement** 1955, *le Monde.*

**équipoller** 1349, G., « équivaloir », terme scolastique ; XIXe s., Laisant, math. ; lat. *aequipollere,* de *aequus,* égal, et *pollere,* être fort, puissant. || **équipollent** 1265, J. de Meung ; lat. *aequipollens.* || **équipollence** *id.,* « équivalence » ; lat. *aequipollentia.*

**équitable** V. ÉQUITÉ.

**équitation** 1503, Chauliac ; lat. *equitatio,* de *equitare,* aller à cheval, de *eques,* cavalier.

**équité** 1265, J. de Meung ; lat. *aequitas,* égalité, de *aequus,* égal. || **équitable** début XVIe s. || **équitablement** 1564, Thierry.

**équivaloir** 1453, *Débat des hérauts ;* bas lat. *aequivalere,* valoir autant, d'apr. *valoir.* || **équivalence** 1361, Oresme ; lat. *aequivalens.* || **équivalent** *id.*

**équivoque** 1220, Coincy, adj. ; XVIe s., Amyot, n. f., « calembour » ; 1648, Pascal, sens actuel ; bas lat. *aequivocus* (Ve s., Capella), à double sens, de *aequus,* égal, et *vox, vocis,* voix. || **équivoquer** 1521, Fabri, user volontairement d'équivoques.

***érable** 1240, G. de Lorris ; bas lat. *acerabulus* (VIIe-VIIIe s., *Gloses*), de *acer,* érable ; le second élément paraît être un nom d'arbre gaulois, **abolos,* sorbier.

**éradication** 1585, Cholières ; lat. *eradicatio,* action de déraciner. || **éradiquer** v. 1950. (V. RACINE.)

**érafler** milieu XVe s. ; de *arrafler* (1394, *Charte*), du préfixe *é-* et de *rafle.* || **éraflement** 1811, *Encycl. méthod.* || **éraflure** 1671, Pomey.

**érailler** XIIe s., Herman de Valenciennes (*esraailler*), « rouler les yeux » ; 1560, Paré (*éraillé*), « dont la paupière est retournée » ; 1690, Furetière, « détériorer en écartant » et « écorcher » ; anc. fr. *roellier* (1131, *Couronn. Louis*), rouler des yeux, du lat. pop. **roticŭlāre,* de *rota,* roue. || **éraillement** 1560, Paré, en parlant des yeux ; 1864, L., en parlant de la voix. || **éraillure** 1690, Furetière.

**erbine** 1843, d'après les expériences de Mosander en Suède, à *Ytterby,* dont *erbine* représente la seconde partie du mot.

**ère** 1539, Gruget (*here*) ; 1679, Bossuet (*ère*) ; lat. *aera,* nombre, chiffre, au sens bas lat. « point de départ », en chronologie (VIIe s., Isid. de Séville), de *aes, aeris,* airain.

**érection** 1485, G. ; lat. *erectio,* action de dresser, de *erigere,* dresser (v. ÉRIGER). || **érectile** 1813, *Encycl. méth. ;* du part. passé *erectus.* || **érectilité** 1839, Boiste. || **érecteur** 1701, Furetière.

**éreinter** V. REIN.

**éréthisme** 1743, Geoffroy ; gr. *erethismos,* irritation, de *erethizein,* exciter.

1. **erg** 1857, Fromentin (*areg,* pl.) ; 1888, Lar. (*erg*) ; mot arabe désignant une dune.

2. **erg** 1888, Lar., unité de travail ; gr. *ergon,* action, travail.

**ergastule** 1495, J. de Vignay ; rare jusqu'au XIXe s. ; lat. *ergastulum,* du gr. *ergastêrion,* atelier, de *ergon,* travail.

1. **ergo** 1220, Coincy (*argo*) ; 1530, Marot (*ergo*) ; mot lat. signif. « donc », et vulgarisé par la scolastique. || **ergoter** *id.* (*argoter*) ; 1534, Rab. (*ergoter*), par croisement avec une autre rac. (v. ARGOT). || **ergoteur** XVe s. (*hargoteur*). || **ergotage** 1578, d'Aubigné. || **ergoterie** 1567, Pasquier.

2. **ergo-,** gr. *ergon,* travail. || **ergographe** 1907, Lar. || **ergomètre** XXe s. || **ergothérapie** v. 1950.

**ergot** 1160, Benoît (*argoz,* pl.) ; XVIe s. (*argot*) ; XVIIe s. (*ergot*) ; 1721, Trévoux, au fig., ergot des céréales ; origine obscure. || **ergoté** 1594, *Satire Ménippée,* au propre ; *blé ergoté,* 1755, *Encycl.* || **ergotine** 1836, Raymond. || **ergotamine** XXe s., de *amine.* || **ergotisme** 1839, Boiste, intoxication provoquée par du blé ergoté.

**éricacée** 1839, Boiste ; lat. scientif. *erica,* bruyère, du gr. *erikê.*

**ériger** 1466, G., « instituer » ; 1530, Palsgrave, « construire » ; lat. *erigere,* dresser.

**érigne, érine** 1536, Chrestien (*ireigne*) ; 1721, Trévoux (*érigne*), instrument de chirurgie ; var. dial. de *araigne* (XIIe s.) ; du lat. *aranea,* araignée, nom de l'érigne chez Paré.

**éristique** 1765, *Encycl. ;* gr. *eristikos,* relatif à la controverse.

**ermite** 1138, *Saint Gilles ;* lat. chrét. *eremita* (Ve s., Sulpice Sévère), du gr. *erêmitês,* « qui vit dans la solitude », de *erêmos,* désert. || **ermitage** *id. ;* XIIIe s., « lieu solitaire ». || **érémitique** 1525, J. Lemaire.
**tologie** 1888, Lar. || **érotomanie** 1741, Villars ; v. 1950. || **érotique** 1566, Du Choul ; gr. 1836, Landais.

**éroder** 1560, Paré ; rare jusqu'au XIXe s. ; lat. **tologie** 1888, Lar. || **érotomanie** 1741, Villars ; gr. *erôtomania,* de *mania,* folie. || **érotomane** 1836, Landais.

**éroder** 1560, Paré ; rare jusqu'au XIXe s. ; lat. *erodere.* || **érosion** 1541, Canappe, « lésion de la peau » ; 1870, Lar., sens actuel ; lat. *erosio.* || **érosif** 1864.

***errant** 1155, Wace, « qui voyage » ; 1582, *D. G.,* « non fixé » ; 1690, Furetière, « sans but précis » ; le part. prés. est attesté au XVIe s. dans *le Juif errant ;* de *errer,* marcher, du bas lat. *iterare,* de *iter,* voyage. || **errance** début XIIIe s. ; rare avant le XIXe s. || **erre** 1120, *Ps. de Cambridge ;* déverbal de *errer,* « voyage » ; 1155, Wace, « manière de marcher » ; subsiste dans divers sens techn. || **errements** 1167, G. d'Arras, déjà fig. en anc. fr. ; début XXe s., « habitudes néfastes ».

**errata** 1560, Boaistuau, pl., et **erratum** 1798, *Acad.,* sing. ; lat. *erratum,* pl. *errata,* part. passé au neutre de *errare,* se tromper.

**erratique** 1265, J. de Meung (*estoiles erratiques*) ; rare jusqu'au XIXe s. ; lat. *erraticus,* errant, vagabond, de *errare,* errer. (V. ERRER.)

**erre, errements** V. ERRANT.

**errer** 1131, *Couronn. Loïs,* « se tromper » ; milieu XVIe s., Amyot, « aller au hasard » ; lat. *errare,* s'égarer ou se tromper. || **erreur** 1130, *Eneas ;* lat. *error,* au fig. || **erroné** XVe s., L. ; lat. *erroneus.* || **erronément** XVe s., La Curne.

**ers** 1538, R. Est., lentille ; mot prov., du lat. *ervum.*

**ersatz** v. 1914 ; vulgarisé depuis 1939 ; mot allem. signif. « remplacement ».

**érubescence** 1361, Oresme, sens moral ; lat. *erubescere,* devenir rouge, de *ruber,* rouge. || **érubescent** 1784, Bernardin de Saint-Pierre ; lat. *erubescens.*

**eruca** XIVe s., *Livre secret de la nature* (*eruque*) ; 1752, Trévoux (*eruca*) ; mot lat., roquette croissant dans les blés.

**éructation** XIIIe s. ; lat. *eructatio,* vomissement, de *eructare,* rejeter, d'apr. le sens de *ructus,* rot. || **éructer** 1827, *Acad.* (V. ROT.)

**érudit** XIVe s., *Vie saint Eustache ;* rare jusqu'au XVIIIe s. ; lat. *eruditus,* part. passé de *erudire,* instruire. || **érudition** 1495, J. de Vignay, « enseignement » (jusqu'au XVIe s.) ; XVIIe s., « savoir approfondi » ; lat. *eruditio,* enseignement, instruction.

**érugineux** 1256, Ald. de Sienne ; lat. *aeruginosus,* de *aerugo,* rouille, c.-à-d. « de couleur analogue à celle de la rouille ».

**éruption** 1355, Bersuire ; lat. *eruptio,* de *eruptus,* part. passé de *erumpere,* sortir avec impétuosité, de *rumpere,* briser. || **éruptif** milieu XVIIIe s.

**érusser** 1585, Du Fouilloux (*érucer*) ; mot dial. de l'Ouest, anc. fr. *eruisser,* de *roisse, ruisse,* ronce ; lat. pop. **rustum,* buisson.

**eryngium** XIIIe s., *Antidotaire* (*yringe*) ; lat. *erynge,* empr. au gr. *êruggê,* panicaut, plante voisine du chardon.

**érysipèle** 1314, Mondeville (*herisipille*) ; fin XVIe s., d'Aubigné (*érésipèle*) ; lat. méd. *erysipelas,* du gr. *erusipelas,* de *erenthein,* faire rougir. || **érésipélateux** 1545, Guéroult.

**érythème** 1803, Wailly ; gr. *eruthêma,* rougeur. || **érythémateux** 1837, Raciborski.

**érythrine** 1786, *Encycl.,* bot. ; gr. *eruthros,* rouge. || **érythroblaste** 1907, Lar. || **érythrocyte** 1907, Lar. || **érythropoïèse** 1932, Lar. ; gr. *poiêsis,* action de faire. || **érythrose** 1864, L. || **érythrosine** 1878, Lar.

**ès** V. EN 1.

**esbigner (s')** 1808, Désaugiers ; prov. mod. *s'esbignar,* décamper, de l'argot ital. *sbignare* (1642, Oudin), *svignare* (1619, *Il nuovo modo...*), s'enfuir de la vigne.

**esbroufe** 1815, *Chanson* (*esbrouf*), « action violente » ; 1827, Esnault, sens actuel ; prov. mod. *esbroufo, -fa,* s'ébrouer, sans doute onomatop. || **esbroufer** 1835, Raspail. || **esbroufeur** 1837, Vidocq

**escabeau** 1419, N. de Baye (*scabel*) ; 1471, Havard (*escabeau*) ; lat. *scabellum ;* il a remplacé l'anc. fr. *eschame, -amel,* du lat. *scamnum, -nellum.* || **escabelle** 1328, Varin (*scabelle*) ; 1507, Havard (*escabelle*), var. fém. || **escabelon** 1665, Havard ; ital. *scabellone,* petit piédestal.

**escadre** XVe s., *le Jouvencel,* « subdivision d'un corps de troupe » ; XVIIe s., spécialisé aux escadres navales ; ital. *squadra* et esp. *escuadra,* équerre, et au fig. bataillon (rangé en carré). || **escadrille** 1570, Carloix (*scouadrille*), « troupe » ; 1803, Boiste, mar. ; 1922, Lar., aviation ; esp. *escuadrilla.*

**escadron** fin XVe s., Molinet (*escuadron*) ; 1526, Marot (*escadron*) ; ital. *squadrone,* augmentatif de *squadra.*

**escalade** début XVe s. ; « assaut à l'aide d'échelles » ; 1707, Lesage, « franchissement d'un obstacle » ; 1810, *Code pénal,* en montagne ; v. 1950, fig. ; ital. *scalata,* ou anc. prov. **escalada,* de *escala,* échelle ; il a remplacé l'anc. fr. *eschelement.* || **escalader** 1611, Cotgrave, milit. ; milieu XVIIIe s., alpinisme.

**escale** XIIIe s., texte italianisant ; rare jusqu'au XVIe s. (1507, Jal) ; ital. [*far*] *scala* ou prov. *escalo,* échelle. (V. ÉCHELLE.)

**escalier** 1549, R. Est., au sing. ; 1690, Furetière, au pl. ; lat. *scalaria,* pl. (Vitruve), de *scalaris,* de degrés, dér. de *scala,* échelle ; il a remplacé *degré.* || **escaliéteur** 1955, *Dict. des métiers.* || **Escalator** v. 1950, nom déposé ; angl. *to escalade,* escalader, et *elevator.*

**escalin** XIII^e s., *Ménestrel de Reims ;* moyen néerl. *schellinc* (angl. *shilling*), ancienne monnaie d'argent des Pays-Bas.

**escalope** 1691, Massialot (*veau à l'escalope*), tranche de veau et assaisonnement ; début XIX^e s., sens actuel ; d'un patois du N.-E. (anc. fr. *eschalope* [1220, Coincy], coquille de noix, de même rac. que *écale*). || **escalopé** 1857, Flaubert.

**escamoter** 1560, Boaistuau, « remplacer » ; 1640, Oudin, prestidigitation ; 1658, Scarron, « dérober » ; anc. prov. **escamotar,* de **escamar,* écailler, du lat. *squama,* écaille, influencé par le germanique. || **escamotable** 1948, Lar. || **escamoteur** 1609, Delb. || **escamotage** 1757, *Encycl.*

**escampette** 1688, Miege (*prendre la poudre d'escampette*) ; moyen fr. *escamper* (1546, Rab.), de l'ital. *scampare,* s'enfuir, proprement « prendre du champ » (*campo*).

**escapade** 1570, Montaigne ; ital. *scappata* ou esp. *escapada,* échappée.

1. **escape** 1567, Delorme, « fût de colonne » ; lat. *scapus,* tige.

2. **escape** 1827, *Acad.,* vénerie ; déverbal de *escaper,* mettre le gibier en liberté, forme méridionale de *échapper.*

**escarbille** 1667, Barbier (*escabille*) ; 1780, *Ann. de l'agric.* (*escarbille*) ; mot wallon du flamand *Schrabhoelie,* de *schrabben,* gratter. || **escarbiller** 1908, Lar.

**escarbot** 1460, Villon ; réfection de l'anc. fr. *écharbot* (XI^e s. ; lat. *scarabaeus*), sous l'infl. de *escargot ;* le scarabée étant un insecte méditerranéen, le mot a pris des sens divers dans les patois (bousier, hanneton, cétoine, etc.).

**escarboucle** 1080, *Roland* (*-buncle*) ; XII^e s., G. (*-boucle*) ; altér. de *escarbuncle* (XII^e s.), du lat. *carbŭnculus,* petit charbon, le rubis étant comparé à un charbon brûlant ; l'initiale est issue du préf. *ex-* (*es-*) à valeur intensive.

**escarcelle** XIII^e s. ; rare jusqu'au XVI^e s. ; ital. *scarsella,* petite avare, de *scarso,* avare ; formation ironique.

**escargot** 1398, *Ménagier* (*escargol*) ; 1541, R. Est. (*escargot*) ; prov. mod. *escaragol* (lat. *conchylium,* coquillage, devenu en lat. pop. **coculiu[m],* *-lia,* d'où l'anc. prov. *cogolha,* et croisement avec *scarabaeus*) [v. ESCARBOT]. || **escargotière** 1806, *Journ. des gourmands.*

**escarmouche** 1367, J. Le Bel (*escharmuche*) ; 1559, Amyot (*escarmouche*) ; croisement de l'anc. fr. *escremie,* lutte (XII^e s.), francique **skirmjan,* défendre, et de l'anc. fr. *muchier,* cacher (les éclaireurs étant cachés). || **escarmoucher** *id.* || **escarmoucheur** XV^e s., Delb.

**escarole** XIV^e s., *Antidotaire Nicolas ;* ital. *scariola,* « chicorée », du bas lat. *escariola,* endive, dér. de *esca,* nourriture. L'italien a fourni de nombreux noms de légumes et salades (*artichaut, céleri, chou-fleur, romaine*).

1. **escarpe** fortif., 1553, Le Plessis ; ital. *scarpa,* du germ. **skarpô,* talus (allem. *schroff,* escarpé). || **escarper** 1536, M. Du Bellay. || **escarpé** 1582, *D. G.,* abrupt. || **escarpement** 1701, Furetière. || **contrescarpe** 1550, Rab., fortif.

2. **escarpe** malfaiteur, 1800, *Chauffeurs,* argot ; déverbal de l'anc. terme argotique *escarper,* assassiner pour voler (1800, *id.*) ; forme méridionale de *écharper,* d'origine germanique.

**escarpin** 1512, Lemaire (*escalpin*) ; 1564, J. Thierry (*escarpin*) ; ital. *scarpino,* dimin. de *scarpa,* soulier, d'où le fr. *escarpe,* soulier léger (XVI^e s.).

**escarpolette** fin XVI^e s., d'Aubigné (*-poulette*) ; 1605, Le Loyer (*-aulette*) ; 1613, Régnier (*-polette*) ; diminutif prov. de *escarpe,* objet en pointe, d'orig. germ.

**escarre** 1314, Mondeville, méd. ; lat. méd. *eschara,* du gr. *eskhara,* « croûte ». || **escarrifier** 1842, *Acad.* || **escarrification** 1836, Landais.

**eschatologie** 1864, L. ; gr. *eskhatos,* dernier, et *logos,* discours ; « qui traite des fins de l'homme ». || **eschatologique** *id.*

**escient** 1080, *Roland* (*mien escient*) ; milieu XII^e s. (*à bon escient*) ; lat. médiév. *meo, tuo sciente,* altér. de l'express. lat. *me, te sciente,* moi, toi le sachant, avec le part. prés. *sciens, scientis,* de *scire,* savoir. (V. SCIEMMENT.)

**esclaffer (s')** 1540, Rab. (*s'esclaffer de rire*) ; prov. mod. *s'esclafi, -fa,* éclater, de *clafa,* frapper bruyamment, formation expressive. || **esclaffement** 1901, Lar.

***esclandre** 1160, Benoît, « haine » ; 1353, La Curne, « guet-apens » ; 1380, *Aalma,* « scandale » ; doublet pop. du lat. *scandalum,* scandale.

**esclave** 1160, Benoît ; 1608, Régnier, fig. ; lat. médiév. *sclavus,* var. de *slavus,* slave, de nombreux Slaves ayant été réduits en esclavage ; le sens paraît s'être formé à Venise. || **esclavage** 1577, Vigenère ; 1642, Corn., fig. ; répandu pendant la Révolution pour désigner le régime féodal ; au début du XIXe s., il caractérise les rapports du patron et de l'ouvrier. || **esclavagisme** 1877, Darmesteter. || **esclavagiste** 1864, L. || **antiesclavagiste** 1930, E. Lucas.

**escobar** 1656, Pascal, nom propre et au fig., du nom du jésuite *Antonio Escobar,* pris à partie dans *les Provinciales.* || **escobarder** fin XVIIe s., Saint-Simon. || **escobarderie** av. 1783, d'Alembert.

**escoffion** milieu XVIe s., Ronsard ; ital. *scuffione,* de *scuffia,* coiffe.

**escofier** ou **escoffier** 1725, Cartouche (*coffier*) ; 1796, Esnault (*escofier*) ; prov. *escoufia,* tuer, lat. pop. **exconficere,* de *conficere,* venir à bout.

**escogriffe** 1611, Cotgrave ; mot orléanais signif. aussi « voleur » ; orig. obscure, p.-ê. de *escroc à griffe.*

**escompter** 1675, Savary, « payer » ; XIXe s., « compter sur » ; ital. *scontare,* décompter, lat. *computare,* compter. || **escompte** 1597, de Savonne ; ital. *sconto,* décompte. || **escomptable** 1867, d'apr. L. || **réescompter** fin XIXe s.

**escopette** 1516, *Recueil des anc. lois* (*eschopette*) ; XVIIe s. (*escopette*) ; ital. *schioppetto,* dimin. de *schippo,* arme à feu, du lat. *stloppus,* formation expressive, bruit fait en frappant sur les joues gonflées. Il a existé une forme *chopette* (1525, *Voy. Antoine Pigaphetta*).

**escorte** v. 1500, milit. ; 1665, La Fontaine, « suite accompagnant qqn » ; ital. *scorta,* action de guider, de *scorgere,* guider, du lat. *corrigere,* corriger. || **escorter** début XVIe s. || **escorteur** 1919, Lar.

**escot** 1568, texte de Toulouse (*serge façon d'Ascot*) ; 1723, Savary (*anascote*) ; 1829, Boiste (*escot*) ; pour *ascot,* altér. de *Aerschot,* ville de Flandre française où se fabriquait cette étoffe.

**escouade** 1500, Auton (*escoadre*) ; 1553, *Anc. poésies* (*esquade*) ; 1586, Laudonnière (*escouade*) ; autre forme de *escadre.*

**escourgée** 1175, Chr. de Troyes (*escorgiée*), « fouet à lanières » ; 1677, Miege (*escourgée*) ; anc. fr. *corgiée,* lanière, courroie, du lat. pop. **corrigiata,* de *corrigia,* courroie.

**escourgeon** 1268, texte picard (*secourjon*), bot. ; de même origine que *escourgée* (les épillets de la plante ressemblant à une courroie).

**escrime** fin XIVe s. ; *Chronique Boucicaut ;* ital. *scrima,* qui a éliminé l'anc. fr. *escremie,* de même rac., du germ. **skirmjan,* protéger (allem. *schirmen*). || **escrimer** début XVIe s. ; *s'escrimer* 1534, Rab., fig. || **escrimeur** XVe s.

**escroquer** 1558, Du Bellay ; fin XVIe s., d'Aubigné, voler ; ital. *scroccare,* écornifler, de *crocco,* croc, au sens de « décrocher ». || **escroc** 1640, Oudin ; ital. *scrocco,* écornifleur ; milieu XVIIe s., sens actuel. || **escroqueur** av. 1550, J. Du Bellay. || **escroquerie** 1690, Furetière.

**esculape** 1690, Boileau ; lat. *Aesculapius,* du gr. *Asklêpios,* dieu de la médecine.

**esgourde** 1867, Delvau, arg., « oreille » ; altér. d'apr. *gourde, dégourdi,* de *escoute,* même sens en argot (1725, Cartouche), du prov. mod. *escouto,* déverbal de *escouta,* écouter. || **esgourder** 1878, Rigaud.

**ésotérique** 1755, *Encycl. ;* gr. *esôterikos,* réservé aux adeptes, proprement « intérieur », de *esô,* dedans. (V. EXOTÉRIQUE.) || **ésotérisme** 1845, Besch.

***espace** début XIIe s., *Grégoire ;* lat. *spatium.* || **espacer** 1417, Delb. || **espacement** 1680, Richelet.

**espade** 1553, Rab., « épée » ; 1747, Duhamel, « batte pour le chanvre » ; prov. mod. *espado,* épée.

**espadon** fin XVIe s., d'Aubigné, « grande épée » ; 1694, Th. Corn., « poisson dit épée de mer » ; ital. *spadone,* augmentatif de *spada,* épée.

**espadrille** 1723, Savary (*espardille*) ; 1793, Brunot (*-adrille*) ; roussillonnais *espardillo,* de l'anc. prov. *espart,* plante servant à faire des nattes (v. SPARTE).

**espagnol** XIVe s. (*espaignol*) ; lat. pop. **hispaniolus,* lat. *Hispanus,* abrégé en *Spanus* (*espan* 1080, *Roland*). || **espagnolade** 1611, Cotgrave, « fanfaronnade ». || **espagnolisme** 1835, Stendhal. || **espagnoliser** 1672, G. Patin. || **espagnolette** 1731, Simiane, dimin. de *espagnol,* d'apr. l'origine (dite aussi *targette à l'espagnole*). [V. ÉPAGNEUL.]

**espale** 1622, Hobier, « dernier banc des rameurs » ; ital. *spalla,* épaule. || **espalet** 1812, *Encycl. méth.,* « pièce de fusil à percussion », dér. du même mot au sens fig. de « appui ».

**espalier** v. 1560, Paré, « galérien qui règle le mouvement » ; 1600, O. de Serres, hortic. ; ital. *spalliera,* de *spalla,* épaule, au sens fig. de « appui ».

**espalmer** XVI^e s., Farcadel, « enduire d'espalme » ; ital. *spalmare,* enduire avec la paume. || **espalme** 1773, Jaubert, « enduit pour les carènes ».

**espar** 1175, Chr. de Troyes (*esparre*) ; 1864, L. (*espar*), pièce de bois ; gotique **sparra,* poutre.

**esparcette** 1600, O. de Serres (*esparcet*) ; 1776, Valmont (*esparcette*) ; prov. mod. *esparceto,* p.-ê. de même rac. que *épars* (lat. *sparsus*), d'apr. le mode de semailles de ce sainfoin.

**espèce** 1265, J. de Meung ; lat. *species,* aspect, apparence et « catégorie », sens conservé en philos. ; 1541, Calvin, théol. ; 1570, Carloix, sens financier, au pl., déjà attesté en bas latin (VI^e s., Grégoire de Tours). [V. ÉPICE, SPÉCIAL.]

**espéranto** 1887 ; part. prés. du verbe espagnol *esperi,* espérer, c.-à-d. « celui qui espère », pseudonyme employé par le créateur de cette langue, L. Zamenhof. || **espérantiste** 1922, Lar.

***espérer** 1050, *Alexis* ; lat. *spērāre* (*s* prononcé en fr. d'apr. le lat.) ; le sens de « attendre » (XVI^e s.) subsiste dans l'Ouest et le Midi. || **espérable** 1580, Montaigne. || **espoir** 1130, *Eneas* (*espeir*) ; pour une personne 1689, Racine ; déverbal d'apr. les formes toniques du verbe. || **espérance** 1080, *Roland ;* au pl. 1690, Furetière. || **espère** 1869, Daudet, chasse ; mot prov., de *esperar,* espérer, de même orig. || **désespérer** 1155, Wace. || **désespoir** 1160, Benoît (*desespeir*) ; XII^e s., Couci (*désespoir*). || **désespérance** 1160, Benoît, enregistré de nouveau au XIX^e s. (1801, Mercier). || **désespérant** fin XVII^e s., Bourdaloue. || **désespéré** 1170, *Rois.* || **désespérément** fin XII^e s. || **inespéré** 1466, Michault.

**espiègle** XVI^e s., G., francisation du néerl. *Eulenspiegel,* personnage d'un roman traduit en fr. en 1559 (*Ulespiegle,* dans la trad.). || **espièglerie** 1694, *Acad.*

**espingole** XVI^e s., d'apr. Guérin, altér. de *espringale* (1258, texte de Reims), « machine qui lançait des carreaux », puis « petit canon » ; de l'anc. fr. *espringuer,* sauter, du francique **springan,* même sens (allem. *springen*). || **espingard** 1701, Furetière.

**espion** fin XIII^e s. ; 1870, Lar., « miroir » ; ital. *spione,* de *spiare,* épier ; il a éliminé *épie* (de *épier*). || **espionner** 1482, G., « observer » ; 1606, Crespin, sens actuel. || **espionnage** 1570, Carloix. || **espionnite** 1923, *Mercure de France.* || **contre-espionnage** fin XIX^e s.

**esplanade** XV^e s., Martial d'Auvergne ; ital. *spianata,* de *spianare,* aplanir. Désigne d'abord l'espace libre et découvert ménagé devant le glacis d'une fortification, puis une vaste place découverte.

**espolette** 1771, Trévoux (*-oulette*), « fusée de projectile » ; ital. *spoletta* (même rac. que *époule,* tuyau), du francique **spôla.*

**esponton** fin XVI^e s., Brantôme (*sponton*), « demi-pique » ; 1688, Miege (*esponton*) ; ital. *spuntone,* pique, de *punta,* pointe.

**esprit** 1050, *Alexis* (*esperit*), « âme » ; XIV^e s. (*esprit*) ; *esprits animaux* début XVI^e s. ; conservé au sens de « essence » dans quelques emplois, *esprit-de-vin, esprit-de-sel,* d'apr. l'alchimie, dès le XI^e s. ; lat. *spiritus,* souffle, sens aussi en anc. fr. (1361, Oresme).

**esquicher** 1789, *Encycl. méth.,* « jouer sa carte la plus faible au reversi » ; prov. mod. *esquicha,* presser, comprimer, d'orig. onomatopéique.

**esquif** 1497, G. de Villeneuve ; ital. *schifo,* du longobard **skif,* de même rac. que *équiper.*

**esquille** 1503, Chauliac ; lat. *schidia,* copeau, du gr. *skhiza,* de *skhizein,* fendre (cf. *Aegidius,* Gilles). || **esquilleux** 1560, Paré.

**esquimau** XVIII^e s., nom du peuple ; 1922, friandise glacée ; 1925, vêtement d'enfant d'apr. la ressemblance avec le costume des *Esquimaux.* || **esquimautage** v. 1950, acrobatie de kayakiste.

**esquinancie** 1175, Chr. de Troyes (*quinancie*) ; XIII^e s., *D. G.,* forme agglutinée ; lat. méd. *cynanche,* du gr. *kunagkhê,* collier de chien, de *kuôn, kunos,* chien, à cause de la sensation d'étranglement.

**esquinter** 1800, *Chauffeurs,* « blesser » ; *s'esquinter* 1861, Esnault, « se fatiguer », argot, puis pop. ; prov. mod. *esquinta,* « déchirer en tirant », du lat. pop. **exquintare,* couper en cinq (cf. *se mettre en quatre,* écarteler). || **esquintant** XX^e s. || **esquintement** 1837, Vidocq, « effraction » ; 1920, Bauche « fatigue ».

**esquisse** milieu XVI^e s. (*esquiche*) ; 1611, Cotgrave (*esquisse*) ; ital. *schizzo.* || **esquisser** *id.* ; fig., 1868, A. Daudet, « ébaucher ».

**esquiver** 1600, Hardy, « sauver qqn » ; début XVII^e s., sens actuel ; *s'esquiver* 1661, Molière ; ital. *schivare,* éviter, de *schivo,* dégoûté, du germ. **skioh,* farouche ; cette forme a éliminé l'anc. fr. *eschiver* (1080, *Roland*), du francique **skiuhjan,* s'effaroucher, du même mot germanique. || **esquive** 1922, Lar. ; déverbal.

***essaim** 1160, Benoît (*essain*) ; 1265, J. de Meung, fig. ; lat. *exāmen,* au sens propre (*exigere,* pousser, rac. *agere,* mener), « groupe d'abeilles mené au-dehors » (v. EXAMEN). || **essaimer** XIII^e s., de Fournival (*-amer*) ; 1846, Sand, fig. || **essaimage** 1823, Boiste.

**essanger** 1398, *Ménagier* ; lat. pop. **exsaniare,* faire suppurer, de *sanies,* sanie. || **essangeage** 1849, Besch., savonnage du linge sale avant de le laver.

**essarder** 1395, Chr. de Pisan, mar., « éponger au moyen du faubert » ; anc. fr. *essardre,* avec changement de conj., du lat. pop. **exardere* (class. *exardescere,* dessécher).

***essart** 1112, *Voy. saint Brendan* ; bas lat. *exartum* (*Loi des Burgondes*), part. passé du lat. pop. **exsarire,* défricher (lat. *sarire,* sarcler). || **essarter** 1138, *Saint Gilles.* || **essartage** 1783, Rozier. || **essartis** XVII^e s., *D. G.* || **essartement** 1611, Cotgrave.

***essayer** 1080, *Roland,* « utiliser, éprouver » ; 1690, Furetière *essayer un vêtement* ; lat. pop. **exagiare,* peser, du bas lat. *exagium,* pesée, expérimentation (rac. *agere,* pousser) [v. EXIGER]. || ***essai** début XII^e s., *Voy. de Charl.* ; lat. *exagium,* poids, puis essai. || **essayerie** (*de monnaie*) 1611, Cotgrave. || **essayage** 1828, Burtel. || **essayeur** XIII^e s., Du Cange, « entreprenant » ; 1611, Cotgrave, « expérimentateur ». || **essayiste** 1821, *l'Album,* repris de l'angl. *essayist,* du fr. *essai,* « traité » (les *Essais* de Montaigne). || **essayisme** 1852, Nerval.

**esse** fin XI^e s., *Chanson de Guillaume,* objet en forme d'*s.*

**essence** 1130, *Job,* philos. ; 1170, *Rois,* « nature intime » ; lat. philos. *essentia* ; le sens concret (1587, La Noue) « extrait » s'est formé chez les alchimistes. || **essentiel** fin XII^e s., *Grégoire,* bas lat. *essentialis.* || **essentiellement** *id.* || **essentialisme** 1864, L. || **essentialiste** *id.* || **essentialité** 1845, Besch.

***essieu** début XII^e s., *Voy. de Charl.* (*aissuel*) ; 1170, *Rois* (*aissel*) ; 1265, Br. Latini (*essiaus*) ; XVI^e s. (*essieu*) ; avec changement de suffixe, forme picarde ; lat. pop. *axīlis,* de *axis,* axe, ais.

**essimer** 1240, G. de Lorris (*essaïmer*), « dégraisser, faire maigrir » ; de l'anc. fr. *saïm,* graisse, lat. pop. **sagimen,* lat. *sagina,* embonpoint. (V. SAINDOUX.)

**essor** 1175, Chr. de Troyes, « exposition à l'air », « élan dans l'air » (d'un oiseau, etc.) ; 1608, M. Régnier, « élan de l'esprit, développement » ; déverbal de *essorer.* || ***essorer** *id.,* « exposer à l'air libre » ; 1690, Furetière, sens techn., « exprimer l'eau » ; du lat. pop. **exaurare,* de *aura,* vent, air. || **essorage** XII^e s., *Partenopeus,* vén., action de lâcher un oiseau ; XIX^e s., sens actuel. || **essoreuse** 1870, Lar.

**essoriller** V. OREILLE.

***essuyer** milieu XII^e s., *Roman de Thèbes* (*essuer*) ; fin XVI^e s., d'Aubigné, fig., « subir qqch de fâcheux » ; bas lat. *exsūcare,* exprimer le suc (*sūcus*), puis « sécher ». || **essui** 1604, Gauchet. || **essuyage** 1858, Peschier. || **essuyeur** 1472, G. || **essuie-mains** 1611, Cotgrave. || **essuie-glace** 1914, *Vie autom.* || **essuie-plume** 1870, Lar. || **ressuyer** 1175, Chr. de Troyes. || **ressui** 1561, Du Fouilloux, vén.

**est** 1138, Gaimar ; moyen angl. *east.*

**estacade** milieu XVI^e s. (*enstacatte*) ; 1587, La Noue (*estacade*) ; ital. *steccata,* de *stecca,* pieu, du longobard **stikka* (allem. *Stecken,* bâton ; angl. *stick*).

**estafette** 1596, Hulsius (*stafette*) ; 1619, *l'Espadon* (*estafette*) ; ital. *staffetta,* dimin. de *staffa,* étrier, par ext. de sens « courrier » (cf. *à franc étrier,* de *andare a staffetta*).

**estafier** fin XV^e s., Molinet (*stafier*) ; 1564, Thierry (*estafier*) ; ital. *staffiere,* valet d'armes qui tenait l'étrier (v. ESTAFETTE) ; sens conservé en fr. jusqu'au XVIII^e s. ; devenu péjor. (1552, Rab.), ces valets étant des gens à tout faire.

**estafilade** 1552, Jodelle ; ital. *staffilata,* coup d'étrivière (*staffile*), de *staffa,* étrier ; le sens propre est constant au XVI^e s. || **estafilader** 1642, Oudin, qui a remplacé *estafiler* (XVI^e s.).

**estagnon** 1864, L., récipient ; anc. prov. *estanh,* étain, du lat. *stagnum, stannum,* plomb argentifère.

**estamet** 1469, Gay (*- de Lombardye*), étoffe de laine ; de l'anc. fr. *estame* (XIII^e s., G.), fil de laine ; forme méridionale de l'anc. fr. *étaim,* du lat. *stamen,* fil de quenouille.

**estaminet** 1771, Trévoux ; wallon *staminê,* salle de réunion (XVII$^e$ s.), de *stamon,* poteau (allem. *Stamm,* tronc), d'abord « salle à poteaux ». L'emprunt s'est fait par le picard.

**estamper** 1190, G., « broyer » ; 1392, Gay « imprimer en relief » ; 1883, Esnault, « soutirer de l'argent » ; francique **stampôn,* broyer (allem. *stampfen*), qui a donné directement le premier emploi en fr., le *s* est dû à l'ital. *stampare.* || **estampe** 1280, Tobler-Lommatzsch, « cachet pour imprimer une marque » ; XIV$^e$ s., Laborde, « outil à estamper » ; 1647, Poussin, « épreuve gravée » ; ital. *stampa.* || **estampage** début XVII$^e$ s. ; 1920, Bauche, fig. || **estampeur** 1628, *D. G.* || **estampille** fin XVII$^e$ s., Saint-Simon ; XIX$^e$ s., fig. ; esp. *estampilla* (même rac.). || **estampiller** 1762, *Acad.* || **estampillage** 1783, Linguet.

**estancia** 1840, *Acad.* ; mot esp. ; lat. *stans, stantis,* de *stare,* se tenir debout.

1. **ester** n. m. 1850, créé en allem. par Gmelin (fin XVIII$^e$ s.), d'apr. l'allem. *Essigäther,* éther acétique. || **estérifier** XX$^e$ s.

2. **ester** fin X$^e$ s., *Saint Léger,* « se tenir debout » ; 1384, Runkewitz, sens jurid., avec la graphie anc. ; lat. *stare,* se tenir debout.

**esterlin** 1155, Wace ; lat. médiév. *sterlingus,* de l'anc. angl. **steorling,* anc. forme de *sterling,* ancien poids monétaire d'Écosse.

**esthésiomètre** 1877, L. ; gr. *aisthêsis,* sensation, et *-mètre.*

**esthétique** 1753, Beausobre ; lat. philos. *aesthetica,* tiré par Baumgarten (1735), du gr. *aisthêtikos,* de *aisthanesthai,* sentir. || **esthétiquement** 1798, Schwan. || **esthéticien** 1867, Gautier. || **esthète** 1838, *Acad.,* adj., « éprouvé par les sens » ; 1881, Claretie, nom d'apr. le gr. *aisthêtês.* || **esthétisme** 1888, Lar. || **esthéticisme** 1908, Lar. || **inesthétique** 1931, Lar.

**estimer** fin XIII$^e$ s., *Chron. de Saint-Denis,* qui a éliminé l'anc. fr. *esmer* (1160, *Tristan*), confondu avec *aimer,* du lat. *aestimare.* || **estimable** XIV$^e$ s., Bouthillier. || **estimation** 1283, Beaumanoir ; lat. *aestimatio.* || **estimateur** 1389, Delb., qui a remplacé *estimeur ;* lat. *aestimator.* || **estimatif** 1314, Mondeville, au sens propre seulement. || **estime** 1498, Commynes, « réputation » ; 1600, O. de Serres, « évaluation ». || **inestimable** 1398, *Ménagier.* || **mésestimer** 1556, Granvelle. || **mésestime** 1753, d'Argenson. || **surestimer** v. 1600, François de Sales. || **sous-estimer** 1898, Robert.

**estival** 1119, Ph. de Thaon ; bas lat. *aestivalis,* relatif à l'*été* (v. ce mot). || **estiver** XVI$^e$ s., « faire passer l'été aux troupeaux ». || **estivage** 1856, Lachâtre. || **estivant** début XX$^e$ s. ; repris au prov. mod. *estiva,* passer l'été. || **estivation** 1827, *Acad.,* bot. ; 1856, Lachâtre, zool.

**estiver** 1660, Oudin, « comprimer les marchandises » ; ital. *stivare,* du lat. *stipare,* entasser. || **estive** 1539, Fournier, « chargement d'un navire » ; déverbal (V. CONSTIPER.)

1. **estoc** 1265, J. de Meung (*frapper d'estoc*) ; 1446, Gay, « épée » ; déverbal de *estochier* (1170, *Vie saint Edmond*), frapper, du moyen néerl. *stoken,* piquer. || **estoquer** 1307, Guiart.

2. **estoc** 1190, Garn., « souche d'arbre » ; francique **stok,* bâton.

**estocade** milieu XVI$^e$ s. (*estoquade*) ; ital. *stoccata,* de *stocco,* rapière, du français *estoc.* || **estocader** 1580, du Bartas.

**estomac** fin XI$^e$ s., *Gloses de Raschi* (*estomage*), « orifice de la panse » ; 1220, Studer (*stomac*) ; 1256, Ald. de Sienne (*estomac*) ; lat. *stomachus,* du gr. *stomakhos.* || **estomaquer** 1480, Delb., fig., lat. *stomachari,* s'irriter, proprement « exhaler sa bile ».

**estompe** fin XVII$^e$ s., *Mém. Acad. des sc. ;* néerl. *stomp,* chicot, bout (allem. *stumpf,* émoussé). || **estomper** 1676, Félibien ; 1840, Hugo, « atténuer ». || **estompage** 1896, Goncourt.

**estouffade** 1752, Trévoux ; ital. *stufata,* étuvée. (V. ÉTOUFFER, ÉTUVER.)

**estourbir** 1850, Esnault, « assommer » ; 1835, Raspail, « tuer » ; argot *stourbe,* mort, de l'allem. dial. (Alsace, Suisse) *storb,* mort (allem. *gestorben*).

1. **estrade** av. 1439, Monstrelet, « route » ; resté seulement dans la loc. *battre l'estrade, batteur d'estrade ;* ital. *strada,* route, qui formait des loc. analogues, du lat. *via strata,* chemin pavé, de *sternere,* étendre, couvrir.

2. **estrade** 1669, Widerhold, « plancher élevé » ; esp. *estrado,* du lat. *stratum,* ce qui est étendu, de *sternere,* étendre.

**estragon** 1564, Liébault ; altér. de *targon* (1540, Rab.), du lat. bot. *tarchon,* de l'ar. *tarkhūn,* lui-même empr. au gr.

**estramaçon** milieu XVI$^e$ s., épée longue et lourde ; ital *stramazzone,* de *stramazzare,* renverser violemment, de *mazza,* masse d'armes. || **estramaçonner** XVII^e s.

**estran** 1138, *Vie saint Gilles* (*strand*) ; 1687, Jal (*estran*), délaissé sableux de la mer ; mot dial. (Normandie), de l'angl. *strand,* rivage.

**estrapade** fin XV^e s. ; ital. *strappata,* de *strappare,* tirer violemment, du gotique **strappan,* atteler fermement. Désigne un supplice consistant à hisser la victime à une certaine hauteur, puis à la laisser tomber en la retenant par un câble à une certaine distance du sol.

**estrapasser** 1611, Cotgrave, « rendre fourbu » ; ital. *strapazzare,* malmener, surmener, augmentatif de *strappare,* tirer violemment ; spécialisé comme terme d'équitation (1678, Guillet).

**estrope** début XIV^e s. (*étrope*), mar. ; lat. *stroppus,* courroie de l'aviron ; du gr. *strophos,* cordon, corde, de *strephein,* tourner. || **estroper** 1683, Le Cordier, mar.

**estropier** XV^e s. ; ital. *stroppiare ;* lat. pop. **exturpiare,* de *turpis,* laid. || **estropié** 1529, Parmentier. || **estropiat** 1546, Rab.

**estuaire** XV^e s. ; rare jusqu'au XIX^e s. (1842, *Acad.*) ; lat. *aestuarium,* de *aestus,* mouvement des flots.

**estudiantin** V. ÉTUDE.

**esturgeon** XI^e s., Du Cange (*sturgeon*) ; 1398, *Ménagier* (*esturgeon*) ; repris au gascon, ce qui explique la prononc. de *s ;* francique **sturio* (allem. *Stör*).

***et** 842, *Serments ;* souvent écrit *é ;* le *t* a été rétabli au XII^e s., d'apr. l'origine latine : *et.* || **et cetera** fin XIV^e s., expression lat. signif. « et les autres choses », qui avait pris le sens actuel en lat. médiév.

***étable** v. 1160, *Charroi ;* lat. pop. **stabula,* pl. neutre pris pour fém. ; de *stabulum,* demeure, gîte, spécialisé pour les animaux, de *stare,* se tenir, séjourner.

***établir** 1080, *Roland* (*est-*) ; *s'établir* 1627, Richelieu ; lat. *stabilire,* de *stabilis,* stable. || **établi** XIII^e s. (f. *établie*), « table de travail », « ce qui est établi » au sens propre ; 1390, Gay, au masc. || **établissement** 1155, Wace, « règle » ; fin XII^e s., « action d'installer » ; début XVII^e s., « mariage » ; 1835, *Acad.,* « fabrique ». || **préétablir** début XVII^e s. || **rétablir** 1120, *Ps. d'Oxford* (*rest-*). || **rétablissement** 1261, *Layettes.*

***étage** 1080, *Roland* (*estage*), « demeure » ; 1170, *Rois,* « étage d'une maison », sens qui a prévalu ; 1190, Garn., au fig., rang, resté dans la loc. *de bas étage ;* bas lat. **staticum,* de *stare,* se tenir. || **étagère** 1502, E. de Médicis ; rare jusqu'au XIX^e s. (1800, Boiste). || **étager** fin XVII^e s., Dacier, « tailler par étages » ; 1796, *Encycl. méth.,* sens actuel ; l'anc. fr. avait *estager* (1160, Benoît), établir. || **étagement** 1864, L. (V. STAGE.)

1. **étai** 1138, *Saint Gilles,* cordage pour maintenir les mâts ; anc. angl. *staeg* (auj. *stag*), avec infl. du suivant.

2. **étai** 1193, Hélinant (*estai*), pièce de bois de soutien ; francique **staka,* soutien (allem. *stehen,* se tenir debout). || **étayer** 1213, *Fet des Romains* (*estaier*). || **étaiement** 1459, G. || **étayage** 1864, L.

**étaim** 1244, Fagniez (*estain*) ; milieu XVI^e s., Amyot (*estaim*) ; lat. *stamen,* ourdissoir.

***étain** 1213, *Fet des Romains* (*estaim*) ; 1596, Hulsius (*étain*) ; lat. *stagnum,* plomb argentifère, var. de *stannum,* mot gaulois ; l'étamage était d'apr. Pline une invention gauloise. || **étamer** 1283, Beaumanoir (*est-*), sur la var. ancienne *estaim.* || **étameur** XIV^e s., *Registre du Châtelet* (*entameur*) ; 1723, Savary (*étameur*). || **étamage** 1743, *Arrêt du Cons. d'État.* || **étamure** 1508, G. || **rétamer** 1834, Hecart ; fig., 1920, Esnault. || **rétameur** 1870, L. || **rétamage** 1870, L.

**étal** 1080, *Roland* (*estal*), « position » ; 1190, G., « table » ; francique **stal,* position, par ext. demeure, spécialisé ensuite aux animaux (allem. *Stall,* écurie) ; en fr., restreint peu à peu à « étalage de boucher » (1396, *Ménagier*). || **étaler** fin XII^e s., *Aliscans* (*est-*), « s'arrêter » ; XV^e s., « disposer » ; *s'étaler* 1829, Boiste, « tomber ». || **étaleur** XVI^e s., *Cout. de Saint-Pol,* remplacé par *étalagiste.* || **étale** fin XVII^e s., adj., mar. || **étalage** XIII^e s., « droit perçu sur la marchandise étalée » ; 1247, Runkewitz, remplace *étal.* || **étalager** 1870, Lar. || **étalagiste** 1801, *Bull. des Lois.* || **étalement** 1609, Camus, « exposition à la vue » ; 1611, Cotgrave, « exposition à l'étal » ; 1864, L., sens actuel. || **étalier** 1268, É. Boileau, qui a suivi l'évolution d'*étal.* || **détaler** fin XIII^e s., « retirer de l'étalage » ; XVI^e s., « étaler » ; XVII^e s., « se sauver, courir ». || **détalage** 1752, Trévoux, dans le premier sens.

**étalinguer** V. TALINGUER.

1. **étalon** cheval XIII^e s., G. (*estalon*) ; 1680, Richelet (*étalon*) ; francique **stallo*, cheval entier, de *stal*, écurie (v. ÉTAL).

2. **étalon** (*de mesure*) 1322, Runkewitz (*estalon*) ; francique **stalo*, modèle. De « pieu » on est passé d'une part à « cheville », de l'autre à « bâton garni de marques pour jauger » (XIV^e s.). || **étalonner** 1390, G. || **étalonnage** milieu XV^e s. || **étalonnement** 1540, d'après Th. Corn. || **étalonneur** 1636, Monet.

**étamage, étamer** V. ÉTAIN.

**étambot** 1573, Du Puys (*estambor*) ; 1643, Fournier (*étambot*), pièce de la poupe ; scand. **stafnbord*, planche de l'étrave. (V. ÉTRAVE.)

**étambrai** 1382, Delb. (*tambroiz*) ; 1690, Furetière (*-braye*) ; anc. scand. *timbr*, bois de charpente, varangue.

1. ***étamine** 1155, Wace (*est-*), étoffe ; lat. pop. **staminea*, adj. substantivé au fém., de *stamineus*, garni de fil (*stamen*, fil de la quenouille) ; *-ine* pour *-igne* est un chang. de suffixe

2. **étamine** 1690, Furetière, bot., adaptation, d'apr. le précédent, du lat. *stamina* (pl. de *stamen, staminis*, fil) employé en ce sens par Pline.

**étamper** 1190, G., « broyer » ; 1392, Gay, sens actuel ; francique **stampôn*, piler. || **étampeur** 1838, *Acad.* || **étampe** 1752, Trévoux ; déverbal.

**étanche** milieu XII^e s., *Thèbes*, « qui a cessé de saigner » ; 1679, Jal, sens actuel ; anc. adj. *estanch*, de *estancier*, étancher. || **étanchéité** 1876, *Gazette des tribunaux*. || **étancher** 1690, Furetière « rendre étanche ».

**étancher** fin XI^e s. (*estanchier*) ; milieu XII^e s., *Thèbes*, « arrêter l'écoulement » ; 1636, Monet (*étancher*), « apaiser en buvant » ; lat. pop. **stanticare*, arrêter, de *stans, stantis*, de *stare*, se tenir debout, arrêté. || **étanchement** fin XIII^e s., R. de Cesare.

**étançon** fin XII^e s. ; anc. fr. *étance, estance* (1160, Benoît), du lat. pop. **stantia*, pl. neutre, passé au fém., du part. prés. de *stare*, se tenir debout. || **étançonner** 1130, *Job*. || **étançonnement** fin XIV^e s.

**étanfiche** 1321, Delb. (*estanfique*), « lit de pierres » ; anc. fr. *estant*, part. prés. de *ester*, se tenir debout, du lat. *stare* (même sens) et de *ficher*.

**étang** fin XII^e s., *Chanson de Guillaume* (*estanc*) ; 1460, Villon (*étang*), avec infl. du lat. *stagnum* ; déverbal de *estanchier*, étancher.

**étape** 1280, Delb. (*estaple*) ; fin XV^e s. (*estape*), « comptoir » ; 1546, Rab., pour les troupes de passage ; XVIII^e s., « endroit où s'arrêtent les troupes » ; moyen néerl. *stapel*, entrepôt.

**étarquer** XVII^e s., Jal (*esterquer*) ; 1773, Bourdé (*étarquer*) ; moyen néerl. *sterken*, rendre raide.

**état** 1213, *Fet des Romains* (*estat*) ; lat. *status*, de *stare*, se tenir debout, au sens fig. de « position », et « État » en bas lat. ; *état civil*, fin XVIII^e s. || **étatique** v. 1950. || **étatisme** 1888, Lar. || **étatiste** 1903, Péguy. || **étatifier** 1916, Lar. || **étatiser** 1905, Sachs-Villatte. || **étatisation** début XX^e s. || **état-major** 1678, Guillet.

**étau** 1611, Cotgrave ; prononciation pop. de *estoc*, de même sens ; francique **stok*, bâton (v. ESTOC).

**et cetera** V. ET.

***été** 1080, *Roland* (*estet*) ; XVII^e s. (*été*) ; lat. *aestas, -atis*. (V. ESTIVAL.)

***éteindre** 1160, Benoît (*esteindre*), au fig. ; 1283, Beaumanoir, au propre ; fin XIX^e s., électr. ; *s'éteindre* 1715, Fontenelle, mourir ; lat. pop. **extĭngĕre*, altér. de *extinguere*, par infl. de *tingere*, teindre. || **éteigneur** 1272, Joinville (*esteigneur*). || **éteignoir** 1552, R. Est. (V. EXTINCTION.)

**ételle** 1864, L., grande vague ; orig. obscure.

**étendard** 1080, *Roland* (*estandart*) ; 1636, Monet (*étendart*) ; 1701, Furetière (*étendard*) ; francique **standhard*, inébranlable (symbole de fermeté), de **standan*, être debout, et **hard*, ferme.

***étendre** 1120, *Ps. Oxford* ; lat. *extendĕre*. || **étendu** 1647, Descartes, « vaste ». || **étendue** XV^e s., *Pastoralet*, qui a éliminé *étente* (XII^e s.) ; anc. part. passé du lat. pop. **extendĭta*. || **étendoir** 1688, Miege. || **étendage** 1765, *Encycl.*

**éternité** 1160, Benoît ; lat. *aeternitas*, de *aeternus*, éternel. || **éternel**, *id.* ; lat. chrét. *aeternalis* (III^e s., Tertullien). || **éternellement** 1265, Br. Latini. || **éterniser** 1552, Ronsard ; rare jusqu'au XVIII^e s. || **éternisation** 1876, *Gazette des tribunaux*.

***éternuer** fin XI^e s., *Gloses de Raschi* (*esternuder*) ; fin XIII^e s., *Renart* (*esternuer*) ; lat. *sternūtare* (Pétrone), fréquentatif de *sternuere*. || **éternuement** début XIII^e s.

**étésiens** (*vents*) 1531, de Laigue (*-ésies*) ; 1542, Du Pinet (*-iens*) ; lat. *etesiae,* du gr. *étêsiai anemoi,* vents annuels ; de *etos,* année.

**éteuf** fin XII^e s., *Alexandre* (*stui*), « balle de paume » ; 1380, *Aalma* (*esteuf*) ; v. 1440, Ch. d'Orléans (*éteuf*), par fausse régression (v. SOIF) ; francique **stôt,* balle.

***éteule** fin XI^e s., *Gloses de Raschi* (*estoble*) ; 1120, *Ps. de Cambridge* (*estuble*), « chaume » ; 1636, Monet (*éteule*) ; bas lat. *stŭpŭla,* tige des céréales (lat. class. *stĭpŭla*). La forme actuelle sans *b* paraît picarde.

**éthane** V. ÉTHER.

**éther** 1120, *Ps. de Cambridge* (*-ere*), espace céleste ; 1730, Frobenius, chim. ; 1735, Heister, phys. ; lat. *aether,* air subtil, du gr. *aithêr,* de *aithein,* brûler. || **éthéré** XV^e s. ; lat. *aethereus,* du gr. *aithêrios.* || **éthane** 1897, Lar., rad. et suffixe *-ane.* || **éthanol** 1933, Lar. || **éthyle** 1845, Allain ; gr. *hulê,* bois. || **éthylamine** 1870, Lar. || **éthériser** 1842, *Acad.* || **éthérisation** v. 1850. || **éthérifier** 1836, Landais. || **éthérification** v. 1850. || **éthérisme** 1855, Nysten. || **éthéromanie** 1888, Lar. || **éthéromane** *id.* || **éthyle** 1855, Nysten. || **éthylique** 1870, Lar. || **éthylisme** 1888, Lar. || **éthylène** 1870, Lar.

**éthiopien** 1265, Br. Latini ; gr. *aithiops,* éthiopien.

**éthique** 1265, Br. Latini, n. m. ; adj., 1580, Montaigne ; bas lat. *ethicus, -ca,* moral, du gr. *êthikos, êthikê,* de *êthos,* mœurs. Désigne la science de la morale.

**ethmoïde** 1560, Paré ; gr. *êthmoeidês,* os ethmoïde, proprement « pareil à un crible [*êthmos*] ».

**ethnique** 1530, Marot, « païen » ; 1752, Trévoux, sens actuel ; lat. *ethnicus,* du gr. *ethnikos,* de *ethnos,* peuple ; le sens « païen » est repris au lat. eccl. || **ethnie** 1930, Lar. || **ethnocentrique** v. 1950. || **ethnographie** XVIII^e s., Gohin. || **ethnographe** 1827, *Acad.* || **ethnologie** 1834, Landais. || **ethnologique** 1849, Besch. || **ethnologue** 1870, Lar.

**éthologie** 1611, Cotgrave ; gr. *êthos,* mœurs, et *logos,* science.

**éthyle, éthylène** V. ÉTHER.

***étier** XIV^e s., Du Cange (*estier*) ; enregistré dans *Acad.,* 1762 ; mot de la côte atlantique désignant un chenal reliant un marais à la mer ; lat. *aestuarium,* lagune maritime (v. ESTUAIRE). || **étiage** 1783, Perronet.

***étincelle** fin XI^e s., *Gloses de Raschi* (*estencele*) ; XIII^e s., Du Cange (*estincelle*) ; lat. *scintilla,* devenu par métathèse **stincilla.* || **étinceler** 1155, Wace (*estenceler*) ; 1680, Richelet (*étinceler*). || **étincelant** 1265, J. de Meung. || **étincellement** 1119, Ph. de Thaon.

**étioler** 1690, La Quintinie ; var. champenoise de *éteule,* à cause de l'aspect grêle. || **étiolement** 1756, *Encycl.*

**étiologie** 1611, Cotgrave (*aitiologie*) ; 1752, Trévoux (*étiologie*) ; gr. *aitiologia,* de *aition,* cause, et *logos,* science. Désigne en méd. la recherche et l'étude des causes des maladies.

**étique** 1256, Ald. de Sienne (*etike*) ; 1560, Paré (*étique*) ; XV^e s., Basselin, « maigre » ; abrév. de *fièvre hectique,* fièvre qui amaigrit (v. HECTIQUE). || **étisie** 1719, Maintenon ; réfection de *hectisie* (fin XVI^e s.). Le mot a disparu, remplacé par *consomption.*

**étiquette** 1387, Du Cange (*est-*), « poteau servant de but » ; 1549, R. Est., « écriteau fixé sur chaque sac de procès », encore au XVIII^e s. ; fin XVI^e s., sens actuel ; 1719, Maintenon, fig., cérémonial, d'apr. l'ordre des étiquettes. || **étiqueter** 1549, R. Est. || **étiquetage** 1850, Dorvault.

**étirer, étisie** V. TIRER, ÉTIQUE.

**étoffe** 1241, G. (*estophe*) ; 1636, Monet (*étoffe*) ; sens plus étendu (« matière ») en anc. fr. ; déverbal de *étoffer.* || **étoffer** fin XII^e s., *Loherains ;* francique **stopfôn,* rembourrer, calfater.

***étoile** 1080, *Roland* (*esteile*) ; « star », 1865, Esnault ; lat. pop. **stēla,* lat. *stella.* || **étoilé** 1112, *Voy. saint Brendan* (*estelé*). || **étoilement** 1845, Besch. || **étoiler** fin XII^e s. (*esteler*) ; XVI^e s. (*estoiler*).

**étole** 1130, *Eneas* (*estole*) ; lat. *stola,* du gr. *stolê,* longue robe, au sens spécialisé du lat. eccl.

***étonner** 1080, *Roland* (*est-*), « frapper d'une commotion » ; 1652, Pascal, « ébranler » ; les sens de « épouvanter » et de « surprendre » sont attestés dès le XII^e s. ; lat. pop. **extonare,* de *tonus,* tonnerre. || **étonnement** début XIII^e s., *Barlaham* (*estonement*), « violente secousse physique » ; 1690, Furetière, « surprise ». || **étonnant** XVI^e s., *Anc. Poés. fr.,* « qui épouvante » ; 1683, Fontenelle, « qui surprend ». || **étonnamment** 1752, Trévoux.

**étoquiau** 1462, G. (*estoquiau*), pièce de serrure ; dér. de *estoc,* souche, tronc.

***étouffer** XIIIe s., G. (*estofer*) ; 1564, *Bible* (*étouffer*) ; anc. fr. *estofer,* rembourrer, étoffer et *estoper,* obstruer, étouper. || **étouffant** 1562, J. Grévin, pour la chaleur ; 1869, Sainte-Beuve, fig. || **étouffé** 1760, Voltaire, « amorti ». || **étouffement** XIVe s., G. || **étouffoir** 1671, Pomey. || **étouffeur** 1776, Bomare. || **étouffée** fin XIVe s. || **étouffe-chrétien** XXe s. (V. ESTOUFFADE.)

***étoupe** XIIe s., G. (*est-*) ; lat. *stŭppa,* gr. *stuppê,* de *stuphein,* contracter. || **étouper** 1120, *Ps. de Cambridge ;* lat. pop. **stŭppare.* || **étoupille** 1632, Barbier. || **étoupiller** 1752, Trévoux.

***étourdi** début XIe s., *Chanson de Guillaume* (*estordi*) ; XIIIe s. (*estourdi*), « hébété » ; XIVe s., Cuvelier, sens actuel ; lat. pop. **exturdĭtus,* de *turdus,* grive (cf. ÉTOURNEAU dans le même sens). || **étourdir** fin XIIe s. ; lat. pop. **exturdire.* || **étourdissement** 1213, *Fet des Romains,* « vertige » ; 1553, *Bible Gérard,* « trouble moral » ; 1685, Bossuet, « fait de se distraire ». || **étourderie** 1675, Bouhours. || **étourdissant** 1690, Furetière ; 1838, *Acad.,* « extraordinaire ».

***étourneau** fin XIe s., *Gloses de Raschi* (*estornel*) ; 1398, *Ménagier* (*estourneau*) ; lat. pop. **stŭrnellus,* de *stŭrnus.* (V. ÉTOURDI.)

**étouteau** 1734, D. Alexandre, pièce formant butoir ; de *étoquiau.*

***étrange** 1050, *Alexis* (*estr-*) ; lat. *extraneus,* étranger, sens en fr. jusqu'au XVIIe s. ; dès le XIIe s., « bizarre ». || **étrangement** 1170, *Rois.* || **étrangeté** 1398, E. Deschamps ; rare aux XVIIe-XVIIIe s. || **étranger** adj., v. 1350, Machaut, « d'une autre nation » ; XVIIe s., « sans rapport avec » ; 1120, *Ps. de Cambridge,* comme verbe auj. disparu ; *étranger* a remplacé *étrange* dans son premier sens.

***étrangler** 1119, Ph. de Thaon (*est-*) ; lat. *strangŭlare,* même sens. || **étranglement** début XIIIe s. ; XVIIIe s., « état de ce qui est resserré ». || **étrangleur** XIIIe s., *Gloss. de Conches.*

**étrave** 1573, Du Puys ; anc. scand. *stafn,* proue. (V. ÉTAMBOT.)

***être** 1080, *Roland* (*estre*) ; lat. pop. **essĕre,* du lat. *esse ;* plusieurs formes ont été empr. au lat. *stare,* se tenir debout (anc. fr. *ester*). || être n. m., 1130, *Eneas.* || **bien-être** 1555, Pasquier. || **non-être** XVIIe s., Bossuet. || **mieux-être** 1750, d'après Féraud.

**étrécir** V. ÉTROIT.

***étreindre** 1155, Wace ; lat. *strĭngĕre,* serrer. || **étreignant** 1460, Chastellain. || **étreinte** XIIe s., *Audefroi le Bâtard ;* part. passé substantivé.

**étrenne** 1175, Chr. de Troyes (*estrainne*) ; 1636, Monet (*étrenne*) ; au pl. dès le XIVe s. ; lat. *strēna,* bon présage, par ext. cadeau à titre d'heureux présage. || **étrenner** 1160, Benoît, « gratifier » ; fin XVIIe s., « recevoir des coups ».

***êtres** 980, *Passion* (*estras,* pl.) ; 1130, *Eneas* (*estres*) ; lat. *exterus,* ce qui est à l'extérieur, substantivé au pl. neutre ; sens plus étendu en anc. fr. (emplacement, jardin, etc.).

**étrésillon** 1333, G. (*estesillon*) ; XVe s., G. (*étré-*) ; forme agglutinée de *tésillon* (avec article), de *teseillier,* ouvrir la bouche, d'apr. *teser,* tendre, du lat. pop. **te(n)sare* (v. TOISE). Le sens premier est « bâton pour maintenir la gueule ouverte », puis 1690, Furetière, « pièce de charpente pour empêcher l'éboulement d'une tranchée » ; 1762, *Acad.,* mar. || **étrésillonner** 1676, Félibien.

**étresse** V. ÉTROIT.

**étrier** 1080, *Roland* (*estreu*) ; 1175, Chr. de Troyes (*estrif*) ; 1130, *Eneas* (*estrier*) ; XVIIe s. (*étrier*) ; francique **streup,* courroie (qui formait l'étrier des Germains), attesté sous la forme lat. *strepus, strepa* au XIe s. || **étrivière** 1175, Chr. de Troyes (*est-*) ; de *estrif,* forme ancienne. || **étrière** 1600, *Ordonn.* (V. ÉTRIVE.)

***étrille** XIIIe s., *Fabliau* (*estrille*), pour panser les chevaux ; 1769, Duhamel, crabe ; lat. pop. **strigĭla,* du lat. *strigilis.* || **étriller** 1155, Wace (*estriller*), frotter avec l'étrille.

**étriquer** XIIIe s. (*s'étriquer*), « allonger le bras » ; v. t. 1583, Tilander, « amincir une pièce de bois » ; 1760, Voltaire, fig., « rendre étroit » ; mot du Nord, du néerl. *striken,* s'étendre, du francique **strîkan,* frotter.

**étrive** 1773, Bourdé, mar., « angle que fait une manœuvre », var. fém. de *étrif,* forme ancienne de *étrier.*

**étrivière** V. ÉTRIER.

**étroit** 1155, Wace (*estreit*) ; 1175, Chr. de Troyes (*estroit*) ; lat. *strictus,* de *stringere,* étreindre. || **étroitement** 1175, Chr. de Troyes. || **étroitesse** XIIe s. (*estreitece*) ; XIVe s. (*estroitesse*) ; inusité aux XVIIe-XVIIIe s. || **étresse** 1751, *Encycl.,* papier gris très mince, collé au dos des cartes à jouer ; paraît représenter l'anc. fr. *estrece,* étroitesse, du lat. pop. **strictius.* || ***étrécir** 1366, G. (*estroicir*), var. tardive de *estrecier* (XII^e-XVI^e s.) ; lat. pop. **strictiare*, de *strictus*. || **rétrécir** XIV^e s., *Traité d'alch.* (*restroicir*) ; 1549, R. Est. (*rétrécir*). || **rétrécissement** 1546, Martin.

**étron** XIII^e s., Rutebeuf (*estrons* pl.) ; francique **strunt* (néerl. *stront*).

**étude** 1120, *Ps. de Cambridge* (*estudie*) ; 1150, *Thèbes* (*estuide*) ; 1190, Saint Bernard (*estude*) ; tous sens actuels dès l'anc. fr. ; parfois masc. en anc. fr. ; adaptation du lat. *studium*, soin, application à l'étude, de *studere*, étudier. || **étudier** 1155, Wace (*estudier*) ; d'apr. le lat. || **étudié** 1580, Montaigne, « calculé ». || **étudiant** 1370, Oresme (*est-*), qui n'a remplacé *écolier* en son sens actuel qu'à la fin du XVII^e s. || **estudiantin** 1899, Sachs-Villatte ; esp. *estudiantino*, de *estudiante*, étudiant.

**étui** 1170, *Rois* (*estui*), « boîte où l'on enferme » ; 1190, Garn., « prison » ; déverbal de l'anc. fr. *estuier, estoier*, enfermer, ménager, du lat. pop. **studiare*, de *studium*, soin.

***étuve** fin XI^e s., *Gloses de Raschi* (*estuve*), « salle de bains » ; 1560, Paré, sens actuel ; lat. pop. **extupa*, salle de bains, déverbal de **extupare*, remplir de vapeurs chaudes, gr. *tuphos*, fumée, vapeur. || **étuver** 1175, Chr. de Troyes (*estuver*). || **étuvage** 1874, d'après L. || **étuvée** 1390, Taillevent (*estuvée*). || **étuveur** 1260, Du Cange.

**étymologie** XIV^e s., *Girart de Roussillon* ; lat. *etymologia*, du gr. *etumos*, vrai, et *logos*, traité, « qui fait connaître le vrai sens des mots ». || **étymologiste** fin XVI^e s. || **étymologique** 1550, Bonivard ; lat. *etymologicus*, du gr. *etumologikos*. || **étymon** XX^e s., mot donné comme étymologie d'un terme.

**eucalyptus** 1796, *Encycl. méth.* (*-ypte*) ; mot du lat. bot. (1788, Lhéritier) ; gr. *eu*, bien, et *kaluptos*, couvert, le limbe du calice restant clos jusqu'à la floraison. || **eucalyptol** 1870, Lar.

**eucharistie** 1150, Barbier ; lat. chrét. *eucharistia* (III^e s., saint Cyprien), du gr. *eukharistia*, action de grâces ; encore en lat. au III^e s., chez Tertullien ; de *kharizesthai*, faire plaisir. || **eucharistique** fin XVI^e s. ; lat. *eucharisticus*, du gr. *eukharistikos*.

**euclidien** début XVIII^e s. ; lat. *Euclides*, du gr. *Eukleidês*, Euclide.

**eudémonisme** 1870, Lar ; gr. *eudaimonismos*, action de regarder comme heureux, de *eudaimôn*, heureux, de *daimôn*, destin. Théorie du bonheur considéré comme bien suprême. || **eudémoniste** XX^e s.

**eudiomètre** v. 1775, Brunot ; gr. *eudia*, beau temps, et *metron*, mesure. Désigne un instrument de mesure du volume des mélanges gazeux. || **eudiométrie** 1796, Lamarck. || **eudiométrique** 1793, *Annales chimie*.

**eugénique** 1883, Galton ; gr. *eu*, bien, et *genos*, race. || **eugénisme** début XX^e s. ; angl. *eugenism*, étude scientifique des moyens capables de sauvegarder les qualités génétiques de l'espèce humaine. || **eugénésie** 1888, Lar. ; gr *eu*, bien, et *genesis*, reproduction. || **eugénète** XX^e s.

**euh, heu** 1668, Racine ; onomatopée.

**eulogie** fin XVI^e s., « pain bénit » ; 1611, Cotgrave (*-oge*) ; lat. eccl. *eulogia*, du gr. chrét. *eulogia*, bénédiction, de *eulogos*, qui parle bien.

**eumolpe** 1839, Boiste ; gr. *eumolpos*, harmonieux ; coléoptère d'un vif éclat métallique.

**eunecte** 1842, *Acad.* ; gr. *eu*, bien, et *nêktos*, nageur. Désigne un boa aquatique.

**eunuque** XIII^e s. (*eunique*) ; 1672, Sacy (*eunuque*) ; 1794, Chénier, fig. ; lat. *eunuchus*, du gr. *eunoûkhos*, « qui garde (*ekhein*, avoir, tenir) le lit, *eunê* (des femmes) ». || **eunuchisme** 1865, L. ; bas lat. *eunuchismos*, mot gr.

**eupatoire, eupatorium** XV^e s., *Grant Herbier* , lat. *eupatoria herba*, du gr. *eupatorion*, du nom du roi Eupator, qui fit connaître les vertus médicinales de cette plante.

**eupepsie** 1865, L. ; gr. *eupepsia*, bonne digestion, de *peptein*, digérer.

**euphémisme** 1730, Dumarsais ; gr. *euphêmismos*, parole de bon augure, de *eu*, bien, et *phêmê*, parole. || **euphémique** 1839, Boiste.

**euphonie** 1561, Du Verdier ; bas lat. *euphonia*, du gr. *eu*, bien, et *phônê*, son. || **euphonique** 1756, *Encycl.*

**euphorbe** XIII^e s. (*euforbe*) ; 1690, Furetière (*euphorbe*) ; lat. *euphorbia herba*, du nom de *Euphorbus*, médecin de Juba, roi de Numidie (I^er siècle), qui révéla la valeur curative de cette plante. || **euphorbiacées** 1816, Candolle.

**euphorie** 1750, Prévost d'Exiles, « sentiment de bien-être en fin de maladie » ; 1907, Lar., « vive satisfaction » ; gr. *euphoria*, force de supporter, de *eu*, bien, et *pherein*, porter. || **euphorique** XX^e s. || **euphoriquement** *id.* || **euphoriser** *id.*

**euphraise** 1600, O. de Serres ; lat. bot. *euphrasia,* du gr. *euphrasia,* « gaieté, plaisir », de *euphrainein,* réjouir, d'apr. la propriété curative de la plante.

**euphuisme** 1820, Mackenzie ; angl. *euphuism,* dér. de *Euphues,* mot gr. signif. « qui a d'heureuses dispositions » ; titre d'un ouvrage de J. Lyly (1579), écrit en style précieux.

**eupnée** 1878, Lar. ; gr. *eupnoia,* respiration facile, de *pnein,* respirer.

**eurasien** 1865, L. ; de *Europe* et de *Asie.* || **eurasiatique** XX^e^ s.

**européen** 1740, Castel, a remplacé *européan, -pain,* de *Europe.* || **européennement** 1833, Gautier. || **européaniser** 1830, *la Mode.* || **europium** 1901, Demarçay. || **Eurovision 1954**, abrév. de *Union européenne de radiodiffusion et de télévision.* || **eurocrate** v. 1965 ; de *euro[péen]* et *[techno-]crate.* || **eurodollar** v. 1965.

**eury-**, gr. *eurus,* large. || **euryalique** 1870, Lar. ; gr. *halôs,* aire. || **eurycéphale** 1877, L. ; gr. *kephalê,* tête. || **euryhalin** début XX^e^ s. ; gr. *hals, halos,* sel. || **eurytherme** 1906, Lar. ; gr. *thermon,* chaleur.

**eurythmie** 1547, J. Martin ; lat. *eurythmia,* harmonie, du gr. *euruthmos,* bien rythmé.

**eustache** 1779, Dorvigny ; du nom de *Eustache Dubois,* coutelier à Saint-Étienne, couteau à virole.

**eustatique** début XX^e^ s. ; allem. *eustatische [Bewegungen],* « mouvements eustatiques » ; de *stasis,* position.

**eutexie** 1922, Lar. ; gr. *eutexia,* fonte aisée. || **eutectique** 1906, Lar. ; gr. *eutekos,* « qui fond facilement » ; se dit d'un phénomène physique consistant dans la fusion à température constante de mélanges solides.

**euthanasie** 1771, Trévoux ; gr. *euthanasia,* mort douce, de *eu,* bien, et *thanatos,* mort. || **euthanasique** v. 1950.

**eutocie** 1878, Lar. ; gr. *eutokia,* enfantement heureux.

**eux** V. IL.

**évacuer** XIII^e^ s., « rejeter des matières » ; 1690, Furetière, milit. ; fin XVIII^e^ s., Brunot, « sortir » ; 1890, *D. G.,* « faire sortir d'un lieu » ; lat. *evacuare,* vider, de *vacuus,* vide ; d'abord milit. || **évacuation** 1314, Mondeville, méd., jusqu'au XVI^e^ s. ; 1690, Furetière, pour les troupes ; bas lat. *evacuatio.* || **évacuateur** 1826, Brillat-Savarin, adj.

**évader** 1360, *Modus,* intrans., « échapper à » ; *s'échapper* 1690, Furetière ; lat. *evadere,* « sortir de », de *vadere,* aller. || **évasion** XIII^e^ s., G., en astronomie ; fin XIV^e^ s., « échappatoire » ; 1679, Retz, « fuite » ; bas lat. *evasio (Vulgate).* || **évasif** 1547, Budé. || **évasivement** 1787, Féraud.

**évaltonner (s')** 1562, J. Grévin, « s'émanciper » ; anc. fr. *valeton* (1138, Gaimar), dimin. de *valet.*

**évaluer, évanescent** V. VALOIR, ÉVANOUIR.

**évangile** 1174, E. de Fougères ; lat. chrét. *evangelium* (III^e^ s., Tertullien), du gr. *euaggelion,* bonne nouvelle. || **évangéliste** 1190, Saint Bernard (*euv-*) ; lat. chrét. *evangelista,* du gr. chrét. *euaggelista.* || **évangélique** fin XIV^e^ s., Ph. de Maizières ; lat. chrét. *evangelicus,* du gr. *euaggelikos.* || **évangéliser** XIII^e^ s., L. ; lat. chrét. *evangelizare,* du gr. *euaggelizein.* || **évangéliaire** 1721, Trévoux ; lat. eccl. *evangeliarium.* || **évangélisateur** 1877, L.

**évanouir (s')** 1130, *Eneas* (*esvanoïz,* au part. passé), « disparu » ; fin XII^e^ s., *Dialog. Grégoire* (*esvanoïr*), « perdre connaissance », v. intr. ; comme pronominal 1265, J. de Meung ; altér. de l'anc. fr. *esvanir,* du lat. pop. **exvanīre,* réfection de *esvanescere,* se dissiper, disparaître, d'apr., semble-t-il, le parfait lat. (*evanuit*) ; d'abord mot de clerc. || **évanouissement** 1175, Chr. de Troyes (*esv-*). || **évanescent** 1859, Lachâtre. || **évanescence** 1877, L.

**évaporer** V. VAPEUR.

**évaser** 1360, *Modus ;* anc. fr. *vaser,* creuser, de *vas,* vase. || **évasement** 1130, *Eneas.* || **évasure** 1611, Cotgrave.

**évasion** V. ÉVADER.

**évection** 1361, Oresme, astron. ; lat. *evectio,* action de s'élever, de *vehere,* transporter. Désigne l'inégalité périodique dans le mouvement de la Lune.

***éveiller** 1175, Chr. de Troyes ; comme pronominal 1080, *Roland* (*esv-*) ; lat. pop. **exvĭgĭlare,* « s'éveiller », de *vigilare,* être éveillé, de *vigil,* attentif. || **éveil** 1175, Chr. de Troyes (*esv-*) ; déverbal. || **réveiller** 1155, Wace (*resveillier*), « tirer du sommeil » ; 1360, Froissart, « redonner de la vigueur » ; *se réveiller* 1265, J. de Meung. || **réveil** fin XIII^e^ s., Rutebeuf (*resveil*) ; 1440, Gay, « réveille-matin » ; déverbal. || **réveillon** début XVI^e s. || **réveillonner** 1862, *l'Univers illustré.* || **réveille-matin** av. 1450, *Myst. Passion.* (V. VEILLE.)

**événement** début XVI^e s. ; d'apr. le lat. *evenire,* arriver, et *eventus,* événement, sur le modèle de *avènement.* Il a remplacé *event* (XV^e s.) ; lat. *eventus.* || **événementiel** 1959, Lar.

**event** 1866, Behrens (*great evens*), épreuve sportive, en parlant du derby ; 1901, *Vie au grand air* (*grands events*) ; mot angl., de l'anc. fr. *event,* événement.

**évent** V. ÉVENTER.

**éventail** 1416, Gay ; de *éventer.* || **éventailliste** 1690, Furetière.

**éventer** XI^e s. ; lat. pop. **exventare,* aérer, de *ventus,* vent. || **évent** 1521, G. ; déverbal de *éventer.* || **éventaire** XIV^e s. (*-toire*) ; 1690, La Quintinie (*-taire*) ; de *éventer.*

**éventuel** 1718, *Acad. ;* dériv. du lat. *eventus,* événement. || **éventuellement** 1737, *Mercure de France.* || **éventualité** av. 1797, Beaumarchais

* **évêque** X^e s., *Saint Léger* (*ebisque, evesque*) ; XVII^e s. (*évêque*) ; lat. chrét. *episcŏpus,* du gr. *episkopos,* surveillant. || **évêché** X^e s., *Saint Léger* (*evesquet*) ; XVII^e s. (*évêché*) ; lat. eccl. *episcopatus,* épiscopat. || **épiscopal** fin XII^e s. ; bas lat. *episcopalis.* || **épiscopat** début XVII^e s. ; lat. chrét. *episcopatus.* || **archevêque** 1080, *Roland.* || **archevêché** 1138, Gaimar ; d'après lat. *archiepiscopatus.* || **archiépiscopal** 1389, Delb ; lat. chrét. *archiepiscopalis.*

**éverdumer** 1549, R. Est., enlever la couleur verte aux légumes ; lat. *ex,* hors de, et **verdum* (lat. *verdumen*), qui a donné *verd,* forme anc. de *vert ;* d'apr. l'ital. *verdume,* verdure.

**éversion** XV^e s., G. ; lat. *eversio,* renversement, de *evertere,* retourner.

**évertuer (s')** 1080, *Roland ;* de *vertu,* courage ; 1613, Régnier, « faire des efforts ».

**évhémérisme** 1842, *Acad. ;* du philosophe gr. *Evhémère.*

**éviction** V. ÉVINCER.

**évident** 1265, J. de Meung ; lat. *evidens,* visible, de *videre,* voir. || **évidemment** XIII^e s., L. || **évidence** XIII^e s. ; lat. *evidentia.*

**évider** V. VIDE.

**évier** XIII^e s., Tailliar (*euwier*) ; 1690, Furetière (*évier*) ; lat. pop. **aquarium,* égout, adj. substantivé, de *aqua,* eau ; en bas lat., il a signifié « égout ». (V. AQUARIUM.)

**évincer** début XV^e s., jurid. ; 1546, Rab., fig. ; lat. *evincere,* au sens jurid., de *vincere,* vaincre. || **éviction** 1283, *D. G.* (*évicion*) ; XVI^e s., Loisel (*éviction*) ; lat. jurid. *evictio,* de *evincere ;* « dépossession d'un bien acquis de bonne foi ».

**éviré** 1552, Rab., « châtré » ; 1690, Furetière, héraldique ; lat. *eviratus,* de *evirare,* ôter la virilité, de *vir,* homme.

**éviter** 1324, Lespinasse ; lat. *evitare,* se soustraire à quelque malheur ; *éviter à* (« se soustraire à ») jusqu'au XVI^e s. || **évitable** 1165, Marie de France. || **évitage** 1773, Bourdé. || **évitement** 1539, R. Est. || **inévitable** 1377, Oresme ; d'apr. le lat. *inevitabilis.* || **inévitablement** fin XV^e s.

**évocation, évocatoire** V. ÉVOQUER.

**évolution** 1647, de Lostelneau, milit. ; 1762, Rousseau, « changement » ; 1811, Wailly, théorie biologique ; lat. *evolutio,* action de dérouler, de *volvere,* rouler. || **évoluer** 1783, *Encycl. méth. ;* de *évolution.* || **évolutif** début XIX^e s., Ballanche. || **évolutionnisme** 1878, Lar. || **évolutionniste** 1878, L.

**évoquer** 1398, E. Deschamps, « faire apparaître par magie » ; fin XV^e s., jurid. ; 1807, Staël, « rappeler » ; lat. *evocare,* de *vocare,* appeler (v. VOIX). || **évocable** 1718, *Acad.* || **évocateur** 1870, Lar. || **évocation** 1348, Varin, jurid. ; 1690, Furetière, « évocation des démons » ; 1835, Vigny, « souvenir » ; lat. jurid. *evocatio.* || **évocatoire** début XIV^e s., jurid. ; milieu XIX^e s., Baudelaire, « d'une évocation magique » ; lat. *evocatorius.*

**évulsion** 1540, *Chirurgie de Paulus Aegineta ;* lat. *evulsio,* arrachement, de *vellere,* arracher. Terme de chirurgie désignant une extraction.

**evzone** début XX^e s. ; mot du gr. mod. ; gr. *euzônos,* à belle ceinture, à cause de la tenue de ces fantassins.

**ex-,** prép. lat. signif. « hors de » ; devenu préfixe dans les composés en bas lat. dont le deuxième terme était à l'ablatif : *ex consule,* au sortir de la charge de consul ; puis *expatricius,* ancien patrice (*Code Justinien*). Prenant le sens de « qui a rempli cette fonction, qui a été, mais n'est plus », et séparé du deuxième élément par un trait d'union, il a connu un grand développement à partir du XVII^e s. Le préfixe *ex-* entre aussi en composition d'un certain nombre de mots, directement issus du lat., sans trait d'union : *expatrier, exporter,* etc.

**ex abrupto, exacerber** V. ABRUPT, ACERBE.

**exact** 1541, Canappe, « achevé, parfait » ; 1652, La Rochefoucauld, « minutieux » ; 1657, Pascal, « vrai » ; 1870, Lar., « ponctuel », var. *exacte,* masc. ; lat. *exactus,* achevé, part. passé de *exigere,* achever. || **exactement** 1541, Canappe, « avec soin » ; 1778, Rousseau, « tout à fait ». || **exactitude** 1644, Livet, qui a été en concurrence avec *exacteté* et *exactesse* (début XVII^e^ s.). Il a d'abord eu le sens « soin scrupuleux » ; les valeurs « conformité avec la vérité » ou « conformité avec la grandeur mesurée » se développent à partir du XVIII^e^ s. || **inexact** 1689, Andry de Boisregard. || **inexactement** fin XVIII^e^ s. || **inexactitude** 1689, Andry de Boisregard, « faux » ; 1867, L., « absence de ponctualité ».

**exaction** XIII^e^ s., Tailliar, « action d'exiger un paiement » ; 1361, Oresme, « fait d'exiger plus qu'il n'est dû » ; lat. *exactio,* recouvrement d'impôts, de *exactus,* part. passé de *exigere,* réclamer. || **exacteur** 1304, G. (*exautor*) ; milieu XIV^e^ s. (*exacteur*), jurid. ; 1361, Oresme, péjor.

**ex aequo** XIX^e^ s. ; loc. lat. signif. « également », de *ex,* de, et *aequus,* égal ; vient de la langue scolaire.

**exagérer** 1535, G. de Selve, « déformer » ; fin XVII^e^ s., Bossuet, « grossir » ; lat. *exaggerare,* entasser, de *agger,* chose entassée, au fig. amplifier. || **exagération** 1549, R. Est. ; lat. *exaggeratio.* || **exagérateur** 1654 Balzac ; lat. *exaggerator.* || **exagéré** n. polit., 1794, Brunot, pour désigner les Montagnards. || **exagérément** 1830, Armand Carrel.

**exalter** X^e^ s., *Saint Léger,* « élever » au sens ecclés. ; 1530, Marot, « porter trop haut » ; 1835, *Acad.,* « enthousiasmer » ; lat. *exaltare,* « exhausser », de *altus,* haut, au sens du lat. eccl. || **exaltant** 1865, L. || **exaltation** XIII^e^ s., *Règle du Temple* (*- de sainte croiz*) ; lat. *exaltatio* au sens du lat. chrét. ; 1460, Chastellain, « promotion » ; 1772, Voltaire, « enthousiasme ». || **exalté** n. 1778, Diderot.

**examen** 1340, *Tombel de Chartrose,* « observation » ; 1485, *Ordonnance,* « épreuve d'un candidat » ; lat. *examen,* pesée, d'apr. le lat. *exigere,* peser. || **examiner** XIII^e^ s., *Règle de saint Benoît,* « questionner » ; jurid. en anc. fr. ; lat. *examinare.* || **examinateur** 1307, G. ; 1690, Furetière, « faire subir un examen » ; bas lat. *examinator,* au sens fig. de *examinare,* apprécier.

**exanthème** 1545, Guéroult (*-émate*) ; fin XVI^e^ s. (*exanthème*) ; lat. méd. *exanthema, -atis,* efflorescence, de *anthos,* fleur ; désigne une éruption cutanée. || **exanthémateux** 1756, *Encycl.* || **exanthématique** 1765, *Encycl.*

**exarque** 1516, *Faits des saints Pères* (*exarche*) ; lat. impér. *exarchus,* chef, gr. *exarkhos,* de *arkhein,* commander.

**exaspérer** 1308, Aimé, « rendre plus difficile » ; 1580, Montaigne, « aggraver », sorti de l'usage au XVI^e^ s. ; milieu XIX^e^ s., « irriter » ; lat. *exasperare,* de *asper,* rude. || **exaspération** 1588, Montaigne ; bas lat. *exasperatio.* || **exaspérant** XIII^e^ s., repris au XIX^e^ s.

**exaucer** 1540, Marot, var. graphique de *exhausser,* spécialisée au sens fig. de « écouter les prières », proprement « exalter en réalisant le vœu », avec infl. du lat. eccl. *exaudire.* || **exaucement** XVI^e^ s.

**ex cathedra** v. 1680, Sévigné ; loc. du lat. eccl. signif. « du haut de la chaire ».

**excaver** fin XIII^e^ s., Végèce, rare jusqu'au XVIII^e^ s. ; lat. *excavare,* de *cavus,* creux. || **excavation** 1566, Du Pinet ; lat. *excavatio.* || **excavateur** 1843, Bonnafé ; de *excaver,* d'après l'angl. *excavator.*

**excéder** fin XIII^e^ s. ; lat. *excedere,* « sortir de », au sens trans. « dépasser ». || **excédent** 1392, Deschamps ; part. prés. *excedens ;* la graphie a longtemps varié (*-ant* ou *-ent*). || **excédentaire** 1935, Sachs.

**exceller** 1544, Scève ; lat. *excellere,* surpasser. || **excellent** 1160, Benoît ; sens restreint en fr. ; lat. *excellens,* supérieur. || **excellemment** 1339, J. de La Mote (*-tement*) ; 1539, R. Est. (*-emment*). || **excellence** 1160, Benoît, « degré éminent » ; fin XIII^e^ s., Rutebeuf, titre honorifique, d'apr. l'ital. (surtout aux XV^e^-XVI^e^ s.) ; *par excellence* 1549, Marguerite de Navarre ; lat. *excellentia.* || **excellentissime** XIII^e^ s., *Ystoire de li Normant* (œuvre d'un Italien) ; du superlatif ital. *eccellentissimo,* titre honorifique.

**excentrique** 1361, Oresme, géométrie ; 1611, Cotgrave, « original » ; 1845, Besch., « bizarre » ; XX^e^ s., terme de music-hall (d'après l'angl. *eccentric*) ; lat. scient. médiév. *excentricus,* « qui est hors du centre ». || **excentricité** 1562, Scève, géométrie ; début XVIII^e^ s., « originalité » ; lat. *excentricitas.*

**excepter** fin XII^e^ s., Marie de France ; lat. *exceptare,* recevoir (sens en anc. fr.), qui a subi l'infl. sémantique de *exception.* || **excepté** prép., v. 1360, Froissart ; *excepté que* 1677, Sévigné. || **exception** 1265, *Livre de jostice,* jurid. ; lat. *exceptio,* de *excipere,* retirer, excepter

(v. EXCIPER). || **exceptionnel** 1739, d'Argenson. || **exceptionnellement** 1842, *Acad.*

**excès** fin XIII^e s., « qui est en excédent » ; XIV^e s., « ce qui dépasse la mesure » ; lat. *excessus,* de *excedere,* dépasser au sens du bas lat. || **excessif** 1265, J. de Meung ; 1587, La Noue, « qui ignore la mesure ». || **excessivement** 1359, Varin.

**exciper** 1279, G. (*exceper*), jurid. ; rare jusqu'au XVIII^e s. (1797, Beaumarchais), « tirer argument de » ; lat. *excipere,* retirer, excepter, au sens jurid. (v. EXCEPTER). || **excipient** 1747, James ; lat. *excipiens,* recevant, spécialisé en pharm.

**excise** V. ACCISE.

**excision** 1340, G. ; lat. *excisio,* de *excidere,* couper. || **exciser** XVI^e s., G., « enlever », en chirurgie.

**exciter** XII^e s., G. de Saint-Pair (*esciter*), « éveiller » ; XIII^e s., L., « rendre plus vif » ; milieu XVI^e s., Amyot, « stimuler une réaction psychologique » ; XIX^e s., « agiter » ; lat. *excitare,* mettre en mouvement au fig. || **excitant** 1613, Gruau, « qui stimule » ; milieu XIX^e s., fig. || **excitable** 1265, J. de Meung ; rare jusqu'au XIX^e s. (1865, Taine, « irritable ») ; bas lat. *excitabilis.* || **excitation** 1282, Gauchy ; lat. *excitatio.* || **excitateur** 1335, Digulleville ; bas lat. *excitator.* || **excitatif** XIV^e s., Delb. || **surexciter** 1826, Broussais. || **surexcitation** 1832, Raymond. || **surexcité** 1849, Sainte-Beuve.

**exclamer** V. CLAMER.

**exclure** 1355, Bersuire, « écarter » ; 1662, Pascal, fig. ; lat. *excludere,* de *claudere,* fermer (v. ÉCLORE). || **exclusion** 1220, Coincy ; lat. *exclusio.* || **exclusif** milieu XV^e s., « incompatible » ; XVIII^e s., « intolérant » ; lat. scolast. *exclusivus.* || **exclusive** XVI^e s., « mesure d'exclusion ». || **exclusivement** 1410, N. de Baye. || **exclusivisme** 1835, Fourier. || **exclusivité** 1778, Voltaire (*exclusiveté*) ; début XIX^e s. (*exclusivité*) ; cinéma, 1911, *Ciné-Journal.*

**excommunier, excorier** V. COMMUNIER, CUIR.

**excrément** 1534, Rab. ; 1668, La Fontaine, fig. ; lat. méd. *excrementum,* excrétion, de *excernere,* tamiser, au sens méd., évacuer. || **excrémenteux** 1560, Paré. || **excrémentiel** *id.*

**excrétion** 1534, Rab. ; bas lat. *excretio,* criblure, de *excernere,* évacuer. Terme méd., « rejet de sécrétions glandulaires ». || **excréteur** 1560, Paré. || **excrétoire** 1536, Chrestien. || **excréter** 1836, Raymond.

**excroissance** V. CROÎTRE.

**excursion** 1530, Delb. (*excurcion*), « attaque d'un territoire ennemi », rare jusqu'au XVIII^e s. (1718, *Acad.*) ; 1772, Rousseau, « voyage » ; lat. *excursio,* voyage, de *currere,* courir. || **excursionniste** 1852, Gautier. || **excursionner** 1871, Hugo.

**excuser** 1190, Saint Bernard (*esc-*), « disculper » ; *s'excuser* 1273, Adenet ; lat. *excusare,* mettre hors de cause (*causa*). || **excuse** fin XIV^e s. ; 1690, Furetière, expression du regret ; déverbal. || **excusable** fin XIII^e s., G. || **excusabilité** 1873, d'après L. || **inexcusable** 1474, Delb. ; lat. *inexcusabilis.*

**exeat** 1622, Sorel, terme scolaire ; mot lat. signif. « qu'il sorte », subj. de *exire ;* mot du lat. eccl. pour autoriser un prêtre à exercer hors de son diocèse.

**exécrer** 1495, J. de Vignay ; lat. *exsecrari,* maudire, charger d'imprécations, de *sacer,* sacré. || **exécration** XIII^e s., *Bible ;* lat. *execratio.* || **exécrable** 1355, Bersuire ; lat. *execrabilis.* || **exécrablement** XV^e s., G.

**exécuter** fin XIII^e s., Gauchy ; fait sur le rad. de *exécution.* || **exécutable** 1507, *Lettres de Louis XII.* || **exécutant** 1398, E. Deschamps. || **exécuteur** fin XII^e s., *Grégoire,* « qui exécute » ; milieu XVI^e s., Amyot, « bourreau » ; lat. *executor,* de *exsequi,* poursuivre. || **exécution** 1265, J. de Meung ; lat. *executio,* achèvement. || **exécutoire** 1337, G., jurid., n. m. ; adj., XVI^e s., Loisel ; bas lat. *executorius.* || **exécutif** 1361, Oresme, « qui exécute » ; rare jusqu'au XVIII^e s. (1764, Rousseau) ; n. m., 1865, L., « pouvoir exécutif ». || **inexécutable** 1579, *Chron. bordelaise ;* rare jusqu'au XVII^e s. (1695, Desfontaines). || **inexécution** 1578, d'Aubigné. || **inexécuté** 1484, *Doc.* || **inexécutoire** 1875, *Gazette des tribunaux.*

**exégèse** 1705, Chastelain, « explication philologique » ; XX^e s., « interprétation » ; gr. *exêgêsis,* de *exêgeisthai,* expliquer. || **exégète** 1732, Trévoux ; gr. *exêgêtês.* || **exégétique** 1694, Th. Corn. ; gr. *exêgêtikê.*

**exemple** 1080, *Roland* (*essample*), au féminin ; 1165, G. d'Arras (*exemple*), au masculin ; lat. *exemplum ; par exemple !* 1627, Mairet. || **exemplaire** n. m., 1119, Ph. de Thaon (*essemplarie*) ; XIII^e s. (*exemplaire*), « modèle à conserver » (jusqu'au XVIII^e s.) ; 1580, Montaigne, « copie d'un ouvrage » ; 1858, Legoarant, « échantillon » ; lat. *exemplarium.* || **exemplaire** adj., 1150, Barbier, « comme modèle » ; 1570, Carloix, « qui sert de leçon » ; lat. *exemplaris.* || **exemplarité** 1361, Oresme, « caractère de ce qui peut servir d'exemple ». || **exemplifier** 1810, Stendhal.

**exempt** adj., 1265, *Livre de jostice ;* n. m., 1578, d'Aubigné, « sous-officier exempt du service ordinaire » ; 1655, Molière, « sous-officier de police » ; lat. *exemptus,* part. passé de *eximere,* affranchir. || **exempter** 1339, J. de La Mote. || **exemption** 1411, Delb. ; lat. *exemptio,* action d'enlever ; spécialisé ensuite en matière fiscale.

**exequatur** 1752, Trévoux ; mot lat. signif. « qu'il exerce », subj. de *exsequi,* poursuivre ; d'abord jurid., puis diplom. (1781, *Doc.*).

**exercer** 1119, Ph. de Thaon (*essercer*) ; XIVe s. (*exercer*) ; *s'exercer* 1580, Montaigne ; lat. *exercere,* mettre en mouvement, pratiquer. || **exercice** 1265, J. de Meung, « action d'exercer le corps » ; 1587, La Noue, « action de pratiquer un métier » ; XVe s., « action de mettre en usage » ; 1580, Montaigne, « exercice d'esprit » ; 1865, L., scolaire ; lat. *exercitium.* || **exerciseur** 1901, *Monde illustré,* sports ; angl. *exerciser,* issu du fr. || **inexercé** 1798, *Acad.*

**exérèse** 1607, Habicot ; gr. *exairêsis,* de *exairein,* retirer. Ablation chirurgicale.

**exergue** 1636, de Bie, en numismatique ; 1910, J. Renard, *mettre en exergue ;* lat. mod. *exergum,* espace hors d'œuvre, du lat. *ex,* « hors de », et du gr. *ergon,* travail ; puis « inscription placée en tête d'un ouvrage ».

**exfolier** 1560, Paré ; lat. impér. *exfoliare,* effeuiller (IIIe s., Apicius), de *folium,* feuille. || **exfoliation** 1478, Panis.

**exhaler** XIVe s., *Nature à alchimie ;* lat. *exhalare,* de *halare,* souffler, exhaler. || **exhalaison** XIVe s., *Traité d'alchimie ;* lat. *exhalatio.* || **exhalation** 1361, Oresme, « exhalaison » ; 1560, Paré, chimie, même origine.

**exhausser** V. HAUT.

**exhaustion** 1740, Ritter, math. ; 1778, Diderot, logique ; mot angl., issu du bas lat. *exhaustio,* de *exhaurire,* épuiser. || **exhaustif** 1818, Dumont, fig. ; d'apr. l'angl. *exhaustive,* de *to exhaust,* épuiser. || **exhaustivement** XXe s. || **inexhaustible** 1514, Huguet, directement du latin ; 1922, Proust, de l'angl.

**exhéréder** 1468, Chastellain, « exclure d'une succession » ; lat. *exheredare,* de *heres, -edis,* héritier. || **exhérédation** début XVe s. ; lat. *exheredatio,* action de déshériter.

**exhiber** XIIIe s., « produire un document » ; 1541, Calvin, « exposer au public » ; 1848, Chateaubriand, péjor. ; *s'exhiber* 1660, Scarron ; lat. *exhibere,* montrer. || **exhibition** fin XIIe s., *Grégoire,* « action de produire un document » ; 1835, Gautier, « fait de montrer avec impudeur » ; 1925, Esnault, sports ; lat. *exhibitio.* || **exhibitionnisme** 1866, Lar. || **exhibitionniste** 1877, Lasègue.

**exhilarant, ante** av. 1669, Molière ; anc. fr. *exhilare,* égayer.

**exhorter** 1150, Barbier ; lat. *exhortari,* de *hortari,* exhorter. || **exhortation** 1130, *Job ;* lat. *exhortatio.*

**exhumer** 1643, d'après Trévoux ; lat. médiév. *exhumare,* formé pour servir de contraire à *inhumer.* || **exhumation** 1690, Furetière.

**exiger** milieu XIVe s. ; lat. *exigere,* pousser dehors, de *agere,* conduire, d'où faire payer, au fig. || **exigible** 1603, Delb. || **exigibilité** 1783, *Encycl. méth.* || **inexigible** av. 1781, Turgot. || **inexigibilité** 1839, Boiste. || **exigeant** 1762, *Acad.* || **exigence** 1361, Oresme, « ce qui est requis » ; 1870, Lar., « caractère de qqn qui exige beaucoup » ; lat. *exigentia.* (V. EXACTION.)

**exigu** 1495, J. de Vignay ; lat. *exiguus,* exactement pesé, de *exigere,* au sens de « peser ». || **exiguïté** *id. ;* rare jusqu'en 1798, *Acad.* ; lat. *exiguitas.* Les deux mots avaient longtemps été considérés comme du style dogmatique ou plaisant.

**exil** 1080, *Roland* (*exill*), « misère » ; 1160, Benoît, « expulsion » ; lat. *exsilium,* qui avait les deux sens ; *exil* a éliminé la forme pop. *essil, eissil* (bannissement). || **exiler** XIIe s. (*exilier*) ; XIIIe s. (*exiler*) ; anc. fr. *essilier,* du bas lat. *exsiliare,* exiler. || **exilé** XIIe s.

**exister** XIVe s. ; rare jusqu'au XVIIe s. ; lat. *existere,* sortir de, naître, de *sistere,* être placé. || **existant** 1690, Furetière. || **existence** XIVe s., Delb. ; bas lat. *existentia.* || **existentialisme** v. 1940. || **existentialiste** *id.* || **existentiel** 1908, Lar. || **coexister** 1745, Brunot. || **coexistant** 1594, G. || **coexistence** 1560, Viret. || **inexistant** 1784, Guigoud-Pigalle. || **inexistence** début XVIIe s.

**ex-libris** V. LIVRE.

**exo-**, gr. *exô*, dehors, et *ex*, hors de. || **exogamie** 1874, *Rev. Deux Mondes ;* gr. *gamos*, mariage. || **exogène** 1813, Candolle. || **exomphale** 1707, Dionis ; gr. *exomphalos*, de *omphalos*, nombril. || **exophtalmie** 1752, Trévoux. || **exostose** 1560, Paré ; gr. *exostôsis*, excroissance, de *ostoûn*, os. || **exothermique** 1870, Lar.

**exocet** 1558, Rondelet, poisson volant ; lat. *exocoetus*, du gr. *exôkoitos*, qui sort de sa demeure (*koitê*).

1. **exode** XIII^e s., Guiart des Moulins, « émigration des Hébreux » ; rare jusqu'au XVII^e s. ; 1865, L., sens actuel ; lat. chrét. *exodus*, du gr. *exodos*, départ (*ex*, hors de, et *hodos*, route) ; le mot a été spécialisé en juin 1940 (fuite des populations).

2. **exode** 1596, Vigenère, dernière partie de la tragédie grecque après la sortie du chœur ; lat. *exodium*, du gr. *exodion*. (V. EXODE 1).

**exogène, exomphale** V. EXO-.

**exonérer** fin XVII^e s., « décharger » ; 1829, Boiste, « détaxer » ; lat. jurid. *exonerare*, décharger, de *onus, oneris*, charge. || **exonération** 1552, Guéroult, « action de décharger son ventre » ; 1842, *Acad.*, fiscalité ; lat. jurid. *exoneratio*.

**exorable** 1541, Calvin ; lat. *exorabilis*, de *orare*, prier. || **inexorable** 1520, Seysell, « à quoi on ne peut se soustraire » ; milieu XVI^e s., Amyot, « impitoyable » ; lat. *inexorabilis*. || **inexorablement** 1661, Racine.

**exorbitant** 1490, G., « qui blesse les convenances » ; 1662, Livet, « excessif » ; du part. prés. du bas lat. *exorbitare*, dévier, déjà au fig., V^e s., Sid. Apoll., de *orbita*, ornière. || **exorbitance** 1595, G.

**exorbité** V. ORBITE.

**exorciser** 1372, Golein ; lat. chrét. *exorcizare* chasser les démons, du gr. *exorkizein*, faire jurer le nom de Dieu (*orkos*, serment). || **exorcisation** XVI^e s., Huguet. || **exorcisme** 1495, J. de Vignay ; lat. chrét. *exorcismus*, du gr. *exorkismos*. || **exorciste** 1488, *Mer des histoires ;* bas lat. *exorcista*.

**exorde** 1488, *Mer des hist. ;* lat. *exordium*, de *ordiri*, commencer.

**exosmose, exosmotique** V. OSMOSE.

**exotérique** 1568, Le Roy, « qui se fait en public » ; lat. *exotericus*, du gr. *exôterikos*, de *exô*, en dehors.

**exotique** 1552, Rab., « importé » ; 1690, Furetière, sens actuel ; lat. *exoticus*, du gr. *exôtikos*, étranger, de *exô*, dehors. || **exotisme** 1845, Besch.

**expansion** XVI^e s., phys., physiol. ; 1752, Trévoux, « développement » ; 1870, Lar., milit. ; 1850, Balzac, fig., diffusion ; lat. méd. *expansio* (III^e s., C. Aurelius), de *pandere*, ouvrir. || **expansé** v. 1950. || **expansif** 1732, Trévoux, phys. ; 1770, Rousseau, fig. || **expansible** 1756, *Encycl.* || **expansibilité** *id.* || **expansivité** 1875, *J.O.* || **expansionnisme** 1922, Lar. || **expansionniste** *id.*

**expatrier** V. PATRIE.

**expectant** 1460, Chastellain ; lat. *exspectans*, part. prés. de *exspectare*, attendre, de *spectare*, regarder. || **expectation** 1355, Bersuire, seulement méd. ; lat. *exspectatio*. || **expectatif** 1512, Lemaire, jurid. || **expectative** 1552, Paradin.

**expectorer** 1664, Chapelain, fig., « exprimer franchement » ; 1752, Trévoux, méd. ; fin XVII^e s., Saint-Simon, eccl., « rendre publique une nomination secrète » ; lat. *expectorare*, chasser de son cœur (*pectus*, poitrine). || **expectorant** 1752, Trévoux. || **expectoration** 1611, Cotgrave, méd.

**expédient** adj., 1361, Oresme ; n. m., 1361, Oresme, « avantage » ; milieu XVI^e s., Amyot, « moyen ingénieux » ; 1859, Baudelaire, péjor. ; lat. *expediens*, part. prés. de *expedire*, dégager, être avantageux. || **expédier** 1360, G., « terminer rapidement » ; 1534, Rab., « terminer avec trop de hâte » ; 1676, Pomey, « faire partir un messager pour une destination » ; 1723, Savary, « faire partir des marchandises » ; de l'adj. *expédient*. || **expéditeur** 1460, Chastellain. || **expéditif** 1544, Peletier. || **expéditivement** 1836, A. Carrel. || **expédition** 1212, Frère Anger, « préparatifs » ; fin XV^e s., Commynes, « fait de terminer rapidement » ; 1747, Savary, « fait d'envoyer qqch » ; XVI^e s., milit. ; 1835, *Acad.*, « voyage d'exploration » ; lat. *expeditio*, expédition militaire, de *expedire*, avec des sens repris à *expédier*. || **expéditionnaire** 1553, *Édit de Henri II*. || **réexpédier** 1791, Mirabeau. || **réexpédition** *id.*

**expérience** 1265, J. de Meung, « acquisition de la connaissance » ; 1314, Mondeville, « épreuve de vérification » ; lat. *experientia*, de *experiri*, faire l'essai de. || **inexpérience** 1460, Delb., rare avant le XVIII^e s. ; lat. *inexperientia*.

**expérimenter** 1372, Corbichon ; bas lat. *experimentare*, de *experimentum*, essai ; il a éliminé la forme pop. *espermenter* (1130, *Eneas*), de *esperment*, expérience (1119, Ph. de Thaon).

|| **expérimenté** adj., 1453, *Cout. d'Anjou.* || **expérimental** 1503, Chauliac ; bas lat. *experimentalis.* || **expérimentalement** XVIIIe s., Brunot. || **expérimentaliste** 1870, Lar. || **expérimentateur** 1372, Corbichon ; repris au XIXe s. (1834, Landais). || **expérimentation** 1824, Boiste. || **inexpérimenté** 1495, J. de Vignay ; rare avant le XVIe s.

***expert** adj., XIIIe s., Le Marchand (*espert*), « habile, adroit » ; XIVe s., *Ordonnance* (*expert*), « qui connaît bien » ; n., 1580, Montaigne, avec *x* rétabli d'après le lat. ; lat. *expertus,* part. passé de *experiri,* faire l'essai de. || **expert-comptable** début XXe s. || **expertise** 1580, Montaigne (*-ice*), « habileté » ; spécialisé jurid. 1792, Brunot, d'apr. *expert,* il a remplacé *espertise* (1340, Le Fèvre), de *espert.* || **expertiser** 1807, Michel. || **inexpert** 1455, Chastellain, « qui manque d'expérience » ; 1778, Beaumarchais, « ignorant ». || **contre-expertise** fin XIXe s.

**expier** 1355, Bersuire ; lat. *expiare,* apaiser par des expiations, de *pius,* pieux. || **expiable** 1355, Bersuire. || **expiation** 1160, Benoît ; lat. *expiatio.* || **expiatoire** milieu XVIe s., Amyot ; lat. chrét. *expiatorius.* || **expiateur** XVIe s., La Borderie ; lat. *expiator.* || **expiatrice** XVIIIe s., Diderot ; lat. *expiatrix, -icis.* || **inexpiable** 1455, Fossetier ; lat. *inexpiabilis.* || **inexpié** 1867, L.

**expirer** 1175, Chr. de Troyes (*espirer*), remplacé par *expirer* à cause de l'homonymie avec *espirer* (1120, *Ps. de Cambridge*), souffler (du lat. *spirare*) ; XIVe s., « rendre le dernier soupir » ; lat. *expirare,* expirer l'air et, au fig., rendre le dernier soupir. || **expirant** 1667, Racine, « mourant ». || **expiration** 1285, G., anat. ; 1690, Furetière, « fin du temps fixé » ; lat. *expiratio,* exhalaison. || **expirateur** 1265, Br. Latini ; 1771, Trévoux, anat.

**explétif** 1420, A. Chartier ; lat. gramm. *expletivus,* « qui remplit (inutilement la phrase) », de *explere,* remplir. || **explétivement** 1551, B. Aneau.

**expliquer** XIVe s., Delb., « déployer » ; XVIIe s., fig., « développer, faire comprendre », sens qui a prévalu ; lat. *explicare,* de *plicare,* plier. || **explication** début XIVe s. ; lat. *explicatio.* || **explicable** 1554, de Maumont ; bas lat. *explicabilis.* || **explicatif** fin XVIe s. ; bas lat. *explicativus.* || **explicateur** 1642, Oudin ; bas lat. *explicator.* || **explicite** 1488, *Mer des histoires,* terme de scolastique ; lat. *explicitus,* part. passé de *explicare.* || **explicitement** v. 1550, Doré. || **expliciter** 1870, Lar. || **explicitation** début XXe s. || **inexplicable** 1486, G., « non justifié, non expliqué » ; 1778, Voltaire, en parlant de qqn. || **inexplicablement** XVIe s. || **inexpliqué** fin XVIIIe s.

***exploit** 1080, *Roland* (*espleit*) ; 1360, Froissart ; *x* d'apr. le lat. *explicitum,* part. passé substantivé de *explicare,* au sens de « accomplir », d'où action menée à bien ; milieu XVIe s., Amyot, « action d'éclat » ; XVIe s., Loisel, jurid., le sens d'accomplissement, d'exécution aboutissant à celui de saisie, acte pour saisir. || ***exploiter** 1080, *Roland* (*espleitier*), « accomplir, travailler » ; 1283, Beaumanoir (*exploitier*) ; 1840, Proudhon, « tirer un profit abusif » ; lat. pop. **explicitare.* || **exploitable** XIIIe s., *Établ. de Saint Louis* (*es-*). || **exploité** 1830, Balzac. || **exploitation** 1340, G., « saisie judiciaire » en anc. fr. ; 1683, Colbert, « mise en valeur » ; 1829, *Doc.,* exploitation de l'homme par l'homme. || **exploitant** fin XVIIIe s., Brunot, agriculture ; 1912, *Ciné-Journal,* cinéma. || **exploiteur** 1340, G. (*-eresse*) ; XVIe s. (*-eur*), huissier ; 1840, Pillot, sens social. || **inexploitable** 1867, L. || **inexploité** 1842, Balzac. || **inexploitation** 1876, *J.O.*

**explorer** 1546, Rab., « examiner » ; av. 1841, Chateaubriand, sens actuel ; lat. *explorare,* parcourir en étudiant. || **explorable** 1865, L. || **explorateur** 1265, Br. Latini, « espion » ; XVe s., Juvénal des Ursins, « éclaireur » ; 1718, *Acad.,* sens actuel ; lat. *explorator ;* XVIIIe s., sens mod. || **exploration** 1455, Fossetier, rare jusqu'au XVIIIe s. ; lat. *exploratio.* || **inexplorable** 1867, L. || **inexploré** av. 1841, Chateaubriand.

**explosion** 1581, Rousset, méd. ; 1701, Furetière, « action d'éclater » ; milieu XVIIIe s., fig. ; lat. *explosio,* action bruyante pour huer, de *plaudere,* applaudir ; il a pris en fr. le sens de « action d'éclater ». || **exploser** 1801, Mercier. || **explosif** 1691, Chastellain, adj. méd. ; 1816, *Encycl. méth.,* « qui peut exploser » ; fin XIXe s., fig. ; n. m., 1874, *Journal des débats.* || **explosible** av. 1841, Chateaubriand. || **exploseur** 1867, Lar. || **inexplosible** début XIXe s.

**exponentiel** 1711, Bernoulli ; lat. *exponens, -entis,* de *exponere,* exposer. Terme de math. indiquant une fonction à exposant variable.

**exporter, exposer** V. PORTER, POSER.

**exprès** adj., 1265, J. de Meung (*espres*) ; adv., XIVe s., *Nature à alchimie* (*par exprès*) ; lat. *expressus,* part. passé de *exprimere,* exprimer, presser. || **expressément** 1190, Saint Bernard.

**express** 1849, Lorenz, train rapide de voyageurs ; mot angl. issu du fr. *exprès* ; milieu XIXe s., café ; ital. *espresso,* café express, de l'angl.

**exprimer** XIIe s., *Grégoire* (*espriemer*) ; fin XIVe s. (*exprimer*), « dire » ; *s'exprimer* 1580, Montaigne ; lat. *exprĭmere,* de *premere,* presser, au propre et au fig. ; il a éliminé la forme pop. *espreindre.* || **exprimable** 1599, Bertaud. || **inexprimable** XVe s. || **inexprimablement** 1867, L. || **inexprimé** 1845, Richard || **expression** v. 1360, Froissart, « action d'exprimer qqch » ; XVIIe s., « manière de s'exprimer » ; lat. *expressio,* du part. passé *expressus.* || **expressionnisme** 1921, *Je sais tout,* cinéma. || **expressionniste** 1921, I. Goll. || **expressif** 1488, G. || **expressivité** début XXe s. || **expressivement** av. 1825, Courier. || **inexpressif** 1782, Mercier, « qui n'exprime pas bien » ; 1860, Goncourt, « sans expression ». || **inexpression** 1865, Goncourt.

**exproprier** V. PROPRIÉTÉ.

**expugnable** 1355, Bersuire ; lat. *expugnabilis,* qu'on peut prendre d'assaut, de *pugnare,* combattre. || **inexpugnable** 1355, Bersuire, « dont on ne peut s'emparer » ; milieu XVIe s., Amyot, fig. ; lat. *inexpugnabilis.*

**expulser** milieu XVe s., « faire sortir » ; 1560, Paré, méd. ; 1690, Furetière, sens actuel ; lat. *expulsare,* de *pellere,* pousser. || **expulsion** 1309, G., « fait de chasser » ; 1560, Paré, méd. ; 1690, Furetière, sens actuel ; lat. *expulsio.* || **expulseur** 1460, Chastellain, « qui chasse » ; 1560, Paré, méd. ; lat. *expulsor.* || **expulsif** 1398, *Somme Gautier*, méd. ; bas lat. *expulsivus.*

**expurger** V. PURGER.

**exquis** fin XIVe s., « recherché » ; 1541, Calvin, « raffiné » ; 1549, Marguerite de Navarre, « délicieux » ; 1655, Molière, « délicat » ; lat. *exquisitus,* part. passé de *exquirere,* au sens de « recherché » (sens en anc. fr.) ; il a remplacé *esquis* (XIIe s.), forme pop. refaite sur le latin. || **exquisément** 1530, Lefèvre. || **exquisité** 1855, Sand.

**exsangue, exsudation, exsuder** V. SANG, SUER.

**extase** 1495, J. de Vignay, « transport de l'âme » ; 1669, La Fontaine, au fig. ; 1832, Balzac, psychiatrie ; lat. eccl. *extasis,* du gr. *ekstasis,* « fait de se déplacer, d'être hors de soi ». || **extasier** 1600, saint François de Sales, « ravir en extase » ; comme pronominal, et sens actuel, 1674, Boileau ; d'apr. la var. *extasie* (1361, Oresme). || **extatique** 1546, Rab. ; gr. eccl. *extatikos.* || **extatisme** 1868, Goncourt.

**extension** 1361, Oresme ; 1560, Paré, anat. ; bas lat. *extensio,* de *tendere,* tendre. || **extenseur** 1654, Gelée. || **extensible** 1380, Conty ; rare jusqu'au XVIIIe s. || **extensibilité** 1732, Trévoux. || **extensif** XVIe s., Tollet. || **in extenso** 1842, Mozin, mots lat. signif. « dans toute son étendue ». || **inextensible** 1777, Buffon. || **inextensibilité** 1867, L.

**exténuer** XIVe s., « épuiser » ; lat. *extenuare,* au sens fig. « atténuer », repris en fr. au XVIe s. (1552, R. Est.). || **exténuant** 1888, Huysmans. || **exténuation** 1398, *Somme Gautier ;* lat. *extenuatio,* de *tenuis,* ténu.

**extérieur** 1460, Chastellain ; lat. *exterior,* comparatif de *exter* (v. ÊTRES) ; plur., cinéma, 1914, *la Science et la vie.* || **extérieurement** 1532, Rab. || **extérioriser** 1869, Janet. || **extériorisation** 1843, Proudhon. || **extériorité** 1541, Calvin.

**exterminer** 1120, *Ps. d'Oxford ;* lat. *exterminare,* exiler, de *terminus,* frontière, avec le sens du lat. chrét., « chasser d'un territoire, faire périr » (IVe s., saint Jérôme). || **exterminateur** XIIIe s. ; lat. chrét. *exterminator.* || **extermination** 1160, Benoît, rare avant le XVIe s. || **inexterminable** 1873, Lar.

**externe** 1502, O. de Saint-Gelais, « étranger » ; 1541, Calvin, « qui vient du dehors » ; 1865, L., sens actuel ; n. m., 1690, Furetière, enseignement ; 1865, L., méd. ; lat. *externus,* de *exter,* extérieur. (V. ÊTRES.) || **externat** 1829, Boiste, sens scolaire ; 1835, Bourdon, méd.

**extinction** 1488, *Mer des hist.,* « action d'éteindre » ; 1680, Richelet, sens actuel ; lat. *exstinctio,* de *extinguere,* éteindre. || **extincteur** 1719, Dufresny, « qui anéantit » ; 1870, Lar., appareil ; lat. *extinctor.* || **extinguible** 1560, Paré ; bas lat. *exstinguibilis,* qui doit s'éteindre. || **inextinguible** 1495, J. de Vignay ; bas lat. *inextinguibilis,* qui ne peut être éteint.

**extirper** 1361, Oresme, « faire disparaître » ; 1560, Paré, méd. ; 1690, Furetière, agriculture ; lat. *exstirpare,* de *stirps, -ipis,* souche. || **extirpateur** XIVe s. ; bas lat. *exstirpator.* || **extirpation** av. 1453, Monstrelet ; lat. *exstirpatio.* || **extirpable** 1870, Lar. || **inextirpable** début XVIe s.

**extorquer** 1355, Bersuire ; lat. *extorquere,* de *torquere,* tordre, au sens fig. ; l'anc. fr. avait une forme pop. *estordre* au sens propre et fig.

|| **extorqueur** 1611, Cotgrave. || **extorsion** 1290, Drouart ; bas lat. *extorsio.*

**extra** n. m., 1732, Trévoux, « jour extraordinaire où se tient une audience » ; 1846, Balzac, « dépenses extraordinaires » ; XIXe s., « service exceptionnel » ; adj. invar., 1825, Brillat, abrév. de *extraordinaire ;* d'abord préfixe au sens de « hors de » (*extrabudgétaire* 1865, L. ; *extra-parlementaire* 1907, Lar. ; *extra-utérin* 1855, Nysten), du lat. *extra,* il a pris au XIXe s. le sens superlatif (*extra-fin*) ; || **extra-dry** 1877, Bonnafé ; angl. *dry,* sec. || **extra-fin** av. 1850, Balzac. || **extra-fort** 1870, Lar.

**extraction** V. EXTRAIRE.

**extradition** 1763, Voltaire ; lat. *ex,* hors de, et *traditio,* action de livrer. || **extrader** 1777, *Traité franco-suisse ;* d'apr. le lat. *tradere,* livrer.

**extrados** V. DOS.

***extraire** 1080, *Roland* (*estraire*) ; XVe s., refait en *ex* d'apr. le lat. ; du lat. pop. **extragere,* issu du lat. *extrahere* (v. TRAIRE). || **extrait** 1312, Delb. (*estrait*), « résumé » ; 1541, Calvin, « substance extraite » ; part. passé de *extraire.* || **extraction** XIIe s., Delb. (*estration*) ; 1360, Froissart (*estraction*), « origine sociale » ; 1398, *Somme Gautier,* « séparation d'un produit d'une matière » ; lat. *extractus,* part. passé de *extrahere.* || **extractif** 1555, Aneau ; rare jusqu'au XVIIIe s. || **extractible** 1877, L. || **extracteur** 1560, Paré, abstracteur de quintessence ; début XIXe s., techn.

**extraordinaire, extrapoler** V. ORDINAIRE, INTERPOLER.

**extravaguer** 1539, R. Est., « s'écarter de la voie » ; 1662, Pascal, « déraisonner » ; lat. scolastique *extravagari,* de *extra,* au-dehors, et *vagari,* errer. || **extravagant** 1380, G., « en dehors du droit canonique » ; XVIIe s., sens actuel ; lat. ecclés. *extravagans, antis.* || **extravagance** fin XVe s., *Alector,* « digression » ; 1580, Montaigne, « caractère de ce qui s'écarte de la norme » ; XVIIe s., sens actuel. || **extravagamment** 1596, Vigenère.

**extravaser** V. VASE.

**extraverti** v. 1950, de *extra-,* hors de, et lat. *versus,* tourné vers (v. INTROVERTI). || **extraversion** 1747, James, chimie ; v. 1950, psychologie.

**extrême** XIIIe s., *Guinglain* (*est-*) ; XIVe s., (*extrême*) ; milieu XVIe s., « immodéré » ; lat. *extremus,* superlatif de *exter,* extérieur. || **extrêmement** 1549, R. Est. || **extrême-onction** V. ONCTION. || **extrémiser** 1865, L., « donner l'extrême-onction ». || **extrémisme** 1911, Lar. || **extrémiste** *id.* || **extrémité** 1265, J. de Meung, « degré extrême » ; 1314, Mondeville, « partie extrême ».

**extrinsèque** 1314, Mondeville ; adv. lat. *extrinsecus,* au-dehors, de *secus,* loin ; se dit de ce qui ne dépend pas du fond intime d'une chose. || **extrinsèquement** 1541, Canappe.

**extrusion** début XXe s. ; lat. *extrudere,* rejeter, sur *intrusion.*

**exubérant** XVe s., Robertet ; lat. *exuberans,* part. prés. de *exuberare,* regorger, de *uber,* fertile. || **exubérance** 1560, Paré, « développement excessif » ; 1836, Landais, fig. ; lat. *exuberantia.* || **exubérer** 1611, Cotgrave.

**exulcérer** V. ULCÈRE.

**exulter** XVe s. ; lat. *exsultare,* sauter, être transporté de joie, de *saltus,* saut. || **exultation** XIIe s., *Bible ;* lat. *exsultatio.*

**exutoire** fin XVIIIe s., méd. ; 1825, Brillat-Savarin, fig., « dérivatif » ; lat. *exutus,* part. passé de *exuere,* enlever.

**exuvie** XXe s. ; lat. *exuviae,* dépouille des animaux.

**ex-voto** 1643, Saint-Amant ; abrév. de *ex voto suscepto,* « suivant le vœu fait », formule lat. de dédicace dans les inscriptions ; lat. *votum,* vœu, et *susceptus,* pris.

**eyra** 1839, Boiste, « puma » ; lat. scientif., d'une langue du Brésil.

**fa** V. UT.

***fable** 1190, Garnier, « court récit allégorique » ; 1555, Ronsard, « récit imaginaire » ; 1667, Corn., « mythologie » ; lat. *fabula,* propos, récit, de *fari,* parler (v. ENFANT). || **fabliau** 1196, Bodel, « conte plaisant » ; forme picarde reprise par Fauchet (XVIe s.). || **fablier** XVIIe s., d'Olivet, faiseur de fables. || **fabulation** 1839, Balzac, « version romanesque » ; fin XIXe s., psychiatrie ; lat. *fabulatio,* récit. || **fabulateur** XVIe s., « narrateur, fabuliste » ; début XXe s., « qui fabule ». || **fabuler** v. 1950. || **fabuliste** 1588, Guterry ; esp. *fabulista,* recréé par La Fontaine (1668) d'apr. *fabula.* || **fabuleux** XIVe s., « inventé » ; 1714, Fénelon, « extraordinaire » ; 1835, *Acad.,* « étonnant par ses dimensions » ; lat. *fabulosus,* mensonger. || **fabuleusement** XVe s., G. || **affabulation** fin XVIIIe s., Laharpe ; lat. *affabulatio,* moralité d'une fable (Priscien). || **affabuler** XXe s. || **confabuler** 1521, Delb. ; lat. *confabulari.* || **confabulation** 1490, Tardif ; bas lat. *confabulatio,* de *confabulari,* converser.

**fabrique** XIIIe s., *Traité de Salomon,* « construction religieuse » ; v. 1350, Machaut, « fabrication » ; XVe s., L., *conseil de fabrique ;* 1679, Savary, « établissement industriel » ; déverbal de *fabriquer.* || **fabricien** milieu XVIe s. (var. *fabricier,* 1611, Cotgrave), d'apr. le sens de *fabrique,* « revenus affectés à l'entretien d'une église » (*fabrice, -isse,* fin XIVe s.). || **fabriquer** fin XIIe s., G., « confectionner » ; 1690, Furetière, « faire un produit » ; 1580, Montaigne, « faire sans brio » ; 1656, Pascal, « forger », fig. ; lat. *fabrĭcare.* || **fabricant** XVe s., Molinet, celui qui fabrique quelque chose ; 1740, *Acad.,* sens mod. || **fabricateur** 1460, Chastellain ; lat. *fabricator.* || **fabrication** 1455, Fossetier ; lat. *fabricatio.* || **préfabriqué** v. 1950. (V. aussi FORGE.)

**fabulation, fabuliste** V. FABLE.

**façade** 1567, Ph. Delorme (*fassade*) ; 1690, Furetière (*façade*) ; ital. *facciata,* de *faccia,* face.

***face** 1120, *Ps. de Cambridge,* « surface de qqch » ; 1131, *Couronn. Loïs,* « visage de qqn » ; XIIe s., Grégoire, fig. ; *faire face* 1657, Scarron ; *en face de* XVe s., Molinet ; *en face* XIIIe s., *Roman de Renart ; de face* 1763, d'Alembert ; *face à face* 1170, *Floire et Blanchefor ;* lat. pop. **facia,* du lat. *facies.* || **facette** XIIe s., *Athis,* « petit visage » ; 1653, Cyrano, « face plane d'un objet ». || **facetter** 1454, Delb. || **face-à-main** 1888, Lar. || **facial** 1545, Bouchet ; rare jusqu'au XIXe s. || **faciès** 1758, Duhamel, bot ; 1836, *Acad.,* « aspect général du visage » ; mot lat. signif. « face ». || **surface** 1120, *Ps. d'Oxford* (*superface*) ; 1611, Cotgrave (*surface*) ; d'apr. le lat. *superficies.* (V. EFFACER.)

**facétie** 1490, Tardif (*-cie*) ; 1580, Montaigne (*facétie*) ; lat. *facetia,* de *facetus,* plaisant, proprement « bien fait », de *facere,* faire. || **facétieux** *id.* || **facétieusement** *id.*

***fâcher** milieu XVe s. (*fascher*), « dégoûter » ; 1539, R. Est., « causer de la douleur, de la colère » ; 1656, Molière, « être en mauvais termes avec qqn » ; mot de l'Ouest ; lat. pop. **fasticāre,* altér. probable de **fastidiare,* de *fastidium,* ennui (v. FASTIDIEUX). || **fâcherie** XVe s., « tristesse » ; fin XVIIIe s., « mésentente ». || **fâcheux** XVe s., « qui fâche » ; 1530, Marot, « difficile à supporter » ; début XXe s., « regrettable » ; n. m. 1538, R. Est., « importun ».

**facial** V. FACE.

**faciende** 1552, Rab., « occupation » ; 1642, Oudin (var. *facende*) ; 1665, La Fontaine, « intrigue » ; ital. *faccenda,* besogne, d'apr. le lat. *facienda,* « choses devant être faites », part. futur passif de *facere* (v. HACIENDA). || **faciendaire** 1580, *Sat. Ménippée.*

**faciès** V. FACE.

**facile** milieu XV^e^ s. ; milieu XVI^e^ s., Amyot, en parlant de qqn ; lat. *facilis,* « qui se fait aisément », de *facere,* faire. || **facilement** 1475, Delb. || **facilité** fin XV^e^ s. ; 1656, Pascal, au pl., « occasion » ; lat. *facilitas.* || **faciliter** XV^e^ s. ; ital. *facilitare.*

***façon** 1160, Benoît, « aspect de qqn » ; XII^e^ s., *Roncevaux,* « modalité d'une action » ; 1587, La Noue, « forme donnée à un objet » et « comportement » ; *sans façons* 1660, Molière ; *de façon que* 1580, Montaigne ; lat. *factio, -ionis,* action de faire (v. FACTION). || **façonner** 1175, Chr. de Troyes. || **façonnier** 1549, R. Est. || **façonnement** 1611, Cotgrave. || **façonnage** 1776, Restif de La Bretonne. || **contrefaçon** 1268, É. Boileau. || **malfaçon** 1268, É. Boileau (*male-*).

**faconde** 1160, Benoît, « facilité de parole » ; 1813, Delille, péjor ; lat. *facundia,* éloquence.

**fac-similé** 1820, V. Hugo ; mot lat. signif. « fais une chose semblable », de *facere,* faire, et *simile,* neutre de *similis,* semblable. || **fac-similer** 1858, Goncourt.

**factage** V. FACTEUR.

**facteur** 1339, G. Saige, « celui qui fait » ; il a remplacé la forme *faiteur* en moyen fr. ; 1360, Froissart, agent commercial ; 1699, Carré, facteur d'orgues, et math. ; 1651, *Recueil des lois,* « facteur de lettres » ; 1704, Trévoux, employé des postes ; 1836, Landais, facteur de pianos ; lat. *factor,* de *factum,* part. passé de *facere,* faire. || **factage** 1845, Besch., employé de messageries. || **factorage** 1756, *Encycl.,* fonction d'agent commercial. || **factorerie** 1428, Delb. (*factorie*) ; XVI^e^ s. (*-rerie*) ; de *facteur,* agent commercial. || **facture** XIII^e^ s., « fabrication » ; XVI^e^ s., « travail, œuvre » ; fin XVI^e^ s., pièce comptable ; lat. *factura,* fabrication. || **factoriel** 1959, Lar. || **factoriser** v. 1950. || **facturer** milieu XVIII^e^ s., Buffon, « fabriquer » ; 1836, Landais, sens mod. || **facturation** 1935, Sachs-Villatte. || **facturier** 1849, Besch.

**factice** 1534, Rab., « produit par l'homme » ; 1778, Rousseau, « simulé » ; lat. *facticius,* artificiel, de *facere,* faire (v. FÉTICHE). || **facticité** 1873, A. Daudet.

**faction** 1355, Bersuire, « groupe violent » ; lat. *factio,* parti politique ; 1550, La Boétie, garde, guet, repris à l'ital. *fazione.* || **factionnaire** XVI^e^ s., « agent, factieux » (encore 1642, Oudin) ; 1671, Pomey, spécialisé au sens milit. || **factieux** 1460, Le Fèvre ; lat. *factiosus,* agissant, actif, au sens d'intrigant ; il a remplacé *factionnaire* dans cet emploi au XVIII^e^ s. || **factieusement** 1660, Oudin.

**factitif** 1890, *D. G.,* gramm. ; lat. *factitare,* faire souvent, fréquentatif de *facere,* faire ; forme verbale signif. « faire faire quelque chose ».

**factotum** 1545, Le Maçon (*-toton*) ; 1570, Monluc (*-totum*) ; de la loc. lat. *factotum,* « fais tout », avec l'anc. prononc. du lat. (V. DICTON.)

**factuel** v. 1950 ; lat. *factum,* fait, sur l'angl. *factual,* relatif au fait.

**factum** 1532, Rab., « mémoire d'un procès » (jusqu'au XVIII^e^ s.) ; 1601, L'Estoile, « libelle » ; 1671, Pomey, « pamphlet » ; mot lat. signif. « fait ».

**facture** V. FACTEUR.

**faculté** fin XII^e^ s., « capacité physique ou morale » ; XIII^e^ s., « collège universitaire », sens qui s'est développé au Moyen Âge ; lat. *facultas, -atis,* capacité, moyen, du lat. *facul,* facilement, de *facere,* faire. || **facultatif** 1694, *Acad.,* « qui donne une faculté » ; 1836, Landais, sens mod. || **facultativement** v. 1850.

**fada** 1578, d'Aubigné (*fadasse*) ; 1761, Voltaire, puis 1930 (*fada*) ; prov. mod. *fadas,* de *fado,* fée, c.-à-d. « servi par les fées » (iron.).

**fadaise** 1541, Calvin ; prov. *fadeza,* sottise, de *fat,* sot. (V. FAT.)

***fade** XII^e^ s., *Vie d'Édouard le Confesseur ;* lat. pop. **fapidus* ou **fatidus,* croisement de *vapidus,* éventé, de *vapor,* vapeur, et *fatuus,* fade. (V. FAT.) || **fadement** 1553, Rab. || **fadeur** XIII^e^ s., Suder, mais rare jusqu'au XVII^e^ s. (1611, Cotgrave). || **affadir** XIII^e^ s., *Hist. Guillaume le Maréchal.* || **affadissement** 1578, La Borderie.

**fader** 1725, Granval, argot, « partager les objets volés » ; prov. mod. *fada,* douer d'une vertu surnaturelle, par ext. avantager ; de *fado,* fée.

**fading** 1930, Lar. ; mot angl. signif. « action de disparaître, de s'effacer ».

**fafiot** 1627, Savot, « jeton » ; 1821, Ansiaume, « papier d'identité » ; 1847, Balzac, « billet de banque » ; sans doute onom. (bruit du papier froissé). La finale *-iau* (*-iot*) est la forme régionale du suffixe *-eau.* || **faffes** 1829, Esnault, pop., billets de banque.

**fagara** 1598, Lodewijcksz ; ar. *fagar,* nom d'arbre. || **fagarier** 1786, *Encycl. méth.*

**fagne** 1840, *Acad.*, « marais bourbeux » ; mot wallon, du francique **fanja*, limon, vase. (V. FANGE.)

**fagot** XIIe s. ; lat. pop. **facus*, botte, sans doute du gr. *phakelos*, faisceau, fagot. || **fagoter** 1268, É. Boileau, « mettre en fagots » ; 1585, N. du Fail, « accoutrer ». || **fagoteur** 1215, G. || **fagotage** 1580, Montaigne, « travail fait rapidement » ; fin XIXe s., « habillement ridicule ». || **fagotin** 1584, *Somme des pechez*, « petit fagot » ; XVIIe s., « singe » d'apr. un surnom donné à un singe.

***faible** 1080, *Roland* (*fieble*) ; 1175, Chr. de Troyes (*foible*) ; XVIIe s. (*faible*) ; lat. *flēbilis*, déplorable (de *flēre*, pleurer), par ext. faible ; le premier *l* est tombé par dissimilation. || **faiblement** 1080, *Roland* (*fieblement*). || **faiblesse** 1050, *Alexis*. || **faiblir** 1188, Aimon de Varennes (*flebir*) ; fin XVIIe s. (*faiblir*) ; rare jusqu'au XVIIe s. || **faiblard** 1890, *D. G.* || **affaiblir** 1120, *Ps. de Cambridge*. || **affaiblissement** 1290, Drouart.

**faïence** fin XVIe s., L'Estoile (*faenze*) ; XVIe s. (*fayence*) ; 1642, Oudin (*faiance*) ; fin XVIIe s. (*faïence*) ; de *Faenza*, ville d'Italie qui fabriquait la faïence. || **faïencerie** 1743, Trévoux. || **faïencier** 1680, Richelet.

1. **faille** fin XIIIe s., *Roman de Renart*, « voile de femme », mot du Nord-Est, d'où *taffetas à failles* et, par ellipse, *faille*, étoffe ; correspond au néerl. *falie*, vêtement de femme, d'origine obscure.

2. **faille** 1155, Wace, « manque » ; *sans faille* 1131, *Couronn. Loïs* ; 1771, Schmidlin, « interruption d'un filon », repris au wallon ; lat. pop. **fallia*, de **fallire*, manquer, de *fallere*, faire défaut. || **faillé** XXe s.

**failli** 1606, Nicot ; adaptation, d'apr. *faillir*, de l'ital. *fallito*, de *fallire*, manquer d'argent pour payer. || **faillite** XVIe s., Loysel ; fin XIXe s., fig. ; ital. *fallita*.

***faillir** 1050, *Alexis* (au futur, 3e pers. sing., *faldra*) ; « commettre une faute » ; milieu XVIe s., Amyot, « être sur le point de » ; lat. *fallĕre*, tromper, « manquer à », avec changement anc. de conjugaison. Le *l* mouillé vient des temps et des pers. du lat. qui avaient un *i* en hiatus (*falliunt* devient *faillent*, mais *faillit* donne *faut*, usuel en anc. fr.). || **faillible** 1265, J. de Meung ; rare jusqu'au XVIIIe s. ; lat. médiév. *faillibilis*. || **faillibilité** fin XIIIe s., G. ; puis 1697, Bayle ; lat. médiév. *faillibilitas*. || **défaillir** 1080, *Roland*, « manquer, faire défaut » (jusqu'au XVIIe s.) ; milieu XVIe s., Amyot, « se trouver mal ». || **défaillance** 1190, Saint Bernard, « fait de faire défaut » ; 1549, R. Est., « évanouissement ». || **défaut** XIIIe s., « manque » (encore dans *faire défaut*) ; 1636, Monet, « imperfection », fait sur la 3e pers. *il faut*. || **infaillible** XIVe s., *Nature à alchimie ;* bas lat. *infallibilis*, infaillible, refait d'après *faillible*. || **infailliblement** milieu XVe s., Joret. || **infaillibilité** milieu XVIe s. ; lat médiév. *infaillibilitas*.

**faillite** V. FAILLI.

***faim** XIe s. ; lat. *fames*. || **famine** 1170, *Rois*. || **famélique** XVe s., G. ; lat. *famelicus*, affamé. || **familleux** 1130, *Eneas*, « affamé » ; anc. fr. *fameiller*, « avoir faim », du bas lat. *famecularе*. || **faim-valle** début XIIe s., *Thèbes*, « grande faim » ; 1694, Th. Corn, « boulimie des chevaux » ; du breton *gwal*, mauvais (correspond à l'anc. fr. *male faim*). || **affamer** XIIe s. ; lat. pop. **affamare*, de *fames*. || **affameur** 1791, Marat. || **affamement** 1876, Daudet.

***faine** XIIe s., *Parthenopeus (favine) ;* 1258, *Roman de Mahomet* (*faïne*) ; lat. pop. **fagina* (*glans*), gland de hêtre, lat *fagus*, hêtre.

**fainéant** début XIVe s., G. (*fainoient*) ; XVIe s., prononcé *féniant* d'apr. Baïf, d'où la graphie *feignant (*XIII[e] s.), sous l'infl. de *feindre*, de *fait* et de *néant* (« qui fait rien » ).|| **fainéantise** 1539, R. Est. || **fainéanter** 1690, Furetière (*fait-néanter*). || **affainéantir** 1584, Duret.

***faire** 842, *Serments* (*facet*, 3e pers. subj.) ; Xe s., *Eulalie* (*faire*) ; lat. *facĕre*, altéré à l'inf. en **fagĕre*, d'apr. *agere ;* le futur et le conditionnel reposent sur la forme abrégée **farehabeo*, d'où *je ferai*. || **faisable** 1361, Oresme. || **faisabilité** v. 1950 ; d'après l'angl. *feasability*. || **infaisable** début XVIIe s. || **faisance** 1160, *Tristan*. || **faiseur** 1155, Wace (*facerre*, cas sujet), « créateur » ; 1361, Oresme (*faiseur*), « qui fait qqch » ; 1789, Esnault « hâbleur ». || **fait** n. m. XIIe s., *Roncevaux*. || **fait-tout, faitout** 1890, *D. G.*, marmite qui fait tout. || **faire-part** V. PART. || **faire-valoir** 1877, L. || **affaire** XIIe s., *Marbode*, masc. ; XVIe s., fém. || **affaires** 1788, Clément, sens actuel ; *gens d'affaires*, 1808, Fourier. || **affairiste** XXe s. || **affairé** 1584, Guevarre, « besogneux » ; fin XVIe s., « très occupé ». || **affairisme** 1928. || **affairer (s')** 1876, A. Daudet. || **affairement** XIIIe s. ; milieu XIXe s., sens mod. || **défaire** 1080, *Roland* (*des-*). || **défaite** 1273, G., « faute de faire » ; 1475, Delb., « déroute » ; part. passé substantivé au fém. || **défaitiste** 1916, Alexinsky, appliqué aux Russes. || **défaitisme** *id.* || **entrefaites** XIIIe s.

*Merlin,* « entreprise », resté dans *sur ces entrefaites* (milieu XVI^e s.) ; part. passé substantivé de *entrefaire.* ‖ **forfaire** 1080, *Roland,* « agir en dehors (*fors*) du devoir ». ‖ **forfait** fin XI^e s., *Lois de Guill.,* « crime » ; 1580, *Edit* (*fayfort*) ; XVII^e s. (*forfait*), « contrat » ; de *for,* au sens ancien de « taux » ; 1829, *Journ des haras,* terme de courses ; XIX^e s., « inexécution d'un engagement » ; d'après l'angl. *forfeit,* amende, du français *forfait,* transgression. ‖ **forfaitaire** XX^e s. ‖ **forfaiture** XII^e s., *Lois de Guill.* ‖ **malfaire** 1130, *Eneas.* ‖ **malfaisant** XII^e s., *Roncevaux.* ‖ **malfaisance** 1738, d'Argenson. ‖ **méfait** 1130, *Eneas ;* avec le préfixe *mes-.* ‖ **malfaiteur** 1170, *Rois* (*malfaitur*) ; XIV^e s. (*malfaiteur*) ; réfection de *maufaiteur* (XII^e s.) ; lat. *malefactor,* « qui agit mal ». ‖ **parfaire** fin XII^e s., R. de Moiliens. ‖ **surfaire** XII^e s., Herman de Valenciennes. (V. PARFAIT.)

**fair-play** 1856, Montalembert ; loc. angl. signif. « jeu loyal », de *fair,* franc, honnête, et *play,* jeu.

**faisan** 1175, Chr. de Troyes (*fesant*), 1552, R. Est (*faisan*) ; au fig. 1896, Delesalle, « tricheur, trompeur, escroc », d'apr. *faiseur ; lat. phasianus,* du gr. *phasianos* (*ornis*), oiseau du Phase en Colchide. ‖ **faisandeau** 1373, Gace de la Bigne. ‖ **faisander** 1398, *Ménagier.* ‖ **faisandage** 1866, Goncourt, « corruption » ; 1875, *l'Univers illustré,* sens propre. ‖ **faisanderie** 1669, Rommel.

***faisceau** XII^e s., Delb. ; lat. pop. **fascellus,* dér. de *fascis,* fagot. (V. FAIX.)

**faiseur** V. FAIRE.

**faisselle** fin XII^e s., G. (*feiscelle, foisselle*) ; mot dial. ; lat *fiscella,* dimin. de *fiscus,* corbeille.

**fait** V. FAIRE.

**faîte** 1160, Benoît (*fest*) ; 1175, Chr. de Troyes (*feste*), fém. ; XVI^e s., masc., d'apr. le lat. *fastigium ;* francique **first* (allem. *First*) ; les Germains n'avaient que le toit à faîtage. ‖ **faîtage** 1213, *Fet des Romains* (*festage*), « droit seigneurial sur les constructions » ; 1676, Félibien, techn. ‖ **faîteau** 1329, *Actes normands* (*festel*), « poutre du faîte » ; XVI^e s., Vauquelin (*faîteau*), « tuile creuse, ornement d'un toit ». ‖ **faîtière** 1287, Bevans (*festiere*). ‖ **enfaîter** 1400, G. ‖ **enfaîteau** 1402, G. ‖ **enfaîtement** 1676, Félibien.

**fait-tout** V. FAIRE.

***faix** 1080, *Roland* (*fais*), « charge » ; 1170, *Rois,* fig. ; lat. *fascis,* au sens de « fardeau » ; le sens propre est pris par le dér. *faisceau.* ‖ **affaisser** XIII^e s., « supprimer » ; 1529, G. Tory, sens actuel, « faire plier sous le faix ». ‖ **affaissement** 1538, R. Est., sédiment. ‖ **portefaix** 1270, *Romania* (*porte-fays*) ; 1538, R. Est. (*portefaix*).

**fakir** 1653, de La Boullaye ; ar. *faqir,* pauvre. ‖ **fakirisme** 1894, Sachs.

**falaise** 1130, *Eneas* (*-eise*) ; 1182, Thibaud (*falaise*) ; mot normanno-picard, du francique **falisa,* rocher, avec déplacement d'accent (anc. haut allem. *feliso,* allem. *Fels,* rocher).

**falbala** 1692, Caillières, « volant de robe, de rideaux » ; 1872, Lar., péjor. ; prov. mod. *farbella,* (ital. *faldella,* pli de vêtement), de l'anc. fr. *felpe,* guenilles. ‖ **falbalassé** 1765, Gohin.

**falciforme** 1812, *Encycl. méth. ;* lat. *falx, falcis,* faux, et *forme.*

**falconidé** 1872, Lar. ; lat. *falco, -onis,* faucon.

**faldistoire** 1668, Aranton ; lat. eccl. *faldistorium,* forme lat. du francique **faldistôl,* fauteuil ; désigne le siège liturgique des évêques ; précédemment toujours employé en latin. (V. FAUTEUIL.)

**fallace** XIII^e s., G. (*fallasse*) ; 1360, Froissart (*fallace*), « tromperie » ; lat. *fallacia,* de *fallere,* tromper. ‖ **fallacieux** 1495, J. de Vignay ; lat. *fallaciosus,* qui cherche à tromper. ‖ **fallacieusement** 1552, R. Est.

***falloir** 1130, *Eneas* (*falt,* ind. prés.) ; lat. pop. **fallĕre,* du lat. class. *fallĕre,* qui a donné aussi « faillir » ; le sens lat. « manquer à » s'est développé en « manquer » (*petit s'en faut,* puis *peu s'en faut*), d'où au XV^e s. *il faut,* « il fait besoin », « il est nécessaire ».

1. **falot** 1371, Cuvelier (pl. *falos*), « torche, flambeau » ; 1578, Havard, « fanal d'un navire » ; toscan *falô* (XIV^e s., feu pour signal), altér. du bas gr. **pharos* (v. PHARE).

2. **falot** 1466, Baude, n. m., « plaisant compagnon » ; adj., 1534, B. des Périers, « joyeux » ; 1651, Livet, « grotesque » ; 1922, Lar., « terne, effacé » (avec infl. de *pâlot*) ; angl. *fellow,* compagnon (Rab., 1560, *goud fallot,* pour *good fellow*).

**falourde** 1311, G. (*vallourde*), « fagot de bûches » ; 1419, Fauquemberge (*falourde*) ; par infl. de l'anc. fr. *falourde,* tromperie, qui se rattache au lat. *fallere,* tromper ; orig. obscure.

**falquer** 1690, Furetière, « exécuter des courbettes » en équitation ; ital. *falcare,* « se courber comme une faux », spécialisé en équitation.

**falquet** XVI^e s., d'Arcussia, « faucon hobereau » ; ital. *falchetto,* dimin. de *falco,* faucon.

**falsifier** début XIV^e s., « altérer » ; 1633, Corn., « tromper » ; XX^e s., « rendre faux » (d'après l'angl.) ; bas lat. *falsificare* (IV^e s., Prudence), de *falsus,* faux. || **falsificateur** 1510, Delb. || **falsification** 1369, G.

**faluche** 1888, Esnault ; mot lillois, d'orig. obscure.

**falun** 1720, Réaumur, géol. ; mot provençal moderne désignant une sorte de marne. || **faluner** 1756, *Encycl.* || **falunage** 1835, *Maison rustique.* || **falunière** *id.*

**falzar** 1878, Rigaud, « pantalon » ; gr. moderne *salvari,* culotte bouffante, du turc *chalvar.*

**famé** XII^e s., Wavrin ; anc. fr. *fame* (XII^e s.-XVI^e s.), du lat. *fama,* renommée. || **fameux** XV^e s., « renommé » ; 1730, Marivaux, « remarquable » ; 1778, Voltaire, « à un degré élevé » ; lat. *famosus,* célèbre. || **famosité** 1829, Boiste. || **fameusement** 1642, Oudin. (V. DIFFAMER, INFAMIE.)

**famélique** V. FAIM.

**famille** fin XII^e s., *Loherains,* « serviteurs » ; 1355, Bersuire, « personnes unies par le sang et l'alliance » ; lat. *familia.* || **familier** 1155, Wace (*famelier*) ; 1361, Oresme (*familier*) ; lat. *familiaris.* || **familièrement** XII^e s., *Grégoire.* || **familial** 1837, Fourier. || **familiariser** 1585, Cholières. || **familiarité** début XII^e s., *Grégoire ;* lat. *familiaritas.* || **familistère** 1859, Godin, « coopérative de production ».

**famine, fan** V. FAIM, FANATIQUE.

**fanal** 1552, Rab. (*phanal*) ; 1564, Thierry (*fanal*), « lanterne de navire » ; 1756, Voltaire, « lanterne des rues » ; 1879, Loti, « grosse lanterne » ; ital. *fanale,* du lat. médiéval *fanarum,* du gr. byzantin *phanarium,* petite lanterne, qui a donné le français *phanars* (1369, Delisle), de *phanos,* lumière, flambeau.

**fanatique** 1532, Rab., « d'inspiration divine » ; XVI^e s., sens mod. ; lat. *fanaticus,* inspiré, proprement « relatif au temple » (*fanum*). || **fan** 1923, *Mon Ciné,* abrév. || **fanatiser** 1752, Trévoux. || **fanatiquement** fin XVIII^e s., M^me Roland. || **fanatisme** 1689, Bossuet, « état d'inspiration divine » ; 1758, Rousseau, sens actuel.

**fanchon** 1828, *Journ. des dames ;* de *Fanchon,* anc. forme hypocoristique de Françoise, devenue nom de paysanne.

**fandango** 1756, Coste ; mot esp. d'orig. inconnue.

***faner** XII^e s., Delb. (*fener*) ; 1360, Froissart (*faner*) ; XVI^e s. (*fanir*) ; lat. pop. *fenare,* de *fenum,* foin. || **fanage** 1312, G. (*fenage*). || **fane** 1385, G. || **faneur** 1275, G. (*feneor*) ; 1690, Furetière (*faneur*). || **faneuse** 1859, *Encycl.,* agric., « machine ». || **fenaison** 1287, Delb. (*feneison*) ; 1600, O. de Serres (*fenaison*). || **fanure** 1877, Daudet.

**fanfan** V. ENFANT.

**fanfare** 1546, Rab., « morceau de musique » ; 1587, La Noue, « sonnerie de trompe » ; 1865, L., « orchestre » ; *reliure à la fanfare,* XVI^e s. ; orig. obscure, peut-être onomatop.

**fanfaron** av. 1613, Régnier, « jeune galant » ; 1636, Corn., « qui fait le brave » ; esp. *fanfarron,* de l'ar. *farfār,* bavard, léger. || **fanfaronnade** fin XVI^e s. || **fanfaronner** 1642, Oudin. || **fanfaronnerie** fin XVI^e s.

**fanfreluche** 1534, Rab., « ineptie » ; 1541, Calvin, « chose très petite » ; 1680, Richelet, « garniture féminine » ; altér. de l'anc. fr. *fanfelue,* bagatelle (XII^e s., *Parthenopeus*) ; *-luce,* 1395, Chr. de Pisan ; bas lat. *famfaluca* (VIII^e s.), déformation du gr. *pompholux,* bulle d'air. || **fanfrelucher** 1617, Olivier.

**fange** 1160, *Tristan ;* lat. pop. **fania,* du germ. *fani,* boue, ou empr. directement au germ. (prov. *fanga*). || **fangeux** 1130, *Eneas.*

**fanion** 1180, *Aiquin* (*feinion*) ; 1673, La Chesnaye-Desbois (*fanion*) ; forme pop. de **fanillon,* dimin. de *fanon.*

**fanon** 1053, Du Cange, « manipule de prêtre » et « fanion » en anc. fr. ; *fanon de coq* fin XIII^e s. ; *fanon de bœuf* 1538, R. Est. ; francique **fano,* morceau d'étoffe (allem. *Fahne,* drapeau).

**fantaisie** XII^e s. (*fantasie,* encore au XVI^e s.), « vision » ; 1361, Oresme (*fantaisie*), « imagination » ; 1538, R. Est., « caprice » ; lat. *fantasia,* du gr. *phantasia* signif. « apparition » et par ext. « imagination ». || **fantaisiste** 1845, Besch. || **fantaisisme** 1852, Nerval.

**fantasia** 1842, titre d'un tableau de Delacroix ; esp. *fantasia,* fantaisie, interprété d'une manière erronée par le spectateur européen ou lié à l'ar. *fantazia,* fête brillante, du gr. *phantasia,* apparition.

**fantasmagorie** 1799, Brunot, « appliqué à la lanterne magique » ; 1831, Hugo, « spectacle trompeur » ; gr. *phantasma,* fantôme, et de *allégorie.* || **fantasmagorique** 1798, Potez.

**fantasme** fin XII^e^ s., « illusion » ; XIV^e^ s., « fantôme » ; 1827, *Acad.,* sens mod. ; lat. *phantasma,* mot. gr. signif. « vision », de *phainein,* apparaître. || **fantasmatique** 1851, Poitevin.

**fantasque** début XV^e^ s., Gerson ; ital. *fantastico,* fantastique, ou de *fantaste* (XVI^e^ s., Ronsard), « d'imagination vive », abrégé de *fantastique.* || **fantastique** 1361, Oresme, « imaginaire » ; 1580, Montaigne, « incroyable » ; bas lat. *phantasticus,* du gr. *phantastikos,* de *phantasia,* imagination. || **fantastiquement** 1380, Conty.

**fantassin** 1567, Baïf ; ital. *fantaccino,* de *fante,* forme raccourcie de *infante,* spécialisée en « valet », puis « fantassin ». (V. INFANTERIE.)

**fantoche** 1863, Gautier ; ital. *fantoccio,* marionnette, de *fante,* enfant ; appliqué d'abord à un jeu de pantins, comme le dimin. ital. (au pl.). || **fantoccini** 1812, Mozin.

**fantôme** 1130, *Eneas ;* gr. dialectal **fantauma,* du gr. *phantasma,* fantôme. || **fantomatique** 1858, Goncourt. || **fantomal** 1888, Daudet.

**fanum** 1756, *Encycl.,* mot lat. signif. « temple ».

***faon** 1131, *Couronn. de Loïs,* « petit d'animal » (jusqu'au XVII^e^ s.) ; 1549, R. Est., spécialisé pour le jeune cerf ; lat. pop. **feto, -onis,* de *fetus,* portée des animaux. || **faonner** 1188, *Aspremont.* (V. FŒTUS.)

**faquin** 1534, Rab., « portefaix » (jusqu'au XVII^e^ s.) ; 1561, Calvin, « sot et prétentieux » ; anc. fr. *facque,* poche, du moyen néerl. *fac,* espace clos. || **faquinerie** 1575, J. Des Caurres.

**farad** 1881, *Congrès des électriciens,* unité de capacité électrique, du nom du physicien Faraday (1791-1867). || **faradisation** 1865, L. ; angl. *faradization.*

**faramineux** XVIII^e^ s., mot de l'Ouest, dér. de (*bête*) *faramine,* animal fantastique (XVI^e^ s., « bête nuisible » dans *Cout. de Bretagne*) ; forme de l'occitan *faramio,* bête sauvage, de *feram,* du bas lat. *feramen* (IX^e^ s.), lat. *fera,* bête fauve.

**farandole** 1771, Schmidlin ; rare avant 1827, *Acad. ;* prov. mod. *farandoulo,* croisement de *barandello,* danse languedocienne, de *branda,* danser, et *flandrina,* lambiner. || **farandoler** fin XIX^e^ s., A. Daudet. || **farandoleur** 1877, L.

**faraud** 1628, *Jargon* (*pharos*), « gouverneur de ville » ; 1725, *Cartouche* (*farot*), « monsieur » ; 1743, Vadé (*faraud*), « fanfaron », sens péjor. ; anc. prov. *faraut,* héraut, qui représente une altér. de l'anc. fr. *héraut.*

**farce** V. FARCIR.

**farcin** 1190, Garn., inflammation des chevaux ; lat. *farcimen,* farce, andouille ; « farcin » en lat. pop. (le lat. class. dit *farciminum*). || **farcineux** XIII^e^ s.

***farcir** 1190, Garnier, « remplir » ; 1580, Montaigne, « mettre de la farce » ; 1265, J. de Meung, « surcharger de connaissances » ; *se farcir* 1932, Esnault ; lat. *farcīre,* bourrer. || **farcissure** 1580, Montaigne, au fig. || **farce** XIII^e^ s., *D. G.,* hachis ; XIV^e^ s., fig., comédie (introduite dans un mystère, comme la farce dans une volaille), d'où, 1573, Du Puys, « bouffonnerie, plaisanterie » ; lat. pop. **farsa,* féminin de **farsus,* part. passé de *farcire.* || **farcer** XIII^e^ s., *Apollonius,* « railler » ; 1718, *Acad.,* « faire des farces ». || **farceur** XV^e^ s., *Cent Nouv. nouvelles,* « auteur ou joueur de farces », et le sens actuel de « blagueur », qui seul a subsisté.

**fard** 1213, *Fet des Romains ;* déverbal de *farder.* || **farder** 1175, Chr. de Troyes ; 1398, *Ménagier,* fig. ; francique **farwidhon,* de *farwjan,* teindre (allem. *Farbe,* couleur). || **fardage** 1896, Delesalle.

**farde** 1155, Wace, « paquet » ; repris au XVIII^e^ s. (1787, Volney) ; ar. *farda,* charge d'un chameau, par ext. ballot (balle de café). || **fardeau** 1190, J. Bodel (*fardel*), « botte d'herbe » ; fin XIV^e^ s. (*fardeau*), « ballot », puis « charge » ; 1640, Corn., fig. || **farder** XIV^e^ s., G. li Muisis. || **fardage** 1392, Du Cange (*fardaige*). || **fardier** 1771, Schmidlin.

**farfadet** 1532, Rab. ; mot prov. mod., forme renforcée de *fadet,* dér. de *fado,* fée.

**farfelu** XVI^e^ s., *Anc. Théâtre français* (*fafelu*), « dodu » ; Sévigné (*fafelu*) ; repris au XX^e^ s. (1928, Malraux) avec le sens de « bizarre, fou » ; lat. pop. *famfaluca,* du gr. *pompholux,* bulle d'air (évolution sémantique comme *fou,* v. FOU 1). [V. FANFRELUCHE.]

**farfouiller** 1552, Rab. ; de *fouiller,* avec une initiale empruntée à *farcir.* || **farfouillement** 1892, Goncourt. || **farfouilleur** 1552, Rab.

**faribole** 1532, Rab. ; var. *faribourde* (XVIe s.) ; orig. obscure ; apparenté à des formes prov. diverses (*falabourdo...*), qui paraissent de même rac. que l'anc. fr. *falourde,* tromperie (de *faillir*).

**faridondaine** 1598, Marnix, refrain de chanson, composé expressif, formé de l'onomatopée *dondaine* (v. DONDON) et d'une particule obscure que l'on retrouve dans *farfouiller.*

***farine** 1170, *Rois ; rouler dans la farine* début XXe s. ; lat. *farīna,* de *far,* blé. || **farinacé** 1798, Richard, bot. || **farinade** début XXe s. || **fariner** 1460, Chastellain. || **farinier** XIIIe s., G. || **farineux** 1539, R. Est. ; d'apr. le bas lat. *farinosus.* || **farinet** 1701, Furetière, dé à jouer. || **enfariner** 1398, *Ménagier ; la bouche enfarinée,* Sévigné 1675.

**farlouse** 1555, Belon, petit passereau ; orig. inconnue.

**farniente** 1676, Sévigné ; mot ital., de *far(e),* faire, et *niente,* rien. (V. FAINÉANT.)

**faro** 1839, Boiste, sorte de bière ; mot wallon, du néerl. *faro.*

**farouch(e)** 1795, *Encycl. méth.,* trèfle incarnat ; mot languedocien et gascon signif. « foin rouge » (*fe routch*).

**farouche** fin XIIIe s., *Roman de Renart* (*faroche*), « sauvage » ; 1398, *Ménagier,* en parlant d'un animal ; 1664, Racine, « terrible » ; métathèse de l'anc. fr. *forasche,* forme restée dans le berrichon *fourâche,* mal apprivoisé ; du bas lat. *forasticus,* étranger, par ext. sauvage, puis farouche (cf. BARBARE), du lat. *foras,* dehors. || **farouchement** XVe s. ; rare avant le XXe s. || **effaroucher** 1495, J. de Vignay. || **effarouchement** XVIe s., Huguet.

**farrago** 1600, O. de Serres (*farrage*) ; XVIIIe s. (*-rago*), mot prov. ; lat. *farrago,* mélange de grains, de *far,* blé.

**fart** 1907, Lar. ; mot scandinave. || **farter** XXe s. || **fartage** *id.*

**Far West** 1918, Nozière ; mot anglo-américain signif. « Ouest lointain ».

**fasce** fin XIIe s., *Alexandre,* blas. ; lat. *fascia,* bandelette. || **fascé** 1467, Pomey. || **fascie** 1314, Mondeville, « bande » ; XVIIe s., architecture ; XVIIIe s., zool. ; lat. *fascia.* || **fascia** 1806, Lunier ; mot lat. || **fascié** 1737, Gersaint. || **fasciation** début XXe s.

**fascicule** XVe s., Farget, « petit paquet » ; 1690, Furetière, « petit paquet de plantes » ; fin XVIIIe s., terme de librairie ; lat. *fasciculus,* dimin. de *fascis,* faix, charge. || **fasciculaire** 1865, L. || **fasciculé** 1786, *Encycl. méth.,* bot., au sens de « petit faisceau ».

**fascie, fascié** V. FASCE.

**fascine** XVIe s. ; réfection, d'apr. l'ital. *fascina,* de l'anc. fr. *faissine, fessine* (XIIe-XVI[e] s.), fagot, fardeau, du lat. *fascina,* de *fascis,* faix, charge. || **fasciner** XVe s., G. (*fessiner*), garnir de fascines.

**fasciner** XIVe s., B. de Gordon (*fasiner*), « captiver par le regard » ; milieu XVIe s., Ronsard, « charmer » ; lat. *fascinare,* de *fascinum,* enchantement, sortilège ; il a remplacé la forme pop. *faisnier* (fin XIIe s., Bodel). || **fascinateur** milieu XVIe s., Ronsard ; rare jusqu'au XIXe s. || **fascination** XIVe s. ; lat. *fascinatio.*

**fascisme** 1922, Hazard ; ital. *fascismo,* de *fascio,* faisceau, puis groupement : le faisceau des licteurs était l'emblème du parti. || **fasciste** *id.* || **fasciser** v. 1955. || **fascisant** v. 1950. || **fascisation** v. 1965. || **antifascisme** 1924, Eaton.

**faséole** 1256, Ald. de Sienne (*fasole*) ; 1525, Lemaire ; lat. *phaseolus,* fève. (V. FLAGEOLET 2.)

**faséyer** 1687, Desroches (*fasier*) ; 1771, Trévoux (*faseyer*), mar., battre au vent ; néerl. *faselen,* agiter.

**fashion** 1698, *Observ. par un voy. ;* angl. *fashion,* mode, ton, du fr. *façon.* || **fashionable** 1804, Saint-Constant, en parlant des Anglais ; 1810, *Mercure,* appliqué aux Français.

**fasin** 1789, *Encycl. méth.,* cendre de charbon ; lat. pop. * *facīlis,* de *fax, facis,* tison. (V. FRAISIL.)

1. **faste** milieu XVIe s., avec aussi var. *fast ;* lat. *fastus,* n. m., orgueil ; le sens de « affectation », usuel au XVIIe s. (1651, Scarron) a laissé la place à celui de « luxe » (1674, Boileau). || **fastueux** *id. ;* bas lat. *fastuosus,* lat. class. *fastosus.* || **fastueusement** 1558, S. Fontaine.

2. **faste** 1548, Rab., « favorable », confondu avec *fauste* (1335, Bersuire) ; lat. *fastus,* [jour] faste, adj., de *fari,* parler. || **fastes** n. m. 1488, *Mer des hist. ;* comme traduction des *Fastes* d'Ovide, d'apr. le lat. *fasti* (*dies*), calendrier des jours fastes ; 1570, Hervet, sens du latin ; début XVIIe s., Malherbe, « hauts faits ». (V. NÉFASTE.)

**fastidieux** 1380, Conty ; lat. *fastidiosus,* de *fastidium,* dégoût. || **fastidieusement** 1762, *Acad.*

**fastigié** 1796, *Encycl. méth.,* bot. ; bas lat. *fastigiatus,* dressé, de *fastigium,* faîte ; se dit des tiges, des rameaux qui sont dressés et serrés, formant une pyramide étroite et élancée.

**fat** 1534, Rab., « sot » (encore au XVIIe s.) ; début XVIIe s., « content de soi » ; mot prov. signif. « sot », du lat. *fatuus,* fade, au sens fig. sot. || **fatuité** 1355, Bersuire, « sottise » ; 1696, La Bruyère, sens actuel ; lat. *fatuitas.* || **infatuer** 1380, *Aalma,* « rendre stupide » ; 1530, Palsgrave, sens mod. ; *infatué de,* « amoureux de », XVIe s. ; lat. *infatuare.* || **infatuation** début XVIIe s., « engouement » ; 1848, Chateaubriand, « fatuité ».

**fatal** 1355, Bersuire, « du destin » ; 1615, Pasquier, « imposé par le destin » ; lat. *fatalis,* de *fatum,* destin. || **fatalisme** 1724, le P. Castel. || **fataliste** fin XVIe s. ; rare jusqu'au XVIIIe s. (1738, Voltaire). || **fatalement** 1549, R. Est. || **fatalité** XVe s., P. de Lannoy ; bas lat. *fatalitas.* || **fatidique** fin XVe s., O. de Saint-Gelais ; lat. *fatidicus,* de *fatum,* destin, et *dicere,* dire. || **fatidiquement** 1874, *Gazette des tribunaux.*

**fatiguer** 1308, Aimé ; lat. *fatigare.* || **fatigue** 1308, Aimé ; déverbal. || **fatigant** 1666, Molière. || **fatigable** 1525, J. Lemaire. || **fatigabilité** début XXe s. || **infatigable** 1488, Vaganay ; lat. *infatigabilis.* || **infatigablement** 1495, J. de Vignay.

***fatras** 1320, Watriquet (*fatras*), « pièce de vers extravagante » ; 1580, Montaigne, « amas confus » ; p.-ê. lat. pop. conjectural **farsuraceus,* dér. du bas lat. *farsura,* farce de volailles (même rac. que *farcir*). || **fatrassier** 1611, Cotgrave. || **fatrasie** XIIIe s., Du Cange, genre littéraire.

**faubert** 1645, Fournier (*fauber*) ; 1701, Furetière (*faubert*), balai de fil de caret ; métaphore de l'anc. fr. *foubert,* qui se laisse duper, du n. propre germ. *Fulbert,* désignant le sot. || **fauberter** 1694, Th. Corn.

**faubourg, faucard** V. BOURG, FAUCHER.

***faucher** 1196, Bodel ; lat. pop. **falcare,* de *falx, -cis,* faux, qui avait remplacé *secare,* scier. || **faucard** XIVe s., *D. G. ;* de la forme picarde *fauquer.* || **faucarder** 1842, *Acad.* || **faucardage** 1907, Lar. || **fauchaison** 1160, Benoît. || **fauchage** 1374, G. || **fauchard** fin XIIe s., *Aymeri* (*faussard*). || **fauche** XIIIe s. ; déverbal de *faucher.* || **fauché** 1877, A. Daudet, sans argent. || **fauchée** 1231, G. || **fauchet** 1268, É. Boileau, râteau. || **fauchette** 1811, *Encycl. méth.* || **faucheur** fin XIIe s., Girard de Vienne. || **faucheuse** 1872, Lar., machine. || **faucheux** 1775, Bomare, prononc. pop. ; nom de l'« araignée des champs ». || **fauchon** 1280, Adenet.

**fauchère** 1796, *Encycl. méth.,* « croupière de mulet » ; prov. mod. *fauquièro,* de *falco,* croupe, en Rouergue ; même rac. que *falx, falcis,* faux.

***faucille** XIIe s., Delb. ; bas lat. *falcĭcula* (Ve s., *Palladius*), dimin. de *falx, -cis,* faux. || **faucillon** XIIIe s., *Fabliau.* || ***faux** 1175, Chr. de Troyes (*fauz*) ; 1360, Froissard (*faulx*) ; lat. *falx, -cis.*

***faucon** 1080, *Roland* (*falcun*) ; XIIe s., *Roncevaux* (*faucon*) ; bas lat. *falco, -onis* (IVe s., Firmius Maternus), dér. du lat. *falx, -cis,* faux, d'apr. la courbure des ailes ou la forme du bec ; le cas sujet (*falc, fauz*) est resté dans *fauperdrieux, gerfaut.* || **fauconnier** 1160, Benoît. || **fauconnière** XIIIe s., G. || **fauconnerie** 1354, *Modus.* || **fauconneau** fin XVe s., qui a remplacé *fauconnel,* « jeune faucon » ; 1516, *Inventaire,* petit canon (emploi fig.).

**fauder** XIIIe s., *Fabliau,* « plier le drap » ; de l'anc. haut allem. *faldan,* plier. (V. FAUTEUIL.)

**faufiler** 1684, Boislisle (*faufilé*), « enclavé » ; 1690, Furetière, « faire une couture provisoire » ; *se faufiler* 1732, Trévoux, « s'introduire dans » ; anc. fr. *fourfiler* (1349, *D. G.*), faufiler, de *fors-,* lat. *foris,* dehors, et *fil* (« mettre du fil à l'extérieur »). || **faufil** 1865, L.

**faune** n. m., 1372, Corbichon, mythol. ; n. f., 1802, Walckenaer, zool., d'apr. *flore ;* lat. *faunus,* dieu champêtre. || **faunesse** 1850, Baudelaire. || **faunesque** 1888, A. Daudet ; du n. m. || **faunique** 1907, Lar.

**fauperdrieux** 1398, Ménagier (*faulx perdriel*) ; de *fauc,* cas sujet de *faucon,* en anc. fr., et de *perdrieur,* chasseur de perdrix, pour désigner le busard.

**fausset** V. FAUX 1.

***faute** 1174, E. de Fougères, « manquement aux règles » ; 1360, Froissard, « manque, absence » ; lat. pop. **fallĭta,* action de faillir, part. passé de *fallere* (v. FAILLIR), substantivé au fém. || **fautif** XVe s. || **fauter** milieu XVIe s., puis 1808, d'Hautel, « commettre une faute » ; 1877, Goncourt, sens actuel. || **fautivement** 1856, Lachâtre.

**fauteuil** 1080, *Roland* (*faudestoel*) ; XIII^e s. (*faudesteuil*) ; 1611, Cotgrave (*faudeteuil*) ; 1589, Havard (*fauteuil*), en anc. fr. siège pliant pour les grands personnages ; francique **faldistôl,* siège pliant (*stôl,* siège, allem. *Stuhl ; faldan,* plier). [V. FALDISTOIRE.]

**fauteur** 1355, Bersuire ; lat. *fautor,* qui favorise, de *favere,* favoriser.

**fauve** adj., 1080, *Roland* (*falve*) ; n. m., 1578, d'Aubigné, abrév. de *bête fauve* (1572, La Curne) ; francique **falw* (allem. *falb*), latinisé en *falvus* (IX^e s.). || **fauverie** 1948, Lar. || **fauvette** XIII^e s., *Bataille de Caresme et Charnage.* || **fauvisme** 1905, exposition des peintres de l'École moderne, d'apr. *les Fauves,* nom donné à ces peintres v. 1900.

1. ***faux** 1080, *Roland* (*fals*) ; 1662, Pascal, comme adv. ; 1265, Br. Latini, comme n. m. ; le *x* est dû à *faux,* nom ; lat. *falsus,* part. passé de *fallere,* tromper. || **fausser** 1080, *Roland* (*falser*) ; XII^e s. (*fausser*), qui a eu aussi le sens de « falsifier » et de « accuser de fausseté », en anc. fr. ; bas lat. *falsare* (*Digeste :* altérer, falsifier). || **faussement** 1190, *Saint Bernard.* || **fausseté** 1138, *Saint Gilles ;* d'apr. le bas lat. *falsitas.* || **fausset** fin XIII^e s., *Roman de Renart,* voix de tête, celle-ci donnant l'impression d'une voix fausse ; 1322, *Archives de Reims,* n. m., fausset d'un tonneau ; de *fausser* au sens de « percer » (attesté en prov. et d'apr. « fausser une armure »). || **faussure** XIII^e s., G. || **défausser** 1849, Besch., « redresser » ; *se défausser* 1792, *Encycl. méth.,* se débarrasser d'une fausse carte.

2. ***faux** V. FAUCHER.

**faux-du-corps** 1549, R. Est. ; de *faut,* manque, 3^e pers. sing. devenue déverbal de *faillir ;* employé en ce sens comme n. m. par E. Deschamps (1468). Il a été remplacé par *taille.*

**faux-fuyant** 1550, Tilander, vén. (fém. *-ante*), sentier par où s'échappe le gibier ; comme n. m. fin XVI^e s., La Curne ; fig. 1664, Molière ; altér. de *fors-fuyant* (fuyant au-dehors), par infl. de *faux.*

**faux-semblant** XIV^e s., *Chron. de Boucicaut ;* de *faux* et *semblant,* n. m.

**faverolle** V. FÈVE.

***faveur** 1120, *Job* (*-or*) ; 1564, J. Thierry, « ruban », parce qu'il était donné par faveur au chevalier par sa dame ; *en faveur de* XV^e s., des Ursins ; lat. *favor, -oris.* || **favorable** milieu XII^e s., ; lat. *favorabilis.* || **favorablement** 1265, J. de Meung. || **favoriser** début XIV^e s. || **favori** début XVI^e s. ; pl. 1829, Boiste, « touffe de barbe » ; ital. *favorito,* favorisé, part. passé de *favorire.* || **favorite** 1564, J. Thierry, qui a remplacé l'anc. fém. *favorie.* || **favoritisme** 1820, Hugo. || **défaveur** XV^e s., Delb. || **défavorable** 1460, Chastellain. || **défavorablement** 1752, Trévoux. || **défavoriser** 1460, Chastellain.

**favus** 1836, Landais ; lat. *favus,* gâteau de miel, à cause des croûtes formées par cette maladie.

**fayard** fin XIV^e s. (*faiart*) ; 1743, Trévoux (*fayard*) ; dér. anc. de l'adj. lat. *fageus,* de *fagus,* hêtre ; mot lyonnais (var. rég. *foyard*).

**fayot** 1784, *Mém. Soc. royale de médecine,* arg. milit. et scol. ; prov. *faiol* (1470, Pansier), de l'anc. fr. *faisol,* faséole, du lat. pop. **fabeolus,* lat. class. *phaseolus.* || **fayoter** 1936, Esnault. (V. FLAGEOLET 2.)

**fazenda** 1866, Lar. ; mot portug. du Brésil ; lat. *facienda,* ce qui doit être fait.

**féage, féal** V. FIEF, FOI.

**fébricitant** début XIV^e s. ; lat. *febricitans,* part. prés. de *febricitare,* avoir la fièvre (*febris*). || **fébricité** 1922, Proust, n. f. || **fébriciter** 1897, Rostand. || **fébrile** 1503, Chauliac ; 1857, Flaubert, fig. ; lat. *febrilis.* || **fébrilement** milieu XIX^e s. || **fébrilité** 1857, Goncourt. || **fébrifuge** 1666, Monnier ; bas lat. *febrifugia,* de *fugare,* mettre en fuite.

**fèces** 1560, Paré, méd. ; lat. pl. *faeces,* excréments. || **fécal** 1503, Chauliac ; lat. *faex, -cis.* || **fécaloïde** 1865, L. || **fécalome** XX^e s.

**fécond** XIII^e s., Th. de Kent ; lat. *fecundus.* || **fécondation** 1488, *Met des hist. ;* rare jusqu'au XVIII^e s. || **fécondant** 1755, Bonnet. || **féconder** XIII^e s., Th. de Kent ; lat. *fecundare.* || **fécondable** 1885, Hugo. || **fécondateur** 1762, Bonnet. || **fécondité** 1050, *Alexis ;* lat. *fecunditas.* || **infécond** 1450, Gréban, « sans résultat » ; 1560, Paré, « impropre à la reproduction » ; lat. *infecundus.* || **infécondité** 1378, Le Fèvre ; lat. *infecunditas.*

**fécule** 1660, Le Febvre ; lat. *faecula,* dimin. de *faex, faecis,* lie, excrément, spécialisé au sens de « sédiment amylacé ». || **féculerie** 1836, Mozin. || **féculent** 1560, Paré, « qui laisse un dépôt » ; 1849, Besch., légume ; lat. *faeculentus.* || **féculence** XIV^e s., Brun de Long Borc ; lat. *faeculentia.*

**feddayin** v. 1965 ; ar. *fida iyyūn.*

**fédéral** 1783, *Courrier de l'Europe ;* devenu usuel pendant la Révolution ; dér. savant du lat. *foedus, -eris,* alliance. || **fédéraliser** 1793, Danton. || **fédéralisation** 1796, *Néologiste fr.* || **fédéralisme** 1755, Montesquieu. || **fédéraliste** 1793, *Journal de la Montagne.* || **fédéré** XVI^e s., « allié », puis repris en 1790. || **fédérer** 1792, Brunot, lat. *foederatus.* || **fédératif** 1748, Montesquieu. || **fédérateur** XX^e s. || **fédération** XIV^e s., Delb., « alliance, union », repris au XVIII^e s. ; lat. *foederatio.*

***fée** début XII^e s., *Voy. de Charl.,* « être imaginaire » ; XVIII^e s., fig. ; lat. pop. *Fata,* déesse des destinées dans les inscriptions, de *fatum,* destin. || **féer** 1130, *Eneas* (*faer*). || **féerie** XII^e s., *Parthenopeus* (*faerie*) ; 1718, *Acad.* (*féerie*) ; 1823, Boiste, théâtre. || **féerique** 1834, Landais. || **féeriquement** 1872, Lar.

**feeder** 1896, Bonnafé ; mot angl. signif. « conduit, canal ».

**feignant** V. FAINÉANT.

***feindre** 1080, *Roland,* « imaginer » (jusqu'au XVIII^e s.) ; 1265, Br. Latini, « simuler » ; lat. *fingĕre,* façonner, et au fig. imaginer. || **feinte** 1220, Coincy, « fiction » ; 1530, Marot, « fait de feindre » ; 1680, Richelet, mouvement destiné à tromper ; part. passé substantivé au fém. || **feinter** 1897, Rostand. || **feinteur** 1929, Esnault. || **feintise** 1190, Garn.

**feld-maréchal** 1845, Besch. ; allem. *Feld-marschall,* maréchal de campagne (*Feld*).

**feldspath** 1773, Saussure ; mot allem. signif. « spath des champs ».

**feldwebel** v. 1940 ; mot allem. signif. « adjudant ».

***fêle** 1723, Savary, « sarbacane de verrier » ; lat. *fistula,* tube. (V. FISTULE.)

***fêler** XIII^e s., *Aucassin et Nicolette* (**faieler,* d'apr. le dér., encore en wallon, XIX^e s.) ; 1423, *D. G.,* au part. passé *fellée ;* lat. pop. **fagellare,* sans doute forme dissimilée du lat. *flagellare,* frapper (v. FLÉAU), la cause devenant l'effet, de *flagellum,* fouet. || **fêlure** XIII^e s., *Lapidaire* (*faielure*).

**félibre** 1876, L. ; mot prov. mod. empr. par Mistral (1854) dans un récit pop. (*les Sept Félibres de la lci*) pour désigner les sept fondateurs du félibrige ; bas lat. *fellibris,* de *fellebris,* nourrisson, de *fellare,* sucer. || **félibrige** *id.*

**félicité** 1265, Br. Latini ; lat. *felicitas, -atis,* de *felix, -icis,* heureux, restreint à un emploi religieux ou littéraire. || **féliciter** 1460, Chastellain, « rendre heureux » ; 1630, Brunot, « complimenter sur ce qui arrive d'heureux » ; bas lat. *felicitare,* rendre heureux (IV^e s. Donat). || **félicitation** 1623, d'Aubigné, au pl. ; mot genevois.

**félidés** 1842, *Acad.* (*félides*) ; lat. *felis, -idis,* chat. || **félin** fin XVIII^e s. ; adj. *felinus.* || **félinité** 1875, *J. O.*

**fellaga** v. 1956 ; mot de l'ar. maghrébin, pl. de *fellag,* coupeur de route.

**fellah** 1664, Thévenot ; ar. *fallâh,* laboureur.

***félon** 980, *Passion* (cas sujet *fel* en anc. fr.) ; bas lat. *fello, -ōnis* (IX^e s., *Capitulaire de Charles le Chauve*), du francique **fillo,* de **filljo,* celui qui fouette un esclave. || **félonie** 1050, *Alexis.*

**felouque** fin XVI^e s. (*pel-*) ; 1606, Nicot (*fal-*) ; 1611, Cotgrave (*fel-*) ; ar. marocain *feluka,* de l'ar. *faluwa,* petit bateau.

**fêlure, femelle** V. FÊLER, FEMME.

***femme** 1080, *Roland ;* nasalisé en *fẽ-me,* puis *fã-me,* d'où la prononc. *fame* après la dénasalisation au XVII^e s. ; lat. *femina,* femme, épouse et femelle ; le fr. n'a gardé que le premier sens, le second étant passé au dimin. || **femmelette** XIV^e s., Machaut (*fam-*). || **femelle** 1131, *Couronn. Loïs ;* lat. *femella,* jeune femme. || **féminin** 1188, *Aspremont* (*femenin*) ; XIII^e s. (*féminin*) ; lat. *femininus,* de *femina.* || **féminiser** 1501, Vérard. || **féminisation** 1864, Sainte-Beuve. || **féminisme** 1837, Fourier. || **féministe** 1872, A. Dumas fils. || **féminité** 1265, Br. Latini. || **efféminer** 1160, Benoît ; lat. *effeminare.* || **efféminé** 1687, Fénelon, fig.

**fémur** 1586, Guillemeau ; lat. *femur,* cuisse, spécialisé en fr. en « os de la cuisse ». || **fémoral** fin XVIII^e s. ; bas lat. *femoralis,* de cuisse.

**fenaison** V. FANER.

***fendre** 980, *Valenciennes* (part. *fendut*) ; 1493, Coquillart, fig. (*fendre l'âme*) ; lat. *findĕre.* || ***fente** 1361, Oresme ; lat. pop. **fendita,* féminin substantivé du lat. pop. **finditus,* part. passé. || **fendant** fin XVI^e s., L'Estoile, « batailleur » ; 1738, *Journ. helvétique,* nom d'un chasselas (qui se fend sous la dent) et d'un vin vaudois et valaisan. || **fenderie** 1603, Gay. || **fendeur** XII^e s. (*fendeor*), « défenseur » ; 1453, Monstrelet (*fendeur*), « qui fend du bois ». || **fendiller** 1580, Palissy. || **fendillement** 1845, Besch. || **fendoir** 1700, Liger. || **fendis** 1723, Savary || **fenton** 1676, Félibien. || **pourfendre**

fin XIe s., *Chanson de Guillaume.* || **pourfendeur** 1798, *Acad.* || **refendre** 1268, Boileau. || **refend** 1423, Delb., « cloison » ; 1690, Furetière (*mur de refend*).

***fenêtre** XIIe s. (*fenestre*) ; XVIe s. (*fenêtre*) ; lat. *fenestra.* || **fenêtrer** XIIe s., *Parthenopeus* (*-estrer*) ; 1823, Boiste (*fenêtré*), « percé de fenêtres ». || **fenêtrage** 1320, G. (*fenestrage*). || **fenestrelle** XIIe s., rare avant 1827, *Acad.*, bot. ; lat. *fenestrella,* dimin. de *fenestra,* d'apr. *fenêtre.* || **contre-fenêtre** début XIVe s.

***fenil** XIIe s. ; lat. *fenīle,* de *fenum,* foin. || **fenouil** 1240, G. de Lorris (*fenoil*) ; lat. pop. **fenŭculus,* du lat. *feniculus,* petit foin. || **fenouillet** 1628, La Quintinie. || **fenouillette** XVIIe s., Delb., eau-de-vie distillée avec de la graine de fenouil.

**fennec** 1808, Boiste ; ar. *fanek, fenek.*

**fente** V. FENDRE.

**fenugrec** XIIIe s., *Antidotaire* (*fenegrec*) ; 1560, Paré (*fœnugrec*) ; lat. *fenugraecum,* foin (*fenum*) grec.

**féodal** V. FIEF.

***fer** 1080, *Roland,* « objet en acier » ; XIIe s., *Roncevaux,* « métal » ; XIVe s., Cuvelier, « alliage » ; *de fer* 1240, G. de Lorris ; *les fers* XVe s., L., « menottes » ; lat. *ferrum.* || **ferraille** 1390, G. || **ferrailler** 1665, Quinault. || **ferraillement** 1889, Goncourt. || **ferrailleur** début XVIIe s., « bretteur » ; début XVIIe s., sens actuel. || **ferrasse** 1765, *Encycl.*, techn. || ***ferre** 1412, G. ; lat. *ferra,* pl. neutre de *ferrum,* fém. en lat. pop. || **ferrement** 1130, *Eneas,* « pièce en outil de fer » ; lat. *ferramentum,* instrument de fer. || ***ferrer** début XIIe s., *Voy. de Charl.* ; lat. pop. **ferrare.* || **ferret** 1320, *Poème,* « petit objet en fer ». || **ferreur** 1155, Wace (*-eor*). || **ferrure** XIIe s. || **ferrage** XIVe s., Bouthillier. || **ferrique** 1842, *Acad.* || **ferreux** 1752, Trévoux. || **ferricyanure** 1888, Lar. || **ferrocyanure** 1872, Lar. || **ferromanganèse** 1888, Lar. || **ferronnerie** 1297, Du Cange ; de *ferron,* marchand de fer (XIIe s., R. de Moiliens). || **ferronnier** 1560, Amyot. || **ferronnière** 1832, *Journ. des dames,* d'après un tableau de Léonard de Vinci, *la Belle Ferronnière* qui porte cette chaîne d'or sur le front. || **fer-blanc** 1384, Gay. || **ferblantier** 1723, Savary || **ferblanterie** 1836, Landais || **déferrer** 1131, *Couronn. de Loïs* (*desf-*). || **déferrage** 1870, Lar. || **enferrer** fin XIIe s., *Aiol.*

**féra** XVe s., *Comptes du château de Neuchâtel* (*ferra*), « corégone, poisson des lacs suisses » ; en lat. *ferrata* (XIIe s.) ; origine inconnue (allem. *Felchen,* bernois *färig*).

**ferblantier** V. FER.

**férie** 1119, Ph. de Thaon (au pl. *féries*) ; lat. *feriae,* jour de repos ; il a pris en liturgie catholique, au XVIe s., le sens de « jour de la semaine ». || **férié** 1120, *Tristan,* rare jusqu'au XVIIe s. (1690, Furetière) ; lat. *feriatus,* au sens ancien. || **férial** XIIIe s., G. ; lat. eccl. *ferialis.*

***férir** 1080, *Roland* (*ferir*), restreint auj. à *sans coup férir* (1160, Benoît) ; lat. *ferire,* frapper, éliminé au XVIe s. par *frapper.* || **féru** *id.*, part. passé, « blessé » ; fig., XVe s., *Cent Nouv. nouvelles.*

**ferler** 1553, Grouchy, « relever la voile le long de la vergue » ; par métathèse de l'anc. fr. *fresler,* de même sens, du lat. *ferula,* baguette, férule. (V. DÉFERLER.)

1. ***ferme** adj., 1155, Wace (*ferm*) ; puis *ferme* (XIIIe s.), d'apr. le fém. ; lat. *firmus.* || **fermement** 1130, *Eneas.* || **fermeté** *id.*, « forteresse » ; 1361, Oresme, fig. ; lat. *firmitas,* au sens propre et fig. ; il a remplacé la forme pop. *ferté,* limitée aux noms de ville. || **affermir** 1372, Corbichon. || **affermissement** 1552, Ch. Est. || **raffermir** 1394, Delb. || **raffermissement** 1669, Widerhold.

2. **ferme** n. f. XIIIe s., *Guill. de Dole* (*rente à ferme*), convention moyennant un arrérage ferme, c.-à-d. fixe, d'où *bail à ferme,* spécialisé pour les domaines ruraux ; fin XIIIe s., « domaine rural » ; 1549, R. Est., « bâtiment ». || **fermier** début XIIIe s., « locataire » ; *fermier général* 1690, Furetière. || **fermage** 1367, G. || **fermette** 1949, H. Bazin. || **affermer** 1160, Benoît, mettre à ferme. || **affermage** 1489, *Ordonn.*

**ferment** 1372, Golein, fig. ; 1560, Paré, sens propre ; lat. *fermentum,* de *fervere,* bouillir. || **fermenter** 1270, d'Abernum ; fig. 1778, Rousseau ; lat. *fermentare.* || **fermentable** 1839, Boiste. || **fermentation** 1539, Canappe ; bas lat. *fermentatio.* || **fermentescible** 1764, Bonnet ; lat. *fermentescere,* entrer en fermentation.

***fermer** 1080, *Roland* ; lat. *firmare,* de *firmus,* ferme, au sens de « rendre ferme », d'où en anc. fr. « fortifier, fixer par une clôture », d'où « clore » (1160, Benoît), sens qui a prévalu, le verbe éliminant *clore* ; 1629, Mairet, « achever » ; 1690, Furetière, « mettre fin à l'activité de ». || **fermeture** XIIe s., *Alexandre* (*fermeüre*), « forteresse » ; XIVe s., Delb. (*fermeture*), « dispositif pour fermer » ; XVIIe s., « action de fermer ». || **fermail** XIIe s., G. || **fermoir** 1268, É. Boileau. || **enfermer** XIIe s., *Roncevaux*. || **enfermement** XVIe s. || **refermer** 1130, *Eneas*.

**fermeté** V. FERME 1.

1. **fermoir** V. FERMER.

2. **fermoir** ciseau de sculpteur, 1676, Félibien ; altér., d'apr. *fermer*, de *formoir* (1407, Gay), dér. de *former*.

**féroce** 1460, Chastellain, « sauvage » (jusqu'au XVIIe s.) ; 1690, Furetière, « cruel » ; lat. *ferox, -cis*, orgueilleux, féroce (en bas lat.), de *ferus*, bête fauve (v. FIER 2). || **férocement** XVIe s. || **férocité** XIIIe s., « sauvagerie », rare jusqu'au XVIIe s., où il a le sens mod. de « cruauté » ; lat. *ferocitas*.

**féronie** 1811, Wailly, coléoptère ; lat. entom. *feronia*, en lat. « déesse des fleurs ».

**ferrade** 1624, Peirex ; du prov. mod. *ferrado*, de *ferra*, ferrer. On marque au fer le taureau ou le cheval. (V. FER.)

**ferraille, ferrailler** V. FER.

**ferrandine** 1659, Gay ; ital. *ferrandina* (fin XVIe s.), de *ferro*, fer, à cause de la couleur gris clair.

**ferre, ferrement, ferrer, ferronnerie, ferronnier, ferronnière** V. FER.

**ferroviaire** 1911, Lar. ; ital. *ferroviario*, de *ferrovia*, chemin de fer, pour servir d'adj. à chemin de fer.

**ferrugineux** av. 1594, Dariot ; lat. *ferruginosus*, de *ferrugo, -inis*, rouille de fer, couleur de fer. || **ferruginosité** 1642, Oudin.

**ferrure** V. FER.

**ferry-boat** 1786, Jal. ; angl. *to ferry*, transporter, et *boat*, bateau.

**fertile** XIVe s., *Gloss.* ; 1643, Corn., fig. ; lat. *fertilis*. || **fertilement** XVe s., G. || **fertiliser** 1564, Ronsard. || **fertilisable** 1865, L. || **fertilisation** 1764, Bonnet. || **fertilité** 1361, Oresme (*fertileté*) ; 1378, Le Fèvre (*fertilité*) ; lat. *fertilitas*. || **infertile** 1434, *Archives* ; lat. *infertilis*. || **infertilité** 1455, Fossetier ; lat. *fertilitas*.

**féru** V. FÉRIR.

**férule** 1372, Corbichon, nom de plante ; fin XIVe s., baguette pour frapper les écoliers ; 1690, Furetière, fig. (*sous la férule de*) ; lat. *ferula*, dans les deux sens.

**ferveur** 1170, *Rois* (*fervor*) ; XIVe s. (*ferveur*) ; lat. *fervor*, au sens fig. « ardeur », de *fervere*, bouillonner. || **fervent** 1165, Marie de France ; lat. *fervens*, bouillonnant.

***fesse** 1360, *Modus* ; lat. pop. **fissa*, fente, part. passé de *findĕre*, fendre, substantivé au fém. ; il a remplacé *nache* (XIIe s.), du lat. pop. **natica*, de *nates*, fesses. || **fessu** XIIIe s., Gaydon. || **fesser** fin XVe s. || **fessée** 1526, Bourdigné. || **fessier** n. m., 1530, Marot ; adj., 1560, Paré. || **fesseur** 1549, R. Est. || **fesse-mathieu** 1585, Du Fail, avare, qui bat saint Mathieu, patron des changeurs, pour lui tirer de l'argent.

**festin** fin XIVe s., « repas de fête » ; XVe s., Basselin, « repas abondant » ; ital. *festino*, petite fête, de *festa*, fête. || **festiner** XIVe s., « banqueter ».

**festival** 1830, Mackenzie ; mot angl. signif. « fête », de l'anc. fr. *festival*, du lat. *festivus*, de *festa*, fête. || **festivalier** v. 1950.

**festivité** V. FÊTE.

**feston** 1533, Wind ; ital. *festone*, ornement de fête, de *festa*, fête. || **festonner** fin XVe s., E. de Médicis, orner de guirlandes de fleurs, de fruits. || **festonnement** av. 1951, Gide.

**festoyer** V. FÊTE.

***fête** 1080, *Roland* (*feste*) ; lat. pop. **festa*, abrév. de *festa* (*dies*), jour de fête. || **festivité** XIIIe s., « fête », repris au XIXe s. (1801, Mercier), « célébration d'un jour de fête » ; lat. *festivitas*, gaieté. || **festoyer** 1170, *Rois* (*festeer*) ; 1273, Adenet (*festoier*) ; disparu de l'usage et repris à l'anc. fr., d'où la prononciation de *s* (var. *fétoyer* chez Voltaire). || **festoiement** XIVe s. || **fêtard** 1265, J. de Meung, recréé au XIXe s. (1859) d'apr. l'expression *faire la fête*. || **Fête-Dieu** créée en 1264 sous le nom de *Corpus Domini* ; attesté seulement en 1564 (Thierry) ; mais le type de composition atteste une formation du XIIIe-XIV[e] s. || **fêter** fin XIIe s., *Loherains*. || **fêteur** 1320, *Roman de Fauvel*.

**fétiche** 1605, Marees (*fetisso*) ; 1669, Villault (*fétiche*) ; port. *feitiço*, « artificiel », par ext. « sortilège », du lat. *facticius*, qui a donné le fr. *factice*. || **féticheur** 1605, Marees ; adaptation de *fétichère*, néerl. *feticheer*, dér. du portugais *feitiço*, fétiche. || **fétichisme** 1757, Diderot. || **fétichiste** 1824, Constant.

**fétide** XVe s., J. Chartier ; lat. *foetidus*, de *foetere*, puer. || **fétidité** 1478, Chauliac.

***fétu** début XII^e s., *Voy. de Charl.* (pl. *festus*) ; lat. pop. **festucum*, var. de *festuca*, brin d'herbe, paille. || **fétuque** 1786, *Encycl. méth.*, formation savante en bot., herbe à touffes serrées et à tige presque nue.

1. ***feu** n. m., fin IX^e s., *Eulalie* (*fou*) ; XII^e s., *Roncevaux* (*feu*) ; 1268, É. Boileau, « famille » et dans les dénombrements de la population (jusqu'au XVII^e s.) ; *feu de paille* av. 1660, Scarron ; *à feu et à sang* 1530, Marot ; *feu d'enfer* 1627, Crespin ; *feu d'artifice* 1671, Pomey ; lat. *fŏcus*, foyer, qui a remplacé *ignis* sous l'Empire. || **contre-feu** 1531, Delb. (V. AFFOUAGE, FOU, FOUAGE.)

2. ***feu** adj., 1050, *Alexis* (*feü*), « qui a tel destin » ; XIII^e s., Rutebeuf, « mort » ; lat. pop. **fatutus*, de *fatum*, destin, c.-à-d. « qui a accompli son destin » (création euphémique).

**feudataire** V. FIEF.

**feuillant** ordre religieux fondé en 1108 à N.-D. de Feuillants, aux environs de Toulouse ; membre d'un parti politique (1791-1792) installé dans un ancien couvent de feuillants. || **feuillantine** religieuse dont le couvent fut installé à Paris en 1622 ; 1646, d'apr. Tall. des Réaux, « gâteau feuilleté », par jeu de mots avec *feuilleter*.

***feuille** 1130, *Eneas* (*foille* et *fueille*), feuille d'arbre ; 1360, Froissart, feuille de papier ; *feuille morte*, XIII^e s. ; couleur, 1675, Sévigné ; *bonne feuille* 1798, *Acad.* ; lat. *fŏlia*, pl. neutre devenu collectif et subst. fém., du sing. *folium*, qui a donné l'anc. fr. *fueil*. || **feuiller** 1175, Chr. de Troyes. || **feuillé** XII^e s., *Chanson de Floovant*. || **feuillée** 1120, *Ps. de Cambridge*. || **feuillette** 1265, J. de Meung. || **feuillage** 1324, Delb. || **feuillagiste** 1856, *Doc.* || **feuillaison** 1771, Schmidlin, de *feuiller*, se couvrir de feuilles. || **feuillard** XIV^e s., *D. G.* || **feuillu** XII^e s., *Roncevaux*. || **défeuiller** fin XIII^e s., Rutebeuf. || **effeuiller** 1300, *Viandier*. || **feuillet** 1130, *Eneas* (*foillet*), « petite feuille » ; spécialisé de bonne heure en divers sens techn. || **feuilleter** XIII^e s., « pousser des feuilles » ; 1549, Du Bellay, « tourner les pages » ; 1552, Rab., pâtisserie. || **feuilletage** 1680, Richelet. || **feuilletis** 1706, Richelet. || **feuilleton** 1790, *Encycl. méth.*, « petit cahier » ; 1811, Courier, feuilleton d'un journal. || **feuilletoniste** 1820, Cuisin. || **feuilliste** 1761, Diderot, folliculaire. || **refeuilleter** 1560, Ronsard.

1. **feuiller** V. FEUILLE.

2. **feuiller** 1357, G., « entailler » ; lat. pop. **fodiculare*, fouiller, de *fodere*, creuser. || **feuillure** 1334, G. || **feuilleret** 1676, Félibien.

**feuillette** XV^e s., *Comptes de Jacques Cœur* (*feuillette*), mesure de liqueurs ; 1678, La Fontaine, futaille ; il a existé une var. *fillette*, bouteille d'un tiers de litre ; de *feuiller*, entailler par une feuillure.

**feuler** 1843, d'Orbigny, « crier », en parlant du tigre ; onomat. || **feulement** fin XIX^e s.

**feurre, fouarre** 1155, Wace (*fuerre*), paille ; à Paris, rue du *Fouarre* ; francique **fôdar*, fourrage (allem. *Futter*, angl. *fodder*). [V. FOURRAGE.]

**feutre** fin XI^e s., *Gloses de Raschi* (*feltre*) ; 1130, *Eneas* (*feutre*) ; francique **filtir* (allem. *Filz*, angl. *felt*). || **feutrer** *id.* ; *à pas feutrés* début XX^e s. || **feutrier** 1292, Delb. || **feutrage** 1723, Savary. || **feutrement** XIV^e s. || **feutrier** 1872, Lar. || **feutrine** XX^e s.

***fève** XIII^e s., *Chron. de Rains* ; lat. *faba*. || **féverolle** début XIV^e s. (*faverolle*) ; 1690, Furetière (*féverolle*) ; paraît repris à un des divers noms de lieux *Faverolles*, représentant un dimin. de l'anc. fr. *favière*, champ de fèves. || **févier** 1786, *Encycl. méth.*

***février** XII^e s. ; bat lat. *fĕbrārius*, du lat. class. *februarius*, mois de purification (*februus*).

**fez** 1677, Vansleb (*fes*), de Fez, au Maroc, où cette coiffure était fabriquée.

**fi** début XIII^e s. ; *fi de* fin XIII^e s., Beaumanoir ; interj., onomat.

**fiacre** 1650, Ménage ; du nom de saint *Fiacre*, dont l'image était pendue au bureau où l'on louait ces voitures ; 1700, Gherardi, « cocher » ; d'apr. Trévoux, nom d'un loueur de voitures.

**fiancer** XII^e s., *Chevalerie Ogier*, « prendre un engagement » (jusqu'au XV^e s.) ; 1283, Beaumanoir, « faire une promesse de mariage » (sens qui a prévalu) ; de l'anc. fr. *fiance* (1080, *Roland*), engagement, de *fier*. || **fiancé** n., milieu XIV^e s. || **fiançailles** 1175, Chr. de Troyes (V. FIER 1.)

**fiasco** 1818, Stendhal, « bouteille » ; 1822, Stendhal, « échec sexuel » ; *faire fiasco*, « échouer », 1840, *Acad.* ; ital. *far fiasco*, échouer ; loc. d'argot théâtral en ital., où s'est développé ce sens métaphorique de *fiasco*, bouteille, mot toscan, de même rac. que *flacon*.

**fiasque** 1803, Boiste, masc. ; 1843, Lamartine, féminin ; ital. *fiasco,* bouteille, du germ. **flaska.*

**fibre** 1372, Corbichon, « élément de tissu vivant » ; fig. 1794, Chamfort ; lat. *fibra.* || **fibreux** 1549, Maignan. || **fibrille** 1674, Le Gallois. || **fibrillaire** 1811, Mozin. || **fibrillation** 1907, Lar. || **fibrine** 1805, *Encycl. méth.* || **fibrinogène** 1855, Nysten. || **fibranne** v. 1941. || **fibrome** milieu XIXe s. (suffixe *-ome*). || **Fibrociment** XXe s. ; nom déposé.

**fibule** 1530, Bourgoing ; lat. *fibula,* agrafe.

***fic** XIIIe s., La Curne (*fi*) ; 1492, G. de Salicète (*fic*), « verrue » ; lat. *ficus,* figue (v. FIGUE). || **ficaire** 1786, *Encycl. méth.* ; lat. bot. *ficaria,* de *ficus,* verrue, c.-à-d. l'herbe aux verrues, qu'elle est censée guérir.

***ficelle** 1350, G. de Machaut (*fincelle*) ; 1564, Thierry (*ficelle*) ; 1808, d'Hautel, « rusé », expression du théâtre des marionnettes ; « procédé, truc », 1841, *Les Français peints par eux-mêmes* ; lat. pop. **funicella,* de *funis,* cordon, avec infl. de *fin* et de *fil.* || **ficeler** 1694, *Acad.* || **ficelage** 1765, *Encycl.* || **ficelé** 1833, Esnault, « serré dans ses vêtements ». || **ficelier** 1723, Savary. || **ficellerie** 1872, Lar. || **déficeler** milieu XVIIIe s.

***ficher** 1120, *Ps. d'Oxford,* « percer la chair » ; lat. pop. **figĭcare,* de *figĕre,* fixer ; 1628, *Jargon,* fig., arg., « donner » ; XVIIIe s., Vadé, *ficher le camp* ; XVIIe s., pop., euphémisme de *foutre* ; 1695, Gherardi, *se ficher,* se moquer de, influencé par ital. *infischiarsi,* même sens, de *fischiare,* siffler ; début XXe s., « inscrire sur une fiche ». || **fichu** 1611, Cotgrave, « mauvais » ; 1640, Oudin, « mal fait » ; 1695, Gherardi, « mis à la hâte », de *fiché,* d'après *foutu.* || **fichûment** 1701, Furetière. || **fiche** 1190, Garn., « pointe » ; 1413, Du Cange, « pieu, clou, qu'on fiche » ; 1690, Furetière, marque de jeu, carte de bibliothèque. || **fichaise** 1756, *Remède à la mode.* || **fichet** 1611, Cotgrave. || **fichier** 1922, Lar. || **fichiste** v. 1950. || **fichoir** 1680, Richelet. || **afficher** 1080, *Roland,* « fixer, attacher ». || **affichage** 1792, *Législative.* || **affiche** av. 1204, L'Escouffle, « agrafe » ; fin XVIe s., « avis imprimé » ; déverbal. || **affichette** 1867, Veuillot. || **afficheur** 1680, Richelet. || **affichiste** 1785, Beaumarchais, « publiciste » ; XIXe s., « dessinateur d'affiches ». || **contre-ficher** 1839, Boiste, pop.

**fichtre** 1808, d'Hautel ; croisement entre *ficher* et *foutre.* || **fichtrement** fin XIXe s., A. Daudet.

**fichu** V. FICHER.

**ficoïde** 1734, Seba ; par le lat. scient. (Herman, 1687), genre de plantes grasses ; lat. *ficus,* figue, et gr. *eidos,* forme.

**fictif** fin XVe s., Tardif ; rare jusqu'au XVIIIe s. ; lat. *fictus,* part. passé de *fingere,* feindre, imaginer. || **fictivement** 1460, Chastellain. || **fiction** XIIIe s., *Queue de Renart,* « mensonge » ; 1361, Oresme, « création de l'imagination » ; lat. *fictio.*

**fidéicommis** XIIIe s., G., trad. du *Digeste* ; rare en anc. fr. ; lat. jurid. *fideicommissum,* confié à la bonne foi. || **fidéicommissaire** *id.* ; lat. jurid. *fideicommissarium.* || **fidéjusseur** 1308, Aimé ; lat. jurid. *fidejussor.* || **fidéjussion** fin XVIe s., Cayet. || **fidéjussoire** XVIe s., La Curne ; lat. *fides,* foi, et *jubere,* ordonner.

**fidéisme** 1838, d'apr. L. Febvre ; dériv. du lat. *fides, fidei,* foi. || **fidéiste** 1842, Mozin ; pour qui la foi religieuse dépend du sentiment et non de la raison.

**fidèle** nom, 980, *Passion* (*fidel*), religieux ; 1080, *Roland,* reçu en ami ; rare jusqu'au XVIe s. (1533, Sainéan) ; lat. *fidelis,* de *fides,* foi, qui a remplacé la forme pop. *feoil* (Xe s.) ; moins usité que *féal.* || **fidèlement** 1539, R. Est. || **fidélité** fin XIIIe s. ; lat. *fidelitas,* qui a remplacé *feelté* (1155, Wace), moins usuel que *féauté* (v. FOI). || **infidèle** XIIe s. ; lat. *infidelis.* || **infidèlement** 1464, J. Chartier. || **infidélité** 1160, Benoît.

**fiducie** XVIe s., G., « confiance » ; 1732, Trévoux, sens jurid. ; lat. *fiducia,* confiance, de *fides,* foi. || **fiduciel** 1517, J. Bouchet (*-ial*) ; 1741, Thiout (*-iel*). || **fiduciaire** 1596, Hulsius ; lat. *fiduciarius.*

***fief** 1080, *Roland* (*feu, fiet*), var. *fieu* ; milieu XIIe s., *Roman de Thèbes* (*fief*), avec un *f,* analogique (cf. *bief, juif, soif*) ; bas lat. *feudum, feodum* (881, *Chartes de Cluny*), du francique **fĕhu,* bétail, bénéfice héréditaire (allem. *Vieh*). || **fieffé** 1190, Garnier, « donné en fief » ; 1546, Rab., fig. ; du verbe disparu *fieffer* (1138, Gaimar). || **féage** 1138, Gaimar. || **féodal** début XIVe s. ; lat. médiév. *feodalis.* || **féodalisme** 1829, Boiste, polit. || **féodalité** début XVIe s. ; *féodalité industrielle,* 1834, Considérant. || **féodaliser** 1838, Balzac. || **féodalisation** 1876, L. || **feudataire** 1282, *Archives* ; rare jusqu'au XVIIIe s. ; lat. médiév. *feudatarius,* de *feudum,* fief. || **feu-**

diste 1586, Charondas ; lat. médiév. *feudista.* || **inféoder** 1411, Delb. ; 1867, L., fig. ; lat. médiév. *infeodare.* || **inféodation** 1393, Douet d'Arcq (*infeudacion*) ; 1467, Bartzsch (*inféodation*).

***fiel** 1160, Benoît, fig. ; XIIIe s., L., liquide de vésicule biliaire ; lat. *fĕl.* || **fielleux** 1564, J. Thierry. || **enfieller** 1220, Coincy.

***fiente** 1170, *Rois ;* lat. pop. **fĕmita,* de *femus* ou *fimus,* fumier, avec infl. de *stercus,* excrément. || **fienter** 1495, J. de Vignay. (V. FUMER 2.)

1. ***fier** verbe XIIe s., *Roncevaux,* « confier à qqn » ; *se fier* 1080, *Roland ;* lat. pop. **fīdare,* confier, de *fidus,* fidèle (v. FIANCER). || **fiable** XIIe s., repris au XXe s. || **fiabilité** 1962, *Acad. des sc.,* techn. || **défier** 1080, *Roland,* « enlever la foi ou renoncer à la foi jurée » ; 1580, Montaigne, « provoquer » ; 1538, R. Est., *se défier de ;* sur le lat. *diffidere.* || **défiance** 1130, *Eneas,* « défi » ; 1538, R. Est., sens actuel. || **défiant** milieu XVIe s. || **défi** fin XVe s. || **méfier** fin XVe s., O. de Saint-Gelais. || **méfiant** 1642, Oudin. || **méfiance** XVe s.

2. ***fier** adj. 1050, *Alexis,* « cruel, barbare », jusqu'au XVIIe s. ; 1080, *Roland,* « hautain » ; 1190, Garnier, « sauvage [animal] » ; lat. *fĕrus,* farouche, sauvage (v. FÉROCE). || **fièrement** 1080, *Roland.* || **fierté** *id. ;* d'apr. le lat. *feritas,* barbarie. || **fierot** XVIe s., rare jusqu'à d'Hautel, 1808, devenu pop. || **fier-à-bras** XIVe s., *Girart de Rousillon ;* de *Fierabras,* nom d'un géant sarrasin des chansons de geste, de *fier,* au sens de « redoutable, sauvage ».

**fieux** V. FILS.

***fièvre** 1190, Garnier, fig. ; XIIIe s., *Roman de Renart,* sens propre ; *fièvre quarte* 1560, Paré ; lat. *fĕbris.* || **fiévreux** 1190, Garn. (*fievros*). || **fiévrotte** 1673, Molière. || **fiévreusement** 1872, Lar. || **enfiévrer** 1588, Montaigne ; 1775, Beaumarchais, fig.

**fifre** 1494, J. de Paris ; moyen haut allem. *pfîfer* (allem. *Pfeifer*), joueur de fifre (*pfîfe*) ; lat. *pipare.* (V. PIPEAU.)

**fifrelin** 1821, G. Esnault, « chose sans valeur » ; allem. *Pfifferling,* au sens fig. « petit champignon ».

**fifty-fifty** 1936, G. Esnault ; angl. *fifty,* cinquante ; proprem. « cinquante [pour cent], cinquante [pour cent] ».

**figaro** 1836, Landais ; d'un personnage du *Barbier de Séville,* de Beaumarchais (1775).

***figer** XIIe s., *Tyolet* (*fegier*) ; XIIIe s., *Apollonius* (*figer*) ; 1675, Sévigné (*figé*), fig. ; lat. pop. **fĕticare,* de *fĕticum,* foie, c.-à-d. « prendre l'aspect du foie ». || **figement** 1549, R. Est.

**fignoler** 1743, Trévoux ; dér. de *fin,* formation méridionale. || **fignolage** 1874, *J.O.* || **fignoleur** 1743, Vade.

**figue** XIIIe s., *Fabliau ;* anc. prov. *figa,* du lat. pop. *fica,* lat. class. *ficus* (v. FIC) ; il a remplacé la forme pop. *fie* (1160, Benoît) et la forme dial. *fige* (1170, *Rois*). || **figuerie** XIIIe s., *D. G.* || **figuier** 1600, O. de Serres ; il a remplacé *fier, figier* (1120, *Ps. d'Oxford*).

**figure** fin IXe s., *Eulalie,* « forme, aspect » ; 1170, *Rois,* « représentation » ; XIIIe s., figure de rhétorique ; milieu XVIIe s., « partie de la tête » ; lat. *figura,* forme, figure. || **figurer** XIe s., « donner une forme » ; 1265, J. de Meung, « représenter » ; lat. *figurare.* || **figuré** 1050, *Alexis,* « bien fait » ; milieu XVIe s., Amyot, *langage figuré ;* 1783, d'Alembert, *sens figuré.* || **figurant** 1740, *Acad.,* au théâtre. || **figuratif** XIIIe s., G. ; peint., *art figuratif,* XXe s. ; lat. *figurativus.* || **figuration** XIIIe s. ; lat. *figuratio ;* XVIIIe s., ensemble des figurants. || **figuriste** 1604, Feu-Ardent, théolog. ; 1788, Havard, techn. || **figurisme** 1752, Trévoux, théolog. || **défigurer** 1119, Ph. de Thaon (*des-*).

**figurine** 1578, Vigenère, « petite figure » ; 1625, Stoer, sens actuel ; ital. *figurina,* dimin. de *figura,* figure.

***fil** XIIe s., *Parthenopeus,* « brin » ; XIIe s., « sens » ; milieu XVIe s., « progression » et « tranchant » ; lat. *fīlum.* || **filière** 1296, G. || **filet** 1165, Marie de France, dimin., et par ext. fibre ; 1398, *Ménagier,* morceau de viande, p.-ê. parce qu'il était livré roulé et entouré de fil (l'angl. *fillet* signifie « bandelette » et « viande roulée ») ; XVIe s., filet de pêche, forme altér. de *filé* (XIIIe s., Tailliar), encore au XVIIe s., « fait de fils » ou « objet filé ». || **fileter** XIIIe s., G. || **filetage** 1865, L. || **filer** 1160, Benoît, « couler » ; XIIIe s., L., textile ; divers sens fig. en fr., notamment dérouler, se dérouler, d'où, au XVIe s., *filer,* en parlant d'un navire, puis d'une troupe ; 1754, Esnault, « se sauver », fam. ; et tr., 1815, Esnault, filer quelqu'un ; bas lat. *filare.* || **file** XVe s., J. Chartier ; déverbal de *filer,* spécialisé au fig. ; *à la file* 1580, Montaigne. || **filable** milieu XVIIe s. || **fil-à-fil** 1930, Lar. || **filant** 1835, *Acad.,* « qui coule ». || **filé** n. m. 1265, J. de Meung. || **filiforme** 1762, Brunot. || **filin** 1611, Cotgrave. || **filage** XIIIe s., G. || **filerie** 1376, G.

|| **filature** 1724, *Ordonn.*, usine ; 1829, *Mém. d'un forban*, action de filer quelqu'un. || **filateur** 1823, Boiste. || **fileur** 1268, É. Boileau. || **fileux** 1678, Guillet, var. pop. spécialisée dans la mar. || **filure** 1398, G. || **affiler** XII^e s., *D. G.*, « affûter » d'apr. le *fil* d'un couteau ; lat. pop. **affilare*, de *filum*, tranchant. || **affilée (d')** v. 1850 ; du part. passé de *affiler*, ranger (XIV^e s.), dér. de *file*. || **bifilaire** 1888, Lar. || **contre-fil** 1540, Rab. || **défiler** 1268, É. Boileau, enlever fil à fil ; XIV^e s., Delb., désenfiler ; *se défiler* 1860, Esnault, « s'esquiver ». || **défilage** 1784, *Encycl. méth.* || **défilement** 1785, *Encycl. méth.* ; cinéma 1921, Brizon. || **défiler** 1648, d'Ablanc, « aller à la file ». || **défilé** 1643, Rotrou, où l'on ne peut passer qu'à la file ; XVIII^e s., défilé de troupes ; d'apr. *défiler*. || **défilade** 1863, L. || **désenfiler** 1694, *Acad.* || **effiler** début XVI^e s. || **effilement** fin XIX^e s. || **effilage** 1845, Besch. || **enfiler** 1240, G. de Lorris, « passer un fil » ; fin XVI^e s., d'Aubigné, « s'engager dans un lieu ». || **enfilement** 1577, Jamyn. || **enfilage** v. 1950. || **enfilade** 1611, Cotgrave. || **entrefilet** 1843, Balzac, typogr., « article entre deux filets métalliques », abrégé en *filet*. (V. aussi FILAMENT, FILANDIER, FILASSE, MORFIL.)

**filadière** 1527, *Archives de la Gironde* (*fell-*) ; mot du S.-O., de *filat*, filet. Il désigne un bateau plat et allongé.

**filaire** 1809, Lamarck, « ver intestinal » ; lat. zool. *filaria*, tiré par K.-O. Müller du lat. *filum*, fil. || **filariose** fin XIX^e s.

**filament** 1538, R. Est. ; bas lat. *filamentum*, de *filum*, fil. || **filamenteux** fin XVI^e s.

**filandier, -ière** XIII^e s. (*-drier* ou *-dier*) ; de *filer*, par l'intermédiaire de **filande*, bas lat. *filanda*, ce qui doit être filé ; altéré avec spécialisation de sens en *filandre* (1360, *Modus*). || **filandreux** début XVII^e s., d'abord désignant le marbre veiné. || **filandreusement** début XX^e s.

**filanzane** fin XIX^e s. ; mot d'un parler malgache, « chaise légère à deux barres, soutenue par quatre porteurs ».

**filardeau** 1392, Du Cange, « jeune brochet » ; dér. de *fil*, les alevins étant comparés à des fils.

**filaret** 1622, Hobier, « balustrade d'une galère » ; ital. *filaretto*, de *filo*, fil.

**filasse** 1130, *Eneas* (*-ace*) ; 1563, La Boétie (*filasse*) ; lat. pop. **filacea*, de *filum*, fil. || **filassier** 1390, *Ordonn.*

**filateur, filature, file, filer, filet, filial** V. FIL, FILS.

**filicine** 1842, *Acad.* ; lat. *filix, -icis*, fougère ; extrait acide des fougères mâles. || **filicule** 1752, Trévoux.

**filière** V. FIL

**filigrane** 1664, Gay, « ouvrage d'orfèvrerie » ; 1837, Balzac, marque sur le papier ; ital. *filigrana*, fil à grains. || **filigraner** 1845, Besch., travailler l'or, l'argent ou le verre en filets déliés et soudés.

**filin** V. FIL.

**filipendule** XV^e s., *Grant Herbier* ; lat. médiév. *filipendula* ; de *filum*, fil, et *pendulus*, qui pend.

**fille, filleul** V. FILS.

**filler** 1930, Lar. ; mot angl., de *to fill*, remplir.

**film** 1889, Balagny ; mot angl. signif. « pellicule » en photographie, puis en cinéma, d'où, fin XIX^e s., sens actuel. || **filmer** 1908, *Ciné-Journal.* || **filmage** 1912, Giraud. || **filmologie** 1948, Lar. || **filmographie** v. 1950. || **filmothèque** 1911, Giraud. || **filmique** 1936, *Ciné-amateur.*

**filon** 1566, Du Pinet ; 1791, Mirabeau, fig. ; ital. *filone*, augmentatif de *filo*, fil.

**filoselle** 1369, *Mandement de Charles V* (*filoisel*) ; 1564, Delb. (*filoselle*), bourre de soie, par ext. tissu ; ital. dial. *filosello*, cocon, du lat. **follicellus*, petit sac, avec attraction de *filo*, fil.

**filou** milieu XIV^e s., Digulleville ; forme de l'Ouest, de *fileur* (cf. *fileur de laine*, filou, Ph. Le Roux). [V. VOYOU.] || **filouter** 1656, Pascal. || **filoutage** 1679, Retz. || **filouterie** 1644, d'Ouville.

***fils** 1080, *Roland* ; lat. *filius* (prononcé *fi* jusqu'au XVIII^e s., puis *fis*, d'apr. la graphie qui avait gardé le *s* du cas sujet pour éviter une confusion avec *fil*). || **fieu** forme picarde de *fils*, employée parfois hors de ce domaine dial. || **filial** début XIV^e s. ; lat. *filialis*. || **filiale** 1877, L. || **filialement** 1460, Chastellain. || **filiation** XIII^e s., *Cout. d'Artois* ; lat. *filiatio*. || **fille** 1050, *Alexis* ; lat. *filia*, fém. de *filius*. || **fifille** 1833, Balzac. || **fille-mère** 1848, Tampuci. || **fillette** fin XII^e s., *Loherains*. || ***filleul** XII^e s., *Naissance du chevalier au cygne* (*filluel*) ; XIII^e s. (*filleul*) ; lat. *filiŏlus*, dimin. de *filius*, spécialisé par le christianisme. || **fiston** 1570, Du Fail. || **affilier** XIV^e s., G. ; lat. jurid. *affiliare*, prendre pour fils, pour adepte. || **affiliation** 1560, Pasquier ; lat. *affiliatio*. || **affilié** n., XIV^e s., Bonnet.

**filtre** (*à liquide*) 1560, Paré ; lat. médiév. des alchimistes *filtrum,* même orig. francique que *feutre.* || **filtrer** 1560, Paré, sens propre ; début XXe s., fig. || **filtrant** 1752, Barbier. || **filtrat** 1907, Lar. || **filtration** 1578, Chauvelot. || **filtrage** 1843, *Le Charivari.* || **filtrée** n. f., 1868, Goncourt. || **infiltrer (s')** 1503, Chauliac ; 1931, Mac Orlan, fig. || **infiltration** *id.* (V. aussi PHILTRE.)

**filure** V. FIL.

1. ***fin** n. m., 1050, *Alexis ;* lat. *finis,* terme. || **final** XIIe s. ; bas lat. *finalis.* || **finale** 1732, Trévoux, « dernière syllabe » ; début XXe s., sports. || **finalisme** XXe s., sports ; 1922, Valéry, phil. || **finaliste** 1802, Cabanis. || **finalité** 1819, Gosse. || ***finir** 1080, *Roland* (*fenir* par dissimilation vocalique) ; puis *finir* (XIIIe s.) refait sur *fin ;* lat. *finire.* || **finissant** 1848, Chateaubriand. || **finisseur** XIIIe s., G. ; 1756, *Encycl.,* techn. || **finissage** 1786, Berthoud. || **finition** fin XIVe s., « définition » ; av. 1850, Balzac, sens actuel. || **afin de, que** XIVe s. (*à fin*). || **enfin** 1130, *Eneas,* « à la fin ».

2. ***fin** adj., 1080, *Roland ;* 1273, Adenet, « délicat » ; emploi adj. du lat. *finis,* terme, au sens de « qui est au point extrême », d'où « accompli ». || **fine** n. f., 1872, Lar., eau-de-vie fine. || **finement** 1190, Couci. || **finesse** début XIVe s. || **finasser** 1680, Richelet ; a remplacé *finesser,* de *finesse* (*Acad.,* 1694). || **finasserie** 1718, *Acad.* || **finassier** *id.* || **finasseur** milieu XVIIIe s. || **finaud** 1762, *Acad.* || **finauderie** 1850, Balzac. || **finet** XVe s., G. || **finette** 1519, G. || **fine-de-claire** 1872, Lar. || **fines** 1865, L., houille en morceaux. || **affiner** fin XIIIe s., Rutebeuf. || **affinement** 1547, Budé. || **affinage** 1390, *Ordonn.* || **affinerie** 1552, *D. G.* || **affineur** XIVe s., *Traité d'alchimie.* || **raffiner** 1519, G., sens propre ; 1613, Régnier, fig. || **raffiné** 1642, La Mothe Le Vayer, « très délicat ». || **raffinage** 1611, Cotgrave ; 1875, Lar, techn. || **raffinement** 1600, O. de Serres. || **raffineur** *id.* || **raffinerie** 1666, La Barre. || **superfin** 1688, Miege. || **surfin** 1834, Mme Celnart. (V. FIGNOLER.)

**finance** 1283, Beaumanoir, « paiement, rançon » ; 1678, La Fontaine, « profession de financier » ; pl. 1690, Furetière, « fisc » ; 1832, Raymond, « deniers publics » ; de l'anc. fr. *finer,* payer (XIIe s.), « mener à fin un paiement ». || **financier** 1420, A. Chartier, n. m. ; adj. 1752, Trévoux. || **financièrement** 1865, L. || **financer** XVe s. || **autofinancement** 1955, Lar. || **autofinancer** *id.*

**finasser, finir** V. FIN 2, FIN 1.

**finish** 1904, *Sport Univ. ;* mot angl. signif. « fini », de *to finish,* finir.

**fiocchi** 1774, Voltaire (*cardinal in fiocchi*) ; mot ital., de *fioccho,* gland.

**fiole** 1180, *Alexandre ;* lat. médiév. *phiola,* lat. *phiala,* du gr. *phialê,* vase.

**fion** 1744, Vadé (*donner le fion, coup de fion*), « dernière façon » ; p.-ê. de *fignoler.*

**fiord, fjord** 1829, Brongniart ; norvégien *fjord.*

**fioriture** v. 1825, Stendhal, mus., « ornements ajoutés à la mélodie » ; 1830, Balzac, fig. ; ital. *fioritura,* de *fiorito,* fleuri.

**firmament** 1120, *Ps. de Cambridge ;* lat. *firmamentum,* appui, de *firmare,* rendre solide, au sens métaphorique de la Vulgate.

**firman** 1663, Thévenot ; turc *fermān,* ordre, empr. au persan.

**firme** 1877, L. ; allem. *Firma,* de l'ital. *firma,* convention, même orig. que le français *ferme,* n. f.

**fisc** 1278, *Archives* (*fisque*) jusqu'au XVIIe s. ; fin XVe s. (*fisc*) ; lat. *fiscus,* cassette, puis au sens fig. « trésor public » ; même évolution sémantique que *caisse.* || **fiscal** XIIIe s., rare
sémantique que *caisse.* || **fiscal** XIIIe s., rare
*Moniteur universel.* || **fiscalité** 1750, d'Argenson. || **fiscaliser** 1956, Lar. || **fiscaliste** 1950.

**fissi-,** lat. *fissus,* fendu. || **fissifolié** 1872, L. || **fissipare** XIXe s. (lat. *parere,* enfanter). || **fissipède** 1744, Buffon.

**fissile** XVIe s., Huguet ; repris au XIXe s. (1842, Mozin) ; lat *fissilis,* de *fissus,* part. passé de *findere,* fendre. || **fissilité** 1865, L. || **fission** 1948, Lar., phys. ; par l'angl. || **fissible** XXe s. ; sur *fission.*

**fissure** 1314, Mondeville ; fig. 1770, Rousseau ; lat. *fissura,* fente. || **fissurer** XVIe s. ; attesté au XVIIe s. ; repris au XXe s. || **fissuration** 1842, *Acad.*

**fiston** V. FILS.

**fistule** 1314, Mondeville ; lat. *fistula,* au sens méd., proprement « tuyau, tube ». || **fistulaire** XIVe s., Brun de Long Borc ; bas lat. *fistularius.* || **fistuleux** 1490, Chauliac ; lat. *fistulosus.* || **fistuline** 1808, Boiste, champignon en forme de langue de bœuf. || **fistulisation** v. 1950.

**five o'clock** 1885, *Figaro ;* loc. angl., abrév. de *five o'clock tea,* thé de cinq heures.

**fixe** 1265, J. de Meung (*fix*) ; XVIᵉ s., Palissy (*fixe*), « invariable » ; XVIIᵉ s., « qui reste au même point » ; 1690, Furetière, « réglé d'avance » ; lat. *fixus,* part. passé de *figere,* attacher. || **fixer** 1340, Varin, « taxer » ; 1580, Montaigne, *fixer son attention ;* 1669, Bossuet, « établir » ; 1718, Massillon, « regarder ». || **fixable** 1872, Lar. || **fixement** début XVIᵉ s. || **fixation** XVᵉ s., G. || **fixage** milieu XIXᵉ s. || **fixatif** 1803, Boiste. || **fixateur** 1824, Boiste. || **fixisme** fin XIXᵉ s. || **fixiste** 1877, L. || **fixité** début XVIIᵉ s. || **fixe-chaussette** début XXᵉ s.

**fjeld** 1878, Lar. ; mot norvégien.

**fla** 1845, Besch., coup de baguette de tambour ; onomatopée.

**flabellé** 1611, Cotgrave ; lat. *flabellum,* éventail, de *flare,* souffler. || **flabellation** 1560, Paré. || **flabelle** XVIᵉ s., G. || **flabelliforme** 1813, Lamarck.

**flac** XVIᵉ s., La Curne ; onom., var. de *flic.*

**flaccidité** 1611, Cotgrave ; lat. *flaccidus,* flasque, pour servir de subst. dér. à *flasque.*

***flache** adj., 1180, *Horn* (*flac*), « mou » ; n. f., XIVᵉ s., *Miracles de Nostre-Dame,* partie molle, affaissée, par ext. fente ; lat. *flaccus, flacca,* flasque. || **flacher** 1497, G. || **flacherie** 1877, L. || **flacheux** 1690, Furetière, techn.

***flacon** 1314, Mondeville ; bas lat. *flasco* (VIᵉ s., Grégoire de Tours), *-onis ;* du germ. *flaska,* (angl. *flask,* allem. *Flasche,* ital. *fiasco*). || **flaconnage** 1930, Lar. || **flaconnier** 1907, Lar.

**fla-fla** 1847, Balzac, fig., ostentation, d'abord terme d'atelier ; de l'onom. *fla* (1845, Besch.), coup de baguette ; enregistré dans Delvau, 1867.

**flagada** 1910, Esnault ; de *flaquer,* foirer, onomat. *flac.*

**flagelle** fin XIXᵉ s. ; lat. *flagellum,* fouet. || **flagellé** 1878, Lar.

**flageller** 980, *Passion ;* lat. *flagellare,* de *flagellum,* fouet (v. FLÉAU). || **flagellant** 1872, Lar., adj. ; n. m. 1694, Corn., relig. || **flagellation** 1382, de Maizières, rare jusqu'au XVIIᵉ s. ; lat. chrét. *flagellatio* (IIIᵉ s., Tertullien). || **flagellateur** 1587, La Noue. || **flagellement** 1889, Barbey d'Aurevilly.

1. **flageolet** flûte, 1234, Colin Muset ; dimin. de l'anc. fr. *flageol* (XIIᵉ s., *Raoul de Cambrai*), du lat. pop. **flabeolum,* de *flabrum,* souffle (rac. *flare,* souffler). || **flageoler** 1752, Rousseau ; formation ironique d'apr. la métaphore « jambe grêle » (cf. FLÛTE 1, fam. en ce sens). || **flageolant** fin XIXᵉ s., A. Daudet.

2. **flageolet** haricot, début XIXᵉ s. ; altér., par infl. de *flageolet* 1 (les haricots, flatueux, sont appelés aussi, pop., *musiciens*), d'un dimin. du picard *fageole* (1726, Luillier), de l'ital. *fagiuolo,* haricot, lui-même du lat. pop. **fabeolus,* croisement entre *faba,* fève, et *phaseolus,* mot gr. (V. FASÉOLE, FAYOT).

**flagorner** 1464, *Pathelin,* « parler à l'oreille » ; orig. obscure, p.-ê. de *flatter* et de *corner.* || **flagornerie** 1582, Bretin. || **flagorneur** XVᵉ s., M. Le Franc.

**flagrant** 1413, *D. G. ;* lat. *flagrans,* brûlant, au sens fig. jurid. (*flagranti crimine,* en flagrant délit, *Code Justinien*) ; *flagrant délit,* fin XVᵉ s. || **flagrance** 1611, Cotgrave.

***flairer** XIIᵉ s., G., « exhaler » et « sentir une odeur » ; lat. *fragrare,* sentir bon. || **flair** 1175, Chr. de Troyes, « odeur » ; milieu XVIᵉ s., Ronsard, « odorat du chien » ; 1872, Gautier, fig. ; déverbal. || **flaireur** 1539, R. Est.

**flamand** 1080, *Roland ;* germ. *flaming.* || **flamingant** milieu XVIIIᵉ s.

**flamant** 1534, Rab. ; prov. *flamenc,* du lat. *flamma,* flamme, d'apr. la couleur du plumage de l'oiseau.

***flambe** 1080, *Roland,* « flamme », auj. techn. ou dial. (Ouest) ; forme dissimilée de l'anc. fr. *flamble* (XIIᵉ s.), du lat. *flammula,* dimin. de *flamma,* flamme. || **flamber** 1160, Benoît, rare avant le XVIᵉ s. (Ronsard), qui a remplacé l'anc. fr. *flammer* (1160, Benoît) ; lat. *flammare ;* 1878, Esnault, « jouer gros jeu ». || **flambant** 1170, *Rois ;* 1841, *les Français peints par eux-mêmes,* fig. || **flambage** 1771, Schmidlin. || **flambard** 1285, G., « charbon à demi consumé » ; fig. 1852, Esnault, *faire le flambard.* || **flambeau** 1398, *Ménagier,* « torche » ; fin XVIᵉ s., d'Aubigné, « chandelier ». || **flambée** début XIVᵉ s. || **flambeur** 1885, Esnault, « joueur ». || **flamboyer** 1080, *Roland* (*-eier*). || **flamboiement** début XVIᵉ s., puis 1842, E. Sue.

**flamberge** 1598, Bouchet ; nom de l'épée de Renaud de Montauban, héros de chansons de geste (d'abord *Froberge, Floberge,* nom de personne germ.) ; altér. par infl. de *flamme.*

**flamboyer** V. FLAMBE.

**flamenco** fin XIXᵉ s. ; mot esp. signif. « tzigane », « flamand ».

**flamiche** fin XIIIe s., Rutebeuf, « tarte cuite à petit feu » ; mot de même rac. que *flamme* (*galette à la flamme*).

**flamine** 1372, Golein ; lat. *flamen, -inis,* d'origine obscure.

1. ***flamme** Xe s., *Saint Léger* (*flamma*) ; XIIe s. (*flamme*) ; 1460, Villon, « passion amoureuse » ; lat. *flamma.* || **flammé** 1808, Boiste. || **flammerole** XVe s., *Perceforest.* || **flammette** 1372, Corbichon, « petite flamme », auj. techn. || **enflammer** XIe s., « mettre en flammes » ; 1130, *Eneas,* « rendre ardent », fig. ; 1690, Furetière, méd. ; lat. *inflammare.* || **inflammable** fin XIVe s., formation savante. || **ininflammable** 1622, Fr. de Sales. || **inflammation** 1355, Bersuire, « irritation », fig. ; XVe s., méd. ; 1525, J. Lemaire, « incendie ». || **inflammatoire** 1560, Paré.

2. ***flamme** fin XIe s., *Gloses de Raschi* (*flemie*) ; fin XIIe s., *Grégoire* (*flieme*), « lancette de vétérinaire », altéré ensuite (1680, Richelet) sous l'infl. de *flamme ;* lat. pop. **flĕtomus,* de *phlebotomus,* du gr. *temnein,* couper, et *phleps,* veine (v. PHLÉBITE). || **flammette** 1314, Mondeville, « petite lancette ».

**flammèche** 1120, *Job* (*flammasche*) ; XIIe s., Tobler-Lommatzsch (*flammesche*) ; croisement entre le francique **falawiska,* étincelle, et le lat. *flamma,* flamme.

**flan** fin XIe s., *Gloses de Raschi* (*fladon*) ; XIIe s., Raimbert de Paris (*flaon*) ; XIVe s. (*flan*), terme de monnayage ; fin XIIe s., *Chevalerie Ogier* (*flaon*) ; 1490, *Recueil de farces* (*flan*), « gâteau » ; francique **flado* (allem. *Fladen*). || **flanier** 1788, *Encycl. méth.*

**flanc** 1080, *Roland,* anat. ; 1559, Amyot, « partie latérale » ; francique ***hlanka,* hanche (anc. haut allem. *flancha*), qui avait donné *flanche* (fin XIe s., *Gloses de Raschi*). || **flanchet** 1376, Du Cange. || **flanchis** blas., 1732, Trévoux. || **bat-flanc** 1888, Lar. || **flanc-garde** 1888, Lar. || **flanquer** 1555, Ronsard, « garnir sur le flanc » ; 1564, Thierry, « protéger » ; 1665, Boileau, « être placé de part et d'autre » ; 1634, *Cabinet satyrique,* « donner des baisers » ; 1680, Richelet, « battre » ; 1808, d'Hautel, « jeter violemment sur ». || **flanquis** 1672, Menestrier ; réfection de *flanchis.* || **flanqueur** 1770, Hassenfratz, milit. || **flanquement** 1794, d'Arçon, fortif. || **efflanqué** 1573, Belleau ; réfection, d'apr. *flanquer,* de *efflanché* (1387, G. Phébus). || **tire-au-flanc** 1887, Esnault.

**flancher** 1835, Raspail ; anc. fr. *flanchir,* détourner, du francique **hlankjan,* ployer. (V. FLANC.) || **flanchage** 1942, Gide. || **flanchard** 1896, Delesalle.

**flandrin** 1470, *D. G.,* « fluet » ; 1525, J. Lemaire, « de Flandre » ; 1665, Molière, sens actuel ; mot signif. « flamand », de *Flandre,* parce que les Flamands seraient grands et mous.

**flanelle** 1656, Bonnafé (*flanel*) ; 1694, Ménage (*flanelle*) ; angl. *flannel,* du gallois *gwlanen,* de *gwlân,* laine.

**flâner** 1645, *Muse normande ;* mot normand sans doute plus ancien, vulgarisé au XIXe s. (1808, d'Hautel) ; scand. *flana,* aller çà et là. || **flâne** 1856, Goncourt ; déverbal. || **flânerie** début XVIIe s., rare jusqu'au XIXe s. || **flâneur** fin XVIe s., texte normand. || **flânocher** 1856, Furpille.

**flanquer** V. FLANC.

**flapi** fin XIXe s., « abattu, déprimé », mot lyonnais ; de *flapir,* amollir, abattre (XVe s.), de *flap,* mou, lat. pop. **falappa, faluppa,* balle de blé.

**flaque** XIVe s., Boutillier (*flasque*) ; 1564, Thierry (*flaque*) ; mot du Nord, du moyen néerl. *vlacke,* étang maritime ; ou du picard *flache,* mou, creux, d'où « creux dans un chemin » et « mare ».

**flash** 1918, *le Film ;* mot angl. signif. « éclair » ; origine onomat. || **flash-back** v. 1950 ; angl. *back,* en retour.

1. **flasque** adj., 1421, Lannoy, « dépourvu de consistance » ; milieu XVIe s., « mou » ; altér. de *flaque* (encore 1611, Cotgrave), forme picarde de *flache* (v. ce mot) ; le *s* peut être dû à l'infl. du suivant.

2. **flasque** fin XIIe s., *Chevalerie Ogier,* flacon ; 1535, G., poire à poudre, puis bouteille à mercure ; germ. *flaska* ou par le catalan *fiasca,* gourde. (V. FLACON.)

3. **flasque** n. m. et f., 1445, G., « montant d'affût » ; néerl. *vlacke,* plat, plan (allem. *flach*), ou var. de *flache,* surface dénudée, lat. *flaccus.*

**flatter** 1175, Chr. de Troyes, « faire un éloge exagéré » ; 1354, *Modus,* « caresser avec la main » ; *se flatter de* 1661, Molière ; francique *flat,* plat, c.-à-d. « mettre à plat » ou « toucher avec le plat de la main ». || **flatterie** 1265, Br. Latini. || **flatteur** 1220, Coincy. (V. FLÉTRIR 2.)

**flatueux** 1538, Canappe ; lat. *flatus,* vent, de *flare,* souffler. || **flatuosité** 1552, Massé. || **flatulent** 1560, Paré. || **flatulence** 1747, James.

**flave** 1539, Canappe, « blond » ; lat. *flavus,* jaune, blond. || **flavescent** 1530, Rab. ; lat. *flavescens,* part. prés. de *flavescere,* devenir jaune. || **flavescence** XX<sup>e</sup> s.

***fléau** fin X<sup>e</sup> s., *Saint Léger* (*flaiel*) ; XII<sup>e</sup> s. (*flael*) ; XIII<sup>e</sup> s. (*fléau*) ; lat. *flagellum,* fouet, spécialisé pour le fléau articulé (IX<sup>e</sup> s., saint Jérôme) ; au fig. d'apr. la métaphore du lat. eccl. *flagellum Domini,* châtiment envoyé par Dieu (trad. de la Bible).

1. **flèche** arme, fin XI<sup>e</sup> s., *Gloses de Raschi,* arme ; XVI<sup>e</sup> s., objet en forme de flèche ; XVII<sup>e</sup> s., techn. ; 1701, Furetière, « trait d'esprit » ; francique **fliukka* (moyen néerl. *vliecke*), signif. « celle qui vole », de même rac. que l'allem. *fliegen,* voler. || **flécher** 1589, Baïf ; techn. XX<sup>e</sup> s. || **fléchage** 1962, Lar. || **fléchette** 1922, Lar. || **biflèche** 1959, Lar.

2. **flèche** 1193, Hélinant (*fliche*) ; 1549, R. Est. (*flèche*), « pièce de lard » ; moyen néerl. *vlecke,* altér., sous l'infl. du précédent, du scand. *flikki.*

***fléchir** XIII<sup>e</sup> s., *Roman de Renart ;* var. probable de l'anc. fr. *flechier* (1160, Benoît), de même sens, du lat. pop. **flecticare,* fréquentatif de *flectere,* ployer, fléchir. || **fléchissement** 1314, Mondeville. || **fléchisseur** 1586, Guillemeau. || **infléchir** 1738, de Mairan (*infléchi*). || **inflexion** 1380, Conty ; lat. *inflexio.* || **inflexible** 1314, Mondeville ; lat. *inflexibilis.* || **inflexiblement** fin XV<sup>e</sup> s., G. || **inflexibilité** 1611, Delb.

**flegme** 1265, Br. Latini (*fleume*) ; XIII<sup>e</sup> s., *Médicinaire liégois* (*flegme*) ; 1651, Scarron, « sang-froid » ; lat. méd. *phlegma,* humeur, pituite, du gr. *phlegma,* « inflammation » (v. PHLEGMON). || **flegmatique** fin XII<sup>e</sup> s., Guiot de Provins (*fleumatique*) ; 1534, Rab. (*flegmatique*), méd. ; 1669, Boileau, fig. ; lat. *phlegmaticus,* du gr. *phlegmatikos.*

**flemme** 1821, Desgranges, « lenteur » ; ital. *flemma,* du lat. *phlegma,* f. au sens de « paresse ». || **flemmard** 1883, Boutmy. || **flemmarder** 1894, Sachs-Villatte. || **flemmardise** v. 1950.

**fléole** 1786, *Encycl.,* graminée ; lat. sc. *phleum,* du gr. *phleôs,* roseau.

**flet** XIII<sup>e</sup> s., G., sorte de plie ; moyen néerl. *vlete,* espèce de raie. || **flétan** 1554, Rondelet, poisson plat ; d'un dér. néerl. **vleting.*

1. **flétrir** (en parlant d'une plante) 1265, J. de Meung (*flestrir*) ; anc. fr. *flaistre* (1155, Wace), flasque, flétri, du lat. *flaccidus,* flasque, de *flaccus* (v. FLACHE 1, FLASQUE 1). || **flétrissure** XV<sup>e</sup> s., *D. G.*

2. **flétrir** 1175, Chr. de Troyes (*flatir*), « marquer au fer rouge » ; XIII<sup>e</sup> s., *Assises de Jérusalem* (*flastrir*), « marquer d'ignominie » ; altération, d'apr. le précédent, du francique **flatjan,* lancer, pousser, de *flat,* plat (v. FLATTER). || **flétrissure** 1611, Cotgrave.

**flette** 1311, G. ; anc. angl. *flete,* bateau (angl. *fleet,* flotte).

***fleur** 1080, *Roland* (*flur*) ; *à fleur de* 1354, *Modus ;* lat. *flos, floris* (masc.) || **fleurée** 1408, G., qualité d'indigo. || **fleurage** XVI<sup>e</sup> s., Delb., « ensemble de fleurs » ; XVIII<sup>e</sup> s., sens techn. || **fleurette** 1119, Ph. de Thaon, « petite fleur » ; 1643, Saint-Amant, « propos galant ». || **fleureter** XIII<sup>e</sup> s., *Doon de Mayence,* « orner de fleurettes » ; fin XIX<sup>e</sup> s., « conter fleurette ». || **fleuriste** 1680, Richelet, « amateur de fleurs », ensuite divers sens techn. || **fleur de lis** XII<sup>e</sup> s., Gay, emblême royal. || **fleurdeliser** 1542, Delb., de *fleur de lis.* || **fleuret** 1563, G., dimin. de *fleur,* spécialisé en divers sens techn. (proprement « fleur de laine ») ; 1580, Montaigne (*floret*), épée terminée par un bouton comparé à un bouton de fleur ; adaptation de l'ital. *fioretto.* || **fleurir** 1080, *Roland* (*florir*) ; lat. *florire,* d'apr. *fleur.* || **fleurissant** 1539, R. Est. || **fleuron** 1302, Delb. (*floron*) ; p.-ê. d'apr. l'ital. *fiorone,* de *fiore,* fleur. || **fleuronner** 1460, Chastellain. || **affleurer** 1397, Delb., « être, mettre à fleur ». || **affleurement** 1593, de Lurbe. || **affleurage** 1762, *Encycl.* || **défleurir** XIV<sup>e</sup> s., Jubinal. || **effleurer** 1220, Coincy (*esfloré*), « qui a perdu sa fraîcheur » ; 1549, R. Est., « ôter les fleurs » ; par ext. « enlever la fleur, le dessus » ; 1595, Montaigne, « toucher à la surface » ; 1611, Cotgrave « toucher légèrement » et « examiner superficiellement ». || **refleurir** 1120, *Ps. d'Oxford.* || **flore** 1777, Lamarck, *Flore française ;* lat. *Flora,* déesse des fleurs, de *flos, floris.* || **floral** 1546, Martin (jeux Floraux de Toulouse, fondés en 1323), d'apr. le prov. ; milieu XVIII<sup>e</sup> s., bot. ; lat. *floralis.* || **floralies** 1819, Cornelissen, fête horticole. || **floraison** 1731, de Brémond ; réfection de *fleuraison* (1600, Malherbe) ou *fleurison* (1704, Trévoux). || **florès** 1638, Richelieu ; *faire florès,* « faire une manifestation éclatante » ; XVII<sup>e</sup> s., La Curne, « obtenir des succès » ; latinisation du provençal *faire flori,* être prospère, lat.

*floridus,* fleuri. || **floréal** 1793, huitième mois du calendrier révolutionnaire créé par Fabre d'Églantine ; du lat. *florus,* fleuri. || **floricole** 1842, *Acad.* || **floriculture** 1856. || **floridés** 1827, *Acad.* (*-ridées*). || **florifère** 1783, Bergeret. || **florilège** 1697, A. Galand ; lat. mod. *florilegium,* fait sur le modèle *spicilegium,* glanage (v. SPICILÈGE). || **florule** 1842, *Acad.* || **déflorer** XIIIe s., *D. G.* (*desflourer*) ; 1437, Ch. d'Orléans (*déflorer*) ; 1530, Marot, fig. ; lat. *deflorare,* ôter la fleur. || **défloration** 1355, Bersuire ; lat. *defloratio.* || **défloraison** 1863, L. || **efflorescence** 1560, Paré ; lat. *efflorescens,* part. prés. de *efflorescere,* fleurir. || **efflorescent** 1755, *Encycl.* || **inflorescence** 1789, Lamarck ; bas lat. *inflorescere,* commencer à fleurir.

**fleurer** XIVe s., *Livre de la Passion,* « exhaler une odeur » ; anc. fr. *flaor,* odeur, du lat. pop. **flator,* de *flare,* souffler.

**fleuret, -eter, -iste, -on** V. FLEUR.

**fleurs** (*blanches*) 1314, Mondeville, « menstrues » ; altér. de *flueur,* par infl. de *fleur.*

**fleuve** 1130, *Eneas* (*flueve*) ; empr. anc. au lat. *fluvius,* ruisseau, fleuve, de *fluere,* couler. || **fluvial** 1265, Br. Latini (*fluviel*) ; 1512, Lemaire (*fleuvial*) ; 1829, Boiste (*fluvial*) ; lat. *fluvialis.* || **fluviatile** 1559, Valgelas ; lat. *fluviatilis.*

**flexible** 1314, Mondeville ; 1525, J. Lemaire, fig. ; lat. *flexibilis,* de *flexus,* part. passé de *flectere,* fléchir. || **flexibilité** fin XIVe s. ; 1580, Montaigne, fig. || **flexion** XVe s., « fléchissement » ; 1804, Humboldt, gramm. ; lat. *flexio.* || **flexionnel** 1877, L. || **flexueux** 1549, Tagault ; lat. *flexuosus* || **flexuosité** 1546, Rab. || **flexure** XXe s.

**flibot** 1587, Parfouru (*felibot*) ; fin XVIe s., d'Aubigné (*phlibot*), bateau plat ; adaptation du néerl. *vlieboot,* petit bâteau de charge. (V. PAQUEBOT.)

**flibustier** 1667, Dutertre (*fri-*) ; 1680, d'Estrées (*fli-*) ; angl. *flibutor, flisbuter* (auj. *freebooter*), altér. du néerl. *vrijbuiter,* pirate (proprement « libre-butineur »). || **flibuster** 1701, Furetière. || **flibuste** 1643, Le Hirbec (*fribuste*). || **flibusterie** 1836, *Acad. ;* fig. 1841, *les Français peints par eux-mêmes.*

**flic** n., 1828, Esnault, « commissaire de police » ; 1856, Esnault (*fligue*), « agent de police » ; argot allem. *flick,* jeune garçon.

**flic-flac** XVIe s., Béroald de Verville ; onomatopée. || **flicflaquer** 1876, *J.O.*

**flingot** 1858, Esnault, arg. milit., puis pop. ; adaptation de l'allem. dial. (bavarois) *flinke, flingge* (allem. *Flinte*), avec un suffixe argotique. || **flingue** 1889, Barrère. || **flinguer** 1947, Esnault.

**flinquer** 1756, *Encycl. méth.,* techn. ; flamand *flinke,* coup.

**flint-glass** 1771, Bonnafé (*flint-glass*) ; 1774, Gomicourt (*flint*), verre de cristal ; de *flint,* silex, et *glass,* verre.

**flion** 1555, Belon, palourde ; mot normand, du scand. *flida,* gland ; le mot *flie,* qui a précédé *flion,* a pris régionalement le sens de « copeau ».

**flip-flap** 1903, Lar. ; mot angl., de *to flip,* se détendre, et *to flap,* frapper avec un clapet.

**flipot** 1732, Th. Corn., tringle de bois ; du surnom pop. *Phelipot,* dér. de *Philippe,* prononcé *Phelipe* (cf. *Flipote* dans *le Tartuffe*).

**flirt** 1879, Bonnafé ; angl. *flirt,* de *to flirt,* « jeter, remuer vivement », puis, au XVIIIe s., « faire la cour » ; d'origine onomat. ; la prononc. anglicisante a provoqué une homonymie avec *fleur* (*fleureter, conter fleurette*). || **flirter** 1855, J. Janin ; fin XIXe s., polit. || **flirtage** 1855, Bonnafé. || **flirteur** 1878, Lar.

1. ***floc** 1130, *Eneas* (pl. *flos*), « petite houppe » ; lat. *floccus,* flocon de laine. || **flocon** fin XIIIe s., *Roman de Renart.* || **floconné** 1847, Flaubert. || **floconner** 1881, Daudet. || **floconnement** 1874, Daudet. || **floconneux** fin XVIIIe s. || **floche** XVIe s. (*soie floche*), « mou », nom en anc. fr. ; forme fém. de *floc.* || **floculation** 1911, Lar. ; lat. *flocculus,* petit flocon. || **floculer** 1911, Lar.

2. **floc** 1530, Marot ; onomat.

**floche** adj., XVIIe s., *Chron. bordeloise,* « mou, flasque » ; n. f., 1300, G., « petite houppe » ; gascon *floche,* du lat. *fluxus,* frêle, lâche.

**flonflon** 1697, Gherardi ; onomatop.

**flopée** 1849, *Jargon,* « volée de coups » ; 1867, Delvau, « grande quantité » ; de *floper,* battre, du bas lat. *faluppa,* copeau.

**floraison, floral, flore, floréal** V. FLEUR.

**florence** 1732, Trévoux, « toile de soie » ; de *Florence,* lieu originaire de fabrication. || **florentine** 1666, Gay, satin façonné.

**florès, florilège** V. FLEUR.

**florin** 1278, *Archives ;* ital. *fiorino,* de *fiore,* fleur, monnaie d'or frappée d'abord à Florence avec des fleurs de lis, armes de la ville ; il a désigné ensuite les pièces françaises (XIVᵉ s.), autrichiennes, hollandaises, etc. (XVIIIᵉ s.).

**florule** V. FLEUR.

**flosculeux** 1792, Desfontaines ; lat. *flosculus,* dimin. de *flos,* fleur.

**flot** 1120, *Ps. de Cambridge* (*fluet*) ; 1175, Chr. de Troyes (*flot*) ; francique **flôt,* fait de monter (allem. *Flut*). [V. RENFLOUER.]

1. **flotte** 1080, *Roland,* « grande quantité » ; lat. *fluctus,* agitation, flot ; 1138, Gaimar (*flote*), ensemble des vaisseaux ; scand. *floti,* radeau, sens développé sous l'infl. de l'esp. *flota* (v. FLOTILLE).

2. **flotte** XVIᵉ s., « inondation » ; 1886, Esnault, « pluie ». || **flotter** 1886, Esnault, pleuvoir.

**flotter** 1080, *Roland* (*floter*) ; v. 1200, *Bueve de Hantone,* « ondoyer » ; 1580, Montaigne, « être indécis » ; de *flot.* || **flottant** milieu XVIᵉ s., sens propre ; 1580, Montaigne, « incertain ». || **flottage** 1446, G. (*flotaige*), « fait de dériver l'eau » ; 1611, Cotgrave (*flottage*), sens actuel. || **flottaison** *id.* || **flottement** début XIVᵉ s., « mouvement des flots » ; 1801, Mercier, fig. || **flottabilité** 1856, Lachâtre. || **flottable** 1572, G. || **flotteur** début XVᵉ s., « homme employé au flottage » ; 1865, L., sens moderne. || **flottation** 1930, Lar., techn. ; d'après l'angl. *flotation.*

**flottille** 1691, Boulan ; esp. *flotilla,* dimin. de *flota,* flotte.

**flou** 1180, *Alexandre* (*flo*), « fané » ; 1273, Adenet, « faible, fluet » (jusqu'au XVᵉ s.) ; 1765, Diderot, en beaux-arts, « peu net » ; lat. *flavus,* jaune, puis « fané ».

**flouer** XVIᵉ s., Huguet ; repris au XIXᵉ s. (1827, *Cartouche*), « tricher » ; var. de *frouer,* tricher au jeu (1460, Villon), de *froer,* « casser, briser » (v. 1160, *Charroi*), lat. *fraudare.* (V. FRAUDE.) || **flouerie** 1840, Larchey. || **floueur** 1821, Ansiaume, « joueur » ; 1827, Esnault, « tricheur » ; 1841, *les Français peints par eux-mêmes,* « qui dupe ».

**flouve** 1786, *Encycl. méth.,* graminée ; orig. obsc., p.-ê. forme fém. de *flou.*

**fluctuation** 1120, *Ps. d'Oxford,* « incertitude » ; lat. *fluctuatio,* de *fluctus,* flot. || **fluctueux** XIIIᵉ s., G. ; lat. *fluctuosus.* || **fluctuer** 1517, J. Bouchet ; lat. *fluctuare.* || **fluctuant** 1355, Bersuire, « indécis ».

**fluer** 1288, *Renart le Nouvel,* « couler » ; 1361, Oresme, méd. ; lat. *fluĕre,* couler. || **fluage** 1922, Lar. || **fluent** 1756, *Encycl.,* math. ; 1767, Diderot, fig. ; part. prés. *fluens, -tis,* sens spécialisé en lat. scient. par Newton (XVIIᵉ s.). || **fluence** 1773, Voltaire. || **fluide** XIVᵉ s., *D. G.,* adj. ; n. m. 1764, Ch. Bonnet ; lat. *fluidus.* || **fluidifier** 1832, Raymond. || **fluidique** 1872, Lar. ; lat. *fluidus.* || **fluidité** 1565, Tahureau. || **flueurs** 1552, R. Est. ; bas lat. *menstrui fluores,* menstrues, pl. de *fluor,* écoulement. (V. FLEURS.)

**fluet** 1493, Coquillart (*flouet,* encore chez Furetière) ; 1690, Furetière (*fluet*) ; dimin. de *flou.*

**fluide** V. FLUER.

**fluor** 1723, Savary ; *flueur* en anc. chimie (1553, Belon) ; d'abord adj., (acide) fluide, (minéral) fusible (*spath fluor*), puis n. m., 1832, Raymond, corps simple gazeux ; lat. *fluor,* écoulement, c.-à-d. corps liquide. || **fluoré** 1865, L. || **fluoration** v. 1950. || **fluorescent** 1858, Nysten. || **fluorescence** 1852, Stokes. || **fluorimétrie** 1968, Lar. || **fluorine** 1844, d'Orbigny. || **fluorographie** XXᵉ s. || **fluorure** 1832, Raymond.

**flush** 1930, Lar., poker ; mot angl. signif. « riche ».

1. **flûte** XIIᵉ s., G. (*flehute, flaüte*), « instrument de musique » ; 1669, Widerhold, « verre haut » ; 1845, Besch., « petit pain » ; 1867, Delvau, interj. ; sans doute origine onomatop. || **flûter** 1160, Benoît (*flaüter*). || **flûteau** début XIIIᵉ s., Colin Muset (*flaütel*). || **flûteur** 1240, G. de Lorris (*fleüsteor*). || **flûtiste** 1828, Nodier ; qui a remplacé *flûteur.*

2. **flûte** 1559, Amyot (*fluste*) ; 1671, Pomey (*flûte*), bateau ; néerl. *fluit.*

**fluvial** V. FLEUVE.

**flux** 1272, Joinville (*flux dou ventre*), méd. ; 1314, Mondeville, « écoulement » ; 1362, Fréville, sens géogr. ; milieu XVIᵉ s., Amyot, « flot de paroles » ; lat. *fluxus,* écoulement, de *fluere,* couler. || **fluxion** XIVᵉ s., Delb., méd. ; *fluxion de poitrine* 1635, Monet ; lat. *fluxio,* écoulement, et par ext. fluxion.

**fluxer** XXᵉ s., chimie ; angl. *to flux,* mettre en fusion, du français *flux.*

**foc** 1602, Van Noort (*foquemast*) ; 1702, Aubin (*foque*) ; néerl. *fok,* voile triangulaire du beaupré.

**focal** XV^e s., La Curne, « de feu [lieu] », repris comme terme de sc. au XIX^e s. (1823, Boiste) ; lat. *focus,* foyer. || **focaliser** v. 1950. || **focalisation** 1877, L. || **bifocal** 1951, Lar.

**fœhn** 1859, Hugo ; mot allem. dial., du lat. *favonius,* vent du S.-O.

**foène** V. FOUINE 2.

**fœtus** 1470, Panis ; graphie bas lat. de *fetus,* au sens d'enfant (v. FAON), spécialisé en langue méd. || **fœtal** 1813, *Encycl. méth.*

***foi** 1050, *Alexis ; ajouter foi* 1541, Calvin ; *par ma foi* XII^e s., *Roncevaux ;* lat. *fĭdes,* croyance, confiance, spécialisé en lat. chrét. || **féal** 1160, Benoît (*feel*) ; fin XII^e s. (*féal*) ; dér. anc. de *fei* (foi) ; le subst. *féalté, féauté* (1155, Wace) a disparu.

***foie** VIII^e s., *Gloses de Reichenau* (*figido*) ; 1080, *Roland* (*firie*) ; XII^e s. (*fedie, feie*) ; XIII^e s. (*foie*) ; lat. pop. **fecatum,* altér. du lat. impér. *fĭcatum* (III^e s., Apicius : foie d'oie farci de figues), adaptation du gr. [*hêpar*] *sukôton,* [foie] préparé avec des figues ; ce terme culinaire a remplacé le lat. *jecur.* || **foissier** 1772, Duhamel, tonneau où l'on met les foies de morue.

1. ***foin** XII^e s. (*fein*) ; av. 1493, Coquillart (*foin*) par fausse régression (cf. AVOINE) ; lat. *fēnum.* || **sainfoin** 1549, R. Est. (*sainct foin*) ; 1600, O. de Serres (*sainfroin*), « luzerne » ; avec fausse étym. : *sain* doit être compris « sain pour le bétail ». (V. FANER, FENIL.)

2. **foin** interj., 1579, Larivey ; p.-ê. de *bailler foin en corne,* duper ; proprem. « mettre du foin aux cornes des taureaux » pour indiquer qu'ils sont dangereux.

1. ***foire** 1130, *Eneas* (*feire*), « marché » ; XIII^e s., La Curne (*foire*) ; bas lat. *fĕria,* jour de fête (III^e s., Tertullien) ; lat. pl. *feriae* (v. FÉRIE), les foires étant placées jadis les jours de fête. || **foirail** 1874, *Gazette des trib.,* à propos d'un foirail du Puy-de-Dôme ; mot berrichon.

2. ***foire** 1160, Benoît (*feire*) ; XIII^e s., *Roman de Renart* (*foire*), « diarrhée » ; lat. *foria.* || **foireux** 1216, R. de Clari. || **foirer** fin XVI^e s., d'Aubigné, « avoir la diarrhée », « faire long feu » ; 1907, Lar., pour une vis. || **foirole** 1548, R. Est.

***fois** 1050, *Alexis* (*feiz*) ; 1175, Chr. de Troyes (*fois*) ; *à la fois,* 1530, Palsgrave ; lat. *vĭces* (pl.), vicissitudes, changements ; le *f* s'explique mal (encore *vice* dans les *Gloses de Reichenau*). || **autrefois** 1160, Benoît (*-feiz*). || **parfois** 1270, Mahieu le Vilain. || **quelquefois** av. 1525, J. Lemaire. || **toutefois** 1280, Studer (*toutes foies*) ; 1559, Amyot (*toutefois*).

***foison** fin XI^e s., *Gloses de Raschi ; à foison* XIII^e s. ; lat. *fūsio, -ionis,* action de répandre, refait en **fŭsio,* d'apr. le verbe *fŭndere ;* il avait pris des sens fig. en bas lat. (versement d'argent, *Digeste,* etc.). || **foisonner** 1155, Wace. || **foisonnant** 1553, Rab. || **foisonnement** 1554, Thevet.

**foissier** V. FOIE.

**fol, folâtre, folichon, folie** V. FOU 1.

**foliaire** 1778, Lamarck ; lat. *folium,* feuille. || **foliation** 1757, *Encycl. méth.* || **foliacé** 1751, *Encycl. ;* lat. *foliaceus.* || **folié** 1713, Geoffroy ; lat. *foliatus.* || **foliole** 1757, *Encycl. ;* lat. *foliolum,* petite feuille. || **foliolé** 1865, L.

**folio** 1609, L'Estoile ; de *in-folio.* || **folioter** 1832, Raymond. || **foliotage** 1845, Besch. || **foliotation** XX^e s. || **in-folio** 1602, Peiresc ; mots lat. signif. « en feuille », du lat. *folium.* || **interfolier** 1812, Mozin.

**foliot** 1360, Froissart, « levier de serrure » ; anc. fr. *folier* (1120, *Ps. d'Oxford*), « faire le fou » (de *fol,* fou) et par ext. « aller de côté et d'autre ». Il a désigné le balancier des premières horloges.

**folklore** 1877, *Rev. crit. ;* angl. *folk-lore,* science du peuple, créé en 1846 par Thoms. || **folklorique** 1894, Sachs-Villatte. || **folkloriste** 1885, Bonnafé.

**follet** V. FOU 1.

**folliculaire** 1759, Voltaire ; lat. *folliculum,* petit sac, pris à tort pour un dér. de *folium,* feuille ; dimin. de *follis,* sac.

**follicule** début XVI^e s., capsule, bot. ; 1560, Paré, anat. ; lat. *folliculus,* petit sac ; de *follis,* poche. || **folliculeux** 1865, L. || **folliculine** 1827, *Acad.,* zool. || **folliculite** 1836, Landais.

**fomenter** 1220, Coincy, méd., « appliquer une compresse chaude » ; 1580, Montaigne, « exciter » ; lat. méd. *fomentare,* de *fomentum,* cataplasme, de *fovere,* chauffer. || **fomentation** XIII^e s., méd. ; 1636, Monet, action d'exciter ; lat. *fomentatio.* || **fomentateur** 1613, Huguet.

**foncer** 1389, G., « garnir d'un fond de pâte » ; 1680, Richelet, « charger à fond » ; 1798, *Acad.,* « rendre plus sombre » ; *foncer sur* 1829, Hugo, d'apr. *fondre sur ;* dér. de *fons,* anc. forme de *fond.* || **fonçage** 1867, Simonin, technique. || **fonçailles** 1588, G. (*fonsailhe*), « fond d'un tonneau » ; 1743, Trévoux, sens actuel. || **foncé** 1690, Furetière, couleur sombre (qui paraît *enfoncée*). || **foncement** 1877, L. || **défoncer** XIV^e^ s., Cuvelier (*-onsser*). || **défoncement** 1653, Oudin. || **défonceuse** 1870, Lar. || **enfoncer** 1278, Sarrazin, « faire pénétrer » ; 1580, Montaigne, « vaincre » ; 1635, Corn., « faire céder par un choc ». || **enfoncement** 1468, Chastellain. || **enfonceur** 1565, Tahureau. || **enfonçure** 1363, G.

**foncier** V. FOND.

**fonction** 1539, R. Est., « exercice d'une charge » ; 1580, Montaigne, physiologie ; 1835, *Acad.*, « emploi » ; 1757, *Encycl.*, math. ; lat. *functio,* accomplissement, de *fungi,* « s'acquitter de », au sens jurid. de « service public ». || **fontionner** 1637, *Chron. bordeloise,* « remplir une charge » ; 1787, Féraud, techn. || **fonctionnement** 1842, *Acad.* || **fonctionnaire** 1770, Turgot. || **fonctionnariser** XX^e^ s. || **fonctionnarisme** 1864, Proudhon. || **fonctionnariste** 1871, *le Vengeur.* || **fonctionnel** 1845, Besch., « relatif aux fonctions organiques » ; 1907, Lar., « dont la forme convient parfaitement à la destination ». || **fonctionnellement** fin XVII^e^ s., Saint-Simon. || **fonctionnalisme** 1866, Fleury.

***fond** 1080, *Roland* (*funz*), puis *fons* (d'apr. le nominatif lat.) ; lat. *fundus,* au double sens de « fond d'un objet » et « fonds de terre », pour lequel a été spécialisée la graphie *fonds ;* les divers sens de *fond* et *fonds* sont attestés dès l'anc. fr. || **foncier** 1370, G. (cens *fonsier,* d'apr. la graphie *fons,* au sens de fonds de terre) ; XV^e^ s., fig. || **foncièrement** 1460, Chastellain. || **tréfonds** XIII^e^ s., G., « sous-sol » ; 1690, Furetière, fig. ; anc. préfixe *tré(s)-*, du lat. *trans,* au-delà de, c.-à-d. le sous- sol. || **tréfoncier** 1283, Beaumanoir. (V. EFFONDRER, PLAFOND.)

**fondamental** V. FONDEMENT.

***fondement** 1170, *Rois ;* lat. *fundamentum,* de *fundare,* fonder ; le sens de « anus » (XII^e^ s.) est repris au lat. méd. || **fondamental** 1460, Chastellain ; bas lat. *fundamentalis.* || **fondamentalement** *id.* || **fondamentaliste** 1966, *le Monde.*

***fonder** 1190, Garnier ; lat. *fundare,* de *fundus,* fond. || **fondé** 1160, Benoît, « instruit » ; 1580, Montaigne, « justifié ». || **fondateur** début XIV^e^ s., qui a remplacé la forme *fondeor* (1150, Barbier) ; lat. *fundator.* || **fondation** XIII^e^ s., G. ; milieu XV^e^ s., soubassement d'une maison ; bas lat. *fundatio.*

**fonderie, fondeur** V. FONDRE.

**fondouk** 1606, Nicot (*fondegue*) ; 1611, Cotgrave (*fondique*) ; 1857, Fromentin (*fondouk*) ; ar. *funduk,* magasin, du gr. *pandokeion,* hôtellerie, entrepôt.

***fondre** 1112, *Voy. saint Brendam,* « verser des larmes » ; fin XII^e^ s., J. Bodel, « fondre la glace » ; XII^e^ s., *Roncevaux,* « s'écrouler » ; 1190, Garnier, « fabriquer un métal » ; 1354, *Modus, fondre sur,* « s'abattre », en fauconnerie ; 1580, Montaigne, « dissoudre » ; lat. *fŭndere,* verser, au sens de « couler » ; en anc. fr., par infl. de *effondrer,* le verbe a pris le sens de « s'écrouler, s'affaisser » (jusqu'au XVIII^e^ s. ; resté dans *cheval fondu,* jeu d'enfants) et « faire écrouler ». || **fondant** milieu XVI^e^ s., « où on enfonce » ; 1611, Cotgrave, « qui fond » ; 1688, Miege, « qui fond dans la bouche ». || **fonderie** 1373, G. (*fondrie*) ; XVI^e^ s. (*fonderie*). || **fondeur** 1268, É. Boileau. || **fondoir** XIII^e^ s., G., creuset. || **fondu** 1765, Diderot, pour les couleurs. || **fondue** 1432, G., « fonte » ; 1768, Rousseau, fromage fondu. || **fondu** n. m., 1908, *l'Illustration,* en cinéma. || * **fonte** 1493, Martial d'Auvergne, action de fondre, et par ext. fer non affiné sortant de la fonte ; lat. pop. **fŭndĭta,* part. passé de *fŭndĕre,* substantivé au fém.

**fondrière** 1488, *Mer des hist. ;* lat. pop. **fundora,* pl. de *fundus, -oris,* fond. Désigne un lieu bas et marécageux.

**fonds** V. FOND.

**fongible** 1752, Trévoux (*bien fongible*), jurid. ; lat. *fungibilis,* « qui se consomme », de *fungi,* s'acquitter de. Se dit des choses qui se consument par l'usage (denrées, argent). || **fongibilité** 1930, Lar.

**fongus** 1560, Paré (*fungus*) ; 1752, Trévoux (*fongus*), méd. ; lat. *fungus,* champignon, en méd. tumeur. || **fongicide** 1912, Lar. || **fongicole** 1839, Boiste. || **fongiforme** 1865, L. || **fongueux** 1560, Paré. || **fongosité** *id.*

***fontaine** 1170, *Rois ;* lat. pop. *fontana,* adj. substantivé au fém., dér. de *fons, fontis,* source, resté dans le Midi. || **fontainier** 1292, *Rôle de la taille de Paris* (*fontenier*) ; XIV^e^ s. (*fontainier*). || **fontanelle** 1560, Paré, méd., « exutoire » ; 1611, Cotgrave, « déhiscence crânienne » ; réfection, d'apr. le lat. méd. *fontanella,* de l'anc. fr. *fontenelle,* petite fontaine, par ext. ulcère, exutoire. || **fontinal** 1746, James ; lat. *fontinalis,* de source. || **fonts** (*baptismaux*) 1080, *Roland* (*funz*) ; 1160, Benoît (*fons*) ; lat. *fontes,* pl. de *fons, -tis,* avec spécialisation en un sens eccl.

**fontange** 1680, Sévigné ; nom de M^lle^ de Fontanges, maîtresse de Louis XIV, qui aurait inventé cette coiffure.

1. **fonte** V. FONDRE.

2. **fonte** 1752, Trévoux, « poche de cuir fixée à la selle » ; altér. par le précédent de l'ital. *fonda,* bourse, du lat. *funda,* fronde (qui a donné l'anc. fr. *fonde*), au sens bas lat. de « petite bourse ».

**fonts** V. FONTAINE.

**football** 1698, *Voy. en Angleterre ;* vulgarisé v. 1888 ; mots angl. signif. « balle au pied ». || **footballeur** 1894, *Journ. des débats* (*-er*).

**footing** 1895, A. Hermant ; angl. *footing,* base, danse, sol pour poser le pied, de l'ang. *foot,* pied, dont le sens a été modifié sur le modèle de *rowing,* sport nautique, etc.

**for** XV^e^ s., « coutume » (régions pyrénéennes) ; *for intérieur,* 1635, Monet ; lat. eccl. *forum,* juridiction ecclésiastique ; au fig. « tribunal de la conscience », d'apr. le sens de « tribunal » du lat. (V. FORFAIT, FUR.)

***forain** adj., XII^e^ s., *Saxons,* « étranger » ; 1757, *Encycl., marchand forain* et n. m. ; il a existé une var. *foirain* d'apr. *foire,* qui a infl. le sens du mot ; bas lat. **foranus,* étranger, de *foris,* dehors. (V. FORS.)

**foraminé** 1842, *Acad. ;* lat. *foramen, -inis,* trou, de *forare.* || **foraminifère** *id.,* sous-classe de protozoaires. || **foramen** 1878, Lar., anat., trou de petite dimension.

**forban** V. BANNIR.

**forçat** 1531, Gosselin ; ital. *forzato,* galérien, de *forzare,* forcer.

***force** 1080, *Roland ;* milieu XVIII^e^ s., en physique, techn. ; bas lat. *fortia,* pl. neutre subst. de *fortis,* courageux, puis fort. || ***forcer** XI^e^ s. (*forcier*) ; lat. pop. **fortiare,* de *fortia.* || **forcé** 1580, Montaigne, « imposé ». || **forçage** 1174, E. de Fougères, « violence », rare jusqu'au XVIII^e^ s. || **forcement** 1341, G. || **forcément** XIV^e^ s., G. (*forciéement*) ; XVI^e^ s. (*forcément*) ; part. passé au fém. || **forcerie** 1283, Beaumanoir, « violence » ; 1865, L., hortic. || **forcet** 1827, *Acad.,* techn. || **forceur** XII^e^ s., J. Bodel (*forceor*) ; 1530, Marot (*forceur*). || **forcing** 1926, Esnault. || **forcir** 1865, L., « devenir fort ». || **efforcer (s')** 1050, *Alexis* (*soi esforcier*) ; XIII^e^ s. (*s'efforcer*). || **effort** 1080, *Roland* (*esfort*). || **enforcir** fin XII^e^ s., *Loherains ;* anc. fr. *enforcier* (1130, *Eneas*), de *force.* || **renforcer** 1155, Wace (*renforcier*) ; XIII^e^ s. (*renforcer*). || **renfort** 1340, G. ; déverbal. || **renforcement** 1388, Delb. || **renforçage** 1865, *J.O.* || **renforçateur** 1964, Lar.

**forcené** 1050, *Alexis* (*forsené*), « fou » ; milieu XVI^e^ s., Amyot, « violent » ; pris à tort pour un dér. de *force,* d'où le *c* au XVI^e^ s. ; part. passé de l'anc. fr. *forsener,* « être hors de son bon sens » et par ext. « être furieux », de *fors,* hors de, et de *sen,* sens, d'origine germanique. || **forcènement** 1160, Benoît. (V. ASSENER.)

**forceps** 1692, Col de La Duquerie ; mot lat. signif. « pinces », repris au sens chirurgical, de *formus,* chaud, et *capere,* saisir. || **forcipressure** 1877, L. ; de *presser.*

***forces** 1131, *Couron. Loïs,* « ciseaux » ; aussi au sing. en anc. fr. ; lat. *forfices,* cisailles (pl. de *forfex*). || **forcettes** 1380, G., ciseaux d'une seule pièce à branches unies par un demicercle d'acier formant ressort.

**forcière** 1326, G. (*foursière*) ; 1865, L. (*forcière*), « étang pour l'élevage des poissons » ; anc. fr. *fourser,* frayer, de *fricare,* frotter.

**forcine** 1758, Duhamel, renflement d'un arbre à la naissance d'une branche ; p.-ê. dér. de *force* ou de *fourche.*

**forcing** 1930, Lar., en boxe ; 1926, Esnault, sens général ; mot angl. signif. « faisant un effort violent », de *to force,* forcer.

**forclore** 1120, *Ps. d'Oxford (forsclore)* ; XIII^e^ s. (*forclore*), « exclure » ; *fors,* hors de, et *clore,* spécialisé en terme de droit. || **forclos** XIV^e^ s., G., « exclu » ; 1549, R. Est., sens actuel ; part. passé. || **forclusion** 1471, Bartzsch.

**forer** fin XII^e^ s., R. de Moiliens, « transpercer le cœur » ; XIV^e^ s., Gordon, techn. ; lat. *forare,* percer. || **forage** 1335, Digulleville. || **forerie** (*de canons*) av. 1683, Colbert. || **foret** XIII^e^ s. || **foreur** 1845, Besch. || **foreuse** 1894, Sachs-Villatte. || **forure** 1280, Bibbesworth.

***forêt** début XII^e^ s., *Voy. de Charl.* (*forest*) ; XVII^e^ s. (*forêt*) ; bas lat. *forestis,* abrév. de *forestis silva,* forêt (*silva*) en dehors (*foris*) de l'enclos, loc. désignant la « forêt royale » au VIII^e^ s. (*Capitulaires de Charlemagne*). || **forestier** 1150, Wace, n. m. ; 1538, R. Est., adj. ; ensuite repris à l'anc. fr. avec la prononc. de *s.*

**forfait** V. FAIRE.

**forfanterie** 1560, Paré, « coquinerie » ; 1669, Molière, « fanfaronnade » ; anc. fr. *forfant* (XVe s.), coquin, anc. prov. *forfan,* de *forfaire,* faire le mal.

**forficule** 1791, *Encycl. méth.,* perce-oreille ; lat. *forficula,* petites pinces.

***forge** XIIe s. ; lat. *fabrĭca,* atelier, de *faber,* qui a donné l'anc. fr. *fèvre ;* spécialisé comme « lieu où l'on travaille le fer » (*fabrica ferrea*) et comme « grand fourneau où l'on fond le fer » (1690, Furetière). || ***forger** 1120, *Ps. d'Oxford,* « créer » ; fin XIIe s., *Aliscans,* techn. ; lat. *fabrĭcāre,* fabriquer, façonner. || **forgeable** 1627, Savot. || **forgeage** 1775, Grignon. || **forgerie** 1842, *Acad.,* industrie de forges ; 1870, L., « falsification de documents » ; repris à l'angl. *forgery.* || **forgeron** 1539, R. Est. ; d'apr. *forgeur.* || **forgeur** XIIIe s., *Artur* (*forgeor*) ; milieu XVIe s., Amyot, fig. || **reforger** XIVe s. (V. FABRIQUE.)

**forjeter** 1120, *Ps. de Cambridge* (*forgeter*), « repousser » ; 1636, Monet, en architecture ; de *fors* et *jeter.*

**forlane** 1732, Trévoux ; ital. *furlana,* (danse) « frioulane », importée du Frioul à Venise.

**format** V. FORME.

**forme** fin XIe s., *Gloses de Raschi ;* lat. *forma* dans les divers sens. || **former** 1120, *Ps. de Cambridge ;* lat. *formare.* || **formel** XIIIe s., G. ; milieu XVIe s., Amyot, « d'une netteté sans équivoque » ; lat. *formalis,* « relatif à la forme », au sens scolastique. || **formellement** fin XIIIe s., G. || **formaliser (se)** 1539, R. Est., « prendre fait et cause » ; 1540, Yver, « se froisser d'un manquement aux formes » ; v. t. XXe s., en logique. || **formalisant** 1967, Piaget. || **formalisation** XXe s. || **formalisme** 1842, Mozin, philos. ; 1845, Besch., « respect scrupuleux des formes ». || **formaliste** 1585, Du Fail. || **formalité** début XVe s. || **formant** 1962, Lar., phonétique. || **format** 1723, Savary ; ital. *formato,* part. passé subst. de *formare,* former, plutôt que dér. de *forme,* avec le suffixe *-at.* || **formateur** début XVe s., qui a remplacé *formeor* (XIIe s.) ; lat. *formator.* || **formage** 1875, *J. O.* || **formation** 1160, Benoît ; lat. *formatio.* || **formatif** fin XIIIe s., « qui sert à former » ; 1808, Cuvier. || **formeret** 1397, Gay. || **formule** 1372, Fagniez, « règle » ; XIXe s., en sciences ; lat. *formula,* de *forma.* || **formuler** XIVe s., Bouthillier ; 1740, Demours, pharmacie. || **formulable** 1877, L. || **formulaire** 1426, *D. G.,* « recueil de formules » ; XXe s., « questionnaire ». || **formulation** 1846, Besch. || **informulé** 1855, Goncourt. || **déformer** 1265, J. de Meung ; lat. *deformare.* || **déformation** XIVe s., G. ; lat. *deformatio.* || **difforme** XIIIe s. ; lat. médiév. *difformis,* altér. de *deformis.* || **difformité** XIVe s. ; lat. médiév. *difformitas,* altér. de *deformitas.* || **informe** 1455, Fossetier ; lat. *informis,* sans forme. (V. CONFORMER, FROMAGE.)

**Formica** n. déposé, v. 1950 ; mot angl., de *for,* au lieu de, et *mica.*

**formidable** 1475, Delb. ; lat. *formidabilis,* redoutable, de *formidare,* craindre. || **formidablement** 1868, *Moniteur universel.*

**formique** 1787, G. de Morveau ; dérivé du lat. *formica,* fourmi (acide existant à l'état naturel chez les fourmis). || **formol** fin XIXe s. || **formoler** 1912, Lar. || **formolage** XXe s.

**forniquer** 1564, Thierry ; lat. chrét. *fornicari* (IIIe s., Tertullien), de *fornix, -icis,* voûte, par ext. prostituée (demeurant dans un réduit voûté). || **fornication** 1120, *Ps. de Cambridge ;* lat. chrét. *fornicatio.* || **fornicateur** fin XIIe s., *Grégoire ;* lat. chrét. *fornicator.*

***fors** 980, *Valenciennes* (*foers*) ; XIIe s. (*fors*), « dehors », adv. ; XIIe s., *Lois de Guillaume,* « hors », prép. ; remplacé au XVIIe s. par *hors ;* lat. *fŏris,* dehors ; la forme accentuée a disparu avec l'emploi adv. (anc. fr. *foers, fuers*). En composition, *fors* s'est confondu avec le préf. germ. *fir* (allem. *ver*) [ainsi *forban, forclos,* etc.].

**forsythia** 1839, Boiste ; du n. de Guillaume *Forsyth,* horticulteur écossais du XVIIIe s.

***fort** 1080, *Roland ;* lat. *fortis ;* le fém. a été *fort* jusqu'au XIVe s. ; n.m. 1170, *Rois,* « portefaix » ; XIIIe s., « forteresse » d'apr. l'ital. || **fortement** 1050, *Alexis.* || **forteresse** 1130, *Eneas ;* p.-ê. déjà **fortaricia* en lat. pop. || **contrefort** XIIIe s., *Gauvain,* « étai fort », placé contre un mur. || **forte** 1767, Rousseau ; ital. *forte,* fort au sens mus. || **fortiche** 1897, Esnault. || **fortifier** 1308, Aymé ; bas lat. *fortificare.* || **fortifiant** adj. 1690, Furetière ; n. m. 1872, Lar. || **fortification** 1360, G. ; bas lat. *fortificatio ;* abrév. arg. *fortifs,* 1881, Esnault. || **fortin** 1642, Oudin ; ital. *fortino,* dimin. de *forte,* forteresse. || **fortiori (a)** 1836, Landais ; loc. du lat. scolast. signif. « en partant de plus fort ». || **fortissimo** 1757, *Encycl.,* mus. ; superlatif ital. de *forte.* || **fortitude** 1308, Aymé ; lat. *fortitudo,* force, courage ; repris au XIXe s. par Chateaubriand. || **infortifiable** XVIe s., La Curne

**fortrait** fin XVII^e s., Liger ; anc. fr. *fortraire* (XIII^e s.), tirer dehors, de *traire.* || **fortraiture** 1762, *Acad.*

**fortran** 1968, Lar. ; de *for[mulation] tran[sposée].*

**fortuit** XIV^e s. ; lat. *fortuitus,* de *fors,* hasard. || **fortuitement** 1562, J. Grévin.

**fortune** 1130, *Eneas,* « sort » ; 1265, Br. Latini, « heureux sort » ; XV^e s., richesse ; lat. *fortuna,* sort, au pl. richesses, de *fors,* hasard. || **fortuné** 1360, Froissart, « heureux » ; 1787, Féraud, « riche » ; lat. *fortunatus.* || **infortune** 1360, Froissart, « revers de fortune » ; lat. *infortunium* || **infortuné** 1361, Oresme ; lat. *infortunatus,* malheureux.

**forum** 1265, Br. Latini ; mot lat. au sens de « place publique (où se tiennent des réunions politiques) » ; 1813, Delille, « tribune » ; XX^e s., « réunion ». (V. FOR.)

***fosse** 1080, *Roland ;* lat. *fossa,* de *fodere,* creuser. || ***fossé** *id.* (*fosset*) ; XII^e s. (*fossé*) ; bas lat. *fossatum* (IV^e s., Végèce). || **fossette** 1119, Ph. de Thaon. || **fossoyeur** 1265, Br. Latini ; de l'anc. fr. *fossoyer* (1361, G., « creuser une fosse »). || **fossoir** fin XI^e s., *Gloses de Raschi,* « charrue vigneronne » ; bas lat. *fossorius,* qui sert à creuser. || **basse-fosse** XV^e s., cachot obscur et humide.

**fossile** 1556, R. Le Blanc ; lat. *fossilis,* tiré de la terre, de *fodere,* creuser. || **fossiliser** 1832, Raymond. || **fossilisation** *id.*

1. ***fou** 1080, *Roland* (*fol*) ; lat. *follis,* sac (v. FOLLICULAIRE), ballon, et par métaph. ironique « fou » (comparé au ballon qui va de côté et d'autre) ; n. m. 1613, Régnier, terme d'échecs, qui a remplacé l'anc. fr. *aufin,* empr. à l'ar. ; 1686, Choisy, ornith. || **folichon** 1642, Oudin. || **folichonner** 1786, Leroux. || **folichonnerie** 1867, Delvau. || **folâtre** 1394, Du Cange (*-astre*), « un peu fou » ; 1530, Marot, sens actuel. || **folâtrement** 1539, R. Est. || **folâtrer** XV^e s. || **folâtrerie** 1534, Rab. || **folie** 1080, *Roland,* « trouble mental » ; 1636, Monet, « goût excessif » ; 1843, Balzac, « dépense excessive ». || **follement** XII^e s., *Voy. de Charlemagne.* || **follet** 1160, Benoît ; *feu follet,* 1611, Cotgrave. || **affoler** 1130, *Couronn. Loïs.* || **affolement** XIII^e s., G. || **raffoler** 1378, Le Fèvre, « devenir fou » ; fin XVII^e s., Saint-Simon, « être follement épris ».

2. ***fou** XIII^e s., *Roman de Renart ;* nom du hêtre en anc. fr. et dial. ; lat. *fagus.* (V. FOUAILLER, FOUET, HÊTRE.)

***fouace** fin XII^e s., *Aliscans* ; lat. pop. **focacia* (*focacius panis,* VII^e s., Isid. de Séville, pain cuit sous la cendre du foyer [*focus*]). || **fouacier** 1307, G.

**fouage** XIII^e s., trad. de Guill. de Tyr (*foage*), impôt féodal réparti par feux ; dér. du lat. *focus,* foyer. || **fouagiste** 1848, Chateaubriand.

**fouaille** 1334, *Modus* (*fouail*) ; 1573, Du Puys (*-aille*) ; dér. anc. de *feu,* du lat. *focus,* foyer ; proprement « part, donnée aux chiens, des entrailles cuites au feu ».

**fouailler** 1330, *Baudoin de Sebourg* (*foueillier*), « se frapper les flancs » ; 1680, Richelet (*fouailler*), « fouetter » ; dér. de l'anc. fr. *fou* (v. FOU 2), du lat. *fagus,* hêtre (pour le sens, v. FOUET).

**foucade** V. FOUGUE 1.

**fouchtra** 1847, Balzac, *le Cousin Pons ;* interj. attribuée à tort aux Auvergnats, déformation plaisante de *foutre !* par addition de *ch,* puis de *a* (*fouchetre,* 1829, *Mém. de Sanson ;* par Lhéritier, créateur probable du mot qu'il attribue au plieur de journaux de Marat).

1. * **foudre** fém., 1080, *Roland (fuildre)* ; fin XII^e s. (*foudre*) ; au pl., 1587, Du Vair (*foudres de l'Église*) ; lat. pop. **fulgerem,* du lat. class. *fulgur, -uris,* éclair, de *fulgere,* briller. || **foudroyer** fin XII^e s. || **foudroyant** adj., 1552, R. Est. ; 1669, Molière, fig. || **foudroiement** XIII^e s., G.

2. **foudre** m., 1669, Widerhold, tonneau dont on se sert en Allemagne ; allem. *Fuder.*

**fouée** fin XII^e s., *Loherains,* « flambée » ; 1650, Ménage, « fouace » ; dér. anc. de *feu,* du lat. *focus.*

**fouet** XIII^e s., *Fabliau ;* anc. fr. *fou,* hêtre, du lat. *fagus :* le sens a dû être d'abord « petit hêtre », puis « baguette de hêtre » (pour fustiger) et, par ext., fouet ; il a éliminé l'anc. fr. *écourgée,* resté comme terme techn. || **fouetter** 1534, Rab., « avaler d'un trait » ; XVI^e s., Loisel, « cingler » ; XVI^e s., La Curne, « battre » ; 1580, Montaigne, fig. ; 1878, Esnault, « puer », abrév. de *fouetter le nez ;* v. 1950, « avoir peur » ; fouetté *Crème fouettée* 1690, Furetière. || **fouettard** (*père*) fin XIX^e s. ; nom donné au Père Noël dans l'Est. || **fouettage** 1781, Richard. || **fouettement** 1553, Rab. || **fouetteur** 1534, Rab.

**fougasse** 1688, Miege ; altér. de *fougade* (XVI^e s., Brantôme) au même sens de « mine » ; de l'anc. ital. *fugata,* de même rac. que *fougue.*

***fouger** XIVᵉ s., vén., creuser en parlant du sanglier ; lat. *fodicare,* fréquentatif de *fodere,* creuser. || **fouge** fin XIVᵉ s., vén., végétaux que le sanglier extrait en creusant ; déverbal.

***fougère** 1175, Chr. de Troyes (*fouchière*) ; 1600, O. de Serres (*fougère*) ; lat. pop. **filicaria,* de *filix, -icis,* fougère. || **fougeraie** 1611, Cotgrave.

1. **fougue** 1580, Montaigne ; ital. *foga,* impétuosité, d'abord « fuite précipitée », du lat. *fŭga,* fuite. (V. FUGUE.) || **fougueux** début XVIᵉ s., de Montlyard. || **foucade** 1614, J. Auffray ; altér. de *fougade.* || **fougueusement** 1872, Lar.

2. **fougue** 1677, Dassié (*mât de fougue*), « qui supporte l'effort du vent » ; altér. de (*mât de*) *foule* (1643, Fournier), déverbal de *fouler.*

**fouiller** V. FOUIR.

1. ***fouine** 1160, Benoît (*foïne*), mammifère rongeur ; abrév. de **fagīna,* qui a donné *faïne* (1268, É. Boileau), lat. *fagĭna meles,* martre du hêtre (la fouine recherche les faines) ; le *o* est dû à l'anc. fr. *fou,* hêtre, du lat. *fagus.* || **fouiner** 1749, Vadé, « s'esquiver » ; 1808, d'Hautel, « explorer ». || **fouinard** 1867, Delvau. || **fouineur** *id.*

2. ***fouine** XIIIᵉ s., Gay (*foisne,* var. *foène*), var., fourche en fer ; lat. *fŭscina,* trident, avec infl. de FOUINE 1. || **fouinette** 1428, Du Cange.

***fouir** 1120, *Ps. de Cambridge* (*foïr*) ; lat. pop. **fodire,* du lat. *fodere.* || **fouisseur** 1250, Mousket. || **fouissage** XXᵉ s. || ***enfouir** 1050, *Alexis* (*enfodir*) ; XIIIᵉ s. (*enfouir*) ; lat. pop. **infodire.* || **enfouissement** 1539, R. Est. || **enfouisseur** 1627, Crespin. || **enfeu** 1482, Lobineau, texte breton ; déverbal de *enfouir.* || **fouiller** 1283, Beaumanoir (*fooillier*) ; 1580, Montaigne, fig. ; lat. pop. **fodiculare,* du lat. *fodicare,* qui a donné *fouger,* de même rac. que *fodire.* || **fouille** fin XVIᵉ s. (*faire fouille*), « pillage » ; 1655, Salnove, « action de creuser » ; pl. 1811, Chateaubriand, archéologie, action de chercher. || **fouilleur** début XVIᵉ s., Gringore. || **fouille-au-pot** fin XVIIᵉ s., Saint-Simon. || **fouille-merde** 1542, Du Pinet. || **fouillis** 1398, E. Deschamps, action de fouiller ; 1803, Laharpe, entassement désordonné. || **fouillage** 1773, Guilbert. || **affouiller** 1835, Raymond. || **affouillement** 1835, Raymond. || **trifouiller** 1808, d'Hautel ; croisement de *tripoter* et de *fouiller.* || **trifouillage** 1878, Lar. || **trifouilleur** 1904, Lar. (V. CAFOUILLER, FARFOUILLER, FOUGER.)

**foulard** 1761, *Dict. du citoyen ;* altér. probable, par changement de suffixe, du prov. *foulat,* foulé (cf. le *foulé,* drap léger d'été, 1877, L.).

**foule** V. FOULER.

***fouler** fin XIᵉ s., *Gloses de Raschi ;* lat. pop. **fūllare,* fouler une étoffe, d'apr. *fullo,* foulon ; 1867, *se fouler,* pop., se fatiguer. || **foule** XIIᵉ s., *Fabliau* (*fole*) ; 1265, J. de Meung, « presse due au grand nombre » ; XIVᵉ s., G., « grand nombre de personnes » ; 1538, R. Est., « groupe d'individus » ; dér. de *fouler,* presser, proprement « endroit où on est pressé ». || **foultitude** 1848, Arnould ; croisement de *foule* et de *multitude.* || **foulage** 1284, G. || **foulement** 1611, Cotgrave. || **foulerie** 1268, É. Boileau, métier de foulon. || **fouleur** XIIIᵉ s., G. || **foulée** 1280, Bibbesworth, « cohue » ; 1835, *Acad.,* appui du coureur. || **fouloir** 1274, G. || **foulure** XIIᵉ s., A. de Bernay. (V. REFOULER.)

***foulon** XIIᵉ s., ouvrier qui presse les étoffes ; XIVᵉ s., moulin à fouler ; lat. *fūllo, -onis,* ouvrier qui conduit une machine à fouler. || **foulonnage** 1907, Lar. || **foulonner** 1611, Cotgrave. || **foulonnier** 1723, Savary.

**foulque** 1265, Br. Latini (*fulica*) ; 1398, *Ménagier* (*fourque*), oiseau des marais ; prov. *fólca,* du lat. *fŭlica.*

**fouquet** 1776, Sonnerat, « hirondelle de mer », anc. surnom de l'écureuil ; dimin. du nom d'homme *Fouque, Foulque,* du francique *Fulko.*

***four** 1080, *Roland* (*forn*) ; 1283, Beaumanoir (*four*) ; 1659, La Grange, *faire un four,* terme de théâtre, renvoyer les spectateurs quand la salle était presque vide (on éteignait les lumières en rendant la salle noire comme un four). Le radical *forn, fourn* sert de base aux dérivés ; lat. *fŭrnus.* || **fournage** 1231, G., droit féodal sur la cuisson du pain. || **fourneau** 1170, *Fierabras* (*-nel*), « cheminée » ; XIVᵉ s., « sorte de four » ; 1690, Furetière, appareil. || **fournée** 1180, Barbier, quantité de pain ; XIIIᵉ s., fig. || **fournette** 1700, Liger, petit fourneau. || **fournil** 1180, Barbier (*fornil*). || **fournier** 1153, G., « boulanger » ; 1856, Michelet, « passereau dont le nid est en forme de four », seul sens qui a subsisté. || **enfourner** XIIIᵉ s., La Curne, « mettre dans un four » ; XVIᵉ s., Ronsard, « engager une affaire » ; 1850, Balzac, « introduire ». || **enfournement** milieu XVIᵉ s. (V. CHAUX.)

**fourbe** 1455, *Coquillards,* comme n. m., « voleur », de *fourbir* (1220, Coincy), au sens anc. de « voler » ; sens actuel 1642, Corn. ;

n. f. 1460, *Mystère,* « fourberie ». || **fourber** début XVIIe s., Nicole. || **fourberie** 1640, Oudin.

**fourbesque** 1866, Lar., argot italien ; ital. *furbesco,* de *furbo,* voleur.

**fourbir** 1080, *Roland* (*furbir*) ; francique * *fürbjan* (moyen haut allem. *fürben,* nettoyer). || **fourbissage** 1444, G. || **fourbissement** 1270, L. || **fourbisseur** 1175, Chr. de Troyes (*forbisseur*), qui a remplacé *forbeor.* || **fourbi** 1835, Raspail, « jeu frauduleux » ; 1861, Esnault, « affaire compliquée » ; fin XIXe s., Huysmans, « objets hétéroclites ».

**fourbu** 1563, J. Massé (*forbeü*), en parlant du cheval ; 1865, L., « harassé » ; part. passé de l'anc. fr. *forboire,* boire hors de raison, à l'excès, et par ext. fatiguer par suite d'excès de boisson. || **fourbure** 1611, Cotgrave, congestion de la membrane tégumentaire du pied du cheval.

**fourc, fourcat** V. FOURCHE.

***fourche** fin XIe s., *Gloses de Raschi,* « potence » ; 1170, *Rois,* instrument ; fin XIIe s., objet divisé en deux ; lat. *fŭrca.* || **fourc** 1130, *Eneas* (*forc*) ; forme masc. *furcus,* spécialisé en sylviculture. || **fourcat** 1690, Furetière ; prov. *forcat,* fourche (XVe s.) || **fourche-fière** 1160, Benoît (*forche fire*) ; le deuxième mot paraît représenter le fém. lat. *ferrea,* de fer. || **fourcher** XIIe s., *D. G.* || **fourchet** 1690, Furetière. || **fourchette** 1313, de Laborde. || **fourchon** fin XIIe s., *Renaut de Montauban,* « dent de fourche ». || **fourchu** fin XIIe s., *Loherains.* || **fourchure** 1080, *Roland* (*furcheüre*). || **enfourcher** 1553, Belon, « percer d'une fourche » et « monter à cheval ». || **enfourchement** XIIIe s., *D. G.* || **enfourchure** 1155, Wace.

1. ***fourgon** fin XIe s., *Gloses de Raschi* (*forgon*), tisonnier ; lat. pop. *furico, -onis,* de *fur,* voleur, au sens de « qui furète » (V. FURET). || **fourgonner** XIIIe s., *Choses qui faillent en ménage,* remuer avec le fourgon ; 1690, Furetière, fig. et fam.

2. **fourgon** début 1640, Voiture, « voiture à bagages » ; origine obscure, sans doute de *char à fourgon,* char à ridelles, de *fourgon* 1. || **fourgonnette** 1949, Lar.

**fourguer** 1821, Ansiaume, « acheter des produits de vols » ; 1901, Esnault, « vendre » ; v. 1950, « dénoncer » ; prov. mod. *fourza,* fouiller, issu du lat. * *foricare.* Terme d'argot. || **fourgat** 1821, Ansiaume. || **fourgue** 1835, Raspail.

**fouriétiste** 1842, Pecqueur ; du socialiste Ch. *Fourier* (1772-1837). || **fouriérisme** 1842, *Acad.*

**fourme** 1829, Boiste (*forme*) ; 1872, Lar. (*fourme*) ; anc. prov. *forma,* fromage (éclisse pour mettre les fromages), du lat. *forma,* forme.

***fourmi** 1165, Marie de France (*fromiz*), souvent masc. (jusqu'au XVIe s.) ; 1550, Ronsard (*fourmi*) ; lat. pop. **formīx, -icis,* du lat. *formīca,* représenté dans les langues méridionales. || **fourmilière** 1564, Thierry, qui a été refait sur l'anc. fr. *formiere* (1165, Marie de France). || **fourmilier** 1756, Brisson. || **fourmilion** 1372, Corbichon (*fourmilleon*) ; 1745, Bonnet (*fourmilion*) ; calque du lat. *formicaleo,* en bas lat. *formicoleon* (VIIe s., Isid. de Séville). || **fourmillement** 1545, Paré (*-iement*) ; XVIIe s. (*-illement*), « agitation » ; 1680, Richelet, « picotement ». || **fourmiller** 1552, Paré, « picoter » ; 1587, La Noue, « s'agiter » ; forme refaite sur *formïer* (fin XIe s., *Gloses de Raschi*).

**fournaise** 1130, *Eneas* (*for-*) ; forme féminisée de l'anc. fr. *fornaiz* (1155, Wace), du lat. *fornax, -acis,* augmentatif de *furnus,* four.

**fournage, -neau, -née, -nier, -nil** V. FOUR.

**fournir** 1130, *Eneas* (*fornir*), « fonder une cité » ; 1160, Benoît, « former » ; 1190, Garnier, « procurer » ; francique * *frumjan,* exécuter (anc. saxon *frummian*), qui présente quelques difficultés phonétiques. || **fourniment** 1265, Br. Latini, « garniture » ; 1570, Carloix, milit. || **fournisseur** début XVe s. ; rare jusqu'au XVIIe s. || **fourniture** fin XIIe s. (*fornesture*), « provisions » ; XIIe s. (*fourniture*), « approvisionnement » ; pl. 1596, Hulsius.

**fourrage** fin XIIe s., *Loherains ;* dér. anc. de *feurre,* paille (XIIe s.), du francique * *fôdr-* (allem. *Futter*). || **fourrager** verbe, 1370, J. Le Bel, « faire du fourrage » et « piller » ; 1696, La Bruyère, « fouiller ». || **fourrager** adj. 1835, *Acad.* || **fourragère** 1815, Xavier de Maistre, « bonnet d'écurie » ; 1872, *J. O.,* ornement de l'uniforme ; origine obscure, sans doute dér. de *fourrager,* adj. || **fourrageur** 1370, J. Le Bel, « maraudeur ». || **fourrier** 1131, *Couronn. de Loïs,* « fourrageur », puis XIIIe s., milit. || **fourrière** 1268, É. Boileau, local où l'on mettait le fourrage, puis (XVIe s., Laurière) les animaux saisis pour dettes ; 1836, Landais, lieu où l'on mettait les animaux errants ; la fourrière de Paris date de 1850. (V. FOURREAU.)

**fourreau** 1080, *Roland* (*furrel*) ; dér. anc. de l'anc. fr. *fuerre* (1160, Benoît), du francique

* *fôdr,* doublure, gaine, fourreau (allem. *Futter,* fourreau, gotique *fôdr).*

**fourrer** 1175, Chr. de Troyes (*forrer*) ; XIII^e s. (*fourrer*), « garnir de fourrure » ; 1464, *Maistre Pathelin,* « introduire dans » ; 1690, Furetière, *fourrer dans la tête ;* anc. fr. *fuerre* (v. FOURREAU). || **fourré** n. m. 1761, Rousseau ; abrév. de *bois fourré* (1694, *Acad.*). || **fourrée** 1464, Tilander, pêche. || **fourreur** 1268, É. Boileau. || **fourrure** 1130, *Eneas* (*forreüre*). || **fourre-tout** 1936, Aragon.

**fourrier, fourrière** V. FOURRAGE.

**fourvoyer** 1155, Wace, « égarer » ; sur le suffixe *for-, fors,* de *voie.* || **fourvoiement** XIV^e s., « chemin où l'on s'égare » ; 1865, L., fig.

**fouteau** 1530, Marot, mot de l'Ouest ; lat. pop. * *fagustellus,* du lat. *fagus,* hêtre. || **foutelaie** 1165, Marie de France.

***foutre** fin XII^e s., *Roman de Renart,* « posséder charnellement » ; *se foutre de,* 1650, Adam ; interj. 1618, Sigogne ; *foutre le camp,* déguerpir, 1867, Delvau ; lat. *futuere,* avoir des rapports avec une femme. || **foutaise** 1775, Restif. || **fouterie** 1920, Bauche. || **foutoir** XVI^e s., Huguet, « machine de guerre » ; XX^e s., sens actuel. || **foutrement** début XX^e s. || **foutu** av. 1772, Piron. || **foutriquet** 1791, Lemaire. || **jean-foutre** 1661, *Archives.*

**fovéa** début XX^e s. ; lat. *fovea,* trou.

**fox** fin XIX^e s. ; abrév. de *fox-hound* (1828, *Journ. des haras*), mot anglais, chien (*hound*) pour chasser le renard (*fox*). || **fox-terrier** 1866, E. Parent ; mot angl. (1823, lord Byron), du fr. *terrier.*

**fox-trot** 1912, mot angl. ; le « trot » (*trot*) du renard (*fox*), danse imitative d'origine américaine.

***foyer** 1131, *Couronn. Loïs* (*fuier*), « partie de cheminée » ; 1580, Montaigne, « séjour domestique » ; milieu XVIII^e s., Buffon, « centre d'où rayonne qqch » ; lat. pop. **focarium,* adj. substantivé de *focarius,* dér. de *focus,* qui a donné *feu.*

**frac** 1767, Beaumarchais ; altér. probable de l'angl. *frock* (1719, habit de soirée), du fr. *froc.*

**fracasser** 1475, *Chroniques ;* ital. *fracassare,* briser. || **fracassant** 1891, Huysmans. || **fracassement** XVI^e s., G. || **fracas** 1475, *Chroniques ;* déverbal de *fracasser ;* ou directement de l'ital. *fracasso.*

**fraction** 1187, Delb., eccl., « action de rompre l'hostie » ; 1549, J. Peletier, arithm. ; 1829, Boiste, « partie d'une organisation » ; bas lat. *fractio* (IV^e s., saint Augustin), de *frangere,* briser. || **fractionnaire** 1725, Nicole. || **fractionner** 1801, Frey. || **fractionnement** 1842, Mozin. || **fractionnel** v. 1950. || **fractionnisme** 1959, Lar. || **fractionniste** *id.* || **fractionnateur** *id.,* techn.

**fracture** 1391, G., « action de rompre » ; XV^e s., méd. ; lat. *fractura,* de *frangere,* briser ; qui a remplacé *fraiture* (XII^e s.). || **fracturer** 1560, Paré (*-é*), méd. ; début XIX^e s. (*-er*), « briser ».

**fragile** 1361, Oresme, « peu important » ; 1541, Calvin, « cassable » ; 1651, Corn., sens actuel ; lat. *fragilis,* de *frangere,* briser, qui a donné le fr. *frêle.* || **fragilité** 1119, Ph. de Thaon ; bas lat. *fragilitas,* qui a remplacé la forme pop. *fraileté.* || **fragiliser** v. 1950. || **fragilisation** *id.* (V. FRÊLE.)

**fragment** 1525, J. Lemaire ; lat. *fragmentum,* de *frangere,* briser. || **fragmenter** 1811, Mozin. || **fragmentaire** 1801, Villers. || **fragmentation** 1872, Lar.

**fragon** XII^e s., Delb. (*fregon*) ; p.-ê. bas lat. *frisco,* houx (*Gloses*), d'origine gauloise. Désigne une plante des régions arides.

**fragrance** XIII^e s., G. (*fraglance*) ; XVI^e s., Huguet (*fragrance*) ; lat. *fragrantia,* de *fragrare,* sentir bon (v. FLAIRER). || **fragrant** 1525, J. Lemaire ; lat. *fragrans.*

**frai** V. FRAYER.

***fraindre** 1080, *Roland,* « se briser » ; 1878, Lar., techn. ; lat. *frangere,* briser. || ***frainte** XII^e s., G. ; part. passé substantivé.

**frairie** XII^e s., *Troie* (*frarie*), « confrérie », auj. fête patronale dans l'Ouest ; lat. *fratria,* du gr. *phratria.*

1. **frais, fraîche** adj. 1080, *Roland* (*freis, fresche*) ; du francique **frisk* (allem. *frisch*), (temps) frais, et par ext. « qui n'est pas flétri ». || **fraîchement** début XII^e s., *Thèbes.* || **fraîcheur** début XIII^e s., G. (*frescor*) ; 1669, Widerhold (*fraîcheur*) ; 1580, Montaigne, fig. || **fraîchir** 1120, *Ps. d'Oxford* (*frescir*) ; rare jusqu'au XVII^e s. || **fraîche** fin XVII^e s., Regnard, heure du jour où il fait frais. || **défraîchir** 1856, Lachâtre. || **rafraîchir** 1165, G. d'Arras (*rafrescir*). || **rafraîchissant** 1690, Furetière. || **rafraîchissement** XIII^e s. ; trad. Guill. de Tyr.

2. **frais** n. m. 1283, Beaumanoir (*fres,* pl.) ; le *s* vient du plur. ; anc. fr. *fret, frait,* dommage causé en brisant ; du lat. pop. **fractus,* neutre substantivé de *fractus,* ce qui est brisé, par ext. amende pour infraction, dépense, en lat. médiév. (V. DÉFRAYER.)

1. **fraise** fruit, 1174, E. de Fougères (*freise*) ; lat. pop. *fraga,* qui a donné l'anc. fr. *fraie* (forme rare), pl. neutre de *fragum,* devenu fém. ; le mot a été infl. par l'anc. fr. *frambeise* (v. FRAMBOISE). || **fraisière** 1836, Landais. || **fraisier** fin XII^e^ s., *Moniage Guillaume* (*frasier*). || **fraisiériste** 1875, *Revue horticole.*

2. **fraise** (*de veau*) 1130, *Eneas,* « tripes » ; 1398, *Ménagier* (*frase*), « membrane d'intestin » ; dér., au sens de « enveloppé », de l'anc. fr. *fraiser,* « dépouiller de son enveloppe », qui représente le lat. pop. **frēsare,* de (*faba*) *frēsa,* (fève) moulue : *frēsa* est le part. passé fém. de *frendere,* broyer.

3. **fraise** collerette V. FRAISER.

**fraiser** XII^e^ s. (*fresé, frasé*), « galonné, plissé » ; v. 1560, R. Belleau (*-er*), « plisser » ; 1723, Savary, évaser un trou ; francique **frisi,* bord, frisure (allem. *Fries*), ou dér. de *fraise* 2. || **fraise** milieu XVI^e^ s., collerette ; 1723, Savary, outil. || **fraisage** 1877, L., techn. || **fraiseur** fin XIX^e^ s. || **fraiseuse** 1877, L. || **fraisure** 1792, Salivet. || **fraisoir** 1534, G.

**fraisil** 1244, Huon le Roi (*faisil*), résidu de charbon brûlé ; 1676, Félibien (*fraisi*), sous l'infl. de *fraiser ;* lat. pop. **facīlis,* de *fax, facis,* tison, par abrév. de *scoria facilis,* scorie de tison.

**framboise** 1160, Benoît ; francique **brambasia,* mûre, avec infl. de *fraise* 1 à l'initiale. || **framboisier** 1306, Delb. || **framboiser** 1651, Bonnefons || **framboiseraie** 1922, Lar.

**framée** XVI^e^ s., Rod. Magister ; lat. *framea,* mot germ. d'apr. Tacite.

1. **franc, franche** adj. 1080, *Roland ;* 1050, *Alexis,* « libre » ; 1580, Montaigne, « qui dit ce qu'il pense » ; de l'ethnique *Franc* (X^e^ s., *saint-Léger*), du francique *frank,* latinisé en *Francus* (241, bataille de Mayence) ; on a refait un fém. *franque* pour l'ethnique (XVII^e^ s.). || **franchement** 1138, *Saint Gilles.* || **francique** 1643, Mézeray. || **franchise** 1138, *Gaimar,* « condition libre » ; 1170, *Rois,* « droits d'une commune » ; 1559, Amyot, « sincérité » ; le sens de « immunité, exemption » s'est conservé à côté du sens moral. || **franquette** (à la) 1650, *Mazarinade,* fam., devenu *à la bonne franquette* (1741, Favart). || **franc-alleu** 1258, Runkewitz. || **franc-archer** 1448, Charles VII. || **franc-bourgeois** 1467, Bartzsch. || **franc-maçon** 1737, Mackenzie ; calque de l'angl. *free mason* (1646), maçon libre : les premiers adeptes, idéologues alchimistes, s'abritaient derrière les franchises des corporations. || **franc-maçonnerie** 1742, Mackenzie (*franche-maçonnerie*). || **maçonnerie** 1766, Berase, par abrév. || **franc-maçonnique** 1872, Lar. || **maçonnique** 1779, Mackenzie. || **franc-parler** 1765, Diderot. || **franc-tireur** 1838, *Acad.,* à l'origine « soldat qui faisait partie de certains corps légers pendant les guerres de la Révolution ». || **affranchir** XIII^e^ s., Couci, « libérer » ; XIX^e^ s., postes. || **affranchi** n. m., 1640, Corn., hist. ; 1821, Ansiaume, argot. || **affranchissement** 1322, G. ; 1827, *Acad.,* sens polit. étendu.

2. **franc** n. m. 1360, *Ordonn.,* denier d'or frappé par le roi Jean avec la devise *Francorum rex,* roi des Francs.

**français** 1080, *Roland* (*franceis, -eise*) ; dér. de *France,* du bas lat. *Francia,* pays occupé par les Francs, qui désigna d'abord une petite région au nord de Paris, puis le domaine des premiers Capétiens, et par ext. le territoire sur lequel ils exerçaient leur suzeraineté. || **francien** fin XIX^e^ s., G. Paris, pour désigner le dialecte de l'Île-de-France. || **franciser** 1534, B. Des Périers. || **francisation** 1796, Frey. || **francisque** 1606, Nicot ; bas lat. *francisca* (VII^e^ s., Isid. de Séville), abrév. de *securis francisca,* hache des Francs. || **francophone** v. 1930. || **francophonie** 1962, *Esprit.* || **franciste** v. 1960, spécialiste de langue française. || **francité** 1943, Ziégler. || **francophile** 1591, Maillard. || **francophilie** 1930, Lar.

**franchir** 1130, *Tristan,* « affranchir » (jusqu'au XV^e^ s.) ; XV^e^ s., *Perceforest,* « se libérer, passer au-delà (d'un obstacle) » ; de *franc* 1. || **franchissable** 1872, Lar. || **franchissement** XIII^e^ s., « libération » ; XIV^e^ s., « dépassement ». || **infranchissable** 1798, *Acad.*

**franchise, francique** V. FRANC 1.

**franco** 1771, Trévoux ; abrév. de *porto franco,* port franc, anc. loc. ital.

**francolin** 1298, *Livre de Marco Polo ;* ital. *francolino,* oiseau galliforme.

***frange** 1190, *Saint Bernard ;* lat. *fimbria,* devenu **frĭmbia,* par métathèse. || **franger** 1213, *Fet des Romains.* || **frangeon** 1615, S. Certon. || **frangeuse** 1872, Lar. || **effranger** 1870, Lar. || **effrangement** 1869, A. Daudet.

**frangin, -ine** 1821, Ansiaume, frère, sœur ; de *frère,* avec infl. de *franc.*

**frangipane** 1588, G., « parfum pour gants » ; du nom du marquis ital. *Frangipani,* inventeur de ce parfum ; 1746, *Nouveau cuisinier,* crème pour la pâtisserie. || **frangipanier** 1700, Tournefort, à cause de l'arôme de cet arbuste.

**franglais** 1955, Rigaud ; croisem. de *français* et d'*anglais.*

**franquette, frappe** V. FRANC, FRAPPER, FRIPON.

**frapper** fin XII^e^ s., *Aliscans* (en anc. fr. *se fraper,* s'élancer) ; 1580, Montaigne, fig. ; francique **hrappan* (cf. bas allem. *rappeln ;* angl. *to rap,* frapper la porte) ou onomatopée *frap.* || **frappe** 1220, Coincy, « piège » ; 1567, Plantin, action de frapper, techn. ; déverbal. || **frappant** adj., 1742, Massillon, fig. || **frappage** 1845, Besch. || **frappé** 1826, Brillat-Savarin, « refroidi » ; XX^e^ s., « fou ». || **frappement** XIII^e^ s., Delb. || **frappeur** XV^e^ s., *D. G.* || **refrapper** XII^e^ s., E. de Fougères.

**frasque** XV^e^ s., M. Le Franc ; ital. *frasche,* balivernes ; pl. de *frasca,* rameau, brindille, du lat. pop. **fraxicare,* rompre, de *fractus,* brisé.

**frater, fraternel, fratricide** V. FRÈRE.

**fraude** 1255, chez A. Thierry, « tromperie » ; 1682, Kuhn, droit ; lat. *fraus, -dis,* tromperie, erreur. || **frauder** 1355, Bersuire ; lat. *fraudare,* faire tort par fraude. || **fraudeur** adj. 1340, Varin ; n. m. 1549, R. Est. || **fraudatoire** 1930, Lar. ; lat. *fraudatus,* participe de *fraudare.* || **frauduleux** 1361, Oresme ; 1675, Kuhn, droit ; bas lat. *fraudulosus* (*Digeste*). || **frauduleusement** 1398, *Ménagier.*

**fraxinelle** 1561, *Recueil,* bot. ; lat. médiév. *fraxinella,* de *fraxinus,* frêne ; nom usuel du dictame.

***frayer** 1155, Wace (*freier, froier*), « frotter » (sens conservé comme terme monétaire), et en vén. « frotter son bois » (1354, *Modus*) ; début XIV^e^ s., frayer, en parlant du poisson (la femelle frotte son ventre contre les bas-fonds) ; fin XVII^e^ s., Saint-Simon, *frayer avec quelqu'un ;* 1360, Froissart, *frayer une voie,* représente une autre évolution de « frotter » (par les pas) ; lat. *fricare,* frotter. || **frai** 1388, *Ordonn.* (*froiz*), « œufs de poissons » ; 1560, Paré (*fray*), « frottement » ; 1690, Furetière (*frai*), « usure des monnaies » ; déverbal de *frayer.* || **fraie** XIV^e^ s., *Ordonnance* (*froie*), « époque de fécondation » ; déverbal de *frayer.* || **frayage** v. 1950. || **frayement** 1560, Paré, « frottement ». || **frayère** 1829, Boiste, lieu où les poissons fraient. || **frayoir** 1354, *Modus* (*freour*) ; 1380, G. Phébus (*froieour*).

**frayeur** 1138, *Saint Gilles* (*freiur*), « bruit » ; 1160, *Tristan* (*freor*), « peur », par confusion avec *esfreer* (v. EFFRAYER) ; lat. *fragor, -ōris,* bruit, vacarme.

**fredaine** 1420, Du Cange ; fém. de l'anc. fr. *fredain,* mauvais, anc. prov. **fraidin,* scélérat, du germ. **fra-aidi,* « qui a renié son serment » (anc. haut. allem. *freidi*).

**fredon** 1540, Yver, « son plus ou moins distinct » ; 1546, *Palmerin,* « ornement musical » ; 1890, *D. G.,* « refrain indistinct » ; sans doute d'origine méridionale, peut-être du lat. *fritinnire,* gazouiller. || **fredonner** 1547, Du Fail. || **fredonnement** 1546, Rab.

**freezer** 1953, Lar. ; mot angl. signif. « glacière ».

**frégate** XV^e^ s., *Invent. de Marseille ;* ital. *fregata ;* zool., oiseau, av. 1637, Beaulieu, à cause du vol rapide. || **frégater** 1680, Colbert. || **frégaton** 1643, G.

***frein** 1080, *Roland,* « mors » ; 1690, Furetière, techn. ; 1265, J. de Meung, fig. ; lat. *frēnum,* morceau de la bride qui entre dans la bouche du cheval. || **freiner** 1190, Garnier, fig. ; fin XIX^e^ s., techn. || **freinage** fin XIX^e^ s. (V. RÉFRÉNER.)

**freinte** 1372, G., « déchet », var. *frainte ;* déverbal de l'anc. fr. *fraindre,* briser, du lat. *frangere.*

**frelampier** 1614, Barbier, refait en *frère lampier* (1642, Oudin) ; picard *ferlamper,* boire avec excès, de *lamper* et du préfixe intensif d'orig. néerl. *ver.*

**frelater** 1525, G. Crétin ; 1546, Rab., fig., « gâter » ; 1660, Oudin, couper (le vin), d'où altérer par mélange ; néerl. *verlaten,* transvaser (du vin), sens en fr. au XVI^e^ s. || **frelatage** 1655, Bonnefons (*fralatage*), qui a remplacé *frelaterie* (1609, Delb.).

***frêle** 1050, *Alexis* (*fraile*) ; XVII^e^ s. (*frêle*) ; lat. *fragilis,* « qui peut être brisé » (v. FRAGILE) ; les emplois étaient plus étendus en anc. fr.

***frelon** 1165, Marie de France, guêpe ; bas lat. *furlone* (VII^e^ s., Isid. de Séville ; *furslones, fursleones,* au pl., VIII^e^ s., *Gloses de Reichenau*), du francique **hurslo* (néerl. *horzel*) ; le *f* s'explique mal, p.-ê. par infl. de *fur,* voleur.

**freluche** 1493, Coquillart (*freluque*) ; 1625, Gay (*-uche*), « chose inconsistante » ; 1660, Saint-Amant, fil de la Vierge ; var. de *farluge* (XV^e s.), de *fanfreluche.* || **freloche** 1399, Du Cange (*-oque*) ; var. de la même rac., filet très léger fait de gaze.

**freluquet** XVI^e s., Delb., « menue monnaie » ; 1609, Sigogne, fig., « homme frivole » ; dimin. de *freluque* (1493, Coquillart), menue monnaie ; altér., par chang. de finale, de l'anc. fr. *frelin, ferlin* (XII^e-XVI^e s.), monnaie valant le quart d'un denier ; du néerl. *vierlinc,* ou var. de *freluche.*

***frémir** 1120, *Ps. d'Oxford ;* lat. *fremĕre,* retentir, faire du bruit, avec chang. de conjugaison. || **frémissant** 1480, *D. G.,* « retentissant » ; 1685, Bossuet, fig. || **frémissement** 1120, *Ps. de Cambridge,* « agitation » ; 1636, Monet, fig.

**frénateur** 1875, *Progrès médical,* physiologie ; lat. *frenator,* de *frenare,* mettre un mors. || **frénation** v. 1950 (v. FREIN).

***frêne** 1080, *Roland* (*fraisne*) ; XII^e s. (*fresne*) ; lat. *fraxĭnus.* || **frênaie** 1280, G. (*fragnée*) ; 1600, O. de Serres (*fresnaie*) ; refait d'apr. *frêne,* du bas lat. **fraxinēta.*

**frénésie** 1283, Beaumanoir (*-isie*), méd., « délire » ; 1544, M. Scève, « exaltation » ; le sens méd. a existé jusqu'au XVIII^e s. ; lat. médiév. *phrenesia, -isia,* du lat. *phrenesis,* du gr. *phrenitis,* de *phrên,* intelligence, cœur, âme. || **frénétique** fin XII^e s., *Grégoire* (*frenetike*), méd. ; 1544, M. Scève, « exalté » ; lat. méd. *phreneticus,* du gr. *phrenetikos,* même évolution. || **frénétiquement** 1872, Lar.

**fréquent** 1398, E. Deschamps, « fréquenté » ; 1552, Rab., « répété » ; 1694, *Acad.,* « qui revient souvent » ; lat. *frequens,* dans les deux sens. || **fréquemment** fin XIV^e s., J. Le Fèvre (*-amment*). || **fréquence** 1190, *Saint Bernard,* « fréquentation, réunion », « affluence » (jusqu'au XVIII^e s.) ; 1587, La Noue, « répétition d'un phénomène » ; 1907, Lar., physique ; lat. *frequentia,* réunion, puis infl. de l'adj. || **fréquencemètre** 1907, Lar. || **fréquenter** 1190, *Saint Bernard,* « célébrer » ; 1360, Froissart, « aller habituellement chez quelqu'un » ; 1679, Bossuet, « aller souvent dans un lieu » ; lat. *frequentare,* rassembler, et sens actuel. || **fréquentable** 1526, Marot. || **fréquentation** 1350, Gilles li Muisis, « fréquence » ; 1361, Oresme, « fait de fréquenter » ; 1580, Montaigne, fig., sous l'infl. du verbe ; lat. *frequentatio,* fréquence. || **fréquentatif** 1550, Meigret ; lat. impér. *frequentativus.*

**frequin** 1723, Savary, tonneau pour le sucre ; angl. *firkin,* contraction de *ferdekyn* (XV^e s.), qui paraît venir du néerl. et signif. proprement « tonneau d'un quart (*vierde*) ».

***frère** 842, *Serments* (*fradre*) ; 1080, *Roland* (*frere*) ; en lat. eccl., le mot avait pris le sens de « moine » qu'il a aussi gardé ; *frères et amis,* 1764, dans la langue de la franc-maçonnerie ; lat. *frater, -tris.* || **frérot** v. 1534, B. Des Périers. || **frater** 1549, Marg. de Navarre, moine et par ext. barbier. || **fraternel** 1190, *Saint Bernard ;* lat. *fraternus,* fraternel. || **fraternellement** 1360, Froissart. || **fraterniser** 1548, Sibilet, « être en accord » ; fin XVIII^e s., Brunot, milit. || **fraternisation** 1792, *Procès-verbal du Comité de l'Instr.* || **fraternité** 1155, Wace ; lat. *fraternitas ;* rôle important dans la langue de la franc-maçonnerie, puis pendant la Révolution. || **fraternitaire** 1841, Reybaud ; d'une secte appelée *fraternité ;* 1855, Baudelaire, sens actuel. || **fratricide** n. m., 1130, *Job,* « meurtre », rare jusqu'au XVIII^e s. ; 1458, *Vieil Test.,* « meurtrier » (très contesté au XVII^e s.) ; lat. *fratricida,* « qui a tué son frère », *fratricidium,* « meurtre d'un frère » (de *frater* et de *caedere,* tuer). || **confrère** fin XIII^e s., *Roman de Renart ;* lat. médiév. *confrater.* || **confrérie** *id. ;* anc. fr. *confrarie,* lat. médiév. *confratria,* de *fratria,* phratrie, mot gr. || **confraternité** 1283, Delb. || **confraternel** fin XVIII^e s. || **confraternellement** XX^e s.

**fresaie** 1120, *Ps. d'Oxford ;* altér., d'apr. *effraie, orfraie,* de *presaie* (XVII^e s., poitevin d'apr. Ménage), du lat. *praesaga* (*avis*), [oiseau] prophétique, c.-à-d. de mauvais augure.

**fresque** 1669, Molière, en beaux-arts ; 1861, Baudelaire, fig. ; ital. *fresco,* frais, avec abrév. de la loc. *dipingere a fresco ;* 1596, Vigenère (*peindre à frais*), c.-à-d. sur un enduit frais ; le mot, masc. en ital., est devenu fém. en fr. à cause de la finale. || **fresquiste** 1865, L.

***fressure** 1220, Coincy (*froisure*) ; fin XIII^e s., Joinville (*fressure*), « ensemble des viscères » ; « mets » chez Rab. et encore en Anjou ; lat. pop. **frĭxura* (bas lat. *frĭxare,* frire) ; proprement « friture » : cet organe (viscères) était mangé frit (cf. *fricassée,* foie en Saintonge, XVII^e s., Ménage) ; le *ĭ* est dû à une analogie avec les parfaits latins en *-ĭxi, -ĭnxi.*

**fret** XIII^e s., G. ; néerl. *vrecht, vracht,* prix du transport (allem. *Fracht,* angl. *fraught*). || **fréter** XIII^e s., G. || **fréteur** fin XVI^e s. || **affréter** 1322, G., « fréter ». || **affrètement** 1366, Delb. || **affréteur** 1678, Guillet.

**frétiller** XII^e s. ; anc. fr. *freter,* frotter, du lat. *fricare.* || **frétillant** fin XV^e s., Martial d'Auvergne. || **frétillement** 1361, Oresme. || **frétillon** 1493, Coquillart, fam., surtout sobriquet. || **frétilleur** 1611, Cotgrave.

**fretin** 1193, Hélinant, « menu débris » (jusqu'au XVII^e s.), et par ext. chose sans valeur ; XVI^e s., petits poissons ; 1606, Nicot, fig. (*menu fretin*) ; anc. fr. *frait, fret,* part. passé de *fraindre,* briser, avec suffixe *-in.*

1. **frette** virole de fer, fin XII^e s., *Fabliau ;* francique **fetur,* chaîne. || **fretter** XII^e s., *Parthenopeus.* || **frettage** 1723, Savary.

2. **frette** 1360, G., archit et blas., bande, baguette ; féminin substantivé de *fret,* participe passé de *fraindre* (1080, *Roland*), lat. *frangere,* briser.

**freudien** 1928, Aragon ; du nom de *Freud* (1856-1939), psychiatre autrichien. || **freudisme** 1915, Voivenel.

**freux** début XIII^e s. (*fros*) ; 1493, *Calendrier des bergers* (*freux*), « corneille » ; francique **hrök* (anc. haut allem. *hruoh*).

**friable** 1539, Canappe ; lat. *friabilis,* de *friare,* broyer. || **friabilité** 1641, de Clave.

**friand** V. FRIRE.

**fric** 1879, Esnault, argent ; abrév. de *fricot* (cité en ce sens par Rossignol, 1900).

**fricandeau** 1552, Rab. ; p.-ê. de même rac. que *fricasser.*

**fricasser** XV^e s., *Repues franches ;* p.-ê. du lat. pop. **frĭgicare,* de *frīgere,* frire, ou un croisement entre *frire* et *casser.* || **fricassée** 1490, Taillevent. || **fricasseur** début XVI^e s., Gringore.

**fricatif** 1877, L., se dit de consonnes qui se prononcent avec l'air passant par un conduit étroit ; lat. *fricare,* frotter.

**fric-frac** 1669, Widerhold, « bruit » ; 1837, Vidocq, « vol avec effraction » ; onom. avec alternance vocalique (v. FLIC-FLAC).

**friche** 1251, Tobler-Lommatzsch ; moyen néerl. *versch* [land], terre fraîche.

**frichti** 1855, Maynard, repas, en argot milit. ; allem. *Frühstück,* avec la prononciation alsacienne *frichtik* (mot de caserne introduit par les sous-officiers alsaciens).

**fricot** 1767, Le Lué, « bombance » ; 1842, E. Sue, « besogne » ; 1850, Balzac, « nourriture » ; dér. pop. du rad. de *fricasser.* || **fricoter** 1807, Michel, « fricasser » ; 1868, Esnault, fig., « tripoter ». || **fricotage** 1883, Esnault, « tripatouillage ». || **fricoteur** 1812, *Mém. de Caulaincourt,* en parlant de soldats qui dépeçaient les chevaux et voyageaient le poêlon à la main ; 1823, général Hugo, « soldat pillard » ; 1843, Esnault, « agent d'affaires véreuses ».

**friction** 1538, Canappe, « frottement » ; 1752, Trévoux, techn. ; 1872, Lar., « désaccord » ; lat. méd. *frĭctio,* de *frĭcare,* frotter. || **frictionner** 1782, Chevillard. || **frictionnel** 1962, Lar., techn.

**fridolin** 1918 (*frigolin*) ; d'apr. un prénom allem. (saint Fridolin, moine irlandais, évangélisa la Germanie au VII^e s.).

**frigide** 1706, Brasey, « froid » ; av. 1848, Chateaubriand, sens moderne ; lat. *frigidus,* froid. || **frigidement** 1855, Goncourt. || **frigidité** 1330, G. ; lat. méd. *frigiditas* (III^e s., Aurelius). || **frigidaire** 1636, Monet, terme hist. ; repris en 1932 (avec majuscule) comme nom de marque d'un réfrigérateur ; lat. *frigidarium,* chambre froide. || **frigorifique** adj., 1701, Furetière ; lat. *frigorificus,* « qui fait le froid », de *frigus, -oris ;* n. m., fin XIX^e s. || **frigo** 1922, Lar. ; abrév. de *frigorifique.* || **frigorie** fin XIX^e s. || **frigorifier** 1894, Sachs ; *être frigorifié,* avoir froid, début XX^e s. || **frigorifère** 1836, Landais. || **frigorigène** 1907, Lar. || **frigoriste** v. 1950.

***frileux** fin XII^e s., *Alexandre* (*friuleus*) ; 1360, Froissart (*frileux*) ; bas lat. *frigorosus,* de *frigus, -oris,* froid, avec dissimilation du deuxième *r* en *l.* || **frileusement** fin XIX^e s., A. Daudet. || **frilosité** XIV^e s., Du Cange (*frilousité*) ; 1858, Legoarant (*frilosité*).

**friller** 1611, Cotgrave, « trembler de froid » ; 1757, Trévoux, tech. ; lat. pop. **frigulare,* geler ou bouillir, de *frigere,* frire.

**frimaire** 1793 ; nom de mois tiré de *frimas* par Fabre d'Églantine.

**frimas** 1460, Villon ; anc. fr. *frime* (XII^e s.), du francique **hrîm* (scand. *hrim*).

**frime** XII^e s., *Richeut* (*frume*), mine ; XV^e s. (*frime*), sens actuel d'apr. *faire frime de,* faire mine de (semblant de) ; bas lat. *frumen, -inis,* gosier.

**frimousse** 1576, Truppault ; origine obscure, sans doute de *frime,* mine.

**fringale** 1774, Beaumarchais (*fringalle*) ; 1807, Michel (*fringale*) ; altér., sous l'infl. de *fringant,* de *faim-valle.* (V. FAIM.)

**fringant** 1493, Coquillart ; part. prés. de l'anc. fr. *fringuer,* sautiller, et, au XVIIe s., rincer un verre ; de *faire fringues,* gambader, origine onomat. || **fringuer** 1749, Vadé, pop., « faire l'élégant », puis *être bien fringué,* bien habillé. || **fringues** 1878, Esnault, pl., « habits », souvent péjoratif (1896, Esnault).

**fringille** 1800, Boiste ; lat. *fringilla,* pinson, petit passereau. || **fringillidé** 1839, Boiste.

**fringuer, fringues** V. FRINGANT.

**frio** 1883, Macé, pop., froid ; mot esp., lui-même du lat. *frigidus.*

**friper** 1534, Rab., « chiffonnier » ; altér., d'apr. *friper,* manger (v. FRIPON), de l'anc. fr. *freper,* dér. de *frepe, fripe,* frange, guenille, sans doute du bas lat. *falappa,* copeau. || **fripier** 1268, É. Boileau. || **friperie** XIIIe s., Rutebeuf (*freperie*) ; 1541, Calvin (*friperie*), « vêtements ». || **défriper** 1771, Trévoux.

**fripon** début XVIe s., *Anc. théâtre fr.,* « voleur » et « gourmand » ; de *friper,* « avaler goulûment » (1265, J. de Meung) et « voler » (début XVIIe s., Malherbe) ; de *frepe,* chiffon, du bas lat. *faluppa.* || **friponner** 1340, Le Fèvre, « bien manger » ; 1580, Montaigne, « dérober ». || **friponnerie** 1530, *D. G.* || **friponneau** 1665, La Fontaine. || **fripouille** 1797, Esnault, « bon à rien » ; 1837, Vidocq, « misérable », pop. ; de *fripon.* || **frappe** 1866, Esnault, de *frapouille* (1807, Michel), « gueux » ; var. de *fripouille.*

**friquet** 1555, Belon, « moineau » ; de l'anc. fr. *frique* (var. *friche,* XIIIe s.), vif, éveillé ; p.-ê. du germ. **frīk-,* avide, entreprenant (allem. *frech,* hardi) ; il existait une var. *frisque* (XIIIe s., A. de La Halle) jusqu'au XVIIe s.

***frire** fin XIIe s., *Aliscans ;* lat. *frīgĕre ;* devenu défectif en fr. mod. || **frit** 1460, *Mystère,* fam., être perdu. || **frite** 1858, Larchey ; sur le part. passé *frit.* || **friteau** XIIIe s., *Bataille de Caresme.* || **friterie** 1909, Lar. || **friteur** 1877, L. || **fritte** 1690, Furetière, techn., vitrification. || **fritter** 1765, *Encycl.* || **frittage** 1845, Besch. || **friture** 1120, *Ps. de Cambridge ;* bas lat. **frīctura,* de *frīgere,* frire. || **friturerie** 1877, L. || **friand** XIIIe s., *Fabliau ;* anc. part. prés. de *frire* au fig., « qui grille d'impatience » et aussi « appétissant » en anc. fr. (1265, J. de Meung). || **friandise** XIVe s., « goût raffiné », var. *-tise* au XVe s. ; 1541, Calvin, « sucrerie ». || **affriander** XIVe s.

1. **frise** 1528, Barbier ; bas lat. *frisium, phrygium,* broderie, d'apr. les étoffes brochées d'or originaires de Phrygie (lat. *phrygius,* gr. *phrux, phrugos*).

2. **frise** (*cheval de*) 1572, *D. G. ;* calque du néerl. *friese ruiter,* cavalier de Frise ; ce système de défense aurait été inventé en Frise.

**friser** milieu XVe s. ; attesté au XVIe s., au moment où la mode de friser les cheveux des femmes apparaît dans la noblesse ; p.-ê. d'un radical *fri-* tiré de *frire,* par métaphore. || **friselis** 1864, Goncourt. || **frisage** 1827, *Acad.,* techn. || **frisement** 1872, A. Daudet. || **friseur** 1865, L. || **frisette** *id.* || **frisoir** 1640, Oudin. || **frison** 1560, Belleau. || **frisotter** 1552, Ronsard. || **frisottement** XXe s. || **frisure** début XVIe s., « action de friser » ; 1539, Corrozet, « boucles de cheveux ». || **défriser** 1670, Sévigné ; 1808, d'Hautel, fig. || **défrisement** 1836, Landais.

**frison** V. FRISER.

**frisquet** 1827, *Gloss. argot.,* fam. ; mot wallon signif. « froid », du flamand *frisch,* frais.

***frisson** fin XIe s., *Gloses de Raschi* (*friçon*) ; XVIe s. (*frisson*), fém. en anc. fr. (jusqu'au XVIe s.) ; bas lat. *frīctio, -onis* (VIe s., Grégoire de Tours), dér. de *frīctus,* part. passé de *frigere,* frire, pris au sens fig. de « trembler » et rattaché à *frīgēre,* avoir froid. || **frissonner** début XVe s., Charles d'Orléans. || **frissonnant** 1540, Yver. || **frissonnement** 1560, Paré.

**friteau** V. FRIRE.

**fritillaire** 1669, P. Morin ; lat. *fritillus,* cornet, d'apr. la forme des fleurs.

**fritte** V. FRIRE.

**fritz** 1914 ; abrév. allem. de *Friedrich,* Frédéric.

**frivole** XIIIe s., *Ysopet de Lyon ;* lat. *frivolus.* || **frivolement** 1384, G. || **frivolité** fin XIIe s., Saint-Simon, « caractère frivole » ; pl. 1872, Lar.

**froc** 1138, Gaimar, « manteau » ; 1155, Wace, « habit de moine » ; 1905, Esnault, « culotte » ; francique **hrokk* (bas lat. *hroccus,* allem. *Rock,* habit). || **frocard** fin XVIIe s., Marsollier. || **froquer** fin XVIe s., L'Estoile. || **défroquer** XVe s., *Perceforest.* || **défroque** 1540, C. Marot (*défroc*) ; déverbal.

***froid** 1080, *Roland* (*freit*) ; XIVe s. (*froid*) ; lat. pop. *frĭgĭdus* (lat. *frīgidus*) ; premier *ĭ* d'apr. *rĭgĭdus* ou d'apr. le francique *frĭsk,* frais. || **froideur** 1120, *Ps. de Cambridge,* spécialisé au fig. (av. 1559, J. du Bellay). || **froidement** 1370, J. Le Bel. || **froidure** 1120, *Ps. de Cambridge*

(*-freid-*) ; 1450, Ch. d'Orléans (*froidure*). || **froidir** 1160, Benoît. || **refroidir** fin XII^e s., *Aiol,* rendre froid, qui a remplacé *froidir* ; 1130, *Eneas,* « perdre la vie ». || **refroidissement** 1314 Mondeville. || **refroidisseur** 1827, Chateaubriand. (V. RÉFRIGÉRER.)

***froisser** 1080, *Roland* (*froissier*) ; XIII^e s. (*froisser*), « briser » ; 1462, *Cent Nouvelles,* « chiffonner », par affaiblissement progressif du sens de « meurtrir » ; fin XVI^e s., « offenser » ; lat. pop. **frūstiare,* de *frūstum,* fragment (v. FRUSTE). || **froissement** 1275, Adenet, « bruit d'entrechoquement » ; 1560, Paré, « contusion » ; 1835, *Acad.,* sens actuel. || **froissis** 1155, Wace, « action de briser ». || **froissure** fin XII^e s., *Loherains,* « fracture ». || **infroissable** 1914, Gide. || **défroisser** 1155, Wace, « briser » ; XX^e s., sens actuel.

**frôler** av. 1450, Gréban (*fraulée* part.), « rosser » ; 1670, Molière, sens actuel ; origine obscure, sans doute onomat. || **frôlement** 1700, Dodart. || **frôleur, -euse** 1876, A. Daudet.

***fromage** 1180, Gay (*formage*) ; XIII^e s., *Roman de Renart* (*fromage*) ; lat. pop. **formaticum,* de *caseus formaticus,* fromage fait dans une forme, de *fōrma,* spécialisé en « forme à fromage » (cf. *fourme,* fromage du Cantal). || **fromager** XIII^e s., qui vend du fromage ; 1755, *Encycl.,* arbre, à cause de son revêtement cotonneux ; 1872, Lar., adj. || **fromagerie** XIV^e s., *Miracles de Nostre-Dame.* || **fromegi** 1878, Rigaud (*fromji*), argot milit., puis pop. ; du lorrain *fromegie,* fém., fromage caillé, devenu masc. d'apr. *fromage.* || **frometon** 1888, Esnault ; altér. de *fromegi.*

***froment** XIII^e s., *Apollonius* (*froument*) ; XIV^e s. (*froment*) ; lat. pop. **frŭmentum* (lat. *frūmentum*) ; le *ŭ* bref est attesté par l'ital. et l'esp. et reste inexpliqué. || **fromentacée** 1732, Trévoux. || **fromental** XIII^e s., adj. ; 1760, Voltaire, avoine. || **fromenteau** 1775, Béguillet, mot du N.-E. || **fromenteux** XIV^e s.

**froncer** fin XI^e s., *Gloses de Raschi ;* var. de l'anc. fr. *froncir,* francique **hrunkjan.* || **fronce** fin XI^e s., *Gloses de Raschi,* « rides » ; 1803, Boiste, « pli défectueux » ; XX^e s., en couture ; déverbal. || **froncement** 1530, Palsgrave. || **froncis** 1563, Palissy. || **défroncer** XIII^e s., G.

1. **fronde** bot., feuille, XV^e s., *Pastoralet ;* lat. *frons, frondis,* feuillage. || **frondaison** 1823, Boiste.

2. ***fronde** lance-pierres, 1170, *Rois ;* altér. de *fonde* (XII^e-XVII^e s.) ; 1649, Retz, parti des insurgés ; lat. *funda.* || **fronder** XII^e s. (*fonder*) ; 1611, Cotgrave (*fronder*), « lancer avec la fronde » ; au fig. « faire le mécontent », 1649, Retz, d'apr. une comparaison ironique du conseiller Bachaumont, d'où le parti de la Fronde. || **frondeur** 1290, G., soldat armé de la fronde ; 1662, La Rochefoucauld, membre de la Fronde, même évolution. || **fronderie** 1671, Sévigné, mécontentement.

***front** 1080, *Roland,* partie du visage ; 1265, Br. Latini, face antérieure de qqch ; XX^e s., polit. ; *de front* 1207, Villehardouin ; *avoir le front de* XV^e s. ; *faire front* milieu XVI^e s., Amyot ; lat. *frons, frontis,* fém. ; masc. en fr. d'apr. *mont, pont.* || **frontal** n. m. fin XI^e s., *Gloses de Raschi* ; adj. XVI^e s. || **frontail** 1583, Liébault, étoffe. || **fronteau** XII^e s., *Thèbes* (*frontel*). || **frontalier** 1730, Savary ; repris au XIX^e s. (1827, *Acad.*) ; catalan *frontaler,* limitrophe (gascon *frountalié*), pour servir de dér. à *frontière.* || **frontalité** fin XIX^e s. || **frontière** XIII^e s., G., « front d'une armée » ; 1316 ; Maillart, « place forte » ; 1360, Froissart, « limite de territoire » ; forme substantivée de l'anc. fr. *frontier, -ère,* adj., « qui fait face à, voisin ». || **frontispice** 1529, G. Tory ; bas lat. *frontispicium,* de *frons,* et *spicere,* regarder. || **frontiste** 1916, polit. en Belgique. || **frontologie** XX^e s., météo. || **fronton** 1653, Oudin ; ital. *frontone,* augmentatif de *fronte,* front au sens architectural. || **affronter** 1155, Wace, « frapper » et sens actuel ; 1521, Nostradamus, « tromper ». || **affronterie** 1521, Nostradamus, « tromperie ». || **affronteur** 1526, Delb., « qui trompe ». || **affrontement** 1547, Budé. || **affronté** XII^e s., héraldique. || **affront** fin XVI^e s., Brantôme ; ital. *affronto,* injure. || **effronté** 1265, J. de Meung, c.-à-d. « sans front pour rougir ». || **effrontément** 1190, *Saint Bernard* (*effronteiement*). || **effronterie** 1605, H. de Santiago.

**frontignan** 1688, Miege ; vin du nom d'une ville de l'Hérault.

**frotter** 1167, Gautier d'Arras ; a remplacé par substitution de suffixe l'anc. fr. *freter* (XIII^e s.), du lat. pop. **frictare,* fréquentatif de **frĭcare,* frotter. || **frottement** XIV^e s. || **frottée** 1611, Cotgrave, tartine frottée d'ail ; 1752, Trévoux, « coups reçus ». || **frottage** 1690, Furetière. || **frotte** 1861, Esnault, « nettoyage » ; 1866, Esnault, « gale ». || **frotteur** 1372, Corbichon, « qui frotte » ; 1690, Furetière, sens spécialisé. || **frottis** 1588, L'Estoile, « action de frotter » ; XX^e s., méd. || **frottoir** début XV^e s. || **frotton** 1701, Furetière, boule de crin et de cuir servant à l'impression des gravures sur bois.

**frou-frou** 1738, Thurot, onom. || **froufrouter** 1876, *le Figaro.* || **frouer** 1732, Trévoux, imiter le cri de la chouette.

**frousse** 1859, Larchey ; orig. inconnue. || **froussard** 1890, Esnault.

**fructi-,** du lat. *fructus,* fruit. || **fructidor** 1793 ; tiré par Fabre d'Églantine du gr. *dôron,* présent, c.-à-d. « mois des fruits ». || **fructifère** XVIe s. || **fructifier** 1170, *Rois ;* lat. impér. *fructificare* (IIe s., Calpurnius). || **fructification** XIVe s. ; lat. impér. *fructificatio.* || **fructificateur** 1865, L. || **fructueux** fin XIIe s., *Grégoire ;* lat. *fructuosus,* « qui donne des fruits » ; le sens propre est rare avant le XVIe s. (Marot). || **fructueusement** XIVe s., *Miracles de Notre-Dame.* || **fructose** XXe s. || **infructueux** 1372, Golein ; lat. *infructuosus.* || **infructueusement** fin XVe s., G.

**frugal** 1534, Rab. ; lat. *frugalis.* || **frugalement** av. 1553, Rab. || **frugalité** 1355, Bersuire ; lat. *frugalitas.*

**frugivore** 1762, *Mém. Acad. des sciences ;* lat. *frux, frugis,* fruit, et *vorare,* dévorer.

***fruit** XIe s., bot. ; XIIe s., *Partenopeus,* fig., profit ; 1283, Beaumanoir, produits du sol ; XVIe s., *Coutumier,* droit ; *fruit de mer,* 1798, Casanova ; lat. *fructus,* revenu, production, qui élimina *frux* en lat. pop. et prit le sens de *pomum ;* les sens fig. ont été repris au lat. jurid. et eccl. || **fruité** 1690, Furetière, héraldique ; 1907, Lar., pour une boisson. || **fruiterie** 1261, G., « fruits », en anc. fr. ; 1611, Cotgrave, « local ». || **fruitier** 1277, *Archives,* « personne qui prenait soin des fruits » ; 1563, La Boétie, « verger » ; fin XIVe s., Deschamps, « qui vend des fruits ».

**frusquin** 1628, *Jargon,* « habit » en argot ; puis *saint-frusquin* (1748, Michel), par formation plaisante ; origine inconnue. || **frusques** 1790, *Rat du Châtelet ;* masc. sing., puis fém. pl. d'apr. la finale. || **frusquer** 1883, Esnault.

**fruste** XVe s. (*frustre*) ; milieu XVIe s., Ronsard (*fruste*), en parlant d'une monnaie usée ; 1845, Besch., « rude », d'après *rustre ;* ital. *frusto,* usé, de *frustare,* broyer, même rac. que le fr. *froisser.*

**frustrer** début XIVe s., « priver d'un bien » ; fin XVIIe s., Bossuet, « priver de satisfaction » ; lat. *frustrari,* voler. || **frustrant** v. 1950. || **frustration** 1549, R. Est., « privation de biens » ; XXe s., sens actuel. || **frustratoire** 1367, G., droit.

**frutescent** 1811, Mozin ; lat. *frutex, -icis,* arbrisseau, sur le modèle de *arborescent.* || **fruticicola** 1844, Ch. d'Orbigny, escargot mangeur de fruits.

**fuchsia** 1693, Plumier ; mot du lat. bot. créé en souvenir du botaniste bavarois *Fuchs* (XVIe s.).

**fuchsine** 1859, *Brevet ;* tiré par le chimiste Verguin, au service de l'industriel lyonnais Renard, de l'allem. *Fuchs,* nom allem. du renard.

**fucus** 1562, Du Pinet ; mot lat. désignant une plante marine ; gr. *phûkos.*

**fuégien** 1888, Lar. ; esp. *fuegino,* de *fuego,* feu, lat. *focus.*

**fuel-oil** ou **fuel** v. 1950 ; mot angl. désignant l'huile combustible.

**fugace** 1550, Ronsard ; lat. *fugax, -acis,* de *fugere,* fuir. || **fugacité** 1827, *Acad.*

**fugitif** fin XIIIe s., G. (*fuigitif*) ; XIVe s. (*fugitif*) ; lat. *fugitivus,* qui s'enfuit, de *fugere,* fuir. || **fugitivement** 1828, Villemain.

**fugue** 1598, de Marnix, mus. ; 1775, Voltaire, repris au sens de « fuite » et surtout de « escapade » ; ital. *fuga,* fuite, appliqué à un motif musical dont les parties semblent fuir dans les différentes voix, du lat. *fŭga,* fuite. || **fugué** 1845, Besch. || **fugueur** 1930, Lar., en psychiatrie. || **contre-fugue** 1680, Richelet, mus.

**führer** v. 1930 ; mot allem. signif. « conducteur », calque de l'ital. *duce,* chef ; appliqué à Hitler.

***fuie** 1131, *Couronn. Loïs,* « fuite », puis « refuge », auj. « volière pour pigeons » ; lat. pop. **fūga* (lat. class. *fŭga*).

***fuir** fin IXe s., *Eulalie ;* lat. pop. *fūgire* (lat. *fŭgĕre*), le *ū* d'apr. le parfait *fūgī.* || ***fuite** 1190, J. Bodel ; anc. part. passé du lat. pop. **fūgĭtus* (lat. *fŭgĭtus*), substantivé au fém. || **fuyant** adj., 1539, R. Est. ; n., 1213, *Fet des Romains.* || **fuyard** 1540, Herberay des Essars, adj. ; 1690, Furetière, qui refuse le combat. || **s'enfuir** 1080, *Roland.*

**fulgore** 1791, *Encycl. méth.,* insecte lumineux ; lat. zool. *fulgora,* en lat. déesse des éclairs (*fulgur, -oris*).

**fulgurant** 1488, *Mer des hist.,* fig., rare avant le XIXe s. (1845, Besch.) au sens propre ; lat. *fulgurans,* part. prés. de *fulgurare,* faire des éclairs. || **fulguration** 1532, G., « éclat de lumière » ; 1857, Flaubert, fig. ; lat. *fulguratio.* || **fulgural** 1842, Mozin ; lat. *fulguralis.* || **fulgurer** 1862, Flaubert ; lat. *fulgur,* foudre. || **fulgurite** 1827, *Acad.,* minér.

**fuligineux** 1560, Paré ; lat. *fuliginosus,* de *fuligo, -inis,* suie. || **fuliginosité** 1561, Du Pinet. || **fuligine** 1372, Corbichon, suie.

**full** 1884, Laun, au poker ; mot angl. signif. « plein ».

**fulmi-,** du lat. *fulmen, -inis,* foudre. || **fulmicoton** 1865, L. || **fulminer** 1335, Digulleville, « lancer la foudre » ; 1655, Cyrano, fig. ; milieu XVIe s., Amyot, relig. ; lat. *fulminare,* lancer la foudre. || **fulminant** fin XVe s., O. de Saint-Gelais ; part. prés. lat. *fulminans.* || **fulmination** 1406, G. || **fulminatoire** 1521, Marot ; lat. eccl. *fulminatorius.* || **fulminate** 1823, *Annales de chimie.* || **fulminique** 1824, Liebig.

**fulverin** 1827, *Acad.* ; lat. *fulvus,* fauve, couleur pour glacer les bruns.

**fumagine** 1845, Besch., bot., lat. *fūmus,* fumée, sur les dér. en *-ago, -aginis* ; croûte noire se formant à la surface de végétaux atteints de cette maladie.

1. ***fumer** dégager de la fumée, 1120, *Ps. d'Oxford* ; 1611, Cotgrave, *fumer une denrée* ; 1690, Furetière, *fumer du tabac* ; XVe s., L., « être en colère » ; lat. *fūmāre,* de *fūmus,* fumée. || **fumée** 1170, *Rois* ; 1410, Chr. de Pisan, « griserie » ; 1354, *Modus,* vén., fiente du cerf, d'apr. la fumée qu'elle dégage. || **fumerolle** 1827, *Acad.* ; ital. *fumaruolo,* masc., orifice de cheminée, spécialisé en fr. pour les fumerolles volcaniques ; fém. en fr. d'apr. la finale. || **fumage** 1752, Trévoux, action d'exposer à la fumée. || **fumaison** 1872, Lar. || **fumeux** 1165, Marie de France (*fumos*), « trop luxueux » ; 1314, Mondeville, « enivrant » ; 1560, Paré, « qui fait de la fumée » ; 1922, Lar., « obscur » ; lat. *fumosus.* || **fumerie** 1786, Le Lué. || **fumeron** 1611, Cotgrave, « morceau de bois qui fume » ; 1833, Esnault, « jambe ». || **fumeronner** 1950, Mistler. || **fumet** XVIe s., Thevet, spécialisé en « émanation odorante ». || **fumeterre** 1372, Corbichon ; lat. médiév. *fumus terrae,* fumée de la terre, parce que, selon O. de Serres, le jus de cette plante fait pleurer les yeux comme la fumée. || **fumeur** (*de tabac*) 1690, Furetière. || **fumigène** fin XIXe s. || **fumiger** 1373, *Trad. de P. Crescens,* méd. ; lat. *fumigare,* faire de la fumée. || **fumigation** 1314, Mondeville, méd. ; bas lat. *fumigatio.* || **fumigatoire** 1503, Chauliac || **fumigateur** 1803, Wailly. || **fumignon** fin XIXe s., Huysmans. || **fumivore** 1799, *Ann. des arts et manuf.* || **fumiste** 1735, Voltaire, « ramonneur » ; 1840, *la Famille du fumiste,* « farceur ». || **fumisterie** 1840, Varner, sens propre ; 1852, Goncourt, farce. || **fumoir** 1821, Lasteyrie, bâtiment où l'on fume les viandes, le poisson ; milieu XIXe s., Baudelaire, pièce où l'on fume. || **fume-cigarette** V. CIGARE.

2. ***fumer** amender avec du fumier, fin XIIe s., *Escoufle* (*femer*) ; XIVe s. (*fumer*), par infl. de *fumer* 1 ; lat. pop. **femare,* de **femus,* fumier, lat. *fīmus.* || **fumage** 1254, G. (*fe-*), action de fumer une terre. || **fumier** 1170, *Rois* (*femier*) ; 1175, Chr. de Troyes (*fumier*), par infl. de *fumer* 1 ; lat. pop. **femarium,* tas de fumier, de **fĕmus,* fumier ; d'où l'anc. fr. *fiens,* fumier, du lat. *fīmus.* || **fumière** 1530, Marot. (V. FIENTE.)

**fumerolle, fumeterre, fumeux, fumigation, fumigène, fumiste** V. FUMER 1.

**fumier** V. FUMER 2.

**funambule** début XVIe s. ; lat. *funambulus,* de *funis,* corde, et *ambulare,* marcher. || **funambulesque** 1857, Banville.

**funding** 1900, Bonnafé, fin. ; abrév. de l'angl. *funding loan,* emprunt de consolidation, part. prés. de *to fund,* consolider.

**fune** 1464, Lagadeuc ; forme féminisée (ou reprise du lat.) de l'anc. fr. *fun* (XIIe s., *Grégoire*), corde, du lat. *fūnis.* || **funer** 1586, Laudonnière. || **funin** 1130, *Eneas* (*funain*), cordage ; lat. pop. **funamen,* de *funis.*

**funèbre** XIVe s., « propre aux funérailles » ; 1704, Trévoux, « lugubre » ; lat. *funebris,* de *funus, funeris,* funérailles. || **funèbrement** XVIe s., Huguet. || **funérailles** 1406, N. de Baye ; lat. *funeralia,* pl. neutre de *funeralis,* relatif aux funérailles. || **funéraire** 1565, Huguet ; lat. *funerarius.*

**funeste** 1355, Bersuire, « désolé » ; 1564, Thierry, « qui cause la mort » ; lat. *funestus,* funèbre, de *funus, -eris,* funérailles. || **funestement** 1680, Richelet.

**funiculaire** adj., 1725, Varignon ; n. m., 1890, *D. G.,* abrév. de *chemin de fer funiculaire* (1872, Lar.) ; lat. *funiculus,* dimin. de *funis,* corde.

**funin** V. FUNE.

***fur** 1130, *Eneas* (*fuer*), « taux » ; XVIe s. (*fur*) ; renforcement de la loc. *au fur* (XVIe s., Loisel), à proportion, par *à mesure,* d'où auj. *au fur et à mesure* (1690, Furetière) et *au fur à mesure ; lat. fŏrum,* marché, et, par ext. de sens, « opérations faites au marché », d'où, en lat. pop., « convention ».

***furet** XIIIe s., *Roman de Renart ;* lat. pop. **furitus,* petit voleur, furet, de *fur,* voleur. || **fureter** XIVe s., Aug. Thierry, chasser au furet ; 1549, R. Est., « fouiller ». || **furetage** 1811, *Encycl. méth.* || **fureteur** 1514, Delb., qui chasse au furet ; 1611, Cotgrave, qui fouille.

**fureur** fin Xe s., *saint Léger ; faire fureur,* être à la mode, *Acad.,* 1835 ; adapt. du lat. *furor.* || **furibond** 1265, Br. Latini ; lat. *furibundus,* de *furere,* être en colère. || **furibonder** 1674, Sévigné. || **furie** 1355, Bersuire, qui remplace *fuire* (XIIe s.) ; lat. *furia.* || **furieux** fin XIIIe s., « en colère » ; 1372, Corbichon, « dément » ; lat. *furiosus.* || **furieusement** 1360, Froissart. || **furibard** fin XIXe s. || **furax** XXe s. ; de *furieux,* d'après lat. *furax,* rapace. || **furia** 1872, Lar. ; mot ital., du lat. *furia,* impétuosité. || **furioso** 1865, L. ; mot ital. signif. « furieusement ».

**furfur(e)** 1280, Bibbesworth (*fourfre*) ; 1377, Lanfranc (*furfure*), méd., squame de la peau ; lat. *furfur,* son (de céréale). || **furfuracé** 1810, Alibert, lésion recouverte de petites squames.

**furibond, furie** V. FUREUR.

**furolle** 1525, J. Lemaire (*fuirole*) ; francique **fuir,* feu. Désigne le feu follet en certaines régions.

**furon** XIVe s., Du Cange, petit du furet ; réfection, d'apr. *furet,* de l'anc. fr. *fuiron,* autre nom du furet, du lat. pop. *furo,* voleur.

**furoncle** 1478, Chauliac ; a remplacé la forme pop. *feroncle,* altérée en *ferongle* (1376, Du Cange) d'apr. *ongle ;* on trouve encore *froncle* en 1690 (Furetière) ; lat. *furunculus,* petit voleur, de *fur,* et désignant la bosse de vigne à l'endroit du bouton, parce qu'il dérobe la sève de la plante ; par analogie de forme, sens actuel. || **furonculeux** 1842, *Acad.* || **furonculose** fin XIXe s.

**furtif** milieu XIVe s., « de voleur » ; 1549, R. Est., « secret » ; 1778, Rousseau, sens actuel ; lat. *furtivus,* de *furtum,* vol, rac. *fur,* voleur. || **furtivement** début XIIIe s.

***fusain** fin XIIe s., *Alexandre ;* lat. pop. **fūsago, -agĭnis,* dér. de *fūsus,* fuseau (dont on faisait des fusains). || **fusainiste** 1877, *J. O.*

**fusarolle** 1676, Félibien (*-erole*), archit. ; ital. *fusaruola,* de *fuso,* fuseau.

**fuscine** XVIe s., Huguet ; lat. *fuscina,* fourche à trois dents.

***fuseau** 1138, Gaimar (*fuisel*) ; fin XIIe s., *Aliscans* (*fusel*) ; XVe s. (*fuseau*) ; lat. pop. **fūsellus,* de *fūsus,* fuseau. || **fuselé** 1398, *Ménagier,* spécialisé au fig., « en forme de fuseau ». || **fuselage** 1908, à cause de la forme des avions. || **fuseler** 1842, *Acad.*

***fusée** XIIIe s., *Fabliau* (*fusée de chanvre*) ; 1400, Gay, fusée de feu d'artifice ; XXe s., engin ; lat. pop. **fūsata,* quantité de fil enroulée autour d'un fuseau ; il a pris divers sens techn. par métaphore ; spécialisé en pyrotechnie, la fusée ayant été comparée à un fuseau.

**fuselé, fuselage** V. FUSEAU.

**fuser** 1544, M. Scève, « faire fondre » ; 1566, Du Pinet, se répandre en fondant ; 1743, Trévoux, se répandre, en parlant du pus ; 1872, Lar., « jaillir en fusée » ; lat. *fūsus,* part. passé de *fundere,* couler. || **fusible** 1265, J. de Meung ; bas lat. *fusibilis,* de *fusilis,* « qui peut fondre » ; n. m. 1922, Lar. || **fusibilité** 1641, E. de Clave. || **fusion** milieu XVIe s. ; 1842, Bailleul, fig., polit., « réunion » ; lat. *fūsio,* « liquéfaction ». || **fusionner** 1802, Madelin ; 1865, L., économ. || **fusionnement** 1865, L. || **fusionnisme** XIXe s., Ph. Chasles. || **fusionniste** 1842, *Acad.*

**fuserolle** 1752, Trévoux, broche de fer du tisserand ; ital. *fusaruola.*

**fusible** V. FUSER.

**fusiforme** 1784, Bergeret ; de *fusi-,* lat. *fusus,* fuseau, et *forme.*

***fusil** fin XIe s., *Gloses de Raschi* (*foisil, fuisil*) ; 1244, Huon le Roi (*fusil*), « acier pour faire une étincelle » ; 1671, Pomey, « arme » ; lat. pop. **fŏcīlis,* de *fŏcus,* feu, abrév. probable de *focilis petra,* pierre à feu ; d'où en anc. fr. pièce d'acier recouvrant le bassinet des armes à feu, sur lequel frappait la pierre de la batterie (XVe-XVIe s.) ; le fusil des bouchers et cuisiniers (XIIIe s., Laborde) vient d'un sens annexe, « baguette à aiguiser ». || **fusil mitrailleur** début XXe s. || **fusilier** 1642, Oudin (*fuselier*) ; 1662, La Rochefoucauld (*fusilier*). || **fusillade** 1771, Brunot. || **fusiller** 1732, Trévoux. || **fusilleur** 1797, Brunot.

**fusion** V. FUSER.

**fustanelle** 1844, Nerval, jupon des Grecs ; du lat. médiév. *fustanella.* (V. FUTAINE).

**fustet** 1340, Varin (*feustel*) ; 1351, G. (*fustet*) ; mot prov., altér. de l'ar. *fustuq,* pistachier.

**fustiger** XIVe s., « battre » ; rare jusqu'au XVIIIe s. ; 1864, Hugo, fig. ; adaptation du lat. *fustigare,* bâtonner, de *fustis,* bâton. || **fustigation** 1411, *Cout. d'Anjou.*

***fût** 1080, *Roland,* « bâton, bois de lance, fût d'arbre » ; XIIIe s., « tonneau », repris du dér. *futaille ;* lat. *fustis,* bâton, pieu. || **futaie** 1354, *Modus* (*fustoie*) ; XVIe s., Loisel (*futaie*), d'apr. le sens de « tronc ». || **futaille** 1268, É. Boileau (*fust-*) ; XVe s. (*futaille*), « tonneau de bois ». || **affûter** 1155, Wace, « poster derrière un tronc d'arbre » ; 1680, Richelet, « aiguiser ». || **affût** 1437, Gay, support d'arme ; *être à l'affût de* 1671, Pomey. || **affûtage** 1468, Gay. || **affûtiau** 1696, Bayle.

**futaie, futaille** V. FÛT.

**futaine** 1234, *Rec. des monuments de l'histoire du Tiers État ;* adaptation de l'anc. fr. *fustaingne,* du lat. médiév. *fustaneum,* calque du bas gr. (*Septante*) *xulina lina,* c.-à-d. tissu de bois (« qui vient d'un arbre », pour désigner le coton, *Baumwolle* en allem.).

**futé** XIVe s., *Girart de Roussillon* (*fustet*) ; part. passé de l'anc. fr. *se futer,* fuir, en parlant d'un oiseau manqué une première fois.

**futile** XIVe s. ; lat. *futilis,* « qui laisse échapper ce qu'il contient, qui fuit ». || **futilement** 1840, Sainte-Beuve. || **futilité** 1672, Molière, qui a remplacé *futileté* (XVIe s., fait sur l'adj.) ; lat. *futilitas.*

**futur** 1265, *Livre de jostice* (*par futur*) ; début XVIIe s., Malherbe, « à venir » ; lat. *futurus,* « qui doit être », part. futur de *esse.* || **futurition** fin XVIIe s., Fénelon. || **futurisme** 1909, *le Figaro,* manifeste de Marinetti ; ital. *futurismo.* || **futuriste** *id. ;* ital. *futurista.* || **futurologie** v. 1950. || **futurologue** *id.*

**fuyard, fuyant** V. FUIR.

# g

**gabardine** 1482, G. (*gaverdine*) ; av. 1493, Coquillart (*galvardine*), « vêtement » ; fin XIX^e^ s. (*gabardine*), sorte de serge ; esp. *gabardina,* de l'ar. *qabā,* manteau, et esp. *tavardina,* jaquette. La forme du XIX^e^ s. est due à un nouvel emprunt à l'esp.

**gabare** 1338, du Cange, texte gascon ; anc. prov. *gabarra,* du gr. byzantin **gabaros,* d'apr. le gr. ancien *karabos,* écrevisse, au fig. canot. (V. CARAVELLE.) || **gabarot** 1562, G.

**gabarit** 1643, Fournier (*gabari*) ; 1678, Colbert (*gabarit*), « modèle d'un bateau » ; 1842, *Acad.,* modèle en général ; prov. mod. *gabarrit,* altér., sous l'infl. de *gabare,* de *garbi,* du gotique **garwi,* préparation, d'où « modèle », p.-ê. par l'intermédiaire de l'ital. *garbo* (v. GALBE). || **gabarier** 1478, du Cange, nom ; 1764, Duhamel, verbe.

**gabegie** 1790, Hébert, « désordre » ; 1807, Michel, « fraude » ; de *gaber,* tromper, d'après *tabagie.*

**gabelle** 1267, *Layettes,* « impôt » ; 1330, Ch. de Liège, « impôt sur le sel » ; 1342, *Ordonn.,* « grenier à sel » ; 1651, Scarron, « administration chargée de le percevoir » ; anc. prov. *gabella,* de l'ar. *qabala,* impôt. || **gabelou** 1585, N. du Fail (*gabeloux du Croisil* [Le Croisic]), « employé de la gabelle » ; 1807, Michel, « employé des douanes » ; forme régionale de *gabeleur* (XIII^e^ s.).

**gaber** 1050, *Sponsus ;* scand. *gabba,* railler, qui a donné le subst. *gab,* raillerie (1190, Garn.).

**gabie** fin XV^e^ s., *Anc. Chron. de Savoie* (*gabia*), « demi-hune » ; prov. mod. *gabia,* cage, devenu terme de marine. || **gabier** 1678, Guillet.

**gabion** 1543, *Anc. Poésies ;* ital. *gabbione,* grande cage, devenu terme de mar. || **gabionnade** XVI^e^ s., La Noue. || **gabionner** 1546, Rab. || **gabionnage** 1832, Raymond.

**gable** ou **gâble** 1338, *Actes norm. de la Ch. des comptes,* mot normand signif. « pignon monumental » ; gaulois **gabulum,* gibet.

**gabord** 1538, Jal, « bordage extérieur voisin de la quille » ; néerl. *gaarboord.*

**gaburon** 1642, Oudin (*-urron*), « enveloppe en bois au bas d'un mât » ; prov. mod. *gabarioun,* peut-être forme atténuée de *cabrioun, cabiroun,* chevron.

**gâche** 1294, G. (*gaiche de serrure*) ; 1489, *Ordonn.* (*gasche*) ; XVII^e^ s. (*gâche*) ; francique **gaspia,* boucle. || **gâchette** 1478, Delb. (*guaschette*) ; 1560, Paré (*gaschette*).

**gâcher** 1160, Benoît (*guaschier*), « souiller moralement » ; XIII^e^ s., *Roman de Renart* (*gacier*), « éclabousser » ; 1307, Fagniez, « laver » ; 1741, Savary, « faire bon marché » ; XVIII^e^ s., « abîmer » ; francique **waskon,* laver, détremper (allem. *waschen*), d'où *gâcher* le mortier. || **gâche** 1376, du Cange (*gaiche*), « outil de maçon ». || **gâcheur** 1292, *Rôle de la taille* (*gascheeur*), techn. ; 1741, Savary, fig. || **gâcheux** 1573, Liébault. || **gâchis** 1373, Lespinasse, « drap grossier » ; 1564, Thierry (*gas-*), sorte de mortier ; 1777, Bachaumont, « désordre ». || **gâchoir** 1842, *Acad.*

**gade** 1788, *Encycl. méth.,* poisson ; gr. *gados,* morue.

**gadget** 1955 ; mot angl., du fr. *gâchette.*

**gadin** 1838, Esnault, « palet de billard » ; 1877, Esnault, « chute » ; var. de *galet.*

**gadolinium** 1880, Marignac ; du nom de *Gadolin,* chimiste finnois qui découvrit les terres rares, dites yttriques ; on trouve *gadolinite* (1800, Delamétherie).

**gadoue** XVI^e^ s., Rivaudeau ; mot dial. de l'Ouest et du Centre, d'orig. obscure. || **gadouard** 1578, Joubert.

**gaffe** fin XIV^e^ s., sens propre ; 1872, Lar., « maladresse », langue des bateliers ; 1821,

Ansiaume, « sentinelle » en argot, d'où pop. *faire gaffe* (1926, Esnault) ; anc. prov. *gafar,* du gotique **gaffôn,* saisir. || **gaffer** 1687, Desroches, « ramer à la gaffe » ; 1694, Th. Corn., « accrocher avec une gaffe » ; 1837, Vidocq, « guetter » ; 1883, Esnault, « commettre une bévue ». || **gaffeur** début XIX^e s., « veilleur » ; 1872, Lar., « maladroit ».

**gag** 1922, *Ciné-Magazine ;* mot angl. signif. « blague ». || **gagman** *id.*

**gaga** 1879, A. Daudet ; onomat. *gag-*, évoquant le bredouillement.

**gage** fin XI^e s., *Lois de Guill.* (*wage*) ; XII^e s., *Roncevaux* (*gage*), jurid. ; 1549, R. Est., dans les jeux ; francique **waddi* (gotique *wadi*), latinisé en **wadium.* || **gager** 1080, *Roland,* « mettre en gage » ; début XIII^e s., « promettre ». || **gagerie** fin XIII^e s., *Assises de Jérusalem.* || **gageure** XIII^e s., *Fabliau,* jurid. ; 1835, *Acad.*, « pari difficile ». || **gagiste** 1680, Richelet. || **dégager** 1170, Garn., « retirer qqch mis en gage » ; fin XVI^e s., d'Aubigné, « libérer » ; *se dégager* fin XII^e s., Conon de Béthune. || **dégagé** 1668, Molière, « naturel ». || **dégagement** début XV^e s., « saisie », jurid. ; 1465, Bartzsch, sens actuel. || **engager** fin XII^e s., *Loherains,* jurid. ; milieu XVI^e s., « faire entrer » ; XVII^e s., « commencer » ; 1945, polit. || **engagement** fin XII^e s., charte d'Abbeville. || **engageant** 1656, Livet. || **désengagé** 1622, Fr. de Sales. || **rengager** 1471, Wavrin. || **rengagement** 1718, *Acad.*

**gagner** 1130, *Eneas* (*guaaignier*) ; XIII^e s. (*gaigner*), « labourer » ; 1140, Bartzsch, « piller » ; 1175, Chr. de Troyes, « obtenir un profit » ; début XV^e s., fig., « acquérir » ; 1679, Bossuet, « conquérir un avantage » ; francique **waidanjan,* chercher de la nourriture, d'où, en anc. fr., « paître » (sens conservé en vénerie). || **gagnable** 1150, G. || **gagnage** 1160, Benoît (*guaaignage*), sur le sens agric. || **gain** 1175, Chr. de Troyes (*gaaing*) ; XIII^e s. (*gain*) ; déverbal. || **gagneur** 1160, Benoît (*gaaigneor*). || **gagnant** 1226, *Courtois d'Arras.* || **gagne-pain** 1285, J. Bretel (*wagnepain*), « gantelet de tournois » ; XIII^e s., « ouvrier qui gagne peu » ; 1606, Nicot, sens actuel. || **gagne-denier** 1515, Isambert. || **gagne-petit** édit de 1597 (*petit* = peu). || **regagner** fin XII^e s., *Aliscans* (*aaignier*). || **regain** XII^e s., É. de Fougères, nouvelle pousse ; sur le francique **waida,* prairie.

**gai** 1175, Chr. de Troyes, « vif » et « joyeux » en anc. fr. ; francique **gâheis,* bouillant, impétueux. || **gaiement** XIV^e s. || **gaieté** 1160, Benoît. || **égayer** 1240, G. de Lorris, « divertir ». || **égaiement** 1160, Benoît, « plaisir » ; 1690, Furetière, « divertissement ».

**gaïac** 1520, J. Cheradame ; esp. *guayaco,* de l'arawak de Saint-Domingue *guayacan.* Désigne un arbre d'Amérique à feuilles persistantes. || **gaïacine** 1816, Candolle. || **gaïacol** 1888, Lar.

**gaillard** 1080, *Roland,* « vigoureux », adj. ; 1534, B. des Périers, « trop libre » ; n. m. 1573, Du Puys, mar., abrév. de *château gaillard* (1552, Rab.) ; gallo-roman **galia,* force, d'origine gauloise. || **gaillarde** XV^e s., danse. || **gaillardement** 1080, *Roland,* « avec entrain » ; 1596, Hulsius, « de bon cœur ». || **gaillardise** 1510, Lemaire. || **ragaillardir** XV^e s., Basselin. || **regaillardir** 1549, R. Est.

**gaillet** 1786, *Encycl. méth.,* « caille-lait » ; lat. *galium,* du gr. *galion,* avec infl. de *caille-lait.*

**gaillette** milieu XVIII^e s., « morceau de houille » ; mot du Hainaut, dimin. de *gaille,* grosse noix, abrév. anc. du lat. *nux gallica,* noix de galle, noix gauloise (anc. fr. *noix gauge*). || **gailletin** 1878, Lar. || **gailleterie** 1872, Lar.

**gain** V. GAGNER.

***gaine** XIII^e s., *Aucassin et Nicolette* (*gaïne ; waïne* en picard), « fourreau » ; 1695, d'après Trévoux, anat. ; lat. pop. **wagīna,* du lat. class. *vagīna,* avec infl. germ. sur *v.* (V. GUÊPE.) || **gainer** 1773, Bourdé. || **gainage** v. 1950. || **gainier** fin XIII^e s., *Fabliau,* « fabricant de gaines » ; 1587, Daléchamp, arbre de Judée dont la gousse rappelle une gaine. || **gainerie** 1324, Lespinasse. || **dégainer** début XIII^e s. (*desw-*). || **dégaine** XVI^e s., A. de Monluc, spécialisé au fig. (1611, Cotgrave) ; d'apr. la loc. *tu t'y prends d'une belle dégaine.* || **dégainement** 1611, Cotgrave. || **engainer** 1340, G., « mettre dans une gaine » ; 1665, *Muse normande,* « envelopper ». || **rengainer** début XVI^e s., « empocher » ; 1610, B. de Verville, « reprendre ce qu'on allait dire ». || **rengaine** 1680, Richelet, « refus », n. m. ; 1852, Flaubert, n. f., « banalité qu'on répète » (Molière, *je rengaine ma nouvelle*) ; 1935, *Acad.,* « chanson » ; déverbal de *rengainer.*

**gala** 1670, *Mémoires curieux,* « grande fête » ; 1787, Bachaumont (*habit de gala*) ; mot esp., de l'anc. fr. *gale,* réjouissance, de *galer,* s'amuser. (V. GALANT.)

**gala(ct)-,** gr. *gala, galaktos,* lait. || **galactite** 1372, Corbichon (*-ide*) ; lat. *galactitis,* nom d'une pierre précieuse couleur de lait. || **galactique** 1808, Boiste ; gr. *galaktikos,* du lait. || **galactose** milieu XVII^e s., « formation de lait » ; 1741, Col de Vilars, chimie. || **galactomètre** 1796, *Encycl. méth.* || **galalithe** 1906, Lar. ; gr. *lithos,* pierre.

**galandage** 1785, *Encycl. méth.,* altér. de *garlandage* (XIII^e s., conservé dans la mar.) ; anc. fr. *garlande* (1240, G. de Lorris), var. fr. de *guirlande,* sans doute du moyen haut allem. *wieren,* garnir (francique **weron*).

**galanga** 1298, Marco Polo ; mot du lat. pharm., de l'ar. *halangân,* rhizome de l'alpinia.

**galant** 1318, Gace de La Bigne, « vif » ; part. prés. de *waler* (1220, Coincy), *galer* (début XIV^e s., Gilles di Muisis), s'amuser ; lat. pop. **walare,* se la couler douce, du frq. **wāla,* bien ; 1548, *Ancien Théâtre,* « empressé auprès des femmes » ; de l'ital. *galante,* lui-même du fr. || **galamment** 1534, Rab. (*gualantement*) ; 1636, Monet (*galamment*). || **galanterie** 1537, trad. du *Courtisan,* « distinction de l'aspect » ; XVII^e s., sens actuel. || **galantin** 1555, de La Bouthière, « vigoureux » ; 1798, *Acad.,* « galant ». || **galantise** 1534, B. des Périers, « politesse ». || **galantiser** 1629, Corn.

**galantine** début XIII^e s., Guill. le Maréchal (*galatine*) ; 1265, J. de Meung (*galantine*), « gelée » ; 1328, Gay, sens actuel ; ital. dialectal *galatina,* de **galare,* geler, du lat. *gelare.*

**galapiat** 1793, Hébert (*galipiat*) ; av. 1850, Balzac (*galapiat*) ; du rad. *gal-,* gloutonnerie, et *laper.*

**galaxie** 1557, Pontus de Tyard ; lat. *galaxias,* d'abord astron., « Voie lactée », du gr. *gala, -aktos,* lait

**galbanum** fin XI^e s., *Gloses de Raschi* (*galme*) ; 1130, *Job* (*galban*) ; XIV^e s., du Cange (*galbanum*), gomme résineuse ; mot lat., du gr. *khalbanî,* de l'hébreu *chelbenah.*

**galbe** 1550, Ronsard (*garbe*) ; 1578, R. Est., « bonne grâce » ; 1676, Félibien, archit. ; ital. *garbo,* belle forme, du gotique **garwon,* arranger. || **galbé** 1611, Cotgrave. (V. GABARIT.)

**galbule** 1801, Boiste, fruit du cyprès ; lat. *galbulus,* de même rac. que *jaune.*

1. **gale** 1213, *Fet des Romains,* var. orth. de *galle,* qui de « excroissance » est passé au sens « gale des végétaux » (1688, Miege), et « des animaux » (1613, M. Régnier). || **galeux** 1495, J. de Vignay.

2. **gale** 1762, *Acad.,* « myrte des marais » ; angl. *gale,* introduit par Bauhin (1541-1613) dans le lat. bot.

**galéasse** 1420, A. Chartier ; ital. *galeazza,* augmentatif de *galea.* (V. GALÈRE.)

**galée** V. GALÈRE.

**galefretier** 1532, Rab., va-nu-pieds ; déformation probable de **calefeutrier,* de *calfeutrer.* (V. GALFÂTRE.)

**galéga** 1615, Daléchamp ; mot ital. et esp., sans doute du lat. *gallica* (*herba*), herbe de Gaule.

**galéjade** 1881, A. Daudet ; prov. mod. *galejado,* plaisanterie, de *galejá,* plaisanter, de *gala,* s'amuser (v. GALANT). || **galéjer** XX^e s.

**galène** 1553, Belon ; lat. *galena,* du gr. *galênê,* plomb. Désigne le sulfure naturel de plomb.

**galénique** 1581, Nancel, méd. ; de *Galenus,* nom lat. de Galien (III^e s.).

**galer** V. GALANT.

**galère** 1402, J. de Béthencourt ; catalan *galera,* altér. d'un anc. ital. *galea* (XI^e-XII^e s.), mot byzantin (IX^e-X^e s.). || **galée** 1080, *Roland ;* gr. byzantin *galea,* galère, du gr. *galê,* belette, à cause de la forme. || **galion** 1272, Joinville ; de *galie* (1080, *Roland*), var. de *galée.* || **galiote** milieu XIV^e s., « petite galère ». || **galérien** 1568, Huguet. (V. GALÉASSE.)

**galerie** début XIV^e s., « passage couvert » ; 1690, Furetière, « allée couverte pour les spectateurs » ; fin XVI^e s., milit. ; ital. *galleria,* p.-ê. altér. du nom propre lat. *Galilaea,* la Galilée, qui aurait désigné un porche d'église où les gens allaient et venaient, comme la Galilée abritait une foule de gens peu religieux.

**galerne** début XII^e s., *Voy de Charl.,* vent du Nord-Ouest, mot de l'Ouest ; lat. pop. **galerna,* sans doute prélatin.

**galet** XII^e s., *Parthenopeus ;* dimin. de l'anc. fr. *gal,* caillou, du gaulois **gallos,* pierre (v. CAILLOU) ; la forme est normanno-picarde. || **galette** XIII^e s., *Fabliau,* à cause de sa forme ronde ; 1872, Esnault, « argent ». || **galeter** XX^e s. || **galetage** fin XIX^e s. || **galgal** 1858, Legoarant ; redoublement de *gal.*

**galetas** XIV^e s. (*chambre à galathas*) ; 1398, E. Deschamps (*galatas*) ; 1532, Havard (*galetas*) ; désigna d'abord les logements dans la partie haute d'un édifice ; du nom de la tour *Galata* à Constantinople.

**galfâtre** 1808, d'Hautel, « mauvais ouvrier » ; 1867, Delvau, sens moderne ; mot de l'Est, du fr. *calfat,* cet ouvrier paraissant ne rien faire.

**galhauban** V. HAUBAN.

**galibot** 1871, Reybaud ; mot picard, de *galibier,* garnement, du picard *galobier,* de *galer,* s'amuser, et *lober,* flatter (germ. *loben*).

**galimafrée** 1398, *Ménagier* (*cali-*) ; sans doute picard *mafrer,* manger beaucoup, var. de *bâfrer,* et de *galer,* s'amuser.

**galimatias** 1580, Montaigne ; sans doute bas lat. *ballimathia,* chanson obscène (Isidore de Séville glose : « *inhonestae cantationes* »).

**galion, galiote** V. GALÈRE.

**galipette** 1865, à Nantes (*ca-*) ; 1883, Larchey ; mot dial., de *galer,* s'amuser.

**galipot** 1561, du Pinet (*garipot*), « résine de pin » ; 1701, Furetière (*galipot*) ; 1840, *Acad.,* « mastic » ; mot prov. d'orig. inconnue. || **galipoter** 1840, *Acad.*

**galis** 1627, de Maricourt, trace du chevreuil ; de *galer,* gratter, dér. de *gale.*

**galle** fin XI$^{e}$ s., *Gloses de Raschi* (*gale*) ; 1398, *Ménagier* (*galle*) ; lat. *galla,* excroissance. || **gallique** 1802, Flick.

**galli-,** lat. *gallus,* coq.

**gallican** 1355, Bersuire ; lat. eccl. *gallicanus,* de la Gaule (et « français » au XIV$^{e}$ s., dans Oresme) ; spécialisé pour l'Église de France. || **gallicanisme** 1810, Brunot.

**gallicisme** 1578, H. Est. ; lat. *gallicus,* gaulois, au sens médiév. de « français ». || **gallophobie** 1845, Besch. ; gr. *phobos,* peur. || **gallophobe** *id.* || **gallo-romain** 1841, Chateaubriand. || **gallo-roman** 1887, *Revue.*

**gallinacé** 1770, Buffon ; lat. *gallinaceus,* adj., de poule, de coq, de *gallina,* poule. || **galliforme** 1872, Lar.

**gallium** 1836, Landais ; formé par Lecoq de Boisbaudran, qui lui donna son nom latinisé (*gallus,* coq).

**gallo** XIII$^{e}$ s., *Grandes Chroniques* (*gallot*), habitant de haute Bretagne ; breton *gall,* français, du lat. *Gallus.*

**gallon** 1687, *Nouv. Voy. d'Italie,* mesure de capacité ; mot angl., de l'anc. normand *galon,* de l'anc. fr. *jaloie* (XIII$^{e}$ s.), du bas lat. *galleta,* seau.

***galoche** 1292, *D. G.* ; sans doute de *gal,* caillou, par comparaison de la semelle avec un galet. || **galocher** 1907, Lar. || **galocherie** XX$^{e}$ s. || **galochier** 1292, *Rôle de la taille de Paris.*

**galonner** 1130, *Eneas,* « orner les cheveux de rubans » ; anc. fr. *galer,* s'amuser. || **galon** 1379, *Inventaire de Charles V* ; déverbal. || **galonné** 1922, Lar., milit. || **galonnier** 1757, *Encycl.,* qui fabrique des galons ; déverbal. || **dégalonner** XIII$^{e}$ s., G.

**galoper** 1138, Gaimar, « aller le galop » ; 1690, Furetière, « courir » ; francique **walahlaupan,* bien courir (allem. *wohl, laufen*). || **galop** 1080, *Roland* ; déverbal. || **galopade** 1611, Cotgrave. || **galopant** 1836, Landais ; *phtisie galopante,* calque de l'angl. || **galope** 1810, Lesné, techn. ; 1900, *D. G.,* danse ; déverbal. || **galopeur** fin XVI$^{e}$ s. || **galopin** 1388, Prost, nom propre de messager dès le XII$^{e}$ s. ; 1611, Cotgrave, « petit garçon de courses à la Cour » ; 1718, Hamilton, péjor. || **galopiner** 1881, Huysmans.

**galoubet** 1767, Rousseau ; mot du prov. mod., de la même rac. que l'anc. prov. *galaubia,* magnificence, du gotique *galaubei,* qui a de la valeur.

**galuchat** 1762, Havard, techn. ; du nom de l'inventeur († 1774).

**galurin** 1866, Delvau ; anc. fr. *galure,* galant (1493, Coquillart), de *galer,* s'amuser.

**galvanisme** 1797, *Ann. chimie,* magnétisme animal ; de *Galvani,* physicien qui découvrit l'électricité animale en 1780. || **galvanique** fin XVIII$^{e}$ s. || **galvaniser** 1790, Humboldt ; 1831, Hugo, fig. || **galvanisation** 1802, Sue. || **galvanocautère** 1877, L. || **galvanomètre** 1802, Sue. || **galvanoplastie** v. 1850 ; gr. *plassein,* former. || **galvanoplastique** 1860, Gautier. || **galvanotype** début XX$^{e}$ s.

**galvauder** 1690, Furetière, « maltraiter » ; 1770, Voltaire, « faire mauvais usage de » ; sans doute de *galer,* s'amuser, et de *ravauder,* poursuivre et maltraiter. || **galvaudage** 1842, Balzac. || **galvaudeur** 1778, de Villeneuve, « grondeur » ; 1841, *les Français peints par eux-mêmes,* sens actuel. || **galvaudeux** 1865, Larchey, avec prononc. pop. de *-eur.* (V. BOUE, GÂTER, etc.)

**gamache** 1595, Gay, « guêtre » ; 1836, Landais, pop. ; prov. mod. *gamacho,* anc. *galamacha,* altér. de l'esp. *guadamaci,* cuir de Ghadamès.

**gambade** 1493, Coquillart ; prov. *cambado,* de *cambo,* jambe. || **gambader** début XVe s. || **gambadeur** 1845, Besch. || **gambe** 1677, Dassié ; forme normande de *jambe.* || **gambette** XIIIe s., *Aucassin et Nicolette,* petite jambe ; 1834, Baudrillant, zool., chevalier à pieds rouges. || **gambier** 1827, *Acad.,* « outil allongé, poutre ».

**gambe, gambette** V. GAMBADE.

**gamberger** 1837, Vidocq (*gomberger*), « compter » ; 1899, Esnault (*gamberger*), « réfléchir » ; de *comberger,* sur le rad. de *compter.* || **gamberge** 1952, Esnault ; déverbal.

1. **gambier** V. GAMBADE.

2. **gambier** début XVIIe s. (*gambeir*) ; fin XVIIIe s. (*gambir*) ; 1877, L. (*gambier*), arbuste exotique ; malais *gambir.*

**gambiller** 1609, Oudin ; altér., par changement de finale, de *gambeyer* (1540, Rab., *gambayer*), adaptation de *gambaggiare,* de *gamba,* jambe. || **gambilles** 1773, Nisard.

**gambit** 1743, Trévoux ; ital. *gambetto,* croc-en-jambe, de *gamba,* jambe.

**gambusie** 1930, Lar. ; esp. américain *gambusina,* orig. inconnue.

**gamelle** 1584, Pardessus, milit. ; ital. *gamella,* du lat. *camella,* écuelle.

**gamète** 1872, Lar., insecte ; 1888, Lar., sens actuel ; gr. *gamêtês,* époux, de *gamos,* mariage. || **gamétocyte** v. 1950. || **gamétophyte** *id.* ; gr. *phuton,* qui pousse.

**gamin** 1765, *Encycl.,* « aide-verrier » ; 1802, Laveaux, sens actuel ; *gamin de Paris,* 1830, H. Monnier, Balzac ; adj. 1844, Soulié ; p.-ê. rad. *gamm-* signifiant « vaurien ». || **gaminer** 1836, Landais. || **gaminerie** 1836, *le Gamin de Paris.*

**gamma,** 1839, Boiste, lettre grecque ; *rayons gamma,* XXe s. || **gammaglobuline** v. 1950. || **gammathérapie** v. 1965.

**gamme** milieu XIIe s., *Thèbes* (*game*) ; 1530, Palsgrave (*gamme*) ; 1846, Baudelaire, pour les couleurs ; lat. médiév. *gamma,* du nom de la lettre grecque *gamma,* employée par Gui d'Arezzo (XIe s.) pour désigner la première note de la gamme, puis la gamme entière, appelée aussi *gamma-ut.*

**gammée** (*croix*) 1872, L. ; de la lettre majuscule grecque *gamma,* à cause de la forme.

**gamo-,** gr. *gamos,* mariage. || **gamopétale** 1817, Gérardin. || **gamosépale** 1840, *Acad.*

**ganache** 1642, Oudin, « mâchoire de cheval » ; 1740, *Acad.,* « imbécile » ; ital. *ganascia,* mâchoire, du gr. *gnathos.*

**gandin** 1710, Charbot ; anc. fr. *gandir,* faire des détours (1155, Wace), du francique **wandjan,* tourner ; un personnage (R. *Gandin*) de la pièce de Barrière, *les Parisiens* (1855), le mit à la mode. || **gandinerie** 1875, *J.O.*

**gandoura** 1852, Gautier ; mot de l'ar. marocain, du berbère *quandūr.*

**gang** 1837, Mérimée ; mot anglo-américain signif. « bande ». || **gangster** v. 1925. || **gangstérisme** 1948, Lar.

**ganglion** 1560, Paré, « tumeur » ; 1757, *Encycl.,* « organe » ; lat. méd. *ganglion* (IVe s., Végèce), du gr. *gagglion,* glande. || **ganglionnaire** 1826, Broussais. || **ganglionné** 1845, Besch. || **gangliectomie** début XXe s.

**gangrène** 1495, Gordon (*can-*) ; 1503, Chauliac ; 1601, Charron, fig. ; lat. méd. *gangraena,* empr. au gr. *gaggraina,* pourriture. || **gangrener** 1503, Chauliac (*-é*) ; 1692, Fénelon (*-er*) ; 1865, L., fig., *id.* || **gangreneux** 1539, Canappe.

**gangster, gangstérisme** V. GANG.

**gangue** 1552, Barbier ; allem. *Gang.,* chemin, au sens de « filon ».

**gano** 1679, *Relation d'un voy. d'Esp.,* terme du jeu d'hombre ; mot esp. signif. « je gagne », de *ganar.*

**ganoïde** 1872, Lar. ; se dit de l'écaille de certains poissons ; gr. *ganos,* éclat, et suffixe *-oïde.*

**ganse** fin XVIe s. ; prov. mod. *ganso,* boucle d'un lacet, du gr. *gampsos,* courbé. || **ganser** 1765, *Encycl.* || **gansette** 1754, *Encycl.*

**gant** 1080, *Roland* (*guant*) ; 1155, Wace (*gant*) ; *mettre les gants,* 1808, d'Hautel ; francique **want,* d'abord milit. || **ganté** 1549, Marguerite de Navarre. || **gantelet** 1268, É. Boileau. || **gantelée** XIVe s. || **ganter** 1488, O. de La Marche. || **ganterie** 1292, Barbier. || **gantier** 1241, G. (*wantier*) ; 1268, É. Boileau (*gantier*). || **déganter** 1335, Digulleville.

**ganymède** 1718, Leroux, au sens de « mignon » ; du n. mythologique *Ganymède,* fils de Tros, enlevé par l'aigle de Jupiter pour devenir échanson des dieux.

**garage** V. GARER.

**garance** fin XIe s., *Gloses de Raschi* (*warance*) ; 1175, Chr. de Troyes (*garana*) ; bas lat. *waran-*

*tia, -entia* (*Gloses, Capitulaires*), du francique **wratja* (anc. haut allem. *rezza*). || **garancer** 1283, Poerck. || **garançage** 1750, Hellot. || **garancerie** 1872, L. || **garancière** 1600, O. de Serres.

**garant** 1080, *Roland* (*guarant*), jurid. ; du part. prés. du germ. **werjan,* fournir une garantie ; le premier *a* est dû à l'attraction de *garer, garir,* anc. forme de *guérir.* || **garantir** 1080, *Roland,* « donner pour assuré » ; 1283, Beaumanoir, « assurer contre un événement fâcheux ». || **garantie** fin XI<sup>e</sup> s., *Gloses de Raschi.*

**garbure** 1655, Molière ; gascon *garburo,* d'orig. obscure, peut-être de l'esp. *garbias,* ragoût ; désigne une soupe aux choux.

**garce** V. GARÇON.

1. **garcette,** petite corde. V. GARÇON.

2. **garcette** 1578, d'Aubigné, coiffure de femme ; esp. *garceta,* aigrette (héron).

3. **garcette** 1636, Cleirac, pince de foulon ; ital. *garzetta,* de *garza,* chardon, carde.

**garçon** 1080, *Roland* (*garçun*), « valet » ; 1155, Wace, « domestique » ; 1530, Palsgrave, « enfant mâle » ; 1539, R. Est., célibataire ; cas régime de *gars.* || **gars** 1155, Wace, « domestique » ; 1530, Marot, « garçon » ; 1759, Esnault, « gaillard » ; cas sujet du francique **wrakjo* (IX<sup>e</sup> s., *Wracchio,* nom propre), soldat, mercenaire. || **garce** XII<sup>e</sup> s., *Guill. d'Angl.,* « fille » ; 1530, Palsgrave, « fille de mauvaise vie » ; début XX<sup>e</sup> s., terme d'injure. || **garcette** 1220, Coincy, « jeune fille » ; 1634, Jal, petite corde, par métaph. du sens péjor. || **garçonne** 1880, Huysmans, popularisé, en 1922, par le roman *la Garçonne,* de V. Margueritte. || **garçonnière** 1175, Chr. de Troyes, adj., « qui se livre aux goujats » ; 1656, Oudin, « qui rappelle un garçon » ; n. f. 1835, Balzac. || **garçonnet** 1185, G., « valet » ; 1534, Rab., « jeune garçon ».

**garde** V. GARDER.

**gardénia** 1777, *Encycl. ;* mot du lat. bot., du nom du bot. *Garden* (XVIII<sup>e</sup> s.).

**garden-party** 1882, *Gil Blas ;* angl. *garden,* jardin (normand *gardin*), et *party,* partie de plaisir.

**garder** 980, *Passion,* « regarder » ; 1050, *Alexis,* « veiller sur qqch » ; 1050, *Roland,* « détenir » ; 1334, G., « conserver » ; francique **wardôn,* veiller, être sur ses gardes (allem. *warten,* attendre ; angl. *to ward,* protéger). || **garde** 1050, *Alexis,* n.f. ; 1155, Wace, n. m. ; *prendre garde,* 1190, Garnier ; *garde champêtre,* 1829, Boiste ; déverbal. || **gardien** 1130, *Eneas* (*guardenc*) ; 1280, *Clef d'amors* (*-ien*), par changement de suffixe ; *gardien de la paix,* 1872, L. || **gardiennage** 1803, Boiste. || **gardeur** 1160, Benoît. || **garderie** 1540, Picot. || **garde-à-vous** av. 1850, Balzac ; de *garde à vous,* 1835, Balzac. || **garde-barrière** 1865, L. || **garde-boue** 1869, *Brevet.* || **garde-chasse** 1669, Isambert. || **garde-chiourme** XVIII<sup>e</sup> s., Brunot. || **garde-corps** XIII<sup>e</sup> s., G., « vêtement de dessus » ; 1872, Lar., « barrière ». || **garde-côte** fin XVI<sup>e</sup> s., navire ; fin XVIII<sup>e</sup> s., personne. || **garde-feu** 1377, Prost. || **garde-fou** fin XIII<sup>e</sup> s. || **garde-frein** 1857, Figuier. || **garde-magasin** 1622, Colbert. || **garde-malade** 1754, *Journ. de médecine.* || **garde-manger** milieu XIII<sup>e</sup> s., *Roman de Renart.* || **garde-meuble** 1658, Livet. || **garde-pêche** fin XVII<sup>e</sup> s. || **garde-robe** XIII<sup>e</sup> s., *Fabliau,* « armoire » ; 1314, Mondeville, « chaise percée ». || **garde-voie** 1872, Lar. || **garde-vue** 1642, Lespinasse. || **avant-garde** XII<sup>e</sup> s., G. ; 1794, Robespierre, fig. || **avant-gardiste** v. 1950. || **arrière-garde** XII<sup>e</sup> s., *Garin le Loherain.* || **regarder** VIII<sup>e</sup> s., *Glose* (*rewardant*), « faire attention » ; 1080, *Roland,* « voir » ; 1170, *Rois,* « considérer ». || **regard** 980, *Passion ;* 1690, Furetière, « ouverture d'une conduite » (*reguart*). || **regardant** 1690, Furetière, « trop méticuleux ». || **regardeur** 1265, J. de Meung. (V. ÉGARD.)

**gardon** 1220, Coincy ; de *garder,* ce poisson revenant, comme pour garder, aux lieux où il a été effarouché.

**gare** V. GARER.

***garenne** fin XIII<sup>e</sup> s., *Roman de Renart,* « réserve de gibier » ; XIV<sup>e</sup> s., du Cange, « défense de chasser » ; 1560, Paré, « lieu où abondent les lapins » ; bas lat. *warenna,* altér. de *varenna,* d'un prélatin **vara,* eau, par croisement avec le germ. *wardôn,* garder, *warôn,* garer (endroit où on garde le gibier). || **garennier** fin XII<sup>e</sup> s., G.

**garer** 1265, Br. Latini, à cause des composés attestés ; francique **warôn* (allem. *wahren,* avoir soin). || **gare** fin XV<sup>e</sup> s., Commynes (*sans dire gare*), interj., anc. impératif ; début XVI<sup>e</sup> s., n. f., « distance » ; 1690, Furetière (*gare d'eau*) ; 1831, Wexler, « voie d'évitement » ; *à la gare !,* 1920, Bauche ; déverbal. || **garage** 1802, *Ordonn.,* endroit où l'on gare les bateaux ; 1899, Lar., garage d'auto. || **garagiste** 1922, Lar. (V. ÉGARER.)

**gargamelle** 1468, du Cange ; en langue pop. « gorge » ; prov. *gargamela* (XIII^e s.), croisement entre la rac. *garg-,* gorge, et *calamela,* chalumeau, tuyau. (V. GARGOTER.)

**gargantua** 1704, Trévoux, « homme grand » ; 1808, Flick, « gros mangeur ». || **gargantuesque** 1836, Balzac.

**gargarisme** XIII^e s., G. ; lat. méd. *gargarisma,* du gr. *gargarizein.* || **gargariser** 1398, *Somme Gautier ;* 1865, L., fig. ; lat. méd. *gargarizare,* du gr. *gargarizein.*

**gargoter** 1387, G. Phébus (*gargueter*) ; 1622, *Caquets de l'accouchée* (*-oter*), « faire du bruit en bouillonnant », puis par ext. « manger gloutonnement, malproprement » ; anc. fr. *gargette,* var. de *gargate,* gorge, d'origine expressive, avec finale obscure. || **gargote** 1680, Richelet ; déverbal ; restaurant médiocre où l'on mange à bas prix ; il a existé *gargot* (1665, *Muse normande*), « ragoût ». || **gargotier** 1642, Oudin.

**gargouille** 1294, du Cange (*-oule*) ; croisement du rad. *garg,* gorge (v. GARGOTER), et de *goule,* forme dial. de *gueule.* || **gargouiller** 1390, Conty, « parler confusément » ; 1534, B. des Périers, sens actuel. || **gargouillement** 1560, Paré. || **gargouillis** 1581, G. || **gargoulette** début XIV^e s., « petite gargouille » ; 1879, Huysmans, « gosier » ; de l'anc. forme *gargoule.*

**gargousse** 1505, Gonneville ; altér. du prov. mod. *cargoūsso,* de *carga,* charger ; charge de poudre prête au tir et placée dans de petits sachets. || **gargoussier** 1722, Labat.

**garnement** 1080, *Roland,* « ce qui garnit, ce qui protège » ; 1360, Froissart, « protecteur de femmes, souteneur » ; 1784, Beaumarchais, « voyou, vaurien », sens qui l'a emporté ; de *garnir.*

**garnir** fin 980, *Passion,* « prémunir » ; 1080, *Roland,* « munir de moyens de défense » ; milieu XVI^e s., Amyot, « protéger » ; 1530, Palsgrave, sens actuel ; francique **warnjan* (allem. *warnen,* prendre garde), proprement « se refuser à », d'où « prendre garde, se protéger ». || **garni** n. m. 1829, Boiste, « chambre meublée ». || **garnissage** 1785, *Encycl. méth.* || **garnisseur** 1268, É. Boileau. || **garniture** 1268, É. Boileau. || **garnison** XII^e s., Herman de Valenciennes, « armure » ; 1213, *Fet des Romains,* milit., « action de garnir de troupes » ; 1283, Beaumanoir, ville de garnison. || **garnisonner** 1794, Brunot. || **dégarnir** 1080, *Roland.* || **regarnir** XII^e s., *Chevalier aux deux épées,* « fortifier de nouveau ». (V. GARNEMENT.)

**garnison** V. GARNIR.

1. **garou** 1165, Marie de France (*garulf*) ; XIII^e s. (*garou*) ; francique **wer-wulf,* homme-loup (allem. *Werwolf*), avec infl. du scand. *wargulfr,* de *vargr,* criminel. [V. LYC(O)-.]

2. **garou** 1700, Liger, daphné ; mot du prov. mod., anc. forme *garoupe* (XVI^e s.), origine inconnue.

**garrigue** av. 1540, M. du Bellay ; anc. prov. *garriga,* de *garric,* nom prélatin du chêne, qui paraît ibère.

**garron** 1615, Binet, mâle de la perdrix ; prov. mod. *garroun,* du rad. *garr,* tacheté.

1. **garrot** fin XIII^e s., Guiart, « trait d'arbalète, bâton » ; 1611, Cotgrave, « morceau de bois qu'on tord » ; déverbal de *garochier,* barrer la route (1155, Wace) ; francique **wrokkôn,* tordre avec force.

2. **garrot** XIII^e s., G., partie saillante du dos d'un quadrupède ; prov. *garrot,* de même rac. que *garra,* jarret, mot d'orig. gauloise ; les noms des parties du corps éprouvent souvent de ces changements de sens (v. BOUCHE, HANCHE, QUENOTTE). || **garrotter** 1535, Olivétan, « lier » ; 1580, Montaigne, fig. || **garrottage** 1588, Montaigne. || **garrotte** 1647, Vaugelas ; esp. *garrote,* du fr. *garrot ;* désigne le supplice par strangulation.

**gars** V. GARÇON.

**garum** 1545, Guéroult ; mot lat., du gr. *garon,* sauce relevée faite avec certaines parties de poissons (*garus*).

***gascon** 1622, Ch. Sorel, fig., « hâbleur » ; lat. pop. *Wasco* (lat. *Vasco*), altéré par l'infl. germ., même mot que *Basque.* || **gasconnade** 1600, P. de L'Estoile, « hâblerie ». || **gasconisme** 1584, Scaliger. || **gasconner** fin XVI^e s., Vauquelin.

**gas-oil** v. 1925 ; mot anglo-américain, de *gas,* gaz, et *oil,* huile, pétrole.

**gaspacho** 1872, Lar. ; mot esp.

**gaspiller** 1549, R. Est. (*gap-*) ; prov. mod. *gaspilha,* gaspiller, grappiller, sans doute d'un gaulois **waspa,* nourriture, déchet, dont l'initiale aurait pu subir une infl. germ. || **gaspilleur** 1538, R. Est. || **gaspillage** 1732, Hecquet.

**gastéro-, gastr(o)-,** gr. *gastêr, gastros,* estomac, ventre. || **gaster** 1611, Cotgrave. || **gastéria**

1875, Zola, bot. || **gastéromycètes** 1839, Boiste (*-myces*) ; gr. *mukês,* champignon. || **gastéropodes** 1795, Cuvier ; gr. *pous, podos,* pied. || **gastralgie** 1824, Nysten. || **gastralgique** 1845, Richard. || **gastrectomie** 1888, Lar. ; gr. *ektomê,* amputation. || **gastrique** 1560, Paré. || **gastrite** 1803, Boiste. || **gastro-entérique** 1872, Lar. || **gastro-entérite,** 1823, Boiste. || **gastro-intestinal** 1808, Broussais. || **gastrolâtre** 1552, Rab. || **gastrologie** 1836, Landais ; gr. *gastrologia,* traité de la gourmandise. || **gastronome** 1803, Croze-Magnan. || **gastronomie** 1622, titre d'un ouvrage ; 1800, Berchoux ; gr. *gastronomia,* traité de la gourmandise.|| **gastronomique** 1807, *Journ. des gourmands.* || **gastropode** 1872, Lar. || **gastroptôse** XXe s. || **gastrorraphie** 1539, Canappe ; gr. *rhaptein,* coudre. || **gastroscope** 1930, Lar. || **gastrotomie** 1611, Cotgrave.

**gastrula** 1888, Lar. ; lat. scientif. mod., dimin. de *gastra,* vase, de *gaster,* ventre. || **gastrulation** 1901, Lar. ; mot allem. créé en 1879.

**gâteau** 1198, Gaimar (*gastel, wastel*) ; 1636, Monet (*gâteau*) ; adj. 1785, Restif ; *c'est du gâteau,* 1952, Esnault ; lat. pop. **wastellum,* du francique **wastil,* nourriture (ancien saxon *wist ;* anc. haut allem. *wastel*).

***gâter** 1080, *Roland* (*guaster*) ; 1155, Wace (*gaster*) ; 1636, Monet (*gâter*), « ravager » (jusqu'au XVIIe s.) ; 1240, G. de Lorris, « endommager » ; 1530, Palsgrave, « traiter avec trop d'indulgence » ; *gâter le métier,* 1640, Oudin ; *enfant gâté,* 1549, R. Est. ; lat. *vastare,* devenu **wastare,* sous l'infl. du germ. *wast-,* ravager (allem. *wüsten*). || **gâtine** 1120, *Ps. de Cambridge* (*guastine*), « terrain inculte » ; anc. fr. *guast* (1080, *Roland*), dévasté. || **gâteur** 1213, *Fet des Romains.* || **gâtebois** 1397, G. || **gâte-métier** 1596, Hulsius. || **gâte-papier** XIIIe s., G. || **gâte-sauce** 1808, d'Hautel. || **gâterie** début XVIIe s., « altération d'un texte » ; 1815, *Rev. hist.,* fig. ; 1887, Zola, « friandise ». || **gâteux** 1836, *Acad.,* méd. ; 1893, Courteline, « débile » ; prononc. pop. de *gâteur,* « qui gâte ses effets par incontinence d'urine ». || **gâtisme** 1868, Goncourt. || **gâtifier** v. 1950. (V. DÉGÂT.)

**gatte** 1525, Bourbon, mar., « hune » ; prov. *gata,* jatte (à cause de la forme).

**gattilier** 1755, Duhamel, bot. ; esp. *gatillo,* altér. de (*agno*) *castil,* conservé en port., avec croisement de *gatto,* chat, du bas lat. *cattus.* (V. AGNUS-CASTUS.)

**gauche** 1471, du Cange, « opposé à droit » ; qui a éliminé *sénestre* (jusqu'au XVIe s.) lorsque *droit* a supplanté *destre ;* il a signifié « de travers » (1580, Montaigne), au fig. « maladroit » (1660, Oudin) ; n. f. 1538, R. Est. ; 1791, Brunot, « côté d'une assemblée où siègent les progressistes » ; *extrême gauche,* 1840, *Acad. ;* adj. verbal de *gauchir.* || **gauchement** 1575, J. des Caurres. || **gaucher** 1549, R. Est. || **gaucherie** 1750, d'Argenson, « maladresse » ; v. 1950, utilisation de la main gauche. || **gauchisant** 1959, Lar. || **gauchir** 1130, *Eneas* (*guenchir*), « faire des détours » ; 1210, *Estoire d'Eustachius* (*gauchir*), « perdre sa forme » ; francique **wenkjan* (allem. *wanken,* vaciller), sous l'infl. de l'anc. fr. *gauchier,* fouler, du francique **walkan* (allem. *walken,* fouler le drap). || **gauchissement** 1547, J. Martin. || **gauchisme** 1962, Lar. || **gauchiste** 1843, Balzac. || **dégauchir** 1582, Tabourot. || **dégauchissage** 1829, Boiste. || **dégauchisseuse** 1888, Lar. || **dégauchissement** 1513, Delb.

**gaucho** 1842, Gautier ; mot esp. d'Argentine, de l'arawak ou du quetchua *cachu,* pauvre.

**gaude** 1268, É. Boileau, réséda tinctorial ; germ. **walda* (angl. *weld*).

**gaudeamus** 1493, Coquillart, « bamboche » ; 1865, L., chant religieux ; lat. *gaudeamus,* réjouissons-nous, de *gaudere,* se réjouir ; empr. à des prières liturgiques.

**gaudir (se)** fin XIIe s., *Loherains ; se gaudir,* 1285, *Livre d'Artus ;* lat. *gaudere,* se réjouir. || **gaudisserie** fin XVe s., Molinet.

**gaudriole** 1741, Brunot ; formé du croisement de *gaudir* et de *cabriole.* || **gaudrioler** 1879, Huysmans.

**gaufre** 1180, Hue de Rotelande (*walfre*) ; 1398, *Ménagier* (*gaufre*), « gâteau » ; francique **wāfla,* rayon de miel, et « gaufre », d'apr. la forme. || **gaufrier** 1365, Gay. || **gaufrette** 1536, G. || **gaufrer** début XVe s., « imprimer des motifs en relief ». || **gaufrage** 1806, Desmarest. || **gaufreur** 1604, Lespinasse. || **gaufroir** 1785, *Encycl. méth.* || **gaufrure** fin XVe s., O. de La Marche.

**gaule** 1278, G. (*waulle*) ; début XIVe s. (*gaule*) ; francique **walu-* (gotique *walus,* pieu), par l'intermédiaire d'un lat. pop. **walua.* || **gaulée** 1611, Cotgrave. || **gauler** 1360, G. || **gaulage** 1845, Besch. || **gaulis** 1392, G.

**gaulliste** v. 1941 ; de Charles de *Gaulle.* || **gaullisme** v. 1949. || **gaullien** v. 1950.

**gaulois** XVe s. ; 1640, *Ancien Théâtre,* « grivois » ; de *Gaule,* peut-être issu du francique

**Walha,* pays des *Walh,* Romains (allem. *Welsch*) ; il y a eu métathèse en **Wahla,* puis vocalisation de *h* vélaire en *u* (cf. SAULE). || **gauloiserie** 1872, Lar. || **gauloisement** 1720, Dufresny. || **gauloise** 25 avr. 1910, cigarette.

**gault** 1840, Parandier ; mot angl. dial. signif. « argile » ; introduit en géologie par W. Smith.

**gaupe** 1401, du Cange ; emploi pop. jusqu'au XVII^e s. ; allem. du Sud (bavarois, etc.) *Walpe,* femme sotte.

**gauss** fin XIX^e s. ; du physicien allemand K. F. *Gauss* (1777-1855). || **gaussmètre** 1968, Lar.

**gausser (se)** 1560, Ronsard (*se gaucher*) ; 1580, R. Garnier (*se gausser*) ; sans doute mot de l'Ouest ; orig. obscure. || **gausse** 1611, Cotgrave (*gosse*). || **gausseur** 1539, N. du Fail. || **gausserie** milieu XVI^e s.

**gavache** 1546, Rab., « lâche » ; gascon *gavach(o),* sobriquet ethnique, qui désigne les Pyrénéens en esp., dér. prélatin de **gaba,* gorge (v. GAVER), du type **gabactum.* Il a dû désigner d'abord les goitreux, jadis nombreux dans les montagnes.

**gave** 1671, Pomey ; béarnais *gabe,* du lat. pop. *gabarus* (VIII^e-IX^e s., Théodulfe), formé avec la rac. *gab-,* comme *gaver,* et le suffixe hydronymique atone prélatin *-arus.*

**gaver** 1642, Oudin ; mot normand, du picard *gave,* gosier (1288, *Renart le Nouvel*), prélatin **gaba,* gorge, d'orig. gauloise. || **gavage** 1877, Darmesteter. || **gaveur** 1870, *la Liberté.* || **gaviot** 1808, d'Hautel. (V. ENGOUER, JATTE, JOUE.)

**gavette** 1757, *Encycl.,* barre d'or ; ital. *gavetta.*

**gavial** 1789, Lacepède ; hindî *gharviyal,* crocodile.

**gavotte** 1588, Gay ; prov. mod. *gavoto,* danse des Gavots (de *gava,* gorge, goitre), sobriquet des montagnards des Alpes en Provence, des montagnards en Auvergne. (V. GAVACHE.)

**gavroche** 1862, Hugo, *les Misérables,* nom propre, vulgarisé comme symbolisant le gamin de Paris (1872, Lar.).

**gaz** 1670, trad. de Van Helmont (1577-1644), qui créa le mot d'apr. le lat. *chaos,* au sens de « substance subtile », du gr. *khaos ;* 1787, Féraud, sens physique ; 1836, Landais, spécialisé au gaz d'éclairage dans la langue commune. || **gazage** 1877, L. || **gazeux** 1775, Grignon. || **gazéifier** début XIX^e s. || **gazéifiable** 1811, Mozin. || **gazéificateur** 1930, Lar. || **gazéification** 1842, *Acad.* || **gazéiforme** 1811, Mozin. || **gazer** 1829, Boiste, passer à la flamme ; v. 1915, intoxiquer par le gaz ; 1915, Esnault, aller vite, marcher bien. || **gazé** v. 1915 comme n. m. || **gazier** début XIX^e s., adj. ; 1865, L., « ouvrier d'une usine de gaz ». || **gazogène** 1829, *Rev. industr.* || **gazomètre** 1789, Lavoisier. || **gazoline** 1888, Lar. || **gazoduc** 1958, *le Midi libre.*

**gaze** 1554, Ronsard, étoffe de soie ; de la ville de *Gaza.* || **gazer** 1742, Massillon, couvrir de gaze ; 1762, *Acad.,* voiler, masquer. || **gazeur** 1930, Lar. || **gazier** 1723, Savary.

**gazelle** 1272, Joinville (*gazel*) ; 1690, Furetière (*gazelle*) ; ar. *al-ghazal,* qui a donné aussi *algazelle.*

**gazer** V. GAZ, GAZE.

**gazette** 1578, d'Aubigné, « écrit périodique » ; 1654, G. de Balzac, « chronique » ; remplacé à la fin du XVIII^e s. par *journal ;* ital. *gazzetta,* du vénitien *gazeta,* menue monnaie (prix de feuilles périodiques au XVI^e s., par ext., la feuille elle-même) ; même racine que *geai.* || **gazetier** 1633, Peiresc.

**gazon** 1213, *Fet des Romains* (*gason*), « motte de terre » ; 1258, *Roman de Mahomet,* « herbe courte » ; francique **wazo,* motte de terre garnie d'herbes (allem. *Wasen*). || **gazonner** 1295, G. (*was-*). || **gazonnement** 1701, Furetière. || **gazonnage** 1713, Isambert. || **gazonnant** 1338, G. || **gazonneux** 1791, Bomare.

**gazouiller** 1316, J. Maillard ; forme normanno-picarde, même rad. que *jaser.* || **gazouillant** 1712, La Fare. || **gazouillement** 1361, Oresme (*gasoillement*) ; 1560, Paré (*gazouillement*). || **gazouillis** 1540, Yver.

***geai** 1170, *Floire et Blancheflor* (*gai*) ; XVII^e s. (*geai*) ; bas lat. *gaius* (V^e s., Polemius Silvius), qui représente le nom propre *Gaius,* par sobriquet pop. (V. MARTINET, PIERROT, SANSONNET.)

***géant** 1080, *Roland* (*jaiant*) ; 1170, *Rois* (*jéant,* puis *g* d'apr. le lat.) ; lat. pop. **gagantem,* de **gagas,* altér. de *gĭgas,* du gr. *Gigas* (personnage myth.). [V. GIGANTESQUE.]

**gecko** 1734, Seba ; mot néerl., par lat. sc., du malais *gêkoq,* saurien.

**géhenne** 1265, Br. Latini (*jehenne*) ; XVI^e s. (*gehenne*) ; lat. eccl. *gehenna* (III^e s., Tertullien), de l'hébreu *ge-hinnom,* vallée de l'Hinnom (lieu maudit, enfer). || **géhenner** 1580, Montaigne. (V. GÊNE.)

***geindre** fin XII^e s. (*giembre*) ; début XIII^e s. (*geindre*) d'apr. les verbes en *-eindre ;* lat. *gemĕre* (v. GÉMIR), devenu péjor. au XIV^e s. || **geignant** 1856, Lachâtre. || **geignard** 1867, Goncourt. || **geignement** 1842, Hugo. || **geigneur** 1874, A. Daudet.

**geisha** 1887, Loti (*guécha*) ; 1901, Lar. (*geisha*) ; mot jap.

***geler** XII^e s., Herman de Valenc. ; lat. *gĕlāre.* || ***gel** 1080, *Roland* (*giel*) ; XX^e s., fig. ; lat. *gĕlu.* || **antigel** v. 1930. || **gelation** 1953, Lar. || **gelée** VIII^e s., *Gloses de Reichenau* (*gelata*) ; 1080, *Roland* (*gelée*) ; part. passé substantivé. || **gélif** 1519, G. || **gélifier** début XX^e s. || **gélivité** 1845, Besch. || **gélivure** 1737, Buffon. || **gélissure** 1771, Trévoux. || **gelure** 1538, R. Est., « gelée » ; 1542, du Pinet, « engelure » ; fin XIX^e s., sens actuel. || **gélatine** 1611, Cotgrave ; lat. *gelatus,* gelé. || **gélatineux** 1743, Quesnay. || **gélatiné** 1874, *J.O.* || **gélatiniser** 1922, Lar. || **gélatinisation** 1865, L. || **congeler** 1265, Br. Latini ; lat. *congelare.* || **congelable** 1612, Béroalde. || **congélateur** 1845, Besch. || **congélation** XIV^e s., *Traité d'alchimie ;* lat. *congelatio.* || **dégeler** 1213, *Fet des Romains ;* v. 1950, fig. || **dégel** 1265, J. de Meung ; v. 1950, fig. || **dégelée** 1809, Esnault, volée. || **décongeler** 1907, Lar. || **décongélation** 1907, Lar. || **engelure** XIII^e s., G. ; anc. fr. *engeler* (fin XII^e s., *Alexandre*). || **regeler** v. 1450. || **regel** 1835, Raymond.

***geline** 1190, Garn., poule ; lat. *gallina.* || **gelinotte** 1530, Marot.

**gémeau** 1165, Marie de France, « jumeau » ; au pl. 1546, Rab., sens actuel désignant une constellation formée de deux étoiles ; réfection savante de *jumeau,* d'apr. le lat. *gemellus ;* auj. seulement pl., pour le signe du zodiaque. || **gémellaire** 1842, *Acad.* || **gémellation** 1963, Druon. || **gémellipare** *id.* || **géminé** début XVI^e s. ; lat. *geminatus,* doublé, même rac. que *gemellus,* jumeau. || **géminer** fin XV^e s., Molinet, « joindre ». || **gémination** XVI^e s., Huguet, « répétition de mots » ; v. 1960, « mixité » ; lat. *geminatio.*

**gémir** 1150, Barbier, « émettre des sons plaintifs » ; 1648, Scarron, fig. ; lat. *gemere,* avec changement de conjugaison, formation savante en face de la forme pop. *geindre.* || **gémissant** 1502, O. de Saint-Gelais. || **gémissement** 1120, *Ps. de Cambridge.* || **gémisseur** milieu XV^e s.

**gemme** 1050, *Alexis* (var. *jamme,* 1190, *saint Bernard*) ; lat. *gĕmma,* bourgeon, au fig. « pierre précieuse » ; le sens de « suc de résine » (dont les gouttes ont été comparées à des perles) s'est développé dans l'Ouest et le Sud-Ouest. || **gemmé** 1080, *Roland* (*gemé*). || **gemmer** 1820, Barbier, sylviculture. || **gemmation** 1798, Richard. || **gemmage** 1864, Darmesteter. || **gemmeur** 1877, L. || **gemmifère** 1596, Félix. || **gemmipare** 1771, Trévoux. || **gemmiste** XX^e s. || **gemmologie** XX^e s. || **gemmule** 1808, Richard, bot., dimin. ; lat. *gemmula,* petit bourgeon.

**gémonies** 1548, E. de La Planche ; *traîner aux gémonies,* 1820, Lamartine ; lat. *gemoniae* (*scalae*), même rac. que *gémir ;* escalier où l'on exposait à Rome les corps des suppliciés (escalier des gémissements).

***gencive** XII^e s. ; lat. *gĭngīva ;* le 2^e *g* est devenu *c* par dissimilation. || **gingivite** début XIX^e s., formation savante sur le lat. || **gingival** 1821, G. de Mamers.

**gendarme** V. GENS.

***gendre** fin XI^e s., *Lois de Guill. ;* lat. *gĕnĕr, gĕnĕris.* || **engendrer** XIII^e s., *Glossaire hébreu-fr.,* « prendre pour gendre » (jusqu'au XVII^e s.).

**gène** début XX^e s. ; mot créé en 1911 par Johannsen ; angl. *gene,* du gr. *genos,* génération.

**gêne** 1200, *Vie de saint Jean* (*gehine*) ; 1390, *Coutum.* (*gehenne*), altér., par croisement avec *gehenne ;* 1538, R. Est. (*gêne*) ; 1617, Angot, « tourment physique » ; 1580, Montaigne, « tourment moral » et « sensation désagréable » ; 1762, Rousseau, sens actuel ; 1813, Delille, « pénurie d'argent » ; déverbal de l'anc. fr. *gehir* (1120, *Ps. d'Oxford*), faire avouer par la torture, du francique **jehhjan* (anc. haut allem. *jehän,* avouer). || **gêner** 1363, Prost (*gehenner*) ; 1530, Palsgrave (*gêner*), « torturer » ; 1669, Widerhold, « perturber » ; 1752, Trévoux, « mettre dans la difficulté financière ». || **gênant** XVI^e s. || **gêneur** 1474, Bartzsch (*gehinneur*), « bourreau » ; 1866, Delvau, sens actuel. || **sans-gêne** V. SANS.

**généalogie** XII^e s., *Bible ;* bas lat. *genealogia* (*Vulgate*), du gr. *genos,* race, et *logos,* traité. || **généalogique** 1480, Delb. || **généalogiste** 1654, Cyrano.

**génépi** 1733, Lémery ; mot savoyard d'origine inconnue et désignant une armoise des sommets élevés.

**général** adj. 1190, *Saint Bernard ;* 1463, Bartzsch, subst., abrév. de *capitaine général ; en général,* 1360, Froissart ; lat. *generalis,* adj., « qui appartient à un genre » (*genus*), au sens philos. (Cicéron). || **générale** 1680, Richelet, « sonnerie de tambour et de clairon » ; 1740, *Acad.,* supérieure d'un couvent ; 1802, Flick, femme d'un général. || **généralement** 1190, *Saint Bernard.* || **généraliser** 1578, d'Aubigné. || **généralisable** 1845, Besch. || **généralisation** 1760, d'Alembert. || **généralisateur** 1792, Gohin. || **généralat** 1585, Barbier ; dér. du subst., qui a remplacé *généralté.* || **généralissime** 1558, S. Fontaine ; ital. *generalissimo,* superlatif de *generale,* général. || **généraliste** 1962, Lar. ; de *(médecine) générale.* || **généralité** 1265, J. de Meung (var. francisée *généralté,* XIII^e^-XVII^e^ s.) ; pl. fin XVII^e^ s., Bossuet, « notions générales » ; 1443, Heidel, circonscription administrative (jusqu'au XVIII^e^ s.) ; lat. philos. *generalitas* (IV^e^ s., Symmaque).

**génération** 1120, *Ps. d'Oxford* (*generatium*) ; XIII^e^ s. (*génération*) ; lat. *generatio,* action d'engendrer (générations d'hommes, au pl. et au sing. en lat. chrét., IV^e^ s., saint Augustin). || **générateur** 1519, G. Michel, « créateur » ; 1560, Paré, « qui engendre » ; 1752, Trévoux, féminin, en géométrie ; 1845, Besch., abrév. au masc. de *appareil générateur ;* lat. *generator,* qui engendre. || **génératif** 1314, Mondeville, méd. ; lat. *generare,* engendrer.

**généreux** 1378, Le Fèvre, « noble de cœur » ; 1587, du Vair, « de race noble » ; 1611, Cotgrave, « brave » ; 1677, Miege, « qui donne avec largesse » ; lat. *generosus,* de bonne race, au fig., « noble » (Pline). || **généreusement** XVI^e^ s., Brantôme. || **générosité** 1512, J. Lemaire, « noblesse de race » ; 1564, Thierry, « noblesse de cœur » ; pl. 1688, Miege, « libéralités » ; lat. *generositas,* même évolution.

**générique** fin XVI^e^ s. ; cinéma, n. m., début XX^e^ s. ; lat. *genus, generis.* genre

**genèse** 1611, Cotgrave (*génésie*) ; 1660, Oudin (*genèse*), théol. ; 1865, L., fig., « formation » ; gr. *genesis,* naissance. || **génésiaque** 1839, Boiste ; bas lat. *genesiacus.* || **génésique** 1826, Brillat-Savarin. || **génétique** 1846, Besch., « relatif aux fonctions de génération » ; début XX^e^ s., science de l'hérédité ; gr. *genetikos,* propre à la génération (*genos*). || **génétiquement** XX^e^ s. || **généticien** 1953, Lar. || **génétisme** fin XIX^e^ s. ; par l'intermédiaire de l'angl.

**genestrole** fin XV^e^ s., *Journ. de bot. ;* prov. mod. *genestrolo,* dimin. de *genestro,* genêt.

**genet** 1374, Prost (*genest*), petit cheval de race espagnole ; esp. *jinete,* cavalier armé à la légère (par ext. le cheval), de l'ar. *zanâti,* nom d'une tribu berbère renommée pour ses cavaliers. || **genette** 1460, Chastellain, désigna d'abord les étriers *à la genette,* calque de l'esp. *a la jineta,* de *jinete,* puis une sorte de mors.

***genêt** 1175, Chr. de Troyes (*geneste*) ; 1600, O. de Serres (*genêt*) ; lat. *genĕsta,* var. *genista.* || **genètière** 1611, Cotgrave (*genestrière*).

**genéthliaque** 1546, Rab. ; lat. *genethliacus,* du gr. *genethliakos,* relatif à la naissance (*genethlê*).

**génétique** V. GENÈSE.

1. **genette** V. GENET.

2. **genette** 1268, É. Boileau, mammifère à fourrure ; esp. *jineta,* de l'ar. *djerneit.*

**génie** 1532, Rab., « nature morale de l'homme » ; 1549, J. du Bellay, « disposition naturelle » ; 1674, Chapelain, « aptitude supérieure » ; XVII^e^ s., « être fictif bon ou mauvais », « art des places fortes » ; fin XVII^e^ s., « art des fortifications » ; 1759, date de création du corps de troupes ; lat. *genius,* divinité tutélaire, au fig. « inclination, talent ». || **génial** 1509, J. Lemaire, « fécond » ; 1888, Lar., « qui a du génie » ; lat. *genialis,* relatif à la naissance. || **génialité** 1873, Schérer. || **génialement** 1869, Gasparin. || **congénial** 1820, Laveaux, « qui s'accorde avec la nature, le caractère distinctif de quelqu'un ».

**genièvre** 1160, Benoît (*geneivre*) ; XIV^e^ s., *Antidotaire Nicolas* (*-ièvre*) ; francisation du poitevin *genèvre,* du lat. pop. **jeniperus,* de *jūnĭpĕrus,* genévrier. || **genévrier** 1372, Corbichon. || **genévrière** 1839, Boiste.

***génisse** fin XIII^e^ s., *Renart* (*genice*) ; 1538, R. Est. (*génisse*) ; lat. pop. **jenicia,* altér. de **jūnīcia,* lat. *junix, -icis.* || **génisson** 1553, *Journal de Gouberville.*

**génital** 1308, Aimé ; lat. *genitalis,* qui engendre, de *genitus,* part. passé de *gignere,* engendrer. || **génitalité** 1878, Lar. || **génitoire** 1119, Ph. de Thaun (*-taire*) ; 1165, Marie de France (*-oire*) ; adaptation anc., par changement de suff., du pl. neutre *genitalia,* parties sexuelles. || **génito-urinaire** 1845, Besch. || **géniture** XV^e^ s., G., « origine » ; lat. *genitura.* || **congénital** fin XVIII^e^ s. ; lat. *congenitus,* né avec.

**génitif** fin XIV^e s., Le Fèvre ; lat. *genitivus* (*casus*), cas qui engendre, parce qu'il marque l'origine, la propriété ; de *genitus,* engendré (v. GÉNITAL).

**génocide** 1944, R. Lemkin, Duke Univ. (U.S.A.) ; gr. *genos,* race, et suffixe *-cide* (lat. *caedere,* tuer).

***genou** 1080, *Roland* (*genoil*) ; la forme *-ou* (1360, Froissart) vient du pl. (*genouilz, genous*) ; lat. pop. **genuculum* (lat. *geniculum*), dimin. de *genu,* genou (cf. OREILLE, SOLEIL). || **genouillère** 1130, *Eneas* (*genoillere*) ; 1570, Carloix (*genouillère*) ; sur *genouil.* || **agenouiller (s')** 1175, Chr. de Troyes. || **agenouillement** 1495, J. de Vignay. || **agenouilloir** XVI^e s., Delb. || **génuflexion** 1372, Golein ; bas lat. *genuflexio,* de *genuflectere,* fléchir le genou (*Vulgate*), d'apr. *flexion.*

**genre** fin XII^e s., G., « race » (*genre humain*) ; 1361, Oresme, philos. ; début XV^e s., « sorte, manière » ; 1647, Vaugelas, gramm. ; 1654, Racan, littérature ; lat. *genus, generis,* origine, puis « manière ».

***gens** 1050, *Alexis,* pl. collectif masc. de l'anc. *gent* (980, *Passion*), du lat. *gens, gentis,* race, peuple, repris par les historiens avec la prononc. lat. et le genre féminin que le mot avait en anc. fr. ; le sens de « hommes » , pris par le pl. (parallèle au développement de l'allem. *Leute*), a appelé le masc. ; *jeunes gens,* 1538, R. Est. ; *vieilles gens,* 1530, Marot ; *gens d'Église,* 1360, Froissart ; *gens d'épée,* 1690, Furetière ; *gens de lettres,* milieu XVI^e s. || **gendelettre** 1843, Balzac, formation plaisante par agglutination. || **gendarme** fin XIII^e s., Joinville (*gens d'armes*) ; 1355, Bersuire, au sing., « soldat à cheval » ; 1549, R. Est. (*gendarme*), spécialisé pour un corps de police ; *gendarmerie de la maréchaussée* (sous Louis XIII), remplacée par la gendarmerie nationale en 1790 ; 1599, Gay, « défaut d'un diamant » ; XV^e s., « hareng saur » d'apr. sa raideur. || **gendarmerie** 1473, Bartzsch, « cavalerie » ; 1791, Brunot, sens actuel. || **gendarmer (se)** 1547, du Fail, « gouverner autoritairement » ; 1580, Montaigne, « se révolter » ; 1666, Molière, sens actuel. || **entregent** début XV^e s., de La Salle, « art de se conduire entre gens ».

***gent** adj. (fém. *gente*) 1080, *Roland ;* lat. *genĭtus,* né, par ext. « bien né » en bas lat., puis « noble, beau ». || ***gentil** 1050, *Alexis,* « noble » ; fin XIII^e s., A. de la Halle, « de grâce délicate » ; 1360, Froissart, « prévenant » ; lat. *gentĭlis,* de famille, de race, par ext. en bas lat. « de bonne race ». || **gentillesse** 1175, Chr. de Troyes (*jantillesce*) ; XIII^e s., du Cange (*gentillesse*), « noblesse » ; 1611, Cotgrave, « amabilité ». || **gentillâtre** 1320, *Fauvel,* devenu le péjoratif de *gentilhomme.* || **gentillet** 1845, Besch. || **gentilhomme** 1080, *Roland* (*gentil home*) ; XIII^e s. (*gentilhomme*). || **gentilhommerie** 1668, Molière. || **gentilhommesque** 1845, Besch. || **gentilhommière** fin XVI^e s., Vauquelin de La Fresnaye.

**gentiane** XIII^e s., *Antidotaire ;* lat. *gĕntiana,* du nom de *Gentius,* roi d'Illyrie, qui aurait découvert les propriétés de la plante.

1. **gentil, gentilhomme,** etc. V. GENT.

2. **gentil** 1488, *Mer des histoires,* « païen » ; lat. chrét. *gentīles,* païens, calque de l'hébreu *gôim,* peuples, d'où « non-juifs», par l'intermédiaire du gr. chrét. *ethnê.* || **gentilité** milieu XIV^e s.

**gentleman** 1698, *Voy. en Angleterre ;* adapté en *gentilleman* (1558, Perlin) ; mot angl., calque de *gentilhomme ;* jusqu'au XIX^e s., appliqué seulement aux Anglais. || **gentleman-farmer** 1809, Chateaubriand ; angl. *farmer,* fermier. || **gentleman-rider** av. 1850, Balzac ; angl. *rider,* cavalier.

**gentry** 1692, Chamberlayne ; mot angl. de même rac. que l'anc. fr. *gentelise* (XII^e s., *Partenopeus*), noblesse.

**génuflexion** V. GENOU.

**géo-,** gr. *gê,* terre. || **géocentrique** 1732, Trévoux. || **géochimie** 1838, d'après Lar. || **géode** milieu XVI^e s., minér. ; lat. *geodes,* du gr. *geôdês,* terreux. || **géodésie** 1647, Bobynet ; gr. *geôdaisia,* de *daiein,* diviser. || **géodésique** 1742, *Hist. Acad. des sciences.* || **géodynamique** fin XIX^e s. || **géographie** 1525, J. Lemaire ; lat. *geographia,* du gr. *geôgraphia,* description de la Terre. || **géographique** 1545, Jacquinot ; bas lat. *geographicus* (IV^e s., Amm. Marcellin), du gr. *geôgraphikos.* || **géographe** 1542, G. ; bas lat. *geographus,* du gr. *geôgraphos.* || **géographier** 1870, Gautier. || **géoïde** 1888, Lar. ; gr. *eidos,* forme. || **géologie** 1751, Diderot, créé en ital. par Aldrovandi en 1603. || **géologue** 1798, Deluc. || **géologique** *id.* || **géomagnétisme** 1962, Lar. || **géomancie** 1495, J. de Vignay. || **géomètre** fin XIII^e s., Boèce, qui existe à côté de l'anc. fr. plus usuel *géométrien ;* lat. *geometres* (*-a* en bas lat.), du gr. *geômetrês,* de *metron,* mesure. || **géométrie** 1175, Chr. de Troyes ; lat. *geometria,* du gr. *geômetria.* || **géométrique** 1371, Oresme ; lat. *geometricus,* du gr. *geômetrikos.*

|| **géométriquement** XIV^e s., L. || **géométriser** 1749, Diderot. || **géomorphologie** 1950, Baulig. || **géophage** 1827, *Acad.* || **géophysique** 1907, Lar. || **géophysicien** 1944, Simonet. || **géopolitique** 1936, Short ; all. *Geopolitik.* || **géostationnaire** 1966, *Figaro.* || **géosynclinal** 1875, d'après Lar. || **géotactisme** 1888, Lar. ; gr. *taktos,* commandé. || **géothermie** 1866, L. || **géotropisme** 1868, Franck. || **géotrupe** 1827, *Acad.* ; gr. *trupân,* percer.

***geôle** 1155, Wace (*gaole*) ; 1220, Coincy (*jaiole*) ; XIII^e s. (*jeole* et *geôle*) ; bas lat. *caveola,* dimin. de *cavea,* cage ; il a signifié aussi « cage » en anc. fr., comme *cave.* || **geôlier** 1298, Delb. (*jeolier*) ; XVII^e s. (*geôlier*). || **enjôler** 1220, Coincy (*enjaoler*), « emprisonner » ; 1564, Y. Thierry (*enjôler*), fig. ; le sens a évolué comme *captiver.* || **enjôleur** XVI^e s., Dampmartin, fig. || **enjôlerie** av. 1890, Maupassant.

**georgette** XVIII^e s., « tabatière » ; XX^e s., *crêpe georgette,* nom d'étoffe ; du nom propre *Georgette.*

**géphyriens** 1890, Lar. ; gr. *gephura,* pont, à cause de leur apparence intermédiaire entre vers et échinodermes.

**géranium** 1545, Guéroult ; lat. bot. *geranium,* du lat. *geranion,* du gr. *geranos,* grue ; le fruit de la plante rappelait le bec de la grue. || **géraniacées** 1827, *Acad.* (*gérancées*) ; 1845, Besch. (*géraniacées*).

**gérant** V. GÉRER.

**gerbe** XII^e s. (*jarbe*) ; XIV^e s. (*gerbe* par fausse régression) ; milieu XVIII^e s., Buffon, « faisceau » ; 1864, Hugo, fig. ; francique **garba* (allem. *Garbe*). || **gerber** XIII^e s., G., « mettre en gerbes » ; 1751, *Dict. d'agric.,* « mettre en tas des fûts ». || **gerbage** fin XVI^e s., Vauquelin. || **gerbée** 1432, *Doc.* || **gerbier** XIII^e s. || **gerbillon** 1732, Trévoux. || **engerber** début XIII^e s., « remplir de gerbes la grange » ; XIV^e s., « mettre en gerbes ».

**gerboise** 1700, C. de Bruyn (*gerbo*) ; apr. 1750, Buffon (*-boise*), mammifère rongeur et sauteur de l'Ancien Monde ; lat. zool. *gerboa,* de l'ar. maghrébin *djerbū.*

***gercer** fin XII^e s., R. de Moiliens (*jarser*) ; milieu XIV^e s., Machaut (*gercer,* par fausse régression) ; il a signifié aussi « scarifier » en anc. fr. ; bas lat. *charaxare,* sillonner, du gr. *kharassein,* faire une entaille, scarifier. || **gercement** 1866, L. || **gerçure** fin XIV^e s. || **gerce** 1175, Chr. de Troyes, « lancette » ; XVI^e s., Delb., « teigne qui ronge les étoffes » ; 1777, *Encycl.,* « fente dans le bois ».

**gérer** XV^e s., « exécuter » ; 1671, Pomey, « administrer » ; lat. *gerere,* porter, au sens fig. jurid. « administrer » . || **gérant** 1787, Féraud. || **gérance** 1843, Balzac.

**gerfaut** 1130, *Saint Gilles* (*gerfalc, gir-*) ; de *gir fanc,* du germ. **gerfalko,* de *gîr,* vautour, et *falko,* faucon, au cas sujet (cf. FAUCON).

**gériatrie** 1957, Larivière ; gr. *gerôn,* vieillard, et *iatreia,* traitement, de *iatros,* médecin.

1. **germain** adj. 1160, Benoît (*cousin germain*) ; 1243, Ph. de Novare, « né des mêmes père et mère » (jusqu'au XVII^e s.), comme l'esp. *hermano, -a,* frère, sœur ; lat. *gĕrmānus,* de frère, fraternel.

2. **germain** 1678, La Fontaine, « allemand » ; repris au lat. *Gĕrmānus,* de Germanie, qui paraît être d'origine celtique. || **germania** 1700, Esnault. || **germanisme** 1736, Voltaire, d'apr. J.-B. Rousseau. || **germanique** 1532, Rab. ; lat. *germanicus,* de Germanie ; 1771, d'Alembert, « d'Allemagne ». || **germaniser** XVI^e s., Huguet ; 1755, Prévost d'Exiles, « rendre allemand ». || **germanisation** 1876, L. || **germanisme** 1720, du Noyer. || **germaniste** 1866, L. || **germanite** 1962, Lar. || **germanophile** 1894, Sachs. || **germanophilie** 1922, Proust. || **germanophobe** 1922, Lar. || **germanophone** v. 1945. || **germanium** 1886, Winkler, par opposition à *gallium,* qu'il avait cru formé de *Gallia,* la Gaule, sur *Germania,* l'Allemagne ; désigne un métal rare.

**germandrée** fin XII^e s., *Gloss.* (*gemandree*) ; altér. mal expliquée du lat. médiév. *calamendria,* déformation obscure du lat. *chamaedrys,* du gr. *khamaidrus,* de *drûs,* chêne, et *khamai,* à terre, c'est-à-dire « chêne nain ». Le mot désigne une plante des régions méditerranéennes.

**germe** 1120, *Ps. d'Oxford,* « première pousse » ; 1679, Bossuet, fig. ; fin XIX^e s., « microbe » ; lat. *germen, -inis.* || **germer** 1130, *Job,* fig. ; fin XII^e s., *R. de Cambrai,* au propre ; lat. *germinare.* || **germen** XIX^e s. ; mot lat. || **germicide** fin XIX^e s. || **germinal** 1793, Fabre d'Églantine, mois du calendrier révolutionnaire (où les plantes germent). || **germinateur** 1770, Bonnet. || **germinatif** 1551, Du Parc. || **germination** 1455, Fossetier, « descendance » ; 1580, Palissy, bot. ; lat. *germinatio.* || **germoir** 1700, Liger.

**germinal** V. GERME.

**germon** 1280, Bibbesworth (*gernon*) ; 1769, Duhamel (*germon*), thon ; mot poitevin, p.-ê. de *germe*.

**gérомé** 1757, *Encycl.* (*giraumé*) ; 1845, Besch. (*géromé*), fromage ; prononciation vosgienne de *Gérardmer*, ville des Vosges.

**gérondif** 1521, Fabri, adj. ; n. m. 1647, Vaugelas ; lat. *gerundivus* (*modus*), de *gerere*, faire, diriger.

**géronte** 1636, nom propre de personnage de comédie ; 1829, Boiste, sens fig. ; gr. *gerôn, gerontos*. || **gérontisme** 1866, L. || **gérontocratie** 1825, Béranger, d'apr. *aristocratie*. || **gérontocratique** 1755, Montesquieu. || **gérontologie** 1955, Binet. || **gérontophilie** 1962, Lar.

**gerseau** 1678, Guillet, corde de poulie, en mar. ; altér. de *herseau*, dimin. de *herse*.

***gésier** fin XII^e s., G. (*giser*), « foie » ; XIII^e s., *Medicinaire* (*juisier*), « poche digestive » ; 1509, Crétin (*gésier*) ; bas lat. *gigerium*, du lat. class. pl. *gigeria*, entrailles ; le *s* du fr. est dû à une dissimilation. (V. GENCIVE.)

**gésine** V. GÉSIR.

***gésir** 1050, *Alexis*, auj. restreint à quelques formes comme *ci-gît* ; lat. *jăcēre*, être étendu ; il a été remplacé par *être couché*, et dans les inscr. par *ici repose*. || **gisant** adj. 1260, G. ; 1930, Lar., archit. || ***gésine** 1160, Benoît, « couches d'une femme » ; lat. **jăcīna*. || **gisement** v. 1200, *Renaud de Montauban*, « action de se coucher » ; XVII^e s., mar. ; 1721, Trévoux, « position des couches de minerai » ; du rad. de *gesir* (nous *gisons*, ils *gisent*). || ***gîte** 1175, Chr. de Troyes (*giste*) ; 1398, *Ménagier*, partie de la cuisse de bœuf ; anc. part. passé du verbe *gésir*, substantivé au féminin (lat. pop. **jacĭtam*). || **gîter** 1265, J. de Meung, « demeurer » ; fin XVI^e s., pour les animaux ; 1866, L., mar., « avoir de la gîte ».

**gesse** fin XI^e s., *Gloses de Raschi* (*jese*) ; XV^e s., du Cange (*gesse*) ; prov. *geissa*, d'orig. inconnue ; herbe assez voisine des vesces.

**gestalt** v. 1950 ; mot allem. signif. « configuration ». || **gestaltisme** *id.*

**gestapo** 1934 ; abrév. allem. de *Ge*[*heime*] *Sta*[*ats*] *Po*[*lizei*], police secrète d'État.

**gestation** 1537, Canappe, « exercice consistant à se faire porter » ; 1611, Cotgrave, « action de porter » ; 1748, d'après Trévoux, « fait de porter un petit » ; 1872, Lar., fig. ; lat. *gestatio, -onis*, action de porter, de *gestare*, fréquentatif de *gerere*.

1. **geste** n. m. 1213, *Fet des Romains* (*gest*) ; XV^e s., *Perceval* (*geste* m. ou f.) ; lat. *gestus*, de *gerere*, agir. || **gesticuler** 1578, H. Est. ; lat. *gesticulari*. || **gesticulation** 1495, J. de Vignay ; lat. *gesticulatio*. || **gesticulateur** 1578, H. Est. ; lat. *gesticulator*. || **gesticulatoire** fin XIX^e s. || **gestuel** début XX^e s., d'après *manuel*.

2. **geste** n. f. (*chanson de*) 1080, *Roland*, mot repris au XIX^e s. ; auj. seulement dans *faits et gestes* (début XVII^e s.) ; lat. *gesta*, pl. neutre du part. passé de *gerere*, faire (*Gesta Francorum*, en lat. médiév., a désigné l'histoire des Francs).

**gesticuler** V. GESTE 1.

**gestion** 1455, Fossetier ; lat. *gestio, -onis*, de *gerere*, faire. || **gestionnaire** 1874, *J. O.* (V. GÉRER.)

**geyser** 1784, Mongez ; angl. *geyser*, de l'islandais *geysir*, d'abord nom propre d'un *geyser*.

**ghetto** 1690, *Nouv. Voy. d'Italie*, seul exemple relevé jusqu'au XIX^e s. (1842, Mozin) ; ital. *ghetto* attesté à Venise en 1516, p.-ê. de l'hébreu *ghēt*, séparation ; d'abord des fonderies dans le quartier où les Juifs se seraient établis, puis quartier réservé.

**ghilde** V. GUILDE.

**giaour** 1740, *Acad.* ; turc *giaour*, incroyant.

**gibbeux** XV^e s., Delb., « bossu » ; lat. *gibbosus*, de *gibbus*, bosse. || **gibbosité** 1314, Mondeville, « partie renflée du foie » ; 1377, Lanfranc, « courbure du dos ».

**gibbon** apr. 1750, Buffon ; mot angl., d'une langue de l'Inde ; désigne un singe anthropoïde d'Insulinde.

**gibecière, gibelotte** V. GIBIER.

**gibelet** 1549, R. Est. (*giblet*), foret ; altér. de *guimbelet* (1412, du Cange) ou *guibelet* (XV^e s.), formes citées par Ménage ; néerl. *wimmel*, foret (*vimblet* en Normandie).

**giberne** 1585, *Doc.*, « sacoche » ; 1748, Puységur, « boîte à cartouches » ; ital. *giberna*, du bas lat. *zaberna* (IV^e s., édit de Dioclétien).

**gibet** 1155, Wace, « casse-tête » ; XIII^e s., *Chron. de Rains*, « potence » ; francique **gibb* (bavarois *gippel*), branche fourchue.

**gibier** 1190, *Huon de Bordeaux*, « chasse » ; 1373, Gace de La Bigne, « viande de gibier » ; 1549, R. Est., sens actuel, d'apr. *aller au gibier* ;

*gibier de potence,* 1668, Molière ; sans doute du francique **gabaiti,* chasse au faucon (moyen haut allem. *gebeize*). || **gibelotte** début XVIIe s. ; anc. fr. *gibelet* (1170, *Floire et Blancheflor*), plat préparé avec de petits oiseaux, diminutif de *gibier.* || **gibecière** fin XIIIe s. ; anc. fr. *gibecier,* aller à la chasse. || **giboyer** XIIe s., *Amis* (*giboier*). || **giboyeur** 1581, Sauvage. || **giboyeux** 1700, Liger, abondant en gibier.

**giboulée** 1548, Mizauld ; orig. inconnue.

**giboyer** V. GIBIER.

**gibus** 1834, date du brevet ; du nom de l'inventeur ; chapeau haut de forme monté sur ressorts.

**gicler** milieu XVIe s. ; puis 1810, Mollard ; anc. fr. *ciscler* (1112, *Voy. saint Brendan*), du prov. *cisclar,* lat. pop. **cisculare,* fouetter, du bas lat. *fistulare,* de *fistula,* tuyau. || **giclée** 1916, Esnault. || **giclement** 1922, Lar. || **gicleur** 1906, Lar.

**gifle** 1220, Coincy (*giffe*), « joue » (jusqu'au XVIIe s.) ; 1808, d'Hautel, coup sur la joue ; 1887, Zola, fig. ; mot du Nord-Est, du francique **kifel,* mâchoire. || **gifler** 1808, d'Hautel, « frapper » ; 1906, Loti, fig.

**gig** 1815, Behrens ; mot angl. désignant une petite embarcation très légère.

**gigantesque** fin XVIe s. ; ital. *gigantesco,* de *gigante,* géant. || **gigantesquement** 1847, Flaubert. || **gigantisme** apr. 1750, Buffon. || **gigantomachie** XVIe s., Huguet ; lat. impér. *gigantomachia,* combat des Géants et des dieux ; gr *makhê,* combat. || **gigantosité** 1644, Scarron.

**gigogne** 1659, d'Assouci, en parlant de la *dame Gigogne,* personnage de théâtre, des jupes de qui sortait une foule d'enfants ; altér. probable de *cigogne,* par infl. de *gigue* 1.

**gigolo, gigot, gigoter** V. GIGUE 1.

1. **gigue** XIIe s., « violon » ; 1655, Borel, « cuisse, jambe » par analogie ; 1680, Richelet, « fille qui gambade » ; haut allem. *giga,* instrument de musique à trois cordes (allem. *Geige*). || **gigot** fin XIVe s., Taillevent, terme de boucherie, par analogie avec l'instrument. || **gigoter** 1655, fréquentatif de *giguer,* gambader (XVe s., de Beauvau). || **gigotement** 1885, A. Daudet. || **gigoteur** 1862, Hugo. || **gigolette** 1850, *Dict. arg. de Reims,* « fille qui gambade ». || **gigolo** 1850, *Chanson pop.,* « amant de cœur ».

2. **gigue** 1650, Ménage, air de danse ; angl. *jig* (*jigge,* 1599, Shakespeare), p.-ê. du fr. *gigue* 1. || **gigoullette** fin XIXe s.

**gilet** 1557, Gay ; rare jusqu'au XVIIIe s. (1664, Thévenot) ; esp. *gileco* (var. *jaleco*), de l'ar. algérien *jalaco,* casaque (XVIe s.), du turc *yelek.* || **gileter** 1845, Besch. || **giletier** 1828, *Gazette des tribunaux.* || **giletière** 1872, Lar.

1. **gille** milieu XVIIe s., nom d'un bouffon de foire ; 1776, Voltaire, personnage naïf ; du nom de baptême *Gilles,* du lat. *Aegidius ; faire gille,* av. 1613, M. Régnier, s'enfuir ; croisement avec l'anc. fr. *giler,* se hâter, et duper, d'origine germ.

2. **gille** 1669, *Ordonn.,* filet de pêche ; altér. probable de *gielle* (1360, *Modus*), partie d'un rets, d'origine inconnue.

**gimblette** 1680, Richelet, gâteau croustillant ; prov. mod. *gimbleto,* de *gimbla,* torche, de l'anc. prov. *giba,* bosse.

**gin** 1759, Richelet ; angl. *gin,* adaptation du néerl. *genever,* genièvre, lat. *juniperus* (v. GENIÈVRE).

***gindre** fin XIe s., *Gloses de Raschi* (*joindre*), « apprenti », ouvrier boulanger ; 1694, Th. Corn. (*gindre*) ; lat. pop. **jŭnior,* avec *ŭ* de *jŭvenis,* lat. *jūnior,* comparatif de *juvenis,* jeune, au cas sujet.

**gingembre** fin XIe s., *Gloses de Raschi* (*jenjevre*) ; 1190, Garnier (*gingimbre*) ; 1330, *Baudouin de Sebourg* (*-gembre*) ; lat. *zingiberi,* du gr. *ziggiberis,* mot oriental ; plante servant de condiment.

**gingivite** V. GENCIVE.

**ginguet** 1549, *Doc.,* « vin vert » ; du moyen fr. *ginguer,* pétiller (XVe s., Martial d'Auvergne), forme nasalisée de *giguer,* danser, parce que le vin vert fait sursauter. || **ginglet** 1852, Goncourt. || **ginglard** 1878, Larchey.

**ginkgo** 1808, Boiste, bot. ; mot chinois.

**ginseng** 1663, Thévenot, plante aromatique ; chinois *jen-chen,* plante-homme.

**giorno (a)** 1842, *Acad. ;* loc. ital. signif. « par la lumière du jour ».

**gipsy** 1796, Staël ; nom angl. des tziganes, altér. de *Egyptian,* Égyptien.

**girafe** 1298, Marco Polo (*-affa*) ; XVe s. (*-affle*) ; ital. *giraffa,* de l'ar. *zarāfa ;* les formes d'anc. fr. *giras* (XIIIe s., *Prise de Jérusalem*), *orafle* (1272, Joinville) sont des empr. directs à l'arabe, avec altération. || **girafeau** 1874, *J. O.* || **girafon** 1962, Lar.

**girandole** 1571, Gohory, « gerbe de fusées » ; 1671, Pomey, « candélabre » ; XVIIIe s., « guirlande » ; dimin. ital. *girandola,* de *giranda,* gerbe de feu (qui a donné *girande,* 1694, Th. Corn.), du bas lat. *gyrare,* tourner. (V. GIRATION.)

**girasol** 1542, du Pinet (*girasole* n. f.) ; 1611, Cotgrave (*girasol* n. m.), « pierre précieuse » ; 1621, Binet, bot. ; ital. *girasole,* de *girare,* tourner, et *sole,* soleil.

**giration** 1377, Oresme (*gyracion*), « rotation » ; repris au XVIIIe s. ; dériv. du bas lat. *gyrare,* tourner, faire tourner en rond (IVe s., Végèce, terme de manège), du gr. *guros,* mouvement circulaire. || **giratoire** 1773, Bourdé. || **girie** av. 1792, *Poissardiana,* manière affectée, pop., d'apr. les gestes prétentieux ; 1808, d'Hautel, pl., « farces ». || **giravion** 1962, Lar., de *avion.* || **girodyne** 1962, Lar. ; gr. *dunamis,* force.

**giraumont** début XVIIe s. (*gyromon*) ; 1721, Trévoux (*giraumont*) ; mot d'orig. tupi.

**girie** V. GIRATION.

**girl** début XXe s. ; angl. *girl,* fille, jeune fille.

***girofle** 1170, *Floire et Blancheflor ;* lat. *caryophyllon,* giroflée, accentué à la grecque sur l'antépénultième, du gr. *karuophullon ;* le passage de *c* à *g* en lat. pop. est obscur ; spécialisé en fr. à l'épice (auj. *clou de girofle,* XIIIe s.). || **giroflier** 1372, Corbichon. || **giroflée** 1398, *le Ménagier ;* part. passé de l'anc. fr. *girofler,* parfumer à la girofle (XIIIe s.).

**girolle** 1513, G. ; anc. prov. *giroilla,* de l'anc. fr. *girer,* tourner, à cause de la forme évasée du chapeau de ce champignon (v. GIRATION).

**giron** début XIIe s., *Voy. de Charl.,* « pan de vêtement en pointe » ; XIIe s., « partie du vêtement allant de la taille au genou » ; 1544, M. Scève, « partie du corps entre taille et genoux d'une personne assise » ; 1676, Félibien, « largeur de marche d'escalier » ; francique **gêro,* pièce d'étoffe en pointe. || **gironné** 1188, *Chanson d'Aspremont* (*gironé*) ; 1537, Huguet (*-er*).

**girond** 1815, Esnault, « mignon », surtout au féminin ; prov. *giroundo,* hirondelle, altér. de *ironda,* par croisement avec *girar,* tourner. || **gironner** 1881, A. Daudet, « caresser ».

**girondin** 1793, *Journ. de la Montagne ;* du département de la *Gironde,* où avaient été élus certains des membres de ce groupe politique révolutionnaire. || **girondisme** *id.*

**girouette** 1155, Wace (*wirewite*) ; début XVIe s. (*girouette*) ; de *girer,* tourner, d'après *pirouette ;* anc. scand. *vedrviti.*

**gisant, gisement** V. GÉSIR.

**gitan** 1681, Esnault (*gitain*) ; 1823, Boiste (*gitan*) ; parfois au XIXe s. (1845, Mérimée) sous la forme esp. ; esp. *gitano, -a,* nom des tziganes en Espagne, altér. de *Egiptano,* Égyptien (v. GIPSY). || **gitane** n. f., XXe s., cigarette française.

***gîte** V. GÉSIR.

**givre** XVe s., G. (*joivre*) ; 1611, Cotgrave (*gi-*) ; prélatin **gēvero.* || **givrage** v. 1945. || **givrer** 1845, Besch. (*-é*). || **givrant** v. 1950. || **givreux** 1829, Boiste. || **givrure** XVIIIe s. || **antigivrant** 1959, Lar. || **dégivrer** v. 1950. || **dégivrage** v. 1950.

**glabelle** 1806, Lunier ; lat. *glabellus,* dimin. de *glaber,* sans poils.

**glabre** 1545, Guéroult, bot. ; 1585, Du Verdier, « sans poils » ; lat. *glaber,* attesté dans le nom du chroniqueur Raoul Glaber (v. 1000-1050). || **glabrescent** 1866, L. || **glabrisme** *id.*

***glace** 1130, *Eneas ;* 1175, Chr. de Troyes, « miroir » ; 1669, Widerhold, entremets glacé (les premières glaces furent fabriquées par l'Italien Procope) ; lat. pop. **glacia,* du lat. *glacies.* || ***glacer** 1160, Benoît (*glacier*), « glisser » ; 1538, R. Est., « convertir en glace » ; XVIIe s., fig. ; lat. *glaciare.* || **glaçage** 1872, Lar. || **glaçant** XIIe s., « glissant » ; fig. 1768, Rousseau. || **glacière** 1640, Oudin, « glacier » ; v. 1850, réfrigérateur. || **glaciaire** 1866, L. || **glacerie** 1765, *Encycl.* || **glaceux** 1400, Douet d'Arcq. || **glacial** 1380, Conty, anat. ; 1534, Rab., « où il fait froid » ; 1740, de Boissy, fig. || **glacier** début XIVe s., lieu froid ; 1572, Peletier du Mans, accumulation de glace ; 1765, *Encycl.,* miroitier ; 1803, Boiste, « qui fabrique des entremets glacés » ; mot franco-provençal. || **glaçon** 1160, Benoît. || **glaciation** 1560, Paré, méd. ; 1930, Lar., géogr. || **glacis** début XVe s., « talus de protection » ; 1757, *Encycl.,* mince couche de couleur ; de *glacer,* en anc. fr. « glisser ». || **glaciologie** fin XIXe s. || **glaciologiste** 1901, Lar. || **déglacer** milieu XVe s. || **déglacement** 1870, Lar. || **déglaçage** 1888, Lar.

**glacier, glacis, glaçon** V. GLACE.

**glaçure** 1772, de Milly ; allem. *Glasur,* de *Glas,* verre. (V. GLASS.)

**gladiateur** XIIIe s., G. ; lat. *gladiator,* homme armé d'un glaive (*gladius*).

**glagolitique** 1872, Lar. ; mot slavon, de *glagol,* nom d'un ancien alphabet.

***glaïeul** fin XIe s., *Gloses de Raschi* (*glaid*) ; 1160, Benoît (*glai*) ; lat. *gladius ;* XIIIe s. (*glaiuel*) ; 1600, O. de Serres (*glaïeul*) ; lat. *gladiŏlus,* dimin. de *gladius,* glaive, au sens fig.

***glaire** XIIe s., Marbode, « blanc d'œuf cru » ; XIIIe s., « humeur » ; 1690, Furetière, « tache de diamant » ; lat. pop. **claria,* de *clarus,* clair ; le *g* est dû à l'attraction de *glarea,* gravier. || **glaireux** 1256, Ald. de Sienne, « visqueux ». || **glairer** 1680, Richelet, en reliure. || **glairure** 1810, Lesné.

**glaise** 1160, Benoît (*glise*) ; fin XIIIe s. (*glaise*) ; gaul. **gliso,* attesté dans le comp. *glisomarga,* marne argileuse (Pline). || **glaiseux** XIIIe s., G. || **glaiser** 1690, Furetière. || **glaisière** 1759, d'Holbach.

**glaive** fin Xe s., *Saint Léger* (*gladie*) ; 1120, *Ps. d'Oxford* (*glaive*) ; lat. *gladius ;* le *v* s'est développé entre voyelles après la chute du *d* (v. EMBLAVER).

***gland** XIIe s. (*glant*) ; XVIe s. (*gland*), « fruit du chêne » ; 1379, *Inventaire de Charles V,* « ornement » ; 1538, Canappe, anat. ; lat. *glans, glandis.* || **glandage** 1589, Baïf. || **glandée** fin XVe s., *Cout. d'Anjou.* || **englanté** XVIe s., Goumin.

**glande** XIIe s., *Vie d'Édouard* (*glandre*), « tumeur » ; 1538, R. Est., sens actuel ; adaptation anc. du lat. méd. *glandŭla,* dimin. de *glans, glandis,* gland. || **glandé** 1577, Jamyn. || **glandule** 1478, Chauliac. || **glandulaire** 1611, Cotgrave. || **glanduleux** 1314, Mondeville ; lat. *glandulosus.* || **glandaire** 1842, *Acad.* || **glander** XVe s., « produire des glands » ; 1941, Esnault, « paresser ».

***glaner** XIIIe s., Tailliar (*glener*) ; XIIIe s. (*glaner*) ; bas lat. *glenare* (VIe s., *Loi salique*), mot d'origine gauloise. || **glanage** 1596, Vaganay. || **glane** fin XIIIe s., *Renart ;* déverbal. || **glaneur** XIIIe s., G. (*-eor*) ; XVIe s. (*glaneur*). || **glanure** 1540, Calvin.

**glapir** 1175, Chr. de Troyes ; altér. de *glatir,* par infl. de *japper.* || **glapissement** 1538, R. Est.

**glaréole** 1768, Bomare ; lat. scient. *glareola,* de *glarea,* gravier ; oiseau appelé aussi *hirondelle des marais.*

***glas** début XIIe s., *Voy. de Charl.,* « sonnerie » ; 1155, Wace, « sonnerie d'église » ; début XIIIe s. (*glais*), « sonnerie mortuaire » ; 1564, Thierry (*glas*) ; lat. pop. **classum,* du lat. class. *classĭcum,* sonnerie de trompettes (le *g* est peut-être dû à *glatir*).

**glass** 1628, *Jargon* (*glasse*), pop., verre à boire ; allem. *Glass.* (V. GLAÇURE.)

**glatir** 1080, *Roland ;* lat. *glattīre,* japper, onom., appliqué aux jeunes chiens.

**glaucière** 1872, Lar., genre de papavéracée ; lat. *glaucium,* du gr. *glaukion,* sorte de pavot. On a eu aussi *glacium* (1694, Th. Corn.) et *glaucion* (1827, *Acad.*).

**glaucome** 1649, Brunot ; lat. *glaucoma,* du gr. *glaukôma,* de *glaukos,* glauque ; maladie des yeux. || **glaucomateux** 1866, L.

**glauque** 1503, Chauliac ; lat. *glaucus,* du gr. *glaukos,* vert tirant sur le bleu.

**glaviot** 1808, d'Hautel (*claviot*) ; 1866, Delvau (*glaviot*), « crachat » ; var. de *claveau,* appliqué au pus. || **glaviotter** 1867, Delvau.

**glèbe** XVe s., G. ; lat. *gleba,* motte de terre.

1. **glène** 1560, Paré, « cavité d'un os » ; gr. *glênê,* cavité. || **glénoïde** 1541, Canappe. || **glénoïdal** 1754, Bertin. || **glénoïdien** *id.*

2. **glène** 1494, Mantellier (*glenne*) ; 1786, *Encycl. méth.* (*glène*), « rond d'un cordage enroulé » ; prov. mod. *glano,* de même rac. que *glaner.* || **gléner** 1803, Boiste.

**glisser** 1191, *Vengement d'Alexandre* (*glicier*) ; 1380, *Aalma* (*glisser*) ; 1580, Montaigne, « avancer sans bruit » ; XVIIe s., « insinuer » ; altér., d'apr. *glacer,* de l'anc. fr. *glier* (XIIIe s.), du francique **glīdan* (allem. *gleiten*). || **glissade** 1553, Ronsard. || **glissant** 1265, Br. Latini. || **glissance** 1948, Lar. || **glisse** v. 1950 ; déverbal. || **glissement** 1360, Froissart. || **glissade** 1866, L. || **glisseur** 1636, Monet. || **glissière** 1866, L. || **glissette** 1900, *D. G.* || **glissoir** 1636, Monet. || **glissoire** 1308, G. (*glichouere*), « tuyau d'écoulement ».

**globe** XIVe s., Brun de Long Borc, « rouleau de drap » ; 1552, R. Est., « corps sphérique » ; 1560, Paré, « astre » ; 1741, Voltaire, « globe terrestre » ; lat. *globus,* dans tous les sens. || **global** 1864, Darmesteter. || **globalement** 1842, Mozin. || **globaliser** 1966, *le Monde.*

|| **globalité** 1936, Aragon. || **globe-trotter** 1906, Lar. ; mot angl., de *trotter,* coureur, cheval qui va au trot, et *globe,* la Terre. || **globule** 1662, Pascal ; lat. *globulus,* dimin. de *globus.* || **globuleux** 1611, Cotgrave. || **globulaire** 1679, *Journ. des savants,* adj. ; n. f. 1694, Tournefort, bot. || **globulin** 1846, Besch. || **globuline** v. 1850. || **globigérine** 1826, *Annales des sc. naturelles,* zool. || **globicéphale** 1872, Lar. || **globoïde** 1877, L. || **englober** 1611, Cotgrave, « mettre dans un tout ».

**globe-trotter, globule** V. GLOBE.

**gloire** 1050, *Alexis* (*glorie*) ; 1080, *Roland* (*gloire*), par métathèse, « considération, réputation », sens usuel jusqu'au XVII<sup>e</sup> s. ; XVII<sup>e</sup> s., « splendeur de Dieu » ; 1798, *Acad.,* « cercle de lumière » ; 1835, *Acad.,* « auréole » ; empr. anc. au lat. *gloria,* gloire. || **gloria** 1680, Richelet, chant religieux ; 1817, Jouy, « thé avec rhum », emploi iron. du lat. *gloria,* fréquent dans les psaumes. || **gloriette** 1190, *Aliscans,* « palais », puis, par infl. du suffixe dimin., « petite chambre » (XII<sup>e</sup> s.); 1538, G., « petit pavillon ». || **glorieux** 1080, *Roland* (*glorius*) ; XIV<sup>e</sup> s. (*glorieux*) ; lat. *gloriosus.* || **glorieusement** 1120, *Ps. d'Oxford.* || **glorifier** 1120, *Ps. de Cambridge ;* bas lat. *glorificare,* rendre glorieux. || **glorification** 1361, Oresme, « grande louange » ; 1690, Furetière, relig. ; 1865, Proudhon, sens général ; lat. *glorificatio.* || **glorificateur** XV<sup>e</sup> s., Molinet. || **gloriole** 1738, abbé de Saint-Pierre ; dimin. lat. *gloriola,* petite gloire. || **inglorieux** XIV<sup>e</sup> s., *D. G. ;* lat. *ingloriosus.*

**glomérule** 1845, Besch. ; lat. scientif. *glomerulus,* dimin. de *glomus, -eris,* peloton. || **glomérulé** 1872, Lar. || **gloméris** 1839, Boiste.

**gloria, glorieux, glorifier** V. GLOIRE.

**glose** XII<sup>e</sup> s., Éverat, « interprétation de la Bible » ; 1220, Guiot, « annotation » ; bas lat. *glosa,* mot rare qui a besoin d'être expliqué, var. de *glōssa,* du gr. *glôssa,* langue, et, par ext., « idiotisme ». || **gloser** 1175, Chr. de Troyes, « interpréter par une glose » ; XIII<sup>e</sup> s., « railler » ; *gloser sur,* XIII<sup>e</sup> s. || **gloseur** XII<sup>e</sup> s., *Bible.* || **glossaire** 1585, Cholières, « recueil de gloses » ; 1680, Richelet (*glosaire*), « dictionnaire » ; lat. *glossarium.* || **glossateur** 1426, *Cout. d'Anjou* (*glosa-*).

**glossaire, glossateur** V. GLOSE.

**glosso-,** bas lat. *glossa,* du gr. *glôssa,* langue. || **glossalgie** 1808, Boiste. || **glosséine** v. 1935. || **glossien** 1811, Mozin. || **glossite** *id.* || **glossodynie** 1888, Lar. || **glossoplégie** 1878, Lar. || **glossotomie** 1771, Schmidlin.

**glotte** début XVII<sup>e</sup> s. ; gr. *glôtta,* forme attique de *glôssa,* langue, pour un sens nouveau. || **glottique** v. 1850. || **épiglotte** 1314, Mondeville ; lat. méd. *epiglottis,* du gr. *epiglôttis,* qui est sur la langue ; désigne l'opercule placé à la partie supérieure du larynx. || **épiglottique** 1864, L.

**glottorer** 1836, Landais ; lat. *glottorare,* craqueter (cri de la cigogne).

**glouglou** début XVII<sup>e</sup> s., onom. ; 1721, Trévoux, cri du dindon ; bas lat. *glutglut,* glouglou de la bouteille. || **glouglouter** 1560, Ronsard.

**glousser** XII<sup>e</sup> s. (*clocir*) ; XIV<sup>e</sup> s., Delb. (*cloucier*) ; lat. pop. **clociare,* du lat. *glocire,* onom. || **gloussement** XV<sup>e</sup> s. (*glocement*) ; 1680, Richelet (*gloussement*).

***glouton** 1080, *Roland,* « canaille » ; 1361, Oresme (*glouton*), « vorace » ; lat. *glŭtto, -onis* (I<sup>er</sup> s., Perse), de *glŭttus,* gosier, pop. || **gloutonnement** début XV<sup>e</sup> s., Juvénal. || **gloutonnerie** 1119, Ph. de Thaun (*glutunie*) ; 1145, Evrart (*glotonnerie*).

***glu** fin XI<sup>e</sup> s., *Gloses de Raschi* (*glud*) ; bas lat. *glus, glutis,* var. du lat. *glūten,* colle. || **gluer** *id.* || **gluant** 1265, Br. Latini. || **gluer** 1190, *Saint Bernard.* || **glutineux** 1265, Br. Latini ; lat. *glutinosus,* collant. || **dégluer** 1213, *Fet des Romains.* || **engluer** 1120, *Ps. de Cambridge.* || **engluement** XIV<sup>e</sup> s., *D. G.*

**gluc(o)-, glyc(o)-,** gr. *glukus,* doux, d'apr. la saveur sucrée des composés. || **glucide** 1833, Omalius. || **glucine** 1798, *Annales de chimie.* || **glucose** milieu XIX<sup>e</sup> s. || **glucoside** 1872, Lar. || **glycémie** *id.* || **glycocolle** 1866, L. || **glycogène** 1853, Cl. Bernard. || **glycol** milieu XIX<sup>e</sup> s. || **glycolyse** 1962, Lar. || **glycosurie** 1853, Marchal. || **glycosurique** 1878, Lar.

***glui** 1175, Chr. de Troyes, paille de seigle ; lat. pop. **glŏdium,* ou *clŏdium,* d'orig. sans doute gauloise.

**glume** fin XVI<sup>e</sup> s. ; rare jusqu'au XIX<sup>e</sup> s. (1803, Wailly) ; lat. *gluma,* balle de graine. || **glumelle** 1818, *Nouv. Dict. sc. nat.*

**gluten** 1560, Paré, « humeur visqueuse » ; 1803, Boiste, sens actuel ; lat. *glūten,* glu, colle, spécialisé au sens techn. || **glutéine** 1866, L.

**glycér(o)-,** gr. *glukeros,* doux, sucré. || **glycérie** 1827, *Acad.* || **glycérine** 1823, Chevreul. || **glycériné** 1872, Lar. || **glycérol** XX<sup>e</sup> s.

**glycine** 1786, *Encycl. méth.* ; lat. scientif. *glycina,* du gr. *glukus,* à cause de l'odeur douce.

**glyc(o)-** V. GLUC(O)-.

**glypt(o)-,** gr. *gluptos,* gravé. || **glyptique** 1796, *Magasin encycl.* ; gr. *gluptikos,* relatif à la gravure. || **glyptodon** 1872, Lar., zool. ; gr. *odous,* dent. || **glyptographie** 1756, *Encycl.,* science des pierres gravées. || **glyptothèque** 1829, Boiste, sur *bibliothèque.*

**gnaf** XIIIe s., La Curne, onomat. de mépris ; 1691, Challemel (*gniaf*), « cordonnier » ; forme à finale effritée de *gnafre,* mot lyonnais, d'orig. onomat.

**gnangnan** 1784, Beaumarchais, cri pleurard ; 1825, Talma (*gnian-gnian*), « qui bredouille » ; 1866, L., sens actuel ; onomatopée redoublée.

**gneiss** 1759, d'Holbach ; allem. *Gneiss.*

**gnocchi** 1864, G. Sand ; mot ital., « quenelles de pâte à choux », de *gnocco,* boulette de pâte.

**gnognotte** 1841, Mérimée, « niaiserie » ; 1867, Delvau, « chose sans importance » ; orig. onomat.

**gnole** 1882, à Lyon, eau-de-vie ; mot lyonnais, de (*une*) *yôle,* du lat. *ebulum,* hièble.

**gnome** 1583, Vigenère, génie imaginaire ; début XXe s., homme très petit ; lat. des alchimistes *gnomus,* créé par Paracelse (XVIe s.), d'apr. le gr. *gnômê,* intelligence.

**gnomique** 1617, Coton ; bas lat. *gnomicos,* du gr. *gnomikos,* sentencieux, de *gnômê,* intelligence.

**gnomon** 1547, J. Martin ; lat. *gnomon,* du gr. *gnômôn,* genre de cadran solaire. || **gnomonique** *id.*

**gnon** 1651, *Mazarinades,* pop., enflure par ecchymose, puis coup qui la produit (1867, Delvau) ; forme apocopée de *oignon.*

**gnose** fin XVIIe s., Bossuet ; gr. eccl. *gnôsis,* connaissance. || **gnostique** fin XVIe s., Arth. Thomas ; gr. eccl. *gnôstikos.* || **gnosticisme** 1828, Matter. || **gnosie** v. 1950. || **gnoséologie** 1962, Lar.

**gnou** 1778, *Voy. de Cook* (*gnoo*) ; mot hottentot, désignant une antilope.

**go (tout de)** V. GOBER.

**goal** 1922, Lar. ; mot angl., abrév. de *goal-keeper,* gardien de but. || **goal-average** 1937, *l'Auto* ; angl. *average,* moyenne, et *goal,* but.

**gobelet** V. GOBER.

**gobelin** début XIIe s. ; bas lat. **gobelinus,* du gr. *kobalos,* lutin.

**gober** 1549, R. Est., « avaler » ; déjà au fig. *se gober* (XIIIe s.), ainsi que *gobet* (1220, Coincy), bouchée, morceau ; 1690, Furetière, « accepter sottement » ; 1846, Esnault, « estimer » ; gaulois **gobbo,* bouche (irlandais *gob,* bec). || **go (tout de)** 1580, Alcrippe (*avaler tout de gob*), déverbal de *gober.* || **gobelet** XIIIe s., *ms. de Saint-Jean* (*gubulet*) ; XIVe s., Laborde (*gobelet*) ; dimin. de l'anc. fr. *gobel,* de même rac. (verre où l'on gobe, où l'on avale). || **gobelot** 1395, G. ; var. de *gobelet.* || **gobeloter** 1680, Richelet. || **gobeur** 1554, Delb. || **gobe-mouches** milieu XVIe s. (V. DÉGOBILLER.)

**goberge** 1676, Félibien, sorte d'ais ; altér. probable de *écoperche* (v. ce mot).

**goberger (se)** 1526, Bourdigné, v. t. ; 1648, Scarron, v. pr., « s'amuser » ; moyen fr. *gobert,* facétieux, de *se gober,* au sens de « se vanter ».

**gobichonner** 1835, Balzac ; de *gober* et *bichonner.* || **gobichonneur** 1839, Gautier.

**godailler** 1750, Vadé ; anc. fr. *godale,* bière (XIIIe s.), mot du Nord, du moyen néerl. *goedale,* bonne bière ; proprement « boire de la bière ». || **godaille** 1808, d'Hautel. || **godailleur** 1831, Balzac.

**godan** ou **godant** fin XVIIe s., Saint-Simon, « tromperie » ; anc. fr. *goder,* se moquer (1220, Coincy), du lat. *gaudere,* se réjouir. (V. GAUDIR.)

**godasse** V. GODILLOT.

**godelureau** XIIe s., domestique ; 1552, Rab. (*gaudelureau*) ; onomat. *god-,* croisée avec l'anc. fr. *galureau,* forme de *galant.*

**godenot** 1644, *Nouv. Compliments de la place Maubert* ; sans doute de *godet.*

**goder** 1762, *Acad.,* faire de faux plis ; sans doute de *godron.* || **godage** 1774, Desmarets.

**godet** XIIIe s., *Choses qui faillent en ménage,* vase à boire ; 1690, Furetière, « petit récipient » ; moyen néerl. *kodde,* cylindre de bois.

**godiche** 1752, Trévoux ; mot argotique, sans doute de *Godon,* forme fam. de *Claude* ; le mot est peut-être à mettre en relation avec *godiz,* riche (1455, *Coquillards*), issu de l'esp. *godizo,* riche, de *Godo,* Goth, puis « noble ». || **godichon** 1752, Trévoux ; dimin. ; comme n. pr. 1559, des Autels.

**godille** 1792, Jal ; mot du Nord et du Nord-Ouest, orig. obscure ; aviron placé à l'arrière d'une embarcation. || **godiller** 1792, Romme (*goudiller*) ; 1840, *Acad.* (*godiller*).

**godillot** 1869, Esnault ; arg. milit. d'abord, du nom d'Alexis *Godillot,* fournisseur de l'armée (mort en 1893). || **godasse** 1888, Esnault ; altér. de *godillot.*

**godiveau** 1546, Rab., andouillette, var. *gaudebillaux* (av. 1553, Rab.) ; altér. probable, d'après *veau,* de *gogue* (boudin).

**godron** 1379, *Inventaire de Charles V* (*goderon*), « ciselure » ; XVI^e^ s., « pli des fraises en broderie » ; diminutif de *godet* avec suffixe *-ron.* || **godronner** 1379, *Inventaire de Charles V.* || **godronnage** 1842, *Acad.* || **godronnoir** 1763, *Encycl.*

**goéland** 1484, *Grand Routier* (*gaellans*) ; 1770, Buffon (*goéland*) ; breton *gwelan,* correspondant à *mouette,* terme normand. || **goélette** 1752, Trévoux (*goualette*), « goéland » ; début XIX^e^ s., fig., « navire léger ».

**goémon** XIV^e^ s., du Cange (*gouemon*) ; 1686, d'après Trévoux (*goémon*) ; breton *gwelan,* correspondant à *varech,* terme normand (cf. gallois *gwymon*). || **goémonier** 1922, Lar.

**gogaille** V. GOGUE.

1. **gogo (à)** 1440, Ch. d'Orléans ; redoublement plaisant de la rac. de *gogue.*

2. **gogo** 1834, *Robert Macaire,* comme personnage de comédie, crédule que l'on exploite ; il a pris sa valeur actuelle avec Daumier (1838 et suiv.) ; formé par redoublement plaisant de l'initiale de *gober.*

**gogue** XII^e^ s., *Ysopet,* « réjouissance, liesse » ; onomat. qui évoque la joie. || **gogaille** 1564, Junius, « ripaille ». || **goguenard** début XVII^e^ s., d'après *mentenart,* menteur (XIV^e^ s.). || **goguenarder** fin XVI^e^ s., G. || **goguenarderie** fin XVI^e^ s. (*goguenardie*) ; XVII^e^ s. (*-derie*). || **goguenardise** 1872, Lar. || **goguette** XIII^e^ s., « propos joyeux » ; XV^e^ s., « ripaille » (*être en goguette*).

**goguenard** V. GOGUE.

**goguenot** 1805, Esnault, « gobelet » ; 1823, *Voy. à Sainte-Pélagie* (*-neau*), « baquet d'aisances », pot de chambre ; mot normand signif. « pot de cidre », de la même rac. que *gogue.*

**goguette** V. GOGUE.

**goinfre** 1578, d'Aubigné ; p.-ê. croisement entre *gouin* et le terme dial. *goulafre* (mot du Centre, de l'Ouest), de *goule,* gueule, avec infl. de *bâfrer* ou *galifre* (chevalier musulman). || **goinfrer** 1642, Oudin. || **goinfrerie** 1646, Maynard.

***goitre** 1492, Salicet (*goyetre*) ; 1530, Palsgrave (*gouistre*) ; 1552, R. Est. (*goitre*) ; mot lyonnais, dér. régressif de *goitron* (« gorge » en anc. fr. ; 1120, *Ps. d'Oxford*), qui a pris le sens de « goitre » dans le Sud-Est au Moyen Âge ; lat. pop. **gŭttŭrio, -ionis,* de *gŭttŭr,* gorge. || **goitreux** 1411, du Cange, texte du Forez, mot de la même région.

**golden** XX^e^ s. ; angl. *golden delicious,* délicieuse dorée.

**golem** 1877, L. ; mot hébreu signif. « masse d'argile ».

**golf** 1776, trad. Twiss ; vulgarisé en France v. 1889 ; mot angl. issu du néerl. *kolf,* crosse. || **golfeur** fin XIX^e^ s.

**golfe** 1196, Ambroise (*goffre*) ; 1265, Br. Latini (*golf*) ; 1538, R. Est. (*golfe*) ; ital. *golfo,* du gr. *kolpos,* pli. (V. GOUFFRE.)

**golmelle** début XIX^e^ s., bot. ; de *colmelle,* lépiote, var. de *columelle* (fin XVI^e^ s.) ; lat. *columella,* petite colonne.

**Goménol** 1896, n. déposé ; du district *Gomen* de la Nouvelle-Calédonie, où abondent les arbres qui fournissent l'essence, et de l'angl. *gum,* gomme, création arbitraire. || **goménolé** 1922, Lar.

**Gomina** v. 1930, n. déposé ; esp. *goma,* gomme, du bas lat. *gumma,* gomme.

**gomme** 1160, Benoît (*gome*) ; fin XIV^e^ s., E. Deschamps (*gomme*) ; bas lat. *gumma* (lat. *gummi* ou *gummis*), du gr. *kommi,* d'origine orientale. || **gommer** XIV^e^ s., Delb., « coller » ; 1930, Lar., effacer. || **gommage** 1836, Landais. || **gommeux** 1314, Mondeville, « qui produit la gomme » ; 1842, Stendhal, jeune élégant, prétentieux. || **gommier** 1645, Coppier. || **gomme-gutte** 1654, Boyer. || **gomme-laque** 1679, Savary. || **gomme-résine** 1694, Th. Corn. || **dégommer** 1653, Oudin ; 1833, Balzac, fig., pop., « destituer ». || **engommer** 1581, Guichard.

**gonade** v. 1920 ; gr. *gonê,* semence.

***gond** début XII^e^ s., *Guill. d'Angl.* ; lat. *gŏmphus,* cheville, du gr. *gomphos,* cheville. || **dégonder** 1611, Cotgrave. || **engoncer** 1611, Cotgrave ; de l'anc. pl. *gons,* par comparaison avec la porte aux pivots enfoncés dans les gonds. || **engoncement** 1803, Boiste.

**gondole** début XIII<sup>e</sup> s. (*gondele*) ; 1549, Rab. (*-dole*), « petite barque » ; 1600, Gay, sens actuel ; vénitien *gondola,* du gr. *kondu,* vase, d'origine persane. || **gondolier** 1532, Rab. ; vénitien *gondoliere.*

**gondolé** 1687, Desroches, mar., « dont la forme rappelle la gondole » ; XVIIIe s., *se gondoler,* se bosseler (tôle, bois) ; 1881, *le Figaro,* fig., « rire aux éclats » (*se tordre,* même sens). || **gondolage** 1845, Besch. || **gondolant** 1898, Lar., pop.

**gonfanon** fin XIe s., *Alexis* (*-fanon*) ; fin XIIIe s., Joinville (*-lon* par dissimilation) ; francique **gundfano,* étendard (allem. *Fahne*) de combat. || **gonfalonier** 1080, *Roland* (*gunfanuner*) ; XIIe s. (*gonfanonier*) ; 1360, Froissart (*gonfalonier*).

**gonfler** 1560, Paré, mot régional du Sud-Ouest ; fig. 1656, Molière ; lat. *conflare,* de *flare,* souffler. || **gonfle** 1757, *Encycl.,* techn. || **gonflement** 1542, du Pinet. || **gonflage** fin XIXe s. || **gonflant** XXe s. || **gonflé** 1842, Sue, « plein d'espoir » ; 1910, Esnault, pop., « hardi ». || **gonfleur** 1930, Lar. || **dégonfler** 1558, L. Joubert, rare jusqu'au XIXe s. (1802, Flick) ; 1913, Esnault, fam., *se dégonfler,* reculer. || **dégonflement** fin XVIIIe s. || **dégonflé** début XXe s., pop. || **dégonflage** début XXe s. || **regonfler** 1530, Palsgrave. || **regonflement** 1566, du Pinet. || **regonflage** v. 1950.

**gong** 1691, La Loubère ; mot angl., du malais.

**gongorisme** 1832, Marin, de *Gongora,* poète espagnol (1561-1627) ; affectation et recherche dans le style.

**gonio-,** gr. *gônia,* angle. || **goniomètre** 1783, Romé. || **goniométrie** 1724, Lagny, mathématicien.

**gonocoque** 1888, Lar. (*-coccus*) ; gr. *gonos,* semence génitale, et *kokkos,* grain. || **gonorrhée** XIVe s., Gordon (*-rrhoea*) ; 1560, Paré (*gonorrhée*) ; lat. méd. *gonorrhoea,* du gr. *gonorrhoia,* écoulement séminal.

**gonze** 1628, Chereau (*gonce*), pop., « gaillard, individu » ; 1694, La Fontaine (*gonze*), « badaud » ; 1821, Ansiaume, sens actuel ; argot ital. *gonzo,* lourdaud. || **gonzesse** 1811, Esnault.

**gord** fin XIe s., *Gloses de Raschi* (*gorg*) ; 1265, J. de Meung (*gort*), pêcherie avec des pieux ; scand. *gardr,* clôture ; souvent nom de lieu.

**gordien** 1690, Furetière ; bas lat. (*nodus*) *gordius,* nœud gordien, du lat. *Gordius,* n. d'un laboureur phrygien devenu roi.

**goret** 1297, G. ; dimin. de l'anc. fr. *gore,* truie (XIIIe s.), onom., d'apr. un cri d'appel.

**gorfou** 1760, Brisson ; danois *goirfugl,* pingouin.

***gorge** 1130, *Eneas ;* lat. pop. **gŏrga,* var. du bas lat. *gŭrga,* tourbillon, du lat. *gŭrges,* onom. ; appliqué à la gorge, d'apr. les bruits de déglutition, d'expectoration, etc. ; vallée étroite, 1675, Widerhold. || **gorgée** 1175, Chr. de Troyes. || **gorge-de-pigeon** 1653, Havard. || **gorger** 1220, Coincy (*gorgier*), « avaler ». || **gorgerette** 1268, É. Boileau ; diminutif de l'anc. fr. *gorgiere,* gorgerin (1278, *Roman du Ham*). || **gorgeret** 1732, Trévoux, chirurgie. || **gorgerin** 1447, G. || **gorget** 1757, *Encycl.* || **dégorger** 1299, G., « se déverser » v. pronominal ; 1501, Cohen, « vomir » ; 1611, Cotgrave, « déboucher ». || **dégorgement** 1547, Mizauld. || **dégorgeoir** 1505, Gonneville. || **égorger** 1539, R. Est. || **égorgement** *id.* || **égorgeur** XVIe s., Delb. || **égorgiller** 1863, Gautier. || **engorger** fin XIIe s., R. de Moiliens, « avaler » ; 1611, Cotgrave, « obstruer ». || **engorgement** XVe s., G. || **regorger** 1360, Froissart, « faire refluer » ; 1580, Montaigne, « vomir » ; XVe s., L., « être plein ». || **rengorger (se)** fin XVe s. || **rengorgement** 1688, La Bruyère.

**gorgonzola** 1894, Sachs ; du nom de la ville italienne de *Gorgonzola.*

**gorille** 1759, *Mém. ;* lat. zool. *gorilla,* créé en 1847 par Savages, d'apr. les *gorillai* du *Périple* d'Hannon (texte grec du Ve s. av. J.-C.), désignant des hommes velus, qu'on a identifiés avec les gorilles ; fig. v. 1950, « garde du corps ».

**gosier** XIIIe s., *D. G.* (*josier*) ; 1530, Palsgrave (*gosier*) ; bas lat. *geusiae,* joues (Ve s., Marcus Empiricus), qui a donné l'anc. fr. *geuse,* gorge, mot gaulois. || **dégoiser** XIIIe s. (*se dégoiser*), « chanter » ; XVIe s., péjor. || **dégosiller** fin XIVe s., E. Deschamps, « vomir ». || **égosiller (s')** 1652, Scarron ; anc. fr. *égosiller* (1488, *Mer des histoires*), égorger.

1. **gosse** 1796, Esnault, fam., enfant ; orig. obscure, p.-ê. forme altér. de *gonse.*

2. **gosse** 1755, abbé Prévost, « anneau de fer », var. de *cosse ;* néerl. *kous,* du fr. *calce,* chausse.

**gotha** n. m. fin XIX^e s. ; du n. de la ville allemande *Gotha* où se publiait depuis 1764 un almanach célèbre.

**gothique, gotique** 1440, Lorenzo Valla, pour désigner l'écriture manuscrite ; fin XV^e s., « relatif aux Goths » ; milieu XVI^e s., Ronsard, « sauvage » ; 1615, Binet, « relatif à l'art du Moyen Âge » ; 1802, Chateaubriand, architecture ; ital. *gotico,* d'apr. Raphaël, péjor. alors, du bas lat. *gothicus,* relatif aux Goths. La graphie *gotique* (fin XIX^e s.) est réservée à la langue des Goths.

**goton** 1809, *Médit. d'un hussard,* « fille de la campagne », puis « femme de mauvaise vie » ; de *Goton* (XVI^e s.), abrév. de *Margoton,* dimin. de *Margot* (*Marguerite*) ; ces hypocoristiques n'étaient en usage au XIX^e s. qu'à la campagne.

**gouache** 1746, d'après Trévoux ; ital. dialect. *guazzo,* détrempe, du lat. *aquatio,* action d'arroser, de *aqua,* eau. On trouve *peinture à la guazzo* (1685, Brunot). || **gouaché** 1875, *Revue critique.*

**gouailler** 1732, *Doc.,* de même rac. que *engouer,* d'apr. un sens fig. de *gorge* (cf. *se faire une gorge chaude*). || **goualer** 1837, Vidocq ; var. de *gouailler,* p.-ê. par croisement avec *goéland* (prononcé *goualan*) ; le mot paraît venir de l'Ouest. || **gouaille** 1749, Vadé ; déverbal. || **gouaillerie** 1823, Boiste. || **gouailleur** 1755, Vadé. || **goualante** 1821, Esnault, chanson. || **goualeuse** 1842, *le Charivari,* sobriquet, « chanteuse ».

**gouape** début XIX^e s., « monde des débauchés », puis « ivrogne » ; 1867, Delvau, sens actuel ; prov. mod. *gouapo,* gueux, de l'argot esp. *guapo,* coupe-jarret. || **gouaper** 1835, Esnault, « être sans logis » ; 1849, Besch., « vagabonder ». || **gouapeur** 1827, Granval, *Cartouche,* pop., « fainéant qui fréquente les cabarets ».

**goudron** 1196, Ambroise (*catran*) ; début XIV^e s. (*goudran,* encore chez Ménage) ; 1678, Guillet (*goudron*) ; ar. d'Égypte *qatrān.* || **goudronner** milieu XV^e s. (*goutrenner*). || **goudronnerie** 1894, Landais. || **goudronneur** 1532, Rab. (*guoildronneur*). || **goudronnage** 1669, Huet. || **dégoudronner** 1870, Lar.

**gouet** 1376, G. (*gouy*), serpe de vigneron, var. de *goi* (prononcé *goué,* cf. noms de famille *Legouis, Goy,* etc.) ; 1764, Duchesne, fig., bot., arum. ; lat. pop. **gubius,* var. masc. de *gŭbia,* gouge.

**gouffre** 1160, Benoît (*gofre*) ; fin XII^e s., R. de Moiliens (*goufre*) ; confondu jusqu'au XVII^e s. avec *golfe ;* bas lat. *colpus,* golfe, du gr. *kolpos,* pli. || **engouffrer** 1165, Marie de France (*engoufler*) ; fin XV^e s., J. Lemaire de Belges (*-frer*) ; *s'engouffrer,* 1541, Calvin, sens actuel.

1. ***gouge** XIV^e s., outil pour évider ; bas lat. *gŭbia,* gouge (v. GOUET). || **gouger** 1767, Duhamel. || **goujon** 1170, *Fierabras,* petite gouge. || **goujonner** milieu XIV^e s. (*goujonnier*) ; 1467, G. (*goujonner*). || **goujonnage** 1930, Lar. || **goujure** 1694, Th. Corn., terme de marine.

2. **gouge** 1493, Coquillart, femme de mauvaise vie ; anc. gascon *gotja,* fille, de l'hébreu *goja,* chrétienne. (V. GOUIN, GOUJAT.)

**gouine** 1665, *Muse normande,* « salope » ; moyen fr. *goin,* lourdaud (av. 1480, R. d'Anjou), de l'hébreu *goï,* chrétien. || **gougnafier** 1899, Esnault ; avec suffixe expressif.

**goujat** fin XV^e s., O. de La Marche (*gougeas,* pl.), « valet d'armée » ; 1720, Caylus, « homme grossier » ; 1676, Félibien, « apprenti maçon » ; anc. gascon *gotja,* garçon, de même rac. que *gouge* 2. || **goujaterie** 1611, Cotgrave, ensemble des valets ; 1853, Flaubert, impolitesse.

1. ***goujon** 1392, *Ménagier,* poisson ; lat. *gōbio, -onis.* || **goujonnier** 1845, Besch., épervier.

2. **goujon, goujure** V. GOUGE 1.

**goulasch** 1907, Lar. ; allem. *Gulasch,* du hongrois *gulyas.*

**goule** 1821, Nodier, génie dévorant les cadavres ; ar. *gūl,* démon.

**goulée, goulet, goulot, goulu** V. GUEULE.

**goum** 1845, Besch. ; ar. maghrébin *gum,* troupe (ar. *qaum*). || **goumier** milieu XIX^e s.

***goupil** début XII^e s., *Voy. de Charl.* (*golpilz*) ; XIII^e s., *Roman de Renart* (*goupil*) ; lat. pop. **vŭlpīculus,* dér. de *vŭlpes,* renard, avec infl. germ. à l'initiale.

**goupille** 1439, Delb., cheville ; sans doute du bas lat. *vŭlpīculus* (lat. class. *vulpĕcula*). || **goupiller** 1671, le P. Chérubin, fixer avec des goupilles ; 1916, Esnault, pop., « arranger ».

**goupillon** 1170, Saint-Pair (*guipellon*) ; XIII^e s. (*guipillon*) ; 1460, Villon (*goupillon*) ; anc. fr. *guipon,* même sens, du francique **wisp,* bouchon de paille.

**goupiner** 1799, *Procès d'Orgères,* « voler » ; de *gouspin,* malotru, var. de *gosse.*

**goura** 1776, Sonnerat ; mot indigène d'Océanie ; pigeon de Nouvelle-Guinée.

**gourami** 1827, *Acad. ;* mot indigène des îles de la Sonde ; poisson de l'océan Indien.

**gourbi** v. 1840, milit. d'abord ; ar. algérien *gurbi,* habitation élémentaire.

***gourd** 1112, *Voy. saint Brendan* (*gort, gorte*), « sans mouvement » ; 1160, *Tristan,* « engourdi » ; 1498, Picot, « maladroit » ; 1691, Hauteroche, « imbécile » ; lat. impér. *gŭrdus,* grossier. || **dégourdir** 1196, Ambroise. || **dégourdissement** 1552, Rab. || **engourdir** XIII^e s., *Vie d'Édouard.* || **engourdissement** 1539, R. Est.

1. ***gourde** XIII^e s., *Antidotaire* (*gorde*), courge ; XIV^e s., imbécile ; 1829, Balzac, « récipient » ; altér. de *cohourde, courde* (XIII^e s.) ; même mot que *courge,* du lat. *cucŭrbĭta.*

2. **gourde** 1827, *Acad.,* monnaie de Haïti ; de *piastre gourde* (1721, Trévoux), de l'esp. *gorda,* grosse, même mot que *gourd.*

**gourdin** début XVI^e s., *Stolonomie,* corde de galère servant à frapper les forçats ; XVII^e s., gros bâton ; altér., d'apr. *gourd,* de l'ital. *cordino,* dimin. de *corda,* corde.

**gourer** XIII^e s., *Romania* (*goré*) ; 1460, Villon (*gouré*) ; p.-ê. de la rac. *gorr-,* péjoratif. (V. GORET.)

**gourgandine** 1640, Oudin, mot pop. du Centre (Morvan, Bourbonnais) ; orig. obscure, p.-ê. de *gourer,* ou de l'anc. fr. *gore,* truie. || **gourgandiner** 1867, Delvau.

**gourgouran** 1723, Savary, étoffe ; angl. *gorgoran,* altér. de *grograyn* (XVI^e s.), du fr. *gros grain.*

**gourmade** V. GOURME.

**gourmand** 1354, Isambert, de même rac. que *gourmet.* || **gourmandise** fin XIV^e s., Chr. de Pisan (*gormandise*). || **gourmander** XIV^e s., La Tour Landry, « se livrer à la gourmandise » ; XVI^e s., « consommer ses biens » ; 1392, E. Deschamps, « tyranniser, réprimander », sens dû à l'infl. de *gourmer.*

**gourme** XIII^e s., G., écrouelles ; *jeter sa gourme,* fin XVI^e s., en parlant du cheval ; 1675, Sévigné, fig. ; francique **worm* (anc. angl. *worm,* pus). || **gourmé** XIII^e s., du Cange, goitreux ; 1732, Destouches, fig. || **gourmer** 1320, G. li Muisis, mettre la gourmette à un cheval ; 1580, Montaigne, « frapper ». || **gourmade** 1599, Montlyard, « coup de poing » ; 1767, d'Alembert, fig. || **gourmette** milieu XV^e s., chaînette fixant le mors du cheval (la gourme ayant souvent son siège dans la bouche).

**gourmet** 1392, du Cange (*groumet*), « valet de marchand de vins » ; 1757, *Encycl.,* « raffiné dans le boire et le manger » ; 1850, Balzac, fig. ; anc. fr. *gromme* (1352, du Cange), de l'anc. angl. *grom.*

**gourmette** V. GOURME.

**gournable** 1678, Guillet ; néerl. **gordnagel,* clou de bois, de *gord,* côté de bateau, et *nagel,* clou.

1. **gourou** 1858, Legoarant ; soudanais *gura,* noix de cola.

2. **gourou** 1866, L. ; sanskrit *guru,* vénérable.

**goussaut** 1615, Binet, cheval court et épais ; de *gousse,* par analogie de forme.

**gousse** 1200, *Doc.* (*gosse*) ; 1538, R. Est. (*gousse*) ; origine inconnue.

**gousset** 1278, Sarrazin (*goucet*) ; 1536, M. du Bellay (*gousset*) ; de *gousse,* d'abord creux de l'aisselle, pièce d'armure en croissant sous l'aisselle, avec certains développements techniques (1562, Havard).

***goût** XII^e s. (*gost*) ; XVII^e s. (*goût*) ; lat. *gŭstus.* || ***goûter** 1130, *Eneas* (*goster*) ; XVII^e s. (*goûter*) ; lat. *gŭstare.* || **goûter** n. m. 1538, R. Est. || **goûteur 1932, Céline.** || **arrière-goût** 1798, *Acad.* || **avant-goût** 1610, de Rémond. || **dégoûté** 1360, Froissart. || **dégoûter** 1538, R. Est. || **dégoût** 1560, Paré. || **dégoûtant** 1642, Oudin. || **dégoûtation** 1856, Balzac. || **ragoûter** début XIII^e s., R. de Houdenc, flatter ou réveiller le goût. || **ragoût** XVI^e s., « mets qui plaît » ; 1665, Boileau, sens actuel. || **ragoûtant** 1673, Boileau. (V. aussi DÉGUSTER.)

**goûter** V. GOÛT.

***goutte** 980, *Passion* (*gote*) ; XIII^e s. (*goutte*) ; 1207, Villehardouin, rhumatisme articulaire, d'apr. la croyance à des gouttes d'humeur viciée ; XII^e s., G., *ne ... goutte,* négation ; lat. *gŭtta.* || **gouttelette** XIII^e s., L. || **goutteux** 1190, Garn. (*gutus*) ; 1560, Paré (*goutteux*). || **gouttière** 1120, *Ps. d'Oxford ;* 1962, Lar., méd. || ***goutter** XII^e s. (*goter*) ; lat. *guttare.* || **gouttereau** 1462, G. || **dégoutter** 1120, *Ps. de Cambridge.* || **égoutter** 1265, J. de Meung. || **égout** 1265, *Livre de jostice,* avant-toit et conduit d'évacuation des eaux ; *égout de ville,* XVIe s. || **égoutier** 1842, Mozin, vidangeur. || **égouttement** 1330, Drouart. || **égouttoir** 1564, Liébault. || **égoutture** 1700, Liger.

**gouttière** V. GOUTTE.

***gouvernail** 1130, *Eneas ;* lat. *gŭbĕrnācŭlum,* de *gubernare,* diriger.

***gouverner** 1050, *Alexis* (*gu-*) ; XIIIe s. (*gouverner*), « administrer » ; 1651, Corn., polit. ; lat. *gŭbĕrnare.* || **gouvernable** 1829, Boiste. || **gouvernant** 1674, La Fontaine, « autoritaire » ; 1866, L., sens actuel. || **gouverneur** 1050, *Alexis,* « qui a le gouvernement milit. d'une province » ; 1580, Montaigne, précepteur. || **gouverne** 1292, G., fait de diriger ; XIVe s., « conduite » ; 1866, L., mar. ; déverbal || **gouvernement** 1190, *Saint Bernard,* « action de diriger » ; 1265, Br. Latini, « direction politique » ; XVIIe s., sens actuel. || **gouvernemental** 1801, Mercier ; par l'angl. || **gouvernementalisme** 1842, *Acad.* || **gouvernementaliste** 1845, Besch. || **gouvernante** 1538, R. Est., gouvernante d'enfants. || **antigouvernemental** XXe s. || **ingouvernable** 1760, Brunot, répandu pendant la Révolution.

**goyau** 1872, Lar. ; mot picard., d'origine inconnue.

**goyave** 1525, Fabre (*guau*) ; 1647, *Rel. île de la Guadeloupe* (*goyave*) ; esp. *guyaba,* mot indigène des Caraïbes. || **goyavier** 1601, Champlain.

**goye, goï** XVIe s., « chrétien chez les Juifs » ; hébreu *goï,* chrétien, proprem. « peuple ».

**grabat** 1050, *Alexis* (*grabatum*) ; XIIe s. (*grabat*) ; d'abord petit lit sans rideau ; 1560, Paré (*-at*), mauvais lit ; lat. *grabatus,* du gr. *krabbatos,* lit de repos. || **grabataire** 1721, Trévoux, « qui garde le lit ».

**graben** fin XIXe s., géolog., bande de terrain affaissé ; mot allem. signif. « fosse, fossé ».

**grabuge** XVe s. (*grabouil*) ; XVIe s. (*gra-, gar-*) ; anc. fr. *garbouler,* discuter, du moyen néerl. *crabbelen,* égratigner, avec finale *-uge,* de *déluge.*

**grâce** fin Xe s., *Saint Léger* (*gratia*) ; 1050, *Alexis* (*grâce*), « aide de Dieu » ; 1265, J. de Meung, « charme » ; adaptation du lat. *gratia ;* les sens du lat., « faveur, pardon, remerciement », ont disparu aux XVIe-XVIIe s. ; le sens théolog. vient du lat. chrét. || **gracier** 1050, *Alexis,* « rendre grâces, remercier » ; 1336, du Cange, « remettre une amende » ; 1834, Landais, sens actuel d'apr. « pardon ». || **graciable** début XIVe s., « reconnaissant » ; 1690, Furetière, sens mod. || **gracieux** 1160, Benoît (*-cios*), « qui a la grâce divine » ; 1273, Adenet, « qui a du charme » ; lat. *gratiosus,* au sens bas lat. de « aimable ». || **gracieusement** 1302, *D. G.* || **gracieuseté** 1462, *Cent Nouvelles.* || **gracioso** 1845, Besch., musique ; ital. *grazioso.* || **disgrâce** 1539, Huguet, « malheur » ; 1564, Thierry, « perte de la faveur » et « manque de charme » ; ital. *disgrazia.* || **disgracié** 1546, Rab. ; ital. *disgraziato.* || **disgracieux** 1578, Boyssières ; rare jusqu'au XVIIIe s. ; ital. *disgrazioso.* || **disgracieusement** 1752, Trévoux. || **malgracieux** 1382, Cuvelier.

**gracile** 1545, J. Bouchet ; rare jusqu'à la fin du XIXe s. ; lat. *gracilis,* grêle, mince. || **gracilité** 1488, *Mer des hist. ;* lat. *gracilitas.* (V. GRÊLE 1.)

**gradation** V. GRADE.

**grade** 1578, H. Est., « degré de dignité » ; 1809, Boiste, math. ; lat. *gradus,* au sens fig. de « marche, degré », de *gradi,* marcher. || **gradé** 1796, *le Néolog. fr.* || **gradation** milieu XVe s. ; lat. *gradatio.* || **gradin** 1671, Pomey, « étagère » ; 1704, Trévoux, sens actuels ; ital. *gradino,* dimin. de *grado,* marche d'escalier. || **graduel** XIVe s., Ph. de Maizières, n. m., partie de l'office entre l'épître et la prose ; elle se disait sur les degrés de l'ambon ou du jugé ; adj. fin XIVe s., relig. ; 1688, Miege, « par degrés » ; lat. médiév. *gradualis,* de *gradus,* degré. || **graduellement** XIVe s., G., relig. ; 1596, Hulsius, sens actuel. || **graduer** 1404, N. de Baye, « donner un grade universitaire » ; 1690, Furetière, sens actuel ; lat. médiév. *graduare,* de *gradus,* degré. || **graduation** XIVe s., *D. G.,* « dosage » ; 1721, Trévoux, sens actuel. || **dégrader** 1190, Garn., « ôter son grade » ; 1596, du Vair, « endommager » ; bas lat. *degradare.* || **dégradation** 1495, J. de Vignay, « destitution » ; 1690, Furetière, « dommage » ; bas lat. *degradatio,* action de faire perdre sa dignité à un homme.

**gradin, graduel** V. GRADE.

**graffigner** 1243, Ph. de Novarre, « gratter », puis « égratigner » ; anc. scand. *krafla,* gratter. (V. aussi GRIFFE.)

**graffiti** 1856, Garruci : ital. *graffito,* pl. *graffiti,* du lat. *graphium,* poinçon, d'où « inscription ».

1. ***graille** 1567, Junius, « corneille » ; lat. *grăcŭla.* || **grailler** XIIIe s., « crier en parlant de la poule » ; XVe s., du Cange, « croasser ».

|| **graillement** 1360, Froissart, « croassement » ; 1671, Pomey, son rauque.

2. **graille** V. GRAILLON 2.

1. **grailler** V. GRAILLE 1 et GRAILLON 2.

2. **grailler** 1606, Nicot, vén., sonner du cor ; anc. fr. *graile* (1080, *Roland*), trompette, avec *l* mouillé par infl. de *graille* ; même mot que *grêle,* adj., c.-à-d. « clairon au son grêle ».

1. **graillon** 1808, d'Hautel, mucosité expectorée ; de *grailler,* dér. de *graille* 2, les mucosités ayant l'aspect de restes de nourriture. || **graillonner** *id.,* « expectorer ». || **graillonneur** 1829, Boiste.

2. **graillon** 1642, Oudin, restes d'un repas ; XVIII^e s., « odeur de graisse brûlée » ; mot normand, dér. de *grailler,* griller. || **graillonner** 1866, L., « prendre une odeur de graillon ». || **graille** 1929, Esnault, pop., « nourriture ». || **grailler** 1944, Esnault, « manger ».

***grain** 1160, *Charroi,* « fruit de certaines plantes » ; 1170, *Rois,* « particule » ; 1552, Rab., « bourrasque » (grains de grêle) ; 1606, Nicot, mesure ; lat. *granum.* || **grainage** 1600, O. de Serres. || ***graine** 1175, Chr. de Troyes ; pl. lat. *grana,* pris pour fém. || **grainier** 1636, d'après Trévoux. || **granivore** 1751, Buffon ; lat. *vorare,* dévorer. || **grener** 1190, Gace Brulé. || **grenaille** 1354, du Cange. || **greneté** 1380, Laborde. || **grènetier** 1458, text. de Tournai, « fonctionnaire qui surveille les grains » ; XVI^e s., « marchand de grains », devenu *grainetier* (1872, Lar.). || **graineterie** 1344, G., office de *grénetier ;* 1660, Oudin, commerce. || **greneler** 1611, Artus Thomas. || **gréneter** 1297, Gay, enrichir d'ornements. || **grenetis** 1297, Gay. || **grèneture** 1380, Havard. || **grener** fin XII^e s., Couci. || **grenage** 1730, Savary. || **grenette** XVI^e s. || **grenure** 1757, *Encycl.* || **grenu** fin XIII^e s., *Roman de Renart.* || **égrener** fin XII^e s., *R. de Cambrai,* « séparer le grain » ; *s'égrener,* XIX^e s., sens actuel. || **égrènement** 1627, Crespin. || **engrain** XV^e s. || **engrener** 1195, Evrat, « garnir de grain » (spécialement la trémie d'un moulin) ; 1660, Oudin, engrener les dents d'une roue, avec une infl. de *cran.* || **engrenage** 1709, *Acad. des sc.,* a pris un sens dér. || **engrènement** 1730, Réaumur.

**graine, *graisse** V. GRAIN, GRAS.

**gramen** 1372, Corbichon ; mot lat. signif. « herbe, gazon ». || **graminée** 1732, Trévoux ; lat. *gramineus,* remplacé en bot. par *graminacée* (1754, Bonnet).

**grammaire** 1119, Ph. de Thaun ; 1867, Ch. Blanc, ensemble des règles d'un art ; empr. anc. au lat. *grammatica,* du gr. *grammatikê,* art d'écrire et de lire les lettres (*grammata*). || **grammairien** XIII^e s., d'Andeli. || **grammatical** XV^e s. ; bas lat. *grammaticalis.* || **grammaticalement** 1529, G. Tory. || **grammaticaliser** 1962, Lar. || **grammaticalité** 1968, Lar. || **grammatiste** 1575, Despence ; lat. *grammatista,* du gr. *grammatistês,* scribe. || **agrammatisme** 1957, Piéron, par l'allemand. || **agrammatique** v. 1950. || **grimoire** XII^e s. (*gra-*) ; XIII^e s., *Fabliau* (*gri-*) ; var. labialisée de *grammaire,* spécialisée au sens de « livre de sorcellerie ».

**gramme** 1790, *Encycl. méth.,* sens lat. ; sens fr., loi du 3 avr. 1793 ; lat. *gramma,* petit poids (vingt-quatrième partie de l'once), du gr. *gramma,* caractère d'écriture, qui a pris le sens de « poids » par suite d'une traduction erronée de *scripulum* (24^e partie de l'once), pris pour un dérivé de *scribere,* écrire ; les composés *milligramme, centigramme, décigramme, décagramme, hectogramme, kilogramme, myriagramme* sont de 1795 (abrév. XIX^e s., *hecto, kilo*).

**Gramophone** fin XIX^e s. (*grammophone*) ; nom d'une marque angl., du gr. *gramma,* écrit, et *phônê,* voix.

***grand** fin IX^e s., *Eulalie ;* comme n. m. fin XV^e s., Commynes ; lat. *grandis,* qui a éliminé *magnus.* || **grandelet** 1398, *Ménagier.* || **grandement** 1160, Benoît (*granment*) ; 1361, Oresme (*grande-*). || **grandesse** 1537, trad. du *Courtisan ;* ital. *grandezza.* || **grandet** 1250, G. || **grandeur** 1160, Benoît. || **grandiloquence** 1544, Mathée ; lat. *grandiloquus,* qui a le style pompeux, de *loqui,* parler. || **grandiloquent** 1888, Lar. || **grandiose** 1798, *Encycl. méth. ;* ital. *grandioso.* || **grandir** 1280, Adenet. || **grandissime** 1530, Daigne ; superl. ital. *grandissimo.* || **grand-mère, grand-père** 1265, J. de Meung, ont remplacé *aïeul, -e.* || **grand-oncle, grand-tante** 1538, R. Est. || **grand-maman** 1674, *Suite du Virgile travesti.* || **grand-papa** 1680, Richelet. || **grands-parents** 1798, *Acad.* || **agrandir** 1265, J. de Meung. || **agrandissement** 1502, Delb.

**grandiloquence, grandiose, grandissime** V. GRAND.

**grange** 1160, Benoît ; lat. pop. **granĭca,* de *granum,* grain. || **engranger** 1307, G. ; 1939, Gide, fig.

**granit(e)** 1611, Cotgrave, « sorte de jaspe » ; 1690, Furetière, sens actuel ; ital. *granito,* grenu. || **granité** 1842, *Acad.* || **graniteux** 1783, Buffon.

|| **granitisation** 1962, Lar. || **granitique** 1783, Buffon. || **granitoïde** *id.*

**granivore** V. GRAIN.

**granule** 1842, Mozin, en bot. ; 1866, L., petite pilule ; dimin. lat. *granulum,* de *granum,* grain. || **granuler** 1611, Cotgrave. || **granulé** 1798, *Acad.* || **granulation** 1651, Hellot, fait de réduire en grenaille ; 1845, Besch., sens actuel. || **granuleux** 1560, Paré. || **granulaire** 1845, Besch. || **granulite** 1888, Lar. || **granulome** *id.* || **granulométrie** 1953, Lar. || **granulose** 1907, Lar.

**grape-fruit** 1910, *Femina ;* mot anglo-américain signif. « pamplemousse ».

**graphie** 1762, *Acad.,* comme suffixe ; 1877, L., comme n. f. ; gr. *graphein,* écrire. || **graphique** 1757, *Encycl. ;* gr. *graphikos.* || **graphiquement** 1762, *Acad.* || **graphisme** 1875, *Journ. des savants.* || **graphe** 1962, Lar. || **graphème** v. 1950, d'après *phonème.* || **graphite** fin XVIII<sup>e</sup> s. || **graphiter** début XX<sup>e</sup> s. || **graphitique** 1866, L. || **graphologie** 1875, abbé Michon. || **graphologique** 1907, Lar. || **graphologue** 1877, L. || **graphomètre** 1597, Danfrie. || **agraphie** 1877, L., *Suppl.*

**graphite** V. GRAPHIE.

**grappe** fin XIe s. (*grape*) ; XVIe s. (*grappe*) ; 1648, Scarron, fig. ; francique **krappa,* crochet (allem. *Krapfen*), d'apr. la forme de la grappe de raisin. || **grappiller** 1549, R. Est., « cueillir » ; 1683, Boursault, « faire de petits gains ». || **grappillage** 1531, de La Grise. || **grappilleur** 1611, Cotgrave. || **grappillon** 1584, Monin. || **égrapper** 1732, Trévoux. || **égrappage** 1845, Besch.

**grappin** 1382, *D. G. ; jeter le grappin sur,* 1740, *Acad. ;* anc. fr. *grappe,* crochet, du francique **krappa.* || **grappiner** 1722, de Bacqueville.

***gras** 1190, Garnier (*cras*) ; XIIe s. (*gras*) ; lat. pop. **grassus,* du lat. *crassus,* épais, avec infl. de *grossus,* gros. || **gras-double** 1611, Cotgrave ; de *double,* panse de bœuf. || **grassement** 1355, Bersuire. || **grasseyer** 1530, Palsgrave (*grassier*) ; 1660, Oudin (*-eyer*), parler gras. || **grasseyement** 1694, *Acad.* || **grasseyeur** 1743, Trévoux. || **grassouillet** 1680, Richelet. || **gras-fondu** 1615, Binet. || ***graisse** 1120, *Ps. d'Oxford* (*craisse*) ; 1170, *Rois* (*graisse*) ; lat. pop. **crassia,* de *crassus.* || **graissage** v. 1450. || **graisser** XVe s. || **graisseux** 1532, Rab. || **graisseur** *id.* || **graissin** 1583, Gauchet (*gressin*), engrais. || **graissoir** 1802, Flick. || **dégras** 1723, Savary, « préparation pour dégraisser ». || **dégraisser** XIIIe s., Mousket. || **dégraisseur** 1552, Rab. || **dégraissage** 1754, *Encycl.* || **dégraissement** 1752, Trévoux. || ***engraisser** 1050, *Alexis* (*-sier*) ; lat. pop. **incrassiare,* devenu **ingrassiare.* || **engrais** 1510, G. (*à l'engrais*) ; 1690, Furetière, sens actuel ; déverbal. || **engraisseur** 1636, Monet. || **rengraisser** 1160, Benoît.

**grasseyer** V. GRAS.

**graticuler** 1671, Chérubin (*craticuler*) ; 1798, *Acad.* (*graticuler*) ; lat. *craticula,* petite grille. Terme de peinture ; « partager un dessin en petits carrés pour une reproduction ». || **graticule** 1701, Furetière.

**gratifier** 1534, Des Périers ; lat. *gratificari,* complaire, faire une faveur ; spécialisé pour les libéralités en argent (1778, Rousseau). || **gratification** 1362, Delb., « faveur » ; 1679, Kuhn, supplément de salaire ; lat. *gratificatio,* libéralité.

**gratin** V. GRATTER.

**gratiole** 1572, Delb. ; bas lat. *gratiola* (Ve s., Diomède), dér. de *gratia,* grâce, d'apr. ses propriétés méd. ; appelée *grâce Dieu* en anc. fr.

**gratis** 1460, Chastellain, n. m., « gratification » ; adv. milieu XVIe s., Amyot ; adv. lat. *gratis,* contraction de *gratiis,* ablatif pl. de *gratia,* proprement « par complaisance ».

**gratitude** 1445, G. ; bas lat. *gratitudo,* de *gratus,* reconnaissant. (V. GRÉ.)

**gratter** 1155, Wace ; 1866, L., « réaliser un petit gain » ; francique **krattôn* (allem. *kratzen*). || **gratte** milieu XVIe s., « gale » ; 1723, *Dict. breton-fr.,* techn. ; XVIIIe s., « coup » ; 1861, Larchey, « profit » ; déverbal. || **grattelle** 1861, Larchey, « profit » ; déverbal. || **grattelle** XIIIe s., *Fabliau.* || **grattoir** 1611, Cotgrave. || **gratte-ciel** fin XIXe s. ; calque de l'anglo-américain *sky scraper.* || **gratte-cul** début XVIe s. || **grattement** 1509, *Coutumier.* || **gratte-papier** 1578, *Doc.* || **gratin** 1564, Thierry ; le gratin attaché aux parois doit être gratté pour se détacher ; fig. XIXe s. || **gratiner** 1826, Brillat-Savarin. || **grattouiller** 1895, A. Daudet. || **grattouillement** XVe s., G. ; rare avant le XXe s. || **grattouillis** XXe s. || **égratigner** 1175, Chr. de Troyes (*-tiner*) ; XIIIe s. (*-gner*) ; anc. fr. *esgratiner* (1155, Wace), de *gratiner,* gratter, égratigner. || **égratignure** XIIIe s., trad. de Guill. de Tyr. || **égratigneur** 1588, Vauquelin de La Fresnaye.

|| **égratignoir** 1755, *Encycl.* || **regratter** XIIIe s., G., « faire des profits dans la revente » ; 1538, R. Est., « nettoyer ». || **regrattage** 1680, Richelet.

**gratteron** 1314, Mondeville ; mot de l'Ouest, altér., d'apr. *gratter,* de l'anc. fr. *gleteron,* dér. de *gleton,* du francique **kletto* (allem. *Klette,* bardane). Nom de plusieurs plantes accrochantes.

**gratuit** 1519, Barbier, « sans contrepartie » ; 1541, Calvin, « par pure libéralité » ; 1740, *Acad.,* « sans preuves » ; lat. *gratuitus,* de *gratis.* || **gratuité** début XIVe s., G. li Muisis ; lat. *gratuitas.* || **gratuitement** 1400, Delb.

**grau** 1821, *Conservateur littéraire ;* mot languedocien, du lat. *gradus,* degré.

**gravats** XIIe s., *Melion* (*gravoi*), avec suffixe *-oi,* issu du lat. *-ētum ;* pl. 1680, Richelet (*gravas* et *gravois*), avec réduction de *wa* à *a ;* 1771, Trévoux (*gravats*) ; dér. anc. de *grève.* || **gravatier** 1762, *Acad.*

**grave** 1460, Chastellain, « digne » ; XVe s., musique ; 1580, Montaigne, « sérieux » ; lat. *gravis,* qui a donné la forme pop. *grief.* || **gravité** XIIe s., *Grégoire,* fig. ; XVIe s., phys. ; 1680, Richelet, musique ; 1690, Furetière, « importance, austérité » ; lat. *gravitas,* pesanteur ; la forme pop. *grièveté* a été éliminée. || **gravement** 1460, Chastellain, « avec dignité » ; 1872, Lar., « dangereusement ». || **gravimétrie** 1922, Lar., « qui étudie le champ de la pesanteur » ; lat. *gravis,* lourd. || **gravissime** 1962, Lar. (V. GRIEF.)

**graveleux** V. GRAVELLE.

**gravelle** 1120, *Ps. d'Oxford,* « gravier » ; XIIIe s., *Romania,* « calcul de la vessie » ; dér. anc. de *grève.* || **graveleux** XIIIe s., « qui contient du gravier » ; 1600, O. de Serres, « qui renferme de la gravelle » ; 1765, Diderot, « licencieux », c.-à-d. pénible pour la conscience comme la gravelle pour le corps. || **gravelure** 1707, Lesage, propos licencieux.

**graver** début XIIIe s., G., « faire une raie dans les cheveux » ; XIVe s., sens actuel ; francique **graban* (allem. *graben,* creuser, graver). || **graveur** 1335, Digulleville. || **gravois** 1866, L. || **gravure** fin XIIe s., *Loherains,* « rainure d'arbalète » ; 1538, R. Est., sens actuel. || **engraver** 1438, G., entailler.

**gravide** 1863, Graves ; lat. *gravidus,* « qui est enceinte », de *gravis,* pesant. || **gravidique** 1857, Monneret. || **gravidité** 1872, Lar.

**gravier** 1130, *Eneas ;* dér. anc. de *grève.* || **gravière** XIIIe s., G. (*gravere*) ; 1385, G. (*gravière*). || **gravillon** fin XVIe s., « caillou ». || **gravillonnage** 1953, Lar. || **gravillonner** v. 1950. || **engraver** fin XVIe s., « s'engager dans le gravier ».

**gravillon** V. GRAVIER.

**gravir** 1213, *Fet des Romains ;* 1849, Sainte-Beuve, fig. ; francique **krawjan,* s'aider de ses griffes, de **krawa,* griffe.

**gravité** V. GRAVE.

**graviter** 1732, Pluche ; créé d'apr. *gravitas,* lat. mod. *gravitare* (fin XVIIe s., Newton). || **gravitation** 1722, *Journ. des savants ;* créé dans les mêmes conditions, lat. mod. *gravitatio.* || **gravitationnel** 1921, Nordmann. (V. GRAVE.)

**gravois** V. GRAVATS.

***gré** fin Xe s., *Saint Léger* (*gred*) ; XIIe s. (*gré*) ; lat. *grātum,* neutre de *grātus,* agréable. || **agréer** 1138, *Aiol,* être au gré de, trouver à son gré. || **agréé** n. m. 1829, Boiste, jurid. || **agrément** 1465, Chastellain. || **agrémenter** 1801, Mercier. || **agréable** 1160, Benoît (*agraable*), « qui peut être agréé » (jusqu'au XVIIe s.). || **agréablement** XIVe s. || **désagréer** début XVIIe s. || **désagrément** 1642, Oudin. || **désagréable** 1265, J. de Meung. (V. MALGRÉ, MAUGRÉER.)

**grèbe** 1557, Belon ; mot savoyard, d'apr. Belon, d'orig. obscure ; oiseau aquatique.

**grec** 1298, Marco Polo, comme n. m. ; XVIe s., adj. ; 1578, H. Est., « rusé » ; 1732, Trévoux, « tricheur » ; lat. *graecus ;* il a éliminé la forme pop. *grieu.* || **grecque** 1701, Furetière, techn. || **gréciser** XVIe s. || **grécité** 1800, Joubert. || **grecquer** 1701, Furetière ; de *grecque.*

**gredin** 1640, Oudin, « gueux » ; 1653, Livet, « garnement » ; mot pop. du Nord-Est et de l'Est, du moyen néerl. *gredich,* avide. || **gredinerie** 1690, Furetière.

**gréer** 1636, Le Grand ; anc. fr. *agréer* (XIIe s., *-eier*), « équiper », du scand. *greida.* || **gréement** 1670, Colbert. || **gréeur** 1834, Landais. || **dégréer** 1672, Colbert.

1. **greffe** [d'arbre] fin XIe s., *Gloses de Raschi* (*grafie*) ; XIIe s., G. (*grefe*), « poinçon » ; XIIe s., *Vie d'Édouard* (*greife*), pousse ; 1690, La Quintinie, action de greffer un greffon ; adaptation du lat. *graphium,* poinçon, du gr. *grapheion,* de *graphein,* écrire. || **greffer** fin XVe s., Molinet. || **greffage** 1872, Lar. || **greffoir** 1700, Liger.

|| **greffon** XVI^e s., Huguet (*gra-*), rare jusqu'au XIX^e s. || **greffeur** fin XV^e s., G.

2. **greffe** [de justice] V. GREFFIER.

**greffier** 1378, *Arch. Reims ;* lat. médiév. *graphiarius,* lat. *graphium,* poinçon, du gr. *graphein,* écrire. || **greffe** [de justice] 1278, *Doc. angevin.*

**grégaire** XVI^e s., Huguet, n. m., simple soldat ; adj. 1829, Boiste ; lat. *gregarius,* du lat. *grex, gregis,* troupeau ; le sens lat. vient de *gregarius miles.* || **grégarisme** 1876, d'après L.

**grège** (*soie*) 1679, Savary ; ital. (*seta*) *greggia,* (soie) brute, du lat. pop. **gredius,* brut.

**grégeois** (*feu*) fin XII^e s., *Loherains ;* var. altérée de l'anc. fr. *grezeis, -zois,* grec, du lat. pop. **graeciscus* (suffixe germ. *-isk*), de *graecus.* (V. GRIÈCHE.)

**grégorien** 1410, Gay ; bas lat. *gregorianus,* de *Gregorius,* n. de plusieurs papes, mot gr.

**grègues** XV^e s., G., « haut-de-chausses gascon et esp. » ; prov. *gregou,* grec, *grega,* grecque, du lat. *graecus, -ca ;* l'invention du vêtement était attribuée aux Grecs.

1. ***grêle** 1080, *Roland* (*graisle*) ; XIII^e s. (*grêle*) ; 1361, Oresme, « faible » ; lat. *gracĭlis,* qui a donné aussi *gracile.*

2. **grêle** n. f. 1119, Ph. de Thaun (*gresle*) ; francique **grisilôn* (moyen néerl. *grîselen*). || **grêler** 1175, Chr. de Troyes. || **grêleux** 1550, Ronsard. || **grêlon** XVI^e s., G.

**grelin** 1634, Delb. (*guerlin*) ; 1694, Th. Corn. (*grelin*) ; néerl. *greling,* cordage. Terme de marine.

**grelot** 1392, G. (pl. *griloz*) ; 1565, Tahureau (*grelot*) ; altér. de *grillot,* du moyen haut allem. *grell,* aigu. || **grelotter** 1566, du Pinet (*grillotter*) ; 1578, d'Aubigné (*grel-*), d'apr. la loc. *trembler le grelot* (XVI^e s.). || **grelottement** 1611, Cotgrave (*grillotement*) ; 1859, Hugo (*grelottement*).

**greluchon** 1750, *Paquet de mouchoirs ;* sans doute du bourguignon *grelu,* pauvre, misérable, de *grêle* 1.

**grémial** 1542, Delb. ; lat. *gremiale,* de *gremium,* giron ; morceau d'étoffe mis sur les genoux de l'évêque officiant quand il est assis.

**grémil** XIII^e s., *Antidotaire* (*gromil*) ; 1564, Thierry (*gremil*) ; de *grès* et de *mil,* millet, à cause de la dureté des graines de cette plante herbacée.

**grenache** XIII^e s, *Romania* (*vernache*) ; 1360, Froissart (*grenache*) ; ital. *vernaccia,* de la ville de *Vernazza.*

**grenade** 1175, Chr. de Troyes (*pume grenate*) ; fin XV^e s. (*grenade*), fruit ; 1520, Gay, projectile ; lat. (*malum*) *granatum,* pomme grenue. || **grenadier** 1425, de La Haye, arbre ; 1671, Pomey, soldat qui lance la grenade. || **grenader** XX^e s. || **grenadage** v. 1914. || **grenadière** 1680, Richelet. || **grenadin** apr. 1750, Buffon, oiseau d'Afrique ; v. 1850, *sirop grenadin,* fait avec du jus de grenade. || **grenadine** 1827, *Acad.,* soie grenue ; 1866, L., sirop. || **grenadille** 1598, Acosta ; esp. *granadilla,* de même rac.

**grenaille, grener** V. GRAIN.

**grenat** 1130, *Eneas,* adj. « couleur rouge de pierre précieuse » ; n. m. XIV^e s., du Cange ; lat. *granatum,* comme *grenade.*

***grenier** XII^e s. « endroit où l'on met le grain », 1627, Crespin « partie haute de la maison » ; lat. *grānārium,* de *granum,* grain. || **grenetier** XIII^e s., *D. G.,* officier du grenier à sel.

**grenouille** 1165, Marie de France (*renoille, reinouille*) ; XIII^e s. (*grenoille*) ; XV^e s., Basselin (*grenouille*) ; lat. pop. **ranucula,* dimin. de *rana,* grenouille ; l'addition du *g* peut être due à une infl. onom., d'apr. le cri. || **grenouiller** début XVI^e s., « barboter » ; 1867, Delvau, « intriguer ». || **grenouillage** 1954, Esnault. || **grenouillère** fin XIII^e s. || **grenouillette** 1538, R. Est.

**grenu** V. GRAIN.

**grès** 1155, Wace (*grez*) ; 1175, Chr. de Troyes (*gres*), « roche » ; 1330, Gay, « céramique » ; francique **greot,* gravier (allem. *Gries*), spécialisé en fr. à une roche formée de grains agglomérés. || **grésière** 1801, *Encycl.* || **gréseux** 1827, *Acad.* || **grésillon** début XVI^e s., « petit caillou » ; 1771, Schmidlin, « petit charbon » ; 1811, Mozin, « farine grossière ».

**grésil** 1080, *Roland ;* francique **grisilôn,* qui a donné aussi *grêle,* ou dér. de *grès.* || **grésiller** 1120, *Tristan,* faire du grésil.

**grésiller** 1330, *Baudouin de Sebourg,* « rôtir » ; 1560, Paré, « faire crépiter » ; altér., d'apr. *grésil,* de *gredeller* (XIV^e s.), var. dial. de *griller.*

**grésillon** V. GRÈS.

**grève** 1165, Marie de France (*grave*) ; 1190, Garnier (*grève*) ; 1805, cessation du travail ; lat. pop. **grava,* sable, gravier, mot d'origine gauloise, par ext. « plage de sable » , d'où, à

Paris, la place de Grève (1283, Beaumanoir), au bord de la Seine, où se réunissaient les ouvriers sans travail (sur l'emplacement actuel de l'Hôtel de Ville). || **gréviste** 1821, Chateaubriand. || **gréviculteur** 1907, Lar. ; formation plaisante, d'apr. le suffixe *-culteur.* || **antigrève** 1955, *Combat.*

***grever** 1130, *Eneas,* « causer du dommage, affliger » ; 1636, Monet, « frapper de charges » ; lat. *gravare,* charger, alourdir, de *gravis,* lourd. || **dégrever** 1319, G. (*dégraver*) ; 1641, Richelieu (*dégrever*), « décharger » ; 1792, Brunot, financier. || **dégrèvement** 1793, Duveyrier.

**gribouiller** 1611, Cotgrave, « gargouiller » ; 1700, Gherardi, sens actuel ; var. probable de *grabouiller,* de même rac. que *grabuge ;* ou issu du germ. *kriebelen.* || **gribouille** 1548, *Sermon des fous.* || **gribouillage** 1741, Voltaire. || **gribouilleur** 1808, d'Hautel. || **gribouillis** 1532, Rab., nom propre ; 1611, Cotgrave, « borborygme » ; 1826, Celnart, sens actuel.

**grièche** (*pie-*) 1220, Coincy, bot. ; 1553, *Doc.,* pour la pie ; sans doute anc. fr. *griesche,* grec (1130, *Eneas*), qui a pris un sens péjor., du lat. *graecus.*

***grief** 1080, *Roland,* adj., « dur à supporter » ; XII<sup>e</sup> s., G., n. m. ; lat. pop. **grevis,* réfection du lat. *gravis,* lourd, d'après *levis,* léger.

**grièvement** XIVe s., qui a remplacé l'anc. fr. *griefment* (XIIe s.), et a vu ses emplois restreints par *gravement ;* dér. de l'anc. fr. adj. *grief.* || **grièveté** 1360, Froissart.

**griffe** v. 1500, Marot ; féminin de l'anc. fr. *grif,* patte (XIIIe s.) ; 1798, *Acad.,* « signature » ; haut allem. *grîfan* (allem. *greifen*). || **griffer** 1386, du Cange. || **griffonner** 1555, Vaganay. || **griffonneur** XVIe s., Thevet. || **griffonnage** 1657, Gombaud. || **griffonnement** 1609, Camus. || **griffade** 1564, Thierry. || **griffu** milieu XVIe s., Ronsard. || **griffure** 1867, Lar.

1. **griffon** 1080, *Roland,* animal fabuleux ; 1595, *Lettr. Henri IV,* oiseau de proie ; 1660, Oudin, chien anglais ; anc. fr. *grif* (XIIIe s.), du lat. *gryphus,* du gr. *grups, grupos.*

2. **griffon** [de source minérale] 1866, L. ; prov. mod. *grifoun,* qui représente p.-ê. *griffon* 1, d'apr. l'ornementation des anciens robinets.

**griffonner** V. GRIFFE.

**grigner** 1170, *Fierabras,* « plisser les lèvres » ; 1900, *D. G.,* techn. ; francique **grînan,* « faire la moue » (allem. *greinen*). || **grigne** fin XIIe s. (*grinne*) ; XIIIe s. (*grigne*), « mécontentement » ; 1694, Ménage, « grignon de pain » ; déverbal. || **grignon** 1564, Thierry, « entame du pain ». || **grignoter** 1532, Rab. || **grignotement** 1863, Gautier. || **grignotage** 1922, Lar. || **grignoteur** milieu XVIe s. || **grignotis** début XVIe s.

**grignoter** V. GRIGNER.

**grigou** av. 1650, Molière, mot pop. ; languedocien *grigou,* gredin, sans doute dér. du lat. *graecus,* grec, au sens péjor. de « filou ».

**gri-gri** 1557, Thevet, « esprit malfaisant », puis « fétiche » ; mot africain, d'orig. inconnue.

***gril** fin XIe s., *Gloses de Raschi* (*gradil*) ; 1165, Marie de France (*grail*) ; XIVe s., Laborde (*gril*) ; forme masc. de *grille.* || ***grille** 980, *Passion* (*gradilie*) ; fin XIe s., *Gloses de Raschi* (*gradille*) ; 1265, J. de Meung (*greïlle*) ; XVe s. (*grille*) ; lat. *craticula,* gril, spécialisé et distingué de *gril* au XVIIe s. || **griller** fin XIIe s., *R. de Cambrai* (*graailler*) ; XVe s. (*griller*), « faire cuire sur le gril » ; XVe s., « fermer avec une grille » ; 1546, Rab., fig., *griller de.* || **grillade** 1623, Tabarin. || **grillage** milieu XIVe s., « treillis » ; 1753, *Hist. Acad. des sc.,* « action de faire griller ». || **grillager** 1845, Besch. || **grilloir** 1827, *Acad.* || **grillure** début XXe s. || **bigrille** 1929, Lar. || **égrilloir** 1690, Furetière (*es-*), clôture de pierre, déversoir d'un étang.

**grillage** V. GRIL.

**grillon** 1372, Corbichon ; var. de l'anc. fr. *grillet, grelet* (1165, Marie de France), dér. anc. du lat. *grillus,* grillon.

**grill-room** 1893, Mackenzie ; mot angl. signif. « restaurant (*room*) où l'on consomme des grillades ».

**grimace** XIVe s., *Geste de Liège* (*-ache*) ; 1690, Furetière, « faux pli » ; anc. fr. *grimuche* (fin XIIe s.), figure grotesque, du francique **grîma,* masque, spectre (restitué d'apr. l'angl. et le scand.). || **grimaçant** 1694, Boileau. || **grimacer** début XVe s. (*grimacher*) ; 1611, Cotgrave (*grimacer*) ; 1690, Boileau, « faire de faux plis ». || **grimacier** 1580, Trippault, « sculpteur en grimaces » ; XVIIe s., sens mod. || **grimacerie** 1668, La Fontaine.

**grimaud** 1480, *Recueil Trepperel* (*-mault*) ; emploi fig. du nom propre *Grimaud,* d'orig. germ. (v. GRIME), avec infl. possible de *grimace.*

**grime** 1694, Ménage (*faire la grime,* la moue) ; 1778, Barbier, mot de théâtre ; abrév. de *grimace.* || **grimer (se)** 1827, *Acad.,* se rider la figure ; 1829, Boiste, sens actuel. || **grimage** 1858, Baudelaire.

**grimoire** V. GRAMMAIRE.

**grimper** 1495, J. de Vignay, « se hisser » ; XVII^e s., « monter péniblement » ; forme nasalisée de *gripper.* || **grimpereau** 1555, Belon, oiseau. || **grimpée** 1865, Gasparin. || **grimpement** 1564, Thierry. || **grimpette** fin XIX^e s. || **grimpeur** 1596, Hulsius. || **regrimper** milieu XVI^e s.

**grincer** début XIV^e s., forme nasalisée de *grisser* (attesté v. 1300) ; francique **krîskjan,* grincer, de **krisân,* craquer. || **grincement** fin XV^e s. (*grice-*) ; 1553, *Bible Gérard* (*grincement de dents*) ; XVI^e s. (*grince-*) ; 1660, Oudin, « bruit ». || **grincheux** 1844, Baudelaire ; forme picarde de *grinceur* (1611, Cotgrave), « qui grince facilement des dents » ; de *grincher,* forme normanno-picarde de *grincer.*

**grinche** 1800, Esnault, « voleur » ; déverbal de *grincher,* voler (1800, Esnault), du francique **grîpjan,* saisir, agripper, par l'argot ital. *grancire.*

**grincheux** V. GRINCER.

1. **gringalet** 1175, Chr. de Troyes (*guingalet*), « sorte de cheval » ; XIII^e s. (*gringalet*) ; gallois *Keinkaled,* nom du cheval de Gauvain, cheval chétif.

2. **gringalet** 1611, Cotgrave, « bouffon » ; 1784, Beaumarchais, « homme chétif » ; suisse alémanique **grängelli,* homme peu considérable.

**gringole** 1679, Ménage, « gargouille » ; 1812, Mozin, blas. ; moyen néerl. *crinc,* courbure.

**gringotter** 1458, *Mystère,* « gazouiller » ; anc. fr. *gringot,* chant, origine obscure.

**gringue** 1901, Bruant ; de *gringue,* pain (1878, Esnault), de *grignon,* croûton, d'après *faire des petits pains,* faire l'aimable.

**griot** 1637, A. de Saint-Lô (*guiriot*) ; 1688, La Courbe (*griot*) ; sorcier d'Afrique ; orig. inconnue.

**griotte** 1539, R. Est. ; 1600, O. de Serres (*agriotte*) ; prov. *agriota,* (cerise) aigre (*agre*), avec mauvaise coupure de l'article. || **griottier** 1557, Dodoens.

**grippe** V. GRIPPER.

**gripper** 1405, Barbier, « saisir » ; XVIII^e s., « s'arrêter, se bloquer par frottement » ; XX^e s., techn. ; francique **grîpan,* saisir (allem. *greifen*). || **grippage** 1869, L. || **grippe** 1307, Guiart, fig., « querelle » ; XV^e s., « griffe » ; 1546, Huguet, « vol » ; 1743, *Journal de Barbier,* maladie qui saisit brusquement (avec infl. de l'angl. *gripp*) ; fin XVII^e s., « caprice » ; 1770, Rousseau, *prendre en grippe,* par antiphrase. || **grippal** 1871, *journ.* || **grippé** 1684, Sévigné, « entiché de » ; 1782, Gohin, « qui a la grippe ». || **grippement** 1606, Crespin. || **grippe-sou** 1680, Richelet, commissionnaire chargé de percevoir les rentes d'un sou par livre ; 1778, Voltaire, « avare ». || **agripper** XV^e s., G.

**gris** 1130, *Eneas,* n. m. ; XII^e s., *Roncevaux,* adj. ; XV^e s., *faire grise mine ;* 1690, Furetière, « ivre » ; fin XVII^e s., « terne » ; francique **grîs* (allem. *greis*). || **grisaille** 1625, Peiresc. || **grisailler** 1648, Scarron. || **grisant** 1877, Daudet. || **grisard** adj. 1351, G., « gris foncé » ; XVIII^e s., Buffon, peuplier. || **grisâtre** 1525, J. Lemaire. || **griser** 1539, R. Est., devenir de couleur grise ; 1718, Leroux, fig., « enivrer ». || **grisage** 1671, d'après L. || **griserie** 1838, Barbey, « enivrement ». || **griset** 1175, Chr. de Troyes, « un peu gris » ; 1721, Trévoux, « passereau » ; 1791, Valmont de Bomare, « requin ». || **grisette** *id.,* fém. de *griset ;* 1648, Scarron, « étoffe commune » ; 1665, Fléchier, « jeune bourgeoise de galanterie hardie » ; 1791, Valmont, « papillon ». || **grison** XIV^e s., adj. ; n. m. milieu XVI^e s., Ronsard. || **grisonnant** 1546, Rab. || **grisonner** XV^e s., Basselin. || **dégriser** 1771, Schmidlin. || **dégrisement** 1823, Boiste.

**grisbi** 1896, Delesalle ; de *griset* (1834, Esnault), pièce de six liards, de *gris,* à cause de la couleur.

**griser, gris-gris** V. GRIS, GRI-GRI.

**grisou** 1754, Tilly (*feu brisou,* d'apr. *briser*) ; forme picarde de *grégeois.* || **grisoumètre** 1877, L. || **grisouteux** 1876, L.

**grive** 1280, Bibbesworth, fém. ; anc. fr. *griu* (XII^e s.), grec, c.-à-d. « oiseau de Grèce », la grive étant un oiseau migrateur, du lat. *graecus.* || **griveler** 1620, Delb., par allusion aux menus larcins des pies. || **grivèlerie** XVI^e s. || **grivelé** XIII^e s., du Cange, tacheté. || **grivelure** 1545, Guéroult.

**griveler** V. GRIVE.

**griveton** 1881, Rigaud, simple soldat ; de *grivet,* fantassin, de *grive,* féminin de l'adj. *grief,* pénible.

**grivois** 1690, Dominique ; 1690, Furetière, bon drôle ; 1707, Dancourt, égrillard ; anc. fr. *grief,* pénible, du lat. pop. **grevis,* réfection de *gravis.* || **grivoiserie** 1872, Lar.

**grivoise** 1694, Ménage, tabatière ; altér., d'apr. *grivois,* soldat ; cette tabatière étant usuelle chez les soldats.

**grizzly** 1860, Depping (*grisly*) ; 1867, Blanchère (*grizzly*), ours gris ; mot anglo-américain signif. « grisâtre », de *grizzle,* gris, de l'anc. fr. *grisel* (XIIe s.), gris, dér. de *gris.*

**groenendael** 1930, Lar. ; mot flamand.

**grog** 1776, *Courrier de l'Europe ;* mot angl. (1770), tiré du sobriquet *Old Grog,* d'apr. son vêtement de *grogram* (v. GOURGOURAN), de l'amiral angl. Vernon, qui, en 1740, obligea ses marins à étendre d'eau leur ration de rhum, brèuvage qu'ils appelèrent *grog.*

**groggy** 1926, Esnault, « épuisé par l'effort » ; mot angl. signif. « ivre ».

***grogner** 1190, Garn. (*grunir*), puis *groignir,* d'apr. *groin ;* XIIe s. (*grognier*), par changement de conjugaison ; lat. *grunnire,* var. de *grundire* (v. GRONDER). || **grognard** XIIIe s., Delb. (*groinart*) ; 1560, Paré (*grognard*), « qui a l'habitude de grogner » ; appliqué aux soldats de la Garde sous Napoléon Ier (1812). || **grogne** milieu XIVe s., Machault ; déverbal de *grogner.* || **grognement** XVe s., G. || **grogneur** 1462, *Cent Nouvelles.* || **grognon** 1721, Trévoux (*mère grognon*) ; 1770, Rousseau, sens actuel. || **grognonner** début XVIIe s. || **grognonnerie** 1845, Besch. || **grognasse** 1883, Fustier.

**groin** 1190, Garn. (*gruing*) ; XVIe s. (*groin*) ; lat. pop. **grŭnium,* de *grunnire,* gronder.

**grole** XIIIe s., G., « savate » ; 1574, *Inventaire,* dial. (Lyon et Est), « vieux soulier », repris par l'argot au XIXe s. ; lat. pop. **grolla,* d'origine obscure.

**grolles** 1910, Esnault (*avoir les grolles*) ; déverbal du normand *groler,* trembler, var. de *crouler.*

**grommeler** 1150, Barbier (*gromer*) ; XIIIe s., *Ysopet* (*grumeler*) ; XIVe s., *Miracles* (*grommeler*) ; flamand *grommelen,* grogner. || **grommellement** XIIe s., *Ysopet.*

***gronder** 1160, *Tristan* (*gondre*) ; XIIe s. (*grondir*) ; début XIIIe s. (*gronder*) ; 1665, Retz, « réprimander » ; lat. *grŭndīre,* var. de *grŭnnīre,* grogner. || **grondement** 1170, Sully. || **gronderie** 1578, d'Aubigné. || **grondeur** 1586, Vaganay. || **grondin** 1398, *Ménagier* (*grimondin*) ; 1584, J. Bouchet (*grondin*), poisson ; ce poisson gronde quand il est pris.

**groom** 1669, Chamberlayne, « valet » ; début XIXe s., « petit laquais » ; anc. angl. *grom,* jeune laquais.

***gros** 1080, *Roland ; gros mots,* XIIIe s., Rutebeuf ; n. m. XVIIe s., Sévigné ; lat. impér. *grŏssus,* mot pop. qui a supplanté *crassus,* épais. || **grosse** commerc., milieu XVe s. ; droit, XVe s. || **gros-bec** 1555, Belon. || **gros-cul** 1895, Esnault. || **gros-guillaume** 1642, Oudin. || **gros-grain** XVIe s., étoffe. || **gros-jean** 1678, La Fontaine. || **grossement** 1188, Aimon. || **grosserie** XVIe s., « grossièreté » ; 1554, Havard, techn. || **grossesse** 1155, Wace ; 1283, Beaumanoir, « état d'une femme grosse ». || **grosset** XIIe s., *Parthenopeus.* || **grosseur** XIIe s., Marbode. || **grossier** XIIe s., « non civilisé » ; XVIe s., Amyot, « mufle » ; 1606, Nicot, « de matière rude ». || **grossièrement** 1361, Oresme. || **grossièreté** 1610, Béroalde, « manque de délicatesse » ; 1704, Trévoux, « parole inconvenante ». || **grossir** 1170, *Fierabras.* || **grossissant** 1763, Targe. || **grossissement** 1560, *Alector.* || **grossiste** fin XIXe s. ; p.-ê. par l'allem. || **grosso modo** 1566, G. ; loc. du lat. scolastique signif. « d'une manière grosse ». || **grossoyer** 1335, G., faire la grosse d'un acte. || **dégrossir** 1611, Cotgrave. || **dégrossissage** 1799, *Annales arts et manufactures.* || **engrosser** 1283, Beaumanoir. || **engrossement** XVe s. || **engrois** milieu XVIIIe s. ; anc. fr. *engroissier,* rendre gros, du lat. pop. **ingrŏssiare,* de *grossus.* || **regrossir** 1831, *Acad.*

**groseille** fin XIIe s., *Loherains* (*grozelle*) ; 1460, Villon (*groseille*) ; francique *krûsil,* premier élément du composé haut-allemand *kruselbere,* baie frisée (allem. *Krauselbeere,* groseille à maquereau). || **groseillier** 1120, *Ps. de Cambridge.*

**grossesse, grosseur, grosso modo, grossoyer** V. GROS.

**grotesque** 1532, Gay (*crotesque*) ; milieu XVIe s. (*grotesque*), ornement découvert dans les ruines romaines ; fin XVIe s., « burlesque », d'après le sens italien de « peinture grossière » ; 1657, Pascal, « extravagant » ; ital. *grottesco,* peinture de grotte, de *grotta,* grotte. || **grotesquement** 1632, Sagard Theodat.

**grotte** XIIIe s., *Geste des Chiprois* (*grote*) ; 1537, trad. du *Courtisan* (*grotte*) ; ital. *grotta,* du lat. pop. *crypta,* du gr. *kruptê,* souterrain ; le mot a remplacé l'anc. fr. *croute* (1080, *Roland*), resté dans les noms de lieux.

**grouiller** 1460, *Cent Nouvelles nouvelles ;* anc. fr. *grouler* (1280, Bibbesworth), s'agiter, var. de *crouler,* avec l'infl. de *fouiller.* || **grouillant** 1480, *D. G.* || **grouillement** apr. 1750, Buffon. || **grouillis** 1611, Cotgrave. || **grouillot** 1913, Esnault, petit garçon de Bourse ; d'apr. le sens pop. *se grouiller,* se dépêcher (1659, Loret).

**ground** 1886, E. Rod ; mot angl. signif. « sol, terrain » et désignant le terrain de tennis.

**group** 1723, Savary, sac d'argent ; ital. *gruppo,* nœud (dans un sens spécial), du germ. **kruppa.*

**groupe** 1668, R. de Piles ; ital. *gruppo,* var. *groppo,* nœud, assemblage, du germ. **kruppa.* || **groupement** 1801, Reuss. || **grouper** 1680, Richelet. || **groupage** 1866, L. || **groupuscule** 1955, *Journaux.* || **regrouper** 1932, Céline. || **regroupement** *id.* || **groupeur** 1797, Brunot, polit. ; XIXe s., sens mod.

**grouse** 1771, Buffon (*grou*) ; 1865, L. (*grouse*) ; mot écossais désignant un lagopède.

**gruau** 1170, *Rois* (*gruel*) ; 1398, *Ménagier* (*gruau*) ; dér. de l'anc. fr. *gru* (1220, Coincy, *gruis*), du francique **grût.* || **gruauter** 1872, Lar.

***grue** début XIIe s., *Voy. de Charl.,* zool. ; XVe s., femme de mœurs légères ; XIIIe s., Tailliar, machine de bois ; puis appareil de levage (1467, Gay), infl. par le néerl. *crane ;* lat. pop. **grua,* du lat. *grūs.* || **gruau** 1547, Haudent (*gruyau*), petit de la grue. || **grutier** fin XIXe s., ouvrier qui manœuvre les grues.

**gruger** 1482, G. (*-gier*) ; XVIe s. (*gruger*), « écraser, égruger » ; 1660, Oudin, « briser avec les dents » ; 1668, La Fontaine, « tromper » ; moyen néerl. *gruizen,* écraser, de *gruis,* grain. || **grugeoir** 1606, Crespin. || **égruger** 1556, Saliat. || **égrugeoir** 1611, Cotgrave.

**grume** 1552, Massé, « grain de raisin » ; 1690, Furetière, « écorce laissée sur le bois » et « pièce de bois » ; bas lat. *gruma,* écorce, lat. class. *gluma,* peau, de *glubere,* écorcher.

***grumeau** 1256, Ald. de Sienne (*grumiel*) ; 1690, Furetière (*grumeau*) ; lat. pop. **grūmellus,* lat. class. *grūmulus,* dimin. de *grūmus,* tertre. || **grumeler** XIIIe s., *Conq. de Jérusalem.* || **grumeleux** XIIIe s. || **grumelure** 1668, Mauriceau (*grumeleure*), « caillement de lait » ; 1769, *Encycl.* (*grumelure*), techn. || **grumier** 1962, Lar. || **engrumeler** 1549, Maignan.

**grunnir** 1885, Huysmans ; lat. *grunnire,* grogner.

**grutier** V. GRUE.

**gruyer** XIIIe s., Baude Fastoul, officier s'occupant des forêts ; mot féodal, du gallo-romain **grodarius,* maître forestier, du francique *grôdi,* ce qui est vert (allem. *grün,* vert).

**gruyère** 1680, Richelet (*grier*) ; XVIIIe s. (*gruyère*) ; nom d'une région de Suisse, pays d'origine de ce fromage (canton de Fribourg).

**gryllidé** 1866, L. (*gryllide*) ; 1901, Lar. (*-dé*) ; lat. *grillus,* grillon.

**gryphée** 1808, Boiste ; bas lat. *gryphus,* du gr. *grupos,* recourbé ; huître à coquille allongée et irrégulière.

**guanaco** 1766, Buffon ; quetchua *huanaco,* lama sauvage.

**guano** 1598, Acosta ; 1785, Frézier (var. *guana*) ; mot esp., du quetchua *huanacu,* matière résultant de l'accumulation d'excréments d'oiseaux. || **guanier** 1877, L.

***gué** 1080, *Roland* (*guez*) ; francique **wad,* endroit peu profond. || ***guéer** début XIIe s., *Voy. de Charlemagne.* || **guéable** 1160, Benoît (*gaable*) ; fin XVe s., Commynes (*guéable*).

**guèbre** 1657, La Boullaye (*quebre*) ; persan *gabr,* adorateur du feu.

**guède** fin XIe s., *Gloses de Raschi* (*wesde*) ; 1268, É. Boileau (*guède*), « plante tinctoriale » ; francique **waizda* (allem. *Waid*).

***guéer** V. GUÉ.

**guelfe** 1265, Br. Latini ; allem. *Welfe,* nom d'une puissante famille allemande.

**guelte** 1859, Esnault, « paie » ; 1866, Delvau, sens actuel ; flamand ou allem. *Geld,* argent.

**guenille** début XVIIe s. (*gnille*) ; 1611, Cotgrave (*guenille*) ; mot de l'Ouest, d'orig. obscure, p.-ê. var. de *guenipe* (v. 1500, J. Marot), femme de mauvaise vie, de l'anc. fr. *chipe,* chiffon, d'orig. germ. ou gauloise. || **guenillon** 1652, Berthod. || **guenilleux** 1766, Diderot. || **déguenillé** 1694, *Acad.*

**guenon** 1505, Gonneville ; de *guenipe,* guenille, d'orig. gauloise. || **guenuche** 1608, Régnier.

**guépard** 1637, Dan (*gapard*) ; apr. 1750, Buffon (*gué-*) ; ital. *gattopardo,* chat-léopard, peut-être avec infl. de *guêpe.*

***guêpe** 1165, Marie de France (*wespe*) ; 1636, Monet (*guêpe*) ; *taille de guêpe,* 1840, *Acad.* ; lat. *vĕspa,* devenu **wespa,* par croisement avec l'anc. haut. allem. *wefsa.* || **guêpier** 1354, *Modus,* oiseau mangeur de guêpes ; 1636, Monet, nid de guêpes, a remplacé *guêpière* (1567, Amyot) ; 1775, Beaumarchais, « piège ».

**guerdon** 1080, *Roland* (*gueredun*) ; 1360, Froissart (*guerdon*) ; francique **widarlôn,* croisé avec le lat. *donum,* don. || **guerdonner** 1050, *Alexis* (*gueredonner*).

**guère** 1080, *Roland* (*guaire*) ; 1283, Beaumanoir (*gueres*) ; *ne ... guère* (surtout à partir du XVI^e^ s.) ; francique *waigaro,* beaucoup. || **naguère** XII^e^ s., *Journ. de Blaives* (*n'a gaire*) ; de *n'a guère,* il n'y a guère de temps.

***guéret** 1080, *Roland* (*guaret*) ; fin XIV^e^ s. (*guéret*) ; lat. *vervactum,* jachère, avec infl. germ. sur l'initiale ; la chute du second *v* est inexpliquée.

**guéridon** 1615, *Harangue ... Mistanguet,* « meuble, souvent en forme de Maure » ; 1626, sonnet de Courval, « chanson » ; de *Guéridon,* personnage de farce (1614), qui tenait les chandeliers pendant que les autres dansaient.

**guérilla** 1820, Stendhal ; mot esp., dimin. de *guerra,* guerre. || **guérillero** 1825, Mérimée, mot esp. signif. « soldat d'une guérilla ».

**guérir** 1050, *Alexis* (*guarir*) ; fin XI^e^ s. (*guérir*), « défendre, préserver » ; la forme *garir* se maintient jusqu'au XVII^e^ s. ; v. pronominal 1080, *Roland,* « recouvrer la santé » ; 1155, Wace, v. t., sens actuel ; francique **warjan* (allem. *wehren,* protéger). || **guérison** 1080, *Roland* (*guarisun*). || **guérissable** 1361, Oresme. || **guérisseur** XIV^e^ s. (*gariseor*), « garant » ; 1526, J. Marot, « celui qui guérit » ; 1735, Lesage, péjor. || **inguérissable** 1460, Chastellain.

**guérite** 1220, Coincy, *à la garite,* sauve qui peut ; 1223, G., « abri » ; 1360, Froissart (*guérite*) ; de *garir,* protéger, défendre. (V. GUÉRIR.)

**guerre** 1080, *Roland* ; francique **werra,* qui a éliminé le lat. *bellum,* confondu avec *bellus,* beau. || **guerrier** *id.* n. m. ; adj. 1112, *Voy. saint Brendan,* « hostile ». || **guerroyer** 1080, *Roland.* || **guerroyeur** 1155, Wace. || **aguerrir** 1535, de Selve ; fig. 1665, Graindorge. || **après-guerre** n. m. 1919, M. Tinayre.

**guet, guet-apens** V. GUETTER.

**guêtre** XV^e^ s., *Journal d'un bourgeois de Paris* (*guietre*) ; 1636, Monet (*guêtre*) ; francique **wrist,* cou-de-pied, d'où par ext. ce qui couvre la jambe. || **guêtrer** 1549, R. Est. || **guêtrier** 1597, L. || **guêtron** 1808, Boiste.

1. **guette** V. GUETTER.

2. **guette** 1690, Furetière, pièce de charpente ; prononc. pop. de *guêtre.*

**guetter** 1080, *Roland* (*guaiter*) ; 1538, R. Est. (*guetter*) ; francique **wahtôn* (allem. *wachen,* veiller à). || **guette** 1130, *Eneas* (*guaite*), « action de guetter » ; XIII^e^ s., Rutebeuf, guet ; déverbal. || **guetteur** fin XII^e^ s., G. || **guet-apens** fin XV^e^ s., La Curne, dans loc. *de guet apens ;* 1596, Vaganay, *guet-apens ;* altér. d'un plus ancien *de guet apensé, d'aguet pensé,* de *apenser,* former un projet. (V. AGUET, ÉCHAUGUETTE.)

***gueule** 980, *Passion* (*gola*) ; 1175, Chr. de Troyes (*goule*) ; XIII^e^ s. (*gueule*), « gosier » ; XI^e^ s., en parlant des animaux ; XIV^e^ s., *Modus,* « ouverture » ; fig., *gueules du blason,* d'abord morceaux découpés dans la peau du gosier de la martre, avec infl. possible du persan *gul,* rose ; lat. *gŭla,* gosier. || **goulée** 1175, Chr. de Troyes ; sur l'anc. forme *goule.* || **goulet** 1354, *Modus,* terme de chasse ; 1555, *Journ. de Gouberville,* couloir étroit ; 1743, Trévoux, entrée d'un port. || **goulot** 1596, Guénoys, « conduit d'un égout » ; 1611, Cotgrave, sens actuel. || **goulu** 1493, Coquillart. || **goulûment** 1546, Vaganay. || **gueulard** 1395, G., techn., « grosse cruche », n. m. ; 1567, Junius, « qui a une grosse bouche » ; 1660, Oudin, « qui gueule », adj. pop. || **gueulardise** 1611, Cotgrave (*goulardise*) ; 1867, Delvau (*gueu-*). || **gueulée** 1180, *Alexandre.* || **gueuler** 1660, Oudin. || **gueulante** milieu XX^e^ s. || **gueulement** 1877, Zola. || **gueuleton** 1743, Vadé. || **gueuletonner** 1858, Lachâtre. || **gueuloir** 1880, Flaubert. || **gueule-de-loup** début XIX^e^ s. || **amuse-gueule** XX^e^ s. || **bégueule** 1690, Furetière, de *bée gueule,* gueule béante (XV^e^ s.). || **dégueuler** 1493, Coquillart. || **dégueulasse** 1867, Delvau. || **dégueulée** 1870, Lar. || **dégueulis** 1863, L. || **dégouliner** 1737, Vadé, pop. ; de la forme *goule.* || **dégoulinage** 1880, Huysmans. || **dégoulinement** 1884, A. Daudet. || **engueuler** 1580, *Anc. Théâtre* (*mal engueulé*), mal embouché ; 1754, *Madame engueule,* pièce de Boudin, sens actuel. || **engueulade** 1846, Flaubert. (V. ENGOULEVENT.)

**gueuse** 1543, Barbier, techn. ; bas allem. *göse,* pl. de *Gans,* oie et gueuse par analogie de forme.

**gueux** fin XIV^e s., Esnault (*prendre à compagnon et à gueux*) ; 1452, Villon (*gueux*) ; 1655, Molière, *courir la gueuse ;* moyen néerl. *guit,* coquin. || **gueuser** début XVI^e s. || **gueuserie** 1606, Nicot. || **gueusaille** 1608, L'Estoile. || **gueusailler** 1642, Oudin. || **gueusard** 1808, d'Hautel.

**gugusse** XX^e s. ; abrév. pop. de *Auguste.*

1. **gui** 1390, *Glossaire du Vatican,* plante ; lat. *viscum,* sous l'infl. du francique **wîhsila.* (V. GUIMAUVE.)

2. **gui** 1687, Desroches, vergue ; néerl. *giek,* var. *gijk.*

**guibole** 1842, Esnault ; altér. probable de *guibonne* (*guibon, gibon* en normand, 1630, *Muse normande*), apparenté à l'anc. fr. *giber,* gigoter.

**guibre** 1773, Bourdé ; même mot que *guivre.* Terme de marine désignant la forme recourbée de l'étrave.

**guiche** 1080, *Roland* (*guige*) ; XIII^e s., *Apollonius* (*guiche*), courroie ; francique **withja,* lien d'osier. || **aguicher** 1842, E. Sue, « exciter » ; 1904, *le Temps,* « agacer ». || **aguichant** av. 1860, G^al de Rumigny. || **aguicherie** 1935, V. Margueritte. || **aguicheur** 1900, Willy. || **enguiché** 1313, G., blas. || **enguichure** XV^e s., *D. G.,* vénerie.

**guiches** 1876, Esnault, accroche-cœur ; du n. du marquis de *La Guiche* qui lança la mode v. 1824.

**guichet** 1130, *Eneas,* « petite porte de prison » ; 1627, Crespin, « ouverture grillagée » ; 1900, *D. G.,* sens actuel ; p.-ê. de l'anc. scand. *vík,* cachette, avec infl. de *uisset,* petite porte, diminutif de *uis,* porte (lat. *ostuim*). || **guichetier** 1611, Cotgrave.

**guide** 1370, Delb., n. f. ; fin XVI^e s., d'Aubigné, n. m., « personne qui guide » ; 1534, Rab., « principe directeur » ; 1615, Régnier, « ouvrage » ; anc. prov. *guida,* du francique **wītan ;* il a remplacé l'anc. fr. *guis, guion ;* masc. ou fém. jusqu'au XVII^e s., comme nom d'agent.

**guider** 1367, Delb. ; réfection, d'apr. *guide,* de l'anc. fr. *guier* (1080, *Roland*), du francique **wītan,* montrer une direction. || **guideau** 1840, *Acad.* || **guidage** 1611, Cotgrave, « passeport » ; 1877, L., action de guider. || **guide-âne** 1721, Trévoux.

**guiderope** 1855, Baudelaire, aérostation ; mot angl. composé de *guide* et de *rope,* corde.

**guidon** 1373, Gace de La Bigne ; ital. *guidone,* étendard (qui guide) ; 1680, Richelet, guidon d'une arme ; 1895, A. Daudet, guidon d'une bicyclette.

1. **guigne** 1398, *Ménagier* (*guine*) ; XV^e s., Basselin (*guigne*), cerise ; sans doute altér. du germ. **wîhsila* (allem. *Weichsel,* griotte). || **guignier** 1508, *Comptes château Gaillon.* || **guignolet** 1823, Boiste, liqueur.

2. **guigne,** malchance. V. GUIGNER.

**guigner** XII^e s., *Parthenopeus,* « faire signe » ; 1175, Chr. de Troyes, « faire signe de l'œil, loucher » ; francique **wingjan* (allem. *winken,* faire signe). || **guignon** 1160, Béroul, de *guigner,* regarder de travers, d'où « d'une manière défavorable », d'où « le mauvais œil ». || **guigne** 1811, Esnault ; de *guignon.* || **guignard** 1888, Villatte. || **déguignonner** 1731, Trévoux. || **enguignonner** 1866, Delvau.

**guignol** 1848, G. Sand ; nom d'un personnage de marionnettes lyonnaises *Guignol* (XVIII^e s.), sans doute nom d'un canut lyonnais, de *guigner,* jeter des regards de côté. || **guignolade** v. 1950. || **guignolesque** 1937, A. Breton. || **grand-guignolesque** 1900, Jarry ; par l'intermédiaire du théâtre *le Grand-Guignol* fondé en 1897.

**guignon** V. GUIGNER.

**guilde,** var. **ghilde,** 1788, *Journal de Paris ;* lat. médiév. *gilda,* du moyen néerl. *gilde,* troupe, et par ext. « corporation », du francique **gilda,* réunion de fête. L'anc. fr. *gelde* (1155, Wace), bande de soldats, est de même rac.

**guildive** 1698, Froger, « tafia » ; orig. antillaise.

**guillaume** 1600, Havard, « rabot » ; nom propre *Guillaume,* par le provençal.

**guilledou** V. GUILLER.

**guillemet** 1677, Miege ; nom propre dimin. de *Guillaume,* imprimeur qui inventa ce signe, d'apr. Ménage. || **guillemeter** 1800, Boiste. || **guillemetage** XX^e s.

**guillemot** 1555, Belon, zool. ; dimin. de *Guillaume,* donné comme surnom à cet oiseau. (V. GEAI, MARTINET, SANSONNET.)

1. **guiller** 1175, Chr. de Troyes, « tromper », de *guille,* ruse (XII^e s.), avec infl. de *Guillaume* (cf. *Tel croit guillet Guillot*) ; francique **wigila,* astuce. || **guilledou** (*courir le*) 1578, d'Aubigné ;

mot de l'Ouest et du Nord-Ouest, de *guille,* tromperie, et de *doux.*

2. **guiller** XVe s., G., pour la bière ; néerl. *gijlen,* fermenter.

**guilleret** V. GUILLERI.

**guilleri** v. 1560, Pasquier, chant du moineau ; anc. fr. *guiller,* séduire. || **guilleret** 1460, *Monologue de l'amoureux,* probablement de la même famille.

**guillocher** 1570, Gay (*guillogé*) ; 1765, *Encycl.* (*guillocher*) ; ital. dial. *ghiocciare,* dégoutter, du lat. *gutta,* goutte. || **guillochage** 1792, Salivet. || **guillochis** 1560, Ronsard. || **guillocheur** 1765, *Encycl.* || **guillochure** 1887, Zola.

**guillot** 1622, Cyrano, ver du fromage, d'un nom propre ; abrév. de *Guillaume,* avec suffixe *-ot.*

**guillotine** 1790, *Actes des Apôtres,* de *Guillotin,* médecin qui préconisa cette machine. || **guillotiner** *id.* || **guillotineur** 1792, Frey.

**guimauve** XIIe s., G., texte du Nord (*widmalve*), var. *ymalve, vimauve,* en anc. fr. ; XIVe s., *Antidotaire* (*guimauve*) ; de *mauve* et du lat. *hibiscus,* mauve, du gr. *hibiskos,* croisé avec *gui.*

**guimbarde** 1625, *Muse normande,* « danse » ; 1739, Carbassus, « instrument de musique » ; 1723, Savary, « chariot », sans doute à cause de son grincement ; 1862, Hugo, « vieille voiture » ; prov. mod. *guimbardo,* danse, de *guimbá,* sauter, du gotique **wimôn.*

**guimpe** 1135, G. (*guimple*) ; 1564, Thierry (*guimpe*) ; francique **wimpil* (allem. *Wimpel,* banderole) ; au Moyen Âge, pièce de toile blanche encadrant le visage. || **guimpier** 1494, Jal.

1. **guinche** V. GINCHER.

2. **guinche** 1767, Garsault, outil de bois ; anc. fr. *gueschire,* obliquer, du francique **wenkjan,* vaciller.

**guincher** 1821, Desgranges, var. de *guenchir,* obliquer ; francique **wenkjan,* vaciller. || **guinche** 1821, Desgranges, « danse » ; déverbal.

**guinder** 1155, Wace, mar., « soulever un fardeau avec une machine » ; 1573, Du Puys, « lancer d'en haut » ; 1663, Molière, fig., raidir ; scand. *vinda,* hausser, par le normand. || **guindant** 1643, Fournier, mar. || **guindage** 1386, Zeller. || **guindeau** 1155, Wace (*vindas*) ; 1660, Oudin (*guindeau*), cabestan ; norrois *vind-âss,* treuil. || **guinderesse** 1525, Jal, mar. || **guindre** 1600, O. de Serres ; p.-ê. prov. *guindre,* de même rac. techn. || **guinde** XIIe s., coiffure de femme ; milieu XVIIe s., grue à bras pour élever des fardeaux.

**guinée** 1669, Chamberlayne, monnaie anglaise frappée en 1663 avec l'or de la Guinée ; 1666, Thévenot, toile bleue servant de troc en Guinée.

**guingan** 1701, Havard, toile de coton qui venait de l'Inde ; port. *guingão,* du malais *ginggang.*

**guingois (de)** 1442, Delb. ; anc. fr. *ginguer,* sautiller (XVe s.), de *gigue,* mandoline.

**guinguette** 1697, *D. G.* ; 1750, Trévoux (*maison guinguette*) ; p.-ê. de l'anc. adj. *guinguet,* étroit, var. de *guiguet,* trop court, et de *giguer,* gambader, sauter, à cause de la danse.

**guiper** 1350, G., « tordre » ; 1845, Besch., « broder » ; francique **wīpan,* entourer de soie, travailler une étoffe utilisée surtout pour les rideaux. || **guipage** 1867, *Moniteur universel.* || **guipoir** 1723, Savary. || **guipon** 1342, G., « goupillon » ; fin XVIIe s., « balai ». || **guipure** 1393, G.

**guirlande** 1395, Chr. de Pisan (*guerlande*) ; 1552, Ronsard (*guir-*) ; ital. *ghirlanda,* de la même famille que *galandage* (v. ce mot). || **guirlandé** 1611, Cotgrave. || **enguirlander** 1555, Vauquelin de La Fresnaye, « entourer de guirlandes » ; 1922, Lar., « réprimander ».

**guisarme** fin XIe s., *Gloses de Raschi* ; francique **wîsarm,* sorte d'arme.

**guise** 980, *Passion* (*wise*) ; 1080, *Roland* (*guise*) ; francique **wîsa* (allem. *Weise,* manière). || **déguiser** 1155, Wace, comme pronominal, sortir de sa guise, de sa manière d'être ; spécialisé pour les mascarades (1611, Cotgrave) ; 1559, Amyot, « dissimuler ». || **déguisé** n. 1845, Besch. || **déguisement** fin XIIe s., *Ysopet de Lyon.*

**guitare** 1360, Gay ; anc. prov. *guitarra,* du lat. *cithara,* gr. *kithara* ; a remplacé l'anc. fr. *guiterne* (1265, J. de Meung). || **guitariste** 1829, Boiste. || **guitariser** 1646, Scarron.

**guiterne** 1265, J. de Meung, instrument de musique ; altér. du lat. *cithara.* (V. GUITARE.)

**guit-guit** 1760, Brisson, passereau d'Amérique ; onom. d'apr. le cri.

**guitoune** 1842, Mornand ; ar. *gītūn,* petite tente ; tente de campement, puis abri de tranchée (1915-1918).

**guivre, givre** 1080, *Roland,* « serpent » (jusqu'au XV^e^ s.) ; 1581, Bara, terme de blason ; lat. pop. * *wīpĕra,* du lat. *vipera,* avec infl. germ. || **guivré** 1671, Pomey.

**gulaire** 1842, *Acad. ;* lat. *gula,* gueule.

**gulf-stream** 1803, Volney ; mot angl., de *gulf,* golfe, et *stream,* courant.

**gumène** 1552, Rab., « câble d'une ancre » ; lat. médiév. *gumena,* de l'ar. *gommal.*

**gunite** v. 1940 ; mot angl., de *gun,* arme à feu, en raison de la manière dont le produit est projeté.

**gustation** 1530, Lefèvre d'Étaples ; bas lat. *gustatio,* de *gustare,* goûter. || **gustatif** 1503, Chauliac. (V. GOÛTER.)

**gutta-percha** 1845, *Technologiste ;* mot angl., adaptation du malais *getah,* gomme, et *pertcha,* arbre qui donne la gomme (v. GOMME-GUTTE). || **guttifère** 1811, *Encycl. méth.*

**guttural** 1532, Rab., « du gosier » ; 1772, Duclos, en phonétique ; lat. *guttur,* gosier.

**guzla** 1791, *Encycl. ;* ital. *guzla,* du serbo-croate *gusle.*

**gymkhana** 1901, Mackenzie ; mot angl., de *gymnastic,* et de l'hindî *gendkhāna,* salle de jeu de balle.

**gymnase** fin XII^e^ s. (*gynnasy*), au sens antique ; 1378, Le Fèvre (*gynaise*) ; 1704, Trévoux (*gymnase*) ; 1772, Rousseau, salle d'exercices ; lat. *gymnasium,* du gr. *gumnasion.* || **gymnaste** 1534, Rab., n. propre d'un écuyer ; 1721, Trévoux, au sens antique ; 1866, L., « qui pratique la gymnastique » ; XX^e^ s., sportif pratiquant les exercices de gymnastique ; lat. *gymnasticus,* du gr. *gumnastês.* || **gymnastique** 1361, Oresme, adj. et n. f. ; lat. *gymnasticus.* || **gymnique** 1542, É. Dolet, au sens antique ; XX^e^ s., sens actuel ; lat. *gymnicus,* du gr. *gumnikos,* de *gumnos,* nu ; les athlètes étaient nus pour leurs exercices.

**gymno-,** gr. *gumnos,* nu. || **gymnocarpe** 1821, Boiste. || **gymnosperme** av. 1778, Rousseau. || **gymnote** 1771, Schmidlin ; lat. zool. mod. *gymnotus,* du gr. *gumnos,* nu, et *nôtos,* dos, à cause de l'absence de la nageoire dorsale de ces poissons.

**gyn(o)-, gynéc(o)-,** gr. *gunê, gunaikos,* femme. || **gynandre** 1866, L. ; gr. *anêr, andros,* homme. || **gynécée** 1568, N. de Nicolay ; lat. *gynaeceum,* du gr. *gunaikeion.* || **gynécologie** 1836, Landais. || **gynécologique** 1922, Lar. || **gynécologue** 1845, Besch., « auteur d'un traité de gynécologie » ; 1866, L., médecin.

**gypaète** 1800, Daudin ; gr. *gups,* vautour, et *aetos,* aigle ; rapace diurne.

**gypse** 1250, *Enfances Guillaume ;* lat. *gypsum,* du gr. *gupsos,* plâtre, gypse. || **gypseux** 1560, Paré. || **gypsifère** 1811, Mozin.

**gyrin** 1803, Boiste ; gr. *gûros,* cercle, insecte décrivant des cercles sur l'eau.

**gyr(o)-,** gr. *gûros,* cercle. || **gyrocompas** 1922, Lar. || **gyromancie** 1361, Oresme ; gr. *manteia,* divination. || **gyroscope** 1852, Lar., créé par L. Foucault ; gr. *skopein,* examiner. || **gyroscopique** début XX^e^ s. || **gyrostat** 1917, Lar. || **gyrovague** XV^e^ s., « moine errant » ; 1689, d'après Trévoux 1732, « vagabond » ; lat. *gyrovagus,* de *gyrare,* tourner, et *vagus,* errant.

# h

**habanera** 1898, Loti ; de *Habana,* nom esp. de l'île de La Havane ; danse populaire au XIXe s.

**habeas corpus** 1692, Chamberlayne ; loc. angl., du lat. *habeas corpus ad subjiciendum,* que tu aies ton corps pour le présenter au juge, de *subjicere,* exposer à.

**habile** 1360, Froissart, « agile » ; fin XIVe s., Chr. de Pisan, « compétent », jurid. ; milieu XVIe s., Ronsard, « cultivé » ; 1538, R. Est., « ingénieux » ; lat. *habilis* (qui avait donné *able*), maniable, apte à, de *habere,* avoir, tenir. || **habilement** 1372, Golein. || **habileté** XIIIe s., *Sept Sages de Rome* (*-ité,* orth. latine conservée dans le sens jurid.) ; 1539, R. Est. (*-eté*) ; lat. *habilitas.* || **habiliter** fin XIIIe s., Macé de La Charité ; lat. médiév. *habilitare,* sens jurid. || **habilitation** 1373, G. ; lat. *habilitatio.* || **inhabile** 1361, Oresme ; lat. *inhabilis,* incommode. || **inhabilement** 1596, Hulsius. || **inhabileté** 1380, Conty. || **inhabilité** 1361, Oresme. || **malhabile** fin XVe s., Basselin. || **malhabilement** 1636, Monet. || **réhabiliter** 1234, chez A. Thierry, redonner sa capacité juridique à quelqu'un ; fin XVIIe s., Saint-Simon, « rétablir dans l'estime ». || **réhabilitation** 1401, N. de Baye.

**habiller** 1307, Guiard (*abillier*), « préparer, équiper » ; XIVe s., « vêtir » ; de *bille :* d'abord « préparer une bille de bois », puis infl. de *habit.* || **habillable** 1845, Besch. || **habillage** milieu XVe s. || **habillement** 1374, G., « équipement » ; 1572, Chesneau, « vêtement ». || **habillé** 1696, La Bruyère, « élégant ». || **habilleur** milieu XVIe s., « corroyeur » ; n. f. 1866, L. || **habillure** 1769, Roubo. || **déshabiller** fin XIVe s. || **déshabillage** 1877, A. Daudet. || **déshabillé** n. m. 1627, Brunot. || **rhabiller** 1464, G. || **rhabillage** 1532, *D. G.* || **rhabillement** début XVIe s. || **rhabilleur** 1549, R. Est.

**habit** 1155, Wace ; lat. *habitus,* manière d'être, mise, tenue, de *habere,* avoir ; en anc. fr. surtout eccl. ; *habit vert,* 1902, Lar.

**habitacle** V. HABITER.

**habiter** début XIIe s., *Ps. de Cambridge ;* lat. *habitare,* même sens, de *habere,* tenir. || **habitable** v. 1160, Benoît. || **habitabilité** 1845, Besch. || **habitacle** 1120, *Ps. de Cambridge,* eccl., « demeure » ; 1643, Fournier, marine ; XXe s., aéron. ; lat. *habitaculum,* petite maison. || **habitant** début XIIe s., R. de Moiliens. || **habitat** 1808, Boiste, «milieu géographique » ; 1925, Roussel, « conditions de logement ». || **habitation** 1120, *Ps. d'Oxford ;* lat. *habitatio.* || **cohabiter** 1355, Bersuire ; bas lat. *cohabitare.* || **cohabitation** XIIIe s., G. ; lat. *cohabitatio.* || **inhabitable** 1360, Froissart. || **inhabité** fin XIVe s.

**habitude** V. HABITUER.

**habituer** début XIVe s., « munir » ; 1549, R. Est., « accoutumer » ; une première fois au part. passé, 1361, Oresme ; lat. médiév. *habituare,* de *habitus,* manière d'être. || **habitude** 1361, Oresme, « complexion » ; 1487, Garbin, « manière d'être ordinaire » ; lat. *habitudo,* même origine. || **habitué** n. 1778, Proschwitz. || **habituel** XIVe s. ; lat. médiév. *habitualis.* || **habituellement** 1382, Maizières. || **déshabituer** 1460, Chastellain. || **déshabitude** 1845, Besch. || **inhabituel** 1829, Boiste. || **réhabituer** 1549, R. Est. (*ra-*).

**hâbler** 1542, de Changy ; sens péjor. dès le XVIIe s. ; esp. *hablar,* parler, du lat. *fabulari.* || **hâbleur** 1555, Vaganay. || **hâblerie** 1628, Sorel.

**hache** 1138, Gaimar ; francique **hapja.* || **hacher** 1314, Mondeville (*hagier*) ; XIVe s., Laborde (*hacher*). || **hachement** 1606, Nicot. || **hachage** 1873, Lar. || **hache-légumes** 1866, L. || **hache-paille** 1765, Brunot. || **hache-viande** 1902, Lar. || **hachette** XIIIe s., du Cange. || **hachereau** XVe s., G. || **hacheur** XIVe s., Laborde, « ciseleur ». || **hachis** 1280, Bibbesworth (*hagis*) ; 1538, R. Est. (*hachis*). || **hachoir** 1471, G. || **hachotte** 1789, *Encycl. méth.* || **hachure** début XV^e s. || **hachurer** 1893, Courteline.

**hachisch** 1556, Saliat (*aschy*) ; 1847, Besch. (*haschisch*) ; ar. *hachīch,* herbe, chanvre.

**hachure** V. HACHE.

**hacienda** 1827, *Revue ;* mot esp. signif. « propriété », du lat. *facienda,* ce qui doit être fait, de *facere,* faire.

**hadal** 1962, Lar. ; gr. *Hadês,* roi des Enfers.

**haddock** fin XIII^e s., G. (*hadoc*) ; angl. *haddock,* chair fumée de l'aiglefin.

**hadj** ou **hadji** 1568, Nicolaï (*hagis*) ; 1839, Boiste (*hadji*) ; 1902, Lar. (*hadj*) ; ar. *hādjdjı,* pèlerinage.

**hadron** 1968, Lar. ; gr. *hadros,* abondant.

**hafnium** 1923, Hevesy (chimiste suédois) ; du second élément du nom danois de Copenhague (*Kjoeben*) *havn.*

**hagard** 1398, *Ménagier ;* appliqué d'abord au faucon sauvage ; 1560, Paré, méd. ; v. 1850, fig. ; moyen angl. *hagger,* sauvage.

**hagiographe** 1455, Fossetier ; bas lat. *hagiographa,* du gr. *hagiographos,* de *hagios,* saint, et *graphein,* écrire. || **hagiographie** 1813, Gattel. || **hagiographique** 1842, *Acad.* || **hagiologie** 1842, Mozin ; gr. *logos,* discours ; ouvrage qui traite des saints. || **hagiologique** 1694, Chastellain. || **hagiologue** 1903, Huysmans.

**haha** 1684, Corn. ; onomat.

**haie** 1053, *Cart. Saint-Germain des Prés* (*hayas*) ; francique **hagja* (allem. *Hag,* néerl. *haag*). || **hayon** 1280, Delb., « étal à jour » ; v. 1950, en autom.

**haïk** 1699, *Mercure ;* ar. *hā'ik,* pièce d'étoffe sans couture.

**haillon** 1404, *Journ. d'un bourgeois de Paris ;* moyen haut allem. *hadel,* lambeau. || **haillonneux** 1560, Ronsard.

**haine** V. HAÏR.

**haïr** 1080, *Roland ;* francique **hatjan* (angl. *to hate,* allem. *hassen*). || **haine** 1155, Wace (*haïne*) ; déverbal. || **haineux** 1155, Wace. || **haineusement** 1350, *Glossaire.* || **haïssable** 1569, Montaigne. || **haïsseur** 1585, du Fail.

**haire** 980, *Valenciennes ;* francique **harja,* vêtement de poil (allem. *Haar,* cheveu, angl. *hair*).

**haje** 1827, *Acad. ;* ar. *hayya,* même orig. que *naja ;* désigne une sorte de cobra.

**halbi** 1771, Trévoux ; néerl. *haalbier,* bière légère.

**halbran** 1398, *Ménagier* (*halebran*) ; 1636, Monet (*halbran*) ; moyen haut allem. **halberant,* demi-canard (à cause de sa petitesse). || **halbrener** 1538, G. (*-é*) ; se dit d'un faucon dont les pennes sont rompues.

**halde** 1779, Morand ; allem. *Halde,* colline.

**hâle** V. HÂLER.

**halecret** 1489, Gay ; moyen néerl. *halskleedt* (allem. *Halskragen,* tour de cou) ; désigne un corps d'armure articulé.

**haleine** 1080, *Roland* (*aleine*) ; 1360, Froissart, avec *h,* sur le lat. *halare,* souffler ; déverbal. || **haleiner** 1360, Froissart (*alener*) ; 1560, Paré (*haleiner*), sous l'infl. du lat. *halare,* souffler ; lat. *anhelare,* par métathèse de *n* à *l.* || **haleinée** fin XII^e s., *Raoul de Cambrai.*

**haler** 1138, *Saint Gilles ;* germ. *halon,* tirer. || **halage** 1488, *Mer des hist.* || **haleur** 1680, Richelet. || **hale-bas** 1721, Trévoux. || **hale-breu** 1773, Bourdé ; de *breu,* var. de *breuil,* poulie. || **déhaler** début XV^e s.

**hâler** 1170, *Fierabras,* « dessécher » ; 1240, G. de Lorris, « brunir la peau » ; lat. pop. **assulare,* griller, de *assare,* avec infl. du néerl. *hael,* desséché. || **hâle** 1175, Chr. de Troyes (*hasle*), déverbal. || **haloir** 1752, Trévoux. || **déhâler** 1690, Furetière.

**haleter** 1175, Chr. de Troyes ; anc. fr. **haler,* souffler, du lat. *halare,* souffler. || **haletant** 1539, R. Est. || **halètement** 1495, J. de Vignay.

**half-track** 1948, Lar. ; mot angl., de *half,* demi, et *track,* route.

**halichère** 1873, Lar. ; lat. scientif. *halichoerus,* du gr. *hals, halos,* mer, et *khoîros,* cochon.

**halieutique** 1732, Trévoux ; gr. *halieutikos,* de *halieus,* pêcheur ; qui a rapport à la pêche.

**haliotide** 1827, *Acad. ;* gr. *hals, halos,* mer, et *ous, otos,* oreille ; désigne un mollusque.

**haliple** 1803, Morin ; gr. *hals, halos,* mer, et *plein,* naviguer ; insecte vivant dans les eaux douces et saumâtres.

**hall** 1671, Chamberlayne ; rare avant le XIX^e s. ; mot angl., de même origine que *halle.*

**hallali** 1751, *Dict. d'agriculture ;* anc. fr. *haler,* exciter les chiens, var. de *harer,* de *hare,* cri pour exciter les chiens, et de *à lui* (*li*).

**halle** 1213, *Fet des Romains ;* pl. 1268, É. Boileau ; *fort de la halle,* 1732, Trévoux ; *fort des halles,* 1854, Nerval ; francique **halla.* || **hallage** 1268, É. Boileau.

**hallebarde** XVe s., du Cange ; moyen haut allem. *helmbarte,* hache à poignée, de *helm,* hampe, et *barte,* hache. || **hallebardier** 1483, Isambert.

**hallier** 1458, *Mystère (hai-),* « fourré de buissons » ; francique **hasal,* rameau (*Loi ripuaire ;* allem. *Hasel,* noisetier).

**halluciné** 1611, J. Duval (*-xiné*) ; 1845, Besch. (*halluciné*) ; lat. *hallucinatus,* de *hallucinari,* errer. || **hallucinant** fin XIXe s. || **hallucination** 1660, Fernel ; lat. *hallucinatio,* divagation. || **halluciner** 1862, Hugo. || **hallucinogène** v. 1950.

**halo** milieu XIVe s., « auréole » ; 1891, *Rev. encycl.,* en photogr. ; lat. *halos,* cercle autour du Soleil, du gr. *halôs,* aire ronde et unie à battre le grain.

**hal(o)-,** gr. *hals, halos,* sel. || **halogène** 1845, Besch. || **halographie** 1839, Boiste. || **halomorphe** 1962, Lar. || **halophile** 1845, Besch. || **halophyte** 1878, Lar.

**halte** 1180, *Partenopeus* (*halt*), « lieu où l'on séjourne » ; 1570, Granvelle, temps d'arrêt ; francique **halt ;* 1636, Monet, interj., de l'allem. *Halt.* || **halter** 1690, Pellisson.

**haltère** 1534, Rab. (*alteres*) ; rare jusqu'au XIXe s. ; lat. *haltēr,* du gr. *haltêr,* balancier pour la danse. || **haltérophile** 1903, *la Vie au grand air.* || **haltérophilie** 1959, Lar.

**halva** fin XIXe s. ; turc *halvā.*

**hamac** 1519, *Voy. d'Ant. Pigaphetta* (*amacca*) ; 1640, Bouton (*hamat*) ; 1659, Chevillard (*hamac*) ; esp. *hamaca,* mot arawak.

**hamada** 1888, Lar. ; ar. *hāmada,* plateau rocheux au Sahara.

**hamadryade** 1442, Martin Le Franc ; lat. *hamadryas,* gr. *hamadruas,* de *hama,* avec, et *drûs,* arbre ; papillon.

**hamamélis** 1615, Daléchamp ; gr. *hamamêlis,* néflier, de *mêlon,* pomme ; petit arbre ornemental.

**hameau** 1170, *Vie de saint Edmond ;* anc. fr. *ham,* village (conservé dans les noms de lieux), du francique **haim,* même sens.

**hameçon** 1100, *Doc. ;* anc. fr. *haim* (fin XIe s.), du lat. *hamus,* même sens. || **hameçonner** 1611, Cotgrave.

**hammam** 1655, Olearius ; ar. *hammām,* bain.

**hammerless** 1878, Lar. ; mot angl., de *hammer,* marteau, et *less,* sans ; fusil de chasse sans chien apparent.

1. **hampe** 1559, Amyot, « manche de lance » ; altér. de l'anc. fr. *hante* (XIIe s.), lance, du lat. *hasta,* avec infl. du germ. **hant,* main.

2. **hampe** fin XIIIe s., *Chace dou cerf,* « poitrine de cerf » ; altér. de *wampe* (XIIIe s., de Garlande), de l'anc. haut allem. *wampa,* sein (allem. *Wamme,* fanon), et du francique **hamma,* partie postérieure de la cuisse.

**hamster** apr. 1750, Buffon ; mot allem. ; mammifère rongeur d'Europe orientale.

**han !** 1307, Guiart ; onomatopée, var. de *ha.*

**hanap** v. 1100, *Doc. ;* francique **hnapp,* écuelle (allem. *Napf*), latinisé en bas lat. *hanappus* (VIIe s.), vase à boire.

**hanche** 1130, *Eneas ;* francique **hanka* (allem. *hinken,* boiter). || **hancher** fin XIVe s. (*hanchier*), « donner un croc-en-jambe » ; sens méd. 1835, Gautier. || **hanchement** 1877, Goncourt. || **déhancher** 1564, J. Thierry, « disloquer » ; *se déhancher,* 1673, Molière. || **déhanchement** 1771, Schmidlin.

**hand-ball** début XXe s. ; mot allem. signif. « balle à la main » (par opposition à l'angl. *football*).

**handicap** 1827, Th. Bryon ; XXe s., fig. ; mot angl., de *hand in cap,* main dans le chapeau, d'abord jeu de hasard. || **handicaper** 1854, F. Mackenzie, sports ; fin XIXe s., fig. || **handicapeur** 1868, Souviron.

**hangar** 1135, texte picard (*Hangart*), comme n. propre ; francique **haimgard,* clôture entourant une maison, de **haim,* hameau, et **gard,* clôture.

**hanneton** fin XIe s., *Gloses de Raschi ;* germ. *hano,* coq (allem. *Hahn,* qui signifie « hanneton » en allem. dialect. ; en Limousin, *poule d'arbre,* hanneton). || **hannetonnage** 1835, *Maison rustique.* || **hannetonner** 1767, Brunot.

**hanse** 1240, texte de Saint-Omer ; anc. haut allem. *Hansa,* troupe, corporation. || **hanséatique** 1650, Ménage ; allem. *hanseatisch.*

**hanter** 1138, Gaimar, « fréquenter » ; 1823, Hugo, en parlant de fantômes, avec infl. de l'angl. *haunted,* visité ; 1835, Stendhal, « obséder » ; anc. scand. *heimta,* retrouver. || **hantise** début XIIIe s., Guillaume de Dole,

« compagnie » ; 1883, Maupassant, « obsession ».

**haplologie** 1908, Lar. ; gr. *haplous,* simple, et *logos,* parole.

**happelourde** V. HAPPER.

**happening** 1964, *Journ. ;* mot angl. signif. « actualité, événement », de *to happen,* arriver par hasard.

**happer** fin XII^e^ s., *Aiol,* onom. d'origine germ. (néerl. *happen,* mordre). || **happe** 1268, É. Boileau ; déverbal. || **happement** 1330, *Doc.* || **happelourde** 1532, Rab. ; de *lourde,* sotte, c.-à-d. pierre fausse « qui attrape une sotte ». || **happe-chair** 1578, texte de Lille.

**happy-end** v. 1950 ; angl. *happy,* heureux, et *end;* fin.

**haquenée** 1370, J. Le Bel ; moyen angl. *haquenei,* cheval dressé au pas ; p.-ê. du nom d'un village des environs de Londres, *Hackney* (chevaux renommés).

**haquet** 1495, J. de Vignay ; p.-ê. anc. fr. *haquet,* cheval, de même orig. que *haquenée,* c.-à-d. « charrette traînée par un haquet ».

**hara-kiri** 1873, Lar. ; mot japonais signif. « ouverture du ventre ».

**harangue** 1395, Chr. de Pisan ; ital. *arenga,* de *aringo,* place publique, du gotique **harihring,* réunion de l'armée, de **hring,* cercle. || **haranguer** 1414, N. de Baye. || **harangueur** début XVI^e^ s.

**haras** 1130, *Eneas ;* p.-ê. anc. scand. *hârr,* qui a le poil gris. A désigné d'abord l'ensemble des étalons et juments réunis pour la production de jeunes, avant de définir le lieu lui-même (fin XII^e^ s.).

**harasse** fin XIII^e^ s., *Assises de Jérusalem,* « cage en osier » ; var. de *charasse ;* lat. pop. *caracium,* du gr. *kharax,* pieu, échalas, sous l'infl. de *harasser.*

**harasser** début XVI^e^ s. ; anc. fr. *harace* (*courre a harace,* poursuivre), vén., de *hare* (1204, G.), cri pour exciter, empr. au germ. || **harassant** 1845, J.-B. Richard. || **harassement** 1559, Amyot.

**harceler** 1493, Coquillart ; le sens fig. « tourmenter » se rencontre en anc. fr. ; de *herser,* frapper (fin XII^e^ s.), sous la forme dérivée *herceler,* attestée seulement au XVI^e^ s. (v. HERSE). || **harcèlement** 1636, Monet.

1\. **harde** 1138, Gaimar (*herde*), « troupe de bêtes » ; francique **herda* (allem. *Herde,* troupeau).

2\. **harde,** corde V. HART.

**hardes** 1539, R. Est. ; altér. de l'anc. fr. *fardes* (1155, Wace), de même rac. que *fardeau ;* p.-ê. var. gasconne d'origine aragonaise. || **harder** 1596, *Vie généreuse des mercelots,* « troquer ».

**hardi** 1080, *Roland ;* part. passé de l'anc. fr. *hardir,* devenir courageux, du francique **hardjan,* devenir ou rendre dur (allem. *hart,* angl. *hard,* dur). || **hardiment** 1130, *Eneas* (*hardiement*). || **hardiesse** XIII^e^ s., *Ysopet de Lyon.* || **enhardir** 1155, Wace.

**hard labour** 1866, L. Blanc ; mot angl. signif. « dur travail » et désignant les travaux forcés.

**hardware** v. 1960 ; mot angl., de *hard,* dur, et *ware,* marchandise.

**harem** 1632, Sagard Théodat ; ar. *haram,* sacré, ce qui est défendu, appliqué aux femmes que les étrangers ne doivent pas voir.

**hareng** XII^e^ s., G. ; francique **hâring* (allem. *Hering*) ; latinisé en *aringus* dès le III^e^ s. || **harengade** 1834, Landais. || **harengaison** milieu XIII^e^ s. || **harenguet** 1771, Schmidlin. || **harengère** début XIII^e^ s. || **harenguière** 1727, *Ordonn.*

**harfang** 1760, Brisson (*harfaong*) ; 1791, Bomare (*harfang*) ; mot suédois désignant une grande chouette à plumage blanc.

**hargne** XIII^e^ s. ; déverbal de l'anc. fr. *hargner,* gronder, du francique **harmjan,* tourmenter. || **hargneux** 1160, Benoît (*hergnos*) ; 1398, *Ménagier* (*hargneux*). || **hargneusement** 1876, Daudet. || **hargnerie** 1770, Rousseau.

1\. **haricot** 1393, Taillevent (*hericoq de mouton*) ; anc. fr. *harigoter* (1175, Chr. de Troyes), couper en morceaux, du germ. **hariôn,* la viande étant coupée en morceaux.

2\. **haricot** 1628, Figuier (*fève d'aricot*) ; 1640, Bouton (*haricot*) ; même mot que le précédent, ce légume entrant souvent dans les ragoûts.

**haridelle** 1460, Villon, « femme maigre » ; 1558, *Anc. Poés. fr.,* « mauvais cheval » ; anc. scand. *hârr,* au poil gris, d'après la couleur des chevaux.

**harloup** 1566, Clamorgan (*harlou*) ; altér. de *hareloup,* terme de vénerie dont on se servait dans la chasse au loup.

**harmale** 1694, Th. Corn. ; lat. bot. *harmala* (Gessner), de l'ar. *harmal ;* plante des régions tropicales.

**harmattan** 1765, *Encycl.* ; mot africain.

**harmonica** 1733, Mackenzie, « instrument de musique fait avec des lames de verre » ; angl. *harmonica,* fém. du lat. *harmonicus,* harmonieux ; instrument actuel, 1829, Damian, de l'allem. *Harmonika,* même orig.

**harmonie** XII^e s., Berger (*armonie*), « sons agréables » ; fin XII^e s., Gautier d'Arras, musique ; 1577, Jamyn, bx-arts ; 1680, Richelet, « accord » ; lat. *harmonia,* mot gr., de *harmozein,* ajuster. || **harmonieux** 1360, Froissart. || **harmonieusement** 1510, J. Lemaire. || **harmoniser** XV^e s., Joret (var. *harmonier,* jusqu'au XIX^e s.). || **harmonisateur** 1866, L. || **harmonisation** 1873, Lar. || **harmoniste** 1767, Rousseau. || **harmonique** 1361, Oresme ; lat. *harmonicus,* du gr. *harmonikos.* || **harmoniquement** 1579, Lostal. || **enharmonie** 1864, L. || **inharmonieux** 1803, La Harpe. || **inharmonique** 1865, Proudhon. || **philharmonique** 1739, *Académie de Vérone ;* 1797, Gattel, « qui aime la musique » ; 1805, Lunier, sens actuel ; ital. *filarmonico,* du gr. *philos,* ami, et *harmonia.*

**harmonium** 1840, brevet de Debain, facteur d'orgues, qui a créé le mot d'apr. *harmonie.*

**harnacher** V. HARNAIS.

**harnais** fin XI^e s., *Gloses de Raschi* (*herneis*) ; XII^e s., G. (*harnois*), « équipement d'homme d'armes » ; 1268, É. Boileau, « harnais de cheval » ; anc. scand. **hernest,* provision d'armée. || **harnacher** fin XII^e s., *Siège de Barbastre* (*-naschier*). || **harnachement** 1494, J. de Paris. || **harnacheur** 1402, du Cange. || **enharnacher** 1253, P. de Fontaines. || **enharnachement** fin XVI^e s.

**haro** 1165, Marie de France (*harou*) ; XIII^e s., La Curne (*haro*) ; *crier haro sur,* 1529, Marot, fig. ; francique **hara,* ici, comme *hare* (v. HARASSER).

**harouelle** 1769, Duhamel, « ligne de pêche garnie d'avançons » ; altér. du wallon *haveroule,* même rac. que *havet,* crochet (1213, *Fet des Romains*).

**harpagon** 1696, L'Héritier, personnage de *l'Avare* de Molière (1668) ; lat. *harpago, -onis,* grappin, harpon, du gr. *harpax.*

**harpe** 1120, *Ps. de Cambridge ;* bas lat. *harpa,* du germ. **harpa* (allem. *Harfe,* angl. *harp*), même rac. que *harpon* (la harpe devait être en forme de crochet). || **harper** 1119, Ph. de Thaun. || **harpiste** 1677, Havard.

1. **harper** V. HARPE.

2. **harper** 1580, Montaigne, « empoigner » ; de *harpe.* || **harpe** 1485, *Ordonn.,* « griffe » ; lat. *harpē,* faucille, du gr. *harpê,* objet crochu. || **harpon** 1170, *Vie de saint Edmond* (*harpun*), « agrafe » ; fin XV^e s., sens actuel. || **harponner** 1613, Champlain ; 1850, Balzac, « arrêter ». || **harponneur** *id.* || **harponnage** 1769, Duhamel.

**harpie** XIV^e s. (*arpe*), mythol. ; 1578, d'Aubigné, « femme méchante » ; lat. *harpya,* du gr. *Harpuia,* Harpye, mère des vents.

**harpon** V. HARPER 2.

**hart** 1155, Wace, « corde » ; francique **hard,* filasse (moyen néerl. *herde*). || **harde** 1391, du Cange, « corde », forme fém. de *hart.* || **harder** 1561, du Fouilloux, « attacher à la harde ». || **hardillier** 1723, Savary (v. aussi ARDILLON).

**haruspice** V. ARUSPICE.

**hasard** 1155, Wace (*hasart*), « coup favorable » ; XV^e s., « concours de circonstances inexplicable » ; *au hasard,* 1580, Montaigne ; esp. *azar,* de l'ar. *az-zahr,* jeu de dés, par ext. « jeu de hasard ». || **hasarder** 1389, Isambert (*-é*) ; 1407, du Cange (*-er*), « jouer aux dés » ; XV^e s., « exposer à un risque ». || **hasardeux** XIII^e s., Semrau. || **hasardeusement** XVI^e s.

**hase** 1556, Saliat ; allem. *Hase,* lièvre ; spécialisé pour désigner la femelle du lièvre.

**hasidim** 1866, Lar. ; mot hébreu signif. « les pieux ».

**haste** 1188, Aimon, « bois de lance » ; lat. *hasta,* lance. || **hasté** fin XVIII^e s. || **hastaire** 1548, G. du Bellay ; lat. *hastarius.*

1. **hâte** fin XI^e s. (*haste*), « vivacité » ; XVII^e s. (*hâte*), « promptitude » ; francique **haist,* violence (gotique *haifst,* lutte). || **hâter** 1155, Wace, « inciter » ; 1360, Froissart, « rendre rapide ». || **hâtif** 1080, *Roland* (*hastif*). || **hâtivement** 1138, Gaimar. || **hâtiveau** XIII^e s., *Crierie de Paris* (*hastivel*).

2. **hâte** fin XII^e s., *Aiol* (*haste*), « broche à rôtir » ; croisement entre lat. *hasta,* lance (v. HASTE) et francique **harsta,* gril. || **hâtier** fin XII^e s., *Loherains.* || **hâtereau** 1190, *Saint Bernard* (*hasteriau*) ; 1552, Rab. (*hastereau*). || **hâtelet** 1751, *Dict. agr.* || **hâtelle** 1765, *Encycl.* || **hâture** 1767, Duhamel.

**hâtiveau** V. HÂTE 1.

**hauban** 1138, *Saint Gilles* (*hobent*) ; 1676, Félibien (*hauban*) ; scand. *höfudbenda,* lien (*benda*) du sommet [du mât] (*höfud* est le même mot que l'allem. *Haupt*). || **galhauban** début XVII^e s. ; avec un premier élément obscur. || **haubaner** 1676, Félibien. || **haubanage** 1930, Lar.

**haubert** 1080, *Roland* (*haberc*) ; début XIV^e s. (*haubert*) ; francique * *halsberg*, ce qui protège (*berg*) le cou (*hals*). || **haubergeon** 1170, Gay.

**hausse-col** début XV^e s. (*houscot, hauscolz, hochecol*) ; 1468, O. de La Marche (*haussecol*), « pièce de fer qui garnit le cou » ; germ. * *halskot*, cotte du cou, altér. par attraction de *hausse*.

**hausser** V. HAUT.

* **haussière** 1382, Delb. ; lat. pop. * *helciaria*, de *helcium*, corde de halage (origine grecque), avec attraction de *hausser*.

* **haut** 1050, *Alexis* (*halt*), adj. ; n. m. 1283, Beaumanoir ; *la haute*, pop., 1821, Ansiaume ; lat. *altus*, avec infl. du francique * *hoh*, haut (allem. *hoch*). || **hautain** 1080, *Roland* (*altain*), « élevé » ; XIII^e s., La Curne, « noble » ; 1360, Froissart, sens actuel. || **haute-contre** 1553, *D. G.* || **haut-de-forme** 1888, A. Daudet (*haute forme*) ; 1890, *D. G.* (*haut-de-forme*). || **haut-de-chausses** 1490, *Doc.* || **hautement** 1080, *Roland* (*halt-*). || **hautesse** 1120, *Ps. de Cambridge* (*haltesce*), « hauteur » ; début XIII^e s., fig. || **hauteur** XII^e s., *Adam.* || **haute fidélité** v. 1950. || **haut-le-cœur** 1857, Baudelaire. || **haut-le-corps** début XVII^e s., « bond d'un cheval » ; fin XVII^e s., Sévigné, sens actuel. || **haut-le-pied** 1611, Cotgrave, appliqué d'abord aux chevaux de halage. || **hautin** 1542, du Pinet, agr. || **haut-parleur** 1923, Lar. ; calque de l'angl. *loud speaker*. || **haut-relief** 1669, La Fontaine. || * **hausser** 1130, *Eneas* (*halcier*) ; XV^e s. (*hausser*) ; lat. pop. * *altiare*, de *altus*. || **hausse** XIII^e s., *Chace dou cerf* ; déverbal. || **haussement** 1465, G. || **hausset** 1836, Landais. || **haussier** 1823, Boiste, en Bourse. || **haussoire** 1752, Trévoux. || **hausse-pied** 1296, Gay. || **contre-haut** 1637, Crespin. || **exhausser** 1119, Ph. de Thaon (*eshalcier*) ; XVII^e s. (*exhausser*) ; préfixe refait d'apr. le lat. (v. EXAUCER). || **exhaussement** fin XII^e s., *Loherains.* || **rehausser** XII^e s., *Floovant* (*reaucier*) ; XIV^e s., Cuvelier (*rehausser*) ; 1580, Montaigne, fig. || **rehaussement** 1552, *Doc.* || **rehausse** 1371, G. ; déverbal.

**hautbois** 1490, *Archives* ; de *haut* et *bois*, c.-à-d. « bois (flûte) dont le son est haut ». || **hautboïste** 1834, Fétis ; d'apr. l'allem. *Hoboist*, de *Hoboe*, adapté du fr. *hautbois*.

**hauturier** 1632, Champlain ; anc. fr. *hauture*, haute mer, de *haut* ; relatif à la navigation hors de vue des côtes.

**havane** 1844, Matoré ; de *La Havane*, capitale de Cuba.

**hâve** 1175, Chr. de Troyes, « sombre » ; 1611, Cotgrave, « décharné » ; 1648, Scarron, « pâle » ; francique * *haswa* (moyen haut allem. *heswe*, blême). || **havir** 1307, Guiart, « désirer » ; 1564, *Indice de la Bible*, « brûler, hâler » ; 1680, Richelet, « se dessécher ».

**haveneau** 1765, *Encycl.* ; var. de *havenet*, de l'anc. scand. * *hâfr-net*, filet de pêche, qui a donné aussi *haf* (fin IX^e s., *Gloses de Reichenau*).

* **haver** 1873, Lar. ; mot wallon, du lat. *excavere*, creuser. || **havage** 1873, Lar. || **haveur** 1873, Lar.

**havir** V. HAVE.

**havre** XII^e s., *Mélion* ; moyen néerl. *havene*, port (allem. *Hafen*).

**havresac** 1672, Ménage (*habresac*) ; 1680, Richelet (*havresac*) ; allem. *Habersack*, sac d'avoine, introduit au cours de la guerre de Trente Ans, pour désigner le sac en toile des soldats.

**hayer, hayette, hayon** V. HAIE.

**hé !** 1050, *Alexis* ; onomat.

**heaume** fin IX^e s., *Gloses de Reichenau* (*helmus*) ; 1080, *Roland* (*helme*) ; XII^e s. (*heaume*) ; francique * *helm* (allem. *Helm*, casque). || **heaumier** 1268, É. Boileau.

**hebdomadaire** 1460, *Doc.*, eccl. ; n. m. 1758, Voltaire, « qui paraît chaque semaine » ; lat. impér. *hebdomadarius* (religieux), semainier, du gr. *hebdomas*, semaine. || **hebdomadier** 1511, *D. G.*, relig.

**hébéphrénie** fin XIX^e s. ; gr. *hêbê*, jeunesse, et *phrên, phrenos*, esprit.

**héberge** 1050, *Alexis* (*herberge*), « logement » ; XVI^e s., Loisel (*héberge*), « ligne de mur mitoyen » ; francique * *heriberga*, protection (*berga*) de l'armée (*heri*, après l'*Umlaut a* > *e*), par ext. « abri ». || **héberger** 1050, *Alexis.* || **hébergement** 1155, Wace. (V. AUBERGE).

1. **hébertisme** 1794, *Journal de la liberté et de la presse* ; du nom du révolutionnaire *Hébert* (1757-1794). || **hébertiste** 1796, *Néol. fr.*

2. **hébertisme** XX^e s., méthode d'éducation physique ; du nom de *G. Hébert* (1875-1957). || **hébertiste** *id.*

**hébéter** 1355, Bersuire (*-é*), « émoussé » ; 1586, Du Perron (*-er*), sens actuel ; lat. *hebetare,* au fig., de *hebes,* émoussé, peut-être rapproché de *bête.* || **hébétude** 1535, Selve ; lat. *hebetudo.* || **hébétement** 1586, Du Perron.

**hébreu** 1119, Ph. de Thaon ; lat. *hebraeus,* du gr. *hebraios.* || **hébraïque** 1495, J. de Vignay ; lat. *hebraicus,* du gr. *hebraikos.* || **hébraïsme** 1570, Hervet. || **hébraïsant** XVIe s. || **hébraïste** 1839, Boiste.

**hécatombe** 1525, J. Lemaire, antiq. ; 1667, Corn., « massacre » ; lat. *hecatombe,* du gr. *hekatombê,* de *hekaton,* cent, et *boûs,* bœuf.

**hectique** fin XVe s. ; lat. méd. *hecticus,* du gr. *hektikos,* habituel, de *ekhein,* avoir ; se dit d'une fièvre continue.

**hect(o)-,** gr. *hekaton,* cent. || **hectare, hectogramme, hectomètre, hectolitre** 1793.

**hédéracée** 1771, Trévoux ; lat. *hederaceus,* de *hedera,* lierre.

**hédonisme** 1877, L. ; gr. *hedonê,* plaisir ; doctrine qui fait du plaisir le but de la vie. || **hédoniste** début XXe s.

**hégélianisme** 1861, *Rev.,* de *Hegel* (1770-1831). || **hégélien** 1848, Proudhon.

**hégémonie** 1838, Raymond ; gr. *hêgemonia,* de *hêgemôn,* chef, de *hêgeîsthai,* commander.

**hégire** 1556, *Temporal ;* ital. *hegira,* de l'ar. *hedjra,* fuite (de Mahomet à Médine).

**heiduque** 1565, Malmidy ; allem. *Heiduck,* du hongrois *hadjuk,* fantassin.

**heimatlos** 1828, *Doc. ;* allem. *Heimatlos,* sans patrie, de *Heimat,* pays natal ; a été remplacé par *apatride.*

**hein** XIIIe s., *Roman de Renart* (*ahen*) ; XVe s. (*hen*) ; 1765, Sedaine (*hein*) ; onomatopée.

**hélas** XIIe s., Conon ; de *hé,* onomat., et de *las,* malheureux.

**héler** 1374, G., « souhaiter la santé » ; fin XIVe s., « appeler d'un navire » ; XIXe s., « interpeller » ; angl. *to hail,* même sens.

**hélianthe** 1615, Daléchamp ; lat. bot. *helianthus,* du gr. *hêlios,* soleil, et *anthos,* fleur. || **hélianthème** 1694, Tournefort ; gr. *anthemon,* fleur. || **hélianthine** 1888, Lar.

**héliaque** 1582, Bodin ; gr. *hêliakos,* de *hêlios,* soleil ; se dit du lever d'un astre.

**hélice** 1547, J. Martin, « volute d'un chapiteau » ; 1685, Furetière, géom. ; 1803, Brunot, mar. ; 1871, *l'Aéronaute,* aéron. ; lat. *helix,* spirale, du gr. *helix, helikos.* || **hélicoïde** 1704, *Mém. Acad. des sc. ;* gr. *helikoeidês.* || **hélicoïdal** 1862, *Presse scientif.* || **hélicoptère** 1862, Ponton d'Amécourt. || **héliport** 1954, *Ann. géogr. ;* de *hélicoptère* et de *port.* || **héliporté** 1955, *Combat.* || **héliportage** 1962, Lar. || **hélitransporté** v. 1950.

**hélicoptère** V. HÉLICE.

**hélio-,** du gr. *hêlios,* soleil. || **héliocentrique** 1721, Trévoux. || **héliographie** 1802, Flick, astron. ; 1866, L., arts graphiques. || **héliographique** 1842, Mozin. || **héliograveur** 1907, Lar. || **héliogravure** 1873, L. || **héliomarin** v. 1950. || **héliomètre** 1747, d'après *Encycl.* || **hélion** 1948, Lar. || **héliothérapie** 1902, Lar. || **héliotrope** XIIe s., Studer (*elyotrope*) ; 1546, Rab. (*héliotrope*), bot. et minerai ; 1372, Corbichon ; lat. *heliotropium,* du gr. *hêliotropos,* de *hêlios,* soleil, et de *trepein,* tourner, qui se tourne vers le soleil. || **héliotropisme** 1828, Mozin. || **hélium** 1868, Jansen et Lockyer.

**héliporté** V. HÉLICE.

**hélix** 1714, Vieussens ; saillie la plus excentrique du pavillon de l'oreille ; 1802, Flick (*hélice*), « escargot » ; lat. scientif. *helix,* mot gr. signif. « spirale ». || **héliciculture** 1922, Lar., élevage des escargots.

**hellénisme** 1580, titre de livre ; gr. *hellenismos,* de *Hellên,* Grec. || **helléniste** 1651, le P. Labbe, « juif parlant grec » ; 1810, Courier, savant en grec ; gr. *hellenistês.* || **helléniser** 1842, *Acad.* || **hellénisation** 1876, *le Temps.* || **hellénique** début XIIIe s. ; gr. *hellênikos.* || **hellénistique** 1679, Bossuet.

**helminthe** 1538, Canappe (*elmynthe*) ; 1828, Mozin (*helminthe*) ; gr. *helmis, -inthos,* ver. || **helminthique** 1752, Trévoux. || **helminthiase** 1839, Boiste.

**helvétique** début XVIIIe s., Saint-Simon ; de *Helvetia,* nom latin de la Suisse. || **helvétisme** 1845, Besch.

**hem !** XIIIe s. (*ahen*) ; 1530, Marot (*hen*) ; onomatopée.

**héma-, hémat-, hémo-,** gr. *haima, haimatos,* sang. || **hématémèse** 1808, Boiste ; gr. *emesis,* vomissement. || **hématidrose** 1866, L. ; gr. *hidrôs,* sueur. || **hématie** 1858, Lachâtre. || **hématimètre** 1902, Lar. || **hématine** 1816, Candolle. || **hématique** 1866, L. ; gr. *haimatikos,* sanguin. || **hématite** XIIe s., Studer (*em-*) ; lat. *haematites,* du gr. *haimatitês,* à cause de la couleur. || **hématoblaste** 1877, Hayem ; gr. *blastos,* germe. || **hématocèle** 1732, Trévoux ; gr. *kelê,* tumeur. || **hématode** 1836, Landais ; gr. *haimatodês,* de sang. || **hématologie** 1803, Morin. || **hématome** 1866, L. || **hématopoïèse** 1877, L. ; gr. *poiêsis,* action de faire. || **hématose** 1690, Furetière. || **hématoxyline** 1842, *Acad. ;* gr. *xulon,* bois. || **hématozoaire** 1866, L. || **hématurie** 1771, Schmidlin ; gr. *ouron,* urine. || **hémoculture** 1922, Lar. || **hémoglobine** 1873, Lar. || **hémogramme** v. 1950. || **hémolyse** 1907, Lar. ; gr. *lusis,* rupture. || **hémopathie** 1873, Lar. || **hémophile** 1873, Lar. || **hémophilie** 1866, L. || **hémoptysie** 1694, Th. Corn. ; gr. *ptuein,* cracher. || **hémoptysique** 1845, Besch. || **hémorragie** 1538, Canappe ; gr. *rhêgnunai,* rompre. || **hémorragique** 1795, Cullen. || **hémorroïde** XIII^e^ s., de Garlande (*emo-*) ; 1560, Paré (*hêmo-*) ; lat. *haemorrhois,* du gr. *rhein,* couler. || **hémorroïdal** 1560, Paré. || **hémostase** 1748, James (*-stasie*) ; 1812, Mozin (*-stase*) ; gr. *stasis,* arrêt. || **hémostatique** 1748, James.

**hémér(o)-,** gr. *hêmera,* jour. || **héméralopie** 1560, Paré (*hemeralopia*) ; 1756, *Encycl.* (*héméralopie*) ; gr. *ops,* œil. || **hémérocalle** v. 1600, Malherbe ; lat. *hēmerocalles,* mot gr. signif. « belle (*kalê*) de jour (*hêmera*) » ; désigne une plante aux fleurs orangées. || **hémérologie** 1866, L., art de faire les calendriers.

**hémi-,** gr. *hêmi,* à moitié. || **hémialgie** XX^e^ s. || **hémianesthésie** fin XIX^e^ s. || **hémicycle** 1547, J. Martin ; lat. *hemicyclium,* du gr. *hemikukleion.* || **hémicylindrique** 1842, *Acad.* || **hémièdre** v. 1950. || **hémiédrie** 1842, *Acad. ;* gr. *edra,* face. || **hémine** 1671, Pomey ; lat. *hemina,* du gr. *hêmina,* moitié. || **hémione** 1793, Vanderstegen ; lat. zool. *hemionus,* du gr. *hêmionos,* mulet, demi-âne. || **hémiplégie** 1707, Helvétius ; gr. méd. *hêmiplêgia,* qui frappe la moitié ; var. *hémiplexie* (1573, Liébault), du gr. *hêmiplêxia.* || **hémiplégique** 1795, Cullen. || **hémiptère** 1762, Geoffroy ; gr. *pteron,* aile ; insecte dont les ailes forment élytre sur la moitié. || **hémisphère** fin XIII^e^ s., G. (*em-*) ; lat. *hemispherium,* du gr. *hêmisphairion,* demi-sphère. || **hémisphérique** 1568, Nicolay. || **hémisphéroïde** 1716, d'après Trévoux. || **hémistiche** 1548, du Bellay ; lat. *hemistichium,* du gr. *hêmistikhion,* de *stikhos,* vers ; désigne la moitié d'un alexandrin. || **hémitropie** 1801, Haüy ; gr. *tropos,* tour ; groupement régulier de cristaux identiques.

**hendéca-,** gr. *hendeka,* onze. || **hendécagone** milieu XVII^e^ s. || **hendécasyllabe** 1549, du Bellay.

**henné** 1553, *Doc. ;* ar. *hinna.*

**hennin** 1428, Gay ; p.-ê. néerl. *henninck,* coq, à cause de la forme de la coiffure (haut bonnet de femme du XV^e^ s.).

***hennir** 1080, *Roland ;* lat. *hĭnnīre,* avec un *h* d'origine expressive en fr. || **hennissement** début XIII^e^ s.

**henry** 1902, Lar. ; de J. *Henry* (1797-1878).

**hep !** 1735, Leroux ; onomatopée (sans doute très antérieure).

**hépat(o)-,** gr. *hêpar, hêpatos,* foie. || **héparine** 1948, Lar. ; dérivé direct du gr. *hêpar.* || **hépatalgie** 1808, Boiste. || **hépatique** 1377, Lanfranc (*ep-*) ; 1354, *Modus,* bot. ; lat. *hepaticus,* du gr. *hêpatikos.* || **hépatite** 1566, du Pinet, « pierre précieuse », pierre couleur de foie ; 1655, Chauvelot, maladie de foie. || **hépatologie** fin XVIII^e^ s. || **hépatoscopie** 1721, Trévoux. || **hépatotomie** 1866, L.

**hept(a)-,** gr. *hepta,* sept. || **heptacorde** XVI^e^ s., G. ; lat. *heptacordus,* du gr. *heptakhordos,* à sept cordes. || **heptaèdre** 1772, Romé ; gr. *edra,* face. || **heptagone** 1542, Bovelle ; bas lat. *heptagonus,* du gr. *heptagônos,* à sept angles. || **heptagonal** 1632, R. de Normant. || **heptamètre** 1827, *Acad.* || **heptarchie** 1866, L. || **heptasyllabe** v. 1750.

**héraldique** XV^e^ s., G. ; lat. médiév. *heraldicus,* de *heraldus,* héraut. || **héraldiste** 1873, Lar.

**héraut** 1175, Chr. de Troyes ; francique **heriwald,* qui dirige (*wald*) l'armée (*hari*).

**herbage** V. HERBE.

***herbe** 1080, *Roland* (*erbe*) ; XIII^e^ s. (*herbe*) ; pl. début XV^e^ s., « légumes » ; 1640, Oudin, *fines herbes ;* lat. *hĕrba.* || **herbacé** 1542, du Pinet ; lat. *herbacaeus.* || **herbage** 1131, *Couronn. de Loïs.* || **herbager** 1420, G., verbe ; 1792, Liger, n. m. || **herbageux** 1611, Cotgrave. || **herbette** 1398, E. Deschamps. || **herbeux** 1080, *Roland.* || **herbicide** v. 1930. || **herbier** 1160, Benoît, « terrain herbeux » ; XV^e^ s., *Grant Herbier,* « ouvrage botanique ; 1674, Thévenot, « collection de plantes » ; d'apr. le lat. *herbarium.* || **herberie** fin XIII^e^ s., Rutebeuf. || **herbivore** 1748, James ; lat. *vorare,* dévorer. || **herboriste** 1499, d'après Ménage (*arboliste*) ; 1545, Guéroult (*-oriste*), botaniste, avec assimilation de *l* à *r ;* 1690, Furetière, sens actuel « droguiste » ; dér. méridional du lat. *herbula,* petite herbe, avec attraction de *arbor.* || **herboristerie** 1841, *les Français peints par eux-mêmes.* || **herboriser** 1534, Rab. (*arb-*) ; 1611, Cotgrave (*herb-*). || **herborisation** 1720, *Journ. des savants.* || **herbu** 1160, Benoît. || **désherber** 1874, L. || **désherbage** 1907, Lar. || **désherbant** XX^e^ s.

**herboriste** V. HERBE.

**hercher** 1768, Morand (*hier-*) ; forme liégeoise de *herser,* traîner, du lat. pop. **hirpicare,* de *hirpex,* herse. || **hercheur** 1768, Morand ; ouvrier qui pousse les berlines dans les mines. || **herchage** *id.*

**hercule** 1668, La Fontaine, « forain qui fait des tours de force » ; 1837, Fourier, « homme fort » ; du nom latin *Hercules,* demi-dieu, empr. au gr. *Hêraklês.* || **herculéen** 1520, La Borderie.

**hercynien** 1842, *Acad. ;* de *Hercynia sylva,* nom latin de la Forêt-Noire.

**herd-book** 1866, L. ; mot anglais, de *herd,* troupeau, et *book,* livre ; livre généalogique des races bovines.

1. **hère** 1553, Rab. ; de l'adj. *haire* (fin XIII^e^ s.), malheureux, du francique **harja,* vêtement grossier.

2. **hère** v. 1750, Buffon, « jeune cerf » ; néerl. *hert,* cerf.

**héréditaire, hérédité** V. HÉRITER.

**hérésie** 1119, Ph. de Thaon ; lat. chrét. *haeresis,* du gr. *hairesis,* choix, opinion particulière. || **hérésiarque** 1524, Gringore ; lat. chrét. *haeresiarches,* du gr. || **hérétique** XIV^e^ s., *D. G. ;* lat. *haerĕtĭcus,* du gr. *hairetikos.* || **héréticité** 1706, Fénelon.

***hérisser** 1175, Chr. de Troyes (*hericer*) ; XIV^e^ s. (*hérisser*) ; 1648, Scarron, fig. ; lat. pop. **ericiare,* de *ericius,* hérisson, avec *h* expressif. || **hérissement** 1415, A. Chartier. || ***hérisson** 1120, *Ps. de Cambridge* (*heriçun*) ; 1155, Wace, « assemblage de joints de fer » ; lat. pop. **ericio, -ionis,* de *ericius.* || **hérissonner** 1160, Benoît.

**hérisson** V. HÉRISSER.

***hériter** 1120, *Ps. de Cambridge ;* bas lat. *hērēdĭtare,* de *hērēs, -ēdis,* héritier. || **héritage** 1131, *Couronn. de Loïs* (*er-*). || ***héritier** 1131, *Couronn. de Loïs ;* lat. *hērēdĭtarius,* substitué à *heres.* || **héréditaire** 1495, J. de Vignay ; lat. *here-ditarius.* || **héréditairement** 1323, G. || **hérédité** 1050, *Alexis,* « héritage » ; 1835, *Journ.,* sens actuel ; lat. *hereditas.* || **hérédo-ataxie** 1893, P. Marie ; de *hérédo-,* qui indique le caractère héréditaire d'un état. || **hérédosyphilis** 1907, Lar. ; abrév. *hérédo* (1916, L. Daudet). || **cohériter** 1866, Lar. || **cohéritier** 1411, *Cout. d'Anjou.* || **déshériter** 1130, *Eneas.* || **déshéritement** 1160, Benoît. (V. aussi HOIR.)

**hermaphrodite** XIII^e^ s., *Digeste* (*hermefrodis*), n. m. ; 1560, Paré (*herma-*), adj. ; lat. *hermaphroditus,* du gr. *hermaphroditos* (d'abord n. pr. myth., fils bisexué d'Hermès et d'Aphrodite). || **hermaphrodisme** 1765, *Encycl.*

**herméneutique** 1777, *Encycl. ;* gr. *hermeneutikos,* de *hermeneuein,* expliquer ; qui interprète les livres sacrés.

**hermétique** 1612, Béroalde ; *science hermétique,* 1690, Furetière ; fig. XVII^e^ s. ; *fermeture hermétique,* 1845, Besch. ; mot des alchimistes, de *Hermès* Trismégiste, dieu Thot des Égyptiens qui passait pour le fondateur de l'alchimie. || **herméticité** 1866, L. || **hermétiquement** 1608, Chauvelot. || **hermétisme** 1902, Lar. || **hermétiste** 1891, Huysmans.

**hermine** début XII^e^ s., *Voy. de Charl. ;* fém. de l'anc. adj. (*h*)*ermin* (XII^e^ s.), du lat. *armenius,* c.-à-d. (rat) arménien, l'hermine étant abondante en Asie Mineure. || **herminé** 1175, Chr. de Troyes, blas. || **herminette** 1583, Gauchet, hachette au tranchant recourbé comme le museau de l'hermine ; XIV^e^ s., « fourrure ».

**hernie** 1490, Chauliac ; lat. *hernia ;* il a éliminé la forme pop. *hergne* (1265, J. de Meung). || **herniaire** 1611, Cotgrave, « plante employée contre les hernies » ; 1752, Trévoux, adj. || **hernieux** 1545, Guéroult. || **hernié** 1836, Landais.

**héroïde, héroïne, héroïque, héroïsme** V. HÉROS.

**héron** début XII^e^ s., *Thèbes* (*hairon*) ; 1320, Bevans (*héron*) ; francique **haigiro* (anc. haut allem. *heigir*). || **héronneau** 1542, Rab. || **héronnier** 1354, *Modus.* (V. AIGRETTE.)

**héros** 1370, Oresme, « demi-dieu gréco-latin » ; 1550, Baïf, fig. ; 1650, Pascal, héros d'une pièce ; lat. *heros,* du gr. *hêrôs.* || **héroïde** 1525, J. Lemaire ; lat. *herois, -idis,* héroïne ; épître composée sous le nom d'un héros ou d'une héroïne. || **héroïne** milieu XVI^e^ s., Ronsard, lat. *heroine,* du gr. *hêrôinê ;* médicament, 1903, Lar., de *héros,* à cause de l'exubérance provoquée par cette drogue (suffixe *-ine*). || **héroïnomane** début XX^e^ s. || **héroïque** 1361, Oresme, antiq. ; 1580, Montaigne, sens actuel ; lat. *heroicus,* du gr. *hêrôikos.* || **héroïsme**

1658, Brunot. || **héroïcité** 1716, suivant Trévoux, 1721. || **héroïquement** 1552, Guéroult. || **héroïsation** 1955, Barthes. || **héroïser** 1873, *Doc.* || **héroï-comique** 1641, Saint-Amant.

**herpe** 1671, Delb. ; déverbal de *harper,* empoigner ; terme de marine ou d'agriculture.

**herpès** XVe s., *Grant Herbier ;* lat. *herpes, -etis,* dartre, du gr. *herpês,* dartre, de *herpeîn,* se traîner. || **herpétique** fin XVIIIe s. || **herpétisme** 1866, L.

**herpétologie** 1789, Bonnaterre ; gr. *herpeton,* reptile, et *logos,* science. || **herpétologiste** 1870, Lar.

***herse** 1170, *Rois,* agric. ; XIIIe s., grille ; lat. pop. **herpex, -icis* (lat. class. *hĭrpex*) ; le *h* est peut-être dû à *houe.* || **herser** XIIe s., *Aliscans.* || **hersage** fin XIIIe s., G. || **herseur** 1175, Chr. de Troyes (*erceeur*) ; 1549, R. Est. (*herseur*). || **hersillon** 1693, *Fr. mod.*

**hésiter** début XVe s., *Passion d'Autun ;* lat. *haesitare,* de *haerere,* être attaché. || **hésitation** 1220, Coincy ; lat. *haesitatio.* || **hésitant** 1721, Trévoux.

**hespérie** 1873, Lar. ; gr. *hespera,* soir ; papillon.

**hétaïre** 1799, *Magasin encycl. ;* gr. *hetaira,* courtisane.

**hétairie** 1836, Landais ; gr. *hetairia,* association d'amis.

**hétéro-,** gr. *heteros,* l'autre. || **hétérandre** 1878, Lar. ; gr. *anêr, andros,* mâle. || **hétérocarpe** 1842, *Acad.* || **hétérocère** 1827, *Acad. ;* gr. *keras,* corne. || **hétérocerque** 1876, L. ; gr. *kerkos,* queue. || **hétérochrome** 1873, Lar. ; gr. *khrôma,* couleur. || **hétéroclite** 1490, *Amant rendu cordelier,* « irrégulier » ; 1690, Furetière, sens actuel ; lat. gramm. *heteroclitus,* du gr. *klinein,* fléchir. || **hétérodoxe** 1667, Huet ; 1873, Lar., fig. ; gr. chrét. *heterodoxos,* de *doxa,* opinion. || **hétérodoxie** 1690, Bossuet ; gr. chrét. *heterodoxia.* || **hétérodyne** 1922, Lar. || **hétérogamie** 1842, *Acad.* || **hétérogène** 1578, d'Aubigné (*-genée*) ; 1616, Coton (*hétérogène*) ; lat. scolast. *heterogeneus,* du gr. *heterogenês.* || **hétérogénéité** 1586, Suau ; lat. scolast. *heterogeneitas.* || **hétéromorphe** 1822, Blainville. || **hétéronomie** 1866, L. ; gr. *nomos,* loi. || **hétéronyme** 1866, L. || **hétéroptère** 1839, Boiste. || **hétérosexuel** 1948, Lar. || **hétérosexualité** 1911, Gide. || **hétérozygote** début XXe s. ; gr. *zugôtos,* apparié.

**hetman** 1725, J. B. Müller ; allem. *Hauptmann,* chef, par l'intermédiaire du tchèque *heftman.* Le mot ukrainien est *ataman.*

**hêtre** 1210, G. (*hestrum,* dans un texte latin) ; XIIIe s. (*haistre*) ; 1301, Gay (*hestre*) ; francique **haistr,* jeune tronc, puis jeune hêtre, qui a éliminé l'anc. fr. *fou* (lat. *fagus*). || **hêtraie** 1701, Liger.

**heu !** 1464, *Pathelin ;* onomatopée.

***heur** 1112, *Voy. saint Brendan* (*eür*) ; fin XIIIe s. (*heur*) sous l'infl. de *heure ;* lat. pop. **agurium,* dissimilation du lat. *augurium,* présage. || **heureux** 1188, C. de Béthune. || **heureusement** 1539, R. Est. || **bienheureux** V. BIEN. || **bonheur** XIIe s., *D. G.* || **malheur** début XIIe s., *Thèbes* (*a mal eür*) ; 1526, Marot (*malheur*). || **malheureux** XIVe s., Cuvelier.

***heure** 1050, *Alexis* (*ore*) ; XIIe s., Couci (*heure*) ; *être à l'heure* 1636, Monet ; lat. *hōra.* || **désheurer** début XVIIe s., Retz, comme v. pron., « changer ses heures ». || **déheurement** 1879, A. Daudet. || **horaire** 1532, Rab., adj., « réglé par les heures » ; 1690, Furetière, « qui marque l'heure » ; début XXe s., relatif à l'heure ; n. m. 1868, *Moniteur,* d'après ital. *orario ;* lat. *horarius.*

**heureux** V. HEUR.

**heuristique** 1866, L. ; gr. *heuristikê tekhnê,* art de découvrir, de *heuriskein,* trouver.

**heurtequin** 1597, Davelourt ; moyen néerl. *ortkijn,* dimin. de *ort,* extrémité, pointe, avec infl. de *heurter.* Désigne la saillie de l'essieu contre laquelle vient buter le moyeu de la roue.

**heurter** 1130, *Eneas* (*hurter*) ; XIIe s., *Roncevaux* (*heurter*) ; fin XIIIe s., fig. ; francique **hûrt,* bélier, d'apr. le scand. *hrûtr,* c.-à-d. « heurter comme un bélier ». || **heurt** 1120, *Ps. de Cambridge ;* déverbal. || **heurtement** XIIIe s., *Macchabées.* || **heurtoir** 1302, G.

**hévéa** 1751, La Condamine (*hhévé*) ; 1769, Turgot (*hévé*) ; début XIXe s. (*hévéa*) ; lat. bot., du quetchua *hyeve,* langue indigène du Brésil.

**hexa-,** gr. *heks,* six. || **hexacorde** 1690, Furetière. || **hexaèdre** 1701, Furetière ; bas lat. *hexahedrum,* du gr. *hexaedros,* de *edra,* face. || **hexagone** 1377, Oresme ; lat. *hexagonus,* du gr. *gonia,* angle. || **hexagonal** 1632, Le Normant. || **hexamètre** 1450, *Romania ;* lat. *hexametrus,* du gr. *metron,* mesure du vers. || **hexapode** fin XVIIIe s. ; gr. *pous, podos,* pied.

**hi !** 1670, Molière ; onomat.

**hiatus** 1521, Fabri, « élision » ; 1690, Furetière, sens actuel ; lat. *hiatus,* ouverture, de *hiare,* être béant.

**hibernal, -ner** V. HIVER.

**hibiscus** 1839, Boiste ; lat. *hibiscum,* sorte de mauve, du gr. *hibiskos,* guimauve.

**hibou** 1530, Palsgrave (*huiboust*) ; 1535, Olivétan (*hibou*) ; orig. obscure, p.-ê. onomatopée, comme *houhou* (cri du hibou).

**hic** 1690, Furetière ; lat. *hic est questio,* c'est là qu'est la question. || **hiccéité** 1873, Lar., philos.

**hickory** 1783, Bertholon (*-cco-*) ; mot angl., abrév. de l'algonkin *pohickory ;* arbre d'Amérique du Nord.

**hidalgo** 1534, Rab. (*indalgo*) ; 1640, Saint-Amant (*hidalgue*) ; 1798, *Acad.* (*hidalgo*) ; mot esp., « gentilhomme », contraction de *hijo de algo,* fils de quelque chose.

**hideux** début XII$^e$ s., *Voy. de Charl.* (*hisdos*) ; 1273, Adenet (*hideux*) ; anc. fr. *hisde,* peur, frayeur, de l'anc. haut allem. **egisdia,* horreur, de *egisôn,* effrayer. || **hideur** 1120, *Ps. de Cambridge.* || **hideusement** XII$^e$ s., G.

**hie** V. HIER 2.

**hièble** 1398, *Ménagier* (*yeble*) ; 1560, Paré (*hèble*) ; lat. *ebulum,* avec un *h* pour éviter la confusion avec [*jè*] ; herbe voisine du sureau.

**hiémal** 1488, *Mer des histoires* (*hy-*) ; lat. *hiemalis,* de *hiems,* hiver.

1. **hier** 1080, *Roland* (*ier, er*) ; 1240, G. de Lorris (*hier*), adv. ; lat. *hĕri,* hier. || **avant-hier** XII$^e$ s.

2. **hier** 1125, *Doon de Mayence,* « enfoncer avec la hie » ; moyen néerl. *heien,* enfoncer. || **hie** 1190, *Loherains ;* moyen néerl. *heie.* || **hiement** 1549, R. Est.

**hiérarchie** 1332, J. Corbichon, eccl. ; 1460, Chastellain, ordre dans une société ; lat. eccl. *hierarchia,* du gr. *hieros,* sacré, et *arkhia,* commandement. || **hiérarchique** XIV$^e$ s. ; lat. *hierarchicus ;* passé dans le voc. administratif au XVIII$^e$ s. || **hiérarchiquement** 1690, Furetière. || **hiérarchiser** 1845, Besch. || **hiérarchisation** 1840, Pecqueur. || **hiérarchisme** 1870, L. Halévy.

**hiérarque** 1551, *Vie des saints Pères ;* bas gr. *hierarkhês,* de *hieros,* sacré, et *arkhein,* guider.

**hiératique** 1566, du Pinet ; lat. *hieraticus,* du gr. *hieros,* sacré. || **hiératiquement** 1855, de Voguë. || **hiératisme** 1868, Goncourt.

**hiéro-,** gr. *hieros,* sacré. || **hiéroglyphique** 1529, Tory ; bas lat. *hieroglyphicus,* du gr. *gluphein,* graver. || **hiéroglyphe** 1546, Colonna. || **hiérologie** 1866, L. || **hiéromancie** 1878, Lar. || **hiérophante** 1535, de Selve ; lat. *hierophantes,* du gr. *phainein,* révéler.

**highlander** 1688, Miege ; mot angl. signif. « haut pays » (*High Lands*).

**high life** 1825, d'apr. Matoré ; mot angl. signif. « haute vie, grand monde ».

**hilare** XIII$^e$ s. (*-laire*) ; repris au XIX$^e$ s. (1857, Flaubert) ; lat. *hilaris,* du gr. *hilaros,* gai, joyeux. || **hilarant** 1805, Fourcroy (*gaz hilarant*), à cause des propriétés de ce gaz qui produit une ivresse douce. || **hilarité** XIII$^e$ s., puis XVIII$^e$ s. (1769, Voltaire) ; lat. *hilaritas,* de *hilarare,* rendre gai.

**hile** 1602, A. Colin ; lat. *hilum,* point noir en haut de la fève. || **hilaire** 1805, *Encycl. méth.*

**hiloire** 1643, Morisot, marine ; esp. *esloria,* du néerl. *sloerie.*

**hindou** 1653, La Boullaye (*indou*) ; 1839, Boiste (*hindou*) ; de *Inde.* || **hindouisme** 1876, L. || **hindouiste** XX$^e$ s. || **hindoustani** 1653, La Boullaye (*Indistanni*).

**hinterland** 1894, Sachs-Villatte ; allem. *hinter,* derrière, et *Lands,* pays.

**hip !** fin XIX$^e$ s. ; onomat.

**hipp(o)-,** gr. *hippos,* cheval. || **hipparchie** 1843, Landais ; gr. *hipparkhia,* commandement de cavalerie. || **hippiatre** 1772, Brunot ; gr. *hippiatros,* vétérinaire ; gr. *iatros,* médecin. || **hippique** 1842, *Acad. ;* gr. *hippikos.* || **hippisme** 1907, Lar. || **hippocampe** 1566, du Pinet ; lat. *hippocampus,* du gr. *kampê,* sinuosité. || **hippodrome** 1190, Guill. de Tyr (*yp-*), « cirque romain » ; 1848, Chateaubriand, champ de courses ; lat. *hippodromus,* du gr. *dromos,* course. || **hippogriffe** 1560, Ronsard ; ital. *ippogriffo,* comp. par l'Arioste avec l'ital. *grifo,* griffon. || **hippologie** 1866, L. || **hippomobile** 1896, *Rev.* || **hippophage** 1827, *Acad.* || **hippophagique** 1836, Landais. || **hippopotame** fin XII$^e$ s., *Roman d'Alexandre* (*ipotatesmos*) ; 1265, Br. Latini (*ypotame*) ; 1546, Rab. (*hippopotame*) ; lat. *hippopotamus,* du gr. *hippopotamos,* cheval (*hippos*) du fleuve (*potamos*). || **hippopotamesque** 1874, Goncourt. || **hippotrague** 1922, Lar. ; gr. *tragos,* bouc. || **hippurique** 1845, Besch. ; gr. *ouron,* urine.

**hippie** 1967, *Journ.* ; arg. américain *hip,* fumeur de marijuana, puis « initié ».

**hircin** 1458, *Mystère ;* lat. *hircinus,* de *hirx, -icis,* bouc.

**hirondelle** 1546, Rab. ; anc. prov. *irondela,* du lat. pop. **hirunda,* lat. class. *hĭrŭndo, -inis,* qui a remplacé *arondelle* (XIᵉ s., *Gloses de Raschi*), de *aronde.* || **hirondeau** 1660, Oudin, qui a remplacé *arondeau* (XIIIᵉ s.), dimin. masc.

**hirsute** 1802, *Acad. ;* lat. *hirsutus,* hérissé. || **hirsuteux** 1829, Boiste. || **hirsutisme** 1922, Lar.

**hirudinée** 1845, Besch. ; lat. *hirudo, -dinis,* sangsue.

**hispan(o)-,** lat. *hispanus,* espagnol. || **hispanique** 1836, Landais. || **hispanisant** 1919, Esnault. || **hispanisme** 1771, Trévoux. || **hispano-américain** 1845, Besch.

**hispide** 1495, J. de Vignay ; lat. *hispidus,* hérissé ; se dit en bot. de ce qui est couvert de poils rudes et épais.

**hisser** 1552, Rab. (*inse !,* impératif) ; *se hisser,* 1794, Florian ; bas allem. *hissen.* || **hissage** début XXᵉ s.

**hist(o)-,** gr. *histos,* tissu. || **histamine** 1931, Lar. ; de *amine.* || **histochimie** 1866, L. || **histogenèse** 1863, Graves. || **histogramme** 1956, Romeuf. || **histologie** 1833, Nysten. || **histolyse** 1888, Lar.

**histoire** 1050, *Alexis* (*historie*) ; 1360, Oresme (*histoire*) ; 1462, *Cent Nouvelles,* « récit » ; *histoire naturelle,* 1551, Belon ; lat. *historia,* du gr. *historia,* information. || **historien** 1213, *Fet des Romains.* || **historier** 1360, Froissart. || **historié** milieu XVIᵉ s., Amyot, orné. || **historiette** 1651, Retz. || **historique** XVᵉ s. || **historicité** 1872, L. || **historiquement** 1617, Crespin. || **historiographe** 1213, *Fet des Romains.* || **historiographie** fin XVᵉ s., Molinet, « histoire ». || **historisant** 1959, Lar. || **historisme** v. 1950. || **historicisme** 1931, Lar. || **préhistoire** 1875, Lar. || **préhistorique** 1869, L. || **préhistorien** 1875, Lar. || **protohistoire** 1910, Dussaud.

**histrion** 1545, Peletier ; lat. *histrio, -onis,* acteur bouffon.

**hitlérien** v. 1925 ; de *Hitler.* || **hitlérisme** 1959, Lar.

**hit-parade** 1965, Gilbert ; mot angl., de *hit,* succès, et *parade,* défilé.

***hiver** fin XIᵉ s., G. (*iver*) ; lat. *hībĕrnum* (*tempus*), temps hivernal. || **hiverner** fin XIIᵉ s., R. de Moiliens. || **hivernage** XIIIᵉ s., du Cange, « saison d'hiver » ; 1636, Monet, « quartier d'hiver » ; 1802, Flick, sens actuel. || **hivernal** 1119, Ph. de Thaun. || **hivernant** 1836, Landais, « qui hiverne ». || **hibernal** 1532, Rab. ; rare jusqu'au XIXᵉ s. (1842, *Acad.*) ; bas lat. *hibernalis.* || **hiberner** fin XVIIIᵉ s. ; lat. *hibernare.* || **hibernant** 1808, Cuvier. || **hibernation** 1829, *Mémoires Acad.*

**hobby** v. 1950 ; mot angl. signif. « petit cheval, dada », du moyen fr. *hobin,* petit cheval qui va l'amble.

**hobereau** 1196, Ambroise (*hoberel*), « petit faucon » ; 1539, R. Est., « petit seigneur » ; diminutif de l'anc. fr. *hobe,* faucon, sans doute même mot que *hober,* remuer, sauter, du néerl. *hobben.*

**hoc** 1640, Voiture, « jeu de cartes » ; mot lat. signif. « ceci ».

**hoca** 1658, *Traité police,* « jeu de hasard » ; ital. (*giuco dell'*) *oca,* jeu de l'oie ; le *h* est dû à l'infl. de *hoc,* jeu de cartes.

**hoche** 1175, Chr. de Troyes (*osche*), avec *h* d'apr. *hocher ;* préroman **osca,* entaille. || **hocher** 1160, Benoît, « cocher ».

1. **hocher** 1155, Wace (*hochier*) ; francique **hottisôn,* secouer. || **hochet** 1331, du Cange ; 1756, Voltaire, fig. || **hochement** 1550, *Anc. Théâtre fr.* || **hochepot** fin XIIIᵉ s. || **hochequeue** 1549, R. Est. || **hocheur** 1799, Audebert.

2. **hocher** V. HOCHE.

**hockey** 1889, Saint-Clair ; mot angl., de l'anc. fr. *hocquet,* bâton. || **hockeyeur** 1928, Lévaque.

***hoir** 1080, *Roland* (*heir*) ; 1273, Adenet (*hoir*) ; lat. pop. **herem,* du lat. class. *heres, -edis,* héritier. || **hoirie** 1318, G. || **déshérence** 1285, G.

**holà !** 1410, Ch. d'Orléans ; *mettre le holà,* 1644, Scarron ; onomat. *ho.*

**holding** 1931, Lar. ; mot angl., abrév. de *holding company,* trust financier.

**hold up** 1925, Mandelstamm ; angl. *hold up,* arrêter, et *to hold up one's hands,* tenir les mains en l'air.

**hôler** 1828, Mozin ; anc. fr. *hoiler,* crier (XIIIᵉ s.), de l'onomat. *ho.* || **hôlement** 1770, Buffon.

**hollande** 1845, Besch., « fromage » fabriqué en *Hollande.*

**holmium** 1878, créé par l'Anglais Ramsay et le Suédois Cleve ; du second élément latinisé de *(Stock)holm.*

**holo-,** gr. *holos,* entier. || **holocauste** 1170, *Rois,* sacrifice religieux ; 1690, Racine, sacrifice sanglant (n. m. ou f.) ; bas lat. *holocaustum,* brûlé tout entier, du gr. *holokaustos,* de *holos,* entier, et *kaiein,* brûler. || **holocène** 1931, Lar. || **hologramme** v. 1950. || **holomètre** 1690, Furetière. || **holophrastique** 1866, L. || **holothurie** 1572, J. Des Moulins ; lat. *holothurium,* du gr. *holothourion.* || **holotriches** 1888, Lar. ; gr. *thriks,* cheveu ; orchidées à fleurs en épis.

**homard** 1547, Haudent (*hommar*) ; anc. scand. *humarr* (allem. *Hummer*). || **homarderie** 1907, Lar. || **homardier** *id.*

**hombre** 1657, Boulan ; esp. *hombre,* homme, celui qui mène la partie.

**home** 1807, Staël ; mot angl. signif. « maison ».

**homélie** XII^e s., Éverat ; lat. eccl. *homilia,* réunion, entretien familier, du gr. *homilia.* || **homiliaire** 1866, L.

**homéo-, homo-,** gr. *homoios* ou *homos,* semblable. || **homéopathie** 1827, Bigel. || **homéopathe** *id.* || **homéostasie** 1962, Lar. || **homéotéleute** 1839, Boiste (*homoïotéleute*) ; gr. *homoioteleutos,* similitude de fin de mots. || **homéotherme** 1931, Lar. || **homocentre** 1827, *Acad.* || **homocerque** 1866, L. ; gr. *kerkos,* queue. || **homochromie** 1922, Lar. || **homogène** 1503, Chauliac ; lat. *homogeneus,* du gr. *homogenês* (*genos,* genre). || **homogénéisation** 1907, Lar. || **homogénéiser** 1845, Besch. || **homogénéité** 1503, Chauliac ; lat. *homogeneitas,* du gr. || **homographie** 1837, Chasles. || **homologue** 1585, Stevin ; gr. *homologos.* || **homologuer** 1461, Bartzsch ; lat. *homologare,* du gr. *homologein,* être d'accord. || **homologation** début XVI^e s. (*emologation*) ; 1611, Cotgrave (*homo-*). || **homonyme** XV^e s., La Curne, « vers léonin » ; début XVI^e s., sens actuel ; lat. *homonymus,* du gr. *onoma,* nom. || **homonymie** 1534, Rab., « calembour » ; 1582, Vaganay, gramm. || **homophone** 1827, *Revue britannique ;* gr. *phônê,* voix. || **homophonie** 1752, Trévoux. || **homoptère** 1873, Lar. ; gr. *pteron,* aile. || **homosexuel** 1901, Garnier. || **homosexualité** 1907, Lar. || **homothermie** 1888, Lar. || **homothétie** 1873, Lar. ; gr. *thêsis,* action de poser. || **homozygote** 1931, Lar.

**homérique** 1546, Rab. ; *rire homérique,* 1548, Vaganay ; de *Homère,* d'apr. le rire des dieux (*l'Iliade,* I). || **homérisme** 1877, L.

**home-trainer** 1962, Lar. ; mot angl., de *home,* à la maison, et *to train,* entraîner.

**homicide, hommage** V. HOMME.

***homme** X^e s., *Saint Léger* (*omne*) ; 842, *Serments* (*om,* cas sujet) ; lat. *hŏmo, -ĭnis.* (V. aussi ON.) || **homicide** 1170, *Rois,* « celui qui tue » ; 1155, Wace, « action de tuer » ; lat. *homicida,* meurtrier, et *homicidium,* meurtre, de *caedere,* tuer. || **hominien** 1878, Lar. || **hominidé** 1845, Besch. || **hommage** 1130, *Eneas* (*homage*), terme de féodalité. || **hommasse** XIV^e s. || **homme-grenouille** 1955, *le Monde.* || **homme-mort** 1962, Lar. || **homme-orchestre** 1885, A. Daudet. || **homme-sandwich** 1881. || **hominisation, -ser** 1944, Teilhard de Chardin. || **homuncule** 1611, *Recueil des révélations ;* lat. *homunculus,* petit homme. || **surhomme** 1895, Izoulet, Lar. ; calque de l'allem. *Uebermensch,* de *Mensch,* être humain (chez Nietzsche).

**hongre** XIV^e s. (*ongre*), « Hongrois » ; XV^e s., J. de Bueil, ellipse de *cheval hongre,* c.-à-d. *hongrois,* l'usage de châtrer les chevaux venant de Hongrie ; allem. *Ungar,* Hongrois, lat. médiév. *Hungarus.* || **hongrer** XVI^e s., Huguet. || **hongreur** 1873, Lar.

**hongroyer** 1734, Lalande ; de *cuir de Hongrie,* cuir apprêté avec de l'alun et du soufre (1690, Furetière). || **hongroierie** 1790, *Encycl. méth.* || **hongroyage** 1873, Lar.

**honnête** 1050, *Alexis* (*honeste*) ; *honnête homme,* 1538, R. Est. ; *honnêtes gens,* polit., 1793 ; lat. *hŏnĕstus,* honorable. || **honnêteté** 1260, Br. Latini, a remplacé *honesté* (fin IX^e s., *Eulalie*) ; lat. *honestas.* || **honnêtement** 1190, Garn. || **déshonnête** 1283, Beaumanoir. || **déshonnêteté** 1361, Oresme. || **déshonnêtement** 1230, *Antéchrist.* || **malhonnête** 1406, N. de Baye. || **malhonnêteté** 1676, Bonhours. || **malhonnêtement** 1665, Retz.

**honneur** fin X^e s., *Saint Léger* (*honor*) ; XIII^e s. (*honneur*) ; *garçon d'honneur,* 1866, L. ; *champ d'honneur,* 1756, Voltaire ; *faire honneur,* 1679, Kuhn ; pl. 1080, *Roland,* « éloges » ; lat. *hŏnōs, -ōris,* réfection de la forme pop. *enour* (XII^e s.) d'apr. le lat. || **honorable** 1120, *Ps. d'Oxford,* « digne d'estime » ; 1790, qualification des députés, de l'angl. ; lat. *honorabilis.* || **honorabilité** 1265, Br. Latini (*honorableté*) ; 1845, Besch. (*honorabilité*) ; lat. *honorabilitas.* || **honorablement** 1175, Barbier. || **honoraire** adj.

1496, Delb. ; n. m. sing. fin XVIe s., pl. 1747, Voltaire ; lat. *honorarius,* au neutre, « donné à titre d'honneur », d'où « rétribution ». || **honorariat** 1836, Raymond. || **honorer** fin Xe s., *Saint Léger ;* lat. *hŏnōrāre,* réfection de *enorer* (XIIe s.). || **honorifique** 1488, *Mer des histoires ;* lat. *honorificus.* || **honoris causa** 1922, Lar. ; loc. lat. signif. « en considération de l'honneur ». || **déshonneur** 1080, *Roland.* || **déshonorer** 1190, Garn. || **déshonorant** 1748, Thomas.

**honnir** 1080, *Roland* (*honir*) ; francique **haunjan* (allem. *höhnen*). || **honte** 1080, *Roland,* « déshonneur » ; 1273, Adenet, « sentiment de son imperfection » ; 1563, La Boétie, « réserve naturelle » ; 1611, Cotgrave, « manque d'assurance » ; francique **haunita* (même rac. que *honnir*). || **honteux** 1170, *Rois* (*hontous*) ; XVe s. (*honteux*). || **honteusement** 1138, Gaimar. || **éhonté** 1361, Oresme.

**honte** V. HONNIR.

**hop** 1828, Vidocq ; onomatopée.

**hôpital** 1175, Chr. de Troyes, « établissement charitable » ; 1675, Fléchier, « établissement recevant les malades » ; lat. *hŏspĭtalis domus,* maison pour accueillir des hôtes, de *hospes, -itis,* hôte. || **hospice** fin XIIIe s., *Mir. de saint Éloi,* « hospitalité » ; 1690, Furetière, « couvent » ; 1770, Raynal, établissement pour vieillards ; lat. *hospitium,* hospitalité. || **hospitalier** 1206, G. de Provins, n. m., « religieux qui accueille » ; adj. 1488, *Mer des hist.,* « accueillant » ; 1580, Montaigne, sens actuel ; lat. *hospitalarius.* || **hospitaliser** 1801, Mercier ; lat. *hospitalis.* || **hospitalisation** 1866, L. || **hospitalité** 1206, G. de Provins, « charité » ; 1538, R. Est., « droit d'asile » ; 1530, Lefèvre d'Étaples, « fait de recevoir chez soi » ; XXe s., « disposition à accueillir » ; lat. *hospitalitas.* || * **hôte** 1175, Chr. de Troyes (*oste*) ; lat. *hospes, -itis.* || **hôtesse** *id. ; hôtesse de l'air,* v. 1950. || * **hôtel** 1050, *Alexis,* « demeure » ; XIVe s., *Chron. de Boucicaut,* « hôtel particulier » ; 1677, Miege, « hôtellerie » ; lat. *hospitale cubiculum,* chambre pour les hôtes. || **hôtelier** 1138, *Saint Gilles.* || **hôtellerie** 1138, *Saint Gilles.* || **hostellerie** XXe s., reprise de l'anc. orth. avec un sens particulier. || **hôtel-Dieu** 1260, J. de Meung. || **inhospitalité** XIVe s. ; lat. *inhospitalitas.* || **inhospitalier** 1649, Scarron.

**hoquet** 1314, Fauvel, « heurt » ; XVe s., G., sens actuel ; onomat. || **hoqueter** 1200, *Bueve de Hantone,* « secouer » ; 1538, R. Est., sens actuel.

**hoqueton** XIIe s., *Roncevaux* (*auque-*), « étoffe de coton » ; 1549, R. Est., « blouse » ; refait sur *huque,* cape ; ar. *al-qutun,* le coton, blouse en coton.

**horaire** V. HEURE.

**horde** 1560, Postel ; 1769, Brunot, péjor. ; tartare *horda,* du turc *ordu,* camp.

**hordéine** 1819, *Dict. sc. méd. ;* lat. *hordeum,* orge.

**horion** XIIIe s., *Sept Sages ;* p.-ê. anc. fr. *oreillon,* coup sur l'oreille.

**horizon** XIIIe s., G. (*orizonte*) ; XVIe s. (*horizon*) ; 1820, Lamartine, fig. ; lat. *horizōn,* du gr. *horizein,* borner. || **horizontal** 1545, J. Martin ; au fém. 1883, *l'Illustration,* « fille publique ». || **horizontalement** 1612, Bér. de Verville. || **horizontalité** 1786, Gohin.

**horloge** 1170, *Rois* (*oriloge*), masc. en anc. fr. ; 1398, *Ménagier* (*horloge*) ; lat. *horolŏgium,* du gr. *hôrologion,* qui dit (*legein*) l'heure (*hôra*). || **horloger** n. m. 1360, Froissart (*orlogier*) ; var. *horlogeur* jusqu'au XVIIe s. ; adj. 1874, L. || **horlogerie** 1660, Oudin, « fabrication » ; 1762, *Acad.,* « pendule » ; 1803, Boiste, « magasin ».

**horminum, hormin** 1600, O. de Serres ; lat. *horminium,* du gr. *horminon,* plante à fleurs violettes.

**hormis** V. HORS.

**hormone** 1905, Starling ; gr. *hormân,* exciter. || **hormonal** 1941, Rostand. || **hormonique** 1738, Lémery (*pilules hormoniques*). || **hormonothérapie** v. 1940.

**hornblende** fin XVIIIe s. ; mot allem., de *Horn,* corne, et *blenden,* éblouir (ce métal a un éclat de corne).

**horo-,** gr. *hôra,* heure. || **horodateur** v. 1950. || **horographie** 1644, Bobynet. || **horokilométrique** 1894, Sachs. || **horoscope** 1529, Tory, « observation des astres » ; 1668, La Fontaine, « prédiction » ; lat. *horoscopus,* du gr. *hôroskopos,* qui examine (*skopein*) l'heure de la naissance.

**horreur** 1160, Benoît (*orror*) ; XIIIe s. (*horreur*) ; pl. 1665, Molière ; lat. *horror.* || **horrible** 1138, *Saint Gilles ;* lat. *horribilis.* || **horriblement** *id.* || **horrifique** 1500, Molinet ; lat. *horrificus.* || **horrifier** 1876, Sand.

**horripiler** 1843, Gautier, fig. ; lat. *horripilare,* de *horrere,* se hérisser, et *pilus,* poil. || **horripilant** 1806, Restif. || **horripilation** 1495, J. de

Vignay, « hérissement des poils » ; 1862, Flaubert, fig.

**hors** 1050, *Alexis,* var. de *fors,* avec un *h* sans doute pour mieux marquer l'hiatus dans *de hors.* || **horsain** XIII^e s., « étranger ». || **hormis** v. 1268, É. Boileau (*hors mise la clameur*) ; de *hors* et *mis ;* c.-à-d. « étant mis hors ». || **hors-bord** 1931, Lar. ; calque de l'angl. *out board,* à l'extérieur de la coque (moteur). || **hors-d'œuvre** 1596, Havard, adj., « détaché des murs » ; 1690, Furetière, « mets ». || **hors-jeu** 1931, Lar., sports. || **hors-la-loi** fin XIX^e s., A. Daudet ; calque de l'angl. *out law,* hors de la loi. || **hors-ligne** 1869, d'après L. || **hors-texte** 1907, Lar. || **dehors** X^e s., *Saint Léger* (*defors*) ; XII^e s. (*dehors*) ; bas lat. *deforis,* au-dehors de, de *de-* intensif et *foris,* dehors.

**horsain** V. HORS.

**hortensia** av. 1773, Commerson (*hortense*) ; 1801, *Courrier des spectacles* (*hortensia*) ; en l'honneur de la femme (*Hortense*) de l'horloger Lepaute.

**horticole** 1829, *Rev. ;* lat. *hŏrtus,* jardin, sur *agricole.* || **horticulteur** 1829, Boiste. || **horticulture** 1827, *Ann. soc. d'hort.* || **hortillonnage** 1873, L. ; picard *ortillon,* petit jardinier, de *orteil,* jardin (XIII^e s.), du lat. *hortus.*

**hosanna** 980, *Passion,* hymne catholique ; 1672, Sacy, exclamation ; lat. eccl. *hosanna,* de l'hébreu *hoscha na,* sauvez, je vous prie.

**hospice, hospitalier, hospitaliser, hospitalité, hostellerie** V. HÔPITAL.

**hospodar** 1663, *le Français mod. ;* mot ukrainien.

**hostie** XII^e s., G. (*oiste*) ; XIII^e s. (*hostie*) ; lat. *hostia,* victime expiatoire.

**hostile** 1525, Crétin ; lat. *hostilis,* de *hostis,* ennemi. || **hostilité** 1353, Barbier, « état de guerre » ; 1606, Crespin, « inimitié » ; lat. *hostilitas.*

**hot dog** 1962, Lar. ; mot anglo-américain signif. « chien chaud ».

**hôte, hôtel** V. HÔPITAL.

**hotte** 1230, *Merlin* (*hote*) ; francique **hotta* (allem. dial. *hotze,* berceau). || **hottée** fin XV^e s. || **hotter** 1412, G. || **hottereau** 1359, G.

**hottentot** 1691, La Loubère ; mot hollandais signif. « bégayeur », et désignant un peuple qui parle une langue à sons claqués.

**houari** 1773, Bourdé ; angl. *wherry,* même sens.

**houblon** 1413, ms. de Dijon (*oubelon*) ; 1600, O. de Serres (*houblon*) ; anc. fr. *homblon,* du francique **humilo* et de l'anc. fr. *hoppe,* houblon, du moyen néerl. *hoppe.* || **houblonnière** début XVI^e s. || **houblonnier** 1873, Lar. || **houblonner** 1694, *Acad.*

**houe** 1170, *Rois ;* francique **hauwa* (allem. *Haue*). || **houer** fin XII^e s., *Loherains.* || **hoyau** 1312, G. (*heviaus*).

**houille** 1502, texte du Creusot (*oille de charbon*) ; 1611, Cotgrave (*houille*) ; wallon *hoye,* mot liégeois signif. « fragment » (*hulhes,* 1278), du francique **hukila,* de *hukk,* bosse, monceau ; la houille fut exploitée d'abord sur les rives de la Sambre et de la Meuse. || **houille blanche** 1906, *l'Illustration,* créé par Cavour. || **houiller** adj. 1793. || **houillère** 1541, Guy Coquille (*oulliere*). || **houilleur** 1360, Froissart. || **houilleux** 1835, *Acad.* || **houillification** 1907, Lar.

**houka** 1812, Jouy ; hindî *hukka,* d'orig. arabe ; pipe orientale.

**houle** 1484, Garcie ; XIX^e s., fig. ; germ. *hol* (allem. *hohl*), creux, à cause du creux des vagues. || **houleux** 1716, Frézier ; fig. 1859, Hugo. || **antihoule** 1955, *Combat.*

**houlette** 1278, A. de la Halle ; anc. fr. *houler,* lancer, du francique.

**houlque** 1789, *Encycl. méth. ;* lat. *holcus,* orge sauvage, du gr. *holkos.*

**houp** 1652, Richer ; onomat.

**houppe** début XIV^e s., Gilles li Muisis ; francique **huppo,* touffe. || **houpper** *id.* || **houppier** *id.* || **houppette** fin XIV^e s.

**houppelande** 1280, Bibbesworth ; anc. angl. **hoppâda,* pardessus.

**hourd** XIII^e s., *Fabliau,* « palissade » ; francique **hurd* (allem. *Hürde,* claie). || **hourder** XII^e s., *Chev. Ogier.* || **hourdage** fin XV^e s., Molinet. || **hourdis** fin XII^e s., *Loherains* (*hordeïs*).

**houret** 1661, Molière ; onomat. *hourr-,* cri pour exciter les chiens ; désigne un mauvais chien de chasse.

**houri** 1654, Duloir ; persan *hoûrî,* jeune fille du paradis, de l'ar. *hāwrā,* plur. *hūr,* qui a le blanc et le noir des yeux très prononcés.

**hourque** 1326, Mieris (*hulke*) ; moyen néerl. *hulke,* croisé avec *hoeker,* autre type de bateau ; ancien navire de charge hollandais.

**hourra** 1722, Labat (*huzza*) ; 1824, Brunot (*hourra*) ; 1830, Mérimée (*hurra*) ; angl. *hurra,* onom. Le cri de guerre vient du russe *ura.*

**hourvari** 1561, du Fouilloux ; croisement entre *hourr-,* cri pour exciter les chiens, et *charivari.*

**housard** V. HUSSARD.

**houseau** XII^e s. ; anc. fr. *huese* (fin XI^e s.), botte, du francique **hosa* (allem. *Hose,* culotte).

**houspiller** 1450, du Cange ; altér. de *housse-pignier* (XIII^e s., *Renart*), peigner (c.-à-d. « battre ») la housse, ou de *houx* (frapper avec du houx). || **houspilleur** 1873, Lar. || **houspillement** 1606, Nicot.

**housse** 1155, Wace, « mantelet » ; 1280, Bibbesworth, « couverture de cheval » ; 1668, La Fontaine, « enveloppe de tissu pour les meubles » ; francique **hulftia* (moyen néerl. *hulfte,* fourreau pour flèches). || **housser** 1268, É. Boileau. || **houssage** 1690, Furetière. || **housset** 1765, *Encycl.*

**houssine** V. HOUX.

**houx** 1175, Chr. de Troyes ; francique **hulis* (allem. *Hulst*). || **houssaie** fin XII^e s., G. || **housser** fin XIII^e s., *Renart,* nettoyer. || **houssière** 1341, G. || **houssine** XV^e s., *Perceval,* « verge de houx » ; 1904, Loti, « petit houx ». || **houssiner** 1611, Cotgrave. || **houssoir** XV^e s., *Grant Herbier.*

**hoyau** V. HOUE.

**hublot** 1382, *Compte du clos des galées de Rouen* (*huvelot*) ; 1687, Desroches (*hulot*) ; XVIII^e s. (*hublot*) ; anc. fr. *huve,* bonnet, du francique **huba,* coiffe.

**huche** 1170, *Rois,* « pétrin » ; 1573, Du Puys, « coffre » ; mot de l'Ouest (lat. du XI^e s. *hūtĭca*), d'origine germ. (*hutte* ou *hüten,* garder). || **huchier** 1226, G. (*huchier*). || **hucherie** 1300, G.

**hucher** 1130, *Eneas ;* lat. pop. **huccare,* d'orig. germ. ; appeler en criant. || **huchée** fin XII^e s., *Moniage Guillaume.* || **huchement** début XIV^e s.

**hue** 1653, Hémard ; onomat.

**huer** 1130, *Eneas ;* formation expressive, onomat. || **huée** XII^e s., *Roncevaux ;* pl. XVI^e s., d'Aubigné. || **huard** 1361, Oresme. || **huette** 1555, Belon. || **huage** 1732, Trévoux. (V. CHAT-HUANT.)

**hugolien** 1885, Boyer, de *V. Hugo.* || **hugolique** av. 1880, Flaubert. || **hugolesque** XX^e s.

**huguenot** 1483, *Lettre duc René* (*esguenotz*), « espèce de soldat » ; 1526, *Journal du syndic Jean Balard* (*ayguenot*), « patriote hostile au duc de Savoie, à Genève » (le chef étant *Hugues Besançon*) ; 1552, Richard, « protestant » ; altér., sous l'infl. de *Hugues,* de l'allem. *Eidgenossen,* confédérés.

***huile** 1112, *Voy. saint Brendan* (*olie, oile*) ; XIII^e s. (*uile*) ; le *h* évite la lecture *vile ;* lat. *oleum,* huile d'olive, de *olea,* olive. || **huiler** 1361, Oresme. || **huilerie** 1547, *Doc.,* « moulin à huile » ; 1871, L., « usine ». || **huileux** 1474, *Doc.* || **huilage** 1838, *Acad.* || **huilier** v. 1268, É. Boileau, « fabricant » ; 1718, *Acad.,* « ustensile ». || **déshuiler** 1838, *Acad.* || **déshuileur** 1911, Lar.

***huis** 1050, *Alexis* (*us*) ; XII^e s., *Roncevaux* (*uis*) ; 1175, Chr. de Troyes (*huis*), avec un *h* pour éviter *vis ;* bas lat. *ūstium* (V^e s., M. Empiricus) [lat. *ŏstium,* porte]. Ne reste que dans *huis clos* (1549, R. Est.). || **huissier** 1138, *Saint Gilles* (*uisser*), « portier » ; 1538, R. Est., « officier de justice ». || **huisserie** fin XI^e s., *Gloses de Raschi.*

***huit** fin XI^e s., *Lois de Guill.,* avec un *h* pour éviter *vit ;* lat. *octo.* || **huitain** 1160, Benoît, « huitième » ; fin XV^e s., Molinet, *vers huitain.* || **huitante** début XII^e s., *Voy. de Charl. ;* anc. fr. *oitante.* || **huitaine** fin XII^e s. || **huitième** 1080, *Roland.* || **huitièmement** 1480, Vaganay. || **huit-reflets** 1907, Lar.

***huître** 1265, Br. Latini (*oistre*) ; 1538, R. Est. (*huître*), avec *h* qui évite la confusion avec *vitre ;* lat. *ostrea.* || **huîtrier** 1718, *Acad.* || **huîtrière** 1546, R. Est.

**hulotte** 1530, Lefèvre d'Étaples ; anc. fr. *uler,* hurler, du lat. *ululare.*

**humain** 1130, *Eneas ;* lat. *humanus,* de *homo,* homme. || **humainement** 1130, *Saint Gilles.* || **humaniser** 1559, Amyot. || **humanisation** 1845, Mollien. || **humanisme** 1765, Brunot. || **humaniste** 1539, Gruget. || **humanité** 1120, *Ps. d'Oxford,* « caractère humain » ; 1170, *Rois,* « bienveillance » ; av. 1528, Bouchet, « études classiques », abrév. de *studia humanitatis* (Cicéron : études littéraires) ; 1458, *Mystère,* « ensemble des humains ». || **humanitaire** 1833, Michel Raymond. || **humanitairerie** 1838, Musset. || **humanitarisme** 1837, Balzac. || **humanitariste** 1837, Balzac. || **déshumaniser**

1647, Vaugelas. || **déshumanisation** 1870, Lar. || **inhumain** 1373, *Cart. Montreuil ;* lat. *inhumanus.* || **inhumainement** 1370, J. Le Bel. || **inhumanité** 1312, *Songe du Vergier.* || **surhumain** 1578, Ronsard.

**humble** 1080, *Roland* (*humele*) ; 1120, *Ps. de Cambridge* (*humble*) ; lat. *hŭmĭlis,* peu élevé, qui a pris le sens de « humble » en lat. chrét. || **humilité** Xe s., *Saint léger ;* lat. chrét. *humilitas,* modestie (lat. class. « ce qui est bas physiquement »). || **humilier** 1120, *Ps. d'Oxford ;* lat. chrét. *humiliare.* || **humiliant** 1160, Benoît. || **humiliation** 1495, J. de Vignay ; lat. *humiliatio* (IIIe s., Tertullien).

**humecter** 1503, Chauliac ; lat. *humectare,* mouiller. || **humectation** 1314, Mondeville. || **humectage** 1873, Tolhausen.

**humer** fin XIe s., *Gloses de Raschi ;* formation expressive, onomat. || **humage** XIVe s., *Miracles N.-D.*

**humérus** 1560, Paré ; lat. *hŭmĕrus,* épaule. || **huméral** 1541, Canappe ; bas lat. *humeralis.*

**humeur** 1119, Ph. de Thaon, « liquide » ; 1265, Br. Latini, méd. ; XVe s., Basselin, fig., d'après l'influence attribuée dans l'anc. méd. aux *humeurs cardinales* sur le caractère ; pl. 1580, Montaigne ; lat. *hūmor,* liquide. || **humoral** 1490, Chauliac ; lat. médiév. *humoralis.* || **humour** 1725, *Lettre sur les Anglais,* fém. ; 1693, W. Temple, même sens, avec la graphie *humeur ;* angl. *humour,* du fr. *humeur* au XVIIe s. || **humorisme** 1835, *Acad.* || **humoriste** 1578, Est., « maussade » ; XVIIIe s., sens actuel ; ital. *umorista,* dans le premier sens ; angl. *humorist* dans le second. || **humoristique** 1801, Mercier ; angl. *humoristic.*

**humide** 1495, J. de Vignay, « constitué d'eau » ; 1559, du Bellay, « chargé d'eau » ; lat. *hūmidus.* || **humidité** 1361, Oresme ; lat. *humiditas.* || **humidifier** 1648, Scarron. || **humidification** 1875, *Almanach.* || **humidificateur** 1895, *Grande Encycl.*

**humilier, humilité** V. HUMBLE.

**hummock** 1866, Blanchère ; mot angl. signif. « monticule de glace sur la banquise ».

**humoral, humour** V. HUMEUR.

**humus** 1765, *Encycl. ;* mot lat. signif. « terre, sol ». || **humifère** 1931, Lar. || **humification** 1922, Lar. || **humine** 1866, L.

**hune** 1138, *Saint Gilles ;* anc. scand. *hûn,* tête de mât. || **hunier** 1557, *Hist.*

**hunter** 1802, *Moniteur ;* mot angl., de *to hunt,* chasser ; cheval de chasse exercé à franchir les obstacles.

***huppe** 1119, Ph. de Thaon, « oiseau » ; 1549, R. Est., « touffe de plumes » ; lat. pop. *ūpupa* (lat. class. *ŭpŭpa*), avec un *h* expressif, ou même rac. que *houppe.* || **huppé** fin XIVe s., *Chron. de Boucicaut.*

**hure** 1190, Garn., « bonnet de fourrure » ; XIIe s., *Partenopeus,* « tête hérissée » ; lat. pop. **hura,* origine germ. || **huron** 1360, G. ; XIVe s., « paysan de la Jacquerie » ; 1671, Pomey, appliqué à une peuplade du Canada. || **ahurir** 1270, G., « plonger dans la torpeur » ; XVe s., sens actuel ; de *hure,* proprement « à la tête hérissée ». || **ahurissement** 1862, Hugo.

***hurler** 1160, Benoît (*uller*) ; XVe s. (*hurler*), avec *h* expressif ; lat. pop. **urulare* avec dissimilation des deux *l* (lat. class. *ululare*). || **hurlée** 1350, *le Bâtard de Bouillon.* || **hurlement** 1160, Benoît (*usl-*) ; XVIe s. (*hurlement*). || **hurleur** 1350, G., « crieur public » ; 1606, Crespin, « qui hurle ».

**hurluberlu** 1553, Rab. (var. *-brelu, -burlu,* etc.) ; anc. mot **hurelu,* de *hurel,* aux cheveux hérissés, et *berlu,* homme léger.

**huron** V. HURE.

**hurricane** 1885, Hugo ; mot angl. d'une langue des Caraïbes et désignant un cyclone tropical.

**hussard** 1532, *Lettre* (*houssari*) ; 1690, Furetière (*hussard*) ; var. *housard* (1721, Trévoux) ; allem. *Husar,* du hongrois *huszar,* le vingtième (cavalier de l'armée hongroise). || **hussarder** 1765, *Encycl.*

**hutte** 1358, Runkewitz ; francique *hutta.*

**hyacinthe** V. JACINTHE.

**hyal(o)-,** gr. *hulos,* pierre transparente. || **hyalin** 1450, Milet, « vert » ; 1866, L., sens actuel ; bas lat. *hyalinus,* du gr. *hualinos.* || **hyalite** 1827, *Acad.* || **hyalographe** 1836, Landais. || **hyaloïde** 1541, Vassée.

**hybride** 1596, Hulsius ; lat. *hibrida,* de sang mêlé, altéré en *hybrida,* sous l'infl. du gr. *hubris,* violence, de *huper,* au-delà. || **hybridation** 1836, Landais. || **hybrider** 1873, Lar. || **hybridité** 1839, *Acad.*

**hyd-, hydr(o)-,** gr. *udôr, udatos,* eau. || **hydarthrose** 1843, Landais. || **hydatique** 1795, Cullen. || **hydracide** 1831, *Acad.* || **hydraire** 1877, L. || **hydrargyre** 1611, Cotgrave ; gr.

*hudrarguros,* de *arguros,* argent. || **hydrargyrose** 1765, *Encycl.* || **hydrargyrisme** 1856, Lachâtre. || **hydrate** 1802, *Annales Museum.* || **hydrater** 1836, Landais. || **hydratation** 1845, Besch. || **hydraulique** fin XV^e s., Bouchard ; 1690, Furetière, sens actuel ; lat. *hydraulicus,* mû par l'eau, de *hudraulis* (gr. *aulos,* flûte), « orgue hydraulique ». || **hydraulicien** 1803, Boiste. || **hydravion** 1922, Lar. || **hydrazine** 1888, Lar. || **hydre** 1160, *Charroi ;* lat. *hydrus, -a,* du gr. *hudra,* serpent d'eau. || **hydrémie** 1845, Besch. ; gr. *haima,* sang. || **hydrique** 1840, A. Comte. || **hydrobase** 1949, Lar. || **hydrocarbonate** 1842, *Acad.* || **hydrocarbure** 1827, *Acad.* || **hydrocèle** 1538, Canappe ; gr. *kêlê,* tumeur. || **hydrocéphale** 1560, Paré, n. ; adj. 1798, *Encycl. méth. ;* gr. *hudrokephalon* (*kephalê,* tête). || **hydrocharidées** 1816, Candolle. || **hydrocution** 1954, Lar. || **hydro-électrique** 1842, *Acad.* || **hydrofuge** 1829, Boiste. || **hydrogène** 1787, Guyton de Morveau, « qui engendre l'eau » ; n. m. début XIX^e s., sens actuel. || **hydrogéné** 1802, *Annales Museum.* || **hydrogénation** 1836, Landais. || **hydroglisseur** 1922, Lar. || **hydrographe** 1548, Mizauld. || **hydrographie** 1551, Finé. || **hydrolat** 1842, *Acad. ;* sur *alcool* et suffixe *-at.* || **hydrolithe** 1827, *Acad.* || **hydrologie** 1614, Landrey. || **hydrologue** 1827, *Acad.* || **hydrolyse** 1902, Lar. || **hydromancie** milieu XIV^e s., Digulleville. || **hydromel** 1314, Mondeville ; lat. *hydromeli* (gr. *meli,* miel). || **hydromètre** 1751, Desaguliers. || **hydrométrie** 1710, *Hist. Acad.* || **hydronymie** début XX^e s. ; gr. *onoma,* nom. || **hydropathe** 1843, Reybaud. || **hydropathie** 1825, Preissnitz, « hydrothérapie ». || **hydrophile** 1827, *Acad. ;* 1762, Geoffroy, « coléoptère ». || **hydrophobe** 1640, Oudin ; lat. *hydrophobus* (gr. *phobos,* peur). || **hydrophobie** 1314, Mondeville. || **hydropique** 1175, Chr. de Troyes (*ydropite*) ; fin XIV^e s., E. Deschamps (*hydropique*) ; lat. *hydropicus* (gr. *hudrôps,* hydropisie). || **hydropisie** 1190, Garn. || **hydroplane** 1931, Lar. || **hydropneumatique** 1803, Mozin. || **hydroquinone** 1866, L. || **hydrosilicate** 1842, *Acad.* || **hydrosphère** 1902, Lar. || **hydrostaticien** 1911, Lar. || **hydrostatique** 1691, Ozanam. || **hydrothérapie** 1845, Besch. || **hydrothérapique** 1844, Boyer. || **hydrothermal** 1877, *J. O.* || **hydrotimètre** 1856, Lachâtre ; gr. *hudrôtes,* qualité d'un liquide. || **hydroxyde** 1842, *Acad.* || **hydrozoaire** 1878, Lar. || **hydrure** 1806, *Encycl. méth.*

**hyène** 1211, *le Bestiaire ;* lat. *hyaena,* du gr. *huaina.*

**hygiène** 1560, Paré (*-aine*) ; gr. *hugieinon,* santé, de *hugiês,* sain. || **hygiénique** fin XVIII^e s. || **hygiéniste** 1830, Balzac. || **antihygiénique** 1850, Devergie.

**hygro-,** gr. *hugros,* humide. || **hygrologie** 1866, L. || **hygroma** 1808, Boiste (*hygrome*) ; 1827, *Acad.* (*hygroma*). || **hygromètre** 1666, *Mém. Acad. des sc.* || **hygrométrie** 1783, Saussure. || **hygrométrique** *id.* || **hygrométricité** 1850, Dorvault. || **hygroscope** 1666, *Journ. des savants ;* gr. *skopein,* examiner.

**hylo-,** gr. *hulê,* matière. || **hylaste** 1873, Lar., scolyte. || **hylastine** 1962, Lar. || **hylozoïsme** 1765, *Encycl. ;* gr. *zôê,* vie ; doctrine philosophique opposée au mécanisme cartésien. || **hylozoïste** 1902, Lar.

1. **hymen** 1520, Falcon, « mariage » ; lat. *Hymen,* du gr. *Humên,* dieu du Mariage. || **hyménée** 1550, Vaganay ; lat. *hymenaeus,* du gr. *humenaios,* chant nuptial.

2. **hymen** 1560, Paré ; bas lat. *hymen,* du gr. *humên,* membrane. || **hyménium** 1836, Landais. || **hyménomycètes** 1866, L. ; gr. *mukês,* champignon. || **hyménoptères** 1765, *Encycl. ;* gr. *pteron,* aile.

**hymne** 1120, *Ps. de Cambridge ;* lat. *hymnus,* du gr. *humnos.* || **hymnique** 1839, *Acad.* || **hymnologie** 1866, L.

**hyoïde** 1541, Vassée ; gr. *huoeidês ostoûn,* os à l'aspect d'un *u.* || **hyoïdien** 1654, Gelée. || **hyoglosse** 1866, L. ; gr. *glôssa,* langue.

**hypallage** 1596, Vigenère ; lat. *hypallage,* mot grec signif. « échange, interversion ».

**hyper-,** préfixe, du gr. *huper,* au-delà, au-dessus, employé dès le XVI^e s. dans les calques du grec ; développé à la fin du XVIII^e s. et surtout au XIX^e s., dans le vocabulaire médical, puis dans celui de la psychologie, il s'est répandu au XX^e s., dans les lexiques techniques et ensuite dans la langue commune, comme préfixe intensif. Les mots composés avec le préfixe *hyper-* sont au mot simple, quand celui-ci existe.

**hyperacousie** 1866, L. ; de *hyper-,* et gr. *akousis,* action d'entendre.

**hyperbate** 1584, Vaganay ; lat. *hyperbaton,* du gr. *huperbaton,* traversé ; inversion de l'ordre habituel des mots.

**hyperbole** XIII^e s., Delb., rhétorique ; 1646, Huygens, math. ; milieu XIX^e s., fig. ; lat. *hyperbole,* du gr. *hyper,* au-dessus, et *ballein,* lancer. || **hyperbolique** 1541, Calvin ; lat. *hyperbolicus,* du gr. *huperbolikos.* || **hyperboliquement** 1541, Calvin. || **hyperboloïde** 1765, *Encycl.*

**hyperborée** 1372, Corbichon ; lat. *hyperboreus,* du gr. *huperboreos,* de *boreas,* vent du Nord. || **hyperboréen** 1684, *Doc.,* qui habite l'extrême Nord.

**hypercapnie** 1962, Lar. ; de *hyper-* et gr. *kapnos,* vapeur.

**hyperesthésie** 1808, Boiste ; de *hyper-* et gr. *aisthêsis,* sensibilité. || **hyperesthésique** 1902, Lar.

**hypergueusie** 1931, Lar. ; de *hyper-* et gr. *geusis,* action de goûter.

**hypericum** 1314, Mondeville ; lat. *hypericon,* millepertuis, du gr. *huperikon.*

**hypermétrope** 1866, Bouchut ; de *hyper-,* gr. *metron,* mesure, et *ops,* vue. || **hypermétropie** 1870, Lar., anomalie de la vision où l'image de l'objet se forme en arrière de la rétine.

**hypersialie** 1931, Lar. ; de *hyper-* et gr. *sialon,* salive.

**hypertrophie** 1819, Laënnec ; de *hyper-* et *(a)trophie,* du gr. *trophê,* nourriture. || **hypertrophier** 1833, *Journ. ;* XX^e^ s., fig. || **hypertrophique** 1836, *Acad.*

**hypne** 1771, Trévoux ; gr. *hupnon,* mousse sur les arbres.

**hypn(o)-,** gr. *hupnos,* sommeil. || **hypnagogique** 1866, Lar. ; gr. *agein,* conduire. || **hypnose** 1873, Lar. || **hypnotique** 1560, Paré ; 1866, L., « relatif à l'hypnose » ; lat. *hypnoticus,* du gr. *hupnôtikos,* relatif au sommeil. || **hypnotiser** 1866, L. || **hypnotiseur** 1873, Lar. || **hypnotisme** 1845, Besch. ; angl. *hypnotism* (1843, Braid), du gr. *hupnoûn,* endormir. || **hypnotiste** 1888, Lar.

**hyp(o)-,** gr. *hupo,* sous, dessous, commun dès le XVI^e^ s., dans les mots empruntés au grec ; il fait couple avec *hyper-* dans le langage scientifique, à partir de la fin du XVIII^e^ s., et ne cesse de se développer au cours du XIX^e^ s.

**hypocauste** 1547, Martin ; gr. *hupokauston,* de *kaiein,* brûler ; fourneau souterrain pour chauffer les salles de bains.

**hypocondre** 1398, *Somme Gautier ;* lat. méd. *hypochondrion,* de *hypo,* dessous, et gr. *khondros,* cartilage des côtes. || **hypocondriaque** 1560, Paré ; gr. *hupokhondriakos* (le trouble mental étant attribué au trouble des hypocondres du bas-ventre). || **hypocondre** 1609, Régnier, « atteint d'hypocondrie » ; 1668, La Fontaine, « d'humeur sombre ». || **hypocondrie** 1490, Chauliac.

**hypocoristique** 1893, *D. G. ;* gr. *hupokoristikos,* caressant, de *korizesthai,* caresser ; se dit d'un mot traduisant un sentiment affectueux.

**hypocras** 1415, Gréban (*ypocras*) ; altér., d'après le préf. *hypo-,* sous, de *Hippocrate* (*Hippocras* au Moyen Âge), auquel on attribuait l'invention de ce breuvage.

**hypocrite** 1175, Chr. de Troyes ; lat. *hypocrita,* du gr. *hupokritês,* acteur, fourbe. || **hypocrisie** 1175, Chr. de Troyes ; lat. *hypocrisia,* du gr. *hupocrisia,* jeu de l'acteur, faux-semblant. || **hypocritement** 1584, Vaganay.

**hypogastre** 1536, G. Chrestien ; gr. *hupogastrion,* bas-ventre, de *hupo,* sous, et *gastêr,* ventre, estomac. || **hypogastrique** 1654, Gelée.

**hypogée** 1553, Rab. ; bas lat. *hypogeum,* du gr. *hupogeion* (*gê,* terre), tombeau souterrain.

**hypoglosse** 1752, Trévoux ; gr. *hupoglôssios,* de *hupo,* sous, et *glôssa,* langue ; nerf du cou.

**hypophyse** 1836, Landais ; gr. *hupophasis,* croissance en dessous, de *phusis,* production (glande située sous l'encéphale et qui produit une hormone de croissance). || **hypophysaire** 1922, Lar.

**hypostase** 1398, *Somme Gautier ;* lat. eccl. *hypostasis,* ce qui est placé en dessous, c.-à-d. « substance », du gr. *hupostasis,* support. || **hypostasies** 1907, Bergson. || **hypostatique** 1474, *Mystère.*

**hypostyle** 1824, Champollion ; gr. *hupostulos,* de *hupo,* sous, et *stulos,* colonne ; se dit de la grande salle d'un temple égyptien dont le plafond est supporté par des colonnes.

**hypoténuse** 1520, E. de La Roche ; lat. *hypotenusa,* du gr. *hupoteinousa,* se tendant sous (les angles), de *hupo,* sous, et *teinein,* tendre.

**hypothénar** 1560, Paré ; gr. *hupothenar,* creux de la main.

**hypothèque** XIV^e^ s., Bouthillier ; XX^e^ s., fig. ; lat. jurid. *hypotheca,* du gr. *hupothêkê,* ce qu'on met dessous, gage. || **hypothéquer** 1386,
met dessous, gage. || **hypothéquer** 1386,
**thécaire** 1316, G. ; bas lat. *hypothecarius.*

**hypothèse** 1538, Canappe, philos. ; 1662, Pascal, sens général ; lat. impér. *hypothesis,* du gr. *hupothesis,* ce qui est mis dessous. || hy-

**pothétique** 1290, Drouart ; lat. *hypotheticus,* du gr. *hupothetikos.* || **hypothétiquement** XVIe s., G.

**hypotypose** 1555, Peletier ; lat. *hypotyposis,* du gr. *hupotupôsis,* de *hupotupoûn,* ébaucher, de *tuptein,* façonner ; description vivante, imagée, mettant sous les yeux la scène.

**hypsomètre** 1856, Lachâtre ; gr. *hupsos,* hauteur, et *-mètre.* || **hypsométrie** 1829, Boiste. || **hypsométrique** 1839, *Acad.* || **hypsographie** 1845, Besch.

**hysope** 1120, *Ps. d'Oxford ;* lat. *hyssōpus,* du gr. *hussôpos,* mot sémitique, vulgarisé par les trad. de la Bible ; plante aromatique.

**hystér(o)-,** gr. *hustera,* matrice, utérus. || **hystéralgie** 1866, L. || **hystérectomie** 1888, Lar. || **hystérique** 1568, Grévin, méd. (l'attitude des malades est considérée alors comme un accès d'érotisme) ; 1866, Baudelaire, fig. ; lat. *hystericus,* du gr. *husterikos,* de même rac. || **hystérie** début XVIIIe s., méd. ; 1869, Sainte-Beuve, fig. || **hystériforme** 1843, Landais. || **hystérographie** 1962, Lar., exploration de l'utérus. || **hystérotomie** 1721, Trévoux.

# i

**ïambe** 1532, Rab. (*-bus*) ; fin XVIe s., d'Aubigné (*iambe*), mètre gréco-latin ; 1589, Baïf, vers français ; av. 1794, Chénier, « pièce satirique » ; lat. *iambus,* du gr. *iambos.* || **ïambique** 1466, Michault ; lat. *iambicus,* du gr. *iambikos.*

**ibéride** 1615, Daléchamp (*iberis*) ; 1789, *Encycl. méth.* (*ibéride*) ; lat. *iberis, -idis,* du gr., signif. « cresson ».

**ibérique** 1767, *Encycl.* ; de *Ibérie,* anc. nom de la péninsule hispanique. || **ibérisme** XXe s.

**ibidem** fin XVIIe s. ; mot lat. signif. « ici (*ibi*) même (*idem*) ».

**ibis** 1265, Br. Latini (*ibe*) ; 1537, Saliat (*ibis*) ; mot lat., du gr. *ibis* ; oiseau de grande taille.

**icaque** 1555, Poleur (*hicaco*) ; 1658, Rochefort (*icaque*) ; esp. *icaco,* mot de la langue des Caraïbes ; arbuste de Guyane.

**iceberg** 1715, *Descript. de l'île de J. Mayen* ; mot angl., du norvégien *ijsberg,* montagne (*berg*) de glace (*ijs*).

**ice-cream** 1895, Bonnafé ; mot angl., de *ice,* glace, et *cream,* crème.

**icefield** v. 1850 ; mot angl., de *ice,* glace, et *field,* champ.

**ichneumon** 1553, Belon, « rat » ; 1562, du Pinet, « insecte » ; lat. *ichneumon,* mot gr., signif. « fureteur ».

**ichnographie** 1547, J. Martin ; lat. *ichnographia,* du gr. *ikhnos,* trace, et *graphein,* décrire ; terme d'architecture. || **ichnologie** 1968, Lar.

**ichor** 1538, Canappe ; gr. *ikhôr,* sang des dieux. || **ichoreux** 1560, Paré.

**ichty(o)-,** gr. *ikhthus,* poisson. || **ichtyocolle** 1598, R. Est. (*-cola*) ; 1776, Bomare (*-colle*). || **ichtyol** 1890, Lar. || **ichtyologie** 1649, *Doc.* ; lat. zool. *ichtyologia,* fait sur le gr. || **ichtyologiste** 1765, *Encycl.* || **ichtyoïde** 1817, Blainville. || **ichtyodonte** 1765, *Encycl.* || **ichtyophage** 1265, Br. Latini. || **ichtyophagie** 1546, Rab. || **ichtyosaure** 1824, *Ann. de chimie.* || **ichtys** 1765, *Encycl.* ; mot gr.

***ici** Xe s., *Passion* ; lat. pop. *ecce hic,* forme renforcée (*ecce,* voilà) de *hic,* ici, qui a donné *ci* (1080, *Roland*), resté dans *celui-ci, ce ...-ci, ci-dessus,* etc. Le *i* initial vient de *illuec* (lat. **illōc*) ou de *hīc,* ici.

**icoglan** 1624, Deshayes (*ich-*) ; 1778, Voltaire (*icoglan*) ; turc *îtchoghlân,* page (*oghlân*) de l'intérieur (*îtch*) ; officier du sultan.

**icône** 1838, *Acad.* ; russe *ikona,* du gr. byzantin *eikona,* image sainte. Il existait en anc. fr. *icoine,* image sainte (1220, Coincy), tiré du gr. || **iconoclasme** 1836, Landais. || **iconoclaste** milieu XVIe s. ; gr. *eikonoklastês,* de *klaein,* briser. || **iconogène** fin XIXe s. || **iconographie** 1701, Furetière. || **iconographe** 1803, Mozin. || **iconographique** 1762, *Acad.* || **iconolâtre** 1701, Furetière ; gr. *latris,* serviteur de Dieu. || **iconologie** 1636, Baudoin. || **iconoscope** 1877, L. || **iconostase** 1786, Coxe (*-sus*) ; 1842, Marmier (*-se*) ; gr. *stasis,* action de poser ; écran à trois portes couvert d'images dans les églises des rites orientaux.

**icosaèdre** 1377, Oresme (*icocedron*) ; 1551, Loys Le Roy (*icosaedre*) ; lat. *icosaedrum,* du gr. *eikosaedron* (*eikosi,* vingt, et *edra,* face) ; corps solide de vingt faces planes. || **icosagone** 1873, Lar.

**ictère** fin XVIe s., « coloration jaune de la peau » ; 1902, Lar., maladie ; gr. *ikteros,* jaunisse. || **ictérique** 1560, Paré.

**ictus** 1861, Trousseau, « coup », méd. ; 1867, L., en métrique ; lat. *ictus,* coup.

**idéal** V. IDÉE.

**idée** 1119, Ph. de Thaon, « forme des choses, image » ; 1265, J. de Meung, représentation dans la pensée ; 1656, Pascal, « opinion » ; *se faire une idée,* XVIe s., Ronsard ; *donner une idée,* 1758, Helvétius ; *avoir dans l'idée,* milieu

XVII<sup>e</sup> s. ; *idée fixe,* 1830, Balzac ; *idées innées,* av. 1647, Descartes ; *idée noire,* 1740, *Acad. ; se faire des idées,* 1873, Lar. ; lat. philos. *idea,* du gr. *idea,* apparence, forme, de *ideîn,* voir. || **idéal** adj. 1551, Du Parc ; n. m. 1765, Diderot, par l'allem. *Ideal ;* bas lat. *idealis* (Ve s., Capella). || **idéation** 1870, Ribot ; d'apr. l'angl. *ideation.* || **idéaliser** 1795, Villeterque. || **idéalisation** 1831, Balzac. || **idéalement** 1551, Pontus de Tyard. || **idéalisme** 1749, Diderot, philos. ; 1869, J. Buzon, polit. || **idéaliste** fin XVIIe s. || **idéalité** v. 1750. || **idéologie** 1796, Destutt de Tracy ; fin XIXe s., système de pensée. || **idéologiste** 1797, Destutt de Tracy. || **idéologique** 1801, Destutt de Tracy. || **idéologue** 1800, Brunot, esprit chimérique ; 1802, Chateaubriand, philos. ; 1935, Lar., doctrinaire. || **idéographie** 1829, Nodier. || **idéogramme** 1859, Renan.

**idem** 1501, *Jardin de plaisance ;* mot lat. signif. « la même chose ».

**identifier** 1610, Coton ; bas lat. *identificare,* lat. *idem,* de même, et *facere,* faire. || **identification** *id.* || **identique** *id. ;* lat. médiév. *identicus,* semblable. || **identiquement** 1574, Rab. || **identité** 1327, Varin, « égalité sociale » ; 1370, Oresme, « union » ; 1671, Cotgrave, sens actuel ; *carte d'identité,* 1931, Lar. ; bas lat. *identitas.* || **identifiable** 1845, Richard.

**identique, idéologie** V. IDENTIFIER, IDÉE.

**idiolecte** v. 1960 ; anglo-américain *idiolect,* du gr. *idios,* particulier, et *(dia)lect.*

**idiome** 1527, Dassy (*ydiomat*) ; 1544, Des Périers (*idiome*), « idiotisme » ; 1580, Montaigne, « langue » ; bas lat. *idioma,* idiotisme, du gr. *idiôma,* particularité propre à une langue. || **idiomatique** 1845, Besch.

**idiopathie** 1586, Suau ; gr. *idiopatheia,* sentiment éprouvé pour soi-même, de *idios,* propre, et *pathos,* maladie. || **idiopathique** 1602, Taxil.

**idiosyncrasie** 1581, Nancel ; gr. *idiosunkrasia,* tempérament particulier, de *sunkrasis,* mélange, tempérament.

**idiot** 1180, *Roman d'Édouard* (*idiote*), « illettré » ; 1668, La Fontaine, « irréfléchi » ; 1690, Furetière, « débile mental » ; lat. *idiota, -tes,* sot, du gr. *idiotês,* particulier, puis « homme du commun, ignorant ». || **idiotement** 1845, Richard. || **idiocratie** 1871, E. Blanc. || **idiotie** 1818, Loiseleur ; remplace *idiotisme* (1611, Cotgrave) devenu équivoque. || **idiotiser** 1867, Goncourt.

**idiotisme** 1558, Des Périers ; lat. *idiotismus,* du gr. *idiotismos,* usage particulier ; expression particulière à une langue.

**idoine** 1160, Benoît, « capable de, propre à » ; XXe s., « qui convient » ; lat. *idoneus.*

**idole** 1080, *Roland* (*idele*) ; 1265, J. de Meung (*idole*) ; 1960, vedette ; lat. chrét. *idolum,* du gr. *eidôlon,* image. || **idolâtre** 1265, J. de Meung ; lat. chrét. *idololatres* (IIIe s., Tertullien), du gr. *eidololatres,* de *eidôlon,* image, et *latreuein,* adorer, avec confusion de suffixe (*-astre,* de *douceâtre, verdâtre,* etc.). || **idolâtrer** 1398, E. Deschamps. || **idolâtrie** 1170, *Rois ;* lat. chrét. *idolatria,* du gr. *eidolatria.* || **idolâtrique** 1560, Bonivard.

**idylle** 1555, Vauquelin de La Fresnaye (*idillie*), poème d'amour ; 1873, Lar., « amour naïf », fig. ; lat. *idyllium,* du gr. *eidullion,* petit poème lyrique (appliqué tardivement aux églogues de Théocrite). || **idyllique** 1845, Besch., littér. ; 1873, Lar., sens actuel.

**if** 1080, *Roland ;* gaulois **ivos.* || **ive** XVe s., *Grant Herbier,* forme fém. || **ivette** milieu XVIIIe s. || **iveteau** 1690, Furetière.

**igame** 1953, sigle de Inspecteur Général de l'Administration en Mission Extraordinaire. || **igamie** *id.*

**igloo** 1880, Hall ; mot angl., de l'esquimau.

**igname** 1515, Redouer ; port. *inhame,* d'un parler africain *niami.*

**ignare** 1361, Oresme, « inculte » ; v. 1900, sens actuel ; lat. *ignarus.*

**igné** XVe s., G. ; lat. *igneus,* de *ignis,* feu. || **ignicole** 1732, Richelet. || **ignifère** 1827, *Acad.* || **ignifuge** 1888, Lar. ; lat. *fugare,* mettre en fuite. || **ignifuger** 1907, Lar. || **ignifugation** 1907, Lar. || **ignition** 1596, Vigenère, « combustion » ; 1765, *Encycl.,* sens actuel. || **ignivome** 1599, Monthyard ; lat. *vomere,* vomir.

**ignoble** 1398, E. Deschamps (*innoble*) ; 1515, G. (*ignoble*), « non noble » (jusqu'au XVIIe s.) ; le sens fig. « vil » l'a emporté au XVIIe s. (1694, *Acad.*) ; lat. *ignobilis,* de *in-* priv. et *nobilis,* noble. || **ignoblement** 1576, Sasbout.

**ignominie** 1460, Chastellain ; lat. *ignominia,* de *in-* priv. et *nomen,* nom, réputation. || **ignominieux** 1327, J. de Vignay ; lat. *ignominiosus.* || **ignominieusement** 1400, Gerson.

**ignorer** 1330, *Girart de Roussillon ;* lat. *ignorare,* de *in-* priv. et *noscere,* connaître. || **ignorance** 1120, *Ps. d'Oxford ;* lat. *ignorantia.* || **ignorant**

1253, Robert Grossetête ; lat. *ignorans.* || **ignorantin** 1752, Trévoux, relig. ; ital. *frati ignoranti* (1604), nom des frères de Saint-Jean-de-Dieu, puis des frères des Écoles chrétiennes (péjor.). || **ignorantissime** 1594, *Sat. Ménippée ;* superlatif repris à l'ital. || **ignorantisme** 1829, Boiste. || **ignorantiste** 1845, Besch.

**iguane** 1532, A. Fabre (*iuana*) ; 1579, Benzoni (*iguanné*) ; 1658, Rochefort (*iguane*) ; esp. *iguano,* mot arawak ; gros lézard. || **iguanidé** 1907, Lar. || **iguanodon** 1847, Besch. ; gr. *odous, odontos,* dent.

**igue** 1906, Lar., « aven » ; de *igo, yza,* mot préroman du Quercy.

***il** 842, *Serments ;* lat. pop. **illi,* lat. *ille,* nominatif du démonstratif (celui-là), devenu pronom en lat. pop. || **ils** XIV^e^ s. ; a remplacé au cas sujet l'anc. fr. *il,* du lat. *illi.* || **lui** 980, *Valenciennes ;* cas régime du datif lat. pop. **illui,* d'apr. *cui.* || **eux** 980, *Valenciennes* (*els*) ; de l'accusatif lat. *īllos.* || **leur** 980, *Valenciennes* (*lor*) ; génitif pl. *illorum,* devenu adj. possessif et pronom datif atone. (V. OUI.)

**il-, im-, in-, ir-,** formes diverses du préfixe négatif *in-.* Les mots ainsi construits sont indiqués pour la plupart aux mots simples.

**ilang-ilang** 1888, Lar., bot. ; nom d'une langue indigène des Moluques.

***île** 1138, Gaimar (*isle*) ; 1207, Villehardouin (*ille*) ; XVI^e^ s. (*île*) ; lat. pop. **ısula,* lat. *insula.* || **îlien** 1808, Boiste. || **îlot** 1484, Garcie (*islot*) ; XVII^e^ s. (*îlot*) ; a éliminé *islet.* || **insulaire** 1516, Delb. ; lat. impér. *insularis.* || **insularité** 1838, *Acad.* || **presqu'île** 1544, Apian ; sur le lat. *paeninsula* (*paene,* presque), calque du gr. *khersonêsos.*

**iléon** 1398, *Somme Gautier* (*yléon*) ; 1560, Paré (*iléon*) ; lat. méd. *ileum,* du gr. *eilein,* enrouler, tordre. Désigne le gros intestin, à cause des circonvolutions nombreuses de cet organe. || **ileus** XIV^e^ s. (*ylios*) ; 1798, *Encycl. méth.* (*iléus*) ; gr. *ileon,* même rac. ; occlusion intestinale aiguë. || **iléo-cæcal** 1845, Besch. || **iléostomie** 1962, Lar. ; gr. *stoma,* embouchure.

**iliaque** 1560, Paré (*veine iliaque*) ; 1611, Cotgrave (*os iliaque*) ; lat. *iliacus,* de *ilia,* flancs. || **ilion** 1560, Paré ; bas lat. *ilium.*

**ilicacées** 1867, L. (*ilicinée*) ; 1902, Lar. (*ilicacée*) ; lat. *ilex, -icis,* houx.

**illégal, illégitime, illettré, illicite** V. LÉGAL, LÉGITIME, LETTRE, LICITE.

**illico** 1507, Thierry ; lat. jurid. médiév. signif. « en cet endroit » (*in loco*).

**illimité** V. LIMITE.

**illuminer** fin XII^e^ s., *Grégoire,* « rendre la vue » ; 1361, Oresme, « éclairer » ; lat. *illuminare,* de *lumen,* lumière. || **illuminé** 1653, Brunot, « qui a des visions ». || **illumination** 1361, Oresme, « lumière de Dieu » ; 1559, Amyot, « action de décorer avec des lumières » ; 1662, Bossuet, « révélation » ; lat. *illuminatio.* || **illuminatif** 1429, Gerson. || **illuminateur** 1403, *Internele Consolacion.* || **illuminisme** 1798, Laffon. || **illuministe** 1838, *Acad.*

**illusion** 1120, *Ps. d'Oxford,* « moquerie » ; XIII^e^ s., « fausse apparence, fantôme » ; 1690, Furetière, « erreur des sens » ; 1611, Cotgrave, « chimère » ; lat. *illusio,* ironie, de *illudere,* moquer. || **illusionner** 1801, Mercier. || **illusionnisme** 1907, Lar. || **illusionniste** 1888, Lar., « prestidigitateur ». || **illusoire** 1398, E. Deschamps ; lat. *illusorius.* || **illusoirement** début XVI^e^ s. || **désillusion** 1834, M. Masson. || **désillusionner** 1828, H. Raisson, « retirer ses illusions à qqn ». || **désillusionnement** *id.*

**illustre** 1441, Chastellain ; lat. *illustris,* lumineux, de *lustrare,* éclairer, de *lux,* lumière. || **illustrer** milieu XIV^e^ s., Digulleville, « éclairer » ; 1508, G., « rendre illustre ; 1580, Montaigne, « éclaircir » ; 1836, *Catalogue,* « orner de gravures » ; lat. *illustrare.* || **illustration** XIII^e^ s., G., « apparition » ; XV^e^ s., G., « lumière de Dieu » ; 1611, Cotgrave, « explication » ; 1829, *Rev. brit.,* « gravure » ; lat. *illustratio.* || **illustré** n. m. v. 1930. || **illustrateur** 1240, *Bible,* « qui rend illustre » ; 1845, Gautier, « graveur » ; lat. *illustrator.* || **illustrissime** 1481, Bartsch.

**illuter** 1856, Lachâtre ; de *in-,* dans, et *luter,* enduire de boue, de *lut.* || **illutation** 1765, *Encycl.*

**ilote** 1568, Amyot ; 1823, Boiste, « celui qui est au dernier rang » ; lat. *ilota,* du gr. *heilôtês.* || **ilotisme** 1823, Boiste.

**im-,** forme du préfixe *in-* devant *m* et *p.* V. les composés aux mots simples.

**image** 1050, *Alexis* (*imagene*) ; 1160, *Tristan* (*image*), « statue de saint » ; 1175, Chr. de Troyes, « portrait dessiné » ; 1550, Meigret, « symbole » ; lat. *imago, -ginis.* || **imagerie** XIII^e^ s., G., « art de l'imagier » ; 1829, Boiste, « commerce d'images » ; XIX^e^ s., « ensemble d'images ». || **imagette** 1918, Lar. || **imager** XIII^e^ s., de Longuyon, « sculpter » ; XVI^e^ s.,

« représenter par l'image » ; 1795, Snetlage, fig., surtout au part. passé. || **imagier** 1268, É. Boileau. « sculpteur » et « peintre ». || **imaginer** 1290, Drouart, « peindre » ; 1460, Chastellain, « combiner habilement » ; 1538, R. Est., « concevoir » ; 1553, Belon, *s'imaginer ;* bas lat. *imaginari.* || **imagination** 1160, Benoît, « hallucination » ; XV^e s., « vision » ; 1580, Montaigne, sens actuel ; bas lat. *imaginatio.* || **imaginable** 1377, Oresme. || **imaginaire** fin XV^e s. ; comme n. m. 1873, Lar. || **imaginairement** XVI^e s., Michel d'Amboise. || **imaginateur** 1578, H. Est. || **imaginatif** 1360, Froissart, « rusé » ; 1563, La Boétie, sens actuel ; bas lat. *imaginativus.*

**imaginer** V. IMAGE.

**iman** 1560, Postel ; arabe et turc *imām,* conducteur, chef religieux. || **imanat** 1827, *Acad.*

**imbécile** 1495, J. de Vignay, « faible physiquement » ; 1587, du Vair, « débile mental » ; 1651, Corn., « stupide » ; lat. *imbecillus.* || **imbécillité** 1355, Bersuire, « faiblesse physique » ; 1525, Lemaire, « faiblesse morale » ; 1613, Régnier, « stupidité » ; lat. *imbecillitas.*

**imberbe** V. BARBE 1.

**imbiber** 1503, Chauliac ; 1873, Lar., pronominal, « boire avec excès » ; lat. *ĭmbĭbĕre,* qui a donné *imboire.* || **imbibition** milieu XIV^e s., G. ; lat. *imbibitio.*

**imboire** V. BOIRE.

**imbriqué** 1584, Thevet ; lat. *imbricatus,* disposé comme des tuiles, de *ĭmbrex,* tuile. || **imbriquer** 1836, Landais, « chevaucher » ; *s'imbriquer,* « s'enchevêtrer », XX^e s. || **imbrication** 1836, Landais.

**imbroglio** 1698, Bossuet ; au théâtre 1775, *Mercure de France ;* mot ital., de *imbrogliare,* embrouiller.

**imbu** V. BOIRE.

**imiter** fin XV^e s. (*immiter*) ; 1525, Cretin (*imiter*) ; lat. *imitari.* || **imitateur** XIV^e s., *Nature a alchimie ;* lat. *imitator.* || **imitation** 1220, Coincy ; lat. *imitatio.* || **imitatif** 1466, Michault ; bas lat. *imitativus.* || **imitable** 1549, R. Est. || **inimitable** fin XV^e s., G. ; lat. *inimitabilis.*

**immaculé** V. MACULER.

**immanent** 1370, Oresme, « qui demeure dans la pensée » ; 1690, Furetière, philos. ; 1865, Proudhon, *justice immanente ;* lat. scolastique *immanens,* part. prés. de *immanere,* de *manere,* demeurer. || **immanence** 1859, Mozin. || **immanentisme** 1907, Lar.

**immarcescible** 1482, Flameng ; lat. chrét. *immarcescibilis* (III^e s., Tertullien), de *marcescere,* se flétrir ; terme eccl., « qui ne peut se flétrir ».

**immatériel, immatriculer** V. MATÉRIEL, MATRICULE.

**immédiat** 1382, Delb., « sans intervalle » ; XVII^e s., « saisi directement » et « sans intermédiaire » ; bas lat. *immediatus* (VI^e s., Boèce), qui se fait sans intermédiaire. || **immédiatement** 1503, Vaganay. || **immédiateté** 1721, Trévoux.

**immémorial** V. MÉMOIRE.

**immense** 1360, G., « sans réserve » ; 1452, A. Gréban, « très grand » ; lat. *immensus,* qui ne peut être mesuré. || **immensité** 1495, J. de Vignay ; lat. *immensitas.* || **immensément** fin XVII^e s., Saint-Simon.

**immerger** 1501, F. Le Roy, « enfoncer dans la terre » ; 1648, Pascal, « plonger dans l'eau » ; *s'immerger* 1931, Lar., fig. ; lat. *immergere,* de *mergere,* plonger. || **immersion** 1372, Golein ; lat. *immersio.*

**immeuble** V. MEUBLE.

**immigrer** 1769, *Éphém. du citoyen* (*-é*) ; 1838, *Acad.* (*-er*) ; lat. *immigrare,* de *in,* dans, et *migrare,* changer de résidence. || **immigrant** 1787, Clavière. || **immigration** 1768, *Éphém. du citoyen ;* lat. *immigratio.* (V. ÉMIGRER, MIGRATION.)

**imminent** XIV^e s., *Chron. de Flandres,* « menaçant » ; 1873, Lar., « très proche » ; lat. *imminens,* part. prés. de *imminere,* menacer. || **imminence** 1787, Féraud ; bas lat. *imminentia.* || **imminer** 1910, Colette.

**immiscer (s')** 1482, G. ; lat. *immiscere,* de *miscere,* mêler. || **immixtion** 1701, Furetière ; bas lat. *immixtio,* mélange.

**immobile, immodéré, immodeste** V. MOBILE, MODÉRER, MODESTE.

**immoler** milieu XV^e s., Joret, sens propre ; fin XVI^e s., d'Aubigné, fig. ; *s'immoler,* 1640, Corn. ; lat. *immolare.* || **immolateur** début XVI^e s. || **immolation** XIII^e s., G. ; lat. *immolatio.*

**immonde** 1220, Coincy, « impur » ; 1841, Chateaubriand, « ignoble » ; lat. *immŭndus,* de *mŭndus,* propre. || **immondices** *id. ;* lat. *immŭnditiae* (préf. *in-* privatif). || **immondicité** 1525, J. Lemaire.

**immortel, immuable** V. MORT, MUER.

**immunité** fin XIII^e s., « sûreté » ; 1474, Bartzsch, « exemption de charge » ; *immunité diplomatique,* 1890, Lar. ; 1866, L., méd. (contre la variole) ; lat. *immunitas,* dispense, exemption, de *munus,* charge. || **immuniser** 1902, Lar., donner l'immunité, en biologie. || **immun** 1431, G., « sans obligation » ; 1931, Lar., en biologie. || **immunisation** 1897, Auscher. || **immunologie** 1938, Garnier. || **immunodépresseur** 1967, *Journaux.* || **immunothérapie** 1952, Lar.

**immutabilité** V. MUTER.

**impact** 1827, *Acad.,* « trace d'un projectile » ; XX^e s., fig. ; lat. *impactus,* part. passé de *impingere,* heurter. || **impacter** 1620, J. Béguin. || **impaction** 1821, Wailly ; lat. *impactio.*

**impair, impalpable, imparfait** V. PAIR, PALPER, PARFAIT.

**impartir** 1374, G., « donner en partage » ; 1800, Boiste, « accorder » ; lat. jurid. *impartiri,* donner une part, accorder comme don ; surtout au part. pass. *imparti.*

**impasse, impassible** V. PASSER, PASSION.

**impastation** 1690, Furetière ; de *empâter,* bas lat. *pasta,* pâte ; composition faite de substances broyées et mises en pâte.

**impeccable, impécunieux** V. PECCABLE, PÉCUNE.

**impédance** 1904, Hoyer ; angl. *impedance,* résistance, du lat. *impedire,* empêcher.

**impedimenta** 1878, Lar. ; mot lat. signif. « bagages », de *impedire,* entraver.

**impénétrable, impénitent** V. PÉNÉTRER, PÉNITENT.

**impenses** XV^e s., Martial d'Auvergne ; lat. *impensa,* dépenses ; spécialisé en vocabulaire juridique.

**impératif** 1220, d'Andeli, gramm., n. m. ; 1486, G., « impérieux » ; lat. impér. *imperativus,* de *imperare,* commander. || **impérativement** 1584, Thevet.

**impératrice, imperceptible** V. EMPEREUR, PERCEVOIR.

**impérial** 1130, *Eneas* (*emperial*) ; XII^e s. (*impérial*) ; bas lat. *imperialis,* de *imperium,* empire. || **impériale** 1648, Brunot (de voiture), parce qu'elle est placée au-dessus ; 1817, A. J. S., *Histoire des moustaches,* « barbiche que mettra à la mode Napoléon III ». || **impérialement** 1207, Villehardouin. || **impérialisme** 1836, *Acad.,* « pouvoir impérial » ; 1880, *le Figaro,* « expansion dominatrice » ; angl. *imperialism.* || **impérialiste** 1525, Barbier, « partisan de l'empire d'Allemagne » ; 1823, Boiste, « partisan du régime napoléonien » ; 1893, *le Temps,* « expansionniste » ; angl. *imperialist.* || **anti-impérialiste** 1896, Ch. de Ricault.

**impérieux** 1420, A. Chartier ; lat. *imperiosus,* de *imperium,* empire. || **impérieusement** 1512, J. Lemaire.

**impéritie** XIV^e s. ; lat. *imperitia,* de *peritus,* expérimenté ; manque d'expérience, d'habileté.

**imperméable, impersonnel, impertinent, imperturbable** V. PERMÉABLE, PERSONNE, PERTINENT, PERTURBER.

**impétigo** 1480, Lanfranc ; mot du lat. méd., de *impetere,* attaquer. Même image que dans *éruption.* || **impétigineux** 1843, Landais ; bas lat. *impetiginosus,* qui a des dartres.

**impétrer** 1155, Wace (*empetrer*), « réclamer » ; 1268, Espinas (*impétrer*), « obtenir » ; lat. *impetrare,* obtenir. || **impétrant** 1347, Isambert, part. prés. ; celui qui obtient de l'autorité compétente un titre, un diplôme.

**impétueux** 1220, Coincy ; bas lat. *impetuosus,* de *impetus,* élan. || **impétueusement** 1361, Oresme. || **impétuosité** XIII^e s., G. ; bas lat. *impetuositas.*

**impie** V. PIEUX.

**implacable** 1455, Fossetier ; lat. *implacabilis,* de *placare,* apaiser ; qu'on ne peut apaiser, adoucir. || **implacablement** 1552, R. Est. || **implacabilité** 1743, Brunot ; bas lat. *implacabilitas.*

**implanter** V. PLANTER.

**implexe** 1660, Corneille ; lat. *implexus,* entremêlé, de *plectere,* tresser ; se dit d'un ouvrage dont l'intrigue est compliquée.

**implicite** V. IMPLIQUER.

**impliquer** XIV^e s., Delb., « être contradictoire » ; 1596, Hulsius, « entraîner comme conséquence » ; lat. *implĭcare,* envelopper, embarrasser, de *plicare,* plier. || **implication** 1403, *Internele Consolacion,* « embrouillamini » ; 1611, Cotgrave, en droit ; 1718, *Acad.,* relation de conséquence ; lat. *implicatio.* || **implicite** 1488, *Doc.* ; lat. *implicitus,* enveloppé dans le sens, d'où « sous-entendu ». || **implicitement** 1488, Vaganay.

**implorer** fin XIII^e s. ; lat. *implorare,* de *plorare,* pleurer ; supplier en attirant la pitié. || **imploration** début XIV^e s.

1. **importer** 1345, G., « se rapporter à » ; 1536, Rab., « être de conséquence » ; ital. *importare,* du lat. *importare,* porter dans, et par ext. « causer, susciter ». || **importance** 1460, Chastellain ; ital. *importanza,* de *importare,* avoir de l'importance. || **important** fin XVe s., « considérable » ; fin XVIe s., d'Aubigné, en parlant de qqn.

2. **importer** 1396, texte de Dieppe, « faire entrer des marchandises » ; angl. *to import,* du lat. *importare,* porter dans. || **importateur** 1756, marquis de Mirabeau. || **importation** 1734, Brunot ; angl. *importation,* de *to import,* introduire. || **import-export** v. 1950. || **réimporter** 1792, Frey. || **réimportation** 1838, *Acad.*

**importun** 1327, Isambert, « pressant » ; 1460, Chastellain, « intempestif » ; XVIe s., sens actuel ; lat. *importunus,* difficile à aborder, de *portus,* port. || **importunément** XIIIe s., G. || **importuner** 1462, *Cent Nouvelles.* || **importunité** fin XIIe s., « supplication pressante » ; 1380, *Aalma,* sens actuel ; lat. *importunitas.*

**imposer** XIIe s., G. de Saint-Pair, « poser sur » ; XIVe s., « contraindre, faire subir » ; XVe s., « assujettir à l'impôt » ; 1596, Hulsius, *en imposer* (par le respect) ; adaptation, d'apr. *poser,* de l'anc. fr. *emposer* (1120, *Ps. d'Oxford*), du lat. *imponere,* placer dans, par ext. « charger, se tromper ». || **imposant** 1715, Lesage, « qui inspire le respect » ; 1887, Loti, « considérable ». || **imposable** 1454, G. || **imposition** 1288, Varin, « impôt » ; 1690, Furetière, en imprimerie ; lat. *impositio ;* sens premier dans *imposition des mains* (1535, Olivétan), repris au lat. eccl. || **impôt** 1399, Bartzsch (*impost*) ; 1680, Richelet (*impôt*) ; adaptation, d'apr. *dépôt,* du lat. *impositum,* part. passé de *imponere.* || **réimposer** 1549, R. Est. || **surimposer** 1674, Brunot. || **surimposition** 1611, Cotgrave.

**imposte** 1545, Van Aelst ; ital. *imposta,* placée sur, du lat. *impositus,* de *imponere.* (V. IMPOSER.)

**imposteur** 1532, Rab. (*emposteur*), puis 1534, Rab. (*imposteur*) ; bas lat. *impostor,* de *imponere,* tromper. || **imposture** 1190, Garn. (*emporture*) ; 1546, Rab. (*imposture*) ; bas lat. *impostura.*

**impôt** V. IMPOSER.

**impotent** 1308, G. ; lat. *impotens,* impuissant, de *posse,* pouvoir. || **impotence** 1265, J. de Meung ; lat. *impotentia ;* spécialisé en méd. au XIXe s.

**imprécation** 1355, Bersuire ; lat. *imprecatio,* de *imprecari,* souhaiter du mal à quelqu'un, de *precari,* prier. || **imprécateur** 1867, L. || **imprécatoire** XVIe s., L.

**imprégner** début XVIIe s., « pénétrer » ; fin XVIIe s., fig. (repris à *empreindre,* par confusion homonymique) ; réfection, d'apr. le lat., de l'anc. fr. *empregnier* (1125, G.), du bas lat. *impraegnari,* de *praegnans,* enceinte. || **imprégnation** 1380, Conty, action de féconder ; 1690, Furetière, « action d'imbiber » ; XIXe s., fig. ; lat. méd. *impraegnatio.*

**imprésario** 1753, *Correspondance littéraire ;* mot ital., de *impresa,* entreprise, du lat. pop. **imprendere,* entreprendre.

**impression** V. IMPRIMER.

**imprimer** fin XIIIe s. (*emprimer*), « presser » ; 1356, Bersuire, « provoquer un sentiment » ; 1580, Montaigne, « marquer », fig. ; 1478, *Doc., imprimer un livre ;* lat. *imprĭmĕre,* presser sur. || **imprimable** 1767, Voltaire. || **imprimé** n. m. 1611, Cotgrave. || **imprimerie** fin XVe s., Delb. || **imprimeur** 1441, G. || **imprimatur** 1873, Lar. ; mot lat. signif. « qu'il soit imprimé ». || **impression** 1259, G., « empreinte » ; 1475, Isambert, en imprimerie ; XVIIe s., fig. ; lat. *impressio,* de *imprimere* (part. passé *impressus*). || **impressionner** 1741, Gauchet ; 1867, L., en photo. || **impressionnable** 1780, Thouvenel. || **impressionnabilité** 1803, Molé. || **impressionnant** XVIIIe s., Restif. || **impressionnisme** 1876, L. || **impressionniste** 1874, Leroy, d'apr. l'*Impression* de Monet. || **impressif** 1828, Mozin, par l'angl. || **réimprimer** 1538, Marot. || **réimpression** 1690, Furetière. || **surimpression** 1908, Babin.

**improbation, improbe** V. IMPROUVER, PROBE.

**impromptu** 1651, Loret, n. m., « pièce improvisée » ; 1673, Molière, adj. ; 1767, Rousseau, adv. ; lat. *in promptu,* en évidence, d'où, en fr., « sur-le-champ ».

**impropre** V. PROPRE.

**improuver** 1370, Oresme ; adaptation, d'apr. *approuver,* du lat. *improbare,* désapprouver. || **improbateur** 1654, G. de Balzac ; lat. *improbator.* || **improbation** v. 1450, Gréban ; lat. *improbatio.*

**improviser** 1660, Oudin, v. i. ; 1779, Brunot, v. t. ; ital. *improvvisare,* de *improvviso,* imprévu, du lat. *improvisus.* || **improvisateur** 1787, Féraud ; de *improvister* (1765, *Encycl.*), parler sur-le-champ. || **improvisation** 1807, Staël.

|| **improviste (à l')** 1528, du Bellay ; ital. *improvvisto,* syn. de *improvviso ;* il a remplacé l'anc. fr. *à l'impourvu* (1552, R. Est.).

**imprudent, impubère, impudent, impudique** V. PRUDENT, PUBÈRE, PUDEUR.

**impulsion** 1315, G., fait de propulser ; 1361, Oresme, force ; 1686, Bossuet, fig. ; lat. *impulsio,* de *pellere* (*pulsus*), pousser. || **impulsif** 1390, Conty, au sens propre ; fin XIXe s., fig. ; lat. médiév. *impulsivus.* || **impulsivité** 1907, *Revue de philologie.*

**imputer** fin XIIIe s., Rutebeuf (*emp-*), « attribuer » ; 1361, Oresme (*imputer*) ; 1636, Monet, finances ; lat. *ĭmpŭtare,* porter en compte, de *putare,* compter. || **imputable** 1361, Oresme. || **imputabilité** 1759, Richelet. || **imputation** 1460, Bartzsch ; 1690, Furetière, finances ; bas lat. *imputatio.*

**in-,** préfixe privatif (du latin *in-*) qui a connu un développement continu jusqu'au XVIIIe s., où le préfixe *non-* a limité son aire d'emploi, comme au XXe s. le préfixe d'origine grecque *a(n)-*. Le préfixe lat. signif. « dans » se trouve en composition de nombreux mots d'orig. latine.

**inaccessible** V. ACCÉDER.

**inadvertance** 1361, Oresme (*par inavertance*) ; fin XVe s., Commynes (*par inadvertance*) ; 1560, Paré, « faute de celui qui ne prend pas garde » ; lat. scolastique *inadvertentia,* de *advertere,* faire attention, se tourner vers.

**inanité** 1495, J. de Vignay ; lat. *inanitas,* de *ĭnanis,* vide, vain.

**inanition** 1240, *Épître Jérôme ;* bas lat. *inanitio,* action de vider, de *inanis,* vide ; spécialisé dans le sens de « privation des aliments ».

**inaugurer** 1355, Bersuire, « consacrer » ; 1835, *Acad.,* « ouvrir par une cérémonie solennelle » ; 1848, Sand, « introduire du nouveau » ; lat. *inaugurare,* prendre les augures, consacrer. || **inauguration** 1355, Bersuire, « consécration aux dieux » ; 1798, *Acad.,* sens actuel ; lat. *inauguratio.* || **inaugural** 1670, Chapelain, « qui commence » ; 1798, *Acad.,* sens actuel.

**incaguer** 1552, Rab., « souiller » ; ital. *incacare,* conchier, du lat. *cacare,* chier.

**incamérer** 1666, Leti ; ital. *incamerare,* incorporer à la chambre (ital. *camera*), symbole des trésors de l'Église romaine.

**incandescent** 1771, Trévoux ; lat. *incandescens,* de *incandescere,* être en feu. || **incandescence** 1771, Schmidlin.

**incantation** XIIIe s., G. ; bas lat. *ĭncantātio,* de *incantare,* ensorceler (v. ENCHANTER). || **incantatoire** 1884, Mallarmé. || **incantateur** 1531, J. de Vignay.

**incarcérer** 1392, du Cange (*en-*) ; rare jusqu'au XVIIIe s. ; lat. médiév. *incarcerare,* de *carcer, -ris,* prison (v. CHARTRE 2). || **incarcération** 1314, Mondeville, « étranglement de hernie » ; XVe s., Juvénal des Ursins, « mise en prison ».

**incarnadin** 1582, M. de Valois ; ital. dial. *incarnadino,* couleur de chair, de *carne,* chair, lat. *caro, carnis.* || **incarnat** 1532, Rab. ; ital. *incarnato,* couleur de chair.

**incarner** 1372, Corbichon, méd. ; 1495, J. de Vignay, relig. ; 1937, *Journ.,* fig. au théâtre ; lat. eccl. *incarnare,* de *caro, carnis,* chair. Le sens méd. (*ongle incarné,* 1560, Paré) est refait sur le lat. (anc. fr. *encharné*). || **incarnation** 1119, Ph. de Thaun (*incarnaciun*), relig. ; 1207, Villehardouin (*incarnation*) ; 1854, Lamennais, fig. ; lat. eccl. *incarnatio.* || **désincarné** 1891, Huysmans. || **désincarner** 1922, Proust. || **réincarner** XXe s. || **réincarnation** 1875, Lar.

**incartade** 1643, Corn. ; ital. *inquartata,* terme d'escrime pris au fig., parade rapide portée à un coup droit en se jetant rapidement de côté.

**incendie** milieu XIIe s. (*encendi*) ; 1575, *Doc.* (*incendie*) ; lat. *incendium.* || **incendier** fin XVIe s. ; XIXe s., « chauffer » ; 1905, Esnault, « injurier ». || **incendiaire** XIIIe s., G. ; lat. *incendiarius.*

**inceste** 1130, *Job,* « commerce charnel entre parents » ; fin XIVe s., E. Deschamps, « personne qui commet l'inceste » ; lat. *incestus, -tus,* inceste, n. m. ; lat. *incestus, -i,* adj., de *in-,* préfixe priv., et *castus,* chaste. || **incestueux** XIIIe s., G. ; lat. *incestuosus.*

**inchoatif** 1380, *Aalma,* « qui est au commencement » ; 1569, R. Est., gramm. ; lat. *inchoativus,* de *ĭnchoare,* commencer.

**incident** 1468, Bartzsch, adj., « accessoire » ; 1265, J. de Meung, n. m., « circonstance » ; fin XIVe s., E. Deschamps, « difficulté » ; lat. scolast. *incidens,* part. prés. de *incidere,* survenir, tomber sur. || **incidemment** 1310, G. || **incidente** XVIIIe s., gramm. || **incidence** 1360, Froissart, « ce qui survient » ; 1626, *Huetiana,* phys. || **incidenter** 1649, Retz, faire naître des incidents au cours d'un procès.

**incinérer** 1488, *Mer des hist.,* rare jusqu'au XIXᵉ s. (1832, Raymond) ; lat. *incinerare,* de *cinis, cineris,* cendre. || **incinération** 1380, Conty ; lat. médiév. *incineratio.* || **incinérateur** 1902, Lar.

**incise** V. INCISER.

**inciser** 1418, G., réfection de l'anc. fr. *enciser* (XIIᵉ s.), couper ; lat. pop. **incisare,* de *incidere,* couper. || **incise** 1770, Rousseau, mus. ; 1771, Trévoux, gramm. ; lat. *incisa,* coupée. || **incisif** 1314, Mondeville, méd. ; 1831, Stendhal, « mordant » ; lat. méd. *incisivus.* || **incisive** (*dent*) 1560, Paré ; n. f. 1754, *Encycl.* || **incision** 1314, Mondeville ; lat. *incisio.*

**inciter** 1190, *Saint Bernard* (*enciter*) ; 1360, Froissart (*inciter*) ; lat. *ĭncĭtare,* pousser vivement, de *ciere,* mettre en mouvement. || **incitation** 1360, Froissart ; lat. *incitatio.* || **incitateur** fin XVᵉ s., Bartzsch ; bas lat. *incitator.*

**incivil, inclément** V. CIVIL, CLÉMENT.

**incliner** 1213, *Fet des Romains,* « saluer de la tête » ; 1327, Thierry, « rendre enclin » ; 1361, Oresme, au sens propre, v. i. ; 1636, Monet, « évoluer vers » ; 1893, Courteline, *s'incliner,* « se soumettre » ; réfection, d'apr. le lat., de l'anc. fr. *encliner* (1080, *Roland*), issu du lat. *inclinare.* || **inclinaison** 1611, Huet, sens propre ; 1835, Gautier, pour le corps. || **inclination** 1220, Coincy, « mouvement de l'âme » ; lat. *inclinatio,* sens fig. || **inclinable** 1622, Vigenère.

**inclure** fin XVIᵉ s. ; lat. *includere,* enfermer, de *claudere,* fermer ; usité surtout au part. passé *inclus* [fin XIVᵉ s.] (lat. *inclusus*). || **ci-inclus** 1690, Furetière. || **inclusif** 1688, Miege ; lat. médiév. *inclusivus.* || **inclusivement** fin XIVᵉ s. || **inclusion** fin XVIᵉ s., « fait de déclarer inclus » ; XVIIᵉ s., sens actuel ; lat. *inclusio.*

**incognito** fin XVIᵉ s. ; mot ital. signif. « inconnu », du lat. *incognitus.*

**incomber** 1460, Chastellain, « concerner », v. t. ; 1789, *Moniteur universel,* v. i. ; lat. *incumbere,* peser sur.

**incombustible, incommensurable, incompatible, incompétent, incongru, inconséquent, inconsidéré, inconstant, incontinence** V. COMBUSTIBLE, MESURE, COMPATIBLE, COMPÉTENT, CONGRU, CONSÉQUENT, CONSIDÉRER, CONSTANT, CONTINENT 1.

1. **incontinent** adv. 1332, *Doc.* ; lat. jurid. *in continenti* (*tempore*), dans un temps continu, sur-le-champ.

2. **incontinent** adj. V. CONTINENT 1.

**inconvénient** 1220, Coincy ; lat. *inconveniens,* qui ne convient pas.

**incorporer, incorruptible, incrédule** V. CORPS, CORROMPRE, CRÉDULE.

**incriminer** 1558, Vaganay, rare jusqu'à la Révolution (1791, Malouet) ; lat. *incriminare,* de *crimen, -inis,* accusation. || **incriminable** 1842, *Acad.* || **incrimination** 1839, Boiste.

**incruster** fin XVIᵉ s. ; 1902, Lar., pronominal, « s'installer durablement » ; lat. *incrustare,* de *crusta,* croûte. || **incrustation** 1553, Vaganay, « ornement » ; 1752, Trévoux, « concrétion » ; lat. *incrustatio.*

**incubation** 1694, Th. Corn., « action de couver les œufs » ; 1834, Landais, fig. ; lat. *incubatio,* action de couver les œufs ; le sens propre se rencontre d'abord. || **incuber** 1771, Trévoux. || **incubateur** 1847, Duvernoy.

**incube** 1256, Ald. de Sienne ; bas lat. *incubus,* cauchemar, de *incubare,* coucher sur ; démon qui abuse des femmes pendant leur sommeil.

**inculper** début XVIᵉ s., qui a remplacé l'anc. fr. *encoulper* (XIIᵉ s.) ; lat. *inculpare,* de *culpa,* faute. || **inculpable** 1829, Boiste. || **inculpé** n. 1810, *Code pénal.* || **inculpation** XVIᵉ s., rare jusqu'au XVIIIᵉ s. ; bas lat. *inculpatio.* (V. COULPE.)

**inculquer** 1512, J. Lemaire ; lat. *inculcare,* fouler, de *calx, -cis,* talon ; graver, faire entrer dans l'esprit.

**inculte** V. CULTIVER.

**incunable** 1802, Peignot, adj. ; 1838, *Acad.,* n. m. ; lat. *incunabula,* pl. neutre, berceau, au fig., « commencement » ; spécialisé pour les toutes premières productions de l'imprimerie Beughem, 1688, Amsterdam (*Incunabula typographiae*).

**incurie** milieu XVIᵉ s. ; lat. *incūria,* manque de soin, de *cūra,* soin.

**incuriosité** V. CURIEUX.

**incursion** 1352, Bersuire ; 1765, *Encycl.,* fig. ; lat. *incursio,* invasion, de *currere,* courir.

**incurver** 1120, *Ps. d'Oxford* (*encurver*), « ployer », fig. ; 1551, Finé (*-é*), « courbé vers » ; 1838, *Acad.* (*-er*) ; lat. *incurvare,* courber. || **incurvation** 1803, Boiste, « courbure des os ».

**incuse** 1692, Jobert, en numismatique ; lat. *incusa,* frappée, de *cadere,* forger, frapper.

**inde** 1160, Benoît, « bleu » ; lat. *indicus,* de l'Inde. (V. INDIGO.)

**indécis, indécision, indéclinable, indéfectible, indéfini** V. DÉCIDER, DÉCLINER, DÉFICIENT, DÉFINIR.

**indélébile** 1541, Calvin, « ineffaçable » ; 1835, *Acad.,* pour l'encre ; lat. *indelebilis,* indestructible, de *delere,* détruire.

**indemne** 1384, Runkewitz (*indamne*) ; XVIe s. (*indemne*) ; lat. *indemnis,* de *in-* priv. et *damnum,* dommage. || **indemniser** 1465, Bartzsch. || **indemnisable** 1845, Richard. || **indemnisation** 1754, Formey. || **indemnité** 1278, texte de Limoux (*endempnitāt*), « compensation » ; 1367, *D. G.* (*indemnité*), terme féodal ; 1549, R. Est., sens actuel ; lat. *indemnitas.*

**indescriptible** V. DÉCRIRE.

**index** 1503, Chauliac, « doigt » ; XVIe s., relig., « catalogue des livres interdits par le pape », d'où *mettre à l'index,* 1835, *Acad.,* par abrév. de « doigt indicateur », « table indicatrice » ; 1690, Furetière, « table des matières » ; mot lat. signif. « indicateur ». || **indexer** 1948, Lar. || **indexation** 1948, Lar.

**indican** 1873, Lar. ; lat. *indicum,* indigo ; terme de chimie.

**indicateur, indication** V. INDIQUER.

**indice** 1306, *Doc.,* « dénonciation » ; 1493, *Mer des hist.,* « signe » ; lat. *indicium,* signe révélateur ; du XVIe s. au XVIIIe s. (1532, Rab.) a aussi le sens de « index ». || **indiciaire** n. m. 1500, « chroniqueur » ; adj. XVIe s., « qui révèle ». || **indiciel** 1953, *le Monde.*

**indicible** V. DIRE.

**indiction** 1119, Ph. de Thaon, « période de quinze ans » ; 1536, M. du Bellay, « prescription » ; bas lat. *indictio,* de *indicere,* indiquer.

**indien** XIVe s., de l'Inde ; 1553, Rab., indigène d'Amérique.

**indienne** 1632, Peiresc ; nom de l'*Inde,* où se fabriquait cette étoffe. || **indianiser** 1942, Auboyer. || **indianiste** 1862, Renan. || **indoeuropéen** 1845, Besch.

**indifférent** 1314, Mondeville, « sans préférence » ; 1677, Racine, « insensible » ; 1704, Trévoux, en religion ; lat. *indifferens,* ni bon ni mauvais, de *in-* priv. et *differre,* être différent. || **indifféremment** 1314, Mondeville. || **indifférence** 1377, Oresme, « inertie » ; 1629, Corn., « absence d'intérêt, d'amour » ; 1704, Bourdaloue, relig. ; lat. *indifferentia.* || **indifférencié** 1908, Lar. || **indifférentisme** 1721, Trévoux, relig. ; 1869, J. Amigues, en polit. || **indifférer** 1888, Villatte.

**indigène** 1532, Rab. ; repris au XVIIIe s. (1743, Geffroy) ; lat. *indigena,* qui est né dans le pays. || **indigénat** 1699, Dalairac.

**indigent** 1265, J. de Meung ; pendant la Révolution, « ouvrier » ; lat. *indigens,* qui manque de, de *egere,* manquer. || **indigence** 1265, J. de Meung, « manque de nécessaire » ; lat. *indigentia.*

**indigeste, -tion, indigne** V. DIGÉRER, DIGNE.

**indigo** 1544, Fonteneau ; port. *indico,* du lat. *indicum,* de l'Inde. || **indigoterie** 1657, Du Tertre. || **indigotier** 1718, Reneaume. || **indigotine** 1843, Landais. || **indium** 1863, Reich et Richter, d'apr. les deux raies bleu indigo de son spectre.

**indiquer** début XVIe s. ; lat. *ĭndĭcare,* de *index, -icis,* qui montre. || **indicateur** 1490, Tardif, « qui indique un objet, une personne », n. m. ; XVIe s., « objet indiqué » ; XVIIIe s., « brochure donnant des renseignements » ; *indicateur de police,* 1748, Esnault. || **indication** 1333, *Doc. ;* lat. *indicatio.* || **indicatif** 1361, Oresme, « qui indique » ; XIVe s., adj. ; n. m. 1671, Pomey, gramm. ; lat. *indicativus.* || **contre-indiquer** 1836, *Acad.* || **contre-indication** 1697, Verduc.

**indiscret, indissoluble, indistinct, indium** V. DISCRET, DISSOUDRE, DISTINGUER, INDIGO.

**individu** 1242, Lanfranc, « être appartenant à une espèce » ; 1684, La Fontaine, « être humain » ; 1654, G. de Balzac, « ce qui constitue la personne physique » ; 1791, Mirabeau, « être humain par rapport à la société » ; lat. *individuum,* indivisible. || **individuel** 1551, Du Parc, qui a remplacé *individual* (XVe s.). || **individuellement** 1551, Rab. || **individualité** 1760, Bonnet ; 1762, Diderot, « caractère original ». || **individualisation** 1803, Boiste. || **individualiser** 1738, d'Olivet. || **individualisme** 1826, *le Globe,* terme polit. opposé à *socialisme ;* 1833, Balzac, sens actuel. || **individualiste** 1836, Raymond. || **individualitaire** 1845, Cabet. || **individuelliste** 1871, Tolain. || **individuation** 1551, D. Sauvage.

**indivis, indolent** V. DIVISER, DOLÉANCE.

**indri** 1782, Sonnerat, exclamation malgache, prise pour le nom du singe.

**indu, indubitable** V. DEVOIR, DOUTER.

**induire** XIII$^{e}$ s., « amener » ; 1361, Oresme, « conclure » ; XIX$^{e}$ s., phys. ; lat. *inducere,* de *ducere,* conduire. || **induction** 1290, Drouart, « tentation » ; 1361, Oresme, « raisonnement » ; 1842, *Acad.,* phys., par l'angl. ; lat. *inductio.* || **inductance** fin XIX$^{e}$ s., par l'angl. || **inducteur** 1624, Nostradamus, « qui conduit à faire » ; 1866, L., en phys. || **inductif** fin XIV$^{e}$ s., G., « qui pousse » ; 1832, *Annales de chimie,* phys., par l'angl. ; lat. scolastique *inductivus.*

**indulgent** 1530, Marot, relig., et sens actuel ; lat. *indulgens,* qui remet une peine. || **indulgemment** 1587, du Vair. || **indulgence** 1190, *saint Bernard,* « rémission des péchés » ; 1611, Cotgrave, sens actuel ; lat. *indulgentia.* || **indult** 1460, Chastellain ; lat. eccl. *indultum,* accordé, de *indulgere,* concéder.

**indurer** XV$^{e}$ s., P. Michault, « endurcir », rare jusqu'au XIX$^{e}$ s., où il entre dans le voc. méd. (1855, Nysten) ; lat. *indurare,* qui a donné aussi *endurer.* || **induration** 1330, Digulleville, « endurcissement » ; 1560, Paré, méd. ; lat. *induratio.*

**indusie** 1827, *Acad.* ; lat. *indusium,* chemise ; fourreau fossile de larve de phrygane.

**industrie** XII$^{e}$ s., « activité » ; 1356, Bersuire, « habileté » (jusqu'au XVIII$^{e}$ s.) ; XV$^{e}$ s., « métier » ; 1771, Brunot, sens actuel ; *chevalier d'industrie,* 1633, La Geneste, d'apr. le nom d'une association de malfaiteurs (trad. de *El Buscón,* roman esp. de Quevedo) ; lat. *industria,* activité. || **industriel** adj. 1770, Galiani ; n. m. 1819, Saint-Simon. || **industrieux** milieu XV$^{e}$ s., confondu au XVIII$^{e}$ s. avec *industriel* ; lat. *industriosus,* actif. || **industrialisation** 1894, Sachs. || **industrialiser** 1827, Fonfrède. || **industrialisme** 1823, Saint-Simon. || **industrialiste** 1838, *Acad.*

**industrieux** V. INDUSTRIE.

**indut** 1732, Trévoux ; lat. eccl. *indutus,* habillé.

**induvie** 1827, *Acad.* ; lat. *induvium,* écorce ; cupule membraneuse qui enveloppe un ou plusieurs fruits.

**inédit** V. ÉDITER.

**ineffable** 1460, Chastellain, « qui ne peut être dit » ; XVII$^{e}$ s., « inexprimable » ; lat. *ineffabilis,* de *in-,* priv., et *fari,* parler. || **ineffabilité** 1577, P. de La Coste. || **ineffablement** 1320, *Roman de Fauvel.*

**inégal** V. ÉGAL.

**inéluctable** 1502, O. de Saint-Gelais ; lat. *ineluctabilis,* de *luctari,* lutter ; rare jusqu'à la fin du XVIII$^{e}$ s. (C. Desmoulins). || **inéluctablement** 1876, L.

**inénarrable** V. NARRER.

**inepte** 1460, Chastellain, « inapte » (jusqu'au XVII$^{e}$ s.) ; 1495, J. de Vignay, « stupide » ; lat. *ineptus* (*in-* priv. et *aptus,* apte). || **ineptie** 1546, *Palmerin,* « maladresse » ; XVI$^{e}$ s., « sottise » ; lat. *ineptia.* || **ineptement** 1380, G.

**inerme** 1547, A. Du Moulin, « sans défense » ; 1793, Brunot, « sans armes » ; spécialisé en bot. (1798, Richard), « qui n'a ni épines, ni aiguillons » ; lat. *inermis,* sans armes.

**inerte** 1509, G. (*in herte*), « sans activité » ; 1534, Rab. (*inert*), « ignorant » ; 1783, d'après Féraud, fig. ; 1798, *Acad.,* phys. ; lat. *iners,* incapable, de *ars,* habileté. || **inertement** 1584, Rab. || **inertie** 1370, Oresme, « maladresse » ; 1732, Richelet, phys.

**inexorable, inexpiable** V. EXORABLE, EXPIER.

**inexpugnable** 1352, Bersuire, « dont on ne peut s'emparer » ; milieu XVI$^{e}$ s., Amyot, fig. ; lat. *inexpugnabilis,* imprenable, de *in-,* priv., et *expugnare,* prendre d'assaut (lat. *pugnas,* poing). || **inexpugnabilité** 1875, *Gazette des tribunaux.*

**in extenso, inextinguible, in extremis** V. EXTENSION, EXTINCTION, EXTRÊME.

**inextricable** 1361, Oresme ; XVI$^{e}$ s., fig. ; lat. *inextricabilis,* de *extricare,* débarrasser. || **inextricablement** 1827, *Acad.*

**infaillible** V. FAILLIR.

**infâme** 1348, Varin, « déshonoré » (jusqu'au XVII$^{e}$ s.) ; 1549, M. de Navarre, « dégoûtant » ; lat. *infamis* (*in-* priv. et *fama,* renommée). || **infamie** XIII$^{e}$ s., « déshonneur » (jusqu'au XVII$^{e}$ s.) ; 1549, R. Est., sens actuel ; lat. *infamia.* || **infamant** 1557, Lespinasse ; anc. fr. *infamer* (XIII$^{e}$ s., *Sept Sages*), du lat. *infamare.*

**infant** 1407, Lannoy ; esp. *infante,* du lat. *infans,* enfant.

**infanterie** fin XV$^{e}$ s. (*enfanterie*) ; milieu XVI$^{e}$ s., Ronsard (*infanterie*) ; anc. ital. *infanteria* (auj. *fanteria*), du lat. *infans,* enfant, valet.

**infanticide** 1553, Rab., « celui qui tue un enfant » ; bas lat. *infanticida* ; 1611, Cotgrave, « meurtre d'un enfant » ; bas lat. *infanticidium,* de *infans, infantis,* enfant, et *caedere,* tuer.

|| **infantile** 1563, Bonivard, qui a remplacé *enfantile* (1190, *Saint Bernard*) ; 1870, *Revue des Deux Mondes,* méd. ; lat. *infantilis,* de *infans, -tis,* enfant. || **infantilisme** 1871, Faneau.

**infantile** V. INFANTICIDE.

**infarctus** 1863, Graves ; mot du lat. scientif. ; lat. *infartus,* de *infarcire,* farcir ; lésion localisée qui revêt l'aspect de la farce.

**infatigable, infatuer** V. FATIGUER, FAT.

**infect** 1361, Oresme, « perverti [goût] » ; 1363, Isambert, « empesté » ; 1552, R. Est., « puant » ; XV^e s., Molinet, « très mauvais » ; lat. *infectus,* de *inficere,* souiller. || **infecter** 1431, Isambert, « souiller moralement » (jusqu'au XVII^e s., confondu avec *infester*) ; 1530, Marot, « contaminer » ; 1530, Palsgrave, « incommoder par l'odeur ». || **infection** 1130, *Job,* « pensée impure » ; 1314, Mondeville, méd. ; 1465, *Medium Aevum,* « puanteur » ; 1857, Baudelaire, fig. || **infectieux** 1838, *Acad.,* qui remplace *infectueux* (XIV^e s.). || **désinfecter** 1556, *D. G.* || **désinfectant** 1812, Capuron. || **désinfection** 1630, Tamisier. || **réinfecter** 1549, R. Est.

**inféodation, inféoder** V. FIEF.

**inférer** 1340, J. Le Fèvre, « faire naître un sentiment » ; 1450, Gréban, « être la cause de » ; lat. *inferre,* porter dans, puis « alléguer ».

**inférieur** milieu XV^e s., J. de Bueil (*inferiore*) ; 1536, G. Chrestien (*inférieur*) ; lat. *inferior,* comparatif de *inferus,* placé dessous. || **inférieurement** 1584, Rab. || **inférioriser** 1878, Vallès. || **infériorisation** 1968, Lar. || **infériorité** 1580, Montaigne.

**infernal** V. ENFER.

**infester** 1390, du Cange, « importuner » ; 1552, R. Est., « ravager » ; 1690, Furetière, « abonder d'animaux nuisibles » ; 1962, Lar., méd. ; lat. *infestare,* de *infestus,* ennemi. || **infestation** milieu XIV^e s.

**infime** XIV^e s., *Nature a alchimie,* « situé au plus bas » ; av. 1877, L., « tout petit » ; lat. *infimus,* superlatif de *inferus,* placé dessous. || **infimité** fin XVII^e s., Saint-Simon.

**infini** 1214, *Bible* (*infinit*) ; XIV^e s. (*infini*), « sans bornes » ; 1552, R. Est., « très grande quantité » ; n. m. 1361, Oresme ; lat. *infinitus,* non limité. || **infiniment** 1418, *Doc.* (*infiniement*) ; fin XV^e s. (*infiniment*). || **infinitude** fin XVI^e s. || **infinité** 1212, Anger ; lat. *infinitas.* || **infinitésimal** 1706, *Nouvelles de la République ;* angl. *infinitesimal.* || **infinitif** 1370, E. Deschamps ; lat. gramm. *modus infinitivus,* mode qui est indéfini (il n'indique ni la personne ni le nombre).

**infirme** 1265, *Statuts Hôtel-Dieu,* « malade » (jusqu'au XVII^e s.) ; 1673, Molière, sens actuel ; a remplacé l'anc. fr. *enferme* (1050, *Alexis*), du lat. *infirmus.* || **infirmité** 1265, Le Grand, « faiblesse physique et morale » (jusqu'au XVII^e s.) ; 1664, Molière, sens actuel ; il a remplacé *enfermeté* (1050, *Alexis*), du lat. *infirmitas.* || **infirmerie** 1606, Crespin ; sur le sens de *infirme,* malade, a remplacé *enfermerie* (1260, Adam de la Halle). || **infirmier** 1398, Runkewitz, qui a remplacé *enfermier* (1298, Delb.).

**infirmer** 1361, Oresme, « affaiblir » ; XIV^e s., « annuler » ; lat. jurid. *infirmare,* de *firmus,* fort. || **infirmation** fin XV^e s. ; lat. *infirmatio.* || **infirmatif** 1501, Isambert.

**inflammable, inflammation** V. FLAMME 1.

**inflation** XV^e s., *Régime de santé,* méd., « gonflement » ; 1919, Truchy, sens monétaire, de l'angl. ; lat. *inflatio,* enflure, de *flare,* souffler. || **inflationniste** 1894, Sachs ; angl. *inflationist.* || **déflation** 1922, Lar., sur *inflation.* || **déflationniste** 1959, Lar. || **anti-inflationniste** 1959, Lar.

**infléchir, inflexible, inflexion** V. FLÉCHIR.

**infliger** 1488, *Mer des histoires ;* rare jusqu'au XVII^e s. ; lat. *infligere,* frapper. || **inflictif** 1611, Cotgrave. || **infliction** 1486, G.

**inflorescence** V. FLEUR.

**influenza** 1782, d'Épinay ; mot angl. de l'ital. signif. « influence, épidémie » (grippe venue d'Italie en 1743), du lat. médiév. *influestia.*

**influer** XIV^e s., *Nature a alchimie,* en astrologie, « faire pénétrer » (transitif jusqu'au XVII^e s.) ; 1536, G. Chrestien, intr., « pénétrer » ; 1377, Oresme, *influer sur,* « avoir une action sur » ; lat. *influere,* couler. || **influence** 1240, *Épître saint Jérôme,* « fluide des astres » ; XIV^e s., « actes de qqn sur les autres » ; milieu XV^e s., phys. ; 1780, Gohin, « autorité » ; lat. *influentia.* || **influencer** 1771, Delolme. || **influençable** 1836, Balzac. || **influent** 1503, Vaganay, en parlant de qqch ; 1791, Malouet, sens actuel. || **influx** 1547, G., « influence des astres » ; 1839, *Acad., influx nerveux ;* bas lat. *influxus,* action de couler dans.

**influx, in-folio, informe** V. INFLUER, FOLIO, FORME.

**informer** 1190, Garnier (*enformer*), « donner une forme » ; 1265, J. de Meung, « instruire de qqch » ; 1286, Delb., « interroger » (jusqu'au XVIIe s.) ; 1360, Froissart, « mettre au courant » ; lat. *informare,* instruire. || **informateur** 1354, *Modus,* « rapporteur » ; 1360, Froissart, « juge d'instruction » ; 1838, *Acad.,* sens actuel. || **information** 1274, Delb., jurid. ; 1867, L., renseignement donné au public ; 1966, *Vie du rail,* en informatique. || **informatique** 1962, Gilbert, de *information* et *automatique.* || **informatiser** 1970, *Journ.* || **informatisation** v. 1970. || **informaticien** 1966, *Journ.* || **informatif** 1522, Corbichon.

**infortune** V. FORTUNE.

1. **infra** 1931, Lar., « ci-dessous » ; adv. lat. signif. « au-dessous ».

2. **infra-,** préf. ; lat. *infra,* au-dessous.

**infraction** 1250, Delb. ; bas lat. *infractio,* de *frangere,* briser (v. ENFREINDRE). || **infracteur** 1449, G. ; bas lat. *infractor.*

**infrangible** 1555, Belon ; lat. *in-* priv. et *frangere,* briser.

**infructueux** V. FRUIT.

**infus** XIIIe s., *Simples Médicines,* méd., « enduit de » ; fin XVe s., Molinet, fig. (jusqu'au XVIIe s.) ; auj. seulement *science infuse* (d'abord théolog., science infusée par Dieu à Adam) ; lat. *infusus* (*in,* dans, et *fundere,* répandre).

**infuser** fin XIVe s., *Nature a alchimie,* méd. ; 1690, Furetière, théolog., de *infusion.* || **infusion** XIIIe s., *Simples Médicines,* pharm., « enduit » ; fin XIIIe s., théol. ; lat. *infusio,* action de répandre dans, de *infundere,* répandre (part. passé *infusus*). || **infusoire** 1797, Cuvier ; lat. sc. *infusorius,* créé par Wrisberg en 1765.

**ingambe** 1536, M. du Bellay (*en gambe*) ; 1585, du Fail (*ingambe*) ; ital. *in gamba,* en jambe, alerte.

**ingénier (s')** 1395, Chr. de Pisan ; lat. *ingenium,* esprit. || **ingénieur** 1559, Amyot, « constructeur d'*engins,* de machines » ; 1636, Monet, « celui qui en donne le plan » ; 1747, Brunot, « titre » ; réfection de l'anc. fr. *engeignor* (XIIe s.), de *engin,* d'apr. le lat. *ingenium.* || **ingénieux** fin XIVe s., « doué » (jusqu'au XVIIe s.) ; de l'anc. fr. *engeignous* (1155, Wace). || **ingénieusement** fin XIIe s., *Dialogues Grégoire.* || **ingéniosité** début XIVe s.

**ingénu** XIIIe s., G., « homme libre », « naturel » (jusqu'au XVIIe s.) ; 1611, Cotgrave, « naïf » ; 1829, Boiste, « rôle de théâtre » ; lat. *ĭngĕnuus,* né libre. || **ingénument** XVe s., L., « franchement » (jusqu'au XVIIe s.) ; 1696, La Bruyère, sens actuel. || **ingénuité** 1372, Oresme, puis 1541, Calvin, « état d'homme libre » ; 1611, Cotgrave, « naïveté » ; lat. *ingenuitas.*

**ingérer (s')** 1370, Oresme ; lat. *ingenere,* porter dans. || **ingérer** 1839, *Acad.,* avaler ; même étym. || **ingérence** 1867, L. || **ingestion** 1407, Isambert, « ingérence » ; 1826, Brillat-Savarin, « fait d'avaler » ; lat. *ingestio,* même rac. (V. DIGÉRER.)

**ingrat** 1361, Oresme, « non reconnaissant » ; 1525, J. Lemaire, « laid » ; lat. *ingratus* (*in-* priv. et *gratus,* reconnaissant). || **ingratitude** 1265, J. de Meung ; lat. *ingratitudo, -inis.*

**ingrédient** 1508, Delb. ; lat. *ingrediens,* part. prés. de *ingredi,* entrer dans.

**inguinal** 1560, Paré, anatomie ; lat. *inguen, -inis,* aine.

**ingurgiter** 1488, Le Huen, méd., comme pronominal ; transitif 1611, Cotgrave ; rare jusqu'au XIXe s. ; lat. *ingurgitare,* engouffrer, de *gurges, -itis,* gouffre. || **ingurgitation** *id.* ; lat. *ingurgitatio.*

**inhabile** V. HABILE.

**inhaler** 1825, Brillat-Savarin ; lat. *inhalare,* souffler sur. || **inhalation** 1760, d'Holbach ; lat. *inhalatio.* || **inhalateur** 1873, Lar.

**inhérent** 1503, Chauliac ; lat. *inhaerens,* attaché à, durable. || **inhérence** 1377, G., rare jusqu'au XVIIe s. (1688, Miege).

**inhiber** 1391, Soudet, « défendre », jurid. ; 1888, Lar., psychol. ; lat. *inhibere,* retenir. || **inhibition** XIIIe s., Macé de La Charité, jurid. ; 1888, Lar., méd. ; lat. *inhibitio.* || **inhibiteur** 1539, G. Michel, « celui qui interdit » ; 1922, Lar., physiologie. || **inhibitif** 1584, Goulart.

**inhumain** V. HUMAIN.

**inhumer** XIVe s., *Nature a alchimie,* « enfoncé en terre » ; 1408, N. de Baye, sens actuel ; lat. *inhumare,* mettre en terre, de *humus.* || **inhumation** 1417, *Testament de Besançon.*

**inimitable** V. IMITER.

**inimitié** v. 1300, G. ; réfection de l'anc. fr. *enemisté* (1145, G.), d'apr. le lat. *inimicus,* ennemi, et *amitié.*

**inique** 1308, Aimé, « défavorable » ; fin XIVe s., Deschamps, « injuste » ; lat. *ĭnīquus* (*in-*

priv. et *aequus,* égal, juste). || **iniquement** 1355, Bersuire. || **iniquité** 1120, *Ps. d'Oxford,* relig. ; XII^e s., « injustice » ; lat. *iniquitas.*

**initial** 1130, *Job ;* rare jusqu'au XVIII^e s. ; lat. *initialis,* de *initium,* commencement. || **initiale** adj. 1680, Richelet (*lettre initiale*) ; 1710, d'après Trévoux, n. f. || **initialement** 1867, L. || **initiation** XV^e s., G. (*iniciacion*) ; lat. *initiatio.* || **initiateur** 1586, Le Loyer, « qui initie à un mystère » ; 1839, *Acad.,* sens actuel ; lat. *initiator.* || **initiative** 1567, Delb., « première action » ; 1787, Féraud, polit. || **initier** 1355, Bersuire, alchimie ; 1694, *Acad.,* « enseigner » ; lat. *initiare,* commencer, initier aux mystères. || **initiatique** 1951, Gracq.

**injection** 1377, Lanfranc de Milan, méd. ; XIX^e s., « introduction » ; lat. *injectio,* de *jacere,* lancer. || **injecter** 1555, Aneau (*injetter*), méd. ; 1749, Buffon (*injecter*), « introduire un liquide » et *yeux injectés ;* lat. *injectare.* || **injectable** XX^e s. || **injecteur** 1838, *Acad.,* « qui injecte » ; 1867, L., techn.

**injonction** V. JOINDRE.

**injure** 1190, Garnier (*enjure*), « offense » ; 1232, Boca, « dommage » et « injustice » (jusqu'au XVII^e s.) ; 1535, Olivétan (*injure*), « insulte » ; XVII^e s., *injures de l'âge, du sort ;* lat. *injūria,* injustice. || **injurier** 1188, *Aspremont* (*enjurier*) ; 1266, G. (*injurier*), « endommager » ; 1398, *Ménagier,* « offenser » ; lat. *injuriari.* || **injurieux** 1300, du Cange, « qui cause du tort » ; 1525, J. Lemaire, « injuste » (jusqu'au XVII^e s.) ; 1334, Varin, « offensant ». || **injurieusement** 1333, Delb.

**inné, innervation** V. NAÎTRE, NERF.

**innocent** 1080, *Roland,* comme n. m. ; 1120, *Ps. d'Oxford,* « pur, ingénu » ; XIII^e s., « non coupable » ; 1330, *Baudouin de Sebourg,* « simple d'esprit » ; lat. *innocens,* de *nocere,* nuire. || **innocemment** 1349, Espinas (*-çamment*) ; 1538, R. Est. (*innocemment*). || **innocence** 1120, *Ps. d'Oxford,* « pureté » et relig. ; début XIV^e s., « non-culpabilité » ; 1611, Cotgrave, « naïveté » ; lat. *innocentia.* || **innocenter** 1530, Marot, « donner le fouet le jour des Innocents » ; 1704, Trévoux, « rendre innocent ».

**innocuité** 1806, Thouvenel ; lat. *innocuus,* inoffensif, de *nocere,* nuire.

**innombrable, innover** V. NOMBRE, NEUF 2.

**in-octavo** 1567, *Papiers Granvelle ;* mots lat. signif. « en huitième ».

**inoculer** début XVIII^e s. ; 1778, Rousseau, fig. ; angl. *to inoculate* (1714-1722) ; vaccine introduite de Constantinople en Angleterre ; mot repris au lat. *inoculare,* greffer en écusson, de *oculus,* œil. || **inoculable** 1770, Voltaire. || **inoculateur** 1752, Trévoux. || **inoculation** 1722, d'après *Encycl. ;* angl. *inoculation ;* a signifié « greffe » (1580, Landric) et « transfusion » (1667, Huet).

**inodore** V. ODEUR.

**inonder** 1120, *Ps. d'Oxford* (*enunder*), « déborder » ; 1265, Br. Latini (*inon-*), « recouvrir d'eau » ; milieu XVII^e s., fig. ; lat. *inundare,* de *unda,* onde. || **inondation** 1265, J. de Meung, « déluge » ; 1380, *Aalma,* « débordement des eaux » ; 1648, Retz, fig. ; lat. *inundatio.*

**inopiné** XIV^e s., puis 1530, Rab. ; lat. *inopinatus,* non pensé, imprévu. || **inopinément** 1491, *Doc.* (V. OPINER.)

**inopportun, inouï** V. OPPORTUN, OUÏR.

**in-pace** n. m. fin XV^e s. ; mots lat. signif. « en paix », d'apr. la loc. *vade in pace,* prononcée quand on enfermait une personne dans les cachots des couvents.

**in partibus** 1703, *Mémoires de Trévoux ;* fin XIX^e s., sens étendu ; loc. lat. eccl. *in partibus infidelium,* dans les contrées des infidèles (en parlant des diocèses).

**in petto** 1666, Retz ; loc. ital. signif. « dans sa poitrine » (appliquée d'abord aux nominations de cardinaux non proclamées).

**in-plano** 1835, *Acad. ;* mots lat. signif. « en plan », c.-à-d. sans pliage.

**in-quarto** 1567, *Papiers Granvelle ;* mots lat. signif. « en quart ».

**inquiet** V. QUIET.

**inquisition** 1160, Benoît, « recherche » ; 1265, *Livre de jostice,* relig. ; 1559, *Papiers Granvelle,* tribunal ; XVII^e s., fig. ; lat. jurid. *inquisitio,* de *quaerere,* chercher. || **inquisiteur** 1294, Espinas, « juge » ; 1321, *Doc.,* relig. ; 1873, Lar., fig. ; lat. *inquisitor.* || **inquisitorial** 1516, Isambert ; lat. eccl. *inquisitorius.*

**insalubre** V. SALUBRE.

**insane** début XV^e s. (*insané*) ; 1784, *Courrier de l'Europe* (*insane*), par l'angl. ; lat. *insanus* (*in-* priv. et *sanus,* sain). || **insanité** 1784, *Courrier de l'Europe ;* angl. *insanity,* du lat. *insanitas.*

**insatiable** V. SATIÉTÉ.

**inscrire** début XIIIe s. (*enscrire*) ; 1474, Bartzsch (*inscrire*), « tracer » ; *s'inscrire en faux,* 1611, Cotgrave ; lat. *inscribere,* refait d'apr. *écrire.* || **inscription** 1444, *Doc.,* « action d'inscrire » ; 1510, Lemaire de Belges, « texte gravé » ; 1721, Trévoux, « inscrire à un cours, une école » ; 1835, *Acad., inscription maritime ;* lat. *inscriptio.* || **inscripteur** av. 1841, Jouy. || **inscriptible** 1691, Ozanam. || **inscrit** n. 1864, *Revue des Deux Mondes.* || **réinscrire** 1878, Lar. || **réinscription** *id.*

**insécable** V. SÉCABLE.

**insecte** 1542, du Pinet ; lat. *insecta,* pl. neutre de *insectus,* coupé, calque du gr. *entomos,* même sens, à cause des étranglements des corps des insectes. || **insecticide** 1858, Nysten. || **insectivore** 1778, Buffon. || **insectarium** 1922, Lar.

**insensé, insensible, inséparable** V. SENSÉ, SENSIBLE, SÉPARER.

**insérer** 1319, *Coutum. d'Anjou ; s'insérer,* 1560, Paré ; lat. *īnsĕrĕre,* introduire, de *serere,* tresser. || **insertion** 1535, Biggar ; bas lat. *insertio,* greffe.

**insidieux** 1420, Delb. ; repris au XVIIIe s. ; (1765, *Encyl.*) ; lat. *insidiosus,* de *insidiae,* embûches. || **insidieusement** 1525, J. Lemaire.

**insigne** adj. XIVe s. ; lat. *insignis,* remarquable, de *signum,* signe ; n. m. 1484, La Curne, rare jusqu'au XIXe s. ; neutre lat. substantivé *insigne,* pl. *insignia.*

**insinuer** 1336, G., jurid., « notifier » ; 1596, Hulsius, fig., *s'insinuer ;* 1580, Montaigne ; lat. *insinuare,* faire pénétrer, de *sinus,* pli, sinuosité. || **insinuant** 1654, La Rochefoucauld. || **insinuation** 1319, G. ; 1606, Crespin, fig. ; lat. *insinuatio.*

**insipide** 1503, Chauliac ; 1588, Montaigne, fig. ; lat. *insipidus* (*in-* priv. et *sapidus,* qui a du goût). || **insipidité** 1572, Delb.

**insister** 1336, G., « s'appliquer à » ; 1541, Calvin, « persister » ; 1690, Furetière, sens actuel ; lat. *insistere,* s'appuyer sur. || **insistance** 1556, *Papiers Granvelle,* refait par Mercier (1801). || **insistant** 1553, *Papiers Granvelle.*

**insolation** 1554, Paré, « exposer au soleil » ; 1867, L., pathologie ; lat. *insolare,* exposer au soleil, de *sol, solis,* soleil.

**insolent** 1495, J. de Vignay ; lat. *insolens,* qui n'a pas l'habitude de, de *solere,* avoir coutume. || **insolemment** 1355, Bersuire. || **insolence** 1458, *Mystère ;* lat. *insolentia.*

**insolite** 1495, Barbier ; lat. *insolitus,* de *solere,* avoir coutume.

**insoluble** V. SOLUBLE.

**insomnie** 1555, Belon ; lat. *insomnia,* de *insomnis,* qui ne dort pas, de *somnus,* sommeil. || **insomniaque** av. 1935, Bourget.

**inspecter** 1781, Bohan, « examiner ce dont on a la surveillance » ; 1885, Maupassant, « examiner avec attention » ; lat. *inspectare,* de *spectare,* regarder. || **inspecteur** 1403, *Internele Consolacion,* « qui scrute » ; 1611, Cotgrave, « contrôleur » ; lat. *inspector.* || **inspection** 1290, G., « examen » ; 1611, Cotgrave, « contrôle » ; lat. *inspectio.* || **inspectorat** 1873, Lar.

**inspirer** 1190, Garn., « enthousiasmer » ; lat. *inspirare,* souffler (v. RESPIRER). || **inspiration** 1120, *Job ;* bas lat. *inspiratio.* || **inspirateur** 1372, Golein, « instigateur » ; fin XIVe s., « faire pénétrer de l'air » ; rare jusqu'au XVIIIe s. ; 1765, *Encycl.,* anatomie ; lat. *inspirator.*

**instable** V. STABLE.

**installer** milieu XIVe s., « mettre dans une charge ecclésiastique » ; 1596, Hulsius, « mettre en un endroit » ; 1873, Lar., installer une maison ; lat. médiév. *installare,* mettre un dignitaire dans une stalle d'église ; du lat. médiév. *stallum,* stalle, du francique **stal,* position. || **installation** 1349, G. ; rare jusqu'au XVIIe s. || **installateur** 1863, *Journ. des débats.* || **réinstaller** 1581, Guichard. || **réinstallation** milieu XVIIIe s. (V. STALLE.)

**instance** 1288, *Doc.,* « insistance » et « sollicitation » (jusqu'au XVIe s.) ; 1361, Oresme, « poursuite judiciaire » ; 1690, Furetière, « juridiction » ; lat. *instantia,* de *in,* dans, et *stare,* se tenir.

**instant** adj. 1296, *Limoux,* « imminent » ; n. m. 1377, Oresme, « moment » ; *à l'instant,* 1589, Baïf ; *à tout instant,* 1580, Montaigne ; lat. *instans,* qui se tient dans. || **instamment** 1378, *Mandement.* || **instantané** 1604, Brunot. || **instantanément** 1787, Féraud. || **instantanéité** 1737, de Mairan. || **instantanéisme** 1955, Kemp.

**instar (à l')** 1572, Thierry ; adaptation du bas lat. *ad instar,* à la ressemblance.

**instaurer** 1355, Bersuire ; rare jusqu'au XIXe s. (1823, Boiste) ; lat. *instaurare.* || **instaurateur** XIVe s., repris au XIXe s. (1836, Landais) ; bas lat. *instaurator.* || **instauration** XIVe s. ; lat. *instauratio.*

**instigation** 1355, Bersuire ; *à l'instigation de,* 1332, *D. G.* ; lat. *instigatio,* de *instigare,* exciter, qui a donné *instiguer* (1355, Bersuire), disparu. || **instigateur** 1363, *Ordonn.* ; lat. *instigator.*

**instiller** 1501, *Jardin de Plaisance* ; 1574, Huguet, fig. ; lat. *instillare,* de *stilla,* goutte. || **instillation** 1495, J. de Vignay, phys. ; XVI^e s., sens moral ; lat. *instillatio.*

**instinct** 1495, J. de Vignay (*instincte*) ; 1538, R. Est. (*instinct*), « impulsion » (jusqu'au XVII^e s.) ; 1580, Montaigne, « tendance naturelle » ; 1591, Desportes, « impulsion irrationnelle » ; 1660, La Rochefoucauld, « intuition » ; *d'instinct,* 1848, Chateaubriand ; lat. *instinctus,* excitation, de *instinguere,* pousser. || **instinctif** 1803, Maine de Biran. || **instinctivement** 1802, Catineau.

**instituer** début XIII^e s., « établir sur ses terres » ; 1268, Boileau, « établir dans sa charge » ; 1466, Michault, « instruire » (jusqu'au XVII^e s.) ; 1356, Bersuire, « fonder » ; lat. *instituere,* mêmes sens, de *statuere,* établir, décider. || **institut** fin XV^e s., « chose établie » ; milieu XVI^e s., « règle d'un ordre religieux » ; 1765, *Encycl.,* « institut savant » ; lat. *institutum,* ce qui est établi. || **instituteur** 1495, J. de Vignay, « celui qui établit » ; 1734, d'Argenson, « celui qui instruit » ; 1793, *Moniteur universel,* terme officiel des maîtres d'école ; lat. *institutor,* qui établit, enseigne. || **institution** 1190, *Saint Bernard,* « chose établie » ; milieu XVI^e s., Amyot, « instruction » ; 1680, Richelet, « maison d'éducation » ; lat. *institutio.* || **institutionnaliser** v. 1950. || **institutionnel** 1939, *Doc.*

**instruire** 1120, *Ps. d'Oxford* (*en-*) ; 1398, E. Deschamps (*in-*), « former l'esprit » ; 1549, R. Est., jurid. ; *s'instruire,* 1580, Montaigne ; *s'instruire de,* 1696, La Bruyère ; lat. *instruere,* adapté d'apr. *détruire* (*struere,* construire, élever). || **instruction** 1319, Isambert, « ordre » ; XV^e s., « fait d'instruire » ; 1580, Montaigne, « savoir » ; 1636, Monet, instruction judiciaire ; lat. *instructio.* || **instructeur** 1372, Golein ; lat. *instructor.* || **instructif** *id.*

**instrument** 1138, Gaimar (*estrument*) ; 1298, *Livre de Marco Polo* (*instrument*) ; 1672, Sacy, instrument de musique ; 1458, *Mystère,* fig. ; *instruments de production,* 1870, Wolowski ; lat. *instrumentum,* de *instruere,* équiper. || **instrumental** 1361, Oresme. || **instrumenter** 1440, *D. G.,* jurid. ; 1845, Besch., musique. || **instrumentiste** 1810, Fétis. || **instrumentation** 1824, Stendhal, musique.

**insu** V. SAVOIR.

**insuffler** XIV^e s., du Cange ; rare jusqu'au XIX^e s. ; bas lat. *insufflare,* de *sufflare,* souffler. || **insufflation** 1398, *Somme Gautier,* « action de souffler » ; 1765, *Encycl.,* méd. ; bas lat. *insufflatio.*

**insulaire** V. ÎLE.

**insuline** 1616, Schäfer, chimiste qui appela ainsi cette sécrétion des *îlots* du pancréas, du lat. *insula,* île. || **insulinique** 1951, Palmade. || **insulinothérapie** 1933, Sakel.

**insulter** 1355, Bersuire, « faire assaut » (jusqu'au XVII^e s.) ; 1611, Cotgrave, « proférer des insultes » ; *insulter à,* 1356, Bersuire ; lat. *insultare,* sauter sur, de *saltare,* sauter. || **insulte** 1380, du Cange (*insult*), n. m. ; 1500, Auton (*insulte*), n. m., « attaque » ; 1534, Affagart, n. m., « affront, outrage » ; 1611, Cotgrave, n. f. ; bas lat. *insultus.* || **insulteur** 1798, Schwan.

**insurger (s')** 1474, Bartzsch, v. t., *insurger* ; XVI^e s., pronom ; repris fin XVIII^e s., d'apr. l'angl. *insurgent,* appliqué aux insurgés des États-Unis (1775, *Journ. de Bruxelles*) ; lat. *insurgere,* se lever contre. || **insurgé** 1794, *Journ. de la Montagne* ; d'après angl. *insurgent.* || **insurgence** 1777, Diderot, un moment en concurrence avec *insurrection,* de l'angl. || **insurrection** 1361, Oresme ; rare jusqu'au XVIII^e s. ; bas lat. *insurrectio,* de *insurgere.* || **insurrectionnel** 1798, *Acad.* || **insurrectionner (s')** 1871, Goncourt.

**intact** 1460, Chastellain, « indemne » ; 1793, Lavoisien, « sans dommage » ; lat. *intactus,* non touché, de *tangere,* toucher.

**intaille** 1808, Brard ; ital. *intaglio,* de *intagliare,* graver ; même mot qu'*entaille,* désignant une pierre dure, gravée en creux. || **intailler** 1889, Barbey.

**intégral** 1370, Oresme (*parties intégrales*) ; 1640, Oudin, « entier » ; 1696, de l'Hospital, math. ; n. f. 1749, Walmesley, édition complète ; lat. math. *integralis,* créé par Bernoulli, du lat. *integer,* entier. || **intégralité** 1611, Cotgrave. || **intégrer** 1340, G., « exécuter » ; 1700, *Mém. Acad. sc.,* math. ; XX^e s., « incorporer » ; lat. *integrare.* || **intégration** 1309, G., « exécution » ; 1700, Varignon, math. ; XX^e s., « fusion » et polit. ; lat. *integratio.* || **intégrateur** 1888, Lar. || **intégrationniste** 1962, Lar. || **intégrant** 1503, Chauliac ; lat. *integrans,* qui rend complet. || **intègre** 1542, Rab., « entier » ; 1671, Pomey, « probe » ; lat. *integer,* complet.

|| **intégrité** 1420, *Passion d'Arras,* « virginité » ; XVe s., Ch. d'Orléans, « probité » ; lat. *integritas.* || **intégrisme, -iste** 1894, Sachs. || **désintégrer** 1878, Lar. || **désintégration** 1871, *Journ. officiel.* || **réintégrer** milieu XIVe s., « rétablir » ; 1532, Rab., « remettre dans un même lieu » ; 1690, Furetière, « rétablir dans ses fonctions » ; lat. médiév. *reintegrare,* de *redintegrare.* || **réintégration** début XIVe s., « remise en état » ; XVIe s., La Curne, « restitution de l'emploi ».

**intègre, intégrer** V. INTÉGRAL.

**intellect** 1265, Br. Latini, « entendement » ; lat. *intellectus,* part. passé substantivé de *intelligere,* comprendre. || **intellectuel** adj. 1265, Br. Latini ; n. m. 1886, Bloy, par oppos. à *manuel ;* bas lat. *intellectualis.* || **intellectuellement** 1470, *Livre discipline amour divine.* || **intellectualiser** 1801, Villers. || **intellectualisme** 1853, Amiel. || **intellectualité** 1784, Gohin.

**intelligent** 1488, *Mer des hist. ;* lat. *intelligens,* part. prés. de *intelligere,* comprendre. || **intelligemment** début XVIIe s. || **intelligence** 1160, Benoît ; fin XVe s., Commynes, « entente secrète » ; 1638, Richelieu, *en bonne intelligence ;* lat. *intelligentia.* || **intelligible** 1265, Br. Latini ; lat. *intelligibilis.* || **intelligiblement** 1521, Fabri. || **intelligibilité** 1713, Fénelon. || **intelligentsia** fin XIXe s. ; mot russe, du lat. *intelligentia.* || **inintelligent** fin XVIIIe s. || **inintelligence** 1791. || **inintelligible** 1640, Chapelain ; bas lat. *inintelligibilis.* || **inintelligiblement** 1622, Fr. de Sales. || **inintelligibilité** 1714, Fénelon. || **mésintelligence** 1772, Villeneuve.

**intempérant** V. TEMPÉRANT.

**intempérie** 1534, Rab., « déséquilibre, dérèglement » ; 1794, Saussure, rigueurs du temps, au pl. ; lat. *intemperies,* de *tempus,* temps, au sens de « inclémence du temps ».

**intempestif** 1474, Chastellain ; rare aux XVIIe-XVIII[e] s. ; lat. *intempestivus,* qui arrive mal à propos, de *tempus,* temps, circonstance. || **intempestivement** 1555, Vide.

**intendant** milieu XVIe s. ; anc. mot *superintendant* (milieu XVIe s.) ; lat. médiév. *superintendeus,* du bas lat. *superintendere,* surveiller, de *intendens,* part. prés. de *intendere,* être attentif à. || **intendance** 1543, Isambert, « fait de diriger » ; 1636, Monet, officier royal ; 1690, Furetière, division du royaume. || **sous-intendant** 1834, Landais. || **sous-intendance** *id.* || **surintendant** 1569, *Doc.,* qui a remplacé *superintendant* (fin XIVe s.), d'apr. *superintendens.* || **surintendance** 1491, G. (*superintendance*) ; 1556, Vaganay (*surintendance*).

**intense** 1265, J. de Meung ; lat. *intensus,* tendu, part. passé de *intendere.* || **intensif** fin XIVe s., Gordon, « excessif » ; 1845, Besch., sens actuel. || **intensivement** 1380, Conty. || **intensifier** 1868, *Opinion nationale.* || **intensification** 1923, Gide. || **intensément** fin XIVe s. || **intensité** 1740, Demours.

**intenter** fin XIIIe s., G. ; lat. jurid. *intentare,* diriger, fréquentatif de *intendere,* tendre ; diriger une action judiciaire contre quelqu'un.

**intention** 1190, G. (*entencion*) ; fin XIIe s. (*intention*) ; lat. *intentio,* de *intendere,* diriger. || **intentionné** 1567, *Papiers Granvelle.* || **intentionnel** 1380, *Aalma* (*intencionnel*) ; 1487, Garbin (*intentionnel*), « qu'on a en vue », en scolastique ; 1798, *Acad.,* sens mod.

**inter-,** lat. *inter,* entre, parmi, préfixe indiquant la notion de réciprocité. V. les mots suivants.

**intercaler** 1520, Vaganay, « ajouter un jour » ; 1611, Cotgrave, « insérer » ; lat. *intercalare.* || **intercalaire** 1352, Bersuire, jour, mois qui s'ajoute ; 1660, Oudin, sens actuel ; lat. *intercalarius.* || **intercalation** XVe s., G. ; lat. *intercalatio,* action de placer une chose entre deux autres.

**intercéder** 1345, G. ; lat. *intercedere,* de *cedere* (v. CÉDER). || **intercesseur** 1212, Angier (*entrecessor*) ; début XIVe s. (*intercesseur*) ; lat. *intercessor,* de *intercessus,* part. passé de *intercedere.* || **intercession** 1220, Coincy ; lat. *intercessio.*

**interception** XVe s., G. ; lat. *interceptio,* de *capere,* prendre. || **intercepter** 1528, *Papiers Granvelle,* « s'emparer de » ; 1606, Crespin, « arrêter » ; 1770, Raynal, phys. ; de *interception* sur le modèle *excepter, exception.* || **intercepteur** 1757, Genet.

**intercostal** V. CÔTE.

**intercurrent** 1741, Col de Vilars ; lat. *intercurrens,* qui survient entre, de *currere,* courir ; se dit d'une maladie qui survient au milieu d'une autre.

**interdire** 1250, Espinas, qui a remplacé *entredire* (XIIe s.) ; 1662, Corn., fig., « troubler » ; lat. *interdicere.* || **interdit** 1213, *Fet des Romains,* relig. ; 1861, Saint-Beuve, « condamnation absolue » ; adj. 1450, G., « honni » ; 1556, Bonivard, « frappé d'interdiction » ; 1640, Oudin, « paralysé par l'émotion » ; lat. *interdictum.* || **interdiction** 1410, Isambert (*interdi-*

*tion*) ; 1461, Bartzsch (*interdiction*) ; lat. *interdictio.*

**intérêt** 1290, G., « dommage » (jusqu'au XVII<sup>e</sup> s.) ; XV<sup>e</sup> s., « ce qui convient » ; 1501, Cohen, « intérêt de l'argent » ; XVII<sup>e</sup> s., « attention » ; lat. *interest,* il importe. ‖ **intéresser** 1356, Isambert, « être de l'intérêt de » ; 1666, Molière, « exciter la sympathie » ; 1588, Montaigne, « retenir l'attention » ; *s'intéresser à,* 1660, d'apr. Richelet ; lat. *interesse,* importer (au propre « être entre »), d'apr. *intérêt.* ‖ **intéressant** 1718, *Acad.,* « qui intéresse » ; début XX<sup>e</sup> s., « qui rapporte de l'argent ». ‖ **intéressement** 1464, Bartzsch, « occupation entreprise » ; v. 1950, sens actuel. ‖ **désintérêt** 1831, Stendhal. ‖ **désintéresser** 1552, Rab. ‖ **désintéressé** XVI<sup>e</sup> s. ‖ **désintéressement** 1657, Pascal ; 1956, Lar., sens financier.

**interférer** 1842, Mozin ; francisation de l'angl. *interfere,* s'interposer, du lat. *inter,* entre, et *ferre,* porter. ‖ **interférent** début XIX<sup>e</sup> s., part. prés. ‖ **interférence** fin XVIII<sup>e</sup> s. ; angl. *interference.*

**interfolier** V. FOLIO.

**intérieur** 1403, *Internele Consolacion* (*interior*) ; 1556, Bonivard (*intérieur*), « à l'intérieur de qqn » ; 1530, Lefèvre, sens propre ; n. m. pl. XIV<sup>e</sup> s. (*interiores*), « intérieur des animaux » ; 1589, Cholières, « intérieur de l'âme » ; 1671, Pomey, sens propre ; début XX<sup>e</sup> s., sports ; lat. *interior,* anc. comparatif lat., « qui est au-dedans ». ‖ **intérieurement** 1460, Chastellain. ‖ **intériorité** 1606, Nicot.

**intérim** 1492, N. de Baye ; adv. lat. signif. « pendant ce temps », de *inter,* entre. ‖ **intérimaire** 1796, *Néolog. fr.*

**interjection** fin XIII<sup>e</sup> s., Macé de La Charité ; lat. gramm. *interjectio,* intercalation, de *jacere,* lancer, jeter. ‖ **interjectif** XVIII<sup>e</sup> s., Brunot.

**interjeter** V. JETER.

**interlocution** 1546, Vaganay ; lat. *interlocutio,* interpellation, de *interloqui,* parler entre. ‖ **interlocuteur** 1530, Marot. ‖ **interlocutoire** 1283, Beaumanoir, jurid. ; lat. médiév. *interlocutorius.* ‖ **interloquer** 1450, G., interrompre la procédure par une sentence interlocutoire ; 1787, Féraud, « déconcerter » ; lat. jurid. *interloqui.*

**interlope** 1685, de Lacourbe, n. m., « navire contrebandier » ; 1772, Voltaire, « auteur qui commet des fraudes » ; adj. 1688, Miege, « en fraude » ; 1841, Balzac, sens actuel ; angl. *interloper,* trafiquant, du néerl. *interlooper,* contrebandier.

**interloquer** V. INTERLOCUTION.

**interlude** 1836, Landais ; angl. *interlude,* intermède, du lat. *inter,* entre, et *ludus,* jeu.

**intermède** 1559, Saint-Gelais (*intermedie*) ; XVI<sup>e</sup> s. (*-mède*) ; ital. *intermedio,* du lat. *intermĕdius,* de *inter,* entre, et *medium,* milieu. ‖ **intermédiaire** 1678, Bornier, adj. ; n. 1781, Necker, « médiateur » ; lat. *intermedius.*

**interminable** V. TERMINER.

**intermission** 1377, Delisle ; lat. *intermissio,* de *intermittere,* laisser un intervalle, mettre entre. ‖ **intermittent** fin XVI<sup>e</sup> s. ; lat. *intermittens.* ‖ **intermittence** 1660, Oudin, « intervalle » ; 1787, Féraud, sens actuel.

**international** V. NATION.

**interne** XIV<sup>e</sup> s., L., n. m., « ce qui est à l'intérieur » ; adj. 1597, Liébault ; math. 1704, Trévoux ; n. 1829, Boiste, scolaire ; 1818, *Dict. sc. méd.,* médecine ; lat. *internus,* intérieur. ‖ **interner** 1704, Trévoux, « assigner à résidence » ; fin XIX<sup>e</sup> s., « enfermer ». ‖ **interné** 1867, L. ‖ **internement** 1838, *Bull. des lois.* ‖ **internat** 1829, Boiste, sens scolaire ; 1845, Besch., sens méd.

**interpeller** 1352, Bersuire, « solliciter » ; 1694, *Acad.,* « adresser la parole » ; 1790, Brunot, sens parlementaire ; lat. *interpellare,* interrompre ; même rac. qu'*appeler.* ‖ **interpellation** 1352, Bersuire, « interruption » ; 1599, Hornkens, jurid. ; 1789, Brunot, polit. ; lat. *interpellatio.* ‖ **interpellateur** 1549, R. Est. ; 1790, Brunot, polit. ; lat. *interpellator.*

**interpoler** 1355, Bersuire (*-é*), « discontinu » ; 1721, Trévoux (*-er*), sens actuel ; lat. *interpolare,* réparer, falsifier. ‖ **interpolation** 1355, Bersuire, « interruption » ; 1706, d'après Trévoux, sens mod. ; lat. *interpolatio.* ‖ **interpolateur** 1578, Despence, « falsificateur » ; 1611, Cotgrave, « brocanteur » ; 1721, Trévoux, sens actuel ; bas lat. *interpolator.* ‖ **extrapoler** 1876, L. ; avec préfixe *extra-,* hors de. ‖ **extrapolation** 1877, L.

**interposer** 1356, Bersuire, « promulguer un décret » ; 1538, R. Est., « faire intervenir » ; 1546, R. Est., « placer entre » ; *s'interposer,* 1690, Furetière ; lat. *interponere,* placer entre, refait sur *poser.* ‖ **interposition** 1160, Benoît.

**interprète** 1321, Lespinasse (*interpreite*), « crieur public » ; 1466, *Doc.,* « qui explique un texte » ; 1596, Hulsius, sens actuel ; 1870, « acteur » ; lat. *interpres, -etis.* || **interpréter** 1155, Wace, « expliquer » ; 1458, *Mystère,* « traduire » ; 1867, L., « jouer » ; lat. *interpretare.* || **interprétable** 1380, *Aalma.* || **interprétatif** 1380, *Aalma.* || **interprétation** 1160, Benoît, « révélation » ; 1487, Garbin, jurid. ; 1573, Du Puys, « traduction » ; lat. *interpretatio.* || **interprétariat** 1888, Lar. || **interprétateur** 1487, Garbin ; bas lat. *interpretator.*

**interrègne** V. RÈGNE.

**interroger** 1380, *Aalma* (*-guer*) ; 1460, Chastellain (*-ger*) ; lat. *interrogare,* de *rogare,* demander. || **interrogation** XIII^e s., G. ; lat. *interrogatio.* || **interrogatoire** 1265, *Livre de jostice,* adj. ; 1327, Isambert, n. m. ; bas lat. *interrogatorius.* || **interrogatif** 1507, G. ; bas lat. *interrogativus.* || **interrogateur** 1530, Vaganay ; bas lat. *interrogator.* || **interrogativement** 1823, Boiste.

**interrompre** 1120, *Ps. d'Oxford* (*entre-*) ; 1501, Le Roy (*inter-*) ; lat. *interrumpere,* rompre par le milieu. || **interruption** 1396, *Comptes La Trémoille ;* bas lat. *interruptio.* || **interrupteur** fin XVI^e s., « qui empêche de continuer » ; 1867, L., appareil ; bas lat. *interruptor.*

**intersection** V. SECTION.

**interstice** 1495, J. de Vignay, « intervalle de temps » ; 1560, Paré, intervalle entre deux vertèbres ; 1690, Furetière, sens actuel ; bas lat. *interstitium,* de *interstare,* se tenir entre. || **interstitiel** 1836, Landais.

**intervalle** XII^e s. (*entre-*) ; 1355, Bersuire (*inter-*) ; lat. *intervallum,* espace entre deux palissades. || **intervallaire** 1560, Aneau.

**intervenir** 1155, Wace (*entre-*) ; 1363, *Arch. de Reims* (*inter-*) ; lat. *intervenire,* survenir, venir entre. || **intervenant** 1680, Richelet. || **intervention** début XIV^e s. ; bas lat. *interventio.* || **interventionnisme** 1931, Lar. || **interventionniste** 1837, Lerminier.

**intervertir** début XVI^e s. ; lat. *intervertere,* détourner, de *vertere,* tourner. || **interversion** *id. ;* bas lat. *interversio.*

**interview** 1884, Daryl ; mot angl. signif. « entrevue », de l'anc. fr. *entrevue.* || **interviewer** 1883, Delvau, n. et v.

**intestat** XIII^e s., G. ; lat. jurid. *intestatus,* de *in-* priv. et *testari,* faire son testament. || **ab intestat** 1427, *Doc. ;* lat. jurid. *ab intestato.*

**intestin** adj. 1356, Bersuire, auj. surtout au fém. ; n. m. 1363, Chauliac, anat. ; lat. *intestinus,* intérieur, et subst. neutre *intestinum,* viscères. || **intestinal** fin XV^e s.

**intime** 1390, J. Le Fèvre ; lat. *intimus.* || **intimement** 1679, Retz. || **intimité** 1684, Sévigné. || **intimiste** 1883, Huysmans. || **intimisme** XX^e s.

**intimer** 1325, G., « faire savoir » ; 1332, *D. G.,* jurid. ; lat. jurid. *intimare,* introduire, d'où « faire connaître ». || **intimation** *id. ;* lat. jurid. *intimatio,* accusation.

**intituler** 1265, J. de Meung (*entituler*) ; 1549, R. Est. (*intituler*), droit, « mettre une formule en tête » ; fin XIII^e s., « pourvoir un livre d'un titre » ; *s'intituler,* fin XV^e s., Commynes ; lat. *intitulare.* (V. TITRE.) || **intitulé** 1694, *Acad.*

**intonation** 1372, Golein ; lat. *intonare,* tonner, faire retentir, rattaché par fausse étymologie à *tonus,* ton.

**intra-,** lat. *intra,* préfixe signif. « à l'intérieur ».

**intrados** V. DOS.

**intransigeant** 1875, L. ; esp. *intransigente,* de même rac. que *transiger,* qui désignait les fédéralistes. || **intransigeance** 1874, d'après Lar.

**intrépide** 1495, J. de Vignay ; lat. *intrepidus,* non effrayé, de *trepidus,* agité, tremblant. || **intrépidement** 1691, d'après Trévoux. || **intrépidité** 1665, La Rochefoucauld.

**intrigue** 1578, R. Est., « liaison amoureuse » ; 1640, Oudin, « affaire embarrassante » ; 1648, Sorel, « machination secrète » ; 1648, Livet, théâtre ; déverbal de *intriguer.* || **intriguer** 1572, *Papiers Granvelle* (*-é*), « compliqué » ; 1640, Oudin, « embrouiller » ; 1660, Pascal, « manœuvrer secrètement » ; ital. *intrigare,* embrouiller, du lat. *intricare.* La forme *intriquer* (XV^e s.) se trouve jusqu'au XVII^e s. || **intrigant** 1583, A. Thierry ; ital. *intrigante.* || **intrigailler** 1802, Flick.

**intrinsèque** 1314, Mondeville, anat. ; 1622, Sorel, « intime » ; 1704, Trévoux, sens actuel ; lat. scolast. *intrinsecus,* au-dedans. || **intrinsèquement** 1306, M. du Bellay. (V. EXTRINSÈQUE.)

**introduire** 1120, *Ps. de Cambridge* (*entre-*), « conduire dans » ; fin XIII^e s. (*in-*) ; *s'introduire,* 1656, Molière ; lat. *introducere,* de *ducere,* mener, adapté d'apr. *conduire.* || **introduction** XIII^e s., « enseignement » ; 1553, *Bible Gérard,* « action de faire entrer » ; lat. *introductio.* || **introductif** 1520, La Roche. || **introducteur** XII^e s., *Naissance du chevalier au cygne* (*introduitor*) ; XVI^e s., G. (*introducteur*) ; bas lat. *introductor.*

|| **réintroduire** début XIX^e s. || **réintroduction** 1873, L.

**introït** 1378, J. Le Fèvre (*introïte*), n. f. ; 1660, Oudin (*introït*), n. m. ; lat. *introitus,* entrée, au sens liturgique.

**introjection** 1951, Palmade ; lat. *intro,* dedans, et (*pro*)*jection.*

**intromission** 1560, Paré ; lat. *intromissus,* de *intromittere,* mettre dedans.

**introniser** 1220, Coincy ; 1842, Balzac, fig. ; bas lat. eccl. *inthronizare,* du gr. *enthronizein,* installer sur un trône, de *thronos,* siège épiscopal. || **intronisation** 1372, Golein.

**introspection** début XIX^e s. ; angl. *introspection,* du part. lat. *introspectum,* de *introspicere,* regarder à l'intérieur. || **introspectif** 1840, *Acad.*

**introversion** 1931, Lar. (1921, Jung, en allem.) ; lat. *introversio,* action de se tourner vers l'intérieur. || **introversif** 1968, Lar. || **introverti** v. 1940.

**intrus** 1360, Froissart, jurid., « introduit sans droit » ; 1830, Stendhal, sens actuel ; lat. eccl. *intrusus,* part. passé de l'anc. fr. *intrure,* du lat. *intrudere.* || **intrusion** 1304, G., jurid. ; 1835, *Acad.,* sens actuel ; lat. eccl. *intrusus,* part. passé du verbe *intrudere.*

**intuition** XIV^e s., « contemplation » ; 1640, Descartes, sens actuel ; bas lat. *intuitio,* regard, de *intueri,* regarder. || **intuitif** 1480, Delb., « qui est l'objet d'une intuition » ; 1902, Lar., « apte à agir par intuition » ; part. passé *intuitus.* || **intuitivement** 1599, Montlyard, relig. ; 1845, Besch., sens actuel. || **intuitionniste** 1874, Stuart Mill. || **intuitu personae** début XX^e s. ; loc. lat. signif. « en considération de la personne ».

**intumescence** V. TUMEUR.

**inule** 1771, Schmidlin ; lat. *inula,* plante vivace à fleurs jaunes. || **inuline** 1815, *Ann. de chimie.*

**inusité, inutile** V. USITÉ, UTILE.

**invagination** 1765, Brunot, méd. ; de *in-,* dans, et lat. *vagina,* gaine. || **invaginer** 1832, Raymond.

**invalide** V. VALIDE.

**invasion** 1155, Wace, « attaque » ; 1588, Montaigne, sens actuel ; bas lat. *invasio,* de *invadere,* envahir. (V. ENVAHIR.)

**invective** 1404, Chr. de Pisan ; bas lat. *invectivae* (*orationes*), discours agressifs, de *invehi,* s'emporter. || **invectiver** 1549, Huguet.

**inventaire** 1313, Isambert, *inventaire de meubles ;* 1636, Monet, *inventaire de magasin ;* 1668, La Fontaine, *sous bénéfice d'inventaire ;* bas lat. jurid. *inventarium,* de *invenire,* trouver. || **inventorier** 1373, *Ordonn. ;* anc. fr. *inventoire,* registre ; lat. médiév. *inventorium.* || **inventeur** 1454, *Ordonn. royale,* jurid. ; 1460, Chastellain, sens actuel ; lat. *inventor.* || **invention** 1120, *Ps. d'Oxford,* « ruse » ; 1431, Isambert, « mensonge » ; début XVI^e s., « fait d'inventer du nouveau » ; 1431, Isambert, « action de trouver » (1270, *invention de la sainte Croix*) ; lat. *inventio.* || **inventer** 1458, *Mystère.* || **inventif** 1442, G. || **réinventer** 1850, Sainte-Beuve.

**invertir** 1265, J. de Meung, rare jusqu'au XVIII^e s. ; 1797, Chateaubriand, « renverser » ; 1877, L., techn. ; lat. *invertere,* retourner, intervertir, de *vertere,* tourner. || **inverse** 1611, Cotgrave ; lat. *inversus.* || **inversement** 1752, Courtivron. || **inverser** 1877, L. || **inverseur** 1848, *Annales de chimie.* || **inversion** 1529, Bonivard, « retournement » ; 1889, Beaunis, sexuelle ; lat. *inversio.* || **inverti** 1902, Lar., sexuel.

**investigation** 1407, Chr. de Pisan ; rare jusqu'au XVIII^e s. (1750, Rousseau) ; lat. *investigatio,* de *vestigium,* trace. || **investigateur** v. 1500, *D. G.,* « qui cherche la pierre philosophale » ; 1699, Massillon, sens actuel ; adj. 1829, Boiste ; lat. *investigator.*

**investir** début XIII^e s., *Guillaume de Dole* (*envestir*), « revêtir » ; 1320, *Geste des Chiprois* (*en-*), « attaquer » (par ital. *investire*) ; début XIV^e s., « entourer » ; XVI^e s., « mettre en possession de » ; 1907, Lar., fig. ; 1922, Lar., *investir des capitaux ;* lat. médiév. *investire,* revêtir, entourer. || **investiture** 1460, *Doc.,* relig. et féod. ; jusqu'au XVII^e s., syn. du suivant. || **investissement** 1704, Trévoux, milit. ; 1924, *Revue de Paris,* finances. || **investisseur** v. 1950. || **réinvestir** 1845, Besch.

**invétérer** milieu XVI^e s., « s'habituer à » ; 1606, Crespin, pronominal « s'affermir, s'enraciner » ; lat. *inveterare,* vieillir, de *vetus, -eris,* vieux, au sens de « se fortifier par le temps ».

**invincible, invisible** V. VAINCRE, VOIR.

**inviter** 1356, Isambert ; lat. *invitare.* || **invitant** 1873, Lar. || **invité** n. 1825, Courier. || **invite** 1767, Diderot, jeux ; 1875, *J. O.,* « incitation à » ; déverbal. || **invitation** XIV^e s., rare en moyen fr. ; lat. *invitatio.* || **désinviter** 1688, Miege. || **réinviter** 1549, R. Est.

**involucre** 1550, Guéroult ; lat. *involucrum,* enveloppe, de *volvere,* rouler ; terme de bot. || **involucelle** 1778, Jansen.

**involution** 1314, Mondeville ; lat. *involutio,* développement, de *involvere,* envelopper. || **involutif** 1798, Richard ; lat. *involutus* (part. passé).

**invoquer** fin XIVe s., relig. ; 1536, Chrestien, « réclamer une aide » ; 1752, Trévoux, « en appeler à » ; lat. *invocare,* de *vox,* voix. Il a remplacé *envochier* (1120, *Ps. d'Oxford*). || **invocation** 1165, Marie de France ; lat. *invocatio.* || **invocatoire** 1622, Fr. de Sales. || **invocateur** XVe s., du Cange ; bas lat. *invocator.*

**iode** 1812, Gay-Lussac ; gr. *iôdes,* violet, de *ion,* violette, d'apr. la couleur violette de sa vapeur. || **iodé** 1836, *Acad.* || **ioder** 1873, Lar. || **iodeux** 1830, *Annales chimie.* || **iodique** 1892, Gay-Lussac. || **iodisme** 1855, Nysten. || **iodure** 1812, Gay-Lussac. || **ioduré** *id.* || **iodoforme** 1842, *Acad.*

**ion** 1840, *Acad.* ; mot angl. tiré par Faraday (1834) du gr. *iôn,* part. prés. de *ienai,* aller. || **ionique** 1931, Lar. || **ionisation** 1902, Lar. || **ionosphère** 1935, Lar.

**ionien** 1738, Rollin ; de *Ionie,* du gr. *Iônia.* || **ionique** 1552, Rab. ; 1669, La Fontaine, architecture.

**iota** fin XIIIe s., Macé de La Charité ; gr. *iôta,* nom de la lettre *i.* || **iotacisme** 1803, Boiste.

**ipécacuana** 1640, Laet (*igpecaya*) ; 1802, *Bulletin des sciences* (*ipéca*) ; mot port., du tupi-guarani, langue indigène du Brésil.

**ipomée** 1827, *Acad.* ; lat. de Linné *ipomœa,* du gr. *ips, ipos,* ver, et *omaios,* semblable.

***ire** fin Xe s., *Saint Léger* ; lat. *ira,* colère. || **irascible** 1160, Benoît ; lat. *irascibilis.* || **irascibilité** 1370, Oresme.

**irénique** 1867, L. ; lat. eccl. *irenicus,* du gr. *eirênê,* paix. || **irénisme** 1962, Lar.

**iridium** V. IRIS.

**iris** XIIIe s., *Simples Médecines,* « fleur » ; XVe s., anat. ; 1529, Bonivard, « arc-en-ciel » ; lat. *iris,* mêmes sens, empr. au gr. || **iridectomie** 1836, Landais. || **iridoscope** 1867, L. || **iridacées** 1803, *Dict. sciences naturelles* (*iridées*) ; 1873, Lar. (*iridacées*). || **iridescent** 1842, Mozin. || **iridescence** 1948, Lar. || **iriser** 1783, Buffon. || **irisation** 1845, Besch. || **iridium** 1805, *Ann. de chimie* ; mot tiré en 1803 par le chimiste anglais Tennant du lat. *iris,* d'apr. les couleurs variées des combinaisons de ce métal. || **iridié** 1872, *J. O.* || **iritis** 1823, Gillet, inflammation de l'iris.

**ironie** 1370, Oresme (*yronie*) ; lat. *ironia,* du gr. *eironeia,* interrogation ; le sens fig. vient de la méthode socratique. || **ironique** XVe s. ; lat. *ironicus,* du gr. *eironikos.* || **ironiquement** XVe s., G. || **ironiser** 1647, Boisrobert. || **ironiste** fin XVIIIe s., Gohin.

**iroquois** fin XVIIe s. ; 1718, Leroux, « stupide » ; 1809, Chateaubriand, « langage incompréhensible » ; nom d'une peuplade de l'Amérique du Nord, déformation d'un terme indigène signif. « vraies vipères ».

**ir(r)-,** les composés formés avec le préfixe *ir-* (*in-* devant *r*) sont à l'ordre alphabétique du mot simple.

**irradier** 1468, Chastellain, « illuminer » ; 1828, Mozin, « se propager par rayonnement » ; 1867, L., sens général ; 1948, Lar., phys. ; lat. *irradiare,* de *radius,* rayon. || **irradiant** 1480, *Mystère.* || **irradiation** 1390, Conty, « émission de rayons » ; 1541, Calvin, fig.

**irrédentisme** 1888, Lar. ; ital. *irredentismo,* de *irredento,* non racheté, en parlant des territoires autrichiens de langue italienne. || **irrédentiste** *id.* ; ital. *irredentista.*

**irréfragable** milieu XVe s. ; bas lat. *irrefragabilis,* de *refragari,* s'opposer, voter contre.

**irrégulier, irrémédiable, irrémissible, irrévérent, irrévocable** V. RÉGULIER, REMÈDE, REMETTRE, RÉVÉRENCE, RÉVOQUER.

**irriguer** 1835, *Maison rustique* ; lat. *irrigare,* de *rigare,* arroser. || **irrigable** 1839, Genty de Bussy. || **irrigation** XVe s., G., méd. ; 1764, Bertrand, agr. ; lat. *irrigatio.* || **irrigateur** 1827, Dupin, n. m. ; adj. 1931, Lar.

**irriter** 1356, Bersuire, « mettre en colère » ; 1536, Chrestien, « enflammer un organe » ; *s'irriter,* 1640, Corn., « se mettre en colère » ; lat. *irritare.* || **irritable** 1520, Vaganay, « qui donne la colère » ; XVIIIe s., phys. ; 1835, *Acad.,* sens actuel. || **irritabilité** 1754, Brunot. || **irritant** 1549, R. Est., « qui provoque la colère » ; 1555, Vide, méd. || **irritation** fin XIVe s., G., « colère » ; 1694, *Acad.,* « excitation d'un organe » ; lat. *irritatio.*

**irrorer** 1532, Rab., « arroser » ; lat. *irrorare,* couvrir de rosée (*ros, roris*). || **irroration** 1694, Th. Corn. ; bas lat. *irroratio.*

**irruption** 1495, J. de Vignay ; lat. *irruptio,* de *rumpere,* rompre, lancer.

**isabelle** 1595, *Archives ;* nom espagnol *Isabel,* altér. de *Élisabeth* (Isabelle la Catholique aurait fait le vœu, au siège de Grenade en 1491, de ne pas changer de chemise avant la fin du siège), ou de l'ar. *hizah,* lion (couleur du lion).

**isard** 1387, G. Phébus (*bouc izar*) ; 1553, Belon (*isard*) ; mot pyrénéen prélatin signif. « étoile », puis « tache blanche sur le front » et « chamois ».

**isatis** 1740, Trévoux ; gr. *isatis,* pastel.

**isba** 1669, Miege (*wisbis,* pl. où la prép. est notée à l'initiale) ; 1813, Breton (*isba*) ; russe *izba,* hutte de paysan.

**ischémie** 1845, Besch. ; gr. *iskhaimos,* qui arrête le sang, de *iskhein,* retenir, et *haima,* sang.

**ischion** 1560, Paré ; gr. *iskhion,* hanche.

**ischurie** 1560, Paré, méd. ; bas lat. *ischuria,* du gr. *iskhouria* (*iskhein,* retenir, *ouron,* urine) ; rétention d'urine.

**islam** fin XVII^e s. ; mot ar. signif. « soumission à Dieu, résignation ». || **islamique** 1845, Besch. || **islamite** 1784, Diderot. || **islamiser** 1862, Renan. || **islamisation** 1931, Lar. || **islamisme** 1756, Voltaire.

**iso-,** gr. *isos,* égal. || **isobare** 1877, L. || **isocèle** 1542, Bovelles ; bas lat. *isoceles,* du gr. *skelos,* jambe. || **isochrone** 1675, *Journal des savants ;* gr. *isokhronos,* de *khronos,* temps. || **isochronisme** 1700, *Mémoires Acad. des sciences.* || **isoclinal** 1902, Lar. || **isocline** 1845, Besch. ; gr. *isoklinês,* qui penche également, de *klinein,* incliner. || **isoète** 1839, Boiste ; lat. *isoetes,* joubarbe, du gr. *isoetês,* de durée égale à une année (*etos*). || **isogame** 1902, Lar. ; gr. *gamos,* union. || **isoglosse** 1933, Maronzeau ; gr. *glôssa,* langue. || **isogone** 1682, *Journal des savants ;* gr. *isogônios,* de *gônia,* angle. || **isomère** 1839, *Acad. ;* gr. *meros,* partie. || **isomérie** 1691, Ozanam. || **isomorphe** 1821, *Ann. chimie.* || **isopode** 1827, *Acad.* || **isostasie** 1931, Lar. || **isotherme** 1816, *Ann. chimie ;* gr. *thermos,* chaud. || **isotope** 1922, Lar. ; gr. *topos,* lieu.

**isolé** 1575, Paradin, « façonné comme une île » ; 1680, Richelet, « détaché du reste » ; 1759, Voltaire, « à l'écart » ; ital. *isolato,* séparé comme une île (*isola,* lat. *insula*). || **isolation** 1765, Brunot. || **isolationnisme** 1946, Lar. ; mot anglo-américain. || **isolationniste** 1953, Lar. ; mot anglo-américain. || **isolement** 1701, Furetière. || **isolateur** 1783, Bertholon. || **isoler** 1653, Saint-Amant ; *s'isoler,* fin XVII^e s. || **isoloir** 1789, *Journ. de Paris,* appareil isolant les corps de l'électricité ; 1914, *Doc.,* « lieu où l'électeur formule son vote ».

**israélite** fin XVI^e s. ; bas lat. *Israelita,* de la race d'Israël. || **israélien** 1948, Lar., d'Israël.

***issu** fin XIII^e s., Joinville, « sorti de » ; part. passé de l'anc. fr. *issir, eisir* (980, *Valenciennes*) ; lat. *exire,* sortir. || ***issue** 1165, Marie de France (*eissue) ;* XIII^e s. (*issue*) ; 1555, Ronsard, fig. ; *à l'issue de,* 1273, Adenet ; pl. 1332, Acart, boucherie ; part. passé féminin.

**isthme** 1538, Charrière, géogr. ; 1552, Rab., méd. ; lat. *isthmus,* du gr. *isthmos.* || **isthmique** 1636, Monet, antiq. || **isthmien** 1867, L.

**itague** 1138, *Saint Gilles* (*utange*) ; 1783, *Encycl. méth. (itague*) ; anc. scand. **ustag,* sorte de cordage.

**italianisme** 1578, H. Est. ; ital. *italiano,* italien. || **italianiser** 1578, H. Est. || **italianisant** 1908, Rolland. || **italique** 1525, J. Lemaire (*lettres ytalliques*) ; lat. *italicus,* italique, ces caractères ayant été inventés par l'Italien Alde Manuce († 1515).

**item** 1294, Deck, adv. ; n. m. v. 1950 ; adv. lat. signif. « de même ».

**itératif** 1403, G. ; bas lat. gramm. *iterativus,* de *iterare,* recommencer. || **itérativement** 1528, *Doc.* || **itération** 1525, J. Lemaire.

**ithos** 1672, Molière, rhét. ; gr. *êthos,* mœurs, avec la pron. du gr. byzantin *i* pour *ê.*

**itinéraire** XIV^e s., G., « suite des lieux traversés » ; 1805, Lunier, sens actuel ; lat. impér. *itinerarium,* de *iter, itineris,* chemin. || **itinérant** 1874, Lar., « qui change d'endroit », d'abord relig. « méthodiste ».

**itou** av. 1628, Héroard ; altér. de l'anc. fr. *atout,* avec, par l'anc. fr. *itel,* pareillement (de *tel*).

**iule** 1611, Cotgrave ; lat. bot. *iulus,* du gr. *ioulos,* poil follet, duvet.

**ive, iveteau** V. IF.

**ivoire** 1130, *Eneas ;* lat. *eboreus,* ivoirin, substantivé au neutre, de *ebur, eboris,* ivoire. || **ivoirin** fin XII^e s., J. Bodel (*ivorin*) ; 1544, Délie (*ivoirin*). || **ivoirier** 1322, Gay. || **ivoirerie** XVII^e s.

***ivraie** début XIII^e s. ; bas lat. **ēbriāca,* fém., ivre, de *ēbriacus, ēbrius,* même sens ; parce que l'ivraie cause une sorte d'ivresse (infl. morphologique de *ivre*).

***ivre** début XII^e s., *Voy. de Charl. ;* lat. *ebrius,* avec infl. de [j] de la syllabe finale. || **ivresse** 1130, *Eneas.* || **enivrer** 1120, *Ps. de Cambridge ;* 1580, Montaigne, fig. || **enivrement** 1131, *Couronn. Loïs.*

***ivrogne** 1190, *Saint Bernard* (*yvroigne*) ; 1283, Beaumanoir (*yvrogne*) ; lat. pop. **ebrionia,* ivresse. || **ivrognesse** 1584, Henri IV. || **ivrogner** 1538, R. Est. || **ivrognerie** fin XV^e s.

**ixia** 1762, *Acad. ;* mot lat., du gr. *ixia,* désignant une plante africaine.

**ixode** 1806, Latreille ; gr. *ixôdês,* gluant ; insecte parasite du chien.

***jà** 980, *Passion,* « maintenant » ; 1080, *Roland,* « déjà » ; lat. *jam,* remplacé par *déjà* au XVI^e s. || **jaçoit que** XII^e s., G. (*ja seit que*), disparu au XVII^e s. ; de *jà soit* (subj. de *être*). || **jadis** 1130, *Eneas* (*molt a jadis*), « il y a bien longtemps » ; 1112, *Voy. saint Brendan* (*jadis*) ; *ja a dis* (lat. *dies,* jour), il y a déjà des jours. || **jamais** 1050, *Alexis.* || **déjà** 1265, J. de Meung ; de *jà* renforcé par *dès.*

**jabiru** 1765, *Encycl. ;* angl. *jabiru,* du tupi-guarani ; grand oiseau voisin des cigognes.

**jable** fin XII^e s., Simund de Freine (*gable*), « pignon » ; 1397, G., « chanlatte » ; 1564, J. Thierry, en tonnellerie ; mot gaulois latinisé en **gabulum.* || **jablière** 1583, Gauchet. || **jabler** 1573, Du Puys. || **jablage** 1931, Lar. || **jabloire** 1604, Gauchet.

**jaborandi** 1752, Trévoux ; guarani *yaguarandi.*

**jabot** 1546, Rab., « estomac de l'homme » ; 1555, Belon, en parlant d'un oiseau ; 1680, Richelet, « ornement de dentelle » ; prélatin **gaba,* gorge, d'orig. gauloise (v. aussi GAVER). || **jaboter** 1691, Gherardi. || **jaboteur** 1772, Ritter.

**jacamar** 1760, Brisson ; mot tupi-guarani ; oiseau d'Amérique.

**jacasser** 1808, d'Hautel ; altér. de *jaqueter,* d'apr. *coasser, agacer,* etc., de *jacque,* nom dialectal du geai, de *Jacques,* n. pr. || **jacasse** 1867, L., « bavarde », Delvau. || **jacasserie** 1842, Mozin. || **jacassement** 1857, Baudelaire. || **jacasseur** 1902, Lar. || **jacassier** 1792, Brunot.

**jacée** 1611, Cotgrave ; lat. médiév. *jacea,* d'orig. inconnue ; sorte de centaurée.

**jacent** début XVI^e s. ; lat. *jacens,* gisant, de *jacere,* être étendu. (V. GÉSIR.) || **sous-jacent** 1872, L.

***jachère** 1175, Chr. de Troyes, « terre labourée » ; 1265, J. de Meung, sens actuel ; bas lat. *gascaria,* d'origine gauloise (**gansko,* branche). || **jachérer** XIII^e s., Du Cange.

**jacinthe** 1080, *Roland* (*jacunce*), « topaze » ; XIV^e s. (*jacint*), en ancien provençal, « plante » ; XVI^e s. (*jacinthe*) ; lat. *hyacinthus,* aux deux sens, du gr. *Huakinthos,* personnage mythologique changé en fleur par Apollon. || **hyacinthe** XVI^e s., « pierre précieuse » ; forme refaite.

**jack** 1870, L., « appareil de filature » ; 1902, Lar., « commutateur téléphonique » ; mot angl.

**jacobée** 1615, Daléchamp (*jacobaea*) ; 1680, Richelet (*jacobée*) ; lat. *Jacobus,* Jacques, « herbe de Saint-Jacques ».

**jacobin** fin XIII^e s., Rutebeuf, « dominicain » (premier couvent de l'ordre, rue Saint-Jacques) ; 1797, Gattel, oiseau ; 1790, Brunot, polit., d'après le club des Jacobins installé dans l'anc. couvent ; lat. *Jacobus,* Jacques. || **jacobinisme** 1791, *La Jacobinière.*

**jacobus** 1640, *Anc. Théâtre,* monnaie d'or frappée sous Jacques I^er (lat. *Jacobus*) d'Angleterre. || **jabobite** 1720, Caylus ; partisan de Jacques II.

**jaconas** 1761, Savary (*-at*) ; 1835, *Acad.* (*-as*) ; altér. de *Jaganath,* ville de l'Inde où ce tissu était fabriqué.

**jacquard** v. 1800 ; de Joseph *Jacquard* (1752-1834), auteur de ce métier à tisser.

***jacques** 1357, *Chron. normande,* « paysan » (Jacques Bonhomme) ; lat. *Jacobus.* || **jacquerie** 1360, Froissart, nom d'un soulèvement paysan, avec majuscule ; 1821, Courier, « soulèvement paysan ». || **jacquet** 1827, Lebrun, *Manuel des jeux ;* dimin. de *Jacques* (*jaquet,* laquais, 1559, Amyot). || **jacquot** 1778, Buffon, « perroquet » ; dimin. de *Jacques.*

1. **jactance** V. JACTER.

2. **jactance** 1220, Coincy, « vanterie » ; lat. *jactancia,* de *jactare,* lancer, proférer, fig. vanter.

**jacter** 1821, Ansiaume, « bavarder » ; contraction de *jacqueter* (*jaqueter*, 1562, Du Pinet), de *Jacques*. || **jactance** 1879, Esnault, « bavardage ».

**jaculatoire** 1578, d'Aubigné, relig. ; lat. *jaculatorius*, de *jaculari*, lancer ; se dit d'une prière courte et ardente.

**jade** 1612, *Anc. Théâtre ;* de *ejade* (*e* a été pris pour une partie de l'article) ; esp. *piedra de la ijada*, pierre du flanc (lat. *ilia*), le jade passant pour guérir les coliques néphrétiques. || **jadéite** 1873, L.

**jadis** V. JÀ.

**jaguar** 1754, Klein ; port. *jaguarete* ou angl. *jaguar*, du tupi-guarani.

***jaillir** 1112, *Voy. saint Brendan* (*galir*), « jeter, lancer » ; 1175, Chr. de Troyes (*jaillir*), « sortir impétueusement » ; 1559, Amyot, « s'élancer » ; sans doute lat. pop. **galire*, « lancer impétueusement », d'origine gauloise. || **jaillissant** 1680, Richelet. || **jaillissement** 1611, Cotgrave. || **rejaillir** 1539, R. Est. || **rejaillissement** 1557, de Mesmes.

**jaïna** 1870, Lar. (*djaïna*) ; mot hindî, de *Djina*, « conquérant », fondateur de cette religion. || **jaïnisme** 1873, *Rev. des Deux Mondes*.

***jais** 1268, É. Boileau (*gest*) ; de *jaïet* (XII^e s., Marbode), du lat. *gagātes*, pierre de Gages en Lycie, mot gr.

**jalap** 1640, Lael (*xalapa*) ; 1654, Boyer (*jalap*) ; esp. *Jalapa*, nom d'une ville du Mexique. || **jalapine** 1836, Landais.

**jalon** 1613, *Romania*, « perche » ; 1829, Boiste, « point de repère » ; de *jalir*, forme anc. de *jaillir*. || **jalonner** 1690, La Quintinie. || **jalonnement** 1842, *Acad.* || **jalonneur** 1835, *Acad.* || **jalonnage** 1931, Lar.

***jaloux** 1130, *Eneas* (*gelos*) ; XIII^e s. (*jalous*) ; 1487, Garbin (*jaloux*) ; lat. pop. *zelosus*, adaptation de *Deus zelotes*, le Dieu jaloux (Vulgate), lat. *zelus*, ardeur, gr. *zêlos*. Le mot fr. a été repris aux troubadours. || **jalousie** 1170, *Floire et Blancheflor ;* 1549, R. Est., « volet mobile en treillis » ; repris à l'ital. *gelosia*, jaloux. || **jalouser** XIII^e s., *Sainte Thaïs*, « convoiter » ; fin XVI^e s., d'Aubigné, sens actuel.

**jamais** V. JÀ.

***jambe** 1080, *Roland ;* bas lat. *gamba* (IV^e s., Végèce), jarret, patte de cheval, du gr. *kampê*, courbure, articulation. || **jambière** 1203, Gay. || **jambier** v. 1560, Paré. || **jambon** fin XIII^e s., G. || **jambonneau** début XVII^e s. || **jambage** milieu XIV^e s., « pilier » ; 1538, R. Est., « montant d'une porte » ; 1680, Richelet, jambage d'une lettre. || **jambard** 1305, G. || **jambette** XIII^e s., *Aucassin et Nicolette*. || **jambé** fin XVI^e s. || **jamber** fin XIX^e s., « importuner », d'apr. *tenir la jambe*. || **enjamber** XIV^e s., Cuvelier, « empiéter » ; 1690, Furetière, « franchir un obstacle ». || **enjambement** 1566, Du Pinet ; fin XVII^e s., prosodie. || **enjambé** fin XII^e s., R. de Moiliens, « pourvu de jambes ». || **enjambée** XII^e s., *Naissance du chevalier au cygne*. || **entrejambe** XX^e s.

***jamble** milieu XV^e s., « patelle » ; lat. pop. *gemmula*, petite perle (*gemma*).

**jamboree** début XX^e s. ; déjà en 1864 en anglo-américain, « grande fête joyeuse » ; d'origine inconnue.

**jambose** 1602, Colin (*jambos*) ; 1803, Boiste, au sens de « arbre, jambosier » ; port. *jambos*, fruit du jambosier, d'un parler de l'Inde. || **jambosier** 1789, *Encycl. méth.*

**janissaire** 1457, La Broquière (*jehanicere*) ; ital. *giannizero*, du turc. anc. *yeni tcheri*, nouvelle troupe.

**jansénisme** milieu XVII^e s. ; *Jansenius*, nom latinisé de Corneille *Jansen*, évêque d'Ypres (1585-1638). || **janséniste** 1656, Pascal.

***jante** 1170, *Rois ;* lat. pop. **cambĭta*, du gaulois **cambo-*, courbe.

***janvier** 1119, Ph. de Thaon ; lat. *jenuarius*, mois de Janus.

**japon** 1730, Savary, « porcelaine du Japon ». || **japonais** 1667, Robinet. || **japonner** 1730, Savary. || **japonisé** 1829, *Journ. des dames*. || **japonisme** 1876, *J. O.* || **japonaiserie** 1851, Goncourt.

**japper** fin XII^e s., *Ysopet de Lyon ;* onomat. || **jappement** 1502, O. de Saint-Gelais. || **jappeur** 1546, Vaganay.

**jaque** 1553 ; trad. de Castanheda (*jaca*), « fruit du jaquier », du malayalam (langue du Malabar) *tsjakka*. || **jaquier** 1687, Choisy.

**jaquemart** 1534, Rab. ; anc. prov. *jacomart* (XV^e s.), de *Jaqueme*, forme anc. de *Jacques ;* figure allégorique frappant les heures sur une cloche.

**jaquette** 1386, Gay ; de *jaque*, anc. vêtement (XIV^e s.), de *jaque*, paysan, du n. propre *Jacques ;* 1951, Lar., « couverture publicitaire d'un livre » ; par l'angl. *jacket*.

**jard, jarre** 1268, É. Boileau, « poil de loutre » ; francique **gard* (anc. haut allem. *gart,* baguette ; scand. *gaddr,* piquant). || **jarreux** 1268, É. Boileau. || **éjarrer** 1753, *Encycl.* || **éjarreuse** *id.* || **éjarrage** 1845, Besch.

**jarde** 1516, *P. Crescens* (*zarde*) ; 1678, Guillet (*jarde*), « tumeur » ; ital. *giarda,* de l'ar. *djarad,* enflure. || **jardon** *id.* ; ital. *giardone,* exostose du jarret.

**jardin** 1138, Gaimar (*gardin*) ; XII^e^ s., *Thèbes* (*jardin*) ; anc. fr. *jart* (XII^e^ s.), du francique **gard* (allem. *Garten.*) || **jardinier** XII^e^ s., *Adam.* || **jardinière** 1694, Ménage, insecte ; fin XVIII^e^ s., meuble ; 1810, La Reynière, cuisine ; 1948, Lar., *jardinière d'enfants.* || **jardinet** 1280, Adenet. || **jardinage** 1281, G., « terrain en jardins » ; 1564, Thierry, « culture des jardins ». || **jardiner** 1398, E. Deschamps.

1. **jargon** 1180, Marie de France, « langage d'oiseaux » ; XIII^e^ s., Esnault (*gergon*), « argot des malfaiteurs » ; 1560, Paré, « langage d'initiés » ; fin XVI^e^ s., « langage incompréhensible » ; orig. onomat., de même rac. que *gazouiller.* || **jargonner** fin XII^e^ s., *Loherains.* || **jargonnesque** 1566, H. Est. || **jargonaphasie** 1965, Hécaen.

2. **jargon** 1664, d'après Savary, « diamant jaune » ; ital. *giargone* apparenté à l'anc. fr. *jagonce, jargonce* (XI^e^ s.), du lat. *hyacinthus,* pierre précieuse.

**jarnidieu** 1685, La Fontaine ; de *je renie Dieu.* (V. DIEU.)

**jarosse** 1326, Du Cange, gesse ; mot de l'Ouest, du préroman **gerg.*

**jarre** 1449, *Comptes du roi René,* « vase de terre » ; prov. *jarra,* de l'ar. *djarra.*

**jarret** 1170, *Rois* (*garet*) ; XVI^e^ s. (*jarret*) ; gaulois **garrā,* jambe (v. GARROT 2). || **jarretelle** 1893, Courteline. || **jarreter** 1576, Bretin. || **jarretière** 1360, Laborde.

**jars** 1268, É. Boileau, « aiguillon » ; fin XIII^e^ s., *Renart,* mâle de l'oie, par comparaison de la verge du jars ; le *s* du pl. est passé au sing. ; francique **gard,* aiguillon.

**jas** 1643, Fournier, ancre ; mot prov., du lat. pop. **jacium,* gîte, lat. *jacere,* être étendu.

**jaser** XV^e^ s. (*gaser*) ; 1538, R. Est. (*jaser*) ; onomat. (v. GAZOUILLER). || **jasement** 1538, R. Est. || **jaseur** 1538, R. Est. || **jaserie** *id.* || **jaspiner** 1715, Esnault, « parler » ; croisement de *jaser* et de *japper.*

**jaseran** 1080, *Roland* (*jaserenc*), « cotte de mailles », « chaînette » ; du nom ar. d'Alger, *al-Djazā'ir,* où étaient fabriquées ces cottes.

**jasione** 1789, Lamarck ; gr. *iasiônê,* liseron, de *iasis,* guérison.

**jasmin** XIV^e^ s., Moamin (*jasimin*) ; XVI^e^ s., Ronsard (*jasmin*) ; ar. *yasemin,* d'orig. persane.

**jaspe** 1119, Ph. de Thaon ; lat. *jaspis,* du gr. *iaspis.* || **jaspé** 1552, Vaganay. || **jaspure** 1617, Crespin.

**jaspiner** V. JASER.

***jatte** 1165, Marie de France (*gate*) ; lat. pop. **gabita,* de *găbăta,* assiette creuse. || **jattée** XVI^e^ s., Huguet.

**jauge** 1268, É. Boileau, « capacité d'un récipient » ; XV^e^ s., G., instrument pour évaluer ; francique **galga,* verge (anc. haut allem. *galgo,* treuil). || **jauger** 1268, É. Boileau, « mesurer la capacité » ; 1787, Féraud, « estimer ». || **jaugeur** 1268, É. Boileau. || **jaugeage** 1248, *Doc.*

**jaumière** 1667, Fournier, « trou pour la tête du gouvernail » ; moyen fr. *haumière,* de *heaume,* barre du gouvernail, du néerl. *helm,* issu de l'anc. scand. *hjalm.*

***jaune** 1080, *Roland* (*jalne*) ; XII^e^ s. (*jaune*), couleur ; 1748, Montesquieu, ethn. ; *fièvre jaune,* 1834, Landais ; n. m., 1899, au Creusot, « ouvrier briseur de grève » ; *jaune d'œuf,* 1538, R. Est ; lat. *gălbĭnus.* || **jaunasse** XIII^e^ s., *Lapidaire de Cambridge.* || **jaunâtre** 1530, Palsgrave. || **jaunet** adj., 1125, *Doon de Mayence ;* n. m., pièce d'or, 1660, Oudin. || **jaunir** 1213, *Fet des Romains.* || **jaunisse** fin XI^e^ s., *Gloses de Raschi* (*janlice*) ; XII^e^ s., Marbode (*jalnice*) ; XIII^e^ s. (*jaunisse*). || **jaunissage** 1902, Lar. || **jaunissement** 1636, Monet. || **jaunissant** 1550, J. du Bellay. || **jaunissure** 1564, J. Thierry.

**java** 1928, Colette, danse d'origine exotique ; nom de l'île de *Java.* || **javanais** 1873, Lar., argot.

**javart** 1398, *Ménagier ;* même rac. que *gaver,* du prélatin **gaba,* gorge : il a dû désigner d'abord l'aphte, l'ulcère dans la gorge, comme le prov. *gabard,* avant d'avoir une valeur particulière en art vétérinaire.

**Javel (eau de)** 1830, Vidocq (*javelle*) ; nom d'un anc. village, devenu quartier de Paris (XV^e^ arr.), où l'on fabriquait cette eau. || **javelliser** 1931, Lar. || **javellisation** 1916, Garnier.

**javeline** V. JAVELLE et JAVELOT.

***javelle** 1160, *Moniage Guill.*, « monceau » ; 1283, Beaumanoir, « poignée de blé » ; lat. pop. **gabĕlla*, d'origine gauloise (d'apr. l'irlandais *gabhail*, poignée). || **javeau** XII^e s., *Chev. Ogier*, forme masc. || **javelage** 1793, *Encycl méth.* || **javeler** 1125, *Doon de Mayence.* || **javeleur** 1611, Cotgrave. || **enjaveler** 1352, *Glossaire.*

**javelot** 1130, *Eneas* ; lat. *gabalus*, potence, du gaulois **gabalaccos*, reconstitué d'apr. le kymrique *gaflach*, avec substitution de finale. || **javeline** 1451, *Doc.*, « petit javelot ».

**javotte** 1842, *Acad.* ; mot d'orig. gauloise, de même rac. que *javelle.*

**jazz** 1918, *le Matin* ; anglo-américain *jazz-band*, orchestre, de *jass*, d'origine obscure, et *band*, troupe. || **jazziste** 1970, *journ.*

***je** 842, *Serments* (*eo*) ; *jo* devenu *je* par suite de l'emploi proclitique ; il existait aussi en anc. fr. une forme tonique *gié*, remplacée par *moi* ; lat. *ego.*

**jean-foutre** V. FOUTRE.

**jeannette** 1478, J. Molinet, « plante » ; 1782, Bachaumont, « croix attachée au cou », de *croix à la Jeannette.* (*Jeannette*, diminutif de *Jeanne*, symbolisait les paysannes.)

**jeannot** fin XIV^e s., G. (*jehannot*) ; 1550, *Anc. Théâtre français* (*janot*), « niais » ; dimin. de *Jean* (d'apr. le surnom donné aux farceurs faisant la parade dans les foires). || **janotisme** 1779, Proschwitz (*jeannotisme*) ; 1836, Landais (*janotisme*), « niaiserie ».

**Jeep** 1942 ; mot anglo-américain, tiré des initiales G. P. (*dji pi* dans la pron. anglaise) ; le type, fabriqué chez Ford, était dénommé G. P. W. (G. P., initiales de *general purpose*, c.-à-d. [auto à] usage général) ; nom déposé.

**jéjunum** 1363, Chauliac ; lat. méd. *jejunum* (*intestinum*), intestin à jeun, parce qu'il contient ordinairement très peu de matières. || **jejunostomie** 1962, Lar. ; gr. *stoma*, embouchure.

**je-m'en-fichisme, je-m'en-fichiste** 1891, *le Figaro* ; de la phrase *je m'en fiche.* || **je-m'en-foutisme, je-m'en-foutiste** 1884, *Lutèce* ; même sens ; de *je m'en fous.*

**je ne sais quoi** fin XIII^e s. (*ne sai quoi*) ; 1534, Rab. (*je ne sais quoi*) ; comme pronom indéfini.

**jenny** 1762, Brunot, machine à filer ; nom propre anglais *Jenny*, équivalent de *Jeannette*, symbolisant les fileuses.

**jérémiade** fin XVII^e s., abbé de Choisy ; nom du prophète *Jérémie*, d'apr. ses lamentations (*faire jérémie*, 1660, Scarron).

**jerk** 1965, *journ.* ; angl. *jerk*, secousse, de *to jerk*, lancer.

**jéroboam** 1907, Lar. ; mot angl. signif. « grand bol », du nom hébreu *Jeroboam*, roi qui entraîna son peuple au péché.

**jerrycan** v. 1942 ; angl. pop. *Jerry*, qui désignait les Allemands, et de *can*, récipient.

**jersey** 1666, Thévenot, « sorte de drap » ; 1881, *Mode illustrée*, « tricot » ; nom de l'île de *Jersey*, où l'on préparait cette laine depuis la fin du XVI^e s.

**jésuite** 1548, Delb. (*jésuiste*) ; 1560, Pasquier (*jésuite*) ; 1656, Pascal, « hypocrite » ; de la Congrégation de *Jésus* (fondée en 1534). || **jésuitique** 1611, Sully ; fin XVII^e s., fig. || **jésuitisme** 1555, Pasquier. || **jésuitiser** 1878, Lar.

**jésus** 1740, Trévoux, format de papier ; 1835, Raspail, argot ; de *Jésus*, lat. *Jesus*, gr. *Iêsous*, d'orig. hébraïque.

1. **jet** V. JETER.

2. **jet** 1955, *journ.* ; mot angl. signif. « jaillissement » et désignant un avion à réaction.

***jeter** fin IX^e s., *Eulalie* ; XIII^e s., « compter, calculer » ; lat. pop. **jĕctāre*, du lat. *jăctāre*, fréquentatif de *jăcio*, d'apr. les composés : *injectare*, etc. || **jet** 1155, Wace (*giet*) ; XVI^e s. (*jet*) ; déverbal de *jeter.* || **jetée** 1216, R. de Clari, « action de jeter » ; XIV^e s., « môle ». || **jeté** 1704, Trévoux, « pas de danse » ; 1883, Daudet, « étoffe ». || **jetage** 1788, Salmon, « coulage de métal » ; 1867, L., « action de jeter ». || **jeteur** 1180, *Horn*, « qui jette » ; *jeteur de sorts* 1873, Lar. || **jeton** XIII^e s., G., « ce qu'on jette » ; 1317, G., « petite pièce de métal » ; de *jeter*, calculer (1280). || **jetonnier** 1685, Brunot. || **déjeter** 1080, *Roland*, « repousser » ; XII^e s., pronominal, « se contorsionner » ; 1530, Palsgrave, « déranger » ; 1660, Oudin, « déformer ». || **interjeter** 1425, A. Chartier. || **projeter** 1120, *Ps. de Cambridge*, « préparer » (*por-*) ; XV^e s. (*pro-*), « avoir l'intention de » ; d'apr. *pourjeter une ville*, se faire une idée précise de la manière de la prendre ; de l'anc. fr. *puer*, en avant, et *jeter.* || **projet** 1460, G. Chastellain (*pourjet*) ; 1549, R. Est. (*projet*) ; déverbal. || **projeteur** 1770, Rousseau. || **avant-projet** milieu XIX^e s. || **rejeter** fin XII^e s., *Roman d'Alexandre*, « jeter en sens inverse » ; 1530, Palsgrave, « refuser » ; *rejeter sur*, 1538, R. Est. ; bas lat. *rejectare.* || **rejet** 1241, G., « action de rejeter » ; milieu XIV^e s., bot. ; déverbal. || **rejeton** 1539, R. Est., bot. ; XVI^e s., « enfant » ; a remplacé l'anc. fr. *jeton* (XIII^e s.) ; de *jeter* au sens de produire des scions. || **surjeter** XIII^e s., *Évangile de Nicomède, D. G.* || **surjet** 1398, *Ménagier.* || **surjeteuse** 1955, *Dict. des métiers.*

**jeton** V. JETER.

**jettature** 1826, Stendhal ; ital. *jettatura,* action de jeter un sort, de *gettare,* jeter. || **jettatore** 1857, Gautier.

***jeu** 1080, *Roland* (*giu*) ; XII^e s. (*jeu*), « pièce » ; *jeu de mots,* 1660, Boileau ; *jeu de société,* 1834, Landais ; *d'entrée de jeu,* 1689, Sévigné ; *faire le jeu de,* 1220, Coincy ; *entrer en jeu,* 1578, d'Aubigné ; *avoir beau jeu,* 1580, Montaigne ; *tirer son épingle du jeu,* 1584, Livet ; *être vieux jeu,* 1892, Lavedan ; lat. *jŏcus,* jeu. || ***jouer** 1080, *Roland,* « badiner » ; fin XIII^e s., « jouer d'un instrument » ; XV^e s., « jouer une pièce » ; 1559, Amyot, « avoir un mouvement libre, avoir du jeu » ; lat. *jocari.* || **jouet** XIII^e s., Tobler-Lommatzsch. || **joueur** 1155, Wace. || **jouable** 1741, Voltaire. || **joujou** début XV^e s., Ch. d'Orléans (*faire jojo*) ; redoublement expressif. || **déjouer** 1119, Ph. de Thaon, pronominal, « se réjouir » ; XIII^e s., « déconcerter ». || **enjoué** XIII^e s., G. || **enjouement** 1640, Scarron. || **enjeu** 1370, Semrau. || **injouable** 1767, Voltaire. || **rejouer** 1175, Chr. de Troyes.

***jeudi** XII^e s., L. (*juesdi*) ; début XIII^e s. (*jeudi*) ; bas lat. *Jovis dies,* jour de Jupiter ; l'indépendance du premier élément a été sentie jusqu'après la diphtongaison.

***jeun** V. JEÛNER.

***jeune** XI^e s., G. (*jovene*) ; XIII^e s. (*jeune*) ; *jeune homme,* XVI^e s. ; lat. pop. **jŏvenis* (lat. class. *jŭvĕnis*). || **jeunesse** 1160, Benoît (*joefnesce*) ; XIV^e s. (*jeunesse*). || **jeunet** 1155, Wace (*junet*). || **jeunot** 1905, Esnault. || **rajeunir** fin XII^e s. || **rajeunissement** fin XII^e s., *Aliscans.*

***jeûner** 1119, Ph. de Thaon ; lat. chrét. *jējūnāre* (III^e s., Tertullien). || ***jeun** 1170, *Rois,* adj., « qui n'a rien mangé » ; début XIII^e s., *à jeun ;* lat. *jējūnus,* adj., « à jeun ». || **jeûne** 1112, *Voy. saint Brendan.* || **jeûner** XIV^e s., G. || **déjeuner** 1155, Wace, « rompre le jeûne » ; milieu XIX^e s., sens actuel ; réfection romane de *dîner ;* l'heure du déjeuner (d'abord « petit repas pris en se levant ») se déplaça à Paris parallèlement à l'heure du dîner, et le déjeuner devint un repas copieux. || **petit déjeuner** XIX^e s., repas léger pris au lever. (V. DÎNER.)

**jeunesse, jeunet, jeûneur** V. JEUNE, JEÛNER.

**jigger** 1887, Le Fèvre, « cuve pour teinture » ; 1899, Boulanger, « transformateur électrique » ; mot angl. signif. « cribleur ».

**jiu-jitsu** 1907, Lar. ; mot angl., du japonais *jū-jitsu,* de *ju,* doux, et *jitsu,* science, art de la souplesse.

**joaillier** V. JOYAU.

**job** 1831, *Rev. britt.,* « tâche désagréable » ; 1949, Gilbert, « travail rémunéré » ; mot angl. signif. « besogne ».

**jobard** fin XVI^e s. (*joubard*), « qui aime folâtrer » ; 1808, Esnault, « naïf » ; de *jobe,* niais (1547, N. Du Fail), sans doute de *Job,* personnage biblique, d'apr. l'aventure de Job sur son fumier. || **jobelin** 1460, Villon, « argot ». || **jobarder** 1839, Balzac. || **jobarderie** 1836, Souvestre.

**jociste** v. 1930 ; dér. de J. O. C., *Jeunesse ouvrière chrétienne* (de même *jéciste* [*Jeunesse étudiante chrétienne*]).

**jockey** 1776, Laus de Boissy (*-ckei*) ; mot angl. dimin. de *Jock,* forme écossaise de *Jack.*

**jocko** apr. 1750, Buffon ; mot congolais ; orang-outang.

**jocrisse** 1587, Cholières, déformation de *joque sus,* niais (*juche-toi là-dessus*), de *joque,* impératif de l'anc. fr. *joquer,* jucher.

**jodler** 1867 (*iouler*) ; allem. dial. *jodeln,* vocaliser, d'orig. onomat.

***joie** 1050, *Alexis ;* lat. *gaudia,* pl. de *gaudium,* passé au fém., de *gaudere,* se réjouir. || **joyeusement** XII^e s. || **joyeux** 1050, *Alexis* (*goius*) ; 1360, Froissart (*joyeux*). || **joyeuseté** fin XIII^e s., Tobler-Lommatzsch.

***joindre** 1080, *Roland ;* lat. *jŭngĕre.* || **joint** XIII^e s., *Romania,* « joug » ; 1397, du Cange, « raccord » ; part. passé subst. || **joigneur** 1280, Bibbesworth, « plaque de fer ». || **jointoyer** fin XII^e s., R. de Moiliens. || **jointif** XV^e s., G. ; anc. fr. *jointiz,* uni. || **jointure** 1080, *Roland ;* lat. *jŭnctura.* || **jonction** XIV^e s., « union charnelle » ; XV^e s., « mise en contact » ; lat. *jŭnctio.* || **joignant** 1240, G. de Lorris, adj. ; 1283, Beaumanoir, adv. ; 1580, Montaigne, prép. || **ajointer** 1842, Mozin. || **disjoindre** 1361, Oresme ; réfection, d'apr. le lat., de *déjoindre* (début XII^e s., *Voy. de Charl.*) ; lat. *disjŭngĕre.* || **disjonction** XIII^e s., G. ; lat. *disjŭnctio.* || **disjoncteur** 1888, Lar. || **disjonctif** 1536, M. du Bellay ; lat. *disjunctivus.* || **rejoindre** XIII^e s., Adenet. || **enjoindre** 1170, *Rois ;* lat. *injungere,* d'apr. *joindre.* || **injonction** 1295, Varin ; bas lat. *injunctio.*

**joker** 1917, *le Matin ;* mot angl. signif. « farceur ».

**joli** 1138, Gaimar (*jolif*), « lascif » ; 1175, Chr. de Troyes, « gai » ; 1280, *Clef d'amors,* « beau, distingué » ; p.-ê. du scand. *jôl,* nom d'une fête païenne, sur le modèle des adj. en *-if.* || **joliment** XIIIe s., *Recueil de motets.* || **joliet** fin XIIe s. || **joliesse** XVIe s., « plaisir » ; 1843, Balzac, « agrément ». || **joliveté** 1165, Marie de France. || **enjoliver** début XIVe s., « égayer » ; 1690, Furetière, « orner ». || **enjolivement** 1611, Cotgrave. || **enjolivure** 1611, Cotgrave. || **enjoliveur** début XVIIe s., « qui enjolive » ; 1930, Lar., autom.

***jonc** 1160, Benoît (*junc*) ; 1175, Chr. de Troyes (*jonc*) ; lat. *juncus.* || **jonchaie** 1771, Schmidlin. || **joncher** 1080, *Roland,* fig. || **jonchée** XIIIe s., G. (*jonchie*). || **jonchet** 1483, *Doc.* || **enjoncer** 1922, Lar.

**jonction** V. JOINDRE.

***jongler** 1360, Froissart, « s'amuser » ; 1546, Vaganay ; XVIe s., « faire des tours » ; lat. *joculari,* d'apr. l'anc. fr. *jongler* (XIIe s.), bavarder, du francique **jangalôn.* || **jonglage** 1962, Lar. || ***jongleur** XIIe s., *Saxons* (*jogleor*), « bateleur, ménestrel » ; XIVe s. (*jongleur*) ; lat. *joculator,* homme qui plaisante. || **jonglerie** 1119, Ph. de Thaon, « métier de jongleur » ; 1596, Hulsius, « tour de passe-passe ».

**jonque** 1525, *Voy. d'Ant. Pigaphetta ;* du malais (*a*) *jong.*

**jonquille** 1596, Hulsius ; esp. *junquillo,* dimin. de *junco,* jonc.

**joseph** 1723, Savary, papier pour filtrer ; du prénom de *Joseph* Montgolfier, directeur de papeterie à Annonay.

***jote** 1120, *Ps. de Cambridge* (*joute*) ; lat. pop. **jutta,* moutarde sauvage ; p.-ê. d'origine gauloise.

**jouail** V. JOUG.

**joual** XXe s. ; prononc. canadienne de *cheval.*

***joubarde** fin XIIe s., G. (*jobarbe*) ; lat. *Jovis barba,* barbe de Jupiter.

***joue** 1080, *Roland* (*joe*) ; 1273, Adenet (*joue*) ; *en joue,* 1578, d'Aubigné ; lat. **gauta,* sans doute de **gabita* ou d'une rac. prélatine. || **jouée** 1155, Wace, « épaisseur dans le mur ». || **joufflu** 1569, R. Est. ; croisement de l'anc. fr. *giflu* (1531, G.), de *gifle,* joue, avec *joue.* || **bajoue** 1390, Conty (*bajoe*) ; 1766, Buffon (*abajoue*), par agglutination de l'*a* de *la ;* de *joue* et de *bas* (« joue en bas », joue pendante). || **bajoyer** 1751, *Encycl.* || **bajoire** 1690, Furetière, monnaie à têtes affrontées ou accolées.

**jouelle, jouer, joufflu** V. JOUG, JEU, JOUE.

***joug** 1120, *Ps. d'Oxford* (*juh*) ; XIIIe s., avec *g* repris au lat. ; lat. *jŭgum.* || **jouail** 1771, Trévoux. || **jouelle** 1551, Cotereau.

***jouir** 1112, *Voy. saint Brendan* (*goïr*), « accueillir joyeusement » ; fin XIIe s., Coucy, « bénéficier heureusement de » ; 1580, Montaigne, « bénéficier d'un avantage » ; 1678, La Fontaine, « avoir un plaisir sexuel » ; lat. pop. **gaudire* (lat. *gaudēre*). || **jouissance** 1466, Bartzsch ; a remplacé *joiance,* lat. *gaudentia.* || **jouisseur** 1529, G., « qui jouit de ». || **jouissif** XXe s. || **réjouir** 1175, Chr. de Troyes ; itératif de *esjouir* (XIIe s.), disparu au XVIIe s. || **réjouissance** milieu XVe s. ; 1780, Brunot, terme de boucherie.

**joujou** V. JEU.

**joule** 1882, Lar. ; nom du physicien angl. *Joule* (1818-1889).

***jour** 1050, *Alexis* (*jorn*) ; fin XIIe s. (*jour*), « clarté du soleil » ; XIIe s., « durée du jour » ; XIVe s., « ouverture » ; lat. *diurnum,* adj., « de jour », substantivé au neutre en lat. pop., où il a éliminé *dies* (resté dans *midi* et les jours de la semaine). || **journée** 1155, Wace (*jornee*) ; fin XIIe s. (*journée*). || **journellement** 1473, G. ; anc. fr. *journel,* journalier. || **ajourer** 1644, Vulson ; de *jour,* ouverture. || **ajour** 1866, Lar. ; déverbal. || **ajourner** 1080, *Roland,* remettre ; XIIIe s., Villehardouin, « faire jour » ; XIIIe s., Ménestrel de Reims, « assigner à jour fixe » ; 1775, *Journ. de Bruxelles,* sens parlementaire. || **ajournement** 1190, *Horn,* « lever du jour » ; 1776, *Courrier de l'Europe,* sens parlementaire. || **contre-jour** 1615, Binet. (V. AUJOURD'HUI, BONJOUR, TOUJOURS.)

**journal** 1119, Ph. de Thaon, adj., journalier ; 1631, *Gazette de France,* sens actuel par abrév. de *papier journal* (1553, Belon) ; 1355, Bersuire, mesure agraire (ce qu'on peut travailler en un jour). || **journalier** 1550, La Boétie ; de *journal,* adj. || **journaliste** 1704, Trévoux. || **journalisme** 1781, Gohin.

***jouter** 1080, *Roland* (*juster*) ; XIVe s. (*jouter*), « combattre de près, à cheval, avec des lances » ; lat. pop. *jŭxtare, toucher, être attenant, de *juxta,* « près de ». || **joute** 1130, *Eneas,* déverbal. || **jouteur** 1155, Wace. (V. AJOUTER.)

**jouvence** fin XIIe s., *Dial. Grégoire ;* altér. de l'anc. fr. *jouvente* (1050, *Alexis*), jeunesse, sous l'infl. de *jouvenceau ;* lat. pop. **jŭventa,* lat. class. *juventus.* || **jouvenceau, -elle** 1120, *Ps. d'Oxford ;* lat. pop. **juvencellus, -cella,* lat. chrét. *juvenculus, -cula,* IIIe s., Tertullien.

**jouxte** XIIIe s., *Chron. de Rains ;* réfection de l'anc. fr. *joste, jouste* (XIe s.), du lat. *jŭxta,* « auprès de ». (V. JOUTER.)

**jovial** 1532, Rab. ; ital. *giovale,* « né sous l'influence bénéfique de Jupiter », du lat. impér. *jovialis,* de Jupiter, lat. *Jupiter, Jovis.* || **jovialité** 1622, *Caquets de l'accouchée.* || **jovialement** 1834, Landais.

***joyau** 1131, *Couronn. Loïs* (*joiel*) ; 1273, Adenet (*joyau*) ; forme du pl. refaite d'apr. *joie ;* anc. fr. *joel,* du lat. **jocalis,* « qui réjouit », de *jocus,* jeu. || **joaillier** 1360, Froissart (*joelier*) ; 1675, Widerhold (*joaillier*). || **joaillerie** 1434, G.

**joyeux** V. JOIE.

**jubé** 1386, Gay ; mot de la prière en lat. ecclés. *Jube, Domine...,* prononcée au jubé avant l'Évangile.

**jubilé** 1235, Trénel, « année de rémissions » ; 1398, E. Deschamps, « 50e anniversaire » ; 1873, Lar., « qui a passé cinquante ans » ; lat. ecclés. *jubilaeus,* de l'hébreu *yôbel,* jubilé. || **jubilaire** 1690, Furetière.

**jubiler** 1190, *Saint Bernard,* « pousser des cris de joie » ; 1752, d'après Boiste, « se réjouir » ; lat. *jūbĭlare.* || **jubilant** 1826, Brillat-Savarin. || **jubilation** 1120, *Ps. d'Oxford ;* lat. *jubilatio.* || **jubilatoire** 1841, *les Français peints par eux-mêmes.*

**jucher** 1155, Wace (*joschier*) ; XIIIe s., *Roman de Renart* (*jucher*) ; anc. fr. *juc, joc,* du francique **jok,* joug (allem. *Joch*). || **juchoir** 1538, Vaganay. || **déjucher** fin XIIIe s., *Roman de Renart.*

**judaïque** 1414, Delb. ; lat. *jūdaicus,* « de Juda ». || **judaïsme** 1213, *Fet des Romains,* « terre des Juifs » ; 1220, Coincy, religion. || **judaïser** XIIIe s. || **judéen** av. 1914, Péguy.

**judas** 1220, Coincy (*juda*), « traître » ; 1788, *les Nuits de Paris,* « ouverture dissimulée par laquelle on voit celui qui frappe à la porte » ; nom de *Judas,* disciple qui trahit le Christ.

**judicature, judicieux, judiciaire** V. JUGE.

**judo** 1931, Lar. ; mot japonais signif. « principes de l'art ». || **judoka** 1948, Lar.

**jugal** 1541, Canappe, anat. ; lat. *jugalis,* de joug.

***juge** fin XIIe s., *Rois,* magistrat ; 1564, *Indice de la Bible,* « qui porte un jugement » ; lat. *jūdex, -ĭcis ; juge de paix,* 1687, Miege (à propos de l'Angleterre), adopté en 1790. || ***juger** 1080, *Roland,* « décider, condamner » ; XVe s., « émettre une opinion » ; lat. *jūdĭcare.* || **jugé** 1155, Wace, n. m., « jugement » ; *au juger,* 1867, L. ; *au jugé,* 1885, Pairault || **jugeur** 1050, *Alexis.* || **jugement** 1080, *Roland.* || **jugeote** 1845, Besch. || **judicature** 1426, G. ; lat. *judicatum,* de *judicare.* || **judicatoire** XIIIe s. ; bas lat. *judicatorius.* || **judiciaire** 1398, E. Deschamps ; lat. *judicarius.* || **judicieux** 1580, Montaigne ; lat. *judicium,* jugement, discernement. || **judicieusement** 1611, Cotgrave. || **déjuger** 1120, *Ps. d'Oxford,* « annuler un jugement » ; *se déjuger,* 1845, Besch. || **extrajudiciaire** 1582, Bodin. || **préjuger** 1460, Chastellain, « juger par conjecture » ; lat. *praejudicare,* juger par avance. || **préjugé** n. m., 1584, Vaganay, « présage » ; début XVIIe s., Malherbe, « opinion par avance ».

**jugulaire** 1532, Rab. ; adj. (*veine jugulaire*) ; 1835, *Acad.,* « mentonnière militaire » ; lat. *jŭgŭlum,* gorge.

**juguler** 1213, *Fet des Romains ;* 1811, Wailly, fig. ; lat. *jugulare,* égorger.

***juif** 980, *Passion* (*judeu*) ; XIIIe s. (*juif*) d'apr. le fém. *juive ;* 1268, É. Boileau, « avare » ; 1931, Lar., « le petit doigt » ; lat. *jūdaeus,* du gr. *ioudaios,* de *Juda,* nom de tribu étendu au peuple juif. || **juiverie** XIIe s., G. (*juerie*) ; 1207, Villehardouin (*juierie*) ; XVIe s. (*juiverie*). || **enjuiver** 1920, Benda.

**juillet** 1213, *Fet des Romains ;* réfection de l'anc. fr. *juignet* (1119, Ph. de Thaon), dér. de *juin,* d'apr. une forme disparue *juil,* lat. *julius,* mois de *Jules* (César).

***juin** 1119, Ph. de Thaon ; lat. *junius,* mois de *Junius* Brutus, premier consul de Rome.

**jujube** 1256, Ald. de Sienne ; occitan **gigube,* altér. du lat. *zizyphun,* du gr. *zizuphon,* jujubier. || **jujubier** 1553, Vaganay.

**juke-box** XXe s. ; mot anglo-américain, de *Juke,* n. pr., et *box,* boîte.

**julep** 1398, *Somme Gautier ;* mot prov., de l'ar. *djulab,* du persan *gul-āb,* eau de rose.

**jules** 1866, Delvau, « vase de nuit » ; 1947, Esnault, « mari » ; 1957, Simonin, « souteneur » ; du prénom *Jules.* (V. THOMAS.)

**julienne** milieu XVIIe s. (*juliane*) ; 1680, Richelet (*julienne*), « plante » ; 1691, Massialot, *Cuis. royal,* « potage » ; de *Julien* ou *Julienne ;* évolution sémantique obscure.

**jumbo** 1953, Lar. ; mot de l'argot anglo-américain signif. « petit éléphant » et désignant une grosse perforatrice.

***jumeau** 1170, *Floire et Blancheflor* (*jumelle,* n. f) ; 1175, Chr. de Troyes (*jumeau,* n. m.) ; adj., 1265, J. de Meung ; lat. *gemellus,* avec *e* labialisé devant *m ;* a remplacé *gémeau.* || **jumelle** début XIVe s., « pièces semblables » ; 1825, *Journal des dames,* « lorgnettes ». || **jumeler** 1660, Oudin (*gemellé*) ; 1680, Guillet (*jumellé*) ; 1721, Trévoux (*jumeler*), « mettre ensemble ». || **jumelage** 1873, Lar. || **trijumeau** milieu XVIIIe s., « muscle ».

***jument** 1120, *Ps. d'Oxford,* « bête de somme » ; 1271, G., « femelle du cheval » ; d'abord dans le Nord où il a remplacé *ive* (lat. *equa*) ; lat. *jūmĕntum,* bête de somme. || **jumenterie** 1867, L. || **jumenteux** 1812, Mozin.

**jumping** 1948, Lar. ; mot angl. signif. « saut » ; terme de compétition hippique. || **jumper** n. m., 1907, Lar.

**jungle** 1796, Mackenzie ; mot angl., de l'hindî *jangal,* steppe, du sanskrit *jangala,* désert.

**junior** 1873, Lar. ; mot lat. comparatif de *juvenis,* jeune.

**junker** 1402, Girardin (*jungker*) ; 1875, *Revue* (*junker*) ; mot allem. signif. « hobereau ».

**junte** 1669, Boulan ; esp. *junta,* part. passé lat. *junctus,* joint, réuni, substantivé au fém. au sens de « réunion ».

**jupe** 1188, *Aspremont ;* ar. *djubba,* long vêtement de laine de dessous. || **jupon** début XIVe s., G. || **jupette** 1894, Sachs. || **jupe-culotte** 1896, *Écho de Paris.* || **juponné** 1800, *journ.* || **enjuponner** 1532, Rab., « vêtu d'un pourpoint ».

**jurande** V. JURER.

**jurassien** 1842, *Acad. ;* de *Jura.* || **jurassique** 1829, Brongniart ; ce terrain est particulièrement représenté dans le Jura.

***jurer** 842, *Serments* (*jurat,* 3e pers. ind. prés.), « promettre » ; XIIIe s., « blasphémer » ; lat. *jūrāre.* || **jurande** XVIe s., Levasseur. || **jurat** XVe s., Bartzsch ; lat. *juratus,* « qui a fait serment ». || **juratoire** XIIIe s., Audefroi ; lat. *juratorius.* || **juré** 1190, Garn., « promis » ; XIIIe s., « passé maître » ; 1764, Trévoux, « qui fait partie du jury ». || **jurement** XIIIe s., *Chr. d'An-* partie du jury ». || **jurement** XIIIe s., *Chr. d'An-* Montlyard, « serment » ; 1690, Furetière, « blasphème ». (V. ABJURER, PARJURER.)

**juridique** 1460, *D. G. ;* lat. *juridicus,* de *jūs, jūris,* droit. || **juridiquement** début XVe s. || **juridiction** début XIIIe s. ; lat. *jurisdictio,* action de dire la justice. || **juridictionnel** 1537, Th. de Bèze. || **juridisme** v. 1950. || **jurisconsulte** fin XIVe s. ; lat. *jurisconsultus,* expert en droit. || **jurisprudence** milieu XVIe s. ; lat. *jurisprudentia,* science du droit. || **juriste** 1361, Oresme ; lat. médiév. *jurista.*

**juron** V. JURER.

**jury** 1688, Chamberlayne, en parlant de l'Angleterre ; 1790, en France (Constituante) ; mot angl., de l'anc. fr. *juree,* serment (XIIe s.).

***jus** 1175, Chr. de Troyes, de la vigne ; 1538, R. Est., « sauce » ; lat. *jūs.* || **jusée** 1765, *Encycl.* || **juter** 1844, Flaubert. || **juteux** XIVe s. ; 1907, Esnault, arg. mil., « adjudant ». || **verjus** 1283, Beaumanoir ; de *vert,* aigre et de *jus.*

**jusant** 1484, Garcie ; anc. fr. *jus* (980, *Passion*) ; mot maritime de l'Ouest, du bas lat. *deorsum,* avec infl. du fr. *sus.*

***jusque** 980, *Passion* (*jusche*) ; 1050, *Alexis* (*josque*) ; XIIe s. (*jusque*) ; de *endusque* (1155, Wace), sans doute renforcement du lat. *usque,* jusque. Le *s* intérieur, amuï au XIIIe s., a été prononcé de nouveau au XVIe s., d'apr. le lat. et la série *lorsque, puisque.* (V. PRESQUE.) Souvent un *s* adverbial (*jusques*) en anc. fr. et dans le style soutenu. || **jusqu'au-boutiste** 1917, R. Rolland.

**jusquiame** XIIIe s., *Simples Medicines ;* lat. *jusquiamus,* du gr. *huos, kuamos,* fève de porc.

**jussion** 1559, Amyot ; lat. *jussio,* ordre, de *jubere,* ordonner. || **jussif** 1931, Lar.

**justaucorps** V. JUSTE.

***juste** 1120, *Ps. d'Oxford,* « qui agit avec justice » ; 1283, Beaumanoir, « exact » ; lat. *jūstus,* juste. || **justaucorps** 1642, Oudin (*juste au corps*). || **juste-milieu** 1662, Pascal, « modération » ; 1755, Montesquieu, polit. || **justement** 1190, Garnier. || **justesse** 1611, Cotgrave. || **justice** 1050, *Alexis* (*-ise*) ; 1080, *Roland* (*jus-*

*tice*) ; lat. *jūstĭtĭa.* || **justiciable** 1150, *Charroi ;* anc. fr. *justicier,* punir. || **justicier** 1131, *Couronn. Loïs,* adj. et n. || **justifier** 1120, *Ps. de Cambridge ;* lat. impér. *jūstificare,* faire juste. || **justifiable** fin XIIIe s., Macé de la Charité. || **justification** 1120, *Ps. d'Oxford ;* lat. *jūstĭficatio.* || **justificatif** 1558, S. Fontaine, adj. ; n. m. v. 1950. || **justificateur** 1516, Lemaire ; XVIIIe s., typogr. || **injuste** fin XIIIe s. ; lat. *injustus.* || **injustement** 1238, Bouthors. || **injustice** XIIe s., G. ; lat. *injustitia.* || **injustifié** 1842, Mozin. || **injustifiable** 1791, *Doc.* || **ajuster** 1268, É. Boileau (*adjouster*) ; 1480, Chastellain (*ajuster*) ; de *juste,* au sens propre (pron. *ajuté* jusqu'au XVIIIe s.). || **ajustage** 1350, Du Cange. || **ajustement** 1331, Du Cange. || **ajusteur** XVIe s., Du Cange, « qui ajuste les monnaies » ; 1845, Besch., « ouvrier en mécanique ». || **ajustoir** 1676, Félibien. || **rajuster** 1160, Benoît || **rajustement** 1690, Furetière. || **réajuster** 1932, Lar. || **réajustement** 1932, Lar.

**jute** 1849, *Ann. du comm. ext. ;* angl. *jute,* chanvre de l'Inde, du bengali *jhuto.*

**juter, juteux** V. JUS.

**juvénile** 1112, *Voy. saint Brendan (juvenil)* ; 1460, Chastellain (*juvénile*) ; lat. *jŭvĕnilis,* de *juvenis,* jeune homme. || **juvénilement** 1544, *l'Arcadie.* || **juvénilité** 1495, J. de Vignay ; lat. *juvenilitas.* (V. JEUNE.)

**juxta,** lat. *juxta,* « auprès de ». Les composés de *juxta-* figurent à l'ordre alphabétique du second élément du composé.

# k

**kabyle** 1761, *Encycl. (Cabille)* ; 1859, Fromentin (*kabyle*) ; ar. *Qabā'il,* proprem. « (pays des) tribus ».

**kacha** 1902, Lar. (*kache*) ; mot polonais signif. « bouillie ».

**kaïnite** 1872, L. ; allem. *Kaïnit,* du gr. *kainos,* nouveau, à cause du caractère récent de la découverte.

**kaiser** 1870 ; mot allem. signif. « empereur ». || **kaiserlick** 1792, Brunot ; nom donné aux Impériaux, de l'allem. *kaiserlich,* impérial.

**kakémono** 1878, Goncourt ; mot japonais signif. « chose suspendue », de *kakeru,* suspendre ; peinture japonaise suspendue verticalement dans les appartements.

**kakerlak** début XVIII$^e$ s. ; néerl. *kakkerlak,* blatte.

1. **kaki** 1823, Boiste, « plante » ; mot japonais.

2. **kaki** 1898, Deiss (*khaki*) ; 1902, Lar. (*kaki*) ; angl. *khakee,* de l'hindî *khāki,* couleur de poussière, du persan *khâh,* poussière ; les premiers uniformes kaki furent adoptés dans l'Inde, en 1857, par l'armée anglaise.

**kala-azar** 1909, Lar., méd. ; mot de l'Assam, de *kala,* noir, et *azar,* maladie.

**kaléidoscope** 1818, Wailly, créé en angl. par Brewster (1817) ; 1873, Lar., fig. ; gr. *kalos,* beau, *eîdos,* aspect, et *skopeîn,* regarder. || **kaléidoscopique** 1835, Balzac.

**kali** 1557, Dodoens ; ar. *qali,* soude. (V. ALCALI.) || **kaliémie** 1962, Lar. ; gr. *haima,* sang.

**kalmie** 1777, *Encycl.* ; lat. bot. *kalmia,* tiré par Linné du nom de son élève, P. *Kalm* (1716-1779).

**kalmouk** 1743, Trévoux ; mot mongol désignant un peuple mongol ; tissu velu en laine.

**kamichi** 1741, Barrère ; mot d'une langue indigène du Brésil ; oiseau d'Amazonie.

**kamikaze** 1948, Lar. ; mot japonais signif. « tempête providentielle ».

**kandjar** V. ALFANGE.

**kangourou** 1774, trad. de Hawkesworth ; mot d'une langue indigène d'Australie.

**kantisme** 1804, Schweighauser ; de *Kant,* philosophe allemand (1724-1804). || **kantien** 1812, Bridel. || **kantiste** 1800, *Doc.*

**kaolin** 1712, d'Entrecolles ; chinois *kao-ling,* « colline, *ling,* élevée, *kao* » ; du lieu où l'on extrayait le kaolin (près de *King-tö-tchen*). || **kaoliniser** 1867, L. || **kaolinite** 1902, Lar.

**kapok** 1680, trad. de Montanus (*capok*) ; mot angl., du malais *kapuq.* || **kapokier** 1691, Boulan.

**karaté** 1960, Gilbert ; mot japonais. || **karateka** *id.*

**karité** fin XIX$^e$ s. ; mot ouolof désignant un arbre d'Afrique tropicale.

**karst** 1962, Lar. ; de *Karst,* plateau calcaire de Yougoslavie. || **karstique** 1931, Lar.

**kart** v. 1950 ; mot anglo-américain. || **karting** *id.* ; dér. de *kart.*

**kayak** 1841, Duponchel ; angl. *kayak,* de l'esquimau. || **kayakiste** 1962, Lar.

**keepsake** 1829, *Rev. de Paris* ; mot angl., de *keep,* garder, et *sake* (*for my sake,* pour l'amour de moi) ; album-souvenir.

**kéfir** 1888, Lar. (*képhir*) ; mot caucasien ; sorte de boisson.

**kénotron** 1926, Lar. ; gr. *kenos,* vide, et suffixe *-tron.*

**képi** 1809, *Invent. du général Lasalle* ; allem. de Suisse *Käppi,* dimin. de l'allem. *Kappe,* bonnet. || **képisme** 1870, manière de porter le képi de la Garde nationale.

**kérat(o)-,** gr. *keras, -atos,* matière cornée. || **kératectomie** 1867, L. ; excision de la cornée. || **kératine** 1867, Lar. || **kératite** 1827, *Acad.* || **kératocèle** 1839, Boiste. || **kératoplastie** 1878, Lar. || **kératose** 1888, Lar. || **kératotomie** 1867, L.

**kermès** V. ALKERMÈS.

**kermesse** 1391, G. ; fin XIXe s., « fête de bienfaisance » ; mot du Nord, moyen néerl. *kerkmesse,* messe (*messe*) d'église (*kerk*), fête patronale.

**kérosène** 1877, L. ; gr. *kêros,* cire, et suffixe *-ène ;* liquide pétrolier.

**kerrie** 1842, *Acad. ;* nom du botaniste angl. *Ker ;* arbuste du Japon.

**ketch** 1666, Boulan (*cache*) ; 1788, Bonnafé (*ketch*) ; mot angl. désignant un navire à voiles.

**ketmie** 1694, Tournefort (*ketmia,* lat. bot.) ; 1763, Puisieux (*ketmie*) ; ar. *khatmi,* guimauve ; arbre d'Afrique.

**khamsin** XVIIIe s., *Lettres édifiantes* (*khamséen*) ; ar. *khamoin,* cinquantaine, parce que ce vent souffle entre Pâques et la Pentecôte.

**khan** 1298, *Voy. de Marco Polo* (*kaan*) ; 1832, Raymond (*khan*), « seigneur » ; persan *khan,* prince ; 1457, La Broquière (*kan*) ; arabo-persan *khana,* auberge, caravansérail. || **khanat** fin XVIIe s. (*kanat*).

**khédive** 1869, Mazade ; turco-persan *khediw,* roi. || **khédivial** 1888, Lar.

**khôl** début XVIIIe s. (*kool*) ; 1838, Gautier (*khol*) ; ar. *kuhul,* collyre d'antimoine pour noircir les paupières. (V. ALCOOL.)

**kidnapper** v. 1930 ; angl. *to kidnap,* de *kid,* enfant, et *to nap,* enlever, voler. || **kidnapping** 1948, Lar. || **kidnappeur** 1953, Simonin.

**kief** 1851, Nerval, « repos » ; ar. *kaif,* état agréable.

**kieselguhr** 1888, Lar. ; mot allem. signifiant « fermentation de gravier », de *Kiesel,* gravier, et *Guhr,* fermentation ; variété de silice.

**kieserite** 1867, Lar. ; du nom du savant allem. *Kieser ;* minerai de magnésium.

**kif-kif** 1867, Delvau ; ar. algérien *kīf-kīf,* proprem. « comme-comme ».

**kiki** 1867, Delvau, « cou de volaille » ; onomat.

**kilo-,** gr. *khilioi,* mille. || **kilocalorie** XXe s. || **kilocycle** 1931, Lar. || **kilogramme, kilolitre, kilomètre** 1790. || **kilo** fin XVIIIe s. ; abrév. de *kilogramme.* || **kilowatt** 1902, Lar. || **kilowatt-heure** 1907, Lar. || **kilométrer** 1811, *Décret.* || **kilométrage** *id.* || **kilométrique** *id.*

**kilt** 1792, Chateaubriand ; mot angl. de *to kilt,* retrousser.

**kimono** 1603, La Borie (*quimon*) ; 1796, Thunberg (*kimona*) ; 1902, Lar. (*kimono*) ; mot japonais signifiant « vêtement, robe ».

**Kinescope** 1948, Lar. ; gr. *kinêsis,* mouvement, et suffixe *-scope* (gr. *skopeîn,* voir) ; nom déposé.

**kinésie** 1842, *Acad. ;* gr. *kinêsis,* mouvement. || **akinésie** XXe s. || **kinesthésie** fin XIXe s. ; gr. *aisthêsis,* sensation, d'abord angl. (1880). || **kinesthésique** 1902, Zola.

**king-charles** 1845, Bonnafé ; mot angl. signif. « roi Charles » ; épagneul d'agrément.

**kinkajou** 1672, N. Denis ; croisement de l'algonquin *gwing,* glouton, avec *carcajou,* blaireau d'Amérique ; mammifère à queue prenante.

**kino** 1803, *Annales chimie ;* mot des parlers mandingues d'Afrique ; suc desséché de légumineuse.

**kiosque** 1608, Cayet, pl. (*chiosque*), mis à la mode au XVIIIe s. par le roi Stanislas ; 1867, L., sens étendu ; ital. *chiosco,* du turc *kiösk,* pavillon de jardin.

**kirsch** 1843, Balzac ; abrév. de l'allem. *kirschwasser* (1775, Demachy), « eau (*Wasser*) de cerise (*Kirsche*) ».

**Klaxon** 1914 ; nom déposé de la firme américaine qui, la première, a fabriqué cet avertisseur. || **klaxonner** 1935, Michaux.

**klephte** 1824, Fauriel (*clephte*) ; gr. mod. *klephthês,* voleur ; montagnard du Pinde.

**kleptomane** 1872, Maxime du Camp ; gr. *kleptês,* voleur, et *mania,* folie. || **kleptomanie** *id.*

**knickerbockers** 1863, Mérimée ; nom d'un héros de roman de Washington Irving ; culottes amples et flottantes.

**knock-out** 1904, *Auto ;* loc. angl. de *knock,* coup, et *out,* dehors. || **knock-outer** début XXe s.

**knout** 1681, Struys, *Vie en Moscovie ;* mot russe, d'orig. germanique. || **knouter** 1877, L.

**koala** 1817, *Nouv. Dict. sc. nat. ;* mot d'une langue indigène d'Australie ; mammifère marsupial.

**kobold** fin XVIIe s. ; allem. *Kobold,* d'orig. inconnue ; génie familier.

**Kodak** 1889, Bonnafé ; mot créé arbitrairement par l'inventeur américain *Eastman ;* nom déposé.

**kola** 1610, du Jarric (*cola*) ; mot d'une langue du Soudan.

**kolkhoze** 1931, Lar. ; mot russe, abrév. de *kollektivnoïe khoziaïstvo,* économie collective. || kolkhozien 1936, Gide.

**komintern** v. 1920 ; mot russe, contraction de *kom*[*mounistitcheski*] et *Intern*[*atsional*], Internationale communiste.

**konzern** v. 1920 ; mot allem. signif. « consortium » ; groupe d'entreprises liées financièrement.

**kopeck** 1607, Margeret (*copek*) ; 1828, Mozin (*kopeck*) ; mot russe.

**korrigan** 1833, Michelet ; mot breton désignant dans les légendes un lutin.

**kouglof** 1861, *Revue ;* mot alsacien, de l'allem. *Kugel,* boule ; sorte de gâteau alsacien.

**koulak** 1931, Lar. ; mot russe, d'orig. tartare ; paysan, riche propriétaire foncier.

**koumis** 1634, Bergeron (*cosmos*) ; 1836, *Acad.* (*koumis*) ; mot tartare ; boisson acide.

**krach** 1811, Esnault (*krak*) ; 1888, Lar. (*krach*) ; néerl. *krak,* craquement, puis infl. de l'allem. *Krach,* craquement, employé au fig. à Vienne pour le krach financier du 9 mai 1873.

**kraft** 1931, Lar. ; allem. *Kraft,* force ; papier d'emballage.

**krak** 1931, Lar. ; ar. du Levant *karāk,* château fort.

**kraken** 1808, Boiste ; mot norvégien ; sorte de poulpe fantastique.

**kreuzer** 1765, *Encycl. ;* mot allem., de *Kreuz,* croix ; désigne une monnaie autrichienne.

**kronprinz** 1888, Lar. ; mot allem., de *Krone,* couronne, et *Prinz,* prince.

**krypton** 1898, date de la découverte par Ramsay et Travers ; gr. *kruptos,* caché (gaz rare).

**ksar** 1857, Fromentin ; mot berbère ; village fortifié.

**kummel** 1879, Daudet ; allem. *Kümmel,* cumin.

**kwas** 1540, Boemus (*quassetz*) ; 1656, Olearius (*quas*) ; 1836, *Acad.* (*kwass*) ; mot russe ; boisson alcoolisée.

**kymrique** 1842, *Acad.* (*kimraeg*) ; 1854, Renan (*kymrique*) ; gallois *cymraeg,* langue du pays de Galles.

**kyrielle** 1155, Wace (*keriele*) ; XIIIe s., *Roman de Renart* (*kyriele*), « litanie » ; mots grecs *Kurie,* seigneur, et *eleison,* aie pitié ; invocation liturgique, devenue péjor.

**kyste** 1478, Chauliac (*kiste*) ; 1560, Paré (*kyst*) ; gr. *kustis,* vessie, poche. || **kystique** 1721, Trévoux. || **enkysté** 1703, *Mémoires Acad. sciences.* || **enkystement** 1842, *Acad.* || **enkyster** 1856, Lachâtre.

# l

**la** V. LE (art. et pron.), UT (musique).

***là** 1080, *Roland,* var. *lai ;* lat. *[il]lac,* par là (v. ÇÀ) ; *être là,* fam., « être solide », 1813, *Tabac du Petit Charonne ; par ci par là,* 1538, R. Est. || **delà** 1175, Chr. de Troyes. || **au-delà** n. m. 1883, Elwall. || **là-bas** XV^e^ s., Basselin, « en dessous » ; 1668, La Fontaine, « l'enfer ». || **là-haut** 1573, Du Puys, « dans un lieu élevé » ; 1580, Montaigne, « dans le ciel ».

**labadens** 1857, Labiche, *l'Affaire de la rue de Lourcine ;* du nom d'un maître de pension dans ce vaudeville.

**labarum** 1555, Duchoul ; mot lat. ; étendard des empereurs romains depuis Constantin.

**label** 1906, Bonnafé, « étiquette » ; 1967, *journ.,* « caution » ; angl. *label,* étiquette apposée sur les travaux exécutés par les adhérents ; de l'anc. fr. *label,* ruban, francique **labba.* (V. LAMBEAU.)

**labelle** 1827, *Acad. ;* lat. *labellum,* petite lèvre ; pétale supérieur de la corolle des orchidées.

**labeur** 1120, *Ps. d'Oxford ;* 1730, Savary typogr. ; lat. *labor,* travail, peine. || **laborieux** 1370, *Vie saint Eustache,* qui travaille ; 1200, G., qui demande de la peine ; *classe laborieuse,* 1791, Barnave ; lat. *laboriosus,* pénible. || laborieusement 1370, Oresme.

**labiacées** 1931, Lar. ; lat. *labium,* lèvre.

**labial** 1605, Delommeau, « fait de vive voix » ; 1632, Sagard, gramm. ; lat. *labium,* lèvre. || **labialiser** 1847, Besch. || **labialisation** 1923, Lar. || **labiodental** début XX^e^ s. || **labiovélaire** 1908, Lar. || **bilabiale** 1908, Lar. || **bilabié** 1842, *Acad.* (lat. *bis,* deux fois).

**labile** XIV^e^ s., Bouthillier, « peu stable » ; bas lat. *labilis,* glissant, de *labi,* tomber. || **labilité** 1962, Lar. || **labileté** 1530, Marot.

**laborantin** v. 1917, comme féminin ; vulgarisé en 1934 (roman de P. Bourget) ; a remplacé aide-chimiste ; allem. *Laborantin,* fém. de *Laborant,* du lat. *laborans, -tis,* qui travaille.

**laboratoire** 1620, J. Béguin, « lieu où l'on prépare les remèdes » ; 1671, Pomey, sens actuel ; lat. *laborare,* travailler. || **labo** début XX^e^ s.

**laborieux** V. LABEUR.

**labourer** 980, *Valenciennes,* « travailler » (jusqu'au début du XVII^e^ s.) ; XII^e^ s., « cultiver » ; 1555, Ronsard, « taillader » ; lat. *laborare,* travailler, spécialisé pour le travail aratoire. || **labour** 1180, Barbier ; déverbal. || **labourable** 1308, G. || **laboureur** 1112, *Voy. saint Brendan,* « travailleur » ; 1160, Benoît, « cultivateur ». || **labourage** fin XII^e^ s., R. de Moiliens, « travail », jusqu'au XVI^e^ s. ; 1283, Beaumanoir, « culture ».

**labradorite** 1842, Mozin ; de *Labrador,* région où ce minéral abonde. || **labrador** 1828, Mozin, *pierre de Labrador ;* 1931, Lar., chien.

**labre** 1797, Gattel ; lat. *labrum,* lèvre, « poisson à lèvres épaisses » ; 1827, *Acad.,* zool., pièce de la bouche des insectes. || **labridés** 1902, Lar.

**labyrinthe** 1418, Caumont (*lebarinthe*) ; XVI^e^ s. (*labyrinthe*) ; 1690, Furetière, « partie de l'oreille interne » ; milieu XVI^e^ s., Ronsard, « enchevêtrement » ; lat. *labyrinthus,* du gr. *laburinthos,* palais des haches (*labrys* en carien). || **labyrinthique** milieu XVI^e^ s.

**lac** 1175, Chr. de Troyes ; il a remplacé la forme pop. *lai ; être, tomber dans le lac,* 1891, Sainéan ; lat. *lacus.* || **lacustre** 1573, Liébault, relatif à un lac ; rare jusqu'au XIX^e^ s. (1842, *Acad.*) ; *cité lacustre* 1867, L. ; lat. *lacustris,* de *lacus,* lac. || **lagon** 1721, Trévoux ; esp. *lagón,* de *lago,* lac ; même origine que *lac.* || **lagune** 1574, Belleforest ; vénitien *laguna,* du lat. *lacuna,* mare, de *lacus.* || **lagunaire** 1931, Lar.

***lacer** 1080, *Roland ;* lat. *laqueare,* serrer au lacet. || **lacis** 1130, *Eneas* (*laceïs*), dentelle ; 1690, d'après Trévoux, réseau. || **laçage** 1320, Watriquet. || **lacerie** 1765, *Encycl. méth.* (*lasserie*). || ***lacs** 1080, *Roland* (*laz*) ; le *c* de *lacs* (XV^e^ s.) est dû à *lacer ;* lat. *laqueus,* nœud coulant. || **lacet** 1315, Delb. (*laccès,* pl.). || **laceur** 1268, É. Boileau. || **lacier** 1360, *Modus* (*lachiere*). || **laçure** XII^e^ s., G. || **délacer** 1080, *Roland.* || **enlacer** 1119, Ph. de Thaon. || **enlacement** XII^e^ s., H. de Valenciennes. || **entrelacer** 1190, *Saint Bernard.* || **entrelacement** 1190, *Saint Bernard.* || **entrelacs** XII^e^ s., G.

**lacérer** 1356, Bersuire ; lat. *lacerare,* déchirer. || **lacération** *id. ;* lat. *laceratio.* || **dilacérer** 1155, Wace ; du préfixe intensif *dis-.* || **dilacération** 1419, G.

**lacertiliens** 1817, Cuvier (*lacertiens*) ; 1902, Lar. (*lacertiliens*) ; lat. *lacertus,* lézard.

**lacet** V. LACER.

***lâche** 1131, *Couronn. Loïs,* « non tendu » et « sans courage » ; de *lâcher.* || **lâchement** 1155, Wace, adv. || **lâcheté** 1131, *Couronn. Loïs.* || ***lâcher** 1080, *Roland ; lâcher le pied,* XVI^e^ s., d'Aubigné ; *lâcher un mot,* XVI^e^ s., Montaigne ; comme n. m. 1873, *J. O. ;* lat. *laxicare.* || **lâcheur** 1858, A. Scholl. || **lâchage** 1867, L. || **relâcher** 1155, Wace, « renoncer » ; 1170, *Rois,* « apporter une certaine négligence » ; 1560, Paré, « rendre le ventre moins tendu » ; 1656, Molière, « laisser s'échapper » ; *se relâcher,* XIII^e^ s., Tobler-Lommatzch ; de *re,* et *lâcher,* d'apr. lat. *relaxare.* || **relâche** 1175, Chr. de Troyes, « interruption » ; 1538, R. Est., « détente » ; 1798, *Acad.,* sens théâtral ; 1691, Ozanam, marine ; déverbal. || **relâchement** 1160, Benoît. (V. LAISSER.)

**lacinié** 1676, Dodart ; lat. *laciniatus,* découplé, de *lacinia,* morceau d'étoffe ; en bot., « divisé en lambeaux ». || **laciniure** 1867, L., bot.

**lacis** V. LACER.

**lack** 1770, Raynal ; mot hindî, du persan *lak,* cent mille.

**laconique** début XVI^e^ s. ; lat. *laconicus,* du gr. *lakonikos,* « à la manière des Laconiens (Lacédémoniens) », c.-à-d. « concis ». || **laconisme** 1556, Thevet ; gr. *lakonismos,* façon de parler des Laconiens. || **laconiquement** 1534, Des Périers.

**lacrima-christi** ou **lacryma-christi** 1534, Rab. ; mots lat. signif. « larme du Christ ».

**lacrymal** n. m., 1314, Delb. (*lacrimel*) ; adj., 1525, Lemaire de Belges (*lacrymal*) ; lat. *lacryma,* larme. || **lacrymatoire** 1690, Furetière ; bas lat. *lacrimatorius,* qui combat contre les larmes, du lat. *lacrymare,* pleurer. || **lacrymogène** 1915, Lar., « qui fait naître les larmes ».

**lacs, lactate, lactation, lacté** V. LACER, LAIT.

**lacune** 1541, Canappe, « cavité » ; 1680, Richelet, « omission » ; lat. *lacuna,* mare (v. LAGUNE). || **lacuneux** fin XVIII^e^ s., bot. ; 1842, Mozin, « qui a des lacunes ». || **lacunaire** 1723, Veneroni.

**lacustre** V. LAC.

**lad** 1854, *Sport ;* mot angl., abrév. de *stable lad,* garçon d'écurie.

***ladre** 1160, *Tristan ;* 1656, Oudin, « avare » ; lat. *Lazarus,* nom du pauvre couvert d'ulcères dans la parabole de saint Luc (XVI, 19) ; d'où « lépreux » en anc. fr. (sens conservé encore pour les animaux). || **ladrerie** 1530, Palsgrave, « lèpre » (*laderye*) ; 1660, Oudin, « avarice ». (V. MALADRERIE.)

**lady** 1669, Chamberlayne ; mot angl. signif. « madame ».

**lagan** 1175, Chr. de Troyes, marine ; anc. scand. *lag.*

**lago-,** gr. *lagôs,* lièvre. || **lagopède** 1770, Buffon ; lat. *pes, pedis,* pied. || **lagophtalmie** 1570, J. Daléchamp ; gr. *lagôphtalmon,* œil de lièvre. || **lagostome** 1836, Landais ; gr. *stoma,* bouche ; mammifère de Patagonie. || **lagotriche** 1873, Lar. ; gr. *thrix, thrikhos,* cheveu.

**lagon** V. LAC.

**laguis** 1786, Jal ; lat. *laqueus,* lacs ; cordage terminé par un nœud spécial.

**lagune** V. LAC.

1. ***lai, laïc** V. LAÏQUE.

2. **lai** milieu XII^e^ s., *Roman de Thèbes,* « poème des jongleurs bretons » ; breton **laid,* lai, de l'irlandais *laid,* chant.

**laîche** fin XI^e^ s., *Gloses de Raschi* (*lesche*) ; germ. **lĭska* (allem. dial. *Liesch*), sans doute prélatin.

**laid** 1080, *Roland ;* francique **laid,* anc. haut allem. *leid,* désagréable, fâcheux. || **laidement** 1080, *Roland.* || **laideron** 1530, Marot. || **laideur** 1160, *Tristan* (*laidor*) ; XIII^e^ s. (*laideur*). || **laidir** 1131, *Couronn. Loïs* || **enlaidir** XII^e^ s. || **enlaidissement** 1495, J. de Vignay.

1. **laie** 1130, *Saint Gilles* (*lehe*) ; 1354, *Modus* (*laie*), « femelle du sanglier » ; francique *lêka* (moyen haut allem. *liehe*).

2. **laie** fin XIIe s., « sentier » ; francique **laida* (anc. angl. *lâd*). || **layer** 1307, G., « traverser un sentier ». || **layeur** 1669, *Ordonn.* || **layon** 1865, Parent, « sentier ».

3. **laie** 1676, Félibien, « marteau » ; francique **laida,* au sens de « trace sur la pierre ». || **layer** 1680, Richelet, « dresser avec un marteau ».

***laine** 1120, *Ps. d'Oxford ;* lat. *lana.* || **lainage** fin XIIIe s., Condé. || **lainerie** 1295, G., rare jusqu'au XVIIIe s. || **lainer** 1334, G. || **lainette** XIIIe s., *Doc.* || **laineur** 1262, G., « marchand de laine » ; 1765, *Encycl.,* sens actuel. || **laineux** fin XVe s., G. || **lainier** n. m., fin XIIe s., R. de Moiliens ; adj., 1723, Savary. || **lanice** 1268, É. Boileau. || **lanifère** 1747, James. || **lanigère** XVe s., G. || **lanoline** 1888, Lar.

**laïque, laïc** XIIIe s., *Doc.,* « qui n'appartient pas au clergé » ; 1690, Furetière, « de la vie civile » ; 1882, Pasteur, « indépendant de la religion » ; n. f., 1901, Zola, « école primaire » ; lat. eccl. *laicus,* du gr. *laikos,* du peuple (*laos*), opposé à *klêrikos,* clerc. || **laïquement** 1951, Gide. || ***lai** 1155, Wace, « ignorant » ; 1190, Garnier, relig. ; même origine ; a été remplacé par *laïque.* || **laïcat** 1877, L. || **laïcité** 1871, L. || **laïcisme** 1842, Mozin. || **laïciser** 1888, Lar. || **laïcisation** 1888, Lar. || **laïcisateur** 1913, Proust.

**lais, laisse** V. LAISSER.

***laisser** fin IXe s., *Eulalie* (*lazsier*) ; lat. *laxare,* relâcher, puis laisser aller. || **lais** 1220, Coincy, dont **legs** (XVIe s.) est une variante d'après le lat. *legatum ;* déverbal de *laisser.* || **laisse** 1120, *Ps. d'Oxford,* « lien pour mener un animal » ; XIIIe s., « tirade de vers ». || **laissées** 1387, G. Phébus. || **laissé-pour-compte** 1873, Lar. || **laisser-aller** 1786, Mirabeau. || **laisser-faire** 1945, Valéry. || **laissez-passer** 1675, Savary. || **délaisser** 1120, *Ps. de Cambridge.* || **délaissement** 1274, G. || **relaisser** v. 1175, Chr. de Troyes.

***lait** 1155, Wace ; lat. *lac, lactis,* qui a servi ensuite de rad. à des mots savants (*lacté, lactoduc,* etc.) ; *petit-lait,* 1552, R. Est. ; *boire du petit-lait,* 1873, Lar. || **laité** 1398, *Ménagier.* || **laitage** 1376, G. || **laitance** v. 1300, *Traité de cuisine.* || **laite** 1350, *Glossaire de Paris ;* lat. pop. **lactâ,* laitance. || **laiterie** 1315, Delb. || **laiteron** 1550, Guéroult. || **laiteux** 1400, G. || **laitier** fin XIIe s., R. de Moiliens ; 1676, Félibien, « scorie ». || **lactation** 1623, Bury ; lat. *lactatio.* || **lactaire** fin XVIIe s., Fl. de Rémond. || **lactame** 1923, Lar. || **lactase** 1902, Lar. || **lactate** 1802, Catineau. || **lacté** 1398, *Somme Gautier ;* lat. *lacteus,* laiteux. || **lactéal** 1970, Robert. || **lactescent** 1802, Genard ; lat. *lactescens,* de *lactescere,* « se convertir en lait ». || **lactescence** 1812, Mozin. || **lactifère** 1665, Graindorge. || **lactifier** 1733, Rousseau. || **lactoduc** 1962, Lar. || **lactique** fin XVIIIe s. || **lactose** 1855, Nysten. || ***allaiter** XIIe s. (*alaitier*) ; bas lat. *allactare* (Ve s., Marcus Empiricus) ; il a signifié « téter » jusqu'au XVIe s. || **allaitement** 1375, R. de Presles. || **délaiter** XVIe s., « sevrer » ; 1826, Mozin, « ôter le lait ».

**laiton** 1213, *Fet des Romains* (*laicton*) ; ar. *lātūn,* cuivre, mot turc. || **laitonner** 1419, Havard (*-é*). || **laitonnage**, 1895, *Grande Encycl.*

***laitue** 1119, Ph. de Thaon ; lat. *lactūca,* de *lac,* lait, la laitue étant lactescente.

**laïus** 1804 ; mot d'argot scolaire, d'apr. le premier sujet de composition française donné à Polytechnique (discours de *Laïus,* père d'Œdipe). || **laïusser** 1891, Esnault. || **laïusseur** 1894, Esnault.

***laize, laise** 1170, *Rois ;* lat. pop. *latia,* de *latus,* large. (V. ALÉSER, LÉ.)

**lakiste** 1836, Landais ; angl *lakist,* de *lake,* lac. Les lakistes, poètes anglais du XIXe s., habitaient le *Lake* District au N.-O. de l'Angleterre. || **lakisme** 1873, Lar.

**lallation** 1808, Boiste ; lat. *lallare,* chanter lalla, de *lalla,* refrain de chanson.

1. **lama** 1629, *Lettres du Tibet,* « prêtre du Tibet » ; mot tibétain. || **lamaïque** 1840, *Acad.* || **lamaïsme** 1829, May (*lamisme*). || **lamaserie** 1857, Denis.

2. **lama** 1598, Acosta, « mammifère des Andes » ; esp. *llama,* du quetchua, langue indigène du Pérou.

**lamaneur** 1584, Jal, « pilote » ; anc. fr. *laman,* du néerl. *lootsman,* homme à la sonde. || **lamanage** 1355, G.

**lamantin** 1532, Martyr (*manati*) ; 1640, Bouton (*lamentin*) ; altér. de l'esp. *manati,* mot caraïbe, par croisement avec *lamenter,* d'apr. le cri de l'animal.

**lambeau** fin XIIIe s., Adam de la Halle (*lambel,* forme conservée comme terme de blason) ; francique **labba,* morceau d'étoffe (anc. haut allem. *lappa,* allem. *Lappen,* lambeau, chiffon). [V. LABEL.]

**lambin** 1584, Bouchet ; francique **labba,* « morceau d'étoffe qui pend », donc « mou » (allem. *lappig,* flasque) ; ou du nom propre *Lambin,* var. de *Lambert.* || **lambiner** 1642, Oudin. || **lambinage** 1879, Daudet.

**lambourde** 1294, G. ; anc. fr. *laon,* planche (anc. haut. allem. *lado*), et *bourde,* poutre, c.-à-d. « poutre soutenant les planches du parquet ».

**lambrequin** 1458, A. de La Salle ; moyen néerl. *lamperkijn,* dimin. de *lamper,* voile, crêpe ; ornement formé d'une bande d'étoffe pendante.

***lambris** fin XII^e s., *Alexandre* (*lambrus*) ; lat. pop. **lambrŭscus,* de **la(m)brŭsca,* vigne sauvage, d'apr. l'ornementation. (V. VIGNETTE.) || **lambrisser** 1160, Benoît (*lambruschier*) ; 1220, Coincy (*-broisier*). || **lambrissage** 1454, G. || **lambrissement** 1611, Cotgrave.

***lambruche** XV^e s., *Grant Herbier* (*lambrusce*) ; 1555, Vaganay (*lambruche*) ; lat. pop. **lambrusca,* autre forme de *labrusca,* vigne sauvage. || **lambrusque** fin XV^e s. ; forme méridionale.

***lame** 1112, *Voy. saint Brendan,* « bande mince » ; XV^e s., « vague » ; lat. *lamĭna.* || **lamé** 1690, Furetière. || **lamelle** 1160, Benoît (*lemelle*) ; rare jusqu'au XVIII^e s. ; lat. *lamella,* dimin de *lamina.* (V. OMELETTE.) || **lamellé** 1783, Buffon. || **lamelleux** 1777. || **lamellaire** 1812, Hassenfratz. || **lamellibranches** 1842, *Acad.* || **lamellicornes** 1827, *Acad.* || **lamelliforme** 1827, *Acad.* || **lamellirostres** 1842, *Acad.* || **bilame** XX^e s. (1951, Lar.). || **laminaire** 1828, Mozin. || **laminer** 1596, Delb. || **laminoir** 1643, L. || **laminage** 1731, suivant Richelet. || **lamineur** 1823, Boiste. || **lamineux** 1798, Richard. || **laminectomie** 1923, Lar., « coupure de lame vertébrale ».

**lamelle** V. LAME.

***lamenter (se)** fin XII^e s., R. de Moiliens, v. intrans. ; 1080, *Roland,* pron. ; bas lat. *lamentare* (lat. *-ari*). || **lamentable** 1380, Conty. || **lamentablement** 1842, *Acad.* || **lamentation** 1220, Coincy ; lat. *lamentatio.* || **lamento** 1842, Mozin.

**lamie** 1527, *Doc.,* « vampire » ; 1558, Rondelet, squale ; lat. *lamia.*

**lamier** 1765, *Encycl. ;* lat. scient. *lamium,* espèce d'ortie.

**laminer** V. LAME.

**lampadaire** V. LAMPE.

**lampant** 1593, Brouzon ; prov. mod. *lampan,* part. prés. de *lampa,* briller (mot appliqué d'abord à l'huile d'olive).

1. **lampas** 1723, Savary (*lampasse*) ; 1787, B. de Saint-Pierre (*lampas*), « étoffe orientale » ; origine obscure, sans doute du germ. **labba,* lambeau.

2. **lampas** fin XII^e s., R. de Moiliens ; de *lampe,* fanon de bœuf, var. de *lape,* du francique **lappa,* lambeau.

***lampe** 1119, Ph. de Thaon ; lat. *lampas, -adis.* || **lampadaire** début XVI^e s., « support » ; bas lat. *lampadarium,* « qui porte la lampe ». || **lamparo** 1962, Lar. ; mot prov., de *lampa,* lampe. || **lampion** 1550, Jal ; ital. *lampione,* de *lampa,* lampe (les fêtes de nuit furent organisées par des Italiens). || **lampiste** 1797, *Feuilleton,* « qui fabrique des lampes » ; XX^e s., « subalterne ». || **lampisterie** 1845, Besch.

**lamper** 1665, Colletet ; var. nasalisée de *laper.* || **lampée** 1678, Hauteroche.

***lamproie** fin XII^e s., *R. de Cambrai ;* bas lat. *lamprēda* (VII^e s., glose), d'origine obscure.

**lampyre** 1553, Rab. (*lampyride*) ; 1803, Boiste (*lampyre*) ; lat. *lampyris,* empr. au gr. (*lampein,* briller) ; ver luisant. || **lampyridès** 1828, Mozin.

***lance** 1080, *Roland ;* lance d'incendie, 1902, Lar. ; *fer de lance,* 1867, L. ; *rompre une lance,* 1718, *Acad. ;* lat. *lancea.* || **lancette** fin XII^e s., *Aliscans* (*lancete*), « petite lance » ; 1256, Ald. de Sienne, « instrument de chirurgie ». || **lançon** XIII^e s., *Bible.* || **lancier** fin XII^e s., *Aymeri,* « cavalier armé d'une lance » ; 1467, Fagniez, « fabricant de lances ». || **lancéole** 1557, G., « plante » ; lat. *lanceola,* petite lance. || **lancéolé** 1783, Bergeret ; lat. *lanceolatus.* || ***lancer** 1080, *Roland,* « envoyer avec force » ; 1825, Courier, *lancer un artiste ;* 1878, *lancer une affaire ;* bas lat. *lanceare,* manier la lance. || **lancis** 1160, Benoît. || **lancer** n. m., début XVIII^e s. || **lancé** n. m., 1701, Liger, vén. || **lancée** 1802, Flick, « comète » ; 1873, Lar., sens actuel. || **lançage** fin XVII^e s., Mantellier. || **lancement** 1300 ; commerce, 1907, Lar. || **lançoir** début XIV^e s. || **lanceur** (*d'affaires*) 1865, L. ; « qui sert à lancer une fusée », 1960, *journ.* || **lance-bombes** 1919, Dorgelès. || **lance-flammes** 1923, Lar. || **lance-fusées** 1931, Lar. || **lance-grenades** 1923, Lar. || **lance-missiles** 1960, *journ.* || **lance-pierres** 1894, Sachs-Villatte. || **lance-roquettes** 1959, Robert. || **lance-torpilles** 1890, Ledieu. || **relancer** v. 1283, Beaumanoir. || **relance** XX^e s. ; déverbal.

**lancinant** 1546, Rab. ; fig., 1835, Balzac ; lat. *lancinans,* part. prés. de *lancinare,* déchirer. || **lanciner** 1611, Cotgrave, « déchirer » ; 1616, Duval, sens actuel ; fig., XIX^e^ s.

**lançon** V. LANCE.

**landau** 1814, Jouy ; ville du Palatinat où cette voiture fut d'abord fabriquée. || **landaulet** 1836, Landais.

**lande** 1120, *Ps. de Cambridge ;* gaulois **landa* (cf. breton *lann*).

**landgrave** 1265, Br. Latini ; all. *Landgraf,* du moyen haut allem., signif. « comte (*graf*) du pays (*land*) ». || **landgraviat** 1575, Belleforest.

**landier** 1150, *Charroi ;* anc. fr. *andier* (fin XII^e^ s.), sans doute du gaulois *andero,* taureau, d'apr. l'ornement des anciens landiers (chenets de fer).

**landwehr** 1819, Boiste ; mot allem. signif. « défense, *Wehr,* du pays, *Land* ».

**laneret, langage** V. LAINE, LANGUE.

***lange** XII^e^ s., G., adj., « de laine » ; 1175, Chr. de Troyes, « étoffe de laine » ; 1538, R. Est., sens actuel ; lat. *laneus, lanea,* « de laine ». || **langer** 1869, *Gazette des hôpitaux.*

**langouste** 1120, *Ps. d'Oxford* (*languste*), « sauterelle » ; 1398, *Ménagier,* sens actuel ; anc. prov. *langosta,* du lat. *locusta,* sauterelle. || **langoustier** 1769, Duhamel. || **langoustine** 1827, *Acad. ;* repris aussi à un dialecte du Midi.

***langue** fin X^e^ s., *Saint Léger,* « organe de la bouche » ; XIII^e^ s., *Assises,* « organe servant à articuler les mots » ; X^e^ s., « langage parlé ou écrit » ; remplacé en anc. fr. par *langage,* le mot reparaît au XVI^e^ s. ; lat. *lingua,* langue. || **langage** 980, *Passion* (*lenguatgue*). || **langagier** 1382, G., « bavard » ; 1941, Paulhan, sens actuel. || **languette** 1193, Hélinant, « langue » ; 1314, Mondeville, sens actuel. || **langueter** XIII^e^ s.; G., « bavarder » ; 1812, Mozin, « découper en languettes ». || **languier** 1353, G. || **langueyer** XII^e^ s., *Dolopathos.* || **langueyeur** 1378, G. || **langueyage** 1465, G. || **langué** av. 1480, R. d'Anjou. || **langue-de-bœuf** 1441, Gay, outil ; 1851, Landais, champignon. || **langue-de-chat** 1765, *Encycl.,* burin ; 1867, L., biscuit. || **lingual** 1735, Heister ; bas lat. *lingualis,* de *lingua.* || **linguiste** 1660, Chapelain. || **linguistique** 1826, Balbi ; de l'allem. || **linguistiquement** 1877, Lar. || **bilingue** XIII^e^ s., « menteur » ; 1618, Turrettini, sens actuel ; lat. *bilinguis,* qui a deux langues. || **bilinguisme** 1920, *Société de linguistique.* || **sublingual** 1560, Paré ; de *sub-* et *lingual.*

***langueur** 1125, *Romania,* perte de forces ; 1770, Rousseau, sens actuel ; lat. *languor, -oris.* || **langoureux** 1050, *Alexis* (*languerous*), « malade » ; fin XIV^e^ s., Deschamps, atteint de langueur ; 1530, Marot, sens actuel. || **langoureusement** 1400, G. || **languide** 1523, *Parthénice ;* lat. *languidus.* || ***languir** XI^e^ s., Stengel ; lat. pop. **languire,* lat. *languēre.* || **languissant** 1280, *Clef d'Amors.* || **languissamment** 1573, Pontus de Tyard. || **alanguir** 1539, Cl. Gruget ; *s'alanguir,* 1775, Beaumarchais. || **alanguissement** 1552, François de Sales.

**lanice** V. LAINE.

**lanier** 1265, Br. Latini, faucon ; agglutination de l'article et de *anier* (anc. fr. *ane,* cane), oiseau qui chasse les canards. || **laneret** 1373, Gace.

**lanière** XII^e^ s., *Parthenopeus ;* anc. fr. *lasne* (XII^e^ s.), d'orig. obscure ; p.-ê. altér. du francique **nastila* (allem. *Nestel,* lacet).

**lanifère, -gère, lanoline** V. LAINE.

**lansquenet** 1480, O. de La Marche ; allem. *Landsknecht,* « serviteur (*Knecht*), du pays (*Land*) ». Le *lansquenet* était d'abord un serf attaché à un reître.

**lansquiner** 1800, Esnault, pleuvoir ; de *lancer,* uriner, de *lance,* eau, ital. *lenza,* urine, boisson.

**lantanier** 1611, Cotgrave (*lantane*) ; 1845, Besch. (*lantanier*) ; lat. scient. *lantana,* altér. de *lentana,* viorne (Gessner), de *lentus,* souple.

***lanterne** 1080, Roland ; XVI^e^ s., « réverbère » ; lat. *lanterna ;* 1611, Cotgrave, architecture. || **lanterner** 1392, Du Cange, « envoyer à la lanterne, injurier » ; 1546, Rab., « perdre son temps » ; d'apr. *conter des lanternes* (balivernes). || **lanternement** 1869, Flaubert. || **lanternier** 1268, É. Boileau, « fabricant de lanternes ». || **lanternerie** 1542, Dolet, « action de faire attendre ». || **lanterneau** 1752, Trévoux. || **lanternon** 1803, Boiste.

**lanthane** 1839, Mosander ; gr. *lanthanein,* être caché ; métal rare, difficile à isoler.

**lantiponner** 1666, Molière ; de *lent,* croisé avec *lanterner.* || **lantiponnage** *id.*

**lanturlu** 1629, *Anc. Théâtre français ;* refrain d'une chanson du temps de Richelieu.

**lanugo** 1839, Guérin ; lat. *lanugo, -inis,* duvet, de *lana,* laine. || **lanugineux** 1553, Belon ; lat. *lanuginosus,* couvert de duvet.

**lapalissade** 1872, Goncourt ; de M. de La Palice (XV^e s.), à qui sont attribués des truismes de ce type.

**laparotomie** fin XVIII^e s. ; gr. *lapara,* flanc, et *-tomie ;* incision de la paroi abdominale. || **laparoscopie** 1931, Lar.

**laper** 1165, Marie de France ; lat. **lappare,* onomat. d'orig. germ. (angl. *to lap*), ibère ou méditerranéenne. || **lapement** 1611, Cotgrave.

**lapereau** V. LAPIN.

**lapidaire** 1119, Ph. de Thaon, « traité sur les pierres précieuses » ; 1251, *Renart,* « tailleur de pierres » ; 1718, *Acad.,* adj. ; lat. *lapidarius,* « qui a le style des inscriptions sur pierre » ; 1937, Brunschwig, fig. ; de *lapis, -idis,* pierre.

**lapider** 980, *Passion ;* lat. *lapidare,* de *lapis,* pierre. || **lapidation** début XII^e s., *Thèbes ;* rare jusqu'au XVII^e s. ; lat. *lapidatio.* || **lapidifier** 1560, Paré ; lat. *lapidificare.* || **lapidification** 1690, Furetière.

**lapié** ou **lapiaz** 1908, Martonne ; vaudois *lapya,* du lat. *lapis, -idis,* pierre ; forme karstique.

**lapilli** 1827, *Acad. ;* mot ital. pl., de *lapillo,* du lat. *lapillus,* petite pierre ; fragments de projections volcaniques. || **lapilleux** 1842, Mozin.

**lapin** 1458, *Mystère,* qui a remplacé l'anc. fr. *connil, connin,* du lat. *cuniculus ; pattes de lapin,* 1896, Delesalle ; *poser un lapin, id. ;* de *laper* (*eau*), attesté antérieurement, d'orig. ibère, méditerranéenne ou germ. (lat. *lepus, leporis,* lièvre ; gr. *lebêris,* lapin ; port. *laparo,* lièvre, *lapão,* lapin). || **lapereau** 1320, *Hugues Capet* (*lapriel*) ; 1354, *Modus* (*lapereau*). || **lapiner** 1732, Liger. || **lapinière** fin XVIII^e s. || **lapinisme** 1949, *journ.*

**lapis-lazuli** XIII^e s., *Simples Medicines ;* lat. médiév. *lapis* et *azurum,* du persan *lâzawar.* (V. AZUR.) || **lazulite** 1795, Delamétherie.

**laps** (*de temps*) 1266, G. ; lat. *lapsus,* « écoulé », de *labi,* s'écouler, glisser. || **laps** 1314, Mondeville, méd. ; XV^e s., sens relig. ; lat. *lapsus,* tombé. || **lapsus** 1833, Nodier, fig., « faute sur les mots ».

**laptot** 1765, *Encycl. ;* orig. obscure ; matelot africain.

**laquais** 1470, G., valet d'armée ; 1549, R. Est., sens actuel ; catalan *alacay* ou esp. (*a*)*lacayo,* valet d'armes, du gr. médiév. *oulakês,* mot turc signif. « courrier à pied ».

**laque** XV^e s., *Grant Herbier* (*lacce*) ; lat. médiév. *lacca,* de l'arabo-persan *lakk,* mot hindî. || **laquer** 1830, *la Mode.* || **laqueur** 1875, *J. O.* || **laqueux** 1765, *Encycl.* || **laquier** 1907, Lar.

**larbin** 1827, *Cartouche,* arg., « mendiant, domestique » ; altér. de *habin,* chien (argot, 1596, *Vie généreuse*), de *happer,* avec agglutination de l'article. || **larbinisme** 1962, Lar.

**larcin** XII^e s., *Lois de Guill.* (var. *larrecin*) ; lat. *latrocinium,* de *latrocinari,* voler à main armée. (V. LARRON.)

***lard** XII^e s., *Roman d'Alexandre ;* lat. *larĭdum* (*lardum,* I^er s.). || **larder** 1175, Chr. de Troyes. || **lardoire** début XIV^e s. || **lardon** 1175, Chr. de Troyes ; 1878, Esnault, « enfant ». || **lardure** 1530, Lefèvre d'Étaples, « morceau de lard » ; 1785, *Encycl. méth.,* sens actuel. || **délarder** 1676, Félibien. || **entrelarder** 1175, Chr. de Troyes.

**lare** 1488, *Mer des hist. ;* lat. *lar,* pl. *lares.*

***large** 1050, *Alexis ;* lat. *largus,* avec un masc. refait sur le féminin. || **largement** fin XII^e s., R. de Moiliens. || **largesse** 1155, Wace, « largeur » ; puis fig., « générosité ». || **largeur** 1170, *Floire et Blancheflor.* || **élargir** 1160, *Eneas ;* 1333, Varin, jurid. || **élargissement** 1314, Mondeville ; 1333, Varin, jurid. || **rélargir** 1272, Joinville.

**largo** 1750, Prévost ; mot ital. signif. « large ». || **larghetto** 1765, *Encycl.,* spécialisé en musique.

**largonji** 1881, Esnault ; de *jargon* suivant le procédé de cet argot où *j* est devenu *l* et *j*(*i*) postposé, comme pour *lonbem,* bon (1821, Esnault).

**largue** 1559, Du Bellay ; prov. mod. *largo,* large (rendre large la voile). || **larguer** fin XVI^e s., d'Aubigné, « s'étendre » ; 1678, Guillet, mar. ; 1899, Esnault, « abandonner » ; prov. mod. *larga,* élargir. || **largable** 1931, Lar.

**laricio** 1213, *Fet des Romains* (*larice*) ; 1836, *Maison rustique* (*laricio*) ; toscan *laricio,* du lat. *larix, -icis,* mélèze.

**larigot** 1403, Chr. de Pisan (dans un refrain) ; 1534, Rab., « flûte » ; 1560, Paré, *à tire-larigot,* « d'un trait » ; orig. obscure.

***larme** 1050, *Alexis* (*lairme*) ; 1196, J. Bodel (*larme,* refait sur le lat.) ; lat. *lacrĭma.* (V. aussi LACRYMAL.) || **larmer** XII^e s., G., « pleurer ». || **larmier** 1321, Fagniez, arch. ; 1834, Balzac, « angle de l'œil ». || **larmière** XV^e s., Tilander. || **larmille** 1789, *Encycl. méth.* || **larmoyer** XII^e s., Raimbert de Paris. || **larmoyant** 1470, *Livre de* *la discipline d'amour divine ; comédie larmoyante,* 1759, Richelet. || **larmoiement** 1538, R. Est. || **larmoyeur** 1693, Regnard.

***larron** 980, *Passion* (*ladron*) ; XIe s. (*larron*) ; lat. *latro, -onis* (cas sujet *lerre* en anc. fr.). || **larronner** 1534, Rab. || **larronneau** 1420, A. Chartier. || **larronnerie** 1453, Monstrelet.

**larve** 1495, Vaganay, « masque » ; 1762, Geoffroy, entomol., la larve étant le masque de l'insecte parfait ; lat. *larva,* même sens. || **larvaire** 1873, Lar. || **larvé** 1836, Raymond, méd. ; fig., « masqué », 1931, Lar. || **larvicide** 1962, Lar.

**larynx** 1532, Rab. (*laringue*) ; 1538, Canappe (*larynx*) ; gr. *larugx, -uggos,* gosier. || **laryngal** 1909, Lar. || **laryngé** 1743, Lalouette. || **laryngectomie** 1888, Lar. || **laryngien** 1793, Lavoisien. || **laryngite** début XIXe s. || **laryngologie** 1793, Lavoisien. || **laryngophone** 1931, Lar. || **laryngotomie** 1620, Habicot. || **laryngoscope** 1867, L. || **laryngoscopie** 1867, L.

***las** 980, *Valenciennes,* « malheureux » ; 1080, *Roland,* « fatigué » ; exclamation, 1050, *Alexis ;* lat. *lassus,* fatigué. (V. HÉLAS.) || ***lasser** 1080, *Roland ;* lat. *lassare.* || **lassitude** 1380, E. de Conty ; lat. *lassitudo.* || **délasser** XIVe s. || **délassement** 1475, *D. G.* || **inlassable** 1624, C. de Nostredame. || **inlassablement** 1907, Lar.

**lasagne** milieu XVIe s. ; ital. *lasagna,* du lat. pop. **lasania,* pâte, lat. *lasanum,* support à pied pour marmite.

**lascar** 1553, Grouchy (*lascarin*) ; 1610, Pyrard de Laval (*lascar*), « matelot des Indes » ; 1834, *Rev. de Paris,* « gaillard » ; persan *lachkar,* soldat, de l'ar. *'askar.*

**lascif** 1488, *Mer des hist. ;* lat. *lascivus,* même sens. || **lascivement** 1542, Vaganay. || **lascivité** 1512, Lemaire, forme refaite de *lasciveté* (XVe s.) ; lat. *lascivitas.*

1. **laser** fin XIe s., *Gloses Raschi* (*lazre*) ; 1567, Grévin (*laser*) ; mot lat. ; plante.

2. **laser** 1960, *journ. ;* mot anglo-américain, de *Light,* léger, *Amplification,* amplification, *by,* par, *Stimulated,* stimulé, *Emission,* émission, *of,* de, et *Radiations,* radiations.

**lasser, lassitude** V. LAS.

**lasso** 1829, *Rev. des Deux Mondes ;* esp. d'Amérique *lazo,* lacs, en un emploi spécialisé.

**Lastex** 1962, Lar. ; n. déposé, de *latex* et *élastique.*

**lasting** 1830, *Nouveauté* (*lastaing*) ; mot angl. signif. « durable », de *to last,* durer.

**latanier** 1645, Coppier, « palmier » ; caraïbe *alatani,* palmier.

**latent** 1370, Oresme ; lat. *lātens, -entis,* de *lātēre,* être caché. || **latence** 1878, *Acad.*

**latéral** 1315, G. ; lat. *lateralis,* de *latus, lateris,* côté. || **latéralement** 1521, *Violier des histoires romaines.* || **latéralité** 1951, Piéron. || **bilatéral** 1812, Mozin. || **bilatéralement** 1829, Boiste. || **collatéral** XIIIe s., *Chron. de Saint-Denis ;* lat. médiév. *collateralis.* || **équilatéral** début XVIe s. || **trilatéral** 1721, Trévoux. || **unilatéral** 1778, Vergennes.

**latérite** 1867, L. ; lat. *later,* brique. || **latéritique** 1908, Lar. || **latérisation** 1908, Lar. || **latérodorsal** 1878, Lar.

**latex** 1706, Le Peletier ; mot lat. signif. « liqueur » ; suc spécifique de certains végétaux. || **laticifère** 1845, Besch.

**lathyrus** 1608, Cl. Dariot (*-tuis*) ; lat. *lathyrus,* du gr. *lathuros,* mollusque. || **lathyrisme** fin XIXe s., intoxication par ingestion de gesse.

**laticlave** 1595, Fl. Rémond ; lat. *laticlava* (*tunica*), large bande.

**latifundia** 1888, Lar. ; lat. *latifundia,* grands domaines.

**latin** 1160, *Eneas ;* 1566, H. Est., *y perdre son latin ; c'est du latin* 1867, L. ; *latin de cuisine* 1634, Cramail ; lat. *latīnus.* || **latineur** 1580, Montaigne. || **latiniser** 1558, Des Périers ; bas lat. *latinizare.* || **latinisant** 1842, Mozin. || **latinisation** 1720, *Huetiana.* || **latinisme** 1584, trad. d'Horace. || **latiniste** 1464, Chastellain. || **latinité** 1355, Bersuire, caractère latin ; 1835, *Acad.,* civilisation latine ; bas lat. *latinitas.* || **latino-américain** 1931, Lar.

**latitude** 1314, Mondeville, largeur ; 1585, Cholières, géogr. ; 1762, Bonnet, liberté d'action ; lat. *latitudo, -inis,* largeur, de *latus,* large. || **latitudinaire** 1704, Trévoux, relig. ; 1696, Jurieu, secte anglaise.

**latomies** 1600, Seyssel ; lat. *latomia,* du gr. *las,* pierre, et *temnein,* couper ; carrière de pierre ou de marbre.

**latrie** 1376, Golein ; lat. chrét. *latria,* du gr. *latreia.* (V. IDOLÂTRE.)

**latrines** 1437, *Coutumes d'Anjou ;* lat. *latrina,* de *lavatrina,* lavabo.

***latte** 1155, Wace ; bas lat. *latta* (VIII^e s.), du francique. || **latter** 1288, G. || **lattage** 1507, *Comptes Gaillon.* || **lattis** 1449, Guérin (*lacteys*). || **chanlatte** fin XIII^e s., Rutebeuf ; de *chant* 2.

**laudanum** 1579, Prébonneaux ; réfection de *lādanum* (repris au XIX^e s. avec sens lat.), mot lat. signif. « résine du ciste », du gr. *ladanon.* || **laudanisé** 1831, Foy.

**laudatif** 1787, Féraud ; lat. *laudativus,* de *laudare,* louer. || **laudateur** début XVI^e s.

**laudes** 1112, *Voy. saint Brendan ;* pl. lat. de *laus, laudis,* louange (partie de l'office où l'on chante des psaumes à la louange de Dieu).

**laure** 1670, Ritter, « cellule » ; gr. *laura ;* 1873, Lar., « grand monastère ».

**lauré** V. LAURIER.

**lauréat** 1530, Palsgrave ; lat. *laureatus,* couronné de laurier (on couronnait de laurier, arbre d'Apollon, les vainqueurs des jeux, des concours).

**laurier** 1080, *Roland* (*lorier*) ; anc. fr. *lor,* du lat. *laurus.* || **lauré** 1556, G., rare jusqu'au XIX^e s. || **lauréole** XIV^e s., *Antidotaire Nicolas.* || **laurier-rose** 1617, Crespin. || **laurier-tin** 1667, P. Morin. || **lauracées** 1867, L.

**lavabo** V. LAVER.

**lavallière** 1874, *J. O.,* « reliure brun clair » ; 1875, à Angers, d'abord « cravate de femme » ; du nom de *La Vallière* (1644-1710), favorite de Louis XIV.

**lavande** fin XIII^e s., *Doc. ;* ital. *lavanda,* « qui sert à laver » (parce qu'elle parfume l'eau de toilette). || **lavandier** 1664, Fermanel. || **lavandin** 1962, Lar.

**lavandière** V. LAVER.

**lavaret** 1552, Rab., « poisson » ; savoyard *lavarè,* du bas lat. *levarĭcĭnus* (V^e s., Pol. Silvius), d'origine sans doute gauloise.

**lavatory** 1902, Bonnafé, « boutique de coiffeur » ; 1907, Lar., « cabinet de toilette » ; mot angl., du lat. *lavare,* laver.

1. **lave** 1285, Bretel (*laive*) ; 1619, G., pierre ; lat. médiév. *lapida,* dalle, de *lapis, -idis,* pierre.

2. **lave** 1739, de Brosses, sens actuel ; ital. de Naples *lava,* du lat. *labes,* chute, éboulement. || **lavique** 1842, *Acad.*

***laver** 980, *Passion ; se laver* milieu XVI^e s., Amyot ; lat. *lavare.* || **lavable** 1373, Gace. || lavabilité 1962, Lar. || **lavage** 1432, G. || **lavandière** 1165, Thomas. || **lavasse** milieu XV^e s., « pluie » ; 1803, Boiste, « mauvais liquide ». || **lavement** 1190, *Saint Bernard,* « action de se laver » ; XVI^e s., « clystère ». || **lavabo** 1560, Vizet, « linge avec lequel le prêtre s'essuie les mains après l'offertoire » ; 1801, *Journal des dames,* « meuble de toilette » ; mot lat. signif. « je laverai » (premier mot d'un psaume prononcé par le prêtre quand il se lave les mains). || **laverie** 1555, *Journal du sire de Gouberville,* « lavage ». || **lavette** 1636, Monet, « torchon » ; fig., 1862, Esnault. || **laveur** XIII^e s., *D. G.* || **lavis** 1676, Félibien. || **lavoir** 1170, *Rois* (*laveür*), « vase » ; 1360, Froissart (*lavoir*) ; 1611, Cotgrave, sens actuel ; bas lat. *lavatorium.* || **lavure** 1050, *Alexis* (*lavadure*). || **lave-glace** 1950, *journ.* || **lave-mains** 1471, G. || **lave-pieds** 1775, Liger. || **lave-vaisselle** 1969, *journ.* || **délaver** 1398, E. Deschamps, « purifier » ; XVI^e s., « détremper ». || **relaver** 1175, Chr. de Troyes.

**lawn-tennis** V. TENNIS.

**laxatif** XIII^e s., *Simples Médecines ;* lat. *laxativus,* de *laxare,* lâcher ; purgatif.

**laxisme** 1912, Lar. ; lat. *laxus,* relâché. || **laxiste** 1908, Sorel.

**layer** V. LAIE 2 ou 3.

**layette** 1360, G. de Machaut, « tiroir » ; 1684, Maintenon, « trousseau mis dans le tiroir » ; de *laie,* boîte, du moyen néerl. *laeye.* || **layetier** 1582, Lespinasse. || **layetterie** 1765, *Encycl.*

**layon** V. LAIE 2.

**lazaret** 1567, Junius ; vénitien *lazareto,* plus anc. *nazareto* (XV^e s.), d'apr. l'hôpital Santa Maria de Nazareth (l'*l* est dû à l'infl. de *lazaro,* mendiant).

**lazariste** 1721 ; de Saint-*Lazare,* nom d'un prieuré.

**lazulite** V. LAPIS-LAZULI.

**lazzarone** 1781, Mercier (*lazzaron*) ; napolitain *lazzarone,* augmentatif d'un plus anc. *lazzaro* (1647), de l'anc. esp. *lazaro,* mendiant. || **lazzaronisme** 1841, *les Français peints par eux-mêmes.*

**lazzi** 1690, Gherardi ; mot ital., pl. de *lazzo,* jeu de scène bouffon, puis « plaisanterie piquante ».

***le, la, les** art. et pr. pers., fin IX^e s., *Cantilène de sainte Eulalie* (*lo, la, les ;* le cas sujet masc. *li* avait disparu au XV^e s.) ; formes proclitiques, atones, du démonstratif lat. (*il*)*lum,* (*il*)*lam,* (*il*)*los,* devenu aussi article ; par contraction avec prép., on a : *ès* (en les), *des* (de les), *au[x]* (à le, à les), *du* (de le).

***lé** adj., 1080, *Roland* (*lét*) ; n. m., 1131, *Couronn. Loïs,* largeur ; lat. *latus,* large.

**leader** 1829, d'Herbelot, « article de journal » ; 1822, Chateaubriand, « chef de parti » ; angl. *leader,* celui qui conduit, de *to lead,* conduire. || **leadership** 1878, Lar.

***léans** début XII^e s., *Pèlerinage Charlemagne* (*laenz*) ; lat. pop. *illac-intus,* « là, à l'intérieur ». (V. LÀ et CÉANS.)

**leasing** milieu XX^e s. ; angl. *to lease,* louer.

**lebel** 1886 ; du nom de l'officier qui fit adopter ce fusil.

**lécanore** 1836, Landais ; gr. *lekanê,* bassin ; lichen des régions arides.

1. **lèche** XIII^e s., *Miracles de saint Éloi* (*leske*), « tranche mince » ; origine obscure, p.-ê. de *lécher.* || **lichette** 1821, Desgranges ; avec *i* dû à l'infl. de *licher.*

2. **lèche** V. LÉCHER.

**lécher** 1120, *Ps. d'Oxford ;* francique **lekkon* (allem. *lecken*) ; 1680, Richelet, « finir, parfaire ». || **licher** 1486, G. Alexis ; var. de *lécher.* || **lichade** 1877, Zola. || **liche** 1876, Huysmans, « bombance ». || **lichette** 1821, Desgranges. || **licheur** XII^e s., *Doc.* || **lèche** XIV^e s., La Tour-Landry, « gourmandise » ; fin XIX^e s., Huysmans, « basse flatterie ». || **léchage** 1910, Colette. || **lécheur** 1138, G., « homme impudique » ; 1845, Besch., « flatteur ». || **lèche-bottes** XX^e s. || **lèche-cul** fin XVI^e s., G. || **lèche-doigts** (*à*) 1226, *Courtois d'Arras.* || **lèchefrite** 1193, Hélinant ; altér. de *lèche-froie* (XIII^e s., G.), des impér. *lèche* et *froie,* « frotte » (même mot que *frayer*). || **lécherie** 1155, Wace, « luxure ». || **lèche-vitrines** v. 1950. || **pourlécher** (*se*) 1767, Diderot.

**lécithine** 1867, L. ; gr. *lekithos,* jaune d'œuf.

***leçon** 1131 *Couronn. Loïs,* « partie de l'office » ; XII^e s., *Saxons,* « lecture », et sens actuel ; lat. *lĕctio,* action de lire, « ce qui est lu », de *legere,* lire. || **lecteur** XII^e s., *Voy. saint Brendan* (*litur*) ; 1549, R. Est. (*lecteur*) ; lat. *lĕctor ; lecteur d'Université,* 1836, Landais ; allem. *Lektor.* || **lecture** 1352, J. de Preis, « récit » ; fin XV^e s., « déchiffrement » ; 1679, Bossuet, « leçon magistrale » ; *comité de lecture* 1787, Féraud ; lat. médiév. *lectura ;* 1856, Baudelaire, « conférence », sens repris à l'angl. || **relecture** 1611, Cotgrave.

**lécythe** 1771, Trévoux ; gr. *lekuthos,* vase destiné à contenir l'huile.

**lède** 1611, Cotgrave, « plante » ; lat. *leda,* du gr. *lêdos.*

**légal** XIII^e s., *Chronique de Rains,* n. m., « homme de loi » ; adj., 1370, Oresme ; lat. *legalis,* « relatif ou conforme aux lois » (V. LOYAL). || **légalement** début XIV^e s., La Curne. || **légaliser** 1668, Aranton. || **légalisation** 1690, Furetière. || **légalisme** 1877, Darmesteter. || **légaliste** fin XIX^e s. || **légalité** 1370, Oresme, « loyauté » (jusqu'au XVIII^e s.) ; 1606, Crespin, sens actuel. || **illégal** 1370, Oresme. || **illégalement** 1789, *Doc.* || **illégalité** 1361, Oresme.

**légat** 1155, Wace, *légat a latere ;* lat. *lēgātus,* de *lēgāre,* envoyer en ambassade. || **légation** 1138, Gaimar, « charge de légat » ; 1160, Benoît, « mission » ; 1798, *Acad.,* « mission diplomatique » ; lat. *legatio,* ambassade.

**légataire** V. LÉGUER.

**lège** 1681, Isambert ; néerl. *leeg,* vide, sans charge ; navire qui n'a pas sa charge.

**légende** XII^e s., *Prise d'Orange ;* lat. médiév. *legenda,* adj. verbal de *legere,* lire, propr. « ce qui doit être lu » ; 1598, Bouchet, « explication d'un dessin ». || **légendaire** 1588, d'Argentré, « compilateur de légendes » ; adj., 1841, Chateaubriand. || **légender** 1884, Vallès.

***léger** 1080, *Roland,* « de peu de poids, souple » ; XII^e s., « frivole » ; 1778, Buffon, « de faible densité » ; lat. pop. **lĕviarius* (lat. *levis,* léger). || **légèrement** 1131, *Couronn. Loïs.* || **légèreté** XII^e s., G. (V. ALLÉGER.)

**legging** 1803, Volney ; mot angl. signif. « jambières, molletières » ; de *leg,* jambe.

**leghorn** 1888, Bonnafé ; nom angl. de *Livourne,* d'où cette race de poules fut importée en 1835 dans les pays anglo-saxons, où elle fut transformée.

**légiférer** 1796, *Néologiste fr. ;* lat. *legifer,* législateur, de *lex, legis,* loi.

**légion** 1155, Wace, unité de l'armée romaine ; 1587, La Noue, corps d'infanterie ; *légion d'honneur* 1802, *Décret ; légion étrangère,* 1792, Brunot ; lat. *legio.* || **légionnaire** 1213, Tobler-Lommatzsch, hist. romaine ; 1798, membre de la légion ; lat. *legionarius.*

**législateur** 1361, Oresme ; lat. *legislator,* de *lex, legis,* loi, et *lator,* rac. *latus,* part. passé de *ferre,* porter, proposer. || **législation** 1361, Oresme, « création de lois » ; 1721, Trévoux, sens actuel ; lat. *legislatio.* || **législatif** 1361, Oresme, n. f., « science du législateur » ; adj., 1718, *Acad.* || **législature** 1745, abbé Leblanc ; d'après l'angl. || **légiste** 1206, Guiot de Provins ; lat. médiév. *legista.* (V. LOI.)

**légitime** fin XIII^e s., G. ; 1770, Diderot, n. f., pop., « femme légitime » ; *légitime défense,* milieu XIX^e s. ; lat. *lēgĭtĭmus,* de *lex, legis,* loi. || **légitimement** fin XIII^e s. || **légitimaire** 1602, Charondas. || **légitimer** 1350, *Chronique de Flandre.* || **légitimation** 1340, *Songe du Vergier.* || **légitimisme** 1839, Baudelaire. || **légitimiste** 1834, Landais. || **légitimité** 1694, *Acad.* || **illégitime** XIV^e s. ; lat. jurid. *illegitimus* (II^e s., *Gaius*). || **illégitimement** 1460, Chastellain. || **illégitimité** 1752, Trévoux.

**legs** V. LAISSER.

**léguer** 1477, Bartzsch ; lat. *lēgāre,* laisser en testament. || **légataire** 1368, *Comptes de Macé Darne ;* lat. jurid. *lēgātarius.*

**légume** XIV^e s., *Cart. de Louviers* (*lesgum*), n. m., « grain, graine » ; 1170, *Rois,* « plante potagère » ; fém. au XVII^e s. ; lat. *lĕgūmen, -minis ;* il a remplacé la forme pop. *leün ;* fém., fam., « personnage important », 1832, Esnault. || **légumier** 1715, La Quintinie, « jardin » ; 1873, Lar., « plat ». || **légumineux** 1611, Cotgrave ; n. f., 1775, Valmont. || **légumiste** 1767, Schabol.

**leishmanie** 1922, Lar. ; de *Leishman,* qui découvrit ces parasites en 1903. || **leishmaniose** 1910, Lar. || **leishmanide** 1962, Lar.

**leitmotiv** 1852, *Revue musicale ;* mot allem. signif. « motif dominant », de *leiten,* diriger.

**lemme** 1629, A. Girard ; lat. *lemma,* majeure d'un syllogisme, du gr. *lêmma.* || **lemmatique** 1867, L.

**lemming** 1765, *Encycl. ;* mot norvégien ; sorte de rongeur.

**lemnacées** 1845, Besch. ; gr. *lemna,* lentille d'eau. || **lemna** 1858, Legoarant (*lemne*).

**lemnisque** 1539, A. Le Pois (*-ique*) ; lat. *lemniscus,* du gr. *lêmniskos,* bandelette. || **lemniscate** 1765, *Encycl. ;* lat. *lemniscatus ;* math.

**lémure** XIV^e s. ; lat. *lemures,* spectres. || **lémuriens** 1804, Desmarest, ainsi nommés parce qu'ils sont nocturnes. || **lémuridés** 1962, Lar.

**lendemain** V. DEMAIN.

**lendit** 1120, *Ps. de Cambridge,* anc. foire de la plaine Saint-Denis ; forme, avec article agglutiné, de *l'endit,* du lat. médiév. *indictum,* ce qui est fixé.

**lendore** 1534, Rab., « personne lente, endormie » ; germ. *landel,* et de *endormir.*

**lénitif** 1314, Mondeville ; lat. *lēnitivus,* de *lēnis,* doux. || **lénifier** XIV^e s. ; lat. médiév. *lenificare.* || **lénification** XIV^e s. || **lénition** 1933, Marouzeau.

***lent** adj., 1080, *Roland ;* lat. *lĕntus,* tenace, visqueux, lent. || **lentement** 1170, *Rois.* || **lenteur** 1355, Bersuire. || **ralentir** 1588, Montaigne ; de *alentir* (début XII^e s., R. de Moiliens). || **ralentissement** 1584, Vaganay. || **ralenti** n. m., 1907, *Locomotion autom. ;* 1921, Giraud, cinéma.

***lente** fin XI^e s., *Gloses de Raschi* (*lentre*) ; 1265, J. de Meung (*lente*) ; lat. pop. **lendis, -itis* (lat. *lens, lendis*), œuf de pou.

**lentigineux** 1583, Bretonnayau ; lat. *lentiginosus,* couvert de taches de rousseur, de *lentigo, -ginis,* lentille. || **lentigo** 1851, Landais.

***lentille** 1170, *Rois,* graine de la plante ; 1690, Furetière, en optique ; lat. *lentĭcula,* dimin. de *lens, lentis,* lentille. || **lentillon** 1835, *Maison rustique.* || **lenticelle** 1842, *Acad.* || **lenticulé** 1539, Canappe ; lat. *lenticulatus.* || **lenticulaire** 1314, Mondeville ; n., 1560, Paré ; lat. *lenticularis.*

**lentisque** XIII^e s., *Simples Médecines ;* mot d'anc. prov., du lat. *lĕntĭscus.*

**lento** fin XVIII^e s., mus. ; mot ital.

1. **léonin** V. LION.

2. **léonin** 1175, Chr. de Troyes, terme de prosodie ; du nom d'un chanoine *Léon* (de Saint-Victor de Paris), qui aurait mis à la mode ces vers latins.

**léopard** 1080, *Roland* (*leupart*) ; début XIV^e s., réfection sur le latin ; lat. *leopardus,* de *leo,* lion, et *pardus,* panthère mâle, du gr. *pardos,* léopard. || **léopardé** 1589, Le Rocquez.

**lepas** 1606, Gesner (*lepada*) ; lat. *lepas,* du gr. ; anatife.

**lépidier** 1615, Daléchamp (*-ion*) ; lat. *lepidium,* du gr. *lepidion,* sorte de crucifère.

**lépido-,** gr. *lepis, -idos,* écaille. || **lépidodendron** 1873, Lar. ; gr. *dendron,* arbre. || **lépidolithe** 1808, Boiste ; gr. *lithos,* pierre. || **lépidophylle**

1873, Lar. ; gr. *phullon,* feuille. || **lépidoptère** 1765, *Encycl. ;* gr. *pteron,* aile.

**lépiote** 1839, Boiste ; gr. *lepion,* petite croûte ; champignon à chapeau couvert d'écailles.

**lépiste** 1827, *Acad. ;* gr. *lepion,* petite écaille. || **lépisme** 1808, Boiste.

**léporide** 1842, *Acad. ;* lat. *lĕpus, -ŏris,* lièvre. || **léporin** 1827, *Acad.*

**lèpre** 1120, *Ps. de Cambridge* (*liepre*) ; lat. *lĕpra,* mot gr. || **lépreux** 1050, *Alexis ;* bas lat. *leprosus.* || **léprome** 1888, Lar. || **léproserie** 1568, Pardoux du Prat.

**lepte** 1827, *Acad. ;* gr. *leptos,* mince ; larve du trombidion. || **leptocéphale** 1802, Linné. || **leptospire** 1873, Lar. || **lepture** 1770, Duchesne.

**lequel, lérot** V. QUEL, LOIR.

**lesbien** 1660, d'Ablancourt (*lesbin*), « mignon » ; n. f., 1787, *Corresp. litt. secrète,* par allusion aux mœurs attribuées à Sapho, poétesse du VI^e^ s. av. J.-C. ; de *Lesbos,* île de la mer Égée. || **lesbianisme** 1951, Gide.

**léser** 1538, R. Est. ; lat. *laesus,* part. passé de *laedere,* léser, blesser, qui a remplacé *laisier* (du lat. **laesiare,* faire tort). || **lèse-,** élément issu de *crime de lèse-majesté* (1344, *Actes*), calque du lat. jurid. *crimen laesae majestatis,* crime de majesté lésée, et qui a pris au XVII^e^ s. le sens actif « qui blesse » ; *lèse-humanité,* XVIII^e^ s., d'Alembert ; *lèse-nation,* 1777, Mirabeau ; *lèse-patrie,* 1794, *Néologiste fr.*

**lésine** 1604, *la Fameuse Compagnie de la lésine,* titre traduit de l'ital. (1550, Florence) : la compagnie avait pour emblème une alêne (ital. *lesina*) ; fig., 1610, Deimier, d'apr. l'avarice des personnages. || **lésiner** *id.* || **lésinerie** 1604, *la Contre-Lésine ;* d'apr. l'ital. *lesineria.* || **lésineur** 1650, Tallemant. || **lesineux** 1770, Voltaire.

**lésion** 1160, Benoît, « dommage » ; 1314, Mondeville, méd. ; lat. *laesio,* blessure au pr. et au fig. || **lésionnel** 1931, Lar.

***lessive** XIII^e^ s., *Conquête de Jérusalem* (*lissive*), « dissolution de soude » ; milieu XV^e^ s., « action de laver » et « linge lavé » ; 1850, Balzac, « liquidation des biens » ; 1907, Lar., « élimination de qqn » ; fin XVII^e^ s., Saint-Simon, « perte au jeu » ; lat. pop. *lĭxīva,* adj. substantivé fém., de *lixivus,* dérivé de *lĭx, -icis,* cendre, lessive. || **lessivage** 1779, *Recueil des lois.* || **lessiver** 1300, Th. de Cantimpré ; 1867, Delvau, « ruiner ». || **lessiveur** 1845, Besch. || **lessiveuse** 1893, *D. G.* || **lessiviel** 1962, Lar.

**lessonia** 1842, *Acad. ;* du nom du naturaliste *Lesson* (1794-1849).

**lest** 1208, *Liège* (*last*), « poids » ; XVI^e^ s., d'Aubigné, « charge d'un navire » ; *lâcher du lest,* 1907, Lar. ; néerl. *last.* || **lester** 1366, Finot. || **lesteur** *id.* || **lestage** *id.,* « droit payé pour le poids » ; 1611, Cotgrave, « action de lester ». || **délestage** milieu XVII^e^ s. || **délestement** *id.* || **délester** 1593, *D. G.* (*délaster*).

**leste** XV^e^ s., « bien équipé, bien habillé » ; 1578, H. Est., « qui va avec légèreté » ; 1662, Loret, « élégant » ; 1765, *Encycl.,* « indécent » ; ital. *lesto,* même sens, du langobard **list,* artifice. || **lestement** 1605, H. de Santiago.

**létal** 1458, *Mystère ;* lat. *letalis,* mortel. || **létalité** 1828, Mozin.

**léthargie** XIII^e^ s., *Simples Médecines* (*litargie*) ; 1538, R. Est. (*léthargie*), état morbide ; 1652 Guez de Balzac, fig. ; lat. *lethargia,* du gr. *lêthê,* oubli, et *argia,* paresse. || **léthargique** 1325, Delb. ; lat. *lethargicus,* du gr. *lêthargikos ;* 1611, Cotgrave, fig.

**léthifère** 1584, de Barraud ; lat. *letifer,* « qui donne (*fert*) la mort (*letum*) » ; 1836, Landais, « serpent » ; l'*h* est dû à une confusion avec la rac. du mot précédent.

***lettre** XI^e^ s., G., « écrit » ; XII^e^ s., « élément graphique » ; *à la lettre,* 1265, J. de Meung ; au pl., ouvrage, fin X^e^ s., *Saint Léger ; homme de lettres,* 1580, Montaigne ; *belles-lettres,* 1671 ; lat. *littera,* caractère, et pl. *litterae,* missive. || **lettré** 1125, Gormont ; d'apr. lat. *litteratus.* || **lettrer** fin XII^e^ s., *Huon de Bordeaux,* « rédiger une lettre » ; 1830, Hugo, « éduquer ». || **lettrage** 1873, Lar. || **lettrique** 1873, Lar. || **lettrisme** 1945, théorie littéraire. || **lettriste** *id.* || **lettrine** 1625, Stoer ; ital. *letterina,* petite lettre. || **littéraire** 1527, Dassy ; lat. *litterarius,* « relatif aux lettres » ; adj. et n., 1775, Beaumarchais. || **littérairement** 1835, *Acad.* || **littéral** XIII^e^ s., *Règle de saint Benoît ;* bas lat. *litteralis,* « relatif aux lettres de l'alphabet » (V^e^ s., Diomède) ; 1453, Monstrelet, « conforme à la lettre ». || **littéralement** 1465, Godefroy. || **littéralité** 1740, d'après Trévoux. || **littéralisme** 1866, *Revue des Deux Mondes.* || **littérarité** 1968, Lar. || **littérature** 1119, Ph. de Thaon, « écriture » ; 1468, Chastellain, « connaissance scientifique » ; 1764, Voltaire, sens actuel ;

lat. *litteratura,* écriture. || **littérateur** 1460, Chastellain ; bas lat. *litterator.* || **contre-lettre** XIIIe s., Delb. || **illettré** 1560, Pasquier ; lat. *illiteratus.*

**lettrine** V. LETTRE.

**leuco-,** gr. *leukos,* blanc. || **leucanie** 1842, *Acad.* || **leucémie** 1855, Nysten. || **leucémique** 1856, *journ.* || **leucite** 1801, Fourcroy, géol. ; 1888, Lar., biol. || **leucoblaste** 1962, Lar. || **leucocyte** 1855, Nysten. || **leucocytose** 1863, Graves. || **leucopénie** 1902, Lar. || **leucorrhée** fin XVIIIe s. ; gr. méd. *leukorrheia,* écoulement (*rheia*) blanc.

**leude** XIVe s. (*leudien*) ; 1621, Pasquier ; bas lat. *leudes,* du francique *leudi,* pl., gens (allem. *Leute*), spécialisé en « gens du chef » sous les Mérovingiens.

**leur** V. IL.

**leurre** fin XIIe s., R. de Moiliens (*loire*), « appât pour le faucon » ; 1580, Montaigne (*leurre*), « artifice » ; francique **lôder,* appât (moyen haut allem. *luoder*). || **leurrer** v. 1220, Coincy (*loirier*), « faire revenir le faucon » ; début XVe s., A. Chartier (*leurrer*), « tromper » ; *se leurrer,* 1808, d'Hautel.

**levain** V. LEVER.

***lever** 980, *Passion ; se lever,* XIIe s., Roncevaux ; *au pied levé,* 1549, R. Est. ; lat. *lĕvāre.* || **lever** n. m., 1175, Chr. de Troyes. || **levage** 1289, G., « droit sur les bestiaux » ; 1660, « action de lever » ; début XXe s., *engin de levage.* || **levade** XXe s., équitation. || **lève** 1242, G. ; déverbal. || **lève-tard** 1968, *Journ.* || **lève-**
G. ; déverbal. || **lève-tard** 1968, *Journ.* || **lève-**
**lĕvāmen,* levure. || **levant** adj., 1080, *Roland ;* n. m., 1265. || **levantin** 1575, Thevet. || **levé** 1534, Rab. || **levée** fin XIIe s., R. de Moiliens. || **leveur** 1253, Runkewitz. || **levier** 1130, *Eneas.* || **levis** XIIe s., « qui se lève », resté dans *pont-levis.* || **levure** XIIe s., *Parthenopeus* (*leveüre*). || **levurer** 1909, Lar. || **enlevage** 1842, *Acad.* || **enlever** 1131, *Couronn. Loïs.* || **enlèvement** 1551, G. || **relever** 1080, *Roland,* « remettre debout » ; *relever de,* 1573, Du Puys ; lat. *relevare ; se relever,* XIIe s., *Pèlerinage Charlemagne.* || **releveur** 1560, Paré, méd. || **relève** 1872, *J. O.* || **relèvement** 1190, *Dial. Grégoire,* « action de soulager » ; *relèvement des prix,* 1922, Lar. || **relevé** 1740, *Acad.* || **soulever** 1050, *Alexis* (*soslever*). || **soulèvement** fin XIIe s., G. (V. aussi ÉLEVER.)

**léviger** 1680, Richelet ; lat. *levigare,* rendre lisse, de *levis,* léger. || **lévigation** 1741, Col de Vilars. || **lévigateur** 1839, d'après L.

**lévirat** 1672, Sacy ; bas lat. *levir,* beau-frère.

**lévitation** fin XIXe s., A. Daudet ; lat. *levitas,* légèreté ; action de s'élever dans l'espace en échappant aux lois de la pesanteur. || **léviter** 1938, H. Michaux.

**lévite** 1170, *Rois ;* lat. chrét. *levita,* de l'hébreu *lêvî,* membre de la tribu de Lévi (destiné au culte) ; 1782, Genlis, fém., vêtement, d'apr. la robe des lévites au théâtre. || **lévitique** 1541, Calvin.

**lévogyre** 1867, L. ; lat. *laevus,* gauche, et *gyrare,* tourner. || **lévulose** 1873, Lar.

**levraut** V. LIÈVRE.

***lèvre** fin Xe s., *Vie saint Léger ;* pl. lat. **labra,* de *labrum,* passé au fém. sing. || **balèvre** XIIe s., *Chevalier Vivien* (*baulèvre*), « les deux lèvres » (*ba-* est une altér. de *bis,* deux fois).

**lévrier, lévulose, levure** V. LIÈVRE, LÉVOGYRE, LEVER.

**lexique** 1560, Ronsard (*lexicon*), « liste de mots » ; 1721, Trévoux (*lexique*), « dictionnaire » ; gr. *lexicon,* de *lexis,* mot. || **lexical** fin XIXe s. || **lexicographe** 1578, H. Est. ; gr. *lexicographos.* || **lexicographie** 1765, *Encycl.* || **lexicographique** 1827, *Acad.* || **lexicologie** 1765, *Encycl.* || **lexicologique** 1827, *Acad.* || **lexicologue** 1842, Mozin. || **lexicaliser, lexicalisation** 1927, Rarcevski. || **lexème** 1962, Lar. || **lexie** milieu XXe s.

***lez** 1050, *Alexis,* « à côté de » ; emploi prép. de l'anc. *lez,* côté, du lat. *latus,* flanc. Usité seulement dans les noms de lieux : *Plessis-lez-Tours,* etc.

***lézard** XIIe s., L. (fém. *leisarde*) ; 1460, Villon (*lesar*) ; 1560, Paré (*lézard*) ; anc. fr. *laiserde* (fin XIe s., *Gloses de Raschi*), du lat. *lacĕrtus, -a,* avec substitution de finale. || **lézarde** 1676, Félibien, « fente de muraille », par analogie de forme. || **lézardé** 1770, Raynal, « qui a des fentes ». || **lézarder** 1829, Boiste, « couvrir de lézardes » ; début XIXe s., Sue, « faire le lézard, paresser ».

**liais** 1112, *Voy. saint Brendan* (*liois*), « calcaire » ; de *lie,* par analogie de couleur.

**liaison** V. LIER.

**liane** 1640, P. Bouton ; fr. des Antilles ; de *lier* ou *liener* (parler de l'Ouest), lier des gerbes ; du lat. *ligare.*

**liard** XVe s., G. (*liart*) ; 1867, L., « poire grise » ; anc. adj. *liart,* gris, de *lie,* par analogie de couleur (les noms de couleur ont servi à désigner les monnaies, *blanc, jaunet*). || **liarder** 1611, Cotgrave, « payer son écot ». || **liardeur** 1800, Boiste.

**lias** 1822, Cuvier ; mot angl., du fr. *liais.* || **liasique** 1840, *Acad.*

**liasse** V. LIER.

**libage** 1676, Félibien ; anc. fr. *libe* (1385, G.), bloc de pierre, d'origine gauloise.

**libation** 1488, Vaganay, hist. ; au pl. 1823, Boiste, « action de boire largement » ; lat. *libatio.*

**libelle** 1265, Br. Latini, « petit livre » ; 1283, Beaumanoir, « requête » ; 1462, Bartzsch, « écrit diffamatoire » ; lat. *libellus,* petit livre ou écrit, dimin. de *liber,* livre. || **libellé** 1451, *Cout. de Touraine,* d'apr. le sens jurid. || **libeller** *id.* || **libelliste** 1640, Chapelain, « auteur de pamphlets ».

**libellule** 1803, Boiste ; lat. entom. mod. *libellula,* de *libella,* niveau, d'apr. le vol plané de la libellule. || **libellulidés** 1873, Lar.

**liber** 1758, Duhamel ; mot lat. signif. « écorce d'arbre ».

**libera** 1648, Scarron, « prière » ; impér. du lat. *liberare,* délivrer, premier mot du psaume *Libera me, Domine.*

**libéral, libérer, liberté, libertin** V. LIBRE.

**libido** v. 1920 ; mot employé en allem. par Freud, du lat. *libido,* désir. || **libidineux** XIIIe s., Delb., rare jusqu'au XVIIIe s. ; lat. *libidinosus.* || **libidinal** 1948, Spitz.

**libitum (ad)** 1771, *Corr. litt.* ; formule de lat. mod. signif. « à volonté » (le lat. n'a que le plur. *libita,* de *libet,* il plaît).

**libouret** 1690, Furetière ; orig. obscure ; ligne à main pour pêcher en mer.

**libraire** 1268, É. Boileau, « copiste, auteur » ; 1530, Palsgrave, « marchand de livres » ; lat. *librarius,* qui a les trois sens. || **librairie** 1119, Ph. de Thaon (*librarie*), « bibliothèque » ; 1540, Dolet, « commerce des livres » ; 1596, Hulsius, « magasin ».

**libration** 1547, J. Martin ; lat. *libratio,* de *librare,* équilibrer ; balancement apparent de la lune.

**libre** fin XIIe s., Le Roux (*livre*) ; 1339, G. (*libre*), opposé à esclave ; 1538, R. Est, « sans contrainte » ; XVIe s., « non fixé », en parlant de qqch ; *enseignement libre,* 1864, L. ; *union libre,* 1902, Lar. ; *vers libres,* 1569, du Bellay ; *donner libre cours,* 1851, Sainte-Beuve ; *libre pensée,* 1870, *journ.* ; *libre-penseur,* 1763, Brunot, calque de l'angl. *free-thinker* ; lat. *liber,* de condition libre, indépendant. || **librement** 1339, G. || **libre-échange** 1840, Proudhon ; calque de l'angl. *free trade.* || **libre-échangisme** v. 1845. || **libre-échangiste** 1847, Besch. || **libre-service** 1950, *journ.* || **libéral** 1160, Benoît, « généreux » ; 1750, d'Argenson, « favorable aux libertés » ; 1834, Béranger, polit. ; *arts libéraux,* XIIIe s. ; *profession libérale,* 1845, Besch. ; lat. *liberalis.* || **libéralement** XIIIe s., G. || **libéraliser** 1570, Carloix, « rendre libéral » ; 1785, Brunot, polit. || **libéralisation** 1842, Richard. || **libéralisme** 1819, Anon. || **libéralité** 1213, *Fet des Romains,* « générosité » ; pl. fin XVe s., Commynes, « dons » ; lat. *liberalitas.* || **antilibéral** 1815, *Nain jaune.* || **antilibéralisme** 1842, J.-B. Richard. || **illibéral** 1361, Oresme. || **illibéralisme** 1841, Fourier. || **ultra-libéral** 1842, Mozin. || **ultra-libéralisme** 1842, Mozin. || **libérer** 1495, G., « exempter » ; 1541, J. Balard, « mettre en liberté » ; 1688, Miege, fig. ; 1834, Landais, milit. ; XXe s., économie ; lat. *liberare.* || **libérable** 1842, Mozin. || **libérateur** 1500, Molinet ; 1644, Corn., polit. ; lat. *liberator.* || **libération** 1398, *Somme Gautier* ; 1878, *Acad.,* polit. ; lat. *liberatio.* || **libératoire** 1873, Lar. || **liberté** fin XIIe s., « libre arbitre » ; 1266, G., pl., « les franchises » ; *liberté des cultes,* 1834, Landais ; *liberté individuelle,* 1787, Brunot ; *liberté de pensée,* 1765, *Encycl.* ; *liberté politique,* 1748, Montesquieu ; *liberté de réunion,* 1873, Lar. || **libertaire** 1858, Proudhon, « anarchiste ». || **liberticide** 1791, Babeuf. || **libertin** 1524, Lefèvre d'Étaples, « affranchi » ; 1587, F. de la Noue, « irréligieux » ; 1568, Bunyon, « qui suit sa fantaisie » ; 1677, Livet, « de mœurs dissolues » ; lat. class. *libertinus,* (esclave) affranchi, d'apr. un passage mal interprété des *Actes des Apôtres,* VI, 9, où il est question d'une secte juive de ce nom. || **libertinage** 1603, Peleus, « irréligiosité » ; 1603, Cayet, « débauche ». || **libertiner** 1734, La Chaussée. || **liberty ship** 1949, Lar. ; mot anglo-américain, de *liberty,* liberté, et *ship,* bateau.

**libretto** 1837, Balzac ; mot ital. signif. « petit livre ». || **librettiste** 1844, Gautier.

1. **lice** 1155, Wace, « barrière » ; *entrer en lice contre qqn,* 1656, Pascal ; francique **listja,* barrière, var. de **lista,* bord.

2. ***lice** (*de tissage*) fin XIe s., *Gloses de Raschi* ; lat. *licia,* pl. de *licium,* fil de trame, passé au fém. || **basse lice** 1690, Furetière. || **haute lice** 1398, *Ménagier.*

3. ***lice** 1165, Marie de France, « femelle du chien de chasse » ; lat. **licia*, altér. de *lyciscus*, chien-loup, du gr. *lukos*, loup.

**licence** 1190, Garn., « liberté, permission » ; 1647, Rotrou, « liberté excessive » ; début XVI^e s., « dérèglement, excès de liberté » ; début XVI^e s., « licence d'enseigner » (*licentia docendi*), titre universitaire ; *licence poétique*, 1521, Fabri ; XVIII^e s., « autorisation d'exercer un métier, d'importer, etc. » ; lat. *licentia*, de *licet*, « il est permis ». || **licencié** 1349, G., « qui a licence d'enseigner » ; d'apr. le lat. *licenciatus*. || **licenciement** 1569, Castelnau. || **licencier** 1360, Froissart, « congédier » ; 1920, Duhamel, sens actuel ; lat. médiév. *licentiare*. || **licencieux** 1537, trad. du *Courtisan* ; lat. *licentiosus*. || **licencieusement** 1541, Calvin.

**lichen** 1545, Guéroult ; lat. *lichen*, maladie de la peau et plante, du gr. *leikhên*, lécher, parce que toutes deux semblent lécher la peau ou les écorces. || **lichénification** 1902, Lar.

**licher, lichette** V. LÉCHER, LÈCHE 1.

**licite** fin XIII^e s. ; lat. *lĭcĭtus*, permis. || **licéité** 1907, Lar. || **illicite** 1359, Barbier ; lat. *illicitus*. || **licitement** fin XIII^e s. || **liciter** début XVI^e s. ; lat. jurid. *licitari*, mettre une enchère, fréquentatif de *liceri*. || **licitation** début XVI^e s. ; lat. jurid. *licitatio*. || **liciter** *id*. || **licitatoire** 1828, Mozin.

**licorne** 1385, *Doc.*, animal fabuleux ; altér. sous infl. de l'ital. *licorno*, issu de l'agglutination de l'article et de *unicorno*, licorne, bas lat. *unicornis*, qui a donné l'anc. fr. *unicorne* (1120, *Ps. d'Oxford*), de *unus*, un et *cornu*, corne.

**licou** 1333, G. (*liecol*) ; 1668, La Fontaine (*licou*) ; de *lier* et de *col*, *cou*. || **délicoter** 1690, Furetière.

**licteur** 1355, Bersuire ; lat. *lictor*.

1. **lie** (*du vin*) 1120, *Ps. de Cambridge* (déjà *lias*, VIII^e s., *Gloses Raschi*) ; sans doute du gaulois **liga* ; *jusqu'à la lie*, 1460, Villon. || **lie-de-vin** 1865, Taine, rouge violacé.

2. **lie** 1050, *Alexis* (*liee*), adj. fém., « joyeuse » ; seulem. dans *chère lie* ; de l'anc. adj. *lié*, lat. *laetus*, heureux. (V. LIESSE.)

**lied** 1833, Weckerlin ; mot allem. signif. « chant », réservé d'abord à la musique allem.

***liège** 1180, *Girart de Roussillon* ; lat. pop. **lĕvius*, de *lĕvis*, léger, spécialisé pour l'écorce du chêne-liège. || **liéger** fin XV^e s. || **chêne-liège** 1600, O. de Serres.

***lien** 1130, *Job* (*loien*) ; lat. *ligamen*, de *ligare*. (V. LIER.)

**lienterie** XIV^e s., Gordon ; lat. méd. *lienteria*, gr. *leienteria*, flux de ventre, de *leîos*, doux, et *enteron*, intestin.

***lier** fin X^e s., *Saint-Léger* (*leier*, *loier*) ; 1672, Racine, *se lier d'amitié* ; lat. *ligare*. || **liage** 1249, G. || **liant** 1398, *Ménagier*, adj. ; 1611, Cotgrave, n. m. || **liaison** 1190, Bertrand de Born, « façon de s'habiller » ; 1538, R. Est., « action de lier » ; 1580, Montaigne, « alliance » ; 1704, Bourdaloue, « attachement » ; 1902, Lar., *avoir une liaison*. || **liasse** 1170, *Rois*. || **liement** XII^e s., « lien ». || **lierne** 1296, Tobler-Lommatzsch ; avec une finale d'orig. inconnue. || **lieur** 1280, G. (*lieor*). || **lieuse** 1902, Lar. || **délier** 1160, *Tristan* ; *avoir la langue déliée*, 1673, Sévigné ; *sans bourse délier*, 1690, Furetière. || **déligation** 1821, Wailly ; bas lat. *deligatio*, de *ligare*, lier. || **relier** 1185, *Aliscans*, « assembler » ; 1834, Boiste, « mettre en rapport » ; 1842, Mozin, « mettre en communication ». || **reliement** 1606, Crespin. || **relieur** fin XII^e s. || **reliure** 1549, R. Est.

***lierre** 980, *Valenciennes* (*edre*) ; 1372, Gay (*lyere*), avec agglutination de l'article ; lat. *hĕdera*.

***liesse** 1050, *Alexis* (*ledece*) ; 1207, Villehardouin (*liesse*) ; lat. *laetitia*, avec infl. de l'adj. *lié*, lat. *laetus*. (V. LIE 2.)

1. ***lieu** 980, *Valenciennes* ; pl. 1642, Corn., « endroit » ; *lieu commun*, 1563, Bonivard, calque du lat. *locus communis* ; *au lieu de*, 1538, R. Est., qui a remplacé *en lieu de* (1207, Villehardouin) ; lat. *lŏcus*. || **lieu-dit** 1874, Peigné-Delacourt. || **non-lieu** XIX^e s. (V. LIEUTENANT, MILIEU.)

2. **lieu** 1431, *Archives de Bretagne* (*lief*) ; 1553, *Journ. de Gouberville* (*lieu*) ; anc. scand. *lyr*, lieu.

***lieue** 1080, *Roland* ; bas lat. *leuca* (var. *leuga*), d'origine gauloise. (V. BANLIEUE.)

**lieutenant** 1170, *Rois* ; de *lieu* et *tenant*, c.-à-d. « tenant lieu de » ; d'abord terme admin., puis grade milit., 1538, R. Est. || **lieutenance** 1364, Delisle. || **lieutenant-colonel** 1669, Widerhold. || **sous-lieutenant** 1625, Peiresc.

***lièvre** 1080, *Roland* (*levre*) ; XII^e s. (*lievre*) ; lat. *lĕpus*, *-ŏris*. || **levraut** 1306, Guiart (*levrot*). || **levretter** 1387, G. Phébus. || **lévrier** 1131, *Couronn. Loïs*, chien qui chasse le lièvre. ||

**levrette** XVᵉ s. ; dimin. de *lévrier.* || **levreteau** 1573, Du Puys. || **levretté** 1611, Cotgrave. || **levron** 1361, Oresme.

**lift** 1904, *le Matin,* « ascenseur » ; 1962, Lar., « brosser la balle (fait de) » ; mot angl., de *to lift,* élever. || **liftier** 1919, Proust, « garçon d'ascenseur ». || **lifter** 1930, *journ.,* sports.

**lifting** 1970, Robert ; mot angl., de *to lift,* hausser. || **lifter** 1971, Gilbert.

**ligament** 1363, Chauliac ; lat. méd. *ligamentum,* de *ligare,* lier ; il a remplacé en ce sens *liement.* (V. LIER.) || **ligamenteux** 1503, Chauliac.

**ligature** 1308, Aimé ; bas lat. *ligatura ;* il a remplacé *liure.* (V. LIER.) || **ligaturer** 1842, Mozin.

***lige** 1080, *Roland ;* bas lat. *letus, litus,* vassal, devenu en lat. pop. **leticus,* adj., du francique **let,* libre.

***ligne** 1119, Ph. de Thaon ; *ligne à plomb,* 1606, Nicot ; *vaisseau de ligne,* 1694, *Acad. ; avoir de la ligne,* 1835, Gautier ; *ligne politique,* 1869, J. Buzon ; *troupe de ligne,* 1835, *Acad. ;* lat. *līnea,* fil de lin. || **lignage** 1050, *Alexis,* « descendance » ; 1968, Lar., « race ». || **lignard** 1863, Huysmans, « soldat de ligne ». || **lignée** 1120, *Ps. de Cambridge.* || **ligner** 1206, Guiot de Provins. || **ligneur** 1543, G. || **lignerolle** 1786, *Encycl. méth.,* repris au prov. || **aligner** 1155, Wace ; *s'aligner,* 1841, Balzac. || **alignement** 1387, Langlois. || **linéaire** XIVᵉ s., G. ; fait sur lat. *linea.* || **linéairement** 1531, Vignay. || **linéal** XIVᵉ s., *D. G.* || **linéament** 1532, Rab. ; bas lat. *lineamentum.* || **délinéation** 1549, R. Est. ; bas lat. *delineatio,* de *linea.* || **forligner** 1160, Benoît. || **interligne** fin XIVᵉ s. (*entre-*) ; 1612, Béroalde de Verville (*interligne*). || **interlignage** 1873, Lar. || **interligner** 1800, Boiste. || **souligner** 1579, Huguet. || **interlinéaire** 1382, Ph. de Maizières. || **soulignement** 1831, *Acad.* || **soulignage** 1964, Robert. || **tire-ligne** 1680, Richelet. || **juxtalinéaire** 1867, L. ; lat. *juxta,* auprès de.

***ligneul** fin XIᵉ s., *Gloses de Raschi* (*linoel*) ; XIIIᵉ s., G. (*ligneul*) ; lat. pop. **lineolum,* de *linea,* fil de lin ; assemblage de fils tordus.

**ligneux** 1528, Desdier ; lat. *lignum,* bois. || **lignicole** 1842, *Acad.* || **lignifier** 1699, d'après Trévoux. || **lignification** 1842, Mozin. || **lignite** 1765, *Encycl.* || **ligniteux** 1962, Lar. || **lignine** 1842, *Acad.*

**ligoter** 1600, O. de Serres (*ligoter la vigne*) ; 1815, Esnault, « garrotter » ; de *ligote* (corde, fin XIIᵉ s.), du prov. *ligot,* lien, de *ligà,* lier (*ligots,* 1596, *Vie généreuse,* pl. jarretières). || **ligotage** 1879, Vallès.

**ligue** fin XIIIᵉ s., Aimé, « union » ; polit., 1863, d'après Lar. (la Ligue de l'enseignement fut fondée en 1866) ; anc. ital. *liga,* de *legare,* lier, avec réfection sur le lat. || **liguer** 1564, Thierry. || **ligueur** 1579, P. de L'Estoile, « membre d'une cabale » ; polit., 1931, Lar.

**ligule** 1562, Du Pinet ; lat. *ligula,* languette. || **ligulacé** 1873, Lar. || **ligulé** 1803, Boiste. || **liguliflore** 1842, *Acad.*

**liguline** 1931, Lar. ; lat. *ligusteum,* troène, sur le modèle de *aniline.*

**lilas** 1600, O. de Serres (*lilac*) ; ar. *lilâk,* du persan *lilag.*

**liliacé** V. LIS.

**lilliputien** 1727, trad. de Gulliver ; 1779, *Doc.,* fig. ; angl. *lilliputian,* de *Lilliput,* pays imaginaire du roman de Swift (1726).

***limace** 1175, Chr. de Troyes, limaçon ; 1538, R. Est., sens actuel ; lat. pop. **līmacia,* de *līmax, -acis,* limace, colimaçon. || **limaçon** XIIᵉ s., Marbode (*limacium, limaçon*). || **limaçonner (se)** 1611, Cotgrave. (V. COLIMAÇON.)

**limaille** V. LIME.

**limande** XIIIᵉ s., G. ; anc. fr. *lime,* de même sens ; 1319, G., pièce de bois ; p.-ê. métaphore du gaulois **lēm,* planche, c.-à-d. « poisson plat ».

**limbe** XIVᵉ s., G., théolog. ; 1679, Dodart, astron. ; fin XVIIᵉ s., Saint-Simon, fig. ; lat. *līmbus,* bord, spécialisé au pl. en lat. eccl. : « séjour au bord du paradis ».

1. ***lime** 1175, Chr. de Troyes, outil ; lat. *lima.* || ***limer** XIIIᵉ s. ; lat. *limare.* || **limage** XVᵉ s., Molinet. || **limaille** XIIIᵉ s., Delb. || **limeur** 1330, Digulleville. || **limure** XIIIᵉ s., Tobler-Lommatzsch. || **relimer** apr. 1550, Ronsard, « ronger ». || **élimer** 1220, Coincy (*eslimer*), « user ses vêtements ».

2. **lime** 1555, Poleur, « citron » ; prov. mod. *limo.* (V. LIMON 3.) || **linette** 1782, *Encycl.*

**limier** 1130, *Eneas* (*liemier*) ; début XVᵉ s., Ch. d'Orléans (*limier*), « chien tenu en laisse » ; 1707, Lesage, limier de la police ; de *liem,* anc. forme de *lien.*

**liminaire** 1548, Vaganay ; bas lat. *līmĭnaris,* de *līmen, -ĭnis,* seuil. || **liminal** 1962, Lar. ;

d'après angl. *liminal.* || **préliminaire(s)** 1671, Pomey, adj. et n. || **préliminairement** 1757, Gohin.

**limite** XIVe s. ; 1538, R. Est., fig. ; lat. *līmes, -ĭtis,* masc. || **limiter** 1310, Delb. ; lat. *limitare.* || **limitatif** 1547, G. || **limitation** 1304, G. ; lat. *limitatio.* || **limitativement** 1819, Boiste. || **limiteur** 1606, Crespin. || **délimiter** 1773, D. Clément ; lat. *delimitare.* || **délimitation** *id.* ; lat. *delimitatio.* || **illimité** 1611, Cotgrave. || **illimiter** 1792, Brunot. || **illimitation** 1622, Fr. de Sales.

**limitrophe** 1467, Bartzsch ; lat. jurid. *limitrophus,* adj. (var. *limitotrophus*), de frontière ; de *limes,* limite, et du gr. *trepheîn,* nourrir (à l'origine, territoire assigné aux soldats des frontières pour leur subsistance).

**limnée** 1798, Lamarck ; lat. zool. *limnaea,* du lat. impér. *limne,* du gr. *limnê,* marais.

**limnologie** 1902, Lar. ; gr. *limnê,* marais, et *logos,* science. || **limnophore** 1873, Lar., mouche des marais.

**limoger** 1914, d'apr. les généraux qui avaient été destitués et envoyés à *Limoges.* || **limogeage** v. 1950.

1. ***limon** fin XIe s., *Gloses de Raschi,* « terre d'alluvion » ; lat. pop. **līmo, -onis,* du lat. *līmus,* boue. || **limoner** 1750, *Doc.* || **limonage** 1868, *Moniteur universel.* || **limonite** 1842, Mozin. || **limoneux** 1330, Digulleville.

2. **limon** 1130, *Eneas,* « support d'un cercueil » ; 1160, Benoît, « brancard » ; gaulois **lēm,* planche. || **limonier** 1150, *Charroi.* || **limonière** 1798, *Acad.*

3. **limon** 1314, Mondeville, « citron » ; ital. *limone,* de l'arabo-persan *leimūn, līmūn.* || **limonier** 1555, Poleur, « citronnier ». || **limonade** 1640, Oudin (*limounade*). || **limonadier** 1676, Lespinasse. || **limonène** 1902, Lar.

**limoselle** 1778, Linné ; lat. *limosus,* limoneux ; plante de rivages limoneux.

**limousin** XVe s. (*limosin*) ; 1690, Furetière (*limousin*), « maçon faisant le gros travail » ; du nom de la province d'où venaient beaucoup de maçons à Paris. || **limousine** XVIIIe s., « voiture » ; 1907, Lar., « manteau ». || **limousinage** 1694, Th. Corn. (*limosinage*). || **limousiner** 1801, Mercier.

**limpide** 1500, O. de Saint-Gelais ; 1826, Lamennais, fig. ; lat. *limpĭdus.* || **limpidité** 1690, Furetière ; 1845, Besch., fig. ; lat. *limpiditas.*

**limule** 1801, Lamarck ; lat. *limulus,* créé par Fabricius.

***lin** 1155, Wace ; lat. *linum.* || **linacé** 1836, Landais. || **linaire** XVe s., *Grant Herbier* ; lat. médiév. *linaria.* || **linière** fin XIIe s., *Ysopet.* || **linier** 1268, É. Boileau, n. m. ; adj., 1530, Palsgrave. || **linette** 1360, Machaut. || **linon** 1566, G. (*lignon*) ; 1606, Nicot (*linon*) ; altér. de *linomple* (XVe s.) ; le deuxième élément, obscur, signifie « uni ». || **linaigrette** 1789, *Encycl. méth.,* bot., à cause de son aigrette plumeuse. || **linoléine** 1931, Lar. ; d'après l'angl. *linolein.*

***linceul** 1050, *Alexis* (*linçuel*), « drap de lit » (jusqu'au XVIIe s.) ; 1220, Coincy, sens actuel, avec pronon. pop. *euil,* d'apr. les finales en *-euil* ; lat. *lĭnteŏlum,* linge, de *linum,* lin. (V. LINGE.)

**lindor** 1842, *Acad.* ; nom d'un amoureux de la comédie espagnole.

**linéaire, linéament** V. LIGNE.

***linge** adj., XIIe s., G., « de lin » ; n. m., 1268, É. Boileau, « toile de lin » ; lat. *līneus,* de lin. || **lingère** 1292, *Rôles de la taille,* « qui fabrique du linge » ; 1680, Richelet, sens actuel. || **lingerie** 1485, *Ordonn.* || **lingette** XVe s., G.

**lingot** fin XIVe s. ; anc. prov. *lingot,* de *lingo,* langue, par analogie de forme. || **lingoter** 1931, Lar. || **lingotage** *id.* || **lingotier** 1902, Lar. || **lingotière** 1606, Crespin.

**linguet** 1636, Cleirac, mar. ; moyen néerl. *hengel,* crochet, qui a donné l'anc. fr. *hinguet,* de même sens.

**linguiste, linguistique** V. LANGUE.

**liniment** 1363, Chauliac ; lat. *linimentum,* enduit, de *linire,* oindre.

**links** 1897, *Tous les sports* ; mot angl., forme écossaise de *linch,* bord.

**linoléine** V. LIN.

**linoléum** 1874, *Nature* ; mot angl. créé par l'inventeur Walton, en 1863 ; de *linum,* lin, et *oleum,* huile.

**linon** V. LIN.

**linotte** fin XIIIe s., Rutebeuf ; de *lin,* l'oiseau étant friand des graines de lin ; *tête de linotte,* 1611, Cotgrave.

**Linotype** 1889, *Gutenberg-Journal* ; mot anglo-américain, nom de marque formé de *line of* *types,* ligne de caractères typographiques. || **linotypie** 1911, Mackenzie. || **linotypiste** fin XIX^e s.

***linteau** fin XII^e s., *Dial. Grégoire* (*lintel*), « seuil » ; XIII^e s., *Apollonius,* « traverse supérieure d'une porte » ; var. de l'anc. fr. *lintier,* du lat. pop. **līmĭtaris,* croisement de *līmĭnaris* (v. LIMINAIRE) et de *līmes, -ĭtis,* avec changement de suffixe.

**linter** 1936 ; mot anglo-américain, de *lint,* lin ; fibre restant fixée sur les graines de certains cotonniers après l'égrenage.

**lion** 1080, *Roland* (*leon*) ; lat. *leo, -onis. ;* (fém. *lionesse,* jusqu'au XVII^e s. ; *lionne,* 1539, R. Est) ; 1840, *Acad.,* « dandy » ; *lionne,* 1830, Musset, « élégante », repris à l'angl. || **lionceau** 1160, Benoît. || **léonin** 1130, *Eneas ;* 1680, Richelet, fig., d'apr. les fables ; lat. *leoninus,* « de lion ».

**lioube** 1694, Th. Corn. ; mot poitevin, du germ. *globa,* perche fourchue.

**lip(o)-,** gr. *lipos,* graisse. || **lipase** 1902, Lar. || **lipémie** *id.* || **lipide** 1931, Lar. || **lipogenèse** 1907, Lar. || **lipogramme** 1620, Certon, ouvrage littéraire dans lequel on évite une ou deux lettres. || **lipoïde** 1867, L. || **lipolyse** 1907, Lar. || **lipome** 1749, Col de Vilars ; lat. sc. *lipoma.* || **lipovaccin** 1931, Lar.

**lipothymie** 1546, Rab. ; gr. *lipothumia,* de *leipein,* laisser, et *thumos,* esprit ; premier degré de la perte de connaissance.

**lippe** fin XIII^e s., *Renart ;* moyen néerl. *lippe,* lèvre. || **lippée** 1316, Maillart. || **lippu** 1539, R. Est.

**liquation** 1576, A. Thierry, « action de fondre » ; 1757, *Encycl.,* sens industr. ; lat. *liquatio,* de *līquāre,* rendre liquide. || **liquater** 1842, Mozin.

**liquéfier** 1398, *Somme Gautier ;* lat. *liquĕfacĕre,* d'apr. les verbes en *-fier.* || **liquéfiable** 1580, Palissy. || **liquéfaction** 1314, Mondeville (*facion*) ; bas lat. *līquĕfactio,* de *līquēre,* être liquide. || **liquéfacteur** 1962, Lar.

**liquette** 1878, Esnault, « chemise » ; altér. de *limace* (1725, *Cartouche*), même sens ; de *lime* (XV^e s.), d'orig. obscure.

**liqueur** 1160, *Tristan* (*licur*), « liquide » ; 1635, Corn., « solution » ; 1680, Richelet, « boisson alcoolisée » ; lat. *liquor,* liquide. || **liquoreux** 1519, M. de Tours, « qui produit un liquide » ; 1718, *Acad.,* « sucré et alcoolisé ». || **liquoriste** 1753, Déjean (*-euriste*).

**liquidambar** 1602, Colin ; mot esp. signif. « ambre liquide ».

**liquide** adj. 1265, Br. Latini ; XVI^e s., Loisel, « libéré de toute charge » ; 1666, *Roman bourgeois,* sens actuel ; n. m. 1549, Du Bellay, « caractère liquide » ; 1695, d'après Trévoux, « corps liquide » ; lat. *liquidus.* || **liquider** 1539, Isambert, « régler des dettes » ; 1714, Fénelon, « vendre » ; 1870, Aroux, « régler une question » ; 1931, Lar., « éliminer ». || **liquidien** 1962, Lar. || **liquidation** 1416, Delb. ; 1869, Molinari, *liquidation sociale ;* 1893, *D. G.,* « vente au rabais ». || **liquidable** XVIII^e s., Brunot. || **liquidateur** 1777, Beaumarchais. || **liquidité** 1525, Lemaire de Belges, « état liquide » ; 1873, Lar., « finances » ; lat. *liquiditas.*

1. ***lire** 1050, *Alexis ;* lat. *lĕgĕre.* || **lisage** 1776, Paulet. || **liseur** 1130, *Job* (*leisor*). || **liseuse** 1867, L., « couteau de papier » ; 1889, Havard, « meuble ». || **lisible** milieu XV^e s. || **lisibilité** 1829, Nodier. || **lisiblement** 1543, Ouin-Lacroix. || **illisible** fin XVII^e s. || **relire** 1160, Benoît.

2. **lire** 1842, *Acad.,* monnaie ital. ; de l'ital. *lira,* même mot que *livre* (poids).

**liron** 1606, Nicot ; anc. prov. signif. « loir », de *lir,* même sens, lat. *glis, gliris,* loir. (V. LOIR.)

**lis, lys** 1175, Chr. de Troyes, pl. ; lat. *lilium,* même sens. || **liseron** 1538, R. Est. || **liset** 1538, R. Est. (V. FLEURDELISER.) || **liliacé** 1694, Tournefort ; bas lat. *liliaceus.* || **lilial** 1490, G., rare jusqu'au XIX^e s. || **lilium** 1873, Lar.

**lise, liser, liset** V. ENLISER, LISIÈRE, LIS.

**lisette** 1873, Lar., soubrette de comédie, d'apr. un nom propre de servante ; 1834, Béranger, jeune femme insouciante.

**lisière** 1244, Fagniez, « bord d'étoffe » ; 1606, Nicot, « bord de terrain », 1767, Diderot, fig. ; ancien français *lis,* forme masc. (assez rare) de *lice,* fil de trame. || **lisérer** 1525, Havard. || **liséré** 1743, Trévoux. || **liser** 1611, Cotgrave, « ourler » ; 1723, Savary, « tirer par les lisières un drap ». || **lisage** 1785, *Encycl. méth.*

**lisser** fin XI^e s., *Gloses de Raschi* (*lischier*), « repasser » ; 1180, *Aiquin,* « rendre lisse » ; lat. *līxare,* extraire par lavage, de *lix,* lessive. || **lisse** 1188, *Aspremont ;* déverbal. || **lissage** 1762, Duhamel, « action de rendre lisse ». || **lisseur** milieu XV^e s., *Ordonn.* || **lissoir** début XVII^e s.

**liste** début XII^e s., *Thèbes,* « bord » ; 1567, Espinas, « suite de noms » ; XVII^e s., *liste civile ; liste électorale,* 1893, *D. G. ; liste noire,* 1839, Stendhal ; germ. *lista.* || **liston** 1581, N. de Montand, « bordure » ; 1840, *Acad.,* mar. || **colistier** 1922, Lar.

**listel** 1247, G., « bordure » ; 1615, Binet (*listeau*), « moulure plate d'un chapiteau » ; ital. *listello,* petite bande, de même rac. que *liste.*

**listera** 1873, Lar. (*listère*) ; lat. scient. *listera,* du nom du naturaliste anglais *Lister.* || **listériose** 1962, Lar.

***lit** 1050, *Alexis,* « meuble » ; 1190, Benoît, « matelas » ; XIII^e s., « couche d'une matière quelconque » ; 1265, Br. Latini, « chenal d'un cours d'eau » ; *lit de camp,* fin XV^e s., Commynes ; *lit de mort,* 1760, Voltaire ; *mourir dans son lit,* 1690, Furetière ; *faire lit à part,* 1660, Oudin ; *aller au lit,* 1690, Furetière ; *être au lit,* XIII^e s. ; *lit de justice,* XIV^e s. ; lat. *lĕctus.* || **litière** 1155, Wace. || **litée** XII^e s., G. || **literie** 1615, Yves d'Évreux ; rare jusqu'au XIX^e s. (1834, N. Landais). || **liter** 1723, Savary. || **aliter** fin XII^e s. || **alitement** 1549, R. Est. || **déliter** XIV^e s., « s'écailler » ; 1567, Ph. Delorme, sens actuel. || **délitation** fin XIX^e s. || **délitage** 1845, Besch. || **délitement** 1907, Lar.

**litanie** 1155, Wace (*letanie,* jusqu'au XVI^e s.) ; pl. 1680, Richelet, fig. ; lat. chrét. *litanĭa,* prière publique, du gr. *litaneia,* supplication.

**litchi** 1588, La Porte (*lechia*) ; chinois *li-chi* par l'intermédiaire du port. ; arbre des régions chaudes de l'Ancien Continent.

**liteau** 1229, Poerck (*listel*), « tringle » ; de *liste,* bord.

**liter** V. LIT.

**lith(o)-,** gr. *lithos,* pierre. || **litharge** 1314, Mondeville ; lat. *lithargyrus,* du gr. *litharguros,* pierre d'argent, de *arguros,* argent. || **lithargé** 1762, Rousseau. || **lithiase** 1611, Cotgrave ; gr. *lithiasis.* || **lithine** 1827, *Acad.* || **lithiné** 1878, Joanne. || **lithium** début XIX^e s. || **lithochromie** 1838, Balzac. || **lithodome** 1817, Cuvier ; gr. *domos,* demeure. || **lithologie** milieu XVIII^e s. || **lithographie** 1750, Prévost, « impression » ; 1830, Balzac, « gravure ». || **lithographe** 1752, Trévoux. || **lithographier** 1819, Gattel. || **lithographique** 1819, Charpentier || **lithophage** 1694, Th. Corn. || **lithosphère** 1907, Haug. || **lithotome** 1610, Girault. || **lithotomie** 1612, Duval ; bas lat. méd. *lithotomia.* || **lithotriteur** 1835, *Acad. ;* lat. *tritor,* broyeur.

**litière** V. LIT.

**litige** XIV^e s., Bouthillier ; lat. jurid. *lĭtĭgium,* de *lis, -itis,* procès. || **litigieux** 1331, G. ; lat. *lĭtĭgiosus.* || **litispendance** XVI^e s., Mart. du Bellay ; bas lat. *litispendentia,* de *pendens,* pendant ; état d'un procès pendant.

**litorne** 1555, Belon, zool. ; var. du picard *lutrone,* du moyen néerl. *loteren,* hésiter, tarder.

**litote** 1521, Fabri (*liptote*) ; 1765, *Encycl.* (*litote*) ; bas lat. *litotes,* du gr. *litotês,* simplicité.

1. **litre** 1793, loi du 7 avr., de *litron* (1606, Nicot) ; lat. médiév. *litra,* mesure de capacité, du gr. *litra,* poids de onze onces.

2. **litre** début XII^e s., *Thèbes,* « bande noire sur les églises » ; var. de l'anc. fr. *liste, lite,* bord. (V. LISTE.)

**littéral, littérature** V. LETTRE.

**littoral** adj., 1752, Bertrand, « qui vit près du rivage » ; n. m., 1828, Mozin ; lat. *littoralis,* de *litus, -oris,* rivage. || **littorine** 1867, L., petit mollusque des rivages.

**liturgie** 1579, Bodin ; lat. eccl. *liturgia,* du gr. *leitourgia,* service public. || **liturgique** 1718, Moléon ; gr. *leitourgikos.* || **liturgiste** 1752, Trévoux.

**livarot** 1845, Besch. ; du nom d'une commune du Calvados.

**livêche** XIII^e s., L. (*liuvesche*) ; XIV^e s., *Antidotaire* (*livesche*), bot ; lat. pop. **levistica,* pl. neutre, passé au fém., de *levisticum ;* altér. de *ligusticus,* originaire de Ligurie.

**livide** 1314, Mondeville ; lat. *lĭvĭdus,* bleuâtre, plombé. || **lividité** XIV^e s., G.

**living-room** 1922, *Doc. ;* mot angl., pièce de séjour, de *to live,* vivre.

1. ***livre** 1080, *Roland ; livre de classe,* 1893, *D. G. ; livre de comptes,* 1598, Canal ; *livre d'or,* 1740, *Acad. ; parler comme un livre,* 1665, Molière ; lat. *liber, libri,* aubier (sur lequel on écrivait avant la découverte du papyrus), puis livre. || **livret** 1200, *Règle de saint Benoît.* || **livresque** 1580, Montaigne ; repris au XIX^e s. || **ex-libris** 1870, Lar. ; mots latins signif. « tiré des livres ».

2. ***livre** 980, *Passion,* « unité de poids » ; 1080, *Roland,* « monnaie » ; lat. *libra,* mesure de poids.

***livrer** 980, *Passion,* « délivrer » ; 1080, *Roland,* « remettre à qqn » ; lat. *liberare,* laisser partir, puis remettre, livrer. || **livrable** XIVe s. ; rare jusqu'au XVIIIe s. || **livraison** 1155, Wace (*livrison*) ; 1630, Kuhn (*livraison*). || **livrée** 1290, *Livre Roisin,* vêtement fourni par les seigneurs aux gens de leur suite ; XVe s., Basselin, livrée de valet. || **livreur** XIIe s., G., « libérateur » ; XIVe s., G., sens actuel.

**lixiviation** 1699, Hauberg, chimie ; lat. *lĭxivium,* lessive. || **lixivier** 1893, *D. G.*

**lob** 1907, Lar. ; mot angl. signif. « coup au-dessus de l'adversaire ». || **lober** 1931, Lar.

**lobby** 1857, *Revue ;* mot anglo-américain désignant les couloirs du Congrès, puis les groupes de pression ; du germ. *laubja,* tonnelle.

**lobe** 1363, Chauliac, « lobe de poumon » ; 1611, Cotgrave, « lobe de l'oreille » ; gr. *lobos,* lobe. || **lobé** 1797, Bulliard. || **lobule** 1690, Dionis. || **lobulaire** 1803, Besch. || **lobulé** 1836, Landais. || **lobuleux** 1867, L. || **lobite** 1953, Lar. || **lobaire** 1827, *Acad.* || **lobectomie** 1953, Lar. ; gr. *ektomê,* coupure, amputation. || **lobotomie** 1953, Lar. ; gr. *tomê,* coupure, ablation. || **trilobé** 1783, Bulliard.

**lobélie** fin XVIIIe s. ; lat. bot. *lobelia,* créé par Linné sur le nom du botaniste flamand *Lobel* (1538-1616).

**local** adj., 1314, Mondeville, « situé en un lieu » ; n. m., 1743, d'après Trévoux, « lieu » ; 1867, L., « pièce » ; 1699, Brunot, *couleur locale ;* bas lat. *localis,* de *locus,* lieu. || **localité** 1590, Marnix, « lieu » ; 1799, *Procès d'Orgères,* « partie d'une région » ; 1892, Rosier, « ville ». || **localement** 1330, Digulleville (*locaument*) ; XVe s. (*localement*). || **localiser** 1798, Schwan, « adapter » ; 1826, Broussais, « circonscrire ». || **localisable** 1873, Lar. || **localisateur** 1870, Taine. || **localisation** 1803, Boiste.

**locanda, locataire** V. LOUER 2.

1. **locatif** V. LOUER 2.

2. **locatif** 1836, Landais, gramm. ; lat. *locus,* lieu, d'apr. *accusatif,* etc.

**location, locatis** V. LOUER 2.

**loch** 1683, Le Cordier ; néerl. *log,* poutre, bûche ; pièce de bois dont on se sert pour mesurer la vitesse d'un navire.

**loche** fin XIIIe s., *Renart ;* lat. pop. **laukka,* loche, du gaulois *leuka,* blancheur, à cause de la couleur de ce poisson.

**locher** fin XIIe s., *R. de Cambrai* (*lochier*), « secouer » ; anc. haut allem. *luggi,* qui branle.

**lochies** 1694, Th. Corn. ; gr. *lokheia,* accouchement, de *lokhos,* même sens ; terme d'obstétrique.

**lock-out** 1865, *Journ. des chemins de fer ;* mot angl., de *to lock out,* mettre à la porte. || **lock-outer** 1908, Mackenzie.

**loco-,** lat. *locus,* lieu, avec la voyelle *o* de composition. || **locomobile** 1808, Boiste. || **locomotif** 1583, Du Bartas (*faculté locomotive*) ; lat. de la Renaissance *loco motivum,* faculté de changer de place. || **locomotive** 1834, *Journ. des femmes ;* de l'adj. *locomotif.* || **loco** 1878, Esnault ; abrév. de *locomotive.* || **locomoteur** 1690, Furetière. || **locomotrice** 1950, *Doc.* || **locomotion** 1771, Brunot. || **locorégional** 1962, Lar. || **locomotif** 1583, Du Bartas. || **locotracteur** 1923, Lar.

**locule** 1611, Cotgrave, « petite bourse » ; 1765, *Encycl.,* bot. ; lat. *loculus,* compartiment. || **loculaire** 1799, Richard. || **biloculaire** 1771, Trévoux ; sur lat. *bis,* deux fois. || **triloculaire** 1797, Bulliard.

**locuste** 1120, *Ps. d'Oxford ;* lat. *lŏcŭsta,* sauterelle. || **locustelle** 1794, *Encycl.,* zool., « qui se nourrit de sauterelles ». (V. LANGOUSTE.)

**locution** 1330, Tobler-Lommatzsch, « paroles » ; 1392, Deschamps, « manière de parler » ; 1680, Richelet, « groupe de mots » ; lat. *locutio,* de *loqui,* parler. || **locuteur** 1933, Damourette et Pichon.

**loden** 1904, *Illustration ;* mot allem. ; lainage épais et feutré.

**lods** 1130, *Eneas,* droit de mutation dû au seigneur (approbation donnée par le seigneur) ; réfection de l'anc. fr. *los* (1050, *Alexis*), louange, du lat. *laus, laudis,* avec un *d* graphique.

**lœss** 1845, Besch. ; allem. *Löss,* limon fin.

**lof** 1138, *Vie de saint Gilles ;* néerl. *loef,* mar., « côté frappé par le vent ». || **lofer** 1771, Trévoux. || **auloffée** 1777, Lescalier ; de la loc. *aller au lof.* || **louvoyer** 1524, Crignon (*louvier*) ; 1762, Rousseau, fig. || **louvoiement** 1923, Lar., au propre et au fig.

**logarithme** 1627, *Traité de logarithmes ;* lat. sc. *logarithmus,* créé par l'Écossais Neper (1614), du gr. *logos,* rapport, et *arithmos,* nombre. || **logarithmique** 1690, Huygens.

**logatome** 1968, Lar. ; gr. *logos,* parole, et *tomos,* morceau coupé.

**loge** 1138, Gaimar, « abri des animaux » ; 1165, Thomas, « local de gardien » ; XIIIᵉ s., « tribune » ; XVIᵉ s., Havard, théâtre ; XVIIIᵉ s., « pièce » ; *loge maçonnique,* 1740, d'Argenson (la première fut créée à Paris en 1725 ; repris à l'angl.) ; 1845, Besch., « atelier des candidats au prix de Rome » ; *aux premières loges,* 1826, Brillat-Savarin ; francique **laubja* (allem. *Laube,* tonnelle). || **loger** 1138, Gaimar, intr. ; milieu XVᵉ s., transitif. || **logette** 1165, Marie de France. || **logeable** 1460, Chastellain. || **logement** 1260, G. || **logeur** milieu XVᵉ s., J. de Bueil. || **logis** début XIVᵉ s. ; *maréchal des logis,* XVᵉ s. || **déloger** fin XIIᵉ s., *R. de Cambrai.* || **délogement** XIVᵉ s., Duquesne. || **reloger** 1191, *Vengement Alixandre.* || **relogement** 1952, Lar.

**loggia** 1789, Dutens ; mot ital. signif. « loge ».

**logging** 1968, Lar. ; mot angl., de *to log,* repérer.

**logique** n. f., 1265, J. de Meung ; adj., 1536, Chrestien ; lat. *logica, -cus,* du gr. *logikê, -kos,* relatif à la raison (*logos*). || **logicien** XIIIᵉ s., d'Andeli. || **logicisme** 1931, Lar. || **logiquement** 1798, *Acad.* || **logistique** 1598, Bouchet, « qui pense logique » ; 1611, Cotgrave, « partie des math. » ; 1842, *Acad.,* milit. ; 1904, *Rev. de métaphysique,* philos. ; lat. *logisticus,* du gr. *logistikos.* || **logisticien** 1908, Lar. || **alogique** 1611, Cotgrave. || **illogique** 1829, Boiste. || **illogiquement** 1845, Besch. || **illogisme** 1867, L. || **métalogique** 1951, Lalande. || **prélogique** 1910, Lévy-Bruhl.

**logo-,** gr. *logos,* discours, parole. || **logoclonie** 1968, Lar. ; gr. *klonos,* trouble. || **logographe** 1580, Montlyard ; gr. *logographos,* de *graphein,* écrire. || **logogriphe** 1623, Naudé ; gr. *griphos,* filet de jonc, énigme. || **logomachie** XVIᵉ s., Delb. ; gr. *logomakheia,* de *makhê,* combat. || **logopédie** 1962, Lar. ; gr. *paideia,* éducation. || **logorrhée** 1823, Boiste ; gr. *rheîn,* couler. || **logotype** 1873, Lar.

***loi** 980, *Passion* (*lei*) ; XVIIᵉ s., *loi de nature ; loi martiale,* 1789, Frey ; *homme de loi,* 1718, *Acad.* ; lat. *lex, legis.* (V. LÉGAL.) || **loi-cadre** 1959, Robert.

***loin** 1050, *Alexis ;* lat. *lŏngē ; au loin,* 1050, *Alexis.* || **lointain** début XIIᵉ s., *Voy. de Charl. ;* lat. pop. **longitanus ;* n. m., 1640, Oudin. || **lointainement** 1138, Gaimar. || **éloigner** 1050, *Alexis.* || **éloignement** milieu XIIᵉ s. (V. SOUDAIN.)

***loir** fin XIIᵉ s., Gui de Cambrai ; lat. pop. **līs, -ris,* lat. class. *glīs, gliris ; dormir comme un loir,* XIIIᵉ s. || **lérot** 1530, Palsgrave ; dimin.

***loisir** 1130, *Eneas,* « possibilité de faire ce qu'on veut » ; 1138, Gaimar, « temps libre » ; 1740, *Acad.,* « distraction » ; *à loisir,* 1080, Roland ; anc. verbe *loisir,* être permis (980, *Passion*), du lat. *lĭcēre,* être permis. || **loisible** XIVᵉ s., Foulechat.

**lollards** XIVᵉ s., G., membres d'une congrégation du Nord ; de l'allem. *lullen,* chantonner à voix basse, à cause de leurs psalmodies.

**lolo** 1511, Gringore ; redoublement expressif sur la première consonne de *lait.*

**lombard** début XIIᵉ s., *Roman de Thèbes,* « rustre » ; 1268, É. Boileau, « changeur, usurier » ; de *Lombard* (1190, Garn.), relatif à la Lombardie, les Italiens étant nombreux parmi les prêteurs à gages.

**lombes** 1120, *Ps. d'Oxford* (*lumbes*) ; 1560, Paré (*lombes*) ; lat. *lŭmbus,* rein, bas du dos. || **lombaire** 1488, *Mer des hist.* || **lombarthose** 1962, Lar.

**lombric** fin XIIIᵉ s., *Mépris du siècle ;* lat. *lŭmbrīcus.* || **lombricoïde** 1836, Landais.

**londrès** 1849, *Moniteur universel ;* esp. *londres,* d'après la ville de *Londres ;* cigares fabriqués d'abord à Cuba pour l'Angleterre.

**londrin** 1510, *Archives ;* drap fabriqué à Londres.

***long** fin Xᵉ s., *Vie de saint Léger* (*lonc*), adj. ; 1188, Aimon, n. m. ; 1700, Leroux, adv. ; *au long,* 1256, Ald. de Sienne ; *de long en large,* fin XVIIᵉ s., Sévigné ; *longue,* n. f., Sévigné, « syllabe longue » ; *scieur de long,* XIVᵉ s. ; lat. *longus* (le fém. a été refait sur le masc.). || **longe** 1175, Chr. de Troyes ; anc. fém. de *long,* du lat. *longa.* || **long-courrier** 1867, L. || **longer** 1170, *Floire et Blancheflor,* « tresser les cheveux » ; 1655, Salnove, vénerie ; 1721, Trévoux, « aller le long ». || **longeron** 1280, *Romania,* « poutre » ; 1873, Lar., « pièce de charpente ». || **longévité** 1777, *Courrier de l'Europe ;* bas lat. *longaevitas* (Vᵉ s.), de *aevum,* âge. || **longicorne** 1827, *Acad.* || **longiligne** 1923, Lar. || **longimétrie** 1632, R. de Normant. || **longitude** 1314, Mondeville, « longueur » ; 1377, Oresme, géogr. ; lat. *longitudo, -inis,* longueur. || **longitudinal** 1314, Mondeville. || **longitudinalement** 1732, d'après Trévoux. || **long-jointé**

1664, Solleysel. || **longotte** 1873, Lar., « drap ». *Alexis.* || **longue-vue** 1667, Fournier. || **longuet** adj., 1160, Benoît ; n. m., 1765, *Encycl.,* « mar-
adj., 1160, Benoît ; n. m., 1765, *Encycl.,* « mar-
teau » ; 1923, Lar., « pain » ; pl. fin XVI^e s., « passages trop longs ». || **longueur** 1119,
|| **allongé** n. m. 1928, Esnault, « mort », argot.
|| **allongé** n. m. 1928, Esnault, « mort », argot.
Montaigne. || **allongement** début XIII^e s., d'Her-
Montaigne. || **allongement** début XIII^e s., d'Her-
bonnez. || **balonge** début XIV^e s. (*baslongue*), « cuveau allongé pour les vendanges » ; avec
**gation** 1377, Oresme, « éloignement » ; 1538,
**gation** 1377, Oresme, « éloignement » ; 1538,
Canappe, méd. ; lat. *elongatio.* || **rallonger** 1266, Monstrelet. (V. BARLONG.)
Monstrelet. (V. BARLONG.)

**longanimité** fin XII^e s. ; bas lat. *longanimitas* (*Vulgate*) ; de *longus,* patient, et *anima,* âme. || **longanime** 1487, Garbin.

***longe** (*de veau*) 1175, Chr. de Troyes ; lat. pop. **lumbea,* région des reins, de *lumbus,* lombe, reins.

**longeron, longévité, longitude** V. LONG.

**longrine** 1716, H. Gautier (*longueraine*) ; ital. *lungarina,* terme de charpente, de *lungo,* long.

**longtemps** V. LONG.

**looch** 1530, Gœurot (*lohot*) ; ar. *la'ūq,* petite dose, de *la'aq,* lécher ; potion à base de gomme.

**looping** 1911, *Écho de Paris ;* ellipse de *looping the loop* (1903, *Nature,* d'apr. un spectacle d'acrobate faisant à bicyclette un tour vertical) ; loc. angl. signif. « action de boucler la boucle ».

**lope** 1889, Esnault ; abrév. de *lopaille,* inverti, forme de largonji, de *copaille,* même sens, altér. de *copain.* || **lopette** *id.*

**lophophore** 1813, Temminck ; gr. *lophos,* aigrette, et suffixe *-phore ;* faisan à queue courte.

**lopin** XIII^e s., Rutebeuf, « petit morceau de nourriture » ; XV^e s., Du Cange, « morceau de terre » ; anc. fr. *lope.* (V. LOUPE.)

**loquace** 1764, Voltaire ; lat. *loquax, -acis,* bavard, de *loqui,* parler. || **loquacité** 1466, G. ; rare jusqu'au XVIII^e s.

**loque** 1274, Poerck, « mèche de cheveux » ; 1468, Chastellain, « chiffon » ; 1893, Courteline, « individu sans énergie » ; moyen néerl. *locke,* boucle de cheveux. || **loqueteux** 1530, *Contredit de Songecreux.*

**loquet** 1210, R. de Houdenc ; anc. fr. *loc,* serrure (1190 Garnier), du germ. *loc,* même sens. || **loqueter** XIV^e s., Du Cange.

**loran** 1958, Merrien ; sigle de « LOng Range Aid to Navigation » ; mots angl. signif. « aide à la navigation à grande distance ».

**lord** 1558, Perlin ; mot angl. signif. « seigneur ». || **lord-maire** 1721, Trévoux ; angl. *lord-mayor.*

**lordose** 1765, *Encycl. ;* gr. *lordôsis,* courbure ; cambrure anormale de la colonne vertébrale.

**lorette** 1836, Parent ; du nom de N.-D. de *Lorette,* dans un quartier où habitaient beaucoup de femmes légères.

**lorgner** 1450, *Romania,* « loucher » ; anc. fr. *lorgne,* louche (1175, Chr. de Troyes), du francique **lurni,* guetter. || **lorgnade** 1713, Hamilton. || **lorgnette** 1694, Ménage, « éventail avec ouverture » ; 1718, *Acad.,* « petite lunette » ; d'apr. *lunette.* || **lorgneur** fin XVI^e s., G. || **lorgnon** 1820, Hugo.

**lori** 1525, A. Fabre (*nori*) ; malais *nori ;* perroquet d'Océanie.

**loricaire** 1803, Linné ; lat. *lorica,* cuirasse.

**loriot** 1398, E. Deschamps ; anc. prov. *auriol,* du lat. *aureolus,* adj., couleur d'or, par agglutination de l'article et changement de suffixe. || **compère-loriot** 1606, Nicot ; mot picard ; lyonnais *perloryo,* loriot, du gr. marseillais *purros,* couleur de feu, et *khlôrion,* loriot, de *khlôros,* vert, *per* a été confondu avec *père,* en picard ; s'est substitué à *leurieul,* orgelet, lat. *hordeolus.* (V. ORGELET.)

**loris** 1765, Buffon ; anc. néerl. *loeris,* clown ; lémuridé.

**lorry** 1877, L. ; mot angl. d'origine inconnue ; chariot à quatre roues.

***lors** fin XI^e s., *Chanson Guillaume ; depuis lors,* 1677, Miege ; *lors même que,* 1710, Fléchier ; lat. *illā horā* (ablatif), à cette heure. (V. OR 2.) || **alors** XV^e s. || **lorsque** 1175, Chr. de Troyes ; écrit longtemps en deux mots, le *s* se prononçant tardivement.

**losange** fém., 1265, J. de Meung ; 1398, *Ménagier,* géométrie ; masc., XVIII^e s. ; gaulois **lausa,* pierre plate, proprem. « en forme de dalle ». || **losangé** fin XII^e s., *l'Escoufle.* || **losanger** 1842, Mozin. || **losangique** 1867, L.

**lot** 1138, Gaimar, « partie d'un travail » ; XVI^e s., Mantellier, « lot d'objets » ; 1680, Richelet, « ce qu'on gagne à la loterie » ;

francique **hlot* (gotique *hlauts*), héritage, sort. || **lotir** XII^e s., *Naissance chevalier au cygne,* « présager par sorts » ; XIII^e s., Tobler-Lommatzsch, « partager en lots » ; 1907, Lar., « diviser par des lotissements » ; *bien loti,* 1666, La Fontaine. || **lotissement** v. 1300, « tirage au sort » ; 1724, d'après Trévoux, « répartition par lots » ; 1935, *Acad.,* « parcelle ». || **lotisseur** fin XIII^e s., Géraud. || **allotir** 1611, Cotgrave.

**loterie** 1538, G. ; ital. *lotteria* ou néerl. *loterije ;* du germ. **hlot.*

**lotier** 1582, Agneaux, bot. ; lat. *lotus,* mélilot. (V. LOTUS.)

**lotion** 1372, Golein ; lat. impér. *lotio,* action de laver ; de *lavare,* laver, part. *lautus,* lavé. || **lotionner** 1835, *journ.*

**lotir** V. LOT.

**loto** 1732, Trévoux ; ital. *loto,* lot, sort. (V. LOTERIE.)

**lotte** 1553, Belon ; bas lat. du X^e s., *lota,* du gaulois **lotta,* sorte de poisson.

**lotus** 1512, Lemaire de Belges (*lote*) ; 1538, Canappe (*lotus*) ; lat. *lotus,* du gr. *lôtos.* || **lotiforme** 1873, Lar.

1. ***louche** adj., 1175, Chr. de Troyes (*lois*) ; le masc. a été refait sur le fém. *losche,* du lat. *lūscus,* borgne. || **loucher** 1608, Régnier. || **louchement** 1611, Cotgrave. || **loucherie** fin XVII^e s., Saint-Simon. || **louchir** 1867, L. || **louchon** 1867, Delvau. || **loucheur** 1829, Boiste.

2. **louche** fin XII^e s., *Geste des Loherains* (*loche*), « bêche » ; XIII^e s., G. (*louce*), « cuiller à long manche » ; francique **lôtja.* || **louchet** 1342, G., « bêche ».

1. ***louer** 980, *Passion* (*laudar*) ; 1080, *Roland* (*loer*) ; lat. *laudare,* faire l'éloge. || **louable** 1120, *Ps. de Cambridge.* || **louange** 1120, *Ps. d'Oxford.* || **louanger** 1155, Wace (*loengier*). || **louangeur** 1570, Thevet. || **loueur** 1190, *Saint Bernard.*

2. ***louer** 1080, *Roland* (*luer*), « avoir, prendre en location » ; lat. *locare,* de *locus,* lieu. || **louage** 1170, *Rois,* « action de prendre en location » ; 1552, R. Est., *de louage,* de location ; 1804, *Code civil,* contrat de louage. || **louée** 1931, Lar., « foire ». || **loueur** 1283, Beaumanoir. || **locanda** 1834, Musset, « maison garnie en Italie » ; mot ital. signif. « maison à louer. || **locataire** XV^e s., « personne à gages » ; 1566, Paradin, sens actuel. || **locatif** 1282, Gauchi, « qui est à gages » ; 1636, Monet, jurid. || **location** 1219, G. ; rare jusqu'au XVIII^e s. ; lat. *locatio.* || **locatis** 1680, Richelet (*locati*) ; bas lat. *locaticius,* donné à louer. || ***loyer** 1080, *Roland* (*luer*) ; 1160, Benoît (*loier*) ; lat. *locarium,* loyer d'un emplacement. || **relouer** 1211, *le Bestiaire.* || **sous-louer** 1557, *Doc.* || **sous-location** 1804, *Code Napoléon.* || **sous-locataire** XVI^e s.

**loufoque** 1873, *Gazette des tribunaux ;* de *lof,* nigaud, ital. *loffa* (1790, *Rat du Châtelet*) ou forme de *fou* en largonji avec suffixe emphatique. || **louf** 1848, Esnault. || **louftingue** 1885, Esnault. || **loufoquerie** 1879, *Petite Lune.*

**lougre** 1781, Mackenzie ; angl. *lugger,* petit bateau de la Manche.

**louis** 1640, Livet ; abrév. de *louis d'or,* du nom de Louis XIII, qui a cette date fit frapper cette monnaie.

**louise-bonne** 1690, La Quintinie, d'apr. Ménage (témoignage de Merlet) ; le mot viendrait d'une dame *Louise,* de la terre des Essarts (Poitou).

1. ***loup** 1080 *Roland* (*leu,* forme conservée dans *à la queue leu leu, Saint-Leu,* etc.) ; XI^e s. (*lou*) ; 1180, *Girart de Roussillon* (*loup*) ; XV^e s., *loup marin ; à pas de loup,* 1680, Richelet ; lat. *lŭpus ; loup* est refait sur le fém. **louve,* où le *v* a empêché le passage de *ou* à *eu* (cf. *Louvre,* du lat. pop. *lŭpăra*). || **loulou** 1678, Rolland, « pou » ; 1867, Delvau, « chien » ; 1793, Hébert (*loup-loup*), « personne aimée » ; redoublement expressif. || **loup-cervier** 1119, Ph. de Thaon ; d'apr. le lat. *lupus cervarius,* loup qui chasse le cerf. || **loup-cerve** XV^e s., *Romania.* || **loup-garou** v. GAROU 1. || **louvet** XIII^e s., *Isopet,* « louveteau » ; 1660, Oudin, « de la couleur du loup ». || **louveteau** 1331, *Archives.* || **louveter** XVI^e s., Amyot. || **louveterie** XIV^e s. (*loveterie*). || **louvetier** 1516, Desrey.

2. **loup** 1858, Gautier, « défaut » ; de *loup* 1. || **louper** 1865, Esnault, « saboter un travail » ; 1916, Barbusse, sens actuel. || **loupeur** 1920, Bauche.

**loupe** début XIV^e s., « pierre précieuse d'une transparence imparfaite » ; XVI^e s., méd. ; XVII^e s., optique ; sans doute francique *luppa,* masse informe d'un liquide caillé.

**loupiot** 1875, Esnault ; var. de *loupiat.* || **loupiat** 1866, Esnault, « flemmard » ; de *louper,* saboter.

***lourd** 1160, *Tristan* (*lort*), « niais, stupide » ; 1556, Thevet, « pesant » ; lat. pop. *lurdus* (VII^e s.), altér. du lat. *luridus,* jaunâtre, blême. || **lourdaud** 1445, Picot ; anc. fr. *lourdel* (XIII^e s.).

|| **lourdement** fin XIIe s., « gauchement » ; 1502, O. de La Marche, « de tout son poids ». || **lourdeur** 1769, Delille. || **lourderie** 1512, Cretin. || **lourdise** XVIe s., G. || **lourdingue** 1940, Esnault. || **alourdir** 1219, G. ; rare jusqu'au XVIIe s. ; a remplacé *alourder.* || **alourdissement** début XIVe s., G.

**loure** XVe s., « musette » ; 1702, Dufresny, « danse » ; mot de l'Ouest ; bas lat. *lura,* sacoche. || **louré** 1867, L. || **lourer** 1605, Vauquelin de la Fresnaye.

**loustic** 1762, Voltaire (*loustig*) ; allem. *lustig,* gai ; il a dû être introduit par les régiments suisses, où le *lustig* était le bouffon.

**loutre** 1112, *Voy. saint Brendan* (*lutre*) ; lat. *lutra ;* il a éliminé la forme pop. *lorre, leurre.* || **loutrerie** 1931, Lar. || **loutrier** XIIIe s., G.

**louvoyer** V. LOF.

**lovelace** 1766, Bonnafé ; nom d'un personnage (sens en angl. : « lacs d'amour ») de *Clarisse Harlowe,* roman de Richardson (1749).

**lover** 1678, Guillet, mar., « mettre un câble en cerceau » ; *se lover,* 1722, Labat ; bas allem. *lofen,* tourner.

**loxodromie** 1667, G. Fournier ; gr. *loxodromos,* de *loxos,* oblique, et *dromos,* course ; terme de géodésie. || **loxodromique** *id.*

***loyal** 1080, *Roland* (*leial*), « fidèle » ; début XVe s., « conforme à la loi » (sens du lat.) ; lat. *lēgālis* (v. LOI), sens conservé jusqu'au XVIIe s.
1160, *Tristan.* || **loyalisme** 1839, Boiste ; angl.
1160, *Tristan.* || **loyalisme** 1839, Boiste ; angl.
*loyalism.* || **loyaliste** 1717, de Cize ; angl. *loya-*
loyauté fin XIe s., *Lois de Guill.* || **déloyalement**
fin XIIe s., Gace Brulé.
fin XIIe s., Gace Brulé.

**loyer** V. LOUER 2.

**L.S.D.** 1961, Galli et Leluc ; sigle de *LySergamiDe.*

**lubie** 1636, *Muse normande ;* dér. burlesque du lat. *lubere, libere,* faire plaisir.

**lubrifier** 1363, Chauliac ; lat. *lubricus,* glissant. || **lubrification** 1842, Mozin.

**lubrique** 1450, *Romania,* qui a remplacé *lubre*
1361, Oresme. || **lubriquement** 1360, Froissart.
1361, Oresme. || **lubriquement** 1360, Froissart.

**lucane** 1763, Scopoli ; lat. *lucanus,* cerf-volant.

**lucarne** 1335, G. (*luquarne*) ; 1398, *Ménagier* (*lucarne*) ; prov. *lucana,* lucarne, du francique **lûkinna,* même sens, avec infl. de l'anc. fr. *luiserne,* lumière, du lat. *lucerna,* lampe.

**lucernaire** 1721, Trévoux, « office du soir » ; lat. *lucerna,* lampe.

**lucide** 1488, *Mer des hist.,* « qui luit » ; 1787, Féraud, « qui a l'esprit clair » ; lat. *lūcĭdus,* lumineux, de *lux, lucis,* lumière. || **lucidement** XVe s., G., « nettement » ; 1842, Mozin, sens XVIIIe s., « esprit clair ». || **élucider** 1480, *D. G. ;*
rare jusqu'au XVIIIe s. ; bas lat. *elucidare,* rendre
rare jusqu'au XVIIIe s. ; bas lat. *elucidare,* rendre
clair. || **élucidation** 1512, J. Lemaire.

**lucilie** 1873, Lar. ; lat. scient. *lucilia,* du lat. *lux, lucis,* lumière.

**luciole** 1704, Trévoux ; ital. *lucciola,* de *luce,* lumière.

**lucre** 1460, Chastellain, « récompense » ; 1862, Baudelaire, « profit. » ; lat. *lucrum,* profit. || **lucratif** 1265, J. de Meung ; lat. *lucrativus.* || **lucrativement** 1829, Boiste.

**ludion** 1787, Sigaud de Lafond ; lat. *ludio,* baladin ; appareil de physique.

**ludique** 1910, Claparède ; lat. *ludus,* jeu. || **ludisme** 1968, Lar.

***luette** fin XIIIe s., *Antidotaire ;* de *l'uette,* du lat. pop. **ūvitta,* dimin. du lat. *ūva,* grappe de raisin. (V. UVAL.)

***lueur** 1112, *Voy. saint Brendan* (*leiur*) ; XIIe s., *Roncevaux* (*luor*) ; lat. pop. **lūcor, -oris,* de *lūcere,* luire. || ***luire** 1080, *Roland* (*luisir*) ; 1112, *Voy. saint Brendan* (*luire*) ; lat. *lūcēre,* briller. || **luisant** 1080, *Roland.* || **luisance** 1525, J. Lemaire de Belges. || **luisie** 1902, Lar., bot. || **reluire** 1080, *Roland.*

**luge** 1902, Lar. ; mot savoyard ; bas lat. *sludia* (IXe s., *Gloss.*), mot prélatin de même rac. que l'angl. *slide,* glisser, et l'allem. *Schlitten,* traîneau ; *luge* est une forme apocopée de **éluge.* || **luger** 1923, Lar.

**lugubre** 1300, G. ; lat. *lugubris,* de *lugēre,* être en deuil. || **lugubrement** 1606, Crespin.

**lumachelle** apr. 1750, Buffon ; ital. *lumachella,* dimin. de *lumaca,* limace (ce marbre contient des coquilles fossiles).

**lumbago** milieu XVIIIe s. ; bas lat. *lumbago* (IVe s., Festus), de *lumbus,* rein.

***lumière** 1080, *Roland,* « embouchure du cor » ; 1170, *Rois,* « clarté » ; 1240, G. de Lorris, « clarté du soleil » ; au pl. XVIIe s., Livet ; lat. *lūmĭnaria,* de *lūmen, -inis,* lumière, pl. de *luminar,* astre, flambeau, passé au fém.

en lat. pop., où il a éliminé *lux* et *lumen.* || ***lumignon** 1155, Wace (*limegnon*), refait en *lumignon* sur *lumière* ; lat. pop. **luminio, -onis,* de *lumen.* || **luminaire** 1120, *Ps. de Cambridge,* « astre » ; 1962, Lar., « moyen d'éclairage » ; lat. chrét. *luminare.* || **luminance** milieu XX<sup>e</sup> s. || **lumination** fin XIV<sup>e</sup> s., Deschamps. || **luminescent** 1907, Lar. || **luminescence** fin XIX<sup>e</sup> s. || **lumineux** 1265, J. de Meung, « qui émet de la lumière » ; fig., 1675, Sévigné ; lat. *luminosus.* || **lumineusement** 1470, *Livre disc.* || **luminisme** 1962, Lar. || **luminosité** 1200, *Règle de saint Benoît.*

**lump** 1873, Lar. ; mot angl.

**lunatique** V. LUNE.

**lunch** 1820, Surr ; mot angl. signif. « morceau, grosse tranche », abrév. de *luncheon* (en fr. 1823, d'Arcieu). || **luncher** 1856, Dumanoir et Biéville.

**lundi** V. LUNE.

***lune** 1080, *Roland ; lune de miel,* 1805, Senancour, calque de l'angl. ; *vieilles lunes,* 1873, Lar. ; lat. *lūna.* || **lunaison** 1119, Ph. de Thaon ; d'apr. le bas lat. *lunatio.* || **lunaire** 1408, *D. G. ;* 1884, Verlaine, fig. ; lat. *lunaris.* || **lunatique** fin XIII<sup>e</sup> s. ; bas lat. *lunaticus* (IV<sup>e</sup> s., saint Jérôme), « soumis à l'influence de la lune » ; 1611, Cotgrave, « bizarre ». || **luné** 1589, A. de Baïf, « en forme de lune » ; 1867, L., fig. || ***lundi** 1119, Ph. de Thaon ; lat. pop. **lunis dies* (lat. *lunae-*), jour de la lune. || **lunule** 1694, Ozanans ; lat. *lunula,* petite lune. || **lunure** 1842, Mozin. || **lunulite** 1817, *Dict. hist. nat.* || **demi-lune** 1550. || **alunir** 1921, Nordmann. || **alunissage** v. 1960. || **sublunaire** 1548, Rab. ; bas lat. *sublunaris.*

**lunette** fin XII<sup>e</sup> s., *Escoufle,* « objet rond » ; 1280, *Vie sainte Paule,* « verre de miroir » ; 1637, Descartes, « instrument d'optique » ; 1398, Gay, pl., lunettes faites avec des verres ronds (à Florence) ; diminutif de *lune.* || **lunetier** 1508, *Anc. Poésies.* || **lunetterie** 1872, Lar. || **lunetière** 1789, *Encycl.*

**lupanar** 1532, Rab. ; lat. *lupanar,* lieu de débauche, dér. de *lupa,* louve, prostituée.

**lupin** XIII<sup>e</sup> s., *Simples Médecines ;* lat. *lupinus,* (pois) de loup ; plante cultivée comme fourrage. || **lupinose** 1931, Lar.

**lupuline** 1789, *Encycl. méth.* (*luzerne lupuline*) ; lat. bot. mod. *lupulus,* houblon (petit loup).

**lupus** 1363, Chauliac ; mot du lat. méd., où *lupus,* loup, avait pris le sens de « ulcère » dès le X<sup>e</sup> s.

**lurette** 1877, L., dans *il y a belle lurette,* altér. de *il y a belle heurette,* dimin. de *heure* (1119, Ph. de Thaon).

**luron** XV<sup>e</sup> s., Martial de Paris ; var. de *lureau,* bélier, mot du Centre, origine onomat. || **luronerie** 1867, Sainte-Beuve.

**lustral** 1355, Bersuire ; rare jusqu'au XVIII<sup>e</sup> s. ; lat. *lustralis,* de *lustrare,* purifier. || **lustration** *id.*

1. **lustre** 1213, *Fet des Romains,* « sacrifice tous les cinq ans » ; 1611, Cotgrave, « période de cinq ans » ; lat. *lustrum,* sacrifice expiatoire qui avait lieu tous les cinq ans.

2. **lustre** fin XV<sup>e</sup> s., « éclat des étoffes » ; fin XV<sup>e</sup> s., « éclat de qqn » ; 1668, La Fontaine, « lampadaire » ; ital. *lustro,* de *lustrare,* éclairer, d'une autre rac. que *lustrare,* purifier. || **lustrage** 1670, Depping. || **lustrer** fin XV<sup>e</sup> s., « rendre brillant ». || **lustreur** 1671, Pomey. || **lustrier** 1802, *Acad.* || **lustroir** 1723, Savary. || **lustrine** 1730, Savary ; ital. *lustrina,* de *lustro.* || **délustrer** XVII<sup>e</sup> s.

**lustrine** V. LUSTRE 2.

**lut** XIII<sup>e</sup> s., G. ; lat. *lutum,* limon. || **luter** 1560, Paré ; lat. *lutare,* enduire de terre. || **lutage** 1931, Lar. || **lutation** 1752, Trévoux. || **déluter** milieu XVII<sup>e</sup> s.

**lutéine** 1888, Lar. ; lat. *luteus,* jaune, de *lutum,* sarrette. || **lutéinique** v. 1950.

**luth** 1265, J. de Meung (*leüt*) ; ar. *al-'ūd,* peut-être par l'intermédiaire du prov. || **lutherie** 1767, *Encycl.* || **luthier** 1649, Delb. || **luthiste** 1895, *Grande Encycl.*

**luthérien** 1594, *Ménippée ;* du nom de Luther. || **luthéranisme** 1704, Bourdaloue.

**lutin** 1564, J. Thierry ; sans doute altér. de *nuitum* (fin XI<sup>e</sup> s., *Gloses de Raschi*), du lat. *Neptunus,* dieu de la mer, rangé ensuite parmi les démons ; devenu *nuiton* (XII<sup>e</sup> s.), d'apr. *nuit,* et *luiton* (1160, Benoît), d'apr. *luitier,* lutter, puis *luton, lutin* par changement de suffixe. || **lutiner** 1585, N. Du Fail. || **lutinerie** 1772, Dorat.

**lutrin** 1131, *Couronn. Loïs* (*letrin,* encore au XVII<sup>e</sup> s.) ; 1606, Nicot (*lutrin*) ; lat. eccl. *lēctrinum,* dimin. de *lēctrum,* pupitre (pour lire), d'après Isid. de Séville (VII<sup>e</sup> s.) de *legere,* lire.

***lutter** 1080, *Roland* (*loitier, luitier*) ; lat. *lūctare.* || **lutte** 1155, Wace (*luite*) ; XVI<sup>e</sup> s. (*lutte*) ; déverbal. || **lutteur** 1120, *Job* (*luiteor*) ; 1530, Marot (*lutteur*).

**lux** 1923, Lar. ; mot lat. signif. « lumière ». || **luxmètre** 1931, Lar.

**luxe** 1581, L'Estoile ; lat. *luxus.* || **luxueux** 1771, *Année litt.* || **luxueusement** 1845, Richard. || **luxure** 1119, Ph. de Thaon (*luxurie*) ; 1131, *Couronn. Loïs* (*luxure*) ; lat. *luxuria,* surabondance, débauche, de *luxus,* luxe. || **luxurieux** 1119, Ph. de Thaon ; lat. *luxuriosus.* || **luxuriant** 1540, Doré ; lat. *luxurians,* de *luxuriari,* surabonder. || **luxuriance** 1752, Trévoux.

**luxer** 1560, Paré ; lat. *luxare.* || **luxation** 1538, Canappe ; bas lat. *luxatio.* || **subluxer** 1964, Lar. || **subluxation** 1855, Nysten.

**luxure, luxuriant** V. LUXE.

**luzerne** 1566, Du Pinet (*lauserne*) ; 1600, O. de Serres (*luzerne*) ; prov. mod. *luzerno,* ver luisant, du lat. *lucerna,* lampe, parce que les graines de luzerne sont brillantes. || **luzernière** 1600, O. de Serres.

**luzule** 1827, *Acad. ;* lat. scient. *luzula,* de l'ital. *luzuola.*

**lycanthrope** V. LYC(O)-.

**lycaon** 1552, Rab. ; lat. *lycaon,* gr. *lukaôn,* loup d'Éthiopie.

**lycée** 1534, Des Périers (*lyceon*), sens hist. ; 1798, *Acad.,* « lieu consacré à l'instruction » ; 1807, Brunot, « établissement scolaire » ; remplacé en 1815 par *collège royal,* rétabli en 1848 ; lat. *lyceum,* du gr. *Lukeion,* gymnase où Aristote tenait son école. || **lycéen** 1819, Béranger.

**lychnis** 1562, Du Pinet ; lat. *lychnis,* du gr. *lukhnis,* de *lukhnos,* flambeau. || **lychnide** 1789, *Encycl. méthod.*

**lyciet** 1751, *Encycl.* (*lycium*) ; lat. bot. *lycium,* du gr. *lukion,* nerprun.

**lyc(o)-,** gr. *lukos,* loup. || **lycanthrope** 1558, Boaistuau ; gr. *lukanthrôpos* (*anthrôpos,* homme). || **lycanthropie** 1564, Marcouville ; gr. *lukanthrôpia.* || **lycope** 1762, *Acad.* (*lycopus*), bot. ; gr. *pous, podos,* pied. || **lycoperdon** 1803, *Dict. hist. nat. ;* gr. *perdeîn,* péter ; champignon dit « vesse-de-loup ». || **lycopode** 1750, Geoffroy ; lat. bot. *lycopodium,* du gr. *pous, podos,* pied ; plante velue comme une patte de loup.

**lymphe** fin XV$^{e}$ s., G., « eau » ; 1673, Barles, anat. ; lat. *lympha,* eau claire. || **lymphadénie** 1902, Lar. ; gr. *adên, adenos ;* glande. || **lymphangite** début XIX$^{e}$ s. ; gr. *aggeion,* vaisseau. || **lymphatique** 1546, Rab., « fou » ; 1671, Rohault, anat. ; 1838, Balzac, « sans énergie » ; lat. *lymphaticus,* délirant. || **lymphatisme** 1852, *journ.* || **lymphocèle** 1962, Lar. ; gr. *kêlê,* tumeur. || **lymphocyte** 1907, Lar. || **lymphocytose** 1907, Lar. ; gr. *kutos,* cellule. || **lymphoïde** 1878, Lar. || **lymphome** 1878, Lar. || **lymphorragie** 1867, Lar.

**lynch** 1837, Stendhal (*loi de Lynch*) ; calque de l'angl. *lynch-law,* du nom d'un fermier de Virginie (1736-1796), qui avait institué un tribunal privé. || **lynchage** 1883, d'Haussonville. || **lyncher** 1861, *le Charivari.* || **lyncheur** 1892, *Rev. brit.*

**lynx** XII$^{e}$ s., G. (*linz*) ; XIV$^{e}$ s. (*lynx*) ; mot lat., du gr. *lunx.*

**lyo-,** gr. *luein,* dissoudre. || **lyocyte** 1931, Lar. ; gr. *kutos,* objet creux. || **lyophile** 1931, Lar. || **lyophiliser** 1953, Lar.

**lyre** 1155, Wace (*lire*) ; 1548, Forcadel (*lyre*) ; lat. *lyra,* du gr. *lura.* || **lyrique** 1495, J. de Vignay, litt. ; 1751, Voltaire, mus. ; XIX$^{e}$ s., fig. ; lat. *lyricus,* du gr. *lurikos.* || **lyriquement** 1959, Robert. || **lyriser** 1862, Mallarmé. || **lyrisme** 1834, Boiste.

**lyrique** V. LYRE.

**lysi-,** gr. *lusis,* action de délier. || **lysigène** 1888, Lar. || **lysine** 1962, Lar. || **lysogène** 1968, Lar. || **lysosome** *id.*

**lysimachie** 1550, Guéroult. || **lysimaque** 1803, *Dict. hist. nat.,* « plante » ; lat. *lysimachia,* du gr. *lusimakhia,* dér. du nom d'un médecin grec, *Lusimakhos.*

# m

**maboul** 1830, Esnault ; ar. algérien *mahboûl,* mot de la « langue franque » d'Algérie ; passé dans l'argot militaire, puis dans le lexique populaire. || **maboulisme** 1902, Lar.

**mac** V. MAQUEREAU 1.

**macabre** 1832, Jacob, qui évoque la mort ; de *danse macabre* (1832), altér. de *danse macabré* (XVe s.), la danse des morts (déjà J. Le Fèvre, 1376 : « Je fis de Macabré la danse »), avec une forme *macabré,* var. de *macabé,* du nom des *Macchabées,* héros bibliques dont le culte était rattaché à celui des morts ; à rapprocher p.-ê. de la racine arabo-hébraïque *qbr,* enseveli. || **macabrement** 1887, Goncourt.

**macach(e)** 1861, Esnault (*makach*) ; ar. d'Algérie *mâ-kânch,* il n'y a pas ; passé dans l'argot militaire, puis dans le lexique populaire.

**macadam** 1830, Coste-Perdonnet (*route à la Mac Adam*) ; 1839, Bonnafé (*macadam*) ; du nom de l'Écossais *Mac Adam* (1756-1836), son inventeur. || **macadamiser** 1828, *Journ. des haras.* || **macadamisage** 1827, Tollenare. || **macadamisation** 1830, Tissot.

**macaire** fin XIVe s., Deschamps ; du héros de la chanson de geste *Macaire,* traître.

**macaque** 1654, Boyer (*mecou*) ; 1680, Richelet (*macaque*) ; port. *macaco,* mot africain importé au Brésil ; singe d'Afrique.

**macareux** 1770, Buffon ; origine inconnue, p.-ê. de *macreuse.*

**macaron** 1552, Rabelais, gâteau ; ital. du Nord *macarone,* quenelles, du gr. *makaria,* potage d'orge. || **macaroni** 1650, Ménage ; vulgarisé au XVIIIe s. ; plur. de l'ital. *macarone,* devenu un nom collectif.

**macaronique** 1546, Rabelais ; ital. *macaronico,* de *macaronea,* pièce de vers en style macaronique, dér. de *macarone.* (V. MACARON.)

**macchabée** 1856, F. Michel, cadavre, arg. médic., puis pop. ; du patronyme *Macchabée* (v. MACABRE). || **macabe** 1856, Esnault ; altération commune de *Macchabée* et de *macabre,* qui a p.-ê. facilité un croisement de leurs sens.

**macédoine** 1742, Marin, mets ; 1771, Bachaumont, litt. ; du nom de l'empire d'Alexandre, composé de pays très divers.

**macérer** 1403, *Internele Consolacion,* « mortifier la chair » ; 1560, Paré, faire tremper ; lat. *macerare,* faire tremper, d'où en lat. eccl. « consumer moralement ». || **macération** 1495, J. de Vignay ; lat. *maceratio.* || **macérateur** 1873, Lar., techn.

**maceron** 1549, R. Est., bot. ; ital. *macerone,* probablem. altér. du lat. *macedonicum,* (persil) de Macédoine.

**macfarlane** 1859, *Monde illustré ;* du nom de *Mac Farlane,* l'inventeur présumé de cette sorte de manteau.

**machaon** 1842, *Acad.,* zool. ; lat. scient. *machaon,* de *Machaon,* nom mythol. ; papillon d'une grande beauté.

**mâche** 1611, Cotgrave, variété de salade ; probablem. altér., par attraction de *mâcher,* de *pomache* (XVIe s., *Romania*), p.-ê. d'un dér. en *-asca* du lat. *pomum.*

**mâchefer** 1206, Guiot de Provins ; p.-ê. de *mâche,* déverbal de *mâcher,* écraser, et de *fer* (à cause de sa dureté).

**mâchelier** 1120, *Ps. de Cambridge* (*mascheleres,* fém.) ; 1611, Cotgrave (*mâchelier*), anat. ; altér., d'après *mâcher,* de l'anc. fr. *maisseler,* lat. *maxillaris,* de *maxilla,* mâchoire. (V. MAXILLAIRE.)

***mâcher** 1190, G. (*maschier*), broyer ; 1611, Cotgrave, fig. ; lat. impér. *masticare* (IIe s., *Apulée*) ; *papier mâché,* 1773, Voltaire. || **mâche-bouchon** 1873, Lar. || **mâcheur** 1560, Paré. || **mâchoire** fin XIIe s., *Roman de Renart* (*machouere*) ; 1680, Richelet, mâchoire d'un étau. || **mâchonner** 1520, Gringore. || **mâchon-**

nement 1832, Raymond. || **mâchonneur** 1842, *Acad.* || **mâchiller** XIIIe s. || **mâchouiller** 1894, Sachs-Villatte. || **remâcher** 1538, R. Est. || **remâchement** *ibid.* (V. MÂCHEFER, MÂCHURE.)

**machiavélique** 1578, Marnix ; du nom de *Machiavel,* écrivain et homme d'État florentin (1469-1527). || **machiavéliquement** 1836, *Acad.* || **machiavélisme** 1611, Cotgrave.

**machicot** 1391, G., « mauvais chantre » ; de *machicoter,* mâcher lentement. || **machicotage** 1694, Ménage.

**mâchicoulis** 1402, G. (*machecolis*) ; de *machicop,* mâchicoulis (1358, G.) ; var. de **machicol,* écrase col, de *mâcher* et de *col.*

**machine** 1361, Oresme, assemblage de l'univers ; 1559, Amyot, sens mod. ; lat. *machina,* du gr. dorien *makhana,* invention ingénieuse. || **machine-outil** 1867, L. || **machiner** XIIIe s., *les Sept Sages.* || **machination** fin XIIe s., *Roman d'Alexandre.* || **machinateur** 1460, Chastellain. || **machinal** fin XVIIe s., Fontenelle, relatif aux machines ; 1731, Voltaire, sens actuel. || **machinalement** 1718, *Acad.* || **machineur** 1884, Zola ; remplacé par *mécanicien.* || **machinerie** XIVe s., G., ensemble de moyens ; 1805, Struve, construction de machines ; 1867, L., ensemble de machines. || **machin** 1808, d'Hautel, pop. || **machinisme** 1742, Mairan, combinaison de machines ; 1931, Lar., sens actuel. || **machiniste** 1643, Delb., constructeur de machines ; 1678, La Fontaine, théâtre ; 1694, *Acad.,* conducteur.

**mâchoire, mâchonner, mâchouiller** V. MÂCHER.

**mâchure** 1472, Du Cange (*macheüre*) ; de l'anc. fr. *macher,* écraser, d'orig. obsc., écrit *-â-,* d'après *mâcher.* || **mâchurer** 1842, Mozin, fouler, techn.

1. **mâchurer** V. MÂCHURE.

2. **mâchurer** fin XIIe s., *Aliscans* (*mascurer*), barbouiller ; en anc. fr., var. *mascherer ;* lat. pop. **mascarare,* noircir avec de la suie, postulé par le catalan *mascarar,* du rad. **mask,* d'orig. obscure (v. MASQUE 1, MASCARADE, etc.). || mâchurat 1690, Furetière.

**macis** 1256, Ald. de Sienne (*macie*) ; 1358, G. (*macis*), bot. ; bas lat. *macis,* du lat. class. *macir,* écorce aromatique de l'Inde.

**mackintosh** 1842, E. Sue ; mot angl., du nom de l'inventeur, *Mac Intosh* (1766-1843).

**macle** 1293, G., maille de filet ; fin XIIIe s., blas. ; 1690, Furetière, minér. ; francique **maskila,* dimin. de **maska,* même sens. || **maclé** 1795, Delambre. || **macler (se)** 1807, Brongniart.

**maçon** 1155, Wace ; lat. médiév. *machio* (VIIe s., Isid. de Séville ; pl. *mationes,* VIIIe s., *Reichenau*) ; francique **makjo,* de **makôn,* préparer l'argile pour la construction (cf. all. *machen*) ; adj., 1752, Trévoux. || **maçonner** XIIe s., *Huon de Bordeaux.* || **maçonnage** 1240, Delb. || **maçonnerie** 1280, Villard de Honnecourt. || **maçonnique** V. FRANC-MAÇON.

**macquer** 1723, Savary ; var. de *mâcher,* outil. || **macque** 1732, Liger. || **macquage** 1867, L.

**macre** 1220, Coincy (*macle*), bot. ; orig. inconnue.

**macreuse** 1642, Oudin, ornith. ; 1893, *D. G.,* viande maigre de l'épaule ; adapt. du norm. *macroule,* var. *macrolle* (XIIIe s.), probabl. du frison *markol* ou du néerl. *meerkol,* issu du néerl. *meerkot* (cf. angl. *coot*).

**macro-,** gr. *macros,* grand. || **macrocéphale** 1556, Delb. ; gr. *makrokephalos,* de *kephalê,* tête. || **macrocéphalie** 1840, *Acad.* || **macrocole** 1867, L. ; gr. *makrokôlos,* de *kôlon,* membre. || **macrocontexte** 1972, Lar. || **macrocosme** 1265, J. de Meung ; d'après *microcosme.* || **macrocyste** 1959, Robert. || **macroéconomie** 1958, Romeuf. || **macroglosse** 1828, Mozin. || **macrographie** 1923, Lar. || **macromolécule** 1953, Lar. || **macromoléculaire** 1953, Lar. || **macrophage** 1902, Lar. || **macropode** 1827, *Acad. ;* sur *-pode.* || **macroscopique** 1874, *le Progrès médical ;* d'après *microscopique.* || **macrospore** 1842, *Acad.* || **macrospore** 1842, *Acad.* || **macroure** 1802, Latreille ; gr. *oura,* queue.

**maculer** 1120, *Ps de Cambridge ;* lat. *maculare,* de *macula,* tache. || **macula** 1900, *Grande Encycl.* || **macule** fin XIIIe s., Aimé ; lat. *macula.* || **maculature** 1567, Junius. || **maculage** 1820, Lesné. || **maculation** *id.* || **immaculé** 1400, *Passion d'Arras,* eccl. ; lat. *immaculatus.*

**madame** V. DAME 1.

**madapolam** 1823, Boiste ; du nom d'une ville de l'Inde où cette étoffe était fabriquée.

**madéfier** 1765, *Encycl. ;* lat. *madefacere,* macérer, de *madēre,* être mouillé. || **madéfaction** *id.*

**madeleine** 1845, Besch., sorte de gâteau ; orig. inconnue, d'après Besch. du nom de *Madeleine* Paulmier, cuisinière de Mme de Barmon. || **pêche-madeleine** 1715, La Quintimie, nom donné à diverses variétés précoces de fruits qui mûrissent vers la Sainte-Madeleine (22 juillet). || **madelonnette** 1690, Furetière, femme de mauvaise vie.

**mademoiselle** V. DEMOISELLE.

**madone** 1643, Oudin ; ital. *madonna,* dénomination de la Vierge.

**madrague** 1679, Colbert, enceinte de filets ; prov. *madrago,* de l'ar. *mazraba,* enceinte.

**madras** fin XVIIIe s. ; du nom de *Madras,* ville de l'Inde, où l'on fabriquait cette étoffe.

**madré** XIVe s., Cuvelier, veiné, moucheté ; de l'anc. fr. *masdre, madre* (XIIIe s.), bois veiné, d'après l'anc. haut all. *masar ;* 1591, L'Estoile, fig., par comparaison avec l'aspect varié du bois madré. || **madrure** 1555, Belon.

**madrépore** 1671, Boccone ; ital. *madrepora,* de *madre,* mère, et *poro,* pore (a désigné d'abord les canaux de cet agrégat de polypes). || **madréporique** 1812, Breislak. || **madréporaire** 1873, Lar.

**madrier** 1382, Delb. (*madret*) ; 1578, d'Aubigné (*madrier*) ; altér. du prov. *madier,* couvercle de pétrin, du lat. **materium,* de *materia,* bois de construction. (V. MATÉRIAUX, MATIÈRE, MERRAIN.)

**madrigal** 1541, Aneau (*madrigale*) ; ital. *madrigale,* morceau de musique à plusieurs voix, du bas lat. *materialis,* formé de matière. Jusqu'au XVIIe s., a désigné un morceau de musique vocale. || **madrigalesque** 1767, Rousseau. || **madrigaliser** 1851, Murger.

**maestro** 1824, Stendhal, compositeur ; 1935, *Acad.,* chef d'orchestre ; mot ital. signif. « maître ». || **maestria** 1848, Gautier, beaux-arts ; 1873, Lar., fig. ; mot ital. signif. « maîtrise ».

**maffia** 1875, L. (*mafia*) ; mot sicilien, d'orig. obscure, désignant une association secrète de malfaiteurs. || **maffioso** 1968, Lar.

**mafflu** 1666, Furetière (*mafflé*) ; 1668, La Fontaine (*mafflu*) ; issu des parlers du Nord ; du moy. fr. *mafler,* manger beaucoup ; du néerl. *maffelen,* mâchonner.

**magasin** XIVe s., *Chron. de Boucicaut ;* ital. *magazzino,* de l'ar. *makhâzin,* dépôts, bureaux. A remplacé *boutique* au XIXe s. (1806, Millin, *Dict.*). || **magasinage** 1675, Savary. || **magasinier** fin XVIIe s., Saint-Simon. || **emmagasiner** 1762, *Acad.*

**magazine** 1776, *Journal anglais* (au fém.) ; mot angl., lui-même du fr. *magasin,* avec changem. de sens.

**mage** 1131, *Couronn. Loïs ;* 1487, Pansier, en provençal, roi mage ; lat. *magus,* gr. *magos,* d'orig. iranienne ; XVIe s., Amyot, sorcier. || **magie** 1535, de Selve ; lat. *magia,* du gr. *mageia,* religion des mages. || **magicien** XIVe s., « qui pratique la magie » ; 1690, Furetière, « qui fait des choses extraordinaires ». || **magique** 1265, J. de Meung ; lat. *magicus,* gr. *magikos.* || **magiquement** 1521, *Violier des histoires romaines.* || **magisme** 1697, d'Herbelot.

**maghrébin** 1873, Lar. (*maugrabin, magrabin*), habitant de la Barbarie, donné comme vieux ; 1955, *journ.* (*maghrebin, maghrebien*). || **Maghreb** 1842, *Acad.,* nom arabe de l'Afrique du Nord, proprem., « le Couchant ».

**maghzen** 1866, L. ; ar. *makhzan,* dépôt, bureau, puis « trésor ».

**magicien, magique** V. MAGE.

**magister** XVe s., La Curne ; lat. *magister,* qui commande, enseigne. || **magistère** 1170, *Rois ;* lat. *magisterium,* de *magister,* maître. || **magistral** 1265, Br. Latini ; lat. *magistralis,* de *magister,* maître. || **magistralement** 1395, Chr. de Pisan. || **magistrat** 1355, Bersuire, fonction publique ; 1538, R. Est., officier civil ; 1549, R. Est., sens actuel ; lat. *magistratus* aux deux sens de *magister,* maître. || **magistrature** 1472, Bartzsch, fonction administrative ; 1636, Monet, fonction judiciaire.

**magistral, magistrat** V. MAGISTER.

**magma** 1694, Th. Corn., pharm. ; 1879, Fouqué, géol. ; 1931, Lar., « masse informe » ; lat. *magma,* du gr. *magma,* de *mattein,* pétrir. || **magmatique** 1931, Lar.

**magnanerie** 1823, Bonafous ; provençal mod. *magnanarié,* de *magnan,* ver à soie (1771, Trévoux) ; élevage de vers à soie. || **magnanier** 1839, Boiste.

**magnanime** 1265, Br. Latini ; lat. *magnanimus,* « qui a une grande âme », de *magnus,* grand, et *animus,* esprit. || **magnanimement** 1525, J. Lemaire de Belges. || **magnanimité** 1265, Br. Lar. ; lat. *magnanimitas,* grandeur d'âme.

**magnat** 1547, Du Fail, grand de Pologne ou de Hongrie ; mot polonais, du lat. de la Vulgate *magnates,* les grands ; 1895, P. Bourget, financier important, repris en ce sens de l'angl.

*magnate,* lui-même issu du premier emploi français (1760, Brunot).

**magnésie** 1555, Aneau, magnésie noire ou peroxyde de manganèse ; 1762, *Acad.*, magnésie blanche ou oxyde de magnésium ; lat. médiév. *magnesia,* du lat. *magnes* (*lapis*), pierre d'aimant, gr. *magnes* (*lithos*), pierre de Magnésie, région d'Asie Mineure riche en aimants naturels, auxquels ressemble, par sa forme et sa couleur, la magnésie noire. || **magnésien** 1620, Lamperière. || **magnésique** 1840, *Acad.* || **magnésite** 1795, Delamétherie. || **magnésium** 1818, Riffault.

**magnétique** 1617, de La Noue ; lat. *magneticus,* de *magnes,* aimant (v. le préc.) ; 1835, Balzac, fig. || **magnétiquement** 1634, Stevin. || **magnétisme** 1666, *Journ. des savants ; magnétisme* (*animal*), 1775, Beaumarchais, pouvoir d'endormir quelqu'un ; 1787, Galiani, attrait mystérieux. || **magnétiser** 1784, Beaumarchais, endormir par magnétisme ; 1835, Vigny, fig. || **magnétiseur** 1784, Beaumarchais. || **magnétisation** 1784, Gohin. || **magnétite** 1878, Lar. || **antimagnétisme** 1818. || **antimagnétique** 1866, Lar. || **magnéto-**, premier élém. de composé depuis 1784, *Journ. de méd.* || **magnéto** n. f., 1891, Laboulaye ; abrév. de (*machine*) *magnéto-électrique.* || **magnétomètre** 1780, Saussure. || **magnétophone** 1888, Lar. || **magnétoscope** 1950, *journ.* || **magnétostriction** 1949, Lar. || **magnétron** 1949, Lar.

**magnificat** fin XIIIe s., Condé ; lat. *magnificat,* 3e pers. sing., indic. prés. de *magnificare,* magnifier ; cantique de la Vierge chanté aux vêpres.

**magnifier** 1120, *Ps. de Cambridge ;* lat. *magnificare,* de *magnus,* grand. || **magnificence** 1265, Br. Latini ; lat. *magnificentia,* de *magnus,* grand. || **magnifique** 1265, Br. Latini, généreux ; fin XVe s., splendide ; lat. *magnificus.* || **magnifiquement** 1355, Bersuire. || **magnitude** 1372, Corbichon, grandeur, désuet après le XVIe s. ; 1915, Lar., repris en astr. ; lat. *magnitudo,* de *magnus,* grand.

**magnolia** 1752, Trévoux ; lat. scient. *magnolia* (1703, Ch. Plumier) ; du nom du botaniste *Magnol* (1638-1715). || **magnolier** fin XVIIIe s. || **magnoliées, magnoliacées** 1817, Gérardin.

**magnum** 1907, Lar., bouteille de deux litres ; lat. *magnum,* grand, au neutre.

1. **magot** 1549, R. Est. (*magault*), argent en réserve ; de l'anc. fr. *mugot* (var. *musgode,* 1050, *Alexis*), lieu où l'on conserve les fruits, germ. **musgauda,* provision (à rapprocher de *mijoter*).

2. **magot** 1476, Molinet (plur. *magos*), singe ; 1517, Picot, fig. ; mot tiré par plaisanterie, à cause de la laideur, de *Magog,* nom propre hébreu, associé à *Gog,* pour désigner dans l'Apocalypse, XX, 8, puis au Moyen Âge, des peuples orientaux hostiles aux chrétiens.

**mahaleb** 1530, Rab. (*maguelet*) ; 1561, Du Pinet (*mahaleb*) ; ar. *mahleb,* espèce de cerisier.

**maharadja** 1758, Lokotsch (*marrajah*) ; mot hindî, de *maha,* grand, et *raja,* roi.

**mah-jong** 1926, Giraudoux ; mots chinois signif. « je gagne » ; jeu chinois.

**mahométan** 1594, *Satire Ménippée* (*mahumétan*) ; 1662, Pascal (*mahométan*) ; de *Mahomet,* forme francisée de l'ar. *Mohammed.* || **mahométisme** fin XVIe s., d'Aubigné.

**mahonia** 1829, Boiste ; lat. scientif. *mahonia,* de *Port-Mahon,* port des Baléares.

**mahonne** 1553, Belon, bateau turc ; 1873, Lar., chaland ; esp. *mahona,* de l'ar. *ma'on,* vase.

***mai** 1080, *Roland ;* lat. *maius* (*mensis*) ; 1572, Peletier, arbre de mai.

***maie** fin XIe s., *Gloses de Raschi* (var. *mait, mai, mée, met*), huche, pétrin ; de l'acc. lat. *magidem,* de *magis,* empr. au grec.

**maïeutique** 1873, Lar. ; gr. *maieutikê,* au sens socratique de « art d'accoucher l'esprit ».

***maigre** 1160, Benoît ; fin XVe s., Commynes, peu important ; fin XIVe s., n. m., poisson ; lat. *macer,* acc. *macrum.* || **maigrelet** 1579, Ronsard. || **maigrement** 1273, Adenet. || **maigreur** 1373, *Trad. de P. Crescens.* || **maigriot** 1876, Daudet. || **maigrichon** 1869, Vallès. || **maigrir** début XVIe s. || **amaigrir** XIIe s. || **amaigrissement** début XIVe s.

***mail** 1080, *Roland,* masse, marteau ; 1636, Monet, jeu de croquet ; 1680, Richelet, promenade publique où l'on jouait au mail ; lat. *mallĕus,* marteau. || **mailloche** 1409, Du Cange. || **maillotin** 1380, G. || **mailler** XIIe s., G., techn. || **maillage** 1962, Lar. || **maillet** fin XIIIe s., *Renart.* || **mailleter** milieu XIVe s., Digulleville. || **mailleton** 1551, Cotereau. || **mailloir** 1751, *Encycl.* (V. CHAMAILLER.)

**mail-coach** 1802, *Moniteur ;* mot angl. signif. « coche transportant le courrier ».

1. ***maille** 1080, *Roland,* boucle de fil ou de métal ; lat. *macŭla,* maille (et aussi « tache » ; v. MACULER, MAILLURE, MAQUILLER). || **mailler**

XII^e s., *Parthenopeus.* || **maillon** 1551, Cotereau. || **maillure** 1671, Pomey. || **démailler** 1080, *Roland.* || **démaillage** 1907, Lar. || **remailler** ou **remmailler** 1660, Oudin. || **remaillage** ou **remmaillage** 1836, Landais. || **remailleur, -euse** 1932, Lar. || **maillot** XII^e s., G. (*maillol, mailloel*) ; 1580, Montaigne (*maillot*). || **démailloter, emmailloter** XII^e s., *Naissance chevalier au cygne.* || **emmaillotement** 1580, Montaigne.

2. ***maille** 1138, Gaimar, demi-denier, employé auj. dans les loc. *ni sou ni maille* (1778, Voltaire), *avoir maille à partir* (à partager, 1665, Molière) ; lat. pop. *medalia,* altér. de *medialia,* plur. neut., pris comme fém. sing., de *medialis,* dér. de *medius,* demi.

**maillechort** 1829, Boiste (*maillechorl*) ; du nom des inventeurs, *Maillot* et *Chorier,* ouvriers lyonnais.

**mailler, maillet, mailloche, maillon, maillot, maillure** V. MAIL, MAILLE.

***main** 980, *Passion ;* lat. *manus.* || **manette** 1215, Pean Gatineau, petite main ; 1803, Boiste, techn. || **maneton** 1893, *D. G.* || **menotte** fin XV^e s. (*manotte*), « petite main » ; 1474, *Mystère,* pl., « entraves » ; dimin. de *main.* || **main-forte** 1360, Froissart. || **mainlevée** fin XIV^e s. || **mainmise** 1342, *Cartulaire,* droit féodal ; 1904, Lar., prise de possession. || **mainmorte** 1252, Bevans ; d'après l'empl. jurid. de *main* au sens de « possession ». || **mainmortable** 1372, *Ordonn.* || **main-d'œuvre** 1706, Boislisle. || **sous-main** 1872, L. (V. MANIER.)

**mainate** 1867, L. ; mot malais.

**maint** début XII^e s., *Voy. de Charl. ;* germ. *manigipô-,* grande quantité.

**maintenant** V. MAINTENIR.

***maintenir** 1130, *Eneas ;* lat. pop. **manutenēre,* « tenir avec la main », de *manu,* abl. de *manus,* main, et de *tenere* (v. TENIR). || **maintenant** adv., XII^e s., G., aussitôt ; XIII^e s., à présent. || **maintenance** 1155, Wace, soutien ; 1962, Lar., sens actuel. || **maintien** XIII^e s., A. de La Halle. || **mainteneur** 1155, Wace, protecteur ; début XV^e s., dignitaire des jeux Floraux. || **maintenue** 1466, Michault.

**maintien** V. MAINTENIR.

***maire** 1080, *Roland,* comme comparatif de *grand ;* 1283, Beaumanoir, magistrat municipal ; 1789, *Moniteur,* maire de Paris ; lat. *major,* comparatif de *magnus.* || **mairesse** XIII^e s., *Romans et pastourelles.* || **mairie** 1265, *Livre de jostice* (*meerie*) ; fin XIII^e s. (*mairie*).

***mais** 980, *Passion,* plus (cf. auj. *n'en pouvoir mais*) ; 1080, *Roland,* cependant ; lat. *magis,* davantage, qui a remplacé *sed* dans le parler pop. || **désormais** 1175, Chr. de Troyes. || **jamais** 1050, *Alexis.*

**maïs** 1519, *Pigaphetta* (*maiz*) ; esp. *mais,* de l'arawak (langue d'Haïti) ; a remplacé *blé de Turquie, d'Espagne, d'Italie, mil* et ses dérivés. || **maïserie** 1931, Lar. || **Maïzena** milieu XIX^e s. ; n. dépos., angl. *maizena,* de *maize,* maïs.

***maison** 980, *Passion ;* lat. *mansio, -onis,* de *mansus,* part. passé de *manere,* rester ; a remplacé en France le gallo-romain *casa,* qui subsiste dans divers toponymes et anthroponymes : *La Chaise-Dieu, Lacaze, Sacaze.* || **maisonnette** 1160, Benoît. || **maisonnée** 1611, Cotgrave. || **maisonnage** 1265, G.

***maître** 1080, *Roland* (*maiestre*), qui a pouvoir sur qqn ; 1155, Wace, qui dirige et qui enseigne ; lat. *magister.* || **maîtresse** XII^e s., G. (*maistresse*). || **maîtrise** 1175, Chr. de Troyes. || **maîtriser** fin XII^e s., *Renaut de Montaubon,* dominer ; XVI^e s., Amyot, dominer ses états affectifs. || **maîtrisable** 1867, L. || **maistrance** 1559, Amyot. || **contremaître** début XV^e s. || **contremaîtresse** 1866, Lar. || **maître-à-danser** 1765, *Encycl.* || **maître queux** 1538, R. Est., cuisinier ; sur *queux.* || **petit-maître** milieu XVII^e s.

**majesté** 1120, *Ps. d'Oxford ;* lat. *majestas.* || **majestueux** 1589, A. de Baïf (*magesteux*) ; 1605, H. de Santiago (*majestueux*) ; it. *maestoso ;* réfection, d'après les adj., du type *somptueux.* || **majestueusement** 1609, P. Camus.

***majeur** 1080, *Roland,* plus grand ; 1690, Furetière, essentiel ; 1549, R. Est., capable de se diriger ; début XX^e s., qui a la majorité légale ; lat. *major, -oris,* comp. de *magnus,* grand. || **majeur** n. m., 1907, Lar., doigt du milieu. || **majeure** 1354, Modus, prémisse. || **majorer** 1869, L., déclarer majeur ; 1870, L., sens mod. || **majoration** 1867, L. || **majoral** adj., XIII^e s. ; n. m., 1888, Daudet, félibre. || **majoralat** 1902, Lar. || **majorité** 1270, Mahieu le Vilain, supériorité ; 1510, *Doc.,* âge civil ; lat. méd. *majoritas,* de *major ;* 1751, Levis-Mirepoix, pol. ; angl. *majority.* || **majoritaire** 1923, Lar., pol.

**majolique** 1447, Gay (*mailloreque*) ; 1556, Gay (*maiolique*) ; ital. *majorica, majolica,* de l'île Majorque ; faïence commune italienne.

**major** 1453, *Débat des hérauts,* « plus grand » ; lat. *major,* comparatif de *magnus,* grand ; 1660,

Oudin, milit. ; esp. *mayor ;* 1721, Trévoux, sens médical.

**majorat** 1679, Boulan (*majorasque*) ; 1701, Furetière (*majorat*) ; esp. *mayorazgo,* du lat. *major.*

**majordome** 1512, A. de Conflans ; ital. *maggiordomo,* ou esp. *mayordomo,* du lat. *major domus,* chef de la maison.

**majorer, majoritaire, majorité** V. MAJEUR.

**majuscule** XVe s., d'apr. Guérin, adj. ; 1718, *Acad.,* n. f. ; lat. *majusculus,* un peu plus grand.

**maki** 1751, Pluche ; malgache *maky,* lémurien.

***mal** IXe s., *Eulalie,* adj. ; 980, *Passion,* n. m. ; 1080, *Roland,* adv. (var. *mel* en anc. fr.) ; lat. *malus* (adj.), *malum* (n. m.), *male* (adv.). L'adj. n'existe plus qu'en locution figée (*bon gré mal gré*), ou dans des mots construits ; *mal de mer,* XVIe s. ; *mal du siècle,* 1820, P.-L. Courier ; *mal du pays,* 1810, Staël ; *prendre mal,* 1669, Widerhold. Le nom a donné diverses expressions, dans la médecine ancienne : *mal des ardents,* XIVe s., sorte de charbon pestilentiel ; *haut mal,* 1372, Corbichon, épilepsie ; *mal caduc,* 1671, Pomey ; *mal de Naples,* XVIe s., La Curne, syphilis, etc. L'adv. est un préfixe, *mal* ou *mau* (vocalisation de *l* en *u* à une époque ancienne : *malaise, maugré,* etc.). || **malement** XIIe s. (V. MALGRÉ, MALHEUR, MALEMORT.)

**malabar** 1903, Esnault, pop., « grand, fort » ; du nom géogr. *Malabar.*

**malachite** XIIe s., Marbode (*melochite*) ; 1562, Du Pinet (*molochite*) ; 1690, Furetière (*malachite*) ; lat. *malachites,* var. *molochites* (gr. *molokhê,* mauve) ; minerai de cuivre.

**malacologie** 1814, Rafinesque ; lat. *malacus,* mou, gr. *malakos ;* partie de la zool. traitant des mollusques. || **malacostracés** 1802, Latreille ; gr. *ostrakon,* coquille.

***malade** 980, *Passion ;* lat. *male habitus,* « qui se trouve en mauvais état » ; a remplacé le lat. *aeger.* || **maladie** 1150, Barbier. || **maladif** 1256, Ald. de Sienne. || **maladivement** 1842, Mozin.

**maladrerie** 1160, Benoît ; altér. de *maladerie,* de *malade,* avec infl. de *ladrerie* (v. ce mot).

**malaire** 1765, *Encycl. ;* lat. *mala,* mâchoire.

**malandre** 1398, *Ménagier,* vétér. ; bas lat. *malandria* (Ve s., M. Empiricus) ; pourriture. || **malandreux** 1723, Savary.

**malandrin** 1360, Froissart ; ital. *malandrino,* voleur de grands chemins, lépreux, de *malandre.*

**malard** fin XIIe s., *Chev. Ogier,* canard sauvage mâle ; du fr. *mâle.*

**malaria** 1833, *Magasin pittoresque ;* ital. *malaria,* mauvais air, de *aria,* air.

**malaxer** 1377, Gordon, pharm. ; 1600, O. de Serres, pétrir ; lat. *malaxare,* amollir, de l'aoriste gr. *malaxai* (infin. *malassein*). || **malaxage** 1873, Lar. || **malaxation** début XVIIe s. || **malaxeur** 1868, Souviron, techn.

***mâle** début XIIe s., *Voy. de Charlemagne* (*masle*) ; XVIe s. (*mâle*) ; 1678, Guillet, techn. ; lat. *masculus,* dimin. de *mas.* (V. MALARD, MASCULIN.)

**malédiction** V. MAUDIRE.

**maléfice** 1213, *Fet des Romains ;* lat. *maleficium,* méfait. || **maléficier** 1525, J. Lemaire de Belges. || **maléfique** 1488, *Mer des hist. ;* lat. *maleficus.*

**malement** V. MAL.

**malemort** 1220, Coincy ; anc. adj. *mal,* au fém., et *mort.*

**malencontreux** 1400, Gerson ; anc. fr. *malencontre* (adj. *mal* et nom *encontre*), rencontre (XIIe s., G.), inus. depuis le XVIIIe s. || **malencontreusement** 1690, Furetière.

**malentendu, malfaçon, malfaire, malfaisant** V. ENTENDRE, FAÇON, FAIRE.

**malfaiteur** 1283, Beaumanoir (*malfeteur*) ; réfection de *maufaitour, -eur* (1160, Benoît), adaptation du lat. *malefactor,* qui agit mal.

**malfrat** fin XIXe s. ; mot dial. du Languedoc, de *malfar,* faire mal.

**malgré** 1175, Chr. de Troyes (*maugré*) ; XIVe s., Cuvelier (*malgré*), contre son gré ; 1650, Corn., en dépit de ; *malgré que,* fin XVIIIe s. ; de *mal,* et *gré.*

**malheur, malheureux** V. HEUR.

***malice** 1131, *Couronn. Loïs,* méchanceté, jusqu'au XVIIe s. ; 1667, Boileau, sens actuel ; lat. *malitia,* méchanceté. || **malicieux** 1155, Wace (*malicios*) ; lat. *malitiosus,* méchant. || **malicieusement** 1190, G.

**malignité** 1120, H. Berger, « méchanceté » ; lat. *malignitas ;* 1650, Pascal, « caractère astucieux ». || **malin** adj., 1460, Chastellain, « porté à nuire » ; réfection de *maligne* (1120, *Ps de Cambridge*), lat. *malignus,* méchant ; 1669, Boileau, malicieux ; n. m., 1530, Lefèvre d'Étaples, le diable.

**malin** V. MALIGNITÉ.

**malines** 1752, Trévoux, dentelle ; du nom de *Malines,* ville de Belgique.

**malingre** début XIIIe s., *Guillaume le Maréchal* (*malingros*), « chétif » (encore *malingreux,* 1831, Hugo) ; XIIIe s. (*malingre*), comme nom propre ; adj., 1598, Bouchet ; du croisement de l'adj. *mal* et de l'anc. adj. *haingre,* décharné, d'orig. obscure.

**malique** (*acide*) 1787, Fourcroy ; lat. *malum,* pomme ; découvert par Scheele en 1785.

**malle** fin XIe s., *Gloses de Raschi* (*male*) ; francique **malha,* sacoche. || **mallette** XIIIe s., *Miracles saint Éloi.* || **malletier** 1379, Fragniez. || **malle-poste** 1793, *Décret.*

**malléable** XIVe s., *Nature à l'alchimie,* « qui se laisse façonner » ; 1829, Boiste, fig. ; lat. *malleus,* marteau. || **malléabilité** 1676, Glaser. || **malléabiliser** 1801, Mercier. || **malléolaire** 1827, *Acad.*

**malléine** 1931, Lar. ; lat. *malleus,* marteau, morve. || **malléiner** 1931, Lar.

**malléole** 1546, Ch. Est., anat. ; lat. *malleolus,* dimin. de *malleus,* marteau.

***malotru** 1160, Benoît (*malostruz,* pl.), chétif, malheureux ; 1211, *le Bestiaire,* mal bâti ; 1613, Régnier, grossier ; altér. de **malastru,* du lat. pop. **male astrūcus,* né sous un mauvais astre, de *astrum,* astre.

**malpighie** 1752, Trévoux (*malpighia*) ; 1765, *Encycl.* (*malpighie*), bot. ; du nom de l'anatomiste ital. Marcello *Malpighi* (1628-1694).

**malséant** V. SÉANT.

**malstrom, maelström** 1765, *Encycl. ;* néerl. *maelström,* de *malen,* broyer, et *ström,* courant ; 1862, Hugo, fig.

**malt** 1745, Brunot ; angl. *malt,* d'orig. germ. (cf. l'all. *Malz*). || **maltage** 1834, Boiste, || **malter** 1808, *Annales chimie.* || **malteur** 1840, *Acad.* || **maltose** 1872, Bouillet. || **malterie** 1873, Lar. || **maltase** 1902, Lar.

**malthusien** 1861, *Doc. ;* du nom de l'économiste anglais *Malthus* (1766-1834), qui recommanda la limitation des naissances. || **malthusianisme** 1869, Goncourt.

**maltôte** 1262, Giry (*mautoste*) ; 1330, Baudoin (*maletote*) ; v. 1350, *Romania* (*maltôte*) ; anc. adj. *mal* et anc. nom *tolte,* imposition, part. passé, substantivé au fém., de l'anc. v. *toldre,* enlever, du lat. *tollĕre* (part. passé pop. **tollita,* au fém.). || **maltôtier** fin XVIe s.

**malvacée** V. MAUVE.

**malveillant** 1160, Benoît (*mauvoillant*) ; début XVIe s. (*malveillant*) ; de l'adv. *mal* et de *vueillant,* anc. part. prés. de *vouloir.* || **malveillance** 1160, Benoît.

**malversation** 1387, G. ; anc. verbe *malverser* (XVIe s.), du lat. *male versari,* se comporter mal (*versari,* se comporter). || **malverser** 1535, Coyecque.

**malvoisie** 1393, Du Cange (*malvesy*) ; 1360, Froissart (*malvoisie*) ; de *Mal(e)vesie,* nom d'un îlot grec (sud-est de la Morée), d'où vient ce cépage (par l'intermédiaire de l'ital. *malvasia,* d'abord vénitien).

**mamamouchi** 1670, Molière ; d'après l'ar. *ma menou schi,* propre à rien.

***maman** 1256, Ald. de Sienne ; lat. *mamma,* même empl., formation enfantine par redoublement ; 1584, P. de Brach (*mamma*) ; formes voisines dans de nombreuses langues (gr., ital., esp., etc.). || **bonne-maman** 1835, *Acad.* || **belle-maman** 1673, Molière. || **mamy** XXe s. ; de *grand-maman* (1690, Furetière).

***mamelle** 1119, Ph. de Thaon (*mamele*) ; lat. *mamilla,* dimin. de *mamma,* mamelle, même mot que *mamma,* maman. || **mamellé** fin XVIIIe s. || **mamelon** XVe s. (*memellon*), anat. ; fin XVIIIe s., B. de Saint-Pierre, géogr. || **mamelonné** 1753, *Dict. anat. ;* 1872, Gautier, géogr. || **mamelonner (se)** 1850, Flaubert. || **mamelu** 1549, R. Est. || **mamillaire** 1503, G. de Chauliac ; bas lat. *mamillaris.*

**mameluk** ou **mamelouk** 1192, *Récit de croisade* (*mamelos*) ; 1460, Chastellain (*mameluz*) ; 1611, Cotgrave (*mameluk*) ; ar. d'Égypte *mamlūk,* désignant un esclave blanc (part. passé de *malak,* « posséder »).

**mammaire** 1654, Gelée ; lat. *mamma,* mamelle. || **mammectomie** 1963, Lar. || **mammite** 1836, *Acad.* || **mammalogie** 1803, *Nouv. Dict. d'hist. nat.* || **mammifère** 1791, *Bull. Soc. des sciences.* || **mammographie** 1953, Lar. || **mammoplastie** 1963, Lar.

**mammea** 1532, A. Fabre (*mameis*), bot. ; esp. *mamei,* de l'arawak, langue indigène d'Amérique du Sud.

**mammifère** V. MAMMAIRE.

**mammouth** 1705, Isbrants (*mammut*) ; russe *mamout,* mot ostiaque (Sibérie de l'Ouest) ; var. *mamant, mammont,* 1727, G.-F. Muller, d'après une var. russe.

**mamour** V. AMOUR.

**manade** fin XIXe s. ; prov. *manado,* de l'esp. *manada,* troupeau.

**manager** 1868, *Événement illustré ;* mot angl. (de *to manage,* manier, diriger), de l'ital. *maneggiare.* || **management** 1921, Fayol. || **manager** verbe 1927, Esnault.

***manant** 1160, Benoît, habitant ; 1610, Huguet, paysan ; 1668, La Fontaine, homme ignorant ; part. prés. substantivé de l'anc. v. *maneir,* demeurer (fin IXe s., *Eulalie*), du lat. *manēre.* (V. MANOIR, MÉNAGE, etc.)

***mancelle** fin XIVe s. (*manselles*) ; 1680, Richelet (*mancelle*), techn. ; lat. pop. **manĭcĕlla,* du bas lat. **manicŭla,* dimin. de *manus,* main.

**mancenille** début XVIe s. ; esp. *manzanilla,* dimin. de *manzana,* pomme, du lat. *Mattiānum mālum,* « pomme de Mattius » (du nom de Caius Mattius, agronome romain du I[e] s. av. J.-C.). || **mancenillier** 1658, Rochefort ; arbre des Antilles.

1. ***manche** n. f., 1150, Rathbone ; 1617, d'Aubigné, tour de cartes ; 1803, Boiste, une des parties du jeu ; *manche à air,* 1845, Besch. ; lat. *manĭca,* de *manus,* main. || **manchette** 1193, Hélinant, manche d'habit ; 1606, Crespin, parement d'étoffe fixé au bout de la manche ; 1878, Lar., journalisme ; diminutif. || **manchon** XIIIe s., *Conq. de Jérusalem.* || **mancheron** 1217, G., garniture de manche. || **emmancher** 1578, d'Aubigné. || **emmanchure** fin XVe s.

2. ***manche** n. m., 1180, Marie de France ; 1920, Bauche, maladroit, de *manchot ;* lat. pop. **manicus,* ce qu'on tient avec la main, de *manus,* main. || **mancheron** (*de charrue*) 1265, J. de Meung. || **démancher** v. 1200. || **emmancher** 1155, Wace. || **emmanchement** 1636, Monet. || **remmancher** 1549, R. Est.

3. **manche** n. f., 1532, Rab., pourboire ; 1790, Esnault, mendicité ; ital. *mancia,* gratification, du français *manche* 1.

**manchot** 1502, O. de La Marche ; anc. adj. fr. *manc, manche* (1138, *Vie saint Gilles*), estropié, manchot, du lat. *mancus.* (V. MANQUER.)

**mancie** milieu XVIe s. ; gr. *manteia,* prédiction, de *mantis,* devin.

**mancipation** 1546, Delb., jurid. ; lat. jurid. *mancipatio.* (V. ÉMANCIPER.)

**mandarin** 1581, Goulart, conseiller du roi ; 1586, Loyer, fonctionnaire chinois ; 1833, Musset, argot universitaire ; mot portugais, altération (d'après *mandar,* mander) du malais *mantarî,* du sanscrit *mantrin,* « conseiller d'État ». || **mandarinat** 1732, Trévoux, dignité de fonctionnaire chinois ; 1873, *J. O.,* autorité arbitraire. || **mandarinal** 1776, Voltaire. || **mandarinisme** 1838, Enfantin.

**mandarine** 1773, Bernardin de Saint-Pierre ; esp. (*naranja*) *mandarina,* orange mandarine (soit qu'elle fût appréciée des mandarins, soit par comparaison facétieuse avec leur visage). || **mandarinier** 1867, L.

**mandat** XVe s., *Perceforest,* message ; 1765, *Encycl.,* pouvoir donné ; 1867, L., postes ; du lat. jurid. *mandatum,* part. passé substantivé de *mandare,* mander. || **mandataire** 1528, *Recueil des lois ;* 1792, Frey, polit ; *mandataire des halles,* 1896, *Bull. lois.* || **mandater** 1829, Boiste. || **mandatement** 1873, Lar.

**mander** 980, *Passion,* commander ; fin XIIe s., *Moniage Guillaume,* convoquer ; lat. *mandare ;* 1080, *Roland,* faire savoir. || **mandement** 1120, G. || **mandant** n. m., 1789, *Doc.* || **contremander** 1175, Chr. de Troyes.

**mandibule** 1314, Mondeville ; bas lat. *mandibula,* mâchoire (Ve s., Macrobe), de *mandere,* mâcher. || **mandibulaire** 1812, Mozin. || **démantibuler** 1552, Rab. (*démandibulé*), rompre la mâchoire ; 1611, Cotgrave (*démantibuler*) ; 1640, Oudin, mettre hors d'usage ; d'après *démanteler.*

**mandille** 1570, Gay (*mandil*) ; 1611, Cotgrave (*mandille*), manteau de laquais ; esp. *mandil* (lat. *mantīle,* avec infl. arabe.)

**mandoline** 1759, Lacombe ; ital. *mandolino,* dimin. de *mandola,* même mot que le fr. *mandore.* || **mandoliniste** 1882, Goncourt.

**mandore** 1280, Adenet (*mandoire*) ; XVIe s. (*mandore*) ; altér. mal expliquée du lat. *pandura,* du gr. *pandoûra ;* instrument de mus. de la famille des luths. || **mandole** 1680, Richelet ; altér. de *mandore.*

**mandorle** 1949, Lar. ; ital. *mandorla,* amande, du lat. *amygdala ;* gloire en forme d'amande enveloppant le corps du Christ.

**mandragore** 1170, *Floire et Blancheflor* (*mandegloire*) ; 1265, Br. Latini (*mandragore*) ; lat. *mandragoras,* n. m., mot gr. L'altér. anc. *en main de gloire, mandegloire,* est due à une étym. populaire.

**mandrill** 1744, Mackenzie ; mot angl., de *man,* homme, et *drill,* singe, d'une langue de la Guinée ; singe d'Afrique.

**mandrin** 1676, Félibien, techn. ; prov. *mandrin,* poinçon du serrurier, de *mandre,* fléau de balance (fin XVe s.), du bas lat. *mamphur,* arbre du tour du tourneur, avec infl. du germ. **manduls* (cf. l'anc. normand *mondull,* « manivelle de moulin à main »). || **mandriner** 1765, *Encycl.* || **mandrinage** 1931, Lar.

**manducation** 1495, J. de Vignay ; bas lat. *manducatio* (IVe s., saint Augustin), de *manducare.* (V. MANGER.)

**manécanterie** 1836, Landais ; de l'adv. lat. *mane,* « le matin », et de *cantare,* chanter ; école de chant de la paroisse. Le mot a été choisi en 1907 par P. Martin et P. Berthier pour nommer une maîtrise populaire et ambulante.

**manège** XVIe s., *Chron. bordeloise,* équit. ; 1688, Sévigné, fig. ; 1963, Lar., techn. ; ital. *maneggio,* de *maneggiare,* manier. || **manéger** XVIe s., de Montlyard, équit. ; fin XVIIe s., Saint-Simon, fig.

**mânes** 1564, J. Thierry, à Rome ; fin XVIe s., Brantôme, « âmes des morts » ; lat. *manes,* ombres des morts.

**maneton, manette** V. MAIN.

**manezingue** 1837, Vidocq (*malzingue*) ; 1844, Esnault (*mannezingue*) ; de *maltais,* par substitution de suffixe, marchand de vin.

**manganèse** 1578, Vigenère, magnésie noire ; 1774, corps simple découvert par Scheele ; orig. obscure. || **manganésifère** 1840, *Acad.* || **manganeux** 1831, Berzélius. || **manganique** 1840, *Acad.* || **manganite** 1953, Lar. || **manganine** 1922, Lar. || **manganate** 1840, *Acad.* || **permanganate** 1848, Allain. || **permanganique** *id.*

***manger** 1080, *Roland* (*mangier*) ; n. m., 980, *Passion ;* lat. pop. *mandŭcare,* mâcher, puis à basse époque « manger », de *mandere,* mâcher. || **mangeable** fin XIIe s., *Sept Dormants.* || **immangeable** 1600, O. de Serres. || **mangeaille** 1264, G. (*mangeille*) ; 1398, *Ménagier* (*mengeaille*). || **mangeoire** fin XIe s., *Gloses de Raschi* (*mangedure*) ; 1175, Chr. de Troyes (*mangeoire*). || **mangerie** XIIe s., *Macchabées.* || **mangeur** fin XIIe s., R. de Moiliens (*mangiere*) ; 1380, *Aalma* (*mangeur*) ; début XIIIe s. (*mangiere*) ; — *de peuples,* XVIIe s., Guy Patin ; — *de curé,* 1790, Brunot. || **mangeure** 1354, *Modus,* vén. || **mangeotter** 1787, Féraud. || **mange-tout** adj., 1550, Ronsard ; 1812, Mozin, bot. ; 1834, Landais, fig. || **démanger** fin XIIIe s. ; 1798, *Acad.,* fig. || **démangeaison** 1549, R. Est ; 1622, Livet, fig.

**mangle** 1555, Poleur, bot. ; mot esp., tiré d'une langue des Antilles. || **manglier** 1716, Frézier.

**mangoustan** 1598, *Premier Livre de l'hist.,* bot. ; port. *mangustão,* du malais. || **mangouste** 1733, Lémery, fruit du mangoustan. || **mangoustanier** XXe s.

1. **mangouste** V. MANGOUSTAN.

2. **mangouste** 1696, Comte (*mangouze*), zool. ; 1703, Biron (*mangouste*) ; esp. *mangosta,* de *mungus,* mot d'une langue de l'Inde (cf. marathe *mangus*).

**mangrove** 1902, Lar. ; mot angl., d'origine malaise.

**mangue** 1540, Balarin (*manga*) ; 1604, F. Martin (*mengue*), bot. ; portugais *manga,* mot de la langue de Malabar. || **manguier** 1688, Gervaise.

**manichéen** 1688, Bossuet ; bas lat. *manichaeus,* sectateur de Manès, de *Manikhaios,* nom gr. du Persan *Mani* ou *Manès.* || **manichéisme** *id.*

**manicle** ou **manique** 1160, Benoît ; lat. *manĭcula,* dimin. de *manus,* main, manchon de cuir des bourreliers.

**manicorde** ou **manichordion** 1155, Wace (*monacorde*) ; 1160, Benoît (*monocorde*) ; 1694, Th. Corn. (*manichordion*) ; gr. *monochordon,* instrument à une corde, par attraction du lat. *manus,* main.

**manie** 1398, *Somme Gautier,* folie, méd. ; XVIe s., obsession ; début XVIIe s., passion pour qqch ; 1750, Staal de Lauzay, habitude ridicule ; lat. méd. *mania,* folie, mot grec. || **maniaque** XIIIe s., *Cart. de Dijon ;* 1803, Boiste, qui a un goût excessif pour qqch ; lat. médiéval *maniacus ; -manie* et *-mane* sont des suffixes depuis le XVIIIe s. || **maniaco-dépressif** 1963, Lar. || **maniaquerie** 1888, Goncourt.

**manier** fin XIe s., *Chanson de Guillaume,* manœuvrer ; 1190, Garn. (*manier*), faire fonctionner avec la main ; 1690, Furetière, palper ; de *main.* || **maniable** 1155, Wace, agile ; 1240, G. de Lorris, qu'on peut faire fonctionner. || **maniabilité** 1876, de Parville. || **maniage** 1694, Th. Corn. || **maniement** 1237, Du Cange. || **manieur** 1392, E. Deschamps. || **maniotte** 1873, Lar., agric. || **remanier** 1250, Mousket.

|| remaniement 1690, Furetière, typogr. ; 1706, Richelet, sens actuel. || **remanieur** 1832, Marin. || **remaniable** 1870, L.

**manière** 1119, Ph. de Thaon ; fém. substantivé de l'anc. adj. *manier,* fait avec la main, d'où « souple, habile » ; de *main ;* pl., 1670, Molière. || **maniéré** 1679, Testelin, affecté. || **maniérisme** 1823, Boiste. || **maniériste** 1684, Brunot.

1. **manifeste** adj., 1190, *Saint Bernard ;* lat. *manifestus,* de *manus,* main, que l'on peut saisir par la main. || **manifestement** fin XIIe s., *Dial. Grégoire.* || **manifester** 1380, *Aalma,* faire connaître publiquement ; *se manifester,* 1387, G. Phébus ; lat. *manifestare ;* 1868, Vallès, polit., faire une démonstration publique. || **manifestant** n., 1849, Proudhon, polit. || **manifestation** fin XIIe s., *Grégoire ;* bas lat. *manifestatio ;* 1865, Proudhon, démonstration publique, polit. || **contre-manifester** v. 1870. || **contre-manifestant** *id.* || **contre-manifestation** 1863, Proudhon.

2. **manifeste** n. m., 1574, Barbier, écrit public ; 1623, Naudi, sens actuel ; ital. *manifesto,* issu du lat. *manifestus* (v. le préc.).

**manigance** 1541, Calvin, orig. obscure, p.-ê. en rapport avec le prov. mod. *manego,* manche, au sens de « tour de bateleur » (v. MANCHE). || **manigancer** 1691, Dancourt.

**maniguette** 1544, Fonteneau, graine poivrée ; ital. *meleghetta,* de *melega,* sorgho, du bas lat. *melica.*

1. **manille** milieu XVIIe s. (*malille*) ; 1696, Boisfranc (*manille*), jeu de cartes ; esp. *malilla* (avec dissimil. de *l*), dimin. de *mala,* même sens, fém. de *malo,* méchant. || **manillon** 1893, Courteline. || **manilleur** XXe s.

2. **manille** 1611, Cotgrave, anse ; 1680, Jal, anneau du rameur de galère ; anc. prov. *manelha,* lat. *manĭcŭla,* dimin. de *manus,* main. (V. MANICLE.)

3. **manille** 1543, G., bracelet ; esp. *manilla,* diminutif de *mano,* main.

**manioc** 1555, Denis ; tupi *manioch* (Brésil).

**manipule** 1380, *Arch. de Reims,* liturg. ; 1534, Des Périers, poignée de blé, de fleurs, etc. ; 1660, Oudin, hist. milit. ; lat. *manĭpŭlus,* poignée, de *manus,* main. || **manipuler** 1765, *Encycl.,* faire jouer entre les doigts ; 1873, Lar., sens actuel. || **manipulation** 1716, Frézier. || **manip** 1880, Esnault ; abrév. de *manipulation.* || **manipulateur** 1762, Guyton.

**manipuler** V. MANIPULE.

**manitou** 1627, Champlain ; mot algonquin (Canada occidental) signif. « le Grand Esprit » ; 1842, Fortunatus, personnage important, par l'homonymie *manie-tout.*

***manivelle** fin XIe s., *Chanson de Guillaume* (*manevelle*) ; 1325, G. (*menivelle*) ; 1560, Paré (*manivelle*) ; cinéma, *tour de manivelle,* 1896, M. Corday ; lat. pop. **manabella,* altér. de *manĭbŭla,* var. de *manĭcŭla,* dimin. de *manus,* main.

1. **manne** (*du ciel*) 1120, *Ps. de Cambridge ;* XIVe s., Trénel, fig. ; XIVe s., *Mir. de Notre-Dame,* victuailles ; lat. eccl. *manna* (*Vulgate*), de l'hébreu *man.*

2. **manne** XIIIe s., Taillar, panier en osier ; moy. néerl. *manne,* var. de *mande* (d'où l'anc. fr. *mande,* 1202), mot du Nord et du Nord-Est. || **mannette** milieu XVe s. || **mannequin** *id.,* panier en forme de hotte (var. *mandequin,* XVe s.) ; moy. néerl. *mannekijn,* dimin. de *manne.*

1. **mannequin** V. MANNE 2.

2. **mannequin** 1467, Laborde, figurine ; 1806, Delille, en mode ; 1896, Goncourt, jeune femme présentant un modèle de couture ; moyen néerl. *mannekijn,* dimin. de *man,* homme. || **mannequiner** 1678, Guillet (*-é*) ; 1762, *Acad.* (*-er*). || **mannequinage** 1564, J. Thierry.

***manœuvre** n. f., 1180, *Girart de Roussillon* (*manevre*) ; 1409, Runkewitz (*manœuvre*) ; lat. pop. *manuopera* (VIIIe s., *Capit. de Charlemagne*), de *opera,* travail, et *manu,* avec la main, abl. de *manus ;* n. m., 1449, texte de Blois. || ***manœuvrer** 1080, *Roland* (*manuvrer*), placer avec la main ; 1283, Beaumanoir (*manœuvrer*), travailler ; 1690, Furetière, mar. ; 1732, Richelet, milit. ; 1873, Lar., mettre en action ; 1752, Trévoux, fig. ; lat. pop. *manuoperare,* de *operare,* travailler. || **manœuvrable** 1902, Lar. || **manœuvrabilité** 1934, *Auto.* || **manouvrier** n. m., 1180, *Loherains.* || **manœuvrier** n. m., fin XVIe s., homme rusé ; 1678, Guillet, chef militaire habile ; adj., 1765, *Encycl.*

***manoir** 1155, Wace ; anc. infin. substantivé de *maneir,* habiter (fin IXe s., *Eulalie*) ; lat. *manēre,* demeurer. (V. MANANT.)

**manomètre** 1705, *Hist. de l'Acad. des sc. ;* tiré par Varignon (1654-1722) du gr. *manos,* rare (c.-à-d. peu dense), et *metron,* mesure. || **manométrique** 1836, *Acad.* || **manométrie** *id.*

**manoque** 1700, Liger, proprem. « poignée » ; mot du Nord (Hainaut), dér. de *main.* || **manoquer** 1893, *D. G.*

**manouche** 1898, Esnault ; mot tzigane signif. « homme ».

**manquer** 1398, E. Deschamps, intr. ; 1652, La Rochefoucauld, transitif ; ital. *mancare,* être insuffisant, de *manco,* défectueux, du lat. *mancus, id.* (v. MANCHOT). || **manqué** adj., 1560, Paré ; n. m., XX$^e$ s., culin. || **manquant** 1609, Daléchamp, adj. || **manque** n. m., 1360, Froissart (*à manque de*) ; 1594, Henri IV, offense ; 1606, Crespin, privation ; *à la manque,* 1791, Esnault, pop. ; déverbal. || **manquement** fin XIII$^e$ s., Aimé. || **immanquable** milieu XVII$^e$ s.

**mansarde** 1676, Félibien (d'abord *comble à la mansarde*) ; du nom de l'architecte *Mansard* (1598-1666). || **mansardé** 1844, Balzac.

**manse** 1732, *Maison rustique,* droit féod. ; lat. *mansa,* part. passé, subst. au fém., de *manēre,* demeurer. (V. MANOIR, MAS.)

**mansion** 1155, Wace, demeure ; XIII$^e$ s., *Résurrection du Sauveur,* théâtre ; lat. *mansio.* (V. MAISON.)

**mansuétude** 1170, *Rois* (*mansuetudine*) ; 1265, Br. Latini (*-tude*) ; lat. *mansuetudo,* de *mansuetus,* apprivoisé, doux.

1. **mante** 1404, Du Cange, manteau ; prov. *manta,* du lat. pop. **manta,* du bas lat. *mantum.* (V. MANTEAU.)

2. **mante** 1734, Valmont ; *mante religieuse,* 1845, Besch. ; lat. des naturalistes *mantis,* du gr. *mantis,* devineresse, d'après la position de l'insecte, les pattes antérieures repliées et jointes.

***manteau** 980, *Passion* (*mantel*) ; 1300, G. (*manteau*) ; *manteau de cheminée,* début XIV$^e$ s. ; *sous le manteau,* 1671, Pomey ; lat. *mantellum,* dimin. de *mantum* (VII$^e$ s., Isid. de Séville). || **mantelet** 1138, Gaimar. || **manteline** XIV$^e$ s., *D. G.* || **mantelure** 1655, Salnove, vén. || **démanteler** 1563, *Mém. de Condé ;* anc. fr. *manteler* (XIII$^e$ s., *Ysopet*), abriter, d'où « fortifier ». || **démantèlement** 1587, La Noue.

**mantille** 1726, d'après Trévoux ; esp. *mantilla,* du lat. *mantellum* (fém. d'après *capa,* cape). (V. MANTEAU.)

**mantique** 1887, *Doc. ;* gr. *mantikê,* art de la divination.

**manucure** 1877, L. ; lat. *manus,* main, et *curare,* soigner.

**manuel** adj., 1200, *Règle saint-Benoît,* qui se fait avec la main ; 1532, *Doc.,* qui exerce un métier manuel ; lat. *manualis,* de *manus,* main ; n. m., 1539, *Doc.,* livre, repris à l'adj. neutre *manuale,* substantivé en bas lat. pour traduire le gr. *egkheiridion* (de *kheir,* main), désignant d'abord le manuel d'Épictète. || **manuellement** 1334, G.

**manufacture** début XVI$^e$ s., « travail manuel » ; lat. médiéval *manufactura,* « travail fait à la main », de *manu,* « à la main », abl. de *manus,* et de *factura,* de *facere,* faire ; milieu XVI$^e$ s., fabrication ; début XVII$^e$ s., fabrique. || **manufacturer** 1601, *Doc. hist. ; produit manufacturé,* début XIX$^e$ s., Desttut de Tracy. || **manufacturable** 1877, L. || **manufacturier** 1664, Colbert.

**manu militari** 1888, Lar. ; loc. lat. signif. « par la force militaire », de *manu,* par la main, et *militari,* ablatif de *militaris,* militaire.

**manumission** 1324, G., jurid. ; lat. jurid. *manumissio,* de *manu,* « avec la main », et *mittere,* envoyer.

**manuscrit** adj. et n. m., 1594, Fl. Rémond ; 1690, Furetière, original d'un ouvrage ; lat. *manuscriptus,* adj., « écrit à la main », de *manu,* abl. de *manus,* main, et *scribere,* écrire.

**manutention** 1478, G., conservation ; 1578, d'Aubigné, gestion ; 1820, d'après L., préparation pour l'emmagasinage ; lat. médiév. *manutentio,* de *manu tenere,* tenir avec la main (*manu,* abl. de *manus*). || **manutentionner** 1820, L. || **manutentionnaire** 1788, Brunot.

**manuterge** 1847, d'Ayzac ; lat. *manutergium,* de *manutergere,* essuyer avec la main ; linge avec lequel le prêtre s'essuie les doigts pendant le *Lavabo* de la messe.

**maous** 1895, Esnault, arg. ; yiddisch alsacien *moaus,* gros, de l'hébreu *maot,* monnaie.

**mappemonde** début XII$^e$ s., *Thèbes* (*mapamonde*), carte ; XIII$^e$ s. (*mappemonde*) ; 1835, Gautier, globe représentant la sphère terrestre ; lat. médiév. *mappa mundi,* la nappe du monde. (V. NAPPE.)

1. **maquereau** XIII$^e$ s., Rutebeuf (*maqueriau*) ; XV$^e$ s., Basselin (*maquereau*), entremetteur ; moy. néerl. *makelaer,* courtier, de *makeln,* trafiquer, de *maken,* faire. || **mac** 1835, Esnault ; abrév. || **maquerelle** 1265, J. de Meung. || **maquereller** 1549, R. Est. || **maquereauter** 1867, Delvau. || **maquerellage** XIII$^e$ s., G.

2. **maquereau** 1138, G. (*makerel*) ; 1268, É. Boileau (*maquereau*), poisson ; probablem. même mot que le préc. || **maqueraison** 1873, Lar. || **maquereautier** 1940, *journ.*

**maquette** 1752, Trévoux ; ital. *macchietta,* ébauche, proprement « petite tache » ; dimin. de *macchia,* tache (lat. *macula,* tache). || **maquettiste** 1959, Robert.

**maquignon** 1279, G. (*maquignon de chevaus*) ; 1538, R. Est. (*maquignon*) ; 1541, Calvin, entremetteur vénal ; déform. probable de *maquereau* 1, avec substitution de suffixe. || **maquignonner** 1511, *Recueil Trepperel.* || **maquignonnage** début XVIe s., sens propre ; 1585, Cholières, procédés indélicats.

**maquiller** 1460, Villon, faire travailler ; 1628, Cherau, arg., « voler » ; 1827, Esnault, jouer aux cartes ; 1840, Esnault, théâtre, « farder » ; 1880, Huysmans, « travestir, altérer » ; anc. picard *makier,* faire, du moy. néerl. *maken, id.* || **maquis** 1827, « fard ». || **maquillage** 1628, Cherau, travail ; 1858, Esnault, action de travestir. || **maquilleur** 1561, Esnault (*macquilleux*), contrefacteur ; 1847, Esnault, arrangeur ; XXe s., faussaire ; 1868, L., qui maquille les acteurs (au fém.). || **démaquiller** 1837, Vidocq, « défaire » ; fin XIXe s., théâtre.

1. **maquis** V. MAQUILLER.

2. **maquis** 1775, *Causes célèbres* (*makis*) ; 1791, Barère (*machie*) ; corse *macchia,* lat. *macula,* cette végétation formant des taches sur la montagne. (V. MAQUETTE.) || **maquisard** v. 1942.

**marabout** 1560, *Doc.* (*moabite*) ; fin XVIe s. (*morabuth*) ; 1617, Mocquet (*marabou*) ; ar. *murābit,* ermite ; 1820, Laveaux, métaph., oiseau (au port majestueux). [V. MARAVÉDIS.] || **maraboutique** 1877, *Gazette des tribunaux.* || **maraboutage** 1873, Lar.

**marais** 1086, G. (*maresc*) ; 1138, Gaimar (*mareis*) ; 1459, La Curne (*marais*) ; av. 1850, Balzac, fig. ; *marais salant,* 1580, B. Palissy ; lat. *mariscus* (textes mérovingiens et carolingiens), du francique **marisk* (germ. **mari-,* « mer, lac »). || **maraîcher** XIIIe s., G., adj., qui vit dans les marais ; 1497, texte d'Abbeville (*marequier*), qui cultive les légumes ; 1660, Oudin (*mareschier*) ; 1690, Furetière (*maraîcher*). || **maraîchin** 1840, *Acad.* || **marécage** 1213, *Fet des Romains,* adj., dér. de l'anc. n. *maresc,* forme anc. de *marais ;* n. m., 1360, Froissart. || **marécageux** 1398, E. Deschamps (*marcageus*) ; 1532, R. Est. (*maresquageux*) ; 1636, Monet (*marécageux*).

**marante** 1693, Plumier ; du nom de B. *Maranta,* botaniste ital. du XVIe s.

**marasme** 1538, Canappe, méd., maigreur extrême ; 1790, Mirabeau, fig. ; gr. *marasmos,* consomption.

**marasquin** 1739, De Brosses ; ital. *maraschino,* mot de Zara, de *(a)marasca,* (cerise) aigre, de *amaro,* amer.

**marathon** 1896, date de l'épreuve aux jeux Olympiques ; du nom de la ville grecque de *Marathon.* || **marathonien** 1930, *journ.*

***marâtre** 1138, Gaimar (*marastre*), seconde femme du père ; lat. pop. **matrastra* (même sens), qui a éliminé le lat. class. *noverca ;* fin XIIe s., *Roman d'Alexandre,* mère dénaturée ; rempl. par *belle-mère* au sens propre.

**maraud** XVe s., *Repues franches,* probablem. métaph., d'abord au sens de « vagabond », de *maraud,* nom du matou dans le Centre et l'Ouest, d'orig. onomatop., « imitant le ronron, ou le miaulement des chats en rut ». (V. MARLOU, MARMOTTE.) || **marauder** 1549, R. Est. ; 1865, Esnault, pour un cocher de fiacre. || **maraude** 1690, Furetière. || **maraudeur** 1679, Brunot. || **maraudage** 1775, Démeunier.

**maravédis** fin XVe s., Molinet (*malavedis*) ; 1555, Poleur ; esp. *maravedi,* de l'ar. *murābitī,* monnaie d'or frappée sous la dynastie des Almoravides (*almorâbitîn*), de l'ar. *morâbit,* attaché à la garde d'un poste-frontière. (V. MARABOUT.)

***marbre** 1050, *Alexis ;* 1424, A. Chartier, fig., « insensible » ; lat. *marmor ;* début XVIIe s., imprim. || **marbré** 1050, *Alexis* (*marbret*). || **marbrer** 1640, Oudin, peint. || **marbrage** 1959, Robert. || **marbrerie** 1765, *Encycl.* || **marbreur** début XVIIe s., marbrier ; 1680, Richelet, ouvrier qui marbre du papier. || **marbrier** 1311, G. || **marbrière** 1562, Du Pinet, carrière de marbre. || **marbrure** 1680, Richelet, décoration en marbre ; 1829, Boiste, marque sur la peau.

1. **marc** 1138, Gaimar, ancien poids ; 1273, Adenet, monnaie ; francique **marka* (haut all. *mark*), demi-livre d'or ou d'argent (all. *Mark*).

2. **marc** (*de raisin*) XVe s. (*march*) ; 1538, R. Est. (*marc*) ; déverbal de *marcher,* au sens ancien de « écraser ».

**marcassin** 1496, texte de Lille (*marquesin*) ; 1549, R. Est. (*marcassin*) ; de *marquer* (les marcassins portant des rayures le long du corps pendant leurs cinq premiers mois), p.-ê. d'après *bécassin, agassin.*

**marcassite** 1490, Vaganay (*marcasite*) ; lat. médiév. *marchasita,* de l'arabe *marqachitā,* mot d'orig. persane.

**marcescible** XIVᵉ s. (*marcezible*) ; 1519, G. Michel (*marcessible*) ; lat. *marcescibilis,* de *marcescere,* se flétrir. || **marcescent** 1799, Ventenat ; lat. *marcescens,* part. prés. de *marcescere.* || **marcescence** 1812, Boiste.

***marchand** 980, *Passion* (*marchedant*) ; 1050, G. (*marchaant*) ; 1150, Wace (*marcheand*) ; 1486, Bartzsch (*marchand*) ; lat. pop. **mercātantem,* acc. du part. prés. de **mercātāre* (lat. class. *mercāri*), commercer, de *mercatus,* marché, ou *merx, mercis,* marchandise. || **marchandise** 1130, *Eneas ;* « commerce » jusqu'au XVIᵉ s. ; *train de marchandises,* début XXᵉ s. || **marchander** intr., début XIIIᵉ s., faire du commerce ; 1502, O. de la Marche, transitif ; 1646, Du Ryer, fig. || **marchandage** 1848, *Décret ;* début XXᵉ s., fig. || **marchandeur** 1836, *Acad.*

1. **marche** 1080, *Roland,* pays frontière ; francique **marka,* frontière.

2. **marche** V. MARCHER.

***marché** 980, *Passion* (*marched*) ; 1080, *Roland* (*marchiet*), lieu public où l'on vend ; 1080, *Roland,* convention ; *marché noir,* 1940, *journ. ; à bon marché,* XIIIᵉ s., *Roman de Renart ; par-dessus le marché,* 1735, Marivaux ; lat. *mercatus,* de *merx, mercis,* marchandise. || **supermarché** 1960, *journ.*

**marcher** 1155, Wace (*marchier*), « fouler aux pieds » ; XIIIᵉ s., *Romania,* « parcourir à pied » ; 1354, *Modus* (*marcher*), « laisser une trace » ; début XVᵉ s., sens actuel ; 1538, R. Est., milit. ; n. m., 1538, R. Est. ; francique *markôn,* marquer, « imprimer le pas » (v. MARC 2, MARQUER). || **marche** 1354, *Modus,* trace d'un animal, ou d'un homme ; début XVIᵉ s., action de marcher ; 1528, Laborde, marche d'escalier ; 1736, Voltaire, déplacement d'un véhicule ; 1781, Condorcet, fonctionnement ; *fermer la marche,* 1690, Furetière ; déverbal. || **marchette** 1532, Rab. || **contremarche** 1626, milit. || **marchage** 1530, Palsgrave, techn. || **marcheur** 1669, Widerhold. || **marcheuse** 1838, Esnault, figurante. || **marchepied** 1279, *Ordonnance,* engin de pêche ; 1302, Gay, tapis de pied ; XIVᵉ s., banc. || **démarche** milieu XVᵉ s. ; déverbal de l'anc. *démarcher* (1120, *Ps. de Cambridge*), fouler aux pieds et, au XVᵉ s., « commencer à marcher, marcher » ; 1671, Pomey, « efforts en vue d'une affaire ». || **démarchage** 1948, Lar. || **démarcher** 1940, *journ.,* sens actuel ; de *démarche,* tentative. || **démarcheur** 1922, Lar.

**marcotte** 1398, Du Cange (*marquos,* pl.) ; 1538, R. Est (*marquotte*) ; XVIᵉ s. (var. *margotte*) ; de *marcus* (Iᵉʳ s., Columelle), nom d'un cep de la Gaule. || **marcotter** 1551, Cotereau. || **marcottage** 1835, *Maison rustique.*

***mardi** 1119, Ph. de Thaon (*marsdi*) ; fin XIIᵉ s. (*mardi*) ; lat. pop. *martis dies,* « jour de Mars » ; *mardi gras,* 1552, Rab.

**mare** 1180, Marie de France, surtout norm. et angl.-norm. jusqu'au XVIᵉ s. ; anc. scand. *marr,* mer.

**marécage, marécageux** V. MARAIS.

**maréchal** fin XIᵉ s. (*marescal*), maréchal-ferrant ; 1155, Wace (*mareschal*), officier chargé du soin des chevaux ; 1213, *Fet des Romains,* grand officier commandant une armée ; franc **marhskalk* (cf. le lat. *mariscalcus, Loi salique*) ; *maréchal des logis,* 1549, R. Est. : abrév. pop. *margis,* 1888, Esnault ; *maréchal de France,* fin XVIᵉ s., d'Aubigné. || **maréchal-ferrant** 1611, Cotgrave. || **maréchale** n. f., 1617, d'Aubigné (a éliminé *maréchaude,* 1250, La Curne). || **maréchalerie** 1533, *La Mareschalerie.* || **maréchalat** 1840, *Acad.* || **maréchaussée** fin XIᵉ s., *Gloses Raschi (marechaussie*), écurie ; 1282, La Curne, office de maréchal ; 1718, *Acad.,* gendarmerie à cheval.

**marée** 1268, É. Boileau ; dér. anc. de *mer ;* 1398, E. Deschamps, poisson de mer frais. || **mareyeur** 1612, Béroalde de Verville. || **mareyage** 1907, Lar. || **maréographe** 1845, Besch. ; rempl. par **marégraphe** 1868, L. || **maréomètre** 1868, L. || **marémoteur** 1923, Lar.

**marelle** fin XIᵉ s., *Gloses de Raschi* (*merele*) ; 1190, Bodel (*marrele*) ; la var. *mérelle* est la forme la plus usitée du Moyen Âge au XVIIIᵉ s. ; anc. fém. de *merel, mereau* (XIIᵉ s.), « jeton, palet, petit caillou » ; rad. préroman **marr-,* pierre (cf. *merelle,* mauvais charbon, déchets de charbon, 1855, Zola, *Germinal*).

**maremme** XIVᵉ s., Moamin (*mareme*), côte ; 1554, *Doc.,* pl., terrains près de la côte ; ital. *maremma.* || **maremmatique** 1868, L.

**marengo** 1840, *Acad.,* sorte de drap ; 1840, *Acad.,* brun-rouge ; *à la marengo,* 1836, *Acad.,* culin ; du nom de Marengo, localité ital. où Bonaparte remporta une victoire en 1800.

**maréyeur, margarine** V. MARÉE, MARGARIQUE.

**margarique** 1816, *Ann. chim.* ; gr. *margaron,* perle, à cause de la couleur de l'acide margarique (v. MARGUERITE). || **margarine** 1813, *Annales de chimie ;* nom créé par Chevreul (1786-1889), sur le rad. du préc. et le suff. de *glycérine.* || **margarinerie** 1961, Calan. || **margarinier** 1963, Lar.

**margay** 1575, Thevet (*margaia*) ; 1765, Buffon (*margay*), chat-tigre ; d'une langue de l'Amérique centrale.

***marge** début XIII^e s., bord, bordure ; XIII^e s., d'après L. (*marce*), marge d'une feuille ; début XX^e s., bénéfice ; 1971, *journ.,* limite ; *en marge,* 1906, Léautaud ; lat. *margo, marginis,* bord. || **margé** 1390, Froissart (*margiet*). || **marger** 1549, R. Est. || **margeur** 1730, Savary. || **marginé** 1738, Voltaire. || **marginal** XV^e s., au pr. ; 1964, *journ.,* fig. || **marginalement** 1967, Gilbert. || **marginalisme** 1953, Lar., écon. || **émargé** 1611, Cotgrave, noté en marge. || **émarger** 1721, Trévoux, sens mod. || **émargement** *id.*

***margelle** 1160, Benoît (*marzelle*) ; fin XII^e s., *Alexandre* (*margelle*) ; lat. pop. **margella,* dimin. de *margo.* (V. le précédent.)

**marginal, marginé, margot, margoter, margotin** V. MARGE, MARGUERITE.

**margouillis** 1630, Brunot, boue ; de l'anc. fr. *margouiller* (1120, *Ps. d'Oxford*), salir, auj. dial. ; du lat. *marga,* terre, d'orig. gauloise.

**margoulette** 1756, Vadé, bouche ; de *gueule* (*goule* dans l'Ouest), avec infl. probable du précédent.

**margoulin** 1840, *les Français peints par eux-mêmes,* pop., marchand forain ; 1873, Lar., sens péjor. ; à l'orig. mot de l'Ouest, de *margouliner,* « aller vendre de bourg en bourg » (se disant pour des femmes), proprem. « aller en margouline », de *margouline,* bonnet de femme, var. de *margoulette* (v. le précéd.), d'après *gouline,* sorte de bonnet, de *goule,* var. de *gueule* dans l'Ouest.

**margrave** 1495, Molinet (*marckgrave*) ; 1732, Richelet (*margrave*) ; all. *Markgraf,* comte d'une marche. (V. MARCHE 1.) || **margravial** 1840, *Acad.* || **margraviat** 1752, Trévoux.

**marguerite** début XIII^e s., Pannier (*margarite*), perle, sens inus. depuis le début du XVII^e s. ; XIII^e s., *Aucassin* (*margerite*), variété de fleur, par analogie de couleur ; lat. *margarita,* perle, du gr. *margaritês,* d'orig. sémitique. || **reine-marguerite** 1715, La Quintinie. || **margot** 1350, Gilles li Muisis, pie ; 1550, *Anc. Théâtre,* fille de mauvaise vie ; 1803, Boiste, femme bavarde ; du nom de femme *Margot,* dimin. de *Marguerite.* || **margoter** 1680, Richelet, pousser un cri (de la caille). || **margotin** 1803, Boiste, fagot ; 1902, Lar., marionnette ; de *Margot* au sens de « poupée ».

***marguiller** 1131, *Couronn. Loïs* (*marreglier*) ; 1510, *Coutumier gén.* (*marguillier*) ; bas lat. *mātrĭcŭlārius* (*Digeste*), qui tient les registres (v. MATRICULE). || **marguillerie** XIII^e s. (*marreglerie*) ; XIV^e s. (*marguillerie*).

***mari** 1155, Wace ; lat. *marītus* (de *mas, maris,* mâle), qui a éliminé *vir.* || **marital** 1495, J. de Vignay, « conjugal » ; fin XVI^e s., sens actuel ; lat. *maritalis.* || **maritalement** 1694, *Acad.* || ***marier** 1155, Wace, trouver un mari (pour une fille) ; 1220, Coincy, unir par le mariage ; 1559, Du Bellay, techn. ; *se marier,* 1223, G. ; lat. *marītāre* (nom contracté, sous l'infl. de *mari*). || **marié** n. m., 1155, Wace. || **mariée** n. f., fin XIII^e s., *Apollonius ;* 1752, Trévoux, jeu de cartes. || **mariable** fin XII^e s., *Dial. Grégoire.* || **immariable** 1611, Cotgrave. || **mariage** 1130, *Eneas.* || **marieur** 1220, Coincy (*mariere*) ; 1585, Du Fail (*marieur*). || **remarier** 1160, Benoît ; *se remarier,* 1280, Adenet. || **remariage** 1278, G.

**marial** 1578, d'Aubigné, n. m., eccl. ; du byzantin *mariale,* de *Maria ;* 1923, Lar., repris comme adj., eccl. ; dér. de *Marie.* || **marianisme** 1878, Lar., eccl. ; dér. de *Marie.* || **marianiste** 1935, *Acad.* || **mariste** 1907, Lar.

**marie-couche-toi-là** 1867, Delvau ; du prénom *Marie.* || **marie-galante** 1868, L., quinquina ; de l'île des Antilles. || **marie-jeanne** 1969, *journ.,* marijuana. || **marie-louise** 1963, Lar.

**marigot** 1655, Du Tertre ; orig. inconnue ; peut-être de *mare.*

**marijuana** ou **marihuana** v. 1950 ; mot hispano-américain, d'orig. obscure.

***marin** adj., 1155, Wace ; n. m., 1718, *Acad. ; marin-pêcheur, marin-pompier,* XX^e s. ; adj. lat. *marinus,* de *mare,* mer. || **marine** 1138, Gaimar, plage ; fin XVI^e s., d'Aubigné, flotte de guerre ; 1669, Brunot, peint. ; *marine marchande,* 1765, *Encycl. ;* adj., 1883, Loti, bleu foncé. || **marina** 1968, *journ. ;* ital. *marina,* plage. || **marinier** n. m., 1138, Gaimar, homme de mer ; 1524, spéc. pour la navig. d'eau douce ; adj., 1577, Belleau ; *à la marinière,* 1836, *Acad.,* culin. || **marinière** n. f., 1923, Lar., vêtement fém.

|| **sous-marin** adj., 1555, Delb., qui habite sous la mer ; 1729, Bourguet, sens actuel ; n. m., 1870, Verne. || **sous-marinier** 1934, Quillet.

**mariné** 1546, Rab., trempé dans la saumure ; de *marine,* au sens ancien de « eau de mer ». || **mariner** 1636, Monet. || **marinade** 1651, Guégan. || **marinage** 1868, L.

**maringouin** 1566, Le Challeux (*maringon*) ; 1615, Yves d'Évreux (*maringouin*) ; tupi-guarani *mbarigui* (Brésil).

**mariol** ou **mariolle** n. m., 1578, H. Est., filou ; adj., 1827, Granval, arg., roublard, rusé ; ital. *mariuolo,* filou, de *far la Marie,* faire l'innocent, du n. propre *Marie ; faire le mariol,* 1878, A. Gill.

**marionnette** 1479, Molinet, « ducat portant l'image de la Vierge » ; 1517, *Sotie* (*maryonete*), sens mod. ; diminutif de *Marion,* prénom de femme, lui-même dimin. de *Marie.* || **marionnettiste** 1852, Gautier.

**marital** V. MARI.

**maritime** 1336, *Actes normands ;* lat. *maritimus,* de *mare,* mer.

**maritorne** 1642, Oudin (*malitorne*) ; 1798, *Acad.* (*maritorne*) ; du nom de *Maritorne,* fille d'auberge laide, dans *Don Quichotte* (en esp. *Maritornes*).

**marivauder** 1760, Diderot ; du nom de *Marivaux* (1688-1763), en raison du raffinement de ses dialogues. || **marivaudage** *id.*

**marjolaine** 1398, *Ménagier* (*mariolaine*) ; XVI^e^ s. (*marjolaine,* par faute de lecture) ; altér. graphique de l'anc. *maiorane* (XIII^e^ s., *Simples Médecines*), par croisem. avec *Marion,* dimin. de *Marie ;* du lat. médiév. *maiorana,* d'orig. obscure.

**mark** 1723, Savary ; mot allem., du francique **marka,* marc.

**marketing** 1966, *journ. ;* mot angl., de *market,* marché.

**marli** 1765, *Encycl.,* techn. ; du n. de *Marly,* localité des Yvelines, dont le château est réputé ; le nom a servi à dénommer des objets de luxe.

**marlou** 1821, Ansiaume, pop., rusé ; 1829, Esnault, souteneur ; emploi fig. de *marlou,* rég. du Nord, « matou », d'orig. onomatop. || **marle** 1884, Esnault ; abrév. de *marlou.* (V. MARAUD.)

**marmaille** 1560, Viret, petit garçon ; 1611, Cotgrave, sens actuel ; de *marmot,* avec changement de suffixe.

**marmelade** 1573, Paradin (*mermelade*) ; 1602, Lhermite (*marmelade*) ; portug. *marmelada,* cotignac, de *marmelo,* coing (lat. *melimelum,* sorte de pomme douce, du gr. *melimêlon*).

**marmenteau** 1501, *Coutumier* (*marmentau*), techn. ; de l'anc. adj. *marmental,* dér. de *merrement* (1308, *Archiv. de Montbéliard*), du lat. pop. **materiāmentum,* bois de construction, de **materiāmen.* (V. MERRAIN.)

**marmite** adj., 1220, Coincy, hypocrite ; amalgame du rad. de *marmouser,* « murmurer » (v. MARMOTTER) avec *mite,* nom de la chatte dans *le Roman de Renart,* d'orig. onomatop. (v. CHATTEMITE) ; 1313, de Laborde, substantivé au fém. (parce que la marmite cache son contenu), a remplacé l'anc. fr. *oule, eule,* du lat. *olla ;* 1637, *Doc.,* bombe d'artillerie. || **marmiton** 1523, Delb. || **marmitée** 1590, L'Estoile. || **marmiter** 1894, Sachs, milit. ; de *marmite,* bombe. || **marmitage** 1919, Dorgelès. || **marmiteux** XII^e^ s., *Garin le Loherins,* hypocrite ; auj. misérable, chétif ; de l'anc. adj. *marmite.*

**marmonner** V. MARMOTTER.

**marmoréen** 1832, Balzac, sens propre ; 1862, Hugo, fig. ; lat. *marmoreus,* adj., de *marmor,* marbre.

**marmot** 1432, Baudet Herenc, singe ; 1548, Havard, « figure grotesque servant d'ornement archit. » ; 1640, Voiture, petit enfant ; anc. fr. *marmote,* guenon, dér. de *marmotter ; croquer le marmot,* 1690, Furetière, d'orig. obsc.

**marmotte** v. 1200, *Mort d'Aymeri,* zool. ; sans doute de même orig. que *marmotter ;* 1827, M^me^ Celnart, coiffure de femme, à cause des deux coins semblables aux oreilles des marmottes. || **marmottier** 1868, L. ; de *huile de marmotte.*

**marmotter** 1480, *Doc. ;* d'un rad. *mar-, marm-,* d'orig. onomatop., exprimant le murmure (avec de nombreux correspondants dans les langues indo-européennes). || **marmotterie** fin XVI^e^ s. || **marmotteur** 1605, Le Loyer. || **marmottage** fin XVII^e^ s., Saint-Simon. || **marmonner** 1534, Rab., dire à voix peu distincte ; var. de *marmotter,* avec changem. de suff. || **marmonnement** fin XVI^e^ s. (V. MARAUD, MARLOU, MARMAILLE, MARMITE, MARMOT, MARMOTTE, MARMOUSET, MAROUFLE 1, MARONNER.)

**marmouset** XIII^e^ s., *rue des Marmousets,* « figure grotesque servant d'ornement d'archit. » ; 1460, Villon, petit garçon ; var. de *marmot,* d'après *marmouser* (XVe s.), lui-même var. de *marmotter.*

**marne** 1266, Du Cange (*marna*) ; 1287, Bevans (*marne*) ; altér. mal expliquée de l'anc. *marle* (auj. dial.), du lat. pop. **margĭla,* mot gaulois. || **marnière** XIIIe s., *Roman de Renart* (*marliere*). || **marner** 1207, Marnier (*marler*) ; 1564, Thierry (*marner*), mettre de la marne. || **marnage** 1641, Barbier. || **marneur** 1275, *Romania* (*marnerez*) ; début XVIe s. (*margneux*) ; 1845, Besch. (*marneur*). || **marneux** adj., 1570, Liébault.

1. **marner** V. MARNE.

2. **marner** 1716, Frézier, mar. ; dér. de **marne,* bord, var. non attestée de *marge,* issu du lat. *margo, marginis ;* monter au-dessus du niveau ordinaire, en parlant de la mer. || **marnage** 1910, Lar.

**maronner** 1743, Trévoux (*marronner*) ; 1808, d'Hautel (*maronner*), maugréer ; mot du Nord-Ouest, signif. « miauler », dér. d'un nom du chat, d'un rad. onomatop. *mar-* (v. MARAUD, MARMITE, MARMOTTER). || **maronnant** adj., 1923, Lar.

**maronite** 1525, Thénaud, relig. ; du nom de saint *Maron,* anachorète du IVe siècle.

**maroquin** 1490, Gay (*marroquin*) ; de *Maroc* (où se fabriquait ce cuir). || **maroquiner** 1701, Furetière. || **maroquinier** 1562, Du Pinet. || **maroquinerie** 1636, Monet. || **maroquinage** 1840, *Acad.*

**marotique** 1585, Feu-Ardent ; du nom du poète Cl. *Marot* (1496-1544). || **marotisme** 1803, Laharpe. || **marotiser** 1840, *Acad.* || **marotiste** 1840, *Acad.*

**marotte** 1468, J. Castel, image de la Vierge ; 1530, Palsgrave, attribut de la folie ; 1623, Naudé, idée folle ; dimin. de *Marie.* (V. MARIOLE, MARIONNETTE.)

1. **maroufle** n. m., 1534, Rab., fripon ; autre forme de *maraud.*

2. **maroufle** 1688, *Comptes bâtiments du roi* (*marouf,* n. m.), colle forte ; 1762, *Acad.* (*maroufle,* n. f.) ; probabl. forme fém. du préc., par plaisanterie. || **maroufler** 1746, d'après Trévoux. || **marouflage** 1787, Brunot. || **maroufleur** 1955, *Dict. des métiers.*

**marquer** 1155, Wace (*merchier*), faire une marque ; 1538, R. Est., faire une trace, affecter d'une marque ; 1669, Boileau, souligner ; à l'orig. forme normanno-picarde, issue de l'anc. scand. *merki,* marque ; le *a* est dû à l'infl. de *marcher,* au sens « fouler, presser » (v. MARCHER). || **marqué** 1661, Molière, accentué. || **marquant** adj., 1762, *Acad.* || **marque** n. f., 1483, Bartzsch, droit d'entrée ; 1530, Palsgrave, signe pour marquer la propriété, et aussi trace laissée sur le corps ; 1538, R. Est., flétrissure ; 1553, *Bible Gérard,* trace matérielle ; déverbal. || **contremarque** 1463, Villon. || **marquage** 1669, Widerhold. || **marqueur** 1582, *D. G.,* personne qui marque ; 1970, Robert, crayon. || **marquoir** 1771, *Encycl.* || **marqueter** 1386, G. || **marqueterie** 1416, Delb. || **marqueteur** 1576, Havard. || **démarquer** 1550, Ronsard, ôter la marque de ; 1878, Larchey, imiter ; *se démarquer,* 1948, Lar., sports. || **démarcation** 1700, d'après Trévoux ; peut-être esp. *demarcacion.* || **démarqueur** 1867, Delvau. || **démarcatif** 1863, L. || **remarquer** 1354, *Modus* (*remerquier*). || **remarque** 1505, G. (*remerche*) ; 1580, Montaigne (*remarque*), action de noter ; 1690, Furetière, opinion. || **remarquable** milieu XVIe s., G.

**marquette** 1714, Trévoux ; esp. *marqueta,* de même rac. que le précédent ; pain de cire.

**marquis** 1080, *Roland* (*marchis*) ; de *marche* 1 ; début XIIIe s. (*marquis*) ; réfection, d'après l'ital. *marchese.* || **marquise** 1472, Bartzsch, femme d'un marquis ; 1718, *Acad.,* mar., toile de tente ; 1839, Balzac, auvent vitré. || **marquisat** 1474, Bartzsch ; adapt. de l'ital. *marchesato.*

***marraine** 1080, *Roland* (*marrene*) ; XIIIe s., Galeran (*marraine*) ; var. de l'anc. fr. *marrine* (v. 1200), du lat. pop. *mātrīna,* de *mater,* mère (v. *parrain* et *commère* pour le sens). || **marrainage** 1896, Goncourt.

**marre** 1896, Delesalle, dans *en avoir marre,* en avoir assez ; déverbal de l'anc. fr. *se marrir,* s'ennuyer (v. MARRI). || **se marrer** 1883, Esnault, « s'ennuyer » et « se tordre de rire » ; par antiphrase. || **marrant** 1901, Esnault.

**marri** 1155, Wace ; part. passé de l'anc. français *marrir* (XIIe s.), affliger, du francique **marrjan,* fâcher.

1. **marron** n. m., 1532, Rab., châtaigne ; 1765, *Encycl.,* couleur, adj. et n. m. ; 1881, Rigaud, pop., coup de poing ; *marrons glacés,* 1690, Furetière ; *marron d'Inde,* 1718, *Acad. ; tirer les marrons du feu,* 1640, Oudin ; terme lyonnais, du rad. préroman **marr-,* « caillou » (v. MARELLE). || **marronnier** 1560, Gouberville.

2. **marron** 1640, Bouton, esclave nègre fugitif ; altér. de l'esp. d'Amér. *cimarron* (on trouve *cimaroni,* 1579, Benzoni), « réfugié dans un fourré » ; de l'anc. esp. *cimarra,* fourré ; 1832, Barthélemy, péjor., en parlant d'une personne qui exerce un métier sans titre. || **marronnage** 1735, Richelet.

**marrube** fin XIe s., *Gloses de Raschi* (*marrubje*) ; 1387, Phébus (*marrube*), bot. ; lat. *marrubium.*

***mars** 1234, G. (*march*) ; lat. *martius* (*mensis*), mois du dieu Mars.

***marsault** XIIIe s., saule mâle ; lat. *marem salicem.* (V. SAULE.)

**marsouin** 1464, *Maistre Pierre Pathelin ;* scand. *marsvin,* « porc (*svin*) de mer » ; 1858, Esnault, soldat de l'infanterie coloniale.

**marsupial** 1736, *Mémoires Acad. sciences,* zool. ; lat. *marsupium,* bourse, du gr. *marsipion.* || **marsupialiser** 1963, Lar.

**martagon** fin XIVe s., Delatte, bot. ; esp. *martagon ;* lis de montagne.

***marteau** début XIIe s., *Voy. de Charl.* (*martel*) ; 1380, Havard (*marteau,* refait d'après le pl. *-eaus*) ; l'anc. forme est restée dans *martel en tête* (1578, d'Aubigné) ; lat. pop. **martellus* (lat. impér. *martulus,* altér. de *marcŭlus,* sur le modèle de *vertulus,* v. VIEUX) ; 1882, Chautard, adj., pop., « fou ». || **marteau-pilon** 1873, Lar. || **marteau-piqueur** 1963, Lar. || **marteler** 1175, Chr. de Troyes. || **martèlement** 1579, Feu-Ardent. || **martelage** 1530, G. || **marteleur** XIIIe s., L. (*martellour*) ; 1361, Oresme (*marteleur*). || **martelière** 1600, O. de Serres ; anc. prov. *marteliera.* || **marteline** 1611, Cotgrave ; ital. *martello,* marteau.

**martial** 1511, J. Lemaire de Belges, valeureux ; 1694, Th. Corn., pharm., ferrugineux ; *loi, cour martiale,* 1765, *Encycl.,* 1789, Frey, d'apr. l'angl. *martial law, court ;* lat. *martialis,* de *Mars, Martis,* nom du dieu de la Guerre. || **martialement** 1842, Richard.

**martien** 1530, Marot ; du nom de la planète *Mars* (1380) ; 1923, Lar., habitant de Mars.

**martin-chasseur** 1775, Buffon, zool. ; du nom propre *Martin,* d'empl. obscur, et de *chasseur.* || **martin-pêcheur** 1555, Belon (*martinet-pêcheur*) ; 1573, E. Rolland (*martin-pêcheur*).

1. **martinet** 1530, Palsgrave, oiseau ; du nom propre *Martin,* d'empl. obscur.

2. **martinet** 1315, Du Cange, marteau à bascule ; 1369, Gay, machine de guerre, pour lancer des pierres ; 1677, Dassié, mar., cordage ; 1743, Trévoux, fouet à lanières ; du nom propre *Martin,* d'empl. obscur, avec diverses filiations de sens métaphoriques. || **martin-bâton** 1534, B. des Périers.

**martingale** 1520, Gringore (*chausses à Martingale,* dont le fond s'attachait par-derrière) ; 1762, *Acad.* (*à la martingale*), de manière absurde ; 1802, Picard, combinaison de jeu ; prov. *martegalo,* de *martegal,* de Martigue, les chausses à la martingale étant originaires de cette région. || **martingaler** 1834, Landais.

**martre** 1080 (*Rolland*) ; var. *marte,* depuis le XVIe s. ; germ. **marthor* (all. *Marder*).

**martyr** 1050, *Alexis* (*martir*) ; XIIIe s. (*martyr*) ; 1690, Furetière, fig. ; lat. eccl. *martyr,* du gr. *martur,* plus fréquemment *martus,* « témoin », d'où « témoin de Dieu ». On trouve en anc. fr. *martre,* d'où *Montmartre,* de *mons Martyrum* (IXe s., Hilduin), en souvenir de saint Denis et de ses compagnons. || **martyre** 1080, *Roland* (*martire*), relig. ; 1190, Garnier, souffrances ; lat. eccl. *martyrium,* du gr. *martyrion.* || **martyriser** 1138, Gaimar ; lat. médiév. *martyrizare.* || **martyrologue** début XIVe s., Gilles li Muisis ; lat. médiév. *martyrologium* (sur le modèle de *eulogium,* v. ÉLOGE). || **martyrologie** 1611, Cotgrave.

**marumia** 1762, *Acad. ;* mot lat., gr. *maron ;* arbrisseau d'Asie tropicale.

**marxisme** 1880, *journ. ;* du nom de Karl *Marx,* philosophe et économiste allemand (1818-1883). || **marxiste** 1902, Lar.

**maryland** 1762, Mackenzie ; du nom d'un État des U.S.A. qui produisait ce tabac.

**mas** 1390, G. ; prov. *mas* (début XIIe s.), popularisé après 1860 par Mistral et Daudet ; lat. *ma(n)sum,* part. passé substantivé au neutre, de *manēre,* demeurer. (V. MAISON, MANOIR, MASURE.)

**mascarade** 1554, O. de Saint-Gelais ; ital. *mascarata,* var. de *mascherata,* de *maschera,* masque. (V. MASQUE 1.)

**mascaret** 1580, B. Palissy, géogr. ; mot gascon, proprem. « (bœuf) tacheté », d'empl. métaph. pour désigner le soulèvement et l'ondulation des flots ; de *mascara,* mâchurer, sur le rad. *mask-,* « noir », d'orig. obsc. (V. MASQUE 1.)

**mascaron** 1633, Peiresc ; ital. *mascherone,* augmentatif de *maschera,* masque. (V. MASQUE 1.)

**mascotte** 1867, Zola ; popularisé en 1880 par *la Mascotte,* opérette d'Audran ; prov. mod. *mascoto,* sortilège, porte-bonheur, de *masco,* sorcière.

**masculin** fin XII^e s., Gui de Cambai ; 1550, Meigret, gramm. ; lat. *masculinus,* de *masculus* (V. MÂLE). || **masculinité** 1265, Br. Latini ; rare jusqu'au XVIII^e s. || **masculiniser** début XVI^e s. (*se masculiniser*), gramm. ; 1774, *Année littér.,* transitif, fig. || **masculinisation** 1918, de Roux. || **émasculer** XIV^e s., rare jusqu'en 1707, P. Dionis. || **émasculation** 1755, *Encycl.*

**masochisme** fin XIX^e s. ; du nom du romancier autrichien Sacher *Masoch* (XIX^e s.), d'après l'érotisme pathologique de ses personnages. || **masochiste** *id.*

1. **masque** n. m., fin XV^e s., mascarade ; 1511, Gringore, sens mod. ; *demi-masque,* 1826, Mozin ; *masque à gaz,* 1915, Lar. ; ital. *maschera,* du rad. *mask-,* « noir », d'orig. obsc. || **masqué** 1538, R. Est. ; *bal masqué,* 1746, La Morlière. || **masquer** 1550, Ronsard, couvrir d'un masque ; 1718, *Acad.,* milit. || **masquage** 1963, Lar. || **démasquer** 1554, Wind, enlever le masque ; 1680, Richelet, fig.

2. **masque** n. f., 1562, La Curne, injure ; 1640, Oudin, maquerelle ; prov. mod. *masco,* sorcière. (V. MASCOTTE.)

**massacre** fin XI^e s., *Gloses de Raschi* (*macecre*), abattoir ; milieu XII^e s., *Roman de Thèbes* (*maçacre*), action de tuer des gens ; déverbal de *massacrer.* || **massacrer** 1185, *Moniage Guillaume* (*macecler*) ; 1307, Guiart (*maçacrer*) ; lat. pop. **mattenculare,* tuer, de **mattenca,* massue. || **massacreur** 1573, J. de La Taille. || **massacrant** adj., 1777, Voltaire.

1. ***masse** 1050, *Alexis,* amas ; 1175, Chr. de Troyes, grande quantité ; 1810, Staël, peuple, pl. ; fin XVIII^e s., classes populaires ; *en masse,* 1781, *Année littér. ; masse salariale,* 1963, Lar. ; lat. *massa,* masse de pâté. || **masser** XIII^e s., *Garin de Monglane,* ramasser, entasser. || **massif** adj., fin XII^e s., *Roman de Thèbes* (*massis*) ; 1480, *Barathre* (*massif*) ; n. m., 1360, Froissart (*massis*) ; 1580, Montaigne (*massif*). || **massivement** 1583, Du Monin. || **massiveté** 1538, R. Est. || **massier** 1775, Duhamel, mar. ; 1907, Lar., scol. || **massifier** 1780, Mercier. || **massification** 1963, *journ.* || **massique** 1923, Lar. || **mass media** 1966, *journ. ;* mot angl., lat. *media,* milieu. || **amasser** 1175, Chr. de Troyes. || **amas** 1360, Froissart. || **ramasser** 1213, *Fet des Romains,* regrouper ; 1539, R. Est., resserrer ; 1750, Buffon, prendre à terre ; 1789, Brunot, appréhender ; *se ramasser,* faire une chute, 1920, Bauche. || **ramas** 1549, R. Est. || **ramassis** XVII^e s., Sévigné. || **ramasseur** 1500, Auton. || **ramassement** milieu XVI^e s. || **ramasse-miettes** 1876, *J. O.*

2. ***masse** 1131, *Couronn. Loïs* (*mace*), marteau ; lat. pop. **mattea,* de *mateola,* outil agricole (Caton). || **masser** 1868, L., billard. || **massette** 1778, Lamarck, bot. || **massier** XIV^e s., *Miracles* (*macier*).

**masselotte** XIII^e s., *Fabliau* (*machelotte*) ; 1704, Trévoux (*masselotte*), techn. ; de *masse* 1.

**massepain** 1534, Des Périers (*marsepain*) ; 1546, Rab. (*massepain*), pâtisserie ; ital. *marzapane,* « roi assis », nom d'une monnaie représentant le Christ assis (pendant les croisades), puis « boîte contenant un dixième de muid, boîte de luxe ».

1. **masser** V. MASSE 1 et 2.

2. **masser** 1779, Le Gentil, *Voy. dans l'Inde,* soumettre au massage ; ar. *massa,* toucher, palper (la pratique du massage venant d'Orient). || **masseur** *id.* || **massage** 1812, Mozin.

**massette** V. MASSE 2.

1. **massicot** 1480, texte creusois, oxyde de plomb ; ital. *marzacotto,* vernis de potier, de l'esp. *mazacoet,* soude, puis « mortier », de l'ar. *schabb-qubtî,* alun d'Égypte.

2. **massicot** 1877, L., machine à rogner le papier ; du nom de l'inventeur, G. *Massicot* (1797-1870). || **massicoter** *id.* || **massicotage** 1963, Lar.

**massier, massif** V. MASSE 1.

***massue** fin XI^e s., *Gloses de Raschi* (*maçugue*) ; 1380, *Aalma* (*massue*) ; lat. pop. **matteuca,* dér. de **mattea.* (V. MASSE 2.)

**mastaba** 1888, Lar. ; mot ar. signif. « banc ».

**mastic** 1256, Ald. de Sienne (*mastich*) ; bas lat. *mastichum,* var. de *mastichē* (gr. *mastikhê,* « gomme du lentisque ») ; 1867, Delvau, arg. typogr. || **mastiquer** 1560, Paré. || **masticage** 1830, Grouvelle. || **démastiquer** 1699, *Mém. Acad. sciences.* || **démastiquage** 1863, L.

**mastiff** 1611, Cotgrave (*mestif*), sorte de chien anglais ; rare jusqu'en 1835 ; mot angl., lui-même issu de l'anc. fr. *mastin.* (V. MÂTIN.)

1. **mastiquer** V. MASTIC.

2. **mastiquer** 1363, Chauliac, mâcher ; 1425, O. de La Haye, bien étudier ; début XX^e s., assimiler avec lenteur ; lat. méd. *masticare.* || **mastication** XIII^e s., *Simples Méd.* ; lat. méd. *masticatio.* || **masticatoire** 1552, Rab. || **masticateur** 1817, Blainville.

**mastite** 1814, Nysten, méd. ; gr. *mastos,* mamelle.

**mastoc** 1834, Balzac (*mastok*) ; all. *Mastochs,* « bœuf (*Ochs*) à l'engrais (*Mast*) ».

**mastodonte** 1812, Cuvier ; gr. *mastos,* mamelle, et *odous, odontos,* dent, à cause des molaires mamelonnées de ce fossile.

**mastoïde** 1560, Paré ; gr. *mastoeidês,* « à l'apparence (*eidos*) de mamelle (*mastos*) ». || **mastoïdien** 1654, Gelée. || **mastoïdite** 1855, Nysten. || **mastopexie** 1931, Lar. ; gr. *pexis,* action d'ajuster. || **mastoptôse** 1923, Lar.

**mastroquet** 1849, Esnault, marchand de vins, pop. ; 1862, Hugo, débit de boissons ; mot picard, du flamand *maesterke,* petit patron. || **troquet** XX^e s. ; abrév.

**masturber** 1800, Boiste ; lat. *masturbare,* de *manus,* main, et *stuprare,* souiller. || **masturbation** 1580, Montaigne ; lat. *masturbatio.* || **masturbatoire** 1970, Robert.

***masure** fin XII^e s., *Roman d'Alexandre* ; lat. pop. **mansūra,* demeure, sens de l'anc. fr. ; 1611, Cotgrave, péjor. (V. MAISON, MAS.)

1. **mat** 1130, *Eneas,* échecs ; ar. *mât,* mort, dans la loc. *shâh mat,* francisée en *échec et mat.* (V. ÉCHEC.) || **mater** 1155, Wace, vaincre, dompter.

2. **mat** XI^e s., G., abattu, affligé, jusqu'au XVI^e s. ; 1424, G., sans éclat, sombre, en parlant du temps ; 1621, Binet, terne ; lat. *mattus* (Pétrone), de **maditus,* part. passé de *madēre,* être humide. || **mater** 1764, *Encycl. domestique,* rendre mat, techn. || **matage** 1873, Lar. || **mateur** 1727, Furetière. || **matir** XII^e s., se flétrir, se faner. || **matité** 1836, *Acad.,* en parlant d'un son ; 1842, Mozin, en parlant de la peinture. || **matoir** 1676, Félibien, techn.

**mât** 1080, *Roland* (*maz,* pl.) ; francique **mast* (cf. all. *Mast*). || **mâter** 1382, Delb. || **mâtereau** 1529, Crignon (*masterel*). || **mâture** 1638, Bréard. || **démâter** fin XVI^e s. || **démâtage** 1783, *Encycl. méthod.* || **trois-mâts** 1698, Froger.

**matador** 1660, Oudin, terme du jeu d'hombre ; 1782, Peyron, tauromachie ; mot esp., proprem. « tueur », de *matar,* tuer. (V. MAT 2.)

**mataf** 1908, Esnault ; abrév. de *matafian* (1880, Esnault), de *matafion,* petite corde, d'orig. italienne ; matelot.

**matamore** 1578, d'Aubigné ; esp. *Matamoros,* faux brave de la comédie esp., proprem. « tueur de Maures », de *matar,* tuer. (V. MATADOR.)

**matassin** 1542, Rab. (*matachin*) ; ital. *matachin,* sorte de danse, de *matto,* fou, lat. *mattus.*

**match** 1827, *Journ. des haras* ; vulgarisé à la fin du XIX^e s. ; mot angl., de *to match,* rivaliser avec. || **matcher** 1902, Lar.

**matchiche** v. 1904, Lar. ; portugais du Brésil *maxixe,* nom indigène de cette danse.

**maté** 1633, Baudoin (*mati*) ; début XVIII^e s. (*maté*) ; mot esp., du quichua, langue du Pérou, proprem. « vase pour la boisson » ; 1873, Lar., infusion de maté.

**matelas** 1272, Joinville (*materas*) ; 1464, J. Chartier (*mathelas*) ; ar. *matrah,* tapis pour dormir, de *tarah,* jeter, d'après l'usage oriental du coussin étendu sur le sol, en guise de couche. || **matelasser** 1678, *Doc.* || **matelassage** 1963, Lar. || **matelassier** 1615, Fougasses (*materassier*).

**matelot** XIII^e s., *Hist. des Trois Maries,* var. *matenot* en anc. fr. ; moy. néerl. *mattenoot,* proprem. « compagnon de couche », de *matte,* couche, et *noot,* camarade. || **matelote** 1660, Oudin (*à la matelote,* à la manière des matelots) ; 1674, Guégan, n. f., culin. || **matelotage** XVI^e s.

**mater, mâter, matérialiser, matérialité** V. MAT 2, MÂT, MATÉRIEL.

**matériaux** 1510, J. Lemaire de Belges ; cristallisation, comme n. pl., de l'anc. fr. *material,* adj., du bas lat. *materialis,* éliminé par *matériel.* || **matériau** 1867, *Moniteur universel,* sing., techn.

**matériel** adj., 1270, Mahieu le Vilain, opposé à *formel* ; 1350, J. Le Bel, formé de matière ; 1678, Molière, attaché à la matière, fig. ; n. m., 1373, *Traduction de P. Crescens,* substance ; 1822, *Encycl. méth.,* sens actuel ; bas lat. *materialis* (IV^e s., Macrobe), de *materia,* matière. || **matérialité** 1470, *Livre disc.* ; rare jusqu'en 1690, Furetière. || **matérialiser** 1754, Gohin. || **matérialisation** 1833, Balzac. || **dématérialiser** 1803, Boiste. || **matérialisme** 1702, Leibniz. || **matérialiste** 1553, Belon, marchand de drogues ; 1698, *Doc.,* sens actuel. || **immatériel** début XIV^e s. ; lat. *immaterialis.* || **immatérialiser**

1803, Boiste. || **immatérialisme** 1753, Le Camus. || **immatérialité** 1647, Pascal.

**maternel** 1361, Oresme, au sens propre ; 1690, Furetière, fig. ; lat. *maternus,* de *mater,* mère. || **maternelle** n. f., 1887, *J. O.* || **maternellement** XIV^e s., *Miracles.* || **maternité** 1460, Chastellain ; lat. *maternus,* sur le modèle de *paternité, fraternité ;* 1834, Boiste, établissement d'hospitalisation pour les femmes en couches. || **materner** 1956, Racamier. || **maternage** *id.* || **materniser** 1743, Trévoux, tenir de sa mère ; 1907, Lar., sens actuel.

**mathématique** adj. et n. f., XIII^e s., *Algorisme ;* pl., 1564, Forcadel ; lat. *mathematicus,* du gr. *mathêmaticos,* de *mathêma,* science, sur la rac. de *manthanein,* apprendre ; *mathématiques élémentaires,* 1867, L., scol. ; *mathélem,* XX^e s., abrév. ; *mathématiques spéciales,* 1867, L., scol. || **maths** 1880, Larchey ; abrév. || **mathématicien** 1370, Oresme. || **matheux** 1929, Esnault. || **mathématiser** 1585, Cholières, faire des calculs ; 1966, *journ.,* sens actuel. || **mathématisation** 1959, Meynaud.

**matière** 1112, *Voy. saint Brendan* (*mateire*) ; 1160, Benoît (*matire*) ; 1175, Chr. de Troyes (*matière*) ; bas lat. *matĕria,* en lat. class. *materies,* pris au fig., proprem. « bois de construction ». (V. MATÉRIAUX, MATÉRIEL, MERRAIN, etc.)

***matin** 980, *Passion ;* lat. impér. *matutinum,* matinée, adj. neutre substantivé (de *mātūtīnum tempus*), qui a éliminé *mane* (v. DEMAIN). || **matinal** 1120, *Ps. d'Oxford* (*matinel*) ; 1120, *Ps. de Cambridge* (*matinal*). || **matinalement** 1800, Boiste. || **matinée** 1119, Ph. de Thaon. || **matineux** début XIV^e s., Gilles li Muisis. || **matinier** 1312, G. || **matines** 1080, *Roland,* eccl. (V. MATUTINAL.)

***mâtin** 1155, Wace (*mastin*) ; lat. pop. **mansuētīnus,* devenu **masetinus* (class. *mansuētus*), apprivoisé, de *manus,* main, et *suere,* avoir coutume. || **mâtiner** XII^e s., G., traiter de chien, maltraiter ; 1561, du Fouilloux, couvrir une chienne de race. || **mâtiné** 1865, Parent, pour les animaux ; 1931, Lar., mêlé de.

**matir, matité, matoir** V. MAT 2.

**matois** 1573, M. de l'Hospital, voleur, proprem. « enfant de la *mate* » (« place des exécutions », et par ext. « ville », empl. au XV^e s., dans Villon) ; 1613, Régnier, sens actuel, adj. et n. ; all. dial. *Matte,* prairie. || **matoiserie** fin XVI^e s., La Curne.

1. **maton** fin XI^e s., *Gloses de Raschi ;* même rac. que l'allem. dial. *Matte,* lait caillé, d'orig. obscure.

2. **maton** 1926, Esnault, mouchard ; 1946, Esnault, gardien ; de *mater,* observer, mot du français d'Alger, de l'esp. *matar,* tuer.

**matou** XIII^e s., Le Roux (*matoue*) ; 1571, G. (*matou*) ; orig. onomat.

**matraque** 1669, Havard, instrument de musique pour réveiller les gens ; 1861, Esnault, sens actuel ; ar. d'Algérie *matraq,* gourdin. || **matraquer** 1927, Esnault. || **matraqueur** 1949, Lar. || **matraquage** *id.*

**matras** début XIV^e s. (*matheras*), vase à long cou, pharm. ; soit de l'ar. *matara,* « outre, vase », soit empl. métaph. de l'anc. fr. *materas,* fin XIII^e s. (var. *mattras,* XV^e s.), long dard lancé par une arbalète, du lat. pop. **mattara,* de *matara,* sorte de javeline, mot gaulois.

**matriarcal** 1894, *Grande Encycl. ;* lat. *mater,* mère, d'après *patriarcal.* || **matriarcat** *id. ;* d'apr. *patriarcat.* || **matrilocal** 1955, Lévi-Strauss. || **matrilinéaire** 1967, *journ. ;* lat. *linearis,* de ligne.

**matricaire** 1539, Rolland, bot. ; lat. *matrix, -icis,* matrice (v. MATRICE), parce que cette plante était employée comme emménagogue.

**matrice** fin XI^e s., *Gloses de Raschi* (*madriz*) ; 1265, Br. Latini (*matrice*), anat. ; lat. *mātrīx,* de *mater,* mère, d'après *nutrix, genetrix ;* milieu XVI^e s., typog. ; 1949, Lar., en math. ; 1835, *Acad.,* registre. || **matrissage** 1840, *Acad.,* techn. || **matriçage** 1907, Lar., *id.* || **matricer** 1930, Lar. || **matriciel** 1853, d'après L.

**matricule** 1460, *Des droits de la couronne ;* bas lat. *matricula,* de *mātrīx* au sens de « registre ». (V. MATRICE et MARGUILLIER.) || **matriculer** 1550, Germain. || **matriculier** 1721, Trévoux. || **immatriculer** 1485, Planiol. || **immatriculation** 1636, Monet.

**matrimonial** XIV^e s., G. ; bas lat. *matrimonialis,* de *matrimonium,* mariage, de *mater,* mère.

**matrone** XII^e s., *Vie d'Édouard le Conf.,* femme d'âge mûr ; XIV^e s., *Mir. de N.-Dame,* sage-femme, pop. ; 1718, *Dict. comique,* entremetteuse ; lat. *matrona,* mère de famille, dame, augmentatif de *mater,* mère.

**matte** 1627, Savot, métall. ; moyen français *matte,* lait caillé, lat. *mattus,* humecté ; métal résultant d'une première fonte de minerai.

**maturation** v. 1300, G. ; lat. *maturatio,* de *maturare,* mûrir, de *maturus* (v. MÛR). || **maturité** 1485, Molinet ; lat. *maturitas ;* a éliminé la forme pop. de l'anc. fr. *meüreté* (1120, *Ps. d'Oxford*). || **mature** milieu XIIIe s., sensé ; fin XVe s., mûr ; 1963, Lar., sens actuel. || **maturer** fin XVe s., faire aboutir.

**matutinal** 1190, *Saint Bernard ;* bas lat. *matutinus,* matinal. (V. MATIN.)

**maudire** 1080, *Roland* (*maldire*) ; 1175, Chr. de Troyes (*maudire*) ; lat. *maledicere,* au sens chrét. (IVe s., saint Jérôme), proprem. « dire du mal, injurier ». || **malédiction** 1375, R. de Presles ; lat. *maledictio ;* a éliminé l'anc. forme pop. *maudisson.* || **maudit** adj., 1080, *Roland* (*maldit*) ; n., XVIe s., d'Aubigné. || **maudisseur** XIIe s., *Dial. Grégoire.*

**maugréer** 1279, Frère Laurent ; anc. fr. *maugré,* chagrin (1160, *Tristan*), de *mau-,* mal, et *gré.* (V. GRÉ.)

**mauresque** 1379, Gay (*morisque*) ; 1534, Sainéan (*moresque*) ; esp. *morisco,* de *moro,* maure, lat. *Maurus.*

**mausolée** fin XIVe s., Chr. de Pisan (*mausole*) ; 1544, M. Scève (*mausolée*) ; lat. *mausoleum,* du gr. *Mausôleion,* tombeau de Mausole, roi de Carie.

**maussade** 1370, Oresme (*malsade*) ; de *mal* et de l'anc. adj. *sade* (1175, Chr. de Troyes), « agréable », du lat. *sapidus,* « savoureux », de *sapere,* avoir de la saveur. (V. SAPIDE, SAVEUR, SAVOIR.) || **maussaderie** 1740, *Acad. ;* a éliminé *maussadeté* (XVIe s.)

***mauvais** 1080, *Roland* (*malvais*), nuisible, méchant ; 1050, *Alexis,* défectueux ; bas lat. pop. *malifātius,* proprem. « qui a un mauvais sort », de *malum,* mal, et *fatum,* sort (cf. le nom propre *Boniface,* de *Bonifatius,* et l'évol. sémant. de *méchant*). || **mauvaisement** 1080, *Roland.* || **mauvaiseté** 1120, *Ps. de Cambridge* (*malvaistié*) ; 1155, Wace (*mauvaisté*).

**mauve** 1256, Ald. de Sienne, bot. ; 1862, Hugo, adj. de couleur ; lat. *malva.* || **mauvette** 1789, *Encycl. méth.,* bot. || **mauvéine** 1878, Lar., chim. || **malvacée** 1747, Guettard.

**mauvis** 1250, Gautier d'Épinal, zool. ; anc. fr. *mauve* (1119, Ph. de Thaon), de l'anglo-saxon *maew,* mouette. (V. MOUETTE.) || **mauviette** 1694, Ménage, zool. ; 1808, d'Hautel, péj., pop.

**maxillaire** 1363, Chauliac (*maxillere*) ; 1488, *Mer des hist.* (*maxillaire*), adj. ; lat. *maxillaris,* de *maxilla,* mâchoire ; 1845, Besch., n. m. || **maxillite** 1873, Lar. || **sous-maxillaire** 1745, Günz.

**maxime** 1330, J. Lefèvre, « expression d'une idée » ; 1538, R. Est., « règle morale, jugement général » ; v. 1660, La Rochefoucauld, genre litt. ; lat. médiév. *maxima,* ellipse de *sententia maxima,* « sentence la plus grande », d'où « de portée générale ».

**maximum** 1718, *Mém. Ac. sciences,* n. m. ; *au maximum,* v. 1950 ; 1893, *D. G.,* adj. ; neutre substantivé du lat. *maximus,* superlatif de *magnus,* grand ; 1840, *Acad.,* n. pl. *maxima.* || **maximal** 1877, L. || **maximaliser** 1963, Lar. || **maximalisme** *id.* || **maximaliste** 1910, Guelliot. || **maximiser** 1834, Laroche. || **maximer** 1850, *Doc.*

**maxwell** 1900, Congrès d'électr. de Paris ; du nom du physicien *Maxwell* (1831-1879).

**mayonnaise** 1807, Viard ; p.-ê. du nom de *Port-Mathon,* capitale de Minorque, en souvenir de la prise de la ville par le duc de Richelieu en 1756.

**mazagran** 1866, Delvau, café mêlé d'eau-de-vie ; 1963, Lar., gobelet de faïence servant à boire le « mazagran » ; de *Mazagran,* nom d'un village d'Oranie ; souvenir du siège soutenu par le capitaine Lelièvre en 1840.

**mazdéen** 1845, Besch., relig. ; avestique *mazdah,* sage. || **mazdéisme** *id.*

**mazer** 1842, *Acad.,* techn. ; orig. obscure. || **mazéage** 1846, Besch.

**mazette** 1622, Garasse, mauvais cheval ; 1640, Oudin, joueur inhabile ; 1648, Scarron, sans énergie ; empl. métaph. de *mazette,* mésange, en normand et en franc-comtois.

**mazout** 1907, Lar. ; russe *mazout,* probabl. de l'ar. *makhzulat,* déchets. || **mazouter** 1967, *journ.,* mar. || **mazoutage** 1963, Lar.

**mazurka** 1829, *Rev. de Paris* (*mazourka*) ; polonais *mazurkha,* nom d'une danse nationale de Pologne.

***me** 842, *Serments ;* forme atone, de l'acc. *me* du pron. pers. lat. (cf. JE, dont MOI, XIe s. [*mei*], est la forme tonique).

**mé-,** préfixe (anc. fr. *mes-*), représentant la particule francique **missi,* négative et péjorative (all. *miss-*). V. au mot simple correspondant les mots commençant par *mé-.*

**mea-culpa** 1560, Viret ; loc. lat., signif. « par ma faute », empr. au *Confiteor,* prière catholique de repentir.

**méandre** 1552, Paradin ; lat. *Maeander,* du gr. *Maiandros,* nom d'un fleuve sinueux d'Asie

Mineure. || **méandreux** 1609, Courval-Sonnet. || **méandrique** 1845, Besch.

**méat** 1502, O. de Saint-Gelais (*meate*), « passage » ; 1560, Paré (*méat*), méd. ; lat. *meatus,* passage, canal, de *meare,* passer. || **méatotomie** 1931, Lar.

**mec** 1821, Ansiaume, arg., « maître, roi » ; puis, pop., « souteneur » et « individu » ; orig. ital. ou abrév. de *maquereau,* par l'intermédiaire de *mac.* || **mecton** 1896, Esnault.

**mécanique** adj., 1265, Br. Latini, qui comporte l'action de la main ; XIV^e s., qui fait un travail manuel ; 1680, Richelet, relatif aux lois du mouvement ; 1786, Havard, mû par un agencement artificiel ; n. m., XV^e s., travailleur manuel ; n. f., 1559, Amyot, théorie mathém. du mouvement ; 1690, Furetière, système des pièces et des mouvements d'une machine ; lat. impér. *mechanicus,* adj., et comme n. *mechanica* (s.-e. *ars*), du gr. *mêkhanikos, mêkhanikê* (s.-e. *tekhnê*), de *mêkhanê,* machine. || **mécaniquement** XV^e s., Commynes. || **mécanicien** 1696, *Furetieriana,* au sens scientif., d'après *mathématicien ;* évol. sémant. parallèle à celle de *mécanique ;* 1834, Wexler, conducteur de locomotives. || **mécano** 1923, Lar. ; abrév. pop. de *mécanicien.* || **mécanisme** 1701, Trévoux. || **mécaniste** 1687, Duncan, médecin organiciste ; 1876, *J. O.,* philos. || **mécaniser** 1580, B. Palissy, ravaler, avilir ; 1834, Landais, tourmenter ; 1931, Lar., sens actuel. || **mécanisation** 1870, Goncourt, transformer en mécanisme ; 1931, Lar., sens actuel.

**mécano-,** gr. *mêkhanê,* machine. || **mécanographe** 1911, Lar. || **mécanographie** 1911, Lar. || **mécanographique** 1911, Lar. || **mécanothérapie** 1907, Lar.

**mécène** 1526, Marot (*mécénas*) ; 1680, Richelet (*mécène*) ; lat. *Mecenas,* nom du ministre d'Auguste protecteur des arts (déjà pris comme nom commun en lat.). || **mécénat** 1868, L.

**méchant** XII^e s., G. (*mescheant*), malchanceux, misérable ; début XIV^e s., porté à faire du mal ; fin XV^e s., « sans valeur », avant le nom ; anc. part. prés. du verbe *mescheoir* (1160, *Eneas*), du préf. *mes-* (v. MÉ-), et de *choir.* || **méchamment** 1361, Oresme. || **méchanceté** XIV^e s., Cuvelier (*meschanceté*) ; anc. fr. *mescheance* (1160, Benoît), dér. de l'adj. (V. CHANCE.)

1. ***mèche** 1130, *Eneas* (*mece*), cordon ; 1398, *Ménagier,* cordon pour le feu ; 1453, Monstrelet, touffe de cheveux ; 1676, Félibien, tige d'acier ; *vendre la mèche,* 1868, L. ; lat. pop. **micca,* altér., d'après *muccus,* « mucus nasal » (v. MOUCHER), du lat. class. *myxa,* « mèche de lampe » (gr. *muxa, id.*) ; cf. CHANDELLE, dans son empl. pop., au sens de « morve ». || **mécher** 1743, Trévoux. || **méchage** 1873, Lar. || **mécheux** 1845, Besch. || **éméché** 1859, Monselet, proprem. « qui a les cheveux en mèche sous l'effet de l'ivresse ».

2. **mèche** 1791, Boulard (*à mèche d'affut,* à partage égal) ; *être de mèche,* 1793, Esnault, pop., « être de moitié » ; 1808, Esnault (*pas mèche*) ; ital. *mezzo,* aux deux sens de « moyen » et de « demi », du lat. *medius.* (V. MI 1.)

**méchoui** 1923, Lar. ; mot ar.

**méconium** 1549, Maignan, suc de pavot ; mot lat., du gr. *mêkôn,* pavot. || **méconial** 1873, Lar.

**mécréant** 1080, *Roland* (*mescréant*) ; anc. part. prés. du verbe *mescroire* (1112, *Voy. saint Brendan,* encore au XVIII^e s., Voltaire), du préf. *mes-* (v. MÉ-), et de *croire.*

**médaille** 1496, Commynes ; ital. *medaglia,* de même orig. que MAILLE 2. || **médaillon** milieu XVI^e s. ; ital. *medaglione,* augmentatif de *medaglia.* || **médaillé** 1611, Cotgrave, adj. ; 1845, Besch., n. || **médailler** 1873, Lar. || **médaillier** adj., fin XVI^e s. ; n. m., 1671, Pomey, tablier pour mettre les médailles. || **médailliste** 1609, L'Estoile. || **médailleur** 1812, Boiste.

**médecine** 1119, Ph. de Thaon, médicament, remède ; 1314, Mondeville, art de guérir ; a éliminé la forme pop. *mecine* (1050, *Alexis*) ; lat. *medicina,* art de soigner, remède, de *medicus,* médecin. || **médecin** 1320, *Hugues Capet* (*medechin*) ; 1392, E. Deschamps (*médecin*) ; a éliminé l'anc. fr. *mire* (1155, Wace), du lat. *medicus.*

**medersa** 1876, *J. O. ;* mot de l'ar. algérien et marocain signif. « collège ».

**media** 1965, *journ. ;* abrév. de *mass media.* (V. MASSE.) || **médiatiser** 1970, *journ.*

**médian** 1425, O. de La Haye (*mediaine*), méd. ; bas lat. *medianus.* || **médiane** n. f., XVIII^e s., géom. (V. MEZZANINE, MISAINE, MOYEN.)

**médianoche** 1671, Sévigné ; esp. *media noche,* minuit.

**médiante** 1556, Le Blanc, mus. ; lat. *medians, -antis,* part. prés. de *mediare,* être au milieu.

**médiastin** 1363, Chauliac, n. m., région médiane ; adj., 1721, Trévoux ; lat. médiév.

*mediastinum,* de l'adj. lat. *mediastinus,* qui se tient au milieu, sur le rad. de *stare,* se tenir. || **médiastinal** 1963, Lar.

**médiat** 1478, Bartzsch ; de *immédiat.* || **médiatiser** 1827, *Acad.*, intégrer dans un État intermédiaire ; 1893, *D. G.*, en logique. || **médiatisation** 1832, Besch.

**médiateur** 1265, J. de Meung (*mediatour*), théol. ; 1355, Bersuire (*médiateur*), droit ; 1314, Mondeville, « chose intermédiaire » ; bas lat. *mediator,* de *mediare,* s'interposer, de *medius,* qui est au milieu. || **médiatrice** 1611, Cotgrave, fém. de *médiateur* au gén. ; 1923, Lar., géom. || **médiation** XIIIe s., *Algorisme,* division par deux ; 1561, Calvin, intervention ; bas lat. *mediatio.* || **médiator** 1907, Lar., mus.

**médical** 1534, Rab. ; lat. *medicus,* médecin. || **médicalement** 1606, Pallet. || **médicament** 1314, Mondeville ; lat. *medicamentum.* || **médicamenter** 1518, trad. de Platina. || **médicamentaire** milieu XVIe s. ; lat. *medicamentarius.* || **médicamenteux** 1549, Maignan ; lat. *medicamentosus.* || **médication** 1314, Mondeville (*medication*) ; lat. *medicatio.* || **médicinal** 1160, Benoît (*medecinal*) ; fin XIIe s., R. de Moiliens (*medicinal*) ; lat. *medicinalis ;* a éliminé l'anc. fr. *mecinnel, mecinal.* || **medicine-ball** 1931, Lar. ; mots angl.

**médicastre** 1560, B. Aneau (*médicastrie*) ; 1812, Mozin (*médicastre*) ; ital. *medicastro,* péjor., de *medico,* médecin.

**médico-,** lat. *medicus,* médecin. || **médico-chirurgical** 1808, Répiquet. || **médico-légal** 1826, Chaussier. || **médico-psychologique** 1843, *Annales.* || **médico-social** 1959, Robert. || **médico-vétérinaire** 1845, Besch.

**médiéval** 1874, Delaunay ; lat. *medium aevum,* Moyen Âge, âge du milieu. || **médiéviste** 1868, L. || **médiévisme** *id.*

**médio-,** lat. *medius,* intermédiaire. || **médio-dorsal** 1840, *Acad.* || **médiopalatal** 1933, Marouzeau. || **médiopassif** 1902, Lar.

**médiocre** 1495, J. de Vignay, moyen ; 1588, Montaigne, au-dessous de la moyenne ; lat. *mediocris,* modéré, de *medius,* qui est au milieu. || **médiocrement** 1542, Changy. || **médiocrité** 1314, Mondeville ; lat. *mediocritas.* || **médiocratie** 1844, Balzac ; d'après *aristocratie.* || **médiocrate** 1870, Goncourt.

**médire** V. DIRE.

**méditer** 1495, J. de Vignay ; lat. *meditari,* s'exercer, réfléchir ; *méditer sur,* 1664, Richelet. || **méditation** 1120, *Ps. d'Oxford ;* lat. *meditatio.* || **méditatif** XIVe s., *Romania ;* bas lat. *meditativus.*

**méditerranéen** 1569, J. Le Frère, situé au milieu des terres ; 1840, *Acad.,* sens actuel ; de *méditerranée,* lat. *mediterraneum* (*mare*), (mer) qui est au milieu des terres.

1. **médium** fin XVIe s., Brantôme, juste milieu ; 1701, *Mém. Acad. sciences ;* lat. *medium,* milieu, neutr. substantivé de l'adj. *medius.*

2. **médium** 1854, *Comment l'esprit vient aux tables ;* mot anglo-amér., de même origine que le précéd. ; empl. en ce sens par Swedenborg (1688-1772). || **médiumnique** 1905, *Doc.* || **médiumnité** 1873, Lar.

**médius** 1520, Falcon, anat. ; lat. *medius,* ellipse de *medius digitus,* doigt du milieu.

**médullaire** 1503, Chauliac ; lat. *medullaris,* de *medulla* (v. MOELLE). || **médulleux** début XVIe s. || **médullectomie** 1963, Lar.

**méduse** 1754, La Chesnaye-Dubois, zool. ; du nom propre *Méduse* (v. MÉDUSER), par comparaison des tentacules avec les serpents de la chevelure de Méduse (gr. *Medousa*).

**méduser** 1607, Montlyard, rare jusqu'en 1840, *Acad. ;* de *Méduse,* du lat. *Medusa* (gr. *Medousa,* myth.), une des trois Gorgones, qui changeait en pierre celui qui la regardait.

**meeting** 1733, Voltaire (*mitine*) ; mot angl., de *to meet,* « se rencontrer, se réunir ».

**méfait** 1120, *Ps. d'Oxford* (*mesfait*) ; part. passé substantivé du verbe *méfaire* (1130, *Eneas*), du préf. *mé-* et de *faire.*

**méfiance, méfiant, méfier** V. FIER 1.

**még-, méga-,** prem. élém. de noms comp. désignant des unités de mesure (multiplication par un million) ; du gr. *megas,* proprem. « grand ». || **mégabarye** 1968, Lar. || **mégacycle** 1931, Lar. || **mégadyne** 1905, Lar. || **mégajoule** 1922, Lar. || **mégohm** 1925, Lar. || **mégahertz** 1963, Lar. || **mégatonne** milieu XXe s.

**méga-, mégalo-,** gr. *megas, megalos,* grand. || **mégalithe** 1877, L. || **mégalithique** 1868, L. || **mégaphone** 1892, Guérin. || **mégaptère** 1872, Bouillet. || **mégathérium** 1797, Cuvier, paléont. || **mégalocéphale** 1878, Lar. || **mégalomanie** 1873, Nysten. || **mégalomane** 1896, Ribot. || **mégalopole** 1966, *journ.* || **mégalosaure** 1826, *Dict. hist. nat.*

**mégarde** *(par)* 1138, Gaimar (*mesgarde*) ; de l'anc. v. *mesgarder,* se mal garder, du préf. péjor. *mé-,* et de *garder.* (V. GARDER.)

**mégathérium** V. MÉGA.

**mège** 1190, *Saint Bernard,* médecin ; lat. *medicus.*

**mégère** 1480, *Baratre infernal,* au propre ; 1510, J. Lemaire de Belges, harpie ; lat. *Megaera,* du gr. *Megaira,* myth., une des Furies.

**mégis** 1260, G. (*megeis*) ; 1268, Boileau (*megis*) ; anc. fr. *megier,* soigner, du lat. *medicāre,* de *medicus,* médecin ; spécialisé pour la préparation des peaux. || **mégissier** 1205, Ilvonen (*megucier*) ; 1268, É. Boileau (*mégissier*). || **mégisserie** 1300, G. || **mégie** 1630, Roy. || **mégir** 1720, Huet. || **mégissage** 1959, Robert.

**mégot** 1872, Larchey ; du verbe tourangeau *mégauder,* par métaph., proprem. « sucer le lait d'une femme enceinte », en parlant d'un nourrisson, de *mégaud,* jus qui sort du moule à fromage, de *megue,* petit-lait, du gaulois **mesigu-.* || **mégoter** 1902, Esnault, parier un cigare ; 1932, Esnault, sens actuel. || **mégotage** 1960, Esnault.

**méhari** 1637, Davity (*mahari*) ; 1822, *Voy. dans l'Afrique* (*méherry*) ; 1853, Flaubert (*méhari*) ; ar. d'Algérie *mehri,* proprem. « de la tribu de Mahara (Arabie) ». || **méhariste** 1902, Lar.

***meilleur** 1050, *Alexis* (*mieldre*) ; 1080, *Roland* (*meillor*) ; lat. *meliōrem,* acc. de *melior* (d'où est issu le cas sujet *meldre,* en anc. fr.), comparatif de *bonus,* bon. || **améliorer** 1160, Benoît (*ameillorer*) ; XVIe s. (*ameilleurer*) ; 1677, *Dict. fr.-it.* (*améliorer*). || **amélioration** début XVe s. ; rare jusqu'au XVIIe s. || **amélioratif** 1877, L.

**méïose** 1842, *Acad.* ; gr. *meiosis,* décroissance ; première division cellulaire.

**mélampyre** 1615, Daléchamp (*melanopyron*) ; 1795, *Encycl. méthod.* (*mélampyre*), bot. ; gr. *melampuron,* de *melas,* noir, et *puros,* grain.

**mélan(o)-,** gr. *melas, melanos,* noir. || **mélanémie** 1867, L. ; sur *-émie.* || **mélanine** 1855, Nysten. || **mélanique** *id.* || **mélanisme** 1840, *Acad.,* méd. || **mélanocyte** 1931, Lar. || **mélanoïde** 1878, Lar. || **mélanome** 1868, L. || **mélanose** 1824, Nysten. (V. MÉLAMPYRE, MÉLANCOLIE, MÉLANÉSIEN, MÉLASTOME.)

**mélancolie** 1175, Chr. de Troyes, méd., humeur noire ; 1664, La Fontaine, tristesse ; lat. *melancholia* (IIIe s., C. Aurelius, méd.), du gr. *melagkholia,* de *kholê,* bile, et *melas,* noire, une des quatre humeurs cardinales (avec la bile jaune, le sang et la pituite), qui passait pour la cause de l'hypocondrie. || **mélancolique** 1265, Br. Latini, méd. ; 1534, Des Périers, triste ; lat. *melancholicus,* du gr. *melagkholikos.* || **mélancoliquement** 1549, Tagault. || **mélancoliser** 1767, Brunot.

**mélanésien** XIXe s. ; de *Mélanésie,* nom d'un archipel d'Océanie ; du gr. *melas,* noir, et *nêsos,* île.

**mélange** 1380, *Aalma* (*meslinge*) ; 1420, A. Chartier (*meslenge*) ; XVIIe s. (*mélange*) ; de *mêler,* avec un suffixe germanique. || **mélanger** 1539, R. Est. || **mélangeable** 1845, Richard. || **mélangeur** 1611, Cotgrave, qui mélange ; 1868, L. (*mélangeuse*), techn. ; 1902, Lar., appareil. || **mélangeoir** 1842, *Acad.*

**mélasse** 1508, Delb. (*meslache*) ; 1664, d'après L. (*mélasse*) ; anc. prov. *melessa* (XVe s.), du bas lat. *mellaceum,* vin cuit, de *mel,* miel. (V. MIEL.)

**mélastome** 1816, Candolle, bot. ; gr. *melas,* noir, et *stoma,* bouche (les fruits de l'arbre noircissant la bouche).

**melba** début XXe s. ; du n. de la cantatrice Nellie *Melba,* en l'honneur de qui ce fruit poché a été fait.

***mêler** 980, *Passion* (*mescler*) ; 1080, *Roland* (*mesler*) ; lat. pop. *miscŭlāre* (IXe s.), du lat. class. *miscēre.* || **mêlée** 1080, *Roland ;* 1931, Lar., rugby. || **mêlé-cassis, mêlé-casse** 1755, Vadé (*mêlé*) ; 1876, Richepin, *Ch. Gueux* (*mêlé-cas*). || **méli-mélo** 1841, *les Français peints par eux-mêmes* (*méli-méla*). || **démêler** 1155, Wace (*desmedler*). || **démêlé** 1474, Bartzsch, contestation. || **démêlement** XVIe s., G. || **démêloir** 1771, *Encycl.* || **emmêler** 1170, *Fierabras.* || **emmêlement** XIIIe s., L. || **entremêler** 1130, *Eneas.* || **remêler** 1549, R. Est. (V. MÉLANGE, PÊLE-MÊLE.)

**mélèze** 1552, R. Est. ; anc. dauphinois *meleze* (1336, Du Cange), de **melatio,* dér. du préroman **melicem* désignant cet arbre (d'où est issue la var. *melze,* XVIe s., Rab.) || **mélézin** 1931, Lar.

**mélilot** 1330, *Roman de Renart le Contrefait ;* lat. *melilotum,* du gr. *melilôtos,* de *meli,* miel, et *lôtos,* lotus.

**méli-mélo** V. MÊLER.

**mélinite** 1884 ; créé par l'inventeur de cette poudre, Turpin, d'après l'adj. lat. *melinus,* couleur de coing, du gr. *mêlinos,* de *mêlon,* pomme.

**mélisse** XIIIe s., *Simples Méd.* ; lat. médiév. *melissa,* abrév. du lat. *melissophyllon,* mot gr., de *melissa,* abeille, et *phullon,* feuille (les abeilles aiment cette plante).

**melli-,** lat. *mel, mellis,* miel. || **mellifère** 1523, Vaganay, rare jusqu'au XIXe s. ; lat. *mellifer,* de *ferre,* porter. || **mellifique** 1529, Marot ; lat. *mellificus.* || **mellifier** 1611, Cotgrave. || **mellification** 1619, Hardy. || **melliflu** 1480, Molinet ; bas lat. *mellifluus,* de *fluere,* couler. || **mellite** 1808, Boiste, médicament.

**mélodie** 1112, *Voy. saint Brendan,* chant des chœurs ; 1120, *Ps. d'Oxford,* composition vocale ; 1765, *Encycl.,* sens actuel ; bas lat. *melodia,* du gr. *melôidia,* de *melôidos,* qui chante mélodieusement, de *melos,* membre, d'où « cadence », et *odê,* chant. || **mélodieux** 1280, *Clef d'Amors.* || **mélodieusement** 1354, *Modus.* || **mélodique** 1607, de Montlyard. || **mélodiste** 1834, Fétis. || **mélodium** XIXe s., premier nom de l'harmonium.

**mélodrame** 1771, *Année littér.* ; de *mélo-* (gr. *melos,* « chant cadencé »), et de *drame.* || **mélo** 1872, *Paris-Journal* ; abrév. du préc. || **mélodramatique** 1833, Th. Gautier. || **mélodramatiquement** 1833, Gautier. || **mélodramatiser** 1876, *J. O.*

**mélomane** 1781, Mme Roland ; gr. *melos,* cadence, et de *-mane.* || **mélomanie** 1781, Grenier.

**melon** XIIIe s., *Simples Méd.* ; lat. *melo, -onis,* même sens. || **melonnière** 1537, La Grise. || **melonné** 1827, *Acad.*

**mélongène** ou **mélongine** 1615, Des Moulins (*melongena*) ; 1667 (*melongène*) ; lat. bot. *melongena,* altér. du rad. de *aubergine.* (V. AUBERGINE.)

**mélopée** 1578, Vigenère ; bas lat. *melopoeia,* du gr. *melopoiïa,* de *melos,* mélodie, et *poieîn,* faire.

**membrane** 1363, Chauliac, anat. ; 1903, Lar., techn. ; lat. *membrana,* « peau qui recouvre les membres », de *membrum,* membre. || **membraneux** 1538, Canappe. || **membraniforme** 1836, *Acad.* || **membranule** 1532, *Anat. de maître Mundin.*

***membre** 1080, *Roland,* anat. ; milieu XIIIe s., partie d'une phrase ; lat. *membrum.* || **membru** 1131, *Couronn. Loïs.* || **membrure** XIIe s., *Athis.* || **membré** 1131, *Couronn. Loïs.* || **démembrer** 1080, *Roland* (*desmembrer*). || **démembrement** 1265, *Livre de jostice.* || **remembrer** 1964, Lar. || **remembrement** 1907, Lar.

***même** 1050, *Alexis* (*medisme*) ; 1160, Benoît (*meesme*) ; XIIIe s. (*mesme*) ; lat. pop. **metĭpsĭmus,* forme à suff. de superlatif, dér. de **metipse,* tiré de la loc. class. *egomet ipse,* moi-même, de *egomet,* moi (*ego,* je, avec la particule de renforcement *met*), et *ispe,* même, en personne. || **mêmement** XIIe s., G.

**mémento** 1354, *Modus,* mémoire ; 1373, Gace, liturg. ; 1798, *Acad.,* carnet ; lat. *memento,* « souviens-toi », impér., de *meminisse,* se souvenir.

**mémère** 1833, Balzac ; redoublement enfantin de *mère,* devenu péjor. (V. PÉPÈRE.)

**mémoire** 1050, *Alexis* (*memorie*) ; lat. *memoria* ; n. m., 1160, Benoît, écrit pour mémoire ; 1834, Stendhal, exposé ; XIVe s., La Curne, jurid. || **mémorable** 1587, de La Noue ; lat. *memorabilis.* || **mémorablement** milieu XVe s., René d'Anjou. || **mémorandum** 1777, *Courrier de l'Europe* ; neutre substantivé de l'adj. lat. *memorandus,* qui doit être rappelé, de *memorare,* rappeler. || **mémoration** 1335, *Restor du paon,* souvenir ; 1501, *Destrees,* action de rappeler ; 1958, Garnier, sens actuel ; bas lat. *memoratio.* || **mémorer** XIIIe s., G., se rappeler. || **mémorial** XIIIe s., Fr. Laurent ; bas lat. *memoriale,* neutr. substantivé de l'adj. *memorialis* (*liber memorialis,* livre de notes). || **mémorialiste** 1726, Desfontaines. || **mémoriel** 1969, *journ.* || **immémorial** 1547, Du Fail ; lat. médiév. *immemorialis.* || **mémoriser** 1907, Binet ; dérivé savant du lat. *memoria,* mémoire. || **mémorisation** 1848, Töpffer. || **remémorer** fin XIVe s., faire la commémoration ; fin XVe s., sens actuel ; bas lat. *rememorari,* se souvenir.

***menace** fin IXe s., *Eulalie* (*manatce*) ; lat. pop. *mĭnacia* (Plaute), qui élimina le lat. class. *minae.* || ***menacer** 1120, *Ps. de Cambridge* (*menacier*) ; lat. pop. **minăciare,* de *minăcia,* qui a éliminé le lat. class. *minări.* (V. MENER.) || **menaçant** 1120, *Ps. de Cambridge.*

**ménade** 1553, Rab., mythol. ; lat. *menas, -adis,* du gr. *mainas, -ados,* bacchante, de *mainesthai,* être fou.

***ménage** 1130, *Eneas* (*manage*) ; XIIIe s. (*mesnage, menage,* sous l'infl. de l'anc. fr. *maisnie,* famille), logis ; 1210, *Estoire d'Eustachius,* administration du foyer ; XIIIe s., L., cohabitation ; milieu XVe s., soins matériels de l'intérieur ; *faire le ménage,* 1659, Duez ; *femme de ménage,* 1874, L. ; de l'anc. fr. *maneir, manoir,* demeurer, habiter, du lat. *manēre,* rester. || **ménager** adj., fin XV^e s., Commynes, médiocre ; milieu XVI^e s., qui a le goût du ménage ; n. m., 1281, G., personne de petit état ; 1474, Bartzsch, administrateur ; v., 1309, Morice, habiter ; XV^e s., L., arranger ; XVI^e s., gérer ; milieu XVII^e s., Retz, traiter avec indulgence ; 1611, Cotgrave, employer avec mesure. || **ménageable** 1448, G. || **ménagement** 1551, Cotereau, disposition ; XVI^e s., d'Aubigné, économie dans la gestion ; 1655, La Rochefoucauld, prévenance. || **ménagère** n. f., 1462, *Cent Nouvelles.* || **ménagerie** 1530, Palsgrave, administration des biens domestiques ; 1546, Rab., colombier ; 1662, sens mod., avec la création de la ménagerie royale de Versailles. || **ménagiste** 1963, Lar. || **aménager** XIII^e s. (*amanagier*) ; de *ménager,* au sens de « administrer ». || **aménagement** 1495, J. de Vignay. || **déménager** milieu XIII^e s., Rutebeuf (*desmanagier*), porter hors de la maison ; intr., 1668, La Fontaine ; 1798, Rœderer, *déménager la tête,* perdre la raison, fam. || **déménagement** 1611, Cotgrave. || **déménageur** 1863, L. || **emménager** début XV^e s. || **emménagement** 1495, Jal. (V. MAISON.)

**menchevick** 1931, Lar. ; mot russe signif. « minoritaire ».

***mendier** 1080, *Roland* (*mendeier*) ; lat. *mendicāre.* || **mendiant** 1170, *Floire et Blancheflor ;* part. prés. substantivé ; a éliminé l'anc. fr. *mendi,* du lat. *mendicus.* || **mendicité** 1265, J. de Meung ; lat. *mendicitas.* || **mendigot** 1876, J. Richepin ; de *mendiant,* avec substitution de suffixe. || **mendigoter** 1878, Esnault.

**meneau** 1398, de La Borde (*mayneaulx,* pl.), archit. ; probabl. contraction de *meienel,* de l'anc. fr. *meien,* « qui est au milieu », du bas lat. *medianus,* de *medius.* (V. MÉDIAN.)

***mener** 980, *Passion ;* lat. pop. *mināre* (II^e s., Apulée), « pousser des animaux devant soi en criant, en les menaçant ; les conduire » ; lat. class. *mĭnāri,* menacer. || **menable** 1198, G. || **menée** n. f., 1080, *Roland,* son de trompe ; 1160, *Tristan,* vén., chemin de la bête traquée ; 1460, Chastellain, pratiques secrètes. || **meneur** 1155, Wace (*meneeur*) ; 1669, Widerhold, spécialisé en « meneur de cabale, celui qui excite les autres ». || **amener** 1080, *Roland.* || **démener** 1080, *Roland,* mener, agiter (jusqu'au XVI^e s.) ; *se démener,* 1130, *Eneas.* || **emmener** 1080, *Roland.* || **malmener** 1130, *Eneas.* || **malmenage** 1960, *journ.* || **ramener** 1120, *Ps. de Cambridge.* || **remener** 1180, Marie de France. || **remmener** XIV^e s. (V. SURMENER.)

***ménestrel** 1050, *Alexis,* serviteur ; 1175, Chr. de Troyes, musicien, sens repris au XIX^e s. ; bas lat. *ministerialis,* chargé d'un service (*ministerium*). || **ménétrier, ménestrier** 1272, Joinville, musicien ; 1680, Richelet, musicien de village ; même mot que le précédent, avec substitution de suffixe.

**menhir** 1834, Boiste ; mot breton signif. « pierre (*men*) longue (*hir*) ».

**menin, -e** 1606, Fr. de Sales, hist. ; esp. *menino, -a* (même rac. que *mignon*).

**méninge** 1478, Chauliac ; lat. méd. *meninga,* gr. *mêninga,* acc. de *mêninx.* || **méningiome** 1953, Lar. || **méningite** 1829, Boiste. || **méningé** 1803, Boiste. || **méningitique** 1875, *Progrès médical.* || **méningocoque** 1907, Lar.

**ménisque** 1671, P. Chérubin ; gr. *mêniskos,* petite lune.

**ménologe** 1633, Peiresc ; lat. *menologium,* du gr. *menologion,* tableau des mois ; recueil de vies de saints de l'Église grecque.

**menon** 1723, Savary ; mot prov. signif. « bouc châtré », de même racine que *mener,* ou du lat. *minus,* moins (« amoindri », d'où « châtré »).

**ménopause** 1823, *Doc. ;* gr. *mên,* mois, d'où menstrues, et *pausis,* cessation. || **ménorragie** 1793, Lavoisien ; sur *rhagie.* || **ménorragique** 1836, *Acad.*

**menotte** V. MAIN.

***mensonge** 1080, *Roland* (*mençunge*) ; fém. jusqu'au XVII^e s. ; lat. pop. **mentionica,* de *mentio,* attesté dans les gloses, forme contractée de *mentitio,* sur *mentitus,* part. passé de *mentiri,* mentir. || **mensonger** 1120, *Ps. de Cambridge.* || **mensongèrement** 1120, *Ps. de Cambridge.*

**menstrues** 1560, Paré ; lat. *menstrua,* pl. neut. de *menstruus,* mensuel. || **menstruation** 1761, Astruc. || **menstruel** 1265, Br. Latini ; lat. *menstrualis.*

**mensuel** 1795, *Journ. des Mines ;* n. m., début XX^e s., « journal mensuel » ; bas lat. *mensualis,* de *mensis,* mois. || **mensuellement** 1835, Balzac. || **mensualité** 1874, *Gazette des tribunaux.* || **mensualiser** 1970, *journ.* || **mensualisation** 1968, *journ.* || **bimensuel** 1847, *Revue.*

**mensuration** 1502, Nicholay ; rare jusqu'en 1802, Chateaubriand ; lat. *mensuratio,* mesure. || **mensurer** XIII^e s., arpenter ; 1935, *Acad.,* sens actuel ; lat. *mensurare,* mesurer. || **mensurable** 1611, Cotgrave. || **mensurabilité** 1765, *Encycl.* || **mensurateur** 1868, L.

**mental** fin XIVe s. (*mentel*) ; lat. *mentalis,* de *mens, mentis,* esprit. || **mentalement** XVe s., G. || **mentalité** 1845, Radonvilliers ; angl. *mentality.* || **mentalisme** 1845, Richard. || **mentaliste** 1951, Lalande.

**menterie, menteur** V. MENTIR.

**menthe** 1240, G. de Lorris (*mente*) ; lat. *mentha,* du gr. *minthê.* || **menthol** 1874, Lar. || **mentholé** 1930, Lar.

**mention** 1167, Gautier d'Arras ; lat. *mentio,* de *mens, mentis,* esprit. || **mentionner** 1432, *Doc.* || **susmentionné** XVe s. ; avec adv. *sus,* au-dessus.

***mentir** 980, *Passion ;* lat. pop. *mentīre,* en lat. class. *mentīri.* || **menteur** 1155, Wace (*menteür*) ; 1174, E. de Fougères (*menteor*). || **menterie** 1214, Tobler-Lommatzsch. || **démentir** 1080, *Roland.* || **démenti** n. m., XVe s.

***menton** 980, *Passion ;* lat. pop. **mento, -onis,* en lat. class. *mentum,* menton. || **mentonnet** fin XIVe s., petit menton ; 1660, Oudin, techn. || **mentonnier** fin XVIe s. || **mentonnière** 1373, *Mandement.*

**mentor** début XVIIIe s., Saint-Simon ; du nom de *Mentor,* guide de Télémaque, dans l'œuvre de Fénelon (1699).

***menu** adj., 1050, *Alexis (menud*), de petite taille ; *par le menu,* 1538, R. Est. ; lat. *minūtus,* part. passé de *minuere,* diminuer ; n. m., 1718, *Acad.,* liste de mets. || **menuet** adj., XIIe s., *Parthenopeus,* fin, délicat ; n. m., XVIIe s., sorte de danse. || **menuaille** 1193, Guiart ; lat. *minūtalia,* menus objets, pl. neut. de *minūtalis,* dér. de *minutus.* || ***menuise** 1193, Hélinant, menu poisson ; XVIIIe s., techn. ; lat. *minutia,* petite parcelle. || **menu-vair** XIIIe s., Gay, fourrure. (V. le suivant.)

***menuiser** fin XIe s., *Gloses de Raschi,* couper en morceaux ; 1120, *Ps. d'Oxford,* diminuer ; lat. pop. **minutiare,* de *minūtus* (v. le préc.) ; 1483, Havard, faire de la menuiserie. || **menuisier** début XIIIe s., ouvrier employé à des ouvrages délicats ; XVIe s., sens mod. (par oppos. à *charpentier*). || **menuiserie** 1411, Du Cange. || **amenuiser** 1120, *Ps. d'Oxford.* || **amenuisement** XIIIe s., Guiot de Provins.

**méphistophélique** 1833, Gautier ; de *Méphistophélès,* nom du diable dans la légende de Faust, popularisé par le *Faust* de Goethe. || **méphistophélisme** 1860, G. Sand.

**méphitique** 1550, Rab. ; bas lat. *mephiticus,* de *mephitis,* exhalaison pestilentielle. || **méphitisme** 1782, Gohin. || **méphitiser** 1827, *Acad.*

**méplat, méprendre, méprise, mépriser** V. PLAT, PRENDRE, PRISER 1.

***mer** 1050, *Alexis ;* lat. *mare* (neutre, devenu fém. en gallo-roman, p.-ê. d'après *terre*). || **amerrir** v. 1910 ; d'apr. *atterrir.* || **amerrissage** *id.*

**mercanti** début XIXe s. (var. *mercantiste,* 1842, Mozin) ; mot du sabir d'Algérie, du pl. ital. de *mercante,* marchand, avec sens péjor., de *mercare,* acheter. || **mercantile** 1551, Isambert (*mercantil*) ; 1611, Cotgrave (*mercantil*) ; 1776, Rousseau, var. péjor. ; ital. *mercantile,* dér. de *mercante.* || **mercantilisme** 1811, Prince de Ligne, qui remplace *mercantisme* (1790). || **mercantiliste** 1865, Proudhon.

**mercenaire** XIIIe s., Berger (*mercennere*) ; 1360, Froissart (*mercenaire*) ; lat. *mercenarius,* de *merces,* salaire.

**mercerie** V. MERCIER.

**merceriser** fin XIXe s., *Doc. ;* de *Mercer* (1791-1866), nom de l'inventeur de cette opération chimique appliquée aux textiles. || **mercerisage** 1903, Lar. || **mercerisette** 1903, Lar.

***merci** fin IXe s., *Eulalie* (*mercit*) ; fin XIe s., *Chanson Guillaume* (*merci*), n. f., pitié ; *à merci,* 1283, Beaumanoir ; *à la merci de,* 1538, R. Est. ; *sans merci,* 1175, Chr. de Troyes ; 1131, *Couronn. Loïs,* parole de remerciement, n. f. ; comme n. m., 1530, Marot ; lat. *mercedem,* acc. de *merces,* salaire, d'où en lat. pop. « prix » ; en gallo-rom., « faveur ». || **remercier** 1174, E. de Fougères ; anc. fr. *mercier* (disparu fin XVIIe s.), de *merci.* || **remerciement** XVe s., Delb.

**mercier** fin XIe s., *Gloses de Raschi,* marchand ; 1497, La Curne, colporteur, puis sens actuel ; de l'anc. fr. *merz,* marchandise, du lat. *merx,* même sens. || **mercerie** 1187, *Itinéraire* (*mercherie*) ; XIIIe s., G. (*mercerie*).

***mercredi** 1119, Ph. de Thaon (*mercresdi*) ; lat. pop. *Mercoris dies,* jour de Mercure (class. *Mercurii dies*).

**mercure** XIVe s., *Nature à l'alchimie ;* lat. *Mercurius,* nom du messager de Jupiter, en même temps dieu du Commerce (à cause de la mobilité du mercure, dont le nom vulgaire est VIF-ARGENT ; v. ce mot). || **mercurage** 1963, Lar. || **mercureux** 1840, *Acad.* || **mercurial** 1546, Rab., fantasque ; 1874, Lar., sens actuel ; lat.

*mercurialis.* || **mercuriel** 1675, *Journ. des savants.* || **mercurique** 1840, *Acad.* || **Mercurochrome** 1930, Lar., pharm. ; n. dépos.

**mercuriale** XIII^e^ s., *Romania,* plante ; lat. *mercurialis* (*herba*), plante de Mercure ; 1535, Isambert, assemblée des parlements (siégeant le *mercredi*) ; 1672, Brunot, remontrance ; 1793, Brunot, tableau des prix d'un marché ; lat. *mercurialis,* l'assemblée se tenant le premier mercredi après les vacances.

***merde** fin XIII^e^ s., *Renart,* pop. ; lat. *merda.* || **merdaille** 1175, Chr. de Troyes. || **merdaillon** 1808, d'Hautel. || **merdeux** 1392, E. Deschamps. || **merdier** fin XII^e^ s., *Geste des Loherains,* au propre ; 1951, Esnault, désordre. || **merdoyer** 1884, Esnault. || **emmerder** XIV^e^ s., G. || **emmerdeur, -euse** 1873, Lar. || **emmerdement** 1842, Flaubert. || **démerder (se)** 1897, Lar. || **démerdard** fin XIX^e^ s.

1. ***mère** 980, *Passion* (*madre*) ; 1050, *Alexis* (*medre*) ; fin X^e^ s., *saint Léger* (*mere*) ; lat *mater, matris.* || **dure-mère** 1314, Mondeville ; lat. méd. *dura mater,* mère dure. || **pie-mère** XIII^e^ s. (*pieve mere*) ; lat. méd. *pia mater,* mère pieuse, cette membrane entourant le cerveau avec attention.

2. **mère** 1369, G. ; réfection, d'après le lat., de l'adj. *mier,* pur, lat. *merus.*

**méridien** 1120, *Ps. d'Oxford,* de midi ; milieu XVI^e^ s., astron. ; comme n. m., XII^e^ s., *Aye d'Avignon,* habitant du Midi ; 1546, Rab., sens actuel ; lat. *meridianus,* de *meridies,* midi. || **méridienne** 1680, Richelet, sieste vers midi ; 1750, Havard, sorte de canapé ; lat. *meridiana* (*hora*) ; a remplacé la forme pop. *mérienne* (Ouest et Centre) et la forme sav. *méridiane* XIII^e^-XVII^e^ s.

**méridional** 1314, Mondeville ; lat. *meridionalis,* de *meridies,* midi. || **méridionalisme** XX^e^ s.

**meringue** 1691, *Doc. ;* polonais *marzynka,* meringue au chocolat. || **meringuer** 1739, Menon (*-é*). || **meringage** 1931, Lar.

**mérinos** av. 1781, Turgot ; mot esp., plur. (cristallisé en fr.) de *merino,* mouton à laine fine importé par Colbert (en Roussillon), puis par Daubenton (à Montbard, 1776).

**merise** 1265, J. de Meung ; forme déglutinée de **amerise,* croisem. entre *amer* et *cerise.* || **merisier** 1350, *Glossaire de Conches.*

**mérite** 1119, Ph. de Thaon, n. f., récompense ; 1611, Cotgrave, n. m. ; XIV^e^ s., *Songe du Verger,* sens actuel ; lat. *meritum,* chose méritée, mérite, de *merēre,* mériter. || **mériter** fin XIII^e^ s., Aimé, récompenser. || **immérité** 1455, Fossetier. || **méritoire** 1265, J. de Meung ; lat. *meritorius,* qui rapporte un gain. || **méritant** 1460, G. Chastellain. || **démériter** début XVI^e^ s., J. Bouchet.

**merlan** 1268, É. Boileau ; dér. de *merle* avec le suff. *-enc., -anc,* du germ. *-ing ;* 1744, *Journ. de Barbier,* pop., « coiffeur ». || **merlu, merlus** 1285, Fagniez ; prov. *merlus* (var. *merlusso*), dér. de *merle ;* ou croisement de *merle* et de l'anc. fr. *lus,* brochet (1175, Chr. de Troyes), du lat. *lucius.* || **merluche** 1664, Brunot ; ital. *merluccio,* même étymologie.

***merle** 1160, Benoît, parfois fém. en anc. fr. ; bas lat. *merulus,* en lat. class. *mĕrŭla* (qui désignait aussi un poisson de mer). || **merleau** 1840, *Acad.* || **merlette** 1360, Froissart.

**merlin** 1624, *Nouv. Coutumier ;* mot lorrain, dér. anc. du lat. *marculus,* marteau.

**merlon** 1642, Oudin, archit. ; ital. *merlone,* partie de la muraille comprise entre deux créneaux, du lat. *merulus,* merle, employé métaphoriquement.

**merluche, merlus** V. MERLE.

***merrain, mairain** 1155, Wace (*mairien, merrien,* jusqu'au XVI^e^ s.) ; lat. pop. **materiamen,* bois de construction, de *materia,* matière. || **maronage** 1199, *Doc.,* techn. (V. MATÉRIAUX, MATIÈRE.)

***merveille** 1050, *Alexis,* phénomène étrange ; 1130, *Eneas,* sens actuel ; lat. pop. **mirībilia* (class. *mirābilia*), pl. neut., pris comme fém., de *mirabilis,* admirable. || **merveilleux** 1080, *Roland* (*merveillus*), étonnant ; fin XIII^e^ s., *Doon de Mayence,* magique. || **merveilleusement** 1080, *Roland.* || **émerveiller (s')** 1112, *Voy. saint Brendan.* || **émerveillement** 1170, *Rois.*

**mérycisme** 1827, *Acad. ;* gr. *mêrukismos,* rumination.

**més-,** préfixe. V. MÉ.

**mésange** 1180, Marie de France (*masenge*) ; francique **mēsinga,* en lat. médiév. *misinga* (all. *Meise*). || **mésangette** 1788, *Encycl. méthod.* || **mésangère** 1767, Salerne.

**mésaventure** V. AVENTURE.

**mésentère** 1363, Chauliac ; gr. *mesenterion,* de *mesos,* médian, et *enteron,* intestin. || **mésentérique** 1541, Canappe. || **mésentérite** 1812, Mozin.

**mesmérisme** 1782, Mercier, *Tableau ;* de *Mesmer,* nom d'un méd. all. (1734-1815). || mesmérien *id.*

**méso-,** du gr. *mesos,* « médian, au milieu ». || **mésocarpe** 1842, *Acad. ;* gr. *carpos,* jointure. || **mésocéphale** 1822, *Nouveau Dict. de méd.* || **mésocôlon** 1560, Paré. || **mésoderme** 1868, L. || **mésodermique** 1896, Le Dantec. || **mésogastre** 1868, L. || **mésolithique** 1909, Robert. || **mésophyte** 1842, *Acad.* || **mésosphère** 1963, Lar. || **mésothorax** 1842, *Acad.* || **mésozoïque** 1868, L.

**méson** v. 1935, d'après Lar. ; gr. *mesos,* médian, avec le suff. *-on,* d'emploi répandu en physique contemporaine.

**mesquin** 1611, Cotgrave ; ital. *meschino,* pauvre, chétif, de l'ar. *meskin,* pauvre ; représenté une première fois en anc. fr., XIIe s., par les formes *meschin, meschine,* « jeune homme, jeune fille ». || **mesquinement** 1608, D. de Flurance. || **mesquinerie** 1636, Monet.

**mess** 1838, Stendhal ; mot angl., issu de l'anc. fr. *mes,* mets ; salle où les officiers et sous-officiers prennent leurs repas.

**message** 1050, *Alexis ;* de l'anc. fr. *mes,* envoyé, du lat. *missus,* part. passé de *mittere,* envoyer ; 1704, Clarendon, polit., d'après l'angl. ; 1922, Proust, « leçon adressée aux hommes ». || **messager** 1080, *Roland.* || **messagerie** XIIIe s., G., mission ; 1680, Richelet, transport de bagages.

***messe** fin Xe s., *saint Léger ;* lat. chrét. *missa* (IVe s., saint Ambroise), part. passé fém. substantivé de *mittere,* envoyer, d'après la formule qui termine la messe : *ite, missa est,* « allez [la prière] a été envoyée [à Dieu] ».

**messidor** 1793, Fabre d'Églantine, mois d'été ; lat. *messis,* moisson, et du gr. *dôron,* offrande. || **messicole** 1963, Lar. ; sur *-cole.*

**messie** 1220, Coincy ; lat. chrét. *messias* (*Vulgate*), issu, par le gr., de l'araméen *meschîkhâ,* oint (du Seigneur), traduit en gr. par *khristos.* || **messianisme** 1831, Wronski, croyance en la venue du Christ ; 1936, R. Martin du Gard, fig. || **messianique** 1845, Besch.

**messire** V. SIRE.

***mesure** 1080, *Roland,* évaluation d'une grandeur ; 1662, Corn., moyen ; *à mesure,* 1221, *Romania ; au fur et à mesure,* 1835, *Acad. ; outre mesure,* 1190, Garnier ; lat. *mensūra,* de *metiri,* mesurer. || **mesurer** 1080, *Roland ;* bas lat. *mensurare* (IVe s., Végèce), qui a éliminé *metiri.* || **mesuré** XIIIe s., *Proverbe,* pondéré. || **mesurément** début XIVe s. || **mesureur** 1180, Marie de France. || **mesurable** 1120, *Ps. d'Oxford.* || **mesurage** 1268, É. Boileau. || **contre-mesure** 1897, Lar. || **démesure** 1131, *Couronn. Loïs ;* repris au XIXe s., 1842, *Acad.* || **démesuré** 1130, *Eneas.* || **demi-mesure** 1580, Montaigne.

**mét(a)-,** préfixe exprimant la participation, la succession, le changement ; du gr. *meta,* préposition et préfixe, mêmes sens.

**métabolisme** 1868, L. ; gr. *metabolê,* changement. || **métabolique** 1855, Nysten. || **métabolite** 1954, Guillerme ; produit de transformation d'un corps chimique.

**métacarpe** 1546, Ch. Est. ; gr. *metakarpion* (*meta,* avec, *karpos,* carpe 2). || **métacarpien** 1752, Trévoux.

**métairie** V. MÉTAYER.

**métal** début XIIe s., *Voy. de Charl. ;* lat. *metallum,* mine, minerai, métal, du gr. *metallon.* Divers comp. sav. en *métallo-,* d'après le gr. *metallon.* || **métallographie** 1548, Mizauld. || **métallographique** 1828, Mozin. || **métalloïde** 1828, Berzélius, adj. et n. || **métallique** XIVe s., *Nature à alchimie ;* lat. *metallicus,* du gr. *metallikos.* || **métalliser** fin XVIe s., Palissy. || **métallisation** 1753, Pott. || **métallifère** 1828, Mozin. || **bimétallique** 1875, H. Cernuschi. || **métallurgie** 1611, Cotgrave, exploitation d'une mine ; 1666, *Journ. des savants,* sens actuel ; gr. *metallourgein,* exploiter une mine. || **métallurgique** 1752, *Lettres sur la minéralogie.* || **métallurgiste** 1719, *Mém. Acad. sciences.* || **métallo** 1921, Esnault, fam. ; abrév. de *métallurgiste.*

**métamère** 1874, Lar. ; gr. *meta,* et *meros,* partie. || **métamérie** 1874, Lar. ; division primitive du mésoderme. || **métamérisé** 1903, Lar.

**métamorphisme** 1823, Humboldt ; gr. *meta,* et *morphê,* forme. || **métamorphique** 1823, Humboldt. || **métamorphiser** 1931, Lar.

**métamorphose** 1488, *Mer des hist.,* nom de l'ouvrage d'Ovide ; fin XVe s., nom commun ; lat. *metamorphōsis,* du gr. *metamorphôsis,* changement de forme. || **métamorphoser** 1571, Mizauld ; *se métamorphoser,* 1665, La Fontaine, au propre ; 1841, Chateaubriand, fig. || **métamorphosable** 1836, *Acad.*

**métaphore** 1265, J. de Meung ; lat. *metaphora,* transfert, d'où « transposition », du gr. *pherein,* porter. || **métaphorique** 1361, Oresme. || **métaphoriquement** 1486, Alexis. || **métaphoriser** milieu XVIe s.

**métaphysique** n. f., XIIIe s., Tobler-Lommatzsch, partie de la philosophie qui traite des premiers principes de la connaissance ; 1647, Descartes, partie de la philosophie qui a pour objet la connaissance de Dieu et de l'âme ; adj., 1598, Marnix ; lat. scolast. *metaphysica,* du gr. *meta ta phusika* (« après la physique »), titre d'un traité d'Aristote. || **métaphysicien** 1361, Oresme. || **métaphysiquer** 1737, *Mémoires de Trévoux.*

**métapsychologie** 1963, Lar. ; gr. *meta,* changement, et *psychologie.* || **métapsychique** 1907, Lar.

**métastase** 1586, Suau, méd. ; gr. *metastasis,* changement de place. || **métastatique** 1793, Lavoisien.

**métayer** début XIIe s., *Thèbes* (*meiteier*), qui participe de moitié ; début XIIIe s., sens actuel ; de *meitié,* anc. forme de *moitié* (v. ce mot). || **métairie** 1180, *Mort d'Aymeri* (*moitoierie*). || **métayage** 1840, *Acad.*

**métazoaire** 1877, Littré ; gr. *meta,* avec, et *zôon,* animal ; animal pluricellulaire.

***méteil** XIIIe s., A. Du Chesne ; lat. pop. **mĭstilium,* mélange, de *mixtus,* part. passé de *miscēre,* mélanger.

**métempsycose** 1553, Rab. (*-osis*) ; 1561, Vaganay (*-ose*) ; bas lat. *metempsychosis,* mot gr., de *meta,* après, et *empsukhoun,* faire vivre, de *psukhê,* âme. || **métempsycosiste** 1787, Galiani.

**météore** 1270, Mahieu le Vilain ; lat. médiév. *meteora,* mot gr., pl. neut. de *meteôros,* élevé dans les airs. || **météorique** XVe s. || **météoriser** fin XVIe s., méd. vétér., prendre la forme d'un météore, gonfler l'abdomen ; gr. *meteôrizeîn,* gonfler (proprem. « élever »). || **météorisme** 1560, Paré ; gr. *meteôrismos.* || **météorisation** 1811, Tessier, méd. || **météorite** 1822, *Nouveau Dict. méd.* || **météorographe** 1803, Boiste. || **météorologie** 1547, Mizauld ; abrév. *météo,* 1931, Saint-Exupéry. || **météorologique** 1550, Roussat. || **météorologue** 1775, *Journ. pol. litt.,* appareil ; 1783, Gohin, spécialiste. || **météorologiste** 1821, J. de Maistre. || **météoromancie** 1765, *Encycl.*

**métèque** 1743, Geoffroy, hist. ; a remplacé *métœcien* (1827, *Acad.*) ; 1894, Ch. Maurras, péjor. ; gr. *metoikos,* qui change de résidence, de *oîkos,* maison.

**méthane** V. MÉTHYLÈNE.

**méthode** 1537, Canappe, méd. ; 1546, Rab., sens actuel ; lat. *methodus* (Vitruve, Celse), du gr. *methodos,* poursuite, d'où « recherche », de *hodos,* chemin. || **méthodique** 1488, *Mer des hist.* ; lat. *methodicus.* || **méthodiquement** milieu XVIe s. || **méthodologie** 1842, *Acad.* || **méthodologique** 1877, L. || **méthodisme, -iste** 1760, J. Des Champs ; angl. *methodism, -ist,* secte chrétienne, d'après l'angl. *method.*

**méthylène** 1834, *Doc.* ; gr. *methu,* boisson fermentée, et *hulê,* bois, dit « esprit de bois ». || **méthyle** 1839, Regnault ; sur *éthyle* (v. ÉTHER). || **méthane** 1882, *Bull. Soc. chim.,* par substit. de suff. || **méthanier** v. 1950. || **méthanol** 1931, Lar. || **méthylique** 1866, L. || Nombreux comp. sav. en *méthyl-* et *méthylo-,* depuis la fin du XIXe s.

**méticuleux** 1547, Budé, jurid. ; lat. *meticulosus,* craintif, de *metus,* crainte, sur *periculosus.* || **méticuleusement** 1831, Lamartine. || **méticulosité** 1828, Villemain.

***métier** fin IXe s., *sainte Eulalie* (*menestier*) ; fin Xe s., *saint Léger* (*mistier*) ; 1050, *Alexis* (*mestier*) ; lat. pop. **misterium* (class. *ministerium*), besoin, puis « service, fonction », de *minister,* serviteur, prêtre de Dieu.

***métis** 1180, *Girart de Roussillon* (*mestis*) ; *s* prononcé d'après une variante *métice,* adaptation du port. *mestigo,* sang-mêlé ; bas lat. *mixticius* (IVe s., saint Jérôme), de *mixtus,* mélangé. || **métissage** 1834, Boiste (*métisage,* 1842, *Acad.*). || **métisser** 1874, Lar.

**métonomasie** 1690, Baillet, syn. ancien de *calque* en gramm. ; gr. *metonomasia,* changement de nom, de *onoma,* nom.

**métonymie** 1521, Fabri ; bas lat. *metonymia* (IVe s., Festus), du gr. *metônumia,* changement de nom, de *meta,* et *onoma,* nom. || **métonymique** av. 1844, Nodier.

**métope** 1520, Sagredo, archit. ; lat. *metopa,* du gr. *metopê,* de *meta,* après, et *opê,* ouverture.

1. **mètre** 1220, Coincy, versif. ; lat. *metrum* (gr. *metron*), mesure. || **métrique** 1495, J. de Vignay ; lat. *metricus,* du gr. *metrikos* ; n. f., 1672, G. Patin. || **métricien** 1836, *Acad.* || **métromanie** 1738, Piron. || **métromane** 1771, Trévoux.

2. **mètre** 1791, Brunot, unité de mesure ; gr. *metron,* mesure ; composés en *-mètre,* pour les multiples et sous-multiples du mètre, 1791. || **métrique** 1795, *Lois.* || **métrage** 1829, Boiste, « action de mesurer » ; 1907, Pathé, cinéma ; *long métrage,* 1911, *Ciné-Journal ; court métrage,* 1924, *Lyon-Républicain.* || **métrer** 1834, Balzac. || **métreur** 1845, Besch. || Nombreux composés en *-mètre,* désignant les instruments de mesure.

**métrite** 1803, Boiste (*metritis*) ; 1807, Salviat (*métrite*) ; lat. méd. *metritis,* du gr. *mêtra,* matrice, de *mêtêr,* mère ; inflammation de la matrice.

1. **métro-,** gr. *metron,* mesure. || **métrologie** 1780, Paucton. || **métrologique** 1802, Mallet. || **métrologiste** 1840, *Acad.* || **métronome** 1815, *Brevet* (a remplacé *métromètre,* 1732, d'après Trévoux).

2. **métro-,** gr. *mêtra,* matrice. || **métropathie** 1878, Lar. || **métrorrhagie** 1810, Capuron ; gr. *rhagê,* rupture. || **métrorragique** 1874, Lar. || **métrosalpingite** 1907, Lar.

3. **métro** V. MÉTROPOLE.

**métropole** XIV^e^ s., *Chron. de Saint-Denis,* eccl. ; 1679, Fléchier, capitale, hist. ; 1671, Pomey, sens actuel ; bas lat. jurid. *metropolis,* du gr. *polis,* ville, et *mêtêr,* mère. || **métropolitain** adj., XIII^e^ s., *Miracles,* eccl. ; fin XV^e^ s., qui appartient à une capitale ; 1873, *Année industrielle,* adj. et n. m., par abrév. de *chemin de fer métropolitain ;* lat. *metropolitanus.* || **métro** abrév., 1891, *Charivari.* || **métropolite** 1771, Trévoux.

***mets** 1130, *Eneas* (*mes*) ; 1360, Froissart (*mets*), d'après *mettre ;* lat. pop. *missum,* « ce qui est mis sur la table », part. passé de *mittere* (v. METTRE). || **entremets** 1180, Marie de France, divertissement ; 1668, La Fontaine, préparation culinaire.

***mettre** 980, *Valenciennes ;* lat. *mĭttĕre,* envoyer, en bas lat. « mettre », empl. à la place de *ponere* (V^e^ s., M. Empiricus, Palladius). [V. PONDRE.] || **mettable** 1160, Benoît. || **immettable** 1845, Richard. || **metteur** 1270, *Doc.,* en fauconnerie ; 1350, *Glossaire Conches,* qui met en place ; *metteur en œuvre,* 1680, Richelet ; *metteur en pages,* 1819, Boiste ; *metteur en scène,* 1874, Lar. ; 1908, cinéma ; *metteur au point,* 1868, L., sculpture ; 1930, Lar., mécanique ; *metteur en ondes,* 1959, Robert. || **démettre** XIII^e^ s., *D. G.,* déplacer ; 1407, Deschamps, révoquer. || **entremettre** fin XI^e^ s., *Gloses de Raschi.* || **entremise** 1130, *Eneas.* || **entremetteur** 1387, G., métayer ; XVI^e^ s., qui s'entremet, péjor. || **remettre** 1155, Wace, rétablir dans la situation antérieure ; *se remettre,* 1160, Benoît ; *être remis,* 1645, Corn. || **remise** 1311, *Doc.,* jurid. ; 1793, Schwan, réduction de prix ; 1659, Duez, local. || **remiser** 1761, Rousseau, mettre à l'abri ; 1893, *D. G.,* mettre à l'écart. || **remisage** 1867, *Revue des Deux Mondes.*

***meuble** adj., 1160, *Tristan,* bien meuble (*mueble*), et n. m., objet mobile servant à un usage de la maison ; 1672, Molière, sens actuel ; 1903, Lar., terre meuble ; lat. pop. *mŏbilis,* en lat. class. *mōbilis* (*ŏ* d'après *mŏvere,* mouvoir). || **meubler** XIII^e^ s., La Curne, enrichir ; 1538, R. Est., garnir de meubles ; 1844, Balzac, fig. || **meublant** XIII^e^ s., *Établissement Saint Louis,* adj. || **meublé** n. m., 1923, Lar. || **ameublement** 1598, Delb. ; de *ameubler* (XVI^e^ s.), jurid. ; 1845, Besch., agric. || **ameublir** XIV^e^ s. ; de *meuble,* adj., jurid. ; 1578, Liébault, agric. || **ameublissement** 1573, M. de l'Hospital, jurid. ; 1827, *Acad.,* agric. || **démeubler** XIII^e^ s., G. (*desmobler*), priver de ses biens ; 1515, *Doc.,* sens mod. || **démeublement** 1636, Monet. || **immeuble** 1275, G.. (*-oble*), adj. ; lat. *immobilis,* d'apr. *meuble ;* 1867, Delvau, n. m., maison. || **remeubler** 1280, Adenet, pourvoir ; XVI^e^ s., sens actuel.

**meugler** 1539, R. Est. ; lat impérial *mugilare,* de *mugire,* beugler. || **meuglement** 1539, R. Est.

1. ***meule** (*à moudre*) 1170, *Rois ;* lat. *mŏla.* || **meuler, meulage** 1903, Lar. || **meulière** fin XV^e^ s. (*pierre meulière*). || **molette** milieu XIII^e^ s. || **moleter** 1582, *D. G.* || **moletoir** 1765, *Encycl.* (V. MOLAIRE 1.)

2. **meule** (*de foin,* etc.) 1170, *Rois ;* empl. métaph. de *meule* 1. || **meulette** 1611, Cotgrave. || **meulon** 1530, Palsgrave ; croisem. de *meule* et de *mulon* (XIII^e^ s., R. de Houdenc), lui-même croisem. de l'anc. fr. *muele* et de l'anc. fr. *muillon,* du lat. pop. **mutulio, -ōnis,* dér. de *mutulus,* pierre en saillie, d'où tas de pierres. (V. MOREAU, MUTULE.)

**meunier** 1190, Garnier (*molnier*) ; 1268, É. Boileau (*meunier*) ; réfection, d'après *meule* 1, du lat. *molinarius,* de *mola,* meule (v. MOULIN). || **meunière** 1573, Rolland, mésange. || **meunerie** 1767, Malouin.

**meurette** 1614, Hulsius (*à la murette*) ; 1903, Lar. (*meurette*) ; mot bourguignon, de l'anc. fr. *muire,* eau salée, lat. *muria,* saumure.

**meurtre** V. MEURTRIR.

**meurtrir** 1131, *Couronn. Loïs (mortrir)* ; 1382, G. (*meurtrir*), tuer ; franc. ***murthrjan,* assassiner ; 1538, R. Est., contusionner ; 1690, Furetière, cotir. || **meurtre** XII^e s., *Lois de Guill.* (*murtre*) ; 1273, Adenet (*meurtre*). || **meurtrier** 1175, Chr. de Troyes (*murtrier*) ; XIII^e s., *Roman de Renart* (*meurtrier*). || **meurtrière** 1573, Du Puys, archit. (a remplacé *archière*). || **meurtrissure** 1535, Olivétan

***meute** 1140, Tobler-Lommatzsch. (*muete*), soulèvement, jusqu'au XVI^e s. (v. ÉMEUTE) ; XII^e s., vén., sens mod. ; lat. pop. **mŏvĭta*, part. passé refait (class. *mōtus, -a*) de *mŏvēre*, « mouvoir », et substantivé au fém. (v. MUTIN). L'anc. orth. *muete* a été conservée en fr. mod., avec le sens spécial de « logis pour les chiens de chasse », figé en toponymie : 1740, *Acad.* (*muette*), et le quartier de *la Muette*, à Paris. || **ameuter** 1375, *Modus*, réunir les chiens en meute ; 1578, d'Aubigné, réunir ; XVIII^e s., attrouper. || **ameutement** 1636, Monet.

**mézigue** 1628, Chereau (*meziguand*) ; 1827, Esnault (*mézigue*) ; de *mes*, pluriel de *mon*, avec suffixe obscur.

**mezzanine** 1676, Félibien, archit. ; ital. *mezzanino*, entresol, de *mezzo*, qui est au milieu.

**mezza voce** milieu XVIII^e s., mus. ; loc. ital., de *mezza*, moyen, demi, et *voce*, voix. || **mezzo-soprano** 1834, Fétis, mus., a éliminé l'anc. *bas-dessus* ; loc. ital., de *mezzo*, moyen, et *soprano*. || **mezzo-tinto** 1688, Miege, gravure ; loc. ital. signif. « moyenne teinte ».

1. ***mi** 1080, *Roland*, « demi, milieu » ; lat. *mĕdius*, qui est au milieu ; éliminé par *demi* et *milieu* ; conservé comme premier élément de composé : *mi-carême* (1250, Mousket), *à mi-chemin* (1507, *Coutumier*), *à mi-course* (1968, Lar.). || **midi** 1080, *Roland* ; de l'anc. fr. *di* (842, *Serments*), du lat. *dies* (v. LUNDI). || **après-midi** début XVI^e s., n. m. ; 1836, Landais, n. m. et n. f. ; souvent n. f. au XIX^e s. || **milieu** début XII^e s., *Voy. de Charl.*, espace entre deux ; 1639, Descartes, milieu physique ; 1799, Marmontel, conditions sociales ; 1850, Balzac, groupe social ; de *mi-* et *lieu*. || **minuit** 1130, *Eneas* (*mie nuit*, avec le fém. de *mi*, maintenu jusqu'au XVII^e s.) ; 1530, Palsgrave, n. m. || **mitan** XII^e s., *Floire et Blanchefor* (*maitan*) ; XIII^e s., Du Cange (*mitan*) ; concurrence encore avec *milieu* dans les parlers régionaux ; d'orig. obsc., probablem. comp. de *mi* et *tant*. (V. *parmi*, à PAR.)

2. **mi** V. UT.

**miaou** début XVII^e s. ; onomatopée.

**miasme** 1695, Raynaud, méd., effluves de la maladie ; 1806, Lunier, sens actuel ; gr. *miasma*, souillure, de *miainein*, souiller. || **miasmatique** 1797, Thouvenel.

**miauler** XIII^e s., *Renart le Nouvel* (*miauwer*) ; 1549, R. Est. (*miauler*) ; d'orig. onom. (cf. l'ital. *miagolare*, l'all. *miauen*). || **miaulement** 1557, J. Du Bellay (*mijaudement*) ; 1564, J. Thierry (*miaulement*). || **miauleur** XVI^e s., Le Roux de Lincy. || **miaulard** 1840, *Acad.*, mouette.

**mica** 1735, Woodward ; lat. *mica*, parcelle (v. MIE 1). || **micacé** 1755, Dezallier d'Argenville. || **micaschiste** 1817, Gérardin.

**micelle** 1903, Lar. ; dimin., créé par Naegeli, du lat. *mica*, « parcelle » (v. MIE 1). || **micellaire** 1923, Lar.

**miche** 1175, Chr. de Troyes, miette ; XIII^e s., Rutebeuf, sorte de pain ; lat. **micca*, forme renforcée de *mīca*, « parcelle » (v. MIE 1). || **miches** 1875, Esnault, seins.

**miché** 1739, Esnault, celui qui entretient une femme ; anc. pronon. de *Michel*. || **micheton** 1810, Esnault ; diminutif. || **michetonner** 1898, Esnault.

**micheline** 1934, G. Thierry, autorail ; du nom de la firme *Michelin*.

**micmac** 1640, Oudin, n. f. ; n. m., 1680, Richelet ; altér. du moy. fr. *mutemaque* (1453, Monstrelet), rébellion, et XVI^e s., « confusion, désordre » ; moy. néerl. *muetmaken*, faire une rébellion, de *maken*, faire, et *muit*, issu du fr. *meute*.

**micocoulier** 1547, Ch. Est. (*micacoulier*) ; 1600, O. de Serres (*mycacoulier*) ; mot prov., du gr. mod. *mikrokoukouli*. || **micocoule** 1611, Cotgrave.

1. **micro-**, gr. *mikros*, petit ; pour indiquer la millionième partie d'une unité. || **microhm** 1888, Lar. || **micromillimètre** 1890, Lar. || **microseconde** 1931, Lar. || **microvolt** 1888, Lar.

2. **micro-**, même étymol., pour indiquer des quantités très petites ou pour signifier « très petit ». || **micro-analyse** 1953, Lar. || **microbalance** 1923, Lar. || **microbiologie** 1888, Lar || **microcéphale** 1803, Boiste ; gr. *mikrokephalos*, petite tête. || **microcéphalie** 1855, Nysten. || **microchimie** 1868, L. || **microcoque** 1878, Sédillot (*-coccus*) ; 1903, Lar. (*-coque*). || **microcosme** 1320, Fauvel ; bas lat. *microcosmus*, du gr. *mikrokosmos*, de *kosmos*, monde. || **microcosmique** 1842, *Acad.* || **microcristal** 1949, Lar. || **microdissection** 1931, Lar. || **microfilm** 1931, Lar. || **microfilmer** *id.* || **microfilmage** 1970, Robert. || **micrographie** 1665 ; sur l'élém.

-*graphie.* || **micrographe** 1771, Trévoux. || **micrographique** 1834, Landais. || **micromélie** 1842, *Acad.* ; gr. *mêlos,* membre. || **micromère** 1874, Lar. ; gr. *meros,* part. || **micromètre** 1572, Bessard, compas ; 1640, Gascoigne, instrum. d'astron. || **micrométrie** 1842, *Acad.* || **micron** 1890, Lar. || **micro-onde** 1931, Lar. || **micro-organisme** 1876, L. || **microphone** 1721, Trévoux. || **microphonique** 1886, Figuier. || **microphotographie** 1888, Lar. || **microphysique** 1910, Lar. || **micropyle** 1808, Cuvier ; gr. *pulê,* porte. || **microscope** 1663, Monconys. || **microscopique** 1700, Fontenelle. || **microscopie** 1836, *Acad.* || **microsillon** 1950. || **microspore** 1846, Besch. || **microsporange** 1888, Lar. || **microthermie** 1920, Lar. || **microtome** 1827, *Acad.* || **microzoaire** 1842, *Acad.* ; gr. *zôarion,* animalcule.

3. **micro-,** même étymol. ; en français contemporain, préfixe de substitution à l'adjectif *petit, très petit.* || **microbus** 1963, Lar. || **microcentrale** 1963, Lar. || **microcircuit** 1961, *journ.* || **microclimat** 1953, Lar. || **microdécision** 1963, Lar., géogr. || **micro-États** mai 1963, *journ.* || **microfiche** 1963, Lar. || **microglossaire** 1970, Robert. || **micrométéorite** septembre 1962, *journ.* || **microminiaturisation** 1961, *journ.* || **micromodule** 1961, *journ.* || **micropinces** mai 1963, *journ.* || **microplancton** v. 1950. || **microporosité** 1968, Lar. || **microprix** mai 1963, *journ.* || **microsonde** 1968, Lar.

4. **micro** 1915, Esnault ; abrév. de *microphone.* || **microcravate** mars 1963, *journ.* ; de *micro(phone).*

**microbe** 1878, Sédillot ; gr. *microbios,* de *micros,* petit, et *bios,* vie. || **microbien** 1889, *Répertoire pharm.* || **microbicide** 1903, Lar.

**miction** 1618, Guillemeau ; bas lat. *mictio,* var. de *minctio,* de *mingere,* uriner.

**midi** V. MI 1.

**midinette** fin XIXe s., G. Charpentier ; de *midi,* et *dînette* (« qui fait la dînette à midi »).

**midship** 1853, Mackenzie, mar. ; abrév. de *midshipman,* 1785, trad. de Cook ; mot angl., de *midship,* milieu du bateau, et *man,* homme.

1. ***mie** (*de pain*) 1119, Ph. de Thaon, miette de pain ; 1160, *Moniage Guillaume,* partie intérieure du pain ; *pain de mie,* 1959, Robert ; lat. *mīca,* parcelle ; a servi, jusqu'au XVIIe s., de renforcement de la particule négative *ne,* concurremment à *pas, point.* || **miette** 1200, *Romania* (*miate*) ; début XIIIe s. (*miette*), parcelle de pain ; 1562, Du Pinet, petite quantité ; *en miettes,* fin XVIIe s. ; *pas une miette,* 1690, Furetière ; à partir du XVIe s., ne conserve que le sens actuel et, au XVIIe s., élimine *mie* dans cet emploi. || **émietter** fin XVIe s., réduire en miettes ; 1839, Balzac, morceler. || **émiettement** 1611, Cotgrave. || **émier** 1170, Chr. de Troyes. (V. MIOCHE, MITONNER.)

2. **mie** V. AMI.

***miel** 980, *Passion* ; lat. **mĕl.* || **miellé** XIIe s., G. || **miellée** 1732, Liger. || **miellaison** 1868, L. || **mielleux** 1265, J. de Meung ; 1581, Du Bartas, doucereux. || **mielleusement** 1566, H. Est. || **emmieller** XIIIe s., adoucir ; 1808, d'Hautel, emmerder. (V. MÉLASSE, MÉLÈZE, MELLI-.)

**mien, *miette** V. MON, MIE 1.

***mieux** fin IXe s., *Eulalie* (*melz*) ; lat. *mĕlius,* neutre, pris adverbialement, de *mĕlior,* meilleur, comparatif de *bonus.* || **mieux-disant** 1778, Rousseau. || **mieux-être** 1750, Féraud.

**mièvre** 1210, Ilvonen (*esmievre*), alerte ; XIIIe s., G. (*mievre*), malicieux, vif ; 1650, Livet, sens mod. ; probablem. même mot que le norm. *nièvre,* « vif », du scand. *snœfr,* même sens. || **mièvrerie** 1458, *Mystère* (*mivrerie*), bagatelle ; 1718, *Acad.,* espièglerie ; 1850, Balzac, grâce recherchée. || **mièvreté** 1440, Chastellain.

**mignard** V. le suivant.

**mignon** 1160, *Tristan,* amant facile ; 1462, *Cent Nouvelles,* fin et délicat ; 1673, Molière, gentil ; n. m., 1460, Chastellain, favori ; mot de même rac. que *minet.* || **mignonnement** 1495, *Roman Jean de Paris.* || **mignonnerie** 1835, Balzac. || **mignoter** début XVe s., A. de La Sale ; de la var. *mignot* (XIIe s.), mignon. || **mignotise** XIIIe s., A. de la Halle. || **amignoter** 1220, Coincy. || **mignonet** 1493, Coquillart. || **mignonnette** 1718, d'après Trévoux, dentelle. || **mignonnerie** 1843, Gautier || **mignard** 1538, R. Est. ; par substitution de suff. || **mignarder** 1418, G. || **mignardise** 1539, R. Est.

**migraine** 1155, Wace, dépit ; fin XIVe s., Deschamps (*migraigne*), sens actuel ; lat. méd. *hemicrania* (IIIe s., C. Aurelius), du gr. *hêmikrania,* douleur dans la moitié (*hêmi*) du crâne (*kranion*). || **migraineux** 1890, Goncourt, qui donne la migraine ; 1923, Lar., sens actuel. || **antimigraineux** 1907, Lar.

**migration** 1495, J. de Vignay ; lat. *migratio,* de *migrare,* changer de séjour. || **migrateur** 1843, Gérard ; bas lat. *migrator.* || **migratoire**

1840, *Acad.* || **migrant** 1961, *journ.*, adj. || **migrer** 1546, Rab. ; lat. *migrare.*

**mijaurée** 1640, Oudin, jeune fille sotte ; 1660, Oudin, sens actuel ; mot rég. (Ouest), d'orig. obsc., de *mijolée,* de *migeoller* (XVI^e s.), cuire à petit feu, puis « cajoler », p.-ê. altéré par *mijot* (v. le suivant).

**mijoter** 1583, *Maison rustique,* faire mûrir (les fruits) ; 1767, Menon, cuire doucement ; 1808, d'Hautel, fig. ; mot de l'Ouest, de *mijot,* lieu où l'on conserve les fruits, var. probable de l'anc. fr. *musgode* (1050, *Alexis*), var. *migoe, mujoe,* provision de vivres, du germ. **musgauda* (v. MAGOT 1). || **mijotage** 1961, *journ.*

**mikado** 1827, *Acad.* (*mikaddo*), souverain pontife de la religion au Japon ; 1874, Lar. (*mikado*), empereur du Japon ; mot japonais.

1. **mil** V. MILLE.

2. ***mil** fin XI^e s., *Gloses de Raschi,* millet ; lat. *mīlium.* || **millet** 1256, Ald. de Sienne. || **millade** 1858, Legoarant ; anc. prov. *milhada,* bouillie de mil. || **millerandage** 1868, L. || **grémil** XIII^e s. (*gromil*) ; 1564, J. Thierry (*gremil*) ; de *grès* et *mil,* à cause de la dureté des graines de cette plante ; var. *grenil,* XVI^e s., d'après *grain.*

**milady** 1727, Bonnafé ; angl. *my lady,* madame.

**milan** 1500, *Anc. Poésies ;* mot prov., du lat. pop. **mīlānus,* altér. de *milvinus* (class. *miluus,* milan) ; a remplacé l'anc. fr. *escoufle* (1120, *Ps. de Cambridge*), du bas breton **skouvl.*

**mildiou** 1874, *Doc. ;* angl. *mildew,* proprem. « rouille (des plantes) ». || **mildiousé** 1903, Lar.

**miliaire** 1560, Paré, méd. ; lat. *miliarius,* de *milium,* millet.

**milice** 1308, Aimé (*milicie*) ; fin XVI^e s., Brantôme (*milice*), armée ; jusqu'au XVII^e s., surtout dans *les milices célestes ;* 1636, Monet, troupes locales formées de bourgeois et de paysans ; 1937, Malraux, formation paramilitaire ; v. 1950, police auxiliaire ; lat. *militia,* service militaire, corps de troupe, de *miles,* soldat. || **milicien** 1725, Guignard ; 1943, *journ.,* membre de la Milice de Vichy.

**milieu** V. MI 1.

**militaire** 1355, Bersuire, adj. ; 1658, Bossuet, n. m. ; lat. *militaris,* de *miles, militis* soldat. || **militairement** 1552, Vaganay. || **militarisme** 1815, Brunot. || **militariste** 1870, *Drapeau rouge,* adj. ; n., 1892, Guérin. || **militariser** 1843, *le Charivari.* || **militarisation** 1877, L. || **antimilitariste** fin XIX^e s. || **démilitariser** 1871, *J. O.* || **démilitarisation** fin XIX^e s. || **paramilitaire** v. 1935 ; avec le préf. *para,* à côté. || **prémilitaire** 1935, Sachs-Villatte ; de *pré-,* avant.

**militer** XIII^e s., H. de Méry, combattre ; 1669, Widerhold, sens mod. || **militant** XIV^e s., *Miracles ;* début XV^e s. (*église militante*) ; n., 1893, *D. G.,* polit. || **militance** 1938, François. || **militantisme** 1963, Lar.

**milk-bar** 1959, Robert ; de *bar,* et de l'angl. *milk,* lait.

**mille** 1112, *Voy. saint Brendan* (*mile*) ; lat. *milia,* pl. de *mille,* mille. || **mil** 1050, *Alexis ;* lat. *mille.* || **milliard** 1549, Peletier ; de *million,* par changem. de suff. || **milliardaire** 1877, Daudet. || **milliardième** 1923, Lar. || **milliasse** fin XV^e s. ; de *million,* par changem. de suff. || **millier** 1080, *Roland ;* d'après le lat. *milliarius.* || **millième** 1213, *Fet des Romains* (*milliesme*) ; 1377, Oresme (*millième*) ; lat. *millesimus.* || **million** 1266, *le Garçon et l'Aveugle* (*milon*), 1359, Cosneau (*million*) ; ital. *milione,* un grand mille. || **millionième** 1550, Meigret. || **millionnaire** 1740, Lesage. || **millépore** 1752, Trévoux, zool. || **millefeuille** XIV^e s., *Doc.* (*milfoille*) ; 1542, Gesner (*millefeuille*), plante ; 1931, Lar., gâteau. || **mille-fleurs** XVII^e s., pharm. (*eau de mille-fleurs*), parfum à la mode. || **mille-pattes** 1562, Du Pinet (*mille-pieds*) ; XVI^e s. (*mille-pattes*), zool. || **millepertuis** 1539, R. Est., bot. || **millépore** 1742, Dezallier. || **milleraies** 1903, Lar. (V. BILLION, MILLÉNAIRE, MILLÉSIME, MILLIAIRE, MILLI-, TRILLION, etc.)

**millénaire** 1495, J. de Vignay, n. m., qui commande mille hommes ; 1584, Benedicti, sens actuel ; adj., 1617, Crespin ; bas lat. *millenarius,* de *mille,* mille. || **millénarisme** 1840, *Acad.* || **millénariste** 1877, Darmesteter. || **bimillénaire** 1844, Nerval.

**millerandage** V. MIL.

**millésime** 1515, Lortie ; lat. *millesimus,* millième. || **millésimer** 1754, *Encycl.*

**millet** V. MIL 2.

**milli-,** élém. de comp. indiquant la millième partie d'une unité ; lat. *mille,* mille. || **milliampère** 1881, *Congrès électriciens.* || **millibar** 1923, Lar. || **milligrade** 1923, Lar. || **milligramme, millilitre, millimètre** 1795, loi du 18 germinal an III. || **millimicron** 1923, Lar. || **millithermie** 1923, Lar. || **millivolt** 1923, Lar.

**milliaire** 1240, La Curne, n. f., hist. ; 1694, Th. Corn., distance de mille pas ; lat. *miliarius,* de *milia.* (V. MILLE.)

**millier** V. MILLE.

**milord** XIVe s., *Mir. de N.-D.* (*millour*) ; 1578, H. Est. (*milord*) ; angl. *mylord,* mon seigneur.

**milouin** 1791, Valmont, zool. ; lat. *miluus,* milan ; canard sauvage.

**mime** début XVIe s., hist. ; 1783, S. Mercier, sens mod. ; lat. *mimus* (gr. *mimos*). || **mimer** 1840, *Acad. ;* 1857, Baudelaire, péjor. || **mimique** adj., 1570, Hervet, hist. ; n. f., 1828, Mozin, sens mod. ; lat. *mimicus,* du gr. *mimikos.* || **mimodrame** 1820, V. Hugo. || **mimographe** milieu XVIe s. || **mimographie** 1829, Boiste. || **mimologie** 1721, Trévoux, art, science des mimes.

**mimétisme** 1874, Lar. ; gr. *mimeisthai,* imiter. || **mimétique** 1954, Bauchot.

**mimi** XVIIe s., coiffure de dame ; 1837, Balzac, chat, terme enfantin ; redoublement enfantin de la prem. syll. de *minet* (v. ce mot).

**mimosa** 1602, A. Colin, fém. jusqu'en 1878, *Acad. ;* lat. bot. *mimosa,* de *mimus,* c.-à-d. « qui se contracte comme un mime ». || **mimosées** 1842, *Acad.* || **mimosacées** 1963, Lar.

**minable** milieu XVe s., Juvenal des Ursins, qu'on peut miner ; 1819, Boiste, miné par la maladie ; 1945, Sartre, pitoyable ; de *miner.*

**minaret** 1606, Palerne (*mineret*) ; 1654, *Doc.* (*minaret*) ; turc *mĕnarĕ,* pop. *mĭnarĕ,* de l'ar. *manāra,* proprem. « phare ».

**minauder** V. MINE 3.

**mince** 1398, *Ménagier ;* anc. fr. *mincier* (XIIIe s.), couper en menus morceaux (encore d'empl. rég., sous la forme *mincer*), var. anc. de *menuiser,* du lat. pop. **minutiare,* rendre menu, de *minūtus,* part. passé de *minuere,* diminuer ; interj., 1878, Esnault. (V. MENU, MENUISER.) || **minceur** 1782, *Encycl. méth.* || **mincir** 1963, Lar. || **amincir** XIIIe s., rare jusqu'en 1752, Trévoux. || **amincissement** XVIIIe s., Buffon. || **émincer** 1560, Paré. || **émincé** 1798, *Acad.,* tranche mince.

1. **mine** 1190, Garnier ; bas lat. *mina,* altér. du lat. *hemīna,* mesure de capacité (28 centilitres), du gr. *hêmina, id.* (*hémine,* 1718, *Acad.*). || **minot** 1268, É. Boileau, mesure d'une demi-mine, puis baril ; 1690, Furetière, farine fine, mise en barils (pour traverser les mers). || **minotier** 1791, *Doc.,* qui prépare la farine fine ; 1842, Mozon, sens actuel. || **minoterie** 1834, Landais.

2. **mine** XIIIe s., Tanquerey, minerai ; XIIIe s., gisement de minerai ; 1778, Voltaire, fig. ; 1636, Monet, *mine de plomb ;* du gallo-roman **mīna,* probablem. d'orig. celt. (cf. irl. *mein,* minerai). || **mineur** fin XIIe s., R. de Moiliens. || **minette** 1325, Runkewitz, minerai médiocre. || **minière** 1206, Guiot. || **minier** adj., 1859, Mozin. || **minerai** 1314, G. (*minerois,* avec le suff. *-ois*) ; 1721, Trévoux (*minerai*).

3. **mine** 1360, Froissart, galerie ; 1577, Belleau, excavation creusée pour faire sauter un bloc de rochers ; 1943, Gide, charge explosive ; de *mine* 2. || **miner** XIIe s., *Aiol,* creuser dessous ; 1680, Richelet, sens actuel. || **minage** 1903, Lar. || **contre-mine** XIVe s., milit. || **contre-miner** 1404, Chr. de Pisan, milit. || **déminer, déminage, démineur** XXe s., milit.

4. **mine** XIIIe s., Tobler-Lommatzsch, aspect du visage ; breton *min,* bec, museau. || **minois** 1498, *Vengeance de J.-C.* || **minauder** 1645, *Muse normande,* se moquer ; 1680, Richelet, sens actuel. || **minauderie** 1580, Alcripe. || **minaudeur** 1953, Sarraute. || **minaudier** 1694, *Acad.*

5. **mine** 1564, *Indice de la Bible,* monnaie antique ; lat. *mina,* du gr. *mnâ.*

**minerai** V. MINE 2.

**minéral** 1265, J. de Meung, adj. ; n. m., 1538, R. Est. ; lat. médiév. *mineralis,* de *minera,* minière, de même rac. que MINE 2. || **minéraliser** 1751, *Journ. écon.* || **minéralisation** *id.* || **minéralisateur** 1787, *Société sc. physiques.* || **minéralogie** 1649, *Rymaille,* étude des sels minéraux ; 1753, d'Holbach, sens mod. || **minéralogique** 1751, *Journ. écon. ;* 1931, Lar., *numéro minéralogique.* || **minéralogiste** 1753, d'Holbach. || **déminéraliser** fin XIXe s. || **déminéralisation** 1890, Pouchet.

**minerve** 1626, d'Aubigné, cerveau, esprit, vx ; 1840, *Acad.,* chir. ; 1903, Lar., typogr. ; lat. *Minerva,* déesse de la sagesse. || **minerval** 1530, La Curne ; relatif à Minerve. || **minerviste** 1903, Lar., typogr.

**minestrone** 1931, Lar., culin. ; mot italien ; soupe épaisse.

**minet** 1560, Baïf (*minette,* fém.) ; de *mine,* nom pop. du chat dans divers parlers gallo-romans ; d'orig. onomatop. || **minou** 1398, E. Deschamps, bot. ; avec changem. de suff. ; 1560, Pasquier, petit chat. (V. CHATON 1.)

1. **mineur** n. m. V. MINE 2.

2. ***mineur** adj., 1265, Br. Latini ; 1437, *Coutum. Anjou,* jurid., adj. et n. ; 1690, Furetière, *ordres mineurs,* relig. ; lat. *minor, minoris,* comparatif de *parvus,* petit. || **minoratif** 1503, Chauliac ; lat. scolast. *minorativus,* qui diminue, du lat. *minorare,* diminuer. || **minoration** 1363, Chauliac, purgation ; 1806, Lunier, sens actuel. || **minorer** 1361, Oresme, diminuer l'importance. || **minorité** 1374, *Ordonn. royale,* jurid. ; lat. médiév. *minoritas,* de *minor ;* 1727, Mackenzie, polit. ; de l'angl. *minority* (v. MAJORITÉ). || **minoritaire** 1920, *Congrès de Tours.* (V. MINIME, MOINDRE, MAJEUR, etc.)

**miniature** 1645, Corneille (*migniature*) ; 1653, Oudin (*miniature*) ; *en miniature,* fin XVII^e s., Sévigné ; ital. *miniatura,* de *minio,* minium. || **miniaturiste** 1748, Caylus. || **miniaturer** 1843, Gautier. || **miniaturiser, miniaturisation** 1963, Lar.

**minier, minière** V. MINE 2.

**minime** 1361, Oresme, très petit ; 1606, Crespin, relig. ; lat. *minimus,* superlatif de *parvus,* petit. || **minimiser** 1842, Radonvilliers. || **minimisation** 1845, Besch. || **minimum** 1705, Parent ; neutre du lat. *minimus ; minimum vital,* 1949, Lar. ; *au minimum,* 1874, Lar. || **a minima** 1706, Richelet, jur. ; lat. jurid. *a minima poena,* à partir de la plus petite peine. || **minimal** 1877, L. || **minimalisme** 1970, *journ.* || **minimaliste** 1923, Lar. || **mini-**, prem. élém. de composé. || **minibus** 1966, *journ.* || **minigolf** 1970, Robert. || **minibasket** 1967, *journ.* || **miniski** 1965, Gilbert.

**ministre** 1175, Chr. de Troyes, ministre de Dieu ; 1611, Cotgrave, polit. ; lat. *minister,* serviteur. || **ministère** fin XII^e s., *Dial. Grégoire,* eccl. ; 1690, Furetière, polit. ; lat. *ministerium,* service, fonction (v. MÉTIER). || **ministériel** 1580, Marnix, qui gouverne ; 1595, *Doc.,* relig. ; 1766, Proschwitz, polit. ; lat. *ministerialis* (V^e s., *Code Théodosien*). || **ministrable** 1894, Sachs-Villatte. || **antiministériel** 1740, d'Argenson, polit.

**minium** 1560, Paré (*minion*) ; mot lat., qui a éliminé l'anc. forme francisée *minie* (fin XI^e s., *Gloses de Raschi*).

**minois, minoratif, minorité** V. MINE 4, MINEUR 2.

1. **minot, minoterie, minotier** V. MINE 1.

2. **minot** 1673, Guillet, mar. ; breton *min,* bec, pointe. V. MINE 4.

**minou, minuit** V. MINET, MI 1.

**minuscule** 1634, Delb., adj., écriture ; 1874, Lar., très petit ; lat. *minusculus,* assez petit, dimin. de *minor.* (V. MAJUSCULE, MINEUR 2.)

**minus habens** 1836, Stendhal ; loc. lat., propr. « ayant moins ». || **minus** n. m., 1934, Montherlant ; abrév.

1. **minute** XIII^e s., *Comput* (*minuce*) ; 1360, Froissart (*minute*), division du temps ; lat. médiév. *minuta,* de l'adj. lat. class. *minutus,* menu. || **minuterie** 1786, Berthoud. || **minuter** 1909, Lar. || **minutage** 1934, Aragon. || **minuteur** 1842, *Acad.,* procéd. ; 1963, *journ.,* techn.

2. **minute** 1412, G., écrit original, acte notarié ; lat. médiév. *minuta,* au sens de « écriture menue » (v. le précédent). || **minuter** 1382, *D. G.,* rédiger un brouillon ; 1552, Rab., rédiger une minute ; milieu XVI^e s., combiner. || **minutaire** 1588, G. || **minutier** 1893, *D. G.*

**minutie** 1627, P. Dupuy, menus détails ; 1761, d'Alembert, sens actuel ; lat. *minutia,* parcelle, de *minutus,* menu. || **minutieux** 1750, Brunot. || **minutieusement** 1812, Mozin.

**miocène** 1843, Mackenzie, géol. ; angl. *miocene* (1833, Lyell), du gr. *meion,* moins, et *kainos,* récent. (V. ÉCOCÈNE, PLIOCÈNE.)

**mioche** 1567, Junius, mie de pain ; 1628, Chereau, fils ; 1786, Esnault, novice ; 1809, Boiste, sens actuel ; de *mie* 1, avec le suff. arg. *-oche.* || **mion** 1649, Oudin, miette, enfant ; avec un autre suff.

**mir** 1859, Dumas, hist. ; mot russe ; communauté villageoise.

**mirabelle** XVII^e s., Liger ; lat. *myrobalanus,* myrobolan, sorte de fruit des Indes, du gr. *myrobalanos,* de *myron,* sorte de parfum, et *balanos,* gland (v. MIROBOLANT, MYROBOLAN). || **mirabellier** 1907, Lar.

**miracle** 1050, *Alexis,* relig. ; 1265, J. de Meung, fait extraordinaire ; lat. *miraculum,* prodige, au sens eccl., de *mirari,* s'étonner. || **miraculeux** 1314, Mondeville. || **miraculeusement** 1377, Lanfranc. || **miraculé** 1798, *Acad.*

**mirador** v. 1830 (*miradore*) ; 1843, Gautier (*mirador*), belvédère ; 1903, Lar., poste d'observation ; esp. *mirador,* de *mirar,* regarder.

**miraillé** 1644, Vulson ; anc. fr. *mirail,* miroir (1265, J. de Meung), du lat. pop. *miraculum,* objet où l'on se mire ; terme d'héraldique. (V. MIRER.)

***mirer** fin XI^e s., *Chanson de Guillaume,* regarder ; *se mirer,* 1175, Chr. de Troyes ; 1570, Carloix, viser avec une arme ; 1752, Trévoux, joaillerie ; *mirer des œufs,* 1690, Regnard ; lat. pop. *mirare,* regarder attentivement, class. *mirari,* s'étonner (v. ADMIRER). || **mire** 1460, Chastellain, but ; milieu XVIe s., action de viser ; 1789, Brisson, *ligne de mire ; point de mire,* fig., 1812, Boiste ; déverbal. || **mirette** 1903, Lar., techn. ; 1837, Vidocq, yeux. || **mireur** 1842, *Acad.,* milit. ; 1874, Lar., *mireur d'œufs.* || **mirage** 1753, *Hist. de l'Acad. des sciences ;* 1841, Chateaubriand, fig. || **mire-œufs** 1907, Lar. || **miroir** 1119, Ph. de Thaon (*mireür*) ; 1268, É. Boileau (*miroir*). || **miro** 1928, Esnault, myope. || **miroiter** 1595, Vigenère (*-é*), qui a des taches variées ; 1836, Lamartine, jeter des reflets ; 1874, Lar., fig. || **miroitement** 1622, Delb. || **miroitier** 1564, J. Thierry. || **miroiterie** 1701, Furetière.

**mirifique** fin XVe s., Molinet ; lat. *mirificus,* admirable, de *mirari,* admirer. || **mirifiquement** début XVIe s. (V. ADMIRER, MIRER.)

**mirlicoton** v. 1600, O. de Serres (*mirécouton*) ; 1611, Cotgrave (*mirelicoton*) ; altér. de l'esp. *melocoton,* pomme-coing.

**mirliflore** 1765, Collé (*mirliflor*) ; var. *mirlifleur,* Faublas ; altér., par croisem. avec *mirlifique,* déformation de MIRIFIQUE (1430, G.), de *millefleurs,* de *mille* et *fleurs* (lat. scientif. *mille flores*).

**mirliton** 1752, Trévoux ; paraît être un anc. refrain (cf. l'anc. *mirely,* XVe s., mélodie). || **mirlitonner** 1833, P. Borel. || **mirlitonnade** XXe s., G. Duhamel. || **mirlitonesque** 1948, Koechlin.

**mirmillon** 1732, Trévoux, hist. ; lat. *mirmillo,* gladiateur armé d'un bouclier gaulois.

**mirobolant** 1838, de Launay ; empl. plaisant de *myrobolan,* XIIIe s., qui désignait diverses espèces de fruits desséchés, utilisés en pharmacie. (V. MIRABELLE, MYROBOLAN.)

**miroir, miroiter** V. MIRER.

**miroton** 1691, Guégan, culin. ; orig. inconnue.

**misaine** 1382, *Inv. de l'arsenal de Rouen* (*migenne*) ; 1500, Auton (*mizenne*) ; 1573, J. du Puys (*misaine,* d'après l'ital. *mezzana*) ; *mât de misaine,* 1636, Monet ; catalan *mitjana,* fém. substantivé de l'adj. *mitjan,* (voile) moyenne, artimon ; lat. *medianus.*

**misanthrope** 1552, Rab. ; gr. *misanthrôpos,* de *misein,* haïr, et *anthrôpos,* homme. || **misanthropie** 1550, Pontus de Thyard. || **misanthropique** 1771, Trévoux.

**miscellanées** 1570, *Cité de Dieu ;* pl. neutre lat. *miscellanea,* choses mêlées, de *miscere,* mêler.

**miscible** 1757, Macquer ; lat. *miscere,* mêler. || **miscibilité** 1753, *Encycl.*

**mise** 1160, Benoît, dépense ; 1233, G., action de mettre ; 1611, Cotgrave, au jeu ; 1794, Brunot, façon de s'habiller ; *de mise,* 1534, Des Périers ; part. passé de *mettre,* substantivé au fém. || **miser** 1669, Widerhold.

**misère** 1120, *Ps. d'Oxford* (*miserie*), état digne de pitié, pauvreté ; 1662, Pascal, pl., souffrances ; lat. *miseria,* de *miser,* malheureux. || **miséreux** fin XIVe s., Chr. de Pisan. || **misérable** fin XIIe s., *Prise d'Orange,* qui blesse ; début XVe s., A. Chartier, qui est dans le dénuement ; 1656, Molière, av. le nom, « de peu d'importance » ; 1690, Furetière, insuffisant ; lat. *miserabilis.* || **misérablement** 1370, Oresme. || **misérabilisme** 1928, A. Breton, état misérable ; 1937, *N.R.F.,* sens actuel. || **misérabiliste** 1964, *journ.*

**miséréré** 1546, Ch. Est., colique (pour laquelle il faut dire son *miserere*) ; lat. *miserere,* « aie pitié », impér. de *misereri,* et premier mot du psaume 51, empl. pour désigner ce psaume (1112, *Voy. saint Brendan*).

**miséricorde** 1120, *Ps. d'Oxford,* relig. ; lat. *misericordia,* de *misericors,* de *cor,* cœur, et *miseria,* détresse, de *miser,* malheureux. || **miséricordieux** 1160, Benoît. || **miséricordieusement** 1160, Benoît.

**miso-,** gr. *misein,* haïr. || **misologie** 1874, Lar. ; gr. *logos,* science. || **misonéisme, misonéiste** 1892, R. de Gourmont ; gr. *neos,* nouveau.

**misogyne** 1559, Amyot ; rare jusqu'en 1757, *Journ. étranger ;* gr. *misogunês,* de *misein,* haïr, et *gunê,* femme. || **misogynie** 1812, Boiste.

**miss** 1713, Hamilton (*misse*), comme terme angl. ; 1923, Lar., institutrice angl. ; mot angl. signif. « mademoiselle », abrév. de *mistress,* madame, de l'anc. fr. *mestresse,* maîtresse. (V. MAÎTRE.)

**missel** 1180, *R. d'Alexandre ;* réfection, d'après le lat., de l'anc. fr. *messel* (1119, Ph. de Thaon), du lat. *missalis* (*liber*), livre de messe. (V. MESSE.)

**missile** XVIe s., arme de jet ; 1949, Lar., sens actuel ; lat. *missile,* de *missus,* part. passé de *mittere,* envoyer. || **antimissile** 1960, *journ.*

**mission** 1188, Aimon (*meission*) ; 1260, G. (*mission*), dépenses ; début XIVe s., relig., délégation de Jésus ; fin XVIe s., d'Aubigné, charge confiée à qqn ; 1671, Pomey, opération d'évangélisation, relig. ; réfection de l'anc. fr. *mession* (XIIe s., *Florimont*), du lat. *missio,* action d'envoyer, de *mittere,* envoyer. || **missionnaire** 1631, saint Vincent de Paul. || **missionnariat** 1874, Lar.

**missive** adj., 1454, *Cartulaire* (*lettre missive*) ; n. f., 1580, Montaigne ; lat. *missus,* part. passé de *mittere,* envoyer.

**mistelle** 1903, Lar. ; mot venu par l'Algérie ; esp. *mistela,* de *misto,* mélangé ; moût de raisin muté à l'alcool.

**mistenflûte** 1642, Oudin, jeune garçon trop délicat ; altér. facétieuse du prov. mod. *mistouflet,* poupin, de *misto,* mioche, de même rac. que l'anc. fr. *miste,* joli, et que *mite,* nom pop. du chat. (V. MISTON, MISTOUFLE, MISTIGRI.)

**mistigri** 1827, Lebrun, *Manuel des jeux,* valet de trèfle ; 1867, Delvau, jeu de cartes ; 1840, *Acad.,* nom pop. du chat ; de l'adj. *gris* et de *miste* (1354, *Modus*), var. de *mite,* dénomin. pop. du chat, d'orig. onomatop. (V. CHATTEMITE, MARMITE, le préc. et les suivants.)

**miston** 1790, Sainéan, jeune homme, de l'anc. et moy. fr. *miste.* (V. MISTENFLÛTE, MISTIGRI, MISTOUFLE.)

**mistoufle** 1866, Esnault, misère, avanie ; de *misère,* avec suffixe argotique, ou de *emmistoufler* (début XIXe s.), envelopper de fourrures, altér. de *emmitoufler* d'après l'anc. *miste,* élégant, attesté encore aux XVIe-XVII[e] s. (v. les préc. et MITAINE).

**mistral** 1519, Pigaphetta (*mestral*) ; 1694, Ménage (*mistral*) ; rare avant 1798, *Acad.* (*maëstral,* prononcé *mystral*) ; mot prov. mod., de l'anc. prov. *maestral,* vent maître, de *maistre, maestre.* (V. MAÎTRE.)

**mistress** V. MISS.

**mitaine** 1180, *Parthenopeus ;* de l'anc. fr. *mite,* chatte, la *mitaine* étant comparée à la fourrure du chat, d'orig. onom. (V. CHATTEMITE, MARMITE.) || **miton** XVe s., G., gantelet ; 1636, Monet, manchette ; de *mite.* || **mitoufle** 1534, Rab., mitaine ; sous l'infl. de *moufle.* || **emmitonné** 1580, Montaigne. || **emmitoufler** milieu XVIe s. (V. MISTOUFLE.)

**mitard** 1884, Esnault ; de *mite,* cachot (1800, Esnault), abrév. de *cachemitte,* de *cacher* (jeu de main chaude), pris au sens de « cachot ».

**mite** XIIIe s., Tilander, insecte ; moy. néerl. *mite.* || **mité** 1743, Trévoux. || **se miter** 1931, Lar. || **miteux** 1808, d'Hautel, qui laisse couler un liquide visqueux ; fin XIXe s., misérable. || **antimite** 1935, Sachs.

**mithriacisme** 1842, *Acad.,* var. *mithracisme* (1903, Lar.) ; du nom de *Mithra,* dieu de la mythol. perse. || **mithriaque** 1765, *Encycl.*

**mithridate** 1425, O. de la Haye (*metridat*) ; 1636, Corn (*mithridate*), pharm. ; du nom de *Mithridate,* roi du Pont (Ier s. av. J.-C.), qui se serait immunisé contre les poisons. || **mithridatiser, mithridatisation** 1931, Lar. || **mithridatisme** 1903, Lar.

**mitiger** 1355, Bersuire, adoucir ; 1850, Balzac, varier ; lat. *mitigare,* adoucir, de *mitis,* doux. || **mitigé** 1893, Courteline, mélangé, entre deux extrêmes. || **mitigation** XIVe s., Gordon ; lat. *mitigatio.*

**mitonner** 1552, Rab., faire cuire longtemps ; 1651, Livet, choyer ; 1649, Retz, combiner ; mot de l'Ouest, de *mitonnée,* panade, de *miton,* mie de pain, dér. de *mie* 1.

**mitose** 1903, Lar., biol. ; gr. *mitos,* filament. || **mitotique** 1963, Lar.

**mitoyen** XIVe s. (*mittoyenne*), qui est au centre ; 1571, *Coutumier,* qui est commun à deux ; altér., d'après *mi,* demi, de l'anc. fr. *blé moiteen* (1257, G.), dér. de *moitié.* || **mitoyenneté** 1804, *Code civil.*

**mitraille** 1375, R. de Presles (*mistraille*) ; 1667, Fournier (*mistraille*), menue monnaie, menue ferraille, puis ferraille servant à charger les canons ; altér. de l'anc. *mitaille* (1295, G.), d'orig. germ. signif. « couper en morceaux ». || **mitrailler** 1794, *Gazette hist. et polit.* || **mitraillage** 1949, Lar. || **mitrailleur** 1795, Aulard, *Réaction thermidorienne.* || **mitraillade** 1794, Ranft. || **mitrailleuse** 26 mars 1867, brevet déposé. || **fusil mitrailleur** V. FUSIL. || **mitraillette** 1935, *journ.*

**mitre** 1175, Chr. de Troyes ; lat. *mitra,* du gr. *mitra,* bandeau. || **mitré** XIIe s., *Chevalier aux deux épées.* || **mitral** 1673, *Journ. des savants,* anat., qui est en forme de mitre. || **mitron** 1610, Béroald ; d'après la forme de l'anc. bonnet des garçons boulangers.

**mixer** ou **mixeur** 1949, Lar., culin. ; mot angl., « mélangeur ». || **mixer** 1968, *journ. ;* angl. *to mix,* mélanger. || **mixage** 1935, Lar. ; d'après l'angl. *to mix,* mélanger.

**mixte** 1120, *Ps. d'Oxford,* mêlé ; 1343, *D. G.,* qui a plusieurs fonctions ; fin XVe s., qui comprend des personnes différentes ; XIXe s., qui comporte les deux sexes ; lat. *mixtus*, part. passé de *miscēre*, mélanger. || **mixité** 1842, Richard ; altér. de **mixtité*, d'après des mots comme *fixité*. || **mixture** 1190, *Saint Bernard* (*misture*) ; 1560, Paré (*mixture*) ; lat. *mixtura*. || **mixtion** 1265, J. de Meung ; lat. *mixtio*. || **mixtionner** 1265, J. de Meung. || **mixtiligne** 1732, Richelet ; formé de lignes droites et de lignes courbes. || **mixtinerve** 1817, Gérardin.

**mnémonique** 1800, Naudin ; gr. *mnêmôn*, qui se souvient, de *mnêmê*, mémoire. || **mnémotactisme** 1968, Lar. || **mnémotaxie** 1968, Lar. || **mnésique** 1938, Lalande ; gr. *mnêsis*. || **mnémotechnie** 1823, Boiste. || **mnémotechnique** 1827, *Journ. de Genève*.

**mobile** n. m., 1301, *Ordonn. de Bretagne*, bien meuble ; adj., 1377, Oresme, qui n'est pas fixe ; n. m., 1671, Richelet, mécan. ; 1677, Bossuet, psychol. ; 1949, Sartre, ensemble décoratif ; n. m., 1830, Delvau, soldat de l'anc. garde nationale mobile, abrégé en *moblot* (1848, Esnault) ; lat. *mobilis*, de *movere*, mouvoir. || **mobilité** XIIe s., *Dial. Grégoire* (*mobiliteit*) ; lat. *mobilitas*. || **mobiliaire** début XVe s. || **mobilier** début XVIe s., *Doc.*, relatif au biens meubles ; 1673, Kuhn, ensemble de meubles. || **mobiliser** 1765, *Encycl.*, jurid. ; 1834, Landais, milit. ; début XXe s., méd. || **mobilisable** 1842, *Acad.*, milit. || **mobilisation** 1771, Trévoux, jurid. ; 1834, Landais, milit. || **mobilisme** 1903, Lar. || **démobiliser** 1826, Mozin, jurid. ; 1870, Lar., milit. || **démobilisation** 1870, Lar., milit. || **immobile** 1265, J. de Meung, n. m., « immobilité » ; adj., *id*, qui ne se meut pas ; 1580, Montaigne, qui ne change pas ; lat. *immobilis*. || **immobilier** 1453, *Coutumes* (*immobiliaire*) ; XVIe s. (*immobilier*), pour servir de dér. à *immeuble*. || **immobiliser** 1771, Schmidlin ; *s'immobiliser*, 1896, Goncourt. || **immobilisation** 1823, Boiste, banque ; 1875, Joret, sens actuel. || **immobilité** 1314, Mondeville ; lat. *immobilitas*. || **immobilisme** 1836, Fourier. || **immobiliste** 1836, Fourier.

**mocassin** 1615, *Doc.* (*mekezen*) ; 1707, *Doc.* (*mocassin*) ; algonquin *mockasin*, par l'angl. *mocassin*.

**moche** n. f., 1723, Savary, écheveau, pelote, grappe ; mot de l'Ouest ; francique **mokka*, masse informe (cf. allem. *Mocke*) ; 1880, Larchey, adj., laid ; de *amocher*. || **mochard** 1898, Esnault. || **mocheté** 1936, Esnault. || **amocher** 1867, Delvau, pop., abîmer, défigurer ; empl. dér. d'un sens anc. « arranger grossièrement », d'après *moche*, n. f. || **amochage** fin XIXe s.

1. **mode** n. f., 1458, *Mystère*, manière de vivre ; 1549, R. Est., sens actuel ; *à la mode*, 1549, R. Est. ; lat. *modus*, n. m., manière ; l'emploi au fém. est dû à la finale *-e*. || **modiste** 1636, Monet, qui affecte de suivre la mode ; 1777, Beaumarchais, sens mod. || **démodé** début XIXe s. || **démoder** 1856, Lachâtre.

2. **mode** n. m., 1598, d'Aubigné, mus. ; 1647, Descartes, philos. ; 1611, Cotgrave, gramm., même orig. que le préc. ; masc. d'après le lat., pour des empl. techn. (où il a éliminé l'anc. fr. *meuf*, 1370, Oresme). || **modal** 1546, Sainéan, logique ; 1893, *D. G.*, mus. || **modaliser** 1972, Lar. || **modalisation** *id.* || **modalité** 1546, Rab., philos. ; 1840, *Acad.*, mus.

**modèle** 1549, R. Est. (parfois fém. au XVIe s.), moule ; XVIIe s., sens actuels, fig. et techn. ; ital. *modello*, du lat. pop. **modellus*, en lat. class. *modulus*, mesure (v. MODULE, MOULE 1). || **modeler** 1583, Huguet, façonner ; 1738, Piron, fig. || **modeleur** 1590, Marnix. || **modelage** 1834, Landais. || **modéliste** v. 1800, qui fait des modèles ; 1903, Lar., couture ; d'après l'ital.

**modénature** 1752, Trévoux ; ital. *modanatura*, de *modano*, modèle, de même rac. que *modello*. (V. MODÈLE.)

**modérer** 1370, Oresme ; *se modérer*, XVe s. ; lat. *moderari*, de *modus*, mesure. || **modéré** fin XVe s. ; 1704, Bossuet, relig. ; 1790, Brunot, polit. || **modérément** 1370, Oresme. || **modération** 1355, Bersuire ; lat. *moderatio*. || **modérateur** 1416, Delb. ; lat. *moderator*. || **modérantisme** 1793, *Républicain*, polit. || **modérantiste** 1796, Frey. || **moderato** 1834, Fétis, mus. ; mot ital. || **immodéré** XVe s., *D. G.* ; lat. *immoderatus*.

**moderne** XIVe s., *Moamin*, n. m., homme de l'époque moderne ; adj., 1460, Chastellain ; bas lat. *modernus* (VIe s., *Cassiodore*), de *modo*, récemment, de même rac. que *modus*, mesure. || **moderniste** 1769, J.-J. Rousseau. || **modernisme** 1889, Huysmans. || **moderniser** 1754, Mackenzie. || **modernisation** 1876, *Revue britannique*. || **modernité** 1823, Balzac. || **ultramoderne** 1891, Huret. || **modern style** 1896, *le Figaro* ; mots angl.

**modeste** milieu XIVe s., modéré ; 1695, Fénelon, peu exigeant ; 1642, Corn., réservé ; lat. *modestus*, modéré, de *modus*, façon. || **modestement** 1355, Bersuire. || **modestie** 1354, Bersuire ; lat. *modestia*. || **immodeste** 1541, Calvin ; lat. *immodestus.* || **immodestie** 1546, Vaganay.

**modicité** V. MODIQUE.

**modifier** 1355, Bersuire ; lat. *modificare,* de *modus,* mesure. || **modification** 1385, Douet d'Arcq ; lat. *modificatio.* || **modificateur** 1797, *Rapport.* || **modifiable** 1611, Cotgrave. || **modificatif** 1490, Molinet. || **immodifiable** 1830, A. Comte.

**modillon** 1545, Van Aelst (*modiglion*), archit. ; ital. *modiglione,* du lat. pop. **mutulīōnem,* acc. de **mutuliō,* de *mutulus.* (V. MULE 2, MUTULE.)

**modique** 1461, Chartier ; rare jusqu'en 1675, Huet ; lat. *modicus,* de *modus* (v. MODE 1). || **modicité** 1584, Duret ; lat. *modicitas.*

**module** 1547, J. Martin, archit. ; lat. *modulus,* archit., de *modus* (v. MODE 1). || **modulaire** 1845, Besch.

**moduler** 1488, *Mer des hist.,* mus. ; lat. *modulari,* de *modulus,* cadence, de *modus,* mesure ; depuis le XVIIe s., plus courant, d'après l'ital. *modulare,* lui-même issu du lat. *modulari ;* 1931, Lar., radio ; 1963, *journ.,* adapter. || **modulation** 1495, J. de Vignay, harmonie ; 1626, Mersenne, mus. ; d'après l'ital. *modulazione ;* 1931, Lar., radio ; lat. *modulatio.* || **modulant** adj., 1875, *Rev. critique.* || **modulateur** 1840, *Acad.*

**modus vivendi** 1869, Mazade ; mots lat. signif. « manière de vivre », de *modus,* manière, et du gérondif de *vivere,* vivre.

***moelle** 1119, Ph. de Thaon (*meüle*) ; 1265, Br. Latini (*moele,* par métathèse) ; lat. *medŭlla.* || **moelleux** 1478, Chauliac, de la moelle ; 1669, Molière, doux au toucher. || **moellier** 1170, *Fierabras.* (V. MÉDULLAIRE.)

***moellon** XIIe s., *Robert le Diable* (*moulon*) ; XIVe s. (*moilon*) ; 1508, *Comptes Gaillon* (*moellon,* déform. graphique de *moilon*) ; lat. pop. **mutulionem,* acc. de **mutulio,* de *mutulus,* modillon. || **moellonnage** 1400, G. || **moellonnier** 1723, Savary. (V. MOYEU.)

***mœurs** 1112, *Voy. saint Brendan* (*murs*) ; 1283, Beaumanoir (*meurs*) ; XIVe s. (*mœurs*) ; lat. *mōres,* masc. pl. (V. MORAL, MOROSE.)

**mofette** ou **moufette** 1741, Col de Vilars ; ital. *moffetta,* exhalaison fétide, de *muffa,* moisissure, du germ. **muff-,* forme expressive exprimant l'action de flairer.

**mohair** 1860, *le Figaro ;* mot angl., désignant le poil de la chèvre angora. (V. MOIRE.)

**moi** V. ME.

**moignon** fin XIe s., *Chanson Guillaume* (*moinun*) ; 1155, Wace (*moignon*) ; mot de même famille que l'anc. fr. *moignier, esmoignier,* mutiler, l'anc. prov. *monhon,* moignon, et l'esp. *muñon,* muscle du bras.

***moindre** 1112, *Voy. saint Brendan* (*meindre*) ; lat. *mĭnor,* nominatif du comparatif de *parvus,* petit (v. MINEUR 2, issu de l'acc., avec spécialisation de sens). || **moindrement** fin XIVe s., Deschamps (*mainvrement*) ; 1726, Desfontaines (*moindrement*). || **amoindrir** XIIe s., G. (*amanrir*) ; XIVe s. (*amoindrir*). || **amoindrissement** XIIe s., G. (*amanrissement*) ; XVe s. (*amoindrissement*).

**moine** 1080, *Roland* (*munie*) ; début XIIe s. (*monie,* puis *moine* par métathèse) ; 1840, *Acad.,* phoque ; lat. pop. **monĭcus,* altér. du lat. chrét. *monachus* (IVe s., saint Jérôme), du gr. *monakhos,* solitaire, de *monos,* seul. || **moinerie** fin XIIe s., *Dial. Grégoire.* || **moinesse** 1276, G. || **moinaille** XVIe s. || **moinillon** 1612, Béroalde de Verville. (V. MOINEAU.)

**moineau** 1180, Marie de France (*moinel*) ; de *moine,* d'après la couleur du plumage.

***moins** 1130, *Eneas* (*meins*) ; *au moins,* 1131, *Couronn. Loïs ; du moins,* début XVIe s. ; lat. *mĭnus,* neutre, pris adverbialement, de *minor,* comparatif de *parvus,* petit. || **moins-disant** 1970, *journ.* || **moins-perçu** 1838, *Acad.* || **moins-value** 1765, *Encycl. ;* anc. fr. *value,* valeur. (V. MINEUR 2, MOINDRE.)

**moire** 1650, Ménage (*mouaire*), espèce de camelot (étoffe de laine) ; 1690, Furetière, sens mod. ; angl. *mohair,* de l'ar. *mukhayyar,* « camelot grossier ». A éliminé *moncayar,* 1608, Malherbe, forme issue de l'ar. par l'ital. *mocajarro.* || **moiré** 1540, *Anc. Poésies fr.* || **moirer** 1765, Savary (*mohérer,* d'après la forme angl.). || **moirage** 1763, Macquer. (V. MOHAIR.)

***mois** 1080, *Roland* (*meis*) ; lat. *mensis.*

***moise** 1328, G., techn. ; lat. *mensa,* table. || **moiser** 1694, Th. Corn. || **moisage** 1963, Lar.

**moïse** 1889, Havard, petite corbeille pour nouveau-nés ; du nom de *Moïse,* par analogie avec la corbeille dans laquelle il fut exposé sur le Nil.

***moisir** 1200, *Poème moral ;* 1580, Montaigne, fig. ; lat. pop. **mūcīre,* du lat. class. *mūcēre* (avec *ŭ* p.-ê. issu de **mŭscidus,* v. MOITE). || **moisi** n. m., début XVe s., Ch. d'Orléans. || **moisissure** 1380, *Aalma.* (V. MUCUS.)

**moissine** XIII^e s., G., vitic. ; orig. inconnue.

***moisson** 1130, *Eneas,* céréales coupées ; 1170, *Rois,* récolte ; fin XII^e s., fig. ; lat. pop. **messio, -onis,* dér. du lat. *messis.* || **moissonner** fin XII^e s., R. de Moiliens. || **moissonneur** *id.* || **moissonnage** 1450, Gréban (*messonnage*) ; 1875, *J. O.* (*moissonnage*). || **moissonneuse** n. f., 1860, Lar., machine à moissonner. || **moissonneuse-lieuse** 1931, Lar. || **moissonneuse-batteuse** *id.*

***moite** 1190, *saint Bernard* (*muste*) ; 1213, *Fet des Romains* (*moite*) ; lat. pop. *mŭscĭdus,* moisi, d'où « humide » ; croisement de *mūcĭdus,* moisi (v. MOISIR, MUCUS) et de *mŭsteus,* juteux (de *mustum,* moût). || **moiteur** 1265, Br. Latini. || **moitir** 1265, Br. Latini.

***moitié** 1080, *Roland* (*meitiet*) ; XII^e s., *Floovant* (*moitié*) ; *à moitié,* XIII^e s., Tobler-Lommatzsch ; lat. *medietās, -ātis,* milieu, puis en bas lat. « moitié », de *medius* (v. MI 1) ; 1636, Corn., épouse. (V. MÉTAYER, MITOYEN.)

**moka** 1771, Trévoux (*mocha*) ; 1798, *Acad.* (*moka*) ; du nom de *Moka,* ar. *Muha,* port du Yémen où l'on embarquait le café d'Arabie.

1. **molaire** 1478, Chauliac ; lat. (*dens*) *molaris,* dent en forme de meule, de *mola.* (V. MEULE 1.)

2. **molaire** V. MOLÉCULE.

**mole** V. MOLÉCULE.

1. **môle** n. m., 1546, Rab., mar. ; ital. *molo,* du bas gr. *môlos,* issu lui-même du lat. *moles,* masse, môle.

2. **môle** n. f., 1372, Corbichon, méd. ; lat. méd. *mola,* meule.

**molécule** 1674, Gallois ; dimin. du lat. *moles,* masse. || **moléculaire** 1797, Bertrand. || **molécularité** 1963, Lar. || **mole** 1949, Lar. ; abrév. de *molécule-gramme.* || **molaire** 1963, Lar., adj. ; de *mole.* || **macromolécule** 1953, Lar. || **macromoléculaire** *id.*

**molène** XIII^e s., G. (*moleine*), bot. ; p.-ê. de *mol,* mou. (V. MOU.)

**moleskine** 1838, *Musée des modes* (*mole-skin,* forme angl.) ; 1857, *Petit Journal pour rire* (*moleskine*) ; angl. *mole-skin,* de *mole,* taupe, et *skin,* peau.

**molester** fin XII^e s., R. de Moiliens, incommoder ; XIII^e s., *Chronique de Rains,* brutaliser ; lat. impér. *molestare* (Pétrone), de *molestus,* importun. || **molestation** XIV^e s., *Girart de Roussillon.*

**moleter, molette** V. MEULE 1.

**moliéresque** 1867, P. Lacroix ; nom de *Molière.* || **moliériste** 1875, *Journ. des débats.*

**moliniste** 1656, Pascal ; du nom de Luis *Molina,* jésuite espagnol (1535-1601). || **molinisme** 1656, Pascal.

**mollah** 1790, Bernardin de Saint-Pierre ; mot ar. signif. « seigneur, maître ».

**mollasse, mollet, molletière, molleton, mollifier, mollir** V. MOU.

**mollusque** 1763, E. Bertrand ; mot créé par Johnson (1650), repris par Linné, du lat. (*nux*) *mollusca,* (noix) à écorce molle.

**moloch** 1874, Lar. ; du nom de *Moloch,* dieu des Ammonites, célèbre par sa cruauté.

**molosse** 1555, Ronsard ; lat. *molossus,* du gr. *molossos,* chien du pays des Molosses (Épire).

**molto** XIX^e s., mus. ; mot. ital. signif. « beaucoup ».

**molybdène** 1562, Du Pinet, plombagine ; lat. *molybdaena,* veine d'argent mêlée de plomb, du gr. *molubdaina,* de *molubdos,* plomb ; 1782, appliqué au corps découvert par Hjelm dans des roches contenant du plomb. || **molybdique** fin XVIII^e s. || **molybdénite** 1818, *Dict. hist. nat.* || **molybdomancie** 1840, *Acad.*

**môme** 1821, Desgranges ; orig. inconnue, p.-ê. du rad. *mom-,* indiquant la petitesse. || **momichon** 1920, Montherlant. || **mômignard** 1829, Esnault. || **môminette** 1898, Esnault.

**moment** 1119, Ph. de Thaon, petite division du temps, rare jusqu'au XVII^e s. ; 1762, *Acad.,* mécan. ; *moment psychologique,* 1870, E. de Goncourt ; *à ce moment,* 1687, Bossuet ; *dans ce moment,* 1695, Fénelon ; *dans un moment,* 1664, Molière ; *par moments,* milieu XVIII^e s. ; *sur le moment,* 1708, Féraud ; *du moment que,* 1655, Retz ; lat. *momentum,* contraction de *movimentum,* mouvement, d'où « pression d'un poids », puis « poids léger, parcelle », et spécial. « parcelle de temps ». || **momentané** XIV^e s., *Ordonnance* (*momentené*) ; milieu XVI^e s. (*momentané*) ; bas lat. *momentaneus.* || **momentanément** 1787, Féraud.

**momerie** 1440, Ch. d'Orléans, mascarade ; 1673, Molière, sens mod. ; de l'anc. et moy. fr. *momer* (1263, G.), se déguiser, de *momon,* mascarade, sans doute d'origine expressive (p.-ê. enfantine). Cf. l'esp. *momo,* « grimace », l'all. *Mumme,* « masque ». (V. MÔME.)

**momie** XIIIe s., *Simples Méd.,* drogue médicinale ; 1560, Paré, cadavre embaumé ; 1735, Lesage, fig. ; lat. médiév. *mumia,* de l'ar. *moûmîya,* de *moum,* cire (le bitume dont on enduisait les cadavres embaumés, en Égypte, servait aussi de remède). || **momifier, momification** 1789, Thouret.

**momordique** 1765, *Encycl. ;* lat. bot. *momordica.*

***mon** 842, *Serments* (*mo*) ; Xe s., *Eulalie* (*meon*) ; 1050, *Alexis* (*mon*) ; adj. possessif de 1re personne, masc. sing., de *meum,* acc. du poss. lat. *meus,* mon, mien, en empl. atone ; fém. *ma,* du fém. lat. *mea, id. ;* pl. atone *mes,* masc. et fém., des acc. pl., masc et fém., *meos* et *meas, id.* || ***mien** 842, *Serments* (*meon*) ; 1050, *Alexis* (*mien*), masc. ; de *mĕum* en empl. accentué. || **mienne** fém., analog. du masc. ; a remplacé l'anc. fr. *meie, moie,* issu du fém. lat. *mea* en empl. accentué.

**monacal** XVe s. ; lat. *monachalis,* de *monachus,* moine (v. MOINE, MONIAL). || **monachisme** 1554, Thevet ; lat. *monachus* (v. MOINE).

**monade** 1547, J. Martin, philos., unité ; 1738, Voltaire, au sens de Leibnitz ; bas lat. *monas, monadis,* unité (IIIe s., Tertullien), mot gr., de *monos,* seul. || **monadologie** 1788, Ch. Bonnet ; d'après Leibnitz. || **monadiste** 1771, Trévoux. || **monadisme** 1842, *Acad.*

**monarque** 1370, Oresme (*monarche*) ; 1530, Palsgrave (*monarque*) ; bas lat. *monarcha,* du gr. *monarkhês,* de *monos,* seul, et *arkheîn,* commander. || **monarchie** 1265, Br. Latini. || **monarchique** fin XVe s. || **monarchisme** 1738, Brunot. || **monarchiste** 1550, Bonivard, rare avant le XVIIIe s. (1738, d'Argenson). || **antimonarchique** 1714, *Rép. au « Traité du pouvoir ».* || **antimonarchisme** 1751, d'Argenson.

**monastère** XIVe s., Gilles li Muisis ; lat. eccl. *monasterium,* du gr. *monastêrion,* de *monastês,* moine. || **monastique** 1200, *Règle saint Benoît ;* lat. eccl. *monasticus,* du gr. *monastikos.* (V. MOUTIER.)

***monceau** 1120, *Ps. de Cambridge* (*muncel*) ; 1380, *Aalma* (*monceau*) ; bas lat. *monticellus,* dimin. de *mons, montis,* montagne (v. MONT). || **amonceler** XIIe s. || **amoncellement** 1190, *Saint Bernard.* || **amonceleur** 1300, Boèce.

**monde** 980, *Passion* (*mund*) ; 1131, *Couronn. Loïs* (*monde*) ; lat. *mundus,* univers, et en lat. eccl. « siècle » (opposé à la vie religieuse) ; a remplacé la forme pop. *mont ;* 1265, J. de Meung, gens, d'où l'expression *tout le monde ;* XIIIe s., Rutebeuf, société civile ; 1662, Pascal, société ; fin XVIe s., Brantôme, hautes classes. || **mondain** fin XIIe s., R. de Moiliens, qui appartient au monde, profane ; fin XVIe s., Brantôme, spécialisé à la vie des salons ; *police mondaine,* 1925, Esnault ; lat. eccl. *mundanus,* du monde, de *mundus,* monde. || **mondanité** 1398, E. Deschamps, attachement aux biens du monde ; 1460, Chastellain, sens actuel. || **mondainement** XIIIe s. || **mondaniser** fin XVIe s., Brantôme. || **mondial** début XVIe s., du monde terrestre ; 1903, Lar., sens actuel ; bas lat. *mundialis.* || **mondialement** 1959, Robert. || **mondialiser** 1950, *journ.* || **mondialisation** 1953, Perret. || **mondovision** 1963, Lar. ; sur *vision,* d'après *télévision.* || **demi-monde** 1789, Mme d'Arblay. || **demi-mondaine** 1889, A. Barrère.

**monder** fin XIIe s., R. de Moiliens, techn., nettoyer ; lat. *mundare,* de *mundus,* pur. || **mondation** fin XIVe s. (V. ÉMONDER.)

**Monel** 1931, Lar., métall. ; du nom d'un ancien président de la *Canadian Copper Company ;* nom déposé.

**monétaire** 1596, Le Caron ; lat. *monetarius,* de *moneta,* monnaie. || **monétiser, monétisation** 1823, *Doc.* || **démonétiser** 18 nivôse an III (1794), séance de la Convention. || **démonétisation** 1795, *Rapport.*

**mongolisme** 1866, d'après Garnier, pathol. ; de *mongol,* à cause du faciès.

**monial** adj., 1150, G. ; anc. dér. de *moine,* sous sa forme anc. *monie* (v. MONACAL.) || **moniale** n. f., début XVIe s. ; lat. eccl. *sanctimonialis* (*virgo*), religieuse.

**monisme** 1875, *Rev. des cours scientif. ;* mot créé par Wolf au XVIIIe s., du gr. *monos,* seul. || **moniste** 1877, L.

**moniteur** milieu XVe s., conseiller ; 1960, *journ.,* sens actuel ; lat. *monitor,* de *monere,* avertir. || **monition** 1283, Beaumanoir, eccl. ; lat. *monitio.* || **prémonition** 1842, *Acad.* || **monitoire** 1414, Premier-fait, adj., « qui sert à avertir » ; n. m., XVIe s., L. ; lat. *monitorius.* || **monitorat** 1950, *journ.* || **monitoring** 1972, Domart. || **prémonitoire** 1858, Nysten, méd.

1. **monitor** 1842, *Acad.,* sorte de lézard ; mot esp., du lat. *monitor,* guide.

2. **monitor** 1864, *Dict. de la conversation,* mar., croiseur ; mot anglo-amér., du lat. *monitor.* (V. MONITEUR.)

***monnaie** 1175, Chr. de Troyes (*monoie*) ; 1549, R. Est. (*monnaie*) ; lat. *monēta,* la conseillère, surnom de Junon, et par ext. « monnaie », parce que la monnaie se fabriquait dans le temple de Junon. || **monnayer** fin XIe s., *Chanson Guillaume,* au propre ; 1670, Molière, fig. || **monnayable** 1886, L. Bloy. || **monnayage** 1296, G. || **monnayeur** XIVe s., G. (*monoieor*) ; 1530, Palsgrave (*monnayeur*). || **faux-monnayeur** fin XVe s. || **monnaie-du-pape** 1845, Besch. ; à cause des silicules argentées. (V. MONÉTAIRE.)

**mon(o)-,** gr. *monos,* seul. || **monaural** 1951, Piéron ; lat. *auris,* oreille. || **monoacide** début XXe s. || **monobase** 1868, L. || **monobloc** 1907, Lar. || **monochrome** 1752, Trévoux ; gr. *monokhrômos,* de *monos,* seul, et *khrôma,* couleur. || **monochromie** 1870, Bürger, *Salons.* || **monocoque** 1923, Lar. || **monocotylédone** 1868, L. || **monoculture** 1842, *Acad.* || **monocyte** 1949, Lar. ; gr. *kutos,* cellule. || **monoïdéisme** 1887, Binet. || **monoïque** 1799, Philibert ; gr. *monos,* seul, et *oikos,* maison. || **monokini** 1964, *journ.* ; de *bikini.* || **monolingue** 1963, Lar. || **monolinguisme** 1968, Lar. || **monomoteur** 1927, *Doc.* || **mononucléaire** 1903, Lar., biol. || **monophonie** 1963, Lar. || **monophtongue** 1933, Marouzeau ; d'après *diphtongue.* || **monoplace** 1923, Lar. || **monorail** 1907, Lar. || **monoski** 1967, *Guide des sports.* || **monosyllabe** XVe s. ; bas lat. *monosyllabus.* || **monosyllabique** fin XVIIe s., Saint-Simon. || **monozygote** 1963, Lar.

**monocle** XIIIe s., G. (*monougle*) ; 1596, Hulsius (*monocle*), borgne (jusqu'au début du XVIIe s.) ; 1671, P. Chérubin, lunette pour un œil ; 20 mai 1827, *Journ. des dames,* sens mod. ; bas lat. *monoculus,* borgne, du gr. *monos,* seul, et du lat. *oculus,* œil. || **monoculaire** 1800, Boiste.

**monocorde** 1155, Wace (*monacorde*) ; 1160, Benoît (*monocorde*) ; lat. *monochordon,* du gr. *monokhordon,* instrument à une seule corde.

**monodie** 1576, Chapuis ; lat. *monodia,* mot gr., de *monos,* seul, et *ôdê,* chant. || **monodique** 1874, Lar.

**monœcie** 1787, Gouan ; lat. bot. mod. *monœcia,* du gr. *monos,* seul, et *oîkos,* demeure.

**monogame** 1495, J. de Vignay ; rare jusqu'en 1808 ; bas lat. *monogamus,* du gr. *monos,* seul, et *gamos,* mariage. || **monogamie** 1529, Lassere ; lat. *monogamia,* mot gr. || **monogamique** 1823, Richard. || **monogamiste** 1903, Lar.

**monogénie** 1842, *Acad.,* biol. ; gr. *monos,* seul, et *-génie.* || **monogénisme** 1868, L. || **monogéniste** *id.*

**monogramme** milieu XVIe s. ; bas lat. *monogramma,* du gr. *monos,* seul, et *gramma,* lettre.

**monographie** 1793, *Doc.* ; gr. *monos,* seul, et *-graphie.* || **monographique** 1840, *Acad.*

**monolithe** 1532, G., adj. ; rare jusqu'au XVIIIe s. ; n. m., 1813, Gattel ; bas lat. *monolithus,* mot gr. ; de *monos,* seul, et *lithos,* pierre. || **monolithisme** 1864, Renan. || **monolithique** 1868, Souviron.

**monologue** fin XVe s. (*menologue*) ; 1521, Fabri (*monologue*) ; gr. *monos,* seul, et *-logue,* d'après *dialogue.* || **monologuer** 1851, H. Murger. || **monologueur** ou **monologuiste** 1876, *l'Opinion nationale.*

**monomanie** 1823, Boiste ; gr. *monos,* seul, et *mania,* folie. || **monomane** 1829, Boiste.

**monôme** 1691, Ozanam, math. ; 1878, Esnault, défilé d'étudiants ; gr. *monos,* seul, et *nomos,* division, part.

**monopole** 1314, G., cabale ; 1318, Du Cange, privilège exclusif ; 1830, Constant, fig. ; lat. *monopolium,* du gr. *monopôlion,* (droit de) vendre seul, de *monos,* seul, et *pôlein,* vendre. || **monopoliser** 1599, Huguet, conspirer ; 1783. Beaumarchais, sens actuel. || **monopolisateur, monopolisation** 1845, Besch. || **monopoleur** 1552, R. Est. || **monopolistique** 1964, *journ.* || **monopololiste** 1829, Vidocq.

**monothéisme** 1836, Landais ; gr. *monos,* seul, et *-théisme,* du gr. *theos,* dieu. || **monothéiste** 1828, Eckstein. || **monothéique** 1844, A. Comte.

**monotone** 1732, Richelet ; bas lat. *monotonus,* du gr. *monotonos,* de *monos,* seul, et *tonos,* ton. || **monotonement** 1845, Besch. || **monotonie** 1671, Pomey.

**Monotype** n. f., 1903, Lar., imprim., n. dépos. ; mot anglo-américain, fait d'après *Linotype,* par substitution de l'élém. *mono-,* du gr. *monos,* seul.

**monseigneur** V. SEIGNEUR.

**monsieur** début XIIIe s., *Guillaume de Dole* ; 1314, Mondeville (*messiours,* pl.), titre donné à de grands personnages jusqu'au XVIIIe s. ; dès le milieu du XVe s., simple terme de politesse ; comp. de *mon,* pl. *mes,* et de *sieur* au sens de *sire* (v. SIEUR, SIRE).

**monsignor** 1769, Voltaire ; ital. *monsignore,* monseigneur.

**monstre** 1120, *Ps. d'Oxford,* prodige ; 1230, *Merlin,* être fantastique ; 1280, Saint-Pathus, personne laide ; 1541, Calvin, personne cruelle ; lat. *monstrum.* || **monstrueux** 1330, Digulleville ; lat. *monstruosus.* || **monstrueusement** XIV^e^ s., G. || **monstruosité** 1488, *Mer des hist.,* anomalie ; XVI^e^ s., La Curne, caractère abominable.

***mont** 980, *Passion ;* lat. *mons, montis,* montagne ; ne subsiste plus qu'en géogr., ou dans des loc., *monts et merveilles* (1580, Montaigne), *par monts et par vaux* (1530, Marot). || **mont-de-piété** 1576, Bodin ; calque de l'ital. *monte di pietà,* crédit de pitié, *monte* pouvant signifier en ital., au XVI^e^ s., « établissement de prêt sur gage ». || **amont** 1080, *Roland,* en haut ; spécialisé ensuite pour indiquer la position par rapport au cours de la rivière. (V. MONTAGNE, MONTER.)

***montagne** 1080, *Roland* (*montaigne*) ; XIV^e^ s., G. (*montagne*) ; lat. pop. *montanea,* adj. substantivé au fém., dér. de *mons, montis.* (V. MONT.) || **montagneux** 1265, J. de Meung. || **montagnard** 1512, J. Lemaire de Belges. || **montagnette** fin XIV^e^ s., *Chron. de Boucicaut.*

***monter** 980, *Passion ;* XIII^e^ s., Villard de Honnecourt, tr., assembler ; lat. pop. **montare,* de *mons, montis.* montagne, qui a éliminé *ascendere* (v. ASCENSION). || **montant** 1155, Wace, adj. ; n. m., XII^e^ s., *Partenopeus,* mouvement ; 1208, H. de Valenciennes, total ; fin XIII^e^ s., pièce de bois verticale ; 1694, *Acad.,* saveur relevée. || **montaison** 1546, Rab. || **montée** fin XII^e^ s., *Floire.* || **monteur** 1120, *Ps. de Cambridge* (*montedur*) ; 1577, Belleau (*monteur*), cavalier ; 1765, *Encycl.,* assembleur ; XIX^e^ s., divers sens techn. || **monte** 1131, *Couronn. Loïs,* montant d'une somme ; XVI^e^ s., sens mod. || **montoir** 1130, *Eneas.* || **monture** 1360, Froissart, cheval ; 1718, *Acad.,* en bijouterie. || **montage** début XVII^e^ s., action de porter en haut, ou de s'élever ; XIX^e^ s., assemblage ; 1914, Coustet, cinéma. || **monte-charge** 1868, L. || **monte-plats** 1893, *D. G.* || **monte-en-l'air** 1885, Larchey. || **monte-sac** 1903, Lar. || **démonter** fin XII^e^ s., R. de Moiliens, jeter à bas ; 1501, Destrées, déconcerter ; 1560, Paré, défaire. || **démontage** 1838, *Acad.* || **démontable** 1870, *Gazette des tribunaux.* || **démonte-pneu** 1929, Lar. || **remonter** début XII^e^ s., *Voy. de Charl.,* « remonter à cheval » ; 1549, R. Est., revigorer. || **remontage** 1543, Jal. || **remonte** fin XII^e^ s., *l'Escoufle,* retard ; 1424, Espinas, techn. || **remontée** 1119, Ph. de Thaon. || **remonte-pente** XX^e^ s. || **remontoir** 1642, *Doc.* (V. SURMONTER.)

**montgolfière** 1783, Zastrow ; du nom des frères *Montgolfier,* qui ont inventé l'aérostat (1782).

**monticule** 1488, Le Huen ; lat. *monticulus,* dimin. de *mons,* mont.

**montjoie** 1080, *Roland* (*munjoie*), cri de guerre ; au Moyen Âge, égalem., monticule de pierres bordant les chemins ; altér., par attraction de *mont* et *joie,* du francique *mund-gawi,* proprem. « protection du pays », ces monticules ayant dû servir de postes d'observation.

***montrer** X^e^ s., *Valenciennes* (*mostrer*) ; début XIII^e^ s., Villehardouin (*monstrer*) ; lat. *monstrare.* || **montre** 1120, *Ps. d'Oxford* (*mostre*), action de montrer ; 1360, Froissart, ostentation ; *faire montre de,* 1549, R. Est. ; 1354, *Modus,* revue d'hommes de guerre ; 1474, Gay, cadran d'horloge ; 1579, Gay, montre de poche. || **montre-bracelet** ou **bracelet-montre** 1935, *Acad.* || **montreur** fin XII^e^ s., *Roman d'Alexandre.* || **montrable** XII^e^ s. || **remontrer** XIII^e^ s. (*remoutrer*), XIV^e^ s., G. (*remontrer*), montrer de nouveau ; fin XV^e^ s., Commynes, faire des remontrances. || **remontrance** 1194, *Cartulaire.* (V. DÉMONTRER.)

**montueux** 1355, Bersuire ; rare avant 1488, Le Huen ; lat. *montuosus,* de *mons,* mont.

**monument** 980, *Passion,* tombeau ; XIII^e^ s., *Macchabées,* ouvrage d'architecture ; 1690, Furetière, sens actuel ; lat. *monumentum.* || **monumental** 1806, Chateaubriand. || **monumentalité** 1845, Richard. || **monumentaire** 1961, *journ.* || **monumentalisme** 1900, Lar.

1. **moque** 1678, Guillet, mar. ; du néerl. *mok,* bloc de bois.

2. **moque** fin XVIII^e^ s. ; mot de l'Ouest, du bas allem. *mokke,* cruche.

**moquer** fin XII^e^ s., *Ysopet de Lyon,* tr. ; *se moquer de,* 1180, Barbier ; orig. obsc., p.-ê. d'une onomatop. expressive. || **moquable** 1534, Des Périers. || **moquerie** début XIII^e^ s., *Sept Sages de Rome.* || **moqueur** fin XII^e^ s. || **moqueusement** 1531, J. de Vignay. || **moquoiseau** 1751, *Dict. d'agric. ;* cerise blanche.

1. **moquette** 1585, Havard (*mosquette*), tapis du Levant ; 1615, Havard, étoffe pour tapis ; 1928, Martin du Gard, sens actuel ; orig. inconnue.

2. **moquette** 1763, Le Verrier de la Conterie, fumée de chevreuil ; anc. francique **mokka,* masse informe (v. MOCHE), peut-être par l'anc. fr. *moque,* motte, et le dimin. *moquet.*

**moraille** 1285, Bretel, visière ; 1606, Crespin, tenaille ; prov. *mor(r)alha,* pièce de fer, de *mor(re),* museau, du lat. pop. **murrum,* peut-être d'orig. expressive. || **morailler** 1674, Thevenot. || **moraillon** 1360, *Comptes de Tours* (*morillon*) ; 1429, G. (*moraillon*). [V. MORION.]

**moraine** 1779, Saussure ; savoyard *morĕnă,* bourrelet de terre en bas de la pente d'un champ, du prov. *mor(re),* museau (v. MORAILLE). || **morainique** 1875, *Rev. des Deux Mondes.*

**moral** 1212, Anger, conforme aux bonnes mœurs, adj. ; n. m., 1755, Rousseau ; lat. *moralis,* de *mores* (v. MŒURS). || **moralité** fin XII^e s., *Ysopet de Lyon ;* bas lat. *moralitas.* || **morale** n. f., 1637, Descartes. || **moralement** 1325, *Loi du Sarrazin.* || **moraliser** 1375, *Modus.* || **moralisant** 1778, Proschwitz. || **moraliseur** 1375, R. de Presles ; rare avant 1611, Cotgrave. || **moralisateur** 1846, Besch. || **moralisation** 1823, Boiste. || **moralisme** 1771, Trévoux, moralité ; 1836, *Acad.,* philos. || **moraliste** 1690, Furetière. || **amoral** 1885, Guyau. || **amoralité** *id.* || **amoralisme** 1907, Lar. || **démoraliser** 1795, Frey. || **démoralisant** 1863, L. || **démoralisation** 1795, Babeuf. || **démoralisateur** 1795, Frey. || **immoral** 1662, d'après Besch. || **immoralité** 1777, *Courrier de l'Europe.* || **immoralisme** 1845, Richard. || **immoraliste** 1874, Barbey d'Aurevilly.

**morasse** 1867, Delvau, typogr. ; p.-ê. ital. *moraccio,* noiraud, augmentatif de *moro,* noir (comme un Maure), et substantivé au fém. ; dernière épreuve d'une page de journal.

**moratoire** 1765, *Encycl.,* adj. ; n. m., 1931, Lar., francisation de *moratorium ;* lat. jurid. *moratorius,* de *morari,* s'attarder, s'arrêter. || **moratorium** 1923, Lar. ; neutre substantivé de *moratorius.*

**morbide** XV^e s., *Règle de saint Benoît,* malade ; 1810, Capuron, méd. ; lat. *morbidus,* malade, de *morbus,* maladie ; 1690, Furetière, artist. ; d'après l'ital. *morbido,* délicat, souple. || **morbidement** 1868, L. || **morbidesse** 1580, Montaigne (*morbidezza*) ; 1676, Félibien (*morbidesse*), artist. ; ital. *morbidezza,* au fig. || **morbidité** av. 1850, Balzac. || **morbifique** 1560, Paré ; lat. *morbificus.*

**morbilleux** fin XVIII^e s. ; angl. *morbillous,* du lat. médiév. *morbilli,* rougeole, de *morbus,* maladie.

**morbleu** V. DIEU.

**morceau** 1120, *Ps. d'Oxford* (*morsel*) ; 1480, Du Cange (*morceau*) ; anc. fr. *mors* (XII^e-XV^e s.), morceau. (V. MORS.) || **morceler** 1574, R. Garnier. || **morcellement** 1789, Brunot.

**mordache** 1560, G., techn. ; lat. *mordax, mordacis,* tranchant, de *mordere,* entamer.

**mordacité** 1478, Chauliac ; lat. *mordacitas,* de *mordere.* (V. MORDRE.)

**mordication** 1314, Mondeville, méd. ; lat. *mordicatio,* de *mordicare,* dimin. de *mordĕre* (v. MORDRE). || **mordicant** adj., 1314, Mondeville ; *mordicans,* part. présent de *mordicare.*

**mordicus** adv., 1690, Regnard ; mot lat., signif. « en mordant », d'où « sans démordre ».

**mordienne, mordieu, mordoré** V. DIEU, DORER.

***mordre** 1080, *Roland,* serrer avec les dents ; 1690, Furetière, entamer ; *mordre à,* fin XVI^e s., d'Aubigné ; lat. pop. **mordĕre,* en lat. class. *mordēre.* || **mordant** adj., 1190, Garnier, qui mord ; XVIII^e s., qui entame ; n. m., XIII^e s., agrafe de la ceinture ; XVI^e s., sens mod. || **mordeur** XIII^e s., Rutebeuf (*mordeor*), caustique ; fin XV^e s. (*mordeur*), qui mord. || **mordancer** 1830, d'après Besch. || **mordançage** 1845, Besch., techn. || **mordailler** 1803, Boiste. || **mordiller** 1574, Tahureau. || **morgeline** XV^e s., *Grant Herbier,* bot. ; de *mords,* impér. de *mordre,* et *geline,* « poule » (plante recherchée des poules). || **démordre** XIV^e s., *Traité d'alchimie.*

***moreau** XII^e s., *Fierabras* (*morel*), brun de peau, spécialisé au sens de « brun de poil », pour les chevaux ; lat. pop. **maurellus,* brun comme un Maure (lat. médiév. *Maurus,* Maure). || **morelle** XIII^e s., *Simples Méd. ;* lat. pop. **morella,* fém. substantivé du préc. || **morillon** 1283, Beaumanoir, variété de raisin noir ; 1723, Savary, sorte de canard au plumage noir. (V. MORESQUE, MORICAUD.)

**moresque** 1360, Froissart, pour qualifier une monnaie d'Espagne ; XV^e s., pour une danse ; esp. *morisco,* du lat. médiév. *mauriscus,* de *Maurus* (v. le préc.). || **morisque** 1379, Gay ; éliminé en raison de la fréquence du suff. *-esque.*

**morfaler** 1951, Esnault, manger ; var. de *morfailler* (1834, Esnault), de *morfier* (1566, Esnault), orig. germ. || **morfal** 1935, Esnault ; var. de *morfaloux* (1902, Esnault). || **morfler** 1926, Esnault.

1. **morfil, marfil** 1545, Delb., ivoire brut ; esp. *marfil,* de l'ar. *azm-al-fil,* défense de l'éléphant.

2. **morfil** 1611, Cotgrave, bord ténu du tranchant ; de l'adj. *mort* et de *fil.* || **morfiler** 1874, Lar. || **morfilage** 1931, Lar.

**morfondre** 1360, Froissart, intr., contracter un catarrhe, en parlant des chevaux ; *se morfondre,* 1549, R. Est., prendre froid ; 1611, Cotgrave, attendre ; prov. *mourre,* museau, et *fondre.*

**morganatique** 1609, Victor ; 1834, Balzac, union illégitime ; lat. *morganaticus,* d'après le francique *morgangeba* (*Lois barbares,* Grégoire de Tours), don du matin, d'où « douaire donné par le nouveau marié à sa femme ».

**morgue** 1460, du Clercq, mine ; 1538, R. Est., attitude hautaine ; XVI<sup>e</sup> s., endroit où les prisonniers, longuement dévisagés, étaient fouillés à leur entrée ; 1694, Ménage, endroit où l'on expose les cadavres inconnus (depuis 1923, *Institut médico-légal*) ; anc. fr. *morguer* (fin XV<sup>e</sup> s., A. de La Vigne, jusqu'au XVIII<sup>e</sup> s.), traiter avec arrogance ; lat. pop. **murricāre,* faire la moue, de **mŭrrum,* museau. (V. MORAILLE, MORFONDRE.)

**morguié, morguienne** V. DIEU.

**moribond** fin XV<sup>e</sup> s., adj. ; n. m., 1784, Diderot ; 1731, Marivaux, fig. ; lat. *moribundus,* de *mori,* mourir.

**moricaud** fin XV<sup>e</sup> s., Brézé, nom de chien ; 1583, Du Préau, sens actuel ; adj., de *More,* Maure. (V. MOREAU, MORESQUE, MORILLON.)

**morigéner** début XIV<sup>e</sup> s., Gilles li Muisis (*moriginé*) ; 1578, d'Aubigné (*morigéner*), former les mœurs ; 1718, *Acad.,* réprimander ; lat. médiév. *morigenatus* (class. *morigeratus*), complaisant pour, d'où « rendu docile, éduqué ».

**morille** fin XV<sup>e</sup> s., Molinet, p.-ê. lat. **maurĭcŭla,* de *maurus,* brun foncé (v. MOREAU), à cause de la couleur sombre de ce champignon. || **morillon** 1903, Lar., variété de morille.

**morillon** V. MOREAU, MORILLE.

**morio** 1827, *Acad.,* entom. ; lat. *morio,* topaze enfumée, à cause de la couleur de ce papillon.

**morion** 1546, Rab. (*mourion*), hist. ; 1553, *Ordonn.* (*morion*) ; esp. *morrion,* de *morra,* sommet de la tête, du masc. *morro,* objet rond, et aussi « lippe », du lat. pop. **mŭrrum,* museau. (V. MORAILLE, MORFONDRE, MORGUE, MORNE 2.)

1. **morne** 1130, *Eneas,* adj., triste ; 1549, R. Est., maussade ; francique **mornan,* être triste (cf. angl. *to mourn*).

2. **morne** n. m., 1640, P. Bouton, géogr. ; mot créole des Antilles, altér. de l'esp. *morro,* monticule, du lat. pop. **murrum.* (V. MORAILLE, MORFONDRE, MORGUE, MORION, MORNIFLE.)

3. **morne** V. MORNER.

**morner** XVI<sup>e</sup> s., *Chron. de Fr. I<sup>er</sup>,* blas. ; de *morné,* émoussé (XV<sup>e</sup> s.), dér. de *morne,* orig. inconnue. || **morne** 1478, Douët d'Arcq, virole de fer ; 1578, d'Aubigné, anneau de fer de lance.

**mornifle** 1530, Palsgrave, groupe de quatre cartes semblables ; 1549, R. Est., coup de la main sur le visage ; 1821, Ansiaume, monnaie (*bailler mornifle sur les lèvres du roi,* faire de la fausse monnaie, « gifler le roi ») ; probablem. de **mornifler,* gifler le museau, comp. d'un rad. issu du lat. pop. **mŭrrum,* museau, et de l'anc. fr. *nifler,* renifler. || **morlingue** 1878, Rigaud, porte-monnaie. (V. MORAILLE, MORFONDRE, MORGUE, RENIFLER.)

1. **morose** 1615, Delb., rare jusqu'au XVIII<sup>e</sup> s. ; lat. *morosus,* sévère, de *mores,* mœurs. || **morosité** 1486, G. ; lat. *morositas.*

2. **morose** 1343, G. ; qui retarde ; 1863, L. (*délectation morose,* qui s'attarde dans la tentation) ; bas lat. *morosus,* lent.

**morphème** 1921, J. Vendryes ; gr. *morphê,* forme, avec le suff. *-ème.* || **morphématique** 1968, Lar. (V. PHONÈME.)

**morphine** 1818, Riffault ; du nom de *Morphée,* dieu du sommeil ; lat. *Morpheus,* empr. au gr., d'après les propriétés soporifiques de cette substance. || **morphinomane** 1883, Daudet ; gr. *mania,* folie. || **morphinomanie** 1888, Lar.

**morpho-,** gr. *morphê,* forme. || **morphogénie** 1868, L. || **morphogenèse** 1903, Lar. || **morphologie** 1822, Blainville, étude de la forme des êtres vivants ; 1868, L., gramm. || **morphologique** 1836, *Acad.,* biol. ; 1868, L., gramm. || **morphologue** 1968, L. || **morphophonologie** 1968, Lar. || **morphoscopie** 1963, Lar. ; gr. *morphoskopia.* || **morphosyntaxe** 1962, Pottier.

**morpion** 1532, Rab., pou ; 1660, Oudin, gamin ; 1924, Esnault, jeu ; de *mords,* impér. de *mordre,* et de *pion,* au sens anc. « fantassin ».

***mors** 1112, *Voy. saint Brendan,* morsure ; 1573, Du Puys, spécialisé dans des sens techn. ;

lat. *morsus,* morsure, de *mordere,* mordre. (V. MORCEAU.)

1. **morse** 1540, Boemus (*mors*), zool. ; russe *morj,* lui-même du lapon *morssa,* onomatopée.

2. **morse** 1856, Becquerel, techn. ; mot anglo-amér., du nom de l'inventeur, *Morse* (1791-1872).

**morsure** 1213, *Fet des Romains ;* de *mors* au sens ancien. (V. ce mot.)

1. ***mort** n. f., fin IX^e s., *Eulalie ; être entre la vie et la mort,* 1690, Furetière ; *à l'article de la mort,* 1549, R. Est. ; lat. *mors, mortis.* || **mortaille** XIII^e s., *Livre de jostice,* hist. (v. TAILLE). || **mortaillable** 1346, G. || **malemort** 1220, Coincy (v. MAL, dans son empl. archaïque d'adj.). || **mort-aux-rats** 1594, *Satire Ménippée.* || **mortinatalité** 1878, Lar. || **mortinaissance** 1963, Lar. (V. MORTEL, MORTIFÈRE.)

2. ***mort** adj., fin IX^e s., *Eulalie* (*morte,* f.) ; lat. pop. **mortus,* en lat. class. *mortuus,* part. passé de *mori,* mourir ; *ne pas y aller de main morte,* 1640, Oudin. || **mort-bois** fin XIV^e s. || **morte-eau** 1484, Garcie. || **mort-gage** 1283, Beaumanoir, jurid. || **mort-né** 1283, Beaumanoir (*morné*) ; 1408, N. de Baye (*mort-né*). || **morte-paie** 1475, Bartzsch, hist., invalide qui continue à recevoir la paie. || **morte-saison** fin XIV^e s., *Chron. de Boucicaut.* || **morts-terrains** 1875, *Revue des Deux Mondes.* || **morvolant** 1765, *Encycl.,* techn. || **mainmorte** 1213, *Fet des Romains.* (V. AMORTIR, MORTUAIRE.)

3. **mort** n., 980, *Passion ;* adj. substantivé (v. le préc.). || **morticole** 1894, L. Daudet ; formation péjor. et humoristique, sur *-cole,* lat. *colere,* cultiver, honorer, en parlant des médecins. || **croque-mort** fin XVIII^e s.

**mortadelle** XV^e s. Guégan ; ital. *mortadella,* farce avec des baies de myrte, du lat. *murtātum,* de *murtus.* (V. MYRTE.)

**mortaise** 1196, J. Bodel (*mortaisse*) ; 1380, *Aalma* (*mortaise*) ; p.-ê. ar. *murtazza,* part. passé de *razza,* introduire une chose dans une autre. || **mortaiser** 1302, G. (*mortissier*) ; milieu XVI^e s. (*mortaiser*). || **mortaiseur** 1903, Lar.

**mortel** 1080, *Roland ;* lat. *mortalis,* de *mors* (v. MORT 1). || **mortalité** 1190, *Saint Bernard ;* lat. *mortalitas.* || **immortel** début XIV^e s., *Ovide moralisé,* adj. ; n. m., XVI^e s., Ronsard ; 1834, Landais, académicien ; lat. *immortalis.* || **immortaliser** 1550, Ronsard. || **immortalisation** 1580, Montaigne. || **immortalité** fin XII^e s., *Dial. Grégoire ;* lat. *immortalitas.*

***mortier** 1130, *Eneas,* amas de sable et de chaux ; 1170, *Rois,* récipient ; 1470, Gay, artill. ; 1460, Villon, toque de magistrat, d'après la forme ; lat. *mortārium,* auge de maçon, mortier (contenu de l'auge).

**mortifère** 1491, Orose ; lat. *mortifer,* de *mors* (v. MORT 1) et *ferre,* apporter. || **mortifier** 1120, *Ps. d'Oxford,* relig., faire sortir de la vie ; XIII^e s., Rutebeuf, mortifier la chair ; 1636, Monet, froisser ; 1874, Lar., cuisine ; lat. eccl. *mortificare,* faire mourir (III^e s., Tertullien). || **mortification** 1170, *Rois,* relig., anéantissement ; XIV^e s., privation ; 1560, Paré, mort d'un tissu ; 1630, Brunot, vexation ; lat. *mortificatio.*

**mortuaire** 1213, *Fet des Romains,* n. m., épidémie ; XV^e s., adj., sens actuel ; lat. *mortuarius,* de *mortuus.* (V. MORT 2.)

**morue** 1036, Fagniez (*moluel*) ; 1268, É. Boileau (*morue*) ; var. *molue* jusqu'au XVII^e s. ; 1849, Esnault, prostituée ; orig. obscure, p.-ê. du celt. *mor,* mer, et de l'anc. fr. *luz,* brochet, du lat. *lūcius.* || **moruyer** 1611, Cotgrave. || **morutier** 1874, *journ.*

**morula** 1877, L., biol. ; mot lat. sav. mod., dimin. de *morum,* mûre. (V. BLASTULA, GASTRULA.)

**morve** 1378, J. Le Fèvre, maladie de l'homme ; 1495, *Doc.,* maladie du cheval ; 1530, Palsgrave, humeur du nez ; probablem. altér. méridionale du mot d'où est issu le fr. *gourme* (v. ce mot). En prov. mod., var. *gormo, vormo, morvo.* || **morveux** 1220, Coincy, qui a la morve au nez ; XV^e s., L., n. m., petit garçon.

1. **mosaïque** n. f., 1498, Havard (*musaïque*) ; 1529, G. Tory (*mosaïque*) ; adj., début XVI^e s. ; ital. *mosaico,* du lat médiév. *musaicum,* altér., par changement de suff., du lat. *musivum* (*opus*), ouvrage en mosaïque, de *museus,* du gr. *mouseios,* qui concerne les Muses. || **mosaïste** 1812, Boiste.

2. **mosaïque** adj., 1505, N. de la Chesnaye ; du nom de *Moïse.* || **mosaïsme** 1845, Besch.

**mosquée** 1351, G. (*musquette*) ; fin XIV^e s., J. Le Fèvre (*mesquite*) ; 1423, G. de Lannoy (*mousquaie*) ; 1553, Belon (*mosquée*) ; ital. *moschea,* altér. de *moscheta* (d'où le moy. fr. *musquette*), de l'esp. *mezquita* (d'où le moy. fr. *mesquite*), lui-même de l'ar. *masdjid,* endroit où l'on adore.

***mot** 980, *Passion ;* 1680, Richelet, billet ; *bon mot,* XIII^e s. ; *mot de passe,* 1868, L. ; *mot d'ordre,* 1825, Le Couturier ; *mot d'esprit,* 1904,

R. Rolland ; *mot à mot,* 1160, Benoît, d'abord terme de procéd. ; *mots croisés,* début XX^e^ s. ; lat. pop. **mŏttum,* altér. du bas lat. *muttum,* son émis. || **mots-croisiste** 1931, Lar. || **motet** 1265, J. de Meung ; de *mot,* pièce chantée (1225, *Galeran*). || **motus** 1560, *Anc. Théâtre fr.* ; latinisation facétieuse de *mot,* au sens de « pas un mot », parce que *mot* était souvent employé dans des phrases négatives, notamment avec *dire : ne dire mot.*

**motard** V. MOTO 2.

**moteur** fin XIV^e^ s., adj., philos. ; 1559, J. Du Bellay, qui donne le mouvement ; n. m., 1744, Bonnier ; 1855, Nysten. adj., anat. ; lat. *motor,* « qui met en mouvement », de *mŏvēre,* mouvoir. || **motricité** 1825, Flourens, physiol. || **motorisé** 1923, Lar. || **motoriser** 1923, Lar. || **motorisation** 1931, Lar. || **motoriste** 1966, *journ.* || **motrice** 1931, Lar., n. f. ; abrév. d'*automotrice* ou de *locomotrice,* fém. des précédents.

**motif** adj., 1314, Mondeville, qui met en mouvement ; n. m., 1370, Oresme ; 1765, *Encycl.,* mus., d'après l'ital. *motivo ;* 1824, *Doc.,* thème, d'après l'allem. *Motiv. ;* 1923, Larousse, arts déco, bas lat. *motivus,* mobile, de *mŏvēre,* mouvoir. || **motiver** 1723, Trévoux. || **motivant** 1955, Lagache. || **motivation** 1845, Richard. || **motivationnel** 1959, Meynaud. || **immotivé** 1877, L.

**motilité** 1812, Mozin ; lat. *motus,* part. passé de *movere,* mouvoir.

**motion** 1220, Coincy, mise en mouvement ; lat. *motio,* de *motus,* part. passé de *mŏvēre,* mouvoir ; 1775, *Journ. de Bruxelles ;* repris à l'angl. *motion,* polit., du même mot latin. || **motionnaire** 1789, Beaumarchais. || **motionnel** 1968, Lar.

1. **moto-,** élém. tiré de *moteur,* avec la finale *-o.* || **motobatteuse** 1923, Lar. || **motocross** XX^e^ s. || **motoculteur** 1923, Lar. || **motoculture** 1920, *Omnium agricole.* || **motocycle** 1903, Lar. || **motocyclette** 1896, M. Werner, constructeur à Levallois-Perret (à l'époque, var. *motocycle*) ; d'après *bicyclette.* || **motocycliste** 1897, *le Figaro ;* d'après *cycliste.* || **motogodille** 1907, Lar. || **motonautique** 1948, Lar. || **motonautisme** *id.* || **motopompe** 1931, Lar.

2. **moto** n. f., début XX^e^ s. ; abrév. de *motocyclette.* || **motard** 1937, Esnault ; abrév. de *motocycliste.* || **motoball** 1963, Lar. || **motocyclable** 1955, *journ.*

**motrice, motricité** V. MOTEUR.

**motte** 1155, Wace (*mote*), levée de terre, château bâti sur la hauteur (cf. nombreux toponymes avec *Motte-*) ; 1213, *Fet des Romains,* morceau de terre ; 1635, Isambert, motte de beurre ; probablem. d'une rac. prélatine **mŭtt(a).* || **motter** 1550, Ronsard (*motté*). || **motteux** adj., début XVI^e^ s. ; 1750, Buffon, ornith. || **mottereau** 1842, *Acad.,* ornith. || **motton** 1868, L. || **émotter** 1564, Liébault.

**motu proprio** 1559, Du Bellay ; loc. lat. signif. « de son propre mouvement », empr. à la chancellerie papale.

**motus** V. MOT.

***mou** 1130, G. (*mol*) ; XIII^e^ s. (*mou,* d'après les formes avec *s, mous*) ; n. m., 1398, *Ménagier,* poumon des animaux ; 1920, Bauche, cerveau ; lat. *mollis.* || **mollasse** adj., 1551, Du Parc (*mollace*) ; p.-ê. d'apr. l'ital. *mollacio.* || **molard** ou **mollard** 1865, Larchey, crachat. || **molarder** ou **mollarder** 1865, Esnault, cracher. || **mollement** XIII^e^ s., *Roman de Renart.* || **mollesse** 1190, *Saint Bernard* (*molece*). || **mollet** adj., fin XII^e^ s. ; *œuf mollet,* début XIV^e^ s. ; n. m., 1560, Paré, gras de la jambe ; 1611, Cotgrave, sens actuel. || **molleton** 1664, *Tarif.* || **molletonné** 1845, Richard. || **molletière** 1903, Lar. || **mollifier** 1425, O. de La Haye, techn. ; lat. méd. *mollificare,* rendre mou. || **mollification** 1560, Paré. || **mollir** 1460, Villon. || **amollir** 1190, *Rois* (*amolir*). || **amollissement** 1539, R. Est. || **amollisseur** 1788, Mercier. || **ramollir** 1448, Miélot ; 1360, Froissart, fig. ; *se ramollir,* 1549, R. Est. || **ramolli** 1867, Delvau ; d'apr. *ramollissement cérébral.* || **ramollissement** 1398, *Ménagier,* fait de devenir plus doux ; 1855, Nysten, *ramollissement cérébral.*

***mouche** 1120, *Ps. d'Oxford (musche)* ; XIII^e^ s. (*mouche*), insecte ; *mouche à miel,* 1487, Garbin ; fin XIV^e^ s., fig., espion ; lat. *mŭsca.* || **moucheron** fin XIII^e^ s., Macé de La Charité. || **moucherolle** 1555, Belon, ornith., gobe-mouches. || **moucheter** 1483, *Doc.* || **mouchetis** 1903, Lar. || **moucheture** 1539, R. Est. || **démoucheter** 1838, *Acad.,* pour un fleuret. || **démouchetage** 1905, Lar. || **mouchard** 1567, Junius ; 1963, Lar., appareil de contrôle ; de *mouche,* au sens d'« espion ». || **moucharder** fin XVI^e^ s., A. Richart. || **mouchardage** fin XVIII^e^ s., Babeuf. || **émoucher** 1200, Renart, s'escrimer ; 1460, Villon, débarrasser des mouches. || **émoucheur** 1678, La Fontaine. || **émouchoir** XIII^e^ s., *Roman de Renart.* || **émouchette** 1549, R. Est. || **émouchet** 1558, Boistuau, petit rapace ; altér. de l'anc. fr. *moschet* (1160, Benoît), dimin. de *mouche,* d'après l'initiale de *épervier, émerillon.* || **émoucheter** 1838, *Acad.* || **émouchetage** 1845, Besch.

***moucher** fin XIe s., *Gloses de Raschi* (*mochier*) ; XIVe s. (*moucher*), enlever les mucosités nasales ; *moucher la chandelle,* 1220, Coincy ; lat. pop. **mŭccare,* de *mŭccus,* morve, forme redoublée de *mucus.* (V. MUCUS.) || **mouchage** 1904, Frapié. || **mouchoir** XIIIe s., G. (*moucheur*) ; XIVe s., Tobler-Lommatzsch (*moschoir*) ; 1549, R. Est. (*mouchoir*). || **mouchure** 1690, Furetière. || **moucheron** 1170, Sully (*moicheron*) ; 1409, Du Cange (*moucheron*), bout de mèche qui charbonne. || **moucheronner** 1903, Lar. || **moucheronnage** 1963, Lar. || **mouchette** 1399, texte bourguignon (*miochote*) ; début XVIe s. (*mouchette*). || **moucheur** fin XVIe s., qui mouche les chandelles.

**moucheron** V. MOUCHE, MOUCHER.

***moudre** 1175, Chr. de Troyes (*moldre*) ; XIIIe s. (*moudre*) ; lat. *mŏlere.* || **moulu** (*de coups*) XIIIe s., Tobler-Lommatzsch. || **remoudre** 1549, R. Est. (V. MEULE 1, MOUTURE, VERMOULU, VERMOULURE.)

**moue** 1175, Chr. de Troyes, grimace faite avec les lèvres ; *faire la moue,* fig., 1648, Scarron ; francique **mauwa,* orig. onomat., restitué d'après le néerl. *mouwe,* moue.

**mouette** XIVe s., Delb. (*moette*) ; dimin. de l'anc. fr. *mave,* de l'anc. angl. *maew,* du francique **mauwe.*

**moufette** V. MOFETTE.

**moufle** XIIe s., Guil. de Dole, gros gant ; bas lat. *muffala,* mitaine (début IXe s.), orig. obscure ; probablement du germ. *muffel,* museau rebondi, d'où « enveloppe », et du germ. *vël,* peau d'animal ; 1596, Hulsius, assemblage de poulies ; 1536, Picot, pop., visage rebondi. || **mouflé** 1743, Brunot, techn. || **mouflette** 1475, Molinet. || **mouflet** 1867, Delvau, pop., enfant ; du sens pop. de *moufle.* (V. CAMOUFLET, MUFLE.)

**mouflon** 1562, Du Pinet (*muffle*) ; 1611, Cotgrave (*muifle, muifleron*) ; 1660, Oudin (*mufleron*) ; 1764, Buffon (*mouflon*) ; ital. dial. *muflone* (corse *muffolo*), du bas lat. dial. *mufrō.*

***mouiller** 1050, *Alexis* (*moillier*) ; fin XIVe s., Deschamps (*mouiller*) ; 1671, Pomey, mar. ; 1886, Esnault, compromettre ; lat. pop. **molliare,* amollir en trempant (le pain), de *mollis,* mou. (V. SOUPE.) || **mouillé** 1721, Trévoux, linguistique. || **mouillable** 1963, Lar. || **mouillabilité** 1963, Lar. || **mouillage** 1654, Du Tertre, mar. ; 1845, Besch., action d'ajouter de l'eau ; 1868, L., action de mouiller des mines. || **mouillant** v. 1950. || **mouillance** 1963, Lar. || **mouille** 1529, G., tourbillon ; XIXe s., techn. || **mouillère** 1845, Besch. || **mouillement** 1553, Alberti, *Archit.,* trad. J. Martin. || **mouillette** 1690, Furetière. || **mouilleur** 1840, *Acad.,* techn. || **mouilloir** 1452, Gay. || **mouillure** 1215, Gatineau (*moilleüre*) ; fin XIXe s., linguist. || **remouiller** 1549, R. Est. (V. PATTE-MOUILLE.)

**mouise** 1821, Ansiaume, soupe du pauvre ; 1895, Esnault, dèche ; all. dial. du S.-O. *mues,* bouillie. (Pour le sens pop., v. PURÉE.)

**moujik** 1727, Deschisaux, *Voy. de Moscou* (*mousique*) ; 1794, Chamfort (*moujik*) ; mot russe signif. « paysan ».

**moujingue** 1915, Esnault, enfant ; de *mouchachou* (1830, Esnault), de l'esp. *muchacho,* gamin, pop., d'orig. obsc.

**moukère** ou **mouquère** 1830, Esnault, femme ; 1878, Esnault, femme de mauvaise vie, vulgarisé après l'Exposition de 1889, auj. vieilli ; esp. *mujer,* femme, venu par la langue franque d'Algérie, et issu lui-même du lat. *mulier.*

1. ***moule** n. m., fin XIe s., *Gloses de Raschi* (*modle*) ; 1559, Amyot (*moule*), type, modèle ; 1160, Benoît, techn. ; lat. *mŏdŭlus,* mesure, de *modus* (v. MODE 1, MODÈLE, MODULE, etc.). || **mouler** 1080, *Roland ;* 1767, Diderot, fig. || **moulage** 1415, G. (*mollage*). || **moulée** XIVe s., Du Cange, techn. ; 1872, *J. O.,* bois. || **moulerie** XVIe s., B. Palissy. || **mouleur** 1268, É. Boileau. || **moulure** 1423, Houdoy (*molleüre*). || **mouluré** 1872, *J. O.* || **démouler** 1534, Rab., disloquer ; 1611, Cotgrave, casser le moule. || **surmoulage, surmouler** XVIIIe s., Falconet.

2. ***moule** n. f., 1260, Condé (*moulle*) ; 1887, Larchey, fig., personne sans énergie ; lat. *mŭscŭlus,* petite souris, coquillage, de *mus, muris,* souris (v. MUSCLE). || **moulière** 1681, *Ordonn.*

***moulin** XIIe s., *Th. le Martyr* (*molin*) ; fin XIIe s. (*moulin*) ; bas lat. *molīnum* (VIe s., Cassiodore), de *mola,* meule. || **mouliner** fin XVe s., Molinet, tourner (ailes du moulin) ; 1611, Cotgrave, écraser, moudre ; 1834, Landais, ronger, en parlant des vers du bois ; 1667, *Ordonnance,* techn. textile. || **moulinerie** 1875, *J. O.* || **moulinure** 1283, Beaumanoir, vermoulure. || **moulinage** fin XVe s., droit sur la mouture, techn., textile. || **moulineur** 1615, Montchrestien. || **moulinet** 1360, Froissart, petit moulin ; 1418, Du Cange, sorte de bâton ; *faire le moulinet,* 1594, *Sat. Ménippée.*

***moult** 980, *Valenciennes* (*mult*), XIII^e^ s. (*mout*) ; éliminé au XVI^e^ s. par *beaucoup ;* lat. *mŭltum.*

**moumoute** 1845, Besch. ; de *moute,* chatte, avec redoublement de l'initiale, d'orig. onomat.

***mourir** 980, *Passion* (*morir*) fin XII^e^ s. (*mourir*), en parlant de qqn ; 1556, Beaugué, en parlant de qqch ; lat. pop. **morīre* (lat. class. *mori*). || **mourant** 1380, *Aalma,* adj. ; milieu XIII^e^ s., n. || **meurt-de-faim** n. m., 1604, Certon. || **meurt-de-soif** 1877, L.

**mouron** XII^e^ s. (*morun*) ; 1398, *Ménagier* (*mouron*), bot. ; *se faire du mouron,* 1948, Esnault ; moyen néerl. *muer,* mouron.

**mourre** 1475, Gay (*morre*), jeu ; ital. dial. *morra,* troupeau, par métaph., du lat. pop. **mŭrrum,* museau, tas. (V. MORAINE, etc.)

**mousmé** 1887, P. Loti ; japonais *musume,* jeune femme.

**mousquet** 1550, Ronsard (*mousquette*) ; 1568, *Doc.* (*mousquet*) ; ital. *moschetto,* flèche lancée par une arbalète, de *mosca,* mouche, du lat. *musca.* || **mousquetade** 1568, *Doc.* || **mousquetaire** 1580, Montaigne. || **mousqueterie** 1578, d'Aubigné. || **mousqueton** 1578, d'Aubigné ; 1949, Lar., système d'accrochage (de *porte-mousqueton*) ; d'après l'ital. *moschettone.*

**moussaka** 1938, Montagné ; mot turc.

1. **mousse** fin XI^e^ s., *Gloses de Raschi* (*molse*) ; fin XII^e^ s., R. de Moiliens (*mousse*), bot. ; franc. **mossa* (dér. lat. *mussula,* VI^e^ s., Grégoire de Tours), p-ê. avec une infl. du lat. *mulsa,* hydromel, vin mousseux, fém. substantivé de *mulsus,* miellé, de *mel,* miel. || **moussu** 1130, *Eneas* (*mossu*) ; XIII^e^ s. (*moussu*). || **mousseux** 1545, Guéroult, moussu. || **moussier** milieu XVIII^e^ s., J.-J. Rousseau. || **émousser** 1552, Ch. Est., enlever la mousse.

2. **mousse** 1680, Richelet, écume ; empl. métaph. du précédent. || **mousser** 1680, Richelet ; *faire mousser,* fig., 1798, *Acad.* || **moussant** adj., 1713, Hamilton. || **mousseux** 1671, Quatroux, écumeux. || **moussoir** 1743, Geffroy.

3. **mousse** XV^e^ s., *Chanson,* n. f., jeune fille ; 1515, Conflans, n. m., mar. ; ital. *mozzo,* de l'esp. *mozo,* garçon. || **moussaillon** 1842, *Acad.*

4. ***mousse** XV^e^ s., R. d'Anjou (*mosse*) ; 1534, Des Périers (*mousse*), adj., qui n'est pas tranchant ; lat. pop. **muttius,* tronqué, du rad. préroman **mŭtt-.* (V. MOTTE.) || **émousser** 1370, Oresme, enlever le tranchant.

**mousseline** 1298, *Marco Polo* (*mosolin*) ; 1656, La Mesnardière (*mousseline*) ; *pommes mousseline,* 1938, Montagné ; *verre mousseline,* 1868, L. ; ital. *mussolina* (*tela*), de l'adj. ar. *mausilî,* de Mossoul (ville de Mésopotamie où l'on fabriquait ce tissu). || **mousseliner** 1874, Lar., verrerie. || **mousselinage** *id.* || **mousselinette** 1794, Brunot.

***mousseron** fin XII^e^ s., *Girart de Roussillon* (*moisseron*) ; fin XIV^e^ s. (*mouceron*) ; bas lat. **mussiriōnem,* acc. de *mussiriō* (VI^e^ s., Anthimus), mot prélatin, avec *ou* par attraction de *mousse.*

**mousson** 1598, Lodewijksz (*mouçone*) ; 1602, Van Noort (*mouson*) ; 1622, *Relation* (*mousson*) ; port. *monção,* de l'ar. *mausim,* saison, vent de saison.

**moustache** 1525, J. Lemaire de Belges, adj. ; 1549, R. Est., n. f. ; ital. *mostaccio, mostacchio,* venu de Venise avec la mode de la moustache, du bas gr. *mustaki,* en gr. class. *mustax,* lèvre supérieure. || **moustachu** 1845, Th. Gautier.

**moustérien** 1883, Mortillet, paléont. ; du nom de *Le Moustier,* village de la Dordogne.

**moustique** 1611, Pyrard (*mousquite*) ; 1654, Du Tertre (*moustique,* par métathèse, sous l'infl. de *tique*) ; esp. *mosquito,* dimin. de *mosca,* mouche, du lat. *musca.* || **moustiquaire** 1768, Valmont ; d'après l'esp. *mosquitera.* || **démoustiquer** milieu XX^e^ s.

***moût** 1112, *Voy. saint Brendan ;* lat. *mŭstum.* (V. MOUTARDE.)

**moutard** 1827, *Cartouche,* enfant ; orig. obsc., p.-ê. du franco-provençal *moutte,* chèvre, ou du lyonnais *moté,* petit garçon, du préroman **mutt-,* tas arrondi. (V. MOTTE, MOUSSE 4.)

**moutarde** milieu XII^e^ s., Bartzsch (*moustarde*), grains de sénévé broyés avec du moût de vin ; de *moût* (v. ce mot). || **moutardier** 1313, G., fabricant de moutarde ; 1312, G., pot à moutarde. || **moutardelle** 1550, Guéroult, raifort.

***moutier** fin X^e^ s., *saint Léger* (*monstier*) ; 1050, *Alexis* (*moustier*) ; lat. pop. **monisterium,* lat. class. *monasterium.* Conservé en toponymie. (V. MONASTÈRE.)

**mouton** fin XI^e^ s., *Chanson de Guillaume* (*motun*) ; 1160, Benoît (*mouton*) ; fin XV^e^ s., machine de construction ; 1611, Cotgrave, personne douce ; 1764, Esnault, compagnon de cellule ; gaulois **multo* (à l'acc. *-ōnem* en lat. pop.), gallois *mollt,* breton *maout,* « mâle châtré ». ‖ **moutonné** 1694, *Acad.,* frisé. ‖ **moutonnier** n. m., 1303, *Archives de Reims,* boucher ; adj., 1546, Rab., fig. ‖ **moutonner** 1502, *Comptes Gaillon,* enfoncer des pieux avec le mouton. ‖ **moutonnement** n. m., 1868, Goncourt. ‖ **moutonneux** 1783, *Corresp. litt.*

***mouture** XIII^e^ s., action de moudre ; 1935, *Acad.,* nouvelle présentation ; lat. pop. **molitūra,* de *molere,* moudre (V. MOUDRE.)

***mouvoir** 1080, *Roland* (*muvrai,* futur de l'indic.) ; lat. *movēre ;* rare auj., sauf à l'infin., au prés. de l'indic., et au part. passé. ‖ **mouvant** adj., 1130, *Eneas,* vif, rapide ; 1551, *Journ. de Gouberville,* instable, changeant. ‖ **mouvance** 1495, *Coutumier,* terme féodal. ‖ **mouvement** fin XII^e^ s., *Dial. Grégoire* (*movement*). ‖ **mouvementé** 1845, Besch. ‖ **mouvementer** 1833, Gautier.

**moxa** 1694, Pomet, méd. ; mot de Batavia, du japonais *mogusa,* bourre végétale et procédé thérapeutique, par l'anglais.

**moye** 1694, Th. Corn., techn., portion tendre d'une pierre ; déverbal de l'anc. v. *moyer* (XIII^e^ s.), du lat. *mediare,* de *medius.* (V. MI 1.)

***moyen** adj., 1120, *Ps. d'Oxford* (*meien*) ; début XIV^e^ s. (*moyen*) ; *moyen terme,* 1732, Richelet ; *verbe moyen,* 1530, Palsgrave ; *classe moyenne,* début XIX^e^ s. ; *moyen français,* fin XIX^e^ s., *D. G. ;* lat. impér. *medianus ;* n. m., 1361, Oresme, ce qui sert pour parvenir à quelque fin ; fin XV^e^ s., Commynes, richesse, bien, au pl. ; 1580, Montaigne, au pl., capacités. ‖ **moyenner** 1190, *Saint Bernard,* atteindre le milieu de sa vie ; fin XIV^e^ s., Deschamps, négocier. ‖ **moyennant** prép., 1377, Oresme. ‖ **moyenne** n. f., 1360, Froissart, milieu ; 1690, Furetière, math. ; *en moyenne,* 1864, Fustel de Coulanges. ‖ **Moyen Âge** 1640 ; probablem. d'après l'angl. *Middle Ages.* ‖ **moyenâgeux** 1865, Goncourt.

**moyette** 1842, *Acad.,* agric. ; dimin. de l'anc. fr. *moie* (1160, Benoît), meule de blé, lat. *meta,* borne, cône.

***moyeu** 1150, *Charroi de Nîmes ;* lat. *mŏdiolus,* petit vase, dimin. de *mŏdius* (v. MUID), d'où, par métaph., partie centrale d'une roue dans laquelle s'emboîte l'essieu.

**mozarabe** 1690, Furetière (*musarabe*) ; 1732, Trévoux (*mozarabe*) ; anc. esp. *moz'arabe,* de l'ar. *musta'rib,* « arabisé ». ‖ **mozarabique** 1690, Furetière.

**mozette, mosette** 1653, Oudin, eccl. ; ital. *mozzetta,* apocope d'*almozetta.* (V. AUMUSSE.)

**muche-pot (à), à musse-pot** XVII^e^ s., Huet, en cachette ; anc. normanno-picard *mucher,* var. *musser* (XII^e^ s.), cacher, du lat. pop. **mūciare,* d'orig. gauloise.

**mucilage** 1314, Mondeville, bot. ; bas lat. *mucilago,* de *mucus.* ‖ **mucilagineux** XVI^e^ s., Lanfranc ; bas lat. *mucilaginosus.*

**mucor** 1775, Bomare, bot. ; lat. *mucor,* moisissure. ‖ **mucoracées** 1842, *Acad.* (*mucorées*) ; 1868, L. (*mucoracées*).

**mucre** XIII^e^ s., *Évangile de Nicomède ;* anc. scand. *mjûkr,* mou.

**mucron** 1842, *Acad.* (*mucrone*) ; 1874, Lar. (*mucron*), bot. ; lat. *mucro, -onis,* pointe. ‖ **mucroné** 1778, Lamarck. ‖ **mucronule** 1875, *Revue horticole.*

**mucus** 1721, Trévoux ; mot lat. signif. « morve ». (V. MOISIR, MOUCHER, MUCILAGE.) ‖ **mucigène** 1931, Lar. ‖ **mucine** 1840, *Acad.* ‖ **mucocèle** 1878, Lar. ; gr. *kêlê,* tumeur. ‖ **muscite** 1806, Lunier. ‖ **muqueux** 1560, Paré ; adj. lat. *mucosus.* ‖ **mucosité** XIV^e^ s., Moamin (*muschosité*) ; 1539, Canappe (*mucosité*). ‖ **muqueuse** n. f., 1825, Broussais.

***muer** 1050, *Alexis* (*muder*) ; 1080, *Roland* (*muer*), changer ; lat. *mūtare,* changer ; XVII^e^ s., sens spécialisé. ‖ **muable** 1080, *Roland.* ‖ **muance** 1155, Wace, changement. ‖ **mue** 1180, Marie de France, déjà au sens spécialisé ; déverbal. ‖ **immuable** 1327, Lefranc ; d'après le lat. *immutabilis.* ‖ **immuabilité** 1787, Féraud. (V. MUTATION, REMUER.)

**muet** XII^e^ s., *Dolopathos ;* 1559, Du Bellay, fig. ; 1903, Lar., *la grande muette ;* dimin. de l'anc. fr. *mu,* lat. *mutus,* qu'il a éliminé au XVI^e^ s. ‖ **muettement** 1615, G. ‖ **sourd-muet** 1564, *Doc.* (*sourd-muet*) ; 1694, *Acad.* (*sourd-et-muet*). ‖ **mutacisme** 1968, Lar. ; dérivé savant du lat. *mutus,* muet. ‖ **mutisme** 1741, Desfontaines, état de muet ; 1841, Chateaubriand, silence volontaire. ‖ **mutité** 1803, Boiste ; bas lat. *mutitas.*

**muette** V. MEUTE.

**muezzin** 1568, Nicolay (*maizin*) ; début XVII^e^ s. (*muessim*) ; 1654, Duloir (*muezim*) ; 1823, Boiste (*muezzin*) ; turc *muezzin,* de l'ar. *mo'adhdhin,* celui qui appelle à la prière.

**mufle** 1542, H. des Essars, anat., var. de *moufle* (v. ce mot), gros visage rebondi, par infl. de *museau ;* 1830, Esnault, lourdaud ; 1836, Landais, personnage grossier. || **muflier** 1778, Lamarck, bot. ; par anal. de forme. || **muflerie** 1843, Nerval, manque de délicatesse. || **muflée** 1881, Rigaud, pop., soûlerie.

**mufti** ou **muphti** 1546, Geuffroy (*mofty*) ; 1628, Brèves (*mufti*) ; ar. *mufti,* juge.

**muge** 1396, G. (*muglhe*) ; 1546, Vaganay (*muge*), zool. ; prov. *muge,* du lat. *mugil.*

**mugir** 1280, Bibbesworth ; réfection, d'après le lat. *mugīre,* de l'anc. fr. *muir* (1112, *Voy. saint Brendan*), de *mugīre.* || **mugissant** 1493, G. || **mugissement** 1211, *le Bestiaire ;* a remplacé *muiement.*

**muguet** fin XII^e^ s., *Moniage Guillaume,* bot. ; 1458, *Mystère,* jeune élégant, à cause du parfum de la plante ; 1769, *Journ. de médecine,* mycose, d'après l'aspect ; anc. fr. *mugue* (fin XI^e^ s., *Gloses de Raschi*), musc. || **mugueter** XV^e^ s., *Aresta amorum ;* de *muguet,* au sens de « jeune élégant ».

***muid** 1130, *Eneas* (*mui*), mesure de capacité ; 1175, Chr. de Troyes, futaille ; lat. *mŏdius,* désignant une grande mesure de blé. Le *d* a été repris au latin.

***muire** 1249, texte franc-comtois ; lat. *muria,* saumure. (V. MURIATE.)

**mulâtre** 1544, Fonteneau (*mullatre*) ; 1681, Satineau (*mulâtre*) ; altér., d'après le suff. *-âtre,* de l'esp. *mulato,* de *mulo,* mulet (le mulâtre étant métis comme le mulet). || **mulâtresse** 1681, Satineau.

1. ***mule** 1080, *Roland,* femelle du mulet ; *têtu comme une mule,* 1690, Furetière ; anc. fr. *mul* (éliminé par le diminutif *mulet* 1), du lat. *mūlus,* fém. *mūla.* || **mulet** 1080, *Roland.* || **mulassier** 1471, G. ; anc. fr. *mulasse* (XIII^e^ s.), jeune mulet, jeune mule. || **muletier** n. m., 1325, Du Cange, conducteur de mulets ; adj., 1577, Jamyn, chemin propre aux mulets. || **mulard** 1840, *Acad.,* variété de canard.

2. **mule** 1314, Mondeville, engelure au talon ; 1556, Leon, pantoufle ; *mule du pape,* 1680, Richelet ; lat. *mulleus* (*calceus*), soulier rouge (couleur du rouget, *mullus*). [V. MULET 2.]

**mule-jenny** 1803, Mackenzie ; loc. angl., de *mule,* mule, et *jenny,* de *Jean.*

1. **mulet** V. MULE 1.

2. **mulet** 1185, *Moniage Guillaume,* poisson ; lat. *mullus,* rouget, avec attraction de *mūlus,* mulet 1, en lat. pop. || **surmulet** 1170, *Doc.* (*sormulet*) ; 1554, Rondelet (*surmulet*).

**muleta** 1840, Gautier, tauromachie ; esp. *muleta,* jeune mule, béquille, de *mula,* mule.

1. **mulette** 1803, Boiste, coquillage ; altér. de *moulette,* dimin. de MOULE 2.

2. **mulette** 1827, *Acad.,* bateau ; port. *muleta,* voile.

**mulle** 1505, Desdier, nom savant du mulet, poisson ; lat. *mullus,* rouget, d'où est issu également MULE 2.

**mulon** V. MEULE 2.

**mulot** XII^e^ s., Du Cange (*mulotes,* au pl.) ; XIII^e^ s. (*mulot*), rat ; bas lat. *mullus,* taupe (VIII^e^ s., *Gloses Reichenau*), du francique ***mull,* même sens (néerl. *mol*). Le *u* est probablem. analog. de *mul, mulet* (v. MULE 1). || **surmulot** 1758, Buffon.

**multi-,** lat. *multi,* nombreux. || **multicaule** 1808, Boiste ; lat. *multicaulis,* de *caulis,* tige. || **multicolore** 1525, J. Lemaire de Belges ; rare avant 1823, Boiste ; lat. *multicolor.* || **multidimensionnel** 1963, Lar. || **multidisciplinaire** 1966, Cloutier. || **multiflore** 1798, Richard ; lat. *multiflorus.* || **multiforme** 1460, Chastellain ; lat. *multiformis.* || **multilatéral** 1931, Lar. || **multilingue** 1674, Chapelain. || **multimillionnaire** 1907, Lar. || **multinational** 1963, Lar. || **multipare** 1808, Boiste. || **multiparité** 1842, *Acad.* || **multiplace** 1937, Malraux. || **multiparti** 1874, Lar. || **multiprise** 1975, Lar. || **multiracial** 1965, *journ.* || **multirisque** 1960, *journ.*

**multiple** 1380, Conty (*multiplice*) ; 1572, *Doc.* (*multiple*), adj. ; rare avant le début du XVII^e^ s. ; n. m., 1618, Trenchant ; lat. *multiplex.* || **multiplier** 1120, *Ps. de Cambridge ;* lat. *multiplicare ;* a éliminé les anc. formes *moltepleier, moutepleier.* || **multipliable** 1120, *Ps. d'Oxford.* || **multiplication** XIII^e^ s., *Comput ;* bas lat. *multiplicatio.* || **multiplicande** 1552, J. Peletier ; lat. *multiplicandus,* qui doit être multiplié. || **multiplicateur** 1515, Lortie ; bas lat. *multiplicator.* || **multiplicatif** 1550, Roussat. || **multiplicité** 1190, *Saint Bernard ;* bas lat. *multiplicitas.* || **multiplet** 1963, Lar. || **démultiplier** 1929, Lar. || **démultiplication** *id.* || **démultiplicateur** *id.* || **sous-multiple** 1552, J. Peletier.

**multiplex** 1888, Lar., terme de télécommunication ; mot lat. signif. « multiple ». || **multiplexage** 1968, Lar. || **multiplexeur** 1963, Lar.

**multitude** 1120, *Ps. d'Oxford* (*multitudine*) ; lat. *multitudo, multitudinis,* de *multum,* beaucoup. (V. MOULT.)

**municipe** 1765, *Encycl.* ; lat. *municipium,* de *munus,* charge, et *capere,* prendre. || **municipal** 1474, *Doc.,* hist. antique ; 1527, Dassy, appliqué aux institutions modernes ; lat. *municipalis,* qui appartient à un municipe. || **municipalité** 1756, V. de Mirabeau. || **municipaliser** 1798, *Acad.* || **municipalisation** 1936, Capitant.

**munificence** 1354, Bersuire ; lat. *munificentia,* de *munificus,* libéral, de *munus,* cadeau, et *facere,* faire. || **munificent** 1840, *Acad.*

**munir** 1350, G. Li Muisis, fortifier, défendre ; 1580, Montaigne, équiper, pourvoir ; *se munir de,* 1501, Destrees ; lat. *mūnire.* || **démunir** 1564, J. Thierry. || **munition** XIV^e^ s., *D. G.,* fortification ; 1636, Monet, approvisionnements (d'ou *pain de munition*) ; 1553, Rab., sens actuel ; lat. *munitio, -onis,* rempart. || **munitionnaire** 1572, Huguet. || **munitionner** fin XVI^e^ s., d'Aubigné.

**muqueux, muqueuse** V. MUCUS.

* **mur** 1160, Benoît ; lat. *mūrus.* || **murer** 1175, Chr. de Troyes. || **murage** XIII^e^ s., G. (*muraige*) ; XIV^e^ s. (*murage*). || **mureau** 1120, *Ps. de Cambridge.* || **muraille** 1200, *Bueve de Hantone.* || **murailler** 1451, G. || **muraillement** 1773, Monnet. || **mural** 1355, Bersuire (*murail*) ; milieu XVI^e^ s. (*mural*) ; rare avant le milieu du XVIII^e^ s., Buffon ; lat. *muralis.* || **muret** XII^e^ s., *Chevalier aux deux épées.* || **murette** XVII^e^ s., G. ; diminutif. || **muretin** XX^e^ s. ; diminutif. || **avant-mur** 1495, Vignay. || **contre-mur** 1160, Benoît. || **contremurer** XVI^e^ s. || **démurer** fin XII^e^ s., R. de Moiliens. || **emmurer** milieu XII^e^ s. || **emmurement** XX^e^ s. || **passe-muraille** v. 1945, M. Aymé.

* **mûr** 1175, Chr. de Troyes (*meür*) ; 1220, Coincy, en parlant de qqn ; 1206, Guiot, fig. ; lat. *matūrus.* || **mûrement** 1680, Richelet. || **mûrir** 1350, J. Le Bel (*meürir*) ; a remplacé l'anc. fr. *meürer,* du lat. *maturare,* devenu homonyme de *murer.* || **mûrissant** adj., 1813, Delille. || **mûrissement** fin XVI^e^ s. || **mûrisserie** 1959, Robert.

* **mûre** 1167, Gautier d'Arras (*meure*) ; 1240, *Miracle* (*mure*) ; lat. *mora,* pl. neut., devenu fémin., de *morum,* à la fois fruit du mûrier et baie de la ronce. L'*u* est dû à l'attraction du dér. *mûrier.* || **mûrier** 1120, *Ps. de Cambridge.* || **mûron** XIV^e^ s. (*moron*) ; 1549, R. Est. (*meuron*). || **mûreraie** v. 1600, O. de Serres. || **mûraie** 1845, Besch.

**murène** 1100, *Doc. (morayne)* ; 1538, R. Est. (*murène*) ; lat. *muraena,* du gr. *muraina.*

**murex** 1505, Platine, zool. ; lat. *murex,* coquillage ; a remplacé *murique* (1265, Br. Latini) ; mollusque fournisseur de pourpre.

**muriate** 1782, Guyton de Morveau, chim. ; lat. *muria,* saumure. (V. MUIRE, SAUMURE.) || **muriatique** 1714, Astruc.

**muridés** 1834, Boiste (*murides*) ; 1903, Lar. (*muridés*) ; lat. *mus, muris,* souris.

**murmel** XX^e^ s. ; all. *Murmel,* marmotte. On trouve le verbe *murmeler,* marmotter, en 1842, *Acad.* (qui le donne pour vx).

**murmure** 1175, Chr. de Troyes ; déverbal de *murmurer.* || **murmurer** 1120, *Ps d'Oxford ;* lat. *murmurare,* du lat. *murmur,* bruit sourd (mot expressif) ; le changement de sens en fr. paraît dû au changement de pron. de l'*u* (*ou* en latin). || **murmurant** XIII^e^ s., *Statuts d'hôtels-Dieu ;* av. 1525, J. Lemaire de Belges, fig. || **murmurateur** XVI^e^ s., Calvin ; lat. *murmurator.*

**murrhe** 1556, Du Choul, hist. ; lat. *murrha,* mot gr. || **murrhin** *id. ;* lat. *murrhinus.*

**musacées** 1817, Gérardin ; lat. scientif. *musa,* bananier.

**musagète** 1552, Pontus de Tyard, mythol. ; lat. *musagetes,* du gr. *mousagetês,* conducteur des muses, de *ageîn,* conduire. (V. MUSE.)

* **musaraigne** XV^e^ s., Albert le Grand ; lat. pop. *mūsarānea,* du bas lat. *mūsarāneus* (VII^e^ s., Isidore de Séville), de *mūs,* souris, rat, et *arānea,* araignée.

**musc** fin XI^e^ s., *Gloses de Raschi* (*mugue*) ; XIII^e^ s., *Simples Méd. (musc)* ; bas lat. *muscus* (IV^e^ s., saint Jérôme), orig. orientale (ar. *misk*). || **musqué** début XV^e^ s.

**muscade** 1175, Chr. de Troyes (*nois muscade*) ; 1798, *Acad.,* petite boule des escamoteurs ; anc. prov. (*notz*) *muscada,* noix musquée, de *musc.* || **muscadier** 1610, L. Guyon. || **muscadelle** XV^e^ s., *Vaux de Vire,* poire.

**muscadet** V. MUSCAT.

**muscadin** 1578, d'Aubigné, pastille parfumée au musc (var. *moscardin, muscardin,* XVII^e^ s.) ; ital. *moscardino,* pastille au musc, de *moscado,* musc ; 1747, La Mettrie, nom propre de petit-maître ; 1795, *Magasin pittoresque,* jeune élégant. (Pour le développement du sens, V. MUGUET.)

**muscardin** 1753, Buffon, zool. ; var. spécialisée de *muscadin* pour désigner un petit rongeur.

**muscardine** 1827, *Acad.,* maladie des vers à soie ; prov. *muscardino,* de *muscardin,* ver à soie, du précédent.

**muscari** 1752, Trévoux, bot. ; lat. savant *muscari,* du bas lat. *muscus,* musc.

**muscarine** 1877, L., bot. ; lat. scientif. *muscaria* (*amanita*), de *musca,* mouche.

**muscat** 1372, Corbichon ; prov. *muscat,* musqué, de *musc* (v. ce mot). || **muscadet** 1360, Froissart, vin muscat ; prov. mod. *muscadet,* nom d'un cépage du Languedoc, de *muscat.*

**muscidés** 1827, *Acad.* (*muscides*) ; 1903, Lar. (*muscidés*), entom. ; lat. *musca,* mouche.

**muscinées** 1868, L., bot. ; bas lat. *muscus,* mousse.

**muscle** 1314, Mondeville ; lat. *musculus,* petite souris, de *mus, muris,* souris (cf. la *souris,* partie charnue du gigot). || **musclé** 1553, Vaganay ; rare jusqu'au début du XVIII^e^ s. || **musculeux** 1314, Mondeville ; lat. *musculosus,* de *musculus,* muscle. || **musculaire** 1698, Dionis. || **musculation** 1868, L. || **musculature** 1798, Pommereul.

**muse** XIII^e^ s., trad. de Boèce, mythol. ; 1552, Pontus de Tyard, inspiratrice ; lat. *musa,* du gr. *moûsa.*

**museau** 1211, *Bestiaire* (*musel*) ; XV^e^ s. (*museau*) ; anc. fr. **mus,* du lat. pop. *musum* (VIII^e^ s.), d'orig. inconnue. || **museler** 1387, G. Phébus. || **muselet** 1903, Lar. || **musellement** 1848, *Doc.* || **démuseler** 1832, Boiste. || **muselière** XIII^e^ s., *Règle du Temple.* || **musoir** 1757, Choquet, techn. (V. MUSER.)

**musée** XIII^e^ s., G., temple des Muses ; lat. *museum* (gr. *mouseion*) ; 1721, Trévoux, pour désigner le centre d'études scientifiques des Ptolémées, à Alexandrie (d'un emploi partic. de *mouseion* à l'époque des Ptolémées) ; 1762, *Acad.,* sens actuel ; 1781, Brunot, lieu destiné à l'étude des arts. Au XVIII^e^ s., var. *museum* (1746, Saint-Yenne), désignant un musée, puis en 1778, Condorcet, appliqué au *Muséum d'histoire naturelle* (auparavant *Jardin des Plantes,* 1635, Guy de La Brosse). || **muséographie** 1829, Boiste. || **muséologie** 1931, Lar.

**muser** 1155, Wace ; anc. fr. **mus* (v. MUSEAU), proprem. « rester le museau en l'air ». || **musard** 1086, G., étourdi ; XVI^e^ s., paresseux. || **musarder** 1220, *la Petite Philosophie* (*musardier*). || **musarderie** 1546, Rab. || **musardie** 1175, Chr. de Troyes. || **musardise** 1834, Boiste. || **musette** XIII^e^ s., La Curne, instrum. de musique ; 1812, Mozin, petit sac qui se porte en bandoulière ; *bal musette,* 1942, Queneau ; d'un anc. *muse* (fin XII^e^ s., R. de Moiliens), de *muser.* || **amuser** 1175, Chr. de Troyes. || **amusant** 1694, *Acad.* || **amuse-gueule** milieu XIX^e^ s. || **amusement** XV^e^ s., Martial d'Auvergne. || **amusette** 1653, G. Patin. || **amuseur** 1545, J. Bouchet. || **amusoire** 1588, Montaigne.

**muserole** 1593, de La Broue, équit. ; ital. *museruola,* de *muso,* de même rac. que *museau.*

**musette** V. MUSER.

**music-hall** 1862, Malot ; mot angl., de *music,* musique, et *hall,* salle.

**musique** 1130, *Eneas ;* lat. *musica,* du gr. *mousikê* (*tekhnê*), art des Muses. || **musical** milieu XIV^e^ s. || **musicalement** 1380, Conty. || **musicalisme** 1922, Lar. || **musicalité** début XX^e^ s. || **musicastre** 1857, Adam. || **musicien** XIII^e^ s. (*musecien*) ; 1361, Oresme (*musicien*) ; abrév. pop. *musico,* XVIII^e^ s., Voltaire. || **musiquette** 1875, *J. O.* || **musiquer** 1583, Gaudet. || **musicographe** 1845, Besch., instrument pour écrire la musique ; 1868, L., sens actuel ; sur le suff. *-graphe.* || **musicographie** 1907, Lar. || **musicologie** 1931, Lar. || **musicologue** 1889, Bénédictins. || **musicothérapie** 1907, Lar.

**mussif,** var. **musif** 1792, *Bull. des sciences ;* lat. *musivus,* de mosaïque, gr. *mouseios,* des Muses. (V. MOSAÏQUE 1.)

**mussitation** 1375, R. de Presles, murmure ; 1810, Capuron, méd. ; lat. *mussitatio,* de *mussitare,* parler à voix basse.

**mustang** 1840, Leclerc ; mot anglo-américain, de l'anc. espagnol *mestengo,* sans maître, vagabon ; cheval à demi sauvage de la pampa.

**mustélidés** 1827, *Acad.* (*mustélins*) ; 1872, Bouillet (*mustélidés*), zool. ; lat. *mustella,* belette.

**musulman** XVI^e^ s. (*mussulman*) ; 1680, Richelet (*musulman*) ; ar. *muslim,* fidèle, croyant.

**mutation** 1265, J. de Meung, bouleversement ; 1835, *Acad.,* administratif ; 1809, Lamarck, biol. ; lat. *mutatio,* de *mutare,* changer (v. MUER). || **mutabilité** 1160, Benoît ; lat. *mutabilitas,* de *mutare.* || **mutable** milieu XIV^e^ s. || **immutabilité** XIV^e^ s. ; lat. *immutabilitas,* pour servir de subst. à *immuable* (v. MUER). || **muter** fin XV^e^ s., vendre ; 1874, Lar. (*muté,* part. passé), admin. ; lat. *mutare.* || **mutant** adj., 1931, Lar. ; n. m., v. 1950, biol. || **mutationnisme** 1931,

Lar., biol. || **mutatis mutandis** fin XVII^e^ s. ; loc. lat. signif. « les choses qui doivent être changées étant changées ». (V. PERMUTATION, PERMUTER, TRANSMUTER.)

1. **muter** V. MUTATION.

2. **muter** (*le vin*) 1761, Lacombe ; probablem. dér. de *muet.* || **mutage** 1836, *Acad.*

**mutiler** 1334, *Songe du Verger ; se mutiler,* 1868, L. ; lat. *mutilare.* || **mutilé** n. m., 1334, *Songe du Verger.* || **mutilant** adj., 1877, *le Progrès médical.* || **mutilation** 1245, *Ordonn. ;* bas lat. *mutilatio.* || **mutilateur** 1525, J. Lemaire de Belges.

**mutin** 1460, Chastellain (*meutin*) ; 1478, Bartzsch (*mutin*) ; de *meute* (v. ce mot), au sens anc. de « émeute ». || **se mutiner** XIV^e^ s. (*se meutiner*). || **mutinerie** 1332, *Ordonn.*

**mutisme, mutité** V. MUET.

**mutuel** XIV^e^ s., Bouthillier ; lat. *mutuus,* réciproque, mutuel. || **mutuelle** n. f., 1868, L. ; de (*société*) *mutuelle.* || **mutuellement** début XV^e^ s. || **mutualité** 1599, Huguet ; rare avant 1784, Gohin. || **mutualiste** 1824, Raymond. || **mutuelliste** 1828, *Société des mutuellistes,* à Lyon. || **mutualisme** 1840, L. Reybaud ; a éliminé *mutuellisme,* 1828, d'après Lar., 1874. || **mutualisation** 1949, Lar.

**mutule** 1546, J. Martin, archit. ; lat. *mutulus,* tête de chevron. || **mutulaire** 1878, Lar.

**mycé-, myco-,** gr. *mukês,* champignon. || **mycélium** 1842, *Acad.* (*mucélion*) ; 1868, L. (*mycélium*). || **mycélial, mycélien** 1878, Lar. || **mycoderme** 1845, Besch. || **mycologie, mycologue** 1842, *Acad.* || **mycophage** 1903, Lar. || **mycose** 1842, *Acad.* || **mycosique** 1966, Lar.

**myél(o)-,** gr. *muelos,* moelle. || **myélémie** 1931, Lar. || **myéline** 1868, L., méd. || **myélinisation** 1903, Lar. || **myélite** 1831, Foix || **myéloblaste** 1931, Lar. || **myélographie** 1963, Lar. || **myéloïde** 1868, L. || **myélome** 1868, L. || **myélopathie** 1931, Lar. (V. POLIOMYÉLITE.)

**mygale** 1568, G., musaraigne ; 1809, Wailly, araignée, zool. ; gr. *mugalê,* musaraigne, de *mus,* rat, et *galê,* belette.

**my(o)-,** gr. *mus, muos,* muscle. || **myalgie** 1868, L., méd. ; gr. *algos,* douleur. || **myasthénie** 1878, Garnier. || **myatonie** 1931, Lar. || **myoblaste** 1903, Lar. || **myocarde** 1877, L. || **myocardite** 1855, Nysten. || **myogène** 1903, Lar. || **myographie** 1750, Prévost. || **myographe** 1827, *Acad.* || **myologie** 1628, Constant ; lat. méd. mod. *myologia.* || **myolyse** 1931, Lar. || **myopathie** 1888, Lar. ; gr. *pathos,* souffrance. || **myopathe** 1970, *journ.* || **myosclérose** 1878, Lar. || **myosine** 1878, Lar. || **myosis** 1808, Boiste. || **myotomie** 1724, Garengeot.

**myope** 1578, Papon ; bas lat. *myops,* du gr. *muôps,* qui cligne les yeux. || **myopie** 1650, Robert ; gr. *muôpia.*

**myosotis** 1545, Guéroult ; lat. *myosotis,* du gr. *muosôtis,* de *mus, muos,* souris, et *oûs, ôtos,* oreille (à cause de la forme des feuilles).

**myria-, myrio-,** gr. *murias,* « dix mille ». || **myriagramme, myriamètre** 1795, *Bull. des lois* (v. GRAMME, MÈTRE 2). || **myriapode** 1807, Duméril, zool. (V. MILLE-PATTES.) || **myrionyme** 1868, L. ; gr. *onoma,* nom. || **myriophylle** 1827, *Acad.* (*myriophyllum*).

**myriade** 1525, Barbier ; bas lat. *myrias,* mot gr. signif. « dix mille ».

**myrméco-,** gr. *murmêks, murmekos,* fourmi. || **myrmécophage** 1793, Lavoisien. || **myrmécophile** 1931, Lar. || **myrmécologie** 1931, Lar.

**myrmidon** 1586, Bounyn. ; lat. *Myrmidon,* mot gr., peuple de Thessalie.

**myrobolan, myrobalan** XIII^e^ s., *Simples Méd.* (*mirobolanz,* pl.) ; lat. *myrobalanus,* du gr. *murobalanos,* de *muron,* parfum, et *balanos,* gland. (V. MIRABELLE, MIROBOLANT.)

**myrosine** 1850, Dorvault ; gr. *muron,* parfum ; enzyme de la graine de moutarde.

**myroxyle** 1842, *Acad.,* bot. ; 1903, Lar. (*myroxylon*) ; gr. *muron,* parfum, et *xulon,* bois.

**myrrhe** 980, *Passion* (*mirra*) ; 1080, *Roland* (*mirre*) ; 1579, H. Est. (*myrrhe*) ; lat. *myrrha,* mot gr. || **myrrhé** XIII^e^ s., *Évangiles.*

**myrte** XIII^e^ s., *Simples Méd.* (*mirte*) ; 1600, O. de Serres (*myrte*) ; lat. *myrtus,* du gr. *murtos.* || **myrtiforme** 1704, Trévoux. || **myrtacées** 1840, *Acad.,* bot. || **myrtées** 1812, Mozin. || **myrtaie** 1640, *Anc. Théâtre français.* || **myrtidane** 1874, Lar.

**myrtille** XIII^e^ s., *Simples Méd. ;* rare jusqu'au XVIII^e^ s. ; lat. *myrtillus,* de *myrtus.* (V. MYRTE.)

**mystagogue** 1553, Rab., hist. ; 1868, L., initiateur ; lat. *mystagogus,* du gr. *mustagôgos,* qui conduit dans les lieux réservés aux initiés, de *mustês,* initié, et *agein,* conduire (v. MYSTÈRE). || **mystagogie** 1660, Bossuet. || **mystagogique** 1874, Lar.

**mystère** 1167, Gautier d'Arras (*mistere*), manière intime de penser ; XIII^e^ s., Bartzsch, rite secret ; 1180, Marie de France, relig. ; 1561, Calvin, ce qui n'a pas d'explication ; 1657, Pascal, discrétion ; lat. *mysterium,* du gr. *mustêrion,* de *mustês,* initié ; dès le latin, idée de « secret » ; 1453, Monstrelet, représentation théâtrale à sujet religieux, par confusion avec le lat. *ministerium,* office, cérémonie. || **mystérieux** 1460, Chastellain. || **mystérieusement** 1460, Chastellain.

**mystifier** 1760, *Doc.,* à propos d'un auteur crédule, Poinsinet ; dérivé avec le rad. du préc., sur le modèle des verbes en *-fier.* || **mystifiable** 1850, Balzac. || **mystificateur, mystification** 1768, Diderot. || **démystifier** XX^e^ s.

**mystique** fin XIV^e^ s. (*misticque*), qui a une signification cachée ; 1704, Trévoux, sens actuel ; n. f., 1601, Charron ; lat. *mysticus,* relatif aux mystères, au sens eccl., du gr. *mūsticos,* de *mustês,* initié. (V. MYSTAGOGUE, MYSTÈRE.) || **mystiquement** 1470, *Livre discipline d'amour divine.* || **mysticité** 1718, *Acad.* || **mysticisme** 1804, B. Constant.

**mythe** 1803, Wailly, récit fabuleux ; 1842, *Acad.,* représentation abstraite ; bas lat. *mythus,* du gr. *muthos,* récit, légende. || **mythique** 1375, R. de Presles, hist. ; 1831, Michelet, qui relève du mythe. || **mythifier** 1929, Valéry. || **mythographe** 1840, *Acad.* || **mythologie** fin XIV^e^ s., Chr. de Pisan (*mithologia*), ensemble des mythes ; 1680, Richelet, sens actuel ; bas lat. *mythologia* (gr. *muthologia*). || **mythologique** 1480, *Baratre infernal ;* lat. *mythologicus* (gr. *muthologikos*). || **mythologue** 1546, Rab. || **mythologiste** 1697, *l'Enterrement du dict. de l'Acad.* || **mythomanie, mythomane, mythomaniaque** 1905, Dupré.

**mytilicole** 1923, Lar. ; gr. *mutilos,* moule. || **mytiliculteur** 1903, Lar. || **mytiliculture** 1888, Lar.

**myx(o)-,** gr. *muxa,* morve, mucosité. || **myxobactérie** 1931, Lar. || **myxœdème** 1888, Lar. ; gr. *oidêma,* gonflement. || **myxomatose** 1953, Lar. || **myxomycètes** 1877, L. ; gr. *mukês,* champignon.

# n

**nabab** 1614, Du Jarric (*navabo*) ; 1653, La Boullaye (*nabab*) ; XVIIIe s., personne qui s'est enrichie aux Indes, d'après l'angl. *nabob ;* 1777, *Courrier de l'Europe,* personnage fastueux ; popularisé au XIXe s. (1867, Delvau) ; cf. *le Nabab,* d'A. Daudet (1877) ; mot hindoustani, de l'ar. *nawwâb,* pl. de *naïb,* lieutenant. || **nababie** 1765, Targe.

**nabi** 1883, Renan, prophète ; mot hébreu.

**nable** XVIIe s., Jal, mar., bouchon pour le trou d'écoulement d'un canot ; néerl. *nagel,* cheville.

**nabot** 1549, R. Est. ; sans doute altér. de *nimbot,* nain-bot, de *nain* et de *bot,* crapaud (fin XIe s., *Gloses Raschi*), p.-ê. sous l'infl. de *navet,* servant parfois pour désigner un homme de très petite taille.

**nabuchodonosor** 1917, Sachs-Villatte, bouteille de champagne ; nom d'un roi de Babylone.

**nacaire** fin XIIIe s., Joinville, timbale ; ital. *nacchera,* nacre, d'où castagnettes faites avec des coquilles ; var. *gnacare* (1666, Molière) d'une var. ital. *gnaccara.*

**nacarat** 1578, d'Aubigné (*nacarade*) ; 1640, Oudin (*nacarat*) ; esp. *nacarado,* nacré.

***nacelle** 1050, *Alexis ;* bas lat. *navĭcella* (*Digeste*), de *navis,* bateau. (V. NAVIRE, NEF.)

**nacre** 1347, du Cange (*nacrum,* dans un texte lat.) ; fin XIVe s. (*nacle*) ; 1560, Paré (*nacre*) ; ital. *naccaro* (auj. *nacchera*), de l'ar. *naqqâra ;* d'abord, *coquille* qui produit la nacre, puis, au XVIIe s., nacre. || **nacré** 1667, Rochefort. || **nacrer** 1845, Besch. || **nacreux** 1891, Rimbaud. || **nacrier** 1874, Lar.

**nadir** 1370, Oresme (*nador*) ; 1690, Furetière (*nadir*) ; ar. *nadîr,* opposé, d'où « opposé au zénith ».

**nævus** 1611, Cotgrave (*neve*) ; début XIXe s. (*nævus maternus*) ; 1836, *Acad.* (*nævus*) ; mot lat. signif. « tache, verrue ».

**naffe** (*eau de*) 1505, d'après Ménage ; ar. *nafha,* odeur.

***nager** 1080, *Roland* (*nagier*) ; 1160, *Tristan* (*nager*), « naviguer » ; 1280, Bibbesworth, « ramer », encore usité en mar. ; 1350, *Glossaire de Paris,* se soutenir sur l'eau ; 1916, Esnault, être embarrassé ; lat. *navigare,* naviguer ; il a éliminé, dans son sens usuel, l'anc. fr. *nouer,* du lat. pop. **notāre* (lat. class. *natare*), nager (à cause de l'homonymie avec *nouer,* faire un nœud) ; a été remplacé, dans son sens premier, par *naviguer,* forme savante. || **nage** 1130, *Eneas,* « navigation » ; 1552, Ch. Est., action de nager ; 1572, Peletier, *être à nage,* être en sueur. || **nageoire** 1450, Gréban (*nageouere*), bassin de natation ; 1555, Belon (*nageoire*), membre des poissons. || **nageoter** 1868, L. || **nageur** 1112, *Voy. saint Brendan,* matelot ; 1350, *Glossaire de Paris,* celui qui nage.

**naguère** V. GUÈRE.

**naïade** 1491, Vaganay ; lat. *naias,* gén. *naiadis,* mot gr.

***naïf** 1130, *Eneas,* natif, originaire ; milieu XIIe s., *Roman de Thèbes,* sauvage ; XIIIe s., Tobler-Lommatzsch, sot ; 1607, Hulsius, ingénu ; 1642, *Satires,* niais ; lat. *nativus,* naturel, de *natus.* || **naïvement** 1265, Condé. || **naïveté** 1265, Condé, naturel ; début XVIIe s., Malherbe, ingénuité.

***nain** 1160, *Tristan ;* lat. *nanus* (V. NABOT) ; *nain jaune,* 1838, *Acad.* || **nanisme** 1838, *Acad.* || **naniser** 1875, *Revue horticole.* || **nanocéphale** 1903, Lar. || **nanomélie** 1868, L. ; gr. *melos,* membre. || **nanosomie** 1878, Lar. ; gr. *sôma,* corps.

***naître** 980, *Passion ;* lat. pop. **nascĕre,* class. *nasci.* || **naissance** 1112, *Voy. saint Brendan.* || **naissain** 1868, L., jeune huître. || **naissant**

adj., 1581, Bara, héraldique ; 1690, Furetière, commençant. || **naisseur** 1911, Lar., éleveur. || **inné** 1611, Cotgrave ; lat. philos. *innatus.* || **innéité** 1810, Gall. || **dernier-né** fin XIIe s. || **mort-né** 1285, Beaumanoir (*mornés*) ; 1408, N. de Baye (*mort-né*). || **nouveau-né** fin XIIe s., *Huon,* adj. ; n. m., 1680, Richelet. || **premier-né** XIIIe s. || **puîné** 1155, Wace (*puisné*) ; de *né* et de l'adv. *puis ;* remplacé par *cadet.* || **renaître** 1175, Chr. de Troyes (*renestre*). || **renaissant** adj., 1550, Vaganay. || **renaissance** XIVe s., *Miracles de N.-D.* (V. AÎNÉ.)

**naja** 1525, *Voy. A. Pigaphetta* (*nagha*) ; 1693, Knox (*naïa*) ; 1734, Seba (*naja*) ; hindoustani *nagha ;* la graphie *naja* vient du lat. scient. *naïa.*

**nana** 1949, Esnault ; du prénom *Anna.*

**nanan** 1650, *Mazarinades ;* mot enfantin.

**nandou** 1614, Cl. d'Abbeville (*yandou*) ; 1827, *Acad.* (*nandu*), autruche d'Amérique ; guarani *nandu.*

**nankin** 1759, Brunot ; du nom de *Nankin,* ville de Chine où était fabriquée cette toile. || **nankinette** 1812, Mozin.

**nansouk** 1771, Trévoux (*nansouque*) ; 1829, *Courrier des dames* (*nansouk*) ; hindoustani *nansuk.*

**nantir** 1285, Beaumanoir ; anc. fr. *nant,* gage, fait sur le pl. plus usuel *nans* (XIe s., *Lois de Guill.*), de l'anc. scand. *nām,* prise de possession. || **nanti** n., début XXe s. || **nantissement** 1283, Beaumanoir. || **dénantir** XVe s.

**napalm** 1949, Lar. ; de *Na,* symbole du sodium, et de *palmitate.* (V. PALMITINE.)

**napel** 1560, Paré, variété d'aconit ; bas lat. *napellus,* dimin. de *napus,* navet (d'après la forme de la racine).

**naphte** 1213, *Fet des Romains* (*napte*) ; 1557, *Trésor de Evonime* (*naphte*) ; lat. *naphta,* du gr. *naphtha,* bitume, d'orig. orientale. || **naphta** 1963, Lar. || **naphtalène** 1903, Lar. || **naphtaline** 1821, *Ann. chim. phys.* || **naphtol** 1873, Wurtz.

**napoléon** 1807, Stendhal ; du nom de *Napoléon I*[er], dont l'effigie était représentée sur ces pièces. || **napoléonien** 1839, Balzac. || **napoléonisme** 1836, Raymond.

**napolitain** 1587, La Noue ; ital. *napoletano,* de *Napoli,* nom italien de Naples.

***nappe** début XIIe s., *Voy. de Charl.* (*nape*) ; 1273, Adenet (*nappe*) ; *en nappe,* 1932, Lar. ; lat. *mappa* (dissimilation de *m* par *p* suivant). [V. NÈFLE.] || **nappage** 1839, Balzac. || **napper** 1895, A. Daudet. || **napperon** 1391, du Cange.

**narcisse** 1363, du Cange (*narciz*) ; 1538, R. Est (*narcisse*) ; 1648, Voiture, homme amoureux de sa propre figure ; lat. *narcissus,* du gr. *narkissos,* du nom d'un personnage mythol. qui s'était épris de lui-même en se regardant dans une fontaine, et qui fut métamorphosé en narcisse. || **narcissisme** 1894, Sachs-Villatte. || **narcissique** 1959, Robert.

**narco-,** gr. *narkê,* engourdissement. || **narcoanalyse** 1949, Lar. || **narcolepsie** 1880, *Gazette des hôpitaux ;* gr. *lepsis,* prise. || **narcose** 1823, *Dict. méd. ;* 1907, Lar., sens actuel ; gr. *narkôsis,* torpeur. || **narcotine** 1819, *Dict. méd.* || **narcotique** 1314, Mondeville ; lat. médiév. *narcoticus* (gr. *narkôtikos*). || **narcotiser** 1874, Lar.

**nard** 1219, *Fet des Romains* (*narde*), n. f. ; XVe s. (*nard*), n. m. ; lat. *nardus,* du gr. *nardos,* d'orig. orientale (hébreu *nerd*). || **nardet** fin XVIIIe s., chiendent.

**narguer** 1450, Gréban, « être désagréable à » ; orig. provenç., du lat. pop. ***naricāre,* nasiller, de *naris,* narine (v. NARINE) ; 1572, *Lettres A. de Bourbon,* v. intr., se moquer de ; fin XVIIe s., Saint-Simon, v. tr. || **nargue** 1552, Rab. ; déverbal.

**narguilé** 1823, Boiste (*narguillet*) ; 1839, Lamartine (*narghilé*) ; persan *narguileh,* de *narguil,* noix de coco (servant de flacon pour contenir l'eau que traverse la fumée).

***narine** 1112, *Voy. saint Brendan ;* lat. pop. ***nārīna,* de *nāris,* narine.

**narquois** 1582, Tabourot, « rusé » ; 1842, Stendhal, malicieux ; 1640, Oudin, n. m., argot des filous, sens mod. par infl. de *narguer ;* mot d'argot désignant d'abord le « soldat maraudeur » (1590, Esnault), p.-ê. var. de *narquin* (XVIe s., *Saint Christophe*), de *arquin* (avec le *n* de *un* agglutiné, XVIe s., *id.*), « archer », de *arc.* || **narquoiserie** 1866, Veuillot.

**narrer** 1388, Runkewitz ; lat. *narrare.* || **narrateur** 1500, Molinet ; lat. *narrator.* || **narratif** 1440, Ch. d'Orléans ; lat. *narrativus.* || **narration** XIIe s., *Ysopet de Lyon ;* lat. *narratio.* || **narrativité** 1969, *l'Homme.* || **narratologie** 1972, Genette. || **inénarrable** XVe s. ; lat. *inenarrabilis* (*enarrare,* raconter en détail).

**narthex** 1721, Trévoux ; gr. eccl. *narthex,* portique en avant de la nef, dans la basilique latine ; au sens propre « férule », puis « cassette faite avec des tiges de férule », puis architectural.

**narval** 1625, Davity (*nahrval*) ; 1690, Furetière (*narval*) ; danois *narhval.*

**nasal** adj., 1363, Chauliac ; lat. *nasus.* || **nasaliser** 1868, L. || **nasalisation** *id.* || **nasalité** 1760, Thurot. || **dénasaliser** 1838, *Acad.* || **dénasalisation** début XXe s.

**nasarde, nase, naseau, nasiller, nasitort** V. NEZ.

* **nasse** 1193, Hélinant ; XIIIe s., fig. ; lat. *nassa.*

**natal** XIIIe s., G., n. m., fête de l'année ; 1525, J. Lemaire de Belges ; lat. *natalis,* de *natus,* né (v. NOËL). || **natalité** 1868, L. || **nataliste** 1939, *Journ.* || **dénatalité** 1908, Roux. || **mortinatalité** V. MORT. || **néonatal** 1963, Lar. || **prénatal** 1907, Lar.

**natation** 1571, H. Fierabras ; lat. *natatio,* de *natare,* nager. || **natatoire** fin XIIe s., Herman de Valenciennes, « où l'on peut nager » ; 1581, Du Choul, « qui concerne la natation » ; bas lat. *natatorius.*

**natif** 1360, Froissart, adj. ; 1556, Bonivard, n. ; lat. *nativus* (v. NAÏF). || **nativité** 1120, *Ps. d'Oxford* (*nativited*), génération ; 1138, Gaimar (*nativité*), fête anniversaire, et naissance du Christ ; lat. *nativitas ;* aussi « naissance », jusqu'au XVIIIe s., puis spécialisé dans le lexique ecclésiastique. (V. NAÏF.) || **nativisme** 1888, Lar.

**nation** 1120, *Ps. d'Oxford* (*naciuns*), peuple infidèle ; 1160, Benoît (*nation*), « naissance, extraction » ; 1220, *Saint-Graal,* sens actuel ; lat. *natio,* de *natus,* né. || **national** 1534, *Doc.* (*nacionnal*) ; 1550, Meigret (*national*). || **nationale** n. f., 1947, *Doc.,* route nationale. || **nationalement** 1739, Brunot. || **nationaliser** 1793, *l'Ami du peuple ;* 1842, Pecqueur, écon. || **nationalisation** fin XVIIIe s., Frey. || **nationalisme** 1798, Brunot ; probablem. d'après angl. *nationalism.* || **nationaliste** 1874, Lar. ; d'après angl. *nationalist.* || **national-socialisme** 1932, Lar. ; allem. *Nationalsozialismus.* || **national-socialiste** *id.* || **nationalité** 1778, Rousseau, sentiment national ; 1868, L., sens actuel. || **nazi** 1932, Lar. ; mot allem., abrév. de *national-sozialist,* du nom du parti fondé en Allemagne par Adolf Hitler. || **nazisme** *id.* || **antinational** 1743, Trévoux. || **dénationaliser** début XIXe s. || **international** 1801, Mackenzie, adj. ; 1871, Frankel, n. m. || **internationale** n. f., 1871, Noblet. || **internationalement** 1870, Testut. || **internationaliser** 1845, Radonvilliers. || **internationalisation** 1845, Radonvilliers. || **internationalisme** 1845, Radonvilliers. || **internationaliste** 1871, B. Malon. || **internationalité** 1845, Radonvilliers.

**natron** 1665, Colbert ; mot esp., de l'ar. *natroûn.* || **natrium** 1842, *Acad.,* forme lat. de *natron.*

* **natte** 1050, *Alexis* (*nate*) ; bas lat. *natta* (VIe s., Grég. de Tours), altér. de l'hébreu *mittah,* couverture. || **natter** 1344, *Actes normands.* || **nattier** 1292, Géraud. || **dénatter** 1680, Richelet.

**naturaliser, naturalisme** V. NATUREL.

**nature** 1119, Ph. de Thaon ; lat. *natura ; nature morte,* 1752, Brunot ; adj., 1808, *Doc.* || **naturante** 1253, Grosseteste. || **naturé** *id.* || **naturisme** 1778, Planchon, philos. ; 1845, Besch., hygién. ; 1896, M. Le Blond, litt. || **naturiste** 1840, Sainte-Beuve, philos. ; 1845, Besch., hygién. ; 1855, Goncourt, « réaliste » ; 1896, M. Le Blond, litt. || **dénaturer** 1190, *saint Bernard,* s'altérer, v. intr. ; 1752, Trévoux, v. tr. || **dénaturé** adj., XIIIe s. || **dénaturant** 1873, *Gazette des tribunaux.* || **dénaturation** 1859, Mozin.

**naturel** 1119, Ph. de Thaon (*natural*) ; 1130, *Eneas* (*naturel*) ; XVe s., Bassompierre, n. m., « complexion, tempérament » ; 1587, La Noue, habitant du pays. ; lat. *naturalis* || **naturellement** 1130, *Eneas,* d'une manière naturelle ; 1681, Sévigné, bien entendu. || **naturaliser** 1471, Bartzsch. || **naturalisation** 1566, *Mémoires Acad.* || **naturalisme** 1584, J. Bodin, philos. ; 1847, Didron, beaux-arts ; 1858, *Journ. des débats,* litt. || **naturaliste** 1527, Dassy, hist. nat. ; 1580, Montaigne, philos. ; 1675, Testelin, beaux-arts, « réaliste » ; 1868, Zola, litt. || **antinaturel** 1789, *Doc.* || **extranaturel** XIXe s., Th. Gautier. || **supernaturel** 1375, R. de Presles. || **supernaturalisme** 1845, Besch. || **supernaturaliste** 1854, Nerval. || **supranaturalisme** 1845, Besch. || **supranaturaliste** 1845, Besch. || **surnaturel** 1552, Vaganay. || **surnaturellement** 1554, Rab. || **surnaturalisme** 1855, Baudelaire. || **surnaturaliste** 1846, Baudelaire.

**naufrage** début XVe s. (*naffrage*) ; 1461, G. (*nauffraige*) ; 1549, R. Est. (*naufrage*) ; lat. *naufragium,* de *navis,* bateau, et *frangere,* briser. || **naufrager** 1530, Palsgrave. || **naufragé** XIIIe s., *Apollonius.* || **naufrageur** 1874, Lar.

**naumachie** 1520, trad. de Suétone ; lat. *naumachia,* mot gr., de *naûs,* navire, et *makhê,* combat.

**naupathie** 1878, Lar. ; gr. *naûs,* navire, et *pathos,* ce qu'on éprouve.

**nausée** 1495, G. ; lat. *nausea,* mal de mer, du gr. *nausia,* de *naûs,* bateau (v. NOISE). ‖ **nauséabond** 1761, Valmont ; lat. *nauseabundus.* ‖ **nauséeux** 1793, *Bull. des sciences.*

**nautile** 1562, du Pinet ; lat. *nautilus,* du gr. *nautilos,* matelot, de *naûs,* bateau.

**nautique** 1502, O. de Saint-Gelais ; lat. *nauticus,* du gr. *nautikos,* de *nautês,* matelot, sur *naûs,* bateau. ‖ **nautisme** 1963, Lar. ‖ **motonautique, motonautisme** v. MOTO 1.

**nautonier** 1119, Ph. de Thaon (*notuner*) ; 1155, Wace (*notonier*) ; XV^e s. (*nautonier,* d'après l'orth. lat.) ; anc. prov. *nautonier,* matelot, de *noton,* du lat. pop. **nauto, nautonis,* en lat. class. *nauta,* gr. *nautês.*

**navaja** 1843, Gautier, couteau à lame effilée ; mot espagnol.

**naval** 1300, *Antidotaire Nicolas ;* lat. *navalis,* de *navis* (v. NEF, NAVIRE). ‖ **navalisation** 1963, Lar.

**navarin** 1837, Balzac, culin. ; sans doute d'après le nom de la bataille de *Navarin* (1827).

**navet** XII^e s., de Audigier ; 1867, Delvau, mauvais tableau ; diminutif de l'ancien français *nef* (1190, Garnier), n. m., navet, du lat. *napus,* éliminé à cause de l'homonymie avec *nef,* n. f., navire. ‖ **navette** 1323, *D. G.*

1. **navette** V. NAVET.

2. **navette** (*de tisserand*) XIII^e s., *D. G.,* empl. fig. de *navette,* dér. de *nef* (v. ce mot) ; XIV^e s., Laborde, vase d'église ayant la forme d'un petit navire ; *faire la navette,* v. 1750, Saint-Simon.

**navicule** fin XV^e s., « petite barque » ; 1827, *Dict. hist. nat.,* bot. ; lat. *navicula,* dimin. de *navis,* navire (v. NEF). ‖ **naviculaire** 1363, Chauliac. ‖ **navicelle** 1688, *Doc. ;* ital. *navicella,* petit bateau.

**naviguer** 1308, Aimé (var. *naviger,* XVII^e-XVIII^e s.) ; fig., début XX^e s. ; lat. *navigare.* ‖ **navigable** 1448, *Doc.* ‖ **navigabilité** 1823, Boiste. ‖ **navigant** n. m., 1525, J. Lemaire de Belges, « navigateur » ; 1923, Lar., aéron. ‖ **navigateur** 1557, Vaganay, marin. ‖ **navigation** 1265, J. de Meung. (V. CIRCUMNAVIGATION, NAGER.)

**navire** 1080, *Roland* (*navilie*) ; 1130, *Eneas* (*navire*) ; genre hésitant du XV^e s. au XVII^e s. ; bas lat. **navilium,* altér. de *navigium,* embarcation (qui a donné en anc. fr. *navoi, navie*) ; le terme a dû être refait sur les mots en *-lium* plus nombreux en lat. ; en anc. fr., « flotte » et « bateau » ; a remplacé dans ce sens l'anc. fr. *nef.* (V. NAVAL, NEF.) ‖ **navire-citerne** 1949, Lar. ‖ **navire-hôpital** 1932, Lar.

**navrer** 1080, *Roland* (*nafrer*) ; fin XI^e s., *Chanson Guillaume* (*navrer*), « blesser physiquement » ; 1538, R. Est., sens moral ; anc. norrois *nafarra,* « percer » (*nafarr,* tarière). ‖ **navrant** 1787, Féraud. ‖ **navrance** 1885, Adam. ‖ **navrement 1831,** *Némésis.*

**nazi** V. NATION.

***ne** 842, *Serments* (non) ; fin IX^e s., *Cantilène sainte Eulalie* (*no*) ; 980, *Valenciennes* (*ne*) ; forme proclitique du lat. *non* (v. NON). ‖ **nenni** 1130, *Chanson de Guillaume* (*nenil*) ; XV^e s., G. (*nenny*) ; de *nen il* (forme atone de *non*), avec le verbe *faire* sous-ent., phrase servant de réponse négative. (V. OUI.)

**néanmoins** V. NÉANT.

***néant** 1050, *Alexis* (*neient*) ; 1175, Chr. de Troyes (*néant*) ; lat. pop. **ne gentem,* de *ne,* particule négative, et de *gens, gentis,* ensemble d'êtres vivants. ‖ **anéantir** 1120, *Ps. d'Oxford* (*aniantir*) ; v. 1580, Montaigne (*anéantir*). ‖ **anéantissement** 1309, G. ‖ **néantise** 1500, *Doc.* ‖ **néantiser** 1936, Berdiaeff. ‖ **néanmoins** 1160, Benoît (*naient moins*) ; 1549, Marguerite de Navarre (*néanmoins*) ; de *néant,* en rien, et *moins.*

**nébuleux** 1270, Mahieu le Vilain (*nébuleus*) ; lat. *nebulosus,* de *nebula,* brouillard. ‖ **nébuleuse** n. f., 1642, Blaeu, astron. ‖ **nébulisation** 1970, *Journ.* ‖ **nébuliseur** 1963, Lar. ‖ **nébulosité** 1488, *Mer des hist. ;* lat. *nebulositas.*

**nécessaire** 1119, Ph. de Thaon ; lat. *necessarius ;* n. m., 1530, Palsgrave. ‖ **nécessairement** XIII^e s., G. ‖ **nécessité** 1120, *Ps. d'Oxford,* « détresse » ; 1212, Anger, obligation ; 1155, Wace, caractère inéluctable ; lat. *necessitas.* ‖ **nécessiter** XIV^e s., contraindre ; lat. médiév. *necessitare.* ‖ **nécessitant** 1544, M. Scève. ‖ **nécessiteux** 1308, Aimé, dénué de ; 1422, A. Chartier, qui manque du nécessaire.

**nec plus ultra** 1652, Scarron (*non plus ultra*) ; 1728, Marivaux (*nec plus ultra*) ; loc. lat. signif. « (et) pas plus outre ».

**nécro-,** gr. *nekros,* mort. ‖ **nécrobie** 1785, Olivier ; gr. *bios,* vie. ‖ **nécrologe** 1646, *D. G. ;* lat. médiév. *necrologium,* du lat. *eulogium,* épitaphe (v. ÉLOGE). ‖ **nécrologie** 1704, Trévoux.

|| **nécrologique** 1784, *Journ. de méd.* || **nécrologue** 1828, Mozin. || **nécromancie** 1119, Ph. de Thaon (*nigromancie*) ; XIVe s., Mondeville (*nécromancie*) ; lat. impér. *necromantia* (Ier s., Pline), du gr. *nekromanteia,* sur *manteia,* prédiction. || **nécromancien** milieu XIIIe s. (*nigremanchien*) ; 1360, Froissart (*nigromancien*) ; 1512, Lemaire (*nécromancien*) ; 1547, R. d'Anjou (*nécromant*) ; 1560, Paré (*nécromancien*). || **nécrophage** 1802, Latreille. || **nécrophile** 1963, Lar. || **nécrophilie** 1861, Monneret. || **nécrophore** 1790, Olivier (*nicrophore*) ; 1802, Walckenaer (*nécrophore*) ; gr. *nekrophoros,* qui porte les morts. || **nécropole** 1834, *Revue britannique* (*nécropolis*) ; 1836, Landais (*nécropole*) ; gr. *nekropolis,* ville des morts, qui désigna, selon Strabon, la nécropole souterraine d'Alexandrie. || **nécropsie** 1830, *Dict. méd.* ; gr. *opsis,* vue. || **nécrose** 1695, Le Clerc ; gr. *nekrôsis,* mortification, avec un sens différent. || **nécroser** 1780, *Hist. soc. royale de méd.*

**nectar** 1525, J. Lemaire de Belges, « breuvage des dieux » ; lat. *nectar* (gr. *nektar*) ; 1550, Ronsard, fig. || **nectaire** 1749, Dalibard (*nectarium*) ; 1768, Bomare (*nectaire*) ; lat. bot. *nectareum.* || **nectarifère** 1842, *Acad.* || **nectarine** 1907, Lar.

***nef** 1050, *Alexis,* « navire » (jusqu'au XVIe s.) ; lat. *navis* ; 1155, Wace, nef d'église. (V. NAVETTE 2, NAVIRE.) || **avant-nef** 1752, Trévoux. || **contre-nef** 1831, V. Hugo. (V. NAVIRE.)

**néfaste** 1355, Bersuire (*nefauste,* par confusion avec le lat. *faustus,* heureux) ; 1535, G. de Selve (*néfaste*), d'abord hist. romaine ; 1762, *Acad.,* « funeste » ; lat. *nefastus,* interdit par la loi divine, spécialisé pour les jours où il était défendu de rendre la justice ou de tenir des assemblées. (V. FASTES.)

***nèfle** fin XIe s., *Gloses de Raschi* (*nesple*) ; 1240, G. de Lorris (*nèfle*) ; lat. pop. *mespila,* pl. neutre., devenu fém. sing., de *mespilum,* du gr. *mespilon* (avec *n* dû à une dissimilation, et passage de *p* à *f,* obscur). || **néflier** XIIIe s., *Renart.*

**négateur, négatif,** etc. V. NIER.

**négliger** 1355, Bersuire ; lat. *negligere.* || **négligé** adj., 1640, Oudin ; n. m., 1687, Dancourt. || **négligeable** 1843, Landais (*négligible,* 1836, Landais). || **négligence** 1120, *Ps. de Cambridge,* insuffisance ; 1640, Richelet, manque de travail ; 1657, Tallemant, sens actuel ; lat. *negligentia.* || **négligent** 1180, *Girart de Roussillon* ; lat. *negligens.* || **négligemment** fin XIIe s., *Dial. Grégoire.*

**négoce** 1190, *Dial. Grégoire* (*négoces,* n. m. pl.), « activité, affaires » ; début XVIe s. (*négoce*), « affaire, chose à faire » ; 1617, *Coutumes,* trafic, commerce ; lat. *negotium,* occupation, négoce, de *otium,* loisir, et du préf. négatif *neg-.* || **négocier** 1370, Oresme, faire du commerce ; 1559, Amyot, débattre, discuter ; XXe s., *négocier un virage* ; lat. *negotiare.* || **négociable** 1675, Savary. || **négociabilité** 1771, Trévoux. || **négociant** 1550, *Arch.* ; lat. *negotians,* peut-être d'après l'ital. *negoziante.* || **négociateur** XIVe s., du Cange, « régisseur » ; lat. *negociator* ; 1578, d'Aubigné, sens mod. || **négociation** 1323, Fagniez, « affaire » ; 1330, Digulleville, occupation ; milieu XVIe s., action de s'entremettre ; lat. *negociatio.*

**nègre** 1529, Parmentier ; esp. ou port. *negro,* noir (repris sous la forme orig. au XIXe s., fam.) ; 1611, Cotgrave, adj. de couleur ; 1757, Brunot, « collaborateur », fam. ; *petit-nègre,* n. m., 1877, *le Charivari.* || **négresse** 1637, Saint-Lô. || **négrillon** 1714, M. de Saint-Rémy. || **négrerie** 1681, Struys. || **négrier** 1685, *Ordonn.* || **négrille** 1677, Solleysel. || **négroïde** 1874, Lar. || **négritique** 1949, Lar. || **négritude** 1556, R. Le Blanc. || **négro** 1842, Stendhal. || **negro-spiritual** v. 1935 ; angl.-amér. *negro-spiritual* (1870), de *negro,* nègre, et *spiritual,* (chant) spirituel.

**negundo** ou **négondo** 1602, A. Colin ; mot port., du malais *ningud* ; sorte d'érable.

**négus** 1556, Temporal ; éthiopien *negûs,* roi.

***neiger** 1175, Chr. de Troyes (*negier*) ; 1538, R. Est. (*neiger*) ; lat. pop. **nĭvĭcare,* en lat. class. *nivere.* || **neige** 1320, Watriquet (*naige*) ; 1921, Esnault, héroïne ; a remplacé l'anc. fr. *neif, noif* (1080, *Roland*), du lat. *nix, nivis* ; 1680, Richelet, fig., pâtisserie ; *neige éternelle,* 1585, Ronsard ; *neige fondue,* fin XVIe s., Haton ; *boule de neige,* 1607, Hulsius. || **neigeoter** 1861, Goncourt. || **neigeux** 1552, R. Est. || **enneigé** 1160, Benoît. || **enneigement** 1873, Tolhausen.

**nelumbo** 1765, *Encycl.* ; mot cinghalais ; plante aquatique.

**némat(o)-,** gr. *nêma, nêmatos,* fil. || **némathelminthes** 1888, Lar. || **nématoblaste** 1903, Lar. || **nématocyste** 1888, Lar. ; gr. *kustis,* vessie. || **nématodes** 1837, Raciborski ; gr. *nêmatôdes.*

**némoral** 1570, Liébault ; lat. *nemoralis,* de *nemus, nemoris,* forêt.

**nemrod** 1861, Scribe ; de *Nemrod,* personnage biblique.

**néné** 1842, Esnault, sein de femme ; rad. expressif. || **nénette** 1955, Ikor.

**nénies** XVI^e^ s., Huguet (*naenies*) ; 1639, Chapelain (*nénie*) ; lat. *nenia,* lamentation.

**nenni** V. NE.

**nénuphar** XIII^e^ s., *Simples Méd.* (*nénufar*) ; 1560, Paré (*nénuphar*) ; mot du lat. médiév., de l'ar. *nīnūfar.*

**néo-,** gr. *neos,* nouveau ; les composés formés avec un mot français ont eu longtemps le second radical séparé de *néo* par un trait d'union. || **néocomien** 1836, Thurmann ; de *Neocomium,* nom lat. de *Neuchâtel,* ville de Suisse. || **néodyme** 1923, Lar., sur *didyme.* || **néolithique** 1866, Lubbock ; gr. *lithos,* pierre. || **néologisme** 1735, *Pour et contre ;* gr. *logos,* discours, parole. || **néologique** 1726, Desfontaines. || **néologue** *id.* || **néologiste** 1823, Boiste. || **néologie** 1759, Richelet. || **néoménie** 1495, J. de Vignay ; lat. eccl. *neomenia,* du gr. *neomênia, noumênia,* de *mên,* mois. || **néon** 1898, Ramsay ; gr. *neon,* neutre de *neos.* || **néophyte** 1495, Vignay (*neofite*) ; 1639, Chapelain (*néophyte*) ; lat. eccl. *neophytus* (III^e^ s., Tertullien), du gr. *neophutos,* proprem. « nouvellement engendré », de *phueîn,* faire naître. || **néoplasie** 1863, Graves ; gr. *plasis,* formation. || **néozoïque** 1868, L. ; gr. *zôon,* être vivant. || **néo-capitalisme** 1965, *Journ.* || **néo-catholicisme, néo-catholique** 1833, Buchez. || **néo-celtique** 1874, Lar. || **néo-classicisme, néo-classique** fin XIX^e^ s. || **néo-colonialisme, néo-colonialiste** 1963, Lar. || **néo-cor** 1874, Lar. || **néo-criticisme** 1854, Renouvier. || **néo-grec** 1845, Besch. || **néo-latin** 1836, Raynouard. || **néo-platonicien, néo-platonisme** 1836, Landais. || **néo-positivisme** 1908, Lar. || **néo-réalisme, néo-réaliste** 1935, litt. ; 1945, cinéma. || **néo-thomisme** 1897, Lar.

**néolithique, néologisme, néon, néophyte** V. NÉO-.

**nèpe** 1762, E. L. Geoffroy ; lat. *nepa,* scorpion, mot africain.

**népenthès** 1552, Ronsard (*népenthe*) ; 1555, Belon (*nepenthes*) ; 1721, Trévoux (*népenthès*) ; gr. *nêpenthês,* « drogue qui dissout les maux » ; d'abord sens étym., puis XVIII^e^ s., bot.

**népète** XIII^e^ s. (*nepte*) ; 1694, Th. Corn. (*népéta*) ; 1827, *Acad.* (*népète*), bot. ; lat. *nĕpĕta.*

**néphélion** 1765, *Encycl. ;* gr. *nephelion,* petit nuage. || **néphélémétrie** 1932, Lar.

**néphr(o)-,** gr. *nephros,* rein. || **néphrectomie** 1888, Lar. || **néphrétique** 1398, *Somme Gautier* (*nefretique*) ; 1560, Paré (*néphrétique*) ; lat. méd. *nephriticus,* du gr. *nephritikos.* || **néphridie** 1924, Poiré ; gr. *nephridios,* « qui concerne le rein ». || **néphrite** 1802, *Dict. sciences méd. ;* gr. *nephritis* (*nosos*), (maladie) des reins ; a remplacé le moyen fr. *néphrésie* (1557) et le fr. *néphrétie* (1772, *Dict. méd.*). || **néphropexie** 1932, Lar. || **néphrose** 1953, Lar. || **néphrostomie** 1932, Lar.

**néphrétique, néphrite** V. NÉPHR(O)-.

**népotisme** 1653, Guez de Balzac, faveur dont jouissent les neveux des papes ; 1800, Brunot, sens mod. ; ital. *nepotismo,* var. de *nipotismo,* de *nipote,* neveu, du lat. *nepos, nepotis.*

*** nerf** 1080, *Roland,* « ligament des muscles » ; 1559, Amyot, techn. et « vigueur du style » ; 1314, Mondeville, filament nerveux, d'après le lat. ; 1534, Rab., vigueur ; *avoir ses nerfs,* 1850, Balzac ; lat. *nervus,* ligament, tendon, et au fig. « force ». || **nervé** 1351, G. || **nervation** 1800, Bulliard. || **nervure** 1388, Froissart, lien de cuir ; 1719, *Mém. Acad. sciences,* pour une feuille. || **nervuré** 1875, L. || **dénerver** XV^e^ s. || **innervation** 1826, Broussais, « effets nerveux » ; 1907, Lar., répartition des nerfs. || **innerver** 1877, L., sens propre ; fig. 1833, *journ.* || **nervin** n. m., fin XIV^e^ s., corde ; adj., 1710, Trévoux, méd. ; lat. *nervinus,* « relatif aux nerfs ». || **nerf de bœuf** XV^e^ s. || **nerveux** 1256, Ald. de Sienne, « fort physiquement » ; 1678, Lamy, « qui a rapport aux nerfs » ; 1788, Buchan, « qui a les nerfs irritables » ; lat. *nervosus,* au pr. et au fig. || **nervosité** 1553, Vaganay, force ; 1838, *Acad.,* sens mod. ; lat. *nervositas* || **nervosisme** 1858, Nysten. (V. ÉNERVER.)

**nérinée** 1842, *Acad. ;* gr. *Nereos,* dieu de la Mer.

**néritique** 1932, Lar. ; gr. *nêritês,* coquille de mer.

**néroli** 1672, Colbert, essence d'oranger ; du nom d'Anne-Marie de La Trémoille, femme de Flavio Orsini, prince de *Nerola,* qui a souvent adopté ce parfum.

*** nerprun** 1206, Guiot de Provins (*noirbrun*) ; 1501, Delb. (*nerpruin*) ; lat. pop. *niger prunus,* prunier noir (en lat. class. *nigra prunus,* les noms d'arbres étant fém.).

**nerveux, nervosité, nervure** V. NERF.

**nervi** 1804, rapport du préfet des Bouches-du-Rhône, arg. marseillais ; v. 1950, tueur à gages ; ital. *nervi,* pl. de *nervo,* tendon, vigueur, d'où « homme vigoureux » (v. le même processus dans *mercanti*).

**nestor** fin XVIe s., Brantôme ; du nom d'un vieillard de *l'Iliade,* réputé pour sa sagesse.

**nestorien** XIIIe s., Ernoul (*nestorin*) ; 1868, L. (*nestorien*) ; du nom de *Nestorius,* patriarche de Constantinople au Ve s. || **nestorianisme** 1827, *Acad.*

***net** 1120, *Ps. de Cambridge ;* 1690, Furetière, pur ; lat. *nĭtĭdus.* || **nettement** 1190, Garnier, purement ; 1680, Richelet, sens actuel. || **netteté** 1120, *Ps. de Cambridge.* || ***nettoyer** 1175, Chr. de Troyes (*netoiier, netteier*) ; lat. pop. **nitidiare ; se nettoyer,* XIIIe s., R. de Houdenc. || **nettoyage** 1344, *Actes normands* (*nestiage*) ; 1420, G. (*nettoyage*). || **nettoiement** 1190, *saint Bernard* (*nattiement*) ; 1377, Lanfranc (*nettoiement*). || **nettoyeur** fin XVe s. || **nettoyant** n. m., 1960, Simenon.

1. ***neuf** numéral, 1119, Ph. de Thaon (*nof*) ; 1175, Chr. de Troyes (*nuef*) ; XIIIe s. (*neuf*) ; lat. *nŏvem.* || ***neuvième** fin XIIe s. (*nuevieme*) ; 1213, *Fet des Romains* (*noviesme*) ; 1550, Meigret (*neuvvieme*) ; a remplacé l'anc. fr. *noefme* (1080, *Roland*), du lat. pop. **nŏvĭmus,* qui, par analog. de *decimus* sur *decem,* dix, ou de *septimus* sur *septem,* sept, avait remplacé le lat. class. *nōnus.* || **neuvièmement** 1479, Vaganay. || **neuvaine** 1138, Gaimar (*nofaine*) ; 1364, Coyecque (*nouvenne*) ; 1611, Cotgrave (*neuvaine*). [V. NONAGÉNAIRE, NONANTE, NOVEMBRE.]

2. ***neuf** adj., 980, *Passion* (*nous*) ; XIIe s. (*nuef*) ; XIIIe s. (*neuf*) ; fin XVIIe s., sans préjugés ; 1360, Froissart, sans expérience ; lat. *nŏvus,* nouveau, neuf. || **novation** 1307, G. (*novacion*), jurid. ; lat. *novatio,* de *novare,* renouveler. || **novateur** 1578, Despence ; lat. *novator,* de *novare.* || **innover** 1315, Soudet ; lat. *innovare.* || **innovation** 1297, Delb. ; lat. *innovatio.* || **innovateur** 1500, Molinet. || **nova** 1923, Lar., astron., fém. de *novus* (s.-e. *stella,* étoile). || **rénover** XIIIe s. ; lat. *renovare.* || **rénovateur** 1555, Vaganay (*rénovatrice*) ; 1660, Oudin (*rénovateur*) ; bas lat. *renovator.* || **rénovation** fin XIIIe s. ; lat. *renovatio.* (V. NOUVEAU.)

**neume** XIIIe s., Tobler-Lommatzsch, mus. ; lat. médiév. *neuma,* altér. de *pneuma,* du gr. *pneuma,* souffle.

**neur(o)-, névr(o)-,** gr. *neuron,* nerf. || **neural** 1888, Lar. || **neurasthénie** 1888, Lar. (1859, Mozin, *névrasthénie*). || **neurasthénique** 1888, Lar. || **neurinome** 1963, Lar. || **neuroblaste** 1932, Lar. || **neurochirurgie** 1953, Lar. || **neurogène** 1843, Landais. || **neuroleptique** 1961, Delay ; gr. *lêptos,* qu'on peut saisir. || **neurologie** 1691, Burnet (1690, Furetière, *névrologie*). || **neurologique** 1932, Lar. || **neurologue** 1907, Lar. (1838, *Acad., névrologue*). || **neurologiste** 1896, Guinon. || **neuronal** 1966, Vic-Dupont. || **neurone** 1896, *Archives.* || **neurophysiologie** 1967, Robert. || **neuropsychiatrie** 1957, Piéron. || **neuropsychologie** 1957, Piéron. || **neurotonie** 1953, Lar. || **neurotoxine** 1932, Lar. || **neurovégétatif** 1963, Lar. || **neurula** 1963, Lar. || **aneurine** 1953, Lar. || **névralgie** 1801, Chaussier. || **névralgique** *id. ;* fig., 1932, Lar. || **antinévralgique** 1850, Dorvault. || **névrilème** 1822, *Nouveau Dict. méd. ;* gr. *eilêma,* enveloppe. || **névrite** 1824, *Dict. abrégé méd.* || **névritique** 1694, Th. Corn., remède contre les affections nerveuses ; 1903, Lar., « qui a rapport à la névrite ». || **polynévrite** 1894, Charcot. || **névroglie** 1869, Virchow. || **névropathie** 1845, Besch. || **névropathique** 1834, Broussais. || **névropathe** 1877, L. || **névroptères** 1764, Valmont. || **névrose** 1785, Pinel. || **névrosé** 1857, Monneret. || **névrosique** 1842, *Acad.* || **névrotique** 1793, Lavoisien. || **névrosisme** 1878, Lar. || **névrotomie** 1745, James, dissection des nerfs ; 1803, Wailly, section d'un nerf.

**neutre** 1360, Froissart, qui ne prend pas parti ; 1370, Oresme, qui passe inaperçu ; 1743, *Mém. Acad. sciences,* chim. ; 1420, *Doc.,* gramm. ; 1821, *Mém. Acad. sciences,* électr. ; lat. *neuter,* ni l'un ni l'autre. || **neutraliser** 1564, J. Thierry, « rester neutre » ; 1606, Crespin, « déclarer neutre » ; 1776, *Encycl.,* chim. ; début XIXe s., électr. ; lat. *neutralis.* || **neutralisation** 1778, Montmorin ; 1795, polit. ; début XIXe s., électr. || **neutralisant** 1812, Mozin, n. m., chim. || **neutraliste** 1916, Lar. || **neutralisme** 1939, *Journ.* || **neutralité** 1360, Froissart ; XIXe s., chim. ; adj. lat. *neutralis* (qui a donné au XVIe s. *neutral,* inus. après 1600). || **neutrino** v. 1940. || **neutron** 1932, Joliot. || **neutronique** 1963, Lar. || **neutrophile** 1903, Lar.

**névé** 1842, *Un million de faits ;* savoyard *névi,* n. m., amas de neige, du lat. *nix, nivis,* neige.

***neveu** 1080, *Roland* (*niés,* cas sujet ; *nevout,* cas oblique) ; 1175, Chr. de Troyes (*neveu*) ; lat. *nĕpos, nepōtis,* petit-fils, puis en lat. impér. « neveu » (IIe s. apr. J.-C., Suétone). || **arrière-neveu** 1570, Montaigne. || **petit-neveu** 1598, *Coutumes.* || **arrière-petit-neveu** 1751, *Encycl.* (V. NÉPOTISME, NIÈCE.)

**névr(o)-** V. NEUR(O)-.

**new-look** 1947, Gilbert ; mot anglo-américain, de *new,* nouveau, et *look,* aspect.

***nez** 1080, *Roland* (*nes*) ; 1314, Mondeville (*nez*) ; lat. *nasus.* || **nase** 1835, Raspail, pop. ; sans doute ital. *naso.* || **nasal** n. m., 1080, *Roland* (*nasel*) ; 1155, Wace (*nasal*), partie du casque protégeant le nez ; adj., 1363, Chauliac (v. ce mot). || **nasarde** 1532, Rab. (*nazarde*). || **nasarder** 1537, Marot. || **nasard** 1519, G., mus. || **naseau** 1540, Marot. || **nasiller** 1575, Baïf (distinct de l'anc. fr. *narillier, nasillier,* se moucher, de *narille,* du lat. pop. ***naricem,** de *naris,* v. NARINE) ; dér. de *nez* ou du lat. *nasus.* || **nasillard** 1654, Brunot. || **nasillement** 1799, Marmontel. || **nasilleur** 1680, Richelet. || **nasillonner** 1720, *Recueil Clairambault.* || **nasique** 1789, Lacépède. || **nasonner** 1743, Trévoux. || **nasonnement** 1834, Landais. || **énaser** 1160, Benoît. || **nasitort** 1536, Rab. (*nasitord*) ; lat. *nasus,* nez, et *tortus,* tordu (le goût fort de ce cresson fait froncer le nez).

***ni** 842, *Serments* (*ne*) ; début XIIIe s. (*ni*) ; lat. *nec,* « et... ne... pas », empl. à l'atone ; *ni* s'est développé d'abord devant *icelui, icelle,* etc.

***niais** 1175, Chr. de Troyes (*nies*), naïf, sot ; 1265, Br. Latini (*niais*), « qui a été pris au nid, qui ne sait pas encore voler (faucon) » ; lat. pop. **nīdax, nidacis,* de *nidus,* nid. || **niaisement** 1596, Hulsius. || **niaiserie** 1550, G. || **niaiser** 1549, R. Est. (*niezer*) ; 1580, Montaigne (*niaiser*), agir en niais. || **déniaiser** 1549, R. Est., tromper ; 1596, Hulsius, « faire perdre sa niaiserie à » ; 1558, Des Périers, « faire perdre son innocence à ». || **déniaisement** 1636, Monet, même évol. de sens. || **déniaiseur** 1560, Paré.

**nib** 1800, Esnault ; abrév. de *nibergue,* rien, mot fourbesque d'orig. obscure.

**nicaise** 1675, La Fontaine ; du nom de *Nicaise,* rapproché par jeu de mots de *nigaud.*

**niche** V. NICHER.

***nicher** 1155, Wace (*nichier*) ; 1498, Commynes (*nicher*) ; lat. pop. **nĭdĭcare,* de *nidus,* nid. || **niche** (*de statue*) 1395, *D. G.* ; déverbal de *nicher* ; 1697, Havard, réduit du chien. || **niche** début XIIIe s., *Roman de Renart,* « malice faite à quelqu'un » (pour d'autres, forme francisée de *nique,* dans *faire la nique,* v. ce mot). || **nichée** 1330, *Baudouin de Sebourg* (*nicee*) ; 1552, R. Est. (*nichée*). || **nichet** 1752, Trévoux. || **nichoir** 1680, Richelet. || **nichons** 1858, Larchey, pop., seins, nichés dans la chemise. || **dénicher** fin XIIe s., *Couronn. Loïs* (*desnichier*) ; 1552, R. Est. (*dénicher*). || **dénicheur** 1628, Auvray.

**nickel** 1753, *Encycl.* ; all. *Nickel,* nom donné par le Suédois Cronstedt au métal qu'il isola en 1751 ; d'après l'all. *Kupfernickel,* sulfure de nickel, de *Kupfer,* cuivre, et de l'all. dial. *Nickel,* « petit génie hantant les mines ». || **nickelage** 1844, *Annales des mines.* || **nickelé** 1845, Besch. ; *avoir les pieds nickelés,* 1894, Esnault, refuser de marcher. || **nickeler** 1852, Laboulaye. || **nickelure** 1875, *J. O.* || **nickélifère** 1818, *Dict. hist. nat.*

**nicodème** 1662, Brunot ; du nom d'un pharisien dans l'Évangile (Jean, III), devenu dans les mystères le type de l'homme borné. (V. NIGAUD.)

**nicotine** 1818, Riffault ; transformation, par changement de suff., de *nicotiane* (1564, Liébault), du lat. bot. mod. (*herba*) *nicotiana,* herbe de Nicot, tabac, du nom de *Nicot,* ambassadeur à Lisbonne, qui envoya cette plante à Catherine de Médicis en 1560. || **nicotinique** 1878, Lar. || **nicotique** 1845, Besch. || **nicotiniser** 1868, L. || **nicotinisme** 1867, *Doc.* || **dénicotiniser** fin XIXe s. || **dénicotinisation** 1905, *l'Illustration.* || **dénicotiniseur** XXe s.

**nictation** ou **nictitation** 1814, Nysten ; lat. *nictare,* clignoter, qui a donné l'anc. fr. *nicter,* cligner des yeux. || **nictitant** adj., 1868, L.

***nid** 1155, Wace (*ni*) ; XVe s., *Évangiles des quenouilles* (*nid*) ; *nid d'abeilles,* text., 1890, *D. G.* ; lat. *nīdus* || **nidation** 1932, Lar. || **nid-de-poule** 1932, Lar. || **nid-d'hirondelle** 1868, L. || **nidifier** 1190, Garn. ; lat. *nidificare,* sur *facere,* faire. || **nidification** 1778, Buffon. || **nidifuge** 1963, Lar. || **nidulaire** début XIXe s. || **nidulant** 1838, *Acad.* || **nitée** 1668, La Fontaine.

**nidoreux** 1611, Cotgrave ; lat. *nidorosus,* de *nidor.*

***nièce** 1155, Wace ; lat. pop. *neptia,* en lat. class. *neptis,* fém. de *nepos.*

1. ***nielle** n. f., fin XIe s., *Gloses de Raschi* (*neelle*) ; XIIIe s. (*nielle,* d'après le lat.), nom de plante ; 1538, R. Est., maladie du blé (dont les épis noircissent) ; lat. *nigella,* fém. substantivé de *nigellus,* noirâtre, de *niger,* noir (d'après la couleur des graines). || **niellé** 1538, R. Est. (*niellé*), céréale gâtée. || **niellure** 1558, Ch. Morel. || **énieller** 1907, Lar.

2. **nielle** V. NIELLER.

***nieller** fin XIᵉ s., *Gloses de Raschi* (*neeler*), décorer de nielles ; 1611, Cotgrave (*nieller*) ; de *neel* (XIᵉ s.), émail noir ; lat. *nigellus,* noirâtre, de *niger,* noir. ‖ **nielle** n. m., 1823, Boiste, gravure ; ital. *niello.* ‖ **niellure** 1170, *Floire et Blancheflor* (*neeleure*) ; 1611, Cotgrave (*nelleure*) ; 1812, Mozin (*niellure*). ‖ **nielleur** 1826, J. Duchesne.

***nier** 980, *Passion* (*neier*) ; 1265, Br. Latini (*nier*), renier ; 1130, *Eneas,* déclarer qu'une chose n'est pas vraie ; 1175, Chr. de Troyes, « refuser » (jusqu'au XVIIᵉ s.) ; lat. *nĕgare :* le *i* est une généralisation des formes toniques, évitant la confusion avec *noyer.* ‖ **niable** 1662, *Logique de Port-Royal.* ‖ **négation** 1190, Garn. ; lat. *negatio ;* 1370, Oresme, gramm. ‖ **négateur** 1752, Trévoux ; lat. *negator.* ‖ **négatif** XIIIᵉ s., « qui sert à nier » ; bas lat. *negativus ;* 1550, Meigret, « qui exprime la négation » ; 1638, Beaugrand, math. ; 1852, Laboulaye, n. m., phot. ‖ **négative** n. f., 1283, Beaumanoir ; bas lat. *negativa* (IVᵉ s., Donat). ‖ **négativement** 1380, Conty. ‖ **négativité** 1838, *Acad.* ‖ **négativisme** 1869, Blanqui. ‖ **négaton** 1939, *Annales chimie ;* de *négatif,* par anal. avec *électron.* ‖ **négentropie** 1967, Piaget. ‖ **renier** fin IXᵉ s., *Cantilène sainte Eulalie* (*raneier*), apostasier ; 1160, Benoît (*renier*), rejeter ; *se renier,* XIIIᵉ s. ‖ **reniement** 1160, Benoît. (V. DÉNIER.)

**nigaud** 1500, La Curne ; dim. fam. de *nicodème* (v. ce mot), avec la prononc. *nigodème.* ‖ **nigauderie** 1548, Sibilet. ‖ **niquedouille** 1654, Cyrano, var. *niguedouille* (1763, Panard), avec le suff. péjor. *-ouille,*.

**nigelle** 1538, R. Est. ; lat. *nigella,* qui a donné aussi *nielle* (v. ce mot).

**night-club** 1935, *Journ. ;* mot anglo-américain, de *night,* nuit, et *club.*

**nigritique** V. NOIR.

**nihiliste** 1761, Crevier, hérétique qui ne croit pas à l'existence humaine de Jésus-Christ ; 1793, Brunot, polit. ; lat. *nihil,* rien. ‖ **nihilisme** 1787, *Corresp. litt.,* philos. ; 1871, Delpit, polit.

**nilgaut** 1670, Bernier ; persan *nilgâw,* « bœuf (*gao*) bleu (*nil*) ». (V. ANILINE.)

**nille** début XIVᵉ s., G. (*neille*), déglutination de *anille,* du lat. *anaticula,* petit canard.

**nimbe** 1692, d'après Trévoux ; lat. *nimbus,* nuage, au sens fig. d'« auréole ». ‖ **nimbé** 1874, Lar. ‖ **nimber** 1876, *J. O.* ‖ **nimbus** 1868, L., météor. ‖ **cumulo-nimbus** 1891, Angot. ‖ **nimbo-stratus** 1932, Lar.

**ninas** fin XIXᵉ s. ; esp. *niñas,* fém. pl. de *niño,* enfant.

**niobium** 1868, L. ; all. *Niobium,* mot créé en 1844 par le chimiste H. Rose, du nom de *Niobé,* fille de Tantale, dans la mythol. gr. ; a remplacé le mot *colombium.* ‖ **niobique** 1868, L.

**nippe** 1605, H. de Santiago ; altér. de *guenipe,* forme dial. de *guenille* (v. ce mot). ‖ **nipper** 1718, *Acad.*

**nique** (*faire la*) 1340, J. Le Fèvre ; d'une rac. *nik-,* d'orig. onomat., et qui, en moy. fr. et dans les parlers régionaux, apparaît souvent en alternance avec *naque, noque.* ‖ **niquer** 1792, *Encycl.* (V. FLIC-FLAC, RIC-RAC, TIC-TAC, etc.)

**niquedouille** V. NIGAUD.

**nirvâna** 1844, E. Burnouf ; mot sanscrit signif. « extinction ».

**nitescence** 1835, Balzac ; lat. *nitescere,* briller. ‖ **nitescent** 1845, Besch.

**nitouche** *(sainte)* 1534, Rab. ; comp. plaisant de *sainte* et *n'y touche* (*pas*).

**nitre** 1256, Ald. de Sienne ; lat. *nitrum,* du gr. *nitron.* ‖ **nitrate** 1787, Guyton de Morveau. ‖ **nitratation** 1838, *Acad.* ‖ **nitrater** 1878, Lar. ‖ **nitration** 1903, Lar. ‖ **nitraté** 1803, Boiste. ‖ **nitreux** 1265, Br. Latini ; lat. *nitrosus.* ‖ **nitrière** 1562, Du Pinet. ‖ **nitrile** 1874, Lar. ‖ **nitrifier, nitrification** 1797, Thouvenel. ‖ **nitrificateur** 1877, L. ‖ **nitrique** 1787, Guyton de Morveau. ‖ **nitrite** 1803, Boiste. ‖ **nitré** 1600, O. de Serres. ‖ **nitrobactérie** 1903, Lar. ‖ **nitrosité** 1560, Paré. ‖ **nitrosation** 1907, Lar. ‖ **nitrogène** 1827, *Acad.* ‖ **nitromètre** 1838, *Acad.* ‖ **nitrophile** 1963, Lar. ‖ **nitrobenzine** 1838, *Acad.* ‖ **nitrocellulose** 1908, *Encycl.* ‖ **nitroglycérine** 1868, L. ‖ **nitrophosphate** 1797, *Ann. chim.* ‖ **nitrotoluène** fin XIXᵉ s. ‖ **nitrure** 1836, *Acad.*

**nival** 1956, Lar. ; lat. *nivalis,* adj., de *nix, nivis,* neige. ‖ **nivation** 1909, Martonne. ‖ **nivéal** 1838, *Acad. ;* bas lat. *nivealis.* ‖ **nivéole** 1796, *Encycl. méth. ;* lat. *niveus,* « de neige ». ‖ **nivôse** 1793, Fabre d'Églantine ; lat. *nivosus,* « neigeux », mois d'hiver. ‖ **nivo-glaciaire** 1963, Lar. ‖ **nivo-pluvial** XXᵉ s.

***niveau** 1339, *Cartulaire* (*nyvial*) ; 1530, Palsgrave (*niveau*) ; altér., par dissimil. de *l* initial, de *livel* (XIIIᵉ-XVIᵉ s.), du lat. pop. **libellus,* en lat. class. *libella,* niveau (instrument), de *libra,* balance (v. LIVRE 2). ‖ **niveler** 1339, *Cartulaire ;*

1795, Frey, polit. ; on trouve encore *liveler* au XVI^e s. || **niveleur** 1546, Vaganay, géomètre ; 1767, Mackenzie, polit., d'apr. l'angl. *leveller.* || **niveleuse** n. f., 1949, Lar. || **nivellement** 1538, R. Est. || **déniveler, dénivellation** 1845, Besch. || **dénivellement** *id.*

**nixe** 1836, Landais (*nix*) ; 1852, Nerval (*nixe*) ; all. *Nixe,* nymphe des eaux.

**nô** 1892, *Grande Encycl. ;* mot japonais.

**nobélium** 1963, Lar. ; du Suédois A. *Nobel.*

***noble** 1050, *Alexis,* privilégié par la naissance ; 1080, *Roland,* « qui l'emporte par ses mérites » ; XIV^e s., n. d'une classe privilégiée ; lat. *nobilis,* « connu, célèbre », d'où « bien né » (de même rac. que *noscere,* connaître). || **nobiliaire** 1690, Furetière, n. m., registre ; 1812, Mozin, adj. || **nobilité** 1050, *Alexis.* || **nobilissime** milieu XVII^e s., hist. || **noblesse** 1138, Gaimar (*noblesce*) ; XIV^e s. (*noblesse*). || **nobliau** 1850, Balzac. || **noblaillon** 1874, Lar. (1823, Boiste, *noblaille*). || **ennoblir** fin XIII^e s., passé au fig., et remplacé au sens propre par **anoblir,** début XIV^e s. || **ennoblissement** milieu XIV^e s. || **anoblissement** *id.*

***noce** XI^e s. (*noces,* f. pl.) ; 1578, d'Aubigné (*noce*) ; *faire la noce,* « se débaucher », 1834, Landais. ; lat. pop. **nŏptiae,* altér. du lat. class. *nuptiae,* par croisem. avec **novius,* nouveau marié, de *novus,* nouveau (v. NUPTIAL) || **nocer** 1160, Benoît, épouser ; 1836, Landais, faire la noce. || **noceur** 1834, Esnault.

**nocher** XIII^e s., *Assises de Jérusalem* (*nochier*) ; 1530, Marot (*nocher*) ; ital. *nocchiero,* du lat. *nauclerus* (gr. *nauklêros*), « patron de bateau », de *naûs,* navire.

**nocif** XIV^e s., Gordon (*noxif*) ; début XVI^e s. (*nocif*) ; rare jusqu'au XIX^e s., 1869, *J. O. ;* lat. *nocivus,* de *nocere* (V. NUIRE). || **nocivité** 1876, *J. O.*

**noctambule, nocturne** V. NUIT.

**noctuelle** 1792, *Bull. sciences,* entom. ; lat. *noctua,* chouette, de *nox, noctis,* nuit. || **noctuélien** 1874, Lar. || **noctuidés** 1903, Lar.

**noctule** 1760, Buffon ; lat. *noctula,* de *noctua,* chouette (v. le précédent).

**nocuité** 1823, Boiste, « culpabilité » ; 1842, Mozin, « nocivité » ; lat. *nocuus,* nuisible, de *nocere* (v. NUIRE). || **innocuité** 1806, Thouvenel ; lat. *innocuus.*

**nodal, nodosité, nodule,** etc. V. NŒUD.

***noël** 1112, *Voy. de saint Brendan* (*nael*) ; 1175, Chr. de Troyes (*noël*) ; *bûche de Noël,* 1701, Furetière ; *arbre de Noël,* 1845, Besch. ; *Père Noël,* 1935, *Acad.* (l'enregistrement est très postérieur à la date réelle) ; *Bonhomme Noël,* 1932, Lar. ; lat. eccl. *natalis* (*dies*), (jour) de naissance (de J.-C.), de *natus,* né ; avec *o* par dissimil. du premier *a*

**noème** 1845, Besch. ; gr. *noêma,* intelligence, de *noeîn,* penser. || **noèse** 1943, Sartre. || **noétique** 1943, Sartre.

***nœud** 1119, Ph. de Thaon (*nu*) ; 1175, Chr. de Troyes (*neu*) ; XIII^e s., *Renart* (*nout*) ; 1530, Palsgrave (*neud*) ; 1606, Crespin (*nœud*) ; spécialem. 1721, Trévoux, mar., mesure de longueur ; lat. *nōdus.* || **nouet** 1200, *Poème moral* (*nuet*) ; 1391, *Reg. du Châtelet* (*nouet*). || **noueur** 1560, Paré. || **noueux** XIII^e s., G. (*noous*) ; 1530, Palsgrave (*noueux*) ; lat. *nodosus.* || **nodal** 1503, Huguet ; bas lat. *nodalis.* || **nodosité** XIV^e s., Br. de Long-Borc ; bas lat. *nodositas,* de *nodosus.* || **nodus** 1560, Paré, anat. ; mot lat. || **nodulaire** 1842, *Acad.* || **nodule** 1478, Chauliac. || **noduleux** 1812, Mozin.

***noir** adj., 1080, *Roland* (*neir*) ; 1130, *Eneas* (*noir*) ; *caisse noire,* XX^e s. ; *liste noire,* 1839, Stendhal ; 1175, Chr. de Troyes, n. m., couleur noire ; 1669, La Fontaine, homme de race noire ; *noir animal,* 1839, *Dict. industr. et manufactures ; noir de fumée,* 1660, Oudin ; lat. *nĭger.* || **noire** n. f., note de musique, 1633, Mersenne. || **noirâtre** 1395, Anglure. || **noiraud** 1538, R. Est. || **noirceur** 1160, Benoît (*nerçor*) ; 1314, Mondeville (*nerceur*) ; 1487, Garbin (*noirceur*) ; 1662, Pascal, fig. ; a remplacé l'anc. fr. *noireté,* alors plus usité. || ***noircir** 1130, *Eneas* (*nercir*) ; 1185, *Aliscans* (*noircir*) ; XVII^e s., fig. ; lat. pop. **nigricire,* lat. class. *nigrescere.* || **noircissage** 1963, Lar. || **noircissure** 1538, R. Est. || **noircissement** 1350, *Glossaire de Conches.* || **noircisseur** 1671, d'après L. || **nigritique** 1876, *J. O.*

***noise** 1050, *Alexis,* bruit, tapage ; 1175, Chr. de Troyes, querelle ; *chercher noise,* 1611, Cotgrave ; lat. *nausea,* « mal de mer », pris dans un autre sens en lat. pop. (v. NAUSÉE).

**noisette** 1240, G. de Lorris ; de *noix.* || **noisetier** 1530, Palsgrave (*noisettier*) ; 1546, R. Est. (*noisetier*). || **noisetterie** 1874, Lar. || **noisettine** 1938, Montagné.

***noix** 1155, Wace (*noiz*) ; XIII^e s. (*noix*) ; 1690, Furetière, en boucherie ; lat. *nŭx, nucis* || **terre-noix** 1694, Tournefort ; d'après l'all. *Erdnuss.* || **noiseraie** 1812, Mozin.

**noli-me-tangere** XIVᵉ s., *Doc.,* méd. ; 1704, Trévoux, bot. ; loc. lat. signif. « veuille ne pas me toucher », de *nolle,* ne pas vouloir, et *tangere,* toucher.

**noliser** 1520, G., mar. (*nauliser*) ; 1669, Colbert (*noliser*) ; ital. *noleggiare,* de *nolo,* affrètement, du lat. *naulum,* frais de transport (gr. *naulon*). || **nolis** 1541, *Correspondance Guillaume Pelicier.* || **nolisement** 1337, *Chronique normande* (*nolesemens*) ; XVIIᵉ s. (*nolisement*) ; ital. *noleggiamento.* || **naulage** 1527, à Rouen (*noleage*) ; 1549, du Bellay (*naulage*) ; béarn. *naulage,* de *naul,* même étym. que *noliser.*

***nom** fin IXᵉ s., *Eulalie ;* 1155, Wace, gramm. ; *nom propre,* 1155 (*propre nun*) ; 1520, Fabri (*nom propre*) ; *nom commun,* 1550, Meigret ; *nom de baptême,* XIIIᵉ s., Tuschen ; *nom de famille,* 1538, R. Est. ; *petit nom,* 1862, Hugo ; *nom de nombre,* 1550, Meigret ; lat. *nomens, nominis.* || **surnom** 1119, Ph. de Thaon (*sournom*), « dénomination », en gén. ; 1175, Chr. de Troyes, appellation ajoutée au nom d'une personne. || **nominal** adj., 1503, Chauliac, gramm. ; 1770, Buffon, qui concerne le nom ; lat. *nominalis,* « relatif au nom ». || **nominalement** 1800, Saladin. || **nominaux** 1500, *Anc. Poésies,* philos. || **nominaliste** 1590, Marnix. || **nominalisme** 1752, Trévoux. || **nominaliser** 1968, Lar. || **nominalisation** 1972, Lar. || **adnominal** 1908, Lar.

**nomade** 1540, Ch. Richer, jurid. ; 1730, Rollin, qui change souvent de résidence ; pl. lat. *nomades,* mot grec, proprem. « pasteurs », de *nemein,* faire paître. || **nomadiser** 1874, *Revue des Deux Mondes.* || **nomadisme** 1876, *Revue critique.*

**no man's land** 1917, Bonnafé ; expression angl. signif proprem. « terre d'aucun homme », répandue pendant la guerre de 1914-1918.

***nombre** 1120, *Ps. de Cambridge ;* 1549, du Bellay, « harmonie » ; *sans nombre,* XIIIᵉ s., Tobler-Lommatzsch ; lat. *numerus.* || **nombreux** 1350, *Glossaire de Paris,* sens actuel ; 1550, Pléiade, harmonieux, bien cadencé. || **nombrer** 1080, *Roland* (*numbrer*) ; 1130, *Eneas* (*nombrer*) ; lat. *numerare.* || **nombrable** 1120, *Ps. de Cambridge* (*numbrable*). || **innombrable** 1341, *Ordonn. ;* d'après lat. *innumerabilis.* || **dénombrer** 1530, Palsgrave. || **dénombrable** XXᵉ s. || **dénombrement** 1329, G., jurid. ; 1538, R. Est., sens actuel. || **surnombre** 1872, L.

***nombril** 1155, Wace (*nomblil*) ; 1160, Benoît (*nombril*) ; lat. pop. **umbilĭculus,* de *umbilicus :* *r* est dû à une dissimilation et *n* représente la dissimilation d'un *l,* de *lomblil, lombril* (1175, Chr. de Troyes).

**nome** 1730, Rollin, province égyptienne ; gr. *nomos,* portion de territoire. || **nomarque** *id.* || **nomarchie** 1827, *Acad.*

**nomenclature** 1559, Vaganay, énumération des marchandises ; 1714, Fénelon, sens actuel ; lat. *nomenclatura,* « désignation par le nom », de *nomen,* nom, et *călare,* appeler. || **nomenclateur** 1615, Pasquier ; 1749, Buffon, « celui qui s'occupe d'une nomenclature » ; lat. *nomenclator,* esclave chargé de dire le nom des visiteurs.

***nommer** 980, *Passion* (*nomner*) ; XIIIᵉ s. (*nommer*) ; lat. *nomĭnare.* || **nommé** n., fin XVᵉ s., Commynes. || **susnommé** début XVIᵉ s., jurid. || **innommé** 1370, Oresme. || **nommément** 1155, Wace (*nomeement*) ; fin XVᵉ s., Commynes (*nommément*). || **nomination** 1305, Delb. ; lat. *nominatio.* || **nominatif** n., 1170, *Vie Édouard le Confesseur,* gramm. ; lat. *nominativus ;* 1789, Brunot, « qui dénomme » ; 1868, L., finance. || **innommable** 1584, G. Bouchet, au pr. ; 1838, *Acad.,* fig. || **dénommer** 1160, Benoît, « décrire » ; XIIIᵉ s., « donner un nom à ». || **dénomination** XIIIᵉ s., G., « proposition » ; 1377, Oresme, désignation d'une personne. || **dénominateur** 1484, Chuquet, math. || **dénominatif** milieu XVᵉ s., G., gramm. || **renommé** 1080, *Roland,* « célèbre ». || **renommée** 1119, Ph. de Thaon (*renumée*) ; XIIIᵉ s. (*renommée*). || **renom** 1175, Chr. de Troyes. || **surnommer** 1155, Wace.

**nomo-**, gr. *nomos,* loi. || **nomogramme** 1932, Lar. || **nomographe** 1827, *Acad. ;* gr. *nomographos,* de *grapheîn,* écrire. || **nomographie** 1819, Boiste. || **nomothète** 1605, Le Loyer ; gr. *nomothetês,* « qui établit la loi ».

***non** 842, *Serments ;* lat. *non* en position accentuée ; *non pas,* fin XIIᵉ s., Conon de Béthune ; *non que,* fin XVIᵉ s. ; *non pas que,* 1640, Corn. ; *non seulement,* 1553, Rab.

**nonagénaire** 1378, J. Le Fèvre, « qui comprend quatre-vingt-dix unités » ; 1660, Oudin, qui a quatre-vingts ans ; lat. *nonagenarius.* (V. NONANTE.)

***nonante** 1112, *Voy. saint Brendan ;* lat. *nonaginta,* quatre-vingt-dix ; remplacé en français par *quatre-vingt-dix* au XVIᵉ s. ; subsiste en Suisse romande et en Belgique. || **nonantième** 1200,

*Règle saint Benoît* (*nounantisme*) ; v. 1400, G. (*nonantième*).

**nonce** 1521, Barbier (*nunce*) ; v. 1550 (*nonce*) ; *nonce apostolique,* 1607, Hulsius ; ital. *nunzio,* ambassadeur, du lat. *nuntius,* messager. || **nonciature** 1623, Du Perron ; ital. *nunziatura.* || **internonce** milieu XVII^e^ s. || **internonciature** 1752, Trévoux.

**nonchaloir** n. m., 1130, *Eneas* (*nonchaleir*) ; repris, au milieu du XIX^e^ s., par Baudelaire, Mallarmé, etc. ; anc. infinitif substantivé, de *non* et *chaloir* (v. CHALANT 2). || **nonchalant** 1265, J. de Meung ; sur le part. prés. de *chaloir.* || **nonchalamment** XV^e^ s., A. Chartier. || **nonchalance** 1150, Barbier.

**none** 980, *Passion* (*nona*) ; 1130, *Eneas* (*none*), « trois heures de l'après-midi » ; de *nona,* « neuvième heure », fém. de l'adj. lat. *nonus,* neuvième. || **nones** 1119, Ph. de Thaon, « neuvième jour avant les ides » ; du pl. *nonae.* || **nonidi** 1793, Fabre d'Églantine, neuvième jour de la décade (calendrier républicain). || **nonuple** 1550, Meigret (d'après *quadruple,* etc.). [V. NONAGÉNAIRE, NONANTE.]

***nonne** 1155, Wace (*nune*) ; 1167, Gautier d'Arras (*none*) ; 1273, Adenet (*nonne*), « religieuse » ; lat. eccl. *nonna,* en bas lat. « nourrice » (IV^e^ s.). || **nonnain** 1080, *Roland* (*nunein*) ; anc. cas régime (v. PUTAIN). || **nonnette** fin XIII^e^ s., J. de Condé, « jeune religieuse » ; 1803, Boiste, petit pain d'épice anisé. || **pet-de-nonne** V. PET.

**nonobstant** XIII^e^ s., *Sept Sages de Rome,* jurid. ; de *non* et de l'anc. fr. jurid. *obstant,* faisant obstacle, du lat. *obstans,* part. prés. de *obstare,* de *stare,* se tenir, *ob,* devant.

**noologique** 1834, Ampère ; gr. *noos,* var. de *noûs,* esprit. || **noologie** 1842, *Acad.* Remplacés par *psychologique* et *psychologie.*

**nopal** 1587, Fumée ; mot esp., de l'aztèque mexicain *nopalli ;* nom de l'opuntia.

**nope** ou **noppe** 1350, Poerck, nœud du drap qui vient d'être fabriqué ; flam. *noppe,* nœud (cf. l'all. *Knopf*). || **noper** 1300, Poerck. || **nopeur** milieu XV^e^ s. (n. f., *noperesse*) ; 1723, Savary (*nopeuse*). || **nopage** 1723, Savary. || **énoper** 1864, L.

**nord** 1138, Gaimar (*north*) ; 1155, Wace (*nort*) ; 1549, R. Est. (*nord*) ; anc. angl. *north.* || **nord-est** 1160, Benoît (*nordest*) ; 1596, Hulsius (*nord-est*). || **nord-ouest** 1155, Wace (*north-west*) ; 1677, Miege (*nord-ouest*). || **noroît** 1823, Boiste (*norouê*) ; 1907, Lar. (*norois*) ; 1949, Lar. (*noroît*) ; pron. normande du préc. || **nordique** 1903, Lar. || **nordiste** v. 1865, hist. (guerre de Sécession, aux États-Unis). || **norrois** 1155, Wace (*noreiz*) ; repris au XIX^e^ s. en linguistique.

**noria** 1792, Brunot, machine ; 1968, *journ.,* navette ; esp. *noria,* de l'ar. *nā'ūra,* machine élévatoire pour l'irrigation.

**normand** 1155, Wace ; lat. médiév. *nortmannus* (IX^e^ s.), du francique *nortmann,* homme du Nord ; 1640, Oudin, fig. || **normande** n. f., 1903, Lar., typogr. || **anglo-normand** 1874, Lar.

**norme** 1160, Benoît ; lat. *norma,* « équerre », règle. || **normal** début XV^e^ s., Ch. d'Orléans, gramm. ; 1753, Savérien, math. ; 1793, *École normale ;* 1820, Laveaux, conforme à la règle, au modèle. || **normale** n. f., milieu XVIII^e^ s., math. ; milieu XX^e^ s., règle habituelle. || **normalien** 1868, L., élève de l'École normale. || **normaliser** 1922, *Revue critique.* || **normalisation** 1873, Tolhausen. || **normalité** 1834, Siguier. || **normatif** 1868, L. || **normativité** 1967, *Journ.* || **anormal** début XIII^e^ s. || **anormalité** 1845, Besch.

**norvégien** 1771, Trévoux ; de *Norvège.* || **norvégienne** n. f., 1874, A. Daudet, sorte de petit bateau.

**nos** V. NOTRE.

**noso-,** gr. *nosos,* maladie. || **nosographie** 1798, Pinel. || **nosographique** 1803, *Annales chimie.* || **nosologie** 1747, Arbathnot. || **nosophobie** 1878, Lar.

**nostalgie** 1759, Lieutaud, regret du pays natal ; 1857, Baudelaire, mélancolie ; gr. méd. *nostalgia* (créé en 1678 par le médecin suisse Harder), de *nostos,* retour, et *algos,* souffrance. Au sens propre, concurrencé par *mal du pays* (1827, Scribe). || **nostalgique** 1800, Brunot. || **nostomanie** 1793, Lavoisien.

**nostoc** XVII^e^ s., Liger (*nostoch*), bot. ; mot créé par Paracelse ; orig. inconnue.

**nota bene** 1764, Voltaire ; expression lat., proprem. « notez bien », plus usitée que le simple *nota* (XI^e^ s.), 2^e^ pers. de l'impér. de *notare,* noter, remarquer ; abrév. *N.B.*

**notable** adj., 1265, J. de Meung, « bien connu » ; 1355, Bersuire, « qui mérite une mention particulière » ; n. m., 1355, Isambert, personnage important d'une ville ; adj. lat. *notabilis,* de *notare* (v. NOTER). || **notablement** 1250, *Statuts d'hôtels-Dieu.* || **notabilité** 1270,

Mahieu le Vilain, caractère de ce qui est notable ; 1800, *Constitution de l'an VIII,* personne occupant un rang distingué.

**notaire** 1197, *Rois* (*notarie*) ; fin XIIe s., *Dial. Grégoire* (*notaire*), « scribe, secrétaire » ; 1298, G., sens mod. ; lat. *notarius,* de *notare* (v. NOTER). || **notairesse** 1730, Caylus (*notaresse*) ; 1850, Balzac (*notairesse*). || **notarié** 1453, Monstrelet. || **notarial** 1669, Widerhold. || **notariat** 1482, G. ; lat. médiév. *notariatus.* || **protonotaire** fin XIVe s.

**note** 1155, Wace, mus. ; 1530, Palsgrave, marque inscrite sur un livre ; 1636, Monet, observation ou exposé succincts ; 1664, d'après Richelet, remarque en bas de page ; 1845, Besch., évaluation chiffrée ; lat. *nota,* marque, note de mus., etc. || **notule** XVe s., minute de notaire ; 1495, Vignay, annotation ; bas lat. *notŭla* (Ve s., Capella), dimin. de *nota.*

**noter** 1119, Ph. de Thaon, « remarquer » ; 1538, R. Est., marquer d'un trait dans un livre ; 1874, Lar., évaluer ; lat. *notare.* || **notation** 1370, Oresme, désignation ; lat. *notatio ;* 1765, *Encycl.,* manière de représenter par des signes. || **notamment** 1458, *Mystère.* || **noteur** XIIIe s., G., « celui qui épie », et mus. || **annoter** début XVe s., « inventorier » ; XVIe s., « remarquer » ; XVIIIe s., « accompagner de notes » ; lat. *annotare.* || **annotateur** 1552, Ch. Est. || **annotation** 1375, R. de Presles. || **connoter** début XVIe s. ; 1877, Lar., linguistique. || **connotation** 1863, L. || **dénoter** 1160, Benoît, « noter, remarquer » ; 1370, Oresme, indiquer, montrer. || **dénotation** 1460, Chastellain.

**notice** 1372, *Ordonn.,* « connaissance » ; 1721, Trévoux, « préface » ; 1780, Diderot, « compte rendu succinct » ; lat. *notitia,* connaissance, et en bas lat. « liste » (cf. la *Notitia dignitatum*), de *notus,* part. passé de *noscere,* connaître.

**notifier** 1314, Mondeville, « faire connaître » ; lat. *notificare.* || **notification** *id.* || **notificatif** 1868, L.

**notion** 1570, Vaganay, connaissance ; 1690, Bossuet, concept ; lat. *notio,* connaissance, de *notus,* part. passé de *noscere,* connaître. || **notionnel** 1701, *Mém. de Trévoux.*

**notoire** début XIIIe s. (*notore*) ; 1283, Beaumanoir (*notoire*) ; lat. *notorius,* « qui fait connaître », de *notus,* part. passé de *noscere,* connaître. || **notoirement** 1283, Beaumanoir. || **notoriété** 1411, *Ordonn.*

***notre** 842, *Serments* (*nostro*) ; 980, *Passion* (*nostre*) ; lat. *noster ;* l'adj. *notre* (*o* bref et ouvert) est issu de la forme proclitique, qui a donné au pl. **nos,** 1080, *Roland ;* le pron. **(le) nôtre,** XIe s., est issu de la forme tonique. || **les nôtres,** « nos parents, amis, etc. », 1080, *Roland.*

**nouba** 1897, Sainéan, « musique des tirailleurs algériens » ; *faire la nouba,* 1897, Esnault, faire bombance ; ar. algérien *nūba,* tour de rôle (la musique se faisait devant les maisons des officiers, à tour de rôle).

1. **noue** XIIIe s., G. (*noe*) ; XIVe s. (*noue*), terre marécageuse (conservé en toponymie et anthroponymie) ; bas lat. *nauda* (IXe s.), d'orig. gauloise.

1. ***noue** 1223, à Tournai (*nohe*), gargouille ; 1471, en Poitou (*noue*) ; 1611, Cotgrave, angle rentrant formé par deux combles ; lat. pop. **nauca,* contraction de **navica,* de *navis,* bateau, par métaph. (v. NEF, NACELLE, NAVETTE 2). || **nouette** 1782, *Encycl.,* tuile à arête. || **noulet** début XIVe s., techn.

***nouer** 1175, Chr. de Troyes (*noer*) ; XIIIe s. (*nouer*) ; lat. *nŏdare.* (v. NŒUD). || **noué** adj., XIVe s., Moamin, musculeux ; 1718, *Acad.,* rachitique. || **nouement** milieu XVe s. (*neuement*) ; 1538, R. Est. (*nouement*). || **nouage** 1874, Lar., techn. || **nouaison** 1948, *Vie à la campagne,* bot. || **noueux** XIIIe s., G. (*noous*) ; 1530, Palsgrave (*noueux*). || **nouure** 1611, Cotgrave (*nouëure*) ; 1803, Boiste, rachitisme. || **dénouer** 1160, Benoît ; 1549, R. Est., résoudre. || **dénouement** 1580, Montaigne, au pr. ; 1636, Monet, résolution d'une intrigue. || **renouer** milieu XIIe s., sens propre ; 1578, d'Aubigné, « se réconcilier ». || **renouement** 1440, Chastellain. || **renouée** 1545, Guéroult, bot. || **ennouer (s')** 1660, Oudin.

**nougat** 1694, Pomet, mot prov. mod., signif. « tourteau de noix » ; *c'est du nougat* 1928, Esnault, c'est excellent, pop. ; au plur., 1926, Esnault, pieds, pop. ; lat. pop. **nucatum,* de *nux* (v. NOIX). || **nougatine** 1938, Montagné.

**nouille** 1655, *les Délices de la campagne* (*nulle*) ; 1765, *Encycl.* (pl. *noudles*) ; 1767, Malouin (*nouilles*) ; all. *Nudel.* || **nouillettes** 1932, Lar.

**noumène** 1823, Boiste ; mot créé par Kant, du gr. *noumenon,* « ce qui est pensé », part. passif neutre de *noeîn,* penser (par oppos. à *phénomène*). || **nouménal** 1874, Lar.

**nourrice** V. NOURRIR.

***nourrir** X^e s., *Saint Léger* (*norir*) ; 1080, *Roland* (*nurrir*) ; fin XII^e s. (*nourrir*) ; lat. *nūtrīre.* ‖ **nourrissant** adj., 1314, Mondeville. ‖ **nourrissage** 1482, G., agric. ‖ **nourriture** fin XI^e s., *Chanson Guillaume* (*nurreture*) ; 1160, Benoît (*norreture*), « éducation » ; 1180, *Folie Tristan* (*norriture*) ; 1370, Oresme (*nourriture*) ; fin XIV^e s., aliments ; 1562, Bonivard, alimentation ; bas lat. *nutritura* (VI^e s., Cassiodore). ‖ **nourrisseur** 1160, Benoît (*norisseor*) ; fin XIV^e s. (*nourrisseur*) ; 1803, Boiste, agric. ‖ **nourricerie** 1334, Havard, pièce pour les petits enfants ; 1829, Boiste, agric. ‖ ***nourrice** 1138, Gaimar (*nurice*) ; 1155, Wace (*nourrice*) ; *nourrice sèche,* 1876, *J. O.* ; lat. *nutricia.* ‖ **nounou** 1867, Delvau, forme enfantine. ‖ ***nourricier** 1190, *Grégoire* (*norrecier*), celui qui élève un enfant ; 1530, Palsgrave (*nourricier*) ; *père nourricier,* 1680, Richelet ; lat. pop. **nutriciarius.* ‖ ***nourrisson** n. f., milieu XII^e s. (*nurrezon*), éducation ; fin XIII^e s., *Aiol* (*nourrisson*), famille ; n. m., 1538, R. Est., enfant allaité ; 1893, *D. G.,* sens actuel ; lat. *nutritio,* nourriture. ‖ ***nourrain** début XIV^e s., Tobler-Lommatzsch (*norrin*), alevin ; 1381, Prost, petit cochon ; lat. pop. **nutrimen,* action de nourrir. (V. NUTRITIF.)

***nous** fin IX^e s., *Cantilène sainte Eulalie* (*nos*) ; fin XII^e s. (*nous*) ; lat. *nos* (*o* non diphtongué, le mot étant employé surtout atone) ; *nous autres,* 1050, *Alexis.*

***nouveau** 1050, *Alexis* (*novel*) ; fin XII^e s., Couci (*nouveau*) ; *de nouveau,* 1119, Ph. de Thaon ; *à nouveau,* 1835, *Acad.* ; lat. *nŏvellus,* de *nŏvus* (v. NEUF 2). ‖ **nouvelet** XIII^e s. ‖ **nouvellement** 1130, *Eneas.* ‖ **nouvelle** n. f., 1050, *Alexis* (*novele*) ; XIII^e s. (*nouvelle*) ; pl. neut. *novella,* pris comme n. f. ; 1462, *Cent Nouvelles,* litt., d'après l'ital. *novella,* information, nouvelle littéraire. ‖ **nouvellement** 1130, *Eneas.* ‖ **nouvelliste** 1620, Binet, personne curieuse de nouvelles ; 1640, Oudin, litt. ; a remplacé l'anc. fr. *nouvellier* (XIII^e s.). ‖ **nouveauté** début XIV^e s. ; a remplacé *noveleté,* XIII^e s. (d'où est issu *nouvelleté,* 1283, Beaumanoir, jurid.) ; 1268, É. Boileau, mode, au pl. ; 1666, Molière, livre ; 1558, Ronsard, bouleversement. ‖ **renouveau** n. m., fin XI^e s., Gace Brulé. ‖ **renouveler** 1080, *Roland.* ‖ **renouvellement** 1130, *Eneas.*

**nova, novateur, novation** V. NEUF 2.

**novelle** 1585, Cholières (*nouvelle*) ; 1680, Richelet (*novelles*), hist. ; bas lat. *novellae,* du lat. *novellus,* nouveau.

**novembre** 1119, Ph. de Thaon ; lat. *novembris,* de *novem* (v. NEUF 1), à l'origine neuvième mois de l'année.

**novice** 1175, Chr. de Troyes, inexpérimenté ; lat. *novicius,* nouveau, de *nŏvus* (v. NEUF 2) ; n. m. et f., 1265, J. de Meung, eccl. ‖ **noviciat** 1535, *Doc.*

**novocaïne** 1908, Gilbert, pour *novococaïne* ; lat. *nŏvus,* nouveau.

***noyau** 1170, Sully (*noiel*) ; 1530, Palsgrave (*noyau*) ; 1794, Brunot, groupe de personnes ; lat. pop. **nŏdellus,* de *nōdus,* nœud. ‖ **noyauter** 1920, *Congrès de Tours.* ‖ **noyautage** *id.* ‖ **noyauteur** 1932, Lar. ‖ **dénoyauter** 1922, Lar. ‖ **dénoyautage, dénoyauteur** 1929, Lar. ‖ **énoyauter, énoyautage, énoyauteur** 1910, Lar.

1. ***noyer** n. m., 1170, *Floire et Blancheflor* (*noier*) ; 1487, Garbin (*noyer*) ; lat. pop. **nŭcarius,* de *nux.* (V. NOIX.)

2. ***noyer** X^e s., *Valenciennes* (*neier*) ; 1175, Chr. de Troyes (*noier*) ; lat. *nĕcare,* tuer, spécialisé en bas lat. dans le sens « tuer par noyade », de *nex, necis,* mort violente. ‖ **noyade** 1794, Babeuf. ‖ **noyage** 1949, Lar. ‖ **noyé** n., fin XII^e s., J. Bodel. ‖ **noyure** 1772, *Encycl.,* techn. ‖ **noyon** 1655, *Satires,* techn.

***nu** 1080, *Roland* ; lat. *nūdus.* ; n. m., 1676, Félibien, bx-arts ; *à nu,* 1534, B. Des Périers. ‖ **nue-propriété** 1765, *Encycl.* ‖ **nu-propriétaire** 1845, Besch. ‖ **nûment** ou **nuement** XII^e s., *Dolopathos.* ‖ **nudité** 1190, *Saint Bernard* (*nuditeit*) ; XIV^e s. (*nudité*) ; bas lat. *nuditas* (III^e s., Arnobe) ; a éliminé l'anc. fr. *nueté.* ‖ **nudiste** 1924, Robert. ‖ **nudisme** 1932, Lar. ‖ **nudibranches** 1817, Cuvier. ‖ **dénuer** 1120, *Ps. de Cambridge* ; lat. *denudare.* ‖ **dénuement** milieu XIV^e s., G., action de se découvrir ; XV^e s., *Perceforest,* privation. ‖ **dénuder** 1120 *Ps. d'Oxford* ; lat. *denudare.* ‖ **dénudation** 1374, G.

**nuage, nuaison, nuance** V. NUE, NUER.

**nubienne** fin XIX^e s. ; lat. *Nubaeus,* Nubien, l'étoffe ainsi désignée étant présumée originaire de Nubie.

**nubile** 1505, *Doc.* ; lat. *nubilis,* de *nubere,* se marier, en parlant de la femme. ‖ **nubilité** 1750, Prévost d'Exiles.

**nucelle** 1838, *Acad.* ; lat. *nucella,* dimin. de *nux.* (V. NOIX.)

**nucléaire** 1838, *Acad.,* biol. ; 1903, Lar., atome ; 1965, *Journ.,* bombe ; lat. *nucleus,* noyau. ‖ **nucleus** 1845, Besch., bot., nucelle.

|| **nucléé** 1855, Nysten. || **nucléine** 1896, Carlet. || **nucléique** 1897, *Grande Encycl.* || **nucléole** 1855, Nysten. || **nucléolaire, nucléolé** 1877, Lar. || **nucléon** 1949, Lar. || **nucléonique** *id.* || **nucléoprotéide** 1932, Lar. || **énucléation** 1493, Coquillart, « éclaircissement » ; 1793, Lavoisien, bot. ; 1836, *Acad.*, chir. || **énucléer** 1836, Raymond ; lat. *enucleare,* ôter le noyau. || **dénucléariser** 1960, *Journ.* || **dénucléarisation** *id.*

***nue** 1112, *Voy. saint Brendan,* nuage ; *porter aux nues,* 1763, Marivaux ; *mettre jusqu'aux nues,* 1538, R. Est. ; *tomber des nues,* 1640, Oudin ; lat. pop. **nūba,* en lat. class. *nūbēs.* || **nuage** 1564, J. Thierry, a éliminé *nue ;* fig., XVII^e^ s. || **nuageux** 1549, Maignan. || **nuée** XII^e^ s., *Alexandre.* || **nuaison** 1529, Parmentier, mar., durée d'un vent. || **ennuager** 1611, Cotgrave.

**nuer** 1356, G., nuancer ; 1765, *Encycl.*, techn. ; de *nue,* nuage. || **nué** 1200, Barbier, nuancé. || **nuance** 1380, *Inventaire.* || **nuancer** 1578, d'Aubigné. || **nuancé** 1680, Richelet, a évincé *nué.*

***nuire** 1130, *Eneas ;* lat. pop. **nŏcēre,* du lat. class. *nocere* (d'où la var. *nuisir,* en anc. fr.). || **nuisance** 1120, *Ps. de Cambridge ;* au pl., 1863, *Revue des Deux Mondes.* || **nuisible** 1370, Oresme. || **nuisibilité** fin XVIII^e^ s., Restif.

***nuit** 980, *Passion* (*noit*) ; 1050, *Alexis* (*nuit*) ; *bonnet de nuit,* XVI^e^ s., Brantôme ; *chemise de nuit,* 1632, Roy ; *table de nuit,* début XVIII^e^ s. ; *vase de nuit,* début XIX^e^ s. ; *oiseau de nuit,* 1636, Monet ; lat. *nox, nŏctis.* || **minuit** 1130, *Eneas* (*mie nuit*) ; XV^e^ s. (*minuit*). || **nuitée** milieu XIII^e^ s. (*nuitie*) ; XIV^e^ s. (*nuytée*). || **nuitamment** 1328, A. Thomas ; altér., d'après les adv. en *-ment,* de l'anc. fr. *nuitantre* (XII^e^ s., G.), du bas lat. *noctanter,* en lat. class. *nocte* ou *noctu.* || **anuiter** XII^e^ s. || **noctambule** 1701, Furetière, « somnambule » ; 1720, d'après Trévoux, sens mod. ; lat. médiév. *noctambulus,* sur *ambulare,* marcher. || **noctambulisme** 1765, *Encycl.*, « somnambulisme » ; 1888, A. Daudet, sens mod. || **noctiflore** 1812, Mozin ; lat. *flos, floris,* fleur. || **noctiluque** 1678, *Journ. des savants* (*noctiluca*), n. m., produit chimique lumineux ; 1722, Trévoux, adj. et n. f. ; lat. *noctilucus,* « qui luit pendant la nuit », de *lux, lucis,* lumière. || **nocturne** 1355, Bersuire, adj. ; 1868, L., mus. ; lat. *nocturnus.*

***nul** 842, *Serments ;* 1292, Runkewitz, « sans valeur » ; *nulle part,* 1190, Garnier ; lat. *nūllus,* aucun. || **nullard** 1953, *Doc.* || **nullement** fin XII^e^ s. || **nullité** 1405, *Archives Bretagne ;* lat. médiév. *nullitas.* || **nullivalent** 1968, Lar. || **nullivariant** 1968, Lar. || **annuler** fin XIII^e^ s., Monier ; bas lat. *annullare* (fin IV^e^ s., *Vulgate*). || **annulation** 1320, G., abolition ; 1780, *Courrier de l'Europe,* jurid.

**numéraire, numéral** V. NUMÉRATION.

**numération** XIV^e^ s. ; lat. *numeratio,* de *numerare,* compter, de *numerus,* nombre (v. NOMBRE). || **numérateur** 1487, Garbin ; bas lat. *numerator.* || **numérable** 1606, Crespin. || **numéral** 1474, Delb. ; 1550, Meigret, gramm. ; bas lat. *numeralis.* || **numératif** 1823, Boiste. || **numéraire** adj., 1561, Collange, concernant les nombres ; XVIII^e^ s., n. m., espèces en or et en argent ; bas lat. *numerarius.* || **numérique** 1617, Coton. || **numériquement** 1697, Lagny. || **surnuméraire** adj., 1636, Monet ; n. m., 1718, *Acad.* || **surnumérariat** fin XVIII^e^ s. || **alphanumérique** XX^e^ s. (V. ÉNUMÉRER.)

**numéro** 1560, Pasquier, nombre ; 1723, Savary, partie d'un spectacle ; 1901, Esnault, personne ; ital. *numero,* du lat. *numerus,* nombre. || **numéroter** 1680, *Anciennes Lois.* || **numérotage** 1793, *l'Ami du peuple.* || **numérotation** 1836, Landais. || **numéroteur** 1871, *Almanach Didot-Bottin,* techn. || **numerus clausus** 1932, Lar. ; lat. *numerus,* nombre, et *claudere,* former.

**numismatique** adj., 1579, A. Le Pois ; n. f., 1803, Wailly, science des médailles, des monnaies ; lat. *numisma,* var. de *nomisma,* mot grec signif. « monnaie, médaille ». || **numismate** 1823, Boiste.

**nummulaire** 1550, Guéroult ; lat. *nummulus,* petite monnaie (à cause de la forme de la graine, le lat. *nummularius* ne signifiant que « changeur »). || **nummulite** 1803, *Dic. sciences nat.*, foraminifère fossile.

**nuncupation** 1355, Bersuire (*noncoupacion*) ; fin XIV^e^ s. (*noncupation*) ; 1569, Mathée (*nuncupation*) ; lat. jurid. *nuncupatio,* appellation, de *nomen,* nom, et *capere,* prendre. || **nuncupatif** 1308, du Cange ; lat. *nuncupativus.*

**nuptial** début XIII^e^ s., Tobler-Lommatzsch ; lat. *nuptialis,* de *nuptiae* (v. NOCE). || **nuptialité** 1879, *la Nature.* || **prénuptial** 1932, Lar.

**nuque** 1314, Mondeville, « moelle épinière » ; lat. médiév. *nucha* (XI^e^ s., Constantin l'Africain), de l'ar. *nuha,* moelle épinière ; milieu XVI^e^ s., Amyot, sens actuel ; par infl. de l'ar. *nukra,* et par substitution de *medulla* à *nucha,* en lat. médiév., pour le sens primitif.

**nurse** 1872, Taine, nourrice ; 1896, Mackenzie, bonne d'enfant ; angl. *nurse,* lui-même issu du fr. *nourrice.* || **nursery** 1763, Mackenzie ; dér. anglais.

**nutation** 1748, de Chabert, astron. ; lat. *nutatio,* balancement.

**nutritif** 1314, Mondeville ; lat. médiév. *nutritivus,* de *nutrire* (v. NOURRIR). || **nutritif** 1314, Mondeville ; lat. médiév. *nutritivus.* || **nutrition** 1361, Oresme ; lat. médiév. *nutritio.* || **nutricier** adj., 1838, *Acad.* || **nutritionnel** 1958, *journ.* || **nutritionniste** 1958, *journ.* || **dénutrition** 1870, Lar. || **malnutrition** 1956, *journ.*

**nyctalope** 1363, Chauliac (*noctilupa*) ; 1562, du Pinet ; lat. méd. *nyctalops* (gr. *nuktalôps*), qui voit la nuit. || **nyctalopie** 1668, Martinière. || **nyctipériodique** 1963, Lar. ; gr. *nux, nuktos,* nuit. || **nictophonie** 1968, Lar. || **nycturie** 1932, Lar. ; gr. *oûron,* urine.

**nycthémère** n. m., 1813, Delambre, astron. ; gr. *nux, nuktos,* nuit, et *hêmera,* jour ; espace de temps comprenant un jour et une nuit. || **nycthéméral** 1908, Lar.

**Nylon** v. 1935, nom déposé, orig. amér. ; mot arbitraire, de *vinyle* et suffixe *-on.*

**nymphe** 1265, J. de Meung (*nimphe*) ; fin XV^e s., Molinet (*nymphe*) ; fin XVI^e s., d'Aubigné, « fille galante » ; 1599, Hornkens, anat. ; 1671, La Fontaine, belle jeune fille ; 1682, *Journ. des savants,* entom., du sens propre en gr. ; lat. *nympha,* divinité des bois, du gr. *numphê,* proprem. « jeune mariée ». || **nymphette** 1525, J. Lemaire de Belges ; repris au XX^e s., jeune adolescente, iron. || **nymphée** fin XV^e s., Molinet. || **nymphal** 1530, *Anc. Poésies.* || **nymphose** 1874, Lar., entom. || **nymphomanie** 1732, Trévoux. || **nymphomane** 1819, *Dict. sciences méd.*

**nymphéa** XIII^e s., *Médicinaire liégeois* (*nimpheie*) ; 1538, Canappe (*nymphea*) ; lat. *nymphea,* du gr. *numphaia.* || **nymphéacées** 1817, Gérardin.

**nystagmus** 1823, *Dict. méd.* (*nystagme*) ; 1903, Lar. (*nystagmus*) ; gr. *nustagma,* assoupissement, de *nustazein,* baisser la tête, de *neuein,* faire un signe de la tête. || **nystagmique** 1877, L.

# O

**ô** 980, *Passion,* interj. d'appel ; orig. onom. || **oh** 1659, Molière. || **oho** 1538, R. Est., interj. de surprise, d'admiration. || **ohé** début XIIIe s., Raoul de Houdenc (*oé*) ; 1838, *Acad.* (*ohé*) ; interj. d'appel. || **holà** 1440, Ch. d'Orléans ; *mettre le holà,* XVIIe s.

**oaristys** 1721, Trévoux (*oariste*) ; 1794, A. Chénier (*oarystis*) ; gr. *oaristus,* commerce intime, de *oar,* épouse.

**oasis** 1561, J. Millet, n. propre ; 1761, d'Anville, n. m. ; 1823, Boiste, n. f. ; bas lat. *oasis* (*Digeste*), tiré de l'égyptien. || **oasien** 1865, *le Moniteur.*

**obédience** 1155, Wace, eccl. ; lat. *oboedientia,* obéissance (v. OBÉIR). || **obédiencier** 1240, *Mir. de la Vierge,* eccl. || **obédientiel** 1636, Dereyroles, eccl.

**obéir** 1112, *Voy. saint Brendan ;* transitif aussi jusqu'au XVIIe s. ; lat. *oboedire,* de *audire,* écouter. || **obéissant** adj., fin XIIe s. || **obéissance** 1270, *Ordonn.* || **désobéir** 1265, J. de Meung. || **désobéissant** adj., 1283, Beaumanoir. || **désobéissance** *id.*

**obel** 1689, Simon, *Hist. crit. du Nouv. Test.* (*obèle*) ; 1935, *Acad.* (*obel*) ; signe manuscrit en forme de broche ; bas lat. *obelus,* broche.

**obélisque** 1552, Gruget ; lat. *obeliscus,* du gr. *obeliskos,* pyramide allongée, proprem. « broche à rôtir ».

**obéré** fin XVIe s. ; lat. *obaeratus,* endetté, de *aes, aeris,* monnaie. || **obérer** 1680, Richelet.

**obèse** 1826, Brillat-Savarin ; lat. *obesus,* gras, bien nourri, de *edere,* manger. || **obésité** milieu XVIe s. ; lat. *obesitas.*

**obit** 1155, Wace, « trépas » ; 1238, Espinas, « messe anniversaire pour un mort » ; lat. eccl. *obitus,* en lat. class. « mort », part. passé de *obire,* mourir, de *ire,* aller. || **obituaire** XIVe s., dans La Morlière (*obitaire*) ; 1671, Pomey (*obituaire*) ; lat. eccl. *obituarius.*

**objectal** 1946, Mounier, psychol. ; lat. scolast. *objectum,* objet.

**objecter** 1288, Delb. (*objeter*) ; 1541, Calvin (*objecter*) ; lat. *objectare,* proprem. « jeter devant », sur la rac. de *jacere,* jeter. || **objecteur** 1777, Beaumarchais ; *objecteur de conscience,* 1933, Gide ; angl. *conscientious objector.* || **objection** fin XIIe s. ; bas lat. *objectio.*

**objectif** adj., XIVe s., philos. ; 1838, *Acad.* (*point objectif*), milit. ; 1803, Boiste, impartial ; lat. *objectivus,* de *objectum* (v. OBJET). || **objectif** n. m., 1666, *Journ. des savants,* optique ; 1857, Flaubert, but à atteindre ; 1868, L., milit. || **objectivement** 1460, Chastellain. || **téléobjectif** 1949, Lar. || **objectivation** 1845, Besch. || **objectiver** 1835, Raymond. || **objectivisme** 1900, *Grande Encycl.* || **objectiviste** 1901, Péguy. || **objectivité** 1803, Boiste, caractère de ce qui est indépendant ; 1932, Lar., impartialité.

**objet** 1370, Oresme (*object*), philos. ; 1662, Pascal, matière d'une science ; 1784, Brunot, chose concrète ; XVIe s., Ronsard, but ; lat. scolast. *objectum,* part. passé subst. de *objicere,* « jeter devant », de *jacere,* jeter. (V. OBJECTAL.)

**objurgation** XIIIe s., G. ; lat. *objurgatio,* réprimande, de *jurgare,* quereller, proprem. « plaider », de *jus, juris,* droit. || **objurgateur** 1546, R. Est. || **objurguer** 1546, R. Est. ; lat. *objurgare.*

**oblat** 1549, R. Est. ; lat. eccl. *oblatus,* offert, part. passé de *offerre* (v. OFFRIR), l'oblat donnant ses biens au couvent où il venait vivre. || **oblature** 1903, Huysmans. || **oblation** 1120, *Ps. d'Oxford* (*oblatiun*), relig. ; lat. eccl. *oblatio,* offrande.

**obliger** 1246, *Chartres,* donner en caution ; fin XIIIe s., « assujettir à » ; 1507, *Coutumier,* « mettre dans la nécessité de » ; 1538, R. Est., rendre service ; lat. *obligare,* au sens jurid. « lier par contrat », de *ligare,* lier. || **obligataire** 1867, L. (v. *donataire,* à DONNER). || **obligation** 1235, *D. G.,* jurid. ; lat. jurid. *obligatio.* || **obligatoire** 1330, G., d'abord jurid. ; lat. jurid. *obligatorius.*

|| **obligatoirement** 1845, Besch. || **obligé** adj., fin XIII^e s., A. de la Halle, engagé d'amour ; 1354, *Modus,* lié juridiquement ; 1559, Amyot, redevable. || **obligeance** 1250, G. || **obligeant** adj., 1370, J. le Bel. || **obligeamment** 1662, Pascal. || **désobliger** 1307, G., jurid. ; 1636, Monet, sens actuel. || **désobligeance** 1798, *Acad.* || **désobligeant** 1658, Pascal. || **désobligeamment** 1688, Miege.

**oblique** adj. et n. f., XIII^e s. (*oblike*) ; 1355, Bersuire (*oblique*) ; lat. *obliquus.* || **obliquer** 1282, Gauchi, placer obliquement ; 1825, Le Couturier, se diriger à droite ou à gauche. || **obliquité** 1370, Oresme ; lat. *obliquitas.*

**oblitérer** 1512, J. Lemaire de Belges, effacer par l'usure ; 1798, *Acad.,* méd. ; 1892, Renan, faire disparaître ; 1863, L., postes ; lat. *oblitterare,* proprem. « effacer la lettre », de *littera,* lettre. || **oblitérateur** 1877, L. || **oblitération** 1777, Linguet ; 1863, L., postes.

**oblong** 1363, Chauliac ; lat. *oblongus,* de *longus,* long.

**obnubiler** 1175, Chr. de Troyes (*obnubler*), couvrir de nuages ; 1330, Digulleville (*obnubiler*), sens mod. ; lat. *obnubilare,* de *nubes,* nuage. || **obnubilation** 1486, *Règle de saint Bernard ;* lat. *obnubilatio.*

**obole** 1268, É. Boileau, petite pièce de monnaie ; 1668, La Fontaine, petite somme d'argent ; fig., 1903, Lar. ; lat. *obolus* (gr. *obolos*).

**obombrer** 1119, Ph. de Thaon ; lat. *obumbrare,* couvrir d'ombre, de *umbra,* ombre.

**obscène** 1534, *Bataille Rodilardus ;* lat. *obscenus,* proprem. « de mauvais présage ». || **obscénité** 1512, Delb. ; lat. *obscenitas.*

**obscur** fin XI^e s., *Chanson de Guillaume* (*oscur*) ; fin XII^e s. (*obscur*), sens propre ; 1559, Amyot, sans renom ; 1560, Paré, fig. ; lat. *obscurus.* || **obscurantisme** 1819, *le Constitutionnel ;* de *obscurant* (1781, Turgot), opposé à la connaissance. || **obscurantiste** 1832, *Revue.* || **obscurcir** 1120, *Ps. de Cambridge* (*oscurcir*) ; 1265, J. de Meung (*obscurcir*), d'après *éclaircir, noircir,* au sens propre ; 1538, R. Est., fig. || **obscurcissement** XIII^e s., *D. G.* (*oscurcissement*) ; 1538, R. Est. (*obscurcissement*). || **obscurité** 1119, Ph. de Thaon (*obscurtet*) ; XIII^e s. (*obscurité*) ; lat. *obscuritas.*

**obsécration** XIII^e s., prière ; 1737, Dumarsais, rhétor. ; lat. *obsecratio,* de *obsecrare,* adjurer, de *sacer,* sacré.

**obséder** av. 1613, Mathurin Régnier ; lat. *obsidere,* assiéger, de *sedere,* se tenir, et *ob,* devant. || **obsédant** adj., 1857, E. Sue. || **obsédé** 1632, Sagard. || **obsesseur** 1546, R. Est., qui assiège ; 1866, Verlaine, fig. || **obsession** 1460, Chastellain, « siège » ; lat. *obsessio ;* 1590, P. Crespet, relig. ; 1799, Laharpe, sens actuel. || **obsessionnel** 1952, Porot.

**obsèques** début XII^e s., *Thèbes* (*osseque*) ; 1160, Benoît (*obseque*) ; 1398, E. Deschamps (*obseques*) ; lat. *obsequium,* service funèbre, de *sequi,* suivre.

**obséquieux** 1502, O. de Saint-Gelais ; lat. *obsequiosus,* de *obsequium,* complaisance, de *sequi,* suivre. || **obséquieusement** 1819, Boiste. || **obséquiosité** 1504, J. Lemaire de Belges ; lat. *obsequiositas.*

**observer** X^e s., *Saint Léger,* eccl. ; lat. *observare ;* 1490, Commynes, remarquer ; 1607, Hulsius, « regarder avec attention » ; 1690, Furetière, en sciences. || **observable** XV^e s., Fossetier. || **observabilité** 1967, Piaget. || **observance** 1265, Br. Latini, eccl. et jurid. ; lat. *observantia.* || **inobservance** 1521, Granvelle ; lat. *inobservantia.* || **observation** 1200, « loi observée » ; 1370, Oresme, « examen attentif » ; fin XVII^e s., Saint-Simon, milit. ; 1868, L., en sciences ; pl., 1636, Monet, commentaires ; lat. *observatio.* || **observateur** 1495, Vaganay, « celui qui accomplit ce qui est prescrit » ; 1555, Belon, « celui qui regarde attentivement » ; 1916, Barbusse, milit. ; 1932, Lar., en diplomatie ; lat. *observator.* || **observatoire** 1667, Graindorge. || **inobservable** 1754, Gohin. || **inobservé** 1845, Besch. || **inobservation** 1550, *Négociation avec le Levant.*

**obsidienne** 1522, *Romania* (*obsianne*) ; 1600, Gay (*obsidiane*) ; 1752, Trévoux (*obsidiane*), n. f. ; 1765, *Encycl.* (*obsidienne*) ; lat. *obsidiana* (*petra*), var. de *obsiana,* du nom d'*Obsius,* qui aurait découvert ce minéral.

**obsidional** XV^e s., G., qui concerne le siège d'une ville ; 1690, Furetière (*couronne obsidionale*) ; lat. *obsidionalis,* de *obsidio,* siège (*obsidere,* assiéger). [V. OBSÉDER.]

**obsolète** 1596, Hulsius (*obsolet*) ; 1755, Prévost d'Exiles (*obsolète*) ; lat. *obsoletus.* || **obsolescence** 1958, Romeuf ; lat. *obsolescere,* sortir de l'usage, de *solēre,* avoir coutume. || **obsolescent** 1966, *journ.*

**obstacle** 1220, Coincy ; lat. *obstaculum,* de *obstare* (*stare,* se tenir, *ob,* devant).

**obstétrique** adj., 1803, Sterne ; n. f., 1834, Boiste ; lat. *obstetrix,* sage-femme, proprem. « qui se tient devant », de *stare* et *ob* (v. OBSTACLE). || **obstétrical** 1836, Landais. || **obstétricien** XX^e s.

**obstiner (s')** 1535, Olivétan ; *s'obstiner à,* 1538, R. Est. ; lat. *obstinare,* vouloir avec opiniâtreté. || **obstiné** 1180, *Girart de Roussillon,* adj. ; 1220, Coincy, adj. et n. || **obstinément** 1355, Bersuire. || **obstination** 1190, *Saint Bernard ;* lat. *obstinatio.*

**obstruer** milieu XVI^e s., méd. ; lat. *obstruere,* de *struere,* construire, *ob,* devant ; 1780, Buffon, boucher. || **obstructif** 1539, Canappe, méd. || **obstruction** 1538, Canappe, méd. ; lat. *obstructio ;* 1721, Trévoux, engorgement. || **obstructionnisme** 1892, Guérin, polit. || **obstructionniste** 1888, Lar., *id.* || **désobstructif** début XVIII^e s., méd. || **désobstruction** 1845, Besch. || **désobstruer** 1798, *Acad.*

**obtempérer** 1378, J. Le Fèvre ; lat. *obtemperare,* proprem. « se contenir devant ». (V. TEMPÉRER.)

**obtenir** 1283, Beaumanoir (*optenir*) ; 1355, Bersuire (*obtenir*) ; lat. *obtinere,* occuper, maintenir ; francisé d'après *tenir.* || **obtention** 1360, *Doc.* (*obtencion*) ; 1516, *Anciennes Lois* (*obtention*) ; lat. *obtentus,* part. passé de *obtinere.* || **obtenteur** 1868, L.

**obturer** 1538, G. (*opturer*) ; 1544, G. (*obturer*) ; lat. *obturare,* boucher. || **obturateur** adj., 1560, Paré, méd. ; n. m., 1790, *Annales chimie,* techn. ; 1868, L., phot. || **obturation** 1507, N. de La Chesnaye (*obturacion*) ; bas lat. *obturatio.*

**obtus** 1363, Chauliac, « émoussé » ; 1542, Bovelles, géom. ; 1580, Montaigne, fig. ; lat. *obtusus,* part. passé de *obtundere,* de *tundere,* frapper. || **obtusion** 1605, Le Loyer. || **obtusangle** 1671, Pomey ; bas lat. *obtusiangulus* (VI^e s., Boèce).

**obus** 1515, à Metz (*hocbus*) ; 1697, Surirey (*obus*), à propos de la bataille de Neerwinden, « obusier » ; 1797, Gattel, « obus » ; all. *Haubitze,* obusier, du tchèque *houfnice,* machine à lancer (des pierres). || **obusier** 1762, *Acad.*

**obvenir** 1369, G., jurid. ; lat. *obvenire,* de *venire,* venir.

**obvie** 1889, Bénédictins ; lat. *obvius.*

**obvier** 1180, Barbier, « résister » ; 1370, Oresme, « prévenir, faire obstacle » ; lat. *obviare,* proprem. « aller au-devant », de *via,* chemin (v. VOIE).

**oc** XII^e s., « oui » ; *langue d'oc,* fin XIII^e s. ; lat. *hoc,* neutre de *hic,* celui-ci.

**ocarina** 1888, Lar. ; diminutif dialectal ital. *oca,* oie.

**occasion** 1190, Garn. (*occasiun*), cause, motif ; début XIII^e s., *Ysopet de Lyon* (*occasion*), ce qui se présente à propos ; XIV^e s., circonstance en général ; lat. *occasio,* « ce qui échoit », de *cadere,* tomber (v. CHOIR) ; a remplacé la forme pop. *ochaison.* || **occase** n. f., pop., 1841, Esnault. || **occasionnalisme** 1845, Besch., philos. || **occasionnaliste** 1859, Mozin. || **occasionnel** 1674, Malebranche (*occasionnel*), philos. ; 1836, *Acad.,* sens actuel. || **occasionnellement** 1306, du Cange. || **occasionner** 1305, du Cange, chercher querelle ; 1596, Hulsius, sens actuel ; d'après le bas lat. *occasionare.*

**occident** 1112, *Voy. saint Brendan ;* lat. *occidens,* proprem. « tombant », s.-e. « le soleil », adj. verbal de *occidere,* tomber. || **occidental** 1308, Aimé, a remplacé *occidentel* (1314, Mondeville) ; lat. *occidentalis.* || **occidentaliser** 1877, *Rev. britannique.* || **occidentalisation** 1963, Lar. || **occidentalisme** 1963, Lar. || **occidentalité** 1951, Gide.

**occiput** 1372, Corbichon ; mot lat., de *caput,* tête. || **occipital** adj., 1363, Chauliac ; 1546, Ch. Est., n. m. ; lat. médiév. *occipitalis.* || **occipito-**, élément de composés savants, dans le lex. méd., depuis 1752, Trévoux.

***occire** 980, *Passion* (*aucidre*) ; 1080, *Roland* (*ocire*) ; 1165, Thomas (*occire* avec *-cc-,* d'après le latin) ; lat. *occidere,* altéré en **auccidere* en lat. pop. de Gaule. || **occiseur** 1138, *Saint Gilles.* || **occision** 1080, *Roland.*

**occlure** milieu XV^e s., investir (une ville) ; 1858, Nysten, méd. ; lat. *occludere,* fermer, de *claudere* (v. CLORE). || **occlusif** 1876, *le Progrès médical.* || **occlusion** 1808, Wenzel, méd. ; lat. médiév. *occlusio.* || **occlusive** n. f., 1903, Lar., linguistique.

**occlusion, occlusive** V. OCCLURE.

**occulte** 1120, *Ps. d'Oxford ;* lat. *occultus,* caché, secret. || **occulter** 1324, G., « cacher » ; 1829, Boiste, sens actuel ; lat. *occultare.* || **occultement** 1155, Wace. || **occultation** 1488, *Mer des hist. ;* lat. *occultatio.* || **occultateur** 1546, R. Est. || **occultisme** 1893, Bosc. || **occultiste** 1891, Huysmans.

**occuper** XII^e s., *Grégoire,* « employer à » ; 1314, Mondeville, remplir un espace ; 1355, Bersuire, se saisir de ; lat. *occupare,* « s'emparer de », de *capere,* prendre. || **occupant** n. m., 1480, *Doc.* || **occupation** 1160, Benoît, emploi ; XIVe s., action de s'emparer ; 1690, Furetière, action de remplir un espace. || **désoccupé** 1579, Delb. || **désoccupation** 1660, Oudin. || **inoccupé** 1544, *l'Arcadie.* || **inoccupation** 1771, Trévoux. || **réoccuper** 1808, Boiste. || **réoccupation** début XIXe s. (V. PRÉOCCUPER.)

**occurrent** 1475, G., « qui survient » ; lat. *occurrens,* part. prés. de *occurrere,* de *currere,* courir, et *ob,* au-devant. || **occurrence** 1460, Chastellain, occasion ; milieu XXe s., ling. ; d'après angl. *occurrence,* incident.

**océan** 1112, *Voy. de saint Brendan* (*occean*) ; 1160, Benoît (*océan*) ; lat. *oceanus* (gr. *ôkeanos*), d'abord divinité marine. || **océane** adj. f., 1265, Br. Latini. || **océanien** 1721, Trévoux. || **transocéanien** 1845, Besch. || **océanide** 1721, Trévoux ; bas lat. *Oceanis, -idis,* fille de l'Océan. || **océanique** 1548, Mizauld ; lat. *oceanicus.* || **transocéanique** 1872, L. || **interocéanique** 1855, Squier. || **océanographie** fin XVIe s. ; rare avant 1876, *Rev. crit.* || **océanographe** 1899, *Grande Encycl.* || **océanographique** 1894, Sachs-Villatte.

**ocelle** 1825, Latreille ; lat. *ocellus,* petit œil, de *oculus, œil.* || **ocellé** 1804, *Bull. des sciences.* || **ocellaire** 1801, *Dic. sciences naturelles.*

**ocelot** 1640, Laet (*ocelotl*) ; 1765, Buffon (*ocelot*) ; esp. *ocelote,* de l'aztèque du Mexique *ocelot,* tigre.

**ocre** 1307, Delb. ; lat. *ochra* (Ier s., Celse, Vitruve), du gr. *ôkhra,* de *ôkhros,* jaune. || **ocré** fin XVIe s. || **ocrer** 1959, Robert. || **ocreux** 1762, Valmont (*ochreux*) ; 1787, Chaptal (*ocreux*).

**oct-, octa-, octo-,** lat. *octo,* huit, ou gr. *oktô,* signifiant « huit » ou « huitième ». || **octacorde** 1788, Barthélemy, mus. || **octaèdre** 1377, Oresme (*octocedron*) ; 1562, Scève (*octehedre*) ; 1572, Amyot (*octaèdre*), géom. ; bas lat. *octaedros,* mot grec, de *edros,* face. || **octaédrique** 1799, *Bull. des sciences.* || **octandrie** 1749, Delibard ; lat. bot. *octandria,* créé par Linné, du gr. *anêr,* mâle : « à huit étamines ». || **octane** 1888, Lar. || **octidi** 1793, Fabre d'Églantine ; lat. *dies,* jour. || **octil** 1690, Furetière, astron. || **octogénaire** 1578, Despence ; lat. *octogenarius,* de *octoginta* (v. OCTANTE). || **octogone** 1520, E. de La Roche, géom. ; lat. *octogonos* (Ier s., Vitruve), mot gr., de *oktô* et de *gônia,* angle. || **octopode** 1721, Trévoux, divisé en huit languettes ; 1838, *Acad.,* zool. ; gr. *pous, podos,* pied. || **octostyle** fin XVIe s. || **octosyllabe** 1611, Cotgrave. || **octosyllabique** 1907, Lar. || **octuor** 1878, Lar. ; d'après *quatuor.* || **octuple** 1377, Oresme ; lat. *octuplus,* multiplié par huit.

**octant** 1619, G. Macé, astron. ; lat. *octans,* huitième partie. || **octante** fin XIIIe s., rég. (Suisse, Belgique) ; réfection, d'après le lat., de l'anc. fr. *oitante,* du lat. *octoginta,* quatre-vingts. || **octantième** 1530, Palsgrave.

**octave** 1180, Gautier d'Arras, eccl. ; 1534, Lefèvre d'Étaples, mus. ; lat. *octava,* fém. subst. de *octavus,* huitième, de *octo,* huit. || **octavier** 1765, *Encycl.* || **octavine** 1703, Brossard, mus. || **octavin** 1803, Boiste ; ital. *ottavino.* || **in-octavo** 1567, Granvelle ; n. m., 1752, Trévoux. || **octavon** 1780, d'après Besch.

**octobre** 1213, *Fet des Romains ;* lat. *october,* de *octo,* huit (à l'origine le huitième mois de l'année) ; a éliminé la forme pop. de l'anc. fr. *uitovre, oitovre.* || **octobriste** 1905, hist.

***octroyer** 1080, *Roland* (*otreier*) ; XIIe s. (*octroïer*) ; lat. pop. **auctoridiare,* accorder, en lat. impér. *auctorare* (Quintilien, etc.), de *auctor,* « garant » (v. AUTORISER). || **octroi** 1112, *Voy. saint Brendan* (*otreid*) ; 1138, Gaimar (*otrei*) ; début XIIIe s. (*octroi*), d'abord action d'octroyer, puis taxe municipale (*octroyée*) en anc. fr. ; 1836, Landais, sens mod.

**oculaire** n. m., 1478, Chauliac, méd. ; 1671, Chérubin, astron. ; lat. *ocularius,* de *oculus,* œil. || **oculariste** milieu XIXe s. || **binoculaire** 1671, Chérubin ; n. f., 1948, Lar. || **interoculaire** 1838, *Acad.* || **monoculaire** 1812, Mozin.

**oculi** 1405, *Doc.,* eccl. ; lat. *oculus.*

**oculiste** 1503, Chauliac, n. ; 1560, Paré, adj. ; lat. *oculus.* || **oculistique** XVIIIe s., remplacé auj. par *ophtalmologie.*

**odalisque** 1624, Deshayes (*odalique*) ; 1664, Fermassel (*odalisque*) ; turc *odaliq,* chambrière, de *oda,* chambre.

**ode** 1491, Vaganay ; gr. *ôdê* (bas latin *oda,* ode), proprem. « chant » (contraction de *aoidê,* v. AÈDE). || **odelette** 1554, Ronsard.

**odéon** 1547, J. Martin (*odéum*) ; 1755, Aviler (*odéon*) ; lat. *odeum* (gr. *ôideion*), édifice destiné aux concours de musique.

**odeur** 1112, *Voy. saint Brendan* (*udur*) ; 1130, *Eneas* (*odor*) ; 1380, *Aalma* (*odeur*) ; lat. *odor.* || **odorant** début XIIIe s., Tobler-Lommatzsch ; lat. *odorans,* part. prés. de *odorare.* || **odorat** 1551, Sauvage ; lat. *odoratus.* || **odorer** 1120, *Ps. d'Oxford,* avoir de l'odorat ; 1314, Mondeville, percevoir une odeur ; XIIe s., répandre une odeur. || **odoriférant** 1380, *Aalma ;* lat. médiév. *odoriferens* (lat. class. *odorifer*). || **odorisant** 1963, Lar. || **odoriseur** 1963, Lar. || **désodoriser** 1922, Lar. || **désodorisant** n. m., 1929, Lar. || **désodorisation** 1922, Lar. || **déodorant** 1961, *journ.* || **inodore** fin XVIIe s. ; lat. *inodorus.* || **subodorer** 1636, Richelieu, se douter ; 1782, d'Alembert, sentir une odeur.

**odieux** 1376, G. ; lat. *odiosus,* de *odium,* haine. || **odieusement** 1541, Calvin.

**odomètre** 1678, Barbier ; gr. *hodometron,* de *hodos,* route, et *metron,* mesure. || **odographe** 1888, Lar. || **odométrie** 1842, Mozin.

**odontalgie** 1694, Th. Corn. ; gr. *odontalgeia,* de *odous, odontos,* dent, et *algeîn,* souffrir. || **odontalgique** 1620, Béguin. || **odontoblaste** 1892, *Grande Encycl.* || **odontogenèse** 1903, Lar. || **odontologie** 1771, Trévoux. || **odontoïde** 1541, Canappe ; gr. *odontoeides,* sur *eidos,* aspect. || **odontorrhagie** 1843, Landais.

**odynophagie** 1932, Lar. ; gr. *odunê,* douleur, et *phagein,* manger.

**odyssée** 1814, Lamartine, *Lettres ;* du nom du poème d'Homère, décrivant les aventures d'Ulysse (*Odusseus* en grec).

**œcuménique** 1590, Marnix ; lat. eccl. *oecumenicus,* du gr. *oikoumenikos,* de *oikouménê,* l'univers, proprem. « (la Terre) habitée ». || **œcuménicité** 1752, Trévoux. || **œcuménisme** 1927, *Confér. œcum. de Lausanne.*

**œdème** 1550, Guéroult ; gr. *oidêma,* tumeur. || **œdémateux** 1549, Maignan, d'après le mot grec. || **œdématier** 1812, Mozin.

**œdipe** 1721, Trévoux ; du nom d'*Œdipe,* personnage des légendes grecques, qui devina l'énigme proposée par le sphinx de Thèbes ; *complexe d'Œdipe,* 1929, Lar. || **œdipien** v. 1930.

***œil** 980, *Passion* (*ol*) ; 1050, *Alexis* (*oil*) ; 1155, Wace (*ueil*) ; fin XIIe s. (*oel*) ; 1342, Bruyant (*oeil*) ; lat. *ŏcŭlum,* acc. sing. de *oculus,* œil ; le pluriel *yeux* (Xe s., *Saint Léger, ols ;* XIIe s., *ieus*) représente l'acc. plur. *ŏcŭlos.* || **œil-de-bœuf** 1530, *Doc.,* archit. || **œil-de-chat** 1416, Havard, pierre précieuse. || **œil-de-crapaud** 1840, Esnault. || **œil-de-perdrix** 1600, O. de Serres, vin teinté de rouge ; 1839, *Journ. méd.* || **œil-de-serpent** 1718, *Acad.,* petite pierre. || **œillade** 1493, Coquillart. || **œillard** 1554, Gouberville. || **œillère** fin XIIe s., *Loherains* (*oillière*) ; pl., 1841, Chateaubriand, étroitesse d'esprit. || **œillet** XIIe s., Studer (*ollet*) ; XIVe s. (*oeillet*), petit œil, puis ouverture ; fin XVe s., bot. || **œilleton** 1530, Crescens, bouton d'arbre ; 1554, Darces, rejeton. || **œilletonner** 1652, Mollet. || **œilletonnage** 1874, Lar.

**œillet** V. ŒIL.

**œillette** XIIIe s., J. de Condé (*oliette*) ; 1732, Liger (*euillette*) ; 1765, *Encycl.* (*œillette*) ; de *olie* (1120, *Ps. d'Oxford*), anc. forme de *huile,* du lat. *oleum* (v. HUILE).

**œn(o)-,** gr. *oînos,* vin. || **œnilisme** 1903, Lar. || **œnolique** 1845, Besch. || **œnologie** 1636, Brunot. || **œnologique** 1823, *Doc.* || **œnologue** 1836, *Acad.* || **œnométrie** 1836, Landais. || **œnométrique** 1836, Landais. || **œnophile** 1836, Landais. || **œnotechnie** 1923, Lar. || **œnotechnique** 1923, Lar. || **œnothère** fin XVIIIe s. ; gr. *oinothêra,* plante à la saveur vineuse. || **œnothéracées** 1842, *Acad.* (*œnothérées*).

**œnanthe** 1562, Du Pinet, bot. ; lat. *œnanthe,* du gr. *oînanthê,* fleur de vigne. || **œnanthique** 1868, L.

**œrsted** 1923, Lar., phys. ; du nom du physicien danois *Œrsted* (1777-1851).

**œsophage** 1314, Mondeville (*ysophague*) ; 1562, Du Pinet (*oesophage*) ; gr. *oisophagos,* de *oisein,* porter, et *phageîn,* manger. || **œsophagien** 1701, Furetière. || **œsophagite** 1822, *Dict. méd.* || **œsophagoscope** 1932, Lar. || **œsophagoscopie** 1903, Lar.

**œstre** 1519, G. Michel ; lat. *oestrus* (gr. *oistros*), proprem. « taon », au fig. « aiguillon de la douleur, ou du désir ». || **œstral** 1953, Lar. || **œstrogène** 1953, Lar. || **œstrone** 1964, Lar. || **œstrus** 1953, Lar.

***œuf** 1119, Ph. de Thaon (*of*) ; XIIe s. (*uef*) ; v. 1160, *Charroi* (*oef*) ; XIVe s. (*oeuf*) ; 1578, R. Le Blanc, techn. ; *œuf dur,* 1308, La Curne ; *œuf à la coque,* milieu XVIIe s. ; *œuf au plat,* 1718, *Acad. ; œuf sur le plat,* 1798, *Acad. ; œuf de Pâques,* 1594, Des Périers ; lat. *ōvum* (*o* ouvert en lat. pop.). || **œuvé** fin XIIe s., R. de Moiliens (*ové*), plein d'œufs ; 1398, *Ménagier,* sens actuel. || **œufrier** 1838, *Acad.*

***œuvre** 1120, *Ps. d'Oxford ;* 1155, Wace (*uevre*) ; 1250, La Curne (*oeuvre*) ; *à l'œuvre,* fin XIVe s. ; *mettre à l'œuvre,* 1655, La Rochefoucauld ; *mise en œuvre,* 1854, Nerval ; *maître d'œuvre,* 1678, La Fontaine ; *maistre des œuvres,* architecte, XIVe s. ; *maistre des basses, des hautes œuvres,* bourreau, XIVe s. ; *chef-d'œuvre,* 1268, É. Boileau ; *bois d'œuvre,* 1611, Cotgrave ; *œuvres vives,* 1559, Amyot, mar. ; *hors-d'œuvre,* fin XVI^e s., archit. ; 1690, Furetière, culin. ; *sous-œuvre,* 1694, Th. Corn. ; *à pied d'œuvre,* 1798, *Acad.,* archit. ; 1935, *Acad.,* fig. ; lat. *ŏpĕra.* || œuvrer 980, *Passion* (*ovrer*) ; XIII^e s., G. (*ouvrer*) ; 1530, Palsgrave (*œuvrer*) ; bas lat. *operare ;* a éliminé l'anc. fr. *ouvrer,* par influence de *œuvre.* || œuvrette XIII^e s. || **désœuvré** 1692, Caillières. || **désœuvrement** 1748, Crébillon.

**offense** 1230, Coincy ; lat. *offensa,* part. passé substantivé au fém. de *offendere,* heurter. || **offenser** 1450, Lannoy, sens actuel ; 1530, Marot, blesser (au physique) ; *s'offenser,* 1559, Amyot. || **offensant** adj., 1643, *Recueil des lois.* || **offenseur** XV^e s., celui qui contrevient à la loi ; 1606, Crespin, sens actuel.

**offensif** 1491, Vaganay, « qui constitue une offense » ; 1549, R. Est., milit. ; anc. fr. *offendre,* attaquer (lat. *offendere,* heurter), d'après *défensif,* sur *défendre.* || **inoffensif** 1777, Vergennes. || **offensive** n. f., 1587, F. de La Noue. || **offensivement** 1718, *Acad.,* milit.

**office** n. m., 1155, Wace, eccl. ; 1190, Garn., « fonction » ; 1907, Lar., service public ; 1863, d'après L., agence ; *d'office,* 1338, G. ; n. f., 1320, *Hugues Capet,* garde-manger ; 1536, Havard, sens actuel ; lat. *officium,* de *facere,* faire.

**official** 1180, Barbier, eccl. ; lat. *officialis,* « relatif à une fonction », et, subst., serviteur, de *officium* (v. OFFICE). || **officialité** 1285, G.

**officiel** 1778, *Courrier de l'Europe ;* angl. *official,* du lat. *officialis,* de *officium* (v. OFFICE). || **officiellement** *id.* (*officialement*). || **officialiser** 1959, Robert. || **officialisation** 1963, Lar.

1. **officier** v., fin XIII^e s., Végèce, exercer sa fonction ; lat. médiév. *officiare ;* 1534, B. Des Périers, eccl. || **officiant** n. m., 1671, Pomey. || **officiante** 1762, *Acad.*

2. **officier** n. m., 1320, *Hugues Capet,* « celui qui a une fonction » ; *id.,* serviteur de grande maison ; XVI^e s., *Coutumier,* titulaire d'une charge ; 1564, *Doc.,* milit. ; 1721, Trévoux, dignitaire de certains ordres ; *officier ministériel,* 1836, Landais ; *officier de police,* 1655, Molière ; *officier de santé,* 1680, Richelet ; lat. *officiarius.* || **officière** 1330, Digulleville, religieuse ; 1949, Lar. (Armée du salut). || **sous-officier** 1771, Trévoux. || **sous-off** 1867, Delvau.

**officieux** adj., 1534, Rab., « qui rend service » ; 1789, n. m., serviteur à gages ; adj., 1868, L., « qui, sans être officiel, exprime plus ou moins la pensée du gouvernement » ; lat. *officiosus,* obligeant, de *officium,* au sens de « service rendu » ; le sens premier a subsisté jusqu'au XIX^e s. || **officieusement** 1555, Damhoudere, obligeamment ; 1874, Lar., sens actuel. || **inofficieux** 1495, Delb. ; lat. *inofficiosus.* || **inofficiosité** 1611, Cotgrave.

**officine** 1160, Benoît, boutique (*offecine*) ; 1180, Marie de France (*officine*) ; 1812, Mozin, pharmacie ; lat. *officina,* fabrique (v. USINE). || **officinal** 1530, *D. G. ;* 1732, Lémery, pharm.

**offrande** 1080, *Roland* (*offrende*) ; 1112, *Voy. saint Brendan ;* lat. médiév. *offerenda,* part. futur passif, substantivé au féminin, de *offerre.*

***offrir** fin XI^e s., *Chanson de Guillaume ;* lat. pop. **offerire,* en lat. class. *offerre.* || **offre** 1138, Gaimar, n. m. ; fin XII^e s., n. f., action d'offrir ; 1690, Furetière, prix offert. || **offrant** n. m., dans *au plus offrant,* 1365, Runk. || **offerte** 1317, G., eccl. ; part. passé subst. || **offertoire** 1350, *Glossaire ;* lat. *offertorium.*

**offset** 1920, Lar. ; mot angl. pris au sens de « report », de *set,* placer, *off,* dehors. || **offsettiste** 1955, *Dict. des métiers.*

**offusquer** 1458, *Mystère,* éblouir ; milieu XIV^e s., E. Deschamps (*obfusquer*), « porter préjudice à », et aussi « obscurcir » ; 1766, Brunot, « choquer » ; lat. *offuscare,* obscurcir, de *fuscus,* sombre. || **offuscation** XIV^e s., affaiblissement de la vue ; 1559, Amyot, astron.

**oflag** 1940, *journ. ;* abrév. de l'all. *Offizierlager,* camp pour officiers.

**ogive** 1250, Villard de Honnecourt (var. *oegive,* 1325 ; *augive,* jusqu'au XIII^e s.) ; origine incertaine, p.-ê. bas lat. *obviata,* disposée en croisée, de *obviare,* aller à l'encontre (pour obvier à la poussée des murs), avec le suffixe lat. *-ivus.* || **ogival** 1823, Boiste. || **ogivette** 1845, Besch.

**ogre** 1175, Chr. de Troyes, païen féroce ; début XIV^e s., sens actuel ; probablem. altér. d'un anc. **orc,* du lat. *Orcus,* « dieu de la Mort », « enfer » (cf. l'ital. *orco,* « croque-mitaine »). || **ogresse** 1697, Perrault ; a remplacé *ogrine.* || **ogrerie** 1845, Besch.

**oh** V. Ô.

**ohm** 1881, *Congrès d'électricité ;* du nom du physicien allemand *Ohm* (1789-1854). || **ohmique** 1907, Lar. || **ohmmètre** 1888, Lar.

**oïdium** 1825, *Dict. sciences nat. ;* lat. sc. *oidium,* du gr. *ôon,* œuf, et *-idium,* terminaison contenant le suff. sav. *-id*(*e*). || **oïdié** 1874, Lar.

***oie** 1155, Wace (*oe, oue,* resté dans la *rue aux Oues,* à Paris, altérée en *rue aux Ours* au XVIIe s., et chez La Fontaine, *Lettres*) ; milieu XIIe s. (*oie*), forme de l'Est, refaite d'après *oiseau, oison ; patte d'oie,* 1560, Paré, déformation des orteils ; 1826, Leclercq, sens actuel ; *oie blanche,* 1894, M. Prévost ; lat. pop. **auca,* contract. de **avica* (de *avis,* oiseau), qui a remplacé le lat. class. *anser.*

***oignon** début XIIIe s. (*hunion*) ; 1265, J. de Meung (*oignon*) ; 1538, R. Est., hortic. ; 1611, Cotgrave, *oignon du pied ;* 1834, Esnault, pop., montre ; XIXe s., pop., coup, meurtrissure, d'où l'abrév. *gnon* (1651, *Mazarinades*) ; 1590, Esnault, pop., anus ; 1855, Rigaud, *aux petits oignons ;* lat. pop. **unio, unionis* (Ier s., Columelle), qui a éliminé *caepa* en Gaule. || **oignonade** 1552, Rab. (*ognonnade*). || **oignonière** 1546, Vaganay.

**oïl** V. OUI.

**oille** V. OLLA-PODRIDA.

***oindre** 1120, *Ps. d'Oxford,* relig. ; lat. *unguěre.* || **oint** XVe s., Trénel, relig. || ***oing** 1260, Rutebeuf (*oint*) ; fin XVe s. (*oing*) ; lat. *unctum,* de *unguěre.*

***oiseau** 1080, *Roland* (*oisel*) ; lat. pop. **aucellus,* contract. de **avicellus,* dimin. du lat. class. *avis,* oiseau. || **oiselet** 1119, Ph. de Thaon. || **oiseleur** 1145, Evrart. || **oiselier** 1558, G. Morel. || **oiselle** 1211, *le Bestiaire* (*oisele*) ; 1562, Rab. (*oiselle*) ; repris en 1854 par Nerval. || **oisellerie** XIVe s., G. || **oisillon** début XIIIe s.

***oiseux** 1175, Chr. de Troyes (*oiseus*), fainéant ; 1265, J. de Meung, « inutile » ; lat. *otiosus,* de *otium,* loisir. || **oiseusement** XIVe s., G. || **oisif** milieu XIIe s., G. (*beste wisive*) ; 1538, R. Est. (*oisif*) ; a remplacé l'anc. *oidif* (XIIe s.), « qui n'est pas en fonction » ; 1265, J. de Meung, « qui ne s'occupe à rien ». || **oisivement** début XVIe s. || **oisiveté** 1330, *Girart de Roussillon.*

***oison** XIIIe s., *Renart ;* lat. pop. **aucio, *aucionis,* de *avis,* oiseau, avec *oi* (pour *o*) dû à l'infl. de *oiseau.*

**okapi** 1903, Lar. ; mot bantou.

**okoumé** 1932, Lar. ; mot du Gabon.

**oléacée** 1858, Nysten, bot. ; lat. *oleum,* huile. || **oléagineux** 1314, Mondeville ; lat. *oleaginus.* || **oléiculture, oléiculteur** 1907, Lar. || **oléifère** 1812, Mozin. || **oléfiant, oléifiant** 1823, *Dict. méd.* || **oléiforme** 1907, Lar. || **oléine** 1825, *Dict. sciences nat.* || **oléique** 1822, *Dict. classique d'hist. nat.* || **oléolat** 1838, *Acad.* || **oléomètre** 1858, Nysten. || **oléorésine** 1868, L. || **oléostéarate** 1903, Lar. || **oléum** 1923, Lar. (V. OLÉODUC.)

**oléandre** 1314, Mondeville, bot. ; lat. médiév. *oleander,* d'orig. obsc.

**olécrane** 1560, Paré, anat. ; gr. *ôlenokranon,* de *ôlenê,* bras, et *karênon,* tête. || **olécranien** 1822, *Nouveau Dict. méd.*

**oléoduc** 1894, Sachs ; lat. *oleum,* huile, et *ducere,* conduire, sur le modèle de *aqueduc.*

**olfactif** 1503, Chauliac ; lat. méd. *olfactivus,* de *olfactus,* odeur, odorat. || **olfaction** début XVIe s., odeur ; 1836, *Acad.,* sens actuel ; lat. *olfactio.*

**oliban** 1314, Mondeville (*olimban*) ; bas lat. *olibanus,* du gr. *libanos* et de l'article défini *ho.*

**olibrius** 1537, Des Périers ; du nom d'un empereur d'Occident (472), incapable et vaniteux, devenu, dans la légende, le persécuteur de sainte Marguerite.

**olifant** 1080, *Roland ;* forme altérée de *éléphant* (v. ce mot).

**olig(o)-,** gr. *oligos,* peu, *oligoi,* peu nombreux. || **oligarchie** 1370, Oresme (*olygarchie*) ; gr. *arkhein,* commander. || **oligarchique** 1370, Oresme. || **oligarque** 1562, Bonivard (*olygarche*). || **oligiste** 1801, Haüy, minér. ; gr. *oligistos,* très peu (parce que ce minerai contient peu de métal). || **oligocène** 1881, *Archives des sc. phys.,* géol. ; gr. *kainos,* récent. || **oligochètes** 1888, Lar. ; gr. *khaitê,* chevelure. || **oligo-élément** 1949, Lar. || **oligophrénie** 1953, Lar. || **oligopole** milieu XXe s. || **oligurie** 1877, *le Progrès médical.*

**olive** 1080, *Roland ;* prov. *oliva,* du lat. *oliva,* olive, olivier ; aussi « olivier » en anc. fr. ; 1650, d'après Richelet, techn. || **olivacé** 1838, *Acad.* || **olivaison** 1636, Monet. || **olivâtre** 1525, *Voy. Pigafetta ;* ital. *olivastro.* || **olivaie** 1636, Monet. || **olivaire** XIVe s., G. || **oliveraie** 1196, Ambroise (*oliveroie*) ; 1606, Crespin (*oliveraie*). || **olivette** début XIIIe s., *Guillaume de Dole* (*olivete*). || **olivier** 980, *Passion* (*oliver*) ; 1120, *Voy. de Charl.* (*olivier*). || **olivine** 1798, Reuss. || **oliveur** 1874, Lar.

**ollaire** 1752, Trévoux ; lat. *ollarius,* de *olla,* marmite en terre ; pierre facile à tailler dont on fait des pots.

**olla-podrida** 1590, Hariot, ragoût ; mot esp. signif. « marmite pourrie ». || **oille** 1673, Sévigné ; francisation du mot.

**olographe** début XVII$^{e}$ s., jurid., pour *holographe ;* bas lat. *holographus* (IV$^{e}$ s., saint Jérôme), du gr. *holos,* entier, et *graphein,* écrire ; écrit en entier de la main du testateur. || **olographie** 1874, Lar.

**olympe** 1525, J. Lemaire de Belges, séjour des dieux ; 1678, La Fontaine, endroit élevé ; 1690, Furetière, ciel ; lat. *Olympus,* gr. *Olumpos,* du nom d'une montagne de la Grèce ancienne, résidence légendaire des dieux. || **olympien** 1550, Ronsard, « qui réside sur l'Olympe » ; 1835, *Acad.,* majestueux ; lat. *olympius.*

**olympiade** XIII$^{e}$ s., Tobler-Lommatzsch ; lat. *olympias,* gr. *olumpias,* de *Olumpia* (v. le suivant).

**olympique** 1525, J. Lemaire de Belges, relatif à Olympie ; 1894, *Revue de Paris,* sens mod. ; lat. *olympicus,* du gr. *olumpikos,* du nom de *Olumpia,* ville d'Élide où se célébraient tous les quatre ans les jeux Olympiques. || **olympisme** 1894, *Revue de Paris.*

**ombelle** 1558, J. Du Bellay (*umbelle*) ; 1685, Furetière (*ombelle*) ; lat. *umbella,* ombrelle, de *umbra,* ombre. || **ombellifère** 1698, Tournefort. || **ombelliféracées** 1959, Robert.

**ombilic** XIV$^{e}$ s., Foix (*ombelic*) ; 1503, Chauliac (*ombilic*) ; lat. *umbilicus* (v. NOMBRIL). || **ombilical** 1490, Chauliac ; *cordon ombilical,* 1762, *Acad.* || **ombiliqué** 1765, *Encycl.* || **ombilicaire** 1584, du Fail.

**omble** 1553, Belon (*humble*) ; 1874, Lar. (*omble*) ; altér. de *amble,* même sens, du bas lat. *amulus* (V$^{e}$ s., Polemius Sivius, à Lyon).

**ombrageux** V. OMBRE.

1. ***ombre** 980, *Valenciennes* (*umbre*) ; 1160, Benoît (*ombre*) ; lat. *ŭmbra ; à l'ombre de,* 1613, Régnier, fig. || ***ombreux** 1175, Chr. de Troyes ; lat. *umbrosus.* || **ombrage** 1160, Benoît, sens propre ; fin 1587, Du Vair, « jalousie » ; *porter ombrage,* 1784, *Correspondance litt.* || **ombrager** 1112, *Voy. saint Brendan* (*umbrajier*) ; milieu XIII$^{e}$ s. (*ombrager*). || **ombrageux** 1265, J. de Meung, où il y a peu de lumière ; 1300, à propos d'un cheval ; 1589, Baïf, soupçonneux. || **ombrer** 1265, J. de Meung, « mettre à l'ombre » ; 1555, Belon, « marquer d'ombres » (un dessin) ; lat. *umbrare.* || **obombrer** 1119, Ph. de Thaon ; lat. *obumbrare.* || **pénombre** milieu XVII$^{e}$ s. ; sur le lat. *paene,* presque. || **ombromanie** 1932, Lar., jeu d'ombres. || **ombrophile** 1963, Lar.

2. ***ombre** fin XIV$^{e}$ s., Delatte (*umbre*) ; 1562, Du Pinet (*ombre*) ; lat. *umbra,* ombre, proprem. « poisson de couleur sombre ».

**ombrelle** 1588, Montaigne, n. m. ; 1611, Cotgrave, n. f. ; ital. *ombrello,* n. m., du lat. *umbella* (v. OMBELLE), avec *r* analogique de *umbra,* ombre ; devenu fém. d'après les mots en *-elle.*

**oméga** XII$^{e}$ s., G., *alfa et omega,* « le commencement et la fin » ; 1535, Olivétan, nom de la dernière lettre de l'alphabet grec ; du nom grec de l'*o* long (avec *mega,* grand), opposé à *omikron, o* bref (avec *mikron,* petit).

**omelette** 1548, Rab. (*homelaicte*) ; altér. sous l'influence des mots issus du lat. *ovum,* de *amelette* (1398, *Ménagier*), de ***alemette,** var. de *alumette* (1480, G.), lui-même issu de *alumelle* (1398, *Ménagier*), de l'anc. fr. *lemelle* (avec agglutination du *a* de l'article *la*), var. de *lamelle* (v. LAME). L'omelette a été comparée à une lame, à cause de sa minceur.

**omettre** 1337, G. ; lat. *omittere,* de *mittere,* envoyer, d'après *mettre.* || **omission** 1350, Gilles li Muisis ; bas lat. *omissio* (IV$^{e}$ s., Symmaque).

**omni-,** lat. *omnis,* tout. || **omnicolore** 1827, *Acad.* || **omnidirectionnel** 1949, Lar. || **omnipotent** 1080, *Roland ;* lat. *omnipotens,* de *potens,* puissant. || **omnipotence** 1387, La Curne ; lat. *omnipotentia.* || **omnipraticien** 1963, Lar. || **omniprésence** 1829, Boiste. || **omniprésent** 1838, *Acad.* || **omniscience** 1734, Voltaire ; lat. *omniscientia.* || **omniscient** 1737, Voltaire. || **omnisports** 1958, *journ.* || **omnivore** 1749, Buffon ; lat. *omnivorus,* de *vorare,* dévorer.

**omnibus** début XIX$^{e}$ s., ellipse de *voiture omnibus* (1835, *Acad.*), où *omnibus,* datif pl. du lat. *omnis,* tout, signifie « pour tous » ; XX$^{e}$ s., train desservant toutes les stations, de *train omnibus,* 1838, Wexler ; 1874, Lar., adj., qui convient à tous. La finale *-bus* est devenue suffixe pour des véhicules de transport en commun, et même pour des mots indiquant l'idée de circulation. (V. AÉROBUS, AUTOBUS, BIBLIOBUS, TROLLEYBUS.)

**omnium** 1776, Franklin ; 1872, *J. O.,* compagnie commerciale faisant indistinctement toutes les opérations ; 1872, Pearson, sorte de course de chevaux ; 1932, Lar., épreuve sportive ; mot angl., du lat. *omnium,* gén. pl. de *omnis,* tout ; formule d'un emprunt lancé en Angleterre en 1760, pour désigner la totalité des effets publics reçus par l'emprunteur.

**omophage** 1771, Trévoux ; gr. *ômophagos,* qui mange de la chair crue, de *ômos,* cru, et *phageîn,* manger.

**omoplate** 1363, Chauliac (*homoplate*) ; 1534, Rab. (*omoplate*) ; gr. *ômoplatê,* de *ômos,* épaule, et *platê,* chose plate.

**omphalectomie** 1963, Lar. ; gr. *omphalos,* nombril, et *ektomê,* amputalion, excision.

***on** 842, *Serments* (*om,* cas sujet ; aussi 1080, *Roland*) ; 1155, Wace (*on,* affaiblissement du préc.) ; lat. *homo,* par évolution en position atone.

1. **onagre** 1119, Ph. de Thaon, zool. (*onager*) ; fin XII^e^ s. (*onagre*) ; lat. *onager, onagrus,* du gr. *onagros,* âne sauvage.

2. **onagre** 1615, Daléchamp, bot. (*onagra*) ; 1778, Lamarck (*onagre*) ; gr. *onagra,* onagre, œnothère. || **onagracées** 1874, Lar. || **onagrariées** 1838, *Acad.*

**onanisme** 1760, Tissot ; du nom de *Onan,* personnage biblique, fils de Juda, à qui est attribué ce plaisir sexuel solitaire (v. *Genèse,* XXXVIII). || **onaniste** 1828, Mozin.

1. ***once** 1112, *Voy. saint Brendan,* petite quantité ; 1130, *Eneas,* unité de poids ; 1131, *Couronn. Loïs,* monnaie ; lat. *uncia,* mesure d'un douzième. || **oncial** 1587, Vigenère ; lat. *uncialis,* lettre capitale (d'un pouce), du sens de *pouce,* le douzième du pied. || **onciaire** 1355, Bersuire ; lat. *unciarius.*

2. ***once** 1265, Br. Latini, zool. ; de *lonce,* par déglutination de l'article, du lat. pop. *luncea, lyncea,* de *lynx* (v. LYNX).

**oncirostre** 1839, Boiste, zool. ; lat. *uncus,* crochu, et *rostrum,* bec.

***oncle** 1080, *Roland* (*uncle*) ; lat. *avunculus,* oncle maternel, de *avus,* aïeul. || **grand-oncle** 1538, R. Est.

**onction** 1190, *Saint Bernard ;* lat. *unctio,* de *unctus,* part. passé de *ungere,* oindre. || **extrême-onction** 1558, B. Des Périers.

**onctueux** 1314, Mondeville ; lat. médiév. *unctuosus,* de *ungere,* oindre. || **onctuosité** 1314, Mondeville ; lat. médiév. *unctuositas.* || **onctueusement** 1582, Agneaux.

***onde** 1112, *Voy. saint Brendan ;* 1765, *Encycl.,* phys. ; *longueur d'onde,* 1903, Lar. ; *ondes radioélectriques,* XX^e^ s. ; lat. *unda.* || **ondé** 1360, Froissart. || **ondée** fin XII^e^ s., *Dial. Grégoire.* || **onder** 1138, *Saint Gilles.* || **ondin** milieu XVI^e^ s., Ronsard (*ondine*) ; 1704, Trévoux (*ondin*). || **ondomètre** 1923, Lar. || **ondoiement** 1160, Benoît (*undeiement*). || **ondoyer** 1138, *Saint Gilles,* flotter ; 1215, Gatineau, v. tr., relig. || **ondoyant** 1160, Benoît, adj.

**onduler** 1746, Nollet ; bas lat. *undulare* (I^er^ s., Pline, *undulatus*), de *unda* (v. ONDE). || **ondulé** adj., 1767, Grouner. || **ondulant** adj., 1761, Levret, méd. || **ondulation** 1680, Perrault ; 1765, *Encycl.,* phys. ; 1799, Marmontel, mouvement musical ; 1900, Colette, coiffure. || **ondulement** 1883, A. Daudet. || **ondulatoire** 1765, *Encycl.* || **onduleux** 1735, Heister. || **onduleur** 1963, Lar.

**onéreux** 1370, Oresme (*honereus*) ; début XVI^e^ s. (*onéreux*), lourd ; lat. *onerosus,* lourd ; début XVI^e^ s., « qui est à charge » ; 1678, Racine, « qui coûte beaucoup ».

**one-step** 1923, Lar. ; mot anglo-américain signif. « un pas » ; danse américaine.

***ongle** 1112, *Voy. saint Brendan* (*ungle*), n. m. et f. ; 1130, *Eneas,* n. f., serre, ergot, griffe ; fém. jusqu'au XVI^e^ s., et encore chez La Fontaine ; lat. *ungula,* fém., griffe, qui a éliminé *unguis,* ongle, d'où l'anc. et moy. fr. *ongle.* || **onglé** adj., 1400, G. || **onglée** 1456, Villiers. || **onglet** 1304, G., crochet ; 1538, R. Est., petit ongle ; 1690, Furetière, sens actuel. || **onglette** 1572, Baïf, petit ongle ; 1615, Binet, techn. || **onglon** début XIV^e^ s., G. || **onglier** 1874, Lar. || **ongulé** adj., 1756, Brunot ; n. m., 1827, *Acad.,* zool. || **onguicule** 1845, Besch. ; lat. *unguiculus,* dim. de *unguis.* || **onguiculé** 1756, Brunot ; lat. scient. *unguiculus.* || **onguligrade** 1839, Robert (*ongulograde*).

**onguent** début XIII^e^ s. (*onguen*) ; fin XV^e^ s. (*onguent*) ; lat. *unguentum,* parfum, et sens spécialisé en pharm.

**onguiculé, ongulé** V. ONGLE.

**onirique** 1903, Lar. ; gr. *oneiros,* rêve. || **onirisme** 1923, Lar. || **onirogène** 1961, Delay. || **onirologie** XX^e^ s. || **oniromancie** 1623, Ferrand (*oniromance*) ; 1827, *Acad.* (*oniromancie*). || **oniromancien** 1827, *Acad.*

**onomasiologie** 1904, *Romania ;* gr. *onoma,* nom, d'après *sémasiologie.* || **onomasiologique** v. 1950.

**onomastique** 1578, d'Aubigné (*onomastic*), n. m. ; 1868, L. (*onomastique*), n. f. ; gr. *onomastikos,* « du nom propre ».

**onomatopée** 1585, Vaganay ; bas lat. *onomatopoeia* (IV^e^ s., Charisius), mot gr. signif. « création de mot », de *onoma,* gén. *onomatos,* mot, nom, et *poieîn,* faire. || **onomatopéique** XVIII^e^ s. (*-ique*) ; 1838 (*-éi-*).

***onques, onc** fin IXe s., *Eulalie* (*omque*) ; 1130, *Eneas* (*onc*) ; 1175, Chr. de Troyes (*onques*) ; lat. *unquam,* quelquefois ; a signifié « jamais » (disparu depuis le XVIe s.).

**ontogenèse** 1903, Lar. ; gr. *ôn, ontos,* être, part. prés. de *einai,* être, et *genesis,* genèse. || **ontogénique** 1932, Lar. || **ontogénétique** 1932, Lar.

**ontologie** 1696, *Journ. des savants ;* lat. philos. *ontologia,* employé par Clauberg en 1646, d'après le gr. *ôn,* gén. *ontos* (v. le préc.). || **ontologique** 1765, *Encycl.* || **ontologiquement** 1874, Lar. || **ontologisme** 1868, Souviron.

**onyx** XIIe s., Marbode (*onix*) ; 1560, *Bible Estienne* (*onyx*) ; mot lat., du gr. *onux,* ongle (d'après la transparence de la pierre). || **onychophagie** 1903, Lar. ; gr. *onuchos,* gén. de *onux,* et *phagie.* || **onychogène** 1903, Lar. || **onychomycose** 1903, Lar. || **onyxis** 1845, Besch.

***onze** 1080, *Roland ;* lat. *undecim,* de *unus,* un, et *decem,* dix. || **onzième** 1119, Ph. de Thaon (*unzime*) ; XIIe s., G. (*onzième*). || **onzain** XIIIe s., Macé de La Charité. || **onzièmement** 1552, Peletier du Mans.

**oo-,** gr. *ôon,* œuf. || **oogone** 1888, Lar. || **oolithe** 1752, Trévoux, f. ou m. ; lat. *oolithus,* calque de l'allem. *Rogenstein ;* 1762, *Acad.,* m. || **oolithique** 1818, Breislak. || **oologie** 1868, L. || **oomancie** 1874, Lar. || **oosphère** 1888, Lar. || **oothèque** 1842, *Acad. ;* gr. *thêkê,* coffre.

**opale** 1120, Studer (*optal*) ; 1560, Belleau (*opalle*) ; 1562, Du Pinet (*opale*), n. m. ; 1611, Cotgrave, n. f. ; lat. *opalus.* || **opalin** 1783, Buffon. || **opaline** 1874, Lar., zool. ; 1907, Lar., sorte de verre. || **opalisé** 1838, *Acad.* || **opaliser** 1877, A. Daudet. || **opalisation** 1874, Mallarmé. || **opalescence** 1868, L. || **opalescent** 1866, L.

**opaque** XIVe s., *Nature à alchimie,* sombre ; v. 1570, Montaigne, sens mod. ; lat. *opacus.* || **opacité** 1525, J. Lemaire de Belges, ombre épaisse ; lat. *opacitas ;* 1680, Richelet, sens mod. || **opacifier** 1868, L. || **opacification** 1810, Fourmy. || **opacimétrie** 1949, Lar. || **opacimètre** 1923, Lar.

**opéra** v. 1646, introduit par Mazarin ; ital. *opera,* au sens musical, proprem. « œuvre » (v. ŒUVRE). || **opéra bouffe** 1810, d'après Besch. || **opéra-comique** 1747, Lesage. || **opérette** 1825, Castil-Blaze ; ital. *operetta,* dimin. de *opera.*

**opercule** 1736, *Catalogue ;* lat. *operculum,* couvercle, de *operire,* couvrir ; spécialisé en zool. || **operculaire** 1803, *Nouv. Dict. d'hist. nat.* || **operculé** 1768, Valmont de Bomare.

**opérer** 1470, *Livre discipline d'amour divine,* eccl., agir (Dieu, grâce) ; XVIe s., produire (un effet) ; *id.,* agir, au sens étendu ; début XVIIe s., math. ; 1690, Furetière, chir. ; 1694, *Acad.,* exécuter, au sens étendu ; début XIXe s., milit. ; lat. *operari,* travailler, de *opus, operis,* ouvrage. || **opéré** n. m., 1845, Besch., chir. || **opérable** XVe s., « qui pousse à agir » ; 1845, Besch., sens mod. || **inopérable** début XIXe s. || **opérant** 1560, Calvin. || **opérande** 1968, Lar., math. || **inopérant** 1859, Mozin. || **opérateur** 1370, Oresme, artisan ; 1606, Crespin, qui accomplit une action ; XIXe s., manipulateur ; 1923, Lar., phot. ; 1928, Saint-Exupéry, radio ; lat. *operator.* || **opération** 1130, *Job,* ouvrage ; lat. *operatio ;* 1613, Bassantin, math. ; 1680, Richelet, méd. ; 1701, Furetière, milit. || **opératoire** 1784, *Journ. méd.,* chir. || **postopératoire** 1952. || **opérationnel** v. 1950, *journ. ;* angl. *operational.* || **coopérer** fin XIVe s. ; bas lat. *cooperari.* || **coopérateur** 1516, Delb. ; 1762, Bachaumont, relig. ; 1798, *Acad.,* qui coopère. || **coopératif** 1550, H. Fierabras, méd. ; milieu XIXe s., écon., repris à l'angl. || **coopérative** milieu XIXe s. || **coopération** fin XIVe s. ; lat. *cooperatio ;* 1828, J. Rey, écon.

**ophi(o)-,** gr. *ophis,* serpent. || **ophidien** 1800, *Bull. des sciences.* || **ophiolâtrie** 1721, Trévoux ; gr. *latreia,* culte. || **ophioglosse** 1694, Th. Corn. (*ophioglossum*) ; 1762, *Acad.* (*ophioglosse*) ; gr. *glôssa,* langue. || **ophiologie** 1823, Boiste. || **ophite** 1495, J. de Vignay, minér. ; lat. *ophites* (gr. *ophitês*), « ressemblant à un serpent ». || **ophitique** 1903, Lar. || **ophiure** 1808, Boiste ; gr. *oura,* queue.

**ophicléide** 1811, *le Moniteur ;* gr. *ophis,* serpent, et *kleis, kleidos,* clef (cet instrument de musique en a remplacé un autre, appelé *serpent*).

**ophrys** 1549, Maignan (*ophris*) ; 1701, Furetière (*ophrys*) ; mot lat., du gr. *ophrus,* sourcil.

**ophtalmie** 1370, Oresme (*obtalmie*) ; 1538, Canappe (*ophtalmie*) ; lat. *ophthalmia,* mot gr. (*ophthalmos,* œil). || **ophtalmique** 1495, J. de Vignay (*obthalmique*) ; 1555, Vide (*ophtalmique*) ; lat. *ophthalmicus.* || **ophtalmologie** 1753, *Dict. anat.* || **ophtalmologique** 1808, Wenzel. || **ophtalmologiste** 1838, *Acad.* || **ophtalmologue** *id.* || **ophtalmomètre** 1747, Mairan.

|| **ophtalmoscope** 1858, Nysten. || **ophtalmoscopie** XVII^e^ s., Naudé. || **exophtalmie** 1752, Trévoux ; lat. médiév. *exophtalmia,* du gr. *exophtalmos,* « qui a les yeux en dehors ». || **exophtalmique** 1836, *Acad.*

**opiat** V. OPIUM.

**opimes (dépouilles)** 1571, Gohory ; lat. *opima spolia,* de *opimus,* riche, copieux.

**opiner** fin XIV^e^ s., *Vie de saint Eustache ;* lat. *opinari,* émettre une opinion. || **opinant** n. m., 1470, *Anciennes Lois ;* adj., 1549, R. Est. || **préopiner** 1718, *Acad.* || **préopinant** n. m., 1690, Furetière.

**opiniâtre** 1431, Isambert (*oppiniastre*) ; 1636, Monet (*opiniâtre*), sur *opinion.* || **opiniâtrement** 1431, Isambert. || **opiniâtrer (s')** 1538, R. Est. || **opiniâtreté** 1528, Jean Du Bellay.

**opinion** fin XII^e^ s., *Dial. Grégoire ;* lat. *opinio,* de même rac. que *opinari* (v. OPINER).

**opistho-,** gr. *opisthen,* derrière. || **opisthobranche** 1888, Lar. || **opisthodome** 1752, Trévoux. || **opistographe** 1546, Rab.

**opium** XIII^e^ s., *Simples Méd. ;* fin XVII^e^ s., Saint-Simon, fig. ; mot lat., du gr. *opion,* suc de pavot, de *opos,* suc. || **opiacé** 1812, Mozin. || **opiacer** 1845, Besch. || **opiat** 1336, La Curne (*opiate,* n. f.) ; milieu XVI^e^ s. (*opiat,* n. m.). || **opiomane** 1897, Claisse. || **opiomanie** fin XIX^e^ s., A. Daudet. || **opiophage** 1868, L.

**oponce** 1562, du Pinet (*opuntia*), n. f. ; 1903, Lar. (*oponce*), n. m. ; lat. *opuntius,* de la ville de *Oponte,* en Locride ; genre de cactus.

**opopanax** XIII^e^ s., *Simples Méd.* (*opopanac*) ; 1664, d'après L. (*opopanax*) ; lat. *opopanax,* mot gr., de *opos,* suc, et *panax,* plante médicinale.

**opossum** 1640, Laet (*opassum*) ; début XVIII^e^ s. (*opossum*) ; mot anglo-amér., de l'algonquin *oposon ;* mammifère et fourrure.

**opothérapie** 1898, Littré ; gr. *opos,* suc, et *-thérapie.* || **opothérapique** 1903, Lar.

**oppidum** 1765, *Encycl. ;* mot lat.

**opportun** 1355, Bersuire ; lat. *opportunus.* || **opportunément** 1422, A. Chartier. || **opportunité** 1220, Coincy. || **opportunisme** 1869, E. Deschamps. || **opportuniste** 1874, Verlaine. || **inopportun** fin XIV^e^ s. ; bas lat. *inopportunus.* || **inopportuniste** 1870, Ségur d'Aguesseau. || **inopportunité** 1433, *Arch. de Bretagne.*

**opposer** 1175, Chr. de Troyes, répliquer ; début XIV^e^ s., objecter ; 1580, Montaigne, faire obstacle ; *s'opposer,* 1330, Digulleville ; lat. *opponere,* francisé d'après *poser.* || **opposant** n., 1336, Fréville, jurid. || **opposable** 1845, Besch., anat. || **opposabilité** 1865, C. Vogt. || **opposé** 1549, R. Est., placé en face ; *à l'opposé,* 1845, Besch. || **opposite** adj., XIII^e^ s., *Sept Sages ;* lat. *oppositus,* part. passé de *opponere ;* XIV^e^ s., Tobler-Lommatzsch, *à l'opposite.* || **opposition** 1175, Chr. de Troyes ; lat. *oppositio ;* 1265, J. de Meung, astron. ; 1474, Bartzsch, jurid. ; 1745, abbé Le Blanc, polit., repris à l'anglais. || **oppositionnel** 1955, Ikor.

**oppression** 1160, Benoît, « violences » ; 1180, Marie de France, tâche accablante ; XIII^e^ s., *Antéchrist,* autorité tyrannique ; XIII^e^ s., « contrainte » ; 1659, Huygens, physiol. ; lat. *oppressio,* de *oppressus,* part. passé de *opprimere.* || **oppressant** XV^e^ s., tyrannique. || **oppresseur** milieu XIV^e^ s., Gilles li Muisis ; lat. *oppressor.* || **oppressé** fin XII^e^ s., Villehardouin. || **oppresser** XII^e^ s., *Naissance du chevalier.* || **oppressif** 1480, *Baratre infernal.*

**opprimer** 1330, Digulleville, surcharger ; 1355, Bersuire, écraser sous le joug ; 1541, Calvin, fig. ; lat. *opprimere,* proprem. « comprimer, écraser », de *premere,* presser.

**opprobre** 1120, *Ps. d'Oxford ;* lat. *opprobrium,* de *probrum,* infamie.

**optatif** milieu XIV^e^ s., qui souhaite ; lat. *optativus,* de *optare,* souhaiter (v. le suivant) ; 1550, Meigret, mode exprimant le souhait.

**opter** 1411, N. de Baye, sens actuel ; lat. *optare ;* XVI^e^ s., « souhaiter », d'après le sens lat. || **option** fin XII^e^ s., *Dial. Grégoire.* || **optionnel** 1967, *journ.* || **coopter** XVII^e^ s. ; lat. *cooptare.* || **cooptation** 1639, Chapelain ; lat. *cooptatio.*

**optimisme** 1737, *Mém. de Trévoux ;* lat. *optimus,* superlatif de *bonus,* bon. || **optimiste** 1752, Trévoux.

**optimum** n. m., 1771, Trévoux ; adj., 1931, Valéry ; neutre lat. *optimum,* le meilleur. || **optimal** 1963, Lar. || **optimaliser** 1968, *journ.* || **optimalisation** 1969, *journ.* || **optimiser** 1964, *journ.* || **optimisation** 1967, *journ.*

**optique** 1314, Mondeville (*obtique*) ; 1503, Chauliac (*optique*) ; gr. *optikos ;* 1605, Le Loyer, n. f. ; lat. *optice,* n. f. (I^er^ s. av. J.-C., Vitruve), du gr. *optikê* (s.-e. *tekhnê*), art de la vision. || **opticien** 1642, Comenius. || **optomètre** 1855, Nysten ; gr. *opsomai,* voir. || **optométrie** 1874, Lar.

**opulent** 1355, Bersuire ; lat. *opulentus,* de *opes,* ressources, richesse. || **opulence** 1464, G., prospérité, richesse ; lat. *opulentia.* || **opulemment** 1513, Isambert, avec opulence ; 1896, Goncourt, sens actuel.

**opuntia** V. OPONCE.

**opuscule** 1488, *Mer des hist.* ; lat. *opusculum,* dimin. de *opus,* ouvrage.

1. ***or** n. m., fin IXe s., *Eulalie* ; lat. *aurum.*

2. ***or** conj., fin Xe s., *Valenciennes* (*ore, or*), « maintenant » ; lat. *hāc horā,* « à cette heure » ; XIIe s., comme coordination (v. DÉSORMAIS, LORS). || ***encore** 1080, *Roland* (var. *uncor[e]*) ; lat. pop. *hinc ad horam,* à cette heure. || **d'ores et déjà** 1877, L.

**oracle** 1160, Benoît, « lieu de culte » ; 1370, Le Fèvre, « vérités de l'Église » ; 1530, Palsgrave, réponse des dieux ; 1546, R. Est., décision infaillible ; 1696, La Bruyère, personne infaillible ; lat. *oracŭlum,* de *orare,* prononcer une parole rituelle. || **oraculaire** 1596, Hulsius. || **oraculeux** 1580, M. de La Porte. (V. ORAISON.)

**orage** 1112, *Voy. saint Brendan,* surtout « souffle du vent » ; anc. fr. *ore,* vent, du lat. *aura,* brise. || **orageux** 1200, *Règle saint Benoît,* querelleur ; XVIe s., G., qui annonce l'orage ; XIIIe s., G., violent.

***oraison** 1050, *Alexis,* prière (var. en anc. fr. *oroison, orison,* etc.) ; lat. eccl. *oratio,* prière (IIIe s., Tertullien), de *orare* ; XIIIe s., discours ; *oraison funèbre,* 1654, Guez de Balzac.

**oral** 1610, Coton (*manducation orale*), sens propre ; 1674, Richelet, de bouche en bouche ; 1765, *Encycl.,* phonét. ; n. m., 1868, L. ; lat. *os, oris,* bouche.

**-orama,** gr. *orama,* vue (v. PANORAMA), devenu *-rama* dans de nombreuses formations de la publicité dès le XIXe s.

**orange** 1200, Tobler-Lommatzsch (*pume orenge*) ; 1314, Mondeville (*pomme d'orenge*) ; 1515, Du Redouer (*orange*) ; *pume orenge,* calque de l'anc. ital. *melarancia,* de l'ar. *nārandj,* mot d'orig. persane ; avec *o* par influence du nom de la ville d'Orange, par où ces fruits parvenaient dans le Nord. || **orangeade** 1642, Oudin ; ital. *aranciata.* || **orangeat** 1369, Prost. || **oranger** 1389, G., arbre ; XVIIe s., marchand d'oranges ; v. 1845, Besch. || **orangeraie** 1962, Robert. || **orangerie** 1603, Henri IV. || **orangette** 1847, Besch.

**orang-outang** 1680, trad. de Montanus (déjà en 1635 chez le Hollandais Bontius) ; malais *orang-outan,* homme des bois ; le 2e *g* est donc fautif.

**orant** 1874, Lar. ; part. prés. de l'anc. fr. *orer,* du lat. *orare,* prier.

**orateur** 1180, *Vie saint Évroult* (*oratour*) ; 1355, Bersuire (*orateur*) ; lat. *orator,* de *orare,* au sens de « parler ». || **oratrice** 1666, Chapelain. || **oratoire** adj., 1460, Chastellain ; lat. *oratorius.* || **oratoire** n. m., 1190, Garnier (*oratar*) ; fin XIIe s., *Dial. Grégoire* (*oratoire*) ; lat. eccl. *oratorium,* de *orare* au sens de « prier ». Voir les toponymes de même orig. et d'évol. pop. : *Ozouer, Ozoir* (dans le Nord), *Oradour, Loradoux* (dans le Sud), etc. || **oratorien** 1721, Trévoux ; du nom de la société de l'Oratoire (1680, Richelet). || **oratorio** 1739, Ch. de Brosses ; mot ital., d'après l'église de l'Oratoire de Rome, où saint Philippe Neri organisa, à la fin du XVIe s., des intermèdes musicaux.

1. **orbe** adj., 1050, *Alexis* (*orbs*) ; 1170, *Floire et Blancheflor* (*orbe*), « aveugle » ; 1249, Runkewitz, techn., « sans ouverture » ; lat. *orbus,* « privé de », en lat. pop. « aveugle ».

2. **orbe** 1265, Br. Latini, n. f. ; 1527, G. Crétin, n. m. ; lat. *orbis,* cercle. || **orbicole** 1858, Legoarant. || **orbiculaire** 1378, J. Le Fèvre ; lat. impér. *orbicularis* (IIe s., Apulée).

**orbite** 1314, Mondeville, anat. ; 1676, *Journ. des savants,* astron. ; lat. *orbita,* « ligne circulaire », de *orbis* (v. le préc.). || **orbitaire** 1560, Paré. || **orbital** 1874, Guillemin. || **orbiter** 1965, Colin. || **exorbité** 1787, Féraud. (V. EXORBITANT.)

**orcanette** V. ARCANNE.

**orchestre** 1547, J. Martin, n. f., théâtre grec ; 1694, *Acad.,* n. m., hist. ; 1665, Retz, partie d'un théâtre réservée aux musiciens, d'abord fém. ; 1694, *Acad.,* comme n. m. ; 1754, *Année littéraire,* ensemble des musiciens ; 1825, Raymond, places les plus rapprochées des musiciens ; *chef d'orchestre,* 1834, Fétis ; gr. *orkhêstra,* partie du théâtre où évoluait le chœur, de *orkheisthai,* danser. || **orchestral** 1845, F. Wey. || **orchestration** 1836, Landais. || **orchestrer** 1838, *Acad.* ; XXe s., fig. || **orchestrion** v. 1787, inventé par l'abbé Vogler. || **réorchestrer** 1877, L. || **orchestique** 1721, Trévoux ; gr. *orkhêstikê,* art de la danse.

**orchis** 1546, G. ; mot lat., du gr. *orkhis,* testicule (d'après la forme des racines tuberculeuses de l'orchidée). || **orchidée** 1766, Rozier ; lat. *orchis,* orchidée. || **orchialgie** 1858,

Nysten. || **orchidectomie** 1932, Lar. || **orchite** 1562, Du Pinet, bot. ; 1823, *Dict. méd.* || **orchidotomie** 1963, Lar. || **orchidothérapie** 1903, Lar.

**ordalie** 1721, Trévoux ; lat. médiév. *ordalium,* jugement, du francique *urdeili,* passé en anglo-saxon, de même rac. que l'all. *Urteil.*

**ordinaire** XIII^e s., *Livre de jostice,* n. m., jurid. ; XIV^e s., adj., sens mod. ; 1460, Villon, « ce qu'on sert ordinairement au repas » ; *d'ordinaire,* 1601, *Coutumier ; à l'ordinaire,* 1607, Hulsius ; lat. *ordinarius,* « rangé par ordre », de *ordo* (v. ORDRE). || **ordinairement** XIII^e s., *Purgatoire saint Patrice.* || **extraordinaire** XIII^e s. ; lat. *extraordinarius.* || **extra** n. m., 1732, Trévoux, jurid., « audience extraordinaire » ; 1877, L., « domestique engagé exceptionnellement » ; 1842, *Acad.,* adj., fam. ; abrév. du précéd.

**ordinal** 1370, Oresme, « ordinaire » ; 1550, Meigret ; lat. gramm. *ordinalis* (V^e s., Priscien), de *ordo* (v. ORDRE).

**ordination** fin XII^e s., *Dial. Grégoire,* eccl. ; lat. eccl. *ordinatio* (V^e s., Sid. Apoll.), de *ordo, ordinis,* rang. || **ordinand** n. m., 1642, *Doc.* || **ordinant** n. m., 1690, Furetière. || **ordinateur** n. m., 1491, Vaganay, « celui qui institue quelque chose » ; 1954, J. Perret, machine à calculer.

**ordo** 1752, Trévoux, eccl. ; mot lat. signif. « ordre ».

**ordonnance, ordonnancer, ordonnateur, ordonnée** V. ORDONNER.

**ordonner** 1119, Ph. de Thaon (*ordener*) ; v. 1190 (*ordiner*), commander ; 1120, *Ps. de Cambridge* (*ordener*), eccl. ; 1352, Bartzsch (*ordonner*), par attraction de *donner,* « investir d'une charge » ; XII^e s., eccl., « régler, disposer » ; XIV^e s., eccl. (*ordonner*) ; lat. *ordinare,* mettre en ordre, de *ordo* (v. ORDRE). || **ordonnance** 1180, Barbier (*ordenance*) ; 1380, *Aalma* (*ordonnance*), prescription ; XIII^e s., disposition ; 1752, Trévoux, militaire à la disposition d'un officier. || **ordonnancer** 1571, Barbier, donner ordre de payer. || **ordonnancement** 1493, *D. G.* || **ordonnateur** 1160, Benoît (*ordeneor*) ; 1504, J. Thierry (*ordonnateur*). || **ordonné** adj., milieu XIII^e s., « mis en ordre » ; 1559, Amyot, « qui a de l'ordre ». || **ordonnée** n. f., 1658, Pascal, math. || **désordonné** début XII^e s., débauché ; 1538, R. Est., « où il n'y a pas d'ordre » ; XIV^e s., *Nature à alchimie,* « qui manque d'ordre ». || **réordonner** milieu XVI^e s. || **coordonner** 1754, *Encycl.* || **coordonnées** n. f. pl., 1754, *Encycl.,* math., d'après l'emploi fait par Leibniz (1690). || **coordonné** adj., 1863, L., gramm. || **coordination** 1370, Oresme ; 1762, Rousseau, gramm. || **incoordination** 1866, L. || **incoordonné** 1882, Cadet. (V. SUBORDONNER.)

**ordre** 1080, *Roland,* eccl. ; 1155, Wace, disposition régulière ; fin XII^e s., R. de Moiliens, acte de commandement ; 1690, Furetière, « ce qui est commandé » ; fin XV^e s., qualité d'organisateur ; 1220, Coincy, rapport ; milieu XVII^e s., discipline ; 1679, Savary, finance ; *ordre du jour,* milieu XVIII^e s. ; 1835, *Acad.,* milit. ; *rappeler à l'ordre,* 1828, Mozin ; *rappel à l'ordre,* 1835, *Acad. ; ordre public,* 1835, *Acad. ; jusqu'à nouvel ordre,* 1694, *Acad. ;* lat. *ordo, ordĭnis.* || **désordre** 1377, Varin, querelles ; 1530, Palsgrave, sens mod. || **contrordre** 1680, Richelet (*contre-ordre*) ; 1932, *Acad.* (*contrordre*). || **sous-ordre** 1690, Furetière, finance ; 1762, *Acad.,* n. m., « celui qui travaille sous un autre ».

**ordure** 1119, Ph. de Thaon ; *boîte à ordures,* 1903, Lar. ; anc. fr. *ord* (1112, *Voy. saint Brendan*), « d'une saleté repoussante », du lat. *horridus,* « qui fait horreur ». || **ordurier** 1680, Richelet, n. m., boîte à ordures ; 1718, *Acad.,* adj., grossier.

**orée** 1310, La Curne, rive, bord ; 1354, *Modus,* « lisière d'un bois » ; vieilli au XVII^e s., repris par la langue littér. au XIX^e s. ; anc. fr. *ore* (1160, Benoît), du lat. *ora,* bord, lisière.

***oreille** 980, *Passion* (*aurelia*) ; 1080, *Roland* (*oreille*) ; lat. *auricula,* dér. qui a remplacé *auris ; avoir de l'oreille,* 1690, Furetière. || **oreillard** 1642, Oudin. || **oreiller** début XII^e s., *Voy. de Charl.* || **oreillette** XII^e s., *Fierabras,* petite oreille ; 1654, Gelée, anat. || **oreillon** XIII^e s., Tobler-Lommatzsch, « coup sur l'oreille » ; 1549, Tagault, pl., méd. || **oreille-d'âne** 1690, Furetière. || **oreille-de-mer** 1868, L. || **oreille-de-souris** 1690, Furetière. || **essoriller** 1303, Du Cange. (V. AURICULE, et les mots composés du rad. gr. *oto-, ot-.*)

**orémus** n. m., 1648, Scarron ; mot lat., subj., 1^re pers. du pl. de *orare :* « prions ».

**ores** V. OR.

***orfèvre** XII^e s., *Dolopathos ;* lat. pop. **aurifaber,* « forgeron d'or », réfection du lat. *aurifex* (de *facere,* faire), d'après l'anc. fr. *fevre,* artisan, lat. *faber.* || **orfèvrerie** 1170, *Rois* (*orfaverie*). || **orfévré** 1868, Goncourt.

**orfraie** 1373, Gace (*orfres*) ; fin XVe s. (*orfraie*) ; altér. de *osfres,* du lat. *ossifraga,* « qui brise les os », de *os, ossis,* et *frangere,* briser.

***orfroi** fin XIe s., *Chanson Guillaume* (*orfreis*) ; fin XIIe s., *Aiol* (*orfroi*) ; probablem. du lat. **aurum phrygium,* « or de Phrygie », à cause de la renommée des Phrygiens dans l'art de broder les étoffes avec de l'or.

**organdi** 1723, Savary ; de *Ourgandj,* nom d'une ville du Turkestan.

**organe** 1120, *Ps. d'Oxford,* instrument de musique ; 1480, *Mystère,* organe du corps, et voix ; 1782, Gohin ; 1868, L., partie d'une machine ; lat. *organum* (gr. *organon*), instrument, surtout de musique (v. ORGUE). || **organeau** 1382, à Rouen (*orgueneaul*) ; 1752, Trévoux (*organeau*). || **organisé** adj., XIVe s., *Nature à alchimie.* || **inorganisé** 1769, Diderot. || **organisable** 1835, Lamartine. || **organiser** 1380, Conty, « disposer de manière à rendre apte à la vie » ; 1794, Brunot, sens mod. ; *s'organiser,* 1694, *Acad.* || **organisateur** 1793, *Bull. des « Amis de la vérité ».* || **organisation** fin XIVe s. || **inorganisation** fin XVIIIe s. || **désorganisé** milieu XVIe s. || **désorganiser** fin XVIe s. || **désorganisateur** 1792, Robespierre. || **désorganisation** 1764, Duhamel. || **réorganiser** 1795. || **réorganisateur** 1838, *Acad.* || **réorganisation** 1791. || **organique** 1314, Mondeville, anat. ; 1378, Le Fèvre, jurid. ; lat. *organicus* (gr. *organikos*). || **organiquement** 1547, Rab. || **inorganique** 1579, Joubert. || **organicisme** 1846, Lalande. || **organiciste** 1858, Nysten. || **organigramme** 1945, Gilbert. || **organisme** 1729, Bourguet. || **organite** 1858, Nysten. || **organologie** 1834, Boiste. || **organothérapie** 1897, Metchnikov.

**organeau, organiser, organiste** V. ORGANE, ORGUE.

**organsin** milieu XIIe s. (*orcassin*) ; 1667, L. (*organsin*), de *Ourgandj,* ville du Turkestan. || **organsiner** 1755, *Mémoires Acad.* || **organsinage** 1829, Boiste. || **organsineur** 1842, *Acad.*

**orgasme** 1611, Cotgrave, accès de colère ; 1623, Ferrand, sens actuel ; gr. *orgasmos,* de *orgân,* « avoir le sang en mouvement ». || **orgastique** 1873, Nysten. || **antiorgastique** 1803, Boiste.

***orge** 1119, Ph. de Thaon ; adapt. anc. du lat. *hordĕum.* || **orgeat** XVe s., *Gordon ;* prov. *orjat,* dér. de *orge.*

***orgelet** 1570, Daléchamps (*orgeolet*) ; XVIIe s. (*orgelet*) ; du moy. fr. *ordeole* (1363, Chauliac), *horgeol* (1538, R. Est.) ; bas lat. *hordĕolus* (IVe s., Priscien), « grain d'orge », de *hordĕum.* (V. *compère-loriot,* à LORIOT.)

**orgie** 1520, de Seyssel, pl., chant des Bacchantes ; 1715, Voltaire, sens mod. ; lat. *orgia,* pl. neut., fête de Bacchus (mot gr. : fêtes de Dionysos). || **orgiaque** 1847, Besch. || **orgiaste** 1752, Trévoux ; gr. *orgiastês.* || **orgiastique** 1838, *Acad.*

**orgue** 1155, Wace, n. f., instrument de mus. (auj. fém. au pl. seulement) ; n. m., XIVe s. ; 1483, Gay, artillerie ; *orgue de Barbarie,* 1702, *Hist. Acad. sciences ;* lat. *organum,* qui a désigné l'orgue hydraulique, puis l'orgue pneumatique (qui existait au VIIIe s.), du gr. *organon,* instrument (v. ORGANE). || **organiste** 1220, Coincy (*orguenistre*) ; 1493, Coquillart (*organiste*) ; lat. médiév. *organista.*

**orgueil** 980, *Passion* (*orgolz*) ; 1080, *Roland* (*orgoill*) ; 1130, *Eneas* (*orgueil*) ; francique **urgôli,* fierté (anc. haut all. *urguol,* remarquable) ; par métaphore, XIVe s., techn., « cale qui fait dresser la tête d'un levier ». || **orgueilleux** 1080, *Roland* (*orgoillus*). || **orgueilleusement** 1080, *Roland.* || **enorgueillir (s')** 1160, Benoît.

**orient** 1080, *Roland ;* lat. *oriens, -entis* (*sol*), (soleil) levant, part. prés. de *oriri,* surgir, se lever. || **orienté** fin XVe s. || **orienter** 1680, Richelet. || **orientable** 1949, Lar. || **orientation** 1834, Landais ; 1865, Proudhon, fig. || **orientement** 1831, Balzac. || **orienteur** 1836, *Acad. ;* 1949, Lar., pour l'orientation professionnelle. || **désorienter** 1617, Brunot. || **désorienté** adj., 1636, Monet. || **désorientation** 1877, L. || **oriental** 1130, *Eneas ;* lat. *orientalis ; à l'orientale,* 1854, Nerval. || **orientaliste** 1799, *Magasin encyl.* || **orientalisme** 1838, *Acad.* || **orientaliser** 1801, Mercier.

**orifice** 1370, Le Fèvre, ouverture ; 1398, *Somme Gautier,* anat. ; lat. *orificium,* de *os, oris,* bouche, et *facere,* faire.

**oriflamme** 1080, *Roland* (*orie flambe*) ; XIVe s., La Curne (*oriflamme*) ; de *flamme* 1, et de l'adj. d'anc. fr. *orie,* doré (1050, *Alexis*), « d'or », du lat. *aureus* (v. OR 1).

**origan** XIIIe s., *Simples Médecines ;* lat. *origanum,* du gr. *origanon.*

**origine** 1138, Gaimar (*orine*) ; 1460, Chastellain (*origine*) ; lat. *origo, originis.* || **original** début XIIIe s., Tobler-Lommatzsch, de par son origine ; 1594, *Ménippée,* sens actuel ; n., 1672,

Sévigné, personne bizarre ; n. m., 1276, G., rédaction primitive ; lat. impér. *originalis* (IIe s., Apulée). || **originalement** 1380, *Aalma.* || **originaire** 1365, G. ; bas lat. *originarius.* || **originairement** 1532, Vaganay. || **originalité** 1380, *Aalma,* lignage ; début XVIIIe s., sens actuel. || **originel** XIVe s., même orig. que *original,* et spécialisé dans un autre sens, 1690, Furetière. || **originellement** 1369, G.

**orignal** 1605, Palma Cayet ; basque *oregnac,* pl. de *oregna,* cerf, importé au Canada par des immigrants.

**orin** 1484, Garcie, mar. ; moyen néerl. *oorring,* « anneau qui tient le câble », de *ring,* anneau. || **oringuer** XVIIe s.

**oripeau** XIIe s., *Chev. Ogier* (*oripel,* fém.) ; XIVe s. (*oripeau*), ornement de bouclier ; devenu masc. par oubli de la composition et par infl. des mots en *-eau ;* 1671, Sévigné, péjor. ; *oripeaux,* 1834, Béranger ; de l'anc. fr. *orie,* doré (v. ORIFLAMME) et de *peau.*

**orle** V. OURLER.

**orléans** 1860, d'après L. ; du nom de la ville où se fabriquait cette étoffe. || **orléanisme** fin XVIIIe s., Frey. || **orléaniste** *id.*

**orlet** 1842, Mozin, archit. ; ital. *orletto,* dimin. de *orlo,* ourlet ; petite moulure plate.

**Orlon** 1950, *L. M.,* techn., sur le suff. *-on ;* n. déposé ; fibre synthétique. (V. NYLON.)

***orme** fin XIe s., *Gloses de Raschi* (*olme*) ; 1160, Benoît (*orme*) ; lat. *ŭlmus,* avec *r* dû à une dissimilation du *l* de *olmel,* ormeau. || **ormeau** 1180, Horn (*olmel*) ; XIIe s. (*ormel*) ; 1546, R. Est. (*ormeau*). || **ormille** 1762, *Acad.,* d'après *charmille.* || **ormaie** 1307, Guiart (*ormoie*) ; 1600, O. de Serres (*ormaie*) ; bas lat. *ulmētum,* de *ŭlmus.*

1. **orne** début XVIe s., bot. ; lat. *ornus ;* frêne à fleurs.

2. ***orne** 1155, Wace (*a orne*), à la file ; XIIIe s., *Renart,* rangée de ceps ; 1611, Cotgrave, sillon, fossé ; lat. *ordo, ordinis,* rang, ordre (cf. en sylviculture, *faire orne,* 1868, L., abattre des arbres en droite ligne).

**orner** XIIIe s., *Isopet ;* lat. *ornare ;* a remplacé l'anc. fr. *aorner,* du lat. *adornare.* || **ornement** 1050, *Alexis ;* lat. *ornamentum.* || **ornemental** 1838, *Acad.* || **ornementation** 1838, *Acad.* || **ornementer** 1532, G. || **ornemaniste** 1800, Boiste.

**ornière** début XIIIe s., *Renart ;* anc. fr. *ordière* (v. 1190), du lat. pop. **orbitaria,* de *orbita,* au sens de « ornière » (v. ORBITE), par attraction de *orne* 2.

**ornitho-,** gr. *ornis, ornithos,* oiseau. || **ornithogale** 1553, Belon, bot. (*ornitogalon*) ; 1680, Richelet (*ornitogale*) ; gr. *gala,* lait. || **ornithoïde** 1868, L. || **ornithologie** 1690, Furetière ; lat. des naturalistes *ornithologia,* mot gr. || **ornithologiste** 1721, Trévoux. || **ornithologue** 1765, *Encycl.* || **ornithomancie** 1717, *Mém. Acad. sciences ;* gr. *manteia,* divination. || **ornithophile** 1755, Bonnet. || **ornithoptère** 1963, Lar. ; gr. *pteron,* aile. || **ornithorynque** 1803, Faujas (*ornithorinque*) ; 1827, *Acad.* (*ornithorynque*) ; gr. *runkhos,* bec. || **ornithose** 1963, Lar.

**oro-,** gr. *oros,* montagne. || **orogenèse** 1911, Haug. || **orogénie** 1868, L. || **orogénique** 1911, Haug. || **orographie** 1823, Boiste. || **orographique** 1836, Landais. || **orométrie** 1932, Lar.

**orobe** 1256, Ald. de Sienne (*orbe*) ; 1545, Guéroult (*orobe*) ; lat. *orobus* (gr. *orobos*). || **orobanche** 1546, Rab. ; lat. *orobanche,* du gr. *orobagkhê,* sur *agkheîn,* étouffer.

**oronge** 1776, Bomare ; prov. *ouronjo,* var. de *orange,* d'après la couleur de ce champignon.

**orpailleur** 1762, *Acad. ;* altér., par attraction de *or* 1, du moy. fr. *harpailleur* (1532, Rab.), de l'anc. verbe *harpailler,* saisir, empoigner, de même rac. que *harpon.* (V. HARPER.)

**orphelin** 1120, *Ps. d'Oxford* (*orfenin*) ; 1190, Garn. (*orphenin*) ; 1130, *Couronn. de Loïs* (*orfelin*) ; 1380, *Aalma* (*orphelin*), par dissimil. de *n,* de l'anc. fr. *orfene ;* lat. eccl. *orphanus* (VIe s., Fortunat), du gr. *orphanos,* et qui a éliminé le lat. class. *orbus* (v. ORBE 1). || **orphelinat** 1842, *Acad.*

**orphéon** 1767, *Encycl.,* instrument de mus. ; du nom *Orphée* (personnage de la mythologie gr., célèbre comme musicien), d'après *Odéon ;* 1837, Bocquillon-Wilhem, pour désigner des chœurs scolaires. || **orphéoniste** 1842, *Acad.* || **orphéonique** 1855, *Rev. anecdotique.*

**orphie** 1549, *Gouberville* (*orfie*), zool. ; gr. *orphos.*

**orphique** 1750, *Nouvelle Bibl. germanique ;* du nom *Orphée.* || **orphisme** 1863, Renan.

**orpiment** 1160, Benoît, minér., sulfure naturel d'arsenic ; lat. *auripigmentum,* de *aurum,* or, et *pigmentum,* couleur. || **orpin** 1185, *Moniage Guillaume,* bot. ; XIIIe s., abrév. de *orpiment.*

**orque** 1559, du Bellay, zool. ; lat. *orca ;* cétacé appelé aussi *épaulard.*

**orseille** 1440, Marquant ; catalan *orxella,* du mozarabique *orchella,* issu peut-être de l'arabe ; lichen.

***orteil** 1160, Benoît ; altér. de *arteil* (1160, Benoît, encore au XVII^e s.), du lat. *articulus,* « jointure », par ext. « doigt », de *artus,* « articulation », avec *o* peut-être dû au gaulois *ordiga,* gros orteil (*Gloses de Cassel*).

**ortho-,** gr. *orthos,* droit. || **orthocentre** 1903, Lar. || **orthochromatique** 1903, Lar. || **orthodontie** 1878, Lar. || **orthodontiste** 1951, Rousseau. || **orthodoxe** 1431, *Anciennes Lois ;* lat. eccl. *orthodoxus* (IV^e s., saint Jérôme), du gr. *orthodoxos,* sur *doxa,* opinion. || **orthodoxie** 1580, Vaganay (v. HÉTÉRODOXE). || **orthodromie** 1691, Ozanam ; gr. *orthodromos,* « qui court en ligne droite », sur *dromein,* courir. || **orthodromique** 1765, *Encycl.* || **orthoépie** 1868, L. || **orthogenèse** 1903, Lar. || **orthogone** XV^e s. ; lat. *orthogonus,* « à angle droit » (gr. *orthogônos,* de *gônia,* angle). || **orthogonal** 1554, Peletier. || **orthogonalité** 1963, Lar. || **orthographe** XIII^e s., d'Andeli (*ortografie*) ; 1529, Tory (*orthographe*) ; lat. *orthographia,* mot gr., sur *graphein,* écrire. || **orthographier** 1426, *D. G.* || **orthographie** début XVII^e s., archit. || **orthographique** 1691, Ozanam, archit. ; 1762, *Acad.,* gramm. || **orthopédie** 1741, Andry ; gr. *pais, paidos,* enfant (a été ensuite compris comme formé sur le lat. *pes, pedis,* pied). || **orthopédique** 1771, Trévoux. || **orthopédiste** 1771, Trévoux. || **orthophonie** 1828, d'après Lar. || **orthophoniste** 1966, *journ.* || **orthoptère** 1789, Brunot ; gr. *pteron,* aile. || **orthorhombique** 1868, L. ; de *rhombe* (v. ce mot). || **orthoscopie** 1932, Lar. || **orthoscopique** 1878, Lar. || **orthose** 1801, Haüy. || **orthostatique** 1901, Garnier. || **orthosympathique** XX^e s. || **orthotrope** 1838, *Acad.*

***ortie** 1120, *Voy. de saint Brendan* (*ortrie*) ; 1165, Gautier d'Arras (*ortie*) ; lat. *ŭrtica.* || **ortier** 1265, J. de Meung.

**ortolan** 1552, Rab. (*hortolan*) ; 1668, La Fontaine (*ortolan*) ; prov. *ortolan,* jardinier, du bas lat. *hortulanus,* de *hortus,* jardin (cet oiseau fréquente les jardins).

**orvale** fin XII^e s., *Roman Alexandre,* bot. ; peut-être altér., d'après *or* et *valoir,* du lat. *auris galli,* oreille de coq.

**orvet** 1354, *Modus* (*orver*) ; fin XVI^e s. (*orvet*) ; dimin. de l'anc. fr. *orb,* aveugle (1050, *Alexis*), du lat. *orbus* (v. ORBE 1), l'orvet passant pour être aveugle.

**orviétan** 1625, Le Paulmier ; ital. *orvietano,* de *Orvieto,* ville où s'était vendu d'abord cet électuaire.

**orycto-,** gr. *oruktos,* creusé, de *orussein,* fouiller. || **oryкte** 1903, Lar., entom. || **oryctérope** fin XVIII^e s., zool. ; gr. *ôps,* vue.

**oryx** 1530, Lefèvre ; lat. *oryx,* gazelle, du gr. *orux,* pioche.

***os** 1080, *Roland ;* lat. *ossum,* var. pop. de *os, ossis.* || **osselet** 1190, Garn. || **ossement** 1170, *Rois,* squelette ; XIII^e s., Rutebeuf, os ; pl., début XVI^e s. ; lat. eccl. *ossamentum.* || **ossu** XII^e s., *Roman Thèbes.* || **osseux** 1380, Conty (*oiseus*) ; 1537, Canappe (*osseux*). || **ossature** 1801, Mercier. || **ossifier** 1697, Verduc. || **ossification** 1701, *Mém. Acad. sciences.* || **ossuaire** 1775, *Dict. de la Suisse ;* bas lat. *ossuarium,* coffre renfermant l'urne funéraire. || **osséine** 1865, Nysten. || **désosser** milieu XIV^e s., G. || **désossement** 1798, *Acad.* || **suros** 1160, Benoît (*soros*) ; XIV^e s. (*suros*), vétér.

**osciller** 1746, *Nouvelle Bibl. germanique* (*oscillant*), adj. ; 1752, Trévoux (*osciller*) ; lat. *oscillari,* de *oscillum,* balançoire. || **oscillation** 1605, Le Loyer ; lat. *oscillatio.* || **oscillateur** 1898, *l'Illustration.* || **oscillatoire** 1729, Vaux ; lat. scient. *oscillatorius* (Huygens). || **oscillogramme** 1949, Lar. || **oscillographe** 1876, *J. O.* || **oscillomètre** 1877, L. || **oscilloscope** 1962, Robert.

**oscle** XII^e s., « présent de noces » ; lat. *osculum,* « baiser », proprem. « petite bouche », de *os, oris,* bouche. || **oscule** 1830, *Dict. sciences nat.,* zool., au sens de « orifice ». || **osculateur** 1752, Courtivron, géom. || **osculation** 1525, J. Lemaire de Belges, baiser ; 1765, *Encycl.,* géom.

**oseille** fin XI^e s., *Gloses de Raschi ;* altér., par attraction du lat. *oxalis,* oseille (gr. *oxus,* aigre), du lat. pop. *acidŭla,* fém. substantivé de l'adj. *acidŭlus,* aigrelet, dimin. de *acidus.*

***oser** 980, *Passion* (*auser*) ; 1080, *Roland* (*oser*) ; lat. pop. **ausare,* de *ausus,* part. passé du lat. class. *audere,* oser. || **osé** adj., 1155, Wace, audacieux ; 1893, Taine, grivois. || **oseur** 1488, G.

***osier** fin XI^e s., *Gloses de Raschi* (*osiere*) ; fin XII^e s. (*osier*) ; lat. pop. **ausarium* (var. *auseria,* VIII^e s.), d'un rad. francique *hals-* (cf. l'all. *Halster,* variété de saule). || **oseraie** 1280, du Cange. || **osiériculture** 1907, Lar.

**osmium** 1804 ; tiré par le chimiste angl. Tennant du gr. *osmê,* odeur, à cause de la forte odeur de son oxyde. || **osmique** 1842, *Acad.*

**osmonde** XII^e^ s., *Naissance chevalier au cygne,* bot. ; orig. inconnue. || **osmondacée** 1871, Gérardin.

**osmose** 1868, Souviron ; abrév. de **endosmose, exosmose,** créés par le physicien Dutrochet en 1826, sur le gr. *ôsmos,* impulsion, et *endon,* dedans, *exô,* dehors. || **osmotique** 1858, Nysten. || **osmomètre** 1868, Moigno. || **osmométrie** 1923, Lar. || **osmotrophe** 1968, Lar. || **endosmomètre** 1836, *Acad.* || **endosmotique** milieu XIX^e^ s. || **exosmotique** 1873, L.

**osso buco** XX^e^ s. ; mots ital., de *osso,* os, et *bucco,* trou.

***ost** 1050, *Alexis ;* lat. *hostis,* ennemi, et par ext. « armée ennemie », puis « armée ».

**ost-, ostéo(o)-,** gr. *osteon,* os. || **ostéine** 1855, Nysten. || **ostéalgie** 1823, *Dict. méd.* || **ostéalgique** 1836, Landais. || **ostéite** 1840, Nysten. || **ostéoblaste** 1878, Lar. || **ostéocolle** 1694, Th. Corn. ; gr. *osteokolla,* colle d'os. || **ostéogène** 1868, L. || **ostéogenèse** 1903, Lar. || **ostéogénie** 1754, Bertin. || **ostéographie** 1753, Tarin. || **ostéolite** 1874, L. || **ostéolithe** 1765, *Encycl.* || **ostéologie** 1594, Cabrol. || **ostéologique** 1803, Cuvier. || **ostéologue** 1838, *Acad.* || **ostéolyse** 1845, Besch. || **ostéomalacie** 1808, Boiste ; gr. *malakia,* mollesse. || **ostéomyélite** 1858, Nysten. || **ostéophyte** début XIX^e^ s. || **ostéopathie** 1903, Lar. || **ostéoplastie** 1858, Nysten. || **ostéosarcome** 1822, *Dict. méd.* || **ostéosynthèse** 1932, Lar. || **ostéotomie** 1560, Paré, coupe d'os ; 1753, Tarin, sens actuel. || **exostose** 1560, Paré. || **énostose** 1836, Landais.

**ostensible** 1740, *Acad. ;* lat. *ostensus,* part. passé de *ostendere,* montrer. || **ostensiblement** 1370, Oresme. || **ostensif** XIV^e^ s., *D. G. ;* lat. médiév. *ostensivus.* || **ostension** 1265, J. de Meung, eccl. ; lat. eccl. *ostensio.* || **ostensoire** 1551, G., style de cadran solaire ; XVI^e^ s., eccl. || **ostensoir** 1762, *Acad.,* eccl. ; a remplacé *ostensoire.*

**ostentation** 1366, *Ordonn.* (*ostentacion*) ; lat. *ostentatio,* de *ostentare,* « montrer avec affectation », fréquentatif de *ostendere* (v. le préc.). || **ostentateur** 1535, de Selve ; lat. *ostentator.* || **ostentatoire** 1527, Bouchet.

**ostiole** 1817, Gérardin, bot. ; lat. *ostiolum,* dimin. de *ostium,* porte, ouverture (v. HUIS).

**ostracé** début XVIII^e^ s. ; gr. *ostrakon,* coquille.

**ostracisme** 1535, de Selve, hist. grecque ; 1694, Boileau, exclusion, extension de sens ; lat. *ostracismus,* du gr. *ostrakismos,* de *ostrakon,* coquille, terre cuite sur laquelle, à Athènes, on inscrivait le nom de celui qu'on voulait bannir.

**ostréiculture** 1868, L. ; lat. *ostreum,* huître. || **ostréiculteur** 1875, *J. O.* || **ostréicole** 1874, Lar. || **ostréidés** 1903, Lar. ; gr. *eidos,* forme.

**ostrogoth** 1668, Th. Corn. (*ostrogote*), déjà au sens fig. ; 1690, Furetière (*ostrogot*) ; bas lat. *Ostrogothus,* nom d'une des tribus des *Goths* (proprem. « Goth de l'Est »).

**ot(o)-,** gr. *oûs, ôtos,* oreille. || **otalgie** 1701, Furetière, méd. ; gr. *otalgia.* || **otalgique** 1495, Vignay ; lat. *otalgicus* (gr. *ôtalgikos*). || **otique** 1812, Mozin ; gr. *ôtikos.* || **otite** 1810, Capuron. || **otocyon** 1847, d'Orbigny ; gr. *kuôn,* chien. || **otolithe** 1827, *Acad.* || **otologie** 1793, Lavoisien. || **otomycose** 1903, Lar. || **oto-rhino-laryngologie** 1884, Chauveau. || **oto-rhino-laryngologiste** *id. ;* abrév. *oto-rhino* (XX^e^ s.). || **otorragie** 1863, *Journ. méd.* || **otorrhée** 1803, Boiste. || **otoscope** 1855, Nysten. || **otoscopie** 1867, *Journ. méd.*

**otage** 1080, *Roland* (*ostage*) ; XVI^e^ s. (*otage*) ; de *hôte ;* l'anc. fr. signifie également « logement, demeure », peut-être sens primitif du mot. Les otages séjournaient généralement dans la demeure de celui qui les tenait captifs ; de là l'emploi du mot pour les désigner.

**otarie** 1810, *Ann. du Muséum,* tiré par Péron du gr. *ôtarion,* petite oreille (*oûs, ôtos,* oreille), ce phoque ayant l'oreille petite et apparente.

***ôter** fin XI^e^ s., *Chanson de Guillaume* (*oster*) ; 1636, Monet (*ôter*) ; *s'ôter de,* 980, *Passion,* se retirer d'un lieu ; lat. *obstare,* de *stare,* se tenir, et *ob,* devant, en bas lat. « empêcher », « retenir (une chose) », d'où est p.-ê. issu le sens de « enlever ».

**ottomane** 1729, Havard, lit ; de *ottoman,* ar. *Outhman,* n. d'un souverain arabe.

***ou** 980, *Valenciennes* (*u*) ; lat. *aut.*

***où** 980, *Passion* (*u*) ; lat. *ŭbi.*

**ouabaïne** 1900, Lar., pharm. ; somali *ouabaïo,* pour désigner un végétal, l'*acokanthera,* et son extrait.

***ouaille** 1120, *Ps. d'Oxford* (*oeille*), « brebis » ; 1170, M. de Sully (*ooille*) ; 1280, *Clef d'amors* (*ouaille*) ; bas lat. *ovĭcŭla,* dimin. de *ovis,* brebis ; dès l'anc. fr., sens fig., eccl., d'après les paraboles de Jésus (par ex. celle du mauvais berger, *Jean,* X), seul usité depuis 1540, Marot (au pluriel).

**ouais** 1553, B. Des Périers (*ouay*) ; altér. de *oui.*

**ouate** fin XIVe s. (*wadda*) ; fin XVe s. (*ouate*) ; origine douteuse, p.-ê. ital. *ovatta,* de l'ar. *bata'in* (pl.), « fourrure de vêtements » ; a d'abord désigné le coton d'Égypte. || **ouater** 1680, Sévigné ; 1765, Diderot, fig. || **ouateux** 1803, Boiste. || **ouatine** 1903, Lar. || **ouatiner** 1860, Duval.

**oublie** fin XIe s., *Gloses de Raschi* (*oblede*) ; 1170, *Floire et Blancheflor* (*oublée*) ; 1360, Froissart (*oublie*), par attraction de *oubli ;* bas lat. eccl. *oblata,* offrande, hostie, part. passé subst. au fém. de *offerre,* offrir (v. OFFRIR). || **oublieur** XIIe s., Digulleville, rare avant 1350, pâtissier.

***oublier** 980, *Passion* (*oblider*) ; 1050, *Alexis* (*oblier*) ; XIIIe s. (*oublier*) ; *s'oublier,* 1196, Bodel, manquer aux convenances ; 1887, Zola, faire ses besoins naturels ; lat. pop. **oblitare,* de *oblitus,* part. passé de **oblivisci.* || **oubli** 1080, *Roland* (*ubli*) ; XIIIe s. (*oubli*). || **oubliable** 1398, E. Deschamps. || **inoubliable** 1838, *Acad.* || **oublieux** 1175, Chr. de Troyes (*oblieus*) ; milieu XIIIe s. (*oublieux*). || **oublieur** 1487, Garbon. || **oubliette** 1360, Froissart ; 1838, *Acad.,* fig. || **ne-m'oubliez-pas** début XVe s. (*ne m'oubliez mie*), myosotis.

**oued** 1874, Lar., géogr. ; mot ar. signif. « cours d'eau ».

**ouest** 1138, Gaimar (*west*) ; 1379, J. de Brie (*ouest*) ; angl. *west.* || **ouestir** 1903, Lar.

**ouf** 1642, Oudin (*ouff*) ; onomatopée.

**ougrien** 1868, L. (*ougro-finnois*) ; 1874, Lar. (*ougrien*) ; de *Ougre,* nom de peuple.

***oui** 1080, *Roland* (*oïl*) ; XVIe s. (*oui*) ; comp. de l'anc. fr. *o,* « cela » (842, *Serments*), du lat. *hŏc* (en prov. *oc*) et de *il,* pron. pers. 3e pers. ; probablem. condensation de *hoc ille fecit,* phrase de réponse, « il a fait cela », où *fecit* remplaçait le verbe de la question et pouvait être supprimé ; *o il* l'a emporté sur *o je, o tu,* et s'est cristallisé en *oui ; pour un oui ou pour un non,* fin XVIe s., d'Aubigné. || **ouiche** XVe s., *Farce nouvelle du pasté... ;* altér. de *oui.* || **oui-da** 1534, Des Périers (*oui-dea*) ; 1636, Monet (*oui-da*) ; comp. sur *da* (var. *dia,* XVe-XVIe s.), altér. de *diva,* XIIe s., des deux impér. *di* (de *dire*) et *va* (de *aller*).

**ouiller** fin XIIIe s. (*aeuller*), remplir un tonneau ; 1750, Ménage (*ouiller*) ; de *œil,* au sens de bonde de tonneau, proprem. « remplir le tonneau jusqu'à l'œil ». || **ouillage** 1322, du Cange (*eullage*).

***ouïr** Xe s., *Saint Léger* (*audir*) ; 1080, *Roland* (*oïr*) ; lat. *audire ;* éliminé par *entendre* au XVIIe s. || **ouï-dire** fin XIIIe s., Condé ; *par ouï-dire,* début XIIIe s. (*par ouïr-dire,* encore le plus fréquent aux XVIe et XVIIe s.) ; XVe s., *par ouï-dire,* par amuïssement de *r* final ; de *ouïr* et *dire.* || **inouï** v. 1500, Fossetier. || **ouïe** 1080, *Roland* (*oïe*), « action d'entendre » ; 1560, Paré (*ouïes* de poisson) ; XVIIe s., restreint à « sens de l'audition ».

**ouistiti** 1767, Buffon ; onomat., d'après le cri de l'animal.

**oullière** ou **ouillère** 1842, *Acad. ;* anc. fr. *ouiller,* creuser, du lat. médiév. *ouliare.*

**ouragan** 1533, A. Fabre (*furacan*) ; 1553, Postel (*huracan, uracan, houragan*) ; 1640, Bouton (*ouragan*) ; esp. *huracan,* tornade, d'une langue des Caraïbes.

***ourdir** 1120, *Ps. d'Oxford* (*ordir*) ; fin XIIe s. (*ourdir*) ; d'abord « préparer le tissage en tendant les fils » ; XIIe s., *Parthenopeus,* tramer, fig. ; lat. pop. **ordire,* de *ordiri,* entamer. || **ourdissoir** 1410, G. || **ourdisseur** *id.* || **ourdissage** 1765, *Encycl.*

***ourler** 1130, *Eneas* (*orler*) ; 1268, É. Boileau (*ourler*) ; lat. pop. **orŭlare,* de *orŭlus,* dimin. de *ora,* bord (v. ORÉE). || **ourlet** début XIIIe s. (*orlet*), bord ; 1487, Garbin (*ourlet*) ; XVe s., spéc. en couture ; dérivé de l'anc. fr. *orle,* 1120, *Ps. d'Oxford* (*urle*), 1160, Benoît (*orle, ourle*), « bord », spéc. comme terme de blason au XVe s. ; déverbal de *ourler.* || **ourlien** 1885, Éloy, « relatif aux oreillons » ; de *ourle,* au pl. (XVIIIe s., Liger, *Maison rustique*), « oreillons ».

***ours** 1080, *Roland* (*urs*) ; fin XIIe s. (*ours*) ; 1665, La Fontaine, adj., fig., farouche, d'où le subst. avec le même sens (1762, *Acad.*) ; lat. *ŭrsus.* || **ourse** 1160, Benoît (*orse*) ; fin XIIe s. (*ourse*) ; 1544, M. Scève, constellation ; *Grande Ourse,* 1562, Du Pinet ; lat. *ursa.* || **ourserie** 1800, B. Constant. || **ourser** 1880, L. Larchey, pop. || **ourson** 1540, Marot. || **oursin** 1552, Rab.

**oust, ouste** 1893, Courteline ; onomatopée.

**out** 1891, G. Mourey ; mot angl. signif. « dehors ». (V. KNOCK-OUT, OUTLAW.)

***outarde** XIV^e s., Tobler-Lommatzsch ; lat. pop. **austarda,* contraction de *avis tarda,* oiseau lent (I^er s., Pline). || **outardeau** 1552, Rab. (*otardeau*).

***outil** 1112, *Voy. saint Brendan* (*ustil*) ; 1538, R. Est. (*outil*) ; début XVI^e s., fig. ; bas lat. *usitilium* (VIII^e s.), altér., d'après *usare,* de **utesilium,* pl. *-ia,* du lat. class. *ūtensilia,* de *uti,* « se servir de » (v. USTENSILE) ; *ou,* pour *u,* est obscur. || **outillé** 1138, *Saint Gilles* (*osteillé*) ; 1760 (*outillé*). || **outiller** XV^e s., A. de La Sale, se munir ; 1798, *Acad.,* v. tr. || **outillage** 1829, Clark. || **outilleur** 1845, Besch.

**outlaw** 1783, *Courrier de l'Europe ;* mot angl., proprem. « hors (*out*) la ioi (*law*) » , du saxon *utlagh,* « hors la loi ».

**outrage** 1080, *Roland* (*ultrage*) ; 1175, Chr. de Troyes (*outrage*), excès ; 1535, Olivétan, offense ; de *outre* 1. || **outrageant** 1660, Bossuet. || **outrageux** 1160, Benoît (*outrajos*) ; 1175, Chr. de Troyes (*outrageus*). || **outrageusement** 1250, Mousket, avec offense ; 1283, Beaumanoir, avec excès. || **outrager** XIV^e s., *Lancelot.*

1\. ***outre** prép., 1050, *Alexis* (*ultra*) ; 1080, *Roland* (*outre*) ; *en outre,* 1160, Benoît ; lat. *ŭltra,* adv. et prép. ; égalem. adv. en anc. et moy. fr. || **outrer** 1155, Wace, « dépasser (quelqu'un) en marchant ou à cheval » ; 1160, Benoît, vaincre ; 1170, *Rois,* tuer ; XIII^e s., *Renart,* « passer outre » ; XIV^e s., *Miracles de N.-D.,* « passer la mesure de ». || **outré** XIII^e s., G., « vaincu » ; 1250, Mousket, excessif ; XVI^e s., « chargé à l'excès » ; 1580, Montaigne, « indigné ». || **outre-Atlantique** 1962, Robert. || **outre-Manche** 1848, Chateaubriand. || **outrance** 1230, *Merlin,* action de pousser à bout ; XV^e s., action excessive ; *à outrance,* début XV^e s., Ch. d'Orléans. || **outrancier** 1870, d'apr. Guérin.

2\. ***outre** n. f., 1400, La Curne ; lat. *ŭter, utris,* sac de peau de bouc.

**outrecuidance** 1175, Chr. de Troyes ; anc. fr. *outrecuidier,* de *cuidier,* penser, et de *outre* 1. || outrecuidant 1160, Benoît, présomptueux ; XIII^e s., sens actuel.

**outremer, outrepasser** V. MER, PASSER.

**outsider** 1859, *Sport ;* mot angl., de *outside* (*out,* dehors, et *side,* côté), proprem. « celui qui se tient dehors ».

***ouverture** fin XI^e s., *Gloses de Raschi* (*ouvredure*) ; début XII^e s. (*ouverture*) ; lat. pop. **opertura,* altér. du lat. class. *apertura,* de *aperire,* ouvrir ; au pl., 1460, Chastellain, aperçu ; fin XV^e s., sens actuel. || **réouverture** 1823, Boiste.

**ouvrage** début XIII^e s., Tobler-Lommatzsch, « besogne » ; de *œuvre ;* a remplacé l'anc. *ovraigne* (1130, *Eneas*) ; XV^e s., « ce qui résulte du travail ». || **ouvragé** 1360, Froissart. || **ouvrager** 1540, Yver, façonner.

***ouvrer** 980, *Passion* (*obrer*) ; 1119, Ph. de Thaon (*uvrer*) ; 1225, G. (*ouvrer*), « agir, opérer », puis « travailler » ; bas lat. *operare,* en lat. class. *operari,* travailler de ses mains ; XVI^e s., techn., éliminé de l'empl. courant par *travailler,* à cause de l'homonymie de *ouvrir* dans plusieurs de leurs formes respectives (v. ŒUVRE, OPÉRER, etc.). || **ouvré** 1170, Havard. || **ouvrable** 1170, *Rois* (*jour uverable*), jour où l'on peut travailler. || **ouvrée** début XIV^e s. (*ovrée*), mesure agraire. || **ouvraison** 1845, Besch. || **ouvroir** 1130, *Eneas* (*ovreor*) ; XIII^e s. (*ouvroer*) ; XV^e s. (*ouvroir*), « atelier » ; 1851, Heuzé, établissement de bienfaisance.

***ouvrier** 1120, *Ps. de Cambridge* (*ovrer*) ; 1130, *Eneas* (*overier*) ; 1273, Adenet (*ouvrier*) ; fin XIII^e s. (*ouvrière*) ; 1112, *Voy. saint Brendan,* adj. ; *classe ouvrière,* 1789, Brunot ; lat. *operiarius,* de *operari* (v. OUVRER). || **ouvriérisme** 1935, Bloch. || **ouvriériste** 1935, Bloch.

***ouvrir** 1080, *Roland* (*uvrir*) ; lat. pop. **operīre,* altér. du lat. class. *aperire,* ouvrir, sous l'influence de *cooperīre,* couvrir. || **ouvreau** 1723, Savary, ouverture. || **ouvrant** 1611, Cotgrave. || **ouvreur** 1611, Cotgrave. || **ouvreuse** fin XVII^e s., Regnard, ouvreuse de loges ; 1837, Balzac, sens actuel. || **ouvre-boîte** 1925, Langenscheidt. || **ouvre-huîtres** 1855, Audot. || **entrouvrir** 1120, *Voy. de Charl.* || **rouvrir** 1395, Chr. de Pisan.

**ovaire** 1673, Denis ; lat. méd. mod. *ovarium,* de *ovum,* œuf. || **ovarien** 1838, *Acad.* || **ovarite** 1832, Raymond. || **ovariotomie** 1858, Nysten. || **ovariectomie** 1901, Comby.

**ovale** 1370, Oresme, adj. ; 1562, Bullant, n. f. ; 1660, Oudin, n. m. ; lat. *ovum,* œuf. || **ovalaire** 1690, Dionis. || **ovaliser** 1845, Besch. || **ovalisation** 1923, Lar. || **ovaliste** 1845, Besch.

**ovation** 1520, Vaganay, hist. ; lat. *ovatio,* de *ovare,* « célébrer le petit triomphe » ; 1767, Diderot, acclamation. || **ovationner** 1892, *l'Indép. belge.*

**ove** 1622, Bergier, archit. ; lat. *ovum,* œuf. || **ové** 1798, Ventenat, en forme d'œuf.

**ovi-**, lat. *ovum*, œuf. || **ovibos** 1825, *Dict. sciences nat.*, zool. || **ovicelle** 1963, Lar. || **oviducte** 1676, Barbier, zool. (*oviductus*) ; 1771, Buffon (*oviducte*) ; 1803, Wailly (*oviduc*) ; lat. *ductus*, conduit. || **ovipare** 1558, Thevet (*ovipere*) ; 1700, *Journ. des savants* (*ovipare*) ; lat. *oviparus*, de *parere*, engendrer. || **oviparité** 1838, *Acad.* || **ovoïde** 1768, Valmont ; gr. *eidos*, forme. || **ovologie** 1868, L. || **ovoscope** 1932, Lar. || **ovovivipare** 1806, Duméril.

**ovin** 1834, Bauchimont ; bas lat. *ovinus*, de *ovis*, brebis.

**ovo (ab)** 1610, Pasquier ; loc. empr. à *l'Art poétique* d'Horace, où Homère est loué de ne pas commencer le récit de la guerre de Troie par l'œuf de Léda (d'où naquit Hélène).

**ovule** 1798, Ventenat ; diminutif du lat. *ovum*, œuf. || **ovulaire** 1838, *Acad.* || **ovulation** 1858, Nysten.

**oxalide** 1559, trad. de Dioscoride, bot. ; lat. *oxalis*, mot gr., oseille. || **oxalique** 1787, Guyton de Morveau. || **oxalate** *id.* || **oxalurie** 1855, Nysten.

**oxycrat** 1363, Chauliac ; gr. *oxucraton*, boisson d'eau et de vinaigre.

**oxyde** 1787, Guyton de Morveau ; gr. *oxus*, au sens de « acide ». || **oxyder** *id.* || **oxydant** adj., 1806, Thouvenel. || **oxydable** 1789, *Ann. chimie.* || **inoxydable** 1867, L. || **oxydation** 1785, *Ann. chimie.* || **oxydoréduction** 1966, Lar. || **oxydase** 1908, Lar. || **bioxyde** 1838, *Acad.* || **désoxyder** 1797, *Bull. des sciences.* || **désoxydation** 1794, *Journ. des mines.* || **désoxydant** 1864, L. || **peroxyde** 1827, *Acad.* || **peroxyder** 1869, L. || **protoxyde** 1813, Thénard.

**oxygène** 1783, Lavoisier (corps découvert en 1774 par Priestley) ; gr. *oxus*, au sens de « acide », et *-gène*. On a hésité, à l'époque, entre *oxygène* et *oxygine* (du lat. *gignere*, engendrer). || **oxygéner** 1787, Guyton de Morveau ; *s'oxygéner*, 1962, Robert. || **oxygénation** 1789, *Ann. chimie.* || **oxygénable** 1816, Candolle. || **oxygénée** (*eau*) début XX^e s. || **oxygénothérapie** 1917, Lar. || **désoxygéner** 1789, *Ann. chimie.* || **désoxygénation** 1797. || **oxyhémoglobine** 1903, Lar. || **oxhydrique** 1867, L. ; avec le suff. *-hydrique.* || **oxhydrile** 1903, Lar. || **oxacide** 1836, Landais. || **oxyacétylénique** 1923, Lar. || **oxycarboné** 1879, Duval. || **oxychlorure** 1822, *Nouveau Dict. méd.* || **oxycoupage** 1949, Lar. || **oxycoupeur** 1955, *Dict. métiers.* || **oxylite** 1923, Lar. || **oxymétrie** 1858, Nysten. || **oxysulfure** 1822, *Nouveau Dict. méd.*

**oxymel** 1220, Coincy, breuvage ; lat. *oxymeli*, du gr. *oxumeli*, de *oxus*, aigre, et *meli*, miel.

**oxymoron** 1765, *Encycl.*, rhétor. ; gr. *oxus*, piquant, et *môros*, sot.

**oxyton** 1570, G. Hervet, linguistique, « ton aigu » ; gr. *oxus*, aigu, et *tonos*, ton ; n. m., 1868, L. || **oxytonisme** fin XIX^e s. || **paroxyton** adj., 1570, G. Hervet ; n. m., 1868, L. || **proparoxyton** n. m., 1868, L.

**oxyure** 1803, *Dict. sc. nat.* ; gr. *oxus*, aigu, et *oura*, queue, « à la queue pointue ». || **oxyurose** 1911, Lar.

**oyat** 1415, à Boulogne-sur-Mer (*oïak*) ; 1810, *Bull. des lois* (*oyat*) ; orig. inconnue.

**ozène** 1478, Chauliac, méd. ; lat. *ozaena*, du gr. *ozaina*, de *ozein*, exhaler une odeur. || **ozéneux** 1903, Lar.

**ozocérite** ou **ozokérite** 1858, Nysten ; gr. *ozein*, exhaler une odeur, et *keros*, cire.

**ozone** 1840, Schönbein ; gr. *osein*, exhaler une odeur. || **ozoné** 1858, Nysten. || **ozoniser** 1857, Figuier. || **ozonisation** 1868, L. || **ozoniseur** 1874, Lar. || **ozonométrie** 1868, L.

**paca** 1578, J. de Léry (*pague*) ; 1603, La Borie (*paca*) ; du quechua (langue du Brésil) ; désigne un rongeur d'Amérique.

***pacage** 1330, *Baudouin de Sebourg* (*pascuage*) ; 1611, Cotgrave (*pacage*) ; lat. pop. **pascuaticum,* pâturage, de *pascuum,* sur *pascere,* paître. || **pacager** 1596, Guenoys (*pascagier*). || **pâquis** XIIIe s. (*pasquis*), croisem. de l'anc. fr. *pasquier* (1251, G.), n. m., du lat. pop. **pascuarium,* avec *pâtis.*

**pacemaker** 1960, *journ.* ; mot angl., de *pace,* allure (français *pas*), et *to make,* faire.

**pacfung** 1836, Landais (*packfond*) ; 1923, Lar. (*pacfung*) ; attesté en angl., 1775, sous la forme *paaktong ;* mot dial. chinois.

**pacha** 1457, La Broquière (*bacha*) ; 1670, La Fontaine (*bassa*) ; XVIIe s. (*pacha*) ; turc *pasha,* du persan *padischāh,* souverain. || **pachalik** 1811, Chateaubriand (*pachalic*).

**pachyderme** 1578, d'Aubigné (*pachiderme*), adj., au sens pr. ; 1795, Cuvier, n. m., zool. ; gr. *pakhudermos,* de *pakhus,* épais, et *derma,* peau. || **pachydermie** 1878, Lar.

**pacifier** 1250, G. (*pacefier*) ; 1290, G. (*pacifier*), en anc. fr., v. intr., « faire la paix » ; lat. *pacificare,* de *pax, pacis,* paix ; 1487, Garbin, v. tr. || **pacifiant** 1880, Huysmans. || **pacification** 1450, Gréban ; lat. *pacificatio.* || **pacificateur** 1500, Fossetier, n. m. ; adj., 1764, Voltaire ; lat. *pacificator.*

**pacifique** 1308, Aimé (*pacifice*) ; fin XVe s. (*possesseur pacifique*), « qui ne peut pas être troublé dans sa possession » ; fin XVe s., Commynes, « qui aime la paix » ; *mer Pacifique,* milieu XVIe s. ; *océan Pacifique,* 1765, *Encycl.* (du sens premier de l'adj.) ; lat. *pacificus.* || **pacifiquement** 1308, Aimé. || **pacifisme** 1907, Lar. || **pacifiste** *id.*

**pack** 1866, J. Verne, géogr. ; mot angl., ellipse de *pack-ice,* glace en paquet ; 1912, *journ.,* rugby ; angl. *pack,* ballot. (V. PAQUET.)

**pacotille** 1711, Doublet, « quantité de marchandise dont les marins peuvent faire commerce pour leur compte » ; esp. *pacotilla,* de *paca,* ballot, du moyen fr. *pakke ;* 1835, *Acad.,* péjor. (V. PAQUET.) || **pacotilleur** 1724, Durand-Molar.

**pacquer** 1341, Jal, « mettre en paquet » ; 1596, Hulsius, « entasser en baril du poisson salé » ; néerl. *pak,* ballot (v. PAQUET). || **pacquage** fin XVIe s.

**pacte** 1355, Bersuire (*pact*) ; 1461, Bartzsch (*pacte*) ; lat. *pactum,* part. passé substantivé de *pacisci,* faire un pacte, de *pax, pacis,* paix. || **pactiser** 1481, du Cange. || **pactisation** 1795, Babeuf.

**pactole** 1698, Boileau, fig. ; du nom de *Pactole,* rivière de Lydie qui roulait des paillettes d'or.

**paddock** 1828, *Journ. des haras ;* mot angl. signif. « enclos » ; 1929, Esnault, « lit ». || **paddocker (se)** 1939, Esnault.

**padine** 1823, Boiste, « varech » ; orig. inconnue.

**padischah** 1725, Weber ; mot persan, de *pâd,* protecteur, et *schah,* roi.

**padou** 1642, Oudin (*padoue*) ; du nom de *Padoue,* où se fabriquait cette sorte de ruban. || **padouage** 1963, Lar.

**paella** 1938, Montagné ; esp. *paella,* poêle.

1. **paf** 1718, Leroux, exclam. ; 1755, Vadé, « eau-de-vie » ; 1837, Vidocq, arg., « gros souliers » ; onomat.

2. **paf** 1821, Esnault, « ivre » ; du part. passé *paffé,* de *s'empaffer,* se gaver, variante de *s'empiffrer.*

**pagaie** 1686, Chaumont, *Ambass. de Siam* (*pagais*) ; malais *pengajoeh.* || **pagayer** *id.* || **pagayeur** fin XVIIe s.

**pagaille** ou **pagaye** 1836, Landais (*en pagale*), mar. ; v. 1850, Esnault (*pagaille*) ; 1903, Lar. (*pagaïe*), sens mod. ; prov. mod. (*en*) *pagaio,* « (en) désordre » ; orig. obsc., p.-ê. à rapprocher du précéd., parce qu'au mouillage les marins jettent à la hâte et en désordre les rames dans la cale. || **pagailleux** XX^e^ s.

**paganiser, paganisme** V. PAÏEN.

1. **page** n. m., 1220, Coincy, « valet », sens gén. ; 1307, Guiart, « valet d'armée » ; orig. obsc., p.-ê. gr. *paidion,* romanisé en **paidius,* diminutif de *pais, paidos,* enfant.

2. **page** n. f., 1155, Wace ; lat. *pagina ; être à la page,* 1914, Esnault. || **paginer** 1811, *Bull. des sciences.* || **pagination** 1801, Mercier.

**pagel** 1552, Rab. (*pageau, pagel*), zool. ; lat. *pagellus,* dimin. de *pager,* du gr. *phagros* (*pagre,* milieu XVI^e^ s., zool.).

**pageot** 1895, Esnault, « lit » ; orig. incertaine, p.-ê. de *paillot,* paillasse (1856, Esnault), de *paille.* || **pageoter (se)** 1895, Esnault. || **page** 1929, Esnault ; abrév. de *pageot.* || **pager (se)** 1915, Esnault.

**pagne** 1637, A. de Saint-Lô (*paigne*), n. f., puis n. m. ; esp. *paño,* « pan d'étoffe ».

**pagnon** 1755, *Français moderne ;* du nom d'un fabricant de Sedan, qui obtint ses lettres patentes en 1646.

**pagnoter (se)** 1859, Mozin, d'abord arg. mil., « manquer de courage » ; puis, 1881, Rigaud (*se paniotter*), pop., « se coucher » ; de l'anc. *pagnote* (1552, Boyvin), « mauvais soldat, poltron », usité du XVI^e^ s. au XVIII^e^ s. dans *soldat de la pagnotte,* surnom donné en Piémont par les Espagnols aux soldats nécessiteux qui se débandaient pour chercher une miche de pain, ital. *pagnotta,* petit pain, dimin. de *pane* (v. PAIN). || **pagnoterie** 1688, Miege, « lâcheté ».

**pagode** 1545, François Xavier (*paxode*) ; 1553, Grouchy (*pagode*) ; port. *pagoda,* mot tamoul, du sanscrit *bhagavat,* « saint, divin ». || **pagodite** 1828, Mozin, « pierre à magots », qui servait à façonner les figurines dénommées *pagodes.*

**pagre** 1554, Rondelet, poisson ; mot prov., du lat. *phagrus,* gr. *phagros,* poisson vorace, de *phagein,* manger.

**pagure** 1552, J. Massé, crabe ; lat. *pagurus,* du gr. *pagouros,* de *pagos,* corne, et *oura,* queue.

***païen** fin IX^e^ s., *Eulalie* (*pagien*) ; 1080, *Roland* (*païen*) ; lat. *paganus,* paysan (de *pagus,* pays) ; dès le III^e^-IV^e^ s. (Tertullien, saint Augustin) sens eccl., parce que les paysans conservèrent le paganisme plus longtemps que les citadins. || **paganiser** milieu XV^e^ s., intr., « se conduire en païen » ; 1660, Bossuet, tr., sens mod. || **paganisation** 1902, Lar. || **paganisme** 1546, Vaganay ; lat. eccl. *paganismus ;* a remplacé *païennisme* (1155, Wace).

**paillard** 1220, Coincy (*paillart*), n. m., qui couche sur la *paille,* « fripon, vaurien » ; 1430, *Quinze Joyes du mariage,* adj., « débauché, luxurieux » ; de *paille* avec suffixe péjor. *-ard.* || **paillardise** fin XIV^e^ s., E. Deschamps. || **paillarder** 1461, Villon.

***paille** 1175, Chr. de Troyes ; XIII^e^ s., Rutebeuf, « couche rudimentaire » ; 1546, R. Est., défaut dans un métal ou une pierre ; 1867, Delvau, *une paille,* pop., « un rien » ; *vin de paille,* 1835, *Acad. ; paille de fer,* 1877, L. ; *sur la paille,* 1690, Furetière, « dans une extrême misère » ; lat. *palea.* || **paillasse** 1250, n. f., « sac » ; de *paille ;* XVIII^e^ s., techn. ; 1680, Richelet, fig., femme de mauvaise vie ; 1781, Gohin, n. m., bateleur ; ital. *Pagliaccio,* personnage du théâtre italien, l'habit du personnage étant fait de toile à matelas. || **paillasson** 1376, Prost, petite paillasse ; 1750, sens mod. || **paillassonner, paillasonnage** 1874, Lar. || **paille-en-queue** 1708, Leguat, zool. || **paillé** 1611, Cotgrave, adj., « de couleur paille ». || **pailler** v. tr., 1364, G. ; de *paille.* || **pailler** n. m., XIII^e^ s., *Roman Renart,* meule de paille dans la cour de ferme ; lat. *palearium.* || **paillet** 1130, Studer, « balle de blé » (var. dial. *paillot*) ; fin XIII^e^ s., vin clairet ; XVIII^e^ s., mar., natte, cordage. || **paillette** 1119, Ph. de Thaun, « ballot » ; début XIV^e^ s., sens actuel. || **pailleté** fin XIV^e^ s. || **pailleter** 1606, Nicot. || **pailleteur** *id.* || **pailleur** 1680, Richelet. || **pailleux** fin XII^e^ s., R. de Moiliens (*paillous*), au pr. ; 1611, Cotgrave, « qui a des défauts dans la masse ». || **paillis** XII^e^ s., *Roman Alexandre,* lit de paille ; 1842, Mozin, techn., agric. || **paillole** fin XI^e^ s., *Gloses de Raschi.* || **paillon** 1534, *Poème français,* sens techn. divers, en agric. et en orfèvrerie. || **paillot** 1334, Havard, petite paillasse pour un lit d'enfant. || **paillote** 1617, Mocquet (*paillotte*), hutte de paille. || **empaillé** 1867, Delvau, pop., « maladroit ». || **empailler** 1543, A. Pierre (*-é*), « mêlé de paille » ; 1611, Cotgrave, fourni de paille ; 1660, Oudin, remplir de paille la peau d'un animal ; 1680, Richelet, garnir de paille une chaise, etc. || **empailleur** 1680, Richelet (de sièges) ; 1802, Flick (d'animaux). || **empaillage** 1811, Mozin (d'animaux) ; 1829, Boiste (de sièges). || **empaillement** 1838, *Acad.* || **rempailler** début XVIIIe s. || **rempailleur** 1723, Savary (une chaise). || **rempaillage** 1775, d'après Boiste.

***pain** 980, *Passion* (*pan*) ; 1050, *Alexis* (*pain*) ; *petit pain,* XVIe s. ; *pain d'épice,* 1372, Gay ; *pain à cacheter,* 1718, *Acad. ; pain bénit,* début XIIIe s., hostie consacrée ; *c'est du pain bénit,* 1549, R. Est. ; *cela ne mange pas de pain,* 1690, Furetière ; lat. *panis.* || **panade** 1548, Barbier ; 1878, Esnault, pop., fig., « misère ». || **panaire** 1756, *Encycl.,* adj. || **panetier** 1150, G. || **panetière** 1175, Chr. de Troyes, sac à pain ; 1546, R. Est., armoire à pain. || **panifier** 1600, O. de Serres. || **panification** 1782, Mercier. || **panifiable** 1823, Boiste. || **paner** 1540, Yver. || **panure** 1875, Lar.

***pair** 980, *Valenciennes* (*peer*) ; 1080, *Roland* (*per*) ; XVe s. (*pair*), adj. et n. Titre de dignité, et nombre divisible par deux, dès 1080, *Roland ; au pair,* 1840, Balzac ; *aller de pair,* 1600, Livet ; *hors de pair,* 1718, *Acad.* (*hors du pair,* 1530, Marot) ; lat. *par,* égal. || **pairage** 1963, Lar., techn. || **pairement** 1120, *Ps. d'Oxford.* || **pairie** 1259, Langlois (*perie*) ; 1498, Commynes (*pairie*). || **pairesse** 1698, *Voy. en Angleterre ;* angl. *peeress,* fém. de *peer,* lui-même empr. à l'anc. fr. *per.* || **parage** 1050, *Alexis,* « extraction, lignée ». || **pariage** 1290, G., jurid. ; lat. *pariare,* faire aller de pair. || **parisyllabique** 1812, Mozin. || **parité** 1345, *Doc. ;* lat. *paritas.* || **paritaire** 1923, Lar. || **paritarisme** 1877, L. || **disparité** v. 1300. || **impair** 1484, Chuquet (*-par*) ; 1580, Montaigne (*-per*) ; lat. *impar,* refait d'apr. *pair.* || **imparité** XIIIe s., Gauchy ; lat. *imparitas.* (V. PAIRE, PARIER.)

***paire** 1130, *Eneas ;* lat. pop. **paria,* pl. neut. de l'adj. *par,* devenu fém. (V. PAIR.)

***paisseau** XIe s., G. (*paissel*) ; lat. pop. **paxellus* (lat. class. *paxillus*) ; petit rondin soutenant les sarments de vigne. || **paisseler** 1213, G. || **paisselure** 1743, Trévoux.

***paître** 1050, *Alexis* (*paistre*) ; lat. *pascere.* || **paissance** fin XIIe s., R. de Moiliens. || ***paisson** XIIIe s., G., « pâture » ; lat. *pastio, pastionis,* de *pascere.* || **repaître** 1175, Chr. de Troyes. || **repu** adj., fin XIIe s., Couci, « rassasié » ; 1845, Flaubert, fig. || **repue** XVe s., La Curne (*repues franches*). || ***pâtis** 1119, Ph. de Thaon (*pastiz*) ; lat. pop. **pasticium,* de *pastus,* pâture, de *pascere.* (V. APPÂT, PACAGE, PÂQUIS, REPAS.)

***paix** fin Xe s., *Vie saint Léger* (*pais*) ; puis *x* d'après le lat. (1155, Wace) ; lat. *pax, pacis.* || **paisible** 1112, *Voyage saint Brendan.* || **apaiser** XIIe s. (*apaisier*). || **apaisement** XIIe s.

**pal** fin XIe s., *Gloses de Raschi ;* lat. *palus* (v. PIEU 1). || **empaler** fin XIIe s., *Roman Alexandre,* « fixer sur pieux » ; 1360, Froissart, « transpercer » ; 1515, Du Redouer, sens actuel. || **empalement** fin XVIe s.

**palabre** 1601, Feu-Ardent, n. f. ; 1888, Lar., n. m., d'après *entretien,* discours ; esp. *palabra,* parole. || **palabrer** 1888, Lar. || **palabreur** 1611, Cotgrave.

**palace** 1905, *l'Écho de Paris ;* mot angl. signif. « palais » ; spécialisé pour désigner un hôtel de grand luxe.

**paladin** 1552, Ronsard, « chevalier errant » ; 1578, Le Fèvre de La Borderie (*palladin*), « seigneur de la suite de Charlemagne » ; 1606, Crespin, sens mod. ; ital. *paladino,* du lat. médiév. *palatinus,* « officier du palais », de *palatium* (v. PALAIS 1). || **paladiner** début XVIe s., Médicis.

**palafitte** 1865, Delsor ; ital. *palafitta,* du pl. neut. lat. *palaficta* (lat. class. *pali ficti,* masc. pl.), de *palus,* pieu, et *fingere,* façonner.

1. ***palais** [château] 1050, *Alexis* (*paleis*) ; 1160, Benoît (*palais*) ; lat. *palatium,* proprem. « le Palatin », colline de Rome où Auguste fit construire son palais ; XVe s., Villon (*gens de palais*), siège du tribunal, d'après le *Palais* de Paris, ancien palais des Capétiens. || **palatial** 1647, Vaugelas. || **palatin** 1131, *Couronn. Loïs ;* lat. médiév. *palatinus,* de *palatium* (v. PALADIN). || **palatinat** 1567, Granvelle. || **palatine** 1680, Richelet, pèlerine de fourrure mise à la mode en 1676 par la princesse *Palatine,* belle-sœur de Louis XIV.

2. ***palais** [de la bouche] 1120, *Ps. de Cambridge ;* lat. pop. de Gaule **palatium* (par attraction du précéd.), en lat. class. *palatum.* || **palatal** 1694, Dangeau. || **palatalisation** 1890, Meyer-Lübke. || **palataliser** 1949, Lar. || **palatalité** milieu XXe s. || **palatin** adj., 1611, Cotgrave. || **palatite** 1836, Landais. || **palato-**, premier élém. de composé méd., depuis 1805, Lunier, *Dict. des sciences.* || **palatogramme** 1963, Lar. || **palatoplastie** 1903, Lar. || **palatorrhaphie** 1888, Lar. ; gr. *raphê,* couture.

**palan** 1553, Grouchy (*palenc*) ; ital. *palanco,* masc. de *palanca,* « palis, etc. », du lat. pop. **palanca* (lat. class. *palanga*), rouleau de bois servant pour déplacer de lourds fardeaux, du gr. *phalanga,* acc. de *phalanx,* « gros bâton » (v. PHALANGE, PLANCHE). || **palanquer** XVIe s., d'Aubigné, se servir d'un palan. || **palanquée** 1948, Cendrars, ensemble des marchandises soulevées par un palan. || **palanque** 1624, Deshayes, milit. ; ital. *palanca.* || **palanquer** 1836, *Acad.,* munir de palanques.

**palangre** 1765, *Encycl.,* « sorte de corde » ; prov. *palangre,* du lat. pop. **palangrum,* du gr. **panagron,* grand filet, de *pan, pantos,* tout, et *agra,* proie. || **palangrer** 1769, Duhamel du Monceau.

**palanquin** 1571, trad. du P. Organtino ; port. *palanquim,* de l'hindi *pâlakî* (sanskrit *paryanka,* litière).

**palastre** ou **palâtre** fin XIe s., *Gloses de Raschi,* sens techn. divers ; notamment 1457, boîtier de serrure ; lat. *pala,* pelle.

**palatal, palataliser** V. PALAIS 2.

**palatial, palatin, palatine** V. PALAIS 1.

1. **pale** 1330, *Baudouin de Sebourg,* partie plate de l'aviron ; 1845, Besch., aube (-des roues à aubes) ; 1932, Lar., partie d'hélice ; lat. *pala,* pelle (v. PELLE). || **bipale** 1960, Lar. || **empalement** 1775, Grignon, « vanne d'écluse ». || **paleron** milieu XIIIe s., G. || **palet** 1307, Guiart. || **palette** XIIIe s., a désigné divers ustensiles plats, en métal ou en bois ; 1615, Binet, peinture. || **palot** 1628, Chereau. || **paluche** 1940, Esnault, arg., « main » ; de *palette.*

2. **pale** ou **palle** 1690, Furetière, eccl. ; lat. *palla,* robe flottante, tenture. || **palléal** 1838, *Acad.,* zool.

**pâle** 1080, *Roland* (*pale*) ; 1606, Crespin (*pasle*) ; 1677, Miege (*pâle*) ; lat. *pallĭdus.* || **pâlement** 1540, G. || **pâleur** 1120, *Ps. d'Oxford* (*pallor*) ; XIVe s. (*paleur*). || **pâlir** 1155, Wace (*palir*). || **pâlot** XVIe s. (*pallaud*) ; 1774, Mercier (*pâlot*). || **palotin** 1888, A. Jarry ; création plaisante, infl. par *pâlot,* ou *falot.* || **pâlichon** 1867, Delvau.

**pale-ale** 1856, *Rev. des Deux Mondes ;* mot angl., de *pale,* pâle, et *ale,* bière.

**palefrenier** XIIIe s., *Chron. de Saint-Denis ;* anc. prov. *palafrenier,* de *palafren,* « palefroi », ital. *palafreno* (avec une finale infl. par *fren,* frein). || * **palefroi** 1080, *Roland* (*palefreid*) ; XIIe s. (*palefroi*), « cheval de marche », opposé à *destrier,* « cheval de combat » ; bas lat. *paraveredus* (*Code Théodosien,* Cassiodore), « cheval de renfort », du gr. *para,* « auprès de », et de *veredus* (Ier s. apr. J.-C., Martial), « cheval de poste », d'orig. celt. (cf. gallois *gorwydd,* « coursier »). L'all. *Pferd* est empr. au lat. *veredus.*

**palémon** 1808, Boiste, zool. ; du nom de *Palaimon,* personnage de la mythol. gr., changé en dieu marin.

**paléo-,** gr. *palaios,* ancien. || **paléoasiatique** 1923, Lar. || **paléobotanique** 1923, Lar. || **paléoclimat** 1963, Lar. || **paléocytologie** 1963, Lar. || **paléogéographie** 1874, Lar. || **paléographie** 1708, B. de Montfaucon. || **paléographe** 1827, *Acad.* (1760, de Brosses, *palaiographe*). || **paléographique** 1836, *Acad.* || **paléolithique** 1866, Lubbock. || **paléontologie** 1830, *Bull. Société géologique* (*paléonthologie*) ; 1834, Boiste (*paléontologie*) ; gr. *ôn, ontos,* être. || **paléontologique** 1836, Landais. || **paléontologiste, paléontologue** 1838, *Acad.* || **paléothérium** 1830, Cuvier ; gr. *thêrion,* bête sauvage. || **paléozoïque** 1859, Madinier.

**paleron, palet** V. PALE 1.

**palestre** 1130, *Eneas,* « lutte » ; 1547, J. Martin, sens actuel ; lat. *palaestra,* du gr. *palaistra.*

**paletot** 1370, Skeat (*paltoke*), sorte de justaucorps ; 1403, G. (*paletot*) ; 1550, Ronsard (*paletoc*) ; 1694, Borel, manteau de guerre ; 1690, Furetière, casaque de paysan ; 1819, Boiste, pop., habit-veste ; moyen angl. *paltok,* jaquette. || **paltoquet** 1546, Rab. (*palletoque*), « vêtu d'un justaucorps » ; 1704, Trévoux, forme et sens mod.

1. **palette** V. PALE 1.

2. **palette** 1460, Villon, vase pour la saignée ; altér., d'après *palette* 1, de l'anc. *paelette* (XIIIe s.), dimin. de *paele,* forme anc. de *poêle* 1 (v. PALIER, POÊLE 1).

**palétuvier** 1614, C. d'Abbeville (*apparituriеr*) ; milieu XVIIe s. (*parétuvier*) ; 1722, Labat (*palétuvier*) ; tupi-guarani (langue du Brésil) *apareiba,* de *apara,* courbé, et *iba,* arbre.

**pali** 1826, Burnouf ; du nom hindi de cette anc. langue religieuse de l'Inde.

**palicinésie** 1932, Lar. ; de *pali-,* gr. *palin,* en sens inverse, et gr. *kinêsis,* mouvement.

**palier** 1287, Bevans (*paelier*), pièce de métal facilitant le mouvement horizontal d'une pièce sur une autre, d'où divers sens techn. en fr. mod. ; 1547, J. Martin, plate-forme où se termine un étage, d'où divers emplois fig. ; *par paliers,* 1923, Lar. ; 1934, J. Romains,

« période stationnaire » ; anc. fr. *paele,* « poêle » (n. f.) et « en forme de poêle » (v. PALETTE 2, POÊLE 1). || **palière** 1770, Roubo, adj. et n. f.

**palifier** 1611, Cotgrave (*palifié*), fortifier avec des pieux ; ital. *palificare,* du lat. *palus,* pieu, et *facere,* faire (v. PAL, PALIS). || **palification** 1765, *Encycl. ;* ital. *palificazione.*

**palikare** 1828, Hugo (*palicare*) ; gr. mod. *pallikari,* gaillard, brave, du gr. anc. *pallêks, pallêkos,* jeune homme.

**palilalie** 1932, Lar. ; de *pali-,* en sens inverse, et gr. *lalos,* bavard.

**palimpseste** 1542, Dolet ; rare jusqu'en 1823, Boiste ; lat. *palimpsestus,* du gr. *palimpsestos,* de *psân,* gratter, et *palin,* de nouveau.

**palindrome** 1765, *Encycl. ;* gr. *palindromos,* de *palin,* de nouveau, et *dromos,* course.

**palingénésie** 1546, Rab. ; bas lat. *palingenesia,* du gr. *paliggenesia,* de *palin,* de nouveau, et *genesis,* naissance. || **palingénésique** 1836, *Acad.*

**palinodie** 1512, J. Lemaire de Belges, pièce de vers où l'on rétracte des sentiments exprimés précédemment ; 1566, *Tragédie du sac de Cabrière,* sens mod. ; bas lat. *palinodia,* du gr. *palinôidia,* de *ôdé,* chant, et *palin,* de nouveau (« sur un autre ton »). Le sens mod. se rattache à une légende sur Stésichore rapportée par Isocrate. (Variantes : *palinode,* XVI^e^ s., « refrain », et *palinod,* 1521, Fabri, « pièce de vers en l'honneur de la Vierge ».) || **palinodique** 1845, Besch. || **palinodier** *id.*

**palis** fin XI^e^ s., *Chanson de Guillaume* (*paliz*) ; fin XII^e^ s. (*palis*), « pieu » ; de *pal.* || **palisser** 1417, G. || **palissage** 1690, La Quintinie. || **dépalisser** fin XVI^e^ s. || **palissade** 1460, Le Fèvre. || **palissader** 1585, Marnix. || **palissadement** 1842, Mozin. || **palissadique** 1949, Lar., bot. || **palisson** XIII^e^ s., *Renart* (*paleszon*) ; XV^e^ s. (*palisson*), pieu ; 1723, Savary, techn. || **palissonner** 1382, G. || **palissonneur** 1907, Lar.

**palissandre** début XVIII^e^ s. (*palixandre ;* encore en 1878, *Acad.*) ; néerl. *palissander,* d'un dial. de Guyane.

**paliure** 1615, Daléchamp, bot. ; lat. *paliurus,* du gr. *paliouros.*

1. **palladium** 1160, Benoît (*palladion*) ; 1562, du Pinet (*palladium*), statue de Pallas ; 1748, Montesquieu, fig. ; lat. *palladium,* du gr. *palladion,* statue de Pallas, considérée à Troie comme assurant la sauvegarde de la ville.

2. **palladium** 1804, H. Constant, métal ; mot tiré par l'Anglais Wollaston (1803) du nom de la planète *Pallas,* qu'on venait de découvrir. || **palladique** 1868, L.

**palléal** 1838, *Acad. ;* lat. *palla,* manteau.

**pallidum** 1963, Lar., anat. ; lat. *pallidus,* pâle. || **pallidectomie** 1963, Lar. || **pallidal** 1961, Galli et Leluc.

**pallier** début XIV^e^ s., « donner une couleur favorable à » ; lat. *palliare,* couvrir d'un manteau, de *pallium ;* 1560, Paré, apaiser, guérir ; XVII^e^ s., *pallier à,* « remédier à ». || **palliatif** 1314, Mondeville, adj. ; 1729, d'Olivet, n. m., fig. ; lat. médiév. *palliativus.* || **palliation** 1314, Mondeville. || **palliateur** 1739, Brunot.

**pallium** 1190, Garn., eccl. ; 1963, Lar., anat. ; mot lat. signif. « manteau » (v. POÊLE 1).

**palma-christi, palmaire, palmi-,** etc. V. PAUME.

**palmarès** 1842, *Acad.,* liste des lauréats ; XX^e^ s., liste des succès ; pl. du lat. *palmaris,* « digne de la palme », de *palma,* palme.

1. **palme** n. f., XII^e^ s., *Pèlerinage Charlemagne* (*paume*) ; XIII^e^ s. (*palme*), rameau de palmier ; fin XII^e^ s., symbole de la victoire ; 1538, R. Est., prix remporté ; 1866, Lar., insigne, décoration ; 1963, Lar., nageoire de nage sous-marine ; lat. *palma,* paume. || **palmier** 1119, Ph. de Thaon. || **palmier-dattier** 1765, *Encycl.* || **palmeraie** 1607, N. Trigaut. || **palmette** 1694, Th. Corn., motif d'architecture. || **palmé** début XVI^e^ s., orné de palmes. || **palmer** 1970, Robert, nager avec des palmes. || **palmarium** 1903, Lar. || **palmifide** 1875, Lar. ; de *-fide,* lat. *findere,* diviser. || **palmiforme** 1868, Lar. || **palmilobé** 1845, Besch. || **palmiparti** 1845, Besch ; lat. *partitus,* divisé. || **palmipède** 1555, Belon ; lat. *palmipedes, -pedis,* sur *pes, pedis,* pied. || **palmiséqué** 1875, Lar. ; lat. *sectus,* coupé. || **palmure** 1845, Besch.

2. **palme** n. m., 1080, *Roland,* paume ; 1553, *Bible Gérard,* mesure d'une largeur de main, hist. ; lat. *palmus,* même racine que *palme* 1.

**palmer** 1877, L., n. m., instrument de mesure ; du nom de l'inventeur.

**palmiste** 1601, Champlain ; mot créole des Antilles, altér. probable de l'esp. *palmito,* petit palmier. || **palmite** 1599, Vigenère, moelle de palmier ; esp. *palmito,* pris au XVI^e^ s. dans ce sens. || **palmitine** 1865, Nysten, produit tiré de l'huile de palme. || **palmitique** 1868, L. || **palmitate** 1874, Lar. (V. NAPALM.)

**palombe** 1265, Br. Latini, pigeon ; 1752, Trévoux, techn. ; languedocien et gascon *palomba,* du lat. *palumba* (Ier s., Celse), var. de *palumbus.* || **palombière** 1794, *Encycl. méth.* (*palomière*) ; début XXe s. (*palombière*), endroit aménagé pour la chasse aux palombes. || **palombin** 1818, *Dict. sciences naturelles* (*palombino*) ; 1823, Boiste (*palombin*), espèce de marbre ; ital. *palombino.*

**palonneau** 1383, du Cange (*palonnel*), pièce à laquelle on attache les traits des chevaux ; altération de **paronnel,* de l'anc. fr. *paronne,* même sens, de même racine que *épar* (1175, Chr. de Troyes), germ. *sparro,* poutre. || **palonnier** 1694, *Acad.,* même sens.

***palourde** XIIIe s. (*palorde*) ; 1484, Garcie (*palourde*) ; lat. pop. **pelorĭda* (lat. class. *peloris, -idis*), du gr. *peloris,* huître.

**palper** 1488, *Mer des hist.,* toucher ; 1765, Féraud, recevoir de l'argent ; XVIIIe s., toucher de l'argent ; lat. *palpare.* || **palpe** 1802, Latreille, entom. || **palpable** fin XIVe s., Chr. de Pisan, qu'on peut toucher ; début XVIe s., fig. ; bas lat. *palpabilis* (IVe s., saint Jérôme). || **palpabilité** 1769, Bonnet. || **impalpable** XVe s. ; bas lat. *impalpabilis.* || **palpation** 1833, *Transactions méd.* || **palpiste** 1803, Boiste, entom. || **palpeur** 1827, *Acad.,* entom. ; 1923, Lar., techn. || **palpicorne** 1838, *Acad.,* entom. || **palpigère** 1834, Boiste, entom.

**palpiter** 1488, *Mer des hist. ;* lat. *palpitare,* fréquentatif de *palpare* (v. PALPER). || **palpitant** adj., 1519, Michel de Tours, au pr. ; adj., 1838, *Acad.,* passionnant ; n. m., 1725, Granval, arg., « cœur ». || **palpitation** 1538, Canappe ; lat. *palpitatio.* || **palpitement** 1621, Courval-Sonnet.

**palsambleu** 1694, Regnard, juron, euphém. pour « par le sang de Dieu » ; var. *palsangué, palsanguienne.* (V. DIEU.)

**paltoquet** V. PALETOT.

**palud, palus, palude** 1112, *Voy. saint Brendan* (*palu*) ; 1564, Liébault (*palud*) ; 1895, A. Gide (*paludes*) ; 1690, Furetière (*palus*) ; lat. *palus, paludis,* marais. || **paludier** 1731, Th. Corn. || **paludéen** 1837, *Journ. méd.* || **paludisme** 1869, Verneuil. || **paludine** 1842, *Acad.* || **palustre** 1505, Platine ; lat. *palustris.* || **paludothérapie** 1913, Legrain.

***pâmer** fin XIe s., *Alexis (pasmer)* ; lat. pop. **pasmare,* altér. de **spasmare,* de *spasmus,* déjà, en bas lat. *pasmus* (Ve s., M. Empiricus) [v. SPASME]. || **pâmoison** 1080, *Roland* (*pasmeisun*).

**pampa** 1716, Frézier ; mot hispano-amér., du quechua (langue du Pérou). || **pampero** 1771, Bougainville.

**pamphlet** 1653, Boullaye ; mot angl., altér. de *Pamphilet,* nom d'une comédie pop. en vers lat. du XIIe s., puis d'un écrit satirique de la fin du XVIe s. || **pamphlétaire** 1735, Voltaire (*pamfletier*), d'après l'angl. ; 1790, Condorcet (*pamphlétaire*).

**pampille** 1530, Rab. (*pampillete*) ; 1872, Gautier (*pampille*), passementerie ; formation expressive, ou dér. de l'anc. fr. *pampe.* (V. PAMPRE.)

**pamplemousse** 1665, Le Carpentier (*pompelmoes*) ; 1687, Choisy (*pamplemouse*) ; néerl. *pompelmoes,* de *pompel,* épais, gros, et *limoes,* citron. || **pamplemoussier** 1899, *Grande Encycl.*

**pampre** 1270, G. (*pampe*), pétale ; 1534, Rab., branche de vigne avec ses feuilles ; lat. *pampinus,* rameau de vigne. || **pampré** 1564, J. Thierry ; 1690, Furetière, blas. || **pampiniforme** 1743, Demours.

1. **pan** 1080, *Roland ;* lat. *pannus,* morceau d'étoffe ; 1155, Wace, pan de mur ; *pan coupé,* 1561, Delorme ; 1885, Hugo, fig. || **panard** 1750, Bourgelat, adj., « (cheval) aux pieds de devant tournés en dehors » ; 1898, Esnault, « soulier » ; 1910, Esnault, arg., pieds. (V. PANTIN.)

2. **pan** 1834, Béranger, interj. ; onomat.

**pan-, pant(o-),** gr. *pan, pantos,* tout. || **panafricain** 1966, *journ.* || **panaméricain** 1907, *l'Illustration.* || **panaméricanisme** 1903, Lar. || **panarabe** 1950, *journ.* || **panarabisme** 1932, Lar. || **panathénées** 1760, Monchablon ; gr. *panathênaia,* du nom de la déesse *Athéna.* || **panchromatique** 1903, Lar. || **panclastite** 1889, Villiers ; gr. *klastos,* brisé. || **pancosmisme** XXe s., philos. ; angl. *pancosmism,* du gr. *kosmos,* monde. || **pangermanisme** 1846, Besch. || **pangermanique** 1903, Lar. || **panhellénique, panhellénisme** 1868, L. || **panislamique, panislamisme** 1906, Lar. || **panlogisme** 1901, Couturat, philos. ; all. *panlogismus.* || **panmixie** 1903, Lar. || **panoptique** 1836, Landais. || **panpsychisme** 1904, Strong. || **panslavisme** 1846, Besch. || **panslaviste** 1875, Lar. || **panspermie** 1949, Lar. ; gr. *sperma,* semence. || **pantographe** 1743, *Hist. de l'Acad. des sciences,* géom. ; 1932, Lar., appareil de traction ferroviaire électrique.

|| **pantomètre** 1675, Bullet, géom. || **pantophobie** 1808, Boiste.

**panacée** 1560, Ronsard, remède universel ; 1823, Boiste, solution miraculeuse ; lat. *panacea,* du gr. *panakeia,* sur *pan,* tout, et *akos,* remède.

**panache** XVe s., *Vaux de Vire* (*pennache*) ; 1888, Lar., fig. ; ital. *pennacchio,* du lat. *penna,* plume. || **panacher** fin XIVe s. (*pannaché*). || **panachage** 1912, Lar., polit. || **panachure** 1758, Duhamel. || **empanacher** 1500, Auton. || **empanachage** 1870, Lar.

**panade** V. PAIN.

***panage** 1196, G. (*paasnaige*) ; 1272, G. (*pasnage*), droit de pâture ; lat. pop. **pastionaticum,* de *pastio,* pâturage, de *pascere* (v. PAÎTRE).

***panais** fin XIIe s. (*pasnaie*) ; 1562, Du Pinet (*panais*), bot. ; lat. *pastinaca.*

**panama** 1842, Roseval ; du nom du pays où pousse l'arbuste qui sert à fabriquer ce chapeau.

**panard** V. PAN 1.

**panaris** 1363, Chauliac (*panarice*) ; 1503, Chauliac (*panaris*) ; lat. *panaricium* (Pseudo-Apulée), altér. de *paronychium* (Ier s., Pline), du gr. *parônuchia,* de *para,* près, et *onux,* ongle.

**panatella** milieu XIXe s. ; esp. *panatela,* proprem. « sorte de biscuit ».

**panax** 1560, Paré ; gr. *panax,* arbrisseau.

**panca** ou **panka** 1841, Jacquemont (*punka*) ; 1875, *J. O.* (*panka* ou *punka*) ; mot angl., de l'hindi *pankha ;* écran pour éventer les appartements.

**pancalisme** 1915, Lalande, philos. ; gr. *pan,* tout, et *kalos,* beau ; doctrine qui admet le beau comme valeur suprême.

**pancarte** 1440, Ch. d'Orléans (*pencarte*), « carte marine » ; 1611, Cotgrave, affiche, écriteau ; XXe s., carton brandi dans les manifestations ; lat. médiév. *pancharta,* du gr. *pan,* tout, et du lat. *charta,* charte.

**pancrace** 1583, Vigenère ; lat. *pancratium* (gr. *pankration,* de *pan,* tout, et *kratos,* force). || **pancratiaste** 1579, Joubert.

**pancréas** 1560, Paré ; gr. *pankreas,* de *pan,* tout, et *kreas,* chair, « pour ce qu'il a partout similitude de chair » (Paré). || **pancréatique** 1671, Chapelain. || **pancréatite** 1810, Capuron. || **pancréatectomie** 1932, Lar.

**panda** 1824, Cuvier, zool. ; mot du Népal.

**pandanus** 1827, *Acad.* (*pandan*) ; lat. scient. *pandanus,* du malais *pandang ;* arbre tropical.

**pandectes** 1538, B. Des Périers ; bas lat. *pandectae,* du gr. *pandektai,* du gr. *pan,* tout, et *dekhesthai,* recevoir.

**pandémie** 1771, Trévoux ; de *pan,* tout, et *épidémie.* || **pandémique** milieu XVIIIe s.

**pandémonium** 1714, *le Spectateur,* enfer ; 1835, *Acad.,* fig. ; angl. *pandemonium,* créé par Milton pour désigner l'enfer, sur le gr. *pan,* tout, et *daimôn,* démon.

**pandiculation** 1560, Paré ; lat. *pandiculari,* s'étendre, de *pandere,* au sens d'« étendre » ; action de s'étirer.

**pandit** 1525, *Voyage A. Pigaphetta* (*pandita*) ; 1614, Du Jarric (*pandites*) ; 1827, *Acad.* (*pandit*) ; sanskrit *pandita,* savant.

1. **pandore** n. f., 1519, Havard, mus. ; lat. *pandura,* du gr. *pandoura.* (V. MANDOLINE, MANDORE.)

2. **pandore** n. m., milieu XIXe s., gendarme ; du nom d'un gendarme dans la chanson de G. Nadaud, *Pandore ou les Deux Gendarmes,* 1857.

**pandour** 1746, Voltaire (*pandoure*), soldat irrégulier ; du nom d'un village hongrois, *Pandur,* où furent levées des milices au XVIIe s.

**panégyrique** 1512, J. Lemaire de Belges ; lat. *panegyricus,* du gr. *panêgurikos,* de *panêguris,* assemblée de tout le peuple (*panégyrie,* 1838, *Acad.*), de *ageirein,* rassembler. || **panégyriste** fin XVIe s. ; bas lat. *panegyrista.*

**panel** 1963, Lar. ; mot angl. signif. « liste du jury », du français *panel,* panneau.

**paner, panerée, panetier, paneton** V. PAIN, PANIER.

**pangolin** 1761, Buffon, zool. ; malais *panggoling,* « celui qui s'enroule ».

**panicaut** fin XIVe s., *Livre des secrets de nature* (*pain de caulde*) ; 1456, Villiers (*panicaut*), bot. ; lat. *panis* (v. PAIN) et *cardus,* chardon, altér. en *calidus, caldus.*

**panicule** 1550, Guéroult ; lat. *panicula,* dimin. de *panus,* au sens de « épi ». || **paniculé** 1778, Lamarck.

***panier** 1170, *Rois ; anse de panier,* début XVIIe s., fig. ; *panier à salade,* 1822, Cuisin ; *panier percé,* 1680, Richelet, fig. ; lat. *panarium,* corbeille à pain, de *panis* (v. PAIN). || **panière** XIII^e s., *Renart* (*pennière*) ; XIV^e s. (*panière*). || **panerée** 1398, *Ménagier.* || **paneton** 1812, Mozin.

**panifier** V. PAIN.

**panique** XV^e s., L., adj. (*terreur panice*) ; 1787, Louvet, n. f. ; gr. *panikos,* du nom du dieu *Pan,* qui passait pour troubler violemment les esprits. || **paniquard** 1962, Robert. || **paniquer** 1966, Sarrazin.

1. ***panne** 1080, *Roland* (*penne*) ; 1175, Chr. de Troyes (*pane*), peau couvrant le bouclier ; même évol. vocal. que *femme ;* 1130, *Eneas,* « fourrure » ; 1268, Boileau, « graisse » (du ventre), empl. fig. ; lat. *penna,* plume, qui a désigné la panne, étoffe douce comme de la plume. || **panner** XIX^e s., bourrer de graisse.

2. **panne** 1515, Jal (*penne*), mar., pièce latérale d'une vergue latine, empl. fig. de *penne,* plume, du lat. *penna ;* 1611, Cotgrave, *mettre en panne,* disposer les voiles pour que le navire reste immobile ; XVIII^e s., *rester en panne,* d'où le sens mod. ; 1842, La Bédollière, « misère » (arrêt de l'activité) ; 1843, Esnault, arg. des théâtres ; 1903, Lar., mécan. || **panné** 1835, Esnault, arg., décavé. || **empanner** 1703, *Hist. de l'Acad. des sciences,* mar. || **dépanner** 1922, Lar. ; 1948, Lar., fig. || **dépannage** 1918, *l'Illustration.* || **dépanneur** 1916, *L. M.* || **dépanneuse** n. f., 1929, Lar. ; abrév. de *voiture-dépanneuse.*

3. ***panne** 1170, *Rois,* terme de charpente ; lat. pop. **patena,* du gr. *pathnê,* « crèche », autre forme de *phatnê.*

4. ***panne** [d'un marteau] 1680, Richelet ; lat. *penna,* plume. || **panner** 1765, *Encycl.*

***panneau** 1155, Wace (*panel*), coussinet de selle ; XIII^e s. (*penel*), filet à gibier ; 1392, E. Deschamps (*panneau*), même sens, d'où *tomber dans le panneau ;* fin XIII^e s., Villard de Honnecourt (*penel*), pièce de menuiserie encadrée ; 1546, R. Est. (*panneau*), avec divers sens techn. ; lat. pop. *pannellus,* de *pannus.* || **panneauter** 1798, *Acad.* || **panneauteur** 1867, *le Moniteur.* || **panneautage** 1875, Lar.

**pannequet** 1808, La Reynière ; angl. *pancake,* de *cake,* gâteau, et *pan,* poêle.

**panonceau** 1160, Benoît (*panoncel*), « écusson d'armoirie » ; XVI^e s., sens mod. ; anc. fr. *penum,* étendard, de *penne.*

**panoplie** 1551, Aneau, armure, équipement ; gr. *panoplia,* armure de l'hoplite, de *pan,* tout, et *hoplon,* arme ; 1838, *Acad.,* ensemble d'armes servant d'ornement ; 1932, Lar., jouet.

**panorama** 1799, Fulton ; mot angl. créé par Barker en 1787, du gr. *pan,* tout, et *orama,* vue. || **panoramique** 1815, Delbare, adj. ; 1906, Bonnaffé. || **panoramiquer** 1912, Giraud.

**panorpe** 1839, Boiste, entom. ; gr. *pan-* et *horpêx,* rejeton.

**panoufle** 1265, J. de Meung (*panufle*), haillon ; 1821, Desgranges, sens mod. ; anc. fr. *pane,* chiffon, du lat. *pannus* (v. PAN, PANNEAU).

***panse** 1155, Wace (*pance*) ; 1360, Froissart (*panse*), « ventre » ; 1566, du Pinet, spécialisé aux bêtes (cheval, ruminants) ; lat. *panticem,* acc. de *pantex.* || **pansu** 1330, Digulleville (*pançu*). || **pansière** fin XIII^e s. (*panciere*), pièce d'armure.

**panser** 1280, Adenet (*panser d'un cheval*) ; 1314, Mondeville (*penser de la plaie*) ; 1460, Chastellain (*penser de*) ; 1636, Monet, soigner une blessure ; 1546, R. Est., soigner quelqu'un ; spécialisation d'une var. orthogr. de *penser,* au sens de « s'occuper de » (1138, *Saint Gilles*). [V. PENSER.] || **pansage** 1798, *Acad.* || **pansement** début XVI^e s., méd. || **panseur** 1932, Lar.

**pantagruélique** 1552, Rab. ; repris en 1829, Boiste ; du nom de *Pantagruel,* personnage de Rabelais, doué d'un énorme appétit. || **pantagruélisme** 1552, Rab.

**pantalon** 1550, *Chronique bordelaise,* personnage de la comédie italienne, vêtu d'un habit tout d'une pièce, du col aux pieds, à la manière vénitienne ; ital. *Pantaleone, Pantalone ;* 1650, Ménage, « haut-de-chausses étroit qui tient avec les bas » ; 1802, Brunot, sens mod. || **pantalonnade** fin XVI^e s., danse burlesque ; 1692, Fénelon, subterfuge pitoyable.

**pantelant** V. PANTOIS.

**pantenne** 1571, Belleforest (*pantène*), mar. ; anc. prov. *pantena,* de *pantière,* avec chang. de finale.

**panthéisme** 1709, *Journ. des savants ;* angl. *pantheism,* du gr. *pantheos,* de *pan,* tout, et *theos,* dieu. || **panthéiste** 1712, E. Benoist ; angl. *pantheist.* || **panthéistique** 1832, Matoré.

**panthéon** 1491, Vaganay ; lat. *Pantheon,* du gr. *Pantheion,* temple de tous les dieux, de *pan, pantos,* tout, et *theos,* dieu. || **panthéoniser** fin XVIII^e s. || **panthéonisation** 1801, Mercier.

**panthère** 1119, Ph. de Thaon (*pantere*) ; lat. *panthera,* du gr. *panthêr,* de *pan,* tout, et *thêr,* animal.

**pantière** fin XIIe s., *Roman Alexandre,* filet pour prendre les oiseaux ; lat. *panthera,* du gr. *panthêr,* de *pan,* tout, et *thêr,* animal.

**pantin** 1747, *Journ. de Barbier,* figurine ; 1829, Boiste, fig. ; masc. de *pantine,* écheveau de soie (fin XVIe s.), du lat. *pannus,* morceau d'étoffe.

**pantoire** V. PENTE.

**pantois** XIVe s. (*pantais*), adj., fauconnerie, « asthmatique », et n. m., « oppression » ; 1546, Rab., adj., « suffoqué » ; 1648, Scarron, « ahuri » ; anc. fr. *pantaisier, pantoisier* (1130, *Eneas*), « haleter », du lat. pop. **pantasiare,* « avoir des visions », d'où « faire un cauchemar » et « être suffoqué d'émotion », du gr. *phantasieîn,* même sens (v. FANTAISIE). || **pantelant** 1578, d'Aubigné, part. adj. de l'anc. v. *panteler* (XVIe s.), réfection de *pantoiser,* par substit. du suff. *-eler.*

**pantomime** 1501, *Jardin de plaisance,* adj. ; 1570, Hervet, n. m., « acteur de mime » ; 1752, Lacombe, n. f., art du pantomime ; lat. *pantomimus,* du gr. *pantomimos,* de *pan, pantos,* tout, et *mimos,* mime. || **pantomimer** 1784, Diderot. || **pantomimique** fin XVIIIe s.

**pantoufle** 1465, Gay ; orig. obsc., p.-ê. issu des parlers du Midi, et se rattachant à la famille de *patte ;* pour d'autres, de l'ital. *pantofola,* napolitain et sicilien, représentant le comp. bas-grec *pantophellon,* « tout (*pan*) liège (*phellon*) ». || **pantouflard** 1883, Gréville. || **pantouflier** XVIe s. || **pantoufler** 1676, Sévigné, converser familièrement ; 1880, Esnault, arg. des grandes écoles de l'État, entrer dans l'industrie privée. || **pantouflerie** 1680, Sévigné, conversation familière.

**pantoum** 1829, Hugo ; mot malais.

**panty** 1967, *journ. ;* angl. *panties,* culotte.

**panurge** 1549, R. Est. ; du nom de *Panurge,* personnage de Rabelais, du gr. *panourgos,* apte à tout faire.

***paon** début XIIe s. (*poun, poon*) ; lat. *pavo, pavonis.* || **paonneau** v. 1200 (*paonel*) ; XVe s., *Myst. Vieil Test.* (*paonneau*). || **paonner (se)** milieu XVIe s. || **paonnier** 1292, *Taille de Paris.* (V. PAVANER.)

**papa** 1256, Ald. de Sienne ; mot enfantin, comme le lat. *pappus,* aïeul, et *pappa, papa,* père, de *pappare,* manger, forme enfantine par redoublem. de labiale (gr. *pappa, pappos*) ; *à la papa,* 1808, d'Hautel. || **grand-papa** 1680, Richelet. (V. BON-PAPA.)

**papaïne, papaver, papavéracée, papavérine** V. PAPAYE, PAVOT.

**papaye** 1579, Benzoni, bot. ; esp. *papaya,* du caraïbe des Antilles. || **papayer** 1658, de Rochefort. || **papaïne** 1888, Lar., pharm.

**pape** 1050, *Alexis ;* lat. eccl. *papa,* du gr. eccl. *pap(p)as,* titre d'honneur des évêques (IIIe s., Tertullien), puis spécialisé peu à peu pour l'évêque de Rome (VIe s.), auquel il est finalement réservé (IXe s.). || **papesse** milieu XVe s. ; lat. médiév. *papissa.* || **papal** 1308, Aimé ; lat. médiév. *papalis.* || **papauté** XIVe s., du Cange ; sur le modèle de *royauté, principauté ;* a éliminé *papalité* (XIVe s.). || **papable** 1590, Marnix ; ital. *papabile.* || **papalin** 1672, G. Patin, adj. ; 1625, Bassompierre, n. m. ; ital. *papalino.* || **papiste** 1525, Farel. || **papisme** 1553, Granvelle. || **antipape** 1320, *Dit des patenôtres ;* lat. médiév. *antipapa.* || **papegaut** 1536, Havard, formation plaisante. || **papimane, papefigue** 1552, Rab.

**papegeai** 1155, Wace ; anc. prov. *papagai,* de l'ar. *babaghâ.*

1. **papelard** 1220, Coincy (*papelart*) ; XIIIe s. (*papelard*), « faux dévot » ; 1611, Cotgrave, « flatteur » ; 1668, La Fontaine, « hypocrite » ; anc. fr. *papeler,* marmonner, mot expressif, comme le lat. *pappare* (onomat., par redoublem. de labiale). || **papelardise** début XIVe s., *Ovide moralisé.* || **papelarder** 1260, Rutebeuf. (V. PAPOTER, SOUPAPE.)

2. **papelard** V. PAPIER.

**papier** XIIIe s., Delb. ; adaptation, avec changement de finale, du lat. *papyrus* (« papyrus », jusqu'au VIIIe s., puis « papier de chiffon » à partir du Xe s., époque où les Arabes introduisent cette invention en Europe méditerranéenne), gr. *papuros,* roseau d'Égypte ; papier fait avec ce roseau ; *papiers,* 1835, *Acad.,* pièces d'identité ; *papier timbré,* 1690, Furetière ; *papier de verre,* 1843, Gautier ; *papier-monnaie,* 1727, Brunot, sur l'angl. *paper-money.* || **papelard** n. m., pop., 1821, Esnault, « papier ». || **paperasse** 1553, Belon (*paperas*), n. m. ; 1588, Montaigne (*paperasses*), f. pl. || **paperasser** 1546, Rab. || **paperassier** 1798, *Acad.* || **paperasserie** 1845, Besch. || **papetier** 1507, Havard ; lat. *papeterius* (1414, du Boulay). || **papeterie** 1423, Fagniez, fabrication du papier ; 1845, Besch., magasin de détail.

**papille** 1372, Corbichon ; lat. *papilla,* « mamelon du sein ». || **papillacé** 1875, Lar. || **papillaire** 1665, *Journ. des savants.* || **papilleux** 1770, Gouan. || **papillifère** 1838, *Acad.* || **papilliforme** 1817, Gérardin. || **papillite** 1884, Bouchut. || **papillome** 1858, Nysten (*papilloma*). || **papillectomie** 1963, Lar. || **papillotomie** *id.*

**papillon** 1170, *Floire et Blancheflor* (*paveillon*) ; 1265, J. de Meung (*papillon*) ; 1893, *D. G.,* morceau de papier ; *nœud papillon,* 1907, Lar. ; 1845, Besch., techn. ; lat. *papilio,* de formation expressive. (V. PARPAILLOT, PAVILLON.) || **papillonner** milieu XIV^e s., « palpiter » ; 1608, *Requête,* sens mod. || **papillonnage** 1742, *Bibliothèque britannique.* || **papillonnant** adj., fin XVIII^e s. || **papillonneur** 1924, P. Hamp. || **papillonnement** 1843, Balzac. || **papilionacées** 1700, Tournefort. || **papelonné** fin XIII^e s., dentelé.

**papillote** début XV^e s., paillette (d'or) ; XVII^e s., pour la coiffure ; moyen fr. *papillot,* petit papillon, avec changement de suffixe. || **papilloter** 1400, Chr. de Pisan, parsemer de paillettes ; 1680, Richelet, mettre (les cheveux) en papillotes ; 1762, *Acad.,* cligner (des yeux) ; 1858, Gautier, étinceler. || **papillotant** 1767, Diderot. || **papillotage** 1611, Cotgrave. || **papillotement** 1606, Crespin, fait d'être crotté ; 1611, Cotgrave, fait d'être pailleté ; 1872, Gautier, éclat fatiguant la vue.

**papion** 1766, Buffon ; lat. mod. *papio ;* sorte de singe.

**papoter** 1220, Coincy (*papeter*) ; 1611, Cotgrave (*papoter*), dimin. de *paper,* « ouvrir et rapprocher les lèvres à plusieurs reprises », notamment en parlant des tout petits enfants ; onomat. par redoublement de labiale, comme lat. *pappare,* manger (v. PAPA, PAPELARD, SOUPAPE). || **papotage** 1837, Engelgom. || **papotier** 1877, Daudet.

**papouille** 1923, Lar., fam. ; formation expressive, ou p.-ê. déform. de *palpouille,* attesté à Mâcon au sens de « pelotage », de *palpouiller,* dér. de *palper.*

**paprika** 1836, Landais, « soupe au poivre » ; 1922, Morand, sens actuel ; mot hongrois.

**papule** 1555, Aneau, anat. ; lat. *papula,* var. de *papilla* (v. PAPILLE). || **papuleux** 1810, Alibert.

**papyrus** 1562, du Pinet, bot. ; lat. *papyrus,* roseau d'Égypte, mot gr. ; 1838, *Acad.,* feuille pour écrire. || **papyrologie** 1907, Lar. || **papyrologue** 1907, Lar.

***pâque, paques** 980, *Passion* (*pasches*) ; 1131, *Couronn. Loïs* (*pasques*) ; 1680, Richelet (*pâques*) ; *Pâques fleuries,* v. 1170, dimanche des Rameaux ; *faire ses pâques,* 1606, Nicot ; lat. pop. **pascua,* altér. du lat. eccl. *Pascha* (avec infl. de *pascua,* nourriture, de *pascĕre,* v. PAÎTRE), gr. *Paskha,* remontant à un mot hébreu signif. « passage », désignant la fête qui commémorait la sortie d'Égypte. A désigné la fête chrét., par coïncidence de dates. Du X^e au XVI^e s., sing. et pl. s'emploient indifféremment, puis le sing. désigne la fête juive, et le pl. la fête chrét. || **pâquerette** 1553, Belon (*pasquerette*) ; var. *pasquette* (au XVI^e s.), bot., de l'adj. *pasqueret,* de Pâques à cause de l'époque de floraison. || **pascal** 1112, *Voy. de saint Brendan ;* lat. eccl. *paschalis.*

**paquebot** 1647, Clérac (*paquebouc*) ; 1665 (*paquebôt*) ; angl. *packet-boat,* bateau (*boat*) qui transporte les paquets (*packet,* lui-même du fr. *paquet*).

**pâquerette** V. PÂQUE.

**paquet** 1368, G. (*pacquet*) ; 1538, R. Est. (*paquet*) ; de l'anc. *pacque,* n. f., attesté en 1410, G. (*pakke*), du néerl. *pak ; mettre le paquet,* XX^e s. (V. PACOTILLE, PACQUER.) || **paqueter** fin XV^e s. || **paquetage** 1836, Landais, milit. || **paquetaille** 1875, Lar. || **paqueteur** 1562, Delb. || **empaqueter** fin XV^e s. || **empaquetage** 1813, B. Constant. || **empaqueteur** 1611, Cotgrave. || **dépaqueter** 1487, G.

**pâquis** V. PACAGE.

***par** 842, *Serments* (*per*) ; 980, *Passion* (*par*) ; lat. *per ; de par* (*le roi,* etc.), XIII^e s., est une altér. de *de part* (1080, *Roland*), de la part de ; *par trop,* 1050, *Alexis.* || **parmi** 1050, *Alexis ;* sur *mi, milieu* (v. MI 1). || **parce que** 1200, *Poème moral ;* a éliminé au XVII^e s. *pour ce que,* loc. conj. de cause, usuelle en anc. fr.

1. **para-,** gr. *para-,* « à côté de », préfixe entrant dans des mots empruntés au gr., ou de formation française.

2. **para-,** préfixe exprimant l'idée de « protection contre », tiré du lat. *parare,* parer, à partir des mots *parasol, paravent,* etc., et servant à former *parachute, parados, parafoudre, paragrêle, parapluie, paratonnerre :* v. les mots simples correspondants. (V. égalem. PARAPET.)

**parabase** 1823, Boiste ; gr. *parabasis,* « action de s'avancer », sur *bainein,* marcher.

**parabellum** 1932, Lar. ; mot allem., d'après le proverbe lat. *Si vis pacem para bellum,* « Si tu veux la paix, prépare la guerre » (*para,* impér. de *parare,* préparer, et *bellum,* guerre).

1. **parabole** 1265, J. de Meung, eccl., « allégorie » ; début XVIIe s., Malherbe, sens général ; lat. eccl. *parabola* (IIIe s., Tertullien, et *Vulgate*), « comparaison », du gr. *parabolê* (v. PALABRE, PARLER, PAROLE). || **parabolique** XIVe s., L. ; lat. eccl. *parabolicus.*

2. **parabole** 1555, Aneau, géom., spécialis. du mot précéd., repris au gr. mathém. || **parabolique** 1505, *Doc.* || **parabolicité** 1869, L. || **paraboliser** 1868, *le Moniteur.* || **paraboloïde** 1660, Huygens. || **paraboloïdal** 1751, Brunot. || **parabolisme** 1691, Ozanam.

**paracentèse** 1560, Paré ; gr. *parakentêsis,* « ponction » ; opération chirurgicale consistant à opérer une ponction.

**parachute** 1777, Bauchaumont ; de *para-,* qui protège, et *chute,* appareil inventé par Blanchard. || **parachuter** 1939, *journ.* || **parachutage** *id.* || **parachutisme** 1928, Nyrop. || **parachutiste** 1928, Nyrop ; abrév. *para* (1944, Esnault).

**paraclet** 1265, J. de Meung (*paraclist*) ; 1464, Molinet (*paraclet*) ; lat. eccl. *paracletus,* du gr. *paraklêtos,* « qu'on appelle à son secours » ; nom donné au Saint-Esprit.

1. **parade** début XVIe s. (*faire parade*), terme de manège, « action d'arrêter un cheval » ; esp. *paradar,* de *parar,* « arrêter un cheval court », du lat. *parare* (v. PARER 3) ; fin XVIe s., Brantôme, « carrousel, défilé » ; 1594, *Ménippée,* « exhibition », sens infl. par *parer* 1, au sens de « arranger » ; 1680, Richelet, parade de foire. || **parader** 1573, Le Frère (*se parader*) ; 1599, La Popelinière (*parader*). || **paradeur** 1845, Radonvilliers, « écuyer de cirque » ; 1890, Maupassant, fig. || **paradiste** 1836, Landais, bateleur.

2. **parade** terme d'escrime V. PARER 2.

**paradigme** 1584, Thevet, gramm., « exemple » ; 1752, Trévoux, ensemble de formes ; lat. gramm. *paradigma* (gr. *paradeigma*), exemple, de *deiknumi,* montrer. || **paradigmatique** 1960, Martinet.

**paradis** 980, *Passion ;* var. pop. *pareis* (1080, *Roland*) ; lat. eccl. *paradisus* (*Vulgate*), « parc (réservé aux bienheureux) », du gr. *paradeisos,* de l'iranien *paridaiza,* enclos du seigneur ; 1606, Nicot, théâtre. || **paradisiaque** 1553, Postel ; rare jusqu'au XIXe s. (1838, *Acad.*) ; lat. eccl. *paradisiacus.* || **paradisier** 1806, *Dict. hist. naturelle,* zool. (V. PARVIS.)

**parador** 1840, Gautier ; mot esp. signif. « auberge », du lat. *parare,* préparer.

**paradoxe** 1485, Trepperel (*paradoce*) ; 1495, Vaganay (*paradoxe*) ; gr. *paradoxos,* sur *doxa,* opinion. || **paradoxal** 1584, Bouchet. || **paradoxalement** 1588, Sainct-Julien. || **paradoxisme** 1797, Gattel.

**paraffine** 1552, Rab. (*parafine*), « poix résine » ; 1611, Cotgrave (*parrafine*), « résine minérale » ; repris en 1830 par Reichenbach, qui découvrit l'hydrocarbure ainsi désigné ; lat. *parum affinis,* « qui a peu d'affinité ». || **paraffiné** 1867, *le Moniteur.* || **paraffiner** 1875, *J. O.* || **paraffinage** 1875, *J. O.* || **paraffineux** 1932, Lar.

1. **parage** « extraction » V. PAIR.

2. **parage** 1544, Cartier, « région », d'abord mar., au pl. (1643, Fournier), « lieu où se trouve un vaisseau » ; esp. *paraje,* « lieu de station », de *parar,* s'arrêter, du lat. *parare ;* 1835, *Acad.,* sens étendu.

3. **parage** techn. V. PARER 1.

**paragoge** 1340, J. Le Fèvre ; lat. gramm. *paragoge,* du gr. *paragôgê,* « addition ». || **paragogique** 1721, Trévoux.

**paragrammatisme** 1863, L., « allitération » ; 1963, Lar., trouble du langage ; bas lat. *paragramma,* faute de copiste.

**paragraphe** 1220, Coincy ; lat. médiév. *paragraphus,* signe de séparation, du gr. *paragraphos,* « écrit à côté », sur *graphein,* écrire. || **paragrapher** 1660, Oudin.

***paraître** 980, *Passion* (*pareistre*) ; bas lat. *parescere,* dér. inchoatif du lat. class. *parēre,* paraître, apparaître (d'où est issu l'anc. fr. *pareir, paroir,* disparu à la fin du XVIe s.). || **parution** 1923, Lar., du part. passé *paru,* et sur le modèle de *comparution.* || **disparaître** 1606, Crespin. || **disparu** 1907, Lar., n., « mort ». || **disparition** 1559, Amyot, sur le modèle de *apparition.* || **reparaître** 1208, H. de Valenciennes. || **reparution** XXe s. || **transparent** 1370, Oresme, adj. ; 1664, Brunot, plaque de verre ; lat. médiév. *transparens,* de *trans,* à travers, et *parens,* part. prés. de *parēre.* || **transparence** 1372, Corbichon. || **transparaître** 1640, Oudin. (V. APPARAÎTRE, COMPARAÎTRE.)

**paralipomènes** 1690, Furetière ; bas lat. *paralipomena,* du gr. *paraleipomena* (*biblia*), « livres laissés de côté », sur *leipein,* laisser.

**paralipse** 1732, Richelet, figure de rhét. ; gr. *paraleipsis,* action de passer sous silence, de *leipein,* laisser.

**parallaxe** 1557, de Mesmes, astron., genre incertain jusqu'au XVII^e s. ; 1690, Furetière, petit angle ; gr. *parallaxis,* « changement ». || **parallactique** 1691, Ozanam.

**parallèle** XIII^e s., math. ; 1544, Apian, adj. ; 1552, Rab., n. m., géogr. ; 1559, Amyot, n. m., fig., « comparaison » ; lat. *parallelus,* du gr. *parallêlos,* sur *allêlôn,* « l'un l'autre ». || **parallèlement** 1583, Monin. || **paralléliser** 1875, Lar. || **paralléliseur** 1903, Lar. || **parallélisme** 1647, Pascal ; bas grec *parallêlismos.* || **parallélogramme** 1542, Bovelles ; bas lat. *parallelogrammum,* mot gr., sur *grammê,* ligne. || **parallélépipède** 1570, Finé (*parallélipipède*) ; 1690, Furetière (*parallélépipède*) ; bas lat. *parallelepipedum,* du gr. *parallêpipedos,* sur *epipedon,* surface unie.

**paralogisme** 1380, *Aalma ;* gr. *paralogismos,* « contre la logique ».

**paralysie** 1190, *Grégoire* (*paralisin*) ; 1256, Ald. de Sienne (*paralisie*) ; 1380, *Aalma* (*paralysie*) ; lat. *paralysis,* du gr. *paralusis,* sur *lusis,* « relâchement ». || **paralytique** 1256, Ald. de Sienne (*paralitike*) ; lat. *paralyticus,* du gr. *paralutikos.* || **antiparalytique** 1732, Richelet. || **paralysé** adj., 1560, Paré. || **paralyser** 1765, *Encycl. ;* fig., 1789, Brunot. || **paralysant** adj., 1845, Radonvilliers. || **déparalyser** 1870, Lar.

**paramécie** 1836, Landais, zool. ; lat. *paramecium,* du gr. *paramêkês,* oblong.

**parangon** XV^e s., G. (*parangonne,* n. f.) ; 1525, J. Lemaire de Belges (*parangon*) ; esp. *parangon,* altér. de l'ital. *paragone,* pierre de touche, par ext. « modèle, comparaison », du gr. *parakonê,* pierre à aiguiser. || **parangonner** 1542, G., comparer ; 1800, typogr. || **parangonnage** 1835, *Acad.*

**paranoïa** 1822, *Nouveau Dict. méd. ;* mot créé en allem. par Vogel en 1772, du gr. *paranoia,* folie, sur *noûs,* esprit. || **paranoïaque** 1932, Lar. || paranoïde 1946, Baruk.

**paranymphe** XV^e s. ; bas lat. *paranymphus,* du gr. *paranumphê,* sur *numphê,* jeune mariée. (V. NYMPHE.)

**parapet** 1546, Rab. (*parapete*) ; 1611, Cotgrave (*parapet*) ; ital. *parapetto,* « qui protège la poitrine (*petto*) ».

**paraphe** milieu XIV^e s., « chiffre ajouté au nom » ; 1564, Calvin, « signature abrégée » ; lat. médiév. *paraphus,* altér. de *paragraphus,* du gr. *paragraphos,* signe marquant les parties du chœur (v. PARAGRAPHE). || **parapher** 1467, Bartzsch.

**paraphernal** XV^e s., *Coutumier* (*biens parafernals*) ; 1575, Papon (*paraphernal*), jur. ; lat. médiév. *paraphernalis,* du gr. *parapherna,* sur *phernê,* dot.

**paraphrase** 1524, Le Fèvre ; lat. *paraphrasis,* mot gr., de *paraphragein,* expliquer. || **paraphraser** 1547, Martin. || **paraphraseur** XVI^e s., G. || **paraphrastique** 1542, Campensis.

**paraplégie** 1560, Paré ; gr. *para,* à côté de, et *plêgê,* coup ; paralysie des membres inférieurs. || **paraplégique** 1822, *Nouveau Dict. méd.*

**parascève** début XIV^e s. (*jour de paraceuve*) ; bas lat. *parasceue,* veille de sabbat, du gr. *paraskeuê,* préparation.

**parasite** 1500, *Térence en français,* n. m., « celui qui fait métier de divertir un riche » ; 1721, Trévoux, zool. et bot. ; 1932, Lar., techn. ; lat. *parasitus,* du gr. *parasitos,* commensal, sur *sitos,* nourriture. || **parasitaire** 1855, Nysten. || **parasiter** 1599, La Popelinière. || **parasitisme** 1719, Gueudeville. || **parasiticide** milieu XVII^e s. || **parasitique** 1500, *Térence en français.* || **parasitologie** 1907, Lar. || **parasitose** 1932, Lar. || **antiparasite** 1928, Lar. || **antiparasiter** XX^e s.

**parasol** 1548, *Chron. bordelaise ;* rare jusqu'au XVIII^e s. ; ital. *parasole,* proprem. « contre (du lat. *parare,* parer) le soleil (*sole*) ».

**parataxe** 1838, *Acad. ;* gr. *parataxis,* ordre de bataille ; 1903, Lar., ling., d'après *syntaxe.*

***parâtre** 1080, *Roland* (*parastre*), beau-père, jusqu'au XVI^e s. ; bas lat. *patraster,* second mari de la mère, de *pater,* père. (V. MARÂTRE.)

**parbleu** V. DIEU.

***parc** 1155, Wace ; 1949, Lar., milit. ; bas lat. *parricus* (VIII^e s., *Loi des Ripuaires*), d'un prélatin **parra,* « perche ». || **parquer** fin XIV^e s., G., dans les parcs à huîtres ; début XVI^e s., La Curne, enfermer des personnes ; XX^e s., autom. || **parqueur** 1868, Lar., éleveur d'huîtres. || **parquement** 1873, *J. O.* || **parcage** fin XIV^e s., J. Le Fèvre. || **parking** XX^e s., autom. ; mot angl., de *to park,* parquer. || **parquet** 1354, *Modus,* « petit parc » ; XIV^e s., « partie d'une salle de justice où se tiennent les juges », d'où divers empl. judic. et financ. ; 1664, *Doc.,* plancher. || **parqueter** 1382, Delb. || **parquetage** fin XVI^e^ s., Palissy. || **parqueteur** 1691, *Doc.* || **parqueterie** 1835, *Acad.* || **parqueteuse** 1932, Lar.

***parcelle** milieu XII^e^ s., petite partie ; fig., 1379, J. de Brie ; lat. pop. **particella,* du lat. class. *particula,* dimin. de *pars, partis* (v. PART 1, PARTICULE). || **parcellaire** 1791, Ranft. || **parceller** 1458, Gay (*parsellé*). || **parcellement** 1845, Besch., n. m. || **parcelliser** 1964, *journ.* || **parcellisation** 1965, *journ.*

**parce que** V. PAR.

***parchemin** 1050, *Alexis* (*parchamin*) ; 1130, *Eneas* (*parchemin*) ; 1835, *Acad.*, en parlant de la peau ; bas lat. *pergamena* (*pellis*), du gr. *pergamenê,* « peau de Pergame », avec une altér. sous l'infl. de *Parthica* (*pellis*), « (peau) du pays des Parthes » (d'où est issu l'anc. fr. *parche, parge*). || **parcheminier** XIII^e^ s., Fr. Laurent. || **parcheminerie** 1394, G. || **parcheminer** 1836, Balzac (*se parcheminer*). || **parchemineux** 1858, *Rev. des Deux Mondes.*

**parcimonie** 1495, J. de Vignay ; rare avant le XVIII^e^ s. ; lat. *parcimonia,* var. *parsimonia,* de *parsus,* part. passé de *parcere,* épargner. || **parcimonieux** 1773, Beaumarchais. || **parcimonieusement** 1831, Balzac.

**parcourir** XV^e^ s. ; adaptation, d'après *courir,* de l'anc. fr. *parcorre* (1155, Wace), du lat. *percurrere.* || **parcours** 1286, du Cange ; bas lat. *percursus,* sur *cours.* (V. COURIR.)

**pardessus** XV^e^ s., surplus ; 1810, Brunot, vêtement ; forme substantivée de *par-dessus.* (V. SUS.)

**pardi** V. DIEU.

**pardonner** 980, *Passion* (*perdoner*) ; 1050, *Alexis* (*pardoner*) ; bas lat. *perdonare,* accorder, du préf. intensif *per-,* « complètement », et *donare,* donner. || **pardon** 1130, *Eneas.* || **pardonnable** 1120, *Ps. de Cambridge* (*perdunable*), « miséricordieux » ; fin XII^e^ s., *Grégoire,* sens actuel. || **impardonnable** 1360, Froissart.

**parégorique** 1560, Paré, adj. ; bas lat. méd. *paregoricus,* du gr. *parêgorikos,* « qui calme » ; *élixir parégorique,* 1795, Cullen.

***pareil** milieu XII^e^ s., *Roman Thèbes ; sans pareil,* fin XII^e^ s. ; *rendre la pareille,* fin XIV^e^ s. ; lat. pop. **parĭculus,* de *par,* égal (v. PAIR). || **pareillement** XIII^e^ s., *Chron. de Rains.* || **appareiller** 1175, Chr. de Troyes. || **appareillement** 1827, *Acad.* || **dépareiller** fin XII^e^ s., *Escoufle.* || **dépareillé** adj., milieu XIV^e^ s., « séparé » ; 1718, *Acad.,* sens actuel. || **nonpareil** milieu XIV^e^ s. || **rappareiller** 1160, Benoît, rendre en nombre pair ; 1690, Furetière, sens actuel.

**parélie** ou **parhélie** 1547, Mizauld (*parahele*) ; 1611, Cotgrave (*parélie*) ; 1671, Pomey (*parhélie*) ; lat. *parelion,* du gr. *parêlios,* de *para,* à côté, et *hêlios,* soleil. || **parélique** ou **parhélique** 1845, Besch.

**parelle** XII^e^ s., bot. ; lat. médiév. *paratella,* dimin. de *parada ;* nom de la patience, dans l'Ouest.

**parémiologie** 1842, *Acad. ;* gr. *paroimia,* proverbe, et *-logie.* || **parémiographe** 1842, *Acad.*

**parenchyme** 1546, Ch. Est. ; gr. *pareghkuma,* de *para,* à côté, et *egkheîn,* répandre ; d'après les théories gr., il était formé par le sang répandu dans les veines. || **parenchymateux** 1764, Ch. Bonnet.

**parénèse** 1585, Scaliger (*paraenesis*) ; 1587, Crespet (*parénèse*), rhét. ; bas lat. *paraenesis,* du gr. *parainesis,* de *aineîn,* recommander, exhorter. || **parénétique** 1574, Tigeon ; gr. *parainetikos.*

***parent** X^e^ s., *Saint Léger,* m. pl., le père et la mère ; fin XII^e^ s., au sing., membre de la famille ; *proche parent,* fin XII^e^ s. (*prochain parent*) ; 1594, *Coutum.* (*proche parent*) ; *grands-parents,* 1798, *Acad. ;* adj., 1963, Lar. ; lat. *parens, parentis,* père, mère, et par ext. aïeul, puis en bas lat. membre de la famille, part. prés. de *parĕre,* engendrer. || **parentage** 1080, *Roland.* || **parenté** 1050 *Alexis* (*parentet,* n. m.) ; 1155, Wace (*parenté*) ; 1190, Bartzsch, n. f. ; lat. pop. **parentatus,* de *parens.* || **parentèle** fin XIV^e^ s. ; lat. impér. *parentela.* || **parentales** 1721, Trévoux, f. pl., hist. || **parental** adj., début XVI^e^ s. || **parentaille** v. 1820, P.-L. Courier, péjor. || **apparenter** 1180, *Eracle,* « traiter comme parent » ; XV^e^ s., *être bien* (*ou mal*) *apparenté,* avoir des parents riches (ou pauvres) ; 1660, Oudin, *s'apparenter à,* sens mod. || **apparentement** 1912, Lar., polit.

**parentèle** V. PARENT.

**parenthèse** 1493, Coquillart (*parenteze*) ; 1546, Est. (*parenthèse*) ; lat. *parenthesis,* mot gr., de *para,* à côté, et *enthesis,* action de mettre. || **parenthétiser** 1968, Lar. || **parenthétisation** 1968, Lar.

**paréo** 1907, Lar. ; mot italien.

1. **parer** 980, *Passion,* préparer ; 1170, *Rois,* orner ; 1552, Rab., mar. ; lat. *parāre,* préparer, apprêter, qui a pris divers sens dans les langues romanes (v. PARER 2 et 3). || **parure** XIIe s. || **parement** fin IXe s., Eulalie (*parament*) ; XIIe s. (*parement*). || **parementé** 1557, Joüon des Longrais. || **parementure** 1925, *journ.* || **paré** adj., 1702, Aubin, prêt. || **pareur** 1250, G. || **paroir** n. m., 1611, Cotgrave, techn. || **parage** 1494, A. Thierry, text. ; 1732, *Maison rustique,* vitic. ; 1763, Fougeroux, tonnellerie ; 1842, Mozin, charp. mar. || **paraison** 1765, *Encycl.* || **paraisonnier** 1700, *Mém. au contrôleur gén. des fin.,* vitic. || **pareur** 1250, techn. || **déparer** 1050, *Alexis* (*desparer*), ôter de ce qui pare ; 1660, Retz, enlaidir.

2. **parer** (*un coup*) 1559, Rab., escrime ; 1640, Corn., fig. ; *parer à,* 1549, R. Est. ; ital. *parare,* se garder d'un coup, s'opposer à, lat. *parāre.* || **imparable** 1615, Montchrestien. || **parade** 1630, Thibault. || **pare-balles** 1873, L. (*paraballes*). || **pare-boue** 1909, *Vie autom.* || **parebrise** 1905, *id.* || **pare-chocs** 1885, Pers. || **pare-clous** 1932, Lar. || **pare-éclats** 1903, Lar. || **pare-étincelles** 1880, Thurston. || **pare-feu** 1875, Lar. || **pare-fumée** 1677, Dassié. || **pare-pierres** 1932, Lar. || **pare-soleil** 1935, Sachs. (V. EMPARER, REMPART.)

3. **parer** 1598, Grisone, « retenir un cheval » ; esp. *parar,* du lat. *parāre* (v. PARADE 1).

**parère** n. m., 1688, Savary, jur. ; ital. *parere,* avis, du lat. *parēre,* paraître, assister ; acte précisant un point de droit étranger.

**parésie** 1694, Th. Corn. (*paresis*) ; 1741, Col de Vilars (*parésie*) ; gr. *paresis,* relâchement ; diminution de la force musculaire. || **parétique** 1878, Lar.

**paresse** 1155, Wace (*perece*) ; 1130, *Eneas* (*parece*) ; altér., sous l'infl. de *par,* ou sous l'action ouvrante du *r,* du lat. *pigritia,* de *piger,* paresseux. || **paresser** 1160, Benoît (*parecer*). || **paresseux** 1119, Ph. de Thaon (*pereçus*). || **paresseusement** fin XIIe s., *Dial. Grégoire.*

**paresthésie** 1878, Lar. ; gr. *para,* à côté, et *aisthesis,* sensibilité.

**parfaire** 1119, Ph. de Thaon, compléter ; 1138, Gaimar, achever complètement ; de *par-,* lat. *per-,* et *perficere,* accomplir. || **parfait** adj., 1050, *Alexis* (*perfit*) ; 1155, Wace (*parfait*) ; lat. *perfectus ;* n. m., 1596, Hulsius, gramm. ; lat. gramm. *perfectum.* || **imparfait** adj., 1372, Corbichon, d'après le lat. *imperfectus ;* XVe s., gramm. (*prétérit imparfait*) ; n. m., 1606, Nicot, d'après le lat. gramm. *imperfectum.* || **plus-que-parfait** 1550, Meigret ; d'après le lat. *plus quam perfectum.*

**parfois** V. FOIS.

**parfumer** XIVe s., Moamin, méd. ; 1532, Sainéan, sens actuel ; anc. prov. *perfumar,* exhaler une odeur, de *fumar,* fumer, du lat. *fumus,* fumée. || **parfum** 1528, Gay ; d'après l'ital. *perfumo.* || **parfumeur** *id. ;* var. *parfumier* (XVIe s.). || **parfumerie** 1802, Flick. || **brûle-parfum** 1840, Gautier.

**pari** V. PARIER.

**paria** 1575, Belleforest (*parea*) ; 1692, Pouchot (*paria*) ; 1821, Delavigne, fig. ; mot port., du tamoul *pareyan.*

**parian** 1869, *Tarif des douanes,* porcelaine ; mot angl., proprem. « de Paros ».

**paridés** 1874, Lar. (*parinés*), zool. ; bas lat. *parus,* lat. class. *parra,* mésange.

**parier** milieu XIVe s., Machaut, « égaler » ; 1466, Michault, « s'accoupler » ; 1534, Des Périers, parier quelque chose contre quelqu'un, « mettre en balance » ; 1549, R. Est., mettre une somme dans un pari ; lat. *pariare,* aller de pair, de *par ;* a éliminé l'anc. *pairier* (XIIIe s., Adam de la Halle), « égaler », dér. de *pair.* || **pari** 1642, Oudin ; *pari mutuel,* 1872, Pearson ; déverbal. || **parieur** 1640, Oudin. (V. PAIR.)

**pariétaire** XIIIe s., *Simples Méd.* (*paritaire*) ; milieu XVIe s. (*pariétaire*) ; lat. (*herba*) *parietaria,* de *paries, parietis,* paroi.

**pariétal** 1363, Chauliac (*os pariétaux*) ; lat. *paries, parietis,* paroi (v. PARIÉTAIRE).

**parisien** XIVe s., G. (*parisin*) ; 1460, Villon (*parisien*) ; de *Paris.* || **parisianisme** 1840, Balzac (*parisiénisme*) ; 1845, Besch. (*parisianisme*). || **parisianiser** 1867, Baudelaire. || **parigot** 1886, Esnault, fam. || **parisette** 1778, Lamarck, bot. ; dimin. ; herbe rustique.

**parisis** XIIe s., *Moniage Guillaume,* hist. ; XIIIe s., *livre parisis,* nom de monnaie ; lat. médiév. *parisiensis,* de *Parisiis,* Paris, proprem. ablatif du nom de peuple *Parisii.*

**parisyllabique, parité** V. PAIR.

**parjurer (se)** 1080, *Roland ;* lat. *perjurare,* de *jurare.* || **parjure** 1138, Gaimar, « celui qui se parjure » ; lat. *perjurus.* || **parjure** fin XIe s., *Chanson de Guillaume,* faux serment ; lat. *perjurium.* (V. JURER.)

**parka** 1960, Gilbert ; mot anglo-américain, de l'esquimau des îles Aléoutiennes.

**parking** V. PARC.

**parlement** 1080, *Roland,* conversation (encore XVIIe s., Racine) ; de *parler ;* 1160, Benoît, assemblée des grands du royaume ou d'une région ; 1207, Villehardouin, assemblée souveraine de justice ; fin XIIIe s., assemblée législative en Angleterre ; 1825, Lamennais, les deux assemblées législatives en France (l'emploi judiciaire du mot ayant alors disparu), de l'angl. *parliament,* lui-même de l'anc. fr. *parlement.* || **parlementer** XIIIe s., Apollonius, conférer ; XIVe s., Cuvelier, milit. || **parlementaire** 1792, Brunot, milit., n. m. ; 1644, Mackenzie, jurid., porte-parole du parlement ; adj. et n. m., XVIIe s., polit., s'agissant de l'Angleterre ; adj., 1789, Brunot, « relatif à l'Assemblée législative » ; 1824, Jouy, n. m., membre des assemblées législatives. || **parlementairement** 1785, *Courrier de l'Europe.* || **parlementarisme** 1852, Louis Napoléon Bonaparte. || **antiparlementaire** début XXe s. || **antiparlementarisme** 1912, Alexinsky. || **interparlementaire** 1894, Sachs-Villatte.

***parler** fin Xe s., *Saint Léger* (*parlier*) ; 980, *Passion* (*parler*) ; 1155, Wace, n. m., fait de parler ; milieu XVIIe s., façon de parler propre à un individu ou à une région ; lat. eccl. *parabolare,* devenu **paraulare* en lat. pop., du class. *parabola* (v. PARABOLE, PAROLE). || **parlant** adj., 1210, Herbert de Duc ; fin XIXe s., techn. ; XXe s., *cinéma parlant.* || **parlé** adj., 1798, *Acad.,* par oppos. à *écrit* (*langue*). || **parlage** 1770, *Corr. phil. et crit.* || **parlerie** 1285, Bretel. || **parlote** 1829, *la Mode,* péjor. || **parleur** 1170, Thomas ; *beau parleur,* XVe s. || **parloir** 1130, *Eneas* (*parleor*) ; 1268, Boileau (*parloir*). || **parlure** 1155, Wace (*parleure*). || **déparler** 1160, Benoît (*soi desparler,* se dédire) ; début XIIIe s., « cesser de parler ». || **pourparler** v. intr., 1080, *Roland* (*purparler*), discuter ; n. m., milieu XIIe s., *Roman Thèbes,* entretien ; au pl., 1587, La Noue, sens actuel. || **reparler** milieu XIIe s.

**parloir** V. PARLER.

**parme** XXe s., couleur violette ; du nom de la ville de *Parme.*

**parmélie** 1839, Boiste, bot. ; lat. *parmelia,* de *parma,* petit bouclier rond.

**parmesan** adj., XVe s. (*permigean*) ; n. m., 1596, Hulsius, fromage ; ital. *parmigiano,* « de Parme ».

**parmi** V. PAR.

**parnasse** 1660, Boileau, séjour des poètes ; 1866, *le Parnasse contemporain,* école littéraire, du nom du *Parnasse,* montagne de Phocide consacrée à Apollon et aux Muses dans la mythol. gr. ; lat. *Parnassus,* du gr. *Parnassos.* || **parnassien** 1718, Leroux, « relatif à la poésie » ; 1808, Boiste, entom. ; 1866, *Journ.,* hist. litt.

**parodie** 1615, A. de Nesmond ; gr. *parôdia,* de *para,* à côté, et *ôdê,* chant. || **parodier** 1615, Pasquier. || **parodiste** 1738, Piron. || **parodique** 1800, Boiste.

**parodonte** 1963, Lar. ; de *para,* à côté, et gr. *odous, odontos,* dent. || **paradontite** 1875, Lar.

***paroi** 1080, *Roland* (*pareit*) ; 1175, Chr. de Troyes (*paroi*) ; lat. pop. **paretem,* du lat. class. *parietem,* acc. de *paries,* mur, paroi (v. PARIÉTAIRE, PARIÉTAL).

**paroir** V. PARER 1.

***paroisse** fin XIe s. (*parosse*) ; 1155, Wace (*paroisse*) ; bas lat. *parochia,* altér. du lat. eccl. *paroecia* (IVe s., saint Augustin), gr. eccl. *paroikia,* « groupement d'habitations voisines », de *para,* à côté, et *oikia,* maison. Pour certains, en raison du sens primitif de *parochia,* « diocèse d'un évêque », il faut rattacher *paroikia* à *paroikos,* étranger, « qui habite à côté », les chrétiens se tenant pour étrangers sur cette terre. || **paroissien** fin XIIe s., R. de Moiliens (*parochien*) ; 1220, Coincy (*paroissien*) ; 1803, Boiste, livre de messe ; fin XVIe s., du Fail, fam., « individu suspect » ; lat. eccl. *parochianus.* || **paroissial** fin XIIe s., R. de Moiliens (*parochial*) ; 1265, J. de Meung (*paroissial*) ; lat. eccl. *parochialis.*

***parole** 1080, *Roland ;* lat. pop. **paraula,* altér. de *parabla,* du bas lat. eccl. *parabola,* en lat. impér. « comparaison » (Quintilien), puis « parabole du Christ », d'où « parole du Christ », et simplement « parole », suivant la même évolution que *verbum* (« parole de Dieu », puis « parole » en général) [v. PALABRE, PARABOLE 1, PARLER]. || **parolier** adj., 1584, trad. d'Horace, « riche en paroles » ; n. m., 1842, *Acad.,* sens mod.

**paroli** 1640, Oudin ; ital. *paroli,* probabl. du mot napolitain *paro,* égal, du lat. *par ;* somme double de celle qu'on a jouée précédemment.

**paronomase** 1546, Rab. (*paronomasie*) ; 1701, Furetière (*paronomase*) ; lat. *paronomasia,* mot gr., de *para,* à côté, et *onomazein,* nommer, *onoma,* nom.

**paronyme** 1805, Lunier ; gr. *paronumos,* même rad. que le précédent. || **paronymique** 1836, Landais. || **paronymie** 1845, Besch.

**paronyque** 1562, du Pinet, bot. (*paronychia*) ; 1838, *Acad.* (*paronyque*) ; gr. *parônuchis,* de *para,* à côté, et *onux,* ongle.

**parosmie** 1907, Lar., méd. ; de *para-,* à côté de, et *-osmie,* du gr. *osmê,* odorat.

**parotide** 1363, Chauliac (*perotide*) ; 1537, Canappe (*parotide*), anat. ; lat. *parotis, -idis,* gr. *parôtis, -idos,* de *para,* à côté, et *oûs, ôtos,* oreille. || **parotidien** 1818, Alibert. || **parotidite** 1830, *Dict. termes de méd.* || **parotidectomie** 1953, Lar. ; de *-ectomie,* du gr. *ektomê,* coupure.

**parousie** 1903, Lar., théol. ; gr. *parousia,* présence ; retour glorieux du Christ.

**paroxysme** 1314, Mondeville (*peroxime*) ; 1478, Chauliac (*paroxisme*) ; 1552, Rab. (*paroxysme*) ; gr. méd. *paroxusmos,* de *oxunein,* aiguiser, exciter, de *oxus,* pointu. || **paroxystique** 1822, *Nouveau Dict. de médecine.* || **paroxysmique** 1836, *Acad.*

**paroxyton** V. OXYTON.

**parpaillot** fin XVI^e^ s., d'Aubigné, surnom donné aux calvinistes, d'abord dans le Sud-Ouest (siège de Clairac, 1621) ; issu, par changem. de suff., de l'occitan *parpailhol* (Languedoc, Gascogne), « papillon » : altér. de *papillon* par insertion de *r,* du lat. *papilio* (v. PAPILLON, PAVILLON). Le surnom s'explique p.-ê. par comparaison de l'infidélité des calvinistes au vol des papillons passant de fleur en fleur.

***parpaing** 1291, *Doc.,* « direction de la longueur » ; 1304, G., pierre ; 1935, *Acad.,* sens actuel ; en anc. fr., var. *parpaigne ;* bas lat. **perpetaneus,* du lat. class. *perpes, -ĕtis,* « ininterrompu ». On a proposé aussi un lat. pop. **perpendium,* « qui pend sur », de *pendere* [G. Paris], ou un lat. pop. **perpaginem,* acc. de **perpago,* de *pangere,* enfoncer [A. Thomas].

**parque** 1529, Rab. (*parce*) ; 1564, J. Thierry (*parque*) ; lat. *Parca,* déesse des Enfers, dans la mythol. antique.

**parquer, parquet** et dér. V. PARC.

***parrain** 1112, *Voy. saint Brendan* (*parain*) ; 1155, Wace (*parrain*) ; bas lat. *patrinus,* de *pater,* père. || **parrainage** début XIII^e^ s., *Amis et Amiles* (*parrinaiges*), « parrain et marraine » ; 1829, Vidocq (*parrainage*) ; 1935, *Acad.,* fig. || **parrainer** XX^e^ s., fig.

**parricide** fin XII^e^ s., *Dial. Grégoire,* meurtrier d'un proche parent ; 1213, *Fet des Romains,* meurtrier de son père ou de sa mère ; 1160, Benoît, meurtre du père ou d'un proche parent ; lat. *parricida* (meurtrier) et *parricidium* (meurtre), d'un premier élément obscur (compris par les Romains comme rattaché à *pater, parens*) et de *caedere,* tuer.

**parsec** 1932, Lar., astron. ; des premières syllabes de *par(allaxe)* et de *sec(onde)* ; unité de distance.

**parsemer** V. SEMER.

**parsi** ou **parse** 1653, La Boulaye ; persan *parsi.* || **parsisme** 1872, *Rev. des Deux Mondes.*

1. ***part** 842, *Serments,* « côté » ; 980, *Passion,* « participation » ; 1115, Wace, « portion » ; lat. *pars, partis.* Le sens « participation » subsiste dans des loc. figées : *nulle part,* 1190, Garn. ; *quelque part,* 1530, Palsgrave ; *de part en part,* 1493, Coquillart ; *d'une part..., d'autre part,* XII^e^ s. ; *de part et d'autre,* 1668, Racine ; *de toutes parts,* 980, *Passion ; à part,* 1283, Beaumanoir ; *à part* (suivi d'un pronom), XIII^e^ s., *Renart,* « en soi-même », altér. de *à par* (suivi d'un pronom), XIII^e^ s. ; *à part* (suivi d'un nom), 1787, Féraud, « excepté » ; *avoir part,* 1155, Wace ; *faire la part,* 1835, *Acad. ; faire part de,* fin XII^e^ s., R. de Moiliens ; *prendre part à,* 1636, Corneille, sur *part* au sens de « participation » ; *la plupart,* milieu XV^e^ s. || **partiaire** début XIII^e^ s. (*parciaire*), « copropriétaire », ou « métayer » (colon *partiaire*), jur. ; lat. *partiarius,* de *pars.* || **faire-part** n. m., 1868, L. (auparavant, *part,* v. 1785) ; *billet de part,* 1798, *Acad. ; billet de faire part,* 1835, *Acad.* || **in partibus** 1703, *Mémoires de Trévoux ;* lat. *in partibus infidelium,* dans les contrées des infidèles.

2. **part** 1170, Sully, « accouchement » ; lat. *partus,* de *parere,* enfanter. (V. PARTURITION.)

**partage** 1283, Beaumanoir ; de *partir,* au sens de « partager ». || **partager** 1398, *Ordonn.* || **partageable** début XVI^e^ s. || **partageant** n. m., 1612, Le Proust, jur. || **partagé** adj., 1669, Molière, « incertain ». || **partageur** 1544, *Coutumier,* celui qui partage ; 1567, Amyot, jur. ; 1868, L., « partisan de la communauté des biens ». || **partageux** 1850, Blanqui, polit. || **départager** 1690, Furetière. || **repartager** 1559, Amyot.

**partance, partant** V. PARTIR 2, TANT.

**partenaire** 1767, Deffand (*partner*) ; 1784, Beaumarchais (*partenaire*) ; angl. *partner,* altér., d'après *part,* de *parcener,* de l'anc. fr. *parçonier* (1155, Wace), de *parçon* (1160, Benoît), partage, butin, du lat. *partītiō, -onis.*

**parterre** fin XIV^e^ s., E. Deschamps ; 1541, *Palmerin d'Olive,* sol ; 1563, Palissy, « partie d'un jardin » ; 1547, Martin, théâtre ; de *par* et *terre.*

**parthénogenèse** 1868, L., biol. ; gr. *parthenos,* vierge, et *genèse.* || **parthénogénétique** 1868, L. (*parthenogénésique*) ; 1903, Lar. (*parthénogénétique*). || **parthénologie** 1868, L.

**parti** adj. et n. m. V. PARTIR 1.

**partial** 1395, Chr. de Pisan (*parcial*), « attaché à un parti » ; 1540, La Curne, prévenu contre ; lat. médiév. *partialis,* de *pars,* partie (v. PARTIEL). || **partialement** 1660, Oudin. || **partialité** 1360, Froissart, « faction » ; 1611, Cotgrave, sens mod. || **impartial** 1576, Sasbout. || **impartialement** 1740, *Acad.* || **impartialité** 1576, Sasbout.

**participe** 1220, d'Andeli (*participle*) ; XIV^e^ s., Thurot (*participe*) ; *participe passé,* 1721, Trévoux ; *participe présent,* 1562, Ramus (*participe du présent*) ; 1798, *Acad.* (*participe présent*) ; lat. gramm. *participium,* de *pars,* part, et *capere,* prendre. || **participial** 1380, *Aalma.*

**participer** fin XIII^e^ s., R. Lulle ; lat. *participare,* de *particeps,* « qui prend part », de *pars,* part, et *capere,* prendre. || **participant** adj., 1321, *Doc. ;* n., 1802, Flick. || **participation** 1160, Benoît ; bas lat. *participatio.* || **participationniste** 1932, Lar.

**particulariser, particularisme** V. PARTICULIER.

**particule** 1478, Chauliac ; début XVI^e^ s., gramm. ; 1838, *Acad., particule nobiliaire ;* lat. *particula,* dimin. de *pars, partis,* partie. || **particulaire** 1877, L.

**particulier** 1265, Br. Latini, « propre à » ; fin XV^e^ s., Commynes, « réservé à un individu » ; 1622, Fr. de Sales, « spécial » ; n. m., 1460, Bartzsch, « personne privée » ; *en particulier,* XV^e^ s., *Mir. de Notre-Dame ;* bas lat. *particularis,* de *pars,* partie. || **particulièrement** 1370, Oresme, « en détail » ; début XVII^e^ s., Malherbe, de manière intime. || **particularité** 1265, J. de Meung. || **particularisme** 1689, Bossuet, théol. ; 1772, Duclos, sens actuel. || **particulariste** 1701, Furetière, théol. ; 1796, sens actuel. || **particulariser** 1412, Juvénal des Ursins. || **particularisation** 1575, FEW.

**partie** V. PARTIR 1.

**partiel** 1370, Oresme (*parcial*) ; 1692, *Mémoires Acad. sciences* (*partiel*) ; lat. médiév. *partialis,* de *pars,* partie. || **partiellement** 1370, Oresme (*parcialement*) ; 1800, Boiste (*partiellement*). [V. PARTIAL, PARTIR 1.]

1. ***partir** 980, *Passion,* partager (inus. à partir du XVII^e^ s.) ; lat. pop. **partire,* partager, en lat. class. *partiri,* de *pars, partis,* part. N'a subsisté que dans : *avoir maille à partir* (1655, Molière). || **parti** adj., 1210, *Doc.,* blas. || **parti** n. m., 1360, Froissart, « conditions faites à quelqu'un », proprem. « ce qui est partagé », d'où *faire un mauvais parti à* (1549, R. Est.) et *tirer parti de* (1694, *Acad.*) ; 1360, Froissart, « résolution », d'où *prendre un parti* (*id.*), « se décider », et *prendre parti* (1360, Froissart), *parti pris* (1798, *Acad.*), *prendre son parti,* « se résigner » (1664, Molière), « se déterminer » (1670, Molière) ; début XV^e^ s., « union de plusieurs personnes contre d'autres », d'où *tenir le parti de* (milieu XV^e^ s.), puis *prendre le parti de* (1636, Corneille) ; 1538, R. Est., « personne à marier ». || **partie** fin XI^e^ s., *Chanson de Guillaume,* « fraction d'un tout » ; 1248, Varin, jur. ; 1611, Cotgrave, jeu ; 1631, Bassompierre, partie de plaisir ; 1648, Scarron, mus. ; 1825, Courier, profession ; *être de la partie,* 1875, Lar. ; *faire partie de,* v. 1800, Staël ; *partie civile,* 1549, R. Est. ; *parties,* milieu XVI^e^ s. ; *prendre à partie,* 1611, Cotgrave ; *en partie,* 1225, Barlaham. || **contrepartie** milieu XIII^e^ s., partie s'opposant à une autre ; 1948, Lar., « ce que l'on fournit en échange d'autre chose ». || **partouze** 1907, Esnault, « partie de cartes » ; 1919, Esnault, sens actuel. || **partouzard** 1925, Esnault. || **partouzer** 1966, Perry. || **partition** 1160, Benoît, « part » ; 1371, Oresme, « division » ; lat. *partitio ;* 1690, Furetière, mus. ; d'après l'ital. *partizione.* || **partiteur** début XVI^e^ s., math. ; 1875, Lar., techn. || **partitif** 1380, *Aalma* (*partitis*) ; 1530, Palsgrave (*partitif*) ; lat. *partitus,* part. passé de *partire.* || **partita** 1963, Lar. ; mot ital., du lat. *partitus,* partagé. || **départir** 1050, *Alexis,* « partager, disperser » ; *se départir de,* XII^e^ s., « se séparer de » ; 1646, « s'écarter de, manquer à ». || **départie** 1050, *Alexis,* « partage ». || **département** 1120, *Ps. d'Oxford,* « groupe de personnes détaché » ; XIII^e^ s., Tobler-Lommatzsch, « assiette de la taille » : le mot a été remplacé au XVII^e^ s. par *répartition ;* XVI^e^ s., lieu assigné à un officier pour sa tâche ; 1690, Furetière, ensemble des affaires confiées à un ministre ; 1765, Brunot, division administrative. || **dé-**

partemental 1792, *D. G.* || **interdépartemental** 1871, Lar. || **miparti** adj., 1190, Garn. ; part. passé de l'anc. *mipartir,* diviser en deux. || **répartir** 1155, Wace (*repartir* quelque chose à quelqu'un), donner en partage ; 1559, Amyot (*répartir,* pour distinguer de *repartir,* de *partir* 2). || **répartition** fin XIV^e^ s. (*repartition*) ; 1662, Colbert (*répartition*). || **répartiteur** 1749, *Mercure de France.* || **répartitif** 1849, Proudhon. || **triparti** 1460, FEW (*trisparti*). || **tripartite** 1690, Furetière, adj. f. ; 1935, *Acad.,* adj. m. et f. || **tripartisme** 1949, Lar. || **tripartition** 1765, *Encycl.* (V. aussi BIPARTITE.)

2. ***partir** 1138, Gaimar, quitter un lieu (développement de sens du précédent) ; lat. pop. **partire,* class. *partiri,* « partager » ; *à partir de,* 1787, Féraud, a remplacé *au partir de,* XVI^e^ s. || **partance** 1395, Chr. de Pisan, « départ » ; 1610, Jal, mar. ; *en partance,* 1869, Hugo. || **partant** 1836, Lamartine, n. m. || **départ** 1213, *Fet des Romains* (*depart*) ; 1552, Ch. Est. (*départ*) ; anc. fr. *départir,* s'en aller. || **repartir** 1273, Adenet, « regagner le lieu » ; 1588, Montaigne, « répliquer ». || **repartie** XIII^e^ s., La Curne, « compagnie » ; 1611, Cotgrave, « prompte réponse ».

**partisan** 1483, Commynes, polit. ; 1560, Pasquier, finance. ; ital. *partigiano,* de *parte,* du lat. *pars, partis* (v. PART 1).

**partitif, partition, partouze** V. PARTIR 1.

**partout** V. TOUT.

**parturition** 1787, Leroux (*parturation*) ; 1823, Boiste (*parturition*) ; lat. *parturitio,* de *parturire,* accoucher (v. PART 2). || **parturiente** fin XVI^e^ s. ; repris au XX^e^ s. (1923, Lar.).

**parulidé** 1963, Lar. ; bas lat. *parrus,* loriot, et *-idé.*

**parulie** 1741, Villars, méd. ; gr. *paroulis,* de *para,* à côté, et *oulon,* gencive ; abcès à la gencive.

**parure, parution** V. PARER 1, PARAÎTRE.

***parvenir** 980, *Passion ;* lat. *pervenire,* de *venire* (v. VENIR). || **parvenu** n. m., 1721, *Doc.*

***parvis** 1131, *Couronnement de Loïs* (*parevis*), « paradis » ; 1220, Coincy (*parvis*), sens mod., du nom de la place qui se trouvait devant la grande entrée des églises de Rome (qui tenait ce nom du sens primitif du gr. *paradeisos,* enclos) ; var. de *pareis* (1080, *Roland*), « paradis », du lat. *paradisus.* (V. PARADIS.)

1. ***pas** n. m., X^e^ s., sens actuel ; lat. *passus ;* 1080, *Roland,* « passage, défilé » (v. PASSER). || **pas-d'âne** 1497, Gay. || **pas-de-géant** 1901, Lar., techn. || **pas-de-porte** 1893, *D. G.* || **pas-de-souris** 1691, Ozanam. || **contre-pas** 1606, Crespin.

2. ***pas** 1080, *Roland,* particule de négation combinée avec *ne ;* emploi spécialisé d'après des phrases comme *il n'avance pas,* il n'avance même pas d'un pas ; a éliminé *mie* depuis le XVI^e^ s.

**pascal** V. PÂQUE.

**paso doble** v. 1919 ; mot esp. signif. « pas redoublé », du lat. *passus,* pas.

**pasquin** 1534, B. Des Périers, « écrit satirique » (var. *pasquil,* 1541, G. Pellicier ; *pasquille,* 1596, Hulsius) ; ital. *Pasquino,* nom plaisant donné par les habitants de Rome à une statue antique sur laquelle on affichait des placards satiriques. || **pasquinade** 1566, Granvelle. || **pasquinage** 1850, Balzac. || **pasquiner** XVI^e^ s., Brantôme.

**passable, passager** V. PASSER.

**passacaille** 1640, *Ancien Théâtre* (*pasecalle*) ; 1718, *Acad.* (*passacaille*) ; esp. *pasacalle,* de *pasa,* impér. de *pasar,* passer, et *calle,* rue.

**passade** 1454, Sidrac, « partie de jeu » ; 1563, *Coutumier,* « passage rapide » ; 1570, Carloix, équit. ; fin XVII^e^ s., Saint-Simon, liaison passagère ; ital. *passata,* de *passare,* passer, du lat. pop. **passare* (v. PASSER).

**passement** 1196, Ambroise, « passage » ; 1538, R. Est., bordure de dentelle ; tissu fait en passant ; dér. de *passer.* || **passementier** 1552, Vaganay. || **passementerie** 1539, *Doc.* || **passementer** 1542, Guiffrey.

***passer** 1050, *Alexis ; se passer de,* 1265, J. de Meung, « se contenter de » ; 1340, Machaut, « se priver de » ; lat. pop. **passare,* de *passus,* pas. || **passant** adj., XII^e^ s., *Roncevaux ;* n. m., 1250, *Vie de saint Jean,* personne qui passe ; 1347, G., anneau. || **passable** 1195, *Renaut de Montauban,* « possible » ; 1265, J. de Meung, « qui peut se glisser » ; 1398, *Ménagier,* admissible. || **passablement** 1495, J. de Vignay. || **passage** 1080, *Roland,* lieu par où l'on passe ; 1155, Wace, action de passer ; 1611, Cotgrave, équit. ; ital. *passegio.* || **passager** n. m., 1355, *Restor du paon,* passeur d'eau ; 1559, Amyot, voyageur. || **passager** adj., 1564, J. Thierry, « qui dure peu ». || **passation** 1360, Froissart, « qui prend des passagers » ; 1564, Thierry,

« qui dure peu ». || **passagèrement** 1609, Camus. || **passavant** v. 1200, sorte de bannière ; 1680, Richelet, laissez-passer ; 1773, Bourdé, mar. || **passe** 1383, du Cange, « but au jeu de javelines », puis divers emplois dans le lexique des jeux, d'où *être en passe de,* 1648, Scarron, et *être dans une bonne passe,* 1704, Trévoux ; 1691, Ozanam, mar., chenal ; 1835, *Acad.,* mouvement des mains d'un magnétiseur ; 1835, *Acad.,* imprim. ; 1885, Esnault, passe de prostituée ; *mot de passe,* 1874, Lar. ; déverbal de *passer.* || **passe-balle** 1701, Furetière. || **passe-bande** 1948, Devaux. || **passe-boules** 1903, Lar. || **passe-carreau** 1765, *Encycl.* || **passe-crassane** 1875, Lar. || **passe-debout** 1723, Savary. || **passe-droit** 1549, Ch. Est. || **passefiler** 1611, Cotgrave. || **passe-fleur** XV^e^ s. || **passe-lacet** 1827, Celnart. || **passe-montagne** 1859, Gautier. || **passe-partout** 1564, J. Thierry, homme que rien n'arrête ; XVI^e^ s., d'Aubigné, clé ; 1765, *Encycl.,* scie. || **passe-passe** 1420, *Passion d'Arras ; tour de passe-passe,* 1530, Palsgrave. || **passe-pied** 1532, Matignon. || **passe-pierre** 1664, *Tarif.* || **passe-plat** XX^e^ s. || **passepoil** 1603, Gay. || **passepoiler** 1907, Lar. || **passeport** 1420, *Doc.* || **passe-rage** 1549, Maignan ; de *passer* et *rage,* qui guérit la rage. || **passe-rivière** 1907, Lar. || **passerose** début XIII^e^ s., Huon de Méry ; de *passer* au sens de « surpasser ». || **passe-temps** 1413, Ch. d'Orléans, « joie » ; milieu XV^e^ s., Juvénal, sens mod. || **passe-thé** 1903, Lar. || **passe-tout-grain** 1816, Jullien. || **passe-velours** 1538, R. Est. || **passe-volant** 1515, Conflans, artill. ; 1570, Carloix, soldat supplémentaire. || **passé** n. m., 1549, R. Est., temps passé ; 1550, Meigret, gramm. || **passée** fin XIII^e^ s., Végèce (*pessée*) ; fin XIV^e^ s., E. Deschamps (*passée*). || **passéiste** 1914, Coquiot. || **passerelle** 1835, *Acad.* || **passette** 1765, *Encycl.* || **passeur** 1160, Benoît. || **passoire** XIII^e^ s., *Gloses,* crible ; 1660, Oudin, cuisine. || **dépasser** 1155, Wace. || **dépassant** 1922, Lar. || **dépassement** 1856, Lachâtre. || **impasse** 1761, Voltaire ; 1730, *Ac. jeux.* || **outrepasser** 1155, Wace (*ultrepasser*) ; fin XII^e^ s. (*outrepasser*) ; de *outre,* au-delà, et *passer.* || **repasser** 1160, Benoît, « retourner » ; XIII^e^ s., « franchir » ; 1635, Corneille, se remémorer ; 1669, Widerhold (*du linge*) ; 1680, Richelet (*des couteaux*). || **repassage** 1340, G., nouveau passage ; 1810, Genlis (*du linge*) ; 1835, *Acad.* (*des couteaux*). || **repasseuse** 1753, *Encycl.* (*de linge*). [V. SURPASSER, TRÉPASSER.]

**passereau** 1206, Guiot (*passerel*) ; 1532, Rab. (*passereau*) ; altér., par changem. de suff., des anc. *passeron, passerat,* du lat. *passer, -eris,* « moineau » (*passere,* 1120, *Ps. d'Oxford*). || **passériforme** 1962, Robert. || **passerine** 1615, Daléchamps.

**passible** 1112, *Voy. saint Brendan,* « agité, en parlant de la mer » ; 1130, *Eneas,* doué de sensibilité ; 1552, *Ancien Théâtre,* jur. ; lat. eccl. *passibilis* (III^e^ s., Tertullien), de *passus,* part. passé de *pati,* souffrir. || **impassible** début XIV^e^ s. ; bas lat. *impassibilis.* || **impassibilité** XIII^e^ s. ; bas lat. *impassibilitas.*

**passif** adj., 1220, Coincy, « qui subit l'action » ; fin XV^e^ s., « qui n'agit pas » ; *obéissance passive,* 1751, Voltaire ; *citoyen passif,* 1791, *le Moniteur,* polit. ; *résistance passive,* 1854, Lamennais ; *défense passive,* XX^e^ s. ; lat. *passivus,* de *pati,* souffrir, subir. || **passif** 1370, Oresme, « contraire de l'action » ; début XV^e^ s., n. m., gramm. ; 1789, fin. || **passivement** 1370, J. Le Fèvre. || **passivité** milieu XVIII^e^ s., a éliminé *passiveté* (1697, Bossuet). || **passiver** 1801, Mercier, « rendre passif ».

**passiflore** 1808, *Journ. de bot. ;* lat. bot. mod. *passiflora,* de *passio,* passion, et *flos,* fleur (parce que ses organes rappellent les instruments de la passion du Christ).

**passim** 1868, L. ; mot lat. signif. « partout », du lat. *passus,* de *pandere,* étendre.

**passion** 980, *Passion,* « passion du Christ » ; lat. impér. *passio,* « souffrance », de *passus,* part. passé de *pati,* souffrir ; 1155, Wace, « souffrance physique », usuel jusqu'au XVI^e^ s. ; 1265, Br. Latini, « affection vive ». || **passionner** fin XII^e^ s., « tourmenter » (jusqu'au XVI^e^ s.) ; 1220, Coincy, « affliger » ; 1570, Montaigne, « exciter l'intérêt, l'émotion ». || **passionnant** 1867, L., adj. || **passionné** adj., 1220, Coincy, « affligé » ; fin XV^e^ s., Commynes, qui réagit avec passion ; 1549, R. Est., « sujet aux passions ». || **passionnément** 1578, Witart. || **passionnette** 1892, Goncourt. || **passionnel** 1282, Gauchy ; lat. *passionalis,* peu usité en anc. fr. ; refait en 1808, Fourier. || **passionniste** 1838, *Acad.,* hist. eccl. || **dépassionner** XVI^e^ s., Huguet.

1. **pastel** 1675, Félibien, « crayon » ; 1694, *Acad.,* « dessin » ; ital. *pastello,* « pâte », du bas lat. **pastellus,* altér., par changem. de suff., du lat. class. *pastillum,* dimin. de *panis,* pain (v. PASTILLE). || **pastelliste** début XIX^e^ s. || **pasteller** 1871, Goncourt (*-é*) ; 1903, Lar.

2. **pastel** XIV^e s., bot. ; prov. *pastel,* du bas lat. *pasta* (v. PÂTE). || **bleu pastel** 1928, Lar. || **orangé** pastel 1578, d'Aubigné.

**pastenade** 1372, Corbichon, bot. ; prov. *pastenaga,* carotte, du lat. *pastinaca,* panais.

**pastenague** 1562, du Pinet, zool., raie ; prov. *pastenago,* du lat. *pastinaca* (v. PANAIS).

**pastèque** 1525, Thénaud (*patèque*) ; 1619, Pyrard (*pastèque*) ; forme altérée du port. *pateca,* d'un mot hindi, de l'ar. *battiha.*

**pasteur** V. PÂTRE.

**pasteuriser** 1872, E. Perrier ; du nom de *Pasteur,* inventeur du procédé. || **pasteurisation** 1888, Lar. || **pasteurisateur** 1903, Lar. || **pasteurien** ou **pastorien** 1890, Nocard. || **pasteurella** 1903, Lar. || **pasteurellose** 1907, Lar.

**pastiche** 1677, Brunot, beaux-arts ; ital. *pasticcio,* « pâté », du lat. pop. **pasticium,* de *pasta,* pâte (v. PÂTISSIER). || **pasticher** 1845, Besch. || **pastichage** 1874, *journ.* || **pasticheur** 1778, Rousseau.

**pastille** 1539, Canappe, « pâte » ; esp. *pastilla,* du lat. *pastillum,* dimin. de *panis,* pain (en raison de la forme de ces petits pains de pâte odorante, brûlés pour parfumer l'air) ; 1690, Furetière, bonbon ; 1812, Mozin, méd. || **pastillage** 1803, Boiste. || **pastilleur** 1808, *Almanach des gourmands.*

1. **pastis** XIV^e s. (*pastitz*) ; 1928, Lacassagne, boisson alcoolisée à l'anis ; anc. prov. *pastitz,* « pâté ».

2. **pastis** 1915, Esnault, pop., « désagrément » ; prov. *pastoun,* gâchis, du lat. *pasta,* pâte.

**pastoral, pastourelle** V. PÂTRE.

**pat** 1689, *Jeu des eschets,* échecs ; ital. *patta,* quitte (dans *essere pari e patta,* être à égalité), fém. de *patto,* « accord », du lat. *pactum* (v. PACTE).

**patache** 1566, Le Chaleux, « navire léger, pour la douane » ; 1762, *Acad.,* « voiture » ; esp. *patache,* bateau, probablem. de l'ar. *batās,* « bateau à deux mâts ». || **patachier** 1858, d'après L., douanier. || **patachon** 1836, Landais, « conducteur de patache », d'où *mener une vie de patachon,* 1842, Mozin, pop.

**patafioler** XVII^e s., pop., rég. ; formation plaisante, du rad. expressif *patt-* et de l'anc. verbe dial. *fioler,* enivrer, de *fiole.*

**pataphysique** 1911, Jarry ; formation plaisante, de *métaphysique* et élément inventé *pata.*

**patapouf** V. POUF.

**pataquès** 1784, *Théâtre de la reine ;* formation plaisante, d'après la fausse liaison *pas-t-à-qu'est-ce.*

**pataras** 1551, *les Galères,* mar. ; mot prov. mod., sur le rad. *patt- :* proprem. « sorte de patte ».

**patarasse** 1687, Desroches ; prov. *patarasso,* guenille, de *pato,* chiffon, du germ. *paita,* « morceau d'étoffe ». (V. PATTEMOUILLE.)

**patard** début XIV^e s., menue monnaie ; mot prov., altér. de *patac,* de l'esp. *pataca,* pièce d'argent, de l'ar. *bâ-tâqa.*

**patate** 1525, *Voyage de Pigaphetta* (*batate*) ; 1582, Gapparel (*patatte*) ; 1601, Champlain (*patate*) ; d'abord « patate douce » ; 1768, Valmont, pomme de terre, d'après l'angl. *potato ;* 1893, Chautard, individu stupide ; esp. *batata, patata,* de l'arawak d'Haïti.

**patati-patata** 1524, *Anc. Poésies* (*patatin, patata*) ; autres var. : XVI^e s., Colleryе, *paticpatac ;* 1650, Dassoucy, *patatin-patatac ;* XIX^e s., Béranger, forme mod. ; onomat.

**patatras** 1650, Dassoucy ; onomat.

**pataud** 1458, *Mystère,* nom de chien ; adj., 1612, *Anc. Théâtre français ;* proprem. « chien à grosses pattes » ; dérivé de *patte.*

**patauger** 1655, Cyrano ; anc. fr. *patter,* emporter de la terre avec ses pattes, de *patte.* || **pataugeage** 1881, Daudet. || **pataugement** 1896, Goncourt. || **pataugeur** 1907, Lar.

**patchouli** 1826, *Journ. de pharmacie ;* angl. *patch-leaf,* du tamoul (langue dravidienne), peut-être de *patch,* vert, et *ilai,* feuille.

**patchwork** 1964, *journ. ;* mot angl. signif. « rapiéçage », de *patch,* pièce, et *work,* travail.

***pâte** 1174, E. de Fougères (*paste*) ; 1636, Monet (*pâte*) ; 1524, Havard, pharmacie ; *pâtes,* 1778, Parmentier (*pâtes d'Italie*), « macaroni » ; 1875, Lar. (*pâtes alimentaires*) ; bas lat. *pasta* (V^e s., M. Empiricus), du gr. *pastê,* « sauce mêlée de farine ». || **pâté** 1170, *Floire et Blancheflor* (*pasté*) ; 1606, Crespin, tache d'encre ; *chair à pâté,* début XVI^e s. ; 1935, *Acad., pâté de sable.* || **pâtée** fin XI^e s., *Gloses de Raschi* (*pastede*) ; 1332, G. (*pastee*), pâté ; 1680, Richelet, soupe. || **pâton** 1483, G. || **pâteux** 1220, *Queste du Graal* (*pasteus*). || **pâteusement** 1925, Gide.

|| **empâter** 1268, É. Boileau (*empaster*). || **empâté** adj., 1690, Furetière, peinture. || **empâtement** 1355, Bersuire, action de mettre dans l'embarras ; début XVII$^e$ s., sens techn. divers. || **empâtage** 1838, *Acad.*, chim. || **empâteur** 1838, *Acad.*

1. **patelin** adj., 1464, *Farce ;* du nom de *Maître Pathelin,* personnage de farce célèbre, lui-même tiré du verbe *pateliner* (XV$^e$ s.), déformation de *patiner.* || **patelinage** XV$^e$ s., *D. G.* || **patelineur** 1546, Rab. || **patelinerie** XVI$^e$ s., d'Aubigné.

2. **patelin** n. m., 1628, Chereau (*pâquelin*) ; 1847, Esnault (*patelin*), pop., « village » ; altér. de l'anc. fr. *pastiz,* « pacage » (v. *pâtis,* à PAÎTRE).

**patelle** 1555, Belon ; lat. *patella,* petit plat. || **patelliforme** 1842, *Acad.* || **patellectomie** 1953, Lar. ; lat. *paletta,* au sens de « rotule ». || **patellaire** 1868, L.

**patène** 1380, Laborde ; lat. *patena,* var. de *patina,* bassin, vase.

**patenôtre** 1155, Wace (*patrenostre*) ; 1175, Chr. de Troyes (*pattenostre*) ; 1636, Monet (*patenôtre*) ; 1534, Des Périers, péjor ; altér. du lat. *Pater Noster,* « Notre Père », début de l'Oraison dominicale. A pris très tôt, au pl., le sens de « prières ». || **patenôtrier** 1268, Boileau.

**patent** 1307, G. (*lettres patentes*), terme de chancellerie, « ouvert » ; 1370, Oresme (*patent*), « évident » ; lat. *patens,* part. prés. de *patēre,* être ouvert.

**patente** n. f., fin XVI$^e$ s., Brantôme (*pattante*) ; 1631, Bassompierre (*patente*), hist. ; abrév. de *lettre patente,* « certificat, brevet » ; 1787, *Courrier de l'Europe,* brevet acheté à l'État pour exercer un commerce ou une industrie ; 1791, impôt spécial aux commerçants. || **patenté** 1750, Anon. || **patentable** 1791, Linguet.

**pater** 1578, d'Aubigné (*Pater*), Oraison dominicale, premier mot lat. de la prière ; fin XVI$^e$ s. (*pater*), grain. || **pater-noster** XIII$^e$ s., Oraison dominicale ; XIX$^e$ s., bot., plante dont les grains servent à faire des chapelets ; XX$^e$ s., sens actuels. (V. PATENÔTRE.)

**patère** 1502, Saint-Gelais ; rare jusqu'en 1680, Richelet ; lat. *patera,* coupe.

**paterfamilias** 1960, Daninos ; mot lat. signif. « père de famille ».

**paterne** 1080, *Roland,* « paternel » ; repris en 1778, Voltaire, sens moderne ; lat. *paternus,* paternel ; n. f., « Dieu le Père » ; lat. *paterna imago,* image de Dieu le Père. || **paternité** 1160, Benoît, en parlant de Dieu, « état de créateur » ; 1380, *Aalma,* sens mod. || **paternel** 1190, *Saint Bernard ;* lat. *paternus ;* n. m., 1880, Larchey, pop., père. || **paternellement** 1492, *les Sept Sages.* || **paternalisme** 1910, Delpy ; angl. *paternalism.* || **paternaliste** 1910, Delpy ; d'après l'angl.

**pathétique** adj., fin XVI$^e$ s. ; bas lat. *patheticus* (V$^e$ s., Macrobe), du gr. *pathêtikos,* « relatif à la passion », de *pathos,* affection ; n. m., 1666, Boileau. || **pathétiquement** 1611, Cotgrave. || **pathétisme** 1740, Brunot. || **pathétiser** XX$^e$ s.

**patho-,** gr. *pathos,* maladie, affection. || **pathogène** 1887, Binet. || **pathogénie** 1822, *Nouveau Dict. de médecine.* || **pathogénique** 1838, *Acad.* || **pathognomonique** 1560, Paré ; gr. *pathognômonikos,* de *gnômonikos,* « qui connaît ». || **pathologie** milieu XVI$^e$ s. ; gr. *pathologia.* || **pathologique** 1552, Paradin ; gr. *pathologikos.* || **pathologiste** 1765, *Encycl.* || **pathomimie** 1932, Lar.

**pathos** 1672, Molière, rhét. ; mot grec (v. PATHO-) ; début XVIII$^e$ s., Saint-Simon, emphase.

**patibulaire** 1395, *Cartulaire,* « du gibet » ; 1660, Scarron, « malfaisant » ; 1675, Bussy-Rabutin, « louche » ; lat. *patibulum,* gibet sur lequel on étendait les esclaves pour les battre de verges, de *patere,* être ouvert, étendu ; digne de la potence.

1. **patience** V. PATIENT.

2. **patience** 1547, Ch. Est., bot. ; altér., par attraction du précéd., et déglutination de *l,* de *lapacion* (XVI$^e$ s.), du lat. *lapathium,* var. de *lapāthum,* du gr. *lapathon.*

**patient** 1120, *Ps. d'Oxford ;* lat. *patiens,* part. prés. de *pati,* souffrir, supporter. || **patiemment** fin XII$^e$ s., *Dial. Grégoire.* || **patience** fin XII$^e$ s., *Dial. Grégoire ;* lat. *patientia ;* 1867, Delvau, jeu. || **patienter** 1560, Brantôme. || **impatient** fin XII$^e$ s., *Dial. Grégoire ;* lat. *impatiens.* || **impatiemment** XIV$^e$ s., G. || **impatienter** fin XVI$^e$ s. || **impatientant** 1704, Maintenon. || **impatience** 1190, *Saint Bernard ;* lat. *impatientia.*

1. **patin** 1268, Boileau, « chaussure » ; XV$^e$ s., Laborde, patin à glace, et divers sens techn. ; dér. de *patte.* || **patiner** 1732, Trévoux. || **patineur** 1728, Marin. || **patinage** 1829, *Journal des dames.* || **patinoire** 1922, Mottaz. || **patinette** 1922, Duhamel.

2. **patin** 1927, Esnault, baiser ; de *patte,* chiffon. || **patiner** XV^e s., caresser. || **patineur** 1651, Scarron.

**patine** 1765, Buffon ; ital. *patina,* du lat. *patina,* « poêle » et « contenu d'une poêle ». || **patiner** 1867, Ch. Garnier, techn. || **patinage** 1962, Robert, techn.

**patio** 1840, Th. Gautier ; mot esp., d'orig. obscure.

**pâtir** 1546, Rab., « supporter » ; lat. *pati,* subir ; XVII^e s., « éprouver de la souffrance ». || **pâtiras** 1564, J. Thierry, n. fam., « souffre-douleur », de la 2^e pers. sing. du futur.

**pâtis** V. PAÎTRE.

***pâtissier** 1278, G. (*pasticier*) ; 1546, R. Est. (*pastissier*) ; anc. fr. *pastitz,* du lat. pop. **pastīcium,* « pâté », de *pasta,* pâte (v. PASTICHE, PASTIS, PÂTE). || **pâtisserie** 1328, Varin. || **pâtisser** 1395, G. (*pasticier*). || **pâtissage** 1611, Cotgrave. || **pâtissoire** 1798, *Acad.*

**pâtisson** milieu XVIII^e s., bot. ; prov. *pastisson,* petit pâté, de l'anc. fr. *pastitz.* (V. le précédent.)

**patois** 1240, G. de Lorris, « jargon » ; 1285, J. Bretel, sens ling. ; de *patte,* avec le suff. *-ois.* Le rad. exprimait le caractère grossier de ce langage (v. PATAUD). || **patoiser** 1834, Boiste. || **patoisant** 1864, Barbey. || **patoiserie** 1832, Nodier.

**patouiller** 1213, *Fet des Romains,* « patauger » ; de *patte,* avec le suff. *-ouiller,* de *barbouiller.* || **patouille** 1776, *Encycl.,* instrument ; 1963, Lar., pâte. || **dépatouiller (se)** XVII^e s., fam. || **tripatouiller** 1870, E. Bergerat ; croisem. de *patouiller* et *tripoter.* || **tripatouillage** 1888, Lar.

**patraque** 1743, Trévoux ; prov. *patraco,* « monnaie usée », de l'esp. *pataca,* pièce d'argent d'une once (v. PATARD).

***pâtre** 1112, *Voy. saint Brendan ;* lat. *pastor, pastōris,* au nominatif ; litt. depuis le XVIII^e s. || ***pasteur** fin 1050, *Alexis ;* 1541, *Ordonnance,* ministre du culte protestant ; lat. *pastōrem,* acc. de *paster ;* d'abord « berger », et aussi « pasteur spirituel ». || **pastorat** 1611, Cotgrave. || **pastoral** fin XII^e s., *Dial. Grégoire ;* lat. *pastoralis.* || **pastorale** n. f., fin XVI^e s., Brantôme. || **pastoralement** 1512, Lemaire de Belges. || **pastoureau** 1119, Ph. de Thaon (*pasturel*) ; XIV^e s., du Cange (*pastoureau*). || **pastourelle** 1165, Thomas (*pasturelle*), chanson de bergère ; milieu XIII^e s., jeune bergère ; 1700, Pomey, théâtre.

**patriarche** 1080, *Roland,* titre d'évêque ; 1190, Trénel, « chef de famille » ; fin XVII^e s., Sévigné, sens actuel ; lat. eccl. *patriarcha* (III^e s., Tertullien), en gr. eccl. *patriarkhês,* calque de l'hébreu *rôchê aboth,* chef de famille. || **patriarcal** 1400, G. ; lat. *patriarchalis.* || **patriarcat** XIII^e s. (*patriarchat*), dignité de patriarche ; XVI^e s., fonction de patriarche ; lat. *patriarcatus.*

**patrice** fin XII^e s., *Grégoire ;* repris au XVI^e s. ; lat. *patricius,* de *pater* au sens de « chef de famille noble, sénateur ». || **patricien** 1355, Bersuire, hist. ; 1770, Rousseau, « privilégié » ; de *patricius,* avec le suff. *-ien.* || **patriciat** 1565, Pasquier ; lat. *patriciatus.* || **patricial** 1575, Belleforest.

**patrie** 1464, J. Chartier ; lat. *patria,* de *pater.* || **apatride** v. 1920, a remplacé *heimatlos* (celui à qui on donnait le passeport Nansen). || **expatrier** XIV^e s., Bouthillier ; rare jusqu'au XVIII^e s. || **expatriation** XIV^e s. || **rapatrier** 1462, *Cent Nouvelles* (*repatrier*), rentrer dans sa patrie ; 1477, Bartzsch (*rapatrier*), même sens ; souvent « réconcilier », aux XVI^e-XVII^e s. ; lat. médiév. *repatriare,* rentrer dans sa patrie. || **rapatriement** 1670, Th. Corn. || **rapatriage** 1668, Molière, « réconciliation ». || **sans-patrie** fin XIX^e s.

**patrilinéaire** 1939, Caillois ; lat. *pater, patris,* père, et *-linéaire.*

**patrimoine** milieu XII^e s., *Roman Thèbes* (*patremone*) ; 1160, Benoît (*patrimoine*) ; lat. *patrimonium,* de *pater.* || **patrimonial** 1380, G. ; lat. *patrimonialis.*

**patriote** 1464, J. Chartier, « compatriote », sens lat. ; bas lat. *patriota,* du gr. *patriôtês ;* 1570, Carloix, sens mod. || **patriotique** 1532, Rab., « paternel » ; 1750, d'Argenson, sens mod. || **patriotiquement** 1793, Brunot. || **patriotisme** 1750, d'Argenson. || **patriotard** 1904, Huysmans. || **compatriote** 1495.

**patristique** 1813, Gattel ; gr. *patêr, patros,* « père », au sens de « Père de l'Église ». || **patrologie** 1706, *Journ. des savants ;* gr. *patêr,* et *-logie.*

**patrociner** 1367, *Ordonnance,* exhorter ; lat. *patrocinari,* patronner. (V. le suivant.)

**patron** 1119, Ph. de Thaon, « saint protecteur » ; début XIV^e s., « modèle » ; 1690, Furetière, spécialem. en couture ; 1357, La Curne, mar., d'après l'ital. *padrone ;* 1611, Cotgrave, fam., maître d'une maison ; 1832, Balzac, chef d'entreprise ; lat. *patronus,* protecteur, défenseur, de *pater,* père. || **patronage** XII^e s., *Parte-*

*nopeus de Blois,* hist. ; 1874, Lar., « association de bienfaisance ». || **patronner** fin XIV$^e$ s., reproduire d'après un patron ; XVI$^e$ s., « protéger » ; rare en ce sens jusqu'en 1838, *Acad.* || **patronnesse** 1575, J. des Caurres, fém. de *patron,* rare ; 1893, *Doc., dame patronesse ;* angl. *patroness.* || **patronal** XVI$^e$ s. || **patronat** 1578, Morise, « protection » ; 1832, Raymond, « pouvoir du patron » ; 1914, Péguy, collectif. || **impatroniser (s')** 1560, Pasquier.

**patron-minet** 1821, Desgranges (*patron-minette*) ; altér., par attraction de *patron,* de *potron-minet,* 1835, *Acad. ;* de *minet* (v. ce mot) et *poitron,* du lat. pop. *posterio,* cul : « dès que le chat montre son derrière », « dès le petit matin ». || **potron-jaquet** 1640, Oudin (*poitron-*) ; sur *jaquet,* rég., « écureuil ».

**patronymique** 1220, d'Andeli (*patrenomique*), n. m. ; XV$^e$ s. (*patronomique*), adj. ; 1611, Cotgrave (*patronymique*) ; bas lat. *patronymicus,* en gr. *patrônumikos,* de *patêr,* père, et *onoma,* nom. || **patronyme** n. m., 1932, Lar.

**patrouiller** milieu XV$^e$ s., *Quinze Joies du mariage,* « piétiner dans la boue », var. de *patouiller,* avec *r* issu de mots rég. semblables (*gadrer, gadrouiller, vadrouiller*) ; XVI$^e$ s., aller en patrouille ; dér. de *patte.* || **patrouille** 1539, R. Est., « écouvillon » ; 1559, Amyot, ronde. || **patrouillage** 1694, Th. Corn. || **patrouilleur** début XVII$^e$ s., « pétrisseur » ; 1923, Lar., milit.

**patte** 1220, Coincy (*pate*), d'orig. onomat. (bruit de deux objets qui se heurtent sur toute leur largeur) ; a éliminé l'anc. fr. *poe* (cf. l'anc. prov. *pauta*), d'orig. préceltique. Nombreuses formes sur le radical onomat. *pat-.* || **patoche** 1856, *Rev. des Deux Mondes,* main. || **pattu** 1480, *Mystère.* || **patte-d'araignée** 1816, *Encycl.* || **patte-de-chat** 1611, Cotgrave. || **patte-de-coq** 1875, Lar. || **patte-d'oie** 1560, Paré, anat. ; 1624, Savot, carrefour. || **patte-pelue** 1548, Rab. || **patte-fiche** 1868, L. || **patter** 1655, Salnove. || **empatter** 1495, J. de Vignay, « fixer avec des pattes ». (V. ÉPATER, PATELIN, PATIN, PATOIS.)

**pattemouille** 1931, Brun, de *patte* (XVII$^e$ s.), « chiffon » ; germ. *paita,* morceau d'étoffe (v. PATARASSE), et de *mouiller* (v. ce mot).

**pattern** 1968, Lar. ; mot angl. signif. « modèle ».

**pattinsonage** 1868, L., techn. ; du nom de *Pattinson,* chimiste anglais.

***pâture** 1170, *Rois* (*pasture*) ; bas lat. *pastura,* de *pastus,* pâture, de *pascĕre* (v. PAÎTRE). || **pâturer** 1160, *Eneas.* || **pâturable** XVI$^e$ s., *Coutumier.* || **pâturage** 1155, Wace. || **pâtureur** 1740, *Acad.* || **pâturin** 1775, Boiste, bot.

**paturon** 1320, *Roman de Fauvel ;* anc. fr. *pasture* (XIII$^e$ s.), « corde attachant l'animal par la jambe », du lat. *pastoria,* « (corde) de pâtre », avec changement de suffixe (v. PÂTRE).

**pauciflore** 1795, Lamarck, bot. ; lat. *pauci,* « un petit nombre de », et *flos, floris,* fleur.

**paucité** 1493, Coquillart, faible nombre.

**paulette** 1612, Sully, hist. fin. ; du nom de *Paulet,* premier fermier de cet impôt (1604).

**paulien** XVIII$^e$ s., jur. ; lat. *pauliana,* du nom d'un préteur appelé *Paulus.*

**paulinien** 1868, L. ; du nom de l'apôtre *Paul.* || **paulinisme** 1875, Lar.

**paulownia** 1868, L., bot. ; lat. scient. *pawlonia,* du nom d'*Anna Pavlovna* (1754-1801), fille du tsar Paul I$^{er}$, à qui cet arbre fut dédié.

***paume** 1050, *Alexis* (*palme*) ; 1155, Wace (*paume*), dedans de la main ; 1080, *Roland,* mesure de longueur ; 1964, Lar., nageoire ; *jeu de paume,* début XIV$^e$ s. (*jouer à la paume*) ; lat. *palma.* || **paumée** fin XII$^e$ s., *Moniage Guillaume.* || **paumier** fin XIII$^e$ s., maître d'un jeu de paume. || **paumelle** fin XIII$^e$ s., Joinville, « coup » ; XIV$^e$ s., divers sens techn., agric., mar., etc. || **paumure** fin XIV$^e$ s. || **paumer** XIII$^e$ s., toucher de la main ; XVI$^e$ s., arg., prendre ; 1827, Larchey, arg., perdre. || **paumoyer** 1080, *Roland* (*palmeier*) ; 1190, G. (*paumoier*), tenir à pleines mains ; 1732, Trévoux, divers sens var. || **empaumer** 1440, Chastellain, saisir avec la paume ; 1659, Tallemant, enjôler ; 1867, Delvau, « voler ». || **empaumeur** 1808, d'Hautel, fam. || **empaumure** 1550, Ronsard. || **palmaire** 1560, Paré. || **palmé** début XVI$^e$ s., « orné de palmes » ; 1754, Klein, « qui a des cornes garnies d'une empaumure aplatie » ; 1758, Duhamel, semblable à une main ouverte ; lat. *palmatus.* || **palmure** 1845, Besch. || **palmature** 1858, Nysten. || **palmer** 1611, Cotgrave, polir avec la paume ; 1723, Savary, aplatir l'extrémité d'une aiguille ; 1970, Robert, nager avec des palmes. || **palmeur** 1751, *Encycl.* || **empalmer** 1907, Lar., prestidigitation. || **palma-christi** milieu XVI$^e$ s., « paume du Christ ». (V. aussi PALME 1 et 2.)

**paupérisme** 1823, Boiste ; angl. *pauperism,* du lat. *pauper.* || **paupériser** 1963, Lar. || **paupérisation** 1962, Robert.

**paupière** 1120, *Ps. d'Oxford* (*palpere*) ; fin XII^e s. (*paupiere*) ; lat. *palpetra* (Varron), var. de *palpebra.* ‖ **palpébral** 1748, James.

**paupiettes** fin XVII^e s. (*poupiettes*) ; 1735, *le Cuisinier moderne* (*paupiettes*) ; anc. fr. *poupe* (fin XI^e s., *Gloses de Raschi*), « partie charnue », du lat. *pulpa* (v. PULPE). *Paupiettes,* de *poupiettes,* peut-être sous l'infl. du rég. *paupier* (Est), pour *papier* (en raison de l'enveloppe de papier des paupiettes).

**pause** 1360, Froissart ; lat. *pausa,* du gr. *pausis ;* 1671, Pomey, mus., repris à l'ital. *pausa,* de même étym. ‖ **pauser** 1690, Furetière, mus. (*se pauser,* XV^e s., A. de La Salle, vient de l'anc. fr. *pose,* repos, avec une graphie infl. par le lat. *pausa*).

***pauvre** 1050, *Alexis* (*povre*) ; XVI^e s. (*pauvre,* avec *-au-* repris au lat.) ; lat. *pauper.* ‖ **pauvrement** 1155, Wace. ‖ **pauvret** XIII^e s., *Vie de saint Thibaut* (*povret*). ‖ **pauvresse** 1788, Féraud. ‖ **pauvreté** 1050, *Alexis* (*poverte*) ; 1155, Wace (*pauvreté*) ; lat. *paupertas, -tatis.* ‖ **appauvrir** 1119, Ph. de Thaon (*apovrir*). ‖ **appauvrissement** début XIV^e s.

**pavane** début XVI^e s. (*pavenne*) ; 1538, R. Est. (*pavane*), danse ; ital. dial. *pavana,* pour *danza pavana,* « danse padouane » (*Pava,* Padoue, dans le dial. rég.). ‖ **pavaner (se)** 1611, Cotgrave ; croisem. entre *pavane* et *se paonner* (XVI^e s.), de *paon.*

***paver** 1130, *Eneas ;* lat. pop. **pavare,* en lat. class. *pavire,* niveler le sol. ‖ **pavement** 1112, *Voy. saint Brendan ;* de *paver,* d'après le lat. *pavimentum.* ‖ **pavimenteux** 1838, *Acad.* ‖ **pavage** 1331, du Cange, « péage pour l'entretien de la chaussée » ; 1389, du Cange, sens mod. ‖ **pavé** 1312, *Olim.* ‖ **paveur** 1292, *Rôle de la taille de Paris.* ‖ **paveton** 1927, Esnault. ‖ **dépaver** XIII^e s. ‖ **repaver** début XIV^e s.

**pavie** 1577, R. Belleau (var. *pavi,* XVII^e s.) ; du nom de *Pavie,* localité du Gers renommée pour ses pêches.

***pavillon** 1112, *Voy. saint Brendan* (*paveilun*) ; 1130, *Eneas* (*paveillon*), tente ; lat. *pāpĭlio, -onis* (proprem. « papillon », d'où, par métaph., « tente », III^e-IV^e s., Lampridias, Végèce) ; 1508, *Comptes Gaillon,* « corps de bâtiment » ; 1541, Jal, « étendard », mar., d'où *baisser pavillon,* 1669, Sévigné ; 1636, Mersenne, grande ouverture d'un instrument de mus. ; 1810, Capuron, pavillon de l'oreille. ‖ **pavillonnerie** 1868, L. ‖ **pavillonnaire** XX^e s. (V. PAPILLON.)

**pavois** 1210, Folque de Candie (*hiaume paviois*) ; 1336, Jal (*pavois*) ; ital. *pavese,* « de Pavie », ville où ces sortes de boucliers auraient été d'abord fabriqués ; *élever sur le pavois,* 1576, du Haillan ; 1671, Jal, bouclier de protection d'un navire, tenture (remplaçant le bouclier et devenue ornement de parade) ; 1887, Loti, ensemble des pavillons. ‖ **pavoiser** 1360, Froissart (*paveschier*), « protéger avec des pavois » ; XVII^e s., garnir de tentures ; 1884, Maupassant, orner de drapeaux. ‖ **pavoisement** 1845, Besch., mar.

**pavot** 1175, Chr. de Troyes (*pavo*) ; 1268, E. Boileau (*pavot,* par attraction du suff. *-ot*) ; lat. pop. **papavus,* altér. du lat. class. *papaver.* ‖ **papavéracée** 1798, Jolyclerc. ‖ **papavérine** 1842, *Acad.*

***payer** fin X^e s., *Saint Léger* (*paier*), « se réconcilier avec, apaiser » ; 1175, Chr. de Troyes, « donner à quelqu'un l'argent qu'on lui doit » ; 1360, Froissart (*payer*) ; lat. *pacare,* pacifier, puis « apaiser » (IV^e s.), de *pax, pacis,* paix. ‖ **payable** 1255, G. (*paiavle*), « qui satisfait » ; XIV^e s. (*paiable*) ; 1481, Bartzsch, « qui doit être payé ». ‖ **payant** adj., milieu XIII^e s., « qui doit être payé » ; 1690, Furetière, « qui paye ». ‖ **payeur** 1244, Huon le Roi de Cambrai. ‖ **paie** 1175, Chr. de Troyes. ‖ **paye** fin XIV^e s., E. Deschamps. ‖ **paiement** 1175, Chr. de Troyes. ‖ **payement** 1360, Froissart. ‖ **impayable** 1376, G., « qu'on ne peut payer » ; XVII^e s., « de grande valeur » ; début XVIII^e s., « très plaisant ». ‖ **impayé** 1838, *Acad.* ‖ **surpayer** 1570, Montaigne. ‖ **surpaiement** XX^e s.

***pays** X^e s., *Saint Léger* (*païs*) ; fin XI^e s., « pays natal » ; 1360, Froissart (*pays*), « région, contrée » ; 1640, Oudin, n. m., « personne du même pays » ; n. f., 1765, Rousseau ; bas lat. *page(n)sis* (VI^e s., Grég. de Tours), « habitant d'un *pagus* », puis « territoire d'un *pagus* », subdivision de la cité, canton. ‖ **paysage** 1493, Molinet, « tableau représentant un pays » ; 1556, Beaugué, coin de pays. ‖ **paysager** 1845, Besch., adj. ‖ **paysagiste** 1651, Chambray, peint. ‖ **dépayser** 1210, Delb., faire sortir de son pays ; XVII^e s., déguiser ; 1690, Furetière, sens mod. ‖ **dépaysement** 1560, Pasquier ; 1838, *Acad.,* sens mod.

**paysage** V. PAYS.

**paysan** 1138, Gaimar (*païsant*) ; fém. *païsante, païsande,* jusqu'au XVI^e s. ; de *pays ;* « homme d'un pays », en anc. fr. ‖ **paysannerie** 1547, du Fail (*païsanterie*) ; 1668, Molière (*paysannerie*). ‖ **paysannat** milieu XX^e s.

***péage** 1150, *Charroi* (*paaige*) ; lat. pop. **pedāticum,* « droit de mettre le pied » (lexique de l'admin. carolingienne), de *pes, pedis,* pied. || **péager** 1180, *Enfances Vivien* (*paiagier*) ; 1268, É. Boileau (*peagier*).

**péan** 1765, *Encycl.* ; lat. *paean,* du gr. *paian,* chant de victoire.

***peau** 1080, *Roland* (*pel*) ; début XVᵉ s. (*peau*), refait sur le pl. *pels, peals, peaus* ; 1130, *Eneas,* vie ; 1538, R. Est., enveloppe de fruit ; lat. *pellis,* « peau d'animal », qui a éliminé *cutis,* « peau humaine », en lat. pop. || **pelletier** 1160, Benoît ; anc. fr. *pel.* || **pelleterie** 1150, *Charroi.* || **peaucier** adj., 1560, Paré, anat. ; de *peau.* || **peaussier** n. m., 1292, *Rôle de la taille,* techn. || **peausserie** 1723, Savary. || **peaufiner** 1865, Esnault. || **peau-rouge** XVIIᵉ s. || **dépiauter** 1866, Lar. ; de la forme dial. *piau,* peau.

1. **peautre** XIIᵉ s., paillasse ; orig. obscure.

2. ***peautre** XIIᵉ s., Evrat, étain ; lat. pop. **peltrum,* mot d'orig. ligure.

**pébrine** 1859, Quatrefages ; prov. mod. *pebrino,* de *pebre,* poivre, à cause des petites taches sombres caractérisant cette maladie des vers à soie.

**pec** adj. m., 1391, *Chartes de Liège* ; néerl. *peckel* (*haring*), « (hareng) en saumure ».

**pécaïre** XIIIᵉ s. (*pechiere*) ; 1784, Beaumarchais (*pécaïre*), exclamation méridionale ; forme cristallisée de l'anc. cas sujet prov. *pecaire,* « hélas ! mon Dieu ! », proprem. « pécheur ! ». Francisé en *péchère, peuchère.* (V. PÉCHER.)

**pécan** 1963, Lar. ; mot angl.

**pécari** 1640, Laet (*pacquire*) ; fin XVIIᵉ s. (*pécari*) ; mot caraïbe (Venezuela, Guyanes).

**peccable** 1050, *Alexis* ; lat. *peccare,* pécher ; rare jusqu'en 1762, *Acad.* || **peccabilité** 1875, Lar., théol. || **impeccable** XVᵉ s. ; lat. chrét. *impeccabilis* ; 1900, Colette, ext. d'emploi. || **impeccabilité** 1578, Despence.

**peccadille** 1549, Marg. de Navarre (*peccatile*) ; XVIIᵉ s. (*peccadille*) ; esp. *pecadillo,* petit péché.

**peccant** 1314, Mondeville (*humeurs peccantes*) ; lat. méd. *peccans,* empl. spécial. du part. prés. de *peccare,* pécher.

**pechblende** 1790, *Annales chimie* ; mot allem., de *Pech,* poix, et *Blende,* sulfure de zinc.

1. ***pêche** XIᵉ s., *Gloses de Raschi* (*pesche*), bot. ; *avoir la pêche,* 1960, Esnault ; lat. pop. **persĭca,* pl. neut., passé au fém., de *persicum* (*pomum*), « fruit du pêcher », de *persica arbor,* « pêcher », proprem. « arbre de Perse », en raison de sa provenance. || **pêcher** n. m., 1170, *Floire et Blancheflor* (*peskier*).

2. **pêche** V. PÊCHER.

***péché** 980, *Passion* (*peched*) ; 1150, *Charroi* (*péchié*) ; lat. *peccatum,* « faute », sens spécial. en lat. eccl. || ***pécher** 1050, *Alexis* (*pechier*) ; lat. *peccāre,* commettre une faute ; même évol. de sens que le précéd. || **pécheur** 980, *Passion* (*pechedor*) ; 1155, Wace (*pescheor,* fém. *pécheresse,* qui a éliminé *pecheriz,* de *peccatrix, -icis*) ; lat. eccl. *peccātōr, -oris,* dér. de *peccāre.* (V. PECCABLE.)

***pêcher** 1138, Gaimar (*pescher*) ; lat. pop. **piscāre,* en lat. class. *piscāri.* || **pêche** milieu XIIIᵉ s. (*pesche*) ; déverbal. || **pêcheur** début XIIᵉ s. || **pêcherie** 1155, Wace (*pescherie*). || **pêchette** 1773, Duhamel, « petit filet » ; 1868, L., sens mod. || **repêchage** 1850, Balzac ; 1935, *Acad.,* épreuve supplémentaire. || **repêcher** XIIIᵉ s. ; 1875, Lar., recevoir à l'examen en ajoutant des points.

**pécoptéris** 1875, Lar., bot. ; gr. *pekos,* du gr. class. *pokos,* « toison », et *pteris,* « fougère » ; fougère fossile. || **pécoptéridée** 1963, Lar.

**pécore** 1512, Crétin ; ital. *pecora,* « brebis », d'où « bête sotte » (La Fontaine), et « femme sotte » (Molière) ; lat. pop. *pecora,* pl. neut., passé au fém., de *pecus, pecoris,* bétail. (V. le suivant.)

**pecque** 1611, Cotgrave (*peque*) ; 1630, Chapelain (*pecque*), fam. ; prov. *peco,* « sotte », fém. de l'adj. *pec,* du lat. *pecus.* (V. le précéd.)

**pecten** 1710, Trévoux, zool. ; mot lat. (v. PEIGNE). || **pectiné** 1363, Chauliac ; lat. *pectinatus,* « en forme de peigne ».

**pectine** 1827, *Acad.* ; gr. *pêktos,* « coagulé ». || **pectique** 1838, *Acad.* || **pectinidé** 1875, Lar. (*pectinides*). || **pectiser** 1932, Lar.

**pectoral** n. m., 1355, du Cange, liturg. ; 1363, Chauliac, adj., anat. ; lat. *pectoralis,* de *pectus, pectoris,* poitrine (v. PIS 1, POITRINE).

**pécule** 1273, Ibn Ezra, « bétail » ; début XIVᵉ s., hist. ; 1611, Cotgrave, sens actuel ; lat. *peculium,* de *pecus,* « bétail ». || **péculat** 1530, Isambert ; lat. *peculatus,* de *peculari,* « être concussionnaire », de *peculium.*

**pécune** 1120, *Ps. de Cambridge* (*pecunie*) ; lat. *pecunia,* argent, fortune, proprem. « avoir en bétail », de *pecus,* bétail. || **pécuniaire** 1300,

*Coutumes d'Artois,* n. m., avoir en argent ; adj., XIVe s. ; lat. *pecuniarius,* « relatif à l'argent ». || **pécuniairement** 1495, *Coutumier.* || **pécunieux** 1370, Oresme ; lat. *pecuniosus,* « qui a beaucoup d'argent ». || **impécunieux** 1677, Miege.

**pédagogue** 1370, Oresme (*pédagoge*) ; lat. *paedagogus,* en gr. *paidagôgos,* de *pais, paidos,* enfant, et *agein,* conduire. || **pédagogie** 1495, *Mir. hist.* ; gr. *paidagôgia.* || **pédagogique** 1701, Huet ; gr. *paidagôgikos.* || **pédagogiquement** 1801, Mercier.

**pédale** milieu XVIe s., « pédale d'orgue » ; 1893, *D. G.* ; 1935, Esnault, pédéraste, cyclisme ; ital. *pedale,* du lat. pop. *pedāle,* neutr. substantivé de l'adj. *pedalis,* « relatif au pied », de *pes, pedis,* pied. || **pédaler** 1893, *D. G.,* cyclisme. || **pédaleur** 1907, Lar. || **pédalier** 1877, *J. O.,* « clavier d'orgue » ; 1903, Lar., cyclisme. || **Pédalo** n. déposé, milieu XXe s. ; sur *mécano.*

**pédant** 1566, H. Est., « celui qui enseigne », et aussi péjor. ; ital. *pedante,* du gr. *paideueîn,* enseigner aux enfants, de *pais, paidos,* enfant. || **pédanter** 1645, G. || **pédantiser** 1762, *Acad.* || **pédantesque** 1558, chez Montaiglon, « magistral » ; 1580, Montaigne, sens actuel ; ital. *pedantesco.* || **pédanterie** 1560, Pasquier ; ital. *pedanteria.* || **pédantisme** 1580, Montaigne, « état de professeur » ; 1654, G. de Balzac, péjor.

**pédéraste** 1584, Tabourot ; gr. *paiderastês,* de *pais, paidos,* enfant, et *erân,* aimer. || **pédé** 1836, Vidocq. || **pédérastie** 1579, Bodin ; gr. *paiderasteia.* || **pédérastique** 1881, Goncourt.

**pédestre** n. m., 1470, Bartzsch, « soldat à pied » ; adj., XVIe s. ; lat. *pedestris,* de *pes, pedis,* pied. || **pédestrement** 1762, *Acad.*

**pédiatrie** 1872, L., méd. ; gr. *pais, paidos,* enfant, et *-iatrie,* du gr. *iatros,* médecin. || **pédiatre** 1907, Lar.

**pedibus** 1903, Lar. ; lat. macaronique *pedibus cum jambis,* à pied avec les jambes.

**pédicelle** 1799, Philibert ; lat. *pedicellus,* dimin. de *pes, pedis.* || **pedicellaire** 1839, Boiste.

**pédiculaire** 1550, Guéroult, méd. ; lat. *pedicularius,* de *pediculus,* pou. || **pédiculose** 1923, Lar.

**pédicule** 1534, Vaganay, bot. ; lat. *pediculus.* || **pédiculé** 1763, Adanson.

**pédicure** 1781, Laforest ; lat. *pes, pedis,* pied, et *curare,* soigner.

**pedigree** 1828, *Journ. des haras* ; mot angl., probablem. altér. du fr. *pied de grue,* d'après une marque de trois petits traits rectilignes dans les registres anglais pour les degrés généalogiques.

**pédiluve** 1738, Lémery (*pédilave*) ; lat. *pediluvium,* bain de pieds, sur *luere,* laver.

**pédimane** 1797, Cuvier, zool. ; lat. *pes, pedis,* pied, et *manus,* main.

**pédiment** 1963, Lar. ; angl. *pediment,* fronton, du lat. *pedimentum,* échalas, de *pedare,* échalasser.

1. **pédologie** 1903, Lar., « science de l'enfant » ; gr. *pais, paidos,* enfant, et *-logie.* || **pédologue** début XXe s. || **pédophilie** 1968, Lar. || **pédophile** *id.* (V. PÉDAGOGUE, PÉDANT, PÉDÉRASTE.)

2. **pédologie** 1932, Lar., géol. ; gr. *pedon,* sol, et *-logie.* || **pédologue** 1962, Robert. || **pédologique** 1932, Lar. || **pédogenèse** 1963, Lar.

**pédoncule** 1748, *Mém. de l'Acad. des sciences,* anat. ; lat. *pedunculus,* dimin. de *pes, pedis.* || **pédonculé** 1778, Lamarck, bot. || **pédonculaire** 1800, Bulliard.

**pedzouille** 1800, Esnault (*pezouille*) ; 1876, Zola (*pedzouille*) ; 1945, Cendrars (*petzouille*), pop., « paysan » ; altér., par attraction de *pet* (*pet-de-zouille*), du prov. *pezouil,* « pou », d'où « gueux couvert de poux » (v. POU). Pour d'autres, croisem. de *pétard,* pop., « cul », et de *vezouille,* même sens.

**peeling** milieu XXe s. ; mot angl., de *to peel,* peler.

**pégase** 1564, J. Thierry, « cheval fabuleux », nom propre ; lat. *Pegasus,* en gr. *Pegasos,* nom du cheval ailé qui fit jaillir d'un coup de pied la source d'Hippocrène, où l'on puisait l'inspiration poétique ; 1788, zool.

**pegmatite** 1836, Landais ; gr. *pêgma,* conglomération ; granite à minéraux de grande taille.

**pègre** 1797, Mercier (*paigre*), n. m., « voleur » ; 1829, Esnault (*pègre*), n. f., mot collectif ; arg. marseillais *pego,* « voleur des quais », proprem. « poix » (le voleur étant censé avoir de la poix aux doigts), ou ital. dialectal *pegro,* paresseux. || **pégriot** 1829, Vidocq, voleur.

**pehlvi** 1827, *Acad.,* ling. ; de *pahlavik,* « des Parthes », mot pehlvi.

***peigne** XII^e s., *la Charrette ;* réfection, d'après *peigner,* de *pigne* (1175, Chr. de Troyes), du lat. *pĕcten, -inis* (v. PECTEN, PIGNON). || **peigner** milieu XII^e s., *Roman de Thèbes* (*peignier*) ; lat. *pectinare ;* aussi *pignier,* d'après *pigne.* || **peignoir** 1416, Havard (*pignoer*), étui à peigne ; 1534, Rab. (*peignouoir*), linge protégeant les habits quand on se peigne ; 1814, Jouy, peignoir de bain. || **peignure** 1665, Quinault. || **peigneur** 1243, G. (fém. *pinerece*) ; 1410, G. (*peigneur*) ; 1800, Boiste (fém. *peigneuse*), techn. || **peignage** 1765, *Encycl.,* techn. || **peignier** 1268, É. Boileau, techn. ; lat. *pectinarius.* || **peigné** n. m, 1842, *Acad.,* techn. || **peignée** 1808, d'Hautel, pop. ; de l'anc. *pigner,* « donner des coups de griffe ». || **peigne-cul** 1793, Brunot, pop. || **dépeigner** 1883, A. Daudet.

**peille** 1174, E. de Fougères ; prov. *pelha,* du lat. *pilleum,* bonnet de feutre ; vieux chiffons.

***peindre** 1080, *Roland ;* lat. *pingere.* || **dépeindre** 1212, Anger, « peindre » ; XVI^e s., sens mod. ; lat. *depingere.* || **peintre** 1188, Aimon (*paintor*) ; 1212, Anger (*peintre*) ; lat. pop. *pinctor,* réfection du lat. class. *pictor* d'après *pingere.* || **peintraillon** 1869, Daudet. || **peinture** 1119, Ph. de Thaon ; lat. pop. **pinctura* (class. *pictura*). || **peinturer** début XII^e s., *Voy. de Charl.* || **peinturage** 1589, Baïf. || **peintureur** 1268, É. Boileau. || **peinturlurer** 1628, Olivier (*peinturluré*) ; 1743, Trévoux (*peinturlurer*) ; déform. plais. d'après *turelure.* || **peinturlurage** 1872, Gautier. || **peinturlureur** 1867, Delvau. || **repeindre** fin XIII^e s.

***peine** 980, *Passion* (*penas*) ; 1050, *Alexis* (*peine*), « tourments du martyre » ; XI^e s., fatigue, difficulté ; lat. *poena,* « châtiment », du gr. *poinê,* en lat. impér. « chagrin » ; *à peine,* 1080, *Roland.* || **peiner** 980, *Valenciennes,* « causer du chagrin » ; 1564, Thierry, « se fatiguer ». || **pénible** 1112, *Voy. saint Brendan,* « fait avec peine » ; 1160, Benoît, « dur à la peine ». || **penaud** 1544, B. Des Périers, proprem. « qui est en peine ». || **peinard** 1578, d'Aubigné (*penard*), « vieillard usé et grincheux » ; 1793, Esnault, fam., sens mod., par antiphrase. || **peinardement** 1918, Esnault. || **peineux** 1080, *Roland.*

**peintre, peinture** V. PEINDRE.

**péjoratif** 1784, Rivarol ; bas lat. *pejorare,* rendre pire, de *pejus* (v. PIRE). || **péjoration** XVI^e s. || **péjorativement** 1962, Robert.

**pékan** 1765, Buffon (*pekan*), zool. ; mot algonquin ; marte du Canada.

1. **pékin** 1564, Gay ; du nom de la ville où cette étoffe se fabriquait. || **pékiné** 1907, Lar.

2. **pékin** 1776, Esnault (*péquin*), « bourgeois » ; 1797, Brunot (*pékin*), sens actuel ; probablem. prov. *pequin,* « maigre », d'un rad. *pekk-,* alternant avec *pikk-,* « petit » (cf. l'ital. *piccolo*).

**pékinois** 1923, Lar., sorte de chien ; du nom de *Pékin,* la ville chinoise.

**pelade, pelage, pelard** V. POIL.

1. **pélagien** 1655, Bossuet, théol. ; du nom de *Pélage,* moine breton du V^e s., dont les idées sur la grâce s'opposaient à celles de saint Augustin. || **pélagianisme** 1689, Bossuet.

2. **pélagien** XVIII^e s., Buffon, zool. ; gr. *pelagos,* haute mer. || **pélagique** 1834, Lacépède.

**pélamide** 1552, Massé, poisson ; lat. *pelamys, -ydis* (gr. *pêlamus*), « bonite ». || **pélamidière** 1771, Duhamel.

**pélargonium** 1808, Boiste (*pélargon*), bot. ; gr. *pelargos,* cigogne, à cause de la forme du fruit de cette plante.

**pélasgien** 1732, Trévoux ; gr. *Pelasgoi,* nom de peuple.

**pêle-mêle** 1175, Chr. de Troyes (*pesle-mesle*) ; altér. de l'anc. fr. *mesle-mesle,* forme redoublée de l'impér. de *mêler* (v. ce mot).

**peler** V. POIL.

**pèlerin** 1050, *Alexis ;* lat. eccl. *pelegrinus,* dissimil. du lat. *peregrinus,* étranger, d'où « voyageur », spécialisé en lat. eccl. || **pèlerinage** début XII^e s., *Pèlerinage Charlemagne.* || **pèlerine** 1765, *Encycl.,* fichu ; XIX^e s., sens actuel. (V. PÉRÉGRINATION.)

**péliade** 1868, L., zool. ; gr. *pelios,* noirâtre.

**pélican** 1119, Ph. de Thaon (*pellicanus*) ; 1120, *Ps. d'Oxford* (*pelican*) ; lat. *pelicanus,* var. de *pelecanus,* du gr. *pelekan,* tailler à la hache.

***pelisse** 1155, Wace (*pelice*) ; bas lat. *pellicia,* fém. substantivé de l'adj. *pellicius,* de *pellis,* peau. || **pelisson** début XII^e s., *Pèlerinage de Charlemagne.*

**pellagre** 1810, Capuron ; lat. *pellis,* peau, sur le modèle du lat. *podagra,* goutte aux pieds.

***pelle** XI^e s. (*pele*) ; XIII^e s. (*pelle*) ; lat. *pala* (v. PALE 1). || **pelle-bêche** 1903, Lar. || **pelle-pioche** 1932, Lar. || **pelleron** 1419, N. de Baye. || **pelletée** 1680, Richelet ; a éliminé les anc. *pellée* (XI^e s.), *palerée* (1534, Rab.), *paletée* (1408,

G.) *pellerée* (1611, Cotgrave). || **pelleter** 1845, Besch. ; a remplacé *peltrer* (1776, *Encycl.*). || **pelleteur** 1836, Reybaud. || **pelletage** 1842, *Un million de faits.* || **pelleteuse** n. f., 1936, pelle mécanique.

**pelleterie, pelletier** V. PEAU.

**pelleverser** 1838, *Acad.* ; occitan *palaversa,* de *pala,* pelle, et *versa,* retourner. || **pelleversoir** *id.*

**pellicule** 1503, G. de Chauliac, anat. ; lat. *pellicula,* dimin. de *pellis,* peau ; 1903, Lar., phot. || **pelliculeux** 1611, Cotgrave. || **pelliculaire** 1834, *Journ. méd.* || **pelliculage** 1903, Lar., phot.

**pélobate** 1875, Lar. ; gr. *pêlos,* boue, et *-bate.* || **pélodyte** 1875, Lar., zool. ; gr. *dutês,* plongeur. || **pélogène** 1876, L. ; sur *-gène.* || **pélophage** 1968, Lar.

***pelote** 1119, Ph. de Thaon (*pelute*) ; début XIIe s. (*pelote*) ; lat. pop. *pilotta,* dimin. de *pīla,* « balle à jouer ». || **peloton** 1435, Eurialus, « petite pelote » ; 1578, d'Aubigné, « groupe de soldats ». || **pelotonner** 1617, Crespin. || **pelotonnement** 1845, Radonvilliers. || **peloter** 1280, Bibbesworth (*peluter*), « jouer à la balle » ; 1489, Gogain, « lancer les dés » ; 1549, R. Est., « jouer à la paume » ; 1780, Rétif de La Bretonne, « caresser sensuellement ». || **pelotage** fin XVIIe s., Saint-Simon ; XIXe s., « mise en pelote » ; 1866, Goncourt, « caresses sensuelles ». || **peloteur** 1803, Boiste, « joueur de pelote » ; 1875, Lar., « qui aime à caresser ». || **pelotari** 1897, Loti ; mot basque, du rad. *pelot-* et du suff. *-ari,* du lat. *-arius.*

***pelouse** 1611, Cotgrave, « monticule » ; 1660, Saint-Amant, sens mod. ; anc. fr. *peleus,* gazon (1220, Coincy), de l'adj. lat. *pīlosus,* couvert de poils, par métaph. (v. POIL). || **pelousard** 1903, Esnault, habitué de la pelouse des courses.

**pelte** 1732, Trévoux ; lat. *pelta,* gr. *peltê.* || **peltaste** 1808, Boiste.

**peluche** 1591, Gay ; anc. fr. *pelucher,* « éplucher », du bas lat. **pilūccare,* syncope de **pilūcicare,* fréquentatif de **pilūcare,* dér., sur le modèle de *manducare,* de *pilare* (v. POIL). || **pelucher** 1798, *Acad.,* sens mod. || **pelucheux** 1823, Boiste ; 1834, *Annales chimie* (*plucheux*).

**pelvis** 1666, *Journ. des savants,* anat. ; mot lat. signif. « bassin (à laver) », appliqué par métaph. au bassin humain. || **pelvien** 1812, Mozin. || **pelvimètre** 1814, Nysten. || **pelvitomie** 1878, Lar.

**pemmican** 1836, *Acad.* ; mot angl., de l'algonquin *pimekan,* de *pime,* graisse ; préparation de viande séchée.

**penaille** XIIIe s., Montaiglon ; anc. fr. *pene,* plume (1150, G.), du lat. *pinna.* || **penaillon** 1540, La Curne. || **dépenaillé** 1546, Rab. || **dépenaillement** 1734, Voltaire.

**pénal** 1190, *Grégoire* (*poinal liu,* « le purgatoire ») ; 1536, M. du Bellay, sens actuel ; lat. jurid. *poenalis,* de *poena* au sens jurid. (v. PEINE). || **pénalement** 1570, Rab. || **pénalité** début XIVe s., « souffrance », jusqu'au XVIe s. ; 1803, Boiste, sens mod. || **pénaliser** fin XIXe s. ; d'après l'angl. (*to*) *penalize,* lexique du sport. || **pénalisation** 1907, Lar. || **penalty** 1932, Lar. ; mot angl. signif. « pénalisation ».

**pénates** 1491, Vaganay ; lat. *penates,* de *penus,* « intérieur de la maison », en lat. archaïque.

**penaud** V. PEINE.

***pencher** 1256, Ald. de Sienne, v. intr. (*pengier*) ; 1283, Beaumanoir (*pencher*) ; v. tr., 1530, Palsgrave ; *se pencher,* 1679, Fléchier ; lat. pop. **pendicare,* du lat. class. *pendere,* pendre. || **penchant** 1532, *Coutumier,* qui penche ; 1538, R. Est., n. m., « versant, partie inclinée » ; 1642, Oudin, « inclination ». || **penchement** 1538, R. Est.

**pendant** V. PENDRE.

**pendeloque** 1640, Oudin ; altér., d'après *breloque,* de *pendeloche,* XIIIe s., Montaiglon, de l'anc. fr. *pendeler,* pendiller, dimin. de *pendre.*

***pendre** 980, *Passion ;* d'abord v. intr. ; XIIe s., mettre à mort par pendaison ; lat. pop. **pendĕre,* en lat. class. *pendēre.* || **pendant** 1138, Gaimar, adj. ; fin XIe s., *Gloses de Raschi,* n. m. ; part. prés. de *pendre ;* début XVe s., prép., d'après les locutions *le terme pendant, ce temps pendant* (1265, Br. Latini), conformément à l'emploi de *pendens* en procédure. || **cependant** 1272, Joinville (*tout ce pendant*) ; début XIVe s. (*cependant*). || **pendable** 1283, Beaumanoir. || **pendaison** 1644, Saint-Amant. || **pendeur** 1260, G. ; 1677, Dassié, mar. || **pendage** 1776, Brunot, techn. || **penderie** 1539, R. Est. || **pendard** 1380, du Cange, « bourreau » ; 1549, R. Est., sens mod. || **pendoir** XIIIe s., *Ordonnance* (*pendouer*). || **pendentif** 1561, Ph. Delorme, d'abord archit. ; lat. *pendens, -entis,* part. prés. de *pendere.* || **pendiller** 1215, Gatineau. || **pendillon** 1690, Grignan. || pendouiller 1949, Lar. || **pendu** n. m., XIIIe s. || **rependre** début XIVe s. (V. APPENDRE, PENDELOQUE, PENTE, SOUPENTE, SUSPENDRE.)

**pendule** 1646, Mersenne (*funependule*), corps mobile oscillant ; 1658, Huygens (*pendule*), n. m. ; 1664, *Compte des bât. du roi,* n. f., horloge ; lat. scient. *funependulus,* « suspendu à un fil », du lat. *funis,* corde, et de *pendulus,* « qui est suspendu », de *pendere* (v. PENDRE). || **penduler** 1963, Lar. ; 1941, Frison-Roche, alpinisme. || **pendulette** 1893, *D. G.* || **pendulier** 1808, Boiste. || **penduliste** 1803, Gattel. || **pendulaire** 1867, Faye.

***pêne** 1175, Chr. de Troyes ; altér. de *pesle* (XIIe-XVII[e] s.), du lat. *pessŭlus,* verrou (gr. *passalos,* cheville).

**pénéplaine** 1903, Lar. ; angl. *peneplain,* de *péné,* presque, lat. *paene,* et *plaine,* de *plain,* lat. *planus,* plat.

**pénétrer** 1314, Mondeville ; lat. *penetrare.* || **pénétrant** adj., 1314, Mondeville ; n. f., 1953, Lar. || **pénétré** 1686, Fénelon, « convaincu ». || **pénétrable** 1370, Oresme ; lat. *penetrabilis.* || **pénétrabilité** 1501, F. Le Roy. || **impénétrable** fin XIVe s. ; lat. *impenetrabilis.* || **impénétrabilité** 1650, Pascal. || **pénétration** XIVe s., Gordon ; lat. *penetratio.* || **pénétrance** 1963, Lar. || **pénétratif** XIIIe s., *Simples Médecines.*

**péniche** 1803, *Mercure de France ;* angl. *pinnace,* du fr. *pinasse,* milieu XVe s. (*pinace*), de l'esp. *pinaza,* de *pino,* pin.

**pénicillium** 1817, Gérardin (*penicillion*), bot. ; lat. *penicillum,* pinceau. || **pénicillé** 1798, Richard. || **pénicilline** 1949, Lar. ; angl. *penicillin* (1929, Fleming). || **pénicillinémie** 1963, Lar.

***pénil** XIIe s., *Escoufle ;* lat. pop. **pectinĭculum,* de *pecten,* peigne ; par comparaison des poils du pénil (Juvénal).

**péninsule** 1544, Apian ; lat. *paeninsula,* de *paene,* presque, et *insula,* île. || **péninsulaire** 1556, Saliat ; rare jusqu'en 1836, *Acad.*

**pénis** 1618, Guillemeau ; lat. *penis,* queue (des quadrupèdes).

**pénitence** 1050, *Alexis ;* lat. *poenitentia,* de *poenitens,* au sens chrét., part. prés. de *poenitere,* se repentir. || **pénitent** 1370, Oresme, adj. ; XVe s., Basselin, n. ; lat. *poenitens.* || **pénitentiel** XVIe s., Pithou, eccl., même étym. || **pénitentiaire** 1806, Thouvenel, n. m., « pénitencier » ; 1828, Lucas, adj. || **pénitentiaux** 1374, G. (*pénitential*) ; lat. eccl. *poenitentialis.* || **pénitencier** XIIIe s., n. m., prêtre ; lat. *poenitentiarius ;* XVe s., adj. (*maison pénitencière*) ; 1842, *Acad.,* n. m., sens mod., admin. judic. || **pénitencerie** XVe s., « maison de pénitence » ; 1690, Furetière, eccl., fonction de pénitencier. || **impénitent** fin XIVe s. ; lat. eccl. *impoenitens.* || **impénitence** 1488, *Mer des hist. ;* lat. eccl. *impoenitentia.*

**pénitencier** V. PÉNITENCE.

***penne** 1050, *Alexis,* « plume, aile », et « plume pour écrire » ; réfection d'une forme pop. *panne,* du lat. *penna,* plume (v. PANNE 1 et 2). || **pennage** 1525, Crétin. || **penné** XIIIe s., Tobler-Lommatzsch (*panné*) ; 1774, Brunot (*pinné*) ; 1814, Nysten (*penné*) ; lat. *pennatus.* || **pennon** 1130, *Eneas* (*penon*), « drapeau triangulaire ». || **penon** 1773, Bourdé, mar. || **penniforme** 1768, Bomare. || **empenner** 1080, *Roland,* garnir de plumes. || **empennage** 1836, *Acad.* || **empenne** 1701, Furetière. || **empennelle** 1691, Ozanam. || **paripenné** 1838, *Acad. ;* lat. *par,* pareil. || **pennatifide** 1814, Nysten ; lat. *pennatus,* qui a des pointes, et *findere,* fendre.

**penny** 1558, Perlin (*penni*) ; 1765, *Encycl.* (*penny*) ; mot angl.

**pénombre** V. OMBRE.

***penser** 980, *Passion ;* bas lat. *pensāre,* « penser », en lat. class. « peser, juger », fréquentatif de *pendere,* peser (v. PANSER, PESER). || **pensée** 1120, *Ps. de Cambridge,* « ce qu'on pense ». || **arrière-pensée** 1587, La Noue, rare avant 1798, *Acad.* || **pensée** 1512, J. Lemaire de Belges, espèce de fleur (symbole du souvenir). || **pensement** 1188, Aimon. || **penser** n. m., 1160, *Roman de Tristan.* || **penseur** XIIIe s., G., devenu usuel seulem. au XVIIIe s. || **pensif** 1050, *Alexis.* || **pensant** XIIIe s., *R. de Cambrai,* « pensif » ; XVIIe s., sens mod. || **pense-bête** 1949, Lar. || **pensable** XIIIe s., G. || **impensable** fin XIXe s. || **repenser** fin XIIe s. (V. BIENPENSANT.)

**pension** 1212, Anger, « paiement » ; 1679, Retz, « gages » ; XVe s., annuité versée par l'État ; XVIIe s., somme versée pour l'entretien d'un enfant ; 1606, Crespin, hôtel ; 1740, *Acad.,* maison d'éducation ; lat. *pensio,* « paiement », proprem. « pesée », de *pensus,* part. passé de *pendere,* peser, d'où « payer ». || **pensionner** 1340, *Tombel de Chartrose,* rare avant le XVIIIe s. || **pensionnaire** 1323, Varin, qui reçoit une pension ; 1596, Hulsius, commensal ; 1680, Richelet, élève ; même évol. de sens que *pension.* || **pensionnat** 1788, Féraud. || **demi-pension, demi-pensionnaire** XIXe s.

**pensum** 1740, *Acad ;* mot lat. signif. « poids » (de la laine filée chaque jour), d'où « tâche, devoir » ; puis sens actuel de « punition ».

**pent(a)-,** gr. *pente,* « cinq ». || **pentacorde** 1721, Trévoux (*pentachorde*) ; lat. *pentachordus,* du gr. *pentachordon.* || **pentacrine** 1842, *Acad. ;* gr. *krinon,* « lis ». || **pentadécagone** 1765, *Encycl.* || **pentaèdre** 1803, Morin. || **pentagone** XIII^e s., *Comput ;* 1377, Oresme ; bas lat. *pentagonum,* gr. *pentagonon,* de *gônia,* angle. || **pentagonal** 1553, *Doc.* || **pentagramme** 1615, Montlyard ; gr. *pentagrammon,* de *grammê,* trait. || **pentamère** 1817, Latreille, zool. || **pentamètre** 1491, Vaganay ; lat. *pentameter,* gr. *pentametros.* || **pentane** 1874, Lar. || **pentapétale** fin XVIII^e s. || **pentapole** 1732, Trévoux ; gr. *pentapolis.* || **pentarchie** 1839, Boiste ; gr. *pentarkhiai,* conseil d'amirauté. || **pentasyllabe** 1838, *Acad.* || **pentatonique** 1962, Robert. || **pentode** ou **penthode** 1949, Lar. (1919, en angl.).

**pentateuque** XV^e s. (*penthateucon*) ; gr. *pentateukhos,* de *penta,* cinq, et *teukhos,* « instrument », d'où « livre ».

**pentathlon** 1581, Du Choul (*pentathle*) ; début XX^e s., forme mod. ; lat. *pentathlum,* en gr. *pentathlon,* de *athlos,* combat.

***pente** 1358, G. ; lat. pop. **pendita,* part. passé, substantivé au fém., de **pendere* (v. PENDRE). || **penture** 1294, G., techn. ; lat. pop. **penditura.* || **contrepente** 1694, Th. Corneille. (V. SOUPENTE.)

**pentecôte** 980, *Passion* (*pentecostem*) ; 1138, Gaimar (*pentecoste*) ; lat. eccl. *pentecoste* (*Vulgate*), du gr. *pentekostê,* cinquantième (jour après Pâques).

**penthémimère** 1842, *Acad. ;* lat. *penthemimeres,* du gr. *penthêmimerês,* de *penta,* cinq, *hemi,* « demi », et *meros,* « partie ».

**Penthotal** n. déposé, 1949, Lar. ; de *penthiobarbital,* de *penta, thio-* (gr. *theîon,* soufre) et *-barbital,* de *barbiturique.*

**pénultième** VIII^e s., *Algorisme* (*penultime*) ; 1268, É. Boileau (*pénultième*) ; lat. *paenultimus,* de *paene,* presque, et *ultimus,* dernier, et avec *-ième* d'après *deuxième, troisième,* etc. || **antépénultième** 1760, Voltaire.

**pénurie** 1468, Lebègue ; vulgarisé au XVIII^e s. ; lat. *penuria.*

**péon** fin XII^e s., *Roman d'Alexandre,* « fantassin » ; lat. *pedo, pedonis ;* 1875, Lar., repris à l'esp. *peón,* « journalier ».

**péotte** 1687, Desroches ; vénitien *peotta,* pilote, gr. *pêdôtes,* en ital. commun *pedotta,* grande gondole légère.

**pépée** 1867, Delvau, pop. ; réalisation enfantine du mot *poupée.*

**pépère** V. PÈRE.

**pépérin** 1694, Th. Corn., géol. ; ital. *peperino,* du bas lat. *piperinus* (*lapis*), de *piper* (v. POIVRE).

**pépettes** 1867, Delvau, pop., « pièces de monnaie » ; orig. inconnue.

***pépie** 1279, *le Castoiement,* méd. ; *avoir la pépie,* 1580, Montaigne ; lat. *pituita,* proprem. « humeur, coryza » et « pépie » (v. PITUITE), devenu en lat. pop. **pītīta,* puis **pīppīta,* par assimilation.

**pépier** XIV^e s., du Cange (*pipier*) ; 1540, Yver (*pépier*) ; lat. *pippare,* sur un rad. onomat. **pipp-/pepp-.* || **pépiement** 1611, Cotgrave.

1. **pépin** 1160, Benoît ; 1883, Esnault, inclination ; 1897, Esnault, ennui ; d'une rac. **pipp-,* exprimant l'exiguïté (v. PETIT, PÉPITE). || **pépinière** XIV^e s., du Cange ; 1647, Vaugelas, fig. || **pépiniériste** 1690, La Quintinie.

2. **pépin** 1862, Larchey, fam., « parapluie » ; du nom de *Pépin,* personnage qui entrait en scène avec un grand parapluie, dans *Romainville ou la Promenade du dimanche,* vaudeville joué aux Variétés en 1807.

**pépite** 1648, Vincent Le Blanc (*pepitas,* pl.) ; 1714, L. Feuillée (*pépite*) ; esp. *pepita,* pépin.

**péplum** 1551, G. (*peple*) ; début XVII^e s. (*péplum*) ; mot lat., du gr. *peplon,* tunique.

**pépon** fin XV^e s., Molinet, « melon » ; 1791, Valmont, « courge » ; lat. *pepo, -onis,* courge, du gr. *pepôn.*

**peppermint** 1903, Lar. ; mot angl. signif. « menthe poivrée », de *pepper,* poivre, et *mint,* menthe.

**pepsine** 1855, Nysten, de *pepsie* (1765, *Encycl.*), digestion ; gr. *pepsis,* cuisson, digestion, de *pessein,* « cuire » et « faire digérer ». || **peptique** 1694, Th. Corneille. || **peptide** 1932, Lar. || **peptination** 1932, Lar. || **peptogène** 1878, Lar. || **peptone** 1868, Souviron. || **peptonification** 1878, Lar. || **peptoniser** 1884, Bouchut. || **peptonurie** 1903, Lar. ; gr. *oûron,* urine. (V. DYSPEPSIE.)

**péquenaud** 1905, Esnault (*péquenot*) ; de *pékin,* bourgeois.

**per-,** préfixe intensif ; lat. *per-*. || **perborate** 1923, Lar. || **peroxyde** 1827, *Acad.* || **peroxyder** 1869, L.

**percale** 1666, Thevenot (*percalen*) ; 1701, Furetière (*percale*) ; persan *pārgālā,* par l'intermédiaire de l'Inde. || **percaline** 1829, Boiste.

**percepteur, perceptible, perception** V. PERCEVOIR.

***percer** 1080, *Roland* (*percier*) ; lat. pop. **pertūsiare,* de *pertūsus* (v. PERTUIS), part. passé de *pertundere,* trouer, percer. || **perçant** adj., 1342, Bruyant. || **percée** 1750, Schlutter, techn. ; 1798, *Acad.,* action de passer malgré un obstacle ; 1845, Besch., mil. || **percement** 1500, *Bronnem.* || **perçage** XVe s., G., techn. || **perceur** XVIe s. || **perceuse** 1903, Lar., techn. || **perçoir** 1196, J. Bodel. || **percerette** 1671, Pomey, techn. || **perce** 1494, A. Thierry (*mettre à perce*) ; fr. mod. *mettre en perce ;* déverbal de *percer.* || **perce-bois** 1751, *Encycl.* || **perce-carte** 1842, *Acad.* || **perce-muraille** 1768, Valmont. || **perce-neige** 1660, Oudin. || **perce-oreille** 1530, Palsgrave (*persoreille*). || **perce-pierre** 1550, Guéroult, zool. ; 1690, Furetière, bot. || **transpercer** début XIIe s.

***percevoir** 1120, *Ps. de Cambridge* (*parceivre*) ; 1175, Chr. de Troyes (*percevoir*) ; lat. *percĭpere,* « saisir par les sens » ; 1370, Oresme, « recueillir les impôts » (a remplacé dans ce sens *apercevoir*), empl. repris au lat. impér. || **perceptible** 1372, Corbichon ; lat. *perceptibilis,* d'empl. philos. || **perceptiblement** 1660, Oudin. || **imperceptible** XIVe s., *Nature à alchimie ;* lat. médiév. *imperceptibilis.* || **perceptibilité** 1760, Ch. Bonnet. || **perceptif** 1370, Oresme, « qui reçoit » ; 1754, Gohin, psychol. || **perception** 1170, *Rois,* « fait de recevoir le Saint-Esprit » ; lat. *perceptio,* action de recueillir ; 1611, Cotgrave, « modification de la monade chez Leibnitz » ; 1762, Rousseau, psychol. ; 1370, Oresme, fin. ; d'après d'autres sens du lat. *perceptio.* || **perceptionnisme** 1882 ; de l'angl. || **perceptionniste** 1963, Lar. || **percepteur** 1432, *Doc.,* fin. ; lat. *perceptus,* part. passé de *percipere,* recueillir ; rare avant 1789, *le Moniteur.* || **aperception** fin XVIIe s., Leibniz. || **apercevoir** 1080, *Roland,* « reprendre connaissance » (sens disparu au XVe s.). || **aperçu** 1760, V. Mirabeau ; part. passé substantivé. || **apercevable** 1349, *Ordonn.* || **inaperçu** 1789, Necker.

1. ***perche** 1175, Chr. de Troyes, zool. ; lat. *perca* (gr. *perkê*).

2. ***perche** [de bois] 1112, *Voy. saint Brendan ;* lat. *pertĭca.* || **percher** 1314, Mondeville, « se mettre debout » ; 1354, *Modus,* sens mod. || **perchette** 1240, G. de Lorris. || **percheur** 1827, *Acad.,* ornith. || **perchoir** début XVe s. (*percheur*), étagère ; 1584, Du Monin (*perchoir*), sens mod. || **perchis** 1701, Furetière, sylvic. || **perchée** 1553, Rab., ensemble d'oiseaux ; 1836, *Acad.,* vitic. || **perchiste** 1896, Goncourt, cirque ; 1973, *J. O.,* sport.

**percheron** 1837, *Maison rustique,* race de chevaux originaire du Perche.

**perclus** 1440, Ch. d'Orléans ; lat. méd. *perclusus,* perclus, du part. passé de *percludere,* « obstruer », de *claudere* (v. CLORE).

**percnoptère** 1803, Boiste, zool. ; gr. *perknopteros,* de *perknos,* noirâtre, et *pteron,* aile.

**percolateur** 1856, *Petit Journal pour rire ;* lat. *percolare,* filtrer, de *colare* (v. COULER). || **percolation** 1932, Lar.

**percussion** V. PERCUTER.

**percuter** 980, *Valenciennes,* « transpercer » ; lat. *percutere,* « frapper violemment » ; XVIIe s., sens mod., rare avant XIXe s. || **percutant** adj., 1875, Lar. || **percussion** fin XIIe s., *Renaut de Montauban,* souffrance ; 1314, Mondeville, action de frapper ; lat. *percussio.* || **percuteur** 1265, J. de Meung, oppresseur ; 1868, L., techn.

***perdre** IXe s., *Eulalie ;* lat. *perdĕre.* || ***perte** 1050, *Alexis ;* lat. pop. **perdĭta,* part. passé, subst. au fém., de *perdĕre.* || **perdant** 1288, J. de Journy, n. ; v. 1950, d'après l'angl. *looser.* || **perdable** XIIIe s. || **imperdable** 1721, Trévoux. || **perdeur** XIVe s. || **perdition** 1080, *Roland* (*perdiciun*), sens moral ; lat. eccl. *perditio* (Ve s., saint Avit) ; XIIIe s., perte, ruine, d'après le sens de *perdre.* || **déperdition** 1314, Mondeville ; lat. *deperdere,* d'après *perdition.* || **reperdre** 1160, Benoît. (V. ÉPERDU.)

**perdreau** 1373, Gace de La Buigne (*perdriel*) ; 1534, B. Des Périers (*perdreau*) ; forme francisée de *perdrial* (XIIe s.) ; forme parallèle à l'anc. prov. *perdigal,* du lat. *perdix,* perdrix, et *gallus,* coq.

**perdrigon** 1538, J. de Matignon (*perdrigonne*) ; 1577, Belleau (*perdigoine*) ; 1605, V. de La Fresnaye (*perdrigon*) ; altér., d'après *perdrix,* du prov. *perdigon,* perdreau.

***perdrix** 1170, *Rois* (*perdriz*) ; anc. fr. *perdix,* du lat. *perdĭs, -ĭcis,* avec un deuxième *r,* peut-être dû à l'attraction de *perdre,* et *x* graphique repris au latin.

**perdurer** 1120, *Ps. de Cambridge* (*pardurer*) ; lat. *perdurare,* subsister.

***père** 980, *Passion* (*paire*) ; 1050, *Roland* (*pere*) ; lat. *patrem,* acc. de *pater.* || **pépère** 1833, Balzac, redoublem. enfantin de *père ;* 1920, Bauche, fam., « gros homme », et, adj., « important, confortable », etc. || **pérot** 1465, G., sylvic., dimin. de *père.* (V. PATERNE, PATERNEL, etc.)

**pérégrination** 1120, *Ps. de Cambridge* (*peregrinatiun*), « pèlerinage » ; lat. *peregrinatio,* de *peregrinari,* « voyager à l'étranger ». || **pérégrin** 1120, *Ps. d'Oxford,* voyageur ; lat. *peregrinus.* || **pérégriner** XIVe s., Gilles li Muisis ; lat. *peregrinari.* || **pérégrinité** 1552, Rab., chose inconnue ; 1765, *Encycl.,* sens hist. ; lat. *peregrinitas.* (V. PÈLERIN.)

**péremptoire** 1283, Beaumanoir, jur. ; 1354, *Modus,* sens mod. ; lat. jur. *peremptorius,* de *perimere* (v. PÉRIMER). || **péremptoirement** 1349, Varin. || **péremption** 1546, R. Est. ; lat. jur. *peremptio.*

**pérennité** 1160, Benoît ; lat. *perennitas,* de *perennis,* « qui dure toute l'année », de *per* et *annus* (v. *année* à AN). || **pérenne** 1588, Montaigne ; lat. *perennis.* || **pérenniser** milieu XVIe s., Ronsard.

**péréquation** 1442, *Doc.,* « répartition équitable de l'impôt » ; lat. jur. *peraequatio,* de *peraequare,* « égaliser », de *aequus,* égal.

**perfectible** 1765, Voltaire ; lat. *perfectus* (v. PARFAIT, PERFECTION). || **perfectibilité** 1755, Rousseau. || **imperfectible** 1803, Boiste. || **imperfectibilité** 1823, Boiste.

**perfectif** 1458, *Mystère,* parfait ; 1933, Marouzeau, ling. ; lat. *perfectus,* achevé, de *perficere.*

**perfection** 1155, Wace ; XIVe-XV[e] s., égalem. « achèvement » ; lat. *perfectio,* de *perfectus,* part. passé de *perficere,* « achever », de *facere,* « faire ». || **perfectionner** milieu XVe s. || **perfectionnement** 1725, abbé de Saint-Pierre. || **perfectionnisme** 1955, Lagache. || **perfectionniste** 1845, Besch. || **imperfection** 1120, *Ps. d'Oxford ;* bas lat. *imperfectio.*

**perfide** Xe s., *Saint Léger ;* rare jusqu'en 1606, Nicot ; lat. *perfidus,* proprem. « qui viole sa foi », de *fides* (v. FOI). || **perfidement** 1642, Oudin. || **perfidie** 1308, Aimé ; lat. *perfidia.*

**perfolié** 1755, Duhamel ; lat. *per* et *folium,* feuille.

**perforer** 1170, *Rois ;* lat. méd. *perforare.* || **perforation** 1398, *Somme Gautier ;* lat. *perforatio.* || **perforage** 1876, *J. O.,* techn. || **perforant** 1765, *Encycl.,* anat. || **perforateur** 1847, Besch. || **perforatrice** 1813, Gérard. || **perforeuse** 1962, Robert, techn.

**performance** 1839, *Journal des haras ;* angl. *performance,* de l'anc. fr. *parformance* (XVIe s.), de *parformer,* « accomplir », de *former.*

**perfusion** fin XIVe s., « action de répandre » ; 1923, Lar., méd., sur le modèle de *transfusion.* (V. *fusion* à FUSER.)

**pergola** 1903, Lar. (*pergole*) ; 1923, Lar. (*pergola*) ; ital. *pergola,* du lat. *pergula,* treille, berceau ; sorte de tonnelle.

1. **péri** 1697, d'Herbelot, d'abord masc. et fém., puis seulement fém., mythol. ; persan *perî,* ailé.

2. **péri-,** gr. *peri,* autour. || **péricolite** 1932, Lar. || **péricycle** 1882, Van Tieghem. || **péricystite** 1869, L. || **périderme** *id.* || **périglaciaire** 1953, Cailleux. || **périhépatite** 1903, Lar. || **périnatal** 1963, Lar. || **périnéphrite** 1869, L. || **périnévrite** 1903, Lar. || **périphlébite** 1903, Lar. || **péripneumonie** 1363, Chauliac. || **périscolaire** 1957, *journ.* || **périsplénite** 1877, L. ; gr. *splên, splênos,* rate. || **péri-urbain** 1966, *journ.*

**périanthe** 1765, *Encycl.* (*perianthum*) ; 1797, Richard (*périanthe*) ; lat. bot. mod. *perianthum,* du gr. *anthos,* fleur, et *peri,* autour ; ensemble des enveloppes de la fleur.

**péribole** 1690, Furetière, « galerie d'un navire » ; 1752, Trévoux, sens mod. ; lat. *peribolus,* en gr. *peribolos* (*peri,* autour).

**péricarde** 1363, Chauliac (*pericade*) ; 1560, Paré (*péricarde*), anat. ; gr. *perikardion,* « autour du cœur », de *peri,* autour, et *kardia,* cœur. || **péricardite** 1806, Capuron. || **péricardique** 1842, *Acad.*

**péricarpe** 1556, R. Le Blanc ; gr. *perikarpion.* (V. CARPE 2.)

**périchondre** 1765, *Encycl.,* anat. ; gr. *perikhondrion,* de *peri,* autour, et *khondrion,* cartilage. || **périchondrite** 1869, L.

**péricliter** 1320, *Poème français,* « faire naufrage, périr » ; 1649, Scarron, « être en danger » ; lat. *periclitari,* de *periculum* (v. PÉRIL).

**péridot** XIIᵉ s., Studer (*peridon*) ; 1220, du Cange (*péritot*) ; 1634, G. (*péridot*), minér. ; orig. inconnue.

**périgée** 1557, de Mesmes ; gr. *perigeios,* de *peri,* autour, et *gê,* terre ; point de l'orbite d'un astre le plus voisin de la Terre.

**périhélie** 1690, Furetière, astron. ; gr. *peri,* autour, et *helios,* soleil.

***péril** 980, *Valenciennes* (*l* mouillé jusqu'au XIXᵉ s.), malheur ; 1080, *Roland,* « danger » ; lat. *perĭcŭlum,* « épreuve ». || **périlleux** XIIᵉ s., *Roman de Thèbes* (*perillos*) ; lat. *periculōsus.* || **périlleusement** 1196, J. Bodel.

**périmer** 1464, G. (*perimir*) ; 1493, G. (*périmer*), jur. ; lat. jur. *perimere,* proprem. « détruire » (v. PÉREMPTOIRE). || **périmé** 1841, Chateaubriand, fig.

**périmètre** 1538, Chauliac ; gr. *perimetros,* de *peri,* autour, et *metron,* mesure.

**périnée** 1534, Rab., anat. ; gr. *perineos* (*peri,* autour). || **périnéal** 1812, Mozin.

**période** 1270, Mahieu le Vilain (*peryode*), en parlant du temps ; n. m., 1588, Montaigne ; 1596, Hulsius, rhét. ; bas lat. *periodus* (gr. *periodos*), « circuit », appliqué au mouvement des astres, de *peri,* autour, et *hodos,* chemin. || **périodique** 1398, *Somme Gautier,* à intervalles réguliers ; 1671, Pomey, rhét. ; XIXᵉ s., revue ; bas lat. *periodicus.* || **périodiquement** 1611, Cotgrave. || **périodicité** 1665, Chapelain.

**périœciens** milieu XVIᵉ s. (*perieciens*), géogr. ; gr. *perioikoi,* de *peri,* autour, et *oikein,* habiter.

**périoste** 1538, Chauliac (*periostion*) ; 1560, Paré (*périoste*), anat. ; gr. *periosteon,* de *peri,* autour, et *osteon,* os. || **périostose** 1803, Boiste. || **périostite** 1823, *Dict. méd.*

**péripatétique** 1370, Oresme ; lat. *peripateticus,* du gr. *peripatêtikos,* de *peri,* autour, et *peripateîn,* se promener, en raison de l'habitude qu'avait Aristote d'enseigner en se promenant. || **péripatéticien** 1370, Oresme ; n. f., milieu XIXᵉ s., Baudelaire, fam., « prostituée », par ironie. || **péripatétisme** 1660, G. Patin.

**péripétie** 1605, Vauquelin, dernier événement d'une pièce ; 1740, *Acad.,* événement imprévu ; gr. *peripeteia,* « événement imprévu », de *peri,* autour, et *piptein,* tomber.

**périphérie** 1270, Mahieu le Vilain (*peryfere*) ; 1544, Apian (*périphérie*) ; bas lat. *peripheria* (Vᵉ s., *Capella*), gr. *peripheria,* « circonférence », de *pherein,* porter. || **périphérique** 1838, *Acad.*

**périphrase** 1529, Bonivard ; lat. *periphrasis,* mot gr., de *periphrazein,* « parler par circonlocutions », de *phrazein,* parler. || **périphrastique** 1555, Aneau (*periphrastic*). || **périphraser** fin XVIᵉ s.

**périple** 1629, Bergeron ; lat. *periplus,* du gr. *periplous,* de *peri,* autour, et *pleîn,* naviguer.

**périptère** 1559, J. Gardet ; lat. *peripteros,* du gr. *peri,* autour, et *pteron,* aile.

***périr** 1050, *Alexis* (*perir*) ; lat. *perīre,* « aller à travers », de *ire,* aller, d'où « disparaître, mourir » ; prononc. de l'*é* refaite plus tard sur celle du latin. || **périssable** XIVᵉ s., E. Deschamps, « ce qui fait périr » ; XVᵉ s., sens mod. || **impérissable** début XVIᵉ s. || **périssoire** 1867, à l'Exposition universelle ; formation iron. || **dépérir** 1235, G. ; lat. *deperire.* || **dépérissement** début XVIᵉ s.

**périsciens** 1576, Le Roy ; gr. *periskioi,* de *peri,* autour, et *skia,* ombre ; peuple légendaire des régions où le Soleil fait tourner l'ombre autour du corps en un jour.

**périscope** 1875, Lar., reptile ; 1907, Lar., mar., d'après *télescope ;* gr. *periskopein,* « regarder autour ». || **périscopique** 1814, Wollaston.

**péristaltique** début XVIIᵉ s. ; gr. *peristaltikos,* de *peristellein,* « envelopper, comprimer » ; se dit des contractions qui font progresser les matières digestives. || **péristaltisme** 1903, Lar.

**péristyle** 1547, J. Martin ; lat. *peristylum,* du gr. *peristulon,* de *peri,* autour, et *stulos,* colonne.

**péritoine** 1363, Chauliac (*peritoneum*) ; 1538, Chauliac (*péritoine*) ; lat. méd. *peritonaeum,* du gr. *peritonaion,* « ce qui est tendu autour », de *teineîn,* tendre. || **péritonite** 1802, *Journ. méd. ;* lat. méd. *peritonitis.* || **péritonéal** 1814, Nysten. || **péritonisation** 1902, Landouzy.

**perle** 1140, Studer ; 1549, R. Est., personne remarquable ; ital. *perla,* du lat. *perna,* « pinne marine, coquillage perlier ». || **perlé** 1360, Froissart. || **perler** 1610, La Curne, v. tr. ; 1835, Raymond, exécuter avec soin ; v. intr., 1844, Dumas. || **perlage** 1963, Lar. || **perlette** fin XIVᵉ s. || **perlière** adj., 1686, Exmelin. || **perlite** 1812, Mozin. || **perlure** 1578, Ronsard, vén. || **perlot** 1877, *J. O.,* petite huître.

**perlimpinpin** (*poudre de*) 1690, Richelet ; formation plaisante.

**Perlon** 1948, Lar., nom déposé ; de *perle* et suffixe *-on* (v. NYLON).

1. **perlot** V. PERLE.

2. **perlot** 1866, Delvau, arg., « tabac » ; orig. douteuse, peut-être de *perle.*

**permanent** 1370, Oresme ; début XX^e s., personne, n. m. ; lat. *permanens,* part. prés. de *permanere,* durer ; a remplacé l'anc. fr. *parmanant* (XII^e s.), de *parmaindre,* rester, du lat. *permanere.* || **permanence** 1370, Oresme ; début XX^e s., local ; lat. médiév. *permanentia.* || **permanencier** 1963, Lar. || **permanente** 1949, Lar.

**perméable** milieu XVI^e s. ; bas lat. *permeabilis* (III^e s., Solinus), de *per,* à travers, et *meare,* passer. || **perméabilité** 1624, Béguin, « qualité de ce qui coule facilement » ; 1743, Brunot, sens mod. || **perméabiliser** 1949, Lar. || **imperméable** 1546, Rab., rare avant 1770 ; n. m., 1838, Töpffer. || **imperméabiliser** 1858, Legoarant. || **imperméabilité** 1803, Wailly.

**permettre** 980, *Passion,* rare jusqu'au début du XV^e s. ; lat. *permittere,* adapté d'après *mettre.* || **permis** XVI^e s., autorisé ; 1667, Boileau, *se croire tout permis,* part. passé. || **permission** 1180, Barbier (*par la Dieu permission,* « par la liberté qu'a Dieu de faire ce qu'il lui plaît », formule eccl. issue de saint Augustin) ; XV^e s., sens mod. ; lat. *permissio,* de *permissus,* part. passé de *permittere.* || **permissionnaire** 1680, Richelet, « qui a la permission » ; 1836, *Acad.,* sens mod. || **perm** 1885, Esnault ; abrév. de *permission.* || **permissif** fin XIV^e s., *Songe du Verger,* qui permet ; 1949, Lar., laxiste. || **permissivité** 1967, *journ.*

**permien** 1842, *Acad.* ; du nom de *Perm,* ville russe.

**permuter** milieu XIV^e s., « faire du troc » ; 1570, Carloix, intervertir ; 1835, *Acad.,* faire échange de postes ; lat. *permutare,* de *mutare,* changer. || **permutable** fin XV^e s., Molinet (*parmutable*). || **permutabilité** 1834, Landais. || **permutation** 1180, Barbier (*permutacion*), « changement de résidence » ; lat. *permutatio,* changement. || **permutatif** 1972, Lar. || **impermutable** 1370, Oresme (*-muable*) ; 1827, *Acad.* (*-mutable*) ; lat. *impermutabilis.*

**perne** 1806, Wailly, zool. ; lat. *perna,* « cuisse, jambon ». || **pernette** 1756, *Encycl.*

**pernicieux** 1314, Mondeville ; lat. *perniciosus,* de *pernicies,* « destruction », de *nex, necis,* mort violente (v. NOYER 2). || **pernicieusement** 1516, Desrey. || **perniciosité** 1543, R. Fame, méd.

**péroné** 1541, Canappe ; gr. *peronê,* « cheville ». || **péronier** 1679, Bourdon.

**péronnelle** XIV^e s. (*Perronnelle*), d'abord nom propre, héroïne de chanson populaire ; 1640, Oudin, *chanter la perronnelle,* « dire des sottises » ; 1658, Scarron, sens mod. ; fém. de *Perron,* dér. de *Pierre,* ou forme fr. du bas lat. *Petronilla.*

**pérorer** 1380, *Aalma ;* lat. *perorare,* exposer jusqu'au bout, de *orare,* parler, de *os, oris,* bouche. || **péroraison** 1580, Montaigne ; lat. *peroratio,* au sens rhét., avec francisation d'après *oraison,* de *perorare* au sens de « conclure un discours ». || **péroreur** 1775, Rousseau. (V. ORAISON.)

**pérot** V. PÈRE.

**pérou** 1688, Regnard, « trésor » ; 1793, Larchey, *ce n'est pas le Pérou,* loc. fam. ; du nom du *Pérou,* contrée jadis très riche en mines d'or et d'argent.

**perpendiculaire** 1380, *Aalma* (*perpendiculer*) ; 1520, La Roche (*perpendiculaire*), « vertical » ; 1637, Descartes, sens mod. ; bas lat. *perpendicularis* (I^er s., Frontin), de *perpendiculum,* fil à plomb, de *perpendere,* « peser, apprécier exactement », de *pendere.* || **perpendiculairement** début XVI^e s. || **perpendicularité** 1700, *Hist. Acad. sciences.*

**perpétrer** 1232, G. (*parpetrer*) ; 1360, Froissart (*perpétrer*) ; lat. *perpetrare,* accomplir, de *patrare, id.* || **perpétration** XIV^e s. ; lat. eccl. *perpetratio* (III^e s., Tertullien).

**perpétuer** 1340, J. Le Fèvre ; *se perpétuer,* 1549, R. Est. ; lat. *perpetuare,* de *perpetuus,* perpétuel, proprem. « qui s'avance de manière continue », de *petĕre,* « se diriger vers ». || **perpétuel** 1236, G. (*perpetual*). || **perpétuellement** 1120, *Ps. de Cambridge.* || **perpétuation** 1422, A. Chartier. || **perpétuité** 1236, Runkewitz ; lat. *perpetuitas,* de *perpetuus.* || **perpète (à)** ou **perpette (à)** 1836, Vidocq, pop.

**perplexe** 1354, Bersuire (var. *perplex,* jusqu'au XVII^e s.) ; lat. *perplexus,* embrouillé, de *plectere,* tresser. || **perplexité** XIII^e s., G., « ambiguïté de la pensée » ; 1370, Oresme, sens mod. ; bas lat. *perplexitas* (IV^e s., Amm. Marcellin).

**perquisition** XV^e s., « action de rechercher » ; XV^e s., « recherche judiciaire » ; 1643, *Recueil des lois,* sens mod. ; bas lat. *perquisitio,* recherche, de *perquirere,* rechercher, de *quaerere,* chercher (v. INQUISITION, RÉQUISITION). || **perquisiteur** 1370, Oresme. || **perquisitionner** 1836, Landais.

**perré, perron** V. PIERRE.

**perroquet** 1395, Th. de Saluces (*paroquet*) ; 1693, *Doc.*, mar. ; a éliminé en fr. *papegai ;* d'abord nom propre, dimin. de *Pierre*, empl. comme n. propre de l'oiseau à côté du terme générique *papegaut.* || **perruche** 1968, trad. de Dampier ; anc. fr. *perrique*, petit perroquet, de l'esp. *perico*, d'orig. inconnue.

**perruque** 1465, Picot, « chevelure » ; 1530, Gay, sens mod. ; 1856, Esnault, fraude de l'ouvrier ; ital. *parrucca, perruca*, chevelure. || **perruquier** 1564, J. Thierry. || **perruquer** 1875, Lar.

***pers** 1080, *Roland ;* bas lat. *persus* (VIIIe s., *Reichenau*), persan, sans doute parce qu'on importait de Perse des matières colorantes ou des objets colorés.

**perse** 1730, Savary ; parce qu'on croyait cette toile peinte (en réalité venue de l'Inde) fabriquée en Perse.

**persécuter** fin Xe s., *Saint Léger ;* de *persécuteur.* || **persécuteur** 1190, Garn. ; lat. eccl. *persecutor*, « persécuteur des chrétiens », de *persequi*, poursuivre. || **persécution** 1155, Wace ; lat. eccl. *persecutio.*

**persévérer** 1120, *Ps. de Cambridge ;* lat. *perseverare*, de *severus*, sévère. || **persévérant** adj., 1190, *Saint Bernard.* || **persévérance** 1160, Benoît, continuité ; XIIIe s., sens actuel ; lat. *perseverantia.*

**persicaire** XIIIe s., *Simples Méd.*, bot. ; lat. *persicaria*, de *persicus*, pêcher, arbre (v. PÊCHE 1). || **persicot** 1694, Ménage (*persico*), « liqueur de pêche » ; de *persicus.*

**persienne** 1737, Duchêne ; de l'adj. *persien*, (XIVe s.), dér. de *perse*, « persan », cette sorte de volet passant pour venir de la Perse.

**persifler** V. SIFFLER.

**persil** XIIe s., Tobler-Lommatzsch (*perresil*) ; XIVe s. (*persil*, avec *l* mouillé en anc. fr.) ; lat. pop. **petrosilium*, lat. class. *petroselinum*, du gr. *petroselinon*, de *petra*, roche, et *selinon*, persil. || **persillade** 1690, Furetière. || **persillé** 1694, *Acad.*

**persique** 1676, Félibien ; lat. *persicus*, « de Perse ». (V. PÊCHE 1, PERS, PERSE, PERSICAIRE, PERSIENNE.)

**persister** 1321, *Doc. ;* lat. *persistere*, de *sistere*, placer. || **persistant** 1321, *Doc.*, adj. || **persistance** 1460, G. Chastellain (*persistence*).

**personne** fin XIe s. *Chanson Guillaume ;* lat. *persona*, d'orig. étrusque, « masque de théâtre », puis « personnage », et, dès le lat. class., « personne » ; XIIIe s., pron. négatif. || **persona grata** 1888, Lar., loc. ; de *persona*, personnage, et *grata*, bienvenu. || **personnage** 1226, G., « charge eccl. » et « dignitaire eccl. » ; XVe s., Commynes, sens mod. || **personnifier** 1673, Boileau. || **personnification** 1772, Piron. || **personnel** adj., 1190, Garn., gramm. ; 1283, Beaumanoir, sens gén. ; fin XVIIe s., Saint-Simon, « égoïste » ; bas lat. *personalis*, gramm., jur. et eccl. || **personnel n. m.**, 1835, *Acad.*, peut-être d'après l'all. *Personal.* || **personnellement** 1212, Anger. || **personnalité** 1495, Vignay ; lat. *personalitas*, de *personalis.* || **personnalisme** 1737, Brunot, « égoïsme » ; de *personnel ;* 1903, Renouvier, philos. ; d'après l'angl. *personalism.* || **personnaliste** 1887, Paul Janet, philos. || **personnaliser** 1704, Trévoux, « personnifier » ; 1768, Rousseau, « se livrer à des attaques personnelles » ; XXe s., « donner un caractère personnel à ». || **personnalisation** 1845, Radonvilliers. || **dépersonnaliser, dépersonnalisation** 1898. || **impersonnel** 1190, Garnier (*-nal*), gramm. ; 1863, Renan, philos. ; fin XIXe s., impartial ; XXe s., sans originalité ; lat. gramm. *impersonalis.* || **impersonnellement** XVe s., G. || **impersonnalité** 1765, *Encycl. méth.*

**perspectif** 1270, Mahieu le Vilain, relatif à la réfraction ; 1545, J. Martin, en peinture ; 1665, A. Bosse, sens mod. ; bas lat. *perspectivus*, de *perspectus*, part. passé de *perspicere*, « pénétrer par le regard ». || **perspective** 1270, Mahieu le Vilain, « réfraction » ; 1547, J. Martin, peinture, d'après l'ital. *prospettiva ;* 1676, Sévigné, fig. || **perspectivisme** 1963, Lar. || **perspectiviste** *id.*

**perspicace** 1495, Vignay (*perspicax*) ; rare jusqu'en 1788, Féraud ; lat. *perspicax*, de *perspicere* (v. le précéd.). || **perspicacement** 1970, Robert. || **perspicacité** milieu XVe s. ; bas lat. *perspicacitas.*

**perspicuité** fin XIVe s., « transparence » ; 1538, R. Est., empl. mod. ; lat. *perspicuitas*, de *perspicere* (v. le précéd.).

**perspiration** 1538, Canappe, méd. ; lat. *perspiratio.* (V. RESPIRATION.)

**persuader** 1370, Oresme ; lat. *persuadere*, de *suadere*, conseiller. || **persuasion** 1315, *Doc. ;* lat. *persuasio.* || **persuasif** milieu XIVe s. ; bas lat. *persuasivus.*

**perte** V. PERDRE.

**pertinace** 1265, Br. Latini ; lat. *pertinax,* tenace, de *tenere,* tenir. || **pertinacité** 1419, *Ordonn. ;* bas lat. *pertinacitas.*

**pertinent** 1300, Langlois, jur. ; lat. *pertinens,* part. prés. de *pertinere,* concerner, de *tenēre,* tenir ; fin XIV^e^ s., approprié ; 1943, Marouzeau, ling. || **pertinence** 1320, G. ; 1963, Lar., ling. || **pertinemment** milieu XIV^e^ s. || **impertinent** 1327, Isambert, droit ; 1564, Livet, choquant ; 1707, Lesage, sens actuel ; bas lat. *impertinens,* qui ne convient pas (sens fr. jusqu'au XVIII^e^ s.). || **impertinence** 1460, Martial d'Auv.

**pertuis** début XII^e^ s., *Voy. Charlemagne ;* anc. fr. *pertuisier* (fin XI^e^ s., *Gloses de Raschi*) encore au XVI^e^ s., d'après *pertuise,* forme accentuée de l'indic. prés. ; du lat. pop. **pertusium,* du verbe **pertusiāre* (v. PERCER).

**pertuisane** 1468, du Cange (*pourtisaine*) ; 1564, J. Thierry (*pertuisane*) ; ital. *partigiana,* de *parte,* part, du lat. *pars, partis* (v. PART 1). || **pertuisanier** 1680, Richelet.

**perturber** 1130, *Job ;* rare entre le XVII^e^ s. et le XIX^e^ s. ; lat. *perturbare,* troubler fortement, de *turbare* (v. TROUBLER). || **perturbation** fin XIII^e^ s. ; lat. *perturbatio.* || **perturbateur** 1283, Beaumanoir (*perturbeor*) ; 1418, G. (*perturbateur*) ; bas lat. *perturbator* (V^e^ s.). || **imperturbable** 1403, *Internele Consolacion ;* bas lat. *imperturbabilis.* || **imperturbablement** 1548, Rab. || **imperturbabilité** 1682, Bossuet.

**pervenche** 1240, G. de Lorris ; lat. *pervinca.*

**pervers** 1120, *Ps. de Cambridge* (*purvers*) ; 1190, Garn. (*pervers*) ; lat. *perversus,* part. passé de *pervertere,* renverser, retourner, de *vertere,* tourner. || **perversement** milieu XII^e^ s. || **pervertir** *id. ;* lat. *pervertere.* || **perversité** 1190, *saint Bernard ;* lat. *perversitas.* || **perversion** 1308, Aimé ; lat. *perversio.* || **pervertissement** milieu XV^e^ s. || **pervertisseur** milieu XII^e^ s.

**pesade** fin XVI^e^ s. (*posade*) ; 1611, Cotgrave (*pesade*), équit. ; ital. *posata,* action de se poser, du bas lat. *pausare,* s'arrêter.

***peser** 1050, *Alexis,* « être pénible à » (formes accentuées *peis-, pois-* jusqu'au XVI^e^ s.) ; fin XII^e^ s., sens actuels ; lat. pop. **pesare,* class. *pensare,* de *pendere,* peser, d'après le part. passé *pensus* (v. PENSER, POIDS). || **pesant** 1080, *Roland,* pénible, adj. ; 1370, Oresme, alourdissant ; fin XIII^e^ s., accablant ; *son pesant d'or,* 1155, Wace (*acheter son pesant d'or*) ; XV^e^ s. (*valoir son pesant d'argent*) ; 1538, R. Est. (*valoir son pesant d'or*). || **pesamment** XII^e^ s., *Chevalier aux deux épées.* || **pesanteur** 1160, Benoît. || **apesanteur** 1957, *journ.,* absence de pesanteur. || **appesantir** 1119, Ph. de Thaon. || **appesantissement** 1570, G. Hervet. || **peseur** 1252, G. || **pesage** début XIII^e^ s., « droit payé pour les marchandises pesées » ; début XIV^e^ s., action de peser ; 1854, *Guide de Paris* (Hachette), courses. || **pesée** 1344, *D. G.,* part. passé substantivé au fém. || **peson** milieu XIII^e^ s., petit poids ; XVII^e^ s., sorte de balance. || **pesette** 1569, *Romania ;* anc. fr. *peise,* balance, de *peis,* poids. || **pèse-acide** 1838, *Acad.* || **pèse-alcool** 1850, Dorvault. || **pèse-bébé** 1875, *journ.* || **pèse-grains** 1873, Tolhausen. || **pèse-lait** 1838, *Acad.* || **pèse-lettre** 1873, Tolhausen. || **pèse-liqueur** 1673, Denis. || **pèse-moût** 1838, *Acad.* || **pèse-sel** 1838, *Acad.* || **pèse-sirop** 1850, Dorvault. || **pèse-vin** 1838, *Acad.* || **soupeser** 1200, J. Bodel (*sozpeser, soupeser*).

**peseta** 1903, Lar. ; mot esp.

***pessaire** XIII^e^ s., *Simples Méd. ;* bas lat. *pessarium* (IV^e^ s., Th. Priscien), de *pessum,* du gr. *pessos,* « jeton en forme de gland », d'où « tampon de charpie ».

***pesse** XVI^e^ s., Amyot (*pece*), bot., mot rég. (Franche-Comté, Savoie) ; lat. *picea,* de *pix, picis,* poix (v. ÉPICÉA et POIX).

**pessimisme** 1759, *Année litt.,* dû à la querelle entre Fréron et Voltaire ; lat. *pessimus,* très mauvais, par oppos. à *optimisme.* || **pessimiste** 1789, *Journ. de Paris.*

**peste** 1425, O. de La Haye ; 1460, G. Chastellain, personne désagréable ; lat. *pestis,* épidémie. || **pester** 1617, Gournay, v. tr., « traiter de peste » ; XVII^e^ s., sens mod., v. intr. || **pesteux** milieu XVI^e^ s., Ronsard. || **pesticide** 1963, Lar. || **pestifère** 1355, Bersuire ; lat. *pestifer,* « qui porte la peste », de *ferre,* porter. || **pestiféré** 1503, Chauliac ; de *pestifère.* || **pestilence** 1120, *Ps. d'Oxford* (*chaere de pestilence*) ; lat. *pestilentia,* de *pestis.* || **pestilent** 1370, Oresme. || **pestilentiel** fin XIV^e^ s. || **antipesteux** 1907, Lar. || **empester** 1584, Du Monin (*empesté*). || **malepeste** 1651, Scarron.

***pet** 1260, Rutebeuf ; lat. *pēdĭtum.* || **péter** 1380, *Aalma ;* a éliminé l'anc. *peire, poire* (encore XV^e^ s., Villon) ; lat. *pēdĕre ;* 1835, Raspail, abrév. de *pétard,* scandale. || **péteur** 1380, *Aalma.* || **péteux** XIII^e^ s. ; 1803, Boiste, « honteux, timide ». || **pétoire** 1743, Trévoux (*cannepétoire*) ; 1903, Lar. (*pétoire*). || **pétoche** 1949, Sartre, pop. || **canepetière** 1534, Rab. (*cannes* *petières)* ; *pétière* est une altér. de *péteuse,* par substit. euphémique de suff. || **pet-d'âne** 1778, Lamarck, bot. || **pet-de-loup** 1888, Daudet ; d'après un personnage créé par Nadar en 1849. || **pet-de-nonne** 1795, Guégan (*pet d'Espagne,* 1398, *Ménagier,* même sens ; *pet,* 1718, *Acad.*). || **pète-sec** 1866, Esnault. || **pet-en-gueule** 1534, Rab. || **pet-en-l'air** 1729, *Mercure de France,* « robe de chambre ». || **pétard** 1495, *Doc.* (*pétart*) ; 1869, Larchey, scandale, bruit ; 1847, Esnault, revolver. || **pétarade** XV<sup>e</sup> s., d'après le prov. *petarrada,* d'abord « série de pets de certains animaux ruant » ; 1648, Scarron, explosions. || **pétarader** 1560, La Curne. || **pétaradant** adj., 1962, Robert. || **pétarder** XVI<sup>e</sup> s., d'Aubigné. || **pétiller** milieu XV<sup>e</sup> s. || **pétillement** XV<sup>e</sup> s., « chatouillement » ; 1636, Monet, sens mod. || **pétaudière** 1694, *Acad.* ; de *Pétaud* (*la cour du roi Pétaud,* 1546, Rab.), nom fantaisiste tiré de *pet, péter.*

**pétale** 1718, Jussieu ; lat. bot. mod. *petalum* (1649), du gr. *petalon,* feuille.

**pétaloïde** 1778, Rousseau. || **pétalisme** 1611, Cotgrave, ostracisme.

**pétanque** 1932, Lar. ; prov. *ped tanco,* « pied fixe » (au sol), d'où *jouer à pétanque,* puis *jouer à la pétanque.* || **pétanqueur** 1970, Robert.

**pétarade, pétard** V. PET.

**pétase** 1701, Furetière ; lat. *petasus,* du gr. *petasos.*

**pétauriste** 1614, Nostredame ; gr. *petauristein,* danser sur la corde ; 1827, *Acad.,* zool.

**pétéchie** 1564, Liébault (*pétèche*), méd. ; ital. *petecchia,* d'orig. obsc. ; ensemble de petites hémorragies cutanées. || **pétéchial** 1732, Trévoux.

**pétiole** 1749, Dalibard ; lat. *petiolus,* « queue d'un fruit », proprem. « petit pied ». || **pétiolé** 1766, Rozier.

***petit** 980, *Passion ;* lat. pop. **pitittus* (775, *pititus*), sur un rad. expressif **pitt-* du langage enfantin exprimant la petitesse (cf. le bas lat. *pitinnus,* « petit », et l'ital. *piccolo*). || **petitement** 1265, J. de Meung. || **petitesse** XI<sup>e</sup> s., *Chanson de Guillaume* (*petitece*). || **petiot** 1379, Delb. || **petit-fils** XIII<sup>e</sup> s., *Renart ;* d'après la forme de *grand-père ;* a éliminé *petit-neveu, arrière-neveu* en ce sens. || **arrière-petit-fils** V. ARRIÈRE. || **petite-fille** 1636, Monet. || **petits-enfants** milieu XVI<sup>e</sup> s. || **petit-beurre** 1934, Montherlant. || **petit-bois** 1765, *Encycl.* || **petit-bourgeois** 1844, Balzac. || **petit-gris** 1621, Oudin. || **petit-maître** fin XVI<sup>e</sup> s., Brantôme, jeune seigneur ; 1695, La Fontaine, sens actuel. || **petit-suisse** début XX<sup>e</sup> s. || **gagne-petit** V. GAGNER (où *petit* est adverbe au sens de « peu »). || **rapetisser** milieu XIV<sup>e</sup> s. (*rapetichier*) ; de l'anc. verbe *apetisser,* XII<sup>e</sup> s. || **rapetissement** milieu XVI<sup>e</sup> s.

**pétition** 1120, *Ps. d'Oxford,* jur., « action de demander » ; lat. jur. *petitio,* de *petitus,* part. passé de *petere,* « chercher à atteindre, demander » ; 1661, *Logique de Port-Royal, pétition de principe,* log. ; 1704, Clarendon, polit., de l'angl. *petition,* de même étym. || **pétitionnaire** 1603, L'Estourbeillon. || **pétitionner** 1697, Saint-Evremond, de l'angl. *to petition ;* repris v. 1784, Necker. || **pétitionnement** 1697, Saint-Evremond. || **pétitoire** 1378, J. Le Fèvre ; bas lat. *petitorius.*

**peton** V. PIED.

**pétoncle** 1555, Belon, zool. ; lat. *pectunculus,* dimin. de *pecten,* peigne.

**pétrarquiser** 1558, du Bellay, litt. ; du nom de *Pétrarque,* poète italien du XIV<sup>e</sup> s. || **pétrarquisme** 1842, *Acad.* || **pétrarquiste** 1580, Montaigne.

**pétrel** 1699, Dampier, zool. ; angl. *pitteral* (1676), pétrel, d'orig. obsc.

**pétrifier** V. PIERRE.

***pétrin** 1170, *Rois* (*pestrin*) ; 1867, Delvau, ennui ; lat. *pistrinum,* « moulin à blé, boulangerie », puis « pétrin » en gallo-roman. (V. le suiv.)

***pétrir** 1175, Chr. de Troyes (*pestrir*) ; bas lat. *pistrire,* de *pistrix,* « celle qui pétrit », sur le modèle de *nutrix, nutrire* (v. NOURRIR). || **pétrisseur** 1268, É. Boileau (*pestrisseur*). || **pétrissable** 1749, Brunot. || **pétrissage** 1767, Malouin ; a remplacé *pétrissement* (XV<sup>e</sup> s.). || **repétrir** 1549, R. Est.

**pétrole** XIII<sup>e</sup> s., *Simples Méd. ;* lat. médiév. *petroleum,* de *petra,* pierre, et *oleum,* huile ; *bleu pétrole,* v. 1950. || **pétrolerie** 1867, *le Moniteur universel.* || **pétroleur, -euse** 1871, à propos des incendies de mai 1871 à Paris. || **pétroler** 1871, *le National.* || **pétrolage** 1906. || **pétrolier** 1903, Lar., mar. ; début XX<sup>e</sup> s., adj., « du pétrole ». || **pétrolifère** 1867, *le Moniteur universel.* || **pétrolette** 1895, *Locomotion autom.* || **pétrochimie** 1963, Lar. || **pétrodollar** 1975, Lar. || **pétrolisme** 1963, Lar.

**pétulant** début XIV<sup>e</sup> s., Gilles li Muisis ; lat. *petulans,* « querelleur », de *petere,* chercher à atteindre (v. PÉTITION). || **pétulance** 1372, Oresme, et 1529, L. Lassere, « insolence » ; 1676, Maucroix, sens mod. ; lat. *petulantia.*

**petun** 1555, Barré ; port. *petum,* du tupi *petyma* (Brésil). || **pétuner** 1603, Champlain. || **pétunia** 1823, Boiste (*pétunie*) ; 1868, L. (*petunia*), lat. bot. mod.

***peu** 1050, *Alexis* (*pou, poi*) ; 1170, *Floire et Blancheflor* (*peu*) ; lat. pop. *paucum,* neutre adverbial, du class. *pauci,* « peu nombreux ».

**peucédan** 1213, *Fet des Romains* (*phecedan*) ; 1549, Maignan (*peucédane*), bot. ; lat. *peucedanum,* du gr. *peukedanon,* amer, de *peukê,* résine ; plante vivace cultivée pour ses fleurs.

**peuchaire** V. PÉCAÏRE.

**peuh** 1831, Hugo, onom.

***peuple** 842, *Serments* (*poblo*) ; 980, *Passion* (*pueble, pueple, pople,* avec *p* repris au lat., assimilé à *p* initial : v. PEUPLIER) ; lat. *pŏpŭlus.* || **peuplade** 1564, J. Thierry, « colonie », d'après l'esp. *poblado ;* 1578, d'Aubigné, action de peupler ; 1690, Furetière, citoyens ; 1679, Retz, classe pauvre. || **peupler** 1155, Wace (*popler*) ; fin XIIIe s. (*peupler*). || **peuplement** 1260, *Ordonn.* || **dépeupler** 1364, *Ordonn.* || **dépeuplement** milieu XVe s., dévastation ; 1584, G., sens actuel. || **repeupler** 1210, Delb. || **repeuplement** 1559, Amyot. || **surpeupler** 1876, L. || **surpeuplement** 1904, Lar. (V. POPULATION.)

**peuplier** 1160, Benoît (*pouplier*) ; anc. fr. *peuple* (XVe s.), du lat. *pōpŭlus.* || **peupleraie** 1600, O. de Serres.

***peur** 980, *Passion* (*pavor*) ; 1080, *Roland* (*paor, poür*) ; fin XIIIe s. (*peur*) ; lat. *pavor, -ōris.* || **peureux** 1130, *Eneas* (*peoros*) ; 1370, Oresme (*peureux*). || **peureusement** 1175, Chr. de Troyes. || **apeuré** 1854, Erdan. || **épeuré** XIIIe s. (*épeurer*) ; XVIe s. (*épeuré*) ; repris au XIXe s. (1877, A. Theuriet).

**peut-être** V. POUVOIR.

**peyotl** 1932, Lar. ; mot angl., du nahuatl (langue du Mexique).

**pèze** 1813, Esnault, pop. ; p-ê. de *peser,* à cause du poids de la monnaie.

**pezize** 1803, Boiste, bot. ; gr. *pezis ;* sorte de champignon.

**phacochère** 1842, *Acad.,* zool. ; gr. *phakos,* lentille, et *khoiros,* petit cochon.

**phacomètre** 1898, Littré, opt. ; gr. *phakos,* lentille, et suffixe *-mètre.*

**phaéton** 1668, La Fontaine, cocher ; 1723, Savary, voiture ; du nom de *Phaéton* (gr. *Phaethôn*), fils du Soleil, qui périt en voulant conduire le char de son père.

**phagédénique** 1545, Guéroult, méd. ; lat. méd. *phagedaenicus,* du gr. *phagêdainikos,* de *phagêdaina* (*phagédène,* 1550, Guéroult), faim dévorante, et au fig. « ulcère rongeur », de *phageîn,* manger. || **phagédénisme** 1858, Nysten.

**phagocyte** 1888, Lar. ; gr. *phagein,* manger, et *kutos,* cellule. || **phagocyter** 1899, *Grande Encycl.* || **phagocytose** 1884, Metchnikoff. || **phagocytaire** 1949, Lar. || **phagotrophe** 1963, Lar.

**phalange** 1213, *Fet des Romains,* mil. ; lat. *phalanx,* mot gr. signif. « bâton », et au fig. « ordre de bataille », « corps de fantassins » (v. PALAN) ; 1690, Furetière, os des doigts ; 1808, Fourier, polit. || **phalangette, phalangine** 1810, Capuron, anat. || **phalangien** 1822, *Dict. méd.* || **phalangiste** 1752, Trévoux, mil., hist. ; 1808, Boiste, entom. ; 1937, Malraux, polit. esp. || **phalangisation** 1963, Lar. (V. PLANCHE.)

**phalanstère** 1816, mot créé par Ch. Fourier (1772-1837) ; de *phalange* (v. le précéd.) et de la finale de *monastère.* || **phalanstérien** 1833, Cormenin.

**phalène** milieu XVIe s., entom. ; gr. *phalaina,* baleine, et au fig. « papillon de nuit ».

**phalère** 1875, Lar. (*phalérie*), entom. ; gr. *phaleros,* « tacheté de blanc ».

**phallus** 1570, G. Hervet (*fallot*) ; 1615, Daléchamp (*phallus*) ; mot lat. || **phallique** 1520, Chauliac ; lat. *phallicus.* || **phalloïde** 1823, Boiste. || **phalloïdien** 1963, Lar. || **phalline** 1949, Lar., bot. || **phallisme** 1923, Lar. || **ithyphalle** 1553, Rab. ; gr. *ithus,* droit. || **ithyphallique** 1803, Boiste.

**phanère** 1823, Boiste ; gr. *phaneros,* apparent.

**phanérogame** 1791, *Journ. des sciences,* bot. ; gr. *phaneros,* apparent (v. le précéd.), et *-game.* || **phanérogamie** 1791, Boudon. || **phanéroglosse** 1839, Boiste. || **phanérophore** 1869, L.

**phantasme, pharamineux** V. FANTASME, FARAMINEUX.

**pharaon** 1190, Bartzsch, n. propre (*pharao*) ; 1597, Liébault (*pharaon*) ; 1691, Gay, jeu de cartes ; lat. *pharao,* gr. *pharaô,* altér. d'un mot égyptien, titre des anciens rois d'Égypte. || **pha-**

raonique 1822, Champollion. || **pharaonesque** 1872, Gartier.

**phare** 1553, Rab., foyer de lumière ; autom., 1899, *France autom.* ; lat. *pharus,* du gr. *pharos,* du nom d'une île voisine d'Alexandrie, célèbre par son phare, élevé au IIIe s. av. J.-C. par Ptolémée Philadelphe.

**pharisien** fin XIIe s., Herman de Valenciennes ; 1662, Pascal, péjoratif ; 1611, Cotgrave, adj., « hypocrite » ; lat. *pharisaeus,* du gr. *pharisaios,* de l'araméen *parschî,* nom d'une secte juive contemporaine de J.-C., à laquelle l'Évangile reproche un zèle religieux affecté. || **pharisaïque** 1541, Calvin ; lat. eccl. *pharisaicus* (IVe s., saint Jérôme), de *pharisaeus.* || **pharisaïsme** *id.*

**pharmacie** 1314, Mondeville (*farmacie*), « remède purgatif » ; 1560, Paré (*pharmacie*) ; 1680, Richelet, sens mod. ; lat. méd. *pharmacia,* du gr. *pharmakeia,* de *pharmakon,* remède. || **pharmacien** 1620, Béguin, égalem. adj. au XVIIe s. || **pharmaceutique** 1547, Flesselles ; lat. *pharmaceuticus,* du gr. *pharmakeutikos.* || **pharmacodynamie** 1860, *Journ. méd.* ; gr. *dunamis,* force. || **pharmacologie** 1738, *Bibliothèque britannique.* || **pharmacologique** 1808, Boiste. || **pharmacomanie** 1968, Lar. || **pharmacopée** 1571, Besson ; gr. *pharmako poiïa,* « confection de remèdes », de *poieîn,* faire. || **pharmacothérapie** 1882, Hayem.

**pharynx** 1478, Chauliac (*faringua*) ; 1538, Canappe (*pharynx*) ; gr. *pharunx, pharungos,* gorge. || **pharyngien** 1745, Günz. || **pharyngite** 1823, *Dict. méd.* || **pharyngé** 1765, *Encycl.* || **pharyngisme** 1878, Lar. || **pharyngo-laryngite** 1836, Beugnot. || **pharyngoscope** 1877, L. || **pharyngotomie** 1793, Lavoisien.

**phascolome** 1808, Cuvier, zool. ; gr. *phaskolos,* poche, et *mus,* rat.

**phase** 1544, M. Scève, fig. ; 1661, Huygens, astron. ; XXe s., techn. ; gr. *phasis,* « lever d'une étoile », de *phainein,* apparaître. || **phasemètre** 1907, Lar. || **déphaser** 1929, Lar. || **déphasage** 1929, Lar. || **monophasé** début XXe s., électr. || **polyphasé** *id.* || **triphasé** 1906, Lar., électr.

**phasianidé** 1842, *Acad.* ; gr. *phasianos,* oiseau de Phase, de *Phasis,* fleuve de Colchide.

**phasme** 1808, Boiste, entom. ; gr. *phasma,* « fantôme », de *phaineîn,* apparaître. || **phasmidés** 1903, Lar.

**phébus** 1629, Corn., litt., vx ; du nom de *Phoebus,* du gr. *Phoibos,* « celui qui brille », autre nom d'Apollon, dieu du Soleil et de la Poésie.

**phelloderme** 1888, Lar. ; gr. *phellos,* liège, et *derme* (v. ce mot). || **phellogène** 1888, Lar. ; sur *-gène.*

**phénakistiscope** 1842, *Acad.* ; gr. *phenakizein,* tromper.

**phénicoptère** 1520, trad. de Suétone, zool. ; gr. *phoinikopteros,* de *phoinix,* pourpre, et *pteron,* aile ; nom du flamant. || **phénicoptéridé** 1875, Lar.

**phénix** 1119, Ph. de Thaon ; lat. *phoenix,* du gr. *phoinix,* oiseau mythol. qui passait pour être seul de son espèce, et renaître de ses cendres ; 1544, M. Scève, fig. ; 1875, Lar., zool. ; 1791, Valmont, papillon.

**phénol** 1843, *Annales chimie* ; gr. *phainein,* bulle, et (*alco*)*ol.* || **phénolate** 1903, Lar. || **phénique** 1841, *Annales chimie.* || **phéniqué** 1875, Lar. || **phénate** 1969, L. || **phénacétine** 1911, Lar.

**phénomène** 1554, Ronsard, astron. ; gr. *phainomena,* plur. neutre de *phainomenon,* part. passé signif. « ce qui apparaît », de *phaineîn,* apparaître ; 1737, Brunot, sens actuel, en raison de l'empl. du mot pour les manifestations extraordinaires de l'atmosphère. || **phénoménal** 1803, Boiste, didact. ; 1827, *Acad.,* « se dit de l'effet d'une chose merveilleuse ». || **phénoménalisme** 1823, *Dict. méd.* || **phénoménisme** 1844, *Dict. sciences,* philos. || **phénoménalité** 1865, Proudhon. || **phénoménologie** 1823, *Dict. méd.,* traité des sens ; 1840, *Revue des Deux Mondes,* philos. || **phénoménologique** 1835, Raymond. || **phénoménologue** 1855, Mozin. || **épiphénomène** 1755, *Encycl.* ; fin XIXe s., philos.

**phénotype** XXe s., scient. ; de *phaineîn,* paraître, et *-type.* || **phénotypique** XXe s.

**phényle** 1837, *Annales chimie* ; gr. *phaineîn,* briller, et suff. chim. *-yle.* || **phénylique** 1903, Lar. (V. PHÉNOL.)

**phi** 1869, L. ; gr. *phî,* lettre de l'alphabet grec.

**philanthrope** 1370, Oresme ; rare jusqu'au XVIIe s., Fénelon ; gr. *philanthrôpos,* de *philos,* ami, et *anthrôpos,* homme. || **philanthropie** 1551, Aneau ; gr. *philanthrôpia.* || **philanthropique** 1780, Mirabeau ; gr. *philanthrôpikos.*

**philatélie** 1864, Herpin, *le Collectionneur de t.-p.* ; gr. *ateleia,* « exemption d'impôts », d'où « franchise de port, affranchissement », de *philos,* ami, et *telos,* charge, impôt. || **philatéliste** *id.* || **philatélique** 1962, Robert.

**philharmonique** 1739, de Brosses ; ital. *filarmonico,* du gr. *harmonia,* harmonie. || **philharmonie** 1845, Besch.

**philhellène** 1823, Boiste ; gr. *philhellen,* de *philos,* ami, et *hellên,* grec. || **philhellénique** 1842, *Acad.* || **philhellénisme** 1838, *Acad.*

**philippine** 1869, L. ; altér., par attraction de *Philippe,* de l'all. *Vielliebchen,* « bien aimé » (empl. comme formule de salutation de ce jeu), lui-même altér. de l'angl. *Valentine,* « saint Valentin » (patron des amoureux). [V. VALENTIN.]

**philippique** 1621, Vaganay, « satire politique » ; début XVII^e^ s., sens mod. ; gr. *philippikai,* n. f. pl., harangues célèbres de Démosthène contre Philippe de Macédoine.

**philistin** 1832, Matoré ; all. *Philister,* bourgeois (hostile à l'esprit), du lat. eccl. *philistinus,* de l'hébreu *phelichtî,* nom d'un peuple de Palestine hostile aux Juifs. || **philistinisme** 1869, L.

**philodendron** 1875, Lar. ; gr. *philodendros,* de *philos,* ami, et *dendron,* arbre

**philologie** XIV^e^ s., « amour des lettres, érudition » ; lat. *philologia,* de *philos,* ami. || **philologue** 1534, Rab. (*philologe*), « érudit en matière d'antiquité ». || **philologique** 1666, *Journ. des savants,* « relatif aux belles-lettres » ; 1836, Landais, sens mod.

**philosophe** 1160, Benoît ; lat. *philosophus,* gr. *philosophos,* de *philos,* ami, et *sophos,* sage ; XIV^e^ s., « alchimiste » ; 1637, Descartes, « savant » ; XVIII^e^ s., « penseur » ; fin XVI^e^ s., sens actuel. || **philosophie** 1160, Benoît ; lat. *philosophia,* mot grec ; égalem. « science », jusqu'au XVIII^e^ s. || **philosophique** 1380, *Aalma ;* bas lat. *philosophicus* (V^e^ s., Macrobe), gr. *philosophikos.* || **philosopher** 1380, *Aalma ;* lat. *philosophari.* || **philosophiquement** 1380, *Aalma* (*philosophiement*) ; 1487, Garbin (*philosophiquement*). || **philosophisme** 1377, *Doc.* || **philosophal** XIV^e^ s. ; de *philosophe,* au sens de « alchimiste ». || **philotechnique** 1795, d'après Lar. ; gr. *tekhnê,* art.

**philtre** fin XIV^e^ s. (var. *filtre,* par confusion avec *filtre*) ; lat. *philtrum,* du gr. *philtron,* de *phileîn,* aimer.

**phimosis** 1560, Paré ; gr. *phimôsis,* « rétrécissement », de *phimoûn,* « serrer fortement ».

**phlébite** 1818, mot créé par Breschet ; gr. *phleps, phlebos,* veine. || **phlébographie** 1869, L. || **phlébologie** 1793, Lavoisien. || **phléborragie** 1822, *Nouveau Dict. méd.* || **phlébotome** XVI^e^ s., méd. ; lat. méd. *phlebotomus,* gr. *phlebotomos,* de *temneîn,* couper ; 1923, Lar., entom. || **phlébotomie** XIII^e^ s., G., méd. ; lat. *phlebotomia,* mot grec. || **phlébotomiste** 1714, d'après Trévoux.

**phlegmon** 1314, Mondeville ; lat. médiév. *phlegmon,* class. *phlegmone,* du gr. méd. *phlegmonê,* chaleur brûlante, de *phlegeîn,* brûler. || **phlegmoneux** 1538, Canappe. || **phlegmasie** 1380, Conty ; gr. *phlegmasia,* de *phlegmaineîn,* « être enflammé », de *phlegeîn.* || **phlegmasique** 1842, *Acad.*

**phlogistique** 1747, Menon ; lat. scient. mod. *phlogisticum,* tiré par le chim. all. Becker (1628-1685) du gr. *phlogistos,* inflammable, de *phlox,* flamme, d'après *phlegeîn,* brûler. || **antiphlogistique** 1783, Bertholon.

**phlox** 1794, Gouan, bot. ; mot gr., proprem. « flamme », d'après la couleur rouge d'une variété répandue de cette plante.

**phlyctène** 1586, Suau (var. *phlystène,* 1732, Trévoux) ; gr. méd. *phluktaina, de phluzeîn,* bouillonner. || **phlycténoïde** 1869, L. || **phlycténule** 1878, Lar.

**phobie** 1896, Ribot ; mot tiré du deuxième élém. de composés en *-phobie* (ex. *hydrophobie*), du gr. *phobos,* frayeur. || **phobique** 1910, Lar.

**phocéen** 1732, Rollin, de Phocide ; 1875, Lar., de Marseille ; lat. *Phoceus,* de Phocide, gr. *Phôkeus.*

**phocidé** 1875, Lar. ; lat. *phoca,* phoque et *-idé.* || **phocomélie** 1845, Besch., malformation.

**pholade** 1555, Belon, zool. ; gr. *phôlas, phôlados,* « qui habite dans des trous ».

**phonique** 1751, *Encycl. ;* gr. *phônê,* voix. || **phone** 1949, Lar., phys. || **phonétique** 1822, Champollion, adj. ; gr. *phônêtikos,* relatif à la voix ; 1869, L., n. f. || **phonétisme** 1824, Champollion. || **phonéticien** 1903, Lar. || **phonème** 1873, *Revue critique ;* gr. *phônêma,* son de voix. || **phonémique** 1968, Lar. || **phonateur** 1836, Colombat. || **phonation** 1834, Boiste. || **phonatoire** 1916, Saussure. || **phoniatre** 1953, Lar. || **phoniatrie** 1945, Garde. || **phonie** 1949, Lar. || **phonothèque** 1949, Lar.

**phono-,** gr. *phônê,* voix. || **phonasthénie** 1932, Lar. || **phonogénie** 1935, E. Vuillermoz, *Encycl. fr.* || **phonogénique** 1937, *Doc.* || **phonogramme**

1921, Vendryes. || **phonographe** 1864, Nadar ; mot proposé par l'abbé Lenoir pour l'appareil imaginé par Ch. Cros et réalisé par Édison ; sur l'élém. *-graphe.* Ch. Nodier, dans le *Voc. de la langue fr.* (1836), avait créé le mot pour désigner celui qui orthographiait en mettant d'accord la lettre et le son. || **phonographie** 1842, *Acad.* || **phonographique** 1842, *Acad.,* transcription de l'oral ; 1892, Guérin ; transcription des sons. || **phonolithe** 1812, Mozin, géol. (cette roche résonne sous le marteau). || **phonolithique** 1842, *Acad.* || **phonologie** 1845, Besch., « traité des sons » ; v. 1925, sens actuel. || **phonologique** 1845, Besch., relatif aux sons ; 1929, *Doc.,* sens actuel. || **phonologisation** 1972, Lar. || **phonologue** 1962, Robert. || **phonomètre** 1820, *Annales musique.* || **phonométrie** 1842, *Acad.* || **phonométrique** 1836, *Acad.* || **phonoscope** 1888, Lar. || **phonothèque** 1929 ; sur *-thèque.* (V. les composés à second élém. *-phone :* MICROPHONE, POLYPHONIE, etc.)

**phoque** 1532, *Rec. des isles* (*focque*) ; lat. *phoca,* du gr. *phôkê.*

**phormion** ou **phormium** 1804, *Encycl. méth.,* (*phormium*) ; gr. *phormion* (nom de plante), « petite natte ».

**phosgène** 1823, *Dict. méd. ;* gr. *phôs,* lumière, et *-gène.*

**phosphate** V. PHOSPHORE.

**phosphène** 1838, Venzac, physiol. ; gr. *phôs,* lumière, et *phaineîn,* paraître.

**phosphore** 1677, *Journ. des sav. ;* gr. *phôsphoros,* « lumineux », de *phôs,* lumière, et *pherein,* porter. || **phosphorique** 1753, Pott. || **phosphorisme** 1788, Buffon, « phosphorescence » ; 1869, L., intoxication par le phosphore. || **phosphorescence** 1784, Brunot. || **phosphorescent** 1789, *Ann. de chimie.* || **phosphoreux** 1787, Guyton de Morveau. || **phosphorer** 1792, *Ann. de chim. ;* 1944, Queneau, fig., fam., réfléchir sur un problème. || **phosphoré** 1808, Cabanis. || **phosphorisation** 1842, *Acad.* || **phosphoriser** 1842, *Acad.* || **phosphorite** 1842, *Acad.* || **phosphorogène** 1932, Lar. || **phosphorite** 1842, *Acad.* || **phosphate** 1782, Guyton de Morveau. || **superphosphate** XX^e^ s. || **phosphatage** 1903, Lar. || **phosphaté** 1803, Boiste. || **phosphater** XX^e^ s. || **phosphatique** 1836, Landais. || **phosphaturie** 1877, *Journ. méd.* || **phosphite** 1787, Guyton. || **phosphure** 1787, Guyton.

1. **photo** n. f., 1878, Larchey ; abrév. de *photographie* (v. le suiv.). || **téléphoto** n. f., XX^e^ s. || **photo-roman, roman-photo** milieu XX^e^ s. || **photostop, photostoppeur** 1950, *journ.*

2. **photo-,** gr. *phôs, phôtos,* lumière. || **phot** 1903, Lar., phys. || **photocalque** 1903, Lar. || **photochimie** 1875, Lar. || **photochimique** 1877, L. || **photochromie** 1868, Souviron. || **photochromique** 1877, *J. O.* || **photocollographie** 1903, Lar. ; gr. *kolla,* colle, avec l'élém. *-graphie.* || **photocomposeuse** 1966, *journ.* || **photocomposition** 1963, Lar. || **photoconducteur** 1953, Lar. || **photoconductibilité** v. 1950. || **photocopie** 1903, Lar. || **photocopier** 1907, Lar. || **photocopieur** et **photocopieuse** 1960, n. m. et n. f. || **photoélectrique** 1856, *Almanach.* || **photoélectricité** 1962, Robert. || **photofinish** v. 1950 ; sur angl. (*to*) *finish,* finir. || **photogénique** 1839, Arago, « qui produit de la lumière » ; sur *-génique ;* 1869, L., « qui donne une image nette, en photographie » ; 1920, Delluc, vulgarisé par le cinéma au sens « dont le visage produit sur la photo ou sur l'écran un effet égal ou supérieur à l'effet naturel ». || **photogène** 1836, *Acad.* || **photogénie** 1851, *la Lumière.* || **photoglyptie** 1872, *J. O. ;* de *glyptos,* gravé. || **photographie** 1839, Arago ; de l'angl. *photograph,* tiré en 1839 par Herschel du gr. *phôs, phôtos,* et *graphein,* écrire. || **photographique** 1840, Soleil. || **photographiquement** 1869, L. || **photographe** 1842, *Acad.* || **photographier** 1860, Blum et Huart. || **chronophotographie, microphotographie, téléphotographie** XX^e^ s. || **photogravure** 1868, Negrin. || **photograveur** 1923, Lar. || **photolithographie** 1869, L. || **photolyse** 1923, Lar. || **photomagnétique** 1842, *Acad.* || **photomètre** 1792, *Annales chimie* || **photométrie** 1812, Mozin. || **photomontage** 1935, Sachs-Villatte. || **photopériode** 1968, Lar. || **photophobie** 1812, Mozin. || **photophore** 1803, Boiste, || **photopile** 1965, Pérès. || **photorésistant** 1932, Lar. || **photorobot** 1954, Lar. || **photosphère** 1842, *Acad.* || **photostat** 1953, Lar. ; sur le lat. *stare,* se tenir. || **photosynthèse** 1907, Lar. || **phototactisme** 1903, Lar. || **photothèque** 1950, Lar. (v. DISCOTHÈQUE, PHONOTHÈQUE). || **photothérapie** 1903, Lar. || **phototropisme** 1903, Lar. || **phototypie** 1877, L., *brevet d'invention.* || **phototype** 1903, Lar.

**photon** 1923, L. de Broglie ; gr. *phôs, phôtos,* lumière, et suff. *-on.* || **photonique** 1953, Lar.

**phragmite** 1818, *Nouveau Dict. sc. nat.,* bot. ; gr. *phragmitês,* qui sert à faire une clôture.

**phrase** 1546, Vaganay ; lat *phrasis,* mot gr., de *phrazein,* expliquer ; pl., 1695, Courtin, boniments. || **phraser** 1755, Fréron. || **phrasé** 1778, Rousseau, mus. || **phraseur** 1736, Gresset (*phrasier*) ; 1788, Féraud (*phraseur*). || **phraséologie** 1778, Beaumarchais. || **phraséologique** 1839, Girault. || **antiphrase** 1534, Rab. (V. PARAPHRASE.)

**phratrie** 1842, *Acad.*, hist. ; gr. *phratria*, de *phratêr*, frère.

**phréatique** 1887, Daubrée, géol. ; gr. *phreas, phreatos*, puits.

**phrénique** 1654, Gelée, anat. ; gr. *phrên*, diaphragme. || **phrénicectomie** 1932, Lar. || **phrénicotomie** 1963, Lar. (V. le suiv.)

**phrénologie** 1810, Spurzheim ; gr. *phrên*, au pl. « intelligence » ; a éliminé *craniologie*, créé par Gall. || **phrénologique** 1828, *Revue britannique.* || **phrénologiste** 1829, Vidocq. || **phrénologue** 1842, *Acad.*

**phrygane** milieu XVII^e^ s., entom. ; lat. *phryganius*, du gr. *phruganion*, proprem. « petit bois sec » ; insecte ressemblant à un papillon de nuit.

**phrygien** 1562, Du Pinet, de Phrygie ; lat. *Phrygia*, Phrygie, gr. *Phrugia ; bonnet phrygien*, 1789, Brunot.

**phtalique** 1869, L., chim. ; d'un rad. *phtal-*, tiré de *naphtalène* (v. NAPHTE). || **phtaléine** 1875, Lar. || **phtaline** 1875, L.

**phtiriasis** 1560, Paré, n. m. ; 1810, Capuron, n. f., méd. ; lat. *phtiriasis*, mot gr., de *phteir*, pou ; ensemble des troubles causés par les poux.

**phtisie** XIV^e^ s. (*tesie*) ; 1550, Guéroult (*phtisie*) ; lat. *phtisis*, mot gr., signif. « dépérissement, consomption », de *phthineîn*, dépérir ; a remplacé l'anc. fr. *tesie, tisie*, de même étym. || **phtisique** XIII^e^ s. (*tisike*) ; 1363, Chauliac (*ptisique*) ; 1478, Chauliac (*phtisique*) ; lat. *phthisicus*, gr. *phthisikos.* || **phtisiologie** 1715, Trévoux. || **phtisiologique** 1836, *Acad.* || **phtisiologue** début XX^e^ s.

**phyco-**, gr. *phukos*, algue. || **phycoïdées** 1841, *Acad.* || **phycologie** 1868, Souviron. || **phycomycètes** 1846, Besch. (*phycomyce*) ; 1903, Lar. (*phycomycète*).

**phylactère** 1155, Wace (*filatière*) ; XVI^e^ s. (*phylactère*) ; lat. eccl. *phylacterium*, amulette, fragment de parchemin sur lequel étaient inscrits les versets de la Bible, du gr. *phulaktêrion*, calque de l'hébreu *thephîlîn*, sur la rac. de *phulatteîn*, préserver.

**phylactique** 1963, Lar. ; gr. *phulaktikos*, qui préserve, de *phulatteîn, préserver.*

**phyll-, phyllo-**, gr. *phullon*, feuille. || **phyllade** 1827, *Acad.*, minér. ; gr. *phullas, phullados*, feuillage. || **phyllanthe** 1765, *Encycl.* (*phyllanthus*), bot. ; lat. *phyllanthes*, sur le gr. *anthos*, fleur. || **phyllie** 1827, *Acad.*, entom. || **phyllobie** 1875, Lar. || **phyllopodes** 1823, Boiste, zool. ; sur *-pode.* || **phylloxéra** 1834, Boyer de Fonscolombe, entom. ; gr. *phullom*, feuille, et *xeros*, sec, « qui dessèche la feuille » ; mot créé pour désigner un insecte vivant sur le chêne, et auquel Planchon, de Montpellier, en 1869, assimila le petit aphidien des racines de la vigne. || **philloxéré** 1873, H. de Parville. || **phylloxérien** 1871, *J. O.* || **phylloxérique** 1875, *Bull. Soc. agric.*

**phylogenèse** 1876, Ch. Martins, *Rev. des Deux Mondes* (var. *phylogénie*) ; mot créé par Haeckel, du gr. *phulon*, race, et de *-genèse, -génie.* || **phylogénétique** 1927, Valéry. || **phylum** 1903, Lar.

**physalis** 1839, Boiste (*physalide*) ; gr. *phusalis, -idos*, plante.

**physio-**, gr. *phusis*, nature. || **physiocratie** 1758, Dupont de Nemours. || **physiocrate** *id.* || **physiocratique** *id.* || **physiognomonie** 1562, Ronsard ; lat. scient. *physiognomonia*, mot gr., de *gnômôn*, « qui sait », de *gnônai*, connaître. || **physiognomonique** 1721, Trévoux. || **physiognomoniste** 1803, Boiste. || **physiographie** 1784, Bergman. || **physiographe** 1803, Boiste. || **physiologie** 1547, J. Martin, « étude des choses naturelles » ; 1611, Cotgrave, sens mod. ; lat. *physiologia*, mot gr. || **physiologique** 1547, Budé ; lat. *physiologicus*, gr. *phusiologikos.* || **physiologiste** 1669, Widerhold. || **physionomie** 1256, Ald. de Sienne (*phisonomie*), « physiognomonie » ; 1354, *Modus*, sens mod. ; lat. *physiognomia*, altér. de *physiognomonia.* || **physionomique** 1549, *Doc.* || **physionomiste** 1537, trad. du *Courtisan.* || **physiopathologie** 1962, Robert. || **physiopathologique** 1955, Vannier. || **physiothérapie** 1903, Lar.

**physique** n. f., 1130, *Eneas* (*fusique*), médecine ; XII^e^ s. (*fisique*), connaissance des choses de la nature ; 1487, Garbin, science des choses naturelles ; 1708, Fontenelle, sens mod. ; lat. *physica*, connaissance de la nature, du gr. *phusikê*, fém. substantivé de l'adj. *phusikos*, de *phusis*, nature ; *physique expérimentale*, 1708, Fontenelle ; *physique mathématique*, 1893, *D. G. ; physique nucléaire*, 1949, Lar. || **physique** adj., 1487, Garbin, naturel, rare avant le milieu du XVII^e s., Pascal ; n. m., 1721, Montesquieu, aspect physique d'un pays ; 1762, Rousseau, constitution naturelle d'un homme. || **physicien** 1155, Wace (*fisicien*), médecin ; 1538, R. Est., « qui s'occupe des choses naturelles » ; 1680, Richelet, « qui s'occupe de physique scientifique ». || **physico-chimie** 1845, Barbier. || **physico-chimique** 1750, Barbier. || **physico-mathématique** adj., 1630, Barbier ; n. f., 1749, Diderot. || **physico-théologique** 1917, Lalande.

**phyt(o)-,** gr. *phuton,* plante. || **phytéléphas** 1842, *Acad.* ; gr. *elephas,* ivoire. || **phytobiologie** 1830, *Dict. méd.* || **phytogéographie** 1842, *Acad.* || **phytologie** 1649, *Doc.* || **phytoparasite** 1963, Lar. || **phytopathologie** 1858, Peschier. || **phytophage** 1808, Boiste. || **phytopharmacie** 1949, Lar. || **phytotron** 1954, Guillerme. || **phytozoaire** 1842, *Acad.*

**piaculaire** 1752, Trévoux ; lat. *piacularis,* sacrifice expiatoire, de *piare,* rendre propice, de *puis,* pieux.

**piaf** 1896, Esnault, moineau ; onomat.

**piaffer** 1586, Ronsard (*paroles piaffées*), prétentieux ; 1677, Solleysel, pour les chevaux ; 1879, France, piétiner ; mot expressif. || **piaffe** 1574, Boissereau, morgue. || **piaffeur** 1570, Carloix, fanfaron ; 1678, Guillet, pour le cheval. || **piaffement** 1842, Mozin.

**piailler** 1607, Hulsius ; onomat. *pi-* (v. PIAULER). || **piaillement** 1782, Mercier. || **piailleur** 1611, Cotgrave. || **piaillerie** 1642, Oudin. || **piaillard** 1746, Voltaire.

**pian** 1575, Friederici ; mot tupi-guarani (Brésil).

1. **piano** adv., 1565, *Anc. Théâtre fr.* (*pian pian*), mus. ; 1618, *D. G.* (*pian piano*) ; 1752, Lacombe (*piano*) ; ital. *piano,* doucement, du lat. *planus,* uni, égal. || **pianissimo** 1775, Beaumarchais ; mot ital., superlatif de *piano.*

2. **piano** n. m., 1761, Weckerlin ; abrév. de *piano et forte,* ital. *pianoforte* (1774, Voltaire), parce que les marteaux de cet instrument permettaient de jouer à volonté fort ou doux, à la différence du clavecin ; *piano à queue,* 1806, *Catalogue ; piano mécanique,* 1851, *Revue.* || **pianiste** 1807, *Journ. des gourmands.* || **pianistique** 1900, Letoucher. || **Pianola** 1896, *le Français mod.* ; n. dépos., création de E. S. Votey. || **pianoter** 1841, Flaubert. || **pianotage** 1866, *Vie parisienne.* || **pianotement** 1927, Valéry.

**piastre** 1595, Villamont ; ital. *piastra,* lame de métal, de *impiastro,* emplâtre, lat. *emplastrum.* (V. EMPLÂTRE.)

**piaule** 1628, Chereau (*piolle*), taverne (encore en ce sens chez Vidocq, 1837) ; de l'anc. fr. *pier,* boire (1292, *Rôles de la Taille*), de *pie ;* 1835, Raspail (*piaule*), sens actuel.

**piauler** 1540, *Sainte Aldegonde* (*pioler*) ; d'un rad. onomat. *pî-* (v. PIAILLER). || **piaulement** 1570, Liebault (*piolement*).

1. **pic** 1546, Ch. Est., oiseau ; lat. pop. **piccus,* du lat. class. *picus,* pivert (v. PIE 1). || **pivert** 1488, *Arch. Bretagne ;* de *pic verd,* lat. *viridis,* vert. || **picidés** 1875, Lar. || **piciformes** 1903, Lar.

2. **pic** 1155, Wace, outil ; empl. fig. du précéd. || **picot** 1170, *Fierabras.*

3. **pic** v. 1350, pointe de montagne ; anc. prov. *pic,* sommet, d'un préroman *pikk-.* (V. PIQUER 1.)

4. **pic** fin XIV^e s., coup porté avec un objet pointu, d'où « pointe, objet pointu » ; déverbal de PIQUER 1 ; *à pic,* 1611, Cotgrave.

**picador** 1788, Bourgoing ; mot esp., proprem. « piqueur », de *picar,* piquer.

**picaillon** 1750, Vadé (au pl.), pop., mot des parlers savoyards désignant la « petite monnaie » du Piémont, de l'anc. prov. *piquar,* sonner, tinter, du lat. **pikkare.* (V. PIQUER 1.)

**picaresque** 1845, Besch. ; esp. *picaresco,* de *Picaro,* « coquin », nom d'un type d'aventurier espagnol.

**piccolo** 1828, *Revue musicale,* petite flûte ; mot ital., proprem. « petit » ; 1874, Lar., terme de jeu ; 1876, Larchey, pop., vin léger. || **piccoler** ou **picoler** 1901, Lacassagne.

**pichenette** 1820, Scribe ; p.-ê. altér. du prov. mod. *pichouneto,* petite (s.-e. *chiquenaude*), diminutif de *pichou,* petit.

**pichet** XIII^e s. ; mot dial. (Centre, Ouest), var. de *pichier* (1170, *Rois*), altér., p.-ê. d'après *pot,* de *bichier,* lat. pop. **biccarius,* en bas lat. *becarius* (IX^e s., *Gloses*), du gr. *bikos,* vase (cf. l'ital. *bicchiere,* verre, et l'all. *Becher,* coupe).

**picholine** 1723, Savary ; prov. mod. *pichoulino,* olive, de l'ital. *picciolino,* dimin. de *picciolo,* petit.

**pickles** 1823, d'Arcieu, *Diorama ;* mot angl., peut-être du néerl. *pekel,* saumure.

**pickpocket** 1726, Saussure, comme mot angl. ; 1784, Brissot, comme mot fr. ; mot angl. signif. « cueille-poche ».

**pick-up** n. m., 1932, Lar., en fr., techn. (1867 en angl.) ; de l'angl. *(to) pick up,* ramasser, recueillir.

**picoler** V. PICCOLO.

**picorer** XVI^e^ s., Haton, « marauder » ; 1648, Scarron, prendre avec son bec ; probablem. formé sur *piquer,* avec un suff. issu de *pécore,* « pièce de bétail ». || **picorée** 1571, Belleforest (*pécorée*) ; 1587, La Noue (*picorée*), maraude. || **picoreur** 1588, Montaigne, maraudeur.

**picot** (1 et 2), **picoter** V. PIC 2 et PIQUER 1.

**picotin** 1367, Prost ; orig. obscure (cf. l'anc. fr. *picot, picote,* XIV^e^ s., mesure de vin), p.-ê. dér. de *picoter,* « butiner, becqueter ». (V. PIQUER 1.)

**picpoul** 1611, Cotgrave (*pique-poule*) ; anc. prov. *piquapol,* de *piquar,* piquer, lat. **pikkare.*

**picr-, picro-,** du gr. *pikros,* amer. || **picrate** 1836, *Annales chimie,* chim. ; fin XIX^e^ s., pop., mauvais vin. || **picride** 1778, Lamarck, bot. || **picrique** 1836, *Annales chimie,* chim. || **picris** 1779, Buisson, bot. || **picrotoxine** 1816, Candolle.

**picter, picton** V. PIQUER.

**pictographie** 1877, L. ; lat. *pictus,* peint, et *-graphie.* || **pictographique** 1923, Lar. || **pictogramme** 1953, Cohen.

**pictural** 1845, F. Wey ; lat. *pictura,* peinture.

**pidgin** 1902, *À travers le monde* (*pudgin*) ; mot angl., altération par les Chinois de *business,* commerce, affaires.

1. ***pie** 1175, Chr. de Troyes ; lat. *pīca,* fém. de *pīcus* (v. PIC 1) ; adj., 1549, R. Est., couleur d'un cheval. || **pie-grièche** 1553, Belon ; comp. avec *grièche,* fém. de l'anc. adj. *griois,* grec (v. GREC), *grégeois.* (Les Grecs passaient depuis le Moyen Âge pour avares et querelleurs.) || **piot** v. 1290, petit de la pie. || **piette** 1553, Belon. || **piat** 1611, Cotgrave.

2. ***pie** 1160, Benoît, adj. ; lat. *pius,* pieux (v. PIEUX). Auj., seulem. dans *œuvre pie* (1544, Scève).

***pièce** 1080, *Roland,* morceau, fragment ; 1534, Rab., artill. ; XIV^e^ s., monnaie ; 1580, Montaigne, théâtre ; 1625, Stœr, ouvrage d'art (peinture, sculpture, littér.) ; 1694, Th. Corn., chambre d'un logement ; *mettre en pièces,* 1534, Rab. ; *travailler aux pièces,* 1845, Besch. ; *de toutes pièces,* 1440, Chastellain (*armé de toute pièce*) ; *pièces détachées,* 1678, Guillet, fortif. ; *pièce montée,* 1807, *Almanach des gourmands ;* lat. pop. **pettia* (postulé par le fr., le prov., l'esp. et l'ital.), orig. probablem. celtique (cf. le gallois *peth,* chose). || **piéça** 1155, Wace (*pièce a*) ; proprem. « il y a une pièce de temps ». || **piécette** 1247, G. || **dépecer** 1080, *Roland.* || **dépècement** 1160, Benoît. || **dépeceur** XIII^e^ s., G. || **dépiécer** XIV^e^ s., réfection de DÉPECER. || **rapiécer** 1360, Froissart. || **empiècement** 1870, L.

***pied** X^e^ s., *saint Léger ;* 1080, *Roland,* mesure ; XIII^e^ s., pied de verre, de meuble, etc. ; 1580, Montaigne, versif. ; lat. *pes, pĕdis,* pied ; *à pied,* 1080, *Roland ; mettre à pied,* 1685, Furetière, « faire vendre à quelqu'un son équipage » ; *aux pieds de,* 1080, *Roland ; de pied ferme,* 1587, La Noue ; *haut le pied,* 1611, Cotgrave (*s'en aller haut le pied,* « très vite ») ; *pied à pied,* 1196, Ambroise ; *pied de nez,* 1640, Oudin ; *prendre pied,* XVI^e^ s. ; *perdre pied,* 1549, R. Est. ; *sur pied,* 1636, Monet ; *de plain-pied,* 1611, Cotgrave (*à plein-pied,* avec altér. orthogr., de *plain,* du lat. *planus,* plan, égal). || **peton** 1532, Rab. ; dimin. || **piéter** XIII^e^ s., *Roman de Renart ;* bas lat. *peditare,* aller à pied. || **piéton** 1300, *Hugues Capet,* fantassin ; 1538, R. Est., sens mod. ; de *piéter.* || **piétin** 1570, G., gros bâton ; 1770, Corbier, vétér. || **piétiner** 1621, Oudin. || **piétinement** 1770, Raynal. || **piétement** XVI^e^ s., G., socle. || **pied-droit** 1408, Barbier. || **pied-fort** 1671, Pomey. || **pied-plat** 1660, Oudin. || **pied-de-biche** 1574, Gay, serrure ; 1812, Mozin, ciseau ; XX^e^ s., sens techn. || **pied-à-terre** n. m., 1636, Monet, milit., sonnerie pour la descente de cheval ; 1752, Trévoux, sens mod. || **pied-de-poule** 1765, *Encycl.* || **pied-noir** 1901, Esnault, indigène ; 1917, Esnault, pour les Européens d'Algérie (d'abord surnom donné aux Algérois, parce qu'ils marchaient pieds nus). || **bipied** XX^e^ s. || **cale-pieds** XX^e^ s. || **casse-pieds** XX^e^ s. || **contre-pied** 1561, Du Fouilloux, chasse. || **empiéter** début XIV^e^ s., chasse, « prendre dans ses serres » ; XVI^e^ s., « s'emparer de » ; 1636, Monet, sens mod. || **empiétement** 1611, Cotgrave. || **mille-pieds** 1562, Du Pinet, zool. || **nu-pieds** 1360, Froissart. || **sous-pied** 1477, G. || **va-nu-pieds** 1615, Binet.

**piédestal** XV^e^ s. (*pied d'estrail*) ; 1520, Sagredo (*pédestal*) ; ital. *piedestallo,* de *piede,* pied, et *stallo,* support. (V. ÉTAL.)

**piédouche** 1676, Félibien ; ital. *pieduccio,* dimin. de *piede,* pied. (V. PIED, PIÉDESTAL.)

***piège** n. m., 1155, Wace ; 1160, Benoît, n. f. ; lat. *pĕdĭca,* « liens pour les pieds », de *pes, pedis,* pied (v. les précéd.). || **piéger** 1220, Coincy ; rare avant 1875, L. || **piégeage** 1900, *Illustration.* || **piégeur** début XXe s. || **empiéger** 1380, *Aalma.*

**pie-mère** XIIIe s. (*pieue mere*), anat. ; lat. médiév. *pia mater,* « pieuse mère » (c.-à-d. « qui enveloppe le cerveau comme la mère son fils »), calque de l'arabe.

**piémont** 1953, Lar. ; de *pied* et *mont.*

***pierre** 980, *Passion ; pierre à feu,* 1562, Du Pinet ; *pierre à fusil,* 1606, Crespin ; *pierre d'attente,* 1636, Monet, au pr. ; 1690, Furetière, fig. ; lat. *petra,* gr. *petra,* qui a éliminé *lapis* en lat. pop. || **âge de pierre** 1867, Lar. || **pierrette** XIIe s., G. ; var. *perrette.* || **pierrier** XIIe s. (*perere*) ; XIIIe s. (*peirier*) ; XVIe s. (*pierrier*), hist. milit. || **pierreries** 1265, J. de Meung (*perrerie*) ; 1380, Havard (*pierreries*). || **pierraille** XIVe s., Deschamps. || **pierrée** 1297, G. (*perree*), mesure de capacité ; 1431, G., « dalle » ; 1694, Th. Corn., « conduit de pierres sèches ». || **pierrure** 1561, Du Fouilloux (*pierreure*), vén. || **pierreux** 1190, *saint Bernard* (*pierous*) ; réfection de l'anc. fr. *perros, -eus,* du lat. *petrosus,* de *petra.* || **pierreuse** n. f., 1808, d'Hautel, pop., prostituée. || **perré** 1180, *Vie saint Évroult,* « de pierre » ; XIVe s., G., n. m., « gué pavé » ; 1767, Perronet, sens mod. || **perreyer** XIIIe s. (*peroyer*) ; 1875, Lar. (*perreyer*). || **perron** 1080, *Roland* (*perrun*), « gros bloc de pierre » ; 1196, J. Bodel, sens mod. || **pétré** 1550, Guéroult ; lat. *petraeus,* gr. *petraios,* de *petra.* || **pétreux** 1314, Mondeville ; lat. *petrosus.* || **pétricole** 1803, Boiste, zool. || **pétrifier** 1503, Chauliac, transformer en pierre ; 1741, Marivaux, fig. ; lat. *petra,* sur les v. en *-fier.* || **pétrification** 1503, Chauliac. || **pétrifiant** 1580, Montaigne, adj. || **pétrogale** 1874, Lar., zool. ; gr. *petros,* pierre, et *galê,* belette. || **pétrographie** 1842, *Acad. ;* gr. *petros.* || **pétrographe, pétrographique** *id.* || **pétrosilex** 1753, d'Holbach, minér. || **épierrer** 1546, Ch. Est. || **épierrement** 1836, *Acad.* || **épierrage** 1907, Lar. || **empierrer** 1323, texte du Cotentin. || **empierrement** 1750, Gautier. (V. PÉTROLE.)

**pierrot** 1691, Racine, surnom des gardes-françaises, à cause de leur uniforme blanc, *Pierrot* étant un personnage de l'anc. comédie ital. ; trad. de l'ital. *Pedroliño ;* 1694, La Fontaine, nom propre d'oiseau, de *Pierrot,* dimin. de *Pierre* (V. MARTIN-CHASSEUR, SANSONNET, etc.). || **pierrette** 1800, Boiste, femelle du moineau ; 1836, Landais, fillette habillée en pierrot.

***piétaille** 1131, *Couronn. Loïs ;* lat. pop. **peditalia,* de *pedes, peditis,* fantassin, de *pes, pedis,* pied.

**piété** 980, *Passion* (*pietad*) ; lat. *pietas, pietatis ;* aussi sens de « pitié », en anc. fr. || **pietà** XVIIe s., Brunot ; mot ital. || **piétiste** 1699, Bayle ; all. *Pietist,* du lat. *pietas.* || **piétisme** 1743, Trévoux. || **impiété** 1120, *Ps. d'Oxford,* rare avant le XVIIe s. ; lat. *impietas.*

***piètre** 1196, Ambroise (*paestre*) ; 1220, Coincy (*peestre*) ; lat. *pedestris,* « piéton » (de *pes, pedis,* pied), devenu péjor. (opposé à *chevalier*). || **piètrement** 1220, Coincy. || **piètrerie** 1611, Cotgrave.

1. **pieu** fin XIe s., *Chanson de Guillaume* (*pel*) ; 1175, Chr. de Troyes (*peus*) ; 1287, Bevans (*pieu*), « piquet » ; forme picarde, généralisée au sing., du pl. du cas régime sing. *pel,* du lat. *palus.* (V. PAL, PALIS.)

2. **pieu** fin XVIIIe s., Esnault, arg., puis pop., « lit » ; orig. obscure. || **pieuter (se)** 1888, Esnault, pop. (V. PIONCER.)

***pieuvre** 1866, Hugo ; forme dial. des îles Anglo-Normandes ; du lat. *pŏlypus,* par les stades *pueuve, pieuve* (comme *yeux*), et avec *r* dû à une fausse régression.

**pieux** fin XIVe s., E. Deschamps ; réfection, d'après le suff. *-eux,* de l'anc. fr. *pius, pieus* (980, *Passion*), au fém., *pieue, pive,* du lat. *pius.* (V. PIE 2.) || **pieusement** 1611, Cotgrave. || **impie** XVe s. ; lat. *impius.*

**pièze** 1923, Lar. ; gr. *piezein,* presser. || **centipièze, hectopièze, myriapièze** XXe s. || **piézomètre** 1842, *Acad.* || **piézo-électricité** 1888, Lar. || **piézo-électrique** *id.* || **piézographe** 1949, Lar. || **piézomètre** 1842, *Acad.*

1. **pif** 1718, Ph. Leroux (*pif-paf*) ; onomat.

2. **pif** 1821, Ansiaume, arg., nez ; d'un rad. onomat. et expressif *piff-.* || **piffer** 1846, Esnault, *ne pas pouvoir piffer* (v. BLAIREAU). || **piffard** 1831, Esnault. || **pifomètre** 1928, Esnault, pop. ; formation plaisante imitée des noms d'instruments de mesure. || **piffre** 1250, Mousket (*piffe*), hérétique ; 1606, Sully, gros individu. || **piffrer (se)** 1680, Richelet. || **empiffrer (s')** XVIe s.

1. **pige** 1836, Vidocq, année ; 1852, Esnault, dial., mesure de longueur ; lat. *pi(n)sare,* fouler ; 1878, Boutmy, typogr. || **piger** 1869, L., dial., mesurer avec une pige. || **pigiste** 1952, Lar., journaliste rémunéré à la pige.

2. **pige** 1808, d'Hautel, *faire la pige à quelqu'un,* le surpasser ; de PIGER 2.

***pigeon** 1170, Sully (*pijon*), « pigeonneau » ; XIIIe s., « pigeon » ; fin XVe s., fig., « dupe » ; bas lat. *pīpiō, -ōnis,* « pigeonneau », de *pipire,* piauler, d'un rad. onomatop. *pi-* (v. PIAILLER, PIAULER) ; a éliminé au sens de « pigeon » l'anc. *coulon,* du lat. *colombus.* || **pigeonne** XVIe s. || **pigeonneau** 1534, B. Des Périers. || **pigeonnier** 1549, R. Est. || **pigeonner** 1553, Belon, plumer comme un pigeon ; 1680, Richelet, techn. || **pigeonnage** 1869, L. || **pigeon vole** 1839, Pommier.

1. **piger** V. PIGE 1.

2. **piger** 1808, d'Hautel, terme de jeu ; 1845, Balzac, « attraper » ; 1841, Esnault, pop., « comprendre » ; de l'adj. lat. **pedicus,* de *pes, pedis,* pied. (V. PIGE 2.)

**pigment** 1170, *Rois,* « épice, baume » ; 1813, *Ann. de chim.,* sens mod. ; lat. *pigmentum,* matière colorante (v. PIMENT). || **pigmentation** 1869, L. || **pigmentaire** 1842, *Acad.* || **pigmenté** 1878, Lar. || **pigmentogène** 1907, Lar.

**pignade, pigne** V. PIN.

**pignocher** 1640, Oudin, « manger du bout des dents » ; 1875, Lar., « peindre à petits coups » ; altér. de l'anc. v. *épinocher* (XVIe s.), d'*épinoche,* petit poisson que les pêcheurs rejettent à cause de ses aiguillons. || **pignochage** 1935, *Acad.* || **pignocheur** 1640, Oudin, qui mange du bout des dents ; 1870, Burger, peinture.

1. ***pignon** 1190, Garnier (*pinnon*) ; début XIIIe s., *Guillaume de Dole,* archit. ; lat. pop. **pinniō, -ōnis,* de *pinna,* pinacle.

2. **pignon** 1350, *Romania,* amande de la pomme de pin ; prov. *pinhon,* de *pinha,* pomme de pin, du lat. *pinea,* de *pinus,* pin.

3. **pignon** XIIIe s., Tobler-Lommatzsch (*peignon*) ; XVIe s. (*pignon*), mécan. ; de *peigne.*

**pignoratif, pignoration** 1568, Papon, jurid. ; lat. *pignorare,* mettre en gage, de *pignus, pignoris,* gage.

**pignouf** 1857, Vallès, pop. ; du verbe de l'Ouest *pigner* (1215, Pean Gatineau), « crier, grincer », ou *pignier,* « geindre », du rad. onomatop. *pi-* (v. PIAULER) et du suff. péjor. *-ouf.* || **pignouffisme** 1961, *journ.*

**pilaf** 1654, Duloir (*pilau*) ; 1834, Boiste ; var. *pilaw* (1853, Th. Gautier) ; mot turc, du persan *pilaou.*

**pilaire** 1835, Raymond ; lat. *pilus,* poil. (V. PILEUX.)

**pilastre** XIIIe s., « pilier » ; rare jusqu'en 1545, Van Aelst, sens mod. ; ital. *pilastro,* de *pila,* colonne. (V. PILE 1.)

**pilchard** 1803, Boiste ; mot angl., d'orig. obscure.

1. ***pile** XIIIe s., « pilier » ; lat. *pīla,* colonne ; 1812, Mozin, électricité, repris à l'ital. || **pilot** 1360, Froissart, « poteau ». || **pilotis** 1360, Froissart. || **piloter** 1321, Fagniez, garnir de pilots. || **pilotage** 1491, G., construction de pilotis. || **empiler** fin XIIe s., R. de Moiliens, mettre en pile ; 1889, Esnault, fam., tromper, voler. || **empilage** 1679, Savary. || **empilement** 1548, G. || **empileur** 1715, *Ordonn.* || **rempiler** début XIVe s., *soi rempiler,* se joindre à un groupe ; 1923, Lar., milit., se rengager.

2. **pile** 1155, Wace (*pille*), revers d'une monnaie ; empl. fig. du précéd., proprem. « coin servant à frapper le revers d'une monnaie » ; *jouer à pile ou face,* 1842, Mozin (1836, Landais, *jouer à croix ou à pile*) ; adv., 1866, Esnault.

3. ***pile** milieu XIIe s., *Roman de Thèbes,* mortier à piler, etc. ; lat. *pīla,* mortier. || ***piler** 1170, *Rois,* réduire en petits morceaux, écraser ; bas lat. *pīlare,* de *pīla,* mortier ; 1821, Desgranges, pop., battre. || **pilage** 1755, Liger. || **pile** 1821, Desgranges, pop., rossée. || **pileur** début XIVe s. || **piloir** 1600, O. de Serres. || **pilon** XIIe s. ; *mettre au pilon,* 1723, Savary ; 1847, Boyer, jambe de bois ; 1907, Lar., fam., cuisse de volaille cuite. || **pilonner** 1723, Savary. || **pilonnage** 1803, Boiste. || **pilonnement** début XXe s.

**pileux** XVe s., garni de poils ; 1835, Raymond, anat. ; lat. *pīlosus,* de *pīlum,* poil. || **piloselle** 1300, G., bot. || **pilosité** 1842, *Acad.* || **pilosisme** 1858, Nysten. || **pilifère** 1839, Boiste ; lat. *pilum* et *-fère.* || **pilomoteur** 1932, Lar.

***pilier** fin XIe s., *Gloses de Raschi* (*piler*) ; 1155, Wace (*pilier,* avec chang. de suffixe) ; fin XIVe s., habitué d'un endroit ; *pilier de cabaret,* 1656, Oudin ; lat. pop. **pilare,* de *pila* (v. PILE 1).

**piller** XIIIe s., « houspiller, malmener » ; fin XIIIe s., sens mod., répandu pendant la guerre de Cent Ans ; anc. fr. *peille* (1174, Fougères), du lat. *pīlleum,* chiffon, ou du bas lat. *pīlare,* voler, devenu **piliare.* ‖ **pillage** XIIIe s., *Apollonius,* butin ; 1352, Bersuire, action de piller. ‖ **pilleur** milieu XIVe s., Machaut. ‖ **pillerie** XIIIe s., L. ‖ **pillard** 1360, Froissart.

**pilocarpe** 1804, *Encycl. bot. ;* lat. *pilocarpus.* ‖ **pilocarpine** 1875, *J. O.*

**piloir, pilon, pilonner** V. PILE 3.

**pilori** 1168, Delb. (*pellori*) ; lat. médiév. *pilorium,* de *pīla,* pilier, ou du prov. *espelori,* d'orig. obscure ; 1845, Besch., *mettre au pilori,* fig. ‖ **pilorier** 1349, Varin.

**pilotage, piloter, pilotis** V. PILE 1, PILOTE.

**pilote** 1369, Jal (*pilot,* jusqu'en 1641) ; 1529, Parmentier (*pilote*) ; mot d'un parler sicilien *pidotu,* de l'ital. *piloto, pilota,* gr. byzantin **pēdōtês,* du gr. *pedon,* gouvernail. ‖ **piloter** 1484, Garcie, diriger un bateau ; 1615, Pasquier, fig. ‖ **pilotage** XVe s. ; XXe s., fig. ‖ **pilotin** 1771, Trévoux, apprenti pilote ; 1761, Duhamel, petit poisson.

**pilou** 1903, Lar., tissu ; corse *pelone,* de *pelo,* poil, lat. *pilus.* (V. PILEUX.)

**pilule** 1314, Mondeville (*pillule*) ; lat. méd. *pīlŭla,* « boulette », dimin. de *pīlă* au sens de « balle, boule ». ‖ **pilulaire** 1739, *Encycl.,* n. m., bot. ; adj., 1756, Geffroy. ‖ **pilulier** 1763, *Encycl.*

**pimbêche** 1545, A. Le Maçon ; p.-ê. altér. d'un anc. *pince-bêche,* impér. de *pincer* et de *bêcher,* donner des coups de bec.

**piment** 980, *Passion,* « baume, épice » ; 1664, Savary, bot., sens mod. ; lat. *pigmentum* au sens bas lat. d'« aromate » (v. PIGMENT). ‖ **pimenter** 1825, Brillat-Savarin. ‖ **pimentade** 1741, Savary.

**pimpant** 1500, *Doc. ;* part. prés. du moy. fr. *pimper,* d'un rad. expressif *pimp-* (cf. l'anc. prov. *pimpar,* parer). ‖ **pimpesouée** XVe s., femme prétentieuse ; sur l'anc. fr. *souef,* doux, du lat. *suavis.*

**pimprenelle** XIIe s., *Gloses de Tours* (*piprenelle*) ; XVe s. (*pimprenelle*) ; lat. médiév. *pipinella* (VIIe s.), p.-ê. dér. de *piper,* poivre (à cause du goût aromatique de la pimprenelle).

***pin** 1080, *Roland ;* lat. *pīnus.* ‖ **pinière** milieu XVIe s. ‖ **pineraie** 1873, Lar. ‖ **pinède** 1842, *Acad. ;* prov. *pinedo,* du lat. pop. *pinetus,* de *pinus,* pin. ‖ **pigne** 1460, Villon, cône de pomme de pin ; 1869, L., sens actuel. ‖ **pignade** 1841, *les Français peints par eux-mêmes* (*pignada*), forêt de pins ; 1869, L. (*pignade*) ; occitan *pinada.* ‖ **pinifère** 1842, *Acad.* ‖ **pinique** 1842, *Acad.* ‖ **pinicole** 1827, *Acad.* ‖ **pinastre** 1562, Du Pinet. ‖ **pinatelle** 1877, *Revue des Deux Mondes,* forêt de pins.

**pinacle** 1261, Delb. ; fin XVIIe s., Saint-Simon, *porter au pinacle ;* XIXe s., architecture ; lat. eccl. *pinnaculum,* faîte du temple de Jérusalem, de *pinna* (v. PIGNON 1).

**pinacothèque** 1606, *Doc. ;* lat. *pinacotheca,* gr. *pinakothêkê,* de *pinax, pinakos,* tableau, et *thêkê,* boîte. ‖ **pinacologie** 1932, Lar. ; gr. *pinax, pinakos,* planche, tableau.

**pinailler** 1934, Arveiller, pop., ergoter ; orig. obscure, p.-ê. var. de PIGNOCHER. ‖ **pinailleur** 1934, Arveiller. ‖ **pinaillage** v. 1950.

**pinard** V. PINEAU.

**pinasse** ou **pinace** milieu XVe s. (*pinace*), mar. ; 1596, Hulsius (*pinasse*) ; var. anc. *espinace,* v. 1450, Monstrelet ; esp. *pinaza,* du lat. pop. **pinācea,* (canot) en bois de pin, du lat. *pinus,* pin. (V. PÉNICHE.)

***pinceau** XIIe s., *Rom. de Troie* (*pincel*) ; XVe s. (*pinceau*) ; lat. pop. **pēnīcellus,* en lat. class. *pēnīculus,* de *penis,* queue (v. PÉNIS). Le *i* peut être dû à une assimil. de *e* à *i* suivant. ‖ **pincelier** 1621, Binet. ‖ **pinceauter** 1806, *Annales chimie.*

***pincer** 1160, Benoît (*pincier*) ; lat. pop. **pinctiare,* croisement entre **punctiare,* de *punctus,* point, et **pīccare,* piquer, ou d'un rad. expressif **pints-.* ‖ **pincé** adj., 1544, M. Scève, « bien reproduit » ; 1695, Regnard, « raide, dédaigneux ». ‖ **pincée** 1642, Oudin. ‖ **pinçon** début XVIe s., « onglée » ; 1640, Oudin, marque sur la peau où l'on a pincé. ‖ **pincement** 1554, Ronsard. ‖ **pinçure** 1170, *Rois* (*pinchure*), tenailles ; 1530, Palsgrave (*pinçure*), action d'enlever les nœuds d'un drap ; 1560, Paré, sens actuel. ‖ **pinçard** 1772, Lafosse. ‖ **pince** 1354, *Modus* (*pinche*), extrémité de sabot du cheval ; 1398, E. Deschamps, « endroit où se séparent les doigts » ; 1382, texte de Rouen, outil de fer ; 1660, Oudin, patte des crustacés, et aussi pli en pointe, terme de couture. ‖ **épincer** 1262, texte de Douai (*espinchier*), techn. ‖ **pincettes** 1321, *Notices.* ‖ **pinceter** 1564, J. Thierry. ‖ **épinceter** 1509, Tilander, aiguiser les serres (d'un oiseau) ; 1829, Boiste, techn. ‖ **pince-cul** 1867, Delvau. ‖ **pince-maille** fin XVe s. ‖ **pince-monseigneur** 1834, Balzac. ‖ **pince-nez** 1856, Furpille. || **pince-notes** 1903, Lar. || **pince-sans-rire** 1774, d'Audinot. || **pince-fesse** 1949, Lar., pop. || **pinçoter** 1569, Du Tronchet.

**pindarique** 1550, Ronsard ; de *Pindare,* nom du poète lyrique grec. || **pindariser** 1502, O. de Saint-Gelais. || **pindarisme** fin XVI^e s.

**pinéal** 1503, Chauliac, anat. ; lat. *pinea,* pomme de pin (d'après la forme de la glande pinéale).

**pineau** 1398, E. Deschamps (*pinot*) ; début XV^e s. (*pineau*), petit raisin blanc ; XV^e s., *Quinze Joyes,* vin fait avec le pineau ; de *pine* (XV^e s.), mot régional désignant une pomme de pin (d'après la forme de la grappe). || **pinard** 1616, Sainéan, pop., vin ordinaire ; 1886, Esnault, vin en général ; vulgarisé pendant la guerre de 1914-1918. || **pinardier** 1953, *journ.*

**pinède** V. PIN.

**pingoin** 1598, Lodewijcksz (*penkuyn*) ; néerl. *pinguin,* d'orig. obscure || **pingouinère** 1876, *J. O.*

**Ping-Pong** 1901, *l'Illustration ;* n. déposé, onomat.

**pingre** 1757, Vadé (auparavant nom propre, *Le Pingre,* 1406, N. de Baye) ; orig. inconnue. (Voir aussi *les pingres,* XV^e-XVI^e s., jeu d'osselets.) || **pingrerie** 1873, Verlaine.

**pinguicule** 1875, Lar. ; lat. *pinguiculis,* grassouillet.

**pink** 1932, Lar. ; mot angl. signif. « couleur de rose ».

**pinne** 1611, Cotgrave, zool. ; lat. *pinna,* mot gr. ; mollusque à coquille triangulaire.

**pinnipèdes** 1827, *Acad.,* zool. ; lat. *pinna,* nageoire, et *pes, pedis,* pied. || **pinne** 1558, Rondelet, nageoire.

**pinnule** 1528, Finé, techn. ; lat. *pinnula,* dimin. de *pinna* au sens « aile ».

**pinque** 1634, Delb (dimin. *pinquet*) ; 1688, Miege (*pinque*) ; moy. néerl. *pink,* grand bateau de pêche.

***pinson** 1180, Marie de France (*pinçun*) ; lat. pop. **pinciō, -onis,* d'orig. gauloise.

**pintade** 1637, A. de Saint-Lô ; port. *pintada,* oiseau peint, de *pintar,* peindre, lat. pop. **pinctare.* || **pintadeau** XVIII^e s., Buffon. || **pintadine** 1842, *Acad.,* huître perlière, c.-à-d. « coquillage tacheté ».

***pinte** 1260, Havard ; probablem. lat. *pincta,* part. passé de *pingere* (V. PEINDRE), au sens de « pourvu d'une marque », pour désigner une mesure de capacité étalonnée. || **pinter** 1265, J. de Meung, boire ; v. pr., XX^e s., « s'enivrer ».

**pin-up** XX^e s. ; mot angl., de *to pin up,* épingler.

**pioche** milieu XIV^e s. (*pioiche*) ; de pic 2, prononcé *pi,* avec le suff. pop. *-oche.* || **piocher** 1360, Froissart ; 1788, Féraud, fig., travailler avec ardeur. || **piocheur** 1534, Rab. ; fig., 1808, d'Hautel. || **piochage** 1752, Trévoux. || **piochement** 1869, L.

**piolet** 1869, L. ; du valdôtain *piolet,* petite hache, de l'anc. prov. *piola,* hache, dimin. de *apia,* avec déglutination de *a* initial, francique **happia.* (V. HACHE.)

***pion** fin XII^e s., *Roman d'Alexandre (peon),* « fantassin » ; 1180, *Raoul de Cambrai* (*poon*), aux échecs ; début XV^e s. (*pion*) ; XV^e s., pauvre diable ; 1833, Baudelaire, surveillant de collège ; fig., 1928, Martin du Gard ; *damer le pion,* 1661, Chapelain ; lat. *pedo, -onis* (de *pes, pedis,* pied), « qui a de grands pieds », puis « qui va à pied ». || **pionne** 1878, Esnault, surveillante. || **pionnicat** XX^e s. || **pionner** 1798, *Acad.,* au jeu de dames. || **pionnier** XI^e s., *Chanson de Guillaume* (*peünier*), fantassin ; XIV^e s., Cuvelier, ouvrier d'artillerie ; 1478, d'après Guérin, défricheur ; 1860, Dochez, défricheur dans les pays coloniaux ; 1875, Lar., fig.

**pioncer** 1827, Vidocq, pop., dormir ; peut-être altér., d'après *ronfler,* de *piausser* (1628, Chereau), de *peausser,* dormir sur des peaux, de *peau,* au sens de « couverture, lit ». (V. PIEU 2.)

**pioupiou** 1611, Cotgrave, cri des poussins ; 1838, Varner, *le Pioupiou,* comédie (donnée au Palais-Royal, le 31 mars), d'une onom. enfantine désignant les poussins, empl. par ironie pour les jeunes soldats.

**pipe** V. PIPER.

**pipelet** 1854, Esnault, pop., concierge ; du nom de *Pipelet,* personnage des *Mystères de Paris* (1842), d'Eugène Sue. || **pipelette** 1963, Lar., « personne bavarde ».

**pipe-line** 1887, Lami ; angl. *pipe-line,* de l'anc. fr. *pipe,* « tuyau », et *ligne.* Concurrencé auj. par *oléoduc.* || **pipelinier** 1973, *J. O.*

***piper** 1180, Marie de France, « pousser un petit cri pour attirer les oiseaux » ; lat. pop.

**pippāre*, du lat. class. *pīpāre*, « glousser », et à basse époque « pépier » ; 1375, *Modus*, « prendre les oiseaux à la pipée » ; 1455, Sainéan, tromper ; 1868, L., escamoter ; *ne pas piper*, 1616, *Anc. Théâtre*, « ne pas dire mot » ; *piper les dés*, 1636, Monet. || **pipe** fin XIIe s., J. de Bruges, chalumeau, pipeau ; XIIIe s., chalumeau pour boire, d'où « tuyau, tige à divers usages » ; 1626, *Traité du tabac*, pipe pour fumer ; *casser sa pipe*, 1649, *Mazarinades*, fig. ; *tête de pipe*, 1888, Sachs-Villate, pop., individu ; déverbal. || **piper** 1856, Esnault, fumer une pipe. || **pipette** XIIIe s., tuyau ; XIVe s., mesure de liquides ; 1836, Landais, tube de verre pour transvaser des liquides. || **pipeau** 1537, G., goulot ; milieu XVIe s., Ronsard, mus. || **pipée** 1354, *Modus*, chasse où l'on imite le cri des oiseaux pour les attirer ; 1909, Farrère, contenu d'une pipe. || **piperie** XIIIe s., Bartzsch, action de jouer du pipeau ; 1460, Villon, tromperie. || **pipeur** 1455, *Coquillards*, trompeur.

**pipéracées** 1816, Candolle ; lat. *piper*, poivre. || **pipérin** n. m. et **pipérine** n. f., 1827, *Acad.* || **pipéronal** 1875, Lar. || **piperade** 1938, Montagné ; mot béarnais. || **pipérique** 1875, Lar.

1. **pipi** 1692, Dufresny (*faire pipi*) ; redoublement enfantin ou euphémique de la première syllabe de *pisser*.

2. **pipi, pipit, pitpit** 1683, trad. de Ludolf, zool. ; onomat., d'après le cri de cet oiseau. (V. PÉPIER.)

**pipistrelle** 1812, Mozin, zool. ; ital. *pipistrello*, chauve-souris, déform. de l'anc. ital. *vipistrello*, du lat. *vespertilio*.

1. **pique** n. f., 1330, *Baudoin de Sebourg*, arme ; néerl. *pike*.

2. **pique** n. m., 1552, Ch. Est., une des couleurs noires des cartes, empl. métaph. du précéd., à cause de sa forme en fer de pique ; masc. d'après le genre des trois autres noms de couleurs.

3. **pique** V. PIQUER 1.

1. **piquer** 1130, *Saint-Gilles*, « percer d'une pointe » ; 1546, Ch. Est., « démanger » ; 1671, Pomey, méd., percer avec la lancette, d'où les sens mod. ; 1844, Balzac, plonger ; 1866, Parent, s'élever verticalement ; 1949, Lar., aéron., descendre presque à la verticale ; *se piquer à*, 1580, Montaigne, s'irriter ; 1835, *Acad.*, s'aigrir ; lat. pop. **pīccāre*, d'une rac. onomat. exprimant un mouvement rapide suivi d'un bruit sec (v. PIC 1). || **piquant** n. m., 1372, Du Cange, projectile ; XVe s., épine ; adj., 1398, *Ménagier* (*eau piquante*) ; 1546, Ch. Est., qui pique la peau ; 1559, Amyot, fig. || **piqué** adj., 1560, Paré, marqué de trous ; début XIXe s., marqué par un insecte ; 1899, Esnault, fou ; n. m., 1806, Brunot ; *en piqué*, 1937, Malraux. || **piqûre** XIe s., *Gloses de Raschi* ; 1586, Havard, couture ; XVIIe s., morsure d'insecte. || **piqueur** 1360, Froissart, « qui pique » ; 1572, Budé, écuyer ; 1780, Brunot, mines. || **piquage** 1803, Boiste. || **piquade** 1803, Boiste. || **pique** 1460, Chastellain, altercation. || **piquet** 1390, G. (*pichet*) ; 1660, Oudin (*piquet*) ; 1718, *Acad.*, pieu tenant les chevaux à l'attache, d'où, milit., détachement, et *piquet de grève*, XIXe s. ; XVIIIe s., punition militaire (deux heures un pied sur le piquet), d'où, 1842, Mozin, punition scolaire. || **piqueter** 1347, G., « faucher », avec une faux appelée « piquet » ; XVIe s., G., sens mod. || **piquetage** 1869, *les Primes d'honneur*. || **picoter** 1379, J. de Brie ; anc. fr. *picot*, pointe ferrée. || **picote** milieu XVIe s., variole. || **picotement** 1552, Ch. Est. || **piquette** 1583, Liébault, boisson de prunelles ; 1660, Oudin, mauvais vin. || **picter** 1628, *Jargon*, boire. || **picton** 1790, *Rat du Châtelet*, arg., « piquette ». || **pique-assiette** 1807, Michel. || **pique-bœuf** 1534, B. des Périers, zool. || **pique-bois** 1818, *Dict. sc. naturelles*. || **pique-feu** 1877, L. || **pique-fleurs** 1972, *journ.* || **pique-nique** 1694, Ménage ; de *piquer*, au sens de « picorer », et de l'anc. fr. *nique*, chose sans valeur, du germ. *nik*. || **pique-niquer** 1875, Lar. || **pique-niqueur** 1875, Lar. || **pique-notes** 1877, L. || **dépiquer** XIIIe s., « piquer » ; 1648, Voiture, sens mod. || **repiquer** 1508, Gaillon, agric. || **repiquage** début XIXe s.

2. **piquer** V. PIC 2.

**piranha, piraya** 1795, d'après Robert ; mot tupi (Brésil).

**pirate** 1213, *Fet des Rom.* ; lat. *pirata*, du gr. *peirates*, de *peiran*, « essayer », d'où « tenter la fortune sur mer ». || **pirater** 1578, d'Aubigné. || **piraterie** 1505, *Voy. de Gonneville*.

***pire** 1155, Wace ; lat. *peior*, comparatif de *malus*, mauvais : cas sujet cristallisé, dont le cas régime, *peior, pieur*, a disparu au XVe s. (v. PIS 2). || **empirer** XIIe s. ; réfection, d'après *pire*, d'*empeirier* (1080, *Alexis*), du lat. pop. **impejorāre* (bas lat. *pejorare*).

**piriforme** 1690, Dionis ; lat. *pirus*, poire, et *-forme*.

**pirogue** 1555, J. Poleur (*piragué*) ; 1638, *Gazette de France* (*pirogue*) ; esp. *piragua*, mot caraïbe. || **piroguier** 1859, Peschier.

**pirouette** 1364, Machaut (*pirouelle*) ; 1450, Gréban (*pirouet*) ; 1510, *Test. de Ruby* (*pirouette*), « sabot, toupie » ; XVI^e s., cabriolet ; d'un rad. *pir-*, entrant dans la composition de mots signif. « piquet » (ital. *pirolo*, cheville, toupie, et le fr. rég. *piron*, gond). || **pirouetter** 1530, Palsgrave, faire tourner une toupie ; milieu XVI^e s., sens mod. || **pirouettement** fin XVI^e s.

1. ***pis** 980, *Passion* (*peiz*) ; 1080, *Roland* (*piz*), n. m., poitrine ; XII^e s., mamelle de bête laitière ; lat. *pĕctus*, poitrine. (V. PECTORAL, POITRINE.)

2. ***pis** fin X^e s., *Saint Léger* (*peis*), adj. ; 1130, *Eneas* (*pis*), adv. ; lat. *peius*, neutre de *peior*, comparatif de *malus*, mauvais (v. PIRE). || **pis-aller** 1643, Corn.

**pisci-**, lat. *piscis*, poisson. || **pisciculture** 1850, Coste. || **pisciculteur** 1857, Haxo. || **piscicole** 1876, *J. O.* || **pisciforme** 1776, Bomare. || **piscivore** 1772, Brunot.

**piscine** fin XII^e s., Herman de Valenciennes ; 1877, L., sens actuel ; lat. *piscina*, « vivier », « bassin pour le bain » (I^er s., Sénèque), de *piscis*, poisson (v. le précéd.).

**pisé** n. m., 1562, Du Pinet, techn. ; part. passé substantivé de l'anc. fr. *piser* (1555, Aneau), « broyer », et par ext. « battre la terre à bâtir », du lat. *pi(n)sare*, piler, broyer (v. PIGE 1). || **piseur** 1803, Boiste. || **pisoir** ou **pison** 1575, *Doc.*, pilon ; 1803, Boiste, sens mod., techn.

**pisiforme** 1765, *Encycl.* ; lat. *pisum*, pois. || **pisolite** 1765, *Encycl.* || **pisolitique** 1812, Mozin.

**pissalat** 1539, *Romania* ; mot niçois, de l'anc. prov. *peis*, poisson, et *salat*, salé. || **pissaladière** 1938, Montagné.

**pissenlit** V. PISSER.

***pisser** 1180, Marie de France ; lat. **pissiāre*, de formation expressive ; devenu vulgaire en fr. mod. || **pissat** début XIII^e s., Tobler-Lommatzsch (*pissace*) ; 1314, Mondeville (*pissat*). || **pisse** 1611, Cotgrave, pop. ; déverbal || **pissée** 1869, L. || **pissement** 1565, Vallambert. || **pisseur** XIII^e s., La Curne (*pisseres*) ; 1482, Flameng (*pisseur*). || **pisseux** 1580, B. Palissy. || **pissoir** 1489, G. || **pissoter** 1560, Paré. || **pissotière** 1534, Rab., vessie ; 1611, Cotgrave, urinoir. || **pissenlit** 1536, H. Est., bot. ; par allusion à ses vertus diurétiques. || **pissette** 1838, *Annales chimie*. || **pisse-froid** 1609, Sigogne. || **pisse-sang** 1600, O. de Serres, méd. et vétér. || **pisse-vinaigre** 1640, Oudin, « esprit chagrin ». || **compisser** 1924, Mac Orlan.

**pistache** XIII^e s., *Simples Méd.* (*pistace*) ; lat. *pistacium*, du gr. *pistakion*, mot d'Orient ; repris au XVI^e s., 1546, J. Martin (*pistache*), de l'ital. *pistaccio*. || **pistachier** 1557, de Lécluse (*pistacier*) ; 1606, Crespin (*pistachier*).

**piste** 1562, du Pinet, empreinte de pied d'animal ; 1611, Cotgrave, suite d'empreintes ; fin XVI^e s., ligne de manège de chevaux ; 1860, *journ.*, chemin ; cinéma, 1923, Florey ; ital. *pista* (auj. *pesta*), de *pestare*, broyer, piler, du bas lat. *pistāre*, *id.* || **pister** 1775, abbé Prévost, broyer ; 1859, Mozin, sens mod. || **pistage** 1907, Lar. || **pistard** 1913, Esnault. || **pisteur** 1850, H. Murger. || **dépister** 1737, *Mémoires de Trévoux*, retrouver la piste ; 1828, Vidocq, détourner de la piste.

**pistil** 1685, Grew (*pistille*) ; 1690, Furetière (*pistil*), bot. ; lat. *pistillus*, « pilon », en raison de la forme du pistil. || **pistillaire** 1842, *Acad.*

**pistole** 1544, Gay, « petite arquebuse » ; 1560, Pasquier, monnaie valant dix francs, par comparaison plaisante ; all. *Pistole*, pistolet, du tchèque *pistala*, sifflet. || **pistolet** 1534, Des Périers, monnaie ; 1546, *Anc. Lois fr.*, arme à feu courte et portative ; milieu XVI^e s., poignard ; 1932, Lar., techn. ; du nom de *Pistoja*, ville où se fabriquait cette arme ; 1842, *Acad.*, individu, péjor. ; dimin. || **pistolade** 1559, Petiot, coup de pistolet. || **pistoleur** 1969, *journ.*

**piston** 1534, Rab., « pilon » ; 1648, Pascal, sens mod. ; 1836, Landais, mus. ; 1857, Esnault, fig., sens dér. de *pistonner* ; ital. *pistone*, du lat. *pistare*, fouler, écraser (v. PISTE). || **pistonner** 1857, Esnault, fig., recommander, appuyer.

**pistou** 1931, Brun ; mot marseillais, de l'anc. prov. *pestar*, broyer, bas lat. *pistare*.

**pitance** 1120, *Ps. d'Oxford*, « pitié, piété » ; début XIII^e s., *Roman de Renart*, « portion donnée à chaque moine pour son repas », les distributions de vivres étant assurées par des fondations pieuses ; XIII^e s., Rutebeuf, nourriture ; auj., péjor. ; même mot que *piété*, *pitié*, avec changem. de suff. || **pitancier** 1287, Bevans.

**pitchpin** 1875, Sachot ; angl. *pitchpine*, de *pine*, pin, et *pitch*, résine.

1. **pite** 1462, G., hist., monnaie de cuivre ; lat. médiév. *picta,* d'un rad. *pitt-,* pointe, bout pointu. (V. PITON.)

2. **pite** 1599, Champlain (*pitte*), agave ; esp. *pita,* mot d'une langue amérindienne.

**piter** 1963, Lar., toucher ; prov. *pitá,* becqueter.

***piteux** 1120, *Ps. de Cambridge* (*pitus*), « qui éprouve de la pitié » ; 1165, Thomas, digne de pitié ; 1648, Scarron, malheureux, gauche ; bas lat. *pietosus,* de *pietas.* (V. PITIÉ.) || **piteusement** 1165, Thomas.

**pithécanthrope** 1903, Lar. ; mot allem. créé par Haeckel, du gr. *pithêkos,* singe, et *anthrôpos,* homme.

**pithiatisme** 1901, Babinski, méd. ; gr. *peithô,* persuasion, et *iatos,* guérissable. || **pithiatique** 1901, Babinski.

***pitié** 1050, *saint Alexis* (*pitet*) ; 1080, *Roland* (*pitié*) ; lat. *pietas, -atis,* piété ; en anc. fr. « pitié » et « piété » ; resté en fr. mod. au premier sens. || **pitoyable** 1120, *Ps. de Cambridge* (*piteable*) ; XVI^e s. (*pitoyable*). || **apitoyer** fin XIII^e s., *Marco Polo.* || **apitoiement** 1842, J.-B. Richard. || **impitoyable** XV^e s.

**piton** 1382, Delb., clou à crochet ; 1640, P. Bouton, pointe de montagne ; d'un rad. *pitt-,* signif. « pointe ». || **pitonner** 1963, Lar. || **pitonnage** 1956, Trombe.

**pitre** 1660, Saint-Amant (*bon pitre,* « brave homme ») ; 1828, Vidocq, sens mod. ; mot dialectal de Franche-Comté, de même orig. que le fr. *piètre.* || **pitrerie** 1876, *J. O.*

**pittoresque** 1708, Piles, « qui fait de l'effet dans un tableau » ; 1721, Coypel, « qui rend une œuvre d'art bien caractérisée, en peinture ou en littérature » ; 1865, Taine, sens actuel ; ital. *pittoresco,* de *pittore,* peintre, du lat. *pictor.* (V. PICTURAL.) || **pittoresquement** 1732, *Mercure de France.*

**pituite** 1541, Beaufilz ; lat. *pituita* (v. PÉPIE). || **pituiteux** 1538, Canappe ; lat. *pituitosus.* || **pituitaire** 1560, Paré.

**pityriasis** fin XVIII^e s., *D. G.* (*pityriase*), méd. ; gr. *pituriasis,* de *pituron,* son du blé, d'après l'aspect des taches de cette dermatose. || **pityriasique** 1878, Lar.

**pivert** ou **picvert** V. PIC 1.

**pivoine** fin XII^e s., *Roman d'Alexandre* (*peone*) ; 1360, Froissart (*pione*) ; 1539, Duchesne (*pivoine*) ; lat. *paeonia,* du gr. *paiônia.*

**pivot** 1174, E. de Fougères ; du prélatin non attesté **puga,* pointe, correspondant à l'angl. *pue,* « dent de peigne de tisserand, de herse », à l'anc. prov. *pua,* même sens, et à l'esp. *pua,* « pointe ». || **pivoter** 1508, La Curne, « se trémousser » ; 1823, Boiste, sens mod. || **pivotant** milieu XVI^e s., adj. || **pivotement** 1923, Lar.

**pizza** XX^e s. ; mot ital. || **pizzeria** 1954, Beauvoir.

**placard** 1410, G. (*plackart*), « enduit pour revêtir les murs » ; 1444, *Doc.,* affiche sur les murs ; fin XVIII^e s., armoire dans un mur ; 1835, *Acad.,* épreuve d'imprimerie ; de *plaquer.* || **placarder** 1586, Pasquier, « publier dans un libelle » ; 1611, Cotgrave, afficher. || **placardage** 1963, Lar.

***place** 1080, *Roland ;* 1417, *Arch. de Bret.,* milit. ; 1538, R. Est., situation, rang ; *place forte,* 1553, trad. de la Bible ; *place d'armes,* 1740, *Acad. ; sur place,* 1845, Besch. ; *faire place nette,* 1694, *Acad. ; à la place de,* XVII^e s. ; *place !,* 1652, Scarron ; *remettre à sa place,* 1690, Furetière ; *prendre place,* 1373, Gace de la Buigne ; *demi-place,* fin XIX^e s., *D. G. ;* lat. pop. **plattea,* forme redoublée, d'après **plattus* (v. PLAT), du lat. class. *platea,* « large rue », du gr. *plateîa,* fém. substantivé de l'adj. *platus,* large. || **placette** milieu XIV^e s. || **placer** 1564, J. Thierry. || **placement** 1578, d'Aubigné ; *bureau de placement,* 1834, Landais. || **placier** 1690, Furetière, fermier des places d'un marché ; 1845, Besch., représentant de commerce. || **placeur** 1765, *Encycl.* || **biplace** v. 1917. || **déplacer** début XV^e s. || **déplacé** adj., 1701, Furetière ; 1944, *journ., personne déplacée.* || **déplacement** XVI^e s., G. || **emplacement** début XV^e s., « donation » ; 1611, Cotgrave, sens mod. || **remplacer** 1549, R. Est. ; anc. fr. *emplacer,* employer, mettre en place. || **remplaçant** n. m., 1792, milit. || **remplacement** 1535, *Doc.* || **remplaçable** 1845, Besch. || **irremplaçable** 1876, L. || **replacer** 1669, Widerhold.

**placebo** XIII^e s., G., « flatterie » ; XVI^e s., « intrigant » ; 1875, Lar., méd. ; mot lat. signif. « je plairai », 1^re pers. du fut. de l'indic. de *placere,* plaire.

**placenta** 1540, Michel de Tours (*placente*), « gâteau, galette » ; 1654, Gelée (*placenta*), anat. ; mot lat. signif. « gâteau », auquel les naturalistes ont donné une acception métaph.

|| **placentaire** 1817, Gérardin. || **placentation** *id.* || **placentographie** 1963, Lar.

1. **placer** V. PLACE.

2. **placer** n. m., 1849, Lireux, gisement d'or ; mot esp., var. de *placel,* dérivé du verbe *placer,* plaire, du lat. *placēre.*

**placet** 1365, texte de Valenciennes (*lettre de placet*), « assignation à comparaître » ; 1479, Bartzsch (*placet*), requête ; mot lat., 3e pers. de l'indic. prés. de *placēre,* plaire : « il plaît, il est jugé bon ».

**placide** 1525, J. Lemaire de Belges ; lat. *placidus.* || **placidement** 1611, Cotgrave. || **placidité** début XIXe s., Staël ; lat. *placiditas.*

**plafond** 1559, Gardet (*platfond*) ; comp. de *plat* et *fond,* « fond plat » ; *bas de plafond,* fig., 1875, Lar. ; « altitude », XXe s. || **plafonner** 1690, Furetière (*platfonner*), garnir d'un plafond ; 1920, Lainé, atteindre sa plus grande altitude. || **plafonneur** 1800, Boiste. || **plafonnage** 1835, *Acad.* || **plafonnement** 1874, *J. O.,* bx-arts ; 1963, Lar., sens actuel. || **plafonnier** 1906, *Omnia.* || **déplafonner** XXe s.

**plagal** 1620, d'Aubigné, mus. ; lat. eccl. *plaga,* qui désigne ce mode.

**plage** 1298, *Livre de Marco Polo,* « pente douce vers la mer » ; début XIXe s., sens mod. ; 1909, Farrère, pont d'un navire ; ital. *piaggia,* « coteau », du gr. *plagios,* « oblique », substantivé au pl. neut. et interprété comme fém. || **plagiste** 1965, *journ.*

**plagiaire** 1555, Ch. Fontaine ; lat. *plagiarus,* proprem. « débaucheur et receleur des esclaves d'autrui », de *plagium,* « détournement », du gr. *plagios,* oblique, fourbe (v. le précéd.). || **plagiat** 1697, Bayle. || **plagier** 1801, Mercier.

**plagio-,** gr. *plagios,* oblique. || **plagiocéphalie** 1877, L. || **plagioclase** 1903, Lar. || **plagiotrope** 1903, Lar.

1. **plaid** V. PLAIDER.

2. **plaid** 1667, Bonnafé, étoffe de laine ; 1708, Miege, manteau ; 1869, L., Proust, couverture de voyage ; mot angl., de l'écossais *plaide.*

***plaider** 1080, *Roland* (*plaidier*), tenir ses assises ; de l'anc. n. m. *plaid* (842, *Serments*), « convention » ; 1131, *Couronn. Loïs,* soutenir en justice ; lat. *placitum,* « conforme à la volonté », part. passé substantivé de *placēre,* plaire. || **plaidable** fin XIIIe s. || **plaidant** 1278, Langlois. || **plaideur** 1206, Guiot (*plaideor*).

**plaidoyer** 1283, Beaumanoir (*pledoyé*) ; *plaidoyé* sera usité jusqu'au XVIIe s. ; XIVe s. (*plaidoyer*) ; anc. v. fr. *plaidoier,* plaider, devenu nom ; de *plaid.* (V. PLAIDER.) || **plaidoirie** XIIIe s., Tobler-Lommatzsch.

**plaie** 1080, *Roland ;* lat. *plaga,* coup.

1. ***plain** 1112, *Voy. saint Brendan* (*a plain,* sans obstacle) ; 1130, *Eneas,* « plan, uni » ; lat. *planus ;* éliminé par PLAN 1, à cause de l'homonymie de *plein.* || **plaine** 1080, *Roland* (*pleine*), fém. substantivé, a éliminé le masc. substantivé *plain* et le n. f. *plaigne,* 1080, *Roland,* usités en anc. fr., du dér. lat. pop. **planea.* || **plain-chant** 1636, Monet. || **plain-pied (de)** 1654, La Rochefoucauld ; fig., XXe s. || **aplanir** XIVe s. ; réfection, par changem. de conjug., de l'ancien *aplanier* (XIIe s.) ; du XIVe au XVIe s., aussi « flatter » ; XVIIe s., fig. || **aplanissement** 1361, Oresme, « flatterie » ; 1539, R. Est., sens mod. || **aplanisseur** XVIIIe s., Voltaire, polit. (V. PÉNÉPLAINE.)

2. **plain** ou **pelain** n. m., fin XIIe s., R. de Moiliens (*pelain*) ; 1585, *Édit* (*plain*), techn., bain de chaux vive ; de *peler,* avec un suff. *-ain,* du lat. *-amen* (« qui fait peler la peau »). || **plamer** ou **pelamer** XVIe s. (*pellamer*) ; 1723, Savary (*plamer*), préparer les peaux avec le *plain.* || **plamée** ou **pelamée** 1752, Trévoux.

***plaindre** 1050, *Alexis ; se plaindre,* 1080, *Roland ;* lat. *plangĕre.* || **plaignant** 1259, Varin, n. m. ; XIIIe s., jurid. || **plainte** fin XIe s., *Gloses de Raschi* (*plonte*) ; XIIe s. (*plainte*), gémissement ; XIIe s., *Guillaume,* jurid. || **plaintif** 1130, *Job.* || **plaintivement** 1558, Rab.

***plaire** 1080, *Roland ;* réfection, d'après le prés. de l'indic. et sur le modèle de *faire, traire,* de l'anc. inf. *plaisir,* du lat. *placēre.* || **plaisant** adj., 1175, Chr. de Troyes. || **plaisamment** XIIe s. || **plaisance** 1265, J. de Meung, « plaisir » ; du part. prés. *plaisant ;* 1460, Chastellain, *de plaisance,* qui est agréable (lieu, maison, etc.). || **plaisancier** 1959, Giordan. || **plaisanter** 1531, Le Doyen. || **plaisanterie** 1279, Fr. Laurent ; rare jusqu'en 1538, R. Est. || **plaisantin** 1534, Des Périers, rare jusque v. 1850. || **complaire** début XIIe s. ; lat. *complacēre,* plaire beaucoup. || **complaisant** milieu XVIe s. || **complaisance** 1361, Oresme. || **déplaire** 1130, *Eneas* (*des-*) ; lat. pop. **displacere.* || **déplaisant** 1190, *saint Bernard,* souvent « mécontent » en anc. fr. (et jusqu'à la fin du XVIIe s., Saint-Simon). || **déplaisance** 1265, J. de Meung.

***plaisir** n. m., 1080, *Roland,* anc. infin. utilisé comme tel jusqu'au XIIIe s. ; lat. *placēre,* plaire ; 1829, Boiste, « oublie », emploi spécialisé. || **déplaisir** XIIIe s., *les Sept Sages.*

1. **plan** adj. et n. m., 1553, J. Martin, « surface plane », forme savante de *plain* 1, qu'elle a éliminé ; lat. *planus.* Empl. techn. dans les mathém., le dessin, le théâtre et le cinéma (*gros plan,* 1918, *le Film ; premier plan,* 1923, *Mon Ciné*) ; *plan calcul,* 1967, *journ.* || **arrière-plan** 1811, Chateaubriand, peint. || **biplan, monoplan** début XXe s. (v. PLANER 1 et 2). || **plan-convexe** 1691, Ozanam, optique. || **plan-concave** 1765, *Encycl.,* optique. || **planaire** n. m., 1803, Boiste, zool. || **planeter** 1765, *Encycl.,* techn. || **planette** 1765, *Encycl.* || **planéité** 1953, Lar. || **planimétrie** début XVIe s. || **planimètre** 1812, Mozin. || **planimétrie** 1520, Verney. || **planimétrique** 1836, Landais. || **planimétrage** 1923, Lar. || **planisphère** 1555, Delb. || **planisphérique** milieu XVIe s. || **planirostre** 1812, Mozin, zool. ; sur *rostre,* du lat. *rostrum,* bec. || **planitude** 1875, Lar. || **planorbe** 1765, *Encycl.* (*plan-orbis*) ; 1776, Valmont (*planorbe*), zool. ; de *orbis,* boule.

2. **plan** 1545, Van Aelst, « dessin d'une contrée » ; début XVIIe s., Malherbe, « projet élaboré » ; 1875, Lar., écon. ; *laisser en plan,* 1821, Desgranges, d'après *planter là quelqu'un* (XVe s.) ; fausse graphie du n. m. *plant* (fin XVe s.), « action de planter », d'où « ce qui est planté », de *planter,* confondu avec *plan* 1 pour la graphie, et développant des emplois particuliers sous l'infl. de l'ital. *pianta,* « espace occupé » et « dessin d'une contrée ». || **planifier, planification, planificateur** 1938, Hamon. || **planifiable** 1966, *journ.* || **planisme** 1939, Vermeil. || **planiste** 1949, *journ.* || **planning** 1953, Lar. ; mot angl.

***planche** 1155, Wace (*plance*) ; fin XIIe s. (*planche*) ; 1585, Cholières, gravure ; 1784, Diderot, scène de théâtre ; bas lat. *planca* (Ve s., Palladius), altér. de **palanca* (v. PALAN), sous l'infl. de *planus* (v. PLAN 1). || **planchette** XIIIe s., *Doon de Mayence.* || **planchéier** 1330, *Roman de Renart (planchoier)* ; 1539, R. Est. (*plancheer*). || **planchéiage** 1845, Besch. || **planchéieur** 1672, Isambert, employé d'un port ; 1827, *Acad.,* qui pose les planchers. || **plancher** n. m., 1160, Benoît ; aux XVI-XVII[e] s., aussi « plafond » ; 1963, Lar., niveau minimal. || **plancher** 1905, Esnault, arg. des écoles, « subir une interrogation », par allusion à la « planche » du tableau.

***plançon** 1120, *Ps. d'Oxford ;* lat. pop. **plantio, -onis,* de *plantāre,* planter.

**plancton** 1903, Lar. ; mot créé en 1887, en all., par Hansen, du gr. *plagkton,* neutre de l'adj. *plagktos,* errant. || **planctonique** 1911, Lar. || **planctonologie** 1970, Robert. || **planctophage** 1954, Vivier.

1. **plane** 1174, E. de Fougères ; forme rég. (Est) de *platane.*

2. **plane** fin XIe s., *Gloses de Raschi* (*plaine*), « outil tranchant » ; XIVe s., Deschamps (*plane,* réfection d'après *planer* 1), « rabot » ; bas lat. *plāna* (IIIe s., Arnobe), de *plānāre,* rendre uni.

1. ***planer** 1160, Benoît, techn., « aplanir » ; bas lat. *plānāre* (VIe s., Coripре), de *plānus,* plan (v. PLAIN 1). || **planeur** 1680, Richelet, instrument techn. || **planure** 1668, Sorel, « copeaux ». || **planoir** 1765, *Encycl.*

2. **planer** XIIIe s., « baisser le haut du corps sur le cheval » ; 1373, Gace, « se soutenir en l'air », en parlant d'un oiseau ; fin XVIIIe s., *planer sur,* menacer ; fin XIXe s., aéron. ; dér. de l'anc. adj. *plain,* du lat. *planus,* uni. || **planeur** 1866, *journ.,* oiseau ; 1876, *journ.,* aéron.

**planète** 1119, Ph. de Thaon ; bas lat. *planeta* (IVe s., Ausone), du gr. *planêtês,* « (astre) errant ». || **planétaire** adj., 1553, Belon, astron. ; 1869, L., mécan. ; n. m., fin XIXe s., mécan. autom. || **planétarium** 1740, *Acad.* (*planétaire,* n. m.) ; fin XIXe s. (*planétarium*). || **planétarisé** 1971, Gilbert. || **interplanétaire** 1912, Esnault-Pelterie.

**planimétrie, planisphère** V. PLAN 1.

**planquer** 1445, *Coquillards* (*planter*), « cacher » ; 1790, *le Rat du Châtelet* (*planquer*), arg. et pop. ; var. de *planter.* || **planque** 1829, Esnault, cachette ; 1941, *le Français mod.,* situation tranquille.

***plantain** fin XIIIe s., Rutebeuf ; lat. *plantaginem,* acc. de *plantago,* de même rac. que *planta.*

1. ***plante** 1190, *Saint Bernard,* plante du pied ; lat. *planta,* même sens (v. PLANTER). || **plantigrade** 1795, Cuvier ; lat. *gradi,* marcher.

2. **plante** 1500, J. Lemaire de Belges (dimin. *plantelette*) ; 1542, Gesner (*plante*), « végétal » ; reprise tardive pour désigner d'un terme unique le règne végétal ; lat. médiév. *planta,* « rejeton, pousse », sans doute déverbal de *plantare,* planter. || **plantule** 1700, *Mémoires*

*Acad. sciences,* bot. ; lat. scientif. *plantula,* petite plante.

***planter** milieu XIIe s. ; lat. *plantare,* probablem. dér. de *planta,* plante des pieds, au sens primitif de « enfoncer avec le pied ». || **plant** XIVe s., E. Deschamps, action de planter ; 1551, G., tige nouvelle à planter. || **plantage** début XVe s. || **plantation** 1190, *Saint Bernard* (*planteson*) ; XIVe s. (*plantation*) ; rare jusqu'au XVIe s. ; lat. *plantatio.* || **planteur** fin XIIIe s. (*plantierres*), « celui qui établit une chose » ; XVe s., agric. ; 1667, Du Tertre, aux colonies ; d'après l'angl. *planter,* de (*to*) *plant,* planter, du fr. || **plantoir** 1640, Oudin. || **planton** 1584, G., jeune plant ; fin XVIIIe s., milit. || **déplanter** début XIVe s. || **déplantoir** 1640, Oudin. || **déplanteur** début XVIIIe s., La Motte. || **s'implanter** 1539, Canappe ; lat. *implantare ;* d'où *implanter,* 1611, Cotgrave. || **implantation** 1538, Canappe. || **replanter** fin XIIe s. || **transplanter** milieu XIVe s. || **transplantation** milieu XVIe s.

**plantigrade** V. PLANTE 1.

**plantureux** 1160, Benoît (*plenteüros*) ; 1207, Villehardouin (*plantureus,* avec *a* dû à l'attraction de *plante*) ; 1265, Br. Latini (*plantureux*) ; altér., sous l'infl. de *heureux,* de l'anc. fr. *plenteïveus* (XIIe s.), de l'anc. adj. *plentif,* dér. de l'anc. fr. *plenté,* « abondance », du bas lat. *plēnitās, -atis,* de *plēnus,* plein. || **plantureusement** XIIIe s.

**plaquemine** 1682, Friederici (*piakimina*) ; 1875, Lar. (*plaquemine*) ; algonquin, *piakimin.* || **plaqueminier** 1720, Read, bot.

**plaquer** XIIIe s., J. Bretel (*plaquier*), « appliquer quelque chose sur » ; 1564, Calvin, « abandonner », devenu d'empl. pop. ; moy. néerl. *placken,* « rapiécer, enduire ». || **plaque** XVe s., sorte de monnaie flamande (du moy. néerl. *placke*) ; 1549, R. Est. (*plaques,* au pl.), « crépi » ; 1562, Du Pinet (*plaque*), feuille de métal rigide. || **plaquette** début XVIe s., petite plaque ; 1835, *Acad.,* petit livre ; 1963, Lar., plaquette sanguine. || **plaqué** n. m., 1798, *Acad. ;* part. passé substantivé. || **placage** 1317, textes wallons. || **Placoplâtre** 1963, Lar. ; n. déposé. || **plaqueur** 1239, G., ouvrier en placage. || **plaquis** 1694, Th. Corn. || **contreplaqué, contre-placage** fin XIXe s. (v. PLACARD).

**plasma** 1752, Trévoux (*plasme*), pharm., « émeraude brute broyée » ; 1846, Besch. (*plasma*), même sens ; 1875, Lar., partie liquide du sang ; créé en all., dans ce sens, par Schultz, en 1836, du gr. *plasma,* « chose façonnée, modelée » ; 1962, Robert, gaz. || **plasmagène** 1963, Lar. || **plasmatique** 1858, Nysten. || **plasmatron** 1963, Lar. || **plasmolyse** XXe s. || **cytoplasme** 1890, Lar. || **néoplasme** 1868, L. || **protoplasme** 1869, L. (*protoplasma*) ; 1890, Lar. (*protoplasme*). || **protoplasmique** 1869, L. (V. CATAPLASME, ECTOPLASME.)

**plaste** 1962, Robert, bot. ; gr. *plassein,* façonner.

**plastic** 1949, Lar., explosif ; mot angl., de *plastique.* || **plastiquer, -age** 1960, *journ.*

**plastique** 1553, Vaganay, adj., bx-arts, esthétique ; 1765, *Encycl.,* n. f., *id. ;* 1875, Lar., adj., et n. m., substance quelconque qui peut être moulée ; 1949, Lar., substance de synthèse ; bas lat. *plasticus,* adj. (Ier s., Vitruve), et *plastica,* n. f. (IIIe s., Tertullien), du gr. *plastikos,* relatif au modelage, *plastikê* (*tekhnê*), art de modeler. || **plasticité** 1785, Fourcroy. || **plastifiant** n. m., 1963, Lar. || **plastifier** 1932, Lar. || **plastification** 1932, Lar. || **plastiquement** 1846, Lamennais.

**plastron** 1492, Gay, armure protégeant la poitrine ; XVIIe s., pièce de protection ; fin XIXe s., plastron de chemise ; ital. *piastrone,* « haubert », de *piastra,* « armure du dos » (v. PIASTRE). || **plastronner** 1611, Cotgrave, couvrir de plastron ; fin XIXe s., fanfaronner.

***plat** adj., 1080, *Roland ;* lat. pop. *plattus,* du gr. *platus,* plat, étendu ; *à plat,* 1942, Queneau ; *à-plat,* n. m., 1877, L., techn. ; *pied-plat,* 1560, Paré, méd. ; 1660, Oudin, rustre (chaussé sans talons, à la différence des gentilshommes) ; *plat de côtes,* 1869, L. || **platement** fin XVe s. || **plat-bord** 1573, Du Puys, mar. || **plate-bande** XIIIe s., *Bibl. Ec. chartes.* || **plate-forme** XVe s., G. ; 1869, L., idées essentielles ; d'après l'angl. *platform,* plan. || **plate-longe** 1690, Furetière, techn. || **platitude** 1694, *Acad.,* au propre et au fig. || **plat** n. m., 1119, Ph. de Thaon, plateau. || **plate** n. f., 1690, Furetière, bateau plat. || **chauffe-plats** XXe s. || **couvre-plat** 1827, *Acad.* || **dessous-de-plat** XXe s. || **monte-plats** XXe s. || **plateau** 1175, Chr. de Troyes (*platel*), « bassin, écuelle » ; XIIIe s., grand plat ; 1694, *Acad.,* géogr. ; 1907, Lar., théâtre. || **platelage** 1845, Besch., techn. ; dér. de *plateau.* || **platelet** 1364, Prost. || **platerie** 1802, Fourmy. || **platine** XIIe s., *Chevalier aux deux épées,* plaque de métal ; 1220, Coincy, cuirasse ; XVIIe s., techn. || **platée** 1798, *Acad.* || **platière** 1765, *Acad.* || **platodes** 1963, Lar. ; gr. *platus,* plat, et *eidos,* forme. || **aplatir** milieu XIVe s. ; fig., 1864, Goncourt. || **aplatissement** 1600, O. de Serres.

|| **aplatisseur** 1819, Beurard, mines. || **aplatissoire** 1771, Trévoux. || **replat** n. m., v. 1300. || **méplat** adj., 1432, Baudet Herenc. ; n. m., 1691, Ozanam ; préf. négatif *me(s)*.

**platane** 1535, de Selve ; lat. *platanus,* gr. *platanos.* || **platanaie** 1775, d'après Boiste. || **platanées** 1803, Boiste. (V. PLANE 1.)

1. **platée** V. PLAT.

2. **platée** 1694, Th. Corn., archit. ; lat. *platea,* du gr. *plateîa.*

**plateresque** 1872, Th. Gautier (*plateresco*) ; 1877, Lar. (*plateresque*), adj. ; esp. *plateresco,* de *plata,* argent. (V. PLATINE 2.)

**plathelminthes** 1886, Claus, zool. ; gr. *platus,* large, et *helmins, -inthos,* ver.

1. **platine** V. PLAT.

2. **platine** 1752, Mauvillon, métal ; esp. *platina* (auj. *platino*), tiré par Ulloa de *plata,* argent, « petit argent » (le platine a l'éclat de l'argent et se trouve en petites quantités), de même rac. que *plat ;* masc. en fr., 1772, Havard, d'après les autres noms de métaux. || **platiné** début XXe s. || **platineux** 1838, *Acad.* || **platinique** 1828, Mozin. || **platinifère** 1828, Mozin. || **platinite** 1932, Lar. || **platiner** 1845, Besch. || **platinage** 1838, *Acad.* || **platineur** 1834, Boiste. || **platinoïde** 1888, Lar. || **platinotypie** 1888, Lar.

**platitude** V. PLAT.

**platonicien** 1370, Oresme ; du nom de *Platon,* philosophe grec de la fin du Ve s. av. J.-C. || **platonique** XIVe s. ; lat. *platonicus,* du gr. *platonikos ; amour platonique,* 1723, Rousseau. || **platoniquement** fin XVIe s., philos. ; 1831, Balzac, fig. || **platonisme** 1672, Molière. || **platoniser** 1587, G.

**plâtre** 1160, Benoît (*plastre*) ; *battre comme plâtre,* XVe s. ; *plâtres,* 1869, L., murs ; de *emplâtre,* par comparaison du plâtre gâché avec un emplâtre. || **plâtrier** 1268, É. Boileau. || **plâtrière** 1282, *Miracles.* || **plâtrer** 1160, Benoît (*plastrir*) ; 1538, R. Est. (*plastrer*). || **plâtrerie** 1334, *Doc.,* « ouvrage en plâtre ». || **plâtrage** 1718, *Acad.* || **plâtreur** 1661, Chapelain. || **plâtreux** 1564, Liébault. || **plâtras** 1371, Delb. || **déplâtrer** fin XVIe s. || **replâtrer** 1549, R. Est. || **replâtrage** 1762, *Acad.*

**platy-,** gr. *platus,* large. || **platycéphale** 1869, L. ; gr. *kephalê,* tête. || **platycerque** 1839, Boiste, zool. ; gr. *platukerkos,* de *kerkos,* queue. || **platyrhiniens** 1827, *Acad.,* zool. ; gr. *platurrhin,* de *rhin, rhinos,* nez.

**plausible** 1552, Ch. Est. ; lat. *plausibilis,* digne d'approbation, de *plaudere,* applaudir. || **plausibilité** 1684, B. Gracian.

**play-back** 1944, *journ. ;* mot angl., de *to play,* jouer, et *back,* en arrière.

**plèbe** 1355, Bersuire, à Rome ; lat. *plebs, plebis ;* 1801, Mercier, ext. de sens. || **plébéien** 1355, Bersuire, hist. ; lat. *plebeius ;* fin XIVe s., populaire (déjà en lat.). || **plébéianisme** 1795, Babeuf. || **pléban** ou **plébain** 1347, G., eccl. || **plébiscite** 1355, Bersuire, hist. ; lat. *plebiscitum,* de *scitum,* décision ; 1776, Voltaire, polit. || **plébisciter** 1907, Lar. || **plébiscitaire** 1870, *Annales du Sénat.*

**plectognathes** 1827, *Acad.,* zool. ; gr. *plektos,* soudé, et *gnathos,* mâchoire. (V. PROGNATHE.)

**plectre** XIIIe s., *Roman Table ronde* (*plectrum*) ; XIVe s., *Légende dorée* (*plectre*) ; lat. *plectrum,* du gr. *plektron,* de *plêssein,* frapper.

**pléiade** 1220, *la Petite Philosophie* (*Pliades*), astron. ; gr. *pleias, pleiados,* constellation de sept étoiles ; 1556, Ronsard, littér., d'après les sept poètes de la Pléiade d'Alexandrie (IIIe s. av. J.-C.) ; 1860, Poitevin, littér., ext. de sens.

***pleige** 1080, *Roland* (*plege*) ; bas lat. *plebuim,* caution, du francique **plegan.*

***plein** 1080, *Roland ;* XIIIe s., fém. *pleine,* en parlant d'une femelle ; 1112, *Voy. saint Brendan,* prép. ; 1640, Oudin, pop., « ivre » ; *pleins pouvoirs,* 1690, Furetière ; *battre son plein,* rester stationnaire à sa plus grande hauteur (marée), 1851, Barbey ; 1888, Sachs-Villatte, sens usuel ; *faire le plein* (*de*), 1876, Daudet ; lat. *plēnus.* || **pleinement** 1190, Garnier. || **plein-emploi** 1962, Robert. || **plein-temps** 1963, Lar. || **trop-plein** 1671, Sévigné. || **plénitude** fin XIIIe s. ; lat. *plenitudo.* || ***plénier** 1080, *Roland* (*plener*) ; bas lat. *plenarius ;* empl. surtout au fém. (*réunion plénière*). || **plénum** n. m., 1877, Lar. (V. PLANTUREUX.)

**pléistocène** 1903, Lar. (1839 en angl.), géol. ; gr. *pleistos,* beaucoup, et *kainos,* nouveau, c'est-à-dire « qui contient beaucoup de formes actuelles ». (V. ÉOCÈNE, etc.)

**plénipotentiaire** 1620, Guez de Balzac ; lat. *plenus,* plein, et *potentia,* puissance.

**pléonasme** 1571, G., « mot allongé d'une syllabe » ; 1610, Coton, sens usuel ; bas lat. *pleonasmus,* du gr. *pleonasmos,* de *pleon,* davantage. || **pléonastique** 1842, *Acad.* ; gr. *pleonastikos.*

**plésiosaure** 1825, Cuvier (*plésiosaurus*) ; 1869, L. (*plésiosaure*) ; mot tiré par l'Anglais Conybeare du gr. *plêsios,* voisin, et *sauros,* lézard.

**plessimètre** 1830, *Dict. méd.* ; gr. *plessein,* frapper, et *-mètre.*

**plessis** XII^e^ s. (*plesseis*) ; dérivé de l'anc. fr. *plesce, plesse,* du lat. *plexus,* plié ; il a servi pour des noms de lieux.

**pléthore** 1363, Chauliac (*plectorie*) ; 1538, Canappe (*pléthore*), méd. ; 1791, Mirabeau, fig. ; gr. méd. *plêthôrê,* plénitude. || **pléthorique** 1314, Mondeville (*plectorique*) ; 1611, Cotgrave (*pléthorique*), méd.

**pleural** V. PLÈVRE.

***pleurer** 980, *Passion* (*plorer*), intr. ; 1050, *Alexis,* transitif et *pleurer qqn* ; lat. *plorare,* crier, d'où « pleurer en criant ». || **pleurant** adj., 1538, R. Est. || **pleur** 1119, Ph. de Thaon (*plur*) ; 1130, *Eneas* (*plors,* pl.) ; XVI^e^ s. (*pleurs*). || **pleurage** 1963, Lar. || **pleureur** adj., 1050, *Alexis* (*plurus*) ; n. m., 1462, Haigneré (*ploureur*). || **pleureuse** n. f., XIII^e^ s. (*ploreresse*), femme qu'on payait pour pleurer aux funérailles ; 1575, Gay (*pleureuse*). || **pleurard** 1552, Rab. || **pleure-misère** 1798, *Acad.* || **pleurnicher** 1739, *le Porteur d'eau* ; du norm. *pleurmicher,* comp. de *pleurer* et *micher,* même sens, orig. inconnue (v., pour le type de comp., TOURNEVIRER). || **pleurnichage** fin XIX^e^ s. || **pleurnichard** 1899, Boylesve. || **pleurnicheur** 1774, Diderot. || **pleurnicherie** 1845, Besch. || **éploré** XII^e^ s., *Fierabras* (*esplouré*) ; part. passé de l'anc. fr. *esplorer,* mouiller de pleurs. (V. DÉPLORER.)

**pleurésie, pleurite** V. PLÈVRE.

**pleuro-,** gr. *pleuron,* côté, et plèvre, d'après *pleura* (v. PLÈVRE). || **pleurectomie** 1888, Lar. ; gr. *ektomê,* amputation. || **pleurobranche** 1804, Cuvier, zool. || **pleurodonte** 1875, Lar. ; gr. *odous, odontos,* dent. || **pleurodynie** 1810, Capuron. || **pleuronecte** 1798, Lacépède ; gr. *nektos,* qui nage. || **pleuropneumonie** 1560, Paré. || **pleurote** 1875, Lar., bot. ; gr. *ous, ôtos,* oreille. || **pleurotomie** 1903, Lar.

**pleutre** 1750, Ménage ; p.-ê. du flam. *pleute,* mauvais drôle, proprem. « chiffon ». || **pleutrerie** 1879, *le Cri du peuple.*

***pleuvoir** 1120, *Ps. de Cambridge* (*pluveir*) ; XIV^e^ s. (*pleuvoir*) ; lat. pop. *plovĕre* (déjà chez Pétrone), class. *pluĕre,* avec changem. de conjug. || **pleuvasser** 1962, Robert. || **pleuviner** fin XII^e^ s., *Roman d'Alexandre* ; avec un suffixe diminutif. || **pleuvoter** 1949, Lar. || **repleuvoir** 1549, R. Est.

**plèvre** 1552, Rab., anat. ; gr. *pleura,* côté (avec la prononc. du gr. bysantin). || **pleural** 1845, Besch. || **pleurésie** XIV^e^ s., *Antidotaire* (*pleurisie*) ; lat. méd. médiév. *pleuresis,* en lat. class. *pleurisis,* mot gr., de *pleura.* || **pleurétique** 1240, *Vie d'Éd. le Confesseur* (*pleuretic*) ; lat. méd. médiév. *pleureticus.* || **pleurite** 1836, Landais ; lat. méd. *pleuritis,* mot gr.

**plexus** 1560, Paré, anat. ; bas lat. *plexus,* « entrelacement », part. passé substantivé de *plectere,* tresser. || **plexulaire** 1963, Lar.

**pleyon** V. PLOYER.

***plie** 1185, *Moniage,* poisson (*plaïs*) ; 1530, Palsgrave (*plie*) ; lat. pop. **platicem,* de **platix, -ticis,* altér. du bas lat. *platessa* (IV^e^ s., Ausone), d'orig. obscure, avec changem. de suffixe.

***plier** X^e^ s., *Eulalie* (*pleier*) [v. PLOYER] ; 1530, Palsgrave (*plier*) ; spécialisation de sens au XVII^e^ s. (avec sens fig.), par oppos. à *ployer,* « courber », littér. ; *plier bagage,* XVI^e^ s., serrer les tentes ; 1580, Montaigne, mourir ; 1643, Corn., s'en aller ; lat. *plĭcare.* || **pli** 1190, J. Bodel (*ploi*) ; 1220, Coincy (*pli*) ; 1640, Oudin, paquet de lettres ; 1798, *Acad.,* lettre avec son enveloppe ; *faux pli,* 1690, Furetière ; *ne pas faire un pli,* 1690, Furetière. || **pliable** 1559, Amyot. || **pliage** 1611, Cotgrave. || **pliement** 1538, R. Est. || **plié** 1840, Rochefort, danse. || **pliure** 1314, Mondeville. || **plieur** 1534, Des Périers. || **plieuse** 1903, Lar., machine à plier. || **plioir** 1637, Peiresc (*pleyoir*) ; 1660, Oudin (*plioir*). || **pliant** n. m., 1665, Molière ; de *siège pliant* (début XVII^e^ s.). || **déplier** 1538, R. Est. || **déplié** n. m., 1882, Zola, comm. || **replier** 1213, *Fet des Romains.* || **repli** 1539, R. Est., anat. ; 1916, *journ.,* milit. || **repliement** 1611, Cotgrave. (V. PLISSER.)

**plinthe** 1544, M. Scève ; lat. *plinthus* (Vitruve), du gr. *plinthos,* proprem. « brique ».

**pliocène** 1857, Bonnafé ; angl. *pliocene* (1833, Lyell), du gr. *pleion,* plus, et *kainos,* récent. (V. ÉOCÈNE, PLÉISTOCÈNE, etc.)

**plique** 1679, *Journ. des sav.,* méd. ; lat. méd. mod. *plica,* de *plĭcāre,* plier : dans cette maladie, les cheveux s'agglutinent et se replient.

**plisser** 1538, R. Est. ; de *pli,* d'après les mots en *-is* (v. PLIER). || **plissement** 1636, Monet, sens gén. ; 1903, Lar., géol. || **plissage** 1836,

Landais. || **plisseur** 1625, Stœr. || **plissure** 1600, O. de Serres. || **déplisser** 1611, Cotgrave. || **replisser** 1550, Jodelle.

1. **ploc** début XX^e^ s., onomat.

2. **ploc** 1335, texte picard (*ploich*) ; 1621, Jal (*ploc*), matière textile ; moy. néerl. *plock,* de *ploken,* cueillir. || **ploquer** 1736, Aubin, mar., mettre en bourre de la laine. || **ploque** 1765, *Encycl.*

***plomb** 1119, Ph. de Thaon (*plum*) ; 1360, Froissart (*plomb*) ; 1538, techn., morceau de plomb suspendu à une ficelle ; 1606, Desportes, projectile ; 1690, Furetière, méd. ; 1812, Mozin, typogr. ; 1890, Lar., électr. ; *fil à plomb,* 1751, *Encycl ; avoir du plomb dans l'aile,* 1878, *Acad. ;* lat. *plŭmbum.* || **aplomb** 1547, J. Martin, de *à plomb* (XII^e^ s.), « perpendiculairement » (en maçonnerie) ; *d'aplomb,* 1762, *Acad.* || **plombier** milieu XIII^e^ s. (*plunmier*) ; 1508, Gaillon (*plombier*). || **plomberie** 1304, texte de l'Artois, objet en plomb ; 1401, Beaurepaire (*plommerie*), métier ; 1723, Savary (*plomberie*), travail du plombier. || **plomber** fin XI^e^ s., *Gloses Raschi* (*plomer*) ; 1538, R. Est. (*plomber*) ; 1752, Trévoux, *plomber une dent.* || **plombage** 1427, texte de Tournai (*plommage*) ; 1845, Besch. (d'une dent). || **plombeur** 1723, Savary. || **plombée** 1155, Wace (*plomée*). || **plombeux** 1549, R. Est. || **plombifère** 1842, Mozin. || **plombe** 1811, Esnault, arg., « heure » ; 1690, Furetière, « contrepoids d'une horloge » ; de *plomber,* frapper. || **plombure** 1409, Runkewitz. || **déplomber** 1838, *Acad.* || **surplomber, surplomb** 1691, d'Aviler ; dér. de *plomb* dans *à plomb.*

**plombagine** 1556, R. Leblanc (*plombage*) ; 1559, Amyot (*plombagine*) ; lat. *plumbago, plumbaginis,* de *plumbum* (v. le précéd.). || **plombaginacées** 1812, Mozin (*plombaginées*) ; 1903, Lar. (*plombaginacées*).

**plombières** 1821, *Journ. of a tour in France,* pâtisserie ; de *Plombières.*

1. ***plongeon** 1170, *Floire et Blancheflor,* oiseau ; bas lat. *plumbio, -onis* (V^e^ s., Polemius Silvius), de *plumbum* (le plongeon disparaît sous l'eau comme du plomb).

2. **plongeon** 1466, P. Michault, « plongeur » ; XVI^e^ s., La Curne, sens mod. ; d'après le précédent et le verbe *plonger.*

***plonger** 1120, *Ps. d'Oxford* (*plongier*) ; lat. pop. **plumbĭcare,* de *plumbum,* plomb (d'après le plomb des filets de pêche). || **plongeant** adj., 1798, *Acad.* || **plonge** 1373, Gace Brulé, action de s'enfoncer dans l'eau ; 1962, Robert, pop., action de laver la vaisselle, d'après un empl. pop. de *plongeur.* || **plongée** fin XV^e^ s. || **plongement** 1350, *Glossaire.* || **plongeur** 1260, Joinville ; 1867, Delvau, laveur de vaisselle, « qui plonge ses mains dans l'eau ». || **plongeoir** 1869, L., terme de broderie ; 1932, Lar., tremplin pour plonger. || **replonger** fin XII^e^ s., *Garin le Loherain,* « se retirer » ; 1302, texte de Valenciennes, sens mod.

**plot** 1290, G., billot (Bourgogne, Franche-Comté) ; var. de *blot,* forme anc. de *bloc ;* 1836, *Acad.,* horlogerie ; 1859, Nanquette, sciage des bois ; 1888, Lar., électr.

**plouc** 1880, Esnault ; abrév. plaisante de habitant de *Ploug-,* localité bretonne commençant ainsi.

**ploutocrate** 1848, Leroux ; gr. *ploutos,* richesse, et *kratein,* commander (d'après *aristocrate, démocrate*). || **ploutocratie** 1831, *Rev. britannique.* || **ploutocratique** 1877, L. (*plutocratique*).

***ployer** X^e^ s., *Eulalie* (*pleier*) ; lat. *plĭcāre.* Spécialisé au XVII^e^ s. dans un sens distinct de celui de *plier,* de même étym. Deux séries verbales complètes se sont constituées au XVI^e^ s., sur les formes d'anc. fr. à radical accentué (3^e^ pers. sing. prés. indic. *plie*), et à radical inaccentué (infin. *ployer*). || **ployon** 1120, *Ps. d'Oxford* (*ploion*) ; 1600, O. de Serres (*pleyon*), arboric. || **ployable** fin XII^e^ s., *Dialogues Grégoire.* || **ploiement** XV^e^ s. || **ployage** 1772, *Encycl.* || **déployer** 1155, Wace. || **déploiement** 1538, R. Est. || **éployé** adj., v. 1500, Le Baud. || **reployer** 1130, *Job.* || **reploiement** fin XII^e^ s.

**pluche, plucher, plucheux** V. PELUCHE.

***pluie** 1080, *Roland ;* lat. pop. **plŏia,* réfection du lat. class. *pluvia* d'après *plŏvere,* pleuvoir. || **parapluie** 1622, Tabarin ; d'après *parasol.* (V. PLUVIAL, PLUVIEUX.)

**plumage, plumard, plumassier** V. PLUME.

**plum-cake** 1824, A. Blanqui, *Voy. en Angl.* (*plumb-cake*) ; 1850, Audot (*plum-cake*) ; comp. angl. de *cake,* gâteau, et *plum,* raisin sec. Abrégé en *plum,* fin XIX^e^ s., puis en *cake,* XX^e^ s.

***plume** 1130, *Eneas ;* 1487, Garbin, plume (d'oie) pour écrire ; début XVIII^e^ s., plume métallique, d'usage répandu seulement au début du XIX^e^ s. ; 1879, Esnault, pop., « lit » ; lat. *plūma,* « duvet », qui a éliminé *penna* (v. PENNE). || **plumage** 1265, Br. Latini, ensemble des plumes ; 1611, Cotgrave, action de plumer. || **plumeux** fin XII^e s. || **plumail** 1460, Villon, « plumet ». || **plumassier** 1480, *D. G.* ; anc. fr. *plumas.* || **plumasserie** 1505, Gonneville. || **plumet** 1622, Sorel, chapeau orné d'une plume. || **plumeté** 1364, G. || **plumetis** 1498, Gay. || **plumeau** 1640, *Mém. Soc. hist. Paris.* || **plumer** 1150, G. || **plumée** 1625, Stoer, encre sur la plume ; 1845, Besch., quantité de plumes. || **plumaison** 1847, Balzac. || **déplumer** 1265, Br. Latini. || **remplumer** XIII^e s. || **plumard** 1480, *Doc.,* « panache » ; 1636, Monet, « petit balai de plumes » ; 1881, Esnault, pop., « lit ». || **plumule** 1764, Bonnet. || **plumier** 1875, L. || **porte-plume** 1725, Havard. (V. PLUMITIF.)

**plumitif** fin XVI^e s., *Coutumier* (*plumetis,* var. *plumetif*), « registre d'audience » ; 1680, Verville (*plumitif*), même sens ; 1767, Voltaire, sens mod., par rapprochement avec *plume ;* altér., dans le langage des clercs, de *plumetis,* de l'anc. fr. *plumeter* (XVI^e s.), « prendre des notes », par croisement avec *primitif* au sens de « original d'un écrit ».

**plum-pudding, plupart (la)** V. PUDDING, PART 1.

**pluralité** XIII^e s., Thurot, « pluriel » ; 1370, Oresme, « multiplicité » ; 1559, Amyot, « majorité », éliminé v. 1790 par *majorité* dans ce sens ; bas lat. *pluralitas* (IV^e s., Charisius), de *pluralis,* multiple. || **plural** 1874, *J. O.* || **pluraliser** fin XVI^e s. || **pluralisation** 1845, Besch. || **pluralisme, pluraliste** 1909, Lalande.

**pluri-,** lat. *plures,* plusieurs (v. MULTI-, POLY-). || **pluriannuel** 1932, Lar. || **pluricellulaire** 1897, Bataillon. || **pluridisciplinaire** 1966, *journ.* || **pluriflore** 1842, *Acad.* || **plurilingue** 1972, Lar. || **pluripartisme** 1966, *journ.* || **plurivalent** 1907, Lar.

**pluriel** 1440, Chastellain ; réfection, d'après le lat., de *plurier* (1282, G. ; usuel jusqu'à la fin du XVIII^e s.), altér., d'après *singulier,* de l'anc. fr. *plurel* (1190, Garn.), du lat. *pluralis,* « multiple » et « pluriel », de *plus, pluris.* (V. le suiv.)

***plus** 980, *Passion ; ne... plus,* 1080, *Roland,* négation marquant la cessation ; 1354, *Modus,* marque d'addition ; *au plus,* 1196, Ambroise ; *de plus en plus,* fin XII^e s., *Chevalerie Ogier ; qui plus est,* 1453, Monstrelet. ; *de plus,* 1636, Monet ; lat. *plus,* plus, davantage. || **surplus** fin XI^e s.

***plusieurs** 1050, *Alexis* (*pluisur*) ; 1273, Ibn Ezra (*plusieurs*) ; lat. pop. **plūsiōrēs,* altér., d'après *plūs,* de *plūriōres,* forme de comparatif ayant remplacé en bas lat. le class. *plūres.*

**plus-que-parfait, plus-value** V. PARFAIT, VALOIR.

**plutonien** 1816, *Ann. de chim.* ; nom de *Pluton,* dieu lat. des Enfers. || **plutonique** 1550, Jodelle, « de l'enfer » ; 1836, Landais, géol. || **plutonisme** 1842, *Acad,* théorie géol. || **plutoniste** 1827, *Acad.*

**plutonium** 1842, *Acad.,* « baryum » ; 1939, sens actuel, du bas lat. *Pluto, -tonis.* || **plutonigène** 1963, Lar.

**plutôt** V. TÔT.

**pluvial** 1170, E. de Fougères, n. m., vêtement eccl. ; 1521, G., adj. ; lat. *pluvia,* pluie.

***pluvier** début XII^e s., *Thèbes* (*plovier*) ; 1530, Palsgrave (*pluvier,* d'après *pluvia,* v. PLUIE), oiseau (qui arrive dans la saison des pluies) ; lat. pop. **plovarius,* de *plovere,* pleuvoir.

**pluvieux** 1112, *Voy. saint Brendan* (*pluius*) ; 1213, *Fet des Romains* (*pluvieus*) ; lat. *pluviosus,* de *pluvia,* pluie. || **pluviosité** 1923, Lar. || **pluviôse** 1793, Fabre d'Églantine, 5^e mois du calendrier républicain. || **pluviomètre** 1788, Cotte. || **pluviométrie** 1853, Maille. || **pluviométrique** 1864, Raulin.

**pneumat(o)-,** gr. *pneuma, pneumatos,* souffle. || **pneumatocèle** 1560, Paré ; gr. *kêlê,* tumeur. || **pneumatolyse** 1932, Lar. || **pneumatologie** 1751, *Encycl.* || **pneumatose** 1869, L. || **pneumatothérapie** 1962, Robert.

**pneumatique** 1520, Verney, « subtil », sens gr. ; 1547, J. Martin, phys. ; 1903, Lar., *bandage pneumatique,* puis *pneumatique,* n. m., selon un procédé inventé par l'Angl. Dunlop ; 1903, Lar., lettre pneumatique ; gr. *pneumatikos,* proprem. « relatif au souffle », de *pneuma,* souffle. || **pneu** 1903, Lar. ; abrév. de *pneumatique,* n. m., pour les automobiles ; 1923, Lar., postes. (V. les suivants.)

**pneumo-** gr. *pneumôn,* poumon. || **pneumectomie** 1888, Lar. || **pneumocoque** 1888, Lar. || **pneumogastrique** 1820, *Dict. méd.* || **pneumographie** 1806, Capuron. || **pneumologie** ou **pneumonologie** 1806, Capuron. || **pneumologue** 1962, Robert. || **pneumonectomie** 1888, Lar. || **pneumopéritoine** 1932, Lar. || **pneumothorax** 1803, Itard, pathol. ; 1923, Lar., chirurg. ; abrév. *pneumo,* XX^e s.

**pneumonie** 1707, Helvétius ; gr. *pneumonia,* de *pneumôn,* poumon. || **pneumonique** 1694,

Th. Corn. || **broncho-pneumonie** XIXe s. (V. BRONCHE.)

**pochade** V. POCHE.

**pochard** début XVIIIe s., pop., « ivrogne » ; de *poche ;* proprem. « rempli comme une poche » (cf., pour le sens, *sac à vin*). || **pocharder (se)** 1850, Flaubert. || **pochardise** 1875, Lar.

**poche** 1180, Marie de France (*puche*) ; XIVe s., G. (*poche*), « bourse, petit sac » ; 1573, Du Puys, « petit sac cousu à un vêtement » ; XIVe s., cavité ; *livre de poche,* milieu XXe s. ; francique **pokka.* || **pochette** 1180, Marie de France (*puchette*). || **pocher** 1155, Wace, « crever un œil » ; 1398, *Ménagier,* cuisine, « le faire gonfler comme une poche » ; 1587, Cholières, représenter par un dessin ; 1665, Stœr, tirer une figure sur les contours d'une autre ; 1552, Rab., meurtrir l'œil. || **pochade** 1828, Montabert, peint. || **pochage** 1938, Montagné, cuisine. || **pochon** XIIIe s., *Roman Renart,* piège ; XVIe s., sac ; 1862, Hugo, coup. || **pochoir** 1875, Lar. || **pocheuse** 1875, L. (*pocheux ;* auj. *pocheuse*), culin. || **pocheter** 1604, L. Guyon, laisser dans sa poche. || **pochetée** 1888, Sachs-Villatte, bêtise (*en avoir une pochetée*), proprem. « contenu d'une poche » ; 1888, Sachs-Villatte, pop., « imbécile ». || **empocher** 1580, Montaigne.

**podagre** 1215, Gastineau, n. f., « goutte aux pieds » ; lat. *podagra,* mot gr. signif. « piège » ; 1354, *Livre des Seyntz Medecines,* adj. et n., goutteux ; lat. *podager,* gr. *podagros.* (V. POUACRE.)

**podaire** 1903, Lar., math. ; gr. *poûs, podos,* pied.

**podestat** 1240, *Miracles* (*potestat*) ; ital. *podestà,* magistrat du nord et du centre de l'Italie ; appellation supprimée au XIXe s., et reprise sous le fascisme pour les maires (nommés par le pouvoir central) ; lat. *potestat, -tatis,* pouvoir.

**podium** 1765, *Encycl.,* à Rome ; mot lat., du gr. *podion,* petit pied ; début XXe s., en sports.

**podo-,** gr. *pous, podos,* pied. || **podomètre** 1690, Furetière. || **podencéphale** 1869, L. || **podologie** 1836, *Acad.* || **podolite** 1932, Lar.

**pœcile** 1765, *Encycl.,* hist. ; gr. *poikilê* (*stoa*), (portique) peint de couleurs variées ; auj., sorte de mésange.

1. ***poêle** n. m., 980, *Passion* (*palis*) ; 1138, Gaimar (*paile*) ; 1530, Palsgrave (*poêle*) ; étoffe, voile, drap noir recouvrant le cercueil, auj. seulem. dans la loc. *cordons du poêle ;* lat. *pallium,* manteau. (V. PALETTE 2, PALIER, PALLIER.)

2. ***poêle** n. m., 1351, *Doc.* (*poille*), chambre chauffée, encore en ce sens au XVIIe s., Descartes ; 1545, Havard (*poêle*), fourneau ; lat. *pē(n)silis,* « suspendu » (de *pendēre,* suspendre), substantivé par ellipse de *balnea pensilia* (Ier s., Pline), bains suspendus (et chauffés par-dessous. || **poêlerie** 1842, *Acad.* || **poêlier** 1412, *Archives.*

3. ***poêle** n. f., 1160, *Charroi* (*paielle*) ; fin XIIe s. (*paele*) ; 1636, Monet (*poêle*) ; lat. *patella* (v. PATELLE). || **poêlée** 1268, É. Boileau (*pae-*). || **poêlon** 1332, Havard (*paa-*). || **poêler** 1806, *Cuisinier.*

**poème** 1213, *Fet des Romains ;* lat. *poema,* du gr. *poiema,* de *poieîn,* faire ; *poème en prose,* 1751, Voltaire.

**poésie** 1350, Zumthor, « art de la fiction littéraire » ; 1511, J. Lemaire de Belges, sens mod. ; lat. *poesis,* gr. *poiêsis,* action de faire ; *poésie pure,* v. 1860.

**poète** 1155, Wace ; lat. *poeta,* gr. *poiêtês* (v. les précéd.). || **poétereau** 1639, *Rondeaux.* || **poétesse** XVe s. (*poétisse*) ; début XVIe s. (*poétesse*). || **poétastre** milieu XVIe s. || **poétaillon** 1808, d'Hautel. || **poétique** adj., 1548, Sebillet ; lat. *poeticus,* gr. *poiêtikos ;* n. f., 1639, La Mesnadière, d'apr. la *Poétique* d'Aristote. || **poétiquement** 1460, Chastellain. || **poétiser** 1372, Oresme, « faire des vers » ; 1848, Chateaubriand, « donner un caractère poétique à ». || **poétisation** 1852, Flaubert. || **dépoétiser** 1810, Staël.

**pogne** 1821, Esnault, pop. ; variante de *poigne.*

**pognon** 1840, Larchey, pop., argent ; mot rég., sans doute du v. pop. *poigner,* empoigner. (V. *jeton,* à JETER.)

**pogrom** 1907, Lar. ; mot russe, de *po-,* entièrement, et *gromit-,* détruire. || **pogromiste** 1955, Ikor.

***poids** 1155, Wace (*peis, pois*) ; XVIe s. (*poids,* avec *d,* d'après le lat. *pondus*) ; lat. *pēnsum,* « ce qui est pesé », part. passé de *pendere,* peser ; *poids lourd,* 1896, *France autom.* || **contrepoids** fin XIIe s., *R. de Cambrai.* || **surpoids** 1580, Montaigne.

**poignant** 1080, *Roland,* au galop, adv. ; 1119, Ph. de Thaon, « piquant » ; XIIIe s., Condé, fig. ; anc. part. prés. de *poindre,* au sens de « piquer ».

**poignard** 1512, d'Estrées (*pongnard*) ; 1538, R. Est. (*poignard*) ; réfection, par changem. de suff., de l'anc. fr. *poignal,* du lat. pop. **pugnalis,* de *pugnus,* poing : proprem. « arme de poing ». || **poignarder** 1556, Allègre.

**poigne, poignée, poignet** V. POING.

**poïkilotherme** 1903, Lar. ; gr. *poikilos,* varié, et *thermos,* chaud.

***poil** 1080, *Roland* (*peil*) ; lat. *pīlus.* || **poilu** XV^e s. ; réfection, d'après *poil,* de l'anc. fr. *pelu* (XII^e s.) ; 1833, Balzac, fam., « fort, brave » ; 1875, Lar., arg. milit., « homme robuste », puis « soldat », 1910, Esnault ; « combattant », 1915, Esnault. || **poiler (se)** 1893, Esnault, pop., rire aux éclats ; altér. de *s'époiler* (1889, Esnault), pop., même sens, « s'arracher les poils ». || **poilant** adj., 1901, Esnault, pop., « très drôle ». || **poileux** XIV^e s., Du Cange ; anc. fr. *pelous,* garni de poils. || **peler** 1080, *Roland ;* lat. *pīlare ;* pour le sens, infl. de *pel,* anc. forme de *peau.* || **pelade** milieu XVI^e s. || **pelage** 1469, La Curne ; anc. dér. de *poil.* || **pelure** XII^e s., *Roman de Thèbes.* || **dépiler** 1560, Paré ; lat. *depilare.* || **dépilage** 1842, Mozin. || **dépilatif** 1732, Trévoux. || **dépilation** XIII^e s., G. || **dépilatoire** fin XIV^e s. || **épeuler** fin XIII^e s., G. (*espeler*), techn., enlever les fils. || **épiler** 1762, *Acad. ;* de *pilus,* poil. || **épilation** 1864, L. || **épilatoire** 1771, Trévoux. || **épilure** 1788, Salmon ; de *épiler l'étain.* (V. PILEUX.)

***poinçon** 1220, texte picard (*poinchon*) ; 1380, *Aalma (poinsson*) ; lat. *punctio, -onis,* de **punctīare,* piquer, d'après *punctus,* part. passé de *pungere.* || **poinçonner** 1324, Delb. (*penchonner*), orner de dessins avec un poinçon ; 1834, Landais, sens mod. || **poinçonnage** 1402, texte de Tournai (*poinchenage*) ; 1809, *Doc.,* contrôle. || **poinçonneur** 1919, P. Hamp, ouvrier. || **poinçonneuse** 1878, *la Nature,* machine.

***poindre** XI^e s., G., « piquer », « faire souffrir » ; 1130, *Eneas,* aiguillonner ; 1240, G. de Lorris, commencer à pousser (*plantes*) ; 1559, Amyot, commencer à paraître (en parlant du jour) ; lat. *pŭngĕre,* piquer (jusqu'au XVII^e s., et dans le proverbe *Oignez vilain, il vous poindra*). Usité seulement à l'infin., et à la 3^e pers. du prés. et du fut. de l'indic. (V. POIGNANT, POURPOINT.)

***poing** fin XI^e s., *Alexis* (*puing*) ; lat. *pŭgnus.* || **poigne** 1174, E. de Fougères (*vivre par sa poigne*) ; 1373, G., poignet ; 1807, Michel (*pogne*), pop. ; altér. du précéd. par changem. de genre sous l'infl. des autres mots en *-gne ; avoir de la poigne,* 1867, Delvau, fig. || **poignet** 1209, Du Cange (*pugnet*), mesure de grain ; 1315, Richard (*poignet*), pièce d'étoffe ; 1488, texte de Tournai, anat. || **poignée** 1160, *Charroi* (*puinnie*) ; 1180, *Horn* (*poignée*). || **poigner** 1837, Soulié, étreindre. || **empoigner** 1175, Chr. de Troyes. || **empoignade** 1861, Goncourt. || **empoigne** (*foire d'*) 1773, *les Porcherons.* (V. POGNON.)

***point** 1050, *Sponsus,* adv. de négation, avec *ne ;* 1155, Wace, endroit déterminé ; XII^e s., *Moniage Guillaume,* état, situation d'une affaire ; XIII^e s., « piqûre » ; 1573, Du Puys, « douleur piquante, lancinante » ; XIII^e s., A. de La Halle, « question débattue » ; XIII^e s., « marque sur un dé », unité de jeu ; 1529, Jal, mar. ; 1530, Palsgrave, couture ; 1550, Meigret, signe de ponctuation ; *à point,* 1273, Adenet ; *au point de,* 1220, *Queste de Saint Graal. ; point d'appui,* 1691, Ozanam ; *point de vue,* 1651, Brunot ; *point noir,* 1836, Stendhal, comédon ; *mettre au point,* 1869, L. ; *mal en point,* XV^e s. ; *faire le point,* 1811, Chateaubriand, mar ; 1935, *Acad.,* fig. ; lat. *pŭnctus,* piqûre, et par ext. point géom., part. passé substantivé de *pungere* (v. POINDRE) || **pointer** 1180, *Horn,* piquer ; XIII^e s., *Assises de Jérus.,* marquer d'un point ; fin XVI^e s., d'Aubigné, artill. ; *se pointer,* 1715, Fontenelle, se diriger vers ; 1898, Esnault, sens actuel. || **pointage** 1628, Bry, action d'orienter une arme ; 1932, Lar., action de marquer la présence. || **pointeur** 1499, Delb., « qui marque d'un point » ; même évol. sémantique que le verbe. || **contrepoint** 1398, E. Deschamps, mus. (c'est-à-dire « contre-note » ; les notes étaient alors représentées par des points). || **contrapuntique** 1929, Lar. || **contrepointiste** fin XVIII^e s. || **contrapuntiste** 1820, Laveaux ; var. *contrapontiste,* 1835, *Acad.* || **rond-point** 1375, *Modus,* demi-cercle ; 1836, Landais, sens mod. (V. APPOINTER, DÉSAPPOINTÉ, EMBONPOINT, POINTILLÉ, PONCTUEL, PONCTUER.)

***pointe** fin XI^e s., *Chanson Guillaume,* extrémité ; 1155, Wace, attaque de soldats ; 1360, Froissart, géogr. ; 1530, Palsgrave, habill. ; 1538, R. Est., outil servant à tracer, à couper ; 1842, *Acad.,* danse ; bas lat. *pŭncta* (IV^e s., Végèce), « coup de pointe », part. passé, substantivé au fém., de *pungere,* piquer (v. POINDRE). || **pointu** 1377, Oresme. || **pointeau** XVI^e s., Mantellier (*poincteau*), construction de pieux ; 1765, *Encycl.,* pièce d'acier à pointe conique ; 1932, Lar., autom. || **pointer** milieu XV^e s., frapper de la pointe ; 1658, Scarron, s'élever brusquement, en parlant d'un oiseau ; fin XVII^e s., Saint-Simon, commencer à se manifester ; 1848, Chateaubriand, se dresser en pointe. || **pointe-sèche** 1903, Lar. || **pointement** 1803, *Dict. sc. nat.* || **pointeuse** 1842, *Acad.*, ouvrière. || **pontil** 1723, Savary (*pointil, pontil*). || **pontiller** *id.* || **appointer** fin XII^e s., tailler en pointe. || **épointer** fin XI^e s.

**pointeau** V. POINTE.

1. **pointer** V. POINT et POINTE.

2. **pointer** n. m., 1834, Magendie (*Spanish pointer*), chien d'arrêt ; mot angl., signif. « indicateur », de (*to*) *point*, montrer, issu de l'anc. fr. *point*.

**pointillé** adj., 1414, Gay ; n. m., 1765, *Encycl.* ; dér. de *point*. || **pointiller** 1611, Cotgrave, tr. ; 1676, Félibien (*pointiller*), intr. || **pointillage** 1694, *Acad.* || **pointillisme, pointilliste** 1903, Lar. || **pointillure** 1637, Peiresc. || **entrepointiller** 1765, *Encycl.*

**pointilleux** 1587, La Noue ; ital. *puntiglioso*, de *puntiglio*, petit point ; qui a donné l'anc. *pointille*, 1560, Pasquier, « minutie », ital. *puntiglio*, et l'anc. *pointiller* (fin XVI^e s.), « chicaner ». || **pointillage** 1664, Testelin, contestation.

***pointure** fin XI^e s., *Gloses de Raschi*, « piqûre » ; lat. *pŭnctūra*, piqûre (V. POINT, POINTE) ; 1765, *Encycl.*, dimension du soulier.

***poire** 1175, Chr. de Troyes ; lat. *pira*, pl. de *pĭrum*, devenu fém. en lat. pop. (v. POMME, PRUNE, CERISE, etc.) ; *poire d'angoisse*, fin XI^e s., sorte de poire, de *Angoisse*, nom d'un village de Dordogne et, en 1454, Gay, fig., par homonymie incomprise. || **poiré** 1220, Coincy (*peré*) ; 1529, Parmentier (*poiré*). || **poirier** 1170, *Floire et Blancheflor* (*perier*) ; 1409, Runkewitz (*poirier*).

**poireau** 1268, É Boileau ; altér. par attraction de *poire*, de *porel* (fin XI^e s.), *porreau* (encore rég. auj.), dér. anc. du lat. *porrum*. || **poirée** 1256, Ald. de Sienne (*porrée*), blette ; autre dér. anc. de *porrum*. || **poireauter** 1883, Esnault, pop., « attendre » ; de *faire le poireau*.

***pois** 1155, Wace (*peis, pois*) ; *petits pois*, XVIII^e s. ; lat. *pisum*.

***poison** fin XI^e s., *Gloses de Raschi*, n. f., « potion, breuvage » ; 1130, *Eneas*, « breuvage empoisonné » ; XVII^e s., n. m. ; lat. *potiō, -ōnis*, n. f., proprem. « breuvage », d'où « breuvage médical », et en bas lat. « breuvage empoisonné » ; n. f., 1808, d'Hautel, courtisane crapuleuse ; 1842, *Acad.*, « méchante femme ». || **empoisonner** 1155, Wace (*empuisoner*) ; 1920, Bauche, fam., importuner. || **empoisonnement** fin XII^e s. ; XX^e s., ennui. || **empoisonneur** XIII^e s., G. || **contrepoison** fin XV^e s.

**poissard, poisse, poisser, poisseux** V. POIX.

**poisson** 980, *Passion* (*pescion*) ; *poisson d'avril*, 1767, Voltaire ; *en queue de poisson*, 1833, Balzac ; *comme un poisson dans l'eau*, 1680, Richelet ; dér. anc. du lat. *pĭscis*, poisson, qui a donné l'anc. fr. *peis*. || **poissonneux** 1555, Ronsard. || **poissonnier** fin XII^e s., *Aymeri*. || **poissonnerie** 1285, Bevans. || **poissonnaille** 1466, *Romania*. || **poissonnière** 1600, O. de Serres, ustensile de cuisine. || **poisson-chat** 1907, Lar. || **poisson-épée** 1903, Lar. || **poisson-lune** 1776, Valmont. || **empoissonner** milieu XIII^e s. || **empoissonnement** 1351, *Cout. de Lorris*. || **rempoissonner** début XV^e s. || **rempoissonnement** 1664, Colbert.

***poitrail** 1130, *Eneas* (*peitral*), partie du harnais touchant la poitrine ; début XIII^e s. (*peitrail*), par changem. de suff. ; 1508, *Archives*, sens mod. ; lat. *pĕctorale*, cuirasse, de *pectus, pectoris*, poitrine. (V. le suivant.)

***poitrine** 1050, *Alexis* (*peitrine*), sens mod. ; aussi, en anc. fr., « cuirasse, harnais » ; a éliminé *pis* 1 au XVI^e s., dans le sens actuel ; lat. pop. **pectorīna*, fém. substantivé de l'adj. **pectorīnus*, de *pectus, pectoris*, poitrine. || **poitrinaire** 1743, Trévoux. || **poitriner** 1874, Barbey, bomber le torse. || **poitrinière** début XV^e s., pièce de harnais.

***poivre** début XII^e s., *Voy. de Charl.* (*peivre*) ; lat. *pĭper*. || **poivrer** début XIII^e s., G. (*pevrer*) ; 1896, Delesalle, enivrer ; 1669, Widerhold, communiquer une maladie vénérienne. || **poivrier** 1206, Guiot, marchand de poivre ; 1562, Du Pinet, bot. || **poivrière** 1718, *Acad.*, récipient ; 1842, *Acad.* fortif. || **poivron** 1785, Rozier. || **poivrade** 1505, Desdier. || **poivrot** 1867, Delvau, ivrogne (parce que le poivre entrait dans des boissons alcooliques).

***poix** 1050, *Roland* (*peiz*) ; lat. *pĭx, picis*. || **poisseux** 1577, Jamyn. || **poisser** fin XIV^e s., enduire de poix ; 1800, Esnault, voler, d'où « prendre ». || **poissard** 1531, Esnault, « voleur », proprem. « qui a de la poix aux doigts pour voler » ; 1743, Vadé, *Bouquets poissards*, d'où *poissard*, adj., « vulgaire ». || **poissarde** 1640, Oudin, n. f., marchande de poissons ; 1835, *Acad.*, femme vulgaire. || **poisse** n. m., 1800, *Chauffeurs*, arg.,

« voleur » ; fin XIX^e s., pop., souteneur ; n. f. 1723, Savary, fagot enduit de poix ; 1920, Bauche, pop., malchance, misère ; déverbal de *poisser.* || **empeser** 1268, É Boileau ; anc. fr. *empoix,* poix. || **empois** *id.* (*-poit*) ; d'apr. la forme tonique *j'empoise.* || **empesage** milieu XVII^e s.

**poker** 1855, Grandfort ; mot angl., d'orig. obscure. || **poker dice** 1932, Lar. ; mots angl., de *die,* dé.

**polacre** 1600, Toselli, mar. ; ital. ou esp. *polacra,* orig. obscure.

1. **polar** 1970, Robert ; de *roman policier.*

2. **polar** V. PÔLE.

**polatouche** n. m., 1761, Buffon, zool. ; du russe *polatouka ;* sorte d'écureuil volant.

**polder** 1269, texte flam. (*polre*) ; 1805, *Bull. des lois* (*poldre*) ; 1829, Boiste (*polder*) ; néerl. *polder.*

**pôle** début XIII^e s. ; lat. *polus,* gr. *polos.* || **polaire** 1555, Vaganay ; lat. médiév. *polaris ;* 1868, L., électr. ; 1874, Lar., mathém. ; début XX^e s., très froid ; *étoile polaire,* 1611, Cotgrave. || **polarité** 1765, *Encycl.* || **polariser** 1810, *Mémoires Acad. sciences,* phys. ; de *polaire,* compris comme ayant pour rad. le v. gr. *poleîn,* tourner : pour les premières expériences de polarisation, on a fait tourner un cristal biréfringent. || **polarisé** adj., 1868, L., phys. ; 1949, Lar., fig., « orienté vers une activité déterminée », d'où *polar,* fou (1952, Esnault). || **polarisation** 1810, *Mémoires Acad. Sciences.* || **polarisant** adj., 1803, *Annales museum.* || **polarisateur** 1858, Nysten. || **polariseur** 1872, Bouillet. || **polarisable** 1962, Robert. || **polarimètre** av. 1862, Biot. || **polariscope** 1845, Besch. || **polarographie** 1952, Lar. || **polarographe** 1963, Lar. || **Polaroïd** n. déposé, 1953, Lar. || **bipolaire** 1864, L. || **dépolariser** 1842, *Acad.*

**polémarque** 1738, Rollin ; gr. *polemarkhos,* de *polemos,* guerre, et *arkheîn,* commander. (V. le suivant.) || **polémarchie** 1869, L.

**polémique** 1578, d'Aubigné, adj. et n. f., gr. *polemikos,* « relatif à la guerre », de *polemos,* guerre. || **polémiser** 1845, Besch. || **polémiquer** fin XIX^e s. || **polémiste** 1845, Besch.

**polémologie** 1949, Lar. ; gr. *polemos,* guerre, et *-logie.*

**polenta** 1800, Stendhal ; mot ital., lat. *polenta,* farine d'orge.

**polhodie** 1851, Poinsot, phys. ; gr. *polos,* pivot, et *hodos,* route.

**poli** V. POLIR.

**polianthes** 1875, Lar. ; gr. *polios,* gris, et *anthos,* fleur.

1. **police** 1250, *Espinas* (*pollice*) ; 1370, Oresme (*policie*) ; encore *politie,* XVIII^e s., J.-J. Rousseau ; XV^e s. (*police*), administration publique, gouvernement ; 1606, Nicot, sens spéc. mod. ; bas lat. *politia* (IV^e s., saint Ambroise), du gr. *politeia,* « art de gouverner la cité », de *polis,* cité (v. POLITIQUE). || **contre-police** fin XVIII^e s. || **police-secours** 1932, Lar. || **policer** 1461, G. ; de *police* au sens ancien. || **policier** 1611, Cotgrave, de l'anc. sens de *police ;* 1790, Brunot, sens mod. || **policeman** 1839, Bonnafé, mot angl.

2. **police** 1371, Du Cange, « certificat » ; 1606, Ruhn, *police d'assurance ;* ital. *polizza,* du lat. médiév. *apodixa,* reçu, du gr. *apodeixis,* preuve, de *deiknunai,* montrer.

**polichinelle** 1649, *Mazarinades* (*Polichinel*) ; 1680, Richelet (*Polichinelle*) ; napolitain *Pulecenella,* nom d'un personnage de farce, paysan lourdaud, du bas lat. *pullicenus,* jeune poulet, de *pullus,* poulet.

**policlinique** 1875, *J. O. ;* gr. *polis,* ville, et du mot fr. *clinique.*

**poliomyélite** 1892, Guinon ; gr. *polios,* gris, et *muelos,* moelle. || **poliomyélitique** adj. et n., 1962, Robert. || **polio** n. m., 1962, Robert ; abrév. des deux précédents.

**poliorcétique** 1842, *Acad.,* hist. ; gr. *poliorkhêtikos,* de *polis,* ville et *orkheisthai,* assiéger.

**polir** 1180, Bartzsch, « rendre uni et luisant » ; fin XII^e s., *l'Escoufle,* soigner, embellir ; lat. *polire.* || **poli** 1130, *Eneas,* lisse ; 1175, Chr. de Troyes, élégant ; 1580, Montaigne, cultivé ; 1678, La Rochefoucauld, qui a des égards pour autrui ; n. m., 1612, Brunot. || **polisseur** 1389, *D. G.* || **polissage** 1749, Plumier. || **polissoir** 1536, M. Du Bellay. || **polissoire** 1411, Saulcy. || **polissure** 1525, J. Lemaire de Belges. || **dépolir** début XVII^e s. || **impoli** fin XIV^e s., peu orné ; 1580, Montaigne, inculte ; 1679, Brunot, sens mod. || **repolir** fin XIV^e s. (V. POLITESSE.)

**polisson** 1616, Monluc, n. m., arg., gueux, vagabond ; 1680, Richelet, galopin ; 1718, *Acad.,* personne folâtre ; 1685, Fatouville, adj., licencieux ; dérivé de l'arg. *polisse,* début

XVIIe s., action de voler ; p.-ê. du gr. *pôleîn,* vendre, puis voler. || **polissonner** 1718, *Dict. commercial.* || **polissonnerie** 1695, Leroux.

**polit-buro** 1932, Lar. ; mot russe, de *bureau,* et *politique.*

**politesse** 1585, N. Du Fail, « qualité de ce qui est net » ; 1665, La Rochefoucauld, culture, et bonnes manières ; anc. ital. *politezza* (auj. *pulitezza,* « propreté »), de *polito,* même mot que le fr. *poli* (v. POLIR). || **impolitesse** 1646, Vaugelas.

**politique** n. f., 1265, Br. Latini, « science du gouvernement des États » ; 1675, Fléchier, sens actuel ; 1671, Sévigné, manière d'agir ; lat. *politice* (IIe s.), gr. *politikê* (s.-e. *tekhnê*), de *polis,* cité (v. POLICE 1) ; adj., 1370, Oresme, « qui a rapport aux affaires publiques, au gouvernement de l'État » ; 1636, Monet, prudent, adroit ; lat. *politicus,* gr. *politikos ;* 1552, Ch. Est., « qui s'occupe des affaires de l'État » ; n. m., 1596, Hulsius, « homme politique ». || **politiquement** début XVe s., A. Chartier. || **impolitique** 1738, Brunot. || **apolitique** 1926, Duhamel. || **apolitisme** 1950, *journ.* || **politiquer** 1689, Sévigné. || **politicard** 1881, *Cri du peuple,* adj. ; n. m., 1898, Daudet. || **politicailler** 1904, Guillaumin. || **politicaillerie** 1887, Vallès. || **politicailleur** XXe s. || **politicien** 1779, Beaumarchais, déjà péjor. ; rare avant 1850 ; angl. *politician.* || **politiqueur** 1779, Proschwitz. || **politiser** 1370, Oresme, gouverner ; 1965, *journ.,* sens actuel. || **politisation** 1929, Koyré. || **politique-fiction** 1971, *Doc.* || **dépolitiser** 1950, de Gaulle. || **dépolitisation** 1958, *journ.*

**poljé** 1962, Robert, géogr. ; mot slave, « plaine ».

**polka** 1842, d'après Rozier, *les Bals publics,* 1855 ; polonais *polska,* de *polski,* polonais.

**pollakiurie** 1888, Lar., méd. ; gr. *pollakis,* souvent, et *oureîn,* uriner. (V. URINE.)

**pollen** 1766, Rozier ; lat. bot. *pollen,* du lat. class. « farine, poussière fine ». || **pollinie** 1836, Landais. || **pollinique** 1836, Landais. || **pollinisation** 1812, Boiste (*pollination*) ; 1879, *la Nature* (*pollinisation*).

**pollex** 1932, Lar., pouce ; lat. *pollex, pollicis.* || **pollicisation** 1963, Lar.

**pollicitation** fin XVe s., G., promesse ; 1731, *Ordonn.,* jurid. ; lat. jurid. *pollicitatio,* de *pollicitari,* fréquentatif de *polliceri,* offrir, promettre.

**polluer** 1290, *Livre Roisin,* profaner ; XXe s., souiller ; lat. *polluere,* souiller, de *luere,* laver. || **polluant** 1880, Huysmans. || **pollueur** 1970, *journ.* || **pollution** 1170, *Rois,* fait d'être souillé ; 1874, *J. O.*, sens actuel ; lat. eccl. *pollutio.*

**polo** 1882, L. Halévy, jeu (introduit en Angleterre vers 1871) ; 1895, A. Hermant, calotte (des joueurs de polo) ; 1962, Robert, chandail léger ; angl. *polo,* d'un dial. tibétain. (V. WATER-POLO.)

**polochon** 1840, Larchey, arg. milit. ; origine douteuse, peut-être néerl. *poluwe,* traversin.

**polonaise** n. f., 1809, Wailly, vêtement ; 1797, *Feuilleton,* danse ; de *Polonais,* nom de peuple.

**polonium** 1898, phys. ; du nom de la *Pologne,* pays d'origine de Marie Curie, qui découvrit cette première substance radioactive avec P. Curie.

**poltron** 1509, J. Marot ; ital. *poltrone,* « poulain », « peureux comme un poulain », de *poltro,* poulain, du lat. pop. **pulliter,* de *pullus,* « petit d'un animal » (v. POUTRE). || **poltronnerie** 1589, *Doc.*

**poly-,** gr. *polus,* nombreux. || **polyacide** 1869, L. || **polyakène** 1903, Lar., bot. || **polyalcool** 1946, Quillet. || **polyandre** 1842, *Acad.* || **polyandrie** 1787, Gouan, bot. ; 1842, *Acad.,* sociol. || **polyarthrite** 1868, *journ.* || **polybase** 1953, Lar. || **polybasique** 1869, L. || **polybie** 1875, Lar. || **polycentrique** 1968, Lar. || **polyarticulaire** 1869, L. || **polychètes** 1842, *Acad. ;* gr. *khaitê,* soie. || **polychroïsme** 1842, *Acad. ;* gr. *khroa,* teinte. || **polychrome** 1788, Barthélemy ; gr. *polukhromos,* de *khrôma,* couleur. || **polychromie** 1842, *Acad.* || **polyclinique** 1864, *journ.* || **polycopie** 1903, Lar. || **polycopier** XXe s. || **polycopiste** 1903, Lar. || **polyculture** 1908, Lar. || **polycyclique** 1875, Lar. || **polydactyle** 1809, Lamarck. || **polydactylie** 1820, *Dict. méd.* || **polyèdre** 1690, Furetière ; gr. *poluedros,* de *hedra,* face. || **polyédrique** 1836, *Acad.* || **polyembryonie** 1888, Lar. || **polyester** 1962, Robert. || **polyéthylène** 1962, Robert. || **polygale** 1562, Du Pinet ; gr. *gala,* lait. || **polygame** 1580, *Doc. ;* gr. *polugamos,* de *gamos,* mariage. || **polygamie** 1558, Alvarez. || **polygénisme** 1869, L. || **polygéniste** 1869, L. || **polyglotte** 1639, Chapelain ; gr. *poluglôttos,* de *glôtta,* langue. || **polyglottisme** 1967, Aragon. || **polygonacées** 1869, L., bot. ; gr. *polugonaton,* de *gonu,* genou. || **polygone** milieu XVIe s. ; lat. *polygonus,* gr. *polugônos,* de *gônia,* angle. || **polygonal** milieu XVIe s. || **polygonation** 1953, Lar. || **polygraphe** 1536,

*D. G.* ; gr. *polugraphos,* qui écrit beaucoup. || **polygraphie** 1561, Collange. || **polygynie** 1869, L. ; gr. *gunê,* femme. || **polymère** 1842, *Acad.* || **polymérie** 1827, *Acad.* || **polymérisation** 1878, Lar. || **polymériser** 1953, Lar. || **polymorphe** 1824, Raymond. || **polymorphisme** 1842, *Acad.* || **polynévrite** 1889, Déjerine. || **polynôme** 1691, Ozanam. || **polynucléaire** 1903, Lar. || **polyopie** 1869, L. ; gr. *ôps, ôpos,* vue. || **polypeptide** 1932, Lar. || **polyphone** 1829, Boiste ; gr. *poluphônos.* || **polyphonie** 1869, L. ; lat. *polyphonia,* du gr. *phônê,* voix. || **polyphonique** 1876, *J. O.* || **polypode** 1256, Ald. de Sienne (*polipode*) ; lat. *polypodium,* du gr. *polupodion.* || **polypore** 1816, Candolle. || **polyptère** 1808, Cuvier. || **polyptyque** 1721, Trévoux ; gr. *poluptukhon,* de *ptux, ptukhos,* pli, feuille d'un livre. || **polysaccharide** 1953, Lar. || **polysarcie** 1795, Cullen (*-sarcia*) ; 1806, Capuron (*-sarcie*) ; gr. *polusarkhia,* de *sarx, sarkhos,* chair. || **polysémie** 1897, Bréal. || **polysémique** début XX^e^ s. || **polysoc** 1845, Besch. || **polystyle** 1819, Boiste ; gr. *polustulos,* de *stulos,* colonne. || **polysulfure** 1842, *Acad.* || **polysyllabe** milieu XV^e^ s. ; gr. *polusullabos,* de *sullabê,* syllabe. || **polysyllabique** 1550, Meigret. || **polysyndète** 1765, *Encycl.* ; gr. *polusundeton,* qui contient beaucoup de conjonctions. || **polysynthétique** 1829, Eckstein. || **polytechnique** 1795, Décret (*École polytechnique*) ; gr. *polutekhnos,* « qui possède plusieurs arts », de *tekhnê,* art. || **polytechnicien** 1840, *Acad.* || **polythéisme** 1579, Bodin ; gr. *polutheos,* de *theos,* dieu. || **polythéiste** 1762, *Acad.* || **polytonalité** 1963, Lar. || **polytraumatisé** 1965, *journ.* || **polytric** XIII^e^ s., *Médicinaire liégeois* (*-tricum*) ; XV^e^ s. (*politric*), bot. ; lat. bot. *polytrichum,* du gr. *trix, trikhos,* cheveu. || **polyurie** 1823, *Dict. méd.* ; gr. *oûron,* urine. || **polyvalent** fin XIX^e^ s. ; lat. *valens, valentis,* part. prés. de *valere,* valoir. || **polyvalence** 1956, *journ.*

**polype** 1265, Br. Latini (*polipe*), poulpe ; 1363, Chauliac, méd. ; 1550, Ronsard, zool. ; lat. *polypus,* gr. *polupous,* de *polus,* nombreux, et *poûs, podos,* pied. || **polypeux** 1552, R. Est., méd. || **polypier** 1752, E. Bertrand.

**pommade** 1598, Wind. ; ital. *pomata,* cosmétique parfumé à la pulpe de pomme d'api, de *pomo,* fruit. || **pommader** fin XVI^e^ s., Sibilet. || **pommadier** 1878, Larchey, coiffeur.

***pomme** 1080, *Roland* (*pume*) ; 1155, Wace (*pome*) ; *pomme de discorde,* 1578, d'Aubigné ; *pomme de pin,* 1256, Ald. de Sienne ; *pomme d'Adam,* 1640, Oudin, anat. ; *aux pommes,* 1867, Delvau, délicieux ; lat. *pōma,* pl. neutre, passé au fém. en lat. pop., de *pōmum,* fruit, et en bas lat. de Gaule « pomme » (V^e^ s., M. Empiricus, à la place du lat. class. *mālum*). || **pomme de terre** milieu XVII^e^ s., topinambour ; milieu XVIII^e^ s., sens mod., vulgarisé par Parmentier entre 1770 et 1780 ; calque du néerl. *aardappel,* ou de l'allem. dial. *Erdapfel* (la pomme de terre, introduite d'Amérique en Europe au XVI^e^ s., a été cultivée d'abord en Allemagne). [V. PATATE.] || **pommette** 1138, Gaimar, petite pomme ; 1560, Paré, anat. || **pommé** 1398, *Ménagier* ; fin XVII^e^ s., Saint-Simon, fig., « achevé ». || **pommeraie** XIII^e^ s., G. || **pommelé** 1160, Benoît. || **pommer** 1545, Guéroult. || **pommier** 1080, *Roland* (*pumier*) ; XIII^e^ s. (*pommier*). || **se pommeler** 1611, Cotgrave. || **pomaison** 1907, Lar. || **pomiculteur** 1869, L. ; lat. *pomum,* « fruit ». || **pomoculture** 1949, Lar. || **pomologie** 1828, Mozin. || **pomologique** 1842, *Acad.* || **pomologue** 1828, Mozin. || **pomologiste** 1875, Lar.

**pommeau** 1130, *Eneas* (*pomel*) ; de l'anc. fr. *punt,* « poignée d'épée », forme masc. de *pomme,* par métaph. du lat. *pomum.* (V. POMME.)

**pompadour** XVIII^e^ s., étoffe multicolore ; 1778, Buffon, zool. ; 1834, Boiste, style de mobilier ; du nom de la marquise de *Pompadour.*

1. **pompe** 1160, Benoît, magnificence ; au pl., XIV^e^ s., vanités ; 1530, Palsgrave (*pompe funeralle*) ; 1552, Ch. Est. (*pompe funèbre*) ; lat. *pompa,* proprem. « cortège pompeux », du gr. *pompê.* || **pompeux** XIV^e^ s., Gilles li Muisis ; bas lat. *pomposus* (V^e^ s., Sid. Apoll.). || **pompeusement** 1340, J. Le Fèvre. || **pompier** adj., 1888, Sachs-Villatte, fam., péjor., en esthét. || **pompiérisme** *id.*

2. **pompe** 1517, *D. G.,* machine pour élever ou refouler un liquide ; *pompe à incendie,* 1722, *Mém. Acad. sc.* ; milieu XX^e^ s., gymnastique ; néerl. *pompe,* d'orig. onomat. || **pompier** 1517, *D. G.,* fabricant de pompes ; 1750, *Arrêt du parl. de Grenoble,* sens mod. || **sapeur-pompier** V. SAPEUR. || **pomper** milieu XVI^e^ s., se servir de la pompe ; fin XVIII^e^ s., fig. || **pompage** 1867, Delvau, action de boire ; 1920, Lar., techn. || **pompant** milieu XX^e^ s., épuisant. || **pompé** adj., 1913, Esnault, pop., « épuisé ». || **pompiste** 1933, A. Thérive.

**pompette** 1808, d'Hautel, pop., « ivre » ; moy. fr. *pompette* (XV^e^ s.), touffe, nœud de ruban, var. de *pompon* (v. le suiv.), et par métaph. « nez d'un ivrogne » : *nez à pompettes,* 1532, Rab.

**pompon** 1556, *Doc. ; avoir le pompon de,* 1830, Stendhal ; *avoir son pompon,* 1888, Sachs-Villatte, être légèrement ivre (v. POMPETTE) ; *rose pompon,* milieu XIXe s. ; d'un rad. onomat. *pomp-*, var. de *pimp-* (v. PIMPANT). || **pomponné** 1757, Brunot. || **pomponner** 1768, Carmontelle.

**ponant** 1240, Ph. de Novare (*ponent*), couchant ; anc. prov. *ponen,* du lat. pop. (*sol*) *ponens,* « (soleil) couchant », de *ponere,* « se coucher », en lat. class. « poser ». || **pomantais** 1696, Jal (*-ois*) ; 1708, Furetière (*-ais*).

***ponce** 1240, Huon le Roi ; bas lat. *pōmex, pōmĭcis,* forme osque du lat. class. *pūmex ;* auj. seulem. *pierre ponce,* 1361, Oresme. || **poncer** 1265, J. de Meung. || **ponçage** 1812, Boiste. || **ponceux** début XIIIe s. || **ponceuse** 1903, Lar. || **poncif** milieu XVIe s., « dessin piqué sur lequel on passait la pierre ponce » ; 1828, Montabert, « mauvais dessin fait de routine » ; 1833, Gautier, péjor., idée toute faite.

1. **ponceau** XIIe s. (*pouncel*), coquelicot ; 1669, Widerhold, couleur rouge ; dér. de *paon,* par comparaison avec l'éclat du plumage de cet oiseau.

2. **ponceau** V. PONT.

**poncho** fin XVIIIe s., tissu ; 1875, Lar., manteau ; mot esp. d'Amér. du Sud. ; manteau des gauchos.

**ponction** XIIIe s., *D. G. ;* lat. *punctio,* piqûre, de *punctum,* point. || **ponctionner** 1837, *Journ. méd.*

**ponctuel** 1380, Conty ; rare avant le XVIIe s. ; lat. médiév. *punctualis,* « qui fait ce qu'il doit à point nommé », du lat. *punctum,* point. || **ponctuellement** début XVIe s. || **ponctualité** 1629, Peiresc.

**ponctuer** fin XVe s., J. Lemaire de Belges, discerner ; 1550, Meigret, sens actuel ; lat. médiév. *punctuare,* proprem. « mettre les points », du lat. *punctum.* || **ponctuation** 1521, Fabri.

**pondérer** 1355, Bersuire, examiner ; 1787, Brunot, équilibrer ; lat. *ponderare,* peser, de *pondus, ponderis,* poids. || **pondéré** adj., 1771, Rousseau. || **pondérable** milieu XVe s., « qui accable » ; rare avant 1798, *Ann. chim.,* scient. ; bas lat. *ponderabilis.* || **pondéral** 1842, *Acad.* || **pondération** 1440, Chastellain ; bas lat. *ponderatio.* || **pondérateur** n. m., 1522, Merval, jurid. ; 1845, Besch., adj., polit. || **pondéreux** milieu XIVe s., Chr. de Pisan, pesant. || **impondérable** 1795, *Journ. des mines.*

***pondre** 1119, Ph. de Thaon ; lat. *ponĕre,* poser, avec spécialisation rurale du sens, ellipse de *ponere ova (*I[er] s., Ovide), déposer ses œufs (pour l'évolution sémantique, v. COUVER). || **ponte** 1570, Liebault ; anc. part. passé substantivé au fém. || **pondeuse** 1580, M. de La Porte (*ponneuse*) ; 1785, Sade (*pondeuse*). || **pondeur** 1678, La Fontaine ; 1893, *D. G.,* fig. || **pondoir** 1806, Parmentier.

**poney** 15 mai 1824, *Journal des dames* (*ponet*) ; 1828, Lamartine (*poney*) ; angl. *pony.* || **ponette** 26 mars 1899, *Journal des haras ;* par confusion avec le suff. *-et, -ette.*

**pongé** 1903, Lar. ; angl. *pongee,* p.-ê. du chinois *pun-gi,* métier à tisser.

***pont** 1080, *Roland (punt*) ; *pont suspendu,* 1765, *Encycl. ; pont roulant,* 1903, Lar. ; *pont arrière,* 1898, *France autom. ; ponts et chaussées,* début XVIIIe s. ; *pont aux ânes,* fin XVIe s. ; lat. *pons, pontis.* || **entrepont** milieu XVIIe s. || **pont-levis** fin XIIe s., *Dolopathos ;* de l'anc. *levis,* « qui se lève » (v. LEVER). || **pontet** XIIIe s. || **ponter** 1500, Auton, « jeter un pont sur » ; milieu XVIe s., mar. || **pontage** milieu XIIIe s. || **pontée** 1836, Landais. || **pontier** 1875, Lar. || **ponceau** 1112, *Voy. saint Brendan* (*poncel*) ; lat. pop. *pontĭcellus,* du lat. *ponticulus,* petit pont. || **ponteau** 1547, Jal. || **pontelet** milieu XVe s. || **ponteler** milieu XVIe s., techn. || **pontet** 1536, G. || **appontement** 1789, *Archives.* || **apponter** 1948, Lar.

**ponte** V. PONDRE, PONTER.

**ponter** 1718, *Acad.,* jeu ; de *pont,* anc. part. passé de *pondre,* du lat. *ponĕre,* poser, mettre. || **ponte** n. m., 1682, *Nouv. Jeu de l'hombre,* jeu ; 1764, Voltaire, membre d'une mutuelle sur la vie ; 1883, Esnault, pop., « personnage important ».

**pontife** 980, *Passion* (*pontifex*) ; 1480, Fossetier (*pontif*) ; lat. *pontifex,* repris par le lexique chrét. || **pontifical** 1269, *Gr. Chron. de France ;* lat. *pontificalis.* || **pontificat** 1368, Thierry ; lat. *pontificatus.* || **pontifier** 1340, J. Le Fèvre, eccl. ; 1801, Mercier, fig. || **pontifiant** 1876, A. Daudet, adj.

**pontil** V. POINTE.

***ponton** 1245, *Arch. du Nord ;* lat. *pontōnem,* acc. de *pontō,* « bac ». || **pontonnier** 1170, *Floire et Blanchefor.*

**pontuseau** 1765, *Encycl.,* techn. ; altér. de *pontereau,* petit pont.

**pool** fin XIX^e^ s. ; mot angl., du fr. *poule,* jeu (v. POULE) ; entente de producteurs.

**pop** 1964, *journ. ;* mot angl., abrév. de *popular.*

**pop-corn** 1950, *journ. ;* mot angl., de *to pop,* partir comme un pétard, et *corn,* maïs.

**pope** 1606, La Rivière (*popi*) ; milieu XVII^e^ s. (*pope*) ; russe *pop,* du gr. eccl. *pappos,* en gr. class. « grand-père ». (V. PAPE.)

**popeline** 1667, d'après L. ; angl. *poplin,* du fr. *papeline (*XVII^e^ s.), d'où est issu le mot angl. ; du nom de *Poperinghe,* ville de Flandre où se fabriquaient des draps célèbres au Moyen Âge.

**poplité** 1560, Paré, anat. ; lat. *poples, poplitis,* jarret.

**popote** 1847, Balzac, arg. étudiant ; 1857, Esnault, arg. milit. ; adj., 1877, Zola, routinier ; 1885, Maupassant, sens actuel ; d'un mot enfantin désignant la soupe (pour d'autres, mot vosgien, « soupe »). || **popotier** 1917, Esnault, arg. milit.

**populace** 1555, Pasquier, n. m. ; ital. *popolaccio,* n. m., dér. péjor. de *popolo,* peuple ; 1572, Amyot, n. f., par influence de la terminaison. || **populacier** 1571, J. Lebon.

**populage** 1752, Trévoux (*populago*) ; 1778, Lamarck (*populage*), bot. ; lat. bot. *populago* (XVI^e^ s.), en lat. class. *pōpulus,* peuplier.

**populaire** fin XII^e^ s., *Grégoire* (*populeir*), « qui appartient au peuple » ; 1559, Amyot, « qui a la faveur du peuple » ; 1640, Corn., démocratique ; 1696, La Bruyère, accessible au peuple ; lat. *popularis,* proprem. « relatif au peuple », de *pŏpulus,* peuple. || **populairement** début XVI^e^ s. || **popularité** XV^e^ s., G., populace ; 1725, d'après Trévoux, sens mod. ; lat. *popularitas.* || **populariser** 1622, Bergier (*se populariser*). || **populo** 1867, Delvau, pop. ; sur le modèle des abrév. en *-o : aristo, proprio,* etc. || **impopulaire** 1780, *Courrier de l'Europe.* || **impopularité** *id.*

**population** XIV^e^ s. (*populacion*) ; 1682, A. Le Maître (*population*) ; bas lat. *populatio,* de *populus,* peuple ; rare jusqu'au milieu du XVIII^e^ s., où il est repris de l'angl. *population,* de même étymol. || **dépopulation** XIV^e^ s., « dévastation » ; 1721, Montesquieu, sens actuel, d'après *dépeupler ;* lat. *depopulatio.*

**populéum** XIV^e^ s., *Antidotaire* (*populeon*), pharm. ; lat. méd. *populeum* (*unguentum*), onguent de peuplier, de *pōpulus,* peuplier.

**populeux** début XVI^e^ s. (*populos*) ; 1553, Vaganay (*populeux*) ; bas lat. *populosus,* de *pŏpulus,* peuple.

**populisme, populiste** 1929, L. Lemonnier, litt. ; lat. *pŏpulus,* peuple.

**poquer** 1544, G. (*pocquer*), frapper ; du flam. *pokken ;* 1731, Trévoux ; terme de jeu.

**poquet** 1849, Dudesert, hortic. ; dimin. de *poque,* forme pic. de *poche* (v. ce mot) ; pour d'autres, dér. de *poquer* (v. le précéd.).

***porc** 1080, *Roland ;* fig., fin XII^e^ s. ; lat. *porcus.* || **porcelet** 1211, *le Bestiaire.* || **porcin** fin XI^e^ s., *Chanson de Guillaume,* surtout au fém. ; 1611, Cotgrave ; lat. *porcinus.* || **porchaison** 1389, *Doc.,* vén. || ***porcher** 1138, Gaimar (*porker*) ; 1265, J. de Meung (*porchier*) ; bas lat. *porcarius* (IV^e^ s., Maternus). || **porcherie** milieu XII^e^ s., *Roman de Thèbes,* troupeau de porcs ; début XIV^e^ s., toit à porcs. (V. PORC-ÉPIC, POURCEAU.)

**porcelaine** 1298, *Voy. de Marco Polo* (*pourcelaine*), sorte de coquillage, et aussi sens mod. (rare avant 1523, Gay) ; ital. *porcellana,* coquillage, de *porcella,* truie, par comparaison avec la vulve de la truie. || **porcelainier** 1836, Landais. || **porcelainé** 1894, Goncourt. || **porcelané** 1950, Lambert.

**porc-épic** début XIII^e^ s., *Guillaume de Dole* (*porc espin*) ; XIII^e^ s., Villart de Honnecourt (*porc-eppi*) ; 1508, *Doc.* (*porc espic,* altér. d'après *piquer*) ; 1671, Pomey (*porc-épic*) ; anc. prov. *porc-espin,* de l'ital. *porcospino,* proprem. « porc-épine ».

**porche** fin XI^e^ s., *Gloses de Raschi ;* lat. *porticus,* n. f., devenu masc. en lat. pop. à cause de sa terminaison.

**porcher, porcin** V. PORC.

**pore** 1314, Mondeville (*porre*) ; lat. *porus,* passage, conduit, du gr. *poros.* || **poreux, porosité** *id.*

**porion** 1775, à Aniche (Saint-Léger, *les Mines,* 1936) ; vulgarisé par *Germinal,* de Zola, 1885 ; mot du Borinage, de l'anc. fr. *porion,* poireau, le contremaître restant planté longtemps au même endroit.

**porisme** 1691, Ozanam, math., théorème incomplet ; gr. *porisma,* corollaire, de *porizein,* se frayer un passage, et fournir, se procurer.

**pornographe** 1769, Restif de La Bretonne, « auteur qui traite de la prostitution » ; 1842, *Acad.,* auteur d'écrits obscènes ; gr. *pornographos,* de *pornê,* prostituée, et *grapheîn,* écrire. || **pornographie** 1803, Boiste, « traité de la prostitution » ; 1842, *Acad.,* sens mod., d'abord en peinture. || **pornographique** 1835, Raymond.

**porphyre** XII^e^ s., *Aye d'Avignon* (*porfire ;* var. *porfie,* XIII^e^ s.) ; 1546, Rab. (*porphyre,* d'après le gr. *porphura,* pourpre) ; ital. *porfido, porfiro,* du lat. *porphyrites,* du gr. *porphuritês* (*lithos*), « pierre pourprée ». || **porphyriser** 1728, Fauchard. || **porphyrisation** 1765, *Encycl.* || **porphyrion** 1380, *Aalma* (*porphire*), zool. ; lat. *porphyrio,* du gr. *porphuriôn,* oiseau au bec et aux pattes pourpres. || **porphyroïde** 1803, Morin.

**porphyrogénète** 1690, Furetière ; gr. *porphurogenetos,* « né dans la pourpre », de *porphura,* pourpre.

**porque** 1382, *Doc.,* mar., au sens propre « truie », d'où, aux XVI^e^-XVII^e^ s., d'Aubigné, Scarron, « femme malpropre » ; ital. *porca,* truie, du lat. *porca,* fém. de *porcus,* porc. || **porquer** 1792, Romme.

**porracé** 1560, Paré, méd. ; lat. *porrum,* poireau ; qui a la couleur verdâtre du poireau.

**porreau** V. POIREAU.

**porrection** 1604, G., eccl. ; lat. *porrectio,* de *porrigere,* tendre.

**porridge** 1901, *À travers le monde ;* mot angl., d'origine inconnue.

1. ***port** (*maritime,* etc.), 1050, *Alexis ; aller, venir, arriver à bon port,* 1268, Joinville, au pr. ; 1627, Richelieu, fig ; lat. *portus.* || **portuaire** 1949, Lar. || **portulan** 1577, *D. G.,* carte côtière ; ital. *portolano, portulano,* « pilote », de *porto,* port. || **avant-port** 1782, Romme.

2. **port** 1080, *Roland,* col (dans les Pyrénées) ; anc. occitan *port,* empl. en ce sens, du lat. *portus* (v. le précéd.).

3. **port** V. PORTER 1.

**portage, portant, portatif, portail** V. PORTER, PORTE.

1. ***porte** 980, *Passion* (*porta*) ; 1080, *Roland* (*porte*), « porte de ville, de maison » ; lat. *porta,* « porte de ville, de monument », qui a éliminé en lat. pop. *fores,* puis *ostium* (v. HUIS), au sens de « porte de maison ». || **portail** 1160, Benoît (*portal*) ; 1170, *Floire et Blancheflor* (*portail,* d'après le plur. *portaus*). || **portillon** 1578, d'Aubigné ; 1929, R. Martin du Gard, métro. || **portière** 1539, R. Est., panneau, tenture. || **contre-porte** fin XVI^e^ s. || **porte-fenêtre** 1676, Félibien.

2. **porte** 1314, Mondeville (*veine porte*), anat. ; même mot que le précéd.

3. **porte-,** V. PORTER 1. || **porte-à-faux** 1836, Landais. || **porte-aéronefs** 1963, Lar. || **porte-aigle** début XIX^e^ s. || **porte-aiguille** milieu XVIII^e^ s., chir. || **porte-aiguilles** 1827, *Acad.,* couture. || **porte-allumettes** 1845, Besch. || **porte-amarre** 1857, Figuier. || **porte-autos** 1967, *journ.* || **porte-avions** 1923, Lar. || **porte-bagages** 1923, Lar. || **porte-baïonnette** 1842, *Acad.* || **porte-bébé** 1969, *journ.* || **porte-billets** 1828, Mozin. || **porte-bonheur** 1876, L. || **porte-bouquet** 1680, Richelet. || **porte-bouteilles** 1790, Havard. || **porte-broche** 1723, Savary. || **porte-cartes** 1875, Lar. || **porte-chapeaux** 1776, Valmont. || **porte-chéquiers** 1972, *journ.* || **porte-cigares** 1845, Besch. || **porte-cigarettes** 1887, *Rev. des Deux Mondes.* || **porte-clefs** 1581, Vaganay, qui porte les clefs d'un domaine ; 1835, *Acad.,* sens actuel. || **porte-conteneurs** 1973, *Doc.* || **porte-copie** 1962, Robert. || **porte-coton** 1777, Voltaire. || **porte-couteau** 1803, Boiste. || **porte-crayon** début XVII^e^ s. || **porte-croix** 1578, d'Aubigné. || **porte-crosse** 1680, Richelet. || **porte-dais** 1767, Diderot. || **porte-documents** 1962, Robert. || **porte-drapeau** 1578, H. Est. || **porte-étendard** 1680, Richelet. || **porte-étriers** 1611, Cotgrave. || **portefaix** 1270, *Romania* (*portefays*). || **portefeuille** 1544, Delb. || **porte-glaive** 1740, Trévoux. || **porte-greffe** 1877, *Revue des Deux Mondes.* || **porte-haubans** 1552, Rab., mar. || **porte-jarretelles** 1935, Sachs-Villate. || **porte-malheur** 1604, Certon. || **porte-manteau** 1558, G., officier portant le manteau d'un grand personnage ; 1660, Oudin, sens mod. || **porte-mesure** 1842, *Acad.* || **portemine** 1893, *D. G.* || **porte-monnaie** 1856, Furpille. || **porte-parapluies** 1856, Furpille. || **porte-parole** milieu XVI^e^ s. || **porte-plume** 1725, Havard. || **porte-queue** 1465, Bartzsch (*portecoue*). || **porte-savon** 1903, Lar. || **porte-serviettes** 1890, Havard. || **porte-vent** 1588, *Doc.* || **porte-voix** 1680, Richelet.

1. ***porter** 980, *Passion,* « être enceinte » ; 1050, *Alexis,* sens gén. ; *se porter bien, mal,* 1360, Froissart ; *être porté à,* début XVII^e^ s. ; lat.

pop. *portāre* (lat. class. *ferre*). || **port** 1160, Benoît, approvisionnement ; 1265, G., action de porter, et aussi, jusqu'au XVI^e s., « aide, faveur » ; début XIV^e s., allure, maintien. || **porter** n. m., 1850, Balzac. || **portée** n. f., fin XII^e s., *Prise d'Orange*, enfant, progéniture ; en anc. fr. « charge », et terme de mesure ; milieu XV^e s., petits d'un animal ; milieu XVI^e s., balist. ; 1752, Trévoux, mus. ; *à portée de, à la portée de*, milieu XVII^e s., Sévigné, Bossuet. || **portant** n. m., XIII^e s., qui porte le faucon, a pris divers sens techn. ; 1841, *les Français peints par eux-mêmes*, théâtre ; *à bout portant*, 1671, Pomey. || **portance** fin XIV^e s., action de porter, ce qui sert à porter ; devenu arch., puis repris vers 1940, en aéron. || **portage** 1265, *Livre de jostice*. || **portatif** 1328, Varin. || **portable** 1265, J. de Meung. || **portement** 1265, Br. Latini. || **porteur** 1120, *Ps. d'Oxford* ; cas régime de *portere*, lat. *portator*. || **portière** adj. fém., 1326, G. (*brebis portière*), en âge de porter des petits. || **portereau** 1765, *Encycl.* || **déporter** V. ce mot. || **déport** v. 1830, financ. || **emporter** 980, *Passion* (*en porter*) ; 1080, *Roland* (*emporter*), « porter hors d'un lieu » ; 1549, R. Est., « causer la mort rapide de » ; *l'emporter*, début XIV^e s., vaincre ; *s'emporter*, 1633, Corn. || **emporté** adj., 1633, Corn. || **emportement** XIII^e s., G., fait d'être entraîné ; 1636, Corneille, fig. || **emporte-pièce** 1611, Cotgrave (*cautère emporte-pièce*) ; 1690, Furetière, techn. ; *à l'emporte-pièce*, 1700, Liger, techn. ; 1870, Lar., fig. || **remporter** milieu XV^e s., au pr. ; 1538, R. Est., gagner. || **exporter** début XVI^e s. ; rare avant le milieu du XVIII^e s. ; repris d'après l'angl. (*to*) *export*. || **exportable** 1870, Lar. || **exportation** XVI^e s., action d'emporter ; 1734, Melon, sens mod. || **exportateur** 1756, Mirabeau. || **réexporter** milieu XVIII^e s. || **réexportation** 1755, Forbonnais. || **importer** V. ce mot. || **reporter** fin XI^e s., *Alexis*. || **report** fin XIII^e s., « récit » ; 1826, J. Bresson. || **reporteur** milieu XIX^e s., financ. || **transporter** 1180, Barbier, au pr. ; fin XIII^e s., mettre quelqu'un hors de lui ; 1748, Montesquieu, pénal. || **transport** XIV^e s., jurid. ; 1538, R. Est., au pr. ; 1614, d'Urgé, mouvement de passion. || **transportation** 1519, Michel de Tours ; 1836, *Acad.*, pénal. || **transporteur** fin XIV^e s. || **transportable** 1574, Jodelle. || **intransportable** 1775, Condillac. || **triporteur** 1900, *Vie au grand air*. (V. SUPPORTER.)

2. **porter** n. m., 1726, C. de Saussure, bière ; angl. *porters'ale*, « bière de portefaix ».

**porterie** V. PORTIER.

**porteur** V. PORTER 1.

***portier** fin XI^e s. (*porter*) ; 1155, Wace ; bas lat. *portarius* (*Vulgate*), de *porta*, porte. || **porterie** 1460, Chastellain, loge d'un portier.

**portière, portillon** V. PORTE 1, PORTER 1, PORTIER.

**portion** 1160, Benoît ; lat. *portio*, part, portion. || **portionnaire** 1442, G., adj. ; 1829, Boiste, jurid.

**portique** 1544, *l'Arcadie*, galerie ouverte ; 1869, L., gymnast. ; lat. *porticus* (v. PORCHE). || **cryptoportique** 1561, Delorme.

**portland** 1868, Lar. (*pierre de Portland*) ; 1922, Lar. (*portland*), sorte de ciment ; du nom d'une presqu'île anglaise.

**porto** 1759, Voltaire (*vin de Porto*) ; 1806, *Journ. des gourmands* (*porto*) ; du nom de *Porto*, ville du Portugal.

**portor** 1676, Félibien, veiné d'or ; ital. *portoro*, contraction de *porta oro*, « porte-or ».

**portrait** 1175, Chr. de Troyes (*portret*) ; part. passé substantivé de *portraire* (1130, *Eneas*), « dessiner, représenter » ; de *traire*, au sens anc. de « tirer ». || **portrait-robot** 1964, *journ.* || **portraiture** 1160, Benoît. || **portraiturer** 1540, Havard. || **portraitiste** 1693, Havard.

**portuaire** V. PORT 1.

**portulan** 1577, *le Portulan*, carte nautique ; ital. *portolano*, pilote.

**portune** 1827, *Acad.*, zool. ; lat. *portunus*, de *Portunus*, dieu des ports.

**posada** 1660, Oudin (*posade*) ; 1826, Vigny (*posada*) ; mot esp. désignant une auberge.

**pose** V. POSER.

***poser** 980, *Passion*, « ensevelir » ; 1050, *Alexis*, sens mod. ; lat. pop. *pausāre* (Plaute), s'arrêter, cesser, de *pausa*, pause ; d'où, en lat. des inscriptions chrét., « se reposer », et en bas lat. « poser », avec élimination de *ponere* en ce sens (v. PONDRE), et élimination du sens primitif de *pausare*, repris en fr. par REPOSER (v. ce mot). || **posage** 1532, *D. G.* || **poseur** 1641, *Doc.*, au pr. ; 1842, Mozin, fig., « fat ». || **pose** 1112, *Voy. saint Brendan*, relâche ; 1694, *Acad.*, au pr. ; 1792, Watelet, beaux-arts ; 1835, *Acad.*, fig., attitude affectée ; 1874, Lar., photogr. || **posemètre** 1949, Lar. || **antéposer** XIX^e s. ; lat. *ante*, avant, devant. || **déposer** XII^e s., destituer. || **dépôt** XIV^e s., G. (*depost*) ; lat. jurid. *depositum*. || **dépositaire**

XIV^e s., G. ; lat. jurid. *depositarius.* || **entreposer** 1119, Ph. de Thaon, intercaler ; début XII^e s., *Grégoire,* poser entre ; sur le modèle du lat. *interponere ;* XVI^e s., commerce. || **entrepôt** 1600, O. de Serres ; d'après *dépôt.* || **entrepositaire** 1814, Duvergier ; d'après *dépositaire.* || **exposer** début XII^e s., *Grégoire ;* a remplacé la forme pop. *espondre.* || **exposant** n. m., 1385, *D. G.,* jurid. ; 1658, Pascal, math. ; fin XVII^e s., qui expose des marchandises dans une exposition. || **exposé** n. m., 1638, Richelieu. || **interposer** 1356, Bersuire ; lat. *interponere,* d'après *poser.* || **interposition** 1160, Benoît. || **juxtaposer** 1835, *Acad. ;* lat. *juxta,* près de. || **postposer** 1446, Isambert. || **superposer** 1762, Rousseau ; lat. *superponere,* d'après *poser,* de *super,* au-dessus. || **transposer** XII^e s. ; lat. *transponere,* d'après *poser.* (V. COMPOSER, DISPOSER, REPOSER, POSITION.)

**positif** 1265, J. de Meung, « certain, réel », sens répandu seulem. au XVII^e s. ; 1370, Oresme, « établi par institution » ; 1807, Staël, qui a le sens pratique ; 1647, Descartes, par oppos. à *négatif,* en divers sens ; 1810, Saint-Simon, philos. ; bas lat. *positivus,* « qui repose sur quelque chose », de *positus,* part. passé de *ponere,* mettre. || **positivisme** 1830, A. Comte. || **positiviste 1834, Boiste.** || **positivité** 1840, A. Comte. || **positon** 1932, Lar., phys. ; sur *position.* || **diapositive** fin XIX^e s., photogr.

**position** fin XII^e s., *l'Escoufle,* manière de poser un argument ; 1265, J. de Meung, place ; 1835, *Acad.,* attitude du corps ; lat. *positio,* de *ponere,* placer, mettre. || **antéposition** 1841, Proudhon ; sur le lat. *ante,* avant, devant. || **déposition** XII^e s. ; lat. jurid. *depositio.* || **exposition** 1119, Ph. de Thaon, « action d'exposer », puis fig. ; lat. *expositio.* || **interposition** 1160, Benoît. || **juxtaposition** 1664, *le Monde de M. Descartes ;* sur le lat. *juxta,* près de. || **postposition** XIX^e s., gramm. || **superposition** 1613, Dounot ; lat. médiév. *superpositio.* || **transposition** début XV^e s..

**posologie** 1820, *Dict. méd. ;* gr. *posos,* « combien », et *-logie.* || **posologique** 1835, Raymond

**posséder** 1120, *Ps. d'Oxford* (*pursedeir*) ; 1170, Sully (*porseoir*) ; XIII^e s. (*possider*) ; 1364, Fagniez (*posséder*) ; lat. *possidēre,* de *potis,* capable de, et *sedere,* être assis (v. SEOIR) ; forme *posséder* d'après *possesseur, possession.* || **possédant** 1617, Crespin. || **possédé** 1169, Widerhold, possédé du diable. || **possédable** 1553, Rab. || **possession** 1120, *Ps de Cambridge ;* lat. *possessio.* || **possessionné** XV^e s., rare avant 1776, Voltaire. || **dépossession** 1690, Furetière. || **possesseur** fin XIII^e s. (*possessor*) ; 1355, Bersuire (*possesseur*) ; lat. *possessor.* || **possessif** 1380, *Aalma,* gramm. ; 1501, Destrée, « dominant » ; 1970, Robert, qui accapare ; lat. *possessivus.* || **possessionnel** 1836, *Acad.* || **possessivité** 1946, Mounier. || **possessoire** 1398, E. Deschamps, jurid. ; lat. *possessorius.*

**possible** 1265, Br. Latini ; n. m., 1673, Retz, philos. ; lat. impér. *possibilis* (II-III^e s.), du v. *posse,* pouvoir. || **possibilité** 1212, Anger ; *possibilités,* début XX^e s. ; lat. impér. *possibilitas.* || **possibiliste** 1881, *journ.,* polit., socialiste partisan des réformes « possibles ». || **impossible** fin XIII^e s., G. ; lat. *impossibilis.* || **impossibilité** XIV^e s.

**post-,** préfixe ; lat. *post,* après. || **postclassique** 1932, Lar. || **postcommunion** 1215, Pean Gatineau. || **postdater** 1752, Trévoux. (etc., v. le mot de base.)

1. **poste** n. f., XII^e s., *Jeu d'Adam,* « position » ; auj., mar. ; anc. part. passé substantivé de *pondre,* au sens anc. de « poser », lat. *ponĕre.*

2. **poste** n. f., 1480, Bartzsch., relais de chevaux ; par ext., transport public des correspondances, créé en 1475 ; *courir la poste,* 1573, Chesneau ; *maître de poste,* 1636, Monet ; *poste restante,* 1793, Staël ; ital. *posta,* part. passé, substantivé au fém., de *porre,* poser, du lat. *ponere,* placer (v. PONDRE). || **postal** 1835, Raymond ; *carte postale,* 1872, *journ.* || **postier** 1841, *les Français peints par eux-mêmes,* employé de la poste. || **poster** 1907, Lar. || **postage** 1875, Lar. (V. MALLE, TIMBRE).

3. **poste** n. m., 1500, J. d'Authon, au féminin ; 1636, Monet, au masc. ; *poste de police,* 1879, Loti ; *poste de secours,* 1949, Lar. ; *poste de travail* 1963, Lar. ; ital. *posto,* forme masc. de *posta* (v. le précéd.). || **poster** début XVI^e s., mettre à un poste. || **avant-poste** 1800, Brunot. (V. APOSTER.)

**postérieur** adj., fin XV^e s. ; n. m., 1566, H. Est. ; lat. *posterior,* comparatif de *posterus,* « qui vient après », de *post,* après (V. PATRONMINET). || **postérieurement** 1660, Oudin. || **postériorité** milieu XV^e s., Ferget.

**postérité** 1320, *Roman de Fauvel ;* lat. *posteritas,* de même rad. que le précéd.

**postface** 1736, Voltaire ; sur le lat. *post,* d'après *préface.* (V. PRÉFACE.)

**posthite** 1823, *Dict. méd.,* méd. ; gr. *posthê,* prépuce, et suff. *-ite.*

**posthume** XIVe s. (*postume*) ; 1491, Vaganay, « né après la mort du père » ; 1680, Richelet, « publié après la mort de l'auteur » ; 1727, Fontenelle, « qui existe après la mort » ; bas lat. *posthumus,* altér. orthogr. du lat. class. *postumus,* dernier, de *post,* après, par attraction de *humus,* terre, *humare,* inhumer.

**postiche** 1585, L., ornement ; 1690, Furetière, faux cheveux ; ital. *posticcio,* dér. de *posto,* part. passé de *porre,* mettre, du lat. *ponere.* || **posticheur** 1923, Lar. (V. PONDRE, POSTE 1 et 2.)

**postillon** 1530, Marot ; ital. *postiglione,* de *posta* (v. POSTE 2) ; 1867, Delvau, goutte de salive projetée. || **postillonner** 1611, Cotgrave, courir la poste ; 1867, Delvau, fam., sens mod.

**post-scriptum** 1512, La Curne (*postcripte*) ; 1701, Furetière (*post-scriptum*) ; loc. lat., de *post,* après, et *scriptum,* ce qui est écrit, part. passé, substantivé au neutre, de *scribere,* écrire.

**postulat** 1752, Trévoux, math. ; 1842, *Acad.,* ext. de sens ; lat. *postulatum,* part. passé neutre de *postulare,* demander.

**postuler** XIIIe s., jurid. ; 1355, Bersuire, solliciter ; lat. *postulare,* demander. || **postulant** 1495, Vignay. || **postulation** 1265, *Livre de jostice ;* lat. *postulatio.*

**posture** 1588, Montaigne ; ital. *postura,* de *posto.* || **postural** 1962, Robert. (V. POSTE 2.)

***pot** 1155, Wace ; *pot de chambre,* 1542, *Doc. ; pot aux roses,* XIIIe s. ; *tourner autour du pot,* 1538, R. Est., fig. ; *avoir du pot,* 1925, Esnault, pop. ; *pot d'échappement,* 1892, *Portefeuille éco. ;* lat. pop. *pŏttus* (réduit à *potus,* Ve s., Fortunat), probablem. d'un rad. préceltique *pott-.* || **pot-de-vin** 1501, Cohen, gratification ; 1586, Pasquier, pourboire. || **pot-au-feu** 1673, Sévigné. || **pot-bouille** n. f., 1838, Balzac (v. BOUILLIR). || **pot-pourri** 1553, Rab., culin. ; 1803, Boiste, mus. ; calque de l'esp. *olla podrida.* || **potée** XIIe s. || **potelle** 1875, Lar. || **potier** 1120, *Ps. de Cambridge,* fabricant de pots. || **poterie** 1268, É. Boileau. || **potin** 1655, *Muse normande,* commérage ; 1888, Sachs-Villate, pop., tapage ; mot d'orig. norm., de *potiner,* dér. de *potine,* chaufferette (qu'apportaient avec elles les femmes se réunissant pour causer). || **potiner** 1867, Delvau. || **potinier** 1871, Goncourt. || **potinage** 1861, Goncourt. || **potinière** n. f., 1890, Maupassant. || **potard** 1867, Delvau, pop., « pharmacien ». || **popotin** 1896, Esnault, pop. ou enfantin, derrière rebondi. || **dépoter** début XVIIe s. || **dépotage, dépotement** 1842, Mozin. || **dépotoir** 1836, Raymond. || **empoter** XVIIe s., *Ragotin,* mettre en pot. || **rempoter** 1835, *Acad.*

**potable** 1270, Mahieu le Vilain ; mot d'alchimie jusqu'au XVIIe s. ; 1756, *Léandre grosse,* fam., acceptable ; bas lat. *potabilis,* qui peut être bu, de *potare,* boire.

**potache** 1840, Esnault, arg. scolaire ; abrév. de *potachien,* mot issu de *potagiste,* demi-pensionnaire, de *potage,* par infl. de *collégien.*

**potage** milieu XIIIe s., Rutebeuf, « ce qui se met dans le pot » ; 1268, É. Boileau, « bouillon, soupe » ; *pour tout potage,* XVe s. ; de *pot.* || **potager** n. m., 1373, Du Cange, « cuisinier » ; adj., 1555, Ronsard ; 1570, Liebault, n. m., sens mod., où l'on cultive des plantes potagères.

**potamo-,** gr. *potamos,* fleuve. || **potamochère** 1903, Lar., zool. ; gr. *khoiros,* petit cochon. || **potamogéton** ou **potamot** 1701, Furetière, bot. ; gr. *geitôn,* voisin. || **potamologie** 1875, Lar.

**potasse** 1577, texte de Liège (*pottas*) ; néerl. *potasch ;* 1690, Furetière (*potasse*) ; all. *Potasche,* de *Pot,* pot, et *Asche,* cendre. || **potassé** 1814, Brunot (*potassié*) ; 1834, Landais (*potassé*). || **potassique** 1831, Berzélius. || **potassium** 1808, Davy (en anglais) ; par latinisation de l'angl. *potass,* du fr. *potasse* (v. SODIUM).

**potasser** 1838, Esnault, arg. scol., cuisiner, préparer le pot, la nourriture ; de *pot.* || **potasseur** 1867, Delvau.

1. **pote** fin XIe s., *Gloses de Raschi,* adj. fém. (*main pote*), « enflée, engourdie » ; 1759, Voltaire, adj. m. ; orig. obscure. || **potelé** XIIIe s., *Galeran.* || **poteler** 1841, Balzac, v. tr., rare. || **empoté** 1870, Lar.

2. **pote** n. m. V. POTEAU.

**poteau** 1155, Wace (*postel*) ; 1538, R. Est. (*poteau*) ; 1400, *Lettre de rémission,* pop., « ami », d'où l'abréviation *pote* (1898, Esnault) ; de l'anc. fr. *post,* du lat. *postis,* jambage, poteau. || **potelet** 1407, G. (*postielet*).

**potelé** V. POTE 1.

**potence** 1120, *Ps. d'Oxford,* « puissance » ; 1160, *Tristan,* « béquille », d'où divers sens techn. en anc. et moy. fr ; XVe s., Bartzsch, gibet ; lat. *potentia,* « puissance, appui », qui a pris un sens concret en lat. médiév. || **potencé** 1456, La Sale, blas.

**potentat** 1370, Oresme, « souveraineté » ; 1554, *Granvelle,* prince souverain, d'où le sens fig. ; lat. médiév. *potentatus,* souveraineté, de *potens,* puissant, lat. pop. *potēre,* pouvoir.

**potentiel** adj., XIVᵉ s., G. (*cautère potenciel*), méd. ; 1525, J. Lemaire de Belges, philos., puis gramm. ; 1869, L., phys. ; n. m., 1830, Gauss (en allem.), math. ; 1869, L., phys. ; 1931, P. Valéry, ensemble de ressources ; lat. médiév. *potentialis,* de *potens,* puissant. || **potentiellement** fin XVᵉ s. || **potentialiser** 1961, Delay. || **potentialité** 1869, L. || **potentiomètre** 1883, Jacquez. || **équipotentiel** XXᵉ s. ; lat. *aequus,* égal.

**potentille** 1605, Du Pinet, bot. ; lat. bot. *potentilla,* proprem. « petite vertu (médicinale) », dimin. de *potentia,* puissance.

**poterne** fin XIᵉ s., *Gloses de Raschi* (*posterne*) ; altér. de *posterle* (XIIᵉ-XIIIᵉ s.), du bas lat. *posterula* (IVᵉ s., Amm. Marcelin), « porte dérobée », « (porte) de derrière », de *posterus.* (V. POSTÉRIEUR.)

**potestatif** 1595, Champeynac, « capable de » ; 1804, *Code civil,* jurid. ; bas lat. *potestativus,* de *potestas,* puissance.

**potiche** 1746, Savary, « pot à saindoux » ; 1833, Th. Gautier, sens mod. ; dér. de POT.

**potin, potiner** V. POT.

**potion** fin XIIᵉ s., *Dialogues Grégoire,* « breuvage » ; 1549, R. Est., méd. ; lat. *potio.* (V. POISON.)

**potiron** 1520, Vaganay, « gros champignon » ; milieu XVIIᵉ s., sens mod. ; ar. *futur,* morille.

**potlatch** 1962, Robert (1883, en angl.) ; mot indien d'Amérique du Nord.

**potorou** 1827, *Acad.* (*potoroo*), zool. ; mot indigène de Nouvelle-Galles du Sud (Australie) ; kangourou-rat.

**potron-minet** V. PATRON-MINET.

***pou** 1120, *Ps. de Cambridge* (*puil*) ; 1265, J. de Meung (*peoil,* puis *pouil*) ; 1360, Froissart (*poux*) ; lat. pop. **pēdŭculus,* en lat. class. *pēdiculus,* de *pēdis,* pou. || **pouilleux** 1175, Chr. de Troyes (*poeilleus*) ; de *pouil,* forme anc. || **pouiller** XIIIᵉ s., *Renart,* « enlever les poux » ; 1636, Monet, injurier. || **pouilles** 1574, Cosmopolite (*dire des pouilles*), n. f. pl. ; de *pouiller,* au sens de injurier. || **pouillerie** 1354, *Modus* (*poueillerie*), « gens pleins de poux ». || **épouiller** 1375, *Modus.* || **pédiculaire** 1550, Guéroult ; dérivé savant du lat. *pediculus.*

**pouacre** 1160, Benoît (*poacre*), « goutteux » ; lat. *podager* (v. PODAGRE) ; 1445, Picot, « rogneux », sale, laid ; p.-ê. par attraction de *pouah ;* 1750, Ménage, avare.

**pouah** XVIᵉ s. (*pouac*) ; 1673, Molière (*pouah*) ; onomat.

**poubelle** 1888, Lar. ; du nom de *Poubelle,* préfet de la Seine, qui imposa l'usage de cette boîte à ordures par ordonnance du 15 janvier 1884.

***pouce** début XIIᵉ s., *Pèlerinage de Charlemagne* (*polz*), mesure de longueur ; XIIIᵉ s., anat. ; *mettre les pouces,* 1819, Boiste ; *coup de pouce,* 1875, Lar ; lat. *pollĭcem,* acc. de *pollex.* || **pouce-pied** 1558, *D. G.,* zool. (fausse graphie : *pousse-pied*). || **poucier** 1530, Palsgrave, techn. || **poucettes** 1823, Boiste.

**pou-de-soie** ou **poult-de-soie** 1389, G. (*pout-de-soie*), textile ; d'orig. inconnue.

**pouding** V. PUDDING.

**poudingue** 1753, Brunot, géol. ; francisation et ellipse de l'angl. *puddingstone* (1765, *Encycl.*), « pierre-pudding ». (V. PUDDING.)

***poudre** 1080, *Roland* (*puldre*), « poussière », 1160, Benoît (*poudre*) ; fin XIIᵉ s., substance finement broyée et pilée ; XIIIᵉ s., poudre de toilette ; 1360, Froissart, explosif ; *jeter la poudre aux yeux,* 1578, d'Aubigné ; *poudre de riz,* 1845, *le Moniteur de la mode ;* lat. *pulvĕrem,* acc. de *pŭlvis.* || **poudrette** 1119, Ph. de Thaon (*puldrete*), poussière. || **poudrer** 1210, *Folque de Candie,* « dégager de la poussière » ; 1398, *Ménagier,* « répandre sur » ; XIVᵉ s., « couvrir de poudre de toilette ». || **poudrage** 1932, Lar. || **poudreux** 1080, *Roland* (*puldrus*) ; XIIIᵉ s. (*poudreus*). || **poudreuse** 1923, Lar., techn. ; 1948, Frison-Roche, neige. || **dépoudrer** 1398, *Ménagier.* || **poudroyer** 1377, Lanfranc, « se réduire en poussière » ; 1550, Ronsard, « s'élever en poussière ». || **poudroiement** 1606, Crespin, couvrir de poussière ; 1872, Gautier, scintillement. || **poudrin** fin XIIᵉ s., *Aliscans,* embrun. || **poudrier** 1170, *Rois,* « tourbillon de poussière » ; 1561, Isambert, « fabricant de poudre à canon » ; 1570, Havard, « boîte à poudre » ; 1690, Furetière, « marchand de poudre de cheveux ». || **poudrière** 1155, Wace, « nuage de poussière » ; 1550, *Mémoires François de*

*Lorraine,* « lieu où se fabrique la poudre à canon » ; 1788, Féraud, « magasin où se conserve la poudre à canon ». || **poudrerie** XV^e s., Fagniez, marchandises en poudre ; 1732, Richelet, fabrique de poudre à canon. || **poudrederizé** 1887, Maupassant. || **poudrerizé** 1902, G. Kahn, recouvert de poudre de riz.

**poudroyer** V. POUDRE.

**pouf** 1458, G. ; 1775, Quicherat, sorte de bonnet de femme, par méthaph. ; 1829, Boiste, tabouret bas et rembourré ; 1842, Mozin, déconfiture ; onomat. exprimant la chute. || **pouffer** 1530, Palsgrave, souffler (du vent) ; fin XVII^e s., Saint-Simon, *pouffer de rire.* || **pouffiasse** 1875, Lar., pop., « prostituée ». || **patapouf** fin XVIII^e s., Restif de la Bretonne ; p.-ê. par croisem. avec *pataud.*

**pouillard** 1875, *J. O.,* jeune perdreau ; de l'anc. fr. *pouil,* coq, du bas lat. *pullius.* (V. POULE, POUILLOT.)

**pouillé** milieu XV^e s. (*pueillé*) ; 1624, Peiresc (*poullier*), hist. eccl. ; de l'anc. fr. *pouille, pueille,* rente, registre de comptes, du pl. lat. *polyptycha,* du gr. *poluptukha,* « (livres) formés de plusieurs feuilles », de *polus,* nombreux, et *ptux, ptukhos,* pli. (V. POLYPTYQUE.)

**pouiller, pouilles, pouilleux** V. POU.

**pouillot** fin XII^e s. (*poillot*), petit d'un oiseau ; repris au milieu du XVIII^e s., Buffon, variété d'oiseau ; de l'anc. fr. *pouil* (1155, Wace), coq, du bas lat. *pullius.* (V. POUILLARD, POULE.)

***poulain** 1119, Ph. de Thaon (*pulain*) ; lat. pop. **pullanus,* ou bas lat. *pullamen* (*Mulomedicina*), d'abord collectif, dér. du lat. *pŭllus,* petit d'un animal (v. POULE). || **pouliner** milieu XVI^e s. || **poulinière** 1671, Molière. (V. POULICHE, POUTRE.)

**poulaine** 1354, *Modus* (*souliers à la poulaine*) ; 1573, Du Puys, mar. ; fém. de l'anc. fr. *poulain,* « polonais », parce que ce type de soulier, ou la peau qui recouvrait la pointe, venait de Pologne.

***poule** XIII^e s., Clopinel ; 1923, Lar., pop., maîtresse ; 1867, Delvau, prostituée ; *poule d'eau,* 1530, Palsgrave ; *poule mouillée,* 1648, Scarron, fig. ; *cul de poule,* 1660, Oudin, moue. || **poule** milieu XVII^e s., jeu ; développem. sémant. obscur ; 1903, Lar., compétition sportive. || **poulet** début XIII^e s., *Guillaume de Dole ;* 1622, Sorel, terme affectueux ; 1556, *Sotties,* « missive », puis spécialem., 1592, Montaigne, « billet doux » (p.-ê., d'après Furetière, parce que les pointes du billet, rabattues, rappelaient les ailes d'un poulet) ; lat. *pŭlla,* fém. de *pullus,* petit d'un animal (v. POULAIN) ; a éliminé l'anc. fr. *géline,* du lat. *gallīna* (v. GELINE). || **poulette** XIII^e s., *Renart ;* 1679, Sévigné, jeune femme. || **poulailler** 1261, Fagniez, « éleveur de volailles » ; 1389, *Registre du Châtelet,* abri des poules ; 1834, Landais, pop., au théâtre ; de l'anc. fr. *poulaille* (1268, É. Boileau), « ensemble de poules, volailles ». || **poularde** 1562, G. (*pollarde*). || **poulard** 1606, Crespin (*blé poulart*), le grain étant comparé à un poulet engraissé. || **époularder, époulardage** 1762, *Encycl.* || **poulot, poulotte** 1719, Trévoux, fam., terme d'affection.

**pouliche** 1589, Baïf ; forme norm. ou pic., altér. de *pouline,* XVIII^e s., Buffon, fém. de *poulain* (v. ce mot), par croisement avec la forme dial. *geniche,* génisse, à suff. issu du lat. *-īcia.*

**poulie** 1130, *Eneas ;* bas gr. **polidia,* pl. de *polidion,* de *polos,* pivot. || **poulieur** 1671, Seignelay. || **pouliot** 1382, *Compte du clos des Galées de Rouen,* mar.

1. **pouliot** fin XI^e s., *Gloses de Raschi* (*poliol*) ; XIII^e s. (*poeliol, pouillol*) ; XV^e s. (*pouliot*), bot. ; lat. pop. **pŭleium,* en lat. class. *pūleium.* (V. SERPOLET.)

2. **pouliot** V. POULIE.

**poulpe** 1538, R. Est. (*poupe*), polype du nez ; 1546, Rab., zool. ; adaptation, d'après le prov. *poupre,* du lat. *pŏlypus.* (V. PIEUVRE, POLYPE.)

***pouls** 1155, Wace (*pulz*) ; 1175, Chr. de Troyes (*pous*) ; 1549, R. Est. (*pouls,* avec *l* d'après le lat.) ; lat. *pulsus,* « battement » (des artères), de *pulsus,* part. passé de *pellĕre,* pousser.

***poumon** 1080, *Roland* (*pulmun*) ; 1155, Wace (*pomon*) ; 1160, Benoît (*poumon*) ; lat. *pŭlmōnem,* acc. de *pŭlmo.* || **s'époumoner** 1725, Grandval. (V. PULMONAIRE.)

**poupard** 1220, Coincy (*poupart*) ; lat. pop. **pŭppa,* de *pūpa,* petite fille, poupée, mot enfantin, avec redoublement expressif. || **poupine** début XIII^e s. (*popine*) ; XV^e s. (*poupine*) ; même rad., avec var. de suff. || **poupin** 1210, Tobler-Lommatzsch, au féminin, « amie intime » ; 1530, C. Marot, n. m. et adj. || **poupon** 1534, Rab., n. m. et adj. || **pouponner** 1903, Lar. || **pouponnière** 1851, Heuzé.

**poupe** milieu XIII^e s. (*pope*) ; XIV^e s. (*poupe*) ; de l'anc. prov. ou de l'ital. *poppa,* du lat. *pŭppis* (avec changem. de finale).

**poupée** fin XI^e s., *Gloses de Raschi* (*popede*) ; 1265, J. de Meung (*poupée*) ; 1690, Furetière, petit pansement au doigt ; lat. pop. **pŭppa,* au sens de « poupée » (v. POUPARD). || **poupelin** 1220, Coincy. || **poupette** fin XVI^e s.

***pour** 842, *Serments* (*pro*) ; fin IX^e s., *Eulalie* (*por*) ; 1080, *Roland* (*pur*) ; XIII^e s. (*pour*) ; lat. *prō,* « devant », d'où « à la place de, selon », et par ext. « pour, en faveur de », devenu *pōr* en lat. pop., par métathèse, et, en composition, par analogie avec *per.* || **pour que** 1247, Runkewitz ; d'abord provincialisme venu du Sud-Ouest ; a éliminé *pour ce que.* || **pourquoi** 1050, *Alexis* (*poqueit*). *Pour* sert de préfixe, avec valeur d'adv. ou de prép., à de nombreux mots construits, soit issus du lat., soit de formation française. (V. ci-après.)

**pourboire** V. BOIRE.

**pourceau** 1119, Ph. de Thaon (*porcel*) ; lat. *porcellus,* dimin. de *porcus.* (V. PORC.)

**pourcentage** 1839, Boiste (*percentage*) ; 1875, Lar. (*pourcentage*) ; dér. de *pour cent* (1845, Besch.) [V. CENT.]

**pourchasser** 1080, *Roland* (*porchacier*) ; de *por,* pour, et de *chasser.* || **pourchas** 1138, Gaimar (*purchad*).

**pourfendre, pourfendeur, pourlécher, pourparler** V. FENDRE, LÉCHER, PARLER.

**pourpier** XIII^e s., Tobler-Lommatzsch (*porpié*) ; anc. fr. *polpier* (fin XI^e s., *Gloses de Raschi*) ; lat. pop. *pulli pes,* à l'acc. *pulli pedem,* « pied de poulet » (cf. *pied-poul,* XVI^e s., en Anjou, auj. *piépou*).

**pourpoint** 1200, G., proprem. « piqué, brodé » ; part. passé de l'anc. *pourpoindre,* du bas lat. *perpunctus,* percé de part en part, lat. *pungere,* piquer. || **à brûle-pourpoint** milieu XVII^e s., Scarron.

***pourpre** 980, *Passion* (*purpure*) ; 1130, *Eneas* (*porpre*), n. f. ; fin XII^e s., Marbode (*purpre*), adj. ; XIII^e s., *Évangile de Nicomède,* n. m., couleur rouge ; début XV^e s., mollusque ; lat. *pŭrpŭra,* gr. *porphura.* || **pourpré** XII^e s., Marbode (*porpré*) ; a remplacé l'anc. *pourprin* (1119, Ph. de Thaon). || **pourprier** 1752, Trévoux. || **empourprer** 1550, Ronsard.

**pourpris** 1155, Wace (*porpris*), « enclos, jardin » ; part. passé substantivé de l'anc. fr. *pourprendre,* « enclore », de *pour* et *prendre.*

**pourquoi** V. POUR.

***pourrir** 1050, *Alexis* (*purir*) ; lat. pop. **pŭtrīre,* en lat. class. *putrescere.* || **pourrissant** adj., XII^e s., *Dialogues Grégoire.* || **pourriture** 1120, *Ps. d'Oxford* (*purreture*). || **pourrissable** XV^e s. || **pourrissage** 1793, *Cours d'agriculture,* techn. ; de *pourrir* au sens de « faire macérer des chiffons », 1680, Richelet. || **pourrissement** XIV^e s. ; XX^e s., fig. || **pourrissoir** fin XVII^e s., Saint-Simon. || **pourridié** 1874, L., bot.

**poursuite, poursuivre, pourtant, pourtour** V. SUIVRE, TANT, TOUR.

**pourvoir** 1112, *Voy. saint Brendan* (*purveeir*), prévoir ; 1155, Wace, munir de ; 1130, *Eneas,* fournir à ; fin XIV^e s., veiller à ; lat. *providēre,* voir en avant, organiser d'avance. || **pourvoi** XIV^e s., *Miracles,* prévoyance ; 1804, *Code civil,* jurid. || **pourvoyeur** 1248, G. || **pourvu que** 1396, *Romania ;* du part. passé *pourvu.*

**poussah, poussa** 1670, Hooge (*pussa*) ; 1782, Sonnerat (*poussa*), idole chinoise ; rare jusqu'au XIX^e s. (1841, *les Français peints par eux-mêmes*) ; chinois *pou-sa,* idole bouddhique.

***pousser** 1360, Froissart (*poulser*), v. tr. jusqu'au XVI^e s. ; moins usuel que *bouter ;* XVI^e s., croître ; lat. *pŭlsāre,* frapper, repousser, de *pulsus,* pouls. || **pousse** 1453, Monstrelet, action de pousser ; 1611, Cotgrave (*pousse de blé*), ce qui pousse. || **poussage** 1957, *journ.* || **poussard** 1875, Lar., mines. || **poussée** 1530, Palsgrave. || **poussette** 1717, Trévoux, terme de jeu ; 1903, Lar., voiture d'enfant. || **poussoir** 1258, G. || **poussif** 1220, Coincy ; de *pousser,* « respirer péniblement » (XV^e s.). || **pousseur** 1660, Scarron. || **repousser** XIV^e s., Cuvelier. || **pousse-au-crime** 1916, Esnault. || **pousse-café** 1854, Nerval. || **pousse-cailloux** 1806, Esnault. || **pousse-cul** milieu XVII^e s., pop. || **pousse-pousse** 1896, Delesalle. || **repoussoir** 1429, G., techn. ; 1827, Balzac, fig. (V. PULSATION.)

**poussière** 1190, *Saint Bernard ;* anc. fr. *pous* (Centre et Est), du lat. pop. **pulvus,* en lat. class. *pulvis* (v. POUDRE). || **poussier** 1399, J. des Preis (*pulsier*), forme masc., spécialisée auj. au sens de « charbon en poussière » (1690, Furetière). || **poussiéreux** 1786, de Ligne. || **épousseter** 1492, G. (*esp-*). || **époussetage** XVIII^e s. || **époussette** fin XIV^e s.

***poussin** 1120, *Ps. de Cambridge* (*pulcin*) ; lat. pop. **pŭllicīnus,* en bas lat. *pullicēnus,* dér. de *pullus.* || **poussinière** adj. fém., 1196, Ambroise, « qui a des poussins » ; 1372, Corbichon, en parlant de la constellation des Pléiades (formant un groupe comme des poussins) ; n. f., 1741, Brunot, cage à poussins.

***poutre** XIII^e s., Tobler-Lommatzsch, jeune jument, pouliche ; 1280, Bibbesworth (*poustre*), sens mod., par méthaph. (v. BÉLIER, CHEVALET, CHEVRON, etc.) ; lat. pop. **pullitra*, fém. de **pulliter* (cf. *pulletrus*, n. m., dans un capitulaire de Charlemagne), de *pullus*, petit d'un animal (v. POULE, POLTRON). A éliminé l'anc. fr. *tref* (v. ENTRAVER 1, TRAVÉE). || **poutrelle** 1676, Félibien. || **poutrage** milieu XIX^e s. || **poutraison** 1874, *J. O.*

**pouture** XIII^e s., « légume » ; XVIII^e s., agric. ; lat. *puls, pultis*, bouillie de céréales.

***pouvoir** v. 842, *Serments* (*podir*) ; fin X^e s., *Saint Léger* (*poeir*) ; 1130, *Eneas*, n. m. ; lat. pop. **potēre*, réfection du lat. class. *posse* d'après les formes à rad. *pot-* (*potui, poteram*, etc.). || **peut-être** 1119, Ph. de Thaon (*puet cel estre*) ; 1130, *Eneas* (*puet estre*). [V. POSSIBLE, PUISSANT.]

**pouzzolane** 1670, Colbert ; ital. *pozzolana*, proprem. « (sable) de Pouzzoles », de *Pozzuoli*, nom d'une ville voisine de Naples.

**pragmatique** 1441, Isambert (*pragmatique sanction*) ; 1842, *Acad.*, qui a une valeur pratique ; lat. jurid. *pragmatica sanctio*, rescrit impérial, du gr. *pragmatikos*, relatif aux faits, de *pragma*, fait. || **pragmatisme** 1878, Lar., philos. ; angl. *pragmatism* (W. James), lui-même issu de l'all. *Pragmatismus* (fin XVIII^e s.), de même rad. || **pragmatiste** 1928, Martin du Gard.

**praire** 1873, *J. O.*, coquillage ; prov. *preire*, prêtre, lat. pop. **prebiter*, bas lat. *presbyter*.

**prairie** début XII^e s., *Thèbes* (*praerie*) ; de *pré*, ou d'un lat. pop. **prataria*, de *pratum*, pré. || **prairial** 1793, Fabre d'Églantine, mois du calendrier révolutionnaire (20 mai-19 juin).

**prâkrit** 1845, Besch. ; sanscrit *prakr(i)ta*, dénué d'apprêt, vulgaire ; terme de linguistique.

**praline** 1680, Richelet ; du nom du maréchal du Plessis-*Praslin* (1598-1675), dont le cuisinier inventa ce bonbon. || **praliné** 1748, Menon. || **praliner** 1715, Rouvier. || **pralin** 1869, L., agric. || **pralinage** 1869, L., agric. ; 1875, Lar., fabrication des pralines.

**prandial** fin XIX^e s., méd. ; lat. *prandium*, repas. || **postprandial** XX^e s., méd.

**prase** 1755, Prévost d'Exiles, quartz vert ; lat. *prasius*, du gr. *prason*, poireau. || **praséodyme** 1923, Lar., chim. ; gr. *prasinos*, couleur vert de poireau, et *didumos*, double.

**praticulture** 1869, L. ; lat. *pratum*, pré, et *culture*.

**pratique** n. f., 1256, Ald. de Sienne, application des règles ; fin XIV^e s., exercice ; 1530, Palsgrave, expérience ; 1588, Montaigne, clientèle commerciale ; 1651, Scarron, client ; 1681, Bossuet, n. pl., actes extérieurs du culte ; lat. médiév. *practica*, bas lat. *practice*, gr. *praktikê*, adj. substantivé, « science pratique », par opposition à la science spéculative, dans la philos. de Platon, de *pratteîn*, agir. || **pratique** adj., 1370, Oresme, « qui tend à l'action » ; XV^e s., La Curne, « versé dans » ; 1869, Sainte-Beuve, « qui a le sens des réalités » ; 1907, Lar., « qui peut être mis en pratique », d'où « commode » ; lat. médiév. *practicus*. || **pratiquer** 1370, Oresme ; même évol. sémantique que *pratique*, n. f. || **pratiquant** 1370, Oresme, qui use habituellement de ; 1869, L., sens actuel. || **praticien** 1314, Mondeville, méd. || **praticable** adj., milieu XVI^e s., Loisel ; n. m., 1835, *Acad.*, théâtre. || **praticabilité** 1719, Brunot. || **impraticable** XVI^e s. || **impraticabilité** 1794, Brunot.

**praxinoscope** 1877, brevet d'invention ; gr. *praxis*, mouvement, et *-scope*.

**praxis** 1969, Foulquié, philos. ; par l'interm. de l'allem., mot gr., de *pratteîn*, agir. || **praxéologie** 1968, Lar. ; gr. *praxis, praxeos*, action.

***pré** 1080, *Roland* (*pred*) ; lat. *pratum* (v. PRAIRIE). || **pré-bois** 1842, *Acad.* || **pré-gazon** 1869, L. || **pré-salé** 1732, Liger. || **préau** 1080, *Roland* (*prael*), « petit pré » ; sens conservé jusqu'au XVI^e s. ; 1160, Benoît, espace carré dans les monastères pour la promenade ; 1549, R. Est., cour d'une prison ; 1845, Besch., école.

**pré-**, préfixe ; lat. *prae*, devant, en avant. Pour les mots construits avec *pré-*, voir ci-après ou à la place alphabétique du mot simple correspondant.

**préalable** XIV^e s., Bouthillier (*préallable*) ; de *pré-* et de l'anc. adj. *allable* (1314, Mondeville), « où l'on peut aller », d'après le lat. *praeambulus*, « qui marche devant » ; *au préalable*,

1669, Molière. || **préalablement** 1477, Du Cange.

**préambule** 1314, Mondeville ; bas lat. *praeambulus,* « qui marche devant », de *ambulare,* marcher, et *prae,* devant.

**préau** V. PRÉ, n. m.

**prébende** XIIIe s. (*prevende*) ; 1398, E. Deschamps (*prébende*), eccl. ; 1935, *Acad.,* fig. ; lat. eccl. *praebenda,* fém. substantivé de l'adj. verbal *praebendus,* « qui doit être fourni », de *praebere* (v. PROVENDE). || **prébendé** début XIVe s., Gilles li Muisis. || **prébendier** 1365, G.

**précaire** 1336, G. (*précoire*), jurid. ; fin XVIe s., d'Aubigné, instable ; lat. jurid. *precarius,* proprem. « obtenu par prières », de *prex, precis,* prière (v. PRIER). || **précarité** 1823, Boiste.

**précaution** fin XVe s. ; lat. impér. *praecautio* (IIIe s., Coelius Aurelius), de *prae,* devant, et *cavere,* prendre garde (v. CAUTION). || **précautionner** 1640, Richelieu. || **précautionneux** 1788, Féraud. || **précautionneusement** 1834, Balzac.

**précéder** 1353, *Chartes de Saint-Bertin ;* lat. *praecedere,* marcher devant, de *prae* et *cedere.* || **précédent** adj., XIIIe s., *Sept Sages ;* du part. prés. *praecedens ;* n. m., XVIIIe s., de Lolme ; repris de l'angl. || **précédemment** 1439, G. || **précession** 1690, Furetière, astron. ; bas lat. *praecessio,* action de précéder.

**préceinte** 1638, Delb., mar. ; réfection de l'anc. fr. *pourceinte,* « enceinte », d'après lat. *praecinctus,* de *praecingere,* entourer. (V. CEINDRE.)

**précellence** 1420, Isambert ; lat. *praecellens, -entis,* de *praecellere,* exceller, d'après *excellence.* || **précellent** 1160, Benoît.

**précepte** 1119, Ph. de Thaon (*precept*), « commandement, ordre », puis « enseignement, règle » ; lat. *praeceptum,* part. passé substantivé de *praecipere,* « enseigner », proprem. « prélever, prescrire », de *capere,* prendre. || **précepteur** 1460, Chastellain ; lat. *praeceptor.* || **préceptoral** 1788, Féraud. || **préceptorat** 1688, Miege.

**précession** 1690, Furetière ; lat. *praecessus,* de *praecedere,* précéder.

***prêcher** Xe s., *Saint Léger* (*prediat,* 3e pers. du passé simple) ; 1138, Gaimar (*precher*) ; lat. eccl. *praedicare,* en lat. class. « annoncer, publier », de *dicere,* dire. || **prêcheur** 1175, Chr. de Troyes ; 1660, La Fontaine, péjor. || **prêche** 1547, *Doc. ;* d'abord spécialisé aux protestants ; déverbal de *prêcher.* || **prêchi-prêcha** 1808, d'Hautel. (V. PRÉDICAT, PRÉDICATION.)

**précieux** 1050, *Alexis* (*precios*) ; XIIIe s. (*précieux*) ; 1659, Molière, littér., d'après le fém. *précieuse,* empl. en 1656 pour désigner les dames qui composaient le cercle de l'hôtel de Rambouillet ; lat. *pretiosus,* de *pretium,* prix. || **précieusement** 1160, Benoît. || **préciosité** début XIVe s., grande valeur ; rare avant 1664, Livet, littér.

**précipice** 1554, Huguet ; lat. *praecipitium.*

**précipiter** fin XIVe s., « presser » ; 1534, Rab., jeter d'un lieu élevé ; 1671, Pomey, accélérer ; *se précipiter,* 1556, Huguet ; lat. *praecipitare,* de *praeceps,* « qui tombe la tête en avant », de *caput, capitis,* tête (v. CAPITAL). || **précipitation** début XVe s., lat. *praecipitatio,* « chute en avant », d'où, en bas lat., « hâte excessive » ; 1888, Lar., pluie ; 1694, *Acad.,* hâte. || **précipité** adj., 1549, R. Est., « trop hâtif » ; n. m., 1553, Colin, chim. || **précipitamment** début XVIe s. ; de *précipitant,* part. prés. autrefois adjectivé de *précipiter.*

**préciput** 1481, Bartzsch, jurid. ; adapt. du lat. jurid. *praecipuum,* « ce qu'on prend en premier lieu » (de *capere,* prendre, et *prae,* en avant), par attraction orthogr. du lat. *caput* au sens de « capital ».

**précis** adj., 1377, Oresme ; n. m., 1660, Bossuet ; lat. *praecisus,* « abrégé », part. passé de *praecidere,* « couper par-devant ». || **précision** 1380, *Aalma,* rognement ; 1501, *Jardin de Plaisance,* détermination ; 1606, Crespin, netteté ; lat. *praecisio.* || **préciser** début XIVe s., Gilles li Muisis, rare jusqu'à fin XVIIIe s. || **précisément** 1314, Mondeville (*précisement*). || **imprécis** 1845, R. de Radonvilliers. || **imprécision** *id..* || **imprécisable** 1931, Lar.

**précoce** 1672, *Journ. des savants,* n. m., « fruit précoce » ; 1680, Richelet, adj. ; milieu XVIIIe s., Buffon, mûr sexuellement ; 1690, Furetière, mûr d'esprit ; lat. *praecox,* de *praecoquere,* mûrir hâtivement, proprem. « cuire en avant », de *prae,* et *coquere,* cuire. || **précocement** 1867, Baudelaire. || **précocité** 1715, La Quintinie.

**préconiser** 1321, G., proclamer ; fin XVIe s., eccl. ; 1660, Brunot, sens mod. ; bas lat. *praeconizare,* « publier », de *praeco, praeconis,* crieur public. || **préconisation** 1321, G., publication.

**précordial** 1363, Chauliac, anat. ; lat. *praecordia,* diaphragme, de *prae,* devant, et *cor, cordis,* cœur.

**précurseur** 1400, *Passion d'Arras,* mot eccl., appliqué d'abord à saint Jean-Baptiste, jusqu'au XVI^e s. ; 1530, Palsgrave, qui ouvre la voie ; lat. chrét. *praecursor,* proprem. « avant-coureur », de *praecurrere,* courir en avant.

**prédâteur** 1574, *Anc. Poésies,* « pillard », rare ; 1923, Lar., zool. ; lat. *praedator,* de *praeda,* proie.

**prédécesseur** 1281, *Doc. ;* bas lat. *praedecessor* (IV^e s., Symmaque), de *prae,* en avant, et *decessor,* de *decedere,* s'en aller. (V. DÉCÉDER.)

**prédelle** 1872, Gautier, peint. ; ital. *predella,* proprem. « banc », d'orig. germ. (cf. le longobard *pretil,* l'all. *Brett,* planche).

**prédestiner** 1190, *Saint Bernard ;* lat. eccl. *praedestinare,* en lat. class. « (se) réserver d'avance » (v. DESTINER) ; 1541, Calvin, détermination divine. || **prédestination** *id. ;* lat. eccl. *praedestinatio.*

**prédéterminer** 1530, Bourgoing, théol. ; lat. eccl. *praedeterminare,* sur *prae,* en avant (v. DÉTERMINER). || **prédétermination** 1636, Dereyrolles, théol. || **prédéterminisme** fin XVIII^e s. ; all. *Praedeterminism* (Kant).

**prédicat** V. PRÉDICATION.

**prédication** 1119, Ph. de Thaon ; 1963, Lar., en logique ; lat. *praedicatio,* eccl., de *praedicare,* d'où l'anc. fr. avait tiré *prédiquer,* usité jusqu'au XVI^e s., et repris en ling. (v. PRÊCHER). || **prédicat** 1370, Oresme, philos., attribut ; 1842, *Acad.,* gramm. || **prédicateur** 1239, *Doc. ;* lat. *praedicator ;* a éliminé *prêcheur* au sens eccl., au XVII^e s. || **prédicant** 1523, *Sotie de Genève,* péjor. ; anc. part. prés. de *prédiquer ;* empl., au milieu du XVI^e s., pour les ministres protestants. || **prédicament** XIII^e s., d'Andeli, philos. || **prédicable** 1503, Chauliac, philos. || **prédicatif** 1380, *Aalma,* qui affirme ; 1842, *Acad.,* en logique ; bas lat. *praedicativus,* énonciatif.

**prédilection** V. DILECTION.

**prédire** milieu XIII^e s. ; lat. *praedicere,* de *prae,* avant, et *dicere,* dire. || **prédiction** 1549, R. Est. ; lat. *praedictio.*

**prééminent** 1453, Monstrelet ; bas lat. *praeeminens,* de *prae,* en avant, et *eminere,* s'élever (v. ÉMINENT). || **prééminence** fin XIV^e s., *Songe du Verger ;* bas lat. *praeeminentia.*

**préemption** 1765, *Encycl.,* jurid. ; lat. *prae,* avant, et *emptio,* achat, de *emere,* acheter.

**préexister** fin XIV^e s., rare avant le XVIII^e s. ; lat. scolast. *praeexistere,* exister. || **préexistence** 1551, Vaganay ; d'après *existence.* || **préexistentiel** 1854, Sainte-Beuve.

**préface** XIII^e s., Tobler-Lommatzsch ; lat. *praefatio,* préambule, de *praefari,* dire d'avance, de *fari,* parler. || **préfacer** 1784, Beaumarchais, préluder à un discours ; 1907, Lar., sens mod. || **préfacier** av. 1783, Collé.

**préfecture** XIII^e s., G., antiquité romaine ; début XVI^e s., territoire ; XIX^e s., sens actuel ; lat. *praefectura* (v. PRÉFET). || **sous-préfecture** 1800, *id.* || **préfectoral** 1836, *Acad.* || **sous-préfectoral** 1842, *Acad.*

**préférer** 1355, Bersuire ; lat. *praeferre,* de *prae,* en avant, et *ferre,* porter. || **préférable** 1587, *Doc.* || **préférence** 1370, Oresme, supériorité ; XV^e s., sens actuel. || **préférentiel** 1915, Lar.

**préfet** 1170, *Rois* (*prefect*), hist. ; 1671, Boileau, enseign. ; 1793, Brunot, sens mod. ; *préfet de police,* 1800, textes admin. ; lat. *praefectus,* proprem. « préposé », de *prae,* en avant, et *facere,* faire. || **sous-préfet** 1800, *Bull. des lois.* (V. PRÉFECTURE.)

**préfigurer** 1220, Coincy ; lat. eccl. *praefigurare,* de *prae* et *figurare* (v. FIGURE). || **préfiguration** début XV^e s., Renson (*préfiguracion*) ; lat. *praefiguratio.*

**préfix** 1360, Froissart, déterminé ; lat. *praefixus,* de *praefigere,* placer devant.

**préfixe** 1751, Dumarsais ; lat. *praefixus,* « fixé devant », de *prae,* devant, et *figere,* fixer. (V. FIXE.) || **préfixer** 1869, L. || **préfixation** 1876, Hovelacque. || **préfixal** 1967, Robert.

1. **prégnant** fin XI^e s., *Gloses de Raschi,* violent ; 1962, Robert, psychol., par confusion avec l'anc. adj. *preignant* (1585, Bouchet), pressant, violent ; part. prés. de l'anc. fr. *preindre,* presser, du lat. *premere,* même sens.

2. **prégnant** XIV^e s., Gilles li Muisis, au féminin, enceinte, pleine ; 1933, Marouzeau, non complètement énoncé ; lat. *praegnans,* enceinte, de *nasci,* naître, et *prae,* avant. || **prégnation** fin XIV^e s., Chr. de Pisan.

**préhension** fin XIV^e s., Chr. de Pisan (*prehencion*), « compréhension » ; 1559, Amyot, action de saisir ; lat. *prehensio,* dans les deux sens de *prehendere,* prendre. || **préhensible**

1595, Scaliger. || **préhensile** 1753, Buffon. || **préhenseur** 1842, *Acad.*

**prehnite** 1842, Mozin ; minéral rapporté du Cap par le colonel *Prehn.*

**préjudice** 1212, Anger ; 1268, É. Boileau, « dommage » ; *porter préjudice,* 1549, Est. ; *au préjudice de,* fin XIV^e s. ; *sans préjudice de,* 1538, R. Est. ; lat. *praejudicium,* proprem. « jugement anticipé », de *prae,* avant, et *judicium.* || **préjudicier** 1344, Varin. || **préjudiciable** milieu XIII^e s. ; bas lat. *praejudiciabilis.* || **préjudiciel** 1276, Tanquerey, nuisible ; 1752, Trévoux, jurid. ; d'après le dér. lat. *praejudicialis,* au pr.

**préjuger** 1460, Chastellain, « juger » ; 1580, Montaigne, sens mod. ; lat. *praejudicare,* « juger préalablement », d'après *juger.* || **préjugé** n. m., 1584, Vaganay, « opinion faite d'avance » (encore au XVIII^e s.) ; fin XVI^e s., sens mod. ; anc. part. passé.

**prélart** 1670, Jal., sorte de bâche ; var. *prélat,* artill., par attraction de *prélat ;* orig. inconnue.

**prélasser** V. PRÉLAT.

**prélat** 1155, Wace ; lat. médiév. *praelatus,* part. passé de *praeferre,* porter en avant, préférer, de *prae,* en avant, et *ferre,* porter. || **prélature** 1378, J. Le Fèvre. || **prélation** XIII^e s., *Saint Éloi,* hist. ; lat. *praelatio* au sens de « préférence ». || **prélasser (se)** 1532, Rab. ; avec infl. de *lasser.* (V. LAS.)

**prèle** ou **prêle** 1539, R. Est., bot. ; forme déglutinée de *asprele* (XIII^e s.), lat. pop. **asperella,* en lat. class. *asper,* rude (à cause de la tige ligneuse de la prèle). || **prêler** 1680, Richelet, techn.

**prélever** début XVII^e s. ; bas lat. *praelevare,* « lever avant, d'abord », de *prae* et *levare* (v. LEVER). || **prélèvement** 1767, Turgot, impôt ; 1780, Brunot, sens actuel.

**préliber** 1826, Brillat-Savarin, proprem. « goûter le premier » ; lat. *praelibare* (v. LIBATION). || **prélibation** 1756, Voltaire, jurid. ; lat. *praelibatio.*

**préliminaire** 1671, Pomey (n. pl.), à propos des traités de Westphalie, dér. de *liminaire ;* adj., fin XVII^e s. || **préliminairement** 1757, Gohin.

**prélude** 1530, Attaingnant ; lat. *praeludere,* « se préparer à jouer », de *prae,* avant, et *ludere,* jouer. || **préluder** 1660, Oudin, essayer sa voix ; 1725, Fontenelle, *préluder à ;* lat. *praeludere.*

**prématuré** 1632, texte de Rouen (*prématuré*) ; lat. *praematurus,* de *prae,* avant, et *maturus,* mûr. (V. MÛR.) || **prématurément** début XVI^e s.

**préméditer** fin XIV^e s. (*se préméditer*) ; lat. *praemeditari,* de *prae,* d'avance, et *meditari,* méditer. || **préméditation** 1370, Oresme ; lat. *praemeditatio.*

***prémices** 1120, *Ps. d'Oxford ;* lat. eccl. *primitiae,* lat. class. proprem. « premiers fruits de l'année », de *primus,* premier, avec changement de *i* en *é* par attraction de *praemissa.* (V. PRÉMISSE.)

***premier** 980, *Passion* (*primer*) ; 1080, *Roland* (*premier*) ; lat. *prīmārius,* « qui est au premier rang », de *prīmus* (v. PRIME 1, PRINTEMPS). || **premièrement** 1155, Wace. || **premier-né** XIII^e s., Trénel. || **avant-première** 1892, *le Figaro,* n. f., théâtre.

**prémisse** fin XIII^e s. ; lat. scolast. *praemissa* (*sententia*), proposition mise en avant, de *prae,* avant, et *mittere,* mettre.

**prémonition** 1495, Pansier (*premonicion,* en anc. provençal) ; rare avant 1842, *Acad.,* qui le dit « hors d'usage » ; repris au XX^e s. (1923, Lar.) ; de *pré-* et du rad. lat. de *monere,* avertir. || **prémonitoire** 1853, *Journ. méd.*

**prémontré** 1611, Cotgrave (*prémonstré*) ; du nom de *Prémontré,* localité où fut fondé cet ordre religieux.

**prémunir** 1378, J. Le Fèvre ; lat. *praemunire.* (V. MUNIR.)

***prendre** 842, *Serments* (*prindrai,* fut.) ; 980, *Passion* (*prendre*) ; lat. *prehendere,* saisir, contracté en *prendere* dès le I^er s. av. J.-C. (Lucrèce), et qui a éliminé peu à peu *capere,* prendre. || **prenant** adj., 1160, Benoît, « vénal » ; 1360, Froissart, techn., « qui accroche bien » ; 1788, Féraud, fig., captivant ; *partie prenante,* 1690, Furetière. || **prenable** 1155, Wace. || **preneur** fin XII^e s., *Job* (*prendeor*) ; 1265, J. de Meung (*preneeur*). || **imprenable** milieu XIV^e s. || **déprendre** 1160, Benoît (*despris,* part. passé, « dénué, misérable ») ; 1395, Chr. de Pisan (*se déprendre*). || **éprendre** 1080, *Roland,* « enflammer » ; 1180, Marie de France, fig. || **se méprendre** 980, *Passion.* || **méprise** 1190, Garn. (*méprise*). || **entreprendre** 1138, Gaimar, « prendre en main » ; 1175, Chr. de Troyes, sens actuel. || **entreprise** fin XII^e s. || **entrepreneur** XIII^e s., « celui qui entreprend » ; 1611, Cotgrave, commerc. (V. COMPRENDRE, REPRENDRE, SURPRENDRE, POURPRIS, PRISE.)

**prénom** milieu XVI^e s. ; rare avant la fin du XVII^e s. ; lat. *praenomen,* de *prae,* avant, et *nomen,* nom. || **prénommer** 1845, Besch., donner un prénom. || **prénommé** 1570, Carloix, nommé avant ; dér. de *nommer.*

**prénotion** 1585, Cholières ; lat. *praenotio.* (V. NOTION.)

**préoccuper** 1355, Bersuire, « occuper l'esprit d'une idée » ; 1642, Corn., « absorber l'esprit par un souci » ; lat. *praeoccupare,* « prendre d'avance », sens repris en fr. aux XVI^e-XVII^e s., de *prae,* d'avance, et *occupare* (v. OCCUPER). || **préoccupant** adj., 1922, Proust. || **préoccupation** fin XV^e s., souci ; lat. *praeoccupatio.*

**préparer** 1314, Mondeville, méd., « panser » ; 1398, E. Deschamps, sens mod. ; lat. *praeparare,* proprem. « disposer d'avance », de *prae* et *parare* (v. PARER 1). || **préparation** 1282, Gauchi, en élevage ; 1314, Mondeville, sens actuel ; début XX^e s., exercice scolaire ; lat. *praeparatio.* || **préparatif** 1377, Oresme, n. m. sing. ; fin XV^e s., Commynes, n. pl., plus usuel. || **préparateur** 1503, Chauliac, sens général ; 1837, Balzac, assistant en sciences ; 1875, Lar., pharmacie. || **préparatoire** 1322, Varin ; bas lat. *praeparatorius.*

**prépondérant** 1723, *Arrêt ;* lat. *praeponderans,* part. prés. de *praeponderare,* avoir le dessus, proprem. « peser plus », de *pondus, ponderis,* poids. || **prépondérance** 1752, Turgot.

**préposer** 1407, Lespinasse ; adaptation, d'après *poser,* du lat. *praeponere,* de *prae,* devant, et *ponere,* placer. || **préposé** 1619, *Coutumier,* employé subalterne ; 1957, *J. O.,* postier ; part. passé substantivé. || **préposition** XIII^e s., Thurot, gramm. ; lat. gramm. *praepositio.* || **prépositionnel** 1819, Boiste, gramm. || **prépositif** 1531, Vignay, « qui se met en avant » ; 1765, *Encycl.,* gramm. ; lat. gramm. *praepositivus.*

**prépotence** 1450, Gréban ; lat. *praepotentia,* excès de puissance. || **prépotent** *id. ;* lat. *praepotens,* de *prae,* avant, et *potens,* puissant.

**prépuce** fin XIII^e s., Trenel ; lat. *praeputium.* || **préputial** 1817, Virey.

**prérogative** début XIII^e s. ; lat. jurid. *praerogativa,* proprem. « qui vote la première », en parlant d'une centurie, de *rogare,* demander, faire voter.

***près** 1080, *Roland ; près de,* 1050, *Alexis,* prép. ; *de près,* 1175, Chr. de Troyes ; *à beaucoup près,* fin XV^e s., Commynes ; adv. lat. *pressē,* proprem. « en serrant », et, en bas lat., « de près » ; de *pressus,* part. passé de *premere,* presser, serrer. || **presque** 1190, Garn. (*pres*) ; 1265, J. de Meung (*presque*). || **auprès** 1424, A. Chartier (*auprez de*). [V. APRÈS.]

**présage** fin XIV^e s. (*presaige*) ; début XVI^e s. (*présage*) ; lat. *praesagium,* de *praesagire,* prévoir, de *prae,* avant, et *sagire,* avoir du flair (v. SAGACE). || **présager** 1536, M. Du Bellay.

**pré-salé** V. PRÉ.

**presbyte** 1690, Furetière ; gr. *presbutês,* au même sens, proprem. « vieillard » (v. le suiv.). || **presbytie** 1793, Lavoisien (*presbyopie,* d'après *myopie*) ; 1820, *Dict. méd.* (*presbytie*).

**presbytère** 1170, *Rois* (*presbiterie*), chœur de l'église ; 1549, R. Est., sens actuel ; lat. eccl. *presbyterium,* d'abord « ordre sacerdotal », du lat. eccl. *presbyter* (v. PRÊTRE). || **presbytéral** milieu XIV^e s. ; lat. eccl. *presbyteralis.* || **presbytérien** XIV^e s., « chapelain » ; 1718, *Acad.,* appliqué à une confession protestante. || **presbytérianisme** 1669, Mackenzie.

**prescience** 1265, J. de Meung ; rare avant le XVII^e s. ; lat. eccl. *praescientia* (III^e s., Tertullien), de *prae,* avant, et *scientia* (v. SCIENCE). || **prescient** 1265, *Livre de jostice.*

**prescrire** XIII^e s., *Macchabées,* « condamner » ; 1355, Bersuire, jurid. ; 1544, M. Scève, ordonner ; 1788, Féraud, méd. ; lat. *praescribere,* de *prae,* avant, et *scribere* (v. ÉCRIRE). || **prescription** 1265, *Livre de jostice,* jurid. ; lat. *praescriptio ;* 1586, Suau, méd. || **prescriptible** fin XIV^e s. || **imprescriptible** fin XV^e s. || **imprescriptibilité** 1721, Trévoux.

**préséance** V. SÉANCE.

1. **présent** adj., 1050, *Sponsus,* existant ; fin XII^e s., Bartzsch, actuel ; *à présent,* milieu XII^e s. ; lat. *praesens,* de *prae,* en avant, et d'un des rad. du v. *esse,* être ; n. m., 1338, *Doc.,* temps présent ; gramm., début XIII^e s. || **présence** 1112, *Voy. saint Brendan ; en présence de,* 1250, *Bestiaire d'amour ;* lat. *praesentia.*

2. **présent** n. m., début XII^e s., *Voy. de Charl.,* cadeau ; déverbal de *présenter.*

**présenter** fin IX^e s., *Eulalie ; se présenter,* 1080, *Roland ;* lat. impér. *praesentare* (II^e s., Apulée), de *praesens* (v. PRÉSENT 1). || **présentation** 1180, Horn. || **présentable** 1190, *Saint Bernard,* « présent » ; 1530, Marot, « qu'on peut présenter ». || **présentateur** 1483, Isambert. || **présentatif** 1972, Lar. || **présentoir** 1904, Lar. || **présentification** 1968, Lar. (V. PRÉSENT 2, REPRÉSENTER.)

**préserver** 1398, E. Deschamps ; bas lat. *praeservare,* de *servare,* conserver. || **préservation** 1314, Mondeville. || **préservatif** adj., 1314, Mondeville ; 1549, R. Est., n. m. ; 1904, Lar., méd. || **préservateur** 1514, Fabri.

**préside** 1556, Granvelle, poste fortifié espagnol en Afrique ; esp. *presidio,* du lat. *praesidium,* garnison, de même rad. que les suivants.

**présider** fin XIVe s. ; 1671, Pomey, diriger comme président ; *présider à,* 1559, Amyot ; lat. *praesidere,* être à la tête, proprem. « être assis en avant », de *prae,* et *sedēre* (v. SEOIR). || **président** 1296, Langlois ; part. prés. *praesidens.* || **vice-président** fin XVe s. (*vi-président*) ; 1718, *Acad.* (*vice-président*). || **présidence** 1372, Corbichon, rare jusqu'à la fin du XVIIe s. || **vice-présidence** 1771, Trévoux. || **présidentiel** 1791, *Soc. des jacobins.* || **présidentialisme** 1966, *journ.* || **présidentialiste** *id.*

**présidial** adj., 1435, G., hist. ; n. m., 1551, texte royal ; lat. *praesidialis,* « relatif à un gouverneur de province », de *praeses,* « qui est à la tête ». || **présidialité** milieu XVIe s.

**présidium** 1949, Lar. ; russe *praesidium,* mot lat. signif. « défense ».

**présomptif** 1375, J. Gower (*presumptif*), « présomptueux » ; 1406, *Arch. de Bretagne* (*héritier présomptif*) ; bas lat. *praesumptivus,* « qui repose sur une conjecture », de *prae,* en avant, et *sumere,* prendre. || **présomptivement** 1460, Chastellain. || **présomption** fin XIIe s., *Ysopet de Lyon ;* lat. *praesumptio,* conjecture, et « excès de confiance ». || **présomptueux** milieu XIIe s., *Thèbes ;* bas lat. *praesumptuosus.* || **présomptueusement** 1538, R. Est. (V. PRÉSUMER.)

**presque** V. PRÈS.

**pressentir** 1414, Isambert, prévoir ; 1549, Dochez, avoir l'intuition ; lat. *praesentire,* de *prae,* avant, et *sentire,* sentir. || **pressentiment** 1572, Amyot.

***presser** milieu XIIe s., « tourmenter » ; fin XIIe s., « serrer, comprimer » ; 1552, R. Est., « faire se hâter » ; lat. *pressāre,* fréquentatif de *premere,* sur son supin *pressum.* || **presse** 1050, *Alexis,* action de presser ; 1320, Watriquet, tourment ; 1220, Coincy, hâte ; fin XIe s., *Gloses de Raschi,* machine à presser, avec divers empl. techniques, notamment, début XVIe s., imprim. ; 1690, Furetière, nombre de feuilles tirées en un jour par les imprimeurs ; 1765, *Encycl.,* ensemble des journaux ; déverbal. || **pressé** adj., milieu XVIe s., « qui a hâte ». || **presseur** fin XIVe s., Du Cange. || **pressée** n. f., 1793, *Cours d'agriculture.* || **pressage** 1803, Boiste. || **pressier** 1625, Stoer. || **pressing** 1949, Lar. ; mot angl. || **presse-citron** 1877, L. || **presse-étoupe** 1875, Lar. || **presse-fruits** 1935, Sachs-Villatte. || **presse-papiers** 1851, Flaubert. || **presse-purée** 1855, Audot. || **pression** 1256, Ald. de Sienne, « épreinte » ; rare jusqu'en 1660, Pascal, phys. ; v. 1840, Balzac, sens moral ; lat. techn. *pressio,* de *pressus,* part. passé de *premere.* || **pressoir** fin XIIe s. ; bas lat. *pressorium* (IVe s.), de même rad. que le précéd. || **pressurer** 1283, Beaumanoir (*pressoirer*) ; 1336, G. (*pressurer,* par changem. de suff.). || **pressurage** 1296, G. (*pressoirage*). || **pressureur** 1291, *D. G.* || **pressuriser** 1949, Lar. ; angl. *to pressurize.* || **pressurisation** 1949, Lar. || **dépression** 1314, Mondeville, diminution ; 1870, Lar., abattement. || **empresser** 1160, Benoît, presser ; *s'empresser,* 1580, Montaigne. || **empressé** adj., 1611, Cotgrave, affairé. || **empressement** 1608, Fr. de Sales. (V. COMPRESSE, et *oppresser* à OPPRESSION.)

**prestance** 1460, Chastellain, « excellence » ; 1540, G. Pellicier, sens mod. ; lat. *praestantia,* supériorité, de *prae,* en avant, et *stare,* se tenir.

**prestant** 1636, Mersenne, jeu d'orgues ; ital. *prestante,* excellent.

**prestation** fin XIIIe s., Du Cange, action de reconnaître une obligation ; début XIVe s., redevance en nature ; 1875, Lar., sens actuel ; bas lat. *praestatio,* de *praestere,* fournir ; *prestation de serment,* 1480, Bartzsch. || **prestataire** 1845, Besch.

**preste** 1462, *Cent Nouvelles nouvelles ;* ital. *presto* (v. PRÊT 1, adj.). || **prestement** fin XVIe s., d'Aubigné. || **prestresse** fin XVIe s., Brantôme (*pretezze*) ; ital. *prestezza.*

**prestidigitateur** 1823, Boiste ; adj. *preste* et lat. *digitus,* doigt. || **prestidigitation** 1823, Boiste.

**prestige** début XVIe s., « illusion attribuée à des sortilèges » ; milieu XVIIe s., « impression causée par les productions de l'art » ; 1778, Rousseau, sens mod. ; lat. *praestigium,* « illusion, artifice ». || **prestigieux** milieu XVIe s., « qui est sous l'influence d'un charme » ; 1780, Galiani, sens mod. ; lat. *praestigiosus,* éblouissant, trompeur.

**presto** 1651, Richer, « vite » ; 1762, *Acad.,* mus. ; mot ital., « vif » (v. PRESTE). || **prestissimo** 1762, *Acad.,* mus. ; superl. de *presto.*

**prestolet** 1657, Loret, petit prêtre, péjor. ; prov. mod. *prestoulet,* dimin. de *preste,* var. de *prestre,* prêtre.

**présumer** fin XIIe s., *Dial. Grégoire ; présumer de,* 1500, Auton ; lat. *praesumere,* « conjecturer », proprem. « prendre d'avance », de *prae* et *sumere* (v. PRÉSOMPTIF). || **présumable** fin XVIe s., rare avant 1781, Linguet.

***présure** fin XIIe s., *Aiol ;* lat. pop. **pre(n)sūra,* « ce qui est pris », de *prendere,* prendre. || **présurer** 1600, O. de Serres. || **présurier** début XIXe s.

1. ***prêt** adj., 1050, *Alexis* (*prest*) ; bas lat. *praestus,* de l'adv. class. *praesto,* « tout près, sous la main ». || **prêt-à-porter** 1963, Lar. (V. APPRÊTER.)

2. **prêt** V. PRÊTER.

**prétantaine, pretentaine** 1640, Oudin ; mot de fantaisie, p.-ê. du norm. *pertintaille,* var. fr. *pretintaille,* « ornement de robe », avec un rad. influencé par *retentir,* et un suff. *-taine,* fréquent dans les refrains de chansons ; *courir la prétantaine,* XVIIe s.

**prétendre** 1320, Isambert, v. tr., revendiquer ; 1378, Le Fèvre, affirmer ; lat. *praetendere,* de *prae,* en avant, et *tendere* (v. TENDRE) ; *prétendre à,* 1559, Amyot. || **prétendant** n. m., av. 1502, O. de Saint-Gelais. || **prétendu** 1611, Cotgrave, fiancé ; de *gendre prétendu,* Molière, *le Malade imaginaire.* || **prétendument** 1769, Collins. || **prétention** 1489, Espinas, exigence ; 1747, Vauvenargues, complaisance ; lat. *praetentus,* part. passé de *praetendere.* || **prétentieux** fin XVIIIe s. || **prétentieusement** 1834, Landais.

**prêter** début XIIe s. (*prester*) ; *prêter serment,* 1538, R. Est., repris au lat. jurid ; lat. *praestare,* fournir (v. PRESTATION), spécialisé en bas lat. au sens de « prêter ». || **prêt** 1160, Benoît (*prest*). || **prêtable** début XVIe s. || **prêt-bail** 1949, Lar. || **prêteur** 1265, Br. Latini. || **prête-nom** 1718, Bretonnier.

**prétérit** début XIIIe s., d'Andeli ; lat. gramm. *praeteritum* (s.-e. *tempus*), « temps passé », de même rad. que le suivant.

**prétérition** début XIVe s., rhét. ; lat. *praeteritio,* « omission », de *praeterire,* passer, et au fig. « omettre », de *ire,* aller, et *praeter,* « le long de, au-delà ».

**prétermission** 1458, Haigneré, rhét. ; lat. *praetermissio,* omission, de *praetermittere,* de *mittere,* envoyer.

**préteur** 1213, *Fet des Romains ;* lat. *praetor,* magistrat judiciaire. || **préture** 1552, R. Est. ; lat. *praetura.* || **prétoire** XIIe s., *Chevalerie Ogier ;* lat. *praetorium,* hist. ; 1370, Oresme, par anal., salle d'audience d'un tribunal. || **prétorien** adj., 1213, *Fet des Romains,* hist. ; n. m., 1644, Corn., hist. ; v. 1830, Balzac, fig., militaire de coup d'État.

1. **prétexte** n. m., 1530, Palsgrave ; lat. *praetextus,* « tissé ou brodé par-devant », de *texere,* tisser ; par métaph., motif mis en avant. || **prétexter** 1566, Granvelle.

2. **prétexte** n. f., 1355, Bersuire, hist. ; lat. *praetexta* (*toga*), « toge brodée par-devant », de *prae,* devant, et *texere,* tisser.

**pretintaille** 1702, Auneuil, ornement de robe ; norm. *pertintaille,* « collier de cheval muni de grelots », de même rad. que *prétantaine.* || **pretintailler** 1700, Maintenon. (V. PRÉTANTAINE.)

***prêtre** 1080, *Roland* (*proveire*), cas régime (cf. la rue des *Prouvaires,* à Paris) ; 1112, *Voy. saint Brendan (prestre)* ; lat. eccl. *presbyter* (IIIe s., Tertullien, « vieillard » ; *Vulgate,* « prêtre »), du gr. *presbuteros,* comparatif de *presbus,* vieillard (v. PRESBYTE, PRESBYTÈRE). || **prêtresse** 1130, *Eneas,* réservé aux cultes païens. || **prêtrise** 1320, *Roman de Fauvel.* || **prêtraille** 1498, *Soties.* || **prêtre-ouvrier** 1955, Duhamel. || **archiprêtre** XIIe s. (*arceprêtre, archeprêtre*) ; d'après le lat. eccl. *archipresbyter.*

**preuve** V. PROUVER.

***preux** 1080, *Roland* (*prod*), adj. et n. ; fin XIe s., *Voy. de Charl.* (*proz*) ; 1175, Chr. de Troyes (*preu*) ; de l'adj. bas lat. *prōdis,* du lat. pop. *prōde* (IVe s.), « profit, avantage », de *prōde est,* au lieu du lat. class. *prōdest,* 3e pers. sing. prés. indic. de *prodesse,* être utile. || **prouesse** 1080, *Roland* (*proece*) ; 1460, Chastellain (*prouesse*). [V. PROU, PRUDE, PRUD'HOMME.]

**prévaloir** 1420, Robinet ; lat. *praevalere,* « l'emporter sur », de *valere,* valoir ; *se prévaloir de,* 1570, Castelnau.

**prévariquer** 1120, *Ps. d'Oxford* (*prevarier*) ; 1398, E. Deschamps (*prevaricant,* part. prés. substantivé) ; 1431, Isambert (*prévariquer*) ; lat. jurid. *praevaricari,* entrer en collusion avec la partie adverse (en parlant d'un avocat), proprem. « faire des crochets, s'écarter du droit chemin », de *varus,* tourné au-dehors, cagneux. || **prévarication** 1120, *Ps. d'Oxford ;* lat. *prae-*

*varicatio.* || **prévaricateur** 1370, Oresme ; lat. *praevaricator.*

**prévenir** 1458, *Mystère,* « devancer » (sens conservé jusqu'au XVIII^e s.), 1467, Bartzsch, « citer en justice » ; 1541, Calvin, « aller au-devant » (des désirs) ; début XVIII^e s., « informer » ; lat. *praevenire,* de *prae,* avant, et *venire,* venir. || **prévenu** n., 1604, La Curne, « accusé ». || **prévenant** adj., 1514, *D. G.,* « qui devance » ; 1718, *Acad.,* sens mod. || **prévenance** 1732, *Mercure de France.* || **préventif** 1810, *Code pénal,* jurid. ; 1874, Michelet, méd. ; lat. *praeventus,* part. passé de *praevenire.* || **préventivement** 1834, Landais. || **prévention** fin XIII^e s., *R. dou Lis,* « opposition » ; 1637, Descartes, « opinion préconçue » ; 1792, Ranft, jurid., « état d'un prévenu » ; bas lat. *praeventio,* de *praeventus.* || **préventorium** 1907, Lar. ; lat. *praeventus,* sur le modèle de *sanatorium.*

**prévoir** 1219, Tailliar (*previr*) ; 1265, Br. Latini (*prevoir*) ; lat. *praevidere,* francisé sur *voir ;* de *videre,* voir, et *prae,* d'avance. || **prévoyant** 1570, Carloix. || **prévoyance** début XV^e s. || **imprévoyant** 1596, Basmaison. || **imprévoyance** 1611, Cotgrave. || **imprévu** début XVI^e s. ; *à l'imprévu,* 1671, Pomey. || **prévisible** 1847, Balzac ; de *visible,* d'après *prévoir.* || **prévisibilité** 1962, Robert. || **imprévisible** 1836, Landais. || **prévision** 1265, J. de Meung ; bas lat. *praevisio,* de *praevidere.* || **prévisionniste** 1943, Sauvy. || **imprévision** 1866, L. || **prévisionnel** 1876, *J. O.*

***prévôt** 1131, *Couronn. Louis* (*prévost*), « magistrat, officier civil » ; 1351, *Ordonnance, prévôt des marchands ;* depuis le XIX^e s., d'empl. restreint (*prévôt d'armes, père prévôt,* etc.) ; lat. *praepositus,* proprem. « préposé (à) » (var. *propositus,* d'où la var. d'anc. fr. *provost*). || **prévôtal** 1514, *Doc.* || **prévôté** 1155, Wace (*prévosté*).

**priape** fin XV^e s., « phallus » ; 1680, Richelet (*Priape*), « dieu des Jardins, et de l'Amour physique » ; lat. *Priapus,* dieu de la mythol. romaine. || **priapée** 1548, Sebillet, « œuvre licencieuse » ; bas lat. *priapeium* (*metrum*), du gr. *priapeion* (*metron*), « mètre priapéen », au plur. poème en vers priapéens, sur le dieu Priape. || **priapisme** 1495, J. de Vignay, méd. || **priapique** 1842, *Acad.*

***prier** fin IX^e s., *Eulalie* (*preier*) ; 1112, *Voy. saint Brendan* (*prier,* d'après les formes toniques, *il prie,* etc.) ; bas lat. *precare,* en lat. class. *precāri ;* empl. d'abord avec un compl. direct (*prier Dieu*) ; a éliminé au XV^e s. *orer* en empl. intr. || **prie-Dieu** fin XVII^e s., Saint-Simon ; Ménage et *Acad.,* 1762, recommandent encore *prié-Dieu.* || ***prière** 1120, *Ps. de Cambridge* (*preiere*) ; lat. pop. *precāria* (VI^e s.), fém. substantivé de *precarius,* « qui s'obtient par des prières » ; a éliminé le lat. class. *preces,* prières. (V. PRÉCAIRE.)

**prieur** 1155, Wace (*prior*) ; 1175, Chr. de Troyes (*prieur*) ; lat. *prior,* « le premier de deux », spécialisé en lat. eccl. ; fin XIV^e s., au fém. || **prieuré** 1190, Garnier (*prioret*). || **priorat** 1688, Boulan.

**prima donna** 1831, Balzac ; mots italiens, proprem. « première dame ».

1. **primage** 1840, Bonnafé, techn. ; angl. (*to*) *prime,* projeter.

2. **primage** V. PRIME 2.

**primaire** 1789, texte admin. (*assemblée primaire*) ; lat. *primarius* (v. PREMIER) ; 1791, Talleyrand, enseignement ; 1845, Besch., géol. ; 1910, Péguy, borné. || **primariser, primarisation** fin XIX^e s.. || **primarité** 1946, Mounier.

1. **primat** 1155, Wace, eccl. ; lat. eccl. *primas, -atis,* en lat. class. « de premier rang », de *primus,* premier. || **primatie** XIV^e s., G. (*primacie*). || **primatial** 1445, *Lettres Louis XI.*

2. **primat** 1927, Benda, « primauté » ; all. *Primat,* du lat. *primatus.*

**primate** 1793, Linné (*-at*) ; lat. *primas, -atis,* de premier rang.

**primauté** XIII^e s., rare avant le XVI^e s. (1541, Calvin) ; lat. *primus,* premier, d'après *royauté,* etc.

1. **prime** adj., 1112, *Voy. saint Brendan ;* 1155, Wace, n. f., eccl., « première heure » (6 h du matin) ; 1690, Furetière, escrime ; auj., seulem. dans la loc. *de prime abord,* début XVII^e s., Fr. de Sales, d'après l'anc. *de prime face* (XIII^e s.), « à première vue » ; dans quelques composés (v. PRIMEROSE, PRIMESAUT, PRIMEVÈRE), et sous la forme *prin-* (v. PRINTEMPS) ; réfection, d'après le lat. *primus,* de l'anc. fr. *prin,* lui-même issu de *primus.* || **primer** XII^e s., « avoir les prémices de » ; 1564, J. Thierry, « tenir le premier rang ». || **primeur** n. f., 1160, Benoît (*en la primeur*) ; 1671, Pomey, première apparition ; 1749, *Maison rustique,* légume nouveau. || **primeuriste** 1872, *J. O.*

2. **prime** n. f., 1620, Aubin, *prime d'assurance ;* 1759, Richelet, récompense pécuniaire ; angl. *premium* (francisé d'après sa pronon-

ciation), de l'esp. *premio,* prix, récompense, du lat. *praemium.* || **primage** 1730, Savary, mar. || **primer** 1853, Laboulaye. || **surprime** 1877, L.

**primerose** 1175, Chr. de Troyes ; anc. adj. *prime,* et *rose.* (V. ces mots.)

**primesaut** 1160, *Roman de Tristan* (*de prinsaut*) ; 1669, Widerhold (*de prime-saut*), « premier saut » ; anc. adj. *prime,* et *saut.* || **primesautier** 1130, *Eneas* (*prinsaltier*) ; 1756, Voltaire (*primesautier*).

**primeur** V. PRIME 1.

***primevère** XII^e s. (*primevoire*) ; 1573, A. de Baïf (*primevère*) ; empl. fig. de l'anc. *primevère, primevoire,* « printemps » ; lat. pop. *prīma vēra,* fém. de *prīmum vēr,* de l'ablatif lat. class. *prīmo vēre,* « au début du printemps », d'où « au printemps », de *vēr, vēris,* printemps.

**primidi** 1793, Fabre d'Églantine, premier jour de la décade dans le calendrier républicain ; lat. *primus,* premier, et *dies,* jour.

**primipare** 1819, Boiste ; lat. *primipara,* de *primus,* premier, et *parĕre,* enfanter ; se dit d'une femme qui enfante pour la première fois. || **primiparité** 1842, *Acad.*

**primitif** 1320, Fauvel ; 1550, Meigret, gramm. ; début XIX^e s., « qui a le caractère des premiers âges » ; 1869, L., « rudimentaire » ; milieu XIX^e s., Baudelaire, beaux-arts ; 1907, Lar., *primitifs,* n. m. pl., ethnol. ; lat. *primitivus,* « qui naît le premier », de *primus* (gramm. dès le lat.). || **primitivement** 1460, Chastellain. || **primitivisme** 1904, Lar. || **primitivité** 1845, Besch.

**primo** 1322, Runkewitz ; ellipse de la loc. lat. *primo loco,* en premier lieu. (V. SECUNDO, TERTIO, QUARTO.)

**primogéniture** 1491, Orose ; moyen fr. *primogenit* (XIV^e s.), aîné ; lat. *primogenitus,* né le premier, aîné ; priorité de naissance entre frères et sœurs.

**primordial** 1480, *Baratre infernal,* originel ; XVI^e s., essentiel ; rare avant le XVII^e s. ; bas lat. *primordialis* (III^e s., Tertullien), de *primordium,* commencement ; d'abord « qui existe à l'origine ». || **primordialement** fin XVII^e s.

**primulacées** 1809, Wailly ; lat. bot. mod. *primula,* primevère, lat. *primulus,* « qui commence », de *primus.*

**prince** 1120, *Ps. de Cambridge ;* lat. *princeps,* « premier », puis « souverain, chef ». || **princesse** 1160, Benoît ; *aux frais de la princesse,* 1877, L., fig., fam. || **princier** adj., 1714, Héliot. || **princerie** début XV^e s., principauté. || **princièrement** 1875, Lar. || **principat** fin XIII^e s., terre de principauté ; XVI^e s., dignité de prince. || **principauté** XIII^e s., « fête principale » ; 1370, Oresme, souveraineté ; 1473, Bartzsch, dignité de prince ; lat. *principalitas,* « excellence ». || **principicule** 1831, Barthélemy. || **prince-de-galles** 1953, Simonin, étoffe.

**princeps** (*édition princeps*) 1811, Mozin ; mot lat., « premier » ; se dit de la première édition d'un livre.

**principal** adj., 1080, *Roland* (var. *principel,* début XII^e s., *Voy. de Charl.*), « princier, de prince » ; 1119, Ph. de Thaon, sens mod. ; n. m., 1160, Benoît, personnage important ; 1283, Beaumanoir, fond d'une affaire, sujet principal ; 1549, R. Est., directeur d'un collège ; lat. *principalis,* de *princeps,* premier. || **principalement** 1190, *Saint Bernard.* || **principalat** fin XVI^e s.

**principauté, principicule** V. PRINCE.

**principe** fin XII^e s., *Prise d'Orange,* commencement ; 1265, Br. Latini, « origine, première cause » ; 1351, La Curne, règle de conduite ; 1580, Montaigne, notion fondamentale d'une science ; 1631, Descartes, phys. ; *en principe,* 1833, Renan ; lat. *principium,* « commencement ».

***printemps** fin XII^e s., *Naissance du chevalier au cygne* (*prinstans*) ; fin XIII^e s. (*printemps*) ; lat. *primum tempus,* « premier temps, première saison » ; a éliminé *primevère* en ce sens, au XVI^e s. (v. PRIME 1, PRIMEVÈRE). || **printanier** 1503, Chauliac. || **printanisation** 1937, Lar.

**priodonte** 1868, L., zool. ; gr. *prieîn,* scier, et *odous, odontos,* dent ; grand tatou d'Amérique aux griffes énormes. || **prione** 1877, L. ; gr. *priôn,* scie.

**priorité** 1370, Oresme ; lat. médiév. *prioritas,* de *prior.* || **prioritaire** 1949, Lar.

**prise** 1119, Ph. de Thaon ; part. passé de *prendre,* substantivé au fém. ; 1740, *Acad., prise de tabac ;* 1845, Besch., sens techn. divers (eau, électr., autom., son, etc.) ; *prise de vues,* 1897, *le Progrès de Lyon ; donner prise,* 1625, Stœr ; *être aux prises avec,* 1580, Montaigne ; *venir aux prises,* 1625, Stœr ; *mettre aux prises,* 1761, Marmontel ; *prise de bec,* 1869, L., fam. || **priser** (*du tabac*) 1807, Michel. || **priseur** 1807, Michel.

1. ***priser** 1080, *Roland* (*preiser*) ; XIIe s., G. (*prisier,* puis *priser,* d'après les formes toniques : je *prise,* etc.), « évaluer » et « faire cas de » ; bas lat. *prētiare,* apprécier (VIe s., Cassiodore), de *pretium,* prix. || **prisée** XIIIe s., G. || **priseur** 1252, Runkewitz ; remplacé par *huissier-priseur,* 1718, *Acad.,* puis par *commissaire-priseur,* début XIXe s. || **mépriser** fin XIIe s., *Parthenopeus* (*mesproisier*) ; XIVe s. (*mépriser*) ; avec le préf. *mé(s)-* || **méprisable** 1504, J. Lemaire de Belges. || **méprisablement** 1355, Bersuire. || **méprisant** adj., 1220, Coincy. || **mépris** 1225, *Vie saint Jean* (*mespris*). || **mépriseur** 1549, R. Est.

2. **priser** V. PRISE.

**prisme** début XVIIe s. (en all. depuis 1539 ; en angl. depuis 1570) ; gr. *prisma, prismatos,* de *prizeîn,* scier. || **prismatoïde** 1869, L. || **prismatique** 1647, Pascal. || **prismatiser** 1802, *Mém. Acad. sciences.*

***prison** 1080, *Roland* (*prisum*) ; début XIIe s. (*prison*), « captivité » ; fin XIIe s., lieu d'emprisonnement ; lat. pop. **pre(n)siōnem,* acc. de **pre(n)siō,* pour le class. *prehensio,* « action d'appréhender », de *prehendere* (v. PRENDRE) ; a éliminé *chartre* (v. CHARTRE 2 et GEÔLE). || **prisonnier** 1175, Chr. de Troyes ; en anc. fr. aussi *prison,* n. m., en ce sens. || **emprisonner** début XIIe s. || **emprisonnement** XIIIe s.

***privé** adj., fin XIe s., *Gloses de Raschi,* « familier » ; 1138, Gaimar, « où le public n'a pas accès » ; *sous seing privé,* 1690, Furetière, jurid. ; *privé* a pu signifier, du XIIe au XIXe s., « apprivoisé », d'où *appriver, priver,* « apprivoiser », encore chez La Fontaine ; lat. *privātus,* « particulier, privé ». || **privauté** fin XIIe s., R. de Moiliens (*priveté,* puis *privauté,* d'après *royauté,* etc.), « familiarité, affaire privée », etc. ; au pl., XIIIe s., *Apollonius,* confidences ; 1550, Héroet, sens érotique. || **privatif** milieu XVIe s., jurid. ; fin XVIIe s., Saint-Simon, accordé à une seule personne. || **privatim** 1923, Lar. ; adv. lat., « à titre privé ».

**priver** fin XIIIe s., Joinville ; *se priver,* 1538, R. Est. ; lat. *privare.* || **privation** 1290, Drouart ; au pl., 1776, Rousseau ; lat. *privatio.* || **privatif** début XVIe s., négatif ; XVIe s., sens actuel ; lat. *privativus.*

**privilège** 1190, Garn. ; lat. *privilegium,* « loi spéciale à un particulier », de *lex,* loi, et *privus,* privé. || **privilégier** 1220, Coincy. || **privilégié** adj., 1265, J. de Meung ; n., 1596, Hulsius.

***prix** 1050, *Alexis* (*pris*), « somme à payer » ; lat. *prĕtium* (v. PRISER 1) ; *à tout prix,* 1683, Boileau ; *à prix d'or,* 1869, L. ; *hors de prix,* 1648, Voiture ; *mettre à prix,* milieu XIVe s., au pr. ; 1671, Pomey, fig. ; *prix fixe,* 1690, Furetière ; 1175, Chr. de Troyes, « récompense ». || **déprécier** 1762, *Acad.* ; lat. *depretiare.* || **dépréciation** 1779, Gérard. || **dépréciateur** 1705, *Rapport du Bureau central.*

**pro-,** préfixe ; lat. *pro,* « en avant, à la place de, en faveur de » ; en fr., égalem. « partisan de », par ex. : *pro-anglais.*

**probable** 1282, de Gauchy (*proubable*), « qu'on peut prouver » ; fin XIVe s. (*probable*), « qui paraît vrai » ; lat. *probabilis,* de *probare,* prouver (v. PROUVER). || **probablement** 1370, Oresme. || **improbable** 1606, Crespin. || **probabilité** 1370, Oresme. || **improbabilité** 1610, Coton. || **probabilisme** 1697, Trévoux, théol. ; 1875, Lar., philos. || **probabiliste** 1704, Trévoux, théol. ; 1904, Lar., philos. || **probant** 1566, *Doc.* ; lat. *probans,* prouvant. || **probation** début XIVe s., *Gilles li Muisis,* « épreuve » ; 1549, R. Est., eccl. ; lat. *probatio,* de *probare,* prouver. || **probatoire** 1603, Fontanon ; lat. *probatorius.*

**probatique** XIIIe s., Guillaume de Tyr, hist. ; lat. *probaticus,* gr. *probatikos,* « relatif au bétail ».

**probe** milieu XVe s. (*prob*) ; lat. *probus.* || **probité** 1420, A. Chartier ; lat. *probitas.* || **improbe** XVe s., G. ; lat. *improbus.* || **improbité** XIVe s. ; lat. *improbitas.*

**problème** 1380, Conty, « question difficile à résoudre » ; 1632, Descartes, « question scientifique » ; lat. *problema,* gr. *problêma.* || **problématique** adj., 1450, Guill. Alexis ; n. f., 1951, Camus, philos. || **problématiquement** milieu XVIe s.

**proboscide** 1533, Rab., trompe d'éléphant ; lat. *proboscis, -cidis,* mot gr. || **proboscidien** 1822, Blainville.

**procéder** fin XIIIe s., Tobler-Lommatzsch, poursuivre un exposé ; *procéder de,* 1354, *Modus,* « émaner », théol. (*le Saint Esperit qui procede du Pere*) ; 1302, Giry, « agir judiciairement » ; 1549, R. Est., *procéder à,* « passer à l'exécution de », jurid. ; lat. eccl. *procedere,* « sortir de », et, jurid., « procéder à une action judiciaire », en lat. class. « s'avancer », de *pro* et *cedere.* || **procédé** n. m., 1540, *Cartulaire de Redon.* || **procédure** milieu XIVe s., jurid. ; XXe s., méthode. || **procédurier** adj., 1819, Boiste. || **procédural** 1877, L.

**procédure** V. PROCÉDER.

**procellaridés** 1832, Boiste (*procellaire*) ; 1875, Lar (*procellaridés*), zool. ; lat. zool. *procellaria,* de *procella,* orage.

**procès** 1174, E. de Fougères, « titre, contrat » ; 1209, texte de Douai (*pruchès*), « marche (du temps) » ; milieu XIIIe s., Rutebeuf, développement, progrès ; 1324, G., jurid. ; XXe s., linguist. ; lat. *processus,* « marche en avant », spécialisé jurid. en lat. médiév. (v. PROCÉDER). || **processif** 1511, J. Lemaire de Belges. || **processus** 1541, Vassée, « prolongement » ; 1869, L, sens mod. ; mot lat., signif. « progression ». || **procès-verbal** 1290, *Livre Roisin,* constat judiciaire ; 1842, Balzac, empl. courant, « constat de contravention », « compte rendu de séance ».

**procession** début XIIe s., *Voy. de Charl.,* eccl., « cortège religieux » ; lat. *processio,* proprem. « action d'avancer », de *procedere* (v. PROCÉDER). || **processionnaire** 1328, G., livre des prières récitées aux processions ; 1734, Réaumur, entom. || **processionnel** milieu XIVe s. (*processionnal*) ; milieu XVIe s. (*processionnel*). || **processionnellement** 1502, O. de la Marche. || **processionner** 1779, Ch. Bonnet. || **processionneur** 1743, Trévoux.

**processus** V. PROCÈS.

***prochain** adj. et n. m., 1120, *Ps. de Cambridge* (*prucein*) ; 1155, Wace (*prochain*) ; lat. pop. **propeanus,* de *prope,* près (cf., pour le suff. lat. pop., *ancien, lointain*) ; a éliminé l'anc. fr. *proisme,* de *proximus ;* le nom n'est usuel que depuis le XIVe s., d'abord dans le lexique eccl. || **prochainement** 1130, *Eneas,* adv. de temps.

**proche** 1549, R. Est. ; l'adv. *procement,* près, est de 1259, G. ; *proche de,* 1660, Scarron ; 1647, Vaugelas, n. pl., « proches parents » ; dér. régressif de *prochain ;* a éliminé l'anc. fr. *pruef, prof,* de *prope.* || **approcher** 1080 ; bas lat. *appropiare.* || **approche** XVe s. ; déverbal ; XXe s., sens actuel. || **approchant** 1555, Pasquier. || **approchable** XVe s. || **rapprocher** 1268, *Layettes.* || **rapprochement** 1460, Chastellain.

**proclamer** fin XIVe s. ; lat. *proclamare,* de *clamare,* appeler. || **proclamation** début XIVe s., action de publier à haute voix ; lat. *proclamatio ;* 1694, *Acad.,* écrit public contenant ce qu'on proclame. || **proclamateur** 1541, Calvin.

**proclitique** 1812, Mozin, gramm. ; mot formé par le grammairien allemand Hermann, sur *enclitique,* d'après le gr. *proklînein,* incliner en avant. || **proclise** 1904, Vendryes.

**proconsul** milieu XIIe s., hist. ; lat. *proconsul.* || **proconsulaire** 1512, J. Lemaire de Belges ; lat. *proconsularis.* || **proconsulat** 1552, Guéroult ; lat. *proconsulatus.*

**procrastination** 1639, Chapelain, action de différer ; lat. *procrastinatio,* ajournement, de *crastinus,* de demain.

**procréer** fin XIIIe s., Macé de la Charité ; lat. *procreare.* || **procréation** 1213, *Fet des Romains ;* lat. *procreatio.* || **procréateur** 1547, Budé ; lat. *procreator.* (V. CRÉER.)

**proct(o)-,** gr. *prôktos,* anus. || **proctalgie** 1795, Cullen, méd. || **proctite** 1827, *Acad.* || **proctologie** 1962, Robert. || **proctorrhée** 1836, Landais.

**procurer** fin XIIe s., « avoir soin de » ; XIIIe s., « faire obtenir » ; XIVe s., Chr. de Pisan, « être cause de » ; lat. *procurare,* même sens, de *cura,* soin. || **procure** 1265, J. de Meung, hist., eccl. || **procureur** 1212, Anger, religieux chargé des biens de la communautée ; 1268, Boileau, « qui agit par procuration, intercesseur » ; 1256, Heidel, officier de justice, avoué ; *procureur du roi,* 1285, Bevans, magistrat chargé du ministère public, d'où *procureur* (XIXe s.), au sens mod. || **procureuse** 1494, Champollion, femme de procureur ; 1836, Landais, entremetteuse. || **procurateur** 1180, *Vie saint Evroult,* sens gén., mandataire ; 1755, Montesquieu, hist. rom. || **procuration** 1219, Tailliar, pouvoir donné à un mandataire ; lat. *procuratio,* « action de veiller sur », spécialisé jurid. || **procuratoire** XIVe s. || **procuratorien** 1872, *J. O.*

**prodige** 1355, Bersuire ; lat. *prodigium.* || **prodigieux** fin XIVe s., qui réalise des miracles ; 1567, Ronsard, extraordinaire ; lat. *prodigiosus.* || **prodigieusement** 1549, R. Est. || **prodigiosité** 1872, Gautier.

**prodigue** 1265, Br. Latini ; lat. *prodigus ; enfant prodigue,* 1560, trad. de la Bible. || **prodiguer** 1552, Ronsard, *Amours,* dépenser ; fin XVIe s., donner à profusion. || **prodigalité** 1212, Anger ; bas lat. *prodigalitas.*

**prodrome** fin XVIe s., Montlyard, « précurseur » ; 1765, *Encycl.,* méd. ; 1875, Lar., phénomène avant-coureur ; lat. *prodromus,* proprem. « avant-coureur », du gr. *prodromos,* de *dromos,* course.

**produire** 1290, *Livre Roisin,* « faire apparaître en justice » ; 1377, Oresme, causer, amener ;

fin XVe s., sens actuel ; *se produire,* 1657, Pascal ; lat. *producere,* « faire avancer », adapté d'après *conduire,* etc., de *ducere,* conduire. || **produit** n. m., 1554, Peletier, math ; 1770, Raynal, sens actuel. || **sous-produit** 1873. || **reproduire** 1539, Marot. || **production** 1283, Beaumanoir (*producion*), jurid. ; 1330, Digulleville, action de faire exister ; 1695, Kuhn, sens actuel ; part. passé lat. *productus.* || **coproduction** XXe s. || **sous-production** XXe s. || **producteur** 1450, Gréban, qui conduit ; 1758, Brunot, sens actuel ; 1908, *l'Illustration,* cinéma. || **reproducteur** 1762, Bonnet. || **productif** 1470, *Livre disc.* || **productivité** 1766, Quesnay. || **improductif** 1785, Beaumarchais. || **improductivité** 1873, Lar. || **reproductif** 1760, Gohin. || **productible** 1771, Trévoux. || **productibilité** *id.* || **reproductible** 1798, *Acad.* || **improductible** début XVIIIe s. || **improductibilité** 1836, Landais. || **reproductibilité** *id.*

**proéminent** 1556, R. Le Blanc ; part. prés. bas lat. *proeminens* (v. ÉMINENT). || **proéminence** 1560, Paré. || **proéminer** fin XIXe s., Huysmans.

**profane** début XIIIe s., étranger à la religion ; 1501, Cohen, sacrilège ; adj. et n., 1553, *Bible Gérard ;* lat. *profanus,* « hors du temple », de *fanum,* temple, déjà fig. en lat. || **profaner** 1330, *Roman Renart ;* lat. *profanare.* || **profanation** 1460, J. des Ursins ; lat. eccl. *profanatio.* || **profanement** adv., 1544, Scève. || **profanateur** 1566, H. Est. ; lat. eccl. *profanator.* || **profanatoire** XIXe s.

**profectif** 1567, Papon, jurid. ; lat. *profectus,* qui vient de. (V. PROFIT.) || **profection** début XVIe s., astrol. ; 1752, Trévoux, sens actuel.

**proférer** 1265, Br. Latini ; lat. *proferre,* « porter en avant », de *pro,* en avant, et *ferre,* porter.

**profès** 1155, Wace (*professe),* eccl. ; lat. eccl. *professus,* « qui a déclaré », part. passé de *profiteri,* déclarer. (V. les suivants.)

**professeur** XIVe s., *Chir. de Lanfranc,* « celui qui enseigne » ; lat. *professor,* de *profiteri,* au sens « enseigner en public », proprem. « déclarer » (v. PROFÈS, PROFESSION). || **professer** 1584, Vaganay, déclarer ; 1738, Rollin, enseigner. || **professoral** 1686, *Nouv. de la Rép. des lettres.* || **professorat** 1685, Bayle.

**profession** 1155, Wace (*professiun*) ; 1190, Garnier, déclaration publique de sa foi ; début XVe s., état, métier ; *faire profession de* (d'une religion, d'un sentiment), milieu XVIe s., Amyot ; *profession de foi,* 1690, Furetière, relig. ; 1762, Rousseau, polit. ; lat. *professio,* de *professus,* part. passé de *profiteri,* déclarer (v. les précéd.). || **professer** fin XVIe s., déclarer hautement. || **professionnel** adj., 1842, Mozin ; n., 1893, *D. G.* || **professionnellement** 1845, Richard de Radonvilliers. || **professionnalisme** 1934, *le Temps,* sport.

**profil** 1130, *Eneas* (*porfil, pourfil*), « bordure » ; 1636, R. François (*profil*), « contour » ; 1645, Scarron, aspect du visage ; XVIIIe s., techn. ; sous la forme mod., de l'ital. *profilo,* même mot que l'anc. fr., qui vient de *porfiler,* border, de *fil* (v. ce mot). || **profiler** 1621, Binet, « dessiner les contours » ; 1755, Aviler, techn. ; *se profiler,* 1780, se montrer en silhouette ; ital. *profilare.* || **profilé** adj., 1875, Lar. ; n. m., 1963, Lar. || **profilement** 1875, Lar.

***profit** 1120, *Ps. de Cambridge* (var. *proufit, porfit, pourfit* en anc. fr.) ; *mettre à profit,* 1640, Oudin ; lat. *profectus,* au fig., part. passé substantivé de *proficere,* proprem. « progresser », d'où « donner du profit ». || **profiter** 1120, *Ps. de Cambridge* (*prufiter*), prospérer ; 1170, *Livre Roisin* (*profiter*), être profitable à qqn ; début XIVe s., sens actuel. || **profitable** 1155, Wace. || **profiteur** 1636, Gili, rare avant la fin du XIXe s. || **profiterole** 1532, Rab., petite gratification ; 1549, R. Est., gâteau.

**profond** 1080, *Roland* (*parfont*) ; 1175, Chr. de Troyes (*profonde,* adj. fém. ; réfection d'après le lat.) ; lat. *profundus,* de *fundus,* fond, d'abord avec changem. de préf. || **profondément** 1220, Coincy. || **profondeur** fin XIIe s., *Alexandre* (*parfundor*) ; 1377, Oresme (*profondeur*). || **approfondir** fin XIIIe s., Guiart. || **approfondissement** 1578, d'Aubigné.

**pro forma** 1771, Trévoux ; mots lat. signif. « pour la forme ».

**profus** 1472, Leseur ; lat. *profusus,* « répandu en dehors », de *fundere,* répandre. || **profusion** fin XVe s. ; *à profusion,* 1844, Balzac ; lat. *profusio.*

**progéniture** 1481, A. Thierry ; lat. *genitura,* génération, créature (cf. le moy. fr. *géniture*), d'après le lat. *progenies,* race, lignée, de *gignere,* engendrer. || **progéniteur** 1370, Oresme, vx.

**progestatif** 1968, Lar. ; lat. impér. *progestare,* porter en avant. || **progestérone** 1941, Rostand, physiol. (v. GESTATION).

**prognathe** 1842, *Acad.,* entom. ; 1868, Souviron, anthropologie ; gr. *pro,* en avant, et *gnathos,* mâchoire. || **prognathisme** 1849, d'Orbigny.

**prognose** 1669, Molière ; gr. *prognôsis,* prévision, de *pro,* d'avance, et *gnônai,* connaître. || **prognostique** 1660, Fernel ; gr. *prognôstikos.* (V. PRONOSTIC.)

**programme** 1677, Duilier, liste ; 1765, *Encycl.,* théâtre ; 1857, Flaubert, pédago. ; 1830, F. Wey, polit. ; milieu XX<sup>e</sup> s., électron. ; bas lat. *programma,* du gr. *programma,* affiche, de *pro,* devant, et de la rac. de *grapheîn,* écrire. || **programmer** 1917, Giraud. || **programmation** 1924, Giraud. || **programmateur** 1955, *journ.* || **programmeur** 1962, Robert. || **programmatique** 1963, *journ.*

**progrès** 1532, Rab. ; lat. *progressus,* « action d'avancer », du part. passé de *progredi,* avancer. || **progression** XIII<sup>e</sup> s., *Algorisme ;* lat. *progressio,* de *progressus.* || **progressif** 1372, Corbichon ; 1797, Constant, polit. || **progressivement** 1753, Buffon. || **progressivité** 1833, *Rev. encycl.* || **progresser** 1834, Stendhal. || **progressiste** 1837, Fourier. || **progressisme** 1877, *Rev. des Deux Mondes.*

**prohiber** 1377, Leymarie ; lat. *prohibere,* « tenir à distance », de *pro,* en avant, et *habere,* avoir, tenir. || **prohibiteur** 1782, Gohin ; bas lat. *prohibitor.* || **prohibition** début XIII<sup>e</sup> s. ; lat. *prohibitio.* || **prohibitif** 1503, Chauliac ; d'après le part. passé lat. *prohibitus.* || **prohibitionniste** 1833, *Rev. britannique.* || **prohibitionnisme** 1878, Lar. || **prohibitoire** 1532, Desrey.

***proie** 1119, Ph. de Thaon (*preie*), « être vivant capturé » ; 1130, *Eneas,* « butin » ; début XIII<sup>e</sup> s., victime ; *en proie à,* 1560, Pasquier ; *oiseau de proie,* fin XIII<sup>e</sup> s., Rutebeuf ; lat. pop. ***prēda,** en lat. class. *praeda.*

**projection** 1314, Mondeville ; lat. *projectio,* de *projectus,* part. passé de *projicere,* jeter en avant, de *pro-* et *jacĕre,* jeter, lancer ; 1897, *l'Illustration,* cinéma. || **projectile** 1749, Buffon ; de *projectus.* || **projecteur** 1888, Lar., éclairage, cinéma. || **projecture** 1596, Hulsius, archit. || **projectif** 1752, Trévoux, géom. || **projectionniste** 1907, Lar., cinéma.

**projeter** 1120, *Ps. de Cambridge (porjeter),* « jeter au loin, en avant » ; fin XIV<sup>e</sup> s., Froissart, *pourjeter une embusque,* dresser une embuscade ; v. 1400, G. (*projeter*), « se proposer de faire », avec adaptation du préf. d'après le lat. *pro ;* de l'adv. anc. *por, puer,* en avant, du lat. *pro,* et du verbe *jeter.* || **projet** 1460, Chastellain (*pourjet*) ; 1549, R. Est. (*projet*). || **projeteur** 1770, Rousseau ; milieu XX<sup>e</sup> s., techn. || **avant-projet** 1845, Danvin. || **contre-projet** 1819, *Annuaire.*

**prolactine** 1933, Lar, physiol. ; de *pro-* et du lat. *lac, lactis,* lait ; hormone qui favorise la lactation.

**prolapsus** 1820, *Dict. méd. ;* de *pro-* et *lapsus,* part. passé de *labi,* tomber ; chute d'un organe.

**prolation** 1406, *Doc.,* rhét., mus. ; lat. *prolatio,* de *prolatus,* porté en avant, part. passé de *proferre.*

**prolégat** 1848, Chateaubriand ; bas lat. *prolegatus,* de *pro,* à la place de, et *legatus,* légat.

**prolégomènes** 1578, d'Aubigné ; gr. *prolegomena,* pl. neutre, « choses dites avant », part. prés. passif de *prolegeîn,* de *pro,* avant, et *legeîn,* dire.

**prolepse** 1553, Rab. (*prolepsie*) ; 1701, Furetière (*prolepse*), rhét. ; gr. *prolêpsis,* proprem. « anticipation ». || **proleptique** 1755, Prévost ; gr. *prolêptikos.*

**prolétaire** XIV<sup>e</sup> s. ; rare avant 1748, Montesquieu, hist. rom. ; 1761, Rousseau, sens actuel ; lat. *proletarius,* de *proles,* descendance. || **prolo** 1888, Sachs-Villatte ; abrév. pop. || **prolétariat** 1832, P. Leroux. || **prolétarien** 1872, B. Malon. || **prolétariser** 1904, Lar. || **prolétarisation** 1904, Lar.

**prolifère** 1766, Rozier ; lat. *proles,* descendance, et *ferre,* porter. || **proliférer** 1859, Mozin. || **prolifération** 1842, *Acad.,* bot. || **prolifique** 1503, Chauliac, qui favorise la procréation ; 1874, Michelet, sens actuel ; lat. *proles,* descendance, avec la finale des comp. en *-fique.* || **prolificité** 1941, Rostand.

**prolixe** 1220, Coincy (*prolipse*) ; 1440, Chastellain (*prolixe*) ; lat. *prolixus,* proprem. « allongé, étendu », fig. en bas lat. || **prolixité** 1265, J. de Meung ; lat. *prolixitas.*

**prologue** 1160, Benoît (*prologe*) ; 1225, *Barlaham (prologue)* ; lat. *prologus,* gr. *prologos,* de *pro-,* en avant, et *logos,* discours.

**prolonger** 1213, *Fet des Romains* (*prolonguer*) ; 1564, *Indice de la Bible (prolonger,* d'après *allonger*) ; bas lat. *prolongare,* de *longus,* long ; a signifié aussi, du XIII<sup>e</sup> au XVIII<sup>e</sup> s., « remettre à plus tard ». || **prolongement** 1165, Gautier d'Arras. || **prolongation** 1265, Br. Latini. || **prolongateur** 1963, Lar. || **prolongeable** 1788, Féraud. || **prolonge** XIV<sup>e</sup> s., Machaut (*prolongue*) ; 1752, Trévoux (*prolonge*), artill.

**promener** XIIIe s., G. (*pormener*) ; XVe s. (*promener*, d'après le préf. lat. *pro-*) ; *se promener,* 1465, Picot ; dér. de *mener.* || **promenade** 1557, Julyot. || **promenoir** 1538, R. Est. || **promeneur** 1560, G. (*pourmeneur*) ; 1584, Du Monin (*promeneur*).

**promettre** Xe s., *Saint Léger* (*prometre*) ; XIe-XIV[e] s., var. *pramettre ;* lat. *promittere,* adapté d'après *mettre ; se promettre de,* 1669, Racine. || **prometteur** XIIIe s., *Macchabées.* || **promis** adj., 1200, *Poème moral ;* début XIIIe s., n., « fiancé ». || **promesse** 1131, *Couronn. Loïs ;* lat. *promissa,* pl. neutre substantivé, et passé au fém. en bas lat., de *promissum,* part. passé de *promittere.* || **promission** 1160, Benoît, eccl. ; lat. *promissio,* promesse.

**promiscuité** 1752, Rousseau ; lat. *promiscuus,* « mêlé », et au fig. « vulgaire », de *miscere,* mêler.

**promontoire** 1213, *Fet des Romains ;* lat. *promontorium ;* 1845, Besch., anat., petite saillie du tympan.

**promotion** V. PROMOUVOIR.

**promouvoir** 1130, *Job,* « élever à un rang supérieur » ; 1460, Chastellain, « encourager, soutenir », vieilli au XIXe s., et repris auj. ; lat. *promovere,* « faire avancer », et en lat. impér. « élever aux honneurs », adapté d'après *mouvoir.* || **promotion** 1350, Gilles li Muisis, « élévation » ; 1678, La Rochefoucauld, « accession à une dignité » ; 1966, *journ,* commerce ; d'après angl. *promotion,* bas lat. *promotio,* de *promotus,* part. passé de *promovere.* || **promotionnel** 1966, *journ.* || **promoteur** 1350, Gilles li Muisis, qui donne l'impulsion ; 1962, Robert, qui fait construire des immeubles.

**prompt** 1190, Garnier (*prons*), « prêt, disposé à » ; 1530, Palsgrave, sens mod. ; lat. *promptus.* || **promptement** 1308, Aimé. || **promptitude** fin XVe s., Tardif ; bas lat. *promptitudo.*

**promulguer** 1355, Bersuire (*promulger*) ; lat. *promulgare.* || **promulgation** 1300, Houdoy ; rare avant le XVIIIe s. ; lat. *promulgatio.*

**pronaos** 1701, Tournefort, hist. archit. ; mot gr., « vestibule du temple ».

**pronateur** 1560, Paré, anat. ; bas lat. *pronator,* de *pronus,* « qui penche en avant ». || **pronation** 1654, Gelée ; bas lat. *pronatio ;* mouvement de la main du dehors vers le dedans.

***prône** fin XIe s., *Gloses de Raschi* (*prodne*) ; 1175, Chr. de Troyes (*prône*), « grille séparant le chœur de la nef » ; 1678, La Fontaine, « sermon prononcé devant cette grille » ; lat. pop. **protinum,* dissimilation du lat. *protirum,* de *prothyra,* pl. neutre, gr. *prothura,* « couloir de la porte d'entrée à la porte intérieure ». || **prôner** 1578, d'Aubigné, vanter, louer. || **prôneur** 1654, Guez de Balzac.

**pronom** XIIIe s. ; lat. *pronomen,* de *pro,* à la place de, et *nomen,* nom. || **pronominal** milieu XVIIIe s., Buffon (1714, Trévoux, var. *pronominel*) ; bas lat. *pronominalis* (Ve s., Priscien). || **pronominalement** 1829, Boiste.

**prononcer** 1119, Ph. de Thaon, « déclarer, proclamer » ; lat. *pronuntiare,* annoncer, de *nuntius,* nouvelle ; 1283, Beaumanoir, « dire avec autorité, faire connaître » ; 1220, Coincy, « articuler » ; 1587, Du Vair, jurid. || **prononçable** 1611, Cotgrave. || **imprononçable** 1596, Vigenère. || **prononciation** 1281, G. ; lat. *pronuntiatio.*

**pronostic** milieu XIIIe s., Richard de Fournival (*pronostique*), « signe précurseur » ; 1314, Mondeville (*pronostic*), méd. ; bas lat. *prognosticus,* mot gr., de *prognôstikein,* connaître d'avance (v. PROGNOSE). || **pronostiquer** 1314, Mondeville. || **pronostiqueur** début XIVe s., *Enfances Vivien.* || **pronostication** début XVIe s., Machaut.

**pronunciamiento** 1838, *Acad.* (*pronunciamento*) ; 1869, A. Royannez (*pronunciamiento*) ; mot esp., de même étym. que *prononcer.*

**propagande** début XVIIe s., nom d'une congrégation ; 1689, *Doc.,* relig. ; 1792, Condorcet, sens mod. ; trad. de la loc. lat. *de propaganda fide,* « pour la propagation de la foi », de *propagare* (v. PROPAGER). || **contre-propagande** XXe s. || **propagandiste** 1792, Rangt, polit. || **propagandisme** 1794, Brunot.

**propager** 1480, *Baratre infernal ;* lat. *propagare,* proprem. « reproduire par provignement », de *pangere,* enfoncer, planter ; *se propager,* 1762, *Acad.* || **propagation** XIIIe s., *D. G. ;* lat. *propagatio.* || **propagateur** 1495, J. de Vignay ; lat. *propagator.*

**propane** 1847, *Comptes rendus Acad. sciences ;* fait avec le suff. *-ane,* sur *propionique* (acide), 1847, Besch., du gr. *prôtos,* premier, et *piôn,* gras. || **propanier** 1968, Lar.

**propédeutique** 1877, *J. O.,* enseignement préliminaire ; 1948, *journ.,* scol. ; gr. *paideueîn,* enseigner, d'après l'all. *Propädeutik.* || **propé** v. 1950 ; abrév. fam.

**propène** 1932, Lar. (déjà en angl. en 1866) ; du rad. *prop-,* avec le suff. chim. *-ène.*

**propension** 1528, J. Du Bellay ; lat. *propensio,* de *propendere,* pencher.

**propergol** 1949, Lar. ; mot all., a remplacé *Energol,* nom déposé ; de *prop*(ulsion) et de *-ergol.*

**prophète** 980, *Passion,* relig. ; 1155, Wace, qui prédit l'avenir ; lat. eccl. *propheta,* du gr. *prophêtês,* « qui dit d'avance », de *pro,* et de *phêmi,* je parle. || **prophétesse** XIV^e s., G. || **prophétie** 1119, Ph. de Thaon ; lat. eccl. *prophetia.* || **prophétiser** 1155, Wace ; lat. eccl. *prophetizare.* || **prophétique** XV^e s., G., relig. ; 1495, Vignay, qui prédit ; lat. eccl. *propheticus.* || **prophétisme** 1823, Boiste.

**prophylactique** 1537, Canappe, méd. ; gr. *prophulaktikos,* de *prophulaktein,* « veiller sur », préserver. || **prophylaxie** 1793, Lavoisien.

**propice** 1170, *Rois,* eccl. ; XIII^e s., sens actuel ; lat. *propitius,* terme surtout religieux. || **propitiation** fin XII^e s., eccl. ; lat. eccl. *propitiatio.* || **propitiateur** 1519, G. Michel, eccl. ; lat. eccl. *propitiator.* || **propitiatoire** 1170, *Rois,* n. m., dais de l'autel ; 1541, Calvin, adj.

**propolis** 1555, Vide, résine des ruches ; mot lat., du gr. *propolis,* « entrée d'une ville », de *polis,* ville.

**proportion** 1230, G. ; *à proportion,* 1636, Monet ; au pl., XVII^e s., dimensions harmonieuses ; lat. *proportio,* de *portio,* portion. || **proportionner** 1314, Mondeville. || **proportionné** adj., *id.* || **proportionnel** 1370, Oresme ; bas lat. *proportionalis.* || **proportionnellement** 1370, Oresme. || **proportionnément** 1548, Vaganay. || **proportionnalité** 1370, Oresme ; bas lat. *proportionalitas.* || **proportionnaliste** 1906, Mazel, polit. || **disproportion** 1546, Martin. || **disproportionné** 1534, Rab.

**propos** fin XII^e s. (*purpos*) ; XIII^e s., *Isopet* (*propos*), but ; XV^e s., La Curne, paroles, proprem. « proposées comme sujet d'entretien » ; *à propos,* fin XV^e s., Commynes ; déverbal de *proposer,* d'après le lat. *propositum.* || **avant-propos** 1584, *Somme des pechez.* || **à-propos** n. m., 1700, M^me de Maintenon.

**proposer** 1120, *Ps. d'Oxford ;* a pu signifier jusqu'au XVII^e s. « exposer » et « projeter » ; *se proposer de,* début XV^e s. ; lat. *proponere,* « poser devant », « offrir, présenter à l'esprit », francisé d'après *poser* (v. ce mot). || **proposition** 1120, *Ps. d'Oxford,* suggestion ; 1265, Br. Latini, assertion ; 1690, Furetière, gramm. ; lat. *propositio,* de *propositus,* part. passé de *proponere.* || **contre-proposition** 1771, Trévoux. || **proposable** 1747, d'Argenson. || **propositionnel** 1951, Lalande.

**propre** 1090, *Lois de Guill.,* « qui appartient en propre » ; 1265, Br. Latini, « exact » ; 1280, *Clef d'Amors,* « bien soigné » ; 1370, Oresme, « capable » ; *propre à rien,* 1690, Furetière ; *propre à,* milieu XVI^e s., « qui caractérise » ; lat. *proprius.* || **proprement** 1180, Marie de France, élégamment ; 1190, *Saint Bernard,* particulièrement. || **propret** 1530, Marot. || **propreté** 1538, R. Est., « manière convenable de s'habiller, de se meubler » ; 1671, Pomey, sens mod. || **approprier** 1226 ; lat. *appropriare.* || **impropre** 1372, Corbichon ; lat. *improprius.* || **improprement** 1366, Oresme. || **impropriété** 1488, *Mer des hist. ;* lat. *improprietas.* || **malpropre** 1550, Du Bellay. || **malpropreté** 1663, F. Brunot.

**propréteur** 1542, trad. de Dion ; lat. *propraetor* (v. PRÉTEUR). || **propréture** 1845, Besch.

**propriété** 1190, Garn., « droit de possession » ; 1265, Br. Latini, qualité propre d'un être ou d'une chose ; fin XV^e s., immeuble, bien-fonds ; lat. *proprietas,* jurid., de *proprius* (v. PROPRE). || **copropriété** 1767, Le Mercier. || **propriétaire** milieu XIII^e s. ; lat. jurid. *proprietarius.* || **proprio** 1878, *Esnault ;* abrév. pop. || **copropriétaire** 1680, Richelet. || **exproprier** 1611, Cotgrave. || **expropriation** décret du 9 messidor an III.

**propulsion** 1640, Oudin ; rare avant 1836, Landais ; lat. *propulsus,* part. passé de *propellere,* pousser devant soi. || **propulseur** 1845, Besch. || **propulsif** 1846, *Ann. chimie.* || **propulser** 1863, La Landelle ; *se propulser,* 1962, Robert. || **motopropulseur, turbopropulseur** XX^e s. (V. MOTO- 1, TURBO-, PULSION.)

**propylée** 1752, Trévoux, hist. ; gr. *propulaion,* proprem. « ce qui est devant la porte », de *pulê,* porte.

**propylène** 1869, L. ; anc. nom du *propène.* || **propyle** 1875, Lar.

**proquesteur** 1765, *Encycl.,* hist. ; lat. *proquaestore,* proquesteur.

**prorata** milieu XIV^e s. (*pro rata*), proportionnellement ; fin XVI^e s., *au prorata de,* loc. prép. ; 1684, La Curne, n. m. ; lat. *pro rata* (*parte*), « suivant une part déterminée », « une proportion calculée », de *pars, partis,* part, et *rata.* (V. RATIFIER.)

**proroger** 1330, *Girart de Roussillon* (*proroguer*) ; lat. *prorogare,* prolonger ; 1875, Lar., polit., d'après l'angl. (*to*) *prorogue.* || **prorogation** 1313, G. ; lat. *prorogatio.* || **prorogatif** 1800, Boiste ; lat. *prorogativus.*

**proscenium** 1719, Gueudeville ; mot lat., du gr. *proskênion,* devant de la scène d'un théâtre.

**proscrire** 1190, Garn., hist. ; 1770, Rousseau, bannir ; francisation, d'après *écrire,* du lat. *proscribere,* proprem. « afficher », par ext. « porter sur une table de proscription », de *scribere,* écrire. || **proscrit** n. m., 1552, R. Est. || **proscripteur** 1542, Vaganay ; lat. *proscriptor.* || **proscription** fin XVe s., hist. ; 1748, Montesquieu, bannissement ; lat. *proscriptio.*

**prose** 1265, Br. Latini ; lat. *prosa* (s.-e. *oratio*), « discours qui va en droite ligne », de *prorsus,* en avant. || **prosateur** 1666, Ménage ; ital. *prosatore,* du lat. *prosa.* || **prosaïque** début XVe s., opposé à *poétique ;* milieu XVIe s., Ronsard, plat, peu orné ; bas lat. *prosaicus* (VIe s., Fortunat). || **prosaïquement** 1500, G. || **prosaïser** 1723, Rousseau. || **prosaïsme** 1785, Beaumarchais. || **prosaïste** 1827, Hugo.

**prosecteur** 1803, Wailly ; lat. *prosectus,* part. passé de *prosecare,* découper, de *secare,* couper (v. SCIER 1). || **prosectorat** 1904, Lar.

**prosélyte** XIIIe s., *Évangile de Nicomède,* hist. judaïque ; 1611, Cotgrave, nouveau converti ; 1746, Vauvenargues, sens mod. ; lat. eccl. *proselytus,* converti, gr. *prosêlutos,* proprem. « nouveau venu ». || **prosélytique** 1834, Boiste. || **prosélytisme** 1721, Montesquieu.

**prosobranches** 1904, Lar., zool. ; gr. *proso-,* en avant, et *-branches,* « branchies ».

**prosodie** 1562, Ramus ; gr. *prosôdia,* « quantité relative aux vers », de *ôdê,* chant. || **prosodique** 1736, d'Olivet. || **prosodier** 1842, *Acad.* || **prosodème** 1972, Lar.

**prosopopée** fin XVe s., Molinet (*prosopopeÿe*), rhét. ; 1677, Dassoucy, discours emphatique ; lat. *prosopopeia,* mot gr., « qui fait parler les personnes » (non présentes), de *prosôpon,* personne, et *poieîn,* faire.

**prospecter** 1864, *Dict. de la conversation ;* angl. (*to*) *prospect,* regarder devant, du lat. *prospectus.* || **prospection** 1861, Simonin ; angl. *prospection.* || **prospecteur** 1866, *journ. ;* angl. *prospector.*

**prospectif** adj., milieu XVe s. (*science prospective,* « optique ») ; adj., 1829, Gautier (*critique prospective*), « qui concerne l'avenir » ; lat. *prospectivus,* de *prospectus* (v. le suiv.). || **prospective** 1537, *le Courtisan,* perspective ; 1958, *journ.,* sens actuel. || **prospect** XVe s. ; lat. *prospectus,* vue ; point de vue.

**prospectus** 1723, *D. G.,* « programme de librairie » ; 1798, *Acad.,* brochure publicitaire ; mot lat. signif. « vue, aspect », part. passé substantivé de *prospicere,* regarder devant soi.

**prospère** 1120, *Ps. de Cambridge* (*prospre*) ; 1308, Aimé (*prospere*) ; lat. *prosperus.* || **prospèrement** milieu XIIIe s. || **prospérité** 1120, *Ps. d'Oxford ;* lat. *prosperitas.* || **prospérer** 1355, Bersuire ; lat. *prosperare.*

**prostate** 1555, Belon, anat. ; gr. *prostatês,* « qui se tient en avant ». || **prostatique** 1765, *Encycl.* || **prostatite** 1836, Landais. || **prostatectomie** 1888, Lar.

**prosterner** 1329, Thierry, courber vers la terre ; *se prosterner,* 1478, Varin ; lat. *prosternere,* « jeter en avant, abattre » (sens repris en fr., du XIVe au XVIIIe s.). || **prosternement** fin XVIe s. || **prosternation** 1568, Granvelle. (V. PROSTRATION.)

**prosthèse, prothèse** 1694, Le Clerc (*prothèse*), chir. ; 1704, Trévoux, gramm. ; 1658, Thévenin (*prosthèse*), chir. ; 1765, *Encycl.* (*prosthèse*), gramm. ; 1869, L. (*prothèse dentaire*) ; bas lat. *prosthesis,* mot gr., « action d'ajouter », confondu avec *prothesis,* proposition. || **prosthétique** 1893, *D. G.,* gramm. || **prothétique** 1841, *Journ. méd.*

**prostituer** 1370, Oresme, « avilir » ; 1645, Corn., sens mod. ; 1690, Furetière, fig. ; *se prostituer,* début XVIe s. ; lat. *prostituere,* « exposer en public », de *pro-,* devant, et *statuere,* placer. || **prostituée** 1596, Hulsius, n. f. || **prostitution** XIIIe s., *Apocalypse,* « débauche » ; 1580, Montaigne, sens actuel ; lat. eccl. *prostitutio* (IIIe s., Tertullien).

**prostration** 1212, Anger, « prosternement » ; 1741, *Mém. Acad. chir.,* « abattement » ; lat. *prostratio,* aux deux sens. || **prostré** 1200, *Règle saint Benoît,* « prosterné » ; 1850, Baudelaire, « abattu » ; lat. *prostratus,* part. passé de *prosternere,* « abattre ». (V. PROSTERNER.)

**prostyle** 1691, Ozanam, archit. ; lat. *prostylos,* mot gr., de *pro,* devant, et *stulos,* colonne.

**protagoniste** 1787, Goldoni, hist. ; fig., 1904, Lar. ; gr. *prôtagônistês,* acteur chargé du premier rôle, de *prôtos,* premier, et *agônizesthai,* combattre, d'où concourir. (V. AGONIE.)

**protamine** 1888, Lar., chim. ; de *prot-,* rad. de *protéine,* et *amine.*

**protase** 1660, Corneille, littér. ; 1842, *Acad.,* rhét. ; lat. *protasis,* mot gr., signif. « proposition ».

**prote** 1710, *Variétés historiques,* imprim. ; gr. *prôtos,* premier.

**protection** fin XIIe s., *Dial. Grégoire,* sens gén. ; 1664, Colbert, écon. polit. ; lat. *protectio,* de *protegere* (v. PROTÉGER). || **protectionnisme** 1845, Besch. || **protectionniste** 1845, Besch. || **protecteur** début XIIIe s., personne qui protège ; 1730, Rollin, adj., qui protège un objet ; lat. *protector.* || **protectorat** 1751, Voltaire, dignité de protecteur ; 1846, Besch., emploi colonial.

**protée** 1608, N. Rapin, personne inconstante ; 1869, L., zool. ; lat. *Proteus,* dieu marin qui changeait de forme à volonté. || **protéiforme** 1761, *Journ. de méd.* || **protéacées** 1816, Candolle, bot.

**protéger** fin XIVe s. ; 1788, Féraud, écon. polit. ; lat. *protegere,* couvrir, de *pro,* en avant, et *tegere,* couvrir. || **protégé** n. m., 1747, Gresset. || **protège-bas** 1963, Lar. || **protège-cahier** début XXe s. || **protège-dents** 1924, Montherlant. || **protège-parapluie** XXe s. || **protège-tibia** 1962, Robert.

**protéine** 1838, Berzelius ; gr. *prôtos,* premier, et suff. *-éine ;* nombreux composés, type *hétéroprotéines, nucléoprotéines, phosphoprotéines,* etc., XIXe-XX[e] s. || **protéinurie** 1963, Lar. || **protéolyse** 1904, Lar. || **protéide** 1923, Lar., chim. (en angl. *proteid,* fin XIXe s.) ; de *protéine,* par changem. de suff. || **protéique** 1838, *Bull. sciences phys.* (V. PROTIDE.)

**protèle** 1842, *Acad.,* zool. ; gr. *pro-,* devant, et *telêeis,* parfait.

**protéroglyphes** fin XIXe s., zool. ; gr. *proteros,* premier, et *gluphê,* cannelure ; serpent dont les dents antérieures sont creusées d'un sillon pour l'écoulement du venin.

**protester** 1343, Runkewitz, déclarer formellement ; 1611, Cotgrave, comm., faire un protêt ; 1540, Calvin, attester solennellement et publiquement ; 1650, Retz, *protester de,* sens mod. ; lat. *protestari,* déclarer publiquement, de *testari,* attester. || **protêt** 1479, G., déclaration ; début XVIIe s., comm. || **protestable** 1876, Dansaert, comm. || **protestant** 1546, G., adj., qui embrasse la religion réformée ; avec infl. de l'allem. *Protestant ;* 1585, *Satires,* n. || **protestantisme** 1623, Delb., relig. || **protestation** 1265, J. de Meung, déclaration ; 1283, Beaumanoir, contestation ; lat. *protestatio.* || **protestataire** 1842, Mozin.

**prothalle** 1845, Besch., bot. ; de *pro* et *thalle.*

**prothèse** V. PROSTHÈSE.

**protide** 1838, *Bull. sciences phys. ;* de *protéine* (v. ce mot), avec changem. de suff. || **protidique** 1962, Robert.

**protiste** 1876, Ch. Martins, hist. nat. ; gr. *prôtos,* premier ; être vivant unicellulaire. || **protistologie** 1923, Lar.

**protocole** 1355, *D. G.* (*prothecolle*) ; 1596, Hulsius (*protocole*), « minute d'un acte » ; 1606, Nicot, formulaire de la correspondance officielle et privée ; 1829, Boiste, ensemble des règles de préséance officielles ; lat. jurid. *protocollum,* feuille collée aux chartes (*Code Justinien*) ; gr. *prôtokollon,* « ce qui est collé en premier », de *kollân,* coller. || **protocolaire** 1904, Lar.

**protogyne** 1806, *Journ. des mines,* sorte de granite ; début XXe s., bot. ; gr. *prôtos,* premier, et suff. *-gyne.* || **protogynie** 1904, Lar.

**proton** 1920, Rutherford (en angl.) ; 1949, Lar. (en français), phys. ; gr. *prôton,* neutre de *prôtos,* premier. || **protonique** 1949, Lar.

**protonotaire** 1378, J. Le Fèvre ; lat. eccl. *protonotarius,* du gr. *prôtos,* premier. (V. NOTAIRE.)

**protophyte** 1839, Boiste, bot. ; gr. *prôtos,* premier, et *-phyte.*

**prototype** 1552, Rab., modèle ; 1904, Lar., sens actuel ; lat. *prototypus,* mot gr. || **prototypique** 1842, *Acad.* (V. TYPE.)

**protozoaire** 1834, Boiste, zool. ; gr. *prôtos,* premier, et *zôarion,* animalcule. || **protozoologie** 1941, Caullery.

**protraction** 1869, L. ; bas lat. *protractio,* prolongement, de *protrahere,* tirer en avant.

**protrus** 1878, Lar. ; lat. *protrusus,* de *protrudere,* pousser en avant. || **protrusion** 1869, L.

**protubérant** 1560, Paré ; part. prés. bas lat. *protuberans,* de *tuber,* excroissance. || **protubérance** 1687, Barbier, anat. ; 1868, L., astron. || **protubérantiel** 1868, *Moniteur.*

**protuteur** 1667, d'après Furetière ; lat. *protutor,* qui remplace le tuteur.

***prou** 980, *Passion* (*proud*) ; XIIe s. (*preu*), n. m., « profit » ; 1080, *Roland* (*prod*) ; XIIIe s. (*prou*), adv., « beaucoup », forme proclitique de *preu ;* auj., seulem. dans la loc. *peu ou prou,* 1600, O. de Serres ; lat. pop. *prōde.* (V. PREUX, PRUDE, PRUD'HOMME.)

**proue** 1246, Jal (*proe*) ; 1382, Ph. de Mézières (*proue*) ; prov. *proa,* lat. *prōra.*

**prouesse** V. PREUX.

**prout** XIIIe s., G., pet ; onomat.

***prouver** XIe s., *Chanson de Guillaume* (*prover*), « mettre à l'épreuve » ; 1130, *Eneas,* « établir la vérité de » ; lat. *probare,* mettre à l'épreuve, d'où « approuver, prouver ». || **preuve** 1175, Chr. de Troyes (*prueve*) ; d'après les formes toniques de l'anc. fr. (il *prueve,* etc.). || **prouvable** 1265, J. de Meung. || **éprouver** 1080, *Roland,* « mettre à l'épreuve » et « apprendre par expérience » ; 1273, Ibn Ezra, « ressentir ». || **épreuve** 1160, Benoît ; fin XVIe s., imprimerie. || **éprouvette** 1503, Chauliac. || **contre-épreuve** 1676, Félibien

**provéditeur** 1669, Widerhold ; ital. *provveditore,* du lat. *providere,* pourvoir ; fonctionnaire de la république de Venise.

**provençal** XIIIe s. (*provencial*) ; 1574, G. (*provençal*) ; de *Provence,* lat. *Provincia,* la Province (partie de la Narbonnaise) ; n. m., 1836, Gabrielli. || **provençalisme** 1836, Gabrielli.

**provende** 1131, *Couronn. Loïs,* provision de vivres ; lat. eccl. *praebenda* (v. PRÉBENDE), avec adaptation d'après les mots en *pro-.*

**provenir** 1210, *Folque de Candie,* prendre origine ; sens lat., du XIVe au XVIe s. ; 1460, Bartzsch, « résulter de » ; lat. *provenire,* se produire, proprem. « venir en avant » ; a signifié « se produire ». || **provenance** 1294, G. (*prouvenanche*) ; 1801, Mercier (*provenance*), lieu d'origine ; 1834, Balzac, comm.

**proverbe** 1175, Chr. de Troyes, sens usuel ; milieu XVIIe s., petite comédie ; lat. *proverbium,* de *verbum,* mot. || **proverbial** 1487, Garbin ; lat. *proverbialis.* || **proverbialement** 1654, Sarrasin. || **proverbialiser** 1594, H. Est.

**providence** 1160, Benoît, « prévision » ; fin XIIe s., Reclus de Moiliens, sagesse divine ; lat. *providentia,* « prévision », et, dès le Ier s. (Sénèque), « sagesse divine prévoyant tout et pourvoyant à tout », de *providere,* pourvoir. || **providentiel** fin XVIIIe s., Cerruti, relig. ; d'après l'angl. *providential ;* 1836, Stendhal, inattendu et favorable. || **providentiellement** 1836, Stendhal. || **providentialisme** av. 1865, Proudhon, philos. || **providentialiste** 1866, Vallès.

**provigner** V. PROVIN

***provin** fin XIIe s., R. de Moiliens (*provain*), vitic. ; 1538, R. Est. (*provin*) ; lat. *prŏpāginem,* acc. de *prŏpāgo,* de *propagare,* au sens de « provigner » (v. PROPAGER). || **provigner** fin XIe s., *Gloses de Raschi* (*provainier*) ; 1155, Wace (*provignier*). || **provignement** 1538, R. Est. || **provignage** 1611, Cotgrave.

**province** 1155, Wace, eccl. ; 1213, *Fet des Romains,* ensemble des territoires hors la métropole ; lat. *provincia* (dont la forme pop. est *Provence*). || **provincial** XIIIe s., eccl. ; 1671, Pomey, n. m., eccl. ; 1671, Pomey, adj., sens usuel ; 1588, Montaigne, péjor. || **provincialement** 1800, Boiste. || **provincialat** 1694, *Acad.,* eccl. || **provincialisme** 1779, *Journ. Par.* || **provincialisé** 1868, Goncourt. || **provincialiser (se)** 1848, Chateaubriand. || **déprovincialiser** milieu XVIIIe s., Voltaire.

**proviseur** 1360, Froissart, fournisseur ; 1688, Miege, administrateur d'un collège ; 1812, Mozin, directeur de lycée ; lat. *provisor,* de *providere,* pourvoir. (V. PROVISION.) || **protal** 1920, Esnault ; abrév., arg. scol. || **proto** 1905, Esnault. || **provisorat** 1835, *Acad.*

**provision** 1265, Br. Latini, droit canon ; 1398, *Ménagier,* « prévoyance, précaution » ; 1460, Chastellain, « somme versée d'avance » ; XVe s., pl., denrées amassées par prévoyance ; *par provision,* 1460, Chastellain, jurid. ; lat. *provisio,* action de pourvoir, de *providere* (v. POURVOIR). || **provisionnel** 1484, *Doc.* (*provisionnal*) ; 1578, d'Aubigné (*provisionnel*). || **approvisionner** 1500, Authon. || **approvisionnement** 1636, Monet. || **approvisionneur** 1774, Brunot. || **réapprovisionner, réapprovisionnement** 1877, Lar.

**provisoire** 1499, Isambert ; lat. médiév. *provisorius,* de *provisus,* part. passé de *providere,* pourvoir. || **provisoirement** 1694, *Acad.* (V. le précéd.)

**provoquer** 1120, *Ps. d'Oxford* (*purvoquer*), « exciter » ; fin XIIe s., *Dial. Grégoire* (*provochier*) ; 1355, Bersuire (*provoquer*) ; lat. *provocare,* « appeler dehors », de *pro,* en avant, et *vocare,* appeler. || **provocant** 1120, *Ps. d'Oxford* (*purvocant*), incitant ; XVe s., n. m., jurid., « demandeur » ; 1775, Restif de la Bretonne, adj., sens usuel. || **provocation** fin XIIe s., Herman de Valenciennes, « appel » ; 1314, Mondeville, méd., « appel » ; 1549, R. Est., droit pénal ; 1536, M. Du Bellay, sens actuel ; lat. *provocatio.* || **provocateur** début XVIe s., « auteur d'une querelle » ; 1812, Mozin, « qui vexe » ; lat. *provocator.*

**proxène** 1765, *Encycl.,* hist. gr. ; gr. *proxenos,* de *xenos,* étranger ; hôte officiel d'une cité.

**proxénète** 1521, *Coutumier,* « courtier » ; 1527, *Bull. Soc. hist. Paris,* « entremetteur » ; lat. *proxeneta,* courtier, et par ext. entremetteur, du gr. *proxenetês,* de *xenos,* étranger, hôte. || **proxénétisme** 1841, *les Français peints par eux-mêmes.*

**proximité** XIVe s., Bouthillier, proche parenté ; 1543, *Recueil des lois,* sens mod. ; lat. *proximitas,* de *proximus,* très près (d'où est issu l'anc. fr. *proixime,* proche parent) ; *à proximité,* 1835, *Acad.* || **proximal** 1932, Lar. ; d'après l'angl. *proximal.*

***proyer** XIIIe s., *Romania* (*praer*) ; 1555, Belon (var. *pruyer, preyer*), ornith. ; réfection de l'anc. fr. *praiere* (fin XIIe s.), « (oiseau) des prés », dér. anc. de *pré,* ou issu d'un lat. pop. **pratarius.* (V. PRÉ.)

**prude** 1165, Gautier d'Arras (*preudre*), « vertueux » ; 1648, Scarron, sens actuel, n. f. et adj., « femme sage », puis « d'une réserve affectée » ; ellipse de *prude femme* (1175, Chr. de Troyes), même sens, de *femme* et de *prude* (v. PRUD'HOMME). || **pruderie** 1666, Molière.

**prudent** fin XIe s., *Fragment d'Alexandre,* sage ; 1573, Chesneau, sens actuel ; lat. *prudens,* « prévoyant, sage », contraction de *providens* (v. POURVOIR). || **prudemment** 1370, Oresme. || **prudence** début XIIIe s. ; lat. *prudentia.* || **imprudent** 1491, Vaganay ; lat. *imprudens.* || **imprudemment** 1508, Vaganay. || **imprudence** 1370, Oresme ; lat. *imprudentia.*

**prud'homme** 1080, *Roland* (*prodome*), « homme de valeur » ; fin XIIe s. (*preudome*), « homme expert dans un métier » ; 1690, Furetière, artisan nommé pour assister les jurés ; 1806, *Bull. des lois,* restreint au *conseil des prud'hommes,* jurid. comm. ; de *homme* et de *prod* (var. *proz,* puis *preux*), au sens de « sage » ; bas lat. *prōdis,* de *prōde* (v. PREUX). || **prud'homie** 1372, Oresme. || **prud'homal** 1907, Lar., jurid. comm. || **prudhommesque** 1853, Goncourt ; tiré du nom de Joseph *Prudhomme,* type de bourgeois sentencieux et sot, créé par H. Monnier (1830). || **prudhommerie** 1877, L. ; même étym.

**pruine** 1120, *Ps. de Cambridge,* « gelée blanche » ; 1842, Mozin, bot. ; lat. *pruīna.*

***prune** 1265, J. de Meung ; fin XIIe s., R. de Moiliens, objet sans valeur ; 1780, Havard, violet ; lat. pop. *prūna,* neutre plur., pris comme subst. fém. sing., de *prūnum* (v. POIRE, POMME). || **pruneau** 1507, texte de Lille (*proniaulx*) ; 1844, Balzac, pop., projectile. || **prunier** début XIIIe s., *Otinel* (*pruner*) ; XVe s. (*prunier*). || **prunelle** 1175, Chr. de Troyes, fruit ; fin XIe s., *Gloses de Raschi,* pupille de l'œil. || **prunellier** début XIIIe s., en provençal. || **prunelée** n. f., 1803, Boiste. || **prunelaie** 1636, Monet (*pruneraie*) ; 1690, La Quintinie (*prunelaie*).

**prurigo** 1825, *Doc.,* méd. ; mot lat., « démangeaison ». || **prurigineux** 1363, Chauliac ; lat. *pruriginosus.* || **prurit** 1271, *Dan. di Cremona ;* lat. *pruritus,* de *prurire,* démanger.

**prurit** V. PRURIGO.

**prussiate** 1787, Guyton de Morveau ; de *Prussia,* Prusse, d'après *bleu de Prusse,* 1723, Savary (découvert en 1709 par le chimiste prussien Dippel). || **prussique** 1787, Guyton de Morveau.

**prytane** 1732, Trévoux, hist. gr. ; gr. *prutanis,* chef, maître. || **prytanat** 1878, Lar. || **prytanée** 1579, Lostal, hist. gr. ; 1653, Pellison, école pour les fils de militaires ; gr. *prutaneion,* édifice où s'assemblaient les prytanes.

**psallette** 1643, Brunot, eccl. ; gr. *psalleîn,* faire vibrer une corde, psalmodier ; maîtrise d'une église.

**psalliote** 1845, Besch., bot. ; gr. *psalis,* en forme de ciseaux.

**psalmiste** 1170, *Rois ;* lat. chrét. *psalmista* (IVe s., saint Jérôme), du gr. *psalmistês* (v. PSAUME). || **psalmique** 1869, L. ; gr. *psalmikos,* de *psalmos,* psaume. || **psalmistique** 1812, Boiste.

**psalmodie** 1112, *Voy. de saint Brendan ;* lat. chrét. *psalmodia* (IVe s., saint Jérôme), mot gr., de *psalmos* (v. PSAUME) et *ôdê,* chant. || **psalmodier** 1403, *Internele Consolacion.*

**psaltérion** 1155, Wace (*psalterium*), instrum. de mus. ; 1190, *Rois* (*psalterion*) ; lat. *psalterium,* du gr. *psaltêrion.* (V. le suivant.)

**psammophyte** 1932, Lar. ; gr. *psammos,* sable, et *phuton,* plante.

**psaume** 1120, *Ps. d'Oxford* (*psalme*) ; XIII^e^ s., G. (*psaume*) ; francisé en *salme, saume* (1155, Wace), qui se rencontre jusqu'au XVI^e^ s. ; lat. eccl. *psalmus* (III^e^ s., Prudence), du gr. *psalmos,* de *psalleîn,* faire vibrer une corde, d'où « psalmodier ». (V. PSALMODIE) || **psautier** 1190, Garn. (*psaltier ;* var. francisée *saltier, sautier,* 1119, Ph. de Thaon) ; lat. eccl. *psalterium* (déjà en lat. class.), du gr. *psaltêrion.* (V. PSALTÉRION.)

**pschent** 1830, Robert, hist. égypt. ; égyptien démotique *skhent,* précédé de l'article *p.*

**pschitt** fin XIX^e^ s. ; onomat.

**pseud(o)-,** gr. *pseudês,* menteur, au sens de « prétendu, faux ». || **pseudarthrose** 1843, Landais. || **pseudencéphale** 1842, *Acad.* || **pseudocarpe** 1869, L. || **pseudo-classique** XX^e^ s. || **pseudo-classicisme** XX^e^ s. || **pseudonévroptères** 1923, Lar., entom. || **pseudonyme** 1690, Furetière ; gr. *pseudônumos,* de *onoma,* nom. || **pseudonymie** 1842, *Acad.* || **pseudopode** 1827, *Acad. ;* sur *-pode.* || **pseudoscope** 1869, L. || **pseudosmie** 1878, Lar. ; gr. *osmê,* odeur.

**psitt, pst** interj., 1869, L. ; imite le sifflement.

**psittacidés** 1827, *Acad.* (*psittacins*) ; 1875, Lar. (*psittacidés*) ; lat. *psittacus,* gr. *psittakos,* perroquet. || **psittacisme** 1704, Leibniz, fig. || **psittacose** 1904, Lar.

**psoas** 1732, Trévoux, anat. ; gr. *psoa,* lombes.

**psoque** 1827, *Acad.,* entom. ; gr. *psôkheîn,* gratter.

**psore** ou **psora** 1538, Canappe (*psora*), méd. ; 1572, Des Moulins (*psore*) ; lat. *psora,* gr. *psôra,* gale. || **psoriasis** 1822, *Nouveau Dict. méd. ;* gr. *psôriasis,* éruption galeuse ; méd. || **psorique** 1761, Levret.

**psych(o)-,** gr. *psukhê,* âme. || **psychanalyse** 1914, Régis et Hesnard ; all. *Psychoanalyse.* || **psychanalytique** 1920, Claparède. || **psychanalyste** XX^e^ s. || **psychanalyser** XX^e^ s. || **psychasthénie** 1903, Janet ; sur *asthénie,* manque de force. || **psychasthénique** *ibid.* || **psychédélique** 1967, *journ. ;* gr. *dêlos,* manifeste. || **psychiatre** 1802, Laveaux ; gr. *iatros,* médecin. || **psychiatrie, psychiatrique** 1842, *Acad.* || **psychiatriser** 1975, Lar. || **psychique** 1557, Dupuyherbault, « matérialiste » ; 1721, Trévoux, « animal, vital » ; 1808, Boiste, sens mod. || **psychisme** 1812, Quesné, théorie psychol. ; 1906, Grasset, sens mod. || **psychochirurgie** 1950, Puech ; sur *chirurgie.* || **psychocritique** 1949, Mauron. || **psychodrame** 1951, Palmade ; sur *drame.* || **psychodramatique** *id.* || **psychogène** 1952, Porot. || **psychogenèse** 1951, Piéron. || **psychographie** 1834, Ampère. || **psycholinguistique** 1946, Quillet. || **psychologie** fin XVI^e^ s., Taillepied, science de l'apparition des esprits ; 1690, Dionis, science de l'âme, par oppos. à *anatomie ;* vulgarisé, début XIX^e^ s., par Maine de Biran et ses disciples ; lat. mod. *psychologia,* fait par Mélanchthon (1497-1560), du gr. *psukhê* et de *logos,* science. || **psychologique** 1780, *Encycl.* || **psychologiquement** 1875, Lar. || **psychologue** 1760, Bonnet, spécialiste de psychologie ; 1904, Lar., sens général. || **psychologisme** 1887, Bergerat. || **psychométrie** 1842, *Acad.* (*psychomètre,* 1764, Bonnet, vx). || **psychomoteur** 1877, L. || **psychomotricité** 1952, Porot. || **psychonévrose** 1904, Dubois. || **psychonévrotique** XX^e^ s. || **psychopathie** 1878, Lar. || **psychopathe** XIX^e^ s. || **psychopathologie** fin XIX^e^ s. || **psychopédagogie** 1952, *journ.* || **psychopharmacologie** 1963, Piéron. || **psychophysiologie** 1904, Lar. || **psychophysiologique** 1881, Ribot. || **psychophysique** 1754, Bonnet ; sur *physique.* || **psychopompe** 1842, *Acad.,* mythol. ; gr. *psukhopompos,* qui conduit les âmes, de *pompos,* « qui conduit ». || **psychose** 1859, *Journ. méd.* || **psychotique** 1904, Lar. || **psychosomatique** 1946, *journ.* || **psychostasie** 1827, *Acad.,* mythol. égyp. ; gr. *psukhostasia,* pesée de l'âme, de *stasis,* action de peser. || **psychotechnique** 1948, Palmade. || **psychotechnicien** XX^e^ s. || **psychothérapie** 1904, Lar. || **psychothérapeute** 1962, Robert.

1. **psyché** 1812, *Journ. des dames,* « miroir » ; du nom de *Psyché,* en gr. *Psukhê,* jeune fille de la mythol. gr., célèbre pour sa beauté ; de même rac. que les suiv.

2. **psyché** 1842, *Acad.,* philos. ; gr. *psukhê,* âme.

**psychromètre** 1732, Trévoux ; gr. *psukhros,* froid. || **psychrométrie** 1842, *Acad.* || **psychrophile** 1963, Lar.

1. **psylle** 1765, *Encycl. ;* lat. *Psylli,* gr. *Psulloi,* nom d'un peuple de Cyrénaïque.

2. **psylle** 1869, L., entom. ; gr. *psulla,* puce.

**ptéridophytes** v. 1920, Lar., bot. ; gr. *pteris, -idos,* fougère, et *phuton,* plante.

**ptéro-,** gr. *pteron,* plume, aile. || **ptéranodon** 1904, Lar. ; gr. *anodous,* sans dent. || **ptérodactyle** 1821, Wailly, zool. || **ptérodon** 1875, Lar. ; gr. *odous,* dent. || **ptéropodes** 1809, Lamarck, zool. || **ptérosauriens** 1904. Lar. || **ptérygion** 1538, Canappe (*ptérigien*), méd. ; 1842, *Acad.,* bot. et zool. ; gr. *pterugion,* petite aile. || **ptéryle** fin XIXe s., zool.

**ptérygoïde** 1690, Dionis ; gr. *pterugoeides,* qui ressemble à une aile, gr. *pterux, -ugos,* aile. || **ptérygote** 1875, Lar.

**ptomaïne** 1888, Lar. ; ital. *ptomaina,* tiré en 1878, par Selmi, du gr. *ptôma,* cadavre.

**ptôse** 1907, Lar., méd. ; gr. *ptôsis,* chute.

**ptyaline** 1842, *Acad.,* chim. ; gr. *ptualon,* crachat. || **ptyalisme** 1723, J.-L. Petit, méd. ; gr. *ptualismos.*

**pub** 1932, Lar. ; mot angl., de *public-house,* de l'adj. *public,* et de *house,* maison.

**pubère** fin XIVe s. ; lat. *puber,* de même rad. que *pubis* (v. ce mot). || **puberté** 1362, *Amphorismes Ypocras ;* lat. *pubertas.* || **pubertaire** 1963, Lar. || **impubère** 1488, *Mer des hist. ;* lat. *impubes, -eris.*

**pubescent** 1516, G. Michel, propre à la puberté ; 1797, Bulliard, sens actuel ; part. prés. lat. *pubescens,* « qui est couvert de poils » (v. PUBIS). || **pubescence** fin XVe s., « puberté » ; 1803, Boiste, bot.

**pubis** 1478, Chauliac, « poil » (signe de puberté) ; 1534, *Romanische Forschungen,* anat., « os pubis » ; lat. *pubis,* var. de *pubes,* « poil follet », d'où « os pubis ». || **pubien** 1796, *Bull. Soc. philomath.*

**public** 1239, d'après Tailliar (*publique*) ; fin XVe s., Commynes (*public*), adj., « qui concerne tout le peuple » ; 1355, Bersuire, « qui est connu de tout le monde » ; fin XIVe s., n. m., ensemble des gens ; 1751, Duclos, public d'un spectacle ; *ennemi public,* fin XVIe s. ; *fille publique,* 1771, Trévoux ; *ministère public,* milieu XVIIe s. ; *services publics,* 1835, *Acad. ; pouvoirs publics,* 1791, Gautier ; *en public,* XIIIe s. ; lat. *publicus,* qui concerne le peuple, de *populus,* peuple ; le nom est issu du neutre substantivé au sens de « domaine public ». || **publicité** XVIe s., « crime commis devant tous » ; 1694, *Acad.,* notoriété publique ; 1829, *Album Grandjean,* réclame. || **pub** 1970, *journ. ;* abrév. de *publicité.* || **publicitaire** adj., 1932, Lar. ; n. m., agent de publicité, *id.* || **publiciste** 1748, *Nouvelle Bibliothèque germanique,* « qui écrit sur le droit public » ; 1789, Marat, « journaliste ». || **public relations** 1959, *journ. ;* mot angl., de *public,* publique, et *relation,* relation.

**publicain** 1190, *Saint Bernard,* hist. ; 1549, R. Est., fig. ; lat. *publicanus,* fermier d'impôts publics, de *publicus,* public.

**publier** 1175, Chr. de Troyes, rendre public ; début XIVe s., faire paraître (un ouvrage) ; lat. *publicare,* de *publicus,* public. || **publiable** 1639, Richelieu. || **publication** 1290, Langlois, action de publier ; 1549, R. Est., sens actuel ; lat. *publicatio,* de *publicare,* montrer au public. || **publipostage** 1972, *journ. ;* de *publicité* et *poste.*

***puce** 1170, *Rois* (*pulce*) ; *mettre la puce à l'oreille,* fin XIIIe s., Condé, « provoquer chez quelqu'un le désir amoureux » et « inspirer des inquiétudes » ; seul a subsisté ce second sens ; *marché aux puces,* fin XIXe s. ; lat. *pūlex, -ĭcis.* || **puceron** XIIIe s., *D. G.* || **épucer** 1564, J. Thierry. || **pucier** adj., 1611, Cotgrave, « plein de puces » ; n. m., 1888, Sachs-Villatte, pop., « lit ».

***pucelle** fin IXe s., *Eulalie* (*pulcella*) ; 1119, Ph. de Thaon (*pucelle*), « jeune fille » ; 1608, Régnier, iron. ; lat. pop. **pullicella* (bas lat. *pulicella, Lois des Barbares,* VIe s.), de *puella,* jeune fille ; pour d'autres, de *pŭlla,* petit d'animal (v. POULE), avec altér. de *ŭ* en *ū* d'après *pūtus,* garçon. || **puceau** XIIIe s., La Curne (*pucel*), adj. ; 1530, Palsgrave (*puceau*), n. m. || **pucelage** 1160, Benoît. || **dépuceler** 1160, Benoît. || **dépuceleur** fin XVIe s. || **dépucelage** 1580, Montaigne.

**puche** 1904, Lar., techn. ; de *pucher,* forme normanno-picarde de *puiser* (v. PUITS). || **pucheux** 1765, *Encycl.* (*pucheur*) ; 1803, Boiste (*pucheux*).

**pudding** 1678, *Observ. par un voy. ;* 1752, Trévoux (*pouding*) ; mot angl., de même orig. que *boudin* (v. ce mot). || **plum-pudding** 1756, Voltaire ; de *plum,* raisin sec.

**puddler** 1834, *Ann. des mines,* techn. ; angl. (*to*) *puddle,* humecter. || **puddlage** 1827, Bonnafé. || **puddleur** 1859, Mozin.

**pudeur** milieu XVIe s. ; lat. *pudor,* de même rad. que *pudēre.* || **pudendum** 1765, *Encycl. ; pudenda,* 1845, Besch., « parties génitales » ; mots lat., « ce dont on doit avoir honte », adj. verbal (au sing. et au pl.) de *pudēre,* avoir honte. || **impudeur** 1659, *Échevins de Rouen.* || **pudique** 1444, G. ; lat. *pudicus.* || **impudique** XIVe s., J. Le Fèvre ; lat. *impudicus.* || **pudicité** 1417, G. ; lat. *pudicitas.* || **impudicité** 1398, E. Deschamps. || **pudibond** 1488, *Mer des hist. ;* lat. *pudibundus.* || **pudibonderie** 1842, *le Charivari.* || **impudent** 1560, Ronsard ; lat. *impudens.* || **impudence** v. 1500 ; lat. *impudentia.* || **impudemment** 1594, *Ménippée.*

**pudibond** V. PUDEUR.

***puer** XIIe s. (*puir*) ; 1660, Molière (*puer,* qui l'a emporté au XVIIe s.) ; lat. pop. **pūtire,* en lat. class. *pūtēre.* || **puant** 980, *Passion* (*pudent*) ; fin XIIe s. (*puant*) ; *bêtes puantes,* 1573, Du Puys ; part. prés. devenu adj. || **puamment** 1380, *Aalma.* || **puanteur** 1265, Br. Latini (*puantour*). || **puantise** 1320, Watriquet. || **empuantir** 1495, *Mir. historial.* || **empuantissement** 1636, Monet.

**puéril** 1460, Chastellain, « qui appartient à l'enfant » ; fin XVe s., péjor., « frivole » ; lat. *puerilis,* de *puer,* enfant. || **puérilement** début XVIe s. || **puérilité** fin XIVe s. ; lat. *puerilitas.* || **puériliser** 1801, Mercier. || **puérilisme** 1901, Dupré. || **puériculture** 1863, Dr Caron ; lat. *puer,* enfant. || **puéricultrice** 1932, Lar.

**puerpéral** 1783, Delaroche (*fièvre puerpérale*) ; lat. *puerpera,* « accouchée », de *puer,* enfant, et *parĕre,* enfanter. || **puerpéralité** 1845, Besch.

**puff** 1783, Proschwitz, « réclame » ; angl. *puff,* bouffée, onomatopée. || **puffisme** 1886, Drumont. || **puffiste** 1859, Bonnaffé.

**puffin** 1765, *Encycl.,* zool. ; mot anglais d'orig. obsc. ; oiseau voisin du pétrel.

**pugilat** 1570, G. Hervet ; lat. *pugilatus,* de *pugilari,* combattre à coups de poing et de ceste, de même rad. que *pugnus* (v. POING). || **pugiliste** 1789, *Courrier de l'Europe ;* de *pugile* (1531, J. de Vignay), lat. *pugil,* athlète de pugilat. || **pugilistique** 1875, Lar.

**pugnace** 1842, Sainte-Beuve, « combatif » ; 1904, Lar., fig. ; lat. *pugnax, -acis,* de *pugnare,* combattre. || **pugnacité** 1788, Pauw.

**puîné** 1155, Wace ; de *puis,* après, et *né.*

***puis** 1080, *Roland ;* lat. pop. **postius,* réfection du lat. class. *post, postea,* d'après *melius* (cf. l'anc. fr. *ainz,* « avant », de **antius,* sur *ante, antea*). || **depuis** XIIe s. ; de *de* et *puis.* || **puisque** 1080, *Roland ;* avec *s* prononcé, d'après *lorsque, jusque.*

**puisard, puisatier, puiser** V. PUITS.

***puissant** 1080, *Roland,* adj. ; 1530, Lefèvre d'Étaples, qui a le pouvoir ; part. prés. de *pouvoir,* d'après les formes *puis-* du verbe. || **puissamment** 1160, Benoît. || **puissance** 1120, *Ps. d'Oxford,* « autorité » ; 1680, Lamy, mathém. ; 1660, Corn., « État souverain ». || **impuissant** fin XVe s., sens gén. ; 1558, Des Périers, physiol. || **impuissance** milieu XIVe s. || **tout-puissant** fin XIIe s. ; d'après le lat. *omnipotens.* || **toute-puissance** 1370, Oresme ; d'après *omnipotentia.*

***puits** 1120, *Ps. de Cambridge* (*puz*) ; 1175, Chr. de Troyes (*puis*) ; *puits de science,* 1718, *Acad. ;* lat. *pŭteus.* || **puiser** 1112, *Voy. de saint Brendan* (*puchier*) ; v. 1175, Chr. de Troyes (*puisier*). || **puiseur** 1220, Coincy. || **puisage** 1731, *D. G.* || **puisard** 1690, Furetière. || **puisatier** 1845, Besch. ; a remplacé *puissier* (1301, Varin). || **puisette** 1328, G. || **puisoir** 1358, G. || **épuiser** 1120, *Ps. d'Oxford* (*espuisier*), « puiser de l'eau », et « mettre à sec » ; 1175, Chr. de Troyes, fig., « employer complètement des ressources » ; XVIe s., « affaiblir, abattre ». || **épuisant** adj., 1776, Voullonne. || **épuisé** 1664, Molière, fig., improductif ; 1842, Mozin, spécialem., librairie. || **épuisement** 1347, Varin, au pr. ; 1680, Richelet, perte des forces physiques. || **épuisable** 1355, Bersuire. || **inépuisable** 1440, Chastellain. || **épuisette** 1709, Hervieux.

**pulicaire** fin XIe s., *Gloses de Raschi* (*erbe policaire*) ; fin XVIIIe s. (*pulicaire*), bot. ; lat. *pulex, -icis,* puce ; herbe des lieux humides.

**pullman** 1892, Rousiers ; mot angl., abrév. de *pullman-car* (en fr., 1873, Hubner), du nom de l'ingénieur *Pullman,* de Chicago, qui inventa ce type de wagon vers 1870.

**pull-over** v. 1920, *journ. ;* comp. angl., de (*to*) *pull over,* « tirer par-dessus (la tête) ». || **pull** 1962, Robert ; abrév. de *pull-over.*

**pulluler** 1320, G. ; lat. *pullulare,* pousser, croître, de *pullulus,* dimin. de *pullus,* petit d'un animal (v. POULE). || **pullulation** 1555, Pasquier. || **pullulement** 1873, Zola.

**pulmonaire** XVe s., n. f., bot. ; fin XVIe s., méd. ; 1869, Lar., relatif aux poumons ; lat. *pulmonaria,* fém. de *pulmonarius ;* 1572, Peletier, n. m. et adj., méd. ; lat. *pulmonarius,* de *pulmo, -onis,* poumon. || **pulmonique** 1537, Lespleigney, méd. ; empl. au sens de « poitrinaire », du XVIIe au début du XIXe s. || **pulmonie** XIIIe s., pneumonie. || **pulmonés** 1827, *Acad.,* zool.

**pulpe** début XIIe s. (*polpe*) ; XIVe-XVII[e] s. (*poulpe*) ; 1611, Cotgrave (*pulpe*) ; lat. *pulpa.* || **pulpeux** 1539, R. Est. (*poulpeux*). || **pulper** 1835, *Acad.,* pharm. || **pulpation** 1835, *Acad.* || **pulpaire** 1932, Lar. || **pulpite** 1878, Moynac, méd. || **pulpectomie** 1963, Lar. || **pulpoire** 1828, Mozin. || **dépulper** 1884, Gallet.

**pulque** 1827, *Acad. ;* mot indien de l'Amérique centrale ; sorte de boisson.

**pulsation** XIVe s., *Chir. de Lanfranc,* « battement douloureux » ; 1560, Paré, physiol., sens mod. ; 1765, *Encycl.,* phys. ; lat. *pulsatio,* de *pulsus* (v. POULS). || **pulsatif** XIVe s., *Chir. de Lanfranc,* méd. || **pulsatile** milieu XVIe s. || **pulsatoire** 1842, *Acad.*

**pulsion** 1625, Stœr, action de pousser ; 1738, Voltaire, phys. ; début XXe s., psychol. ; lat. *pulsio,* de *pulsus,* part. passé de *pellere,* pousser. || **pulsé** adj., 1966, *journ.,* techn. || **pulsionnel** 1967, *journ.* (v. PROPULSION, RÉPULSION). || **pulsographe** 1878, Lar. || **pulsomètre** 1846, Besch. || **pulsoréacteur** 1949, Lar., aéron.

**pultacé** 1790, *Encycl. méthod.,* méd. ; *angine pultacée,* 1829, Boiste ; lat. *puls, pultis,* bouillie. || **pultation** 1904, Lar., pharm.

**pulvérin** milieu XVIe s. ; ital. *polverino,* de *polvere,* poussière. (V. PULVÉRISER.)

**pulvériser** 1314, Mondeville ; XVIIIe s., anéantir ; bas lat. *pulverizare,* de *pulvis, pulveris,* poussière (v. POUDRE). || **pulvérisation** fin XIVe s. || **pulvérisable** fin XIVe s. || **pulvériseur** 1845, Besch. || **pulvérisateur** 1869, L. || **pulvérulent** 1773, Parmentier ; lat. *pulverulentus.* || **pulvérulence** 1823, *Mém. Acad. sciences.*

**pulvinar** 1963, Lar., anat. ; mot lat. signif. « coussin de lit ».

**puma** 1633, Baudoin ; mot de la langue quichua (Pérou), par l'intermédiaire de l'esp.

**pumicif** 1875, Lar. ; lat. *pumex, -icis,* pierre ponce. (V. PONCE.)

***punais** adj., 1138, *Saint Gilles* (*pudneis*), « puant, fétide » ; XIIIe s. (*punais*) ; ne subsiste que dans *œufs punais ;* lat. pop. **pūtinasius,* de **pūtire,* puer, et *nasus,* nez, proprem. « qui sent mauvais du nez ». || **punaise** début XIIIe s. (*punoise*) ; 1256, Ald. de Sienne (*punaise*), entom. ; 1836, Vidocq, personne méprisable ; 1847, Besch., petit clou à tête plate et ronde, par anal. ; fém. substantivé de *punais.* || **punaiser** 1965, Sarrazin.

**punaise** V. PUNAIS.

1. **punch** 1653, Boullaye Le Gouz (*bolleponge,* bol de punch) ; 1688, Blome (*punch*) ; mot angl., attesté en 1632, probablem. de l'hindi *pânch,* cinq (cinq ingrédients composant cette liqueur).

2. **punch** v. 1925, *journ. ;* mot angl., « coup, horion », de (*to*) *punch,* de même étym. que POINÇON. || **puncheur** 1930, *journ.* || **punching-ball** 1911, Hémon.

**punique** 1398, E. Deschamps ; lat. *punicus,* carthaginois.

***punir** fin XIIe s., *Chevalier Ogier ;* lat. *pūnīre.* || **punissable** 1477, Bartzsch. || **punisseur** 1355, Bersuire. || **punitif** 1370, Oresme, disposé à punir ; 1786, Gohin, sens mod. || **punition** 1250, Espinas ; lat. *punitio.* || **impuni** 1348, *Arch. de Reims ;* lat. *impunitus.* || **impunément** XVIe s. || **impunité** 1355, Bersuire ; lat. *impunitas.*

**puntarelle** 1864, Lacaze ; mot d'orig. gasconne, du lat. *puncta,* pointe ; fragment de corail dont on fait des bracelets.

**pupazzo** milieu XIXe s., marionnette ; mot ital. de même orig. que POUPÉE.

**pupe** 1842, *Acad.,* zool. ; lat. *pupa,* poupée, petite fille. || **pupipares** 1827, *Acad.,* zool. ; de *-pare.* || **pupivore** 1827, *Acad.,* zool. ; de *-vore.*

1. **pupille** 1334, *D. G.,* jurid. ; *pupille de la nation,* 1923, Lar. ; lat. jurid. *pupillus,* enfant qui n'a plus ses parents, de *pupus,* petit garçon (v. POUPARD). || **pupillaire** 1409, G. ; lat. jurid. *pupillaris.* || **pupillarité** 1398, Du Cange.

2. **pupille** 1314, Mondeville, anat. ; lat. *pupilla,* « petite fille », fém. de *pupillus* (v. le précéd.), à cause de la petite image reflétée dans la pupille. || **pupillaire** 1727, *Mém. Ac. sciences.* || **pupillé** 1842, *Acad.,* zool. || **pupillomètre** 1975, Lar. || **pupilloscopie** 1932, lar.

**pupitre** 1357, G. (*pepistre*) ; fin XIVe s., Chr. de Pisan (*poulpitre*) ; 1467, Havard (*pupitre*) ; lat. *pulpitrum,* proprem. « estrade ».

**pupuler** 1611, Cotgrave (*puputer*) ; 1625, Binet (*pupuler*) ; de *puput,* nom pop. de la *huppe,* d'orig. onomatop.

***pur** adj., 980, *Passion ;* lat. *pūrus,* propre, sans mélange. || **purement** 1200, *Poème moral.* || **pur-sang** n. m., 1842, Mozin (v. SANG). || **pureté** fin XIIe s., *Chev. Ogier* (*purté*) ; 1324, G. (*pureté,* réfection de *purté*) ; bas lat. *pūritas.* || **pureau** 1676, Félibien. || **impur** XIIIe s. ; lat. *impurus.* || **impureté** 1398, E. Deschamps ; lat. *impuritas.* || **purifier** 1190, *Saint Bernard ;* lat. *purificare.* || **purifiant** 1470, *Livre discipline divine.* || **purification** *id.,* eccl. ; 1370, Oresme, relig. ; 1663, Richelet, sens général ; lat. *purificatio.* || **purificateur** 1547, M. de Navarre. || **purificatoire** n. m., 1610, Coton, eccl. || **puriste** 1586, Taillepied, relig. ; 1625, Camus, gramm. || **purisme** 1704, Trévoux, gramm. || **apurer** fin XIIe s., *Alexandre,* « purifier » ; 1611, Cotgrave (*un compte*). || **apurement** fin XIVe s., jurid.

|| **dépurer** XIIIe s., méd. ; lat. *depurare.* || **dépuration** 1265, J. de Meung. || **dépuratif** 1792, *Encycl. méth.* || **dépuratoire** 1731, *Journ. des savants.* || **épurer** 1220, Coincy (*espurer*) ; 1793, F. Brunot, polit. || **épuration** 1606, Nicot. || **épurateur** 1792, Frey, polit. ; 1870, Lar., techn. || **épure** 1676, Félibien. || **épurement** 1220, Coincy.

**purée** 1220, Coincy ; anc. v. *purer,* « purifier, nettoyer », empl. avec le sens partic. de « presser des légumes pour en exprimer la pulpe » ; 1878, Esnault, « misère », d'après la loc. métaph. *être dans la purée* (v. MOUISE) ; bas lat. *pūrāre,* de *pūrus* (v. le précéd.). || **purotin** 1886, Huysmans ; de *purée,* misère, avec la même finale que *calotin,* etc.

***purger** début XIIe s., « nettoyer, purifier », et jurid. ; XIVe s., méd. ; milieu XVIIe s., techn. ; d'empl. spécialisé en fr. mod. ; lat. *purgare,* « purifier », de *pūrus,* pur. || **purge** 1290, *Livre Roisin,* jurid. ; 1538, R. Est., méd. ; 1793, Brunot, polit. ; 1863, *journ.,* « vidange » ; déverbal. || **purgeur** 1576, Sasbout, « celui qui purge » ; 1869, Le Chatelier, techn. || **purgerie** 1722, Labat, techn. || **purgeoir** 1530, Lefèvre d'Étaples, « crible » ; 1752, Trévoux, techn. || **purgation** fin XIIe s., *Dial. Grégoire,* « purification » ; XIIIe s., méd., rare av. fin XVIe s., Montaigne ; lat. *purgatio.* || **purgatif** 1325, *D. G.* ; lat. *purgativus.* || **purgatoire** 1180, Marie de France, eccl. ; lat. eccl. *purgatorium,* « qui purifie ». || **épurge** XIIIe s. (*espurge*), bot. ; déverbal de l'anc. fr. *espurgier,* purger (1120, *Ps. de Cambridge*). || **expurger** début XVe s. ; lat. *expurgare,* nettoyer.

**purifier, puriforme** V. PUR, PUS.

**purin** 1842, *Acad.* ; mot rég., de l'anc. fr. *purer,* au sens de « s'écouler, nettoyer » (v. PURÉE). De même rad., les anc. mots rég. *puriel,* 1360, texte de Lille, et *pureau,* 1457, texte de Tournai. || **purot** 1842, *Acad.,* fosse à purin ; mot de l'Ouest. || **purette** 1752, Trévoux. || **puron** 1768, *Encycl.*

**puritain** 1562, Ronsard, eccl. ; XVIIIe s., fig. ; angl. *puritan,* de *purity,* pureté (v. PUR), nom pris par les calvinistes de Grande-Bretagne, qui se disaient plus attachés à la pureté du dogme que les autres presbytériens. || **puritanisme** 1691, Bossuet, eccl. ; 1845, Besch., rigorisme.

**purotin** V. PURÉE.

**purpura** 1837, Billard, méd. ; lat. *purpura,* pourpre. (V. POURPRE.) || **purpuracé** 1839, Boiste. || **purpurin** adj., début XIVe s. ; réfection, d'après le lat. *purpura,* de l'anc. adj. *pourprin* (1119, Ph. de Thaon). || **purpurine** n. f., 1731, Trévoux, techn.

**purulent** V. PUS.

**pus** 1520, Chauliac ; lat. *pūs, pūris.* || **puriforme** 1765, *Encycl.* || **purulent** XIIe s., *Chev. au cygne* ; lat. *purulentus,* de *pūs, pūris.* || **purulence** 1555, Aneau. || **puruler** 1560, Charrière. (V. PUSTULE, SUPPURER.)

**pusillanime** 1265, Br. Latini ; bas lat. *pusillanimus* (*Vulgate*), de *pusillus animus,* « esprit mesquin ». || **pusillanimement** début XVe s. || **pusillanimité** fin XIIIe s..

**pustule** 1314, Mondeville ; lat. *pustula,* de même rad. que *pūs,* pus. || **pustuleux** milieu XVIe s. ; lat. *pustulosus.* || **pustulé** milieu XVIe s. || **pustulation** 1834, Taxil.

**putain, putassier** V. PUTE.

**putatif** 1398, E. Deschamps ; lat. jurid. médiév. *putativus,* du lat. *putare,* compter, estimer.

***pute** 1240, G. de Lorris ; fém. de l'anc. adj. *put,* puant, sale (1080, *Roland,*), lat. *pūtĭdus,* de *pūtēre* (v. PUER) ; repris en fr. d'auj. d'après le prov. mod. *puto,* de même étym. || **putain** 1119, Ph. de Thaon, anc. cas régime en *-ain* de *pute* ; pour la morphol., v. NONNAIN. || **putinerie** 1866, Goncourt. || **putasse** 1558, Morel, putain. || **putasser** 1486, Alexis. || **putassier** 1549, *D. G.* || **putasserie** 1606, Crespin.

**putier** ou **putiet** milieu XVIIe s., bot. ; de l'anc. adj. *put* ; nom du merisier. (V. le précéd.)

**putois** 1175, Chr. de Troyes ; de l'anc. adj. *put,* puant, du lat. *pūtĭdus,* de *pūtēre.* (V. PUER.) || **putoisé** 1925, Genevoix.

**putréfier** 1314, Mondeville ; lat. *putrefacere,* de *putris,* pourri (v. POURRIR), avec adapt. d'après les v. en *-fier.* || **putréfaction** 1314, Mondeville ; 1791, Mirabeau, « corruption » ; bas lat. *putrefactio.* || **putréfiable** 1875, Lar. || **putrescent** 1549, R. Est. ; lat. *putrescens,* part. prés. de *putrescere,* se putréfier, de *putris,* pourri. || **putrescence** 1801, Fourcroy. || **putrescible** 1380, Conty ; bas lat. *putrescibilis.* || **imputrescible** 1488, *Mer des hist.* ; lat. *imputrescibilis.* || **putrescibilité** 1765, *Encycl.* || **imputrescibilité** 1859, Mozin.

**putride** 1256, Ald. de Sienne ; lat. *putridus,* de *putris,* pourri. || **putridité** 1769, Le Bègue de Presle.

**putsch** v. 1925, *journ.*, d'abord à propos de l'Allemagne ; mot allem., proprem. « échauffourée ». || **putschiste** 1929, Langenscheidt.

**putter** 1900, Bonnafé ; mot angl., (*to*) *putt*, jouer avec un club de golf.

**putto** fin XIX^e^ s., beaux-arts ; mot ital., proprem. « petit enfant », du lat. pop. *puttus*, en lat. class. *putus*.

***puy** 1080, *Roland* (*pui*), montagne, auj. rég. ; lat. *podium*, soubassement, du gr. *podion*, de *poûs*, *podos*, pied. (V. APPUYER.)

**puya** 1875, Lar., bot. ; mot esp., d'un dial. du Chili.

**puzzle** début XX^e^ s., au pr. ; 1913, Maeterlinck, fig. ; mot angl., de (*to*) *puzzle*, embarrasser.

**pycnomètre** 1898, Littré, phys. ; gr. *puknos*, épais, et *-mètre*.

**pyélite** 1849, Bossu ; gr. *puelos*, « cavité, bassin » ; infection du bassinet. || **pyélographie** 1923, Lar. || **pyélonéphrite** 1878, Lar. || **pyéloscopie** 1963, Lar. || **pyélostomie** 1963., Lar.

**pygargue** 1482, Corbichon (*pigart*) ; 1770, Buffon (*pygargue*), zool. ; lat. *pygargus*, du gr. *pugargos*, de *pugê*, croupion, et *argos*, blanc.

**pygmée** 1247, G. (*pigmain*, *pymeau*) ; 1491, Vaganay (*pygmée*), au sens lat. ; 1588, Montaigne, fig. ; 1756, Voltaire, ethnol. ; lat. *Pygmaeus*, du gr. *Pugmaios*, nom d'un peuple légendaire de nains. || **pygméen** 1842, *Acad.*

**pyjama** 1837, *Journal des jeunes personnes* (*pyjaamah*), sorte de vêtement de jour ; fin XIX^e^ s. (*pyjama*), vêtement de nuit ; angl. *pyjamas*, de l'hindî *pāē-jāma*, pantalon ample et bouffant, de *jāma*, « vêtement », et *pāē*, « de jambes ».

**pylône** 1819, Boiste, hist., appliqué aux temples égyptiens ; 1904, Lar., techn., mod. ; gr. *pulôn*, portail de temple, de *pulê*, porte.

**pylore** 1552, Rab., anat. ; lat. méd. *pylorus* (C. Aurelius), gr. *pulôros*, proprem. « portier », de même rad. que le précéd. || **pylorique** 1765, *Encycl.* || **pylorisme** 1898, Littré.

**pyo-**, gr. *puon*, pus. || **pyodermite** 1932, Lar. || **pyogène** 1827, *Acad.* (*pyogénie*). || **pyogenèse** 1932, Lar. || **pyohémie** 1845, Besch. || **pyorrhée** 1827, *Acad.* || **pyurie** 1803, Boiste.

**pyrale** 1550, Ronsard (*pyralide*) ; 1622, Binet (*pyrale*), entom. ; lat. *pyralis*, mot gr., de *pûr*, feu.

**pyramide** début XII^e^ s., *Thèbes*, archit. ; 1370, Oresme, géom. ; lat. *pyramis*, *-idis*, du gr. *puramis*, *-idos*, monument égyptien, et géom. || **pyramidal** XIII^e^ s., Tobler-Lommatzsch ; bas lat. *pyramidalis*. || **pyramider** 1490, G. || **pyramidion** 1842, *Acad.*

**pyramidon** 1899, Bocquillon ; de *antipyrine* (gr. *pûr*, feu) et de *amide*.

**pyrénomycètes** 1842, *Acad.*, bot. ; gr. *purên*, noyau, et *-mycète*.

**pyrét-, pyréto-**, gr. *puretos*, fièvre, de *pûr*, feu. || **pyrétique** 1765, *Encycl.* || **pyrétogène** 1904, Lar. || **pyrétothérapie** 1932, Lar. || **Pyrex** n. dépos., 1962, Robert ; mot anglo-américain.

**pyrèthre** 1256, Ald. de Sienne (*piretre*), bot. ; lat. *pyrethrum*, du gr. *purethron*, de *pûr*, feu.

**pyrexie** 1809, Wailly, méd. ; de l'infin. gr. *puresseîn*, avoir la fièvre ; nom générique des maladies qui donnent la fièvre.

**pyridine** 1839, Boiste, chim. ; gr. *pûr*, feu.

**pyrite** XII^e^ s., Marbode, chim. ; gr. *puritês* (*lithos*), « (pierre) de feu », de *pûr*, feu. || **pyriteux** milieu XVIII^e^ s., Buffon.

**pyro-**, gr. *pûr*, *puros*, feu. || **pyrique** 1765, *Acad.*, || **pyroélectricité** 1842, *Acad.* (*pyroélectrique*). || **pyrofuge** 1963, Lar. || **pyrogallique** 1842, *Acad.*, chim. || **pyrogallol** 1875, Lar., chim. || **pyrogénation** 1962, Robert, chim. || **pyrogène** 1839, Boiste. || **pyrogravure** 1903, *le Sourire*. || **pyrograver, pyrograveur** 1907, Lar. || **pyroligneux** 1802, Laveaux. || **pyrolyse** 1962, Robert, chim. || **pyromanie** 1834, *Journ. méd.* || **pyromane** 1854, *journ.* || **pyromètre** 1738, Voltaire, phys. || **pyrométrie** fin XVIII^e^ s. || **pyrope** 1611, Cotgrave ; gr. *ops*, vue. || **pyrophage** 1869, L. || **pyrophore** 1752, Trévoux, chim. ; gr. *purophoros*, « qui porte le feu ». || **pyrophosphate** 1842, *Acad.* || **pyrophosphorique** 1848, Allain. || **pyroscaphe** 1776, Jouffroy d'Abbans ; gr. *skaphos*, bateau. || **pyroscope** 1836, Landais, phys. || **pyroscopie** 1827, *Acad.* || **pyrosis** 1802, Flick (*pyrosie*) ; 1845, Besch. (*pyrosis*), méd. ; gr. *purôsis*, inflammation. || **pyrosphère** 1859, Mozin, géol. || **pyrosulfurique** 1878, Lar., chim. || **pyrotechnie** 1556, Vincent, techn. ; gr. *tekhnê*, art. || **pyrotechnique** 1630, Hanzelet. || **pyrotechnicien** fin XIX^e^ s. || **pyroxène** 1801, Haüy, minér. ; gr. *xenos*, étranger. || **pyroxyle** 1845, Besch. ; gr. *xulon*, bois. || **pyroxylique** 1842, *Acad.*

**pyrrhique** 1378, J. Le Fèvre (*perrique*) ; 1739, Voltaire (*pyrrhique*), n. f., hist. gr. ; 1732,

Trévoux, n. m., métr. anc. ; lat. *pyrrhicha,* du gr. *purrhikhê,* de *Purrhikhos,* inventeur présumé de la danse.

**pyrrhocoris** 1842, *Acad.* (*pyrrhocère*) ; 1875, Lar. (*pyrrhocoris*) ; XXe s. (*pyrrhocore*), entom. ; gr. *purrhos,* roux, et *koris,* punaise.

**pyrrhonien** 1546, Rab. ; de *Pyrrhon,* nom d'un philosophe gr. (IVe s. av. J.-C.). || **pyrrhonisme** 1580, Montaigne.

**pythagorique** 1546, Saint-Gelais ; lat. *pythagoricus,* de *Puthagoras,* nom d'un philosophe et mathématicien gr. (VIe s. av. J.-C.). || **pythagoricien** 1711, Baltus. || **pythagorisme** 1756, Voltaire.

**pythie** 1546, Rab., hist. ; lat. *pythia,* gr. *puthia,* « la Pythienne », de *Puthô,* anc. nom de la région de Delphes. || **pythiade** 1788, Barthélemy. || **pythien** 1550, Ronsard. || **pythique** 1690, Furetière.

**python** 1559, Du Bellay, mythol. ; 1803, *Bull. des sciences,* zool. ; lat. *python,* gr. *puthôn,* nom d'un serpent fabuleux tué par Apollon, de *Puthô* (v. le précéd.) : à Delphes se trouvait l'oracle d'Apollon.

**pythonisse** fin XIVe s. (*pithonisse*), bibl. ; 1678, La Fontaine, fig. ; lat. de la Vulgate *pythonissa,* du gr. *puthôn,* « inspiré par Apollon Pythien ». (V. les précédents.)

**pyxide** 1478, Chauliac, bot. ; 1842, *Acad.,* « boîte » ; lat. *pyxis, -idis,* gr. *puxis, -idos,* boîte en buis. (V. BOÎTE.)

# q

**quadragénaire** 1569, J. Eckius ; lat. *quadragenarius,* de *quadrageni,* quarante chacun, de *quadraginta,* quarante.

**quadragésime** 1495, J. de Vignay, « carême » ; 1680, Richelet, sens mod. ; lat. eccl. *quadragesima* (IVe s., saint Jérôme), « carême », fém. subst. de *quadragesimus,* « quarantième ». || **quadragésimal** fin XVe s., É. de Médicis ; lat. eccl. *quadragesimalis.*

**quadrangle** XIIIe s., G. ; lat. *quadrangulus,* de *angulus,* angle. || **quadrangulaire** 1488, *Mer des hist.* ; bas lat. *quadrangularis.*

**quadrant** fin XVe s., « quart [du jour] » ; 1869, L., « quart de la circonférence » ; lat. *quadrans.* (V. CADRAN.)

**quadrat** 1532, Rab., « quartier de lune » ; 1690, Furetière, adj., sens actuel ; lat. *quadratus,* carré. || **quadratique** 1765, *Encycl.* || **quadrature** 1407, Chr. de Pisan, géométrie ; 1694, *Acad., quadrature du cercle* ; bas lat. *quadratura.*

**quadrette** 1885, A. Daudet, aux cartes ; XXe s., au jeu de boules ; provençal *quadretto,* jeu à quatre, de *quadro,* carré.

**quadri-,** lat. *quadri-,* préf. lat. de *quattuor,* quatre.

**quadriceps** 1765, *Encycl.* ; mot du bas lat., de *quadri-* et du lat. *caput, capitis,* tête.

**quadriennal** 1690, Furetière ; bas lat. *quadriennalis,* de *quadri-,* quatre, et *annus,* année.

**quadrifide** 1808, Boiste ; de *quadri-,* quatre et du lat. *findere,* fendre.

**quadrige** 1667, Chapelain ; lat. *quadriga,* de *jugum,* joug.

**quadrijumeaux** 1654, Gelée, anat. ; de *quadri-,* quatre, et *jumeaux.*

**quadrilatère** 1554, Peletier, adj. ; n. m. 1694, Th. Corneille ; bas lat. *quadrilaterus* (VIIe s., Isid. de Séville), de *quadri-,* quatre, et *latus, -eris,* côté. || **quadrilatéral** v. 1550.

1. **quadrille** fin XVIe s., Brantôme, n. f., petite troupe de soldats à cheval (proprem. le *quart* d'une centaine) ; 1680, Richelet, groupe de cavaliers dans un carrousel ; n. m. début XVIIIe s., Saint-Simon, un des quatre groupes d'une contredanse ; 1780, de Genlis, sorte de contredanse ; esp. *cuadrilla,* quart d'une centaine, groupe de quatre.

2. **quadrille** 1765, *Encycl.,* techn., carré de guipure, jour en losange ; esp. *cuadrillo,* forme masc. de *cuadrilla* (v. le précéd.). || **quadriller** 1819, Boiste. || **quadrillage** 1860, d'après L.

3. **quadrille** 1725, *Acad. universelle des jeux,* jeu d'hombre à quatre ; altér., d'après les précéd., de l'esp. *cuartillo,* de *cuarto,* quatrième.

**quadrillion** 1520, E. de La Roche ; de *quadri-,* quatre, et finale de *million.*

**quadrilobe** XXe s. ; de *quadri-* et *lobe.*

**quadrimoteur** 1929, Langenscheidt, aéron. ; de *quadri-,* quatre, et *moteur.* || **quadriréacteur** v. 1950.

**quadripartite** 1370, Oresme (*-parti*), divisé en quatre parties ; 1869, L. (*-partite*) ; lat. *quadripartitus,* de *quadri-* et *partitus,* partagé.

**quadriphonie** 1970 ; de *quadri-* et *phonie,* du gr. *phonê,* son, voix.

**quadriplégie** 1932, Lar. ; de *quadri-* et *-plégie,* du gr. *plêgê,* coup.

**quadripôle** 1963, Lar. ; de *quadri-* et *pôle.*

**quadrisyllabe** 1808, Boiste ; de *quadri-* et *syllabe.*

**quadrivalent** 1949, Lar. ; de *quadri-* et *valence.*

**quadrivium** XIIIe s., H. d'Andeli (*cadruve,* forme francisée), hist., division supérieure des sept arts libéraux au Moyen Âge ; 1869, L. (sous la forme latine) ; mot lat., proprem. « carrefour », fig. en bas lat., de *quadri-,* et lat. *via,* chemin. (V. TRIVIUM.)

**quadrumane** milieu XVIIIe s., Buffon ; lat. *manus,* main, sur le modèle de *quadrupède.*

**quadrupède** 1495, J. de Vignay ; lat. *quadrupes,* à quatre pieds, de *pes, pedis,* pied.

**quadruple** XIIIe s., G. ; lat. *quadruplex* ou *quadruplus.* || **quadrupler** 1503, Chauliac ; lat. *quadruplare.* || **quadruplement** adv. XIIIe s., *Job ;* n. m. 1875, Lar. || **quadruplés** 1941, Rostand.

**quai** 1167, Du Cange ; mot normanno-picard, du gaulois *caio,* quai (gallois *cae,* haie).

**quaker** 1657, Boulan ; mot angl., proprem. « trembleur ». (Quand ils se sentaient « possédés de l'esprit », les quakers étaient pris d'un tremblement.) || **quakerisme** 1732, Trévoux.

**qualifier** XVe s., Laborde (*calliffier*) ; XVIe s. (*qualifier*), « caractériser » ; lat. scolast. *qualificare,* de *qualis,* quel ; 1840, *journ.,* turf, d'après l'angl. (*to*) *qualify.* || **qualifié** XVIe s., *Coutumier général* (*vol qualifié*) ; XXe s. (*ouvrier qualifié*). || **disqualifier** 1784, *Courrier de l'Europe,* turf ; 1870, Lar., rendre indigne ; angl. (*to*) *disqualify,* même orig. || **qualifiable** 1858, Legoarant. || **inqualifiable** 1835, Gautier. || **qualification** début XVe s. ; lat. scolast. *qualificatio ;* 1840, *journ.,* turf, d'après l'angl. || **disqualification** 1784, *Courrier de l'Europe,* d'abord turf. || **qualificateur** 1665, Retz, théol. || **qualificatif** v. 1740, Dumarsais, gramm., n. m. ; adj. 1801, Mercier.

**qualité** 1119, Ph. de Thaon, « nature de qqch » ; XIIIe s., en parlant de qqn ; *en qualité de,* 1549, R. Est. ; lat. philos. *qualitas,* de *qualis,* quel, calqué par Cicéron sur le gr. *poiotês,* de *poios,* quel. || **qualitatif** XVe s. ; lat. scolast. *qualitativus.* || **qualitativement** XVe s., G.

***quand** Xe s., *Valenciennes* (*quant*) ; 1360, Froissard (*quand*), refait sur le lat. ; lat. *quando,* d'où la réfection orthographique en moyen fr. || **quand même** 1839, Stendhal, adv.

***quant à** 842, *Serments,* adv. ; lat. *quantum,* autant que, et *ad* (Ovide : *Quantum ad Pirithoum,* quant à Pirithoüs). || **quant-à-moi** 1585, Du Fail. || **quant-à-soi** 1780, de Genlis.

**quantième** 1487, Garbin ; anc. fr. *quant,* XIIe s., adj. de quantité, du lat. *quantus,* combien grand, pl. *quanti,* combien nombreux.

**quantifier** 1898, P. Adam ; angl. *to quantify,* quantifier, du lat. médiév. *quantificare,* du lat. *quantus,* combien grand. || **quantification** 1904, Lar. ; angl. *quantificatio.* || **quantificateur** 1968, Lar.

**quantité** 1190, Saint Bernard (*quantiteit*) ; lat. *quantitas,* de *quantus,* combien grand. || **quantitatif** 1586, Berson ; vulgarisé au XIXe s. || **quantitativement** 1865, Proudhon.

**quantum** 1764, Voltaire, n. m., philos. ; 1911, Poincaré, phys. ; lat. *quantum,* neutre sing. de *quantus,* combien grand. || **quanta** 1900, Planck, phys. ; plur. lat. de *quantum.* || **quantique** 1949, Lar.

***quarante** 1080, *Roland ;* lat. pop. *quaranta* (inscriptions de Gaule), du lat. class. *quadraginta.* || **quarantième** v. 1190, Garn. (*quarantisme*) ; XVe s. (*quarantième*). || **quarantaine** 1190, Garn. (*quaranteine*) ; XIIIe s. (*quarantaine*) ; 1636, Monet, méd. ; 1936, Montherlant, fig. || **quarantenaire** 1830, Cormenin. || **quarantenier** 1690, Furetière, mar. || **quarante-huitard** 1884, *Cri du Peuple.*

***quart** 1080, *Roland,* adj., « quatrième », jusqu'au XVIe s. ; XIIIe s., *Roman de Renart,* n. m., « quatrième partie d'un tout » ; 1529, Jal, mar. ; 1869, L., gobelet ; lat. *quartus,* quatrième. || **quart d'heure** 1666, Molière. || **quartanier** 1628, Hardy, vén. ; de *quart an,* quatrième année d'un sanglier, vén. || **quarte** n. f. 1233, G., mesure de capacité ; 1611, Cotgrave, mus. ; 1680, Richelet, aux cartes ; 1660, Scarron, en escrime ; adj. 1265, J. de Meung (*fièvre quarte*). || **quartefeuille** 1690, Furetière, héraldique. || **quartelette** XVIe s., pinte ; 1721, Trévoux, ardoise taillée ; de *quart.* || **quartier** 1080, *Roland,* adj. ; n. m. XIIIe s. || **quarteron** 1244, Fagniez, terme de mesure ; de *quartier.* || **quarteron, quarteronne** 1688, Exmelin, anthropol. ; esp. *cuarterón,* de *cuarto,* quart, lat. *quartus.* || **quartette** 1842, *Acad.* (*-tetto*) ; 1869, Lar. (*-tette*) ; ital. *quartetto.* || **quarto** 1842, *Acad.,* adv. ; mot lat. signif. « quatrièmement » (v. PRIMO, SECUNDO, TERTIO). || **quartolet** 1923, Lar., mus. ; sur *triolet.* || **quartile** 1762, *Acad.* || **quartidi** 1793, Fabre d'Églantine, 4e jour de la décade dans le calendrier républicain. (V. ÉCARTELER, ÉCARTER.)

**quartier-maître** 1637, A. Beaulieu, maréchal des logis (dans la cavalerie étrangère) ; 1650, *Recueil des lois,* mar. ; all. *Quartier meister,* issu de deux mots d'orig. française (*quartier* et *maistre*).

**quartz** 1729, Bouguer (*quertz*) ; 1749, Buffon (*quartz*) ; all. *Quartz.* || **quartzeux** 1783, Buffon. || **quartzite** 1830, Boiste. || **quartzifère** 1842, *Acad.* || **quartzique** 1842, *Acad.*

1. **quasi** 980, *Passion,* rare avant 1450 ; lat. *quasi,* comme si, presque (*quasi* est préfixe

dans *quasi-contrat* [XVII^e s.], *quasi-délit* [XVIII^e s.]). || **quasiment** début XVII^e s.

2. **quasi** 1767, Menon, boucherie ; origine obscure, p.-ê. empl. spécial du précédent.

**quasimodo** XIII^e s. ; lat. *quasi modo,* premiers mots de l'introït, à la messe du premier dimanche après Pâques.

**quassia** 1771, Trévoux ; lat. scient. *quassia,* de *Coissi,* nom d'un Noir qui, au Surinam, aurait découvert les propriétés de l'écorce de cet arbre.

**quater** 1845, Besch. ; mot lat. signif. « quatre fois », de *quattuor,* quatre.

**quaternaire** 1488, *Mer des hist.,* arithm. ; 1750, Buffon, géol. ; lat. *quaternarius,* de *quaterni,* quatre par quatre.

***quatorze** XII^e s., *Lois de Guill. ;* lat. pop. **quattordecim,* en lat. class. *quattuordecim,* de *quattuor,* quatre, et *decem,* dix. || **quatorzième** 1119, Ph. de Thaon (*quatorzime*), XV^e s. (*-ième*). || **quatorzièmement** 1798, *Acad.*

***quatre** 1080, *Roland ;* lat. pop. *quattor,* en lat. class. *quattuor.* || **quatrième** XIV^e s., *Chron. de Flandre* (*quatriesme*). || **quatrain** 1530, C. Marot. || **quatre-vingts** 1120, *Ps. d'Oxford.* Pour les composés formés avec un premier élément *quatre,* voir à la place alphab. du second élément.

**quattrocento** 1875, Lar. ; mot ital., de *quattro,* quatre, et *cento,* cent. || **quattrocentiste** 1842, *Acad. ;* ital. *quattrocentista.*

**quatuor** 1722, mus. ; lat. *quattuor,* avec var. orth.

1. **que** pron. V. QUI.

2. ***que** conj., IX^e s., *sainte Eulalie ;* lat. *quia,* parce que (devenu *qui,* puis *que*).

3. **que** adv. exclamatif 980, *Passion ;* de *que,* conj.

**quechua** 1765, *Encycl.* (*quichoa*) ; mot indigène d'Amérique du Sud.

**quel** fin X^e s., *Vie de saint Léger* (*qual*) ; 1050, *Alexis* (*quel*) ; lat. *qualis.* || **lequel** 1080, *Roland.* || **quellement** milieu XIII^e s. || **quelque** 1112, *Voy. saint Brendan* (d'abord *quel,* suivi du subst., plus *que,* relatif). || **quelque... que** XIV^e s., par contamination des deux précéd. || **quelqu'un** XIV^e s., personne indéterminée ; fin XV^e s., Commynes, pronom indéf. || **quelque chose** XVI^e s. || **quelconque** 1120, *Ps. d'Oxford,* relatif ; 1907, Lar., adj. qualificatif ; francisation du relatif lat. *qualiscumque.* || **quelquefois** fin XV^e s.

**quémander** 1243, Ph. de Novare (*caimander,* encore 1740, *Acad.*) ; anc. fr. *caïmand,* mendiant (1393, G.), usuel jusqu'au XVI^e s., d'orig. inconnue. || **quémandeur** 1740, *Acad.*

**qu'en-dira-t-on** V. DIRE.

**quenelle** 1750, *Dict. des aliments ;* all. *Knödel,* boule de pâte (Alsace).

**quenotte** 1642, Oudin ; mot dial. (Normandie), dimin. de *quenne,* dent, joue (anc. fr. *cane,* dent) ; francique **kinni,* joue, mâchoire (all. *Kinn,* menton ; angl. *chin, id.*).

***quenouille** 1265, J. de Meung (*quenoille*) ; *tomber en quenouille,* XVI^e s. ; bas lat. *conucula* (*Loi des Ripuaires*), autre forme de *colucula,* dér. pop. (VI^e s.) du lat. class. *colus,* quenouille. || **quenouillée** 1552, Ch. Est.

**quéquette** 1920, Bauche, pénis ; p.-ê. du rad. expressif *kik-,* pointu.

**querelle** 1155, Wace, « contestation, plainte » (sens jurid. jusqu'au XVIII^e s.) ; 1538, R. Est., sens mod. ; lat. *querela,* var. *querella,* plainte en justice, de *queri,* se plaindre. || **quereller** 1175, Chr. de Troyes ; bas lat. *querellare.* || **querelleur** fin XIII^e s., *Établiss. de Saint Louis,* « plaignant » ; 1549, R. Est., sens mod. || **s'entre-quereller** milieu XVI^e s.

***quérir** 1175, Chr. de Troyes ; anc. fr. *querre* (980, *Passion*), du lat. *quaerere,* chercher, par changement de conjugaison ; éliminé par *chercher* au XVII^e s. || **quérable** 1765, *Encycl.* || **requérir** 980, *Passion* (*requerre*) ; fin XIII^e s. (*requérir*) ; lat. pop. **requaerĕrĕ,* réfection de *requīrere,* sur *quaerere.* || **requête** 1155, Wace, « demande » ; 1283, Beaumanoir, jurid. ; d'après *quête.* || **requérant** 1265, J. de Meung. || **réquisitoire** fin XIV^e s., adj. (*lettres réquisitoires*) ; 1539, R. Est., n. m. ; lat. *requisitus,* part. passé de *requirere,* rechercher, d'après les adj. en *-oire.* || **réquisitorial** 1743, d'après L.

**quérulence** 1963, Lar. ; dérivé du lat. *querulus,* qui se plaint, de *queri,* se plaindre.

**questeur** 1213, *Fet des Romains,* sens latin ; 1799, député chargé de surveiller l'emploi des fonds ; lat. *quaestor,* de *quaerere,* chercher. || **questure** 1574, Jodelle, sens latin, fin XVIII^e s., sens mod.

**question** 1130, *Eneas,* « interrogation », d'où « enquête judiciaire » ; fin XIV^e s., « torture » (jusqu'en 1789) ; lat. *quaestio,* recherche, de *quaerere,* quérir. || **questionner** XIIIe s., *Renart.* || **questionnaire** 1555, Aneau, série de questions ; fin XVIe s. ; d'Aubigné, bourreau appliquant la question. || **questionneur** 1554, de Maumont.

***quête** 1174, E. de Fougères (*queste*), « recherche » ; XIIIe s., chercher du gibier, pour un chien ; XIIIe s., fait de recueillir des aumônes ; lat. pop. **quaesita,* part. passé, substantivé au fém. de *quaesitus,* de *quaerere,* chercher. || **quêter** XIIe s., *Aucassin et Nicolette,* même évol. sémantique. || **quêteur** début XIIIe s.

**quetsche** fin XVIIIe s. (*couetche*) ; 1869, Lar., forme mod. ; allem. *Zwetsche* (Alsace).

**quetzal** 1875, Lar., oiseau ; mot aztèque.

***queue** 1080, *Roland* (*coe, cue*) ; lat. pop. *cōda,* du lat. class. *cauda.* || **queusot** 1923, Lar., dimin. || **queuter** 1765, *Encycl.,* billard. || **queutage** 1875, Lar. || **équeuter** fin XIXe s. || **à la queue leu leu** fin XVe s. ; altér. de l'anc. fr. *à la queue le leu* (XIe s., G.), « à la queue du loup », l'un derrière l'autre (comme les loups). || **couard** 1080, *Roland ;* de *cou,* anc. forme de *queue ;* proprem. « qui porte la queue basse ». || **couardise** 1080, *Roland.* || **queue-de-cochon** 1803, Boiste, tarière. || **queue-de-rat** 1752, Trévoux, lime. || **queue-de-renard** 1803, Boiste, poêle. || **queue-d'aronde** 1538, R. Est., mode d'assemblage. || **queue-de-cheval** milieu XVIe s., « prêle » ; 1765, méd. ; v. 1950, sens actuel. || **queue-de-pie** 1900, Lar., habit. || **queue-de-poisson** 1926, Esnault. (V. aussi CAUDAL, CODA, mus.)

***queux** 1080, *Roland* (*cous*) ; lat. *cŏquus* (*cŏquere,* cuire) ; ne subsiste que dans *maître queux* (1538, Est.). [V. COQ 2.]

***qui, que, quoi** 842, *Serments* (*qui, que*) ; 1080, *Roland* (*quei*) ; lat. *qui* (d'abord nominatif masc. sing. et plur. ; au IVe s., forme commune masc., fém. et neutre) et *cui* (datif sing., employé comme cas régime après prép. jusqu'au XIIIe s., puis confondu avec le précédent) ; *que* est dérivé du lat. *quem* (acc. masc. sing., devenu forme commune du régime direct) ; *quoi* est dérivé du lat. *quid.* || **quiconque** 1160, Benoît ; d'un anc. *qui qu'onques,* « qui... jamais », influencé par le lat. *quicumque,* de même sens, d'où la graphie en un seul mot et sans *s* adverbial. || **quoique** 1080, *Roland* (*que que*) ; XIIe s., Delb. (*quoi que*).

**quia** (*être, mettre, réduire à*) 1460, G. Alexis ; lat. scolast. *scire quia, demonstratio quia,* expressions signifiant « la connaissance par la cause », moins complète que celle « par l'essence », désignée par *scire, demonstratio propter quid.*

**quiche** 1845, Besch. ; alsacien *küche(n),* gâteau (all. *Kuchen*).

**quiconque** V. QUI.

**quidam** XIVe s., *D. G.,* jurid., puis empl. fam. ; mot lat. signif. « un certain ».

**quiddité** 1370, J. Le Bel ; lat. scolast. *quidditas,* de *quid,* quoi.

**quiet** XIIIe s., *Bible ;* lat. *quietus,* tranquille (v. COI). || **quiètement** 1580, Montaigne. || **quiétude** 1482, Delb. ; bas lat. *quietudo.* || **quiétisme** v. 1675, Nicole. || **quiétiste** 1675, Nicole. || **inquiet** 1588, Montaigne, « remuant » ; 1596, Hulsius, sens actuel ; lat. *inquietus,* agité. || **inquiéter** 1170, *Rois ;* lat. *inquietare.* || **inquiétude** 1403, *Internel Consolacion,* « manque de repos » ; 1530, Palsgrave, sens actuel ; lat. *inquietudo.*

**quignon** XIVe s. ; altér. de **coignon,* dér. de *coin* (c'est-à-dire « morceau de pain en forme de coin »).

1. **quille** XIIIe s. ; 1460, Villon, jambe ; 1936, Esnault, pop., fin du service militaire ; anc. haut allem. *kegil,* terme de jeu. || **quiller** 1330, Digulleville. || **quillier** 1340, Le Fèvre. || **quillon** 1570, Gay. || **quillette** 1732, Trévoux. || **quillard** XXe s., arg. mil.

2. **quille** 1382, *Compte du clos des Galées de Rouen,* mar. ; anc. scand. *kilir,* plur. de *kjollr,* quille de bateau (cf. l'angl. *keel,* l'all. *Kiel,* le néerl. *kiel*). || **quillage** 1472, Bartzsch. || **quillé** 1845, Besch.

**quinaire** 1546, Rab. ; lat. *quinarius,* de *quini,* cinq par cinq.

**quinaud** 1532, Rab. ; moyen fr. *quin,* singe, d'orig. obscure.

**quincaillerie** 1268, É. Boileau ; de *quincaille,* ustensiles de ménage en fer, dér. du radical onomatop. *kink-* (v. CLINQUANT). || **quincaillier** 1428.

**quinconce** 1534, Rab. (d'abord adj., *ordre quinconce*) ; lat. *quicunx, -uncis,* pièce de cinq onces, par comparaison avec la disposition des cinq points sur la pièce.

**quine** 1155, Wace, terme de jeu ; lat. *quinas,* acc. fém. plur. du distributif *quini,* cinq par cinq.

**quinine** V. QUINQUINA.

**quinola** 1545, *D. G.* (*-noula*) ; 1631, Bassompierre (*-nola*), valet de cœur ; mot esp.

**quinquagénaire** 1560, Paré ; lat. *quinquagenarius.* (V. *cinquante* à CINQ.)

**quinquagésime** fin XIII^e s. ; bas lat. *quinquagesima,* fém. subst. de *quinquagesimus,* cinquantième.

**quinquennal** XVI^e s. ; lat. *quinquennalis,* de *quinque,* cinq, et *annus,* année. || **quinquennat** 1963, Lar.

**quinquet** 1789, d'après *J. O.* de 1877, « sorte de lampe » ; 1808, d'Hautel, pop., « œil » ; nom de *Quinquet,* pharmacien qui perfectionna et fabriqua une lampe inventée vers 1782 par le physicien Argand.

**quinquina** milieu XVI^e s. (*kinakina*) ; 1661, G. Patin (*quinquina*) ; quechua (langue indigène du Pérou) *kinakina,* par l'intermédiaire de l'esp. *quinaquina.* || **quinine** 1820, Caventou et Pelletier. || **quinoléine** 1860, Gerhardt, de *quinine* et du lat. *oleum,* huile. || **quinoléique** 1890, Lar.

**quintaine** fin XII^e s., *R. de Cambrai ;* lat. *quintana,* fém. subst. de *quitanus,* « du cinquième rang » ; d'après le sens romain (espace libre entre le 5^e et le 6^e manipule de la cohorte), a désigné, dans *courir la quintaine,* d'abord le parcours, puis le mannequin installé sur le poteau de but (1273, Adenet).

**quintal** 1298, *Voy. de Marco Polo ;* lat. médiév. *quintale,* de l'ar. *qinṭār,* poids de cent livres, du gr. byzantin *kentênarion,* du bas lat. *centenarium,* poids de cent livres.

***quinte** XII^e s., *Chevalier aux deux épées,* « redevance » ; 1398, E. Deschamps, mus. ; XVI^e s., méd. (toux revenant toutes les cinq heures) ; XVII^e s., escrime ; fém. subst. de l'anc. *quint,* cinquième (XII^e-XVI^e s., cf. Charles *Quint*), du lat. *quintus.* || **quinteux** 1542, Du Pinet.

**quintefeuile** bot., XIV^e s., *Antidotaire ;* lat. *quinquefolium.*

**quintessence** 1265, Mahieu le Vilain (*quinte essence*), scolast. ; 1534, Rab., fig. ; lat. médiév. *quinta essentia,* trad. du gr. *pemptê ousia,* désignant chez Aristote l'éther, ou cinquième élément, le plus subtil des cinq éléments de l'univers. || **quintessencier** 1584, Vaganay ; auj. surtout au part. passé (1688, La Bruyère).

**quintette** 1832, Fontaney, mus. ; ital. *quintetto* (employé en France en 1778), dimin. de *quinto,* cinquième ; a remplacé *quinque,* 1722-1858, du lat. *quinque,* cinq.

**quinto** 1845, Besch. ; lat. *quinto,* cinquièmement, de *quintus,* cinq.

**quintuple** 1484, Chuquet ; lat. impér. *quintuplex* (III^e s., Vopiscus). || **quintupler** fin XV^e s. || **quintuplés** 1934, Rostand, jumeaux au nombre de cinq.

***quinze** 1080, *Roland ;* lat. *quindecim,* de *quinque,* cinq, et *decem,* dix. || **quinzaine** 1175, Chr. de Troyes. || **quinzième** 1119, Ph. de Thaon (*quinzisme*) ; XIV^e s. (*quinzième*). || **quinze-vingts** 1398, E. Deschamps, trois cents ; spécialisé pour l'hôpital de trois cents aveugles (1550, Meigret) fondé à Paris par Saint Louis ; ancienne façon de compter par multiples de *vingt.*

**quiproquo** fin XV^e s. (*qui pro quo*) ; lat. scolast. *quid pro quod,* prendre un *quoi* pour un *ce que,* désignant une faute d'interprétation, une bévue.

**quittance, quitter, quitus** V. QUITTE.

***quitte** 1080, *Roland ;* lat. jurid. médiév. *quītus,* altér. de *quietus,* tranquille (v. COI, QUIET) ; *en être quitte pour,* 1538, R. Est. ; *quitte ou double,* XV^e s., *le Jouvencel* (*jouer à quitte et à double*) ; *quitte à,* XVII^e s., Sévigné. || **quitter** milieu XII^e s., *Thèbes,* « libérer d'une obligation » ; 1530, Palsgrave, « laisser, se séparer » ; lat. médiév. *quitare,* altér. de *quietare.* || **quittance** 1155, Wace, fait d'être quitte ; XIII^e s., sens actuel. || **quittancer** 1396, G. || **quitus** 1421, G. ; lat. *quitus,* employé au sens financier. || **acquitter** 1080, *Roland,* rendre quitte, libérer. || **acquit** XII^e s., paiement d'une dette ; déverbal. || **acquittement** XIII^e s., « délivrance » ; début XIV^e s. « paiement d'une dette » ; 1725, Desfontaines, « absolution » ; 1835, *Acad.,* jurid. || **acquit-à-caution** 1723, Savary.

**qui-vive, quoi** V. VIVRE, QUI.

**quolibet** 1300, Joinville, « propos décousus » ; 1501, G. Cohen, sens mod. ; lat. scolast. *disputationes de quolibet,* « débats sur n'importe quoi », où *quolibet* est l'ablatif de *quod libet,* « ce qu'on veut ».

**quorum** 1672, Fr. Mackenzie, à propos de l'Angleterre ; milieu XIX^e s., à propos d'assemblées françaises ; angl. *quorum,* du lat. (gén. plur. du relatif *qui ;* sens : « desquels »), figurant dans une formule de délibérations (*quorum maxima pars,* « desquels la plus grande partie... »).

**quote-part** 1588, Montaigne ; de *quote,* lat. *quota,* de *quotus,* en quel nombre, et de *part ;* a remplacé *quote partie* (XIV^e s.).

**quotidien** 1120, *Ps. d'Oxford* (*cotidion*) ; XII^e s. (*-dien*) ; XV^e s. (*quotidien*), adj. ; 1935, *Acad.,* n. m., « journal » ; lat. *quotidianus,* de *quotidie,* chaque jour. || **quotidienneté** 1834, Boiste. || **quotidiennement** début XV^e s. || **biquotidien** 1899, Lar.

**quotient** 1484, Chuquet ; lat. *quotiens,* var. de *quoties,* « autant de fois que ».

**quotité** début XV^e s. ; de *quote-part,* sur *quantité.*

# r

**r** V. RE. Les mots composés avec le préfixe *r(e)* sont à l'ordre alphabétique du mot simple.

**rabâcher** 1611, Cotgrave, « faire du tapage » ; fin XVIIe s., Saint-Simon, sens mod. ; rac. préromane ou germ. **rabb-* (cf. l'anc. fr. *rabaster,* faire du tapage, 1160, Benoît). || **rabâchage** 1735, Voltaire. || **rabâcheur** 1740, Mme Du Châtelet. || **rabâcherie** 1761, Rousseau. || **rabâchement** 1611, Cotgrave, « action de faire du bruit ».

**rabais, rabaisser** V. BAISSER.

**raban** 1573, Dupuis ; moyen néerl. *raband,* de *band,* lien, et *raa,* vergue. || **rabaner** 1687, Desroches (*rabanter*) ; 1783, *Encycl.* (*rabaner*).

**rabattre** V. BATTRE.

**rabbin** 1351, J. Le Long (*rabain*) ; 1540, Vaganay (*rabbin*), docteur de la loi juive ; 1808, Boiste, sens mod. ; lat. ecclés. *rabbinus,* de l'araméen *rabbi* (plur. *rabbîn*), « mon maître », de *rabb,* maître. || **rabbinique** 1611, Cotgrave. || **rabbinat** 1842, Cerfberr. || **rabbiniser** 1660, Le Petit (*-é*). || **rabbinisme** 1600, Scaliger.

**rabelaisien** 1830, Balzac ; du nom de *Rabelais.* || **rabelaiserie** 1842, *Acad.*

**rabibocher** 1842, Sue ; mot du nord de la Gaule, d'un rad. *bib-,* formant des mots qui désignent quelque chose de peu important (*bibelot*). || **rabibochage** 1867, Delvau.

**rabiole** 1549, Maignan, bot. ; mot occitan, de l'anc. prov. *raba,* rave.

**rabiot** 1638, *Arch. de Caen* (*rebiot, rebiau*), eccl., « part de prébende des absents allouée en supplément aux présents » ; 1831, Willaumez, arg. mar. ; 1861, Larchey, milit., « supplément de distribution », puis « temps de service supplémentaire » ; 1832, Esnault, pop. ; gascon *rabiot,* rebut de la pêche, de *rabe,* œufs de poisson (d'après *rabe,* rave, par métaphore). || **rabioter** 1832, Esnault. || **rabiotage** 1867, Delvau. || **rabioteur** 1848, Barbier.

**rabique** 1829, Boiste ; lat. *rabies,* rage. || **antirabique** 1860, Sanson.

1. ***râble** XIIIe s., G. (*roable*) ; 1401, G. (*raable*), outil ; lat. *rutabulum,* fourgon de boulanger. || **râbler** 1788, *Encycl.* || **râblot** 1836, *Acad.*

2. **râble** (*d'un lièvre*) 1532, Rab., zool. ; métaphore du précéd. || **râblé** XVIe s., *D. G.*

3. **râble** 1690, Furetière, mar. ; métaphore de RÂBLE 1.

**rabot** 1360, *Modus,* masc. ; métaphore du mot dialectal fém. *rabotte,* lapin, dissim. de **robotte,* d'un moy. néerl. *robbe,* lapin. || **raboter** 1409, Runkewitz. || **raboteux** 1539, *D. G.* || **raboteur** 1576, Sasbout. || **raboteuse** 1876, Daudet. || **rabotage** 1765, *Encycl.* || **rabotin** 1904, Lar.

**rabougrir** 1600, O. de Serres ; anc. fr. *abougrir,* affaiblir (XVIe s.), de *bougre,* faible. || **rabougri** 1653, Pellisson. || **rabougrissement** 1845, Besch. (V. BOUGRE.)

**rabouilleuse** 1842, Balzac ; mot rég. (Berry), de *rabouiller,* troubler l'eau, de *bouiller,* agiter l'eau (1751, *Encycl.*), de *bouille,* marais (lat. pop. **bau-ŭcula*). [V. BOUE.]

**rabouin** 1741, Esnault, arg., « diable » ; fourbesque *rabuino,* diable.

**rabouter** 1294, G., « établir une hypothèque » ; 1718, *Acad.* (*raboutir*) ; 1845, Besch. (*rabouter*) ; de *abouter,* de *bout ;* « coudre ». || **raboutir** 1294, G., « établir une hypothèque »

**rabrouer** 1398, E. Deschamps ; moy. fr. *brouer,* gronder, être furieux, issu du norm. *breu,* écume, et aussi « bouillon » (v. BROUET, S'ÉBROUER). || **rabrouement** 1559, Amyot. || **rabroueur** 1537, *le Courtisan.*

**raca** (*crier raca à quelqu'un*), 1553, *Bible ;* bas lat. *raca,* pauvre ; d'un passage de l'Évangile de saint Matthieu (v, 22), où figure le mot araméen *raca,* connu par ce seul emploi ; hébreu *roq,* crachat.

**racahout** 1833, *Journ. des connaissances utiles* (*racaou des Arabes*) ; ar. *rāqaout,* farine.

**racaille** 1138, Gaimar (*rascaille*) ; terme norm., issu d'un mot non attesté *rasquer, racler* (cf. l'anc. fr. *rasche,* teigne), du lat. pop. *rasicare,* gratter, de *radere,* raser. (V. RACLER.)

**race** 1498, Commynes ; 1749, Buffon, biol. ; ital. *razza,* du lat. *ratio* (avec changement de terminaison), empl. au VI^e^ s., avec le sens de « espèce d'animaux ou de fruits ». || **racé** fin XIX^e^ s. || **racial** 1911, E. Seillière. || **racisme** 1902, Maybon. || **raciste** 1929, Langenscheidt. || **antiracisme, antiraciste** v. 1950.

**racémique** 1963, Lar. ; lat. *racemus,* grappe. || **racémeux** 1869, L. || **racémiser** 1962, Lar. || **racémisation** 1932, Lar.

**racer** n. m., 1846, Baudelaire ; mot angl., de (*to*) *race,* courir vite.

**rachis** 1560, Paré ; gr. *rhakhis,* épine dorsale. || **rachidien** 1806, Capuron ; par anal. avec les mots gr. à radical en *-id-.* || **rachitique** début XVIII^e^ s. ; de l'adj. gr. *rhakhitês.* || **rachitisme** début XVIII^e^ s. ; en parlant du blé ; 1749, Buffon, en parlant de l'homme. || **rachialgie** 1795, Cullen. || **rachianesthésie** 1932, Lar.

***racine** 1130, *Eneas,* bot. ; fin XII^e^ s., racine d'une dent ; XIII^e^ s., L., math. ; 1657, Lancelot, ling. ; début XIX^e^ s., reliure ; bas lat. *radīcīna,* de *radix, -icis.* || **raciner** 1155, Wace. || **racinement** 1923, Lar. || **racineux** 1550, Baïf. || **racinal** 1570, Palissy, adj. ; 1578, *Mémoires,* n. || **racinage** 1674, L., teinture ; 1827, Le Normand, reliure. || **déraciner** XIII^e^ s., G. ; 1870, Lar., fig. || **déraciné** n. m., 1897, Barrès, fig. || **déracinement** XV^e^ s., G. || **déracineur** 1800, Chateaubriand. || **indéracinable** 1797, Babeuf. || **enraciner** 1175, Chr. de Troyes. || **enracinement** XVI^e^ s.

**racinien** 1776, Voltaire ; de *Racine.*

**racisme** V. RACE.

**racket** 1932, Lar. ; anglo-amér. *racket,* chantage, escroquerie, du fr. *raquette* (v. ce mot). || **racketter** 1950, *journ.* || **racketteur** 1957, Vailland.

**racler** XIV^e^ s., L. ; prov. *rasclar,* du lat. pop. *rasclare,* de *rasiculare,* de *rasus,* rasé (v. RACAILLE). || **racle** 1196, Bodel || **racloir** 1538, R. Est. || **racloire** 1329, G. || **raclette** 1869, L. || **racleur** 1576, Sasbout. || **raclage** 1845, Besch. || **raclée** 1792, Brunot. || **raclure** fin XIV^e^ s.

**racoler** 1170, *Floire et Blanchefor,* « embrasser » ; 1750, Prévost, « enrôler » ; 1794, Chamfort, sens actuel ; de *re-* et *accoler.* || **racoleur** 1756, Vadé. || **racolage** 1747, *les Bals de bois ;* 1902, Zola, prostitution.

**racontar, racornir** V. CONTER, COR.

**radar** 1944 ; angl. *radar,* sigle de *radio detection and ranging,* détection et télémétrie par radio. || **radariste** 1953, Lar. || **radôme** 1963, Lar. ; de *radar* et *dôme.*

**rade** 1265, Br. Latini ; anc. angl. *rad* (auj. *road,* rade, et route). || **dérader** 1529, Parmentier. || **dérade** 1871, Rimbaud.

**radeau** 1355, Bersuire (*radelle*) ; 1485, *D. G.* (*radeau*) ; anc. prov. *radel,* de *rat,* radeau, du lat. *ratis.*

**radée** XI^e^ s., *Gloses de Raschi,* « pluie » ; de l'anc. adj. *rade,* torrentueux, lat. *rapidus,* vite.

**radi-,** radical tiré du lat. *radius,* rayon. || **radiaire** 1796, *Bull. sciences.* || **radial** 1363, Chauliac, anat., « qui rayonne » ; 1615, Binet, techn. || **radiant** XIII^e^ s. ; rare jusqu'au XVIII^e^ s. (1765, *Encycl.*) ; 1869, L., astron. ; lat. *radians,* de *radiare,* rayonner. || **radian** 1962, Robert, math. || **radiance** 1825, Brillat-Savarin, fig ; 1875, Lar., phys. || **radiation** milieu XV^e^ s., émission de rayons lumineux ; 1869, L., émission de chaleur ; 1890, Lar., ondes ; lat. *radiatio.* || **radiateur** adj., 1877, L., phys. ; n., 1895, Grouvelle. || **radiatif** 1949, Lar. || **radié** 1679, Dodart, « qui a des rayons » ; lat. *radiatus,* de *radiari.* || **radieux** 1460, Chastellain, « qui émet des rayons » ; 1671, Boileau, « heureux » ; bas lat. *radiosus.* || **radiesthésie** 1932, Lar. ; lat. *radius* et gr. *aisthêsis,* sensation. || **radiesthésiste** 1932, Lar. || **radius** 1541, Canappe, anat. ; métaphore du lat. || **radium** 1898, P. et M. Curie, chim. || **radiumthérapie** 1907, Lar. || **radon** 1923 ; du rad. de *radium,* et du suff. *-on.* || **irradier** XV^e^ s. ; lat. *irradiare,* rayonner. || **irradiation** fin XIV^e^ s. ; bas lat. *irradiatio.*

**radiation** (*action de rayer*), **radier** V. RAIE 1.

**radical** XIV^e^ s., *Nature à l'alchimie ;* bas lat. *radicalis,* de *radix, -icis,* racine ; 1660, Oudin, adj. ; 1722, Dumarsais, n. m, linguistique ; 1812, Mozin, math. ; 1820, *journ.,* polit. || **radicalisme** 1820, Barbier. || **radicaliser** 1845,

Radonvilliers. || **radicalisation** 1965, *journ.* || **radicalement** 1314, Mondeville. || **radical-socialiste** 1880, d'après P. Robert.

**radicule** 1676, *Journ. des savants* ; lat. *radicula*, dimin. de *radix, -icis*, racine. || **radicelle** 1815, Michel ; avec changement de suff. || **radicicole** 1845, Besch. || **radiciflore** 1869, L. || **radiculaire** 1875, Lar. || **radiculalgie** 1932, Lar., méd. || **radiculite** 1932, Lar., méd.

**radieux, radium** V. RADI-.

**radin** 1835, Esnault, « gousset » ; 1885, Esnault, adj., sens actuel, pop. ; de l'argot des voleurs, p.-ê. de *rade*, à l'écart, apocope de *radeau*.

**radiner** 1865, Esnault ; anc. fr. *rade*, rapide, lat. *rapidus*.

**radio-**, élément de composition, dér. du lat. *radius*, rayon, et servant à former des mots savants (chimie, physique, médecine, etc.). Sur l'origine du deuxième élément, voir à la place alphabétique de ce dernier. || **radio-actif** 1896, Becquerel. || **radio-activité** *id.* || **radioastronomie** 1947, Lar. || **radiobalisage, radiobaliser** 1948, Lar. || **radiobiologie** v. 1950. || **radiochimie** v. 1950, || **radiochroïsme** 1907, Lar. || **radiocommunication** 1932, Lar. || **radiocompas** 1923, Lar. || **radioconducteur** 1904, Lar. || **radiocristallographie** 1968, Lar. || **radiodermite** 1906, Lar. || **radiodiagnostic** 1907, Lar. || **radiodiffusion** 1925, *journ.* ; abrév. *radio, id.* || **radiodiffuser** 1932, Lar. || **radio-électricité** 1922, Lar. || **radio-électricien** 1932, Lar. || **radio-électrique** 1922, Lar. || **radio-électronique** 1975, Lar. || **radio-élément** 1914, Curie. || **radiogoniomètre** 1907, Lar. || **radiogoniométrie, radiogoniométrique** 1922, Lar. || **radiogramme** 1904, Lar. || **radiographie** 1893, *D. G.* ; abrév. *radio*, 1949, Lar. || **radiographier** 1907, Lar. || **radiographique** 1904, Lar. || **radioguidage** 1930, Lar. || **radioguider** 1962, Robert. || **radio-isotope** 1947, Lar. || **radiologie** 1904, Lar. || **radiologiste, radiologue** 1922, Lar. || **radiologique** 1904, Lar. || **radiomaritime** 1932, Lar. || **radiomètre** 1690, Furetière. || **radiométrie** 1877, Lar. || **radionavigation** 1932, Lar. || **radionavigant** 1953, Lar. || **radiophare** 1912, Lar. || **radiophonie** 1888, Lar. ; abrév. *radio*, v. 1930. || **radiophonique** 1888, Lar. || **radio-pirate** 1968, Lar. || **radiorécepteur** 1949, Lar. || **radioreportage** 1930, Lar. || **radioreporter** 1934, *journ.* || **radioscopie** 1904, Lar. || **radiosondage** 1930, Lar. || **radiosonde** 1949, Lar. || **radiosource** 1963, Lar. || **radiotaxi** 1955, *journ.* || **radiotechnie** 1932, Lar. || **radiotechnique** *id.* || **radiotélégramme** 1907, Lar. || **radiotélégraphie** 1907, Lar. ; abrév. *radio*, 1930, Lar. || **radiotélégraphiste** 1910, Lar. ; abrév. *radio*, 1930, Lar. || **radiotéléphonie** 1907, Lar. ; abrév. *radio*, 1930, Lar. || **radiotélescope** v. 1950. || **radiotélévision** v. 1950. || **radiothérapie** 1901, Garnier.

**radiolaires** 1904, Lar. ; lat. scient. *radiolaria*, lat. class. *radiolus*, plante à forme de rayon.

**radis** 1507, N. de La Chesnaye (*radice*) ; 1611, Cotgrave (*radis*) ; 1842, Bourgeois, pop., petite pièce de monnaie ; ital. *radice*, du lat. *radix, -icis*, racine.

**radius** V. RADI-

**radoire** fin XIe s., *Gloses de Raschi* (*rastoire*) ; 1690, Furetière (*radoire*) ; anc. prov. *rasdoira*, du lat. pop. **rasitoria*, de *rasitare*, raser, racler, fréquentatif de *radere*.

**radoter** 1080, *Roland* (*redoté*, tombé en enfance, « qui radote ») ; 1175, Chr. de Troyes ; du préf. *re-*, renforcé en *ra-*, et d'un rad. issu d'une rac. germ. (moy. néerl. *doten*, rêver, tomber en enfance ; angl. [*to*] *dote*, même sens). || **radotage** 1740, *Acad.* || **radoteur** 1546, Vaganay.

**radouber** fin XIIIe s., « réparer » ; 1500, Auton, mar. ; de *re-* et *adouber*. || **radoub** début XVIe s., « réparation » ; 1679, Jal, mar.

**radoucir** V. DOUX.

**rafale** 1640, P. Bouton, « vent » ; 1916, Barbusse, « coups de fusil » ; ital. *raffica*, croisé avec un rad. onomatop. expressif *raff-*, exprimant un coup de vent violent, avec *affaler*, « porter sur la côte ».

**raffiner** V. FIN 2.

**rafflésie** 1845, Besch., bot. ; du n. de sir Thomas *Raffles*, gouverneur de Sumatra.

**raffoler** V. FOU 1.

**raffut** 1867, Delvau, « bruit violent » ; de *raffûter*. || **raffûter** 1477, G., « réparer » ; XVIIIe s., « faire du bruit » ; de *affûter* (v. FÛT).

**rafiot** 1792, Romme ; de *rafiau*, petite embarcation, dans la langue des marins méditerranéens ; orig. inconnue.

**rafistoler** 1649, *Mazarinades* ; anc. *afistoler* (XVe s.), tromper, puis arranger, orner ; ital. *fistola*, flûte. || **rafistolage** 1833, Cormenin.

**rafle** XIIIe s., instrument pour racler le feu (remplace *raffe*) ; 1362, Du Cange, action d'enlever ; 1549, R. Est., grappe privée de ses grains ; 1585, Cholières, « butin » ; 1589, Baïf, « coup gagnant au jeu » ; 1867, Delvau, arrestation massive à l'improviste ; all. *Raffel* (cf. all. *raffen,* rafler). || **rafler** 1589, Baïf. (V. ÉRAFLER.)

**rafraîchir, ragaillardir** V. FRAIS 1, GAILLARD.

***rage** 1080, *Roland,* « fureur » ; 1288, *Renart,* méd. ; lat. pop. **rabia,* du lat. class. *rabies.* || **rager** 1155, Wace, faire rage, s'agiter ; XVIIe s., Saint-Simon, être irrité. || **rageur** XVIe s., L., « fôlatre » ; 1832, Sue. || **rageusement** 1832, Balzac. || **rageant** 1949, Lar. || **dérager** 1870, Lar. || **enrager** 1130, *Eneas,* sens propre ; 1792, *Journ. des débats,* polit. (*enragé*).

**raglan** 1858, La Bédollière, pardessus à pèlerine ; du nom de lord *Raglan,* qui commanda l'armée anglaise en Crimée.

**ragondin** 1867, Laboulaye ; orig. obscure (on trouve parfois l'orth. *rat gondin*).

1. **ragot** fin XIVe s., cochon de lait ; 1411, *D. G.,* sanglier ; XVIIe s., personne grosse et courte ; du radical *rag-,* lat. *ragere,* bas lat. *ragire,* pousser des cris, grogner, etc. || **ragoter** 1642, Oudin, grogner comme un sanglier, d'où quereller. || **ragotin** 1834, Boiste ; du nom de *Ragotin,* 1651, personnage du *Roman comique,* de Scarron, homme petit et contrefait.

2. **ragot** début XVe s., Du Cange, reproche ; début XIXe s., commérage ; de *ragoter.* (V. RAGOT 1.)

**ragoût, ragoûtant, ragoûter** V. GOÛT.

**ragtime** 1921, Aragon ; mot anglo-américain, de *rag,* chiffon, et *time,* temps.

**raguer** 1682, Jal, mar., user par le frottement ; néerl. *ragen,* brosser.

**raguser** 1850, Balzac, « trahir » ; du n. du duc de *Raguse,* accusé d'avoir trahi Napoléon Ier.

**rahat-loukoum** 1923, Lar. ; ar. *rahat al-hulqum,* rafraîchissement de la gorge.

***rai** 1119, Ph. de Thaon, rayon de lumière ; lat. *radius,* rayon ; XIIe s., Tobler-Lommatzsch, « rayon de roue », écrit le plus souvent *rais ;* vx, et remplacé par *rayon.* || **rai-de-cœur** 1676, Félibien. || **rayon** 1530, Marot, « trait lumineux » ; 1674, Malebranche, opt. ; 1690, Furetière, math. ; fin XIXe s., radiation. || **rayonner** 1549, R. Est. || **rayonnement** 1558, Vaganay. || **enrayer** 1552, R. Est. || **enraiement** 1812, Boiste. || **enrayage** 1826, Mozin.

**raid** 1883, d'Haussonville ; angl. *raid,* forme écossaise, de l'anc. angl. *râd,* auj. *road,* route.

***raide** fin XIe s., *Gloses de Raschi* (fém. *roide,* masc. *roit*) ; refait au XIVe s. sur le fém. ; lat. *rĭgĭdus* (v. RIGIDE). La graphie archaïque *roide* a été conservée dans la langue littéraire avec une nuance de sens. || **raidement** 1170, *Rois.* || **raideur** 1170, *Rois.* || **raidir** XIIe s., *Roncevaux,* « tendre » ; *se raidir,* 1549, R. Est. || **déraidir** milieu XVIe s. || **raidissement** 1547, J. Martin. || **raidisseur** 1875, Lar. || **raidillon** 1762, *Acad.*

1. **raie** 1155, Wace (*roie*) ; 1360, Froissart (*raie*), ligne, sillon ; gaulois **rica,* en bas lat. *riga,* VIIe s. (cf. le gallois *rhych,* l'irl. *rech,* sillon). || **rayer** XIIe s., *D. G.* (*roié,* part. passé), rattaché ensuite à *rai.* || **rayure** XIVe s., Poerck (*roiure*) ; 1530, Palsgrave (*rayure*). || **radiation** fin XIVe s., action de rayer ; dér. du lat. médiév. *radiare,* fausse étymologie de *rayer.* || **radier** 1823, Boiste, rayer d'une liste.

2. ***raie** [poisson] 1155, Wace ; lat. *raia.*

**raifort** XVe s. (*raiz fors*) ; anc. fr. *raïz* (XIIe s.), mot fém., « racine », du lat. *radix, -icis,* et de *fort,* adj. masc. et fém. en anc. fr., au sens de « âpre » ; devenu masculin lorsque *fort* est devenu seulement masculin.

**rail** 1825, *Journ. hebd. des arts et métiers ;* cité en 1817 comme mot angl. ; angl. *rail,* barre, de l'anc. fr. *reille, raille* (XIe s.), même sens, du lat. *regula.* || **railway** 1800, Brunot ; mot angl. || **dérailler** 1838, Wexler, au propre et au fig. || **déraillement** *id.* || **dérailleur** 1922, Lar. || **monorail** XXe s.

**railler** XIIe s., *Naissance chevalier au cygne ;* anc. prov. *ralhar,* bavarder, plaisanter, du lat. pop. **ragulare,* bramer, bas lat. *ragere,* d'où est issu l'anc. fr. *raire* (XIVe s., Delb.), même sens. || **raillerie** 1495, *D. G.* || **railleur** fin XIVe s. (*railleresse*) ; 1464, *Pathelin* (*railleur*). || **railleusement** av. 1850, Balzac.

1. **rainette** XIVe s. (*ranette*) ; 1425, O. de La Haye (*rainette*) ; grenouille de buisson ; anc. fr. *raine* (1120, *Ps. d'Oxford*), grenouille ; lat. *rana.*

2. **rainette** XIIIe s., G. ; anc. fr. *roisne* (XIIIe s.), forme anc. de *rouanne* (v. ce mot).

**rainure** 1410, Delb. (*royneüre*) ; de *rouanne* (anc. fr. *roisne*), par l'intermédiaire de *roisner,* faire une rainure avec la *roisne.* || **rainer** 1832,

Raymond. || **raineuse** 1966, Reggiani. || **rainurer** 1913, Proust. || **rainurage** 1932, Lar.

**raiponce** milieu XVe s. (*responce*) ; 1636, Monet (*raiponce*) ; ital. *raponzo,* du lat. *rapa* (v. RAVE), avec modification de la première syllabe d'après l'anc. fr. *raïz,* racine (v. RAIFORT).

**rais** V. RAI.

***raisin** 1119, Ph. de Thaon (*resin*) ; fin XIIIe s. (*raisin*) ; 1715, L., grand format de papier (marqué, à l'origine, d'une grappe de raisin) ; lat. pop. **racīmus,* lat. class. *racēmus,* grappe de raisin, qui a éliminé *uva.* || **raisiné** début XVIe s. (*résiné*) ; 1606, Crespin (*raisiné*) ; 1808, d'Hautel, « sang » en argot. || **raisinier** 1647, *Rel. île de la Guadeloupe,* bot.

***raison** 980, *Passion,* « parole » ; XIe s., « faculté de penser » ; lat. *ratio, rationis,* calcul, compte, d'où « faculté de raisonner, raisonnement, motif », etc. Le français a gardé les principaux sens du latin, notamment celui de « motif » (*avoir raison, la raison d'une attitude*), mais a perdu plusieurs emplois usités en anc. fr. (*raison* au sens de « parole, discours », et au sens de « compte » dans *livre de raison,* usuel jusqu'au XVIe s.). || **raisonner** 1138, Gaimar, « parler » ; 1380, *Aalma,* sens actuel. || **raisonnable** 1120, *Ps. Cambridge* (*réidnable*) ; 1265, J. de Meung (*raisonnable*). || **raisonnablement** 1190, *Eneas* (*raisnablement*). || **raisonnant** 1673, Molière. || **raisonnement** 1380, *Aalma.* || **raisonneur** 1345, *Bull. philolog.,* « avocat » ; 1678, La Fontaine, sens actuel. || **déraisonnable** XIIIe s., G. || **déraisonner** XIIIe s. || **déraison** 1175, Chr. de Troyes. || **irraisonnable** 1372, Du Cange. || **irraisonné** 1842, Mozin. (V. les dérivés de formation savante à RATIOCINER et RATIONNEL, v. aussi ARRAISONNER.)

**raja(h), radjah** 1525, *Pigaphetta* (*raia*) ; 1628, Figuier (*raja*) ; hindi *raja,* par l'intermédiaire du portug., du sanskrit *râjâ,* roi, de même famille que le lat. *rex,* roi. || **maharajah** milieu XVIIIe s. (*marraja*), comp. avec *maha,* grand (cf. lat. *magnus,* grand).

**raki** 1664, Thévenot, liqueur d'Orient ; turc *rāqi,* mot arabe. (V. ARACK.)

**râle** nom d'oiseau. (V. RÂLER.)

**râler** 1456, *Romania,* var. de *racler ;* emploi d'abord expressif, par évocation métaphorique du bruit que l'on fait en raclant un objet dur. || **râle** 1164, *Richeut* (*rascle*) ; fin XIIIe s., Macé (*raalle*) ; 1549, R. Est. (*ralle*), oiseau. || **râle** n. m., 1611, Cotgrave, action de râler. || **râlant** 1834, Landais. || **râlage** 1924, Montherlant. || **râleur** 1571, M. de La Porte, « qui fait le bruit du râle » ; 1845, Besch., personne qui marchande sans acheter ; 1923, Lar., adj. ou n., pour qualifier une personne qui proteste sans cesse. || **râloter** 1881, Huysmans.

**ralingue** 1155, Wace ; anc. norrois *rar-lik,* de *rar,* génitif de *ra,* vergue, et *lik,* lisière d'une voile. || **ralinguer** 1687, Desroches.

**rallier, rallonger** V. ALLIER, LONG.

**rallye** 1930, Giraudoux ; abrév. de *rallye-paper* (XIXe s.), parfois francisé en *rallie-papier* (1877, L.) ; a d'abord désigné une épreuve équestre ; composé artificiellement de l'angl. (*to*) *rally,* rassembler, et *paper,* papier.

**-rama** 1834, Balzac ; élément de formation, impliquant l'idée de spectacle (ex. *cinérama*), tiré de mots comme *diorama, panorama,* construits sur *-orama ;* du gr. *orama,* spectacle, de *orân,* voir.

**ramadan** 1546, Geoffroy ; 1828, *Orientales* (*ramazan*) ; ar. *ramadān,* neuvième mois de l'année islamique.

**ramage** 1160, Benoît, adj., « branchu » ; 1265, J. de Meung, n., branchage ; 1530, Marot, adj., « qui chante dans la ramure » ; XVIe s., Loysel, « branche généalogique » ; 1611, Cotgrave, « représentation de feuillages sur une étoffe » ; 1549, R. Est., « chant des oiseaux dans les feuillages » ; anc. fr. *raim,* rameau (XIIe s., G.), lat. *ramus* (v. RAMEAU).

**ramasser** V. MASSE 1.

**rambarde** 1546, Rab. (*rambade*) ; 1773, Bourdé, mar., construction à la proue d'une galère ; 1962, Robert, sens mod. ; anc. ital. *rambata,* de *arrembar,* aborder un bateau, du langobard **rambôn,* enfoncer.

**ramberge** 1550, Bonnafé, type de bateau anglais ; angl. *rowbarge,* barge à rames (*row*).

**rambin** 1899, Esnault, « flatterie » ; de *rambiner.* || **rambiner** 1844, Esnault ; de *re-* et *débiner.*

**rambuteau** 1872, *Courrier de Vaugelas,* urinoir ; du n. du comte de Rambuteau, préfet qui fit créer ces édicules.

**ramdam** 1896, Esnault, « tapage », arg. milit., puis pop. ; altér. de *ramadan.*

1. **rame** V. RAMER 1.

2. **rame** 1600, O. de Serres, tuteur pour une plante grimpante ; fém. de l'anc. fr. *raim,*

branche, avec *a* analogique des dérivés *rameau, ramer.* || **ramer** 1549, R. Est.

3. **rame** milieu XIV^e s., Du Cange, « rame de papier » ; catalan *raima,* rame, de l'ar. *rizma,* ballot ; 1855, Grangez, « convoi de bateaux » ; 1915, Barbusse, « attelage de plusieurs wagons ». || **ramette** 1845, Besch.

4. **rame** début XIV^e s., Gilles li Muisis, « perche sur laquelle on étendait le drap » ; francique **hrama,* solive, charpente (cf. le moyen néerl. *rame, raem,* châssis ; all. *Rahmen,* châssis) ; spécialisé dans le vocab. du textile. || **ramer** 1723, Savary, étirer le tissu sur une rame. || **ramette** 1690, Furetière, châssis de fer servant en imprimerie.

***rameau** 1160, Benoît (*ramel*) ; lat. pop. **ramellus,* de *ramus,* branche ; l'anc. fr. *raim, rain,* de *ramus,* a été éliminé au XVI^e s. || **rameux** fin XIII^e s., *Coucy ;* lat. *ramosus.* || **raméal** 1869, L. || **ramée** 1160, *Tristan,* « hutte » ; 1173, *Aiol,* « couvert de branches » ; anc. fr. *raim, rain.* || **ramier** 1173, *Aiol,* adj., « rameux » ; anc. fr. *raim,* branche (v. RAME 2) ; 1215, Pean Gatineau (*coulon ramier* ou *ramier*), adj., « vivant sur les branches » ; puis n. || **ramifier** 1314, Mondeville ; lat. médiév. *ramificare.* || **ramification** 1541, Canappe. || **ramiflore** 1869, L. || **ramille** XIII^e s., *Renart ;* anc. fr. *raim.* || **ramure** XIII^e s., *Renart* (*rameure*) ; même origine. || **ramule** 1869, L. || **ramuscule** 1842, Hugo. || **ramescence** 1869, Lar. || **ramescent** 1878, Lar.

**ramentevoir** 1175, Chr. de Troyes, remettre en l'esprit, jusqu'au XVI^e s. ; anc. fr. *amentevoir* (1160, Benoît), de *mentevoir,* du lat. *mente habere,* avoir dans l'esprit.

**ramequin** 1654, d'après P. Robert ; moyen néerl. *rammeken,* pain grillé, dimin. de *ram* (cf. l'all. *Rahm,* crème) ; gâteau au fromage.

1. ***ramer** 1213, *Fet des Romains,* se servir de rames ; 1718, *Acad.,* « peiner » ; lat. pop. **remare,* de *remus,* rame. || **rame** fin XI^e s., *Gloses de Raschi* (*rain*) ; 1207, Villehardouin ; déverbal de *ramer ;* d'abord grande rame de galère ; à partir du XVI^e s., a concurrencé *aviron,* seul usité jusque-là. || **rameur** 1213, *Fet des Romains.*

2. **ramer** (*des pois*) V. RAME 2.

3. **ramer** (*du tissu*). V. RAME 3.

**rameux** V. RAMEAU.

**rami** 1962, Robert, jeu de cartes ; orig. obscure.

**ramie** 1868, L., plante textile d'Orient ; malais *rami.*

**ramifier, ramille** V. RAMEAU.

**ramingue** 1611, Cotgrave, cheval qui refuse d'avancer sous l'éperon ; ital. *ramingo,* de *ramo,* rameau ; d'abord appliqué au faucon qui vole de branche en branche, puis au cheval agité.

**ramollir** V. MOU.

**ramoner** début XIII^e s., Rutebeuf, nettoyer ; XV^e s., nettoyer une cheminée ; 1941, Frison-Roche, alpinisme ; anc. fr. *ramon* (XIII^e-XIV^e s.), balai de branchages, dimin. de l'anc. fr. *raim* (v. RAMEAU). || **ramonage** 1517, Houdoy, balayage ; 1439, G. (*ramonage de quemineez*). || **ramoneur** 1520, *Romania* (*ramoneux*).

**rampe** V. RAMPER.

**rampeau** 1560, Monluc, mot de jeu ; altér. probable de *rappel.*

**ramper** XII^e s., *Roman de Thèbes,* « grimper » ; 1170, *Rois,* « ramper pour grimper » ; 1487, Garbin, sens mod. ; francique **hrampon,* « grimper avec des griffes », sur un radical germanique **hramp-,* désignant quelque chose de crochu. || **rampant** 1120, *Ps. d'Oxford ;* 1918, Esnault, en aviation. || **rampe** 1585, Ronsard, « plan incliné, partie d'un escalier » ; de *ramper,* « être en pente » ; au XVII^e s., rangée de lumières sur la scène d'un théâtre ; *rampe de lancement,* 1945, *journ.* || **rampement** 1538, R. Est.

**ramponneau** 1760, Havard (*tabatière à la Ramponneau*) ; 1835, Raymond, « jouet » ; 1875, Lar., « couteau » ; 1932, Lar., « bourrade » ; du n. de *Ramponneau,* cabaretier fameux à la Courtille au XVIII^e s.

**ramponner** 1138, Gaimar, « railler » ; de *re-* et *prosne,* forme de *prône.*

**rams** 1842, La Bédollière, jeu de cartes ; de *ramas,* déverbal de *ramasser.*

**ramure** V. RAMEAU.

**ranales** 1964, Lar. ; lat. *rana,* grenouille.

**rancart** 1755, Vadé (*mettre au rancart*) ; altér. du norm. *mettre au récart,* de *récarter,* éparpiller, de *écarter ;* 1890, Chautard, « renseignement », « rendez-vous », avec var. orthogr. *rancard, rencard.* || **rancarder, rencarder** 1899, Esnault, pop., « renseigner ».

**rance** 1373, Gace, n., « goût d'une chose rance » ; XV^e s., *Passion de Semur,* adj. ; lat. *rancidus.* || **rancir** 1538, R. Est. || **rancidité** 1752,

Trévoux. || **rancissement** 1877, L. || **rancissure** 1538, R. Est. || **rancescible** 1801, Fourcroy ; bas lat. *rancescere,* devenir rance.

**ranch** 1872, *J. O. ;* anglo-amér., de l'esp. *rancho.*

**ranche** 1363, G., « étai de ridelle » ; francique **runkja.*

**rancho** 1822, Arago ; esp. *rancho,* cabane, de *rancharse,* se loger, du fr. *se ranger.* || **rancherie** XVIIIe s., La Pérouse, village d'Indiens ; esp. *rancheria.* || **ranchero** 1907, Lar., fermier d'un rancho.

**rancio** fin XVIIe s., Saint-Simon, vin de liqueur du Roussillon ; esp. *rancio,* rance, du lat. *rancidus.*

**rancœur** 1190, *Saint Bernard ;* bas lat. *rancor, rancoris,* rancidité, et en lat. eccl. « rancune » (IVe s., saint Jérôme).

***rançon** 1130, *Eneas* (*raançon*) ; 1155, Wace (*rançon*), sens actuel ; lat. *redemptio, -onis,* rachat ; au XIIIe s., remplacé au sens religieux par *rédemption,* et spécialisé dans son sens actuel. || **rançonner** XIIIe s., *D. G.* || **rançonnement** XIVe s., Delb. || **rançonneur** début XVe s., Du Cange.

**rancune** 1080, *Roland ;* altér. de l'anc. fr. *rancure* (d'après l'anc. fr. *amertune,* à côté de *amertume*), du lat. pop. **rancūra,* croisement de *rancor* (v. RANCŒUR) et de *cura,* souci. || **rancuneux** début XIIe s., Reclus de Moiliens. || **rancunier** 1718, *Acad.*

**randonnée** 1131, *Couronn. Loïs,* « course impétueuse » ; 1574, Jodelle, en vénerie ; 1798, *Acad.,* sens mod. ; de *randonner.* || **randonner** 1155, Wace, « courir » ; 1896, Kahn, sport ; de *randon* (début XIIe s., *Thèbes*), « rapidité, impétuosité », issu, comme l'anc. verbe *randir* (XIIe s.), « courir avec impétuosité », du francique **rant,* course (cf. l'all. *rennen,* courir). || **randonneur** milieu XXe s.

**rang** 1080, *Roland* (*renc*), « suite de choses » ; 1462, Bartzsch, « place sociale » ; francique **hring,* cercle, anneau (all. *Ring*), introduit au sens de « assemblée en cercle ». || **ranger** 1160, Benoît. || **rangé** 1694, *Acad.,* « ordonné ». || **rangée** XIIe s., *Grégoire.* || **rangement** 1630, Monet. || **rangeur** 1298, *Marco Polo.* || **arranger** fin XIIe s., *Loherains.* || **arrangement** 1318. || **arrangeur** fin XVIe s., Tallemant des Réaux ; arts, 1836, Berlioz. || **déranger** 1080, *Roland.* || **dérangement** 1636, Monet.

**ranz** 1767, Rousseau, air des bergers fribourgeois ; du moyen fr. *rang de vaches* (1580, Larivey).

**raout** 1804, Saint-Constant (*rout*) ; 1824, Stendhal (*raout*) ; angl. *rout* (prononcé *raout*), désordre, du fr. *route,* au sens ancien de « troupe », « compagnie ». (V. ROUTIER 2.)

**rapace** XIIIe s., *Renart* (*rapax*) ; 1460, Chastellain (*rapace*) ; lat. *rapax, -acis,* sur le rad. de *rapere,* saisir, ravir. || **rapacité** fin XIVe s., Gerson ; lat. *rapacitas.*

**râpe** 1202, *D. G.,* attesté par la forme *raspa* dans un texte latin, « grappe de raisin dépouillée de ses grains » ; milieu XIIIe s., ustensile servant à râper ; déverbal de *râper.* || **râpé** 1175, Chr. de Troyes (*vin raspé*) ; 1819, Boiste, « usé ». || **râper** XIVe s., Moamin (*rasper*), « gratter » ; lat. pop. **raspare,* ramasser, germ. **raspôn,* rafler. || **râpage** 1617, Crespin, « grappillage » ; 1775, Brunot, sens actuel. || **rapeur** 1611, Cotgrave. || **râpeux** 1175, Chr. de Troyes (*raspos*). || **râpure** 1646, E. de Claye. || **râperie** 1875, Lar.

**râpes** XIIIe s., « chancre » ; 1393, G., « crevasses » ; moyen haut allem. *rappe.*

**rapetasser** 1553, Rab. ; mot lyonnais, dér. de *petas,* morceau de cuir ou d'étoffe pour rapiécer, du lat. *pittacium,* du gr. *pittakion,* emplâtre. || **rapetasseur** 1564, Rab. || **rapetassage** 1609, Camus.

**rapetisser** V. PETIT.

**raphia** 1804, *Bull. sciences ;* du malgache.

**rapiat** 1850, Balzac ; mot rég., de la loc. d'arg. scolaire *faire rapiamus,* chiper, du lat. *rapere,* saisir, ravir.

**rapide** fin XIe s., *Gloses de Raschi* (*rabde*) ; 1175, Chr. de Troyes (*rade*) ; début XVIe s. (*rapide*) ; lat. *rapidus,* de *rapere,* saisir, ravir. || **rapidement** 1611, Cotgrave. || **rapidité** 1573, Le Frère.

**rapiécer** V. PIÈCE.

**rapière** 1474, Du Cange (*espee rapiere*) ; de *râper,* par comparaison de la poignée trouée avec une râpe.

**rapin** 1821, Esnault, arg. des peintres ; orig. obscure. || **rapinade** 1845, Baudelaire.

**rapine** 1160, Benoît ; lat. *rapina,* sur *rapere,* prendre, voler. || **rapiner** 1250, *Bestiaire.* || **rapinerie** 1720, Trévoux. || **rapineur** fin XIIIe s., Joinville.

**raplapla** 1920, Bauche ; de *re-* et *à plat.*

**rapporter, rapprocher** V. APPORTER, PROCHE.

**rapt** 1155, Wace (*rap*) ; 1530, Palsgrave (*rapt*) ; lat. *raptus,* de *rapere,* saisir, enlever.

**raquer** XIII^e^ s., G., « cracher » ; 1893, Esnault, « payer », pop. ; picard *raquer,* cracher.

**raquette** 1314, Mondeville (*rachette*), paume de la main ; 1450, *Romania,* instrument, dû à la vogue du jeu de paume ; 1557, Thevet, raquette pour la neige ; lat. médiév. *rasceta,* paume, de l'ar. parlé *râhet* (class. *râhat*), même sens.

***rare** fin XII^e^ s., *Job* (*rere*) ; 1370, Oresme (*rare*) ; lat. *rarus.* || **rarement** 1190, *Saint Bernard* (*rerement*). || **rarissime** 1544, M. Scève. || **rareté** 1314, Mondeville (*rarité*) ; 1611, Cotgrave (*rareté*) ; lat. *raritas.* || **raréfier** 1370, Oresme ; lat. *rarefieri.* || **raréfaction** *id.* ; lat. médiév. *rarefactio.*

1. **ras** 1185, *Aliscans* (*res, ras*) ; adv., 1606, Nicot ; lat. *rasus,* part. passé de *radere,* raser. || **rasade** 1670, Brunot, proprem. « ce qui remplit le verre à ras ». || **rasière** XIV^e^ s., anc. mesure de capacité. || **araser** XII^e^ s., *Aliscans,* « mettre à ras ». || **arasement** 1367, *Comptes de Macé Darne.*

2. **ras** 1556, Temporal (*arraz*) ; 1672, Thévenot (*raz*), chef abyssin ; mot abyssin (amharique), « tête, chef ».

**rascasse** 1560, Gesner ; prov. *rascasso,* de *rasco,* teigne ; poisson osseux d'aspect horrible. (V. RACAILLE.)

**rascette** V. RAQUETTE.

***raser** début XII^e^ s., *Pèlerinage Charlemagne,* « remplir à ras » ; 1175, Chr. de Troyes, « couper le poil » et « passer auprès » ; fin XII^e^ s., « abattre » ; 1851, Esnault « ennuyer » ; lat. pop. **rasare,* sur *rasus,* part. passé de *radere,* raser, d'où est issu l'anc. fr. *raire, rere,* même sens. || **rasage** 1797, *Annales de chimie.* || **rasant** fin XII^e^ s., *Roman d'Alexandre,* adv. ; 1770, Buffon, optique ; 1798, *Acad.,* milit. ; 1875, Lar., « qui ennuie ». || **rasement** 1845, Besch., action d'abattre. || **raseur** 1290, *Glossaire Douai,* « qui rase le poil » ; 1604, Certon, « qui rase une ville » ; 1853, Larchey, « importun ». || **rase-mottes** 1932, Lar. || **rase-pet** fin XIX^e^ s. || **rasibus** fin XIV^e^ s., E. Deschamps (*faire rasibus*) ; lat. scolaire, sur *rasus,* et finale de l'ablatif pluriel de la 3^e^ déclinaison. || ***rasoir** 1160, Benoît (*rasor*) ; lat. pop. *rasorium* ; 1867, Delvau, « homme ennuyeux ».

**rassasier** 1120, *Ps. d'Oxford* ; anc. fr. *assasier* (1170, *Rois*), du lat. médiév. *assatiare,* class. *satiare,* de *satis,* assez. || **rassasiant** 1612, G. || **rassasiement** 1395, Chr. de Pisan.

**rasséréner, rassortir, rassurer** V. SEREIN, SORTE, SÛR.

**rastaquouère** 1881, Rigaud (*rastaquère*) ; esp. d'Amérique *rastracuero,* « traîne-cuir », désignant les parvenus, de *rastrear,* ratisser ; abrév. *rasta,* 1906, Lar. || **rastaquouérisme** 1882, *Gil Blas.*

**rat** 1175, Chr. de Troyes, orig. obscure ; p.-ê d'un élément onomatop. *ratt-,* commun aux langues germ. et aux langues romanes ; a désigné d'abord le rat noir, venu d'Asie centrale, puis, au XVI^e^ s., le surmulot, et par la suite la souris et ses congénères ; 1816, Esnault, « élève danseuse » ; 1850, Balzac, « avare » ; 1907, Lar., *rat d'hôtel* ; 1651, Loret, *prendre un rat,* « ne pas partir », en parlant d'une arme ; début du XVIII^e^ s., *avoir des rats dans la tête,* « avoir des caprices ». || **raticide** 1966, *journ.* || **raton** 1265, J. de Meung, petit rat ; 1937, Esnault, injure raciste. || **ratonade** 1960, *journ.* || **ratier** XII^e^ s., qui a des caprices ; 1869, L., chien. || **ratière** fin XIV^e^ s. || **dératisation** 1907, Lar. || **ratichon** 1628, Chereau (*rastichon*), « aumônier des prisons », puis, dans le vocab. pop., « prêtre » ; de *rat,* par anal. de couleur. || **rat-de-cave** 1680, Richelet, fonctionnaire des finances ; 1803, Boiste, bougie.

**ratafia** 1694, Ménage, au sens de « à votre santé » ; fin XVII^e^ s., liqueur ; lat. *rata fiat,* « que le marché soit conclu », de *ratus,* ratifié, et *fiat,* qu'il soit.

**rataplan** 1834, Boiste ; onomat.

**ratapoil** 1869, L. ; du n. de *Ratapoil,* militaire borné, caricature de Daumier.

**ratatiner** 1611, Cotgrave (*ratatiné*) ; 1762, *Acad.* (*ratatiner*), « démolir » ; *se ratatiner,* 1662, Brunot ; mot expressif tiré d'un rad. *tat-,* exprimant l'amoindrissement (cf. l'anc. fr. *tatin,* petite quantité). || **ratatinement** 1845, Calmeil.

**ratatouille** 1778, Esnault ; croisement de *tatouiller* et de *ratouiller,* formes express. de *touiller* (v. ce mot). || **rata** 1829, Esnault, arg., puis milit. ; abrév. du précédent.

**rate** XII^e^ s., *Roman de Thèbes,* viscère ; p.-ê. moyen néerl. *rate,* rayon de miel, par analogie de forme. || **ratelle** XIII^e^ s., rate ; XV^e^ s., maladie des porcs ; d'où *rateleux,* XVI^e^ s., Mizauld.

|| **dérater** début XVIe s., enlever la rate à un chien pour le rendre plus propre à la course. || **dératé** 1743, Trévoux, fig.

**râteau** 1180, G. (*rastel*) ; 1460, Villon (*ratteau*) ; lat. *rastellum,* dimin. de *rastrum.* || **râteler** 1220, Coincy. || **râtelage** 1436, G. || **râtelée** 1462, *Cent Nouvelles.* || **râteleur** 1694, *Acad.,* agric. || **râtelures** 1876, Lar. || **râtelier** 1250, Barbier, support ; 1611, Cotgrave, dentier. (V. RATISSER.)

**rater** 1718, *Acad.,* d'abord « ne pas partir », en parlant d'une arme à feu ; d'après *prendre un rat.* || **ratage** 1864, Goncourt. || **raté** n. m., 1836, *Acad.,* fait de rater, en parlant d'une arme ; 1907, Lar., automobile. || **raté** n. m., 1876, *Rev. des Deux Mondes,* homme qui a raté sa carrière.

**ratiboiser** 1875, Larchey, arg. des joueurs ; p.-ê. croisement de *ratisser* et d'*emboiser,* tromper, de l'anc. fr. *boisier,* même sens, du francique **bausjan ;* ou mot fantaisiste sur *ratisser.*

**ratichon** V. RAT.

**ratifier** 1297, Delb. (*rattefier*) ; lat. médiév. *ratificare,* de *ratum,* « ce qui est confirmé », part. passé neutre de *reri,* affirmer, confirmer. || **ratification** début XIVe s. ; lat. médiév. *ratificatio,* confirmation.

**ratine** 1260, G. (*rastin*) ; 1593, Gay (*ratine*) ; de l'anc. verbe **raster,* racler, raturer. || **ratiner** 1765, Duhamel. || **ratinage** 1812, Mozin. (V. RATISSER.)

**ratio** 1964, Lar. ; mot angl., lat. *ratio,* compte, calcul.

**ratiociner** 1546, Rab. ; lat. *ratiocinari,* de *ratio* au sens de « calcul, compte ». || **ratiocination** fin XVe s. ; lat. *ratiocinatio.* || **ratiocinateur** 1549, R. Est. || **ratiocineur** 1929, L. Daudet.

**ration** fin XIIIe s., Végèce, jurid. ; 1643, Fournier, ration des soldats ; 1810, Genlis, « portion » ; lat. *ratio,* au sens de « compte, mesure », spécialisé en lat. médiév. || **rationnaire** 1777, Malouet. || **rationner** 1795, *Journ. de Paris.* || **rationnement** 1870, Hugo.

**rationnel** 1120, *Ps. d'Oxford ;* lat. philos. *rationalis,* de *ratio* au sens de « raison ». || **rationnellement** 1836, Lamennais. || **rationaliste** 1552, Gruget, en parlant des médecins qui se contentent de l'« art », par opposition aux empiriques ; 1718, Van Effen, philos. || **rationalisme** 1803, Boiste. || **rationalité** 1280, R. Lulle, activité rationnelle ; 1836, *Acad.,* sens actuel. || **rationalisation** 1842, Mozin. || **rationaliser** 1842, Radonvilliers. || **irrationnel** 1370, Oresme ; lat. *irrationalis.* || **irrationalisme** 1828, Eckstein. || **irrationalité** 1873, Lar.

**ratisser** XIVe s., « racler » ; 1680, Richelet, « râteler », d'après *râteau ;* 1867, Delvau, « voler » ; moy. fr. *rater,* racler, raturer, de *rature* (v. ce mot). || **ratissoire** n. f. ou **ratissoir** n. m., milieu XIVe s. (*ratissouer,* masc.) ; 1538, R. Est. (*ratissoire*), même évol. de sens. || **ratissure** 1552, R. Est. || **ratissage** 1765, *Encycl.,* action de râteler ; 1962, Robert, milit.

**rattacher** V. ATTACHER.

**rature** XIIIe s., L., action de racler ; XIVe s., action de gratter un mot ; lat. pop. **rasitura,* de *radere,* racler. (V. RACLER, RASER.) || **raturer** 1550, Meigret ; a remplacé *rasurer* (XIVe s.) et *raser* (XVe s.). || **ratureur** milieu XIVe s.

**rauque** 1270, G. (*rauc*) ; 1406, Delb. (*rauque*) ; lat. *raucus.* || **raucité** XIVe s., *Moamin ;* lat. *raucitas.* || **rauquement** 1860, Goncourt. || **rauquer** 1761, Buffon, crier, en parlant du tigre. (V. ENROUER.)

**ravage** V. RAVIR.

**ravaler** 1175, Chr. de Troyes, « descendre » ; de *val ;* 1530, *Baudoin de Sebourg,* sens moral ; 1538, R. Est., « avaler » ; 1432, G., sens techn. || **ravalement** 1460, Blondel.

**ravauder** 1530, Palsgrave ; de *ravault,* sottise (XIIe s.) ; var. de *raval,* dépréciation, même sens, de *ravaler.* (V. VAL.) || **ravaudeur** *id.* || **ravaudage** 1553, Belon.

**rave** début XIVe s. ; franco-prov. *rava,* lat. *rapa,* var. de *rapum ;* a éliminé la forme régulière *reve* (XIIIe s.). || **ravière** 1539, R. Est., champ de raves. || **ravier** 1827, *Acad.,* bot. ; 1836, Landais, récipient pour hors-d'œuvre.

**ravenelle** XIIe s., G. ; anc. fr. *rafne* (fin XIe s., *Gloses de Raschi*), lat. *raphanus,* radis noir.

**ravigoter** 1611, Cotgrave ; altér., par substit. de suff., du moy. fr. *ravigorer,* XIIe-XVIII[e] s., de *vigueur,* avec *o* analogique du lat. *vigor.* || **ravigote** 1720, *D. G.*

**ravin** V. RAVINE.

**ravine** 1160, Benoît (*raveine*), d'abord « vol fait avec violence », puis « violence », et « chute violente » (*raveine de terre*) ; 1388, *Ordonn. de Charles VI,* « torrent d'eau » ; XVIIe s., sens mod. ; déverbal de l'anc. fr. *raviner,* couler avec force (1160, *Tristan*), du lat. *rapina,* vol. || **raviner** 1585, Cholières, « creuser le sol ». || **ravin** 1690, Furetière ; déverbal de *raviner.* || **ravineux** 1842, *Acad.*

**ravioli** 1376, Prost (*raviolle*) ; 1834, Boiste ; plur. de l'ital. *ravioli* (XIV^e s.), pâté de raves et de viande.

***ravir** 1112, *Voy. saint Brendan,* enlever de force ; 1220, Coincy, ravir l'esprit, exalter ; lat. pop. **rapire,* lat. class. *rapĕre,* saisir. || **ravissant** XIV^e s., *Brun de la Montaigne,* « qui enlève » ; 1627, Sorel, « charmant ». || **ravissement** XIII^e s., *D. G.,* action d'enlever ; début XVII^e s., « admiration ». || **ravisseur** 1240, G. de Lorris, sens propre. || **ravage** 1355, Bersuire ; de *ravir,* au sens propre. || **ravager** fin XIII^e s., (*revagier*), « arracher des plants de vigne » ; 1559, Amyot, « piller » ; 1660, Boileau, fig. || **ravageur** XVI^e s., Gauchet.

**raviser** V. AVISER

**ravitailler** 1427, *D. G. ;* anc. fr. *avitailler,* XII^e-XVI^e s., pourvoir de nourriture, de l'anc. subst. *vitaille* (v. VICTUAILLE). || **ravitaillement** 1430, *Doc.* || **ravitailleur** 1527, Macquereau.

**rayer, rayure** V. RAIE 1.

**ray-grass** 1758, Patullo ; mot angl., de *ray,* ivraie, et *grass,* herbe.

1. **rayon** (*de lumière*), **rayonnement, rayonner** V. RAI.

2. **rayon** (*de miel*) 1538, R. Est. ; 1690, Furetière, planche de rangement ; 1883, Zola, rayon de magasin ; anc. fr. *ree,* du francique **hrâta* (cf. le néerl. *râta,* miel vierge). || **rayonnage** 1874, L., rayons de rangement.

3. **rayon** 1120, *Ps. de Cambridge* (*reun.*) ; XIV^e s. (*rayon*), terme de jardinage, « petit sillon sur planche labourée ou ratissée » ; de *raie.* || **rayonnage** 1842, *Acad.* || **rayonner** 1869, L., tracer des sillons.

**rayonne** 1930, Lar. ; anglo-américain *rayon,* prononcé à l'anglaise, d'où le genre féminin, lui-même empr. au fr. *rayon* (de lumière).

**raz** 1360, Froissart (*ras*), courant violent dans un passage étroit ; 1484, Garcie, détroit de mer ; breton *raz,* de l'anc. scandinave *râs,* courant d'eau. || **raz-de-marée** 1678, Guillet.

**razzia** 1842, *Acad. ;* ar. d'Algérie *rhāzya,* ar. class. *rhazāwa,* attaque. || **razzier** 1843, *le Charivari.*

**re-, ré-,** préf. ; du lat. *re-,* exprimant le retour en arrière, la répétition, l'approfondissement. Les mots construits avec ce préfixe figurent pour la plupart aux mots simples.

**ré** XIII^e s., note de mus. (V. UT.)

**réacteur, réactif, réaction** V. ACTIF, ACTION.

**réal** 1363, *Doc.,* monnaie espagnole ; esp. *real.*

**réalgar** 1330, *Doc.* (*riagal*) ; fin XV^e s. (*réalgar*) ; ar. *rahj-al-ghar,* « poudre de cave ».

**realia** 1916, Saussure, « choses réelles » ; mot lat.

**réaliser, réalité** V. RÉEL.

**rébarbatif** 1360, Froissart ; anc. fr. *se rebarber* (fin XIII^e s.), se mettre barbe contre barbe, d'où « tenir tête à ».

**rebec** 1379, J. de Brie, violon ; altér., d'après *bec,* de l'anc. fr. *rebebe* (1265, J. de Meung), de l'ar. *rabāb,* vielle.

**rebeller (se)** 1180, Barbier, intransitif aussi en anc. fr. ; lat. *rebellare,* de *bellum,* guerre. || **rebelle** 1160, Benoît ; lat. *rebellis,* révolté. || **rébellion** 1250, Le Grand ; lat. *rebellio, -onis.*

**rebiffer** XII^e s., Delb. (*rebiffer*), froncer le nez ; XIII^e s., rabrouer ; 1630, Saint-Amant (*se rebiffer*) ; orig. obscure, p.-ê. onomat. *biff-,* mouvement brusque. || **rebiffe** 1836, Vidocq.

**rebiquer** XX^e s. ; p.-ê. de *bique,* au sens dial. de « corne ».

**reblochon** 1877, L. ; mot savoyard, de *reblochi,* traire de nouveau une vache.

**rebours** 1160, *Roman de Tristan,* adj., « ébouriffé » ; 1220, Coincy, « revêche » ; *à rebours,* XIII^e s., Rutebeuf, à contre-poil ; *au rebours,* 1534, Rab., en sens contraire ; bas lat. *reburrus,* « hérissé », altéré en **rebursus,* par croisement avec *reversus,* renversé. || **rebrousser** 1155, Wace (*reborser*), « venir à manquer » ; XIII^e s., *Roman de Renart,* « retrousser, relever » ; 1530, Palsgrave (*rebrousser,* peut-être d'après *trousser*) ; 1589, *Doc.,* « remonter le cours d'un fleuve » ; XV^e s., J. de Bueil, *rebourser le chemin,* devenu *rebrousser chemin.* || **rebrousse-poil** (à) 1694, *Acad.* || **rebroussement** 1672, La Mothe le Vayer. || **rebroussoir** 1606, Nicot.

**rebouteux, reboutonner, rebrousser** V. BOUTER, BOUTON, REBOURS.

**rebuffade** 1578, d'Aubigné ; anc. *rebuffe* (XVI^e s.), même sens, de l'ital. *ribuffo,* var. *rebuffo, rabuffo,* de *rabbuffare,* houspiller, dér. de *buffare.* (V. BOUFFER.)

**rébus** 1480, G. Alexis, « équivoque » ; 1530, Marot, sens actuel ; lat. *rebus,* abl. plur. de *res,* chose, jeu consistant à représenter les êtres et les objets par des dessins évoquant les *choses,* au lieu de mots les nommant.

**rebuter** 1215, Gatineau, « refuser » ; 1549, R. Est, « repousser » ; 1694, Boileau, « répugner » ; de *re-* et *buter,* repousser du but. || **rebut** fin XV^e s., Commynes (*rebeut*) ; déverbal. || **rebutage** 1875, Lar. || **rebutant** 1669, Boileau.

**récalcitrant** 1551, Vaganay ; anc. fr. *récalcitrer* (1120, *Ps. de Cambridge*), « ruer », d'où « regimber » ; lat. *recalcitrare,* regimber, de *calx, calcis,* talon. || **récalcitrance** 1865, Baudelaire.

**recaler** V. CALER 2.

**récapituler** 1370, Oresme ; bas lat. *recapitulare,* de *capitulum,* chapitre. || **récapitulation** début XIII^e s. ; lat. *recapitulatio.* || **récapitulatif** 1831, d'Halloy.

**recel, receler, receleur** V. CELER.

**recenser** 1240, G. de Lorris, « raconter » ; 1534, Rab., « dénombrer » ; lat. *recensere,* recenser. (V. CENS.) || **recensement** 1611, Cotgrave, « récit » ; 1798, *Acad.,* sens actuel. || **recenseur** XIV^e s., Girart de Roussillon, « conteur » ; 1789, Brunot, « celui qui compte les suffrages » ; 1869, L., sens mod. || **recension** 1753, Euler, « énumération et examen critique » ; 1812, Boiste, « vérification », en philologie.

**récent** milieu XV^e s. ; lat. *recens, -entis,* humide, frais. || **récence** 1801, Mercier. || **récemment** 1544, M. Scève (*récentement*) ; 1646, Rotrou (*récemment*).

**récépissé** 1380, G. ; inf. passé lat. *recepisse,* avoir reçu (de *recipere,* recevoir), de la formule *cognosco me recepisse,* « je reconnais avoir reçu ».

**réceptacle** 1308, Aimé ; lat. *receptaculum,* de *receptare,* fréquentatif de *recipere,* recevoir.

**récepteur** 1265, *Livre de jostice* (*receteur*), « recéleur » ; XIV^e s. (*récepteur*) ; 1845, Besch., « machine recevant les eaux surabondantes » ; 1869, L., sens mod. ; lat. *receptus,* part. passé de *recipere,* recevoir. || **réceptif** 1450, Gréban, « qui reçoit » ; 1821, Maine de Biran, sens mod. || **réceptivité** 1803, Boiste.

**réception** v. 1200, *Règle saint Benoît ; accusé de réception,* 1826, Mozin ; lat. *receptio,* de *recipere,* recevoir. || **réceptionnaire** 1866, L. || **réceptionner** 1923, Lar. || **réceptionniste** 1964, Lar.

**récession** 1869, L., action de se retirer ; lat. *recessio,* de *cedere,* aller, et *re-,* en arrière ; 1962, Robert, écon. polit. || **récessif** 1907, Lar. || **récessivité** 1962, Robert.

**recette** V. RECEVOIR.

***recevoir** 1080, *Roland* (*recevez*) ; 1190, Couci (*-voir*) ; réfection, par changem. de conjugaison, de *recivre,* X^e s., *Saint Léger* (var. *receivre, reçoivre*), du lat. *recipere.* || ***recette** 1080, *Roland,* « lieu où l'on se retire » ; 1283, Beaumanoir (*reçoite*), somme reçue ; 1398, *Ménagier,* manière de préparer un remède, ou un plat ; 1848, *Bull. des lois,* recette buraliste ; lat. *recepta,* fém. de *receptus,* part. passé de *recipere.* || **reçu** 1611, Cotgrave, n. m. || **receveur** 1120, *Ps. d'Oxford* (*receverre*), « qui soutient » ; 1170, *Rois,* « percepteur ». || **recevable** 1265, *Livre de jostice.* || **recevabilité** 1829, Boiste. || **irrecevable** 1588, Montaigne. || **irrecevabilité** 1874, L. || **non-recevoir** (*fin de*) 1870, L. (V. aussi RÉCEPTEUR, RÉCIPIENDAIRE, RÉCIPIENT.)

**réchampir, réchaud** V. CHAMP, CHAUFFER.

**rêche** 1244, Huon (*resque*), forme picarde ; 1761, Rousseau (*rêche*) ; francique *rubisk.*

**rechigner** 1155, Wace (*denz rechignier*), montrer les dents ; 1175, Chr. de Troyes (*rechignier*), sens mod. ; francique ***kînan** (cf. l'anc. haut all. *kînan,* tordre la bouche). || **rechignement** XIII^e s. || **chigner, chougner** 1794, Hébert, « pleurnicher », pop.

**rechute** V. CHUTE.

**récidive** début XV^e s. ; 1560, Paré, méd. ; 1593, *Doc.,* jurid. et sens général ; lat. médiév. *recidiva,* n. fém., de l'adj. *recidivus,* « retombé », d'où « qui revient », de *cadere,* tomber. || **récidiver** 1478, Chauliac, méd. ; 1488, *Mer des hist.,* jurid. ; lat. médiév. *recidivare,* de *recidiva.* || **récidivant** 1949, Lar., méd. || **récidivité** 1864, L., méd. || **récidiviste** 1845, Besch.

**récif** 1688, Œxmelin ; mot introd. en fr. par les colons d'Amérique ; esp. *arrecife,* « chaussée », de l'ar. *rasīf,* chaussée, digue.

**récipiendaire** 1674, La Fontaine ; lat. *recipiendus,* qui doit être reçu, adj. verbal de *recipere,* recevoir.

**récipient** milieu XVI^e s., B. Aneau (*vaisseau récipient*) ; 1600, O. de Serres, vase ; lat. *recipiens,* qui reçoit, part. prés. de *recipere,* recevoir.

**réciproque** 1380, *Aalma,* adj. ; XV$^e$ s., G., n. m., « la pareille » ; 1800, Boiste, n. f. ; lat. *reciprocus.* || **réciprocité** 1729, *Merc. de France ;* bas lat. *reciprocitas.* || **réciproquement** fin XV$^e$ s. || **réciproquer** fin XIV$^e$ s. ; lat. *reciprocare.*

**réciter** 1155, Wace, « lire à haute voix » ; 1265, J. de Meung, « raconter, dire de mémoire » ; lat. *recitare,* lire à haute voix. || **récit** XV$^e$ s. || **récitation** 1398, E. Deschamps, « récit » ; 1530, Palsgrave, sens mod. ; 1728, Rollin, emploi scolaire ; lat. *recitatio,* lecture à haute voix. || **récitant** 1771, Trévoux. || **récitateur** milieu XV$^e$ s. ; lat. *recitator,* lecteur. || **récitatif** adj., 1472, *Lettres Louis XI ;* n. m., 1690, Furetière ; ital. *recitativo,* du lat. *recitare.* || **récital** 1884, *le Ménestrel ;* angl. *recital,* de (*to*) *recite,* du fr. *réciter.*

**réclamer** 1080, *Roland,* « invoquer, implorer » ; 1265, J. de Meung, sens mod. ; *reclamer* jusqu'au XVI$^e$ s. ; *se réclamer de,* 1175, Chr. de Troyes, « se recommander de quelqu'un » ; 1824, Segur, « se prévaloir de » ; lat. *reclamare.* || réclamation début XIII$^e$ s., « demande » ; 1904, Lar., sens actuel ; lat. *reclamatio.* || **réclamateur** 1672, Isambert. || **réclame** 1560, La Curne, masc., en fauconnerie, « cri de rappel » ; a remplacé *reclaim* (XII$^e$-XVI$^e$ s.), masc. || **réclame** 1625, Stoer, fém., terme de typogr., notation en bas de page annonçant le premier mot de la page suivante ; 1834, Landais, petit article publicitaire ; 1842, Matoré, « publicité ».

**récliner** 1180, Marie de France ; lat. *reclinare,* pencher en arrière, de *clinare,* incliner.

**reclus** X$^e$ s., *Saint Léger,* adj. ; début XIII$^e$ s., n. m. ; part. passé de l'anc. fr. *reclure* (fin X$^e$ s., *Saint Léger*), bas lat. *recludere,* enfermer, de *claudere.* (V. CLORE.) || **réclusion** XIII$^e$ s., Richier, « vie retirée » ; 1771, Trévoux, jurid. || **réclusionnaire** 1836, *Acad.* || **recluserie** 1573, G., « cellule ».

**récoler** 1337, G. (*récolé,* n., « minute d'un acte ») ; 1356, G. (*récoler*), se souvenir ; 1690, Furetière, réviser, vérifier ; lat. *recolere,* se rappeler, et rappeler. || **récolement** fin XIV$^e$ s., jurid.

**récollection** 1372, Corbichon, « résumé » ; milieu XVI$^e$ s., « esprit de recueillement » ; lat. *recollectio,* sur *recollectus,* part. passé de *recolligere.* (V. CUEILLIR.)

**récollet** 1468, G. ; lat. médiév. *recollectus,* qui se recueille, part. passé de *recolligere,* recueillir, les récollets se livrant au recueillement.

**récolte** 1561, Vaganay ; ital. *ricolta,* de *ricogliere,* du lat. *recolligere.* (V. CUEILLIR.) || **récolter** 1742, Féraud ; fig., 1788, Féraud ; Voltaire préférait *recueillir.* || **récoltable** 1788, Féraud. || **récoltant** 1834, Landais, n. m.

**récompenser** 1290, *Livre Roisin,* « dédommager » ; 1380, *Aalma,* « gratifier » ; bas lat. *recompensare,* aux deux sens ; *se récompenser de,* jusqu'au XVIII$^e$ s., « se dédommager de ». || **récompense** fin XIV$^e$ s., La Curne, « dédommagement » ; 1413, N. de Baye, « avantage ».

**réconcilier, reconduction, réconforter** V. CONCILIER, CONDUIRE, CONFORTER.

**record** 1889, Bonnafé ; angl. *record,* « enregistrement », et au fig. terme de sport, de (*to*) *record,* inscrire, enregistrer, de l'anc. fr. *recorder,* rappeler. (V. RECORS.) || **recordman** 1889, Saint-Albin ; composé de création française. || **recordwoman** 1924, Montherlant.

**recors** 1160, Benoît (*recort*), adj., « qui se souvient » ; n. m., 1552, Rab., « témoin » ; 1769, Voltaire, « personne servant de témoin à un huissier », « officier subalterne de justice » ; anc. fr. *recorder,* « rappeler, se rappeler », usuel jusqu'au XVIII$^e$ s., du bas lat. *recordare,* lat. *recordari,* se souvenir.

**recouvrer** 1050, *Alexis ;* lat. *recupare* (V. RÉCUPÉRER) ; du XV$^e$ s. au XVIII$^e$ s., souvent confondu avec *recouvrir.* || **recouvrable** 1450, G., « réparable » ; 1564, Thierry, « qui peut être repris » ; 1694, *Acad.,* sens mod. || **irrécouvrable** 1418, G. ; bas lat. *irrecuperabilis.* || **recouvrement** 1080, *Roland,* « secours » ; fin XIV$^e$ s., sens mod.

**récréer** fin XII$^e$ s., R. de Moiliens (*recrier*) ; fin XIV$^e$ s., Gilles li Muisis (*recréer*) ; lat. *recreare.* || **récréation** 1282, Gauchi, « repos » ; 1482, Molinet, emploi scolaire ; lat. *recreatio.* || **récré** 1878, Esnault ; abrév. || **récréatif** 1487, Tardif.

**récriminer** milieu XVI$^e$ s. ; lat. médiév. *recriminari,* de *crimen,* grief, accusation. || **récrimination** milieu XVI$^e$ s., jurid. ; lat. *recriminatio.*

**recroqueviller** 1332, Digulleville (*se recroqueviller*) ; transitif, 1627, Crespin ; altér. de l'anc. fr. *recoquiller* (XIV$^e$ s.), de *coquille,* peut-être par croisement avec *croc* et avec *ville,* forme anc. de *vrille.* || **recroquevillement** 1953, Sarraute.

**recru** 1080, *Roland* (*recreü*), « rendu à merci, vaincu » ; 1696, La Bruyère, « épuisé de fatigue » ; part. passé de l'anc. fr. *recroire,* bas lat. *recredere,* se remettre à la merci, du lat. *credere,* croire.

**recrudescence** 1810, Alibert, méd. ; 1832, Fr. Wey, sens général ; lat. *recrudescere,* saigner davantage, d'où « devenir plus violent », de *crudus,* saignant. || **recrudescent** 1842, *Acad.*

**recrue** 1501, G. Cohen (*recreue*), « supplément, qui a recru » ; milieu XVIe s., « ce qui vient compléter un régiment » ; 1824, Ségur, « soldat » ; 1869, L., sens général ; part. passé, substantivé au fém., de *recroître,* de *croître.* || **recruter** 1691, Racine ; *se recruter,* 1875, Lar., sens général. || **recrutement** 1790, *Journ. militaire.* || **recruteur** 1771, Trévoux.

**recta** 1718, *Acad.,* « directement » ; 1788, Féraud, « exactement » ; adv. lat. *recta,* en droite ligne.

**rectangle** 1549, Peletier, adj. ; 1690, Furetière, n. m. ; bas lat. *rectangulus* (Ier s., Frontin) ; de *rectus,* droit, et *angulus,* angle. || **rectangulaire** 1571, Delb. || **rectangularité** 1819, *Mémoires Acad. sciences.*

**recteur** 1213, Fagniez (*rector*), « capitaine de navire » ; milieu XIIIe s., chef d'une université ; XVIe s., curé, en Bretagne ; 1806, Brunot, chef d'une circonscription académique ; lat. médiév. *rector,* de *regere,* diriger. || **rectorat** 1560, Pasquier. || **rectoral** 1594, *Ménippée.* || **vice-recteur** 1872, L.

**rectifier** 1280, Wadington, « amender » ; 1314, Mondeville (*rectefier*), « rendre droit » ; 1370, Oresme, « modifier » ; bas lat. *rectificare,* rendre droit, de *rectus,* droit. || **rectification** 1314, Mondeville ; bas lat. *rectificatio.* || **rectifiable** 1727, *Mémoires Acad. sciences.* || **rectificatif** 1819, Boiste, adj. ; 1964, Lar., n. m. || **rectifieuse** 1932, Lar., techn. || **rectifieur** 1932, Lar., ouvrier.

**rectiligne** 1370, Oresme ; bas lat. *rectilineus,* en ligne droite (VIe s., Boèce), de *rectus,* droit, et *linea,* ligne. || **rectilinéaire** 1774, Diderot.

**rection** début XVIe s. (*reccion*), « gouvernement » ; 1964, Lar., ling. ; lat. *rection,* action de diriger, de *regere,* diriger.

**rectitude** 1370, Oresme ; bas lat. *rectitudo,* caractère de ce qui est droit, de *rectus,* droit.

**recto** 1663, Kuhn ; ellipse de la loc. lat. médiév. *folio recto,* « sur le feuillet qui est à l'endroit », opposé à *folio verso.*

**rectum** 1363, Chauliac ; mot du lat. médical, ellipse de *intestinum rectum,* intestin droit. || **rectite** 1836, *Acad.* || **rectopexie** 1932, Lar. ; de *rectum* et *pexis,* action d'emboîter. || **rectoscopie** 1923, Lar. || **rectotomie** 1878, Lar.

**recueillir, reculer** V. CUEILLIR, CUL

**récupérer** 1308, Aimé, « se réfugier » ; 1495, J. de Vignay, « retrouver » ; lat. *recuperare* (v. RECOUVRER). || **récupération** milieu XIVe s. ; lat. *recuperatio.* || **récupérable** XVe s. || **irrécupérable** fin XIVe s. || **récupérateur** fin XVIe s., Brantôme, « qui recouvre quelque chose ».

**récurer** V. CURER.

**récurrent** 1541, Canappe, anat., à propos des nerfs ; 1713, Du Châtelet, math. ; 1922, Proust, sens général ; lat. *recurrens,* part. prés. de *recurrere,* courir en arrière, de *currere.* || **récurrence** 1842, *Acad.*

**récursif** 1968, Lar. ; angl. *recursive,* du lat. *recurrere,* revenir en arrière. || **récursivité** 1968, Lar.

**récuser** XIIIe s., jurid. ; 1669, Racine, sens général ; lat. *recusare,* « refuser ». || **récusable** 1529, Isambert. || **irrécusable** 1558, S. Fontaine ; rare avant le XVIIIe s. ; bas lat. *irrecusabilis.* || **récusation** début XIVe s. ; lat. *recusatio.*

**rédacteur, rédaction** V. RÉDIGER.

**redan** ou **redent** 1611, Cotgrave (*redent*) ; 1677, Colbert (*redan*), « retranchement formant dent » ; de *re-* et *dent.*

**reddition** V. RENDRE.

**rédempteur** 980, *Passion* (*redemptor*) ; milieu XVe s., Joret (*redempteur*) ; lat. eccl. *redemptor,* « celui qui rachète », de *redimere,* racheter, de *emere,* acheter. || **rédemption** 1120, *Ps. d'Oxford ;* lat. *redemptio,* « rachat ». (V. RANÇON.) || **rédemptoriste** 1829, Boiste. || **rédimer** 1398, E. Deschamps, relig. ; lat. *redimere.*

**redevance** V. DEVOIR.

**rédhibitoire** XIVe s., Bouthillier, jurid. ; 1869, L., sens général ; lat. jurid. *redhibitorius,* de *redhibere,* rendre, restituer, de *habere,* avoir. || **rédhibition** XIVe s. ; lat. jurid. *redhibitio.*

**rédiger** 1379, J. de Brie, « mettre par écrit » ; lat. *redigere,* « ramener », de *agere,* conduire, et parfois « disposer, arranger », d'où le sens du fr. || **rédaction** milieu XVIe s., « fait de réduire » ; 1690, Furetière, « fait d'écrire » ; 1845, Besch., sens actuel, *journ. ;* 1893, *D. G.,* emploi scolaire ; lat. *redactus,* part. passé de *redigere.* || **rédacteur** 1752, Trévoux, « compilateur » ; 1798, *Acad.*, sens actuel. || **rédactionnel** 1874, *Revue.*

**rédimer** V. RÉDEMPTEUR.

**redingote** 1725, Barbier ; francisation de l'angl. *riding-coat,* habit (*coat*) pour monter à cheval (*to ride*).

**redonder** fin XII$^e$ s., R. de Moiliens ; spécialem. au XVI$^e$ s. dans le vocab. litt. ; lat. *redundare,* regorger, de *unda,* onde. || **redondant** 1265, J. de Meung ; lat. *redundans,* part. prés. de *redundare.* || **redondance** XIV$^e$ s., J. de Venette ; même évol. de sens ; lat. *redundantia,* de *redundare.*

**redoute** 1599, Mornay, milit., d'après *redouter ;* 1616, d'Aubigné (*ridotte*) ; 1636, Monet (*redoute*), « endroit où l'on danse, bal masqué » ; anc. ital. *ridotta* (auj. *ridotto*), « lieu où l'on se retire », puis « bal », de *ridurre,* ramener, au réfléchi « se retirer ».

**redouter** 1050, *Alexis ;* de *douter,* au sens de « craindre ». || **redoutable** fin XII$^e$ s., *Grégoire.*

**redoux** 1930, *FEW ;* mot dial., de *radoucir.*

**réduire** XIII$^e$ s., La Curne, « anéantir » ; XVI$^e$ s., math. ; XVII$^e$ s., sens général ; francisation du lat. *reducere,* ramener, de *ducere,* conduire, d'après *conduire.* || **réduction** XIII$^e$ s., *D. G.,* « rapprochement » ; 1300, G., alchimie ; 1690, Furetière, math. ; 1752, Trévoux, « reproduire en diminuant » ; lat. *reductio,* de *reductus,* part. passé de *reducere.* || **réducteur** 1835, *Annales chimie,* chim. ; 1875, Lar., sens général ; lat. *reductor.* || **réductif** 1314, Mondeville. || **réductible** XVI$^e$ s., Loysel. || **réductibilité** 1757, Brunot. || **irréductible** fin XVII$^e$ s.

***réduit** XII$^e$ s., *Roman de Thèbes* (*reduit*), refait en *réduit* d'après *réduire ;* lat. pop. **reductum,* part. passé subst., au sens de « qui est à l'écart », de *reducere.* (V. RÉDUIRE et REDOUTE.)

**réduplication** 1363, Chauliac, méd., « repli d'un organe » ; 1520, Fabri, rhét. ; bas lat. *reduplicatio* (VI$^e$ s., Boèce), rhét., de *reduplicare,* redoubler. || **réduplicatif** 1679, Huet.

**réel** 1283, Beaumanoir, jurid. ; 1380, *Aalma,* philos. ; XVII$^e$ s., ext. de sens ; lat. médiév. *realis,* de *res,* chose. || **réellement** 1170, *Rois,* « de manière effective » ; 1680, Richelet, « véritablement ». || **réalité** XIV$^e$ s. (*réellité*), « contrat rendu réel » ; XVI$^e$ s., sens mod. ; bas lat. *realitas.* || **irréel** 1794, Brunot. || **irréalité** 1886, Villiers. || **réaliser** 1495, *Doc.,* jurid. ; 1611, Cotgrave, rendre réel ; début XVIII$^e$ s., *réaliser sa fortune,* la transformer en argent ; de *réel,* sur lat. *realis ;* 1895, P. Bourget, « comprendre, se représenter » ; calque de l'anglo-amér. (*to*) *realize ;* 1908, *le Temps,* cinéma. || **réalisateur** 1842, *Acad.,* « qui réalise » ; 1918, *le Film,* cinéma. || **réalisation** 1508, *FEW,* jurid. ; 1847, Balzac, action de rendre effectif ; 1908, *l'Illustration,* cinéma. || **réalisable** 1780, Mirabeau, finances. || **irréalisable** 1819, Ballanche. || **irréalisé** 1845, Radonvilliers. || **réalisme** 1803, Boiste, philos. ; 1833, G. Planche, esthét. ; 1902, *Revue,* disposition à voir la réalité. || **réaliste** 1587, Marnix, philos. ; 1869, L., esthét. || **irréalisme** 1907, *Revue.* || **irréaliste** 1927, Crémieux. || **surréalisme, surréaliste** 1917, Apollinaire. || **néo-réalisme, néo-réaliste** 1939, Vincent.

**réfection** 1120, *Ps. de Cambridge* (*refectiun*) ; lat. *refectio,* action de refaire, de *refectus,* part. passé de *reficere,* refaire ; a signifié, aux XVI$^e$-XVII$^e$ s., « nourriture ». || **réfaction** 1686, Sévigné, « réparation » ; 1964, Robert, finances ; 1803, Wailly, réduction de prix ; var. de *réfection.* (V. *refaire* à FAIRE.)

**réfectoire** 1112, *Voy. saint Brendan* (*refraitur*) ; début XII$^e$ s., *Grégoire* (*réfectoir*) ; lat. eccl. *refectorium,* neutre substantivé de l'adj. bas lat. *refectorius,* « qui refait, restaure », de *reficere,* refaire ; jusqu'au XVII$^e$ s., surtout pour des communautés religieuses.

**refend** V. FENDRE.

**référendaire** 1310, Fauvel (*référendares*), officier de chancellerie ; bas lat. *referendarius,* « chargé de ce qui doit être rapporté », de *referre,* rapporter ; XIX$^e$ s., magistrat de la Cour des comptes. || **référendariat** 1845, Besch.

**référer** 1370, Oresme, « rapporter », jurid. ; *en référer à,* 1636, Monet ; *se référer à,* fin XV$^e$ s. ; lat. *referre,* rapporter. || **référé** 1690, Furetière, « rapport d'un juge » ; 1806, *Code de procéd.,* terme jurid., au sens mod. || **référence** 1845, Besch. || **référencer** 1877, L. || **référentiel** 1972, Lar. || **référendum** 1750, Brunot (*ad referendum*) ; 1781, Gohin, « demande de consultation » ; 1874, Lar., sens mod. ; mot lat., neutre de *referendus,* « qui doit être rapporté », adj. verbal.

1. **réfléchir** fin XII$^e$ s., *Grégoire* (*reflekir*) ; 1265, J. de Meung (*reflechir*), optique ; adaptation, d'après *fléchir,* du lat. *reflectere,* « faire tourner, fléchir de nouveau ». || **réfléchissement** fin XIV$^e$ s., J. Le Fèvre. || **réfléchissant** adj., 1720, Trévoux. || **réflexion** 1370, Oresme ; bas lat. *reflexio,* « action de tourner en arrière », de

*reflectere.* || **réflexible** 1720, Coste. || **réflexibilité** 1720, Coste, d'après Newton. || **réflecteur** 1804, *Journ. des débats ;* lat. *reflectus,* part. passé de *reflectere.* || **réflectance** 1953, Lar. || **réflectif** 1803, Boiste. || **réflectivité** 1875, *le Progrès médical.* || **réflectographie** 1964, Lar. || **réflectoriser** 1968, *journ.,* au part. passé.

2. **réfléchir** 1672, Livet, « penser mûrement à quelque chose » ; adaptation, d'après *fléchir,* du lat. *reflectere* (*mentem, animum*), « tourner (son esprit) vers ». || **réfléchi** 1701, Furetière, gramm. ; 1734, Montesquieu, fait avec réflexion. || **irréfléchi** 1786, Tournon. || **réflexion** 1637, Descartes ; bas lat. *reflexio,* « action de tourner en arrière », adapté au sens intellectuel de « réfléchir ». || **irréflexion** 1785, *Littér. phil. et critique ;* d'après *irréfléchi.* || **réflexif** 1692, J. Du Hamel, propre à la conscience ; 1821, Maine de Biran, philos.

**réflecteur** V. RÉFLÉCHIR 1.

**reflet** 1651, Brunot, peinture ; XVIII^e^ s., ext. de sens ; 1803, Laharpe, image de quelque chose ; ital. *reflesso,* du n. bas lat. *reflexus,* retour en arrière, avec l'orth. *reflet,* d'après le lat. *reflectere.* || **refléter** 1762, *Acad.,* peinture ; 1784, Bernardin de Saint-Pierre, fig. || **reflètement** 1879, Huysmans.

**reflex** 1964, Lar., photog. ; mot angl., du français *reflet.*

**réflexe** 1372, Corbichon, qui a lieu par réflexion, jusqu'au XIX^e^ s. ; 1841, Longet, physiologie ; lat. *reflexus,* part. passé de *reflectere.* (V. RÉFLÉCHIR 2.) || **réflexogène** 1964, Lar. || **réflexologie** 1921, d'après P. Robert. || **réflexothérapie** 1923, Lar.

**refluer** 1380, *Aalma* (*refluir*) ; 1450, *Romania* (*refluer*) ; lat. *refluere,* couler en arrière. || **reflux** 1553, Belon. || **refluement** 1877, L.

**réformer** 1190, Garnier ; *se réformer,* 1723, Rousseau ; lat. *reformare,* « réformer ». || **réformation** 1213, *Fet des Romains ;* lat. *reformatio.* || **réformateur** 1327, Isambert ; 1622, François de Sales, relig. ; lat. *reformator.* || **réformé** 1546, Calvin, à propos de la religion protestante ; d'où « celui qui suit la religion réformée ». || **réforme** 1625, Peiresc, relig. ; 1640, Oudin, sens général ; de même que *réformation,* désigne à partir du XVII^e^ s. la révolution religieuse du XVI^e^ s. || **réformable** 1483, Isambert. || **irréformable** 1725, *D. G.* || **réformiste** 1834, Boiste. || **réformisme** fin XIX^e^ s. || **reforming** 1964, Lar., en raffinage ; mot angl., de *to reform,* rectifier, du français.

**refouler** fin XI^e^ s., *Gloses de Raschi,* fouler une deuxième fois ; 1611, Cotgrave, « repousser » ; 1824, Ségur, « expulser » ; 1798, *Acad.,* « déplacer un fluide » ; 1930, Delacroix, psychol. ; de *re-* et *fouler.* || **refoulement** 1538, R. Est, « action d'émousser » ; 1875, Lar., « expulsion » ; 1922, *FEW,* psychol. || **refouloir** 1870, L., techn. || **défouler** 1080, *Roland,* « maltraiter » ; milieu XX^e^ s., psychol. || **défoulement** XV^e^ s., reflux ; milieu XX^e^ s., psychol.

**réfractaire** 1539, R. Est. ; 1792, Brunot, milit. ; lat. *refractarius,* indocile, de *refractus,* part. passé de *refringere,* briser.

**réfraction** 1270, Mahieu le Vilain ; lat. *refractio,* action de briser (lat. *refringere,* part. passé *refractus*). || **réfracter** 1739, Brunot, « faire dévier ». || **réfracteur** 1870, L., astron. || **réfractomètre** 1875, Lar.

**refrain** milieu XII^e^ s., *Roman de Thèbes ;* altér., d'après *refraindre,* de l'anc. fr. *refrait* (fin XI^e^ s., *Gloses de Raschi*), part. passé substantivé de l'anc. verbe *refraindre,* « briser », d'où « modérer, moduler » ; lat. pop. **refrangere,* réfection du class. *refringere* d'après le simple *frangere,* briser. Le refrain est un retour régulier qui brise la chanson.

**réfrangible** 1706, *Nouvelles de la république des Lettres ;* angl. *refrangible, refrangibility,* créés par Newton, d'après le lat. *refringere,* avec le rad. de *frangere,* briser. || **réfrangibilité** *id.*

**réfréner** 1120, *Ps. de Cambridge ;* lat. *refrenare,* arrêter, de *re-* et *frenare,* mettre un mors, de *frenum,* mors. || **réfrènement** XIII^e^ s. (V. FREIN.)

**réfrigérer** 1380, *Aalma,* sens propre ; XIX^e^ s., A. Daudet, fig. ; lat. *refrigerare,* de *re-* et *frigerare,* refroidir, de *frigus,* froid. || **réfrigérant** 1372, Corbichon ; 1922, Proust, fig. || **réfrigération** 1478, Chauliac. || **réfrigérateur** 1611, Cotgrave, adj. ; 1949, Lar., appareil.

**réfringent** 1720, Coste ; lat. *refringens,* participe prés. de *refringere.* || **réfringence** 1799, Loysel. || **biréfringent** 1866, Lar. || **biréfringence** 1878, Lar.

**refuge** 1120, *Ps. d'Oxford ;* lat. *refugium,* de *refugere,* se réfugier, de *fugere,* fuir. || **réfugier** 1432, Barbier ; d'apr. la forme du lat. *refugium.* || **réfugié** 1432, Barbier, qui a fui son pays ; 1832, *Bull. lois,* exilé, n. m.

**refuser** fin XI^e^ s., *Lois de Guill. ;* lat. pop. **refusare,* croisement de *recusare,* « refuser », avec *refutare,* « réfuter », et en bas lat. « refuser » ; a signifié aussi en anc. fr. « repousser » et « reculer ». (V. RÉCUSER, RÉFUTER, RUSER.) || **refus** fin XII^e s., *D. G.* || **refusable** 1200, *Règle saint Benoît.* || **refusé** 1265, J. de Meung, « éconduit » ; 1870, L. , « non admis », adj. et n.

**réfuter** 980, *Passion* (*refuder*), « repousser » ; 1330, Digulleville, sens actuel ; lat. *refutare,* repousser, réfuter. || **réfutation** 1284, *Doc. ;* lat. *refutatio.* || **réfutable** 1569, Montaigne. || **irréfutable** 1747, Vauvenargues. || **irréfutablement** 1845, Radonvilliers. || **irréfutabilité** 1846, Lamartine. || **irréfuté** 1840, *Acad.*

**regain** V. GAGNER.

1. **régal** n. m., 1320, Fauvel (*rigale*) ; 1458, *Mystère* (*regalle*), « festin » ; 1690, Furetière, cadeau et mets savoureux ; 1666, Molière, vif plaisir ; anc. fr. *gale,* réjouissance (v. GALANT), avec le préf. *ri-* (empr. à l'anc. fr. *rigoler,* « se divertir », v. ce mot), remplacé par *ré-,* plus fréquent. || **régaler** 1370, J. Le Bel (*regalir*), « festoyer » ; XVI^e s. (*régaler*), « gratifier de quelque chose d'agréable » ; XVII^e s., sens actuel. || **régalade** 1719, Trévoux, *à la régalade ;* 1808, d'Hautel, action de régaler ; 1835, *Acad.,* « feu vif et clair ».

2. **régal** adj., fin XII^e s., « royal » ; lat. *regalis,* royal, de *rex, regis,* roi ; auj., seulem. dans *eau régale* (Richelet, 1680). || **régalien** 1413, Runkewitz.

1. **régale** 1160, Benoît (*regaile*) ; 1246, Du Cange, n., jurid.; lat. médiév. *regalia* (s.-e. *jura*), « droits du roi ».

2. **régale** 1552 Rab. (*regualle*), anc. instrum. de mus. ; p.-ê. du lat. *regalis,* royal.

**régalien, regarder** V. RÉGAL 2, GARDER.

**régate** 1680, Richelet, « course de bateaux à Venise » ; 1932, Lar., cravate analogue à celle des marins ; vénitien *regata,* course de gondoles, proprem. « défi », peut-être du même rad. que l'ital. *gatto,* chat.

**régénérer** 1050, *Alexis,* au sens moral ; 1377, Lanfranc, méd. ; 1782, Brunot, polit. ; lat. eccl. *regenerare,* faire renaître, d'où « renouveler moralement ». || **régénérant** 1904, Frapié. || **régénération** 1160, Benoît ; lat. eccl. *regeneratio,* de *regenerare.* || **régénérateur** 1495, J. de Vignay. || **régénérescence** 1801, Mercier.

**régent** milieu XIII^e s., professeur d'université ; 1316, Isambert, sens polit. ; *régent de la Banque de France,* 1835, *Acad. ;* lat. *regens,* part. prés. de *regere,* diriger. || **régence** 1403, Isambert. || **régenter** XV^e s., *Perceforest,* « gouverner » ; fin XV^e s., sens actuel.

**régicide** 1594, *Satire Ménippée,* meurtrier et meurtre ; lat. médiév. *regicida,* de *rex, regis,* roi, et *caedere,* tuer.

**regimber** 1175, Chr. de Troyes (*regiber*) ; fin XII^e s., *R. de Cambrai* (*regimber*), « ruer » ; dès l'anc. fr., « résister » ; de *giber,* secouer ; formation expressive. || **regimbement** 1538, R. Est. || **regimbeur** *id.*

1. **régime** XIII^e s. (*regimen,* encore au XIV^e s.), « action de diriger », sens qui subsiste jusqu'au XVII^e s. ; XV^e s., La Curne, « traitement de maladie » ; XVI^e s., « règle de vie » ; 1680, Richelet, grammaire ; début XV^e s., système politique ; 1828, Péclet, régime pluvial ; autom., 1900, *France autom. ;* lat. *regimen,* de *regere,* diriger.

2. **régime** 1640, Bouton, inflorescence ; esp. des Antilles *racimo,* raisin, du lat. *racimus,* grappe.

**régiment** 1265, J. de Meung, « règlement » ; 1314, Mondeville, « traitement » ; lat. *regimentum,* direction, de *regere,* diriger ; 1553, Barbier, milit. ; d'après l'all. *Regiment.* || **régimentaire** 1791. || **enrégimenter** 1722, *Mém. de Trévoux.* || **enrégimentement** 1876, L.

**région** 1119, Ph. de Thaon, « pays » ; 1560, Paré, « partie du corps » ; lat. *regio,* direction, contrée ; a éliminé la forme pop. *reion, roion.* || **régional** 1478, Chauliac ; rare jusqu'en 1848, L. || **régionaliser** 1964, *journ.* || **régionalisation** 1964, *journ.* || **régionalisme** 1875, J. de Reinach. || **régionaliste** 1907, Lar.

**régir** début XIII^e s., « gouverner » ; 1580, Montaigne, « déterminer » ; 1530, Marot, gramm. ; lat. *regere,* diriger. || **régie** début XVI^e s., Bonivard, « quartier d'une ville » ; 1670, Richelet, « administration » ; 1748, Montesquieu, sens actuel ; part. passé, substantivé au fém., de *régir.* || **régissant** 1775, Condillac, gramm. || **régisseur** 1724, *Édits.*

**registre** 1265, Br. Latini (*regestre*) ; XIII^e s., Rutebeuf (*registre*), livre ; anc. fr. *regeste,* récit (1155, Wace), du bas lat. *regesta,* registre, catalogue, part. passé pl. neutre, substantivé, de *regerere,* « rapporter, inscrire », avec réfection sur *épistre* (mod. *épître*) ; 1559, Amyot, mus., règles de bois d'un orgue servant pour les différents jeux ; XX^e s., étendue de la voix ; lat. médiév. *registrum campanae,* corde de cloche ; *regeste* réapparaît dans le lexique des historiens vers 1870. || **registrer** 1283, Beaumanoir. || **enregistrer** XIIe s., *Vie d'Édouard ;* 1895, *le Progrès de Lyon,* cinéma. || **enregistrable** 1580, Montaigne. || **enregistrement** 1310, G. || **enregistreur** 1310, *Ordonnance,* personne qui enregistre ; 1829, Boiste, appareil.

**règle** XIIe s., *Dolopathos* (*reugle*), « principe moral » ; 1317, Bevans, « instrument » ; 1538, R. Est., « prescription, convention » ; lat. *regŭla ;* a éliminé la forme pop. *reille* (fin XIe s., *Gloses de Raschi*), « barre », et la forme *ruile* (1119, Ph. de Thaon), ou *rieule.* || **réglet** 1370, Oresme. || **réglette** 1415, *Français moderne.* || **régler** 1288, Bevans, « marquer de lignes » ; milieu XIVe s., « contrôler » ; 1629, Corn., « fixer » ; 1771, Voltaire, « faire fonctionner ». || **dérégler** 1280, Vegèce. || **réglable** 1842, *Acad.* || **réglage** 1508, *Comptes Gaillon.* || **régleur** 1527, Isambert. || **règlement** 1538, R. Est. || **dérèglement** 1280, R. Lulle. || **réglementaire** 1768, Brunot. || **réglementairement** 1845, Besch. || **réglementer** 1768, Brunot. || **réglementation** 1845, Besch. || **régloir** 1723, Savary. || **réglure** 1549, R. Est. || **régulateur** 1765, *Encycl. ;* dér. sav. du bas lat. *regulare,* de *regula.* || **régulation** 1460, Chastellain, « domination » ; 1836, *Acad.,* action de régler.

**réglisse** XIIIe s., *Blancandin* (*requelice*) ; 1393, Gay (*réglisse*) ; contraction, sous l'influence de *règle* (à cause de la forme des bâtons de réglisse), de *ricolice* (XIIe s.), métathèse de *licorece* (XIIe s.), issu, avec une altération d'après *liqueur,* du bas lat. *liquiritia* (IVe s., Végèce), du gr. *glukurrhiza,* « douce racine ».

**règne** fin Xe s., *Saint Léger ;* lat. *regnum,* de *rex,* roi ; a signifié aussi « royaume », en anc. fr. || **régner** fin Xe s., *Saint Léger ;* lat. *regnare.* || **régnant** 1138, Gaimar. || **interrègne** 1355, Bersuire ; lat. *interregnum.*

**regorger** V. GORGE.

**régression** 1372, Golein ; formé sur le modèle de *progression,* du lat. *regressio,* marche en arrière, de *regressus,* part. passé de *regredi,* retourner en arrière. || **régressif** 1842, *Acad. ;* sur le modèle de *progressif.* || **régresser** 1949, Lar.

**regretter** 1050 *Alexis,* « se lamenter sur un mort » ; 1460, Villon, sens mod. ; orig. obsc., peut-être de l'anc. scand. *grāta,* « pleurer, gémir », avec *re-* analogique des anc. *repentir, recorder, remembrer,* etc. || **regret** 1160, Benoît ; *à regret,* 1460, Chastellain. || **regrettable** 1472, Leseur. || **regrettablement** 1834, Boiste.

**régulariser, régulateur** V. RÉGULIER, RÈGLE.

**régule** 1611, Cotgrave (*régule d'antimoine,* médicament) ; 1932, Lar., alliage ; lat. *regulus,* petit roi, de *rex, regis,* roi. || **réguler** 1932, Lar.

**régulier** 1119, Ph. de Thaon (*réguler*) ; XIVe s. (*régulier,* par changem. de suff.) ; XXe s., « ponctuel » ; lat. *regularis,* en lat. impér. « qui a la forme d'une règle », en bas lat. « régulier », de *regula,* règle. || **réglo** 1917, Esnault. || **régularité** 1370, Oresme. || **régulariser** 1794, Brunot. || **régularisation** 1819, Boiste. || **irrégulier** 1283, Beaumanoir ; bas lat. *irregularis.* || **irrégularité** 1495, J. de Vignay ; bas lat. *irregularitas.*

**régurgiter** 1560, Paré ; lat. *regurgitare,* de *gurges, -itis,* « gouffre ». (V. GORGE.) || **régurgitation** *id.*

**réhabiliter** V. HABILE.

**réifier** 1965, *journ. ;* lat. *res,* chose, et *-fier,* lat. *facere,* faire. || **réification** 1960, *journ.*

***rein** fin XIIe s., *Rois,* « région lombaire » ; XIVe s., organe ; lat. *ren.* (V. ROGNON.) || **éreinter** fin XIIIe s. (*éreincier*) ; 1690, Furetière (*éreinter*), « rompre les reins » ; a remplacé l'anc. fr. *érener* (XIe s.) ; 1700, Regnard, « fatiguer » ; 1842, *Acad.,* « critiquer ». || **éreintement** 1842, *Acad.,* seulem. au fig. || **éreintage** XIXe s., Baudelaire. || **rénal** 1314, Mondeville ; lat. *renalis,* de *ren.* || **surrénal** 1762, *Acad.,* placé au-dessus des reins.

***reine** 1080 *Roland* (*reïne*) ; lat. *regina.* || **vice-reine** 1718, *Acad.* || **reine-claude** 1690, Furetière ; du nom de la *reine Claude,* épouse de François Ier ; on trouve, en 1628, *prune de la reine Claude.* || **reine-des-prés** 1655, Roland. || **reine-marguerite** 1715, La Quintinie.

**reinette** 1536, R. Est. (*pomme de reinette*) ; empl. fig. de *rainette,* grenouille, à cause de la peau tachetée de cette variété de pomme ; croisement orth. avec *reine,* p.-ê. parce que la *reinette* est tenue pour la reine des pommes.

**réintégrer** V. INTÉGRAL.

**réitérer** 1314, Mondeville ; lat. *reiterare,* commencer, sur *iterum,* de nouveau. || **réitération** début XVe s. || **réitératif** 1414, N. de Baye. || **réitérateur** 1870, L.

**reître** 1563, Ronsard ; allem. *Reiter,* cavalier ; d'abord « cavalier allemand », puis empl. péjor.

**rejeter, réjouir** V. JETER, JOUIR.

**relaps** 1384, *Bull Soc. histoire de Paris ;* lat. *relapsus,* « retombé », part. passé de *relabi,* de *labi,* tomber.

**relater** 1342, Gautier, « raconter » ; XVI^e s., jurid. ; de *relatus,* part. passé de *referre,* raconter, rapporter. || **relation** 1265, Br. Latini, « rapport » ; 1360, Froissart, « récit » ; 1677, Fléchier, « rapport d'amitié » ; lat. *relatio,* de *relatus.* || **relatif** 1265, J. de Meung, « non absolu » ; 1370, Oresme, *relatif à ;* 1677, Miege, gramm. ; bas lat. philos. et gramm. *relativus,* de *relatus.* || **relativement** XIV^e s. || **relativité** 1805, *Ann. chimie.* || **relativisme** 1897, Lar. || **relativiste** 1904, Lar. || **relationnel** 1914, d'après P. Robert.

**relaxer** fin XII^e s., *Romania,* relig. ; 1360, Froissart, « différer » ; 1560, Paré, « décontracter » ; milieu XV^e s., « remettre en liberté » ; lat. *relaxare,* relâcher ; *se relaxer,* 1964, Lar. ; calque de l'angl. *to relax.* || **relaxation** 1314, Mondeville, méd., ; 1382, G., action de délier d'un serment ; lat. *relaxatio* (V^e s., Prosper d'Aquitaine, élargissement d'un prisonnier) ; 1954, *journ.,* « relâchement des muscles » ; calque de l'angl. *relaxation.* || **relaxe** 1671, Pomey, jurid. || **relax** 1966, *journ.,* « décontracté ».

**relayer** XIII^e s., B. de Condé, vén., « changer les chiens » ; XVI^e s., appliqué aux chevaux ; 1636, Monet, « remplacer » ; 1964, Lar., sports ; anc. fr. *laier* (1160, *Roman Tristan*), « laisser les chiens fatigués pour en prendre d'autres ». (V. DÉLAI.) || **relais** XIII^e s. (*relai*), « repos des chiens » ; XVI^e s. (*relais*), « délai » ; 1690, Furetière, « remplacement des chevaux » ; 1930, Morand, sports ; d'après le verbe *relaisser,* vén., « s'arrêter de fatigue », ou d'après le n. déverbal *relais,* « ce qui est laissé », d'empl. techn. depuis le XII^e s.

**reléguer** 1370, Oresme, hist. rom. ; 1588, Montaigne, « exiler » ; 1694, Bossuet, fig. ; XIX^e s., empl. jurid. spécialisé ; lat. *relegare,* bannir. || **relégation** 1370, Oresme, même évol. de sens ; lat. *relegatio,* de *relegare.*

**relent** XII^e s., adj., « malodorant », notamment s'agissant de cadavres ; lat. *lentus,* lent à couler, d'où « visqueux », d'où « humide, moite », avec un préfixe *re-* intensif ; début XIII^e s., Raoul de Houdenc, n.

**relever** V. LEVER.

**relief** 1050, *Alexis,* « ce qui fait saillie » ; 1320, Watriquet, « restes de nourriture » ; 1875, Lar., géol. ; déverbal de *relever,* d'après les anc. formes toniques : je *relief,* etc. ; 1537, trad. du *Courtisan,* bx-arts, d'après l'ital. *rilievo.* || **bas-relief** début XVII^e s. ; d'après l'ital. *basso rilievo.* || **haut-relief** milieu XVII^e s.

**relier** V. LIER.

**religion** fin XI^e s., *Lois de Guill. ;* en anc. fr., a signifié aussi « communauté religieuse » ; *entrer en religion,* 1283, Beaumanoir ; début XVII^e s., « sentiment de respect » ; lat. *religio.* || **religieux** 1112, *Voy. saint Brendan,* adj. ; 1265, Br. Latini, moine ; 1580, Montaigne, « qui respecte la règle » ; lat. *religiosus,* au sens eccl., « qui appartient à un ordre monastique ». || **religieusement** fin XII^e s., *Job.* || **religiosité** XIII^e s. ; lat. *religiositas.* || **religionnaire** 1562, Delb. ; d'après l'emploi de *religion* pour désigner la religion réformée. || **coreligionnaire** 1827, Eckstein. || **irréligion** 1560, Millet ; lat. *irreligio.* || **irréligieux** 1455, Fossetier ; lat. *irreligiosus.* || **irréligiosité** XVII^e s., Le Noblet ; lat. *irreligiositas.*

**reliquat** XIV^e s., La Curne (*reliqua,* usité jusqu'à la fin du XVI^e s.) ; lat. *reliqua,* « reste », pl. neutre de *reliquus,* « qui reste » ; XVI^e s. (*reliquat*), refait sur le bas lat. *reliquatum,* part. passé substantivé de *reliquare,* avoir un reliquat, sur la rac. de *linquere,* laisser.

**relique** 1080, *Roland ;* lat. *reliquiae,* restes, spécial. en lat. eccl. (IV^e s., saint Augustin), de *reliquus,* qui reste (v. RELIQUAT). || **reliquaire** XIII^e s., *Apollonius* (*reliquiaire*) ; 1328, Douet d'Arcq (*reliquaire*).

**réluctance** 1904, Lar., électr. ; angl. *reluctance,* aversion, lat. *reluctans,* qui s'oppose.

**reluquer** XVIII^e s., *Théâtre des boulevards,* pop. ; de *luquer,* regarder (XIV^e s.), du moy. néerl. *locken,* regarder (cf. l'angl. [*to*] *look*) ; avec *u,* au lieu de *ou,* sous l'influence de *lucarne,* et de *luquet,* « œil-de-bœuf » dans les parlers du Nord.

**remake** 1964, Lar., cinéma ; angl. (*to*) *remake,* refaire.

**rémanence** 1112, *Voy. saint Brendan,* « résidence » ; 1175, Chr. de Troyes, « fait de rester » ; 1932, Lar., techn. (calque de l'angl. *remanence*) ; lat. *remanens,* part. prés. de *remanere,* rester. || **rémanent** 1119, Ph. de Thaon, « qui reste » ; XVII^e s., *Ordonnance des eaux et forêts,* « forestier » ; 1877, L., phys.

**remanier, remarquer** V. MANIER, MARQUER.

**remblayer** 1241, G. ; anc. fr. *emblayer* (XII^e s.), de *blé.* (V. DÉBLAYER.) || **remblai** 1694, Th. Corn.

**remède** 1181, Le Grand, méd. ; 1190, Garnier, fig. ; lat. *remedium.* || **remédier** 1282, Thierry, « porter remède » ; 1636, Corn., méd. ; lat. *remediare.* || **remédiable** 1398, E. Deschamps. || **irrémédiable** 1474, Delb. ; lat. *irremediabilis.*

**remembrance** 1080, *Roland ;* anc. fr. *remembrar,* se souvenir, du bas lat. *rememorari.*

**remembrement, remémorer, remercier** V. MEMBRE, MÉMOIRE, MERCI.

**réméré** 1470, H. Baude, jurid., rachat d'immeuble ; 1690, Furetière, sens actuel ; lat. médiév. *reemere,* racheter (class. *redimere*), de *emere,* acheter.

**rémige** 1789, Razoumowski, adj. et n. f., appliqué aux oiseaux ; lat. *remex, -igis,* rameur, de *remus,* rame, et *agere,* pousser.

**réminiscence** XIIIe s., Tobler-Lommatzsch ; bas lat. philos. *reminiscentia,* de *reminisci,* se souvenir.

**remisage, remise** V. METTRE.

**rémission** 1120, *Ps. d'Oxford,* « pardon » ; 1560, Paré, méd. ; lat. eccl. *remissio,* action de remettre, de *remissus,* part. passé de *remittere,* remettre. || **rémissible** XIVe s. || **irrémissible** début XIIIe s., A. Thierry ; rare en anc. fr. ; lat. *irremissibilis.*

**rémittent** 1795, Cullen ; lat. *remittens,* part. prés. de *remittere,* remettre. || **rémittence** 1776, d'après P. Robert.

**rémora** 1553, Rab. (*rémore*) ; 1562, Du Pinet (*rémora*), nom de poisson ; lat. *remora,* « retard, obstacle », de *remorari,* retarder, arrêter, de *mora,* retard (les Anciens croyaient que ce poisson pouvait arrêter les bateaux).

**remords** fin XIIIe s., Rutebeuf (*remors de consciance*) ; anc. part. passé de *remordre* (fin XIIe s., *Rois*), lat. *remordere.* (V. MORDRE.)

**remorquer** XVe s. ; ital. *rimorchiare,* du bas lat. *remulcare,* de *remulcum,* corde de halage ; var. *remolquer* (1532, Rab.), de l'esp. *remolcar,* même étym. || **remorque** 1694, Th. Corn., « traction » ; 1773, Bourdé, « câble » ; 1900, Graffigny, « véhicule ». || **remorqueur** 1823, Boiste. || **remorquage** 1834, Boiste.

**rémoulade** 1640, Oudin (*rémolade*), emplâtre pour les chevaux ; 1798, *Acad.* (*rémoulade*), sauce ; rouchi *rémola,* gros radis noir, ou picard *ramolas* (dér. altéré du lat. *armoracia,* raifort sauvage), avec un suff. *-ade* p.-ê. analogique de *salade.*

**rémouleur** début XIVe s. ; de *rémoudre* (1596, Hulsius), de *émoudre.* (V. ÉMOULU, MOUDRE.)

**remous** 1687, Desroches (*remoux*), « tourbillon » ; 1884, A. Daudet, fig. ; déverbal du moyen fr. *remoudre,* moudre de nouveau (1481, Barbier), de *re-* et *moudre.*

**rempart** fin XIVe s., avec *t* analog. de l'anc. forme *boulevart ;* déverbal du moy. fr. *remparer* (1360, Froissart), « munir d'un rempart », d'après *se remparer,* « s'emparer de nouveau », d'où « se retrancher », de *emparer* (v. ce mot).

**rempli, remplir** V. PLIER, EMPLIR.

**remuer** 1080, *Roland,* « changer, rechanger » ; 1131, *Couronn. Loïs,* « agiter » ; 1398, *Ménagier,* « déplacer » ; 1662, Bossuet, fig. ; de *muer,* dans son ancien sens de « changer ». (V. MUER.) || **remuement** 1155, Wace. || **remue-ménage** 1585, Cholières, « déménagement » ; 1648, Scarron, « agitation ». || **remuable** 1265, Br. Latini, « changeant » ; 1596, Hulsius, « qu'on peut remuer ». || **remuant** 1175, Chr. de Troyes, « changeant » ; XIIIe s., sens actuel. || **remue** 1621, *Romania,* « action de changer » ; 1949, Lar., migration d'animaux en montagne. || **remueur** 1611, Cotgrave, adj. ; 1500, Espinas, ouvrier qui remue le grain ; 1584, Bouchet, qui met en mouvement, n. m.

**remugle** 1514, *Ordonnance* (*remeugle*), « moisi » ; anc. norrois *mygla,* « moisissure », avec *re-* de renforcement.

**rémunérer** début XIVe s., Gilles li Muisis ; lat. *remunerare,* de *munus, muneris,* cadeau, gratification. || **rémunération** 1300, Bouthors ; lat. *remuneratio.* || **rémunérateur** XIIIe s. ; bas lat. *remunerator.* || **rémunératoire** début XVIe s.

**renâcler** XVIIe s. ; altér., par croisement avec *renifler* (v. ce mot), du moy. fr. *renaquer* (1355, Bersuire), de *nascier, naquer* (1280, Bibbesworth), flairer, p.-ê. forme picarde issue du lat. pop. **nasicare,* de *nasus,* nez. || **renâclement** 1880, Huysmans.

**rénal** V. REIN.

**renard** milieu XIIIe s. (*renart*) ; de *Renart,* nom propre d'homme, qui a éliminé l'anc. *goupil* à cause du succès du *Roman de Renart ;* francique **Reginhart* (germ. *ragin,* conseil, et *hart,* dur) ; 1690, Furetière, trou fait par l'eau. || **renarde** fin XIIIe s., Rutebeuf. || **renardeau** 1288, Gelée. || **renardien** XVe s. || **renardière** milieu XVe s., nom de lieu angevin ; 1525, Thénaud, nom commun. || **renarder** 1398, E. Deschamps, « agir avec ruse » ; 1576, Sasbout, « vomir ».

**renauder** XVIe s., *Romania ;* de *parler renaud,* nasiller, de *regnaut,* cri du renart, var. de *renard ;* « grogner ». || **renaud** 1673, Esnault (*regnaud*) ; 1844, Esnault (*renaud*).

**rencontrer** 1160, Benoît, « affronter » ; 1661, Molière, « avoir une entrevue » ; anc. fr. *encontrer* (980, *Passion*), de *encontre ; se rencontrer,* 1559, Amyot. || **rencontre** XIIIe s., Huon de Méry, masc. jusqu'au XVIe s.

***rendre** Xe s. ; lat. pop. **rendere,* croisement du lat. *reddere,* rendre, et *prendere,* saisir. || **reddition** 1356, Isambert ; lat. *redditio.* || **rendement** 1190, *Saint Bernard,* action de rendre ; 1538, R. Est., écon. || **rendu** XIXe s., peinture ou photographie ; 1882, Zola, marchandise rendue par le client. || **rendez-vous** 1578, d'Aubigné. || ***rente** 1112, *Voy. saint Brendan ;* lat. pop. **rendita,* part. passé, subst. au fém., « ce que rend l'argent placé ». || **rentier** 1190, Bodel. || **arrenter** XIIIe s.. || **renter** 1220, Coincy. || **rentable** 1290, G. || **rentabilité** 1926, Gide. || **rentabiliser** 1962, Dumont.

**rendzine** 1964, Lar., géol. ; mot polonais.

***rêne** 1080, *Roland* (*resne*) ; lat. pop. **retina,* lat. class. *retinaculum,* lien, de *retinere,* retenir.

**renégat** XVe s. ; ital. *rinnegato,* « qui a renié sa religion », de *rinnegare,* lat. pop. **renegare,* renier ; a remplacé l'anc. fr. *reneié,* de *se reneier ;* au XVIIe s. encore, *moine renié.* (V. NIER.)

**rénette** XIIIe s., G. (*royenette*), outil tranchant ; 1532, Havard (*rénette*) ; de l'anc. fr. *roisne.* (V. ROUANNE.) || **rénetter** 1762, *Acad.*

**renflouer** 1529, Parmentier ; 1949, Sartre, fig. ; norm. *flouée,* de l'anglo-norm. *flot,* « marée », de l'anc. norrois *flôd, id.* || **renflouage** 1870, L. || **renflouement** *id.*

**renforcer, renfort** V. FORCE.

**renfrogner** XVe s., *Repues franches* (*refrogner*) ; XVIe s. (*renfrogner*) ; *re-* et anc. fr. *froignier,* « retrousser le nez », du gaulois **frogna,* narine (gallois *ffroen,* nez). || **renfrognement** 1539, R. Est. (*refrognement*) ; 1553, Le Plessis (*renfrognement*).

**rengaine, rengainer** V. GAINE.

**rengréger** 1458, *Mystère ;* anc. fr. *engregier,* empirer, de *gregier,* nuire, du lat. pop. **graviare,* incommoder, lat. *gravis,* lourd.

**renier** V. NIER.

**renifler** 1530, Palsgrave ; anc. fr. *nifler* (fin XIIe s.), orig. onomat., imitation du bruit correspondant (cf. l'all. *niffeln,* « flairer »). || **reniflement** 1596, Hulsius. || **renifleur** 1642, Oudin.

**réniforme** V. REIN.

**rénitent** 1555, Vide ; lat. *renitens,* part. prés. de *reniti,* résister. || **rénitence** 1538, Canappe.

**renne** 1552, trad. de Munster (*reen*) ; all. *Reen,* du scand. *ren* (suédois *ren,* islandais *hreinn*).

**renom, renommée** V. NOMMER.

**renoncer** 1155, Wace, « annoncer » ; 1274, Gossen, sens actuel ; lat. *renuntiare,* « annoncer en réponse ». || **renonciation** *id. ;* lat. *renuntiatio.* || **renoncement** XIIe s., « annonce » ; milieu XIIIe s., sens actuel. || **renonce** 1690, Furetière. || **renonciateur** 1839, Boiste.

**renoncule** 1549, Meignan (*ranoncule*) ; lat. *ranunculus,* petite grenouille, surnom de la renoncule d'eau, et dimin. de *rana,* grenouille. (V. RAINETTE.) || **renonculacée** 1798, Jolyclerc.

**renouveler, rénover** V. NEUF 2.

**renquiller** 1836, Vidocq, « rentrer » ; de *enquiller,* entrer, de *quille,* jambe.

**renseigner, rentable, rente** V. ENSEIGNER, RENDRE.

**rentraire** début XVe s., en couture, puis en tissage ; anc. fr. *entraire,* tirer (XIIe s.), avec un préf. *re-* indiquant le va-et-vient de l'aiguille ; du lat. *intrahere,* tirer, de *trahere, id.* (v. TRAIRE) ; remplacé dans la couture par *rentrer* (1611, Cotgrave). || **rentraiture** 1530, Palsgrave. || **rentrayeur** fin XVe s. || **rentrayage** 1802, Flick.

**rentrer, renverser** V. ENTRER, ENVERS.

**renvier** 1160, Benoît ; anc. fr. *envier,* inviter, lat. *invitare.* || **renvi** 1460, Chastellain, surenchère.

**repaire** 1080, *Roland,* « retour chez soi, demeure » ; 1119, Ph. de Thaon « lieu où se retirent les bêtes sauvages » ; XVIIe s., fig., pour les malfaiteurs ; anc. fr. *repairer* (980, *Passion*), rentrer chez soi, du bas lat. *repatriare,* du lat. class. *patria,* patrie.

**répandre** V. ÉPANDRE.

**réparer** 1130, *Eneas ;* lat. *reparare,* de *parare* (v. PARER 1). || **réparable** 1460, Chastellain. || **irréparable** début XIIIe s. ; lat. *irreparabilis.* || **réparation** 1310, *D. G. ;* lat. *reparatio.* || **réparateur** 1350, Gilles li Muisis ; lat. *reparator* (en bas lat., sens du fr.).

**repartie, répartir, répartition** etc. V. PARTIR 1 et 2.

**repas** 1112, *Voy. saint Brendan* (*repast*), « nourriture » ; 1534, Rab., sens mod. ; anc. fr. *past,* curée, lat. *pastus,* pâture, d'après *repaître.* (V. APPÂT, PAÎTRE.)

**repasser** V. PASSER.

**repentir (se)** 1080, *Roland ;* lat. *repoenitere,* lat. pop. *penitire,* en lat. class. *poenitere* (v. PÉNITENT). || **repentir** 1160, Benoît, n. m. || **repentance** 1112, *Voy. saint Brendan.* || **repenti** début XIII^e s. || **repentant** 1190, Garnier.

**répercuter** XIV^e s., *Chir. de Lanfranc,* sens propre ; 1862, Hugo, fig. ; *se repercuter,* 1823, Boiste ; lat. *repercutere* (v. PERCUTER). || **répercussion** 1314, Mondeville, sens propre ; 1896, Bergson, fig. ; lat. *repercussio.* || **répercussif** 1314, Mondeville. || **répercussivité** 1921, Sergent.

**repère** 1578, *Doc.* (*repaire*) ; 1676, Félibien (*repère*), « retour à un point déterminé », d'où, au XVIII^e s., *point de repère,* et *repère,* seul, au sens de « marque, jalon » ; d'après lat. *reperire,* retrouver. || **repérer** 1676, Félibien (*repéré*) ; 1819, Boiste (*repérer*). || **repérage** 1845, Besch., techn. d'impression ; 1915, *FEW,* milit. || **repérable** 1949, Lar.

**répertoire** 1398, E. Deschamps ; bas lat. *repertorium,* en lat. jurid. « inventaire », de *repertus,* part. passé de *reperire,* trouver. || **répertorier** 1904, Lar.

**répéter** XII^e s., *D. G.,* « redire » ; 1530, Palsgrave, « répéter une scène » ; début XV^e s., « réclamer » ; 1682, La Fontaine, « refaire » ; lat. *repetere,* redemander, de *re-* et *petere,* demander. || **répétition** fin XIII^e s., « copie » ; 1370, Oresme, action de dire plusieurs fois ; 1663, Molière, théâtre ; 1664, Sévigné, action de refaire ; lat. *repetitio.* || **répétiteur** fin XVII^e s., qui donne des répétitions ; bas lat. *repetitor.* || **répétitorat** 1904, Lar.

**répit** 1155, Wace (*respit*), « considération » ; 1160, Benoît, « arrêt » ; lat. *respectus,* « action de regarder derrière soi ».

**replet** 1180, Girart de Roussillon ; lat. *repletus,* rempli. || **réplétion** XIII^e s. ; bas lat. *repletio,* « action de remplir », spécialisé en lat. méd. médiév.

**replier** V. PLIER.

**répliquer** 1226, *Courtois d'Arras ;* lat. jurid. *replicare,* « replier », au fig. « rappeler », d'où en lat. jurid. « répondre ». || **réplique** 1307, Guiart, « réponse » ; 1875, Clément, reproduction d'une œuvre.

***répondre** 980, *Passion* (*respondre*), « dire en retour » ; XII^e s., sens général ; XIII^e s., « se porter garant » ; XIV^e s., « être conforme » ; lat. pop. *respondĕre,* en lat. class. *respondēre.* || **répondeur** fin XII^e s., *Grégoire,* « qui répond » ; 1878, Lar., « impertinent » ; 1949, Lar., appareil. || ***répons** 1050, *Alexis* (*respuns*), « réponse » ; auj. seulem. en liturgie ; lat. *responsum,* part. passé de *respondere.* || **réponse** 1160, Benoît (*response*) ; a éliminé le précédent.

**reporter** n. m., 1829, Stendhal ; angl. *reporter* (début XIX^e s.), « qui fait un rapport, une enquête » ; de (*to*) *report,* « rapporter », empr. au fr. ; 1882, *Gil Blas* (*reporteur*). || **reportage** 1865, Mackensie, métier de reporter ; 1935, *Acad.,* article.

**reposer** X^e s., *Valenciennes* (*repauser*), « poser » et comme v. pr., cesser d'agir ; 1155, Wace, sens actuel du v. intransitif ; bas lat. *repausare* (v. POSER). || **repos** 1080, *Roland ; de tout repos,* 1867, *Doc.* || **reposée** 1170, G. de Saint-Pair. || **reposoir** milieu XIV^e s. (*reposouer*), « endroit où l'on se repose » ; 1680, Richelet, sens eccl. || **repose** 1380, G., « halte » ; 1948, Lar., techn. || **repose-pied** 1904, Lar. || **repose-tête** 1965, *journ.*

**reprendre** début XII^e s., *Voy. de Charl. ;* lat. *reprehendere.* (V. PRENDRE.) || **répréhension** 1190, *Saint Bernard ;* lat. *reprehensio.* || **répréhensible** 1314, Mondeville ; lat. chrét. *reprehensibilis.* || **répréhensiblement** fin XV^e s. || **repris de justice** 1835, *Acad.* || **reprise** 1213, *Fet des Romains ; à plusieurs reprises,* 1559, Amyot ; 1611, Cotgrave, réparation d'étoffe. || **repriser** 1835, Raymond.

**représailles** 1401, Douet d'Arcq ; lat. médiév. *represalia,* de l'ital. médiév. *ripresaglia* (ital. mod. *rappresaglia*), de *riprendere,* « reprendre ce qui a été pris ».

**représenter** 1175, Chr. de Troyes, faire apparaître concrètement ; XII^e s., « incarner un personnage » ; 1538, R. Est., théâtre ; XVI^e s., jurid. ; 1893, *D. G.,* commerce ; lat. *repraesentare,* rendre présent, et par ext. « montrer ». || **représentant** n. m., 1599, *Coutum. Normandie,* jurid. ; 1686, Brunot, polit. ; 1837, Balzac, commerce. || **représentatif** fin XIV^e s. || **représentativement** 1330, *D. G.* || **représentable** 1265, J. de Meung. || **représentation** 1250,

*Doc.,* « action de rendre présent » ; 1538, R. Est., théâtre. || **représentativité** 1961, *journ.*

**répression** V. RÉPRIMER.

**réprimer** 1314, Mondeville, « diminuer la sensibilité » ; 1355, Bersuire, sens actuel ; lat. *reprimere,* refouler, de *premere,* presser ; d'abord terme méd., puis empl. mod. || **réprimande** 1549, R. Est. (*reprimende*) ; lat. *reprimenda* (*culpa*), « (faute) devant être réprimée » ; modifié en *réprimande* (1588, Montaigne), d'après *mander.* || **réprimander** 1636, Monet. || **répression** 1372, Oresme ; lat. médiév. *repressio,* de *repressus,* part. passé de *reprimere.* || **répressif** XIVe s., Delb., méd. ; 1798, *Acad.,* sens actuel. || **répressible** 1793, Brunot.

**reprise, réprobation** V. REPRENDRE, RÉPROUVER.

***reprocher** 1150, Wace ; lat. pop. **repropiare,* « rapprocher, mettre sous les yeux », par ext. « blâmer ». || **reproche** 1080, *Roland.* || **reprochable** 1200, *Règle saint Benoît.* || **irréprochable** 1460, Chastellain.

**réprouver** 1080, *Roland,* « reprocher » ; 1265, J. de Meung, relig. ; 1120, *Ps. d'Oxford,* rejeter ; lat. *reprobare,* « rejeter, condamner », au sens spécialisé du lat. eccl., de *probare,* prouver. || **réprouvable** 1361, Oresme. || **réprobation** 1495, J. de Vignay ; lat. eccl. *reprobatio* (IIIe s., Tertullien). || **réprobateur** 1788, Féraud ; lat. eccl. *reprobator.*

**reps** 1812, *Journ. des dames ;* angl. *rep, reps ;* peut-être déformation de *ribs,* côtes.

**reptation** 1834, Boiste ; lat. *reptatio,* de *repere,* ramper. || **reptatoire** 1842, *Acad.*

**reptile** 1314, Mondeville, fém. ; 1530, Lefèvre d'Étaples, n. m. ; rare jusqu'au XVIIe s., où il est également adj. (*animaux reptiles,* Fénelon) ; lat. chrét. *reptile* (*Vulgate*), neutre subst. de l'adj. *reptilis,* rampant, de *repere,* ramper. || **reptilien** 1890, Villatte, sens fig. ; 1964, Lar., zool.

**repu** V. PAÎTRE.

**république** 1410, *Chron. de Boucicaut ;* lat. *respublica ;* gouvernement républicain, et également, sous l'Ancien Régime, toute forme d'État ; spécialisé après la Révolution. || **républicain** fin XVIe s., comme n. ; 1658, Brébeuf, adj. || **républicanisme** 1750, d'Argenson. || **républicaniser** 1792, Frey.

**répudier** XIIIe s., *Chron. de Rains ;* lat. *repudiare.* || **répudiation** 1330, *Roman Renart ;* lat. *repudiatio.* || **répudiatoire** 1925, Arnoux.

**répugner** 1370, Oresme, « résister à » ; 1662, Corn., sens mod. ; lat. *repugnare,* « lutter contre », par ext. « être opposé à », de *pugnare,* combattre. || **répugnant** 1213, *Fet des Romains,* « contradictoire » ; 1753, Buffon, sens mod. || **répugnance** XIIIe s., G., « désaccord » ; 1647, Rotrou, sens mod. ; lat. *repugnantia,* désaccord.

**répulsion** milieu XVe s., action de repousser un ennemi ; 1772, Rousseau, sens actuel ; 1746, Nollet, physique ; bas lat. *repulsio,* de *repulsus,* part. passé de *repellere,* repousser ; XIXe s., ext. de sens. || **répulsif** 1478, Chauliac, méd. ; 1705, Parent, physique ; 1772, Rousseau, fig.

**réputer** 1294, G., « compter » ; 1355, Bersuire, sens mod. ; lat. *reputare,* « compter, évaluer ». || **réputation** 1370, Oresme ; 1530, Palsgrave, opinion sur quelqu'un ou quelque chose ; lat. *reputatio,* évaluation.

**requérir, requête** V. QUÉRIR.

**requiem** 1277, *Doc.,* nom d'une prière catholique ; mot lat. signifiant « repos », premier mot de la prière *requiem aeternam dona eis, Domine,* « donnez-leur le repos éternel, Seigneur ».

**requimpette** 1884, Villatte ; orig. douteuse, p.-ê de *redingote.*

**requin** 1539, Parmentier ; fin XVIe s., var. *requien,* par rapprochement fantaisiste avec le précédent (on peut faire chanter le *requiem* pour un homme saisi par un requin) ; orig. obsc., p.-ê. de *re-* et *quin,* forme picarde de chien.

**requinquer** fin XVIe s. (*requinqué*) ; 1611, Cotgrave (*se requinquer*) ; mot picard, de l'anc. *reclinquer,* « se donner du clinquant », de *clinquer.* (V. CLINQUANT.) || **requinquage** 1904, Lar.

**réquisition** 1160, Benoît, action de demander ; 1636, Monet, jurid. ; 1792, *Moniteur universel,* milit. ; lat. *requisitio,* de *requirere,* sur *quaerere* (v. QUÉRIR). || **réquisitionner** 1796, Frey, milit. ; 1845, F. Wey, « prononcer un réquisitoire ». || **réquisitionnaire** 1793, Brunot.

**réquisitoire** V. QUÉRIR.

**rescapé** 1906, *journ.,* à propos de la catastrophe minière de Courrières ; forme du Hainaut de *réchappé,* entendue par les journalistes parisiens de la bouche des sauveteurs venus de Mons.

**rescinder** 1138, Gaimar (*recendir*), jurid. ; lat. *rescindere,* rompre. || **rescission** 1465, Martial ; bas lat. *rescissio.*

**rescousse** 1160, *Eneas* (*rescosse*) ; anc. part. passé, subst. au fém., de l'anc. fr. *rescourre, recourre* (1170, *Floire et Blancheflor*), « reprendre, délivrer » ; de *escourre,* « secouer », du lat. *excutere,* au part. passé *excussus ;* seulement dans *à la rescousse,* rendu par Hugo à l'usage moderne.

**rescrit** XIII^e^ s., *Livre de jostice ;* lat. impér. *rescriptum,* réponse (de l'empereur), de *scribere,* écrire. || **rescription** 1283, Beaumanoir ; bas lat. *rescriptio.*

**réseau** 1180, Marie de France (*resel*), « filet à mailles » ; 1240, G. de Lorris, « entrelacs » ; XIX^e^ s., entrecroisement de voies ; var., avec un autre suff., de l'anc. fr. *reseuil,* du lat. *retiolus,* dimin. de *retis.* (V. RETS.)

**résection** V. RÉSÉQUER.

**réséda** 1562, Du Pinet ; lat. *reseda,* impératif de *resedare,* calmer, d'après les propriétés thérapeutiques de cette plante. || **résédacée** 1815, Gérardin. (V. SÉDATIF.)

**réséquer** 1478, Chauliac, extirper, retrancher, biffer ; 1834, Boiste, sens actuel ; lat. *resecare,* couper de nouveau, de *secare,* couper (v. SCIER). || **résection** 1549, R. Est., action de couper ; 1799, *Bull. sciences,* chirurgie ; lat. *resectio.*

**réserver** 1190, *Saint Bernard ;* lat. *reservare.* || **réserve** milieu XIV^e^ s., jurid. ; XVII^e^ s., *journ.,* milit. ; XVIII^e^ s., sens moral. || **réservé** 1559, Amyot, « discret ». || **réserviste** 1872, *J. O.* || **réservation** début XIV^e^ s., Gilles li Muisis, jurid. ; 1949, Lar., fait de réserver une place dans un avion, un train ; angl. *reservation.* || **réservataire** 1846, L. || **réservoir** milieu XVI^e^ s.

**résider** 1380, *Aalma ;* lat. *residere,* demeurer, de *sedere,* « être assis » (v. SEOIR). || **résident** n. m., 1268, É. Boileau ; du part. prés. *résidens ;* a remplacé l'anc. fr. *reseant.* || **résidence** milieu XIII^e^ s. ; lat. médiév. *residentia.* || **résidentiel** 1944, J. Romains.

**résidu** 1331, Delb., « reliquat d'un compte » ; 1740, *Acad.,* « matière résultant d'une opération » ; 1398, *Ménagier,* « rebut » ; lat. *residuum,* neutre subst. de l'adj. *residuus,* « qui reste », de *residere* (v. RÉSIDER). || **résiduaire** 1877, L. || **résiduel** 1870, L.

**résigner** XIII^e^ s., *Livre de jostice* (*resiner*), « abandonner une charge » ; *se résigner,* 1673, Molière ; au XVI^e^ s., *se résigner* a un sens moral et relig., « s'abandonner à la volonté de Dieu » ; lat. médiév. *resignare,* « rendre », en lat. class. « décacheter, annuler », de *signum,* cachet, sceau. || **résignation** 1265, Le Grand, « démission » ; 1690, Furetière, moral. || **résignataire** 1539, Isambert. || **résignateur** 1636, Monet.

**résilier** début XVI^e^ s. (*resilir*) ; fin XVII^e^ s. (*résilier*), par changem. de conjugaison ; du lat. jurid. *resilire,* « sauter en arrière », d'où « se retirer », de *salire,* sauter. || **résiliation** XV^e^ s. || **résiliement** 1611, Cotgrave. || **résiliable** 1836, Lamennais. || **résilient** 1932, Lar. ; angl. *résilient,* techn. || **résilience** 1923, Lar.

**résille** 1775, Beaumarchais (*rescille*) ; 1833, Balzac (*résille*) ; esp. *redecilla,* adapté d'après *réseau.*

**résine** XII^e^ s., *Dolopathos ;* lat. *resina.* || **résineux** 1538, Canappe ; lat. *resinosus.* || **résiner** 1382, *Compte du clos des Galées de Rouen.* || **résinier** 1768, Valmont. || **résinifère** 1812, Boiste. || **résinifier** 1836, *Acad.* || **résinification** 1801, Fourcroy. || **résinite** 1812, Mozin.

**résipiscence** 1405, N. de Baye, « retour à la raison », en parlant d'un aliéné ; 1542, R. Faure, empl. mod. ; lat. eccl. *resipiscentia* (IV^e^ s., Lactance), de *resipiscere,* revenir à la raison, par ext. « se repentir », de *sapere.* (V. SAVOIR.)

**résister** milieu XIII^e^ s. ; lat. *resistere,* s'arrêter, résister, de *sistere,* s'arrêter. || **résistance** 1270, Mahieu le Vilain. || **résistant** XIV^e^ s., *Nature à l'alchimie ;* n. m., v. 1940, hist. || **résistible** 1688, Bossuet. || **irrésistible** fin XVII^e^ s. ; lat. médiév. *irresistibilis.* || **résistivité** 1904, Lar.

**résolu, résolution** V. RÉSOUDRE.

**résonner** 1130, *Eneas ;* lat. *resonare,* de *sonus,* son. || **résonnement** XII^e^ s., *D. G.* || **résonance** 1372, Oresme ; lat. *resonantia.* || **résonateur** 1870, L. || **résonnant** 1538, R. Est.

**résorber** 1761, Levret ; lat. *resorbere,* absorber. || **résorption** 1746, *Doc. ;* de *resorptus,* part. passé de *resorbere.* || **résorbable** 1932, Lar.

**résorcine** 1875, Lar. ; angl. *resorcin* (1868), formation artificielle, de *resin,* empr. à *résine,* et *orcin,* du lat. scient. *orcina,* tiré du catalan *orcella,* orseille.

**résoudre** fin XII^e^ s., R. de Moiliens (*resous,* anc. part. passé, « désagrégé », techn.) ; lat. *resolutus,* part. passé de *resolvere ;* début XV^e^ s.

(*résoudre*) ; adapt., d'après l'anc. fr. *soudre,* milieu XIIe s., *Roman de Thèbes* (lat. *solvere*), du lat. *resolvere,* « délier », d'où « dissoudre, désagréger » ; 1553, Rab., « résoudre » (une difficulté) ; *se résoudre,* 1360, Froissart, « se séparer » ; début XVIIe s., sens actuel. || **résolu** 1340, G., « solitaire » ; XVe s., « instruit » ; 1549, R. Est., « décidé » ; lat. *resolutus.* || **irrésolu** 1568, Montaigne. || **résolument** 1525, J. Lemaire de Belges (*résoluement*). || **résoluble** 1577, Du Verdier. || **résolubilité** 1840, Besch. || **résolution** fin XIIIe s., action de dénouer ; lat. *resolutio,* de *resolutus ;* 1314, Mondeville, méd. ; 1532, Rab., « élucidation » ; 1536, *Doc.,* « dessein arrêté » ; 1870, L., math. || **irrésolution** milieu XVIe s. || **résolutif** 1314, Mondeville, méd. || **résolutoire** 1370, Oresme. || **résolvant** 1314, Mondeville.

**respect** 1287, G., « action de prendre en considération » ; 1559, Amyot, sens actuel ; lat. *respectus,* « égard, considération », part. passé subst. de *respicere,* « regarder en arrière », d'où « considérer » (v. RÉPIT). || **respecter** 1554, *Papiers Granvelle.* || **respectable** 1460, G. Chastellain. || **respectabilité** 1784, *Courrier de l'Europe ;* angl. *respectability,* de *respectable,* empr. au fr. || **respectif** 1415, *D. G.,* sens actuel ; 1534, Des Périers, « prudent » ; lat. scolast. *respectivus,* de *respectus.* || **respectivement** *id.* || **respectueux** 1540, *Correspondance Guillaume Pelicier.* || **respectueusement** 1636, Monet. || **irrespectueux** 1611, Cotgrave. || **irrespect** 1834, Balzac.

**respirer** 1190, *Saint Bernard ;* lat. *respirare,* de *spirare,* souffler. || **respirable** 1380, Conty, « qui est propre à la respiration » ; XVIe s., Ronsard, sens mod. ; lat. *respirabilis.* || **irrespirable** 1779, Volta. || **respiration** XVe s. ; lat. *respiratio.* || **respiratoire** 1566, Delb.

**resplendir** 1120, *Ps de Cambridge ;* lat. *resplendere,* de *splendere,* briller (v. SPLENDIDE). || **resplendissant** adj., 1160, Benoît. || **resplendissement** 1120, *Ps. d'Oxford.*

**responsable** 1284, G., n. m. ; 1309, Varin, « admissible en justice » ; XIVe s., Du Cange, sens actuel ; lat. *responsus,* part. passé de *respondere,* répondre, au sens de « qui doit répondre de ses actes ». || **responsabilité** 1783, Proschwitz. || **irresponsable** 1786, Tournon. || **irresponsabilité** 1790, *l'Ami du peuple.*

**resquiller** 1910, Esnault, « outrepasser son droit » ; 1927, Esnault, « entrer sans payer sa place » ; prov. mod. *resquilla,* se glisser par fraude, de *esquihá,* s'enfuir. || **resquilleur** 1924, Esnault.

**ressac** 1613, Champlain ; prov. mod. *ressaco,* de l'esp. *resaca,* de *resacar,* tirer en arrière (esp. *sacar,* tirer).

**ressasser** 1549, R. Est., « agiter » ; 1615, Pasquier, « examiner » ; 1721, Trévoux, « répéter » ; *re-* et *sasser,* passer au sas, de *sas,* filtre. || **ressassement** 1777, Gohin. || **ressasseur** 1764, Voltaire. || **ressassage** 1877, *J. O.*

**ressaut** 1651, *Bull. Société hist.,* archit. ; 1811, Chateaubriand, géogr. ; ital. *risalto,* ressaut, en archit., de *risaltare,* faire saillie. || **ressauter** 1691, Aviler.

**ressembler, ressort, ressortir** V. SEMBLER, SORTIR.

**ressource** 1160, Benoît (*resource*), « secours » ; fin XVIe s., « moyens matériels » ; début XVe s., « moyen de recours » ; part. passé, subst. au fém., de l'anc. fr. *ressourdre* (980, *Passion*), « rejaillir », par ext. « se relever, se rétablir », du lat. *resurgere,* se relever, de *surgere.* (V. SOURDRE, RÉSURGENT.)

**ressusciter** 1130, *Eneas,* XVIe s., fig. ; lat. *resuscitare,* « réveiller, ranimer », spécial. en lat. eccl., de *suscitare,* éveiller. (V. SUSCITER.)

**restaurer** Xe s., *Vie saint Léger,* « guérir une blessure » ; 1138, Gaimar, « remettre en état » ; 1216, R. de Clari, « redonner des forces » ; lat. impér. *restaurare.* || **restaurateur** XVe s., « celui qui restaure » ; 1706, Brasey, « celui qui tient un restaurant » ; lat. impér. *restaurator.* || **restauration** 1314, Mondeville, « remise en état » ; 1677, Miege, polit. ; 1888, Lar., restaurant ; 1961, Lar., sens actuel ; lat. impér. *restauratio.* || **restaurant** n. m., 1549, M. de Navarre, « aliment qui restaure » ; 1771, Brunot, sens actuel. || **resto** 1899, Esnault.

**rester** 1180, Marie de France ; lat. *restare,* « persister, demeurer », de *stare,* être debout. || **restant** XIIIe s. || **reste** 1220, *la Petite Philosophie,* fém. jusqu'au XVIe s.

**restituer** 1261, Varin ; lat. *restituere,* de *statuere* (v. STATUER). || **restituable** milieu XVe s. || **restitution** 1251, *Doc. ;* lat. *restitutio.* || **restitutoire** XVIe s., *Coutum. général.*

**restreindre** 1131, *Couronn. Loïs ;* lat. *restringere,* serrer, avec infl. morphol. des verbes en *-eindre,* comme *étreindre.* || **restreint** fin XIVe s., Deschamps. || **restringent** 1642, Oudin, méd. ; part. prés. *restringens.* || **restrictif** XIVe s., Brun de Long-Borc, méd. ; début XVI^e s., sens actuel ; part. passé *restrictus.* || **restriction** 1314, Mondeville (*restrinction*) ; fin XIV^e s. (*restriction*) ; 1580, Montaigne, « réduction des dépenses » ; lat. médiév. *restrinctio,* bas lat. *restrictio.*

**résulter** 1491, Vaganay ; lat. scolast. *resultare,* en lat. class. « rebondir », de *saltare,* sauter. || **résutat** 1570, Carloix ; lat. scolast. *resultatum,* part. passé neutre subst. de *resultare.* || **résultante** milieu XVII^e s., phys.

**résumer** 1370, Oresme ; lat. *resumere,* reprendre, recommencer, de *sumere,* prendre. || **résumé** 1762, *Acad.*

**résupiné** 1870, L., bot. ; lat. *resupinatus,* infléchi, de *supinus,* penché en arrière.

**résurgent** début XVI^e s., « ressuscité » ; fin XIX^e s., en parlant des eaux souterraines ; lat. *resurgens,* part. prés. de *resurgere,* rejaillir, de *surgere,* jaillir (v. RESSOURCE, SOURDRE). || **résurgence** 1896, Haug.

**résurrection** 1120, *Ps. d'Oxford ;* lat. eccl. *resurrectio* (saint Augustin et *Vulgate*), de *resurgere,* « rejaillir », par ext. « se relever, se rétablir », d'où « ressusciter » ; de *surgere,* jaillir : l'anc. fr. *resourdre,* de *resurgere,* a eu parfois le sens de *ressusciter.* || **résurrectionniste** 1834, Boiste.

**retable** 1535, Gay, d'abord féminin ; esp. *retablo,* de *tabla,* planche, et *re-,* en arrière.

**rétablir, rétamer, retarder, retenir, rétention** V. ÉTABLIR, ÉTAIN, TARD, TENIR.

**retentir** 1175, Chr. de Troyes ; anc. fr. *tentir* (1138, *Vie saint Gilles*), lat. pop. **tinnitire,* fréquentatif expressif du lat. class. *tinnire,* résonner. || **retentissant** 1546, Vaganay. || **retentissement** 1160, Benoît.

**rétiaire** V. RETS.

**réticence** 1552, Vaganay ; lat. *reticentia,* obstination à se taire, de *reticere,* se taire, de *tacere,* même sens (v. TAIRE). || **réticent** 1845, Vaganay.

**réticule** 1682, *Journ. savants ;* lat. *reticulum,* petit filet, empr. pour un empl. spécial en astron. ; 1842, *Acad.,* « petit sac » ; de *retis,* filet (v. RETS, et RIDICULE 2). || **réticulaire** 1619, Hardy. || **réticulé** 1784, Brunot. || **réticulation** 1812, Mozin. || **réticulum** 1765, *Encycl.,* « résille » ; 1878, Lar., anat. ; lat. *reticulum,* réseau. || **réticulocyte** 1930, d'après P. Robert ; de *réticulum* et gr. *kutos,* cellule. || **réticulopathie** 1964, Lar.

***rétif** 1080, *Roland* (*restif*) ; lat. pop. **restivus,* probabl. contract. de **restitivus,* de *restare,* s'arrêter, résister (v. RESTER). || **rétivité** XIII^e s., La Curne (*restiveté*) ; 1868, L. (*rétivité*).

**rétine** 1314, Mondeville ; lat. médiév. *retina,* de *rete* ou *retis,* filet, réseau, à cause du réseau de vaisseaux sanguins qu'on y aperçoit (v. RETS). || **rétinien** 1854, *Journ. méd.* || **rétinite** 1842, *Acad.,* inflammation de la rétine. || **rétinopathie** 1964, Lar. || **rétinoscopie** 1932, Lar.

**rétorquer** 1355, Bersuire, « retourner » ; 1549, R. Est., sens actuel ; lat. *retorquere,* retordre, au fig. rétorquer, de *torquere,* tordre. || **rétorsif** 1764, Rousseau. || **rétorsion** fin XIII^e s., G.

**retors** V. TORDRE.

**retorte** 1560, Paré, cornue, alchimie ; bas lat. *retorta,* chose tordue, part. passé, subst. au fém., de *retorquere,* retordre.

**retour, retourner** V. TOURNER.

1. **rétracter** 1370, Oresme, « annuler » ; 1549, R. Est., « désavouer » ; lat. *retractare,* retirer, de *tractare,* tirer, fréquentatif de *trahere,* même sens. || **rétractation** XIII^e s. ; lat. *retractatio,* de *retractare.* || **rétractable** XIV^e s.

2. **rétracter** 1600, O. de Serres, « devenir plus étroit » ; 1803, *Bull. sciences,* « se raccourcir » ; même étym. que le précéd. || **rétractile** 1770, Gouan ; lat. *retractus,* part. passé de *retrahere,* retirer, de *trahere,* tirer. || **rétractilité** 1835, *Acad.* || **rétraction** 1210, *Folque de Candie,* « blâme » ; XIII^e s., « retraite » ; 1550, Paré, méd. ; lat. *retractio,* de *retrahere.* || **rétractif** 1500, Molinet.

**retrait** 1165, Thomas, « reflux » ; 1580, Montaigne, « lieu où l'on se retire » ; 1834, Landais, « action de retirer » ; *en retrait,* 1611, Cotgrave ; part. passé subst. de l'anc. fr. *retraire,* retirer, du lat. *retrahere,* même sens (v. les précéd. et TRAIRE) ; a signifié aussi du XIV^e au XVIII^e s., « lieu d'aisances ». || **retraite** 1185, *Moniage Guillaume ;* même part. passé, subst. au fém. ; 1580, Montaigne, « fait de se retirer du monde » ; 1752, Trévoux, « action de cesser de travailler, pension », d'abord à propos des militaires. || **retraité** 1819, Boiste.

**retrancher** V. TRANCHER.

**rétrécir** XIV^e s., *Traité d'alchimie ;* anc. fr. *étrécir ;* lat. pop. **strictiare,* de *strictus,* étroit. || **rétrécissement** 1547, Vaganay. (V. ÉTROIT.)

**rétribuer** 1370, Oresme, « indemniser » ; 1834, Boiste, « payer » ; lat. *retribuere,* de *tribuere,* attribuer (v. TRIBUT) ; d'abord « restituer », puis restriction de sens. || **rétribution** 1120, *Ps. d'Oxford ;* bas lat. *retributio.*

1. **rétro-,** préfixe signifiant « en arrière » (ex. *rétrospectif, rétrovision*), ou « en remontant dans le passé » (ex. *rétroactif*) ; du préf. lat. *retro-,* en arrière.

2. **rétro** n. m. V. RÉTROGRADE.

**rétroactif** 1510, Isambert, jurid. ; lat. *retroactus,* part. passé de *retroagere,* pousser (*agere*) en arrière (*retro*). || **rétroaction** 1550, La Curne. || **rétroactivité** 1812, Mozin. || **rétroagir** 1790, Desmoulins. || **non-rétroactivité** XX^e^ s.

**rétrocéder** 1534, Vaganay ; lat. *retrocedere,* reculer, de *cedere,* céder. || **rétrocession** 1550, Roussat. || **rétrocessif** 1842, *Acad.*

**rétroflexe** 1932, Lar., phonét. ; lat. *retroflexus,* de *retroflectere,* plier en arrière.

**rétrograde** XIV^e^ s., Machaut, métrique ; 1370, Oresme, « qui va en arrière » ; 1790, Mirabeau, fig. ; lat. *retrogradus,* de *retro-,* en arrière, et *gradi,* s'avancer. || **rétrograder** XIV^e^ s., Deschamps (*-é*) ; 1488, *Mer des hist.,* astron. ; 1564, Thierry, « revenir en arrière » ; bas lat. *retrogradare.* || **rétrogradation** 1488, *Mer des hist. ;* bas lat. *retrogradatio.* || **rétrogression** 1836, Landais. || **rétro** n. m., 1889, Huysmans, billard ; abrév. de (*effet*) *rétrograde.*

**rétrospectif** 1779, *Courrier de l'Europe ;* de *retro-,* en arrière, et du radical *spect-,* du lat. *spectare,* regarder. || **rétrospective** 1855, *Paris chez soi.* || **rétrospectivement** 1845, Besch.

**retrousser, rétroversion** V. TROUSSER, VERSER.

**rets** 1130, *Eneas* (*rois, raiz*) ; lat. *retis,* filet ; surtout au plur. || **rétiaire** 1611, Cotgrave ; lat. *retiarus,* de *retis.* (V. RÉSEAU, RÉSILLE, RÉTICULE.)

**réunion, réunir** V. UNION, UNIR.

**réussir** 1570, Carloix (*réuscir*), « résulter » ; 1578, Wind, sens mod. ; ital. *riuscire,* « ressortir », de *uscire,* sortir. || **réussite** 1622, Guez de Balzac ; ital. *riuscita.*

**revanche** XIII^e^ s., Tobler-Lommatzsch (*revenche*), « reconnaissance » ; XVI^e^ s., sens actuel ; déverbal de l'anc fr. *revancher* (1265, J. de Meung), de *vencher,* var. de *venger* (v. ce mot). || **revanchard** 1894, Sachs-Villatte. || **revanchiste** 1960, *journ.* || **revanchisme** *id.*

**rêve** V. RÊVER.

**revêche** 1220, Coincy (*revesche*), « violent » ; début XIV^e^ s., sens actuel ; francique **hreubisk,* rude, âpre.

**réveil, réveillon** V. ÉVEILLER.

**révéler** 1120, *Ps. de Cambridge,* relig. ; 1691, Racine, sens actuel ; lat. *revelare,* dévoiler, de *velum,* voile. || **révélation** fin XII^e^ s., *Job,* relig. ; début XIV^e^ s., sens actuel ; lat. eccl. *revelatio.* || **révélateur** milieu XV^e^ s. ; 1842, *Acad.,* sens actuel ; lat. eccl. *revelator.*

**revendication** début XV^e^ s. (*reivendication*), « action de réclamer » ; début XVI^e^ s. (*revendication*) ; 1875, Lar., « action d'assumer » ; lat. jurid. *rei vindicatio,* action de réclamer une chose ; confusion ultérieure du premier élément *rei* et du préf. *re-.* || **revendiquer** 1395, Boutillier ; lat. jurid. *vindicare,* revendiquer. || **revendicateur** 1870, L. || **revendicatif** 1964, Lar.

**revenir** V. VENIR.

**rêver** 1130, Studer, « faire des rêves » ; 1265, J. de Meung, « vagabonder » (jusqu'au XV^e^ s.) ; 1640, Corn., comme v. transitif ; XVI^e^ s., sens actuel ; d'un anc. **esver,* vagabonder (cf. l'anc. fr. *desver,* perdre le sens ; v. ENDÊVER), du lat. *aestuare,* bouillonner, être agité ; ou d'un anc. gallo-roman **esvo,* vagabond, du bas lat. **exvagus,* sur l'adj. lat. class. *vagus,* même sens. A signifié aussi « délirer » (1170, *Vie d'Édouard*), jusqu'au XVII^e^ s. || **rêverie** début XIII^e^ s., Chardry, « délire » ; 1580, Montaigne, sens mod. || **rêveur** 1268, É. Boileau, « vagabond » ; 1654, G. de Balzac, sens actuel ; 1656, Pascal, « utopiste ». || **rêveusement** 1850, Balzac. || **rêve** 1674, Malebranche. || **rêvasser** XV^e^ s., *Quinze Joies du mariage* (*ravacer*) ; 1489, Gaguin (*revasser*). || **rêvasserie** 1550, Rab. || **rêvasseur** 1736, Voltaire. || **rêvassier** 1888, A. Daudet.

**réverbère** V. RÉVERBÉRER.

**réverbérer** 1384, *Aalma,* « frapper » ; XV^e^ s., sens actuel ; lat. *reverberare,* repousser, d'où « rejaillir » (rayons du soleil), de *verberare,* fouetter. || **réverbération** 1314, Mondeville. || **réverbère** 1502, O. de Saint-Gelais, « écho » ; 1676, Glaser, « miroir réflecteur » ; 1771, Trévoux, lanterne à miroir réflecteur ; 1835, *Acad.,* sens actuel.

**revercher** 1175, Chr. de Troyes, « examiner » ; lat. pop. **reverticare,* retourner, lat. class. *revertere ;* 1765, *Encycl.,* techn.

**reverdir** V. VERT.

**révérer** 1404, N. de Baye ; lat. *revereri.* || **révérence** 1155, Wace ; *faire la révérence,* 1360, Froissart ; lat. *reverentia.* || **révérend** XIIIe s., *Apocalypse ;* lat. eccl. *reverendus,* adj. verbal de *revereri,* spécialisé en terme de dignité. || **révérendissime** fin XIIIe s., Aimé (*reverentissime*) ; superl. du précéd. || **irrévérent** 1453, *Débat des hérauts ;* lat. *irreverens.* || **irrévérence** XIIIe s., Delb. ; lat. *irreverentia.* || **révérenciel** XVe s., G. (*-cial*) ; 1690, Furetière (*-ciel*) ; de *révérence.* || **révérencieux** 1642, Oudin, *id.* || **révérencieusement** XVIe s., Brantôme. || **révéremment** 1355, G. || **irrévérencieux** 1791.

**revers** 1269, Gauchy, n. m., « la réciproque » ; fin XIVe s., *Chron. de Boucicaut,* côté opposé ; 1553, Rab., pour le vêtement ; 1611, Cotgrave, « vicissitude » ; fin XVIe s., Brantôme, sport (paume) ; anc. adj. *revers,* retourné, du lat. *reversus,* part. passé de *revertere,* retourner, de *vertere,* tourner. || **réversion** 1304, G., jurid. ; lat. *reversio,* retour, de *revertere ;* XIXe s., empl. techn. || **réversible** 1690, Furetière. || **réversibilité** 1745, Brunot. || **irréversible** fin XIXe s. || **reversal** 1594, G., jurid.

**reversi** ou **reversis** XVIe s. (*reversin*), jeu de cartes ; 1611, Cotgrave (*reversi*) ; 1617, Crespin (*reversis*) ; altér., d'après *revers,* de l'ital. *rovescino,* de *rovescio,* à rebours (le gagnant est celui qui fait le moins de levées).

**réversible, revigorer** V. REVERS, VIGUEUR.

**réviser** 1250, Mousket, « examiner » ; fin XVIe s., « passer en revue une troupe » ; 1752, Trévoux, sens actuel ; lat. *revisere,* « revenir voir ». || **révision** 1298, G. (*revision*) ; bas lat. *revisio.* || **réviseur** 1567, Junius. || **révisionniste** 1851, Hugo. || **révisionnisme** 1903, Raphaël. || **antirévisionnisme** 1913, Martin du Gard. || **révisible** 1875, Bourdet

**revival** 1855, Mackensie ; mot angl., de *to revive,* revivre, du fr.

**reviviscence, révocation** V. VIVRE, RÉVOQUER.

**revolin** 1612, Lescarbot, mar., tournoiement du vent ; prov. *revolim,* tourbillon, du lat. *volvere,* tourner.

**révolter** 1500, Auton (*se révolter*), se retourner ; 1673, Racine, sens mod. ; ital. *rivoltare,* retourner, du part. *rivolto,* de *rivolgere,* du lat. *revolvere* (v. RÉVOLU). || **révolte** 1500, sens mod. ; ital. *rivolta.* || **révoltant** 1749, d'Argenson.

**révolu** 1377, Oresme ; lat. *revolutus,* « qui a achevé son circuit », part. passé de *revolvere,* « rouler en arrière ».

**révolution** fin XIIe s., *Grégoire,* astron. ; 1559, Amyot, « changement important ; 1680, Richelet, polit. ; bas lat. *revolutio,* retour, révolution des astres (IVe s., saint Augustin), de *revolutus* (v. RÉVOLU). || **révolutionnaire** 1789, Brunot. || **révolutionner** 1793, Brunot. || **révolutionnarisme** 1843, Sainte-Beuve. || **contre-révolution** 1790, Mirabeau. || **contre-révolutionnaire** 1791, Marat. || **ultra-révolutionnaire** 1794.

**revolver** 1848, Aug. Barbier ; angl. *revolver,* créé par S. Colt, aux États-Unis, pour désigner le pistolet à barillet, en 1835, de (*to*) *revolve,* tourner, de même rac. que les précéd. || **revolvériser** 1899, Sachs-Villatte.

**révoquer** XIIe s., *Dialogues Grégoire* (*revochier*), « rappeler » ; 1355, Bersuire (*révoquer*) ; 1360, Froissart, « annuler » ; fin XIVe s., « retirer d'un emploi » ; lat. *revocare,* rappeler, et au fig. « revenir sur », « annuler », de *vox, vocis,* voix. || **révocation** XIIIe s., *Cout. d'Artois,* jurid. ; lat. *revocatio.* || **révocable** début XIVe s. || **révocabilité** 1789, Brunot. || **révocatoire** 1407, *Archives.* || **irrévocable** 1357, G. ; lat. *irrevocabilis.* || **irrévocabilité** 1534, Delb.

**revue** V. VOIR.

**révulsion** 1538, Chauliac ; lat. *revulsio,* action d'arracher, de *revulsus,* part. passé de *revellere,* arracher. || **révulser** 1845, Besch. || **révulsé** 1867, Baudelaire. || **révulsif** 1555, Vide.

**rewriter** 1975, *Lexis ;* angl. *to rewrite,* réécrire. || **rewriting** 1964, Étiemble.

**rez-de-chaussée** 1506, *Doc. ;* de la loc. *à rez-de-chaussée,* de *chaussée* et de l'anc. fr. *rez* (fin XIIe s.), adj., « rasé, à ras » ; lat. *rasus.* || **rez-de-jardin** 1966, *journ.* (V. RAS 1.)

**rezzou** 1904, Lar. ; mot ar.

**rhabdomancie** 1579, Bodin ; lat. *rhabdomantia,* du gr. *rhabdos,* baguette, et *manteia,* divination. || **rhabdomancien** 1836, *Acad.*

**rhagade** 1363, Chauliac (*rhagadie*) ; 1611, Cotgrave, méd., fissure ; lat. *rhagas, -gadis,* gerçure, du gr. *rhegnunai,* rompre.

**rhamnus** 1539, L. ; nom lat. du nerprun, du gr. *rhamnos.* || **rhamnacée** 1817, Gérardin (*rhamnées*).

**rhapsode** 1552, Vaganay, « poète » ; gr. *rhapsôdos,* de *rhapteîn,* coudre, et *ôdê,* chant. || **rhapsodie** 1582, Bretin ; gr. *rhapsôdia.* ||

**rhapsoder** 1560, Paré, « recoudre ». || **rhapsodiste** 1687, R. Simon.

**rhéo-,** gr. *rheîn,* couler. || **rhéobase** 1909, d'après P. Robert. || **rhéographe** 1923, Lar. || **rhéologie** 1927, Bingham. || **rhéomètre** 1858, Nysten. || **rhéoscopique** 1878, Lar. || **rhéostat** 1875, Lar. || **rhéostatique** 1877, *J. O.* || **rhéotaxie** 1904, Lar.

**rhésus** 1797, Audebert, singe ; emploi arbitraire du lat. *Rhesus,* roi légendaire de Thrace.

**rhéteur** 1539, R. Est., « maître de rhétorique » ; 1694, *Acad.,* empl. péjor. ; lat. *rhetor,* maître d'éloquence, du gr. *rhêtôr.* || **rhétorique** 1130, *Eneas* (*rectorique*) ; XVIe s., classe de rhétorique ; lat. *rhetorica,* art oratoire, du gr. *rhêtorikê.* || **rhétoriqueur** 1493, Coquillart, « écrivain ». || **rhétoricien** 1370, Oresme (*rettoricien*), adj. ; 1680, Richelet, élève de rhétorique.

**rhéto-roman** 1870, d'après P. Robert ; de *rhétique,* de *Rétie.*

**rhin(o)-,** gr. *rhinos,* nez. || **rhinencéphale** 1964, Lar., anat. || **rhinite** 1830, *Dict. méd.* || **rhinocéros** 1288, Gelée (*rhinocerons*) ; fin XIVe s. (*rhinoceros*) ; lat. *rhinoceros,* gr. *rhinokerôs,* de *keras,* corne. || **rhinologie** 1888, Lar. || **rhinopharyngite** 1892, Guinon. || **rhino-pharynx** 1936, d'après P. Robert. || **rhinoplastie** début XIXe s. || **rhinorragie** 1870, L. || **rhinorrhée** 1870, Lar. || **rhinosclérose** 1932, Lar. || **rhinoscopie** 1867, *Journ. méd.*

**rhingrave** XVIe s., titre de seigneurs rhénans ; all. *Rheingraf,* « comte du Rhin » ; 1640, Scarron, « haut-de-chausses », introduit en France par le rhingrave Salm, gouverneur de Maestricht. || **rhingraviat** 1836, *Acad.*

**rhizo-,** gr. *rhiza,* racine. || **rhizine** 1875, Lar. || **rhizobium** 1904, Lar. (*-bion*). || **rhizoïde** 1897, *Année biol.* || **rhizome** 1817, Gérardin. || **rhizomère** 1904, Lar. || **rhizophage** 1732, Trévoux. || **rhizophylle** 1875, Lar. || **rhizopode** 1842, *Acad.* || **rhizotaxie** 1878, Lar.

**rhodium** 1805, *Ann. de chimie ;* mot angl., tiré en 1803, par Wollaston, du gr. *rhodon,* rose, à cause de la couleur de certains sels de ce métal.

**rhodo-,** gr. *rhodos,* rose. || rhodamine 1932, Lar. || **rhodophycées** 1904, Lar. || **rhodopsine** 1904, Lar. ; gr. *opsis,* vue. || **rhodotorula** 1964, Lar. ; lat. *torulus,* renflement.

**rhododendron** début XVIe s. ; lat. *rhododendron,* du gr. *rhodon,* rose, et *dendron,* arbre.

**rhombe** début XVIe s., géom., « losange » ; lat. *rhombus,* gr. *rhombos,* « toupie ». || **rhombique** 1870, L. || **rhomboèdre** 1817, *Ann. de chimie.* || **rhomboïde** 1542, Bovelles, géom. ; lat. *rhomboides,* gr. *rhomboeidês.*

**rhopalocère** 1870, L., entom. ; gr. *rhopalon,* massue, et *keras,* corne.

**rhotacisme** 1793, Lavoisien (*rotacisme*) ; gr. *rhôtakismos ;* évolution phonétique d'un *s* vers un *r.*

**Rhovyl** 1956, Robert ; nom déposé, lat. *Rhodanus,* Rhône.

**rhubarbe** XIIIe s., *Simples Méd.* (*reubarbe*) ; 1570, Liébault (*rhubarbe*) ; bas lat. *rheubarbarum* (VIIe s., Isid. de Séville, d'après qui *rheu* est un mot barbare signifiant « racine ») ; on trouve aussi en lat. médiév. *rhabarbarum,* et chez Rab. *rhabarbe ; rha* et *rheu* sont deux formes obscures.

**rhum** 1688, Blome (*rum*) ; 1784, Bonnafé (*rhum*) ; angl. *rum* (1654), abrév. de *rumbullion,* mot dial. angl., « grand tumulte », empl. dans l'île de Barbade pour désigner une liqueur forte de fabrication locale. || **rhumé** 1932, Lar. || **rhumerie** 1802, Laveaux.

**rhumatisme** 1549, Meignan (*rheumatisme*) ; 1673, Molière (*rhumatisme*) ; lat. *rheumatismus,* fluxion, gr. *rheumatismos,* « écoulement d'humeurs », de *rheîn,* couler. || **rhumatismal** 1755, *Encycl.* || **rhumatisant** 1478, Chauliac ; lat. *rhumatizans,* part. prés. de *rheumatizare.* || **rhumatologie** 1964, Lar. || **rhumatologue** *id.*

**rhumb** 1553, Nicolay (*rumb*) ; 1611, Cotgrave (*rhumb*) ; angl. *rhumb,* d'après lat. *rhombas,* losange, de *rim,* jante d'une roue.

**rhume** 1227, *le Besant de Dieu* (*reume, rheume*) ; 1643, Scarron (*rhume*) ; lat. *rheuma,* du gr. *rheuma,* « écoulement », de *rheîn,* couler. || **enrhumer** 1180, Marie de France (*anrimé*). || **désenrhumer** 1660, Oudin.

**rhyncho-,** gr. *rhugkhos,* groin, bec. || **rhynchée** 1839, Boiste, zool. || **rhynchite** 1839, Boiste, entom. || **rhynchocéphale** 1845, Besch. || **rhynchole** 1875, Lar., entom. ; gr. *oloos,* funeste. || **rhynchote** 1839, Boiste, zool.

**ribambelle** 1798, *Acad. ;* origine obsc., p.-ê. sur un rad. onom. *bamb-,* indiquant le balancement, l'oscillation, avec une influence du dial. *riban,* ruban.

**ribaud** 1175, Chr. de Troyes, « débauché » ; anc. fr. *riber,* faire le ribaud, de l'anc. haut all.

*rîban,* être en chaleur, s'accoupler, proprem. « frotter ». ‖ **ribaudaille** 1150, Barbier. ‖ **ribauderie** 1268, Boileau. ‖ **riboter** 1745, Vadé (*riboteur*) ; de *ribauder* (1260, G.), avec changem. de suff. ‖ **ribote** 1803, Boiste (*faire ribote*).

**ribes** début XVI^e^ s., bot. ; lat. médiév. *ribes,* de l'ar. *ribas,* oseille.

**ribler** 1690, Furetière, courir la nuit ; 1842, *Acad.,* terme techn. ; probabl. de l'anc. haut all. *rîban* (v. RIBAUD). ‖ **riblon** 1783, Buffon, déchet d'acier.

**riblette** XIII^e^ s. ; néerl. *ribe,* côte.

**ribo-,** de *arabinose,* sucre, de *gomme arabique.* ‖ **riboflavine** 1964, Lar. ‖ **ribonucléase** 1967, J. Verne et S. Hébert. ‖ **ribonucléique** 1964, Lar. ‖ **ribonucléoprotéide** 1964, Lar. ‖ **ribosome** 1943, d'après P. Robert.

**ribord** 1678, Guillet, mar. ; portug. *resbordo.*

**ribote, riboter** V. RIBAUD.

**ribouis** 1854, Esnault, « savetier » ; 1880, Esnault, « soulier », pop. ; altér. de *rebouis,* de l'anc. *rebouiser,* donner le bon air à quelque chose, du fr. rég. *bouis,* anc. forme de *buis,* brunissoir de buis servant aux cordonniers pour polir la semelle, lui *donner le bouis* ou, si l'opération est répétée, le *rebouis.*

**ribouldingue** 1900, Esnault ; du dial. *riboulâ,* manger à satiété (Auvergne), et de *-dingue,* issu de *dinguer,* pop., « rebondir avec un bruit sonore » ; orig. onom. ; *riboulâ* est p.-ê. un croisement de l'anc. *riber* (v. RIBAUD) et de *bouler,* « enfler sa gorge ». (V. BOULE.)

**ribouler** 1862, Guérin ; mot dialectal, de *re-* et *boule.*

**ricaner** XIII^e^ s., *Chanson d'Antioche* (*recaner*), « braire » ; 1538, R. Est., sens mod. ; altér., par anal. de *rire,* de l'anc. fr. *rechaner,* de l'anc. picard *kenne,* joue, du francique **kinni,* mâchoire. ‖ **ricaneur** 1555, Vaganay. ‖ **ricanement** 1702, Chaulieu.

**riccie** 1765, *Encycl.* ; du nom du botaniste *Ricci.*

**riche** 1050, *Alexis ; nouveau riche,* 1721, Montesquieu ; francique *rîki,* puissant (cf. l'all. *reich*). ‖ **richesse** 1119, Ph. de Thaon (*richoise*) ; 1130, *Eneas* (*richece*), « puissance » et sens actuel. ‖ **richard** 1466, Michault. ‖ **richement** 1138, Gaimar. ‖ **richissime** XIII^e^ s. ; italianisme ; puis 1801, Mercier. ‖ **enrichir** XII^e^ s. ‖ **enrichissement** XIII^e^ s.

**richelieu** 1910, *Culina,* « chaussure » ; du nom de *Richelieu.*

**richomme** 1721, Trévoux ; esp. *rico hombre,* de *rico,* puissant, et *hombre,* homme.

**ricin** 1557, L'Escluse ; lat. *ricinus.* ‖ **riciné** 1871, *J. O.* ‖ **ricinodendron** 1964, Lar. ‖ **ricinoléine** 1932, Lar.

**rickettsie** 1932, Lar. ; du nom de *Ricketts.* ‖ **rickettsiose** 1964, Lar.

**ricochet** XIII^e^ s., *Fable du ricochet,* ritournelle de questions et de réponses ; 1611, Cotgrave, « rebond » ; XVIII^e^ s., fig., sens mod. ; orig. obsc., p.-ê. du rad. de *coq,* dimin. *cochet.* ‖ **ricocher** début XIX^e^ s.

**ric-rac,** ou **ric-à-rac,** ou **ric-et-rac** 1450, Gréban (*ric à ric*) ; 1470, *Pathelin* (*ric-à-rac*) ; 1904, Lar. (*ric-rac*) d'orig. onomat.

**rictus** 1821, J. de Maistre ; lat. *rictus,* contour de la bouche ouverte, de *ringi,* ouvrir la bouche en montrant les dents.

**ride, rideau** V. RIDER.

**ridelle** 1268, Boileau ; moy. haut all. *reidel,* forte perche ; balustrade légère faite d'abord de branches de chêne.

**rider** 1175, Chr. de Troyes (*chemise ridée*), « plisser » ; 1265, J. de Meung, sens actuel ; *se rider,* 1747, Voltaire ; anc. haut all. *rîden,* tordre (*reid,* frisé). ‖ **ride** XIII^e^ s. ; déverbal ‖ **rideau** XIV^e^ s. ; également, au XV^e^ s., « repli de terrain ». ‖ **ridage** 1842, *Acad.,* techn. ‖ **ridement** 1611, Cotgrave. ‖ **ridoir** 1870, L., techn. ‖ **ridule** 1970, Robert. ‖ **riduler** 1881, Huysmans. ‖ **dérider** 1539, R. Est.

1. **ridicule** 1500, *Thérence en françois,* adj. ; 1654, G. de Balzac, n. m. ; lat. *ridiculus,* de *ridere,* rire. ‖ **ridiculement** 1552, R. Est. ‖ **ridiculiser** 1648, Voiture. ‖ **ridiculité** 1664, Robinet.

2. **ridicule** 1801, Mercier, n. m., petit sac de dame ; altér. de *réticule,* par attraction du précédent.

***rien** 980, *Passion ;* lat. *rem,* acc. de *res,* chose ; n. fém. jusqu'au XVI^e^ s., avec le sens de « chose » ; on trouve le masc. depuis le XV^e^ s. ; devenu mot négatif au XVI^e^ s., par suite de son emploi fréquent avec *ne* et *pas.*

**riesling** 1845, Besch. ; mot allem. désignant un cépage blanc.

**rif** 1545, Esnault (*riffe*), feu, argot des Coquillards ; altér. de *ruffe* (1596, *Vie gén. des merce-*

*lots* ; déjà au XVe s., fig., « feu Saint-Antoine, érysipèle ») ; du fourbesque (argot ital.) *rufo,* rouge. || **riffauder** 1598, Bouchet. || **riffaudeur** 1837, Vidocq. || **rififi** 1942, Esnault.

1. **riflard** 1411, Baudet Herenc, sergent ; début XVIIe s. (*riflard*), nom de divers outils : rabot, ciseau, lime, etc. ; anc. fr. *rifler,* XIIe s., érafler, rafler, de l'anc. haut all. *riffilôn,* déchirer en frottant, avec suffixe *-ard.* || **rifler** 1170, *Rois.* || **rifloir** 1827, *Acad.*

2. **riflard** 1828, de Saint-Hilaire, « parapluie », pop. ; du nom d'un personnage de *la Petite Ville* (comédie de Picard, 1801), qui portait toujours un énorme parapluie.

**rifle** 1833, Th. Pavie, alors fém., carabine rayée ; angl. *rifle,* de (*to*) *rifle,* faire des rainures, lui-même issu de l'anc. fr. *rifler.* (V. RIFLARD 1.)

**rigide** 1457, *Romania,* fig. ; 1523, Vaganay, au sens propre ; lat. *rigidus* (v. RAIDE). || **rigidement** 1671, Pomey. || **rigidifier** 1885, Vallès. || **rigidité** 1641, Clave ; lat. *rigiditas.*

**rigodon** ou **rigaudon** 1673, Sévigné ; peut-être du nom de *Rigaud,* inventeur de cette danse.

**rigole** début XIIIe s. (*regol*) ; début XIVe s. (*rigole*) ; moy. néerl. *regel,* rangée, ligne droite, et *richel,* fossé d'écoulement, du lat. *regula,* règle. || **rigoler** 1297, G. || **rigolage** 1842, *Acad.*

**rigoler** XIIIe s., *Fabliau,* « se divertir » ou « se moquer », fam. ; croisement de *rire* et de *galer,* s'amuser (v. GALANT). || **rigolade** 1815, Esnault. || **rigolo** 1848, Hatin ; 1886, Esnault, « revolver ». || **rigolard** 1867, Delvau. || **rigolboche** 1860, *Fr. mod.*

**rigueur** fin XIIe s. ; *à la rigueur,* 1875, Lar. ; lat. *rigor,* même rad. que *rigidus* (v. RIGIDE, RAIDE). || **rigoureux** XIIIe s. ; lat. *rigorosus.* || **rigoureusement** 1220, *Queste del Saint Graal.* || **rigorisme** 1696, Saint-Simon ; d'après la forme lat. || **rigoriste** 1683, Barbier.

**rillette** 1845, Besch. ; mot dialectal *rille,* planchette, de l'anc. fr. *reille* (fin XIe s.), « latte », par analogie de forme ; lat. *regula.* (V. RÈGLE.)

**rimaye** 1839, Boiste ; mot savoyard, lat. *rima,* fente.

**rimer** 1119, Ph. de Thaon ; *ne rimer à rien,* 1779, Genlis ; francique *rimân,* de **rim,* série, nombre. || **rime** 1160, Chr. de Troyes ; déverbal. || **rimeur** 1180, *Alexandre* (*rimere,* cas sujet). || **rimailleur** 1518, Marot. || **rimailler** 1553, Rab.

***rinceau** fin XIIe s., *R. de Cambrai* (*rainsel*), « rameau » ; 1533, Havard, spécial. comme terme de blason et d'archit. ; lat. pop. **ramuscellus,* du bas lat. *ramusculus,* dimin. de *ramus,* rameau.

***rincer** fin XIIe s., *Bible* (*reincier, raincier*) ; dissimilation probable de l'anc. fr. *recincier,* du lat. pop. **recentiare,* « rafraîchir, laver », de *recens,* au sens de « frais ». || **rinçage** 1715, L. || **rinçure** 1398, *Ménagier* (*rainssure*). || **rinceur** 1490, *Anc. Poés.* || **rincée** 1793, Villers, « volée de coups ». || **rincette** 1867, Delvau. || **rince-bouche** 1842, *Acad.* || **rince-bouteilles** 1894, Sachs-Villatte. || **rince-doigts** 1907, Lar.

**rinforzando** 1775, Beaumarchais ; mot ital., de *rinforzare,* renforcer.

**ring** 1829, Mackenzie, « cercle de spectateurs » ; 1923, Lar., sens actuel ; angl. *ring,* « anneau, cercle ».

1. **ringard** 1731, Trévoux ; wallon *ringuèle,* « levier », avec changem. de suff., de l'all. dial. *Rengel,* bûche. || **ringarder** 1894, Sachs-Villatte.

2. **ringard** 1975, Lar., vieil acteur ; p.-ê. métaphore de *ringard* 1.

**riotte** 1130, *Saint Gilles,* dispute ; déverbal de l'anc. fr. *rioter, rihoter,* se quereller, d'orig. obscure.

**ripaille** 1579, N. Du Fail (*faire ripaille*) ; anc. fr. *riper,* gratter (v. RIPER). || **ripailler** 1821, Desgranges. || **ripailleur** 1578, La Noue.

**ripaton** 1867, Delvau ; argot *ripatonner,* réparer, de *re-* et *patte,* d'abord « soulier réparé », puis « pied ».

**riper** 1328, G., « gratter », d'où « glisser », techn. ; 1752, Trévoux, « déraper » ; moy. néerl. *rippen,* palper. || **ripe** 1255, G., « filet » ; 1676, Félibien, outil. || **ripage** 1847, Besch. || **ripement** 1851, Poitevin.

**Ripolin** 1907, Lar. ; créé en 1888 par l'inventeur *Riep,* avec son nom, l'élém. *-ol* du néerl. *olie,* huile, et le suff. savant *-in.* || **ripoliner** 1907, Lar.

**ripopée** XVe s., A. de La Sale, adj. (*vin ripopé*) ; XVe s., n. m. (*ripopé*) ; 1770, Rousseau, n. f. (*ripopée*) ; formation pop., p.-ê. sur le radical à alternance *pap-/pop-* du langage enfantin (v. PAPA, PAPOTER), avec infl. analog. de RIPAILLE.

**riposte** 1527, Macquereau (*risposte*) ; 1578, H. Est. (*riposte,* par chute du premier *s*) ; ital. *risposta,* de *rispondere,* répondre (v. RÉPONDRE). || **riposter** 1650, Scarron.

**riquiqui** fin XVIIIe s., « eau-de-vie » ; 1867, Delvau, adj., petit, contrefait ; forme expressive issue du langage enfantin.

***rire** 1080, *Roland ;* 1220, Coincy, « agréable » ; lat. pop. *ridĕre,* en lat. class. *ridēre.* || **rire** n. m., XIIIe s. || **riant** 1080, *Roland.* || **rieur** 1460, G. Alexis. || ***ris** fin XIe s., *Chanson de Guillaume,* « rire » ; lat. *risus,* part. passé subst. de *ridere,* rire. || **risée** 1175, Chr. de Troyes. || **risette** 1840, Dumanoir. || **risible** 1370, Oresme ; bas lat. *risibilis,* sur *risus,* de *ridere,* rire ; a pu signifier, du XVIe au XVIIIe s., « qui a la faculté de rire ». || **risibilité** XVIe s., Champeynac. || **risiblement** 1655, Molière. || **risorius** 1765, *Encycl.,* anat. || **dérision** XIIIe s., G. ; bas lat. *derisio.* || **dérisoire** XIVe s., Juv. des Ursins ; bas lat. *derisorius.*

1. **ris** 1155, Wace, mar. ; du plur. anc. scand. **rifs,* sing. *rif,* dispositif pour raccourcir. || **risée** 1689, Jal. || **arriser** 1643, *D. G.*

2. **ris** (*de veau*) XVIe s. ; de *risée* (1598, Bouchet), orig. obsc.

3. **ris** V. RIRE.

**risberme** 1752, Trévoux ; néerl. *rijs,* branchage, et *berm,* talus.

**risotto** 1855, Audot ; ital. *risotto,* de *riso,* riz ; riz cuit avec de la viande et des légumes.

**risque** 1557, H. Est., fém. (l'Acad. a conservé *à toute risque* jusqu'en 1798) ; 1657, Pascal, masc. ; ital. *risco* (auj. *rischio*), du bas lat. **risicare,* « doubler un promontoire », lat. class. *resecare,* de *re-* et *secare,* couper. || **risquer** 1596, Livet ; *risquer de,* 1694, *Acad. ; se risquer,* fin XVIe s. || **risque-tout** 1870, L.

**rissole** 1185, *Aliscans* (*rousole*) ; XIIIe s. (*roissole*) ; 1240, Ph. de Novare (*rissole*) ; lat. pop. **russeola,* fém. subst. de *russeolus,* rougeâtre (IVe s., Prudence), de *russus,* roux. || **rissoler** 1549, R. Est. || **rissolette** 1803, Boiste.

**ristourne** 1723, Savary (*ristorne*) ; milieu XVIIIe s. (*restourne*) ; 1829, Boiste (*ristourne*) ; d'abord masc. et terme de droit mar., « résolution de la police d'assurance » ; ital. *ristorno,* même sens, de *storno* (v. TOURNER). || **ristourner** 1723, Savary (*restourner*) ; 1829, Boiste (*ristourner*).

**rital** 1890, Esnault ; de *les Ital,* abrév. de *les Italiens.*

**rite** 1394, Bouteillier (*rit*) ; 1676, Bouhours (*rite*) ; lat. *ritus.* || **rituel** 1564, Rab. (*ritual*) ; 1669, Widerhold (*rituel*) ; lat. *ritualis.* || **rituellement** 1910, Péguy. || **ritualisme** 1829, Boiste. || **ritualiste** 1700, Trévoux. || **ritualiser** milieu XXe s. || **ritualisation** 1965, Bouthoul.

**ritournelle** 1670, Molière (*ritornelle*) ; 1694, *Acad.* (*ritournelle*), terme de mus. ; 1671, Sévigné, fig. ; ital. *ritornello,* de *ritorno,* retour. (V. TOURNER.)

**rival** 1500, *Thérence en françois ;* lat. *rivalis,* riverain autorisé à faire usage d'un cours d'eau, de *rivus,* cours d'eau ; concurrencé jusqu'au XVIe s. par *corrival,* du bas lat. *corrivalis,* avec le préf. *cor-* indiquant la communauté d'usage. || **rivalité** 1656, Molière ; lat. *rivalitas.* || **rivaliser** 1770, Livet.

***rive** 1080, *Roland ;* 1723, Savary, techn. ; lat. *rīpa.* || **rivage** fin XIe s., *Chanson de Guillaume.* || **rivulaire** 1802, Laveaux. || **dériver** XIVe s., s'écarter de la rive. (V. ARRIVER, RIVIÈRE.)

**rivelaine** 1771, Brunot ; mot picard, de *river,* rafler, moyen néerl. *riven,* râper.

**river** 1160, Benoît, « attacher » ; empl. spécial., dans *river le clou,* XIIIe s. ; de *rive,* bord. || **rivet** 1268, É. Boileau. || **rivure** fin XVe s. || **riveur** XIVe s. || **riveuse** 1877, *Gaz des trib.,* ouvrière qui rive ; 1906, Lar., machine à river. || **riveter** 1877, *J. O.* || **rivetage** *id.* || **riveteuse** 1964, Lar. || **riveur** 1330, Digulleville. || **rivoir** 1769, *Encycl.* || **rivotter** 1842, *Acad.* || **rivure** fin XVe s. || **dériver** milieu XIIIe s., enlever la rivure.

***rivière** fin XIe s., *Gloses de Raschi ;* lat. pop. **riparia,* fém. subst. de l'adj. *riparius,* « qui est sur la rive », de *ripa,* rive, d'où, en anc. fr., l'emploi possible au sens de « région proche d'une rivière, ou de la mer » (en ital. mod. *riviera*) ; *rivière de diamants,* 1747, Brunot. || **riverain** 1532, Rab. (*riveran*) ; 1690, Furetière (*riverain*). || **riveraineté** 1898, *Bull. lois.*

**rivulaire** 1827, *Acad. ;* lat. *rivulus,* dimin. de *rivus,* cours d'eau.

**rixe** début XIVe s. ; lat. *rixa,* querelle.

**riz** 1270, *Archives* (*ris,* puis *riz,* d'après la forme lat.) ; ital. *riso,* du lat. *oryza,* issu du gr. *oruza,* mot d'orig. orientale. || **rizaire** 1838, *Acad.* || **rizière** 1718, *Acad.* || **rizerie** 1868, *journ.* || **riziculture** 1912, Lar. || **riziculteur** 1923, Lar. || **riziforme** 1878, Lar. || **rizon** 1835, *Maison* *rustique.* || **riz-pain-sel** 1790, Brunot ; arg. milit., « celui qui distribue les vivres ».

**roadster** 1933, Lar., automobile ; angl. *roadster,* de *road,* route.

1. **rob** 1507, La Chesnaye, suc de fruit ; ar. *robub,* du persan.

2. **rob** ou **robre** 1767, Mackenzie, dans le vocab. du whist et du bridge ; angl. *rubber,* frotteur, de *to rub,* frotter.

**robe** 1155, Wace, vêtement ; spécialisé de bonne heure pour les vêtements de femme, de prêtre, de juge ; 1648, Voiture, pour les animaux ; 1546, Rab., pour les plantes ; 1730, Savary, pour le tabac ; 1870, L., pour le vin ; germ. **rauba,* butin, sens conservé en anc. fr. (v. DÉROBER), et « vêtements pris à l'ennemi ». || **enrober** XIIIe s., fournir de vêtements ; XIXe s., terme techn., « envelopper comme dans une robe ». || **robin** 1621, *Sonnet de Courval,* homme de robe, péjor. par attraction de ROBIN 2 (v. ci-après). || **rober** 1741, Savary, techn. || **robage** 1875, *J. O.,* techn. || **roberie** début XVIe s. || **robeuse** 1875, *le Temps.*

**roberts** 1888, Esnault ; d'après une marque de biberons.

1. **robin** V. ROBE.

2. **robin** début XIVe s., Gilles li Muisis, personnage sans considération ; du nom propre *Robin,* altér. fam. de *Robert,* et qui désignait dans l'anc. littér. un paysan prétentieux.

**robinet** 1285, J. Bretel, « figure ornant un instrument à cordes » ; 1401, Havard, sens actuel ; de ROBIN 2, employé comme surnom du mouton ; les robinets étaient souvent ornés d'une tête de mouton. || **robinetier** 1870, L. || **robinetterie** 1845, Besch.

**robinier** 1778, Lamarck ; du nom de J. *Robin,* anc. directeur du Jardin des Plantes, qui introduisit cet arbre en 1601.

**roboratif** 1501, F. Le Roy ; anc. fr. *reborer,* fortifier, du lat. *reborare,* de *robur,* force.

**robot** 1924, Jelinek, automate ; tiré du tchèque *robota,* « travail, corvée », par l'écrivain tchèque K. Tchapek, dans sa pièce *R. U. R.* (*les Robots Universels de Rossum,* 1921). || **robotisé** 1960, *journ.* || **robotisation** 1964, Lar.

**robuste** 1080, *Roland* (*rubeste*) ; XIIIe s. (*robuste*) ; lat. *robustus,* de *robur,* force. || **robustement** 1539, R. Est. || **robustesse** 1863, Gautier. || **robusticité** 1776, d'Épinay.

**roc, rocade** V. ROCHE, ROQUER.

**rocambolesque** fin XIXe s. ; de *Rocambole,* nom d'un personnage aux aventures extraordinaires créé par Ponson du Terrail (1829-1871), d'après le mot vieilli *rocambole* (1680, Richelet), n. f., « ail d'Espagne », d'où « chose piquante », de l'all. *Rockenbolle,* même sens propre (*Rocken,* seigle, et *Bolle,* oignon).

***roche** 980, *Passion ;* lat. pop. **rŏcca,* sans doute prélatin. || **rocher** 1138, Gaimar. || **rocheux** 1549, G. Du Bellay, rare jusqu'au XIXe s. || **rochassier** 1906, Lar. || **rochier** 1560, Gesner, poisson ; 1776, Valmont, oiseau. || **roc** 1512, J. Lemaire de Belges ; masc. de *roche.* || **rocaille** 1360, Froissart ; var. *rochaille,* 1611, Cotgrave. || **rocailleur** 1671, Havard. || **rocailleux** 1692, Dufresny. || **rocaillage** 1875, Lar. || **rococo** 1828, Stendhal ; arg. des ateliers d'artistes, formation plaisante d'après *rocaille,* à cause de l'emploi des rocailles dans le style rococo.

1. **rochet** 1170, Saint-Pair, surplis de prêtre ; bas lat. *roccus,* du francique **hrok.* (V. FROC.)

2. **rochet** (*roue à*) 1200, G., extrémité des lances de joute ; 1560, Paré, *roue à rocquet,* à cause de la forme des dents ; 1752, Trévoux, « bobine » ; francique **rukka,* quenouille (all. *Rocken*).

**rock and roll** 1955, *journ. ;* mot anglo-américain, de *to rock,* balancer, et *to roll,* tourner.

**rocking-chair** 1851, Marmier ; angl. *rocking-chair,* de *(to) rock,* balancer, et *chair,* chaise.

**rococo** V. ROCHE.

**rocou** 1614, Claude d'Abbeville ; tupi-guarani (Brésil) *urucu.* || **rocouer** 1640, Bouton. || rocouyer n. m., 1645, Friederici, arbre.

**roder** 1520, Chauliac, « ronger » ; 1723, Savary, techn. ; 1933, Lar., autom. ; lat. *rodere,* ronger (v. CORRODER, ÉRODER). || **rodage** 1836, *Acad. ;* 1933, Lar., autom.

**rôder** 1418, Caumont, v. tr. (*rôder le pays*) ; 1530, Palsgrave (*rauder*) ; 1549, R. Est. *(rôder),* « tourner de tous côtés dans », intr. ; anc. prov. *rodar,* « aller en rond, tourner » ; lat. *rotare,* de *rota,* roue. || **rôdeur** 1538, R. Est. || **rôdailler** 1834, Hecart. || **rôderie** 1881, Vallès.

**rodomont** début XVIe s. (*rodomone*) ; 1584, Amadis Jamyn (*rodomont*) ; ital. *Rodomonte,* nom d'un personnage, brave et insolent, de l'*Orlando furioso* (le *Roland furieux*) de l'Arioste. || **rodomontade** 1587, Le Poulchre.

**rodonticide** 1964, Lar. ; lat. *rodere,* ronger, et *caedere,* tuer.

**rogations** 1355, Bersuire (*rogacion*), sing., prière ; 1530, Palsgrave, plur. ; lat. eccl. *rogationes,* en lat. class. sing. *rogatio,* demande ; a remplacé la forme pop. *rovaison,* dér. de *rover,* du lat. *rogare,* demander, prier. || **rogatoire** 1599, *Cout. de Normandie,* jurid. ; lat. *rogatus,* part. passé de *rogare.*

**rogatoire** V. ROGATIONS.

**rogatons** 1367, Du Cange, « humble requête », avec valeur péjor., jusqu'au XVIIe s. ; 1660, Scarron, « placet pour demander l'aumône » ; 1662, Livet, objet de peu de valeur ; 1694, *Acad.,* sens actuel ; lat. médiév. *rogatum,* demande, neutre subst. du part. passé de *rogare,* demander, avec la pron. anc. de la finale *-um.* (V. DICTON.)

1. **rogne** 1125, *Romania* (*ruinne*) ; 1220, Coincy (*rogne*), « gale » ; lat. *aranea,* araignée, altéré en **ronea,* peut-être sous l'influence de *rodere.* || **rogneux** 1130, Studer. (V. RODER.)

2. **rogne** 1501, Cohen (*rongne*), « grognement » ; en anc. fr., *chercher rogne,* chercher noise, d'où, XVIIe s., à Saint-Étienne, « querelle » ; 1888, Villatte, mauvaise humeur ; de *rogner* (XIIe s.), grommeler, orig. onomat. || rognonner 1556, *Anc. Poésies.*

***rogner** 1131, *Couronn. Loïs* (*reoignier*), « couper autour », d'où « tondre » ; XIIIe s., couper (ex. les ongles) ; 1559, Amyot, fig., « retrancher » ; lat. pop. **rotundiare,* couper en rond, de *rotundus,* rond. || **rognure** fin XIe s., *Gloses Raschi,* parfois « tonsure » en anc. fr. || **rogneur** 1355, Isambert. || **rognage** 1842, *Acad.* || **rognement** 1538, R. Est. || **rognerie** 1608, Malherbe. || **rognoir** 1803, Boiste. || **rogne-pied** 1670, *Encycl.*

***rognon** fin XIIe s., *R. de Cambrai ;* lat. pop. **renio, renionis,* de *ren,* rein, et spécialisé pour les animaux. || **rognonnade** XIVe s. ; de l'anc. prov.

**rogomme** 1700, Mme de Maintenon (*rogum*), liqueur forte ; auj. seulem. dans *voix de rogomme* (1829, Boiste) ; orig. obsc.

1. **rogue** adj., 1215, Anger ; anc. scand. *hrôkr,* arrogant. || **roguerie** fin XVIIe s., Saint-Simon.

2. **rogue** n. f., 1723, Savary, œufs de morue salés ; anc. scand. *hrogn* (all. *Rogen,* œufs de poisson ; angl. *roe, id*). || **rogué** 1772, Duhamel.

**rohart** XIVe s., Laborde ; anc. norrois *hrosshval,* « cheval-baleine ».

***roi** fin IXe s., *Eulalie* (*rex*) ; 1080, *Roland* (*rei*) ; lat. *rex, rēgis.* || **royal** fin IXe s., *Eulalie* (*regiel*) ; 1155, Wace (*real*) ; lat. *regalis.* || **royalement** 1155, Wace (*reialment*). || **royauté** fin XIIe s., *Aliscans.* || **royaliste** fin XVIe s. || **royalisme** 1770, *Corr. littér., philos. et critique.* || **roitelet** fin XIIe s. ; dimin. de l'anc. fr. *roietel, roitel* (1138, Gaimar), de *roi.* || **vice-roi** 1463, Bartzsch. || **vice-royauté** 1680, Richelet. (V. RÉGICIDE, ROYAUME.)

**roide, roideur** V. RAIDE.

**rolandique** 1904, Lar., anat. ; de *Rolando,* physiologiste italien.

***rôle** 1180, *Mort Aymeri* (*rolle*) ; XVe s. (*roole*) ; XVIe s. (*rôle*) ; jusqu'au XVIIIe s., « rouleau », spécialem. manuscrit roulé, liste, acte ; 1538, R. Est., texte appris par un acteur ; 1580, Montaigne, « conduite sociale » ; XVIIe s., fonction d'un objet ; bas lat. *rotŭlus,* rouleau, de *rota,* roue. || **rôlet** 1220, *Queste del Saint Graal,* « petit rouleau » ; XVIe s., « petit rôle de théâtre ». || **enrôler** 1174, *Vie de saint Thomas Becket,* « inscrire sur un rôle » ; XVIe s., milit. || **enrôlement** 1285, G., même évol. de sens. || **enrôleur** 1660, Oudin, milit. (V. CONTRÔLE.)

**romain** fin XIIe s., R. de Moiliens ; lat. *Romanus ;* XVIe s., impr., caractère inventé par Jenson, en Italie ; XVIIe s., sens moral. || **romaine** 1570, Liebault (*laitue romaine*) ; laitue importée d'Avignon, où siégeait la cour papale, à la fin du XIVe s. ; *bon comme la romaine,* 1941, Aragon. || **romaniser** 1579, H. Est. || **romanisation** 1894, Sachs-Villatte. || **romanisant** 1875, *journ.* || **romanité** 1851, Poitevin.

1. **romaine** V. ROMAIN.

2. **romaine** XIVe s. (*romman*), balance ; anc. prov. *romana,* de l'ar. *rummâna,* grenade, avec infl. de *romain.*

1. ***roman** n. m., milieu XIIe s. (*romanz*), langue courante, par oppos. au latin ; XIIe s., récit en langue courante ; XIIIe s. (*romant*) ; XIVe s., « roman d'aventure en vers » ; XVe s., « roman de chevalerie en prose » ; 1560, Pasquier (*roman*) ; XVIe s., aventure extraordinaire et sens mod. ; lat. pop. **romanice,* adv., « à la façon des Romains », par oppos. aux Francs. || **romaniste** 1661, *Variétés historiques,* faiseur de romans. || **romancier** XVe s., Vauquelin ; de l'anc. forme *romanz ;* a remplacé l'anc. fr. *romanceor, romanceur* (1175, Chr. de Troyes). || **romancer** 1220, *Roman de la Violette,* traduire

en roman ; 1586, La Curne, écrire des romans ; 1681, Patru, sens actuel. || **romanesque** 1627, Sorel, « propre au roman » ; a pris au XVIIIe s. une nuance péjor. || **romantique** 1675, abbé de Nicaise, « romanesque » ; 1745, J. Leblanc, « pittoresque » ; empl. pour caractériser des paysages, d'après l'angl. *romantic* (signalé comme néol. par Philipps en 1706) ; 1810, Staël, par oppos. à « classique », d'après l'allem. *romantisch* (Schlegel) ; 1820, terme d'esthét. littér. || **romantiquement** 1842, Mozin. || **romanticisme** 1819, Stendhal ; remplacé par le suiv. || **romantisme** 1804, Senancour, « caractère romantique » ; 1823, Boiste, doctrine littéraire. || **roman-feuilleton** 1840, *journ.* || **roman-fleuve** 1930, *journ.*

2. **roman** adj., 1734, Du Cange, linguistique ; de *roman,* subst., au sens de « nouveau langage », par oppos. au latin (XVIe s., Pasquier, v. le précéd.) ; 1834, *Bull. monumental,* archit., par anal. de l'emploi linguistique. || **romaniste** 1872, *Romania,* qui étudie les langues romanes. || **romanisme** XVIIIe s., relig. || **romanistique** n. f., XXe s., linguistique ; d'apr. l'all. *Romanistik.*

**romance** 1599, Brantôme, féminin ; 1606, Nicot, masc. ; « chanson sentimentale » ; esp. *romance,* masc., « petit poème en stances », du prov. *romans,* même mot que ROMAN 1. || **romancero** 1831, Hugo, collection de romances.

**romanche** 1813, *le Conservateur suisse ;* rhéto-roman *rumontsch,* du lat. **romanice.* (V. ROMAN 1.)

**romand** XVIe s., Bonivard, adj. et n. ; parler français de Suisse, même mot que ROMAN 1, avec changem. de suff.

**romanichel** 1828, Vidocq ; de *romnitchel,* var. de *romani,* de *rom,* nom des tsiganes et de leur langue en tsigane ; on trouve *romamichel,* « maison de voleurs », en 1841, *les Français peints par eux-mêmes.* || **romano** 1859, F. Liszt.

**romarin** XIIIe s., *Simples Méd.* (*rosmarin*) ; lat. *rosmarinus,* rosée de mer. (V. ROSÉE.)

**rombière** 1890, Lar. ; moyen fr. *rommeler,* grommeler (1580, Montaigne), d'orig. obscure.

***rompre** 1080, *Roland* (*rumpre*) ; lat. *rumpĕre.* || **rompement** 1355, Bersuire ; auj. seulem. dans *rompement de tête* (1526, Marot). || **rompis** 1870, L. || **rompu** n. m., 1871, L., finances. || **rupture** 1372, Corbichon ; lat. *ruptura,* de *ruptus,* part. passé (v. ROTURE). || **rupteur** 1907, Lar. || **ruption** 1611, Cotgrave ; bas lat. *ruptio.*

**romsteck** 1843, Th. Gautier (*rumpsteack*) ; 1904, Lar. (*romsteck*) ; angl. *rumpsteak,* tranche de croupe.

***ronce** 1175, Chr. de Troyes ; lat. *rŭmex, rŭmĭcis,* en lat. class. « dard », et en bas lat. (Ve s.) « ronce ». || **roncier** 1547, G. || **ronceraie** 1771, Trévoux. || **ronceux** 1583, Sasbout.

**ronchonner** 1867, Delvau ; anc. fr. *roncher,* « ronfler » (XIIIe s., G.), bas lat. *roncare,* lat. class. *ronchus,* ricanement. || **ronchonneur** 1878, Larchey. || **ronchonnot** 1878, Larchey. || **ronchon** 1888, Sachs-Villatte. || **ronchonnement** 1880, Huysmans.

***rond** 1100, *Gormont* (*reont*) ; 1380, *Aalma* (*rond*), adj. ; lat. pop. **retundus,* en lat. class. *rotundus.* || **rond** n. m., 1155, Wace (*en rond*) ; 1538, R. Est., figure ronde ; 1461, Picot, « sou ». || **rondeur** milieu XVe s. || **ronde** fin XIIe s. (*à la ronde*) ; XIIIe s., danse en rond ; 1559, Amyot, milit. ; anc. fr. *ronder,* « faire le cercle » (1185, *Aliscans*). || **rondeau** milieu XIIIe s. (*rondel*). || **rondelet** 1354, *Modus.* || **rondelle** XIIe s., *Grégoire.* || **rondement** 1155, Wace, « environ » ; XVe s., sens actuel. || **rondir** 1243, G. || **rondin** fin XIVe s., tonneau ; début XVIe s., bûche. || **rondo** 1829, Fétis ; mot italien, de *rondeau.* || **rondoir** 1923, Lar. || **rondouillard** 1888, Goncourt. || **ronde-bosse** 1615, d'après P. Robert. || **rond-point** 1354, *Modus,* « demi-cercle » ; 1866, Verlaine, sens actuel. || **rond-de-cuir** 1885, Larchey. || **arrondir** 1270, J. de Meung (*areondir*). || **arrondissement** 1529, G. Tory, action d'arrondir ; début XVIIIe s., division territoriale ; 1800, circonscription administrative remplaçant le district. || **arrondissementier** fin XIXe s., polit.

**rondache** 1569, G., bouclier rond ; mot picard, de *rondelle,* avec changement de suffixe. || **rondachier** 1625, Stoer.

**Ronéo** 1921, d'après P. Robert ; nom déposé, du nom de la compagnie industrielle. || **ronéoter** 1960, *journ.* || **ronéotyper** 1940, *journ.*

***ronfler** 1130, *Eneas ;* croisem. de l'anc. fr. *ronchier,* du lat. *runcare* (v. RONCHONNER), avec *souffler* (v. ce mot) ; ou élargissem. d'un radical onomat. *ron-* (v. RONCHONNER, RONRON). || **ronflement** 1553, *Bible ;* 1690, Furetière, bruit d'un appareil. || **ronfleur** 1552, Rab. || **ronflant** 1529, G. Tory, bruyant ; 1688, Miege, fig., vide de sens. || **ronflotter** 1879, Huysmans.

***ronger** 1175, Chr. de Troyes (*rungier*), ruminer, puis entamer (XIII^e s.) ; lat. *rūmigare,* ruminer ; *rungier* est devenu *ronger* sous l'infl. de *roder* et aussi de **rogier,* conservés dans certains patois, du lat. pop. *rodicare,* class. *rodere* (v. RODER). || **rongeur** XV^e s. || **rongement** 1538, R. Est. || **rongeage** 1949, Lar.

**ronron** 1761, Rousseau ; onomat. || **ronronner** 1853, Baudelaire. || **ronronnement** 1879, Huysmans.

**roquefort** 1642, Saint-Amant ; du nom du village de l'Aveyron où l'on fabrique ce fromage.

**roquentin** 1631, *D. G.,* chanteur de chansons satiriques ; 1669, Widerhold, vieux militaire ; tiré, sur le modèle de *libertin, galantin, plaisantin,* de *roquart* (Villon, XV^e s.), vieillard catarrheux, d'un rad. onomat. *rok-*. (V. ROQUET.)

**roquer** 1690, Furetière, échecs ; de *roc* (fin XII^e s., *R. de Cambrai*), anc. nom. de la tour, jusqu'au XVI^e s. ; esp. *roque,* de l'arabo-persan *rokh,* « éléphant monté ». || **roque** 1875, Lar. || **rocade** 1790, Guibert, voie parallèle à la ligne de combat, d'après le mouvement de *roc* aux échecs.

**roquet** 1544, *l'Arcadie,* petit chien ; du dial. *roquer,* craquer, croquer, d'un rad. onomat. *rok-,* rendant un bruit sec, un craquement.

1. **roquette** 1538, R. Est., plante crucifère ; anc. ital. *rochetta,* var. de *rucchetta,* de *ruca,* chenille, du lat. *eruca,* même sens.

2. **roquette** 1752, Trévoux (*faire la roquette*) ; 1842, *Acad.,* fusée incendiaire ; 1942, Lar., sens actuel, fusée ; angl. *rocket,* fusée. Au XVI^e s., *roquet,* n. m., désignait un petit canon : origine onomat.

**rorqual** 1808, Boiste ; anc. norvégien *raudhhwalr,* « rouge baleine ».

**rosace** 1546, J. Martin ; lat. *rosaceus,* de *rosa,* rose. || **rosacée** 1694, Tournefort, bot. ; 1964, Lar., rougeur.

**rosage** 1545, Guéroult ; anc. nom du rhododendron ; lat. médiév. *rosago,* de *rosa,* rose, d'après *plantago,* plantain.

**rosaire** 1495, J. de Vignay ; lat. eccl. *rosarium,* « couronne de roses de la Vierge » ; même évol. que *chapelet.*

**rosat** XIII^e s., *Simples Méd.* (*huile rosat*) ; bas lat. *rosatum oleum,* huile rosée.

**rosbif** 1691, *Cuisinier royal* (*ros de bif*) ; 1756, Voltaire (*rostbeef*) ; 1798, *Acad.* (*rosbif*) ; angl. *roastbeef,* de *roast* (de l'anc. fr. *rost,* rôti), et *beef,* viande de bœuf.

**rose** 1155, Wace, n. f. ; lat. *rosa.* || **rose** 1160, Benoît, adj. || **rosé** v. 1200. || **rosâtre** 1812, Boiste. || **rosir** 1823, Boiste. || **rosette** fin XII^e s., R. de Moiliens, « petite rose ». || **roseur** 1908, *Encycl.* || **rosier** 1175, Chr. de Troyes. || **rosière** 1530, Palsgrave, lieu planté de rosiers ; 1766, *Année litt.,* jeune fille vertueuse qui recevait une couronne de roses. || **roseraie** 1690, Furetière. || **rosiériste** 1868, *Revue horticole.* || **roséole** 1836, Landais ; sur le modèle de *rougeole.* || **roselet** 1753, Buffon, hermine. || **rosaniline** 1858, Hoffmann ; de *aniline.* || **rosalbin** 1828, *Dict. hist. naturelle ;* lat. *albus,* blanc. || **rosarium** 1829, Boiste. || **rosé-des-prés** 1964, Lar.

**roseau** 1175, *Tristan ;* anc. fr. *ros,* roseau, du germ. **raus* (all. *Rohr*). || **roselier** adj., 1872, L.

**rose-croix** 1623, Naudé ; allem. *Rosenkreuzer,* de *Rosa,* rose, et *Kreuz,* croix. || **rosicrucien** 1907, Lar.

***rosée** 1080, *Roland* (*rusée*) ; lat. pop. *rosata,* du lat. *ros, roris,* rosée. || **rosoyer** 1352, Dochez.

**rosse** XII^e s. (*ros*), n. m., mauvais cheval ; milieu XV^e s. (*rosse*), n. f. ; 1879, Vallès, adj., « dur, mordant » ; allem. *Ross,* coursier (auj. poétique), en fr. avec valeur péjor. || **rossard** 1867, Delvau. || **rosserie** 1886, Maupassant.

***rosser** 1175, Chr. de Troyes (*roissier*) ; 1650, Scarron (*rosser*) ; lat. pop. **rustiare,* de **rustia,* gaule, du lat. class. *rustum,* ronce, avec infl. de *rosse,* c'est-à-dire « battre comme on bat une rosse ». || **rossée** 1834, Landais.

**rossignol** 1175, Chr. de Troyes (*losseignol*) ; milieu XII^e s. (*rossignol*) ; anc. prov. *rossinhol,* du lat. pop. **lusciniolus,* masc. tiré de *lusciniola* (Plaute), dimin. de *luscinia,* rossignol. || **rossignolet** 1180, Marie de France. || **rossignoler** 1200, *Lai d'Ignaure.* || **rossignolade** 1845, Besch.

**rossinante** 1718, Leroux ; de *Rocinante,* nom du cheval de Don Quichotte, de *rocin,* roussin (1655, Boulan) ; refait sur *rosse.* (V. ROUSSIN.)

1. **rossolis** 1669, La Curne, fleur ; lat. médiév. *ros solis,* rosée du soleil (à cause des vésicules transparentes que portent les feuilles).

2. **rossolis** 1645, Loret, liqueur ; ital. *rosoli,* d'orig. obsc., auj. *rosolio,* interprété secondairement comme formé de *rosa,* rose, et *olio,* huile.

**rostre** 1355, Bersuire, puis 1835, *Acad.*, antiquité romaine ; 1812, Mozin, zool. ; 1870, L., bec de navire ; lat. *rostra,* tribune aux harangues, plur. de *rostrum,* éperon (la tribune étant jadis ornée d'éperons de navires). || **rostral** 1363, Chauliac, « en forme de bec » ; 1663, La Fontaine, archit. || **rostré** 1812, Mozin, en forme de bec, zool. || **rostriforme** 1812, Mozin, zool.

1. **rot** 1878, *Journ. d'agric.,* maladie de la vigne ; angl. *rot,* « pourriture ».

2. **rot** V. ROTER.

**rotacé** 1803, Boiste, bot. ; lat. *rota,* roue.

**rotang** 1610, *Hist. navigation ;* malais *rotan* (v. ROTIN).

**rotation** 1375, R. de Presles ; lat. *rotatio,* de *rotare,* tourner comme une roue, de *rota,* roue. || **rotateur** 1611, Cotgrave, anat. ; lat. *rotator.* || **rotatoire** 1746, *Nouv. Bibl. germanique.* || **rotatif** fin XIV^e s., « circulaire » ; 1842, *Acad.,* sens actuel. || **rotative** n. f., 1865, imprimerie || **rotativiste** 1955, *journ.*

1. **rote** 1155, Wace, instrument de musique des jongleurs bretons ; bas lat. *chrotta* (VI^e s., Fortunat), du germ. *hrôta,* empr. aux parlers celtiques.

2. **rote** 1526, *Recueil des lois,* tribunal ecclésiastique ; lat. *rota,* roue, spécial. en lat. eccl., parce que les sections de ce tribunal examinaient les affaires à tour de rôle.

**rotengle** 1768, Valmont, zool. ; allem. *Roteugel,* œil (*Auge*) rouge (*rot*).

***roter** 1120, *Ps. de Cambridge* (*ruter*) ; bas lat. *ruptare,* altér. du lat. class. *rŭctare.* || ***rot** 1150, Studer (*rut*) ; bas lat. *ruptus,* altér. du lat. class. *rŭctus,* d'après *ruptus,* part. passé de *rumpere,* rompre. (V. ÉRUCTATION.)

**rotifère** 1762, Bonnet ; lat. *rota,* roue, et suff. *-fère,* qui porte.

1. **rotin** 1688, König, genre de palmier, puis objet fabriqué avec cette plante ; malais *rotan.* || rotinier 1933, Lar.

2. **rotin** 1835, Raspail, « sou » ; orig. obsc.

**rôtir** 1155, Wace (*rostir*) ; francique **raustjan,* all. *rösten.* || **rôt** 1112, *Voy. saint Brendan* (*rost*). || **rôti** XIII^e s. || **rôtie** XIII^e s. (*rostie*). || **rôtissage** 1757, *Encycl.* || **rôtisseur** fin XIV^e s. || **rôtisserie** 1460, Villon. || **rôtissoire** milieu XV^e s.

**rotonde** 1488, *Mer des hist.,* à propos de Sainte-Marie-la-Rotonde, le Panthéon de Rome ; 1690, Furetière, édifice ; ital. *rotonda,* fém. subst. de *rotondo,* rond ; 1780, sens étendu.

**rotondité** 1314, Mondeville ; lat. *rotunditas,* rondeur. || **rotond** 1867, Baudelaire ; lat. *rotundus,* rond.

**rotor** 1923, Lar. ; contraction du lat. *rotator.*

**rotule** 1487, Garbin ; lat. *rotula,* dimin. de *rota,* roue. || **rotulien** 1822, *Nouveau Dict. médecine.*

***roture** 1175, Chr. de Troyes, « déchirure » ; début XV^e s., condition non noble ; XV^e s. (*routure*) ; lat. *rŭptura,* « rupture », de *ruptus,* part. passé de *rumpere,* rompre ; en lat. pop. « terre rompue, récemment défrichée », et par ext. « redevance due à un seigneur pour une terre à défricher », puis « terre soumise à redevance », et enfin « propriété non noble ». || **roturier** XIII^e s.

**rouable** n. m., XIII^e s., outil ; lat. *rutabulum,* spatule.

**rouan** adj., milieu XIV^e s., couleur ; esp. *roano,* du lat. pop. **ravidanus,* lat. class. *ravus,* grisâtre.

***rouanne** XIII^e s., *Fabliau* (*roisne*), tarière ; lat. vulg. **rucina* (class. *runcina,* d'après *runcare,* sarcler), du gr. *rhukanê,* rabot. || **rouanner** fin XII^e s., J. Bodel (*roisnier*). || **rouannette** XIII^e s., G. (*royennette*) ; 1642, Oudin (*rouanette*). (V. RAINURE.)

**roubignole** 1836, Vidocq (*robignolle*), boule de liège, puis testicule, pop. ; mot dialectal, de l'anc. fr. *robiner,* saillir, de *robin,* mouton.

**roublard** 1830, Larchey, « heureux » ; 1835, Raspail, « mal habillé » ; 1858, *le Figaro,* « escroc » ; 1864, Veuillot, « rusé » ; argot *roubliou,* feu, de l'ital. *robbio,* rouge. || **roublarder** 1875, Larchey. || **roublarderie** milieu XIX^e s. || **roublardise** 1877, Zola.

**rouble** 1606, Barezzi ; russe *ruble.*

**roucouler** 1462, *Cent Nouvelles* (*rencouler*) ; 1549, R. Est. (*roucouler*) ; orig. onomat. || **roucoulade** 1964, Lar. || **roucoulement** 1611, Cotgrave.

**roudoudou** 1933, Lar. ; mot expressif.

***roue** fin X^e s., *Vie saint Léger* (*rode,* puis *ruode, ruee*) ; XIII^e s., refait en *roe, roue,* d'après les dér. *rouet, rouer,* etc. ; lat. *rŏta.* || **rouet** XII^e s., *Chev. au cygne* (*roet*), petite roue. || **rouage** 1147, Du Cange (*roage*), droit seigneurial ; 1536, M. Du Bellay, « ensemble de roues ».

|| **rouelle** fin XI<sup>e</sup> s., *Gloses de Raschi* (*rodele*) ; 1398, *Ménagier* (*rouelle*), « petite roue », puis « tranche coupée en rond » ; bas lat. *rotella,* dimin. de *rota,* roue. || **rouer** 1326, G., infliger le supplice de la roue ; 1648, Scarron, « battre violemment ». || **roué** 1694, *Acad.,* « très fatigué » ; début XVIII<sup>e</sup> s., désigne les compagnons de débauche du Régent ; 1850, Sainte-Beuve, « rusé ». || **rouerie** 1777, *Revue.*

**rouf** 1582, Haust ; néerl. *roef.*

**rouflaquette** 1876, Esnault, mèche de cheveux ; orig. obscure.

***rouge** 1130, *Eneas* (*roge*) ; lat. *rŭbeus,* « rougeâtre » ; 1848, polit. || **rougeâtre** 1270, Mahieu le Vilain (*rougaste*) ; 1636, Monet (*rougeâtre*). || **rougeaud** 1640, Patin. || **rougeur** 1130, *Eneas* (*rogor*). || **rougir** 1160, Benoît. || **rouget** 1130, *Eneas,* poisson ; de *rouget,* adj. (1170, *Floire et Blancheflor*), diminutif de *rouge.* || **rougeoyer** 1160, Benoît. || **rougeoiement** 1903, Ferréol. || **rougeoyant** XII<sup>e</sup> s., *R. de Cambrai.* || **rougissant** 1555, G. || **rougissement** 1793, Schwan. || **rouge-gorge** début XVI<sup>e</sup> s. ; concurrencé jusqu'au XVII<sup>e</sup> s. par *gorge-rouge.* || **rouge-queue** 1640, Delb. || ***rougeole** 1431, *Romania* (*roujolle*), maladie du seigle ; 1425, O. de La Haye (*rougeule*), sens actuel ; 1538, R. Est. (*rougeole,* refait sur *vérole*) ; lat. pop. **rubeola,* fém. subst. de *rubeolus,* dimin. de *rubeus* (v. RUBÉOLE). || **rougeoleux** 1897, Barbier. || **infra-rouge** 1877, L.

***rouille** 1175, Chr. de Troyes (*roïlle*) ; lat. pop. **robīcŭla,* en lat. class. *robigo, -inis.* || **rouiller** 1196, Ambroise. || **rouilleuse** 1964, Lar. || **rouillure** 1470, *Livre disc.* || **dérouiller** fin XII<sup>e</sup> s. ; 1833, Corbière, pop. || **dérouillement** XVI<sup>e</sup> s. || **dérouillage** 1932, *Acad.*

**rouir** XIII<sup>e</sup> s. (*roïr*) ; francique **rotjan.* || **rouissage** début XVIII<sup>e</sup> s. || **rouisseur** 1875, Lar.

**rouleau** 1315, *Archives* (*rollel*) ; 1530, Palsgrave (*rouleau*) ; bas lat. *rotella,* lat. *rota,* roue.

**rouler** 1170, *Rois* (*rueller*) ; de *rouelle,* petite roue (v. ROUE). || **roulette** 1119, Ph. de Thaon (*ruelete*) ; 1726, Trévoux, jeu. || **roulant** 1468, O. de La Marche ; 1883, « amusant », fam. || **roulement** 1538, R. Est. || **roulage** milieu XVI<sup>e</sup> s. || **roulade** 1622, Garasse. || **roulée** 1771, Duhamel, filet de pêche ; 1834, Landais, correction. || **rouleur** 1715, Tardif ; 1796, Brunot, appliqué aux bandits de la Beauce. || **rouleuse** fin XVIII<sup>e</sup> s., femme de mauvaise vie. || **roulier** 1339, Varin. || **roulis** 1160, Benoît (*roleïs*), mêlée ; XIII<sup>e</sup> s., G., palissade ; 1671, Jal, mar. || **rouloir** 1364, G. || **roulotte** fin XVIII<sup>e</sup> s. || **roulotter** 1875, Lar., faire rouler ; début XIX<sup>e</sup> s., voler. || **roulottage** 1856, Michel, vol. || **roulottier** 1821, Ansiaume, charretier ; 1835, Raspail, voleur. || **roulure** fin XVIII<sup>e</sup> s., femme de mauvaise vie. || **dérouler** 1538, R. Est. || **déroulement** 1752, Trévoux. || **enrouler** début XIV<sup>e</sup> s. || **enroulement** 1694, Th. Corn.

**round** 1816, Simond, boxe ; angl. *round,* « rond, tour ».

1. **roupie** XIII<sup>e</sup> s., Jubinal, « humeur du nez » ; orig. obsc. || **roupieux** 1265, J. de Meung.

2. **roupie** 1614, Du Jarric (*rupias*) ; port. *rupia,* de l'hindî *rûpîya,* sanskrit *rûpya,* argent.

**roupiller** 1597, Esnault ; orig. obscure, probablem. onomat. || **roupilleur** 1740, *Acad.* || **roupillon** 1881, Esnault.

**rouquin** V. ROUX.

**rouscailler** 1628, *Jargon,* « parler » ; milieu XIX<sup>e</sup> s., « protester » ; de *rousser,* 1611, « gronder », et *cailler,* « bavarder » (*caillette,* femme bavarde). || **rouscaille** 1915, Esnault. || **rouscailleur** 1899, Esnault.

**rouspéter** 1878, Esnault ; altér. du précéd., par *péter.* || **rouspéteur** 1894, Esnault. || **rouspétance** 1878, Larchey.

**rousse** 1841, *les Français peints par eux-mêmes,* police, pop. ; fém. subst. de *roux,* déloyal. || **roussin** 1811, Esnault.

**roussalka** 1875, Lar. ; mot russe.

**roussin** 1080, *Roland* (*roncin*) ; XVI<sup>e</sup> s. (*roussin,* par croisement avec *roux*) ; bas lat. **runcinus,* origine inconnue.

**rouster** 1691, Ozanam ; origine inconnue. || **rouste** début XX<sup>e</sup> s., volée de coups.

**rousti** 1789, Larchey (*roustir*), trompé, arg. ; a pris le sens de « volé », puis, pop., de « perdu » ; prov. mod. *rousti,* rôti, grillé, du francique **raustjan* (v. RÔTIR). || **roustissure** 1867, Delvau.

**roustons** 1836, Vidocq, testicules ; languedocien *roustoun,* origine inconnue.

***route** XII<sup>e</sup> s., *Jeu d'Adam* (*rote*), « chemin percé dans une forêt » ; lat. pop. (*via*) *rupta,* voie rompue, frayée. || **router** XIV<sup>e</sup> s., Gilles li Muisis. || **routier** 1474, Molinet, adj. ; 1540, n., livre de routes terrestres ou marines ; 1230, *Saint Simon de Crépy,* voleur de grand chemin ; 1953, Lar., camionneur. || **routine** 1559, Amyot ; de *route* au fig., « chemin battu » ;

1968, Lar., en informatique. || **routinier** 1761, J.-J. Rousseau. || **routiner** 1617, Nesmond. || **router** XIVe s., Gilles li Muisis, « marcher » ; 1907, Lar., sens actuel. || **routage** 1907, Lar. || **dérouter** 1175, Chr. de Troyes, vén., « mettre les chiens hors de la route », d'où le sens mod.

1. **routier** V. ROUTE.

2. **routier** 1220, Coincy, « valet d'armée » ; 1247, Mousket, « soldat faisant partie d'une bande », 1538, R. Est., « qui a de l'expérience » ; anc. fr. *route,* bande, troupe, fém. subst. de *rout,* rompu, du lat. *ruptus,* part. passé de *rumpere,* rompre. || **déroute** 1611, Cotgrave ; anc. fr. *dérouter,* disperser, de *route,* bande.

**routine** V. ROUTE.

**rouverin** 1676, Félibien ; anc. fr. *rouvel* (1265, J. de Meung), rougeâtre, lat. *rubellus,* avec le suff. germ. *-ing.*

**rouvieux** 1743, Trévoux, mot picard, « rougeole » ; lat. pop. **rubeolus,* lat. class. *rubeus,* roux.

***rouvre** 1401, La Curne, chêne ; lat. pop. *robur, roboris,* neutre en lat. class. ; nombreux dérivés dans les noms de lieux (*Rouvray*). || **rouvraie** 1611, Cotgrave.

***roux** fin XIe s., *Gloses de Raschi* (*ros, rus*) ; lat. *russus.* || **roussâtre** 1401, Delb. || **rousseau** fin XIIe s. (*roussiel*). || **rousselet** 1538, R. Est. || **roussette** 1530, Palsgrave, chien de mer ; 1771, Valmont, chauve-souris ; fém. de l'anc. fr. *rousset,* diminutif de *roux.* || **rousseur** 1155, Wace (*russur*). || **roussir** 1265, J. de Meung. || **roussissage** 1827, Dupin. || **roussissure** 1790, Gohin. || **roussiller** 1829, Boiste. || **roussissement** 1866, *J. O.* || **rouquin** 1885, Esnault.

**rowing** 1860, *Sport ;* mot angl., de (*to*) *row,* ramer.

**royal, royaliste** V. ROI.

**royalties** 1910, *Vocabulaire technique de l'éditeur,* au sing. ; 1964, Lar., au pl. ; mot angl.

**royaume** 1080, *Roland* (*reialme*) ; fin XIIe s. (*roiaume*) ; altér., par infl. de *royal* (v. ROI), du lat. *regimen, regĭminis,* « direction, gouvernement ».

***ru** 1272, Joinville ; lat. *rivus.*

**ruban** 1268, É. Boileau (en anc. fr. pop., *riban*) ; moyen néerl. *ringhband,* « collier ». || **rubanier** 1387, Douët d'Arcq. || **rubanerie** fin XVe s. || **rubaner** 1387, Douët d'Arcq. || **rubanage** 1964, Lar. || **rubaneur** 1870, L. || **enrubanné** début XVIe s. || **enrubanner** 1779, Beaumarchais.

**rubato** 1907, Lar. ; mot ital., « volé », de *rubare,* voler, germ. **raubôn.*

**rubéfier** 1413, de La Fontaine (*rubifier*) ; lat. *rubefacere,* rendre rouge, sur de nombreux verbes en *-fier.* || **rubéfaction** 1555, Aneau.

**rubéole** 1845, Barrier ; lat. *rubeus,* rouge, sur le modèle de *roséole.* || **rubéoleux** 1964, Lar. || **rubéolique** 1870, L.

**rubescent** 1817, Gérardin ; lat. *rubescens,* part. prés. de *rubescere,* devenir rouge.

**rubiacée** 1718, *Mémoires Acad. ;* lat. *rubia,* garance, de *ruber,* rouge.

**rubican** adj., 1559, *Doc.,* équit. ; altér., sous l'infl. de *rubicond,* de l'ital. *rabicano,* « à queue blanche ».

**rubicond** 1398, *Somme Gautier ;* lat. *rubicondus,* de *ruber,* rouge.

**rubigineux** 1779, Saussure ; lat. *rubiginosus,* rouillé, de *robigo, robiginis,* rouille.

**rubine** 1765, *Encycl.,* chim. ; lat. *rubeus,* roux, de *ruber,* rouge.

**rubis** 1160, Benoît (*robin*) ; 1196, J. Bodel (*rubis*) ; forme du plur., étendue au sing. ; lat. médiév. *rubinus,* du lat. class. *rubeus.*

**rubrique** XIIIe s., *Assises de Jérusalem* (*rubriche*), « titre en lettres rouges des missels », d'où, plus tard, « titre », et aussi « règles de la liturgie » ; 1632, Corn., « pratique, ruse » ; 1907, Lar., dans la presse, « lieu d'origine d'une nouvelle » ; puis sens mod. ; lat. *rubrica,* terre rouge (sens repris fin XIVe s.), d'où « titre en rouge », de *ruber,* rouge.

***ruche** XIIIe s. (*rusche*) ; bas lat. *rusca* (IXe s., *Gloses*), d'orig. gauloise, « écorce », par ext. abri d'abeilles (fait d'abord avec des écorces) ; 1818, *Observ. des modes,* étoffe gaufrée. || **ruchée** 1552, R. Est. || **rucher** 1600, O. de Serres, ensemble de ruches. || **rucher** 1611, Cotgrave, recueillir le miel ; 1834, Boiste, plisser une étoffe.

**rude** 1131, *Couronn. Loïs ;* lat. *rudis,* brut, grossier ; a aussi ce sens jusqu'au XVIe s. || **rudement** XIIe s., *Chevalier Ogier.* || **rudesse** fin XIIIe s., Rutebeuf. || **rudoyer** 1372, Corbichon. || **rudoiement** 1571, Belleforest. || **rudiste**

1839, Boiste, mollusque dont la coquille a des aspérités.

**rudenté** 1547, J. Martin, archit. ; lat. *rudens, -entis,* câble. || **rudenture** 1559, J. Martin.

**rudéral** 1802, Laveaux, bot. ; lat. *rudus, ruderis,* décombres.

**rudération** 1547, J. Martin ; bas lat. *ruderatio,* de *rudis,* gravats.

**rudiment** 1495, J. de Vignay, « premier élément » ; 1553, Belon, « partie élémentaire » ; lat. *rudimentum,* commencement, apprentissage, de *rudis,* brut (v. RUDE). || **rudimentaire** 1812, Mozin. || **rudimentairement** 1875, *Revue.*

1. ***rue** 1050, *Alexis ;* lat. *ruga,* « ride », d'où, en lat. pop., « chemin », puis « voie bordée de maisons ». || **ruelle** 1138, Gaimar (*ruele*) ; 1423, G., espace entre le lit et la muraille ; XVIIe s., chambre à coucher où des dames de qualité recevaient.

2. ***rue** fin XIe s., *Gloses de Raschi,* plante ; lat. *rūta.*

**ruellée** 1334, G. ; anc. fr. *ruile,* règle de maçon, lat. *regula,* règle. || **ruiler** 1320, Richard.

***ruer** 1112, *Voy. saint Brendan,* « lancer violemment » ; *se ruer,* 1175, Chr. de Troyes ; 1212, Anger, intr., en parlant du cheval ; bas lat. *rutare* (VIIe s.), intensif du lat. class. *ruere,* pousser violemment. || **ruade** 1500, Auton. || **ruée** XIIe s., *Fierabras.* || **rueur** fin XIIIe s., Végèce.

**rufian, ruffian, rufien** 1398, E. Deschamps (*rufien*) ; ital. *ruffiano,* de *roffia,* moisissure, saleté, du germ. *hruf,* escarre.

**rugby** milieu XIXe s. ; angl. *rugby,* du nom de *Rugby,* école d'Angleterre (comté de Warwick), où l'on modifia les règles du football. || **rugbyman** 1914, Mackenzie.

**rugine** 1520, Chauliac, chirurgie ; bas lat. *rugina,* en lat. class. *runcina.* || **ruginer** 1363, Chauliac. (V. ROUANNE.)

**rugir** 1120, *Ps. d'Oxford ;* lat. *rugire ;* a éliminé la formation pop. *ruir.* || **rugissant** 1460, Chastellain. || **rugissement** 1120, *Ps. de Cambridge.*

**rugosité** V. RUGUEUX.

**rugueux** milieu XVe s., en parlant d'un pays dévasté ; 1525, Garcie, sens mod. ; lat. *rugosus,* « ridé », de *ruga,* ride (v. RUE 1). || **rugosité** 1503, G. de Chauliac ; d'après la forme lat. de l'adj.

**ruine** 1155, Wace, « perte de la vie » ; XIIIe s., sens actuel ; lat. *ruina,* « écroulement », de *ruere,* pousser violemment (v. RUER). || **ruiner** 1260, *Récit ménestrel.* || **ruineux** XIIe s., Marbode, « qui cause la ruine » ; fin XIIIe s., « qui menace ruine », usuel jusqu'au XVIIe s. ; 1380, G., « qui cause des frais excessifs » ; lat. *ruinosus,* même sens. || **ruineusement** début XVIIe s. || **ruinure** 1676, Félibien. || **ruiniforme** 1803, Boiste. || **ruiniste** 1943, Laran.

***ruisseau** 1120, *Ps. de Cambridge* (*ruisel*) ; lat. pop. **rivuscellus,* dimin. de *rivus* (v. RU). || **ruisselet** XIIe s., *Florimont.* || **ruisseler** 1180, *Aiquin.* || **ruissellement** début XVIIe s. ; rare jusqu'au XIXe s.

**rumba** 1932, Lar. ; esp. des Antilles *rumba.*

**rumen** 1765, *Encycl. ;* bas lat. *rumen,* panse.

**rumeur** 1080, *Roland* (*rimur*) ; 1180, *Mort d'Aymeri* (*rumor*), « grand bruit », d'où « querelle, révolte » ; 1264, Barbier, sens mod., d'après le sens latin ; lat. *rumor, -oris,* « bruit, rumeur publique ».

**ruminer** 1350, Gilles li Muisis, au fig. ; 1372, Corbichon, a éliminé, au propre, un empl. du verbe *ronger* (v. ce mot) ; lat. *ruminare.* || **rumination** 1398, E. Deschamps. || **ruminement** 1538, R. Est. ; fig., début XXe s. || **ruminant** 1553, Belon, adj. ; 1680, Perrault, n. m.

**rune** 1653, d'après P. Robert ; norvégien *rune,* ou suédois *runa,* issus de l'anc. scand. *rûnar,* caractères d'écriture secrets. || **runiforme** 1964, Lar. || **runique** 1653, d'après P. Robert.

**ruolz** 1841 ; du nom du chimiste français *Ruolz* (1808-1887).

**rupestre** 1819, Boiste ; lat. *rupes,* rocher ; a remplacé *rupestral* (1802, Laveaux). || **rupicole** 1839, Boiste.

**rupin** 1628, *Jargon,* « gentilhomme », puis « riche », pop. ; arg. anc. *rupe,* « dame » (1596, Pechon), var. *ripe,* du moy. fr. *ripe,* « gale », d'où « méchante femme », de *riper,* gratter (v. RIPER). || **rupiner** 1890, Esnault.

**rupture** V. ROMPRE.

**rural** 1370, Oresme, adj. ; 1871, *Cri du peuple,* n. m. pl. ; bas lat. *ruralis,* de *rus, ruris,* campagne. || **ruralisme** 1964, Lar. || **ruralité** fin XIVe s., « ignorance » ; 1868, L., sens actuel.

***ruser** XIIe s., *Thèbes* (*reuser*), « faire reculer, reculer » ; lat. *recusare,* « refuser », et en lat. pop. « repousser » ; 1240, G. de Lorris, « tromper » ; XIVe s., sens mod. ; 1561, Nicot, vén.,

« faire des détours pour mettre les chiens en défaut ». || **ruse** 1138, *Vie saint Gilles* (*rëusse*). || **rusé** XIII$^e$ s., Tobler-Lommatzsch.

**rush** 1878, *le Figaro,* sport ; angl. (*to*) *rush,* se précipiter ; 1963, Lar., sens général.

**rustaud** V. RUSTRE.

**rustine** 1753, *Encycl.,* « face du creuset » ; de l'all. *Ruckstein ;* 1922, Lar., sens actuel, n. déposé, de *Rustin,* nom du fabricant.

**rustique** XII$^e$ s., *Partenopeus de Blois* (*ruistique*) ; 1355, Bersuire (*rustique*) ; lat. *rusticus,* de *rus,* campagne. || **rusticité** 1380, *Aalma,* « travail des champs » ; 1512, Lemaire de Belges, sens actuel ; lat. *rusticitas.* || **rustiquement** 1539, R. Est.

**rustre** 1120, *Ps. de Cambridge,* « brutal », d'où « vigoureux » ; anc. fr. *ruiste* (XII$^e$ s.), du lat. *rusticus ;* 1375, R. de Presles, sens mod., par calque du mot lat. || **rustaud** début XVI$^e$ s. ; de la var. *ruste,* attestée jusqu'au XVII$^e$ s. || **rustauderie** 1611, Cotgrave.

***rut** 1130, *Eneas* (*ruit*), « désir d'accouplement » ; 1155, Wace, « bramement du cerf en rut » ; et, par ext., sens mod. ; lat. *rugītus,* rugissement, de *rugire,* rugir.

**rutabaga** 1788, Manoncourt ; suédois *rotabaggar,* chou-navet.

**rutacée** 1615, L. Guyon ; lat. *ruta.* || **rutales** 1964, Lar. (V. RUE 2.)

**ruthénium** 1854, Bouillet ; lat. médiév. *Ruthenia,* nom de la Russie : c'est le chimiste russe Claus qui découvrit ce métal en 1844, dans l'Oural.

**rutilant** 1495, J. de Vignay, « rouge » ; 1512, Lemaire de Belges, « éclatant » ; lat. *rutilans,* part. prés de *rutilare,* être (ou rendre) rouge. || **rutilance** 1851, Barbey d'Aurevilly. || **rutilation** fin XVIII$^e$ s. || **rutiler** 1458, *Mystère.* || **rutilement** 1871, Rimbaud. || **rutilisme** 1953, Lar.

**rythme** 1370, Oresme (*rime*) ; 1520, Fabri (*rithme*) ; *rhythme* jusqu'en 1878, *Acad. ;* lat. *rhythmus,* du gr. *rhuthmos.* || **rythmique** 1521, Fabri ; 1690, Furetière, n. f. ; lat. *rhythmicus,* gr. *rhuthmikos.* || **rythmé** 1370, Oresme (*rimé*) ; 1836, Wilhem (*rythmé*). || **rythmer** 1857, Flaubert. || **arythmie** 1890, Lar.

# S

**sabayon** 1803, Boiste (*sabaillon*) ; ital. *zabaione.*

**sabbat** fin XII^e s., *Job,* jour de repos des juifs ; av. 1613, M. Régnier, réunion nocturne de sorciers ; 1360, Froissart, « tapage » ; lat. eccl. *sabbatum,* du gr. *sabbaton,* de l'hébreu *schabbat,* repos. || **sabbatique** 1569, B. W. || **sabbataire** 1721, Trévoux. (V. SAMEDI.)

**sabelle** 1870, L., ver ; lat. scient. *sabella,* du lat. class. *sabalum,* sable.

**sabine** 1130, Studer (*savine*) ; lat. *savina* (*herba*), (herbe) des Sabins.

**sabir** 1852, Sainéan, jargon de l'Afrique du Nord ; 1919, Esnault, linguist. ; altér. de l'esp. *saber,* savoir, du lat. *sapĕre.*

1. **sable** fin XI^e s., *Chanson de Guillaume ; sables mouvants,* 1578, d'Aubigné ; lat. *sabulum.* || **sabler** 1507, B. W., « recouvrir d'une matière en poudre » ; 1660, Oudin, « couler dans un moule de sable fin » ; 1695, Le Roux, *Dict. comm.,* « boire d'un trait ». || **sablé** 1876, Lar., gâteau. || **sableur** 1757, *Encycl.* || **sablage** 1876, *l'Opinion nationale.* || **sableuse** 1907, Lar. || **sableux** 1559, Alfonce. || **sablier** 1640, Oudin. || **sablière** 1580, B. W., carrière de sable ; 1359, *Archives,* pièce de charpente. || **sabline** 1778, Lamarck. || **ensabler** 1537, de La Grise. || **ensablement** 1673, Colbert. || **désensabler** 1694, *Acad.* || **désensablement** 1860, d'apr. Lar.

2. **sable** 1175, Chr. de Troyes, martre zibeline, et terme de blason ; russe *sobol,* par l'interméd. du lat. méd. *sabellum.* (V. ZIBELINE.)

**sablon** fin XI^e s., *Chanson de Guillaume,* « terrain sablonneux » ; 1119, Ph. de Thaon, « sable » ; lat. *sabulo, -onis ;* éliminé par *sable.* || **sablonneux** 1160, Benoît (*sablonos*). || **sablonnière** 1196, Ambroise, carrière de sable. || **sablonner** 1295, G.

**sabord** 1402, Jal ; de *bord* et d'un premier élément obscur. || **saborder** 1831, Willaumez. || **sabordage** 1894, Sachs-Villatte.

**sabot** 1280, Saint-Pathus (*çabot*), « chaussure » et « toupie » ; p.-ê. de l'anc. fr. *bot,* crapaud, du germ. **butt,* émoussé ; 1835, *Acad.,* « mauvais violon ». || **sabotier** 1518, *D. G.* || **saboterie** 1859, Nanquette. || **saboter** XIII^e s., G., « heurter » ; 1690, Furetière, « faire du bruit avec des sabots » ; 1808, d'Hautel, « détériorer » ; 1838, *Acad.,* sens mod. || **saboteur** 1836, Landais. || **sabotage** 1842, *Acad.,* fabrication de sabots ; 1904, Lar., « mauvaise exécution » ; 1964, Robert, « manœuvres pour faire échouer ».

**sabouler** 1500, B. W. ; croisement de *saboter,* secouer, et de *boule.* (V. CHAMBOULER.) || **saboulage** 1675, Sévigné.

**sabra** 1975, Lar. ; mot hébreu.

**sabre** 1598, B. W. ; allem. *Säbel,* du magyar *szablya.* || **sabrer** 1680, Richelet. || **sabreur** 1790, Linguet. || **sabrage** 1883, Huysmans. || **sabreuse** 1964, Lar.

**sabretache** 1752, Restaut ; allem. *Säbeltasche,* poche (*Tasche*) près du sabre (*Säbel*).

**saburre** 1538, R. Est., méd. ; lat. *saburra,* lest. || **saburral** 1770, Lépecq, méd.

1. ***sac** (pour contenir des objets) 1050, *Alexis* (au plur. *sas*) ; 1846, Esnault, arg., billet de mille francs ; lat. *saccus,* du gr. *sakhos,* empr. à un dial. préhellénique de Cilicie. || **sachée** 1288, B. W. || **sacherie** fin XV^e s. || **sachet** 1190, *saint Bernard.* || **saccule** 1842, *Acad.,* bot. || **sacculiforme** 1876, Lar. || **sacculine** 1827, *Acad.,* bot. || **ensacher** début XIII^e s. || **ensacheur** 1803, Boiste. || **ensacheuse** 1930, Lar. || **ensachement** fin XIX^e s., Lar. || **ensachage** 1848, Larchevêque. || **saquer** ou **sacquer** 1131, *Couronnement Loïs ;* XII^e s. (*sachier*) ; XIII^e s. (*saquier*), au sens de « tirer violemment », jusqu'au XVIII^e s. ; XVIII^e s., fam., « congédier » (terme de compagnonnage, d'après Cornaert) ; la forme nor-

manno-picarde *saquier,* devenue *saquer,* l'a emporté. (V. BESACE, BISSAC, RESSAC, SAC 2, SACCADE, SACOCHE.)

2. **sac** (pillage d'une ville) v. 1400, Boucicaut ; ital. *sacco,* abrév. de *saccomanno,* de l'all. *Sackmann,* de *Sack,* sac, et *Mann,* homme : on emportait les objets pillés dans des sacs. (V. SACCAGER.)

**saccade** 1534, Rab., équit. ; XVI^e s., d'Aubigné, « secousse brusque » ; *par saccades,* 1788, Barthélemy ; anc. fr. *saquer,* secouer, tirer (v. SAC 1). || **saccader** 1532, Rab., équit. ; en fr. mod., seulement part. passé *saccadé ;* 1774, *Lettres sur le drame,* en parlant d'un style.

**saccager** 1464, J. Chartier ; ital. *saccheggiare,* dér. de *sacco,* pillage (v. SAC 2). || **saccage** 1596, Hulsius. || **saccagement** 1553, *Bible Gérard.* || **saccageur** 1550, P. Doré.

**sacchar(o)-,** lat. *saccharum,* sucre, du gr. *sakkharon.* || **saccharase** 1964, Lar. || **saccharate** 1799, Loysel. || **saccharide** 1845, Besch. || **saccharifère** 1827, *Acad.* || **saccharifier** 1843, Landais. || **saccharin** 1564, Liébault. || **saccharine** 1868, Souviron. || **saccharoïde** 1827, Lar. || **saccharose** 1875, *J. O.*

**saccule** 1842, *Acad.,* « petit sac ». || **sacculine** 1827, *Acad.*

**sacerdoce** XV^e s., de Seyssel, d'abord ministère de ceux qui, dans l'Ancien Testament, offraient des victimes à Dieu ; 1611, Cotgrave, prêtrise ; lat. *sacerdotium,* de *sacerdos,* « qui remplit une fonction sacrée ». || **sacerdotal** 1325, B. W. ; lat. *sacerdotalis.*

**sachée, sachet** V. SAC 1.

**sachem** 1802, Chateaubriand ; d'origine amérindienne.

**sacoche** 1606, La Curne (*sacosse*) ; 1611, Cotgrave (*sacoche*) ; ital. *saccoccia,* de *sacco.* (V. SAC 1.)

**sacolève** 1829, Boiste ; gr. *sagoleipha,* de *sagos,* casaque, et *laiphê,* voile de vaisseau.

**sacramentaire, sacramentel** V. SACREMENT.

1. **sacre** 1298, *Marco Polo,* oiseau de proie ; ar. *çaqr.* || **sacret** 1373, Gace de La Bigne, mâle de faucon.

2. **sacre, sacré** V. SACRER.

**sacrement** 842, *Serments de Strasbourg* (*sagrament*) ; 980, *Passion* (*sacrement*) ; lat. eccl. *sacramentum,* rite chrétien donnant ou augmentant la grâce, en lat. class. « obligation, serment » (v. SERMENT). || **sacramentaire** 1535, *Anc. Coutumes ;* lat. *sacramentarius.* || **sacramentel** fin XIV^e s. || **sacramental** fin XIV^e s., adj. ; n. m. pl., 1907, Lar. ; lat. *sacramentalis.*

**sacrer** 1138, Gaimar, « rendre sacré » ; 1725, Grandval, Cartouche, « dire des jurons » ; lat. *sacrare,* de *sacer,* sacré. || **sacre** 1175, Chr. de Troyes. || **sacral** 1930, Maritain. || **sacralisation** 1922, Lar. || **sacraliser** 1947, Bataille. || **sacré** XII^e s., R. de Moiliens, eccl. ; 1790, Brunot, « maudit » ; 1788, Vadé, « fameux, extraordinaire ». Abrév. : *acré,* 1837, Vidocq ; *cré,* 1866, Gavarni ; *scrongneugnieu,* juron burlesque (de *sacré nom de Dieu*), XIX^e s. || **sacrément** 1934, Aragon. || **sacrebleu** 1808, d'après P. Robert ; de *sacré* et *Dieu.* || **sacro-saint** 1491, Vaganay. || **sacristie** 1339, G., n. m. ; lat. médiév. *sacristia,* de *sacrista.* || **sacristain** 1375, G. ; lat. médiév. *sacristanus,* de *sacristia,* sacristie ; a remplacé l'anc. *segretain* (1155, Wace). || **sacristi** 1790, *le Père Duchesne ;* de *sacré* (*Dieu*). || **sapristi** 1841, *les Français peints par eux-mêmes.* || **sapré** XIX^e s. || **sacristine** 1671, Pomey ; lat. *sacristanus ;* 1636, Monet.

**sacrifier** 1119, Ph. de Thaon ; lat. *sacrificare,* de *sacer,* sacré ; 1636, Monet, « renoncer à, abandonner ». || **sacrifice** 1119, Ph. de Thaon ; lat. *sacrificium.* || **sacrificateur** 1500, B. W. || **sacrificiel** 1933, Lar.

**sacrilège** 1190, *Saint Bernard,* « violation d'une chose sacrée » ; 1283, Beaumanoir, « qui commet cet acte » ; 1529, Granvelle, adj. ; lat. *sacrilegium,* vol d'objets sacrés ; *sacrilegus,* voleur d'objets sacrés (de *sacer* et *legere,* ramasser).

**sacripant** 1600, La Curne, fanfaron ; XVII^e s., Hamilton, vaurien ; ital. *Sacripante,* personnage de l'*Orlando innamorato* de Boiardo. (V. RODOMONT.)

**sacristie** V. SACRER.

**sacrum** 1363, Chauliac ; lat. *os sacrum,* os sacré, de *sacer,* sacré. || **sacré** 1560, Paré. || **sacro-coxalgie** 1876, Lar. || **sacro-iliaque** 1836, *Acad.* || **sacro-lombaire** 1560, Paré.

**sadique** 1862, Sainte-Beuve ; du nom du marquis de *Sade* (1740-1814), à cause de l'érotisme cruel de ses romans (*Justine,* 1791 ; *Juliette,* 1798 ; etc.). || **sadisme** 1834, Boiste. || **sadiquement** 1951, Camus. || **sadico-anal** 1955, Lagache. || **sadomasochisme** 1953, Lar. || **sadomasochiste** 1964, Lar.

**safari** 1964, Lar. ; mot swahili signif. « bon voyage », de l'ar. *safara,* voyage. || **safari-photo** 1968, *le Monde.*

1. **safran** XII^e s., *D. G.,* crocus ; lat. méd. *safranum,* de l'ar. *za'farān.* || **safrané** XIII^e s. || **safraner** XIV^e s., Taillevent. || **safranier** 1578, d'Aubigné.

2. **safran** 1382, *Fr. mod.* (*saffryn*), pièce du gouvernail ; esp. *azafrán,* d'orig. arabe.

**safre** XII^e s., *Aiol,* oxyde bleu de cobalt ; 1812, Mozin, blason ; bas lat. *saphirus,* saphir.

**saga** 1752, Trévoux ; anc. scand. *saga,* conte (cf. anglo-saxon *saëgen,* ce qu'on raconte) ; ancien récit scandinave.

**sagace** 1495, B. W. ; lat. *sagax,* qui a l'odorat subtil. || **sagacité** 1444, B. W. ; lat. *sagacitas.* || **sagacement** 1842, *Acad.*

**sagaie** 1307, Guiart (*archegaie*) ; 1476, *FEW* (*sagaye*) ; esp. *azagaia,* du berbère *zghāya,* sorte de javelot.

***sage** 1080, *Roland ;* 1050, *Alexis* (*savie*) ; lat. pop. **sabius,* **sapius* (*nesapius,* imbécile, chez Pétrone), de *sapere,* avoir du goût, influencé dans son évolution sémantique par le lat. *sapiens.* || **sagesse** 1175, Chr. de Troyes. || **sage-femme** début XIII^e s., *Galeran.* || **sagement** XI^e s., *Chanson de Guillaume.* || **assagir** XIII^e s. || **assagissement** XX^e s.

**sagette** 1130, *Eneas* (*saiete*) ; 1155, Wace (*saete*) ; XV^e s. (*sagette*) ; lat. *sagitta,* flèche. || **sagittal** XIV^e s., Lanfranc, anat. ; lat. *sagittalis.* || **sagitté** 1795, Lamarck, bot. ; lat. *sagittatus.* || **sagittaire** 1119, Ph. de Thaon, n. m., signe du zodiaque ; lat. *sagittarius,* archer (sens parfois repris en fr., milieu XV^e s., Molinet) ; 1776, Valmont de Bomare, n. f., nom de plante.

***sagne** fin XII^e s., *Girart de Roussillon* (*seigne*) ; 1676, *FEW* (*sagne*), terrain marécageux ; lat. pop. **sagna, sania,* du lat. class. *sanies,* sanie, fluide épais.

**sagou** 1521, *Pigaphetta* (*saghu*), fécule de diverses espèces de palmiers ; port. *sagu,* du malais *sâgû.* || **sagoutier** 1779, Bachaumont.

**sagouin** 1537, J. Marot ; port. *sagui,* du tupi *saguim,* langue indigène du Brésil.

**sagum** 1655, P. Borel ; mot lat. d'orig. gauloise ; manteau court fait d'une laine grossière.

**saharien** 1845, Besch. ; de *Sahara.* || **saharienne** n. f., 1945, *Adam,* veste légère.

**sahélien** 1964, Lar. ; de *Sahel,* ar. *Sahil,* rivage.

1. ***saie** 1212, Anger, n. f., « étoffe » ; 1510, Brantôme, « manteau » ; lat. pop. **sagia,* pl. neutre dér. de *sagum,* d'orig. celtique (v. ci-dessus SAGUM), passé au fém. || **sayon** 1480, G. Alexis ; esp. *sayón,* de *saga,* manteau, même orig. que *saie.*

2. **saie** 1680, Richelet, petite brosse en soie de porc ; var. de *soie* (prononc. pop. des XVI^e-XVII^e s.).

**saïga** 1761, Buffon, antilope ; mot russe d'orig. turque.

***saigner** 1080, *Roland* (*sainier*) ; lat. *sanguinare,* de *sanguis,* sang. || **saignée** 1130, *Eneas.* || **saigneur** XIII^e s., *D. G.* || **saigneux** 1538, R. Est. || **saignement** 1680, Richelet. || **saignoir** 1604, Certon.

***saillir** 1080, *Roland* (*salir,* puis *saillir,* par analogie avec *saillant, saillais,* où le *l* mouillé est régulier), sauter, s'élancer ; 1771, Trévoux, « faire saillie » ; lat. *salire,* couvrir une femelle (sens conservé dans le vocab. de l'élevage). || **saillant** adj., 1119, Ph. de Thaon ; n. m., 1450, Gréban, « hauteur » ; 1765, *Encycl.,* « angle ». || **saillie** 1160, Benoît, « attaque » ; 1580, Montaigne, « mouvement de l'âme, trait d'esprit » ; 1289, « saillie d'un mur ».

***sain** 1130, *Eneas ;* lat. *sanus.* || **sainement** 1050, *Alexis.* || **sainbois** 1791, Bomare, bot. || **assainir** 1774, Buffon, rendre sain. || **assainissement** XVIII^e s. || **assainisseur** 1960, Lar. || **malsain** XIV^e s., Delb.

**saindoux** XIII^e s., B. W. (*saim dous*) ; de l'anc. fr. *saïm,* graisse (plus tard *sain,* conservé dans le vocab. de la vénerie), du lat. pop. **sagīmen,* lat. class. *sagina,* engraissement, embonpoint, et de l'adj. *doux.*

**sainfoin** 1549, R. Est. ; de *sain* et *foin.*

***saint** 980, *Passion ;* lat. *sanctus,* vénéré, spécialement en lat. eccl. ; n., fin X^e s., *Alexis.* || **sainteté** 1140, Wace (*saintité*) ; 1636, Monet (*sainteté*), réfection de *saintée,* 1120, *Ps. d'Oxford ;* lat. *sanctitas.* || **Toussaint** milieu XII^e s., *Couronnement Loïs* (*toz saints,* ellipse de « fête de tous les saints »). || **saint-bernard** 1907, Lar. || **saint-cyrien** 1870, L. ; de *Saint-Cyr,* commune des Yvelines. || **sainte-barbe** 1683, Le Cordier, mar. ; de *sainte Barbe,* patronne des artilleurs. || **sainte nitouche** 1534, Rab. ; de *ne y touche.* || **saint-glinglin** XIX^e s. ; orig. obsc. || **saint-honoré** 1853, S. de Ségur, gâteau inventé par le pâtissier Chiboust, installé rue *Saint-Honoré,* à Paris.

**saint-simonien** 1830, Balzac ; du nom de *Saint-Simon,* réformateur social mort en 1825. || **saint-simonisme** 1834, Landais.

***saisir** 1080, *Roland,* d'abord, droit féodal, « mettre en possession » et « prendre possession » ; bas lat. *sacire* (*Lois barbares*), où semblent s'être confondus les deux mots franciques, **sakjan,* revendiquer, et **satjan,* mettre, poser (all. *setzen*). || **saisie** XII^e s., B. W., « possession » ; 1494, *Coutumier,* jurid. || **saisie-arrêt** 1762, *Acad.* || **saisie-brandon** 1806, *Code.* || **saisine** 1138, Gaimar. || **saisissant** 1690, Furetière. || **saisissable** 1764, Chambon. || **saisissement** 1180, Horn, action de saisir ; 1549, M. de Navarre, sens mod. || **dessaisir** 1155, Wace. || **dessaisissement** 1636, Monet. || **insaisissable** 1750. || **ressaisir** début XIII^e s.

***saison** 1119, Ph. de Thaon ; lat. *satio, -onis,* semailles, saison des semailles ; 1240, Ph. de Novare, toute saison. || **saisonnier** 1775, Liger ; n. m., 1936, Aragon. || **arrière-saison** fin XV^e s., O. de La Marche. || **morte-saison** 1400, *Chron. de Boucicaut.* (V. ASSAISONNER.)

**sajout** 1776, Bomare ; tupi *sahu* (Brésil), petit singe.

**saké** 1777, *Encycl.* (*sacki*), boisson japonaise ; mot japonais.

**saki** 1776, Bomare ; tupi *sahij* (Brésil) ; singe.

**salabre** 1874, *J. O.* ; prov. *salabro,* épuisette, de *sal,* sel.

**salace** 1555, Belon ; lat. *salax, -acis,* lubrique, de *salire* (v. SAILLIR). || **salacité** 1542, Rab. ; lat. *salacitas.*

1. **salade** 1335, Digulleville, mets ; ital. *insalata* (cf. le prov. *salada*), mets salé (v. SEL). || **saladier** XVI^e s., du Cange, fournisseur de légumes ; 1611, Cotgrave, sens mod.

2. **salade** début XV^e s., casque ; ital. *celata,* pourvu d'une grande voûte (cf. l'anc. fr. *ciel,* voûte), de *cielo,* voûte, du lat. *caelum.*

**saladelle** 1845, Besch. ; prov. *saladelo,* lavande.

**salage, salaison** V. SALER.

**salaire** 1260, Girard d'Amiens ; lat. *salarium,* de *sal,* sel, argent pour acheter du sel, d'où « solde militaire ». || **salarier** 1369, G. ; rare avant le XVIII^e s. (1791, Mirabeau). || **salarial** 1953, Lar. || **salariat** 1845, Besch. || **salarié** adj. et n., 1758, Brunot.

**salamalec** 1559, Postel, « salut à la turque » ; 1850, Balzac, « saluts exagérés » ; ar. *salām 'alaïkh,* paix sur toi (formule de salut).

**salamandre** 1119, Ph. de Thaon ; lat. *salamandra,* mot grec ; au XVI^e s., animal vivant dans le feu (Paracelse) ; d'où, au XIX^e s., nom déposé d'une marque de poêles, puis nom d'un type de poêle (à combustion lente). || **salamandrine** 1878, Lar.

**salami** 1674, Dassoucy (*-me*) ; 1872, Gautier (*-mi*) ; ital. *salami,* pl. de *salame,* chose salée.

**salangane** 1719, Gemelli (*salangan*) ; 1779, Buffon (*salangane*), zool. ; malais *sarang,* nid ; hirondelle des mers de Chine.

**salaud** V. SALE.

**sale** 1160, *Roman Tristan* ; francique *salo,* trouble, terne. || **salir** fin XII^e s., R. de Moiliens. || **salissant** 1694, *Acad.,* adj. || **salissure** 1540, *Soties.* || **saleté** 1511, Vaganay. || **salaud** XIII^e s., texte de Provins. || **salauderie** *id.* || **salope** 1611, Cotgrave ; de *sale* et *hoppe,* forme dial. de *huppe* (cf. le lorrain *sale comme une hoppe*) ; d'où le masc. *salop,* 1829, confondu avec *salaud.* || **marie-salope** 1777, Lescalier, d'abord terme de marine. || **saloperie** 1694, *Acad.* || **salopette** 1834, Boiste, vêtement de travail. || **salopiaud** 1866, Delvau. || **salopard** 1911, Esnault. || **saloper** 1808, d'Hautel.

**saler** 1155, Wace ; fin XVI^e s., La Curne, « vendre trop cher » ; de *sel.* || **salaison** XV^e s., *D. G.* || **salé** adj., 1160, Benoît ; 1578, d'Aubigné, fig. || **salant** 1520, *Rev. ling. rom* (*marais salant*). || **salage** 1281, G. || **saleur** 1560, Paré. || **saloir** 1350, G. || **salure** XIII^e s., *Image du monde* (*saleure*). || **dessalé, dessaler** XIII^e s., *Chron. d'Antioche* ; 1570, A. de Monluc, fig. || **dessalement** 1764, d'après Trévoux, 1771. || **dessalaison** 1845, Besch. || **dessalage** 1865, Lar. || **indessalable** 1870, Goncourt. || **resaler** 1314, Mondeville.

**salicacée** 1817, Gérardin (*salicinées*) ; 1933, Lar. ; lat. *salix, -icis,* saule (v. SAULE). || **salicaire** 1694, Tournefort ; lat. scient. *salicaria.* || **salicariées** 1845, Besch. || **salicine, salicinée** 1827, *Acad.* || **salicyle** 1838, *Acad. des sciences.* || **salicylique** 1838, *Acad. des sciences.* || **salicylate** 1838, *Acad. des sciences.* || **salycyler** 1888, Lar.

**salicional** 1823, Boiste, jeu de l'orgue ; lat. *salix, salicis,* saule, flûtes faites avec l'écorce de saule.

**salicoque** 1530, G. (*saige coque*) ; 1560, Gesner (*salicoque*) ; var. *saillicoque, saillecoque, sauticot ;* « crevette » ; mot de l'Ouest, de l'anc. *salir,* sauter (v. SAILLIR), et de *coque* (v. COQUE).

**salicorne** 1564, J. Thierry (*salicor*) ; 1611, Cotgrave (*salicorne*) ; anc. ar. *salcoran,* selon O. de Serres, avec attraction de *corne.*

**salière, salifier** V. SEL.

**saligaud** 1269, attesté à Liège comme surnom (injure à Liège en 1380) ; 1611, Cotgrave (*saligot*), adj. ; 1611, Cotgrave (*saligaud*) ; francique *salik,* sale (de *salo,* v. SALE), avec le suff. péjor. *-ot,* dans les parlers wallon et picard (nom de deux rois sarrasins dans deux chansons de geste picardes, en 1170 et 1220) ; senti à tort, en fr. mod., comme dér. de *sale.*

**salignon, salin,** etc., **salir, salissure** V. SEL, SALE.

**salique** XVI^e^ s. ; lat. médiév. *salicus,* de *Sala,* nom anc. de l'Yssel, dont les Francs Saliens étaient riverains. || **salien** 1870, L. ; du nom des *Francs Saliens.*

**salive** 1170, *Rois ;* lat. *saliva.* || **saliver** 1611, Cotgrave ; bas lat. *salivare.* || **salivant** 1765, *Encycl.* || **salivation** 1560, Paré ; bas lat. *salivatio.* || **salivaire** 1690, Furetière ; bas lat. *salivarius.* || **saliveux** 1570, Liébault.

**salle** 1080, *Roland* (*sale*) ; *salle d'armes,* 1677, Miege ; *salle d'attente,* milieu XIX^e^ s. ; *salle à manger,* 1636, Monet ; *salle de bains,* 1691, Aviler ; *salle obscure,* 1917, *le Film ;* bas lat. *sala,* du francique * *sal* (all. *Saal*), masc. devenu fém. ; l'attraction de *halle* a conservé *a* et entraîné la graphie *ll.*

**salmigondis** 1552, Rab. (*salmigondin*) ; de *salemine* (1398, *Ménagier*), de *sel* et du suff. *-ain, -ine,* avec l'élargissement *-gondis,* du moy. fr. *condir,* assaisonner (v. CONDIMENT). || **salmis** 1718, *Acad. ;* par abrév.

**salmonelle** 1933, Lar. ; du médecin américain *D. E. Salmon.* || **salmonellose** 1933, Lar.

**salmoniculture** 1910, Lar. ; lat. *salmo, -monis,* saumon. || **salmoniculteur** 1923, Lar. || **salmonidés** 1842, *Acad.*

**saloir** V. SALER.

**salon** 1664, Loret ; 1807, Staël, « centre de conversation » ; v. 1725, galerie d'exposition artistique (date à partir de laquelle ont lieu, au *Salon carré* du Louvre, des expositions régulières) ; 1750, Brunot, compte rendu d'une exposition artistique ; 1883, Havard, ameublement ; *salon de thé,* 1923, Lar. ; ital. *salone,* augmentatif de *sala,* salle, du francique **sal* (v. SALLE). || **salonnier** 1870, L., n. m. || **salonnard** fin XIX^e^ s.

**saloon** 1852, Nerval ; mot anglo-américain.

**salopard, salope, saloper, saloperie, salopette** V. SALE.

**salpêtre** 1338, B. W. ; lat. médiév. *salpetrae,* sel de pierre. || **salpêtré** 1583, G. de Saluste. || **salpêtrer** 1762, *Acad.* || **salpêtreux** milieu XVI^e^ s. || **salpêtrier** 1482, Bartzsch. || **salpêtrière** n. f., 1660, Oudin ; nom d'hôpital, 1708, Regnard. || **salpêtrage** 1838, *Acad.* || **salpêtrisation** 1845, Besch.

**salpicon** 1712, Massialot ; esp. *salpicón,* de *sal,* sel ; mets formé d'un mélange de viandes, de champignons, etc.

**salping(o)-,** lat. *salpinx, -ingis,* trompette, mot grec. || **salpingite** 1878, L. || **salpingectomie** 1933, Lar. || **salpingographie** 1964, Lar. || **salpingoplastie** 1964, Lar. || **salpingostomie** 1964, Lar. || **salpingotomie** 1890, Lar.

**salsagineux** XVI^e^ s. ; de *salsagene,* salure (1120, *Ps. d'Oxford*), du lat. *salsago,* eau salée.

**salsepareille** 1560, Paré (*salseparille*) ; 1640, Oudin (*salsapareille*) ; esp. *zarzaparilla,* de *zarza,* ronce, issu de l'ar. *scharaç,* et *parilla,* dimin. de *parra,* treille, d'orig. prélatine, avec attraction de l'adj. *pareille.*

**salsifis** 1600, O. de Serres (*sercifi*) ; var. *salsefie* (XVI^e^ s.), *sassifique* (1611, Cotgrave), *sassify ;* ital. *salsifica* (s.-e. *erba,* herbe), auj. *sassefrica ;* orig. obscure.

**saltarelle** 1752, Lacombe ; ital. *saltarella,* de *saltare,* sauter.

**saltation** 1372, Oresme ; XX^e^ s., géogr. ; lat. *saltatio,* action de sauter (lat. *saltare*).

**saltimbanque** 1560, Pasquier ; ital. *saltimbanco,* de *saltare,* sauter, et *banco,* banc (proprem. « saute en banc » : le banc étant l'estrade).

**salubre** 1290, *Livre Roisin ;* lat. *salubris,* de *salus,* santé. || **salubrité** 1444, B. W. ; lat. *salubritas.* || **salubrement** 1290, *Livre Roisin.* || **insalubre** 1528, Desdier ; lat. *insalubris.* || **insalubrité** XVI^e^ s., Guy Coquille.

***saluer** 1080, *Roland ;* lat. *salutare,* souhaiter la santé (*salus*). || **salueur** 1534, Des Périers. || **salutation** 1270, P. d'Abernum ; lat. *salutatio,* sur *salutare.*

***salut** Xᵉ s., *Valenciennes* (*salu*), n. f. ; XIIᵉ s. (*salut*), n. m. ; lat. *salus, -utis,* n. f., « santé » et « sauvegarde », puis « salutation » ; déjà masc. en 1080 dans *Roland,* au sens de « salutation » (senti comme déverbal de *saluer*) ; fém. jusqu'au XIIIᵉ s., au sens de « sauvegarde » et de « salut éternel ». ‖ **salutaire** 1315, *Ordonn.* ‖ **salutiste** 1888, Lar., membre de l'Armée du salut.

**salvatelle, salvatrice** V. SAUVER.

1. **salve** 1559, *Papiers Granvelle,* artill. ; lat. *salve,* formule de salutation. Les salves étaient tirées en l'honneur de quelqu'un, ou pour saluer un grand événement.

2. **Salve** 1694, *Acad.* ; mot lat., pron. *-é,* premier mot d'une antienne devenu apostrophe de salutation.

**salvia** V. SAUGE.

**samare** 1798, Ventenat ; lat. *samarum,* semence d'orme.

**samba** 1923, d'après P. Robert ; mot port., du tupi.

**samedi** 1112, *Voyage saint Brendan* (*samadi*) ; var. *sambedi, sambadi, semedi,* en anc. fr. ; lat. pop. **sambati dies,* jour du sabbat, de *sambatum,* var. d'orig. gr. de *sabbatum* (v. SABBAT), venue de la région balkanique par le Danube et le Rhin au cours d'une première christianisation.

**sammy** 1923, Lar., sobriquet du soldat américain ; de (*oncle*) *Sam.*

**samouraï** 1887, Loti ; mot japonais.

**samovar** 1855, *Décaméron russe ;* mot russe désignant une bouilloire.

**sampan** 1540, Balarin (*ciampane*) ; 1842, Mozin (*siampan*) ; 1848, Jal (*sampan*) ; ital. *ciampane,* mot chinois (trois planches) désignant un navire de transport.

**sanatorium** 1878, *Ass. pour l'avancement des sc. ;* bas lat. *sanatorius,* propre à guérir, de *sanare,* guérir, de *sanus,* sain. ‖ **sana** XXᵉ s. ; abrév.

**san-benito** 1578, d'Aubigné (*santbéni,* forme francisée), « casaque » ; XVIIᵉ s. (*sac béni,* par attraction paronymique) ; 1675 (*san-benito*) ; esp. *sambenito,* du nom de *san Benito,* saint Benoît.

**sanctifier** 980, *Passion* (*saintefier*) ; 1398, E. Deschamps (*sainctifier*) ; 1541, Calvin (*sanctifier*) ; bas lat. *sanctificare,* de *sanctus* et *facere* (v. SAINT). ‖ **sanctifiant** 1690, Furetière. ‖ **sanctification** 1120, *Ps. d'Oxford* (*saintification*) ; début XIVᵉ s. (*sanctificassion*) ; 1541, Calvin (*sanctification*) ; lat. *sanctificatio.* ‖ **sanctificateur** 1486, B. W. ; a remplacé l'anc. fr. *saintefierres, saintefieur* (fin XIIIᵉ s., Joinville) ; lat. *sanctificator.*

**sanction** XIVᵉ s., précepte relig. ; 1762, *Acad.,* approbation, au sens gén. ; 1765, *Encycl.,* récompense ou peine prévue ; 1778, Rousseau, « conséquence » ; lat. *sanctio,* de *sancire,* prescrire. ‖ **sanctionner** 1777, *Courrier de l'Europe,* confirmer ; 1939, Giraudoux, punir.

**sanctuaire** 1120, *Ps. d'Oxford* (*saintuaire*) ; 1560, trad. de la *Bible* (*sanctuaire*) ; 1971, *journ.,* « lieu de refuge » ; lat. eccl. *sanctuarium,* de *sanctus,* saint.

**sanctus** milieu XIIIᵉ s., eccl. ; mot lat., premier mot de ce cantique.

**sandal** V. SANTAL.

**sandale** 1130, *Eneas,* d'abord « chaussure de religieux », puis « chaussure légère » ; lat. *sandalium,* du gr. *sandalion.* ‖ **sandalette** début XXᵉ s.

**sandaraque** 1482, Corbichon (*landarache*) ; 1547, Vaganay (*sandaraque*) ; lat. *sandaraca,* « réalgar », du gr. *sandarakhê,* mot oriental ; résine utilisée pour la fabrication du vernis.

**sandhi** 1845, Besch. ; mot sanskrit signif. « liaison ».

**sandjak** 1540, J. Boemus (*saniaque*) ; 1762, *Acad.* (*sangiac*) ; 1904, Lar. (*sandjak*) ; mot turc désignant une administration de province.

**Sandow** 1902, Jarry ; nom déposé angl. désignant un extenseur, du n. de la firme.

**sandre** 1839, Boiste ; lat. scient. *sandra,* de l'allem. *Zander.*

**sandwich** 1802, *le Moniteur ;* mot angl., du nom de John Montagu, comte de *Sandwich* (1718-1792), pour qui son cuisinier inventa ce mets, qu'il lui apportait à la table de jeu ; *en sandwich,* 1884, Maupassant. ‖ **homme-sandwich** XXᵉ s. (auparavant *sandwich* en ce sens [1876, J. Vallès], mot angl.).

***sang** 980, *Passion* (var. orth. anc. *sanc*) ; 1279, *le Castoiement,* parenté, extraction ; *se faire du bon sang,* 1735, Marivaux ; *du mauvais sang,* 1718, *Acad. ; se ronger les sangs,* 1846, Balzac ; lat. *sanguis.* ‖ **sang-bleu** 1877, *J. O.* ‖ **sang-de-dragon** XIIIᵉ s., *Simples Méd. ;* 1694, Th. Corn. (*sang-dragon*) ; résine. ‖ **sang-froid** 1478, *le Jouvencel* (*froit sang*) ; milieu XVIᵉ s.

(*sang-froid*). || **sang-mêlé** 1770, Raynal, ethnol. (V. PALSAMBLEU, SAIGNER, SANGLANT, SANGSUE, SANGUIN, etc.)

***sanglant** 1080, *Roland* (var. *sanglent*) ; bas lat. *sanguilentus,* altér. du lat. class. *sanguinolentus.* || **ensanglanter** 1080, *Roland* (*ensanglentet,* part. passé) ; milieu XII$^e$ s., *Couronn. Loïs* (*ensanglenter*).

***sangle** 1080, *Roland* (*cengle*) ; lat. *cĭngula,* de *cingĕre,* ceindre. || **sangler** 1160, Benoît (*cengler*). || **sanglage** 1964, Lar. || **sanglon** 1500, É. de Médicis (peu usité). || **sanglade** 1546, Rab. (V. CINGLER 2.)

***sanglier** fin XI$^e$ s., *Chanson Guillaume* (*sengler*) ; fin XIII$^e$ s. (*sanglier,* par changem. de suff.) ; lat. pop. *singularis* (*porcus*), (porc) solitaire.

***sanglot** 1175, Chr. de Troyes (*senglout, sanglout*) ; 1560, Paré (*sanglot*), d'après *sangloter* (v. ci-après) ; lat. pop. **singluttus,* altér., par croisement avec **gluttus,* « gosier » et *gluttīre,* « avaler », du lat. class. *singultus.* || **sanglotant** fin XIX$^e$ s. || **sanglotement** XIII$^e$ s., Pannier. || ***sangloter** 1155, Wace (*senglouter, sanglouter*) ; 1550, Ronsard (*sanglotter,* d'après les nombreux v. en *-otter*) ; lat. pop. **singluttāre,* altér., d'après **gluttus, gluttīre,* du lat. class. *singultare.* || **sangria** 1730, Savary (*sangris*) ; 1967, Robert (*sangria*) ; esp. *sangria,* de *sangre,* sang.

***sangsue** 1170, *Vie d'Édouard le Confesseur* (var. *sansue,* en anc. fr.) ; XIII$^e$ s., Rutebeuf, fig. ; lat. *sanguisuga* (I$^{er}$ s., Pline), suce-sang, de *sanguis* (v. SANG) et de *sūgere,* sucer.

**sanguin** 1138, Gaimar, « sanglant » ; début XII$^e$ s., « couleur de sang » ; 1265, Br. Latini, « de tempérament sanguin » ; 1360, Froissart, « qui a rapport au sang » ; lat. *sanguineus,* de *sanguis,* sang. || **sanguine** XIII$^e$ s., *Joufrois,* « étoffe rouge » ; 1562, du Pinet, n. f., minér., de *pierre sanguine* (XIII$^e$ s.) ; 1564, J. Thierry, pierre précieuse ; 1767, Diderot, beaux-arts ; 1836, Landais, variété de fruit (poire, orange). || **consanguin** XIII$^e$ s., de Gauchi ; lat. *consanguineus.* || **consanguinité** 1277, G. ; lat. *consanguinitas.* || **sanguinaire** 1363, Chauliac, « composé de sang » ; 1588, Montaigne, sens mod. ; lat. *sanguinarius.* || **sanguinolent** 1398, *Somme Gautier ;* lat. *sanguinolentus.* || **sanguinolain** 1803, Boiste. || **exsangue** XV$^e$ s. ; lat. *exsanguis,* privé de sang.

**sanguisorba** 1549, Fousch, bot. ; lat. scient. *sanguisorba,* du lat. *sanguis,* sang ; pimprenelle.

**sanhédrin** 1573, Paradrin (*senedrin*), appliqué à un livre ; 1663, Bossuet ; mot biblique (Matthieu, v. 22), araméen *sanhedrîn,* du gr. *sunedrion,* assemblée.

**sanicle** ou **sanicula** XII$^e$ s. (*sanicle*) ; 1875, Lar. (*sanicule*), bot. ; bas lat. bot. **sanĭcula,* de *sanus,* sain.

**sanie** 1363, Chauliac ; lat. *sanies.* || **sanieux** 1314, Mondeville ; lat. *saniosus.* (V. ESSANGER, SAGNE.)

**sanitaire** 1801, Mercier ; lat. *sanitas,* santé ; pl., 1968, *journ.*

***sans** 980, *Passion* (*seinz*) ; 1050, *Alexis* (*senz, sens*) ; lat. *sĭne,* avec *s* adverbial, et probablem. croisement avec *absentiā,* ablatif lat. empl. comme adv., « en l'absence de, sans ». Le *z* de l'anc. fr. est dû à *enz,* du lat. *intus* (v. DANS). || **sans-abri** 1935, Sachs-Villatte. || **sans-cœur** 1808, d'Hautel. || **sans-culotte** 1792, *Journ. des débats* (v. CUL). || **sans-culottide** 1793, calendrier républicain. || **sans-façon** 1829, Stendhal. || **sans-fil** v. 1925, *journ. ;* de *téléphonie sans fil.* || **sans-filiste** 1929, *Congrès de radiodiffusion.* || **sans-gêne** 1778, *Arrêt du parl.* || **sans-le-sou** 1862, Hugo. || **sans-logis** 1893, d'après P. Robert. || **sans-pareil** 1904, Lar. || **sans-parti** 1870, *journ.* || **sans-soin** 1975, *Lexis.* || **sans-souci** XIII$^e$ s., La Curne. || **sans-travail** 1894, Sachs-Villatte.

**sansonnet** 1480, *Mistère de saint Quentin ;* du nom propre *Sansonnet,* dimin. de *Sanson,* autre forme de *Samson.* (V. des dénom. semblables à MARTIN-CHASSEUR, PIERROT, etc.)

**santal** 1256, Ald. de Sienne (*sandal*) ; 1314, Mondeville (*sandalle*) ; var. anc. fr. *sandle, sandre ;* 1562, du Pinet (*santal*) ; lat. médiév. *sandalum,* de l'ar. *sandal,* mot d'orig. indienne ou du gr. *santalon,* même étym., selon les formes. || **santalin** 1582, Liébault.

***santé** 1050, *Alexis* (*santet*) ; 1175, Chr. de Troyes (*santé*) ; lat. *sānitas, -tātis,* de *sānus,* sain.

**santon** 1530, Rab. (*sancton*), « moine mendiant » ; 1912, Lar., figurine de crèche ; prov. mod. *santoun,* petit saint, ou esp. *santón,* du lat. *sanctus.* || **santonnier** 1931, A. Brun.

**santonine** XIV$^e$ s., *Antidotaire Nicolas* (*centonique*) ; 1546, Rab. (*santonique*) ; 1562, du Pinet (*santoline*) ; 1732, Richelet (*santonine*) ; lat. *santonica* (*herba*), (herbe) de Saintonge, du nom des *Santones,* peuple gaulois qui habitait cette région, avec changem. de suff., peut-être dû à l'influence de *barbotine,* nom d'une autre herbe vermifuge.

***sanve** XIIe s. (*seneve*), « sénevé sauvage » ; lat. *sĭnāpi,* moutarde, mot gr., avec accent conservé sur la prem. syll., malgré la quantité longue de la seconde. (V. BEURRE, ENCRE, SÉNEVÉ.)

**sapajou** av. 1601, L'Estoile ; tupi *sapaiou* (Brésil) ; petit singe.

***sape** fin XVe s., hoyau ; mot méridional, du bas lat. *sappa* (VIIe s., Isid. de Séville). || **saper** 1547, *Romanische Forschungen,* « travailler avec le pic à détruire les fondements d'un édifice » ; ital. *zappare,* de *zappa,* hoyau, de même étym. que *sape* ci-dessus. || **sape** 1536, M. du Bellay, milit. ; déverbal de *saper.* || **sapement** 1536, M. du Bellay. || **saperlotte** 1878, Larchey ; de *sacrelotte* (1808, d'Hautel), de *sacré* (*Dieu*). || **saperlipopette** 1864, Rimbaud. || **sapeur** 1547, trad. de Vitruve. || **sapeur-pompier** 1825, Couturier.

**sapèque** 1839, *Rev. des Deux Mondes ;* malais *sapek ;* pièce de monnaie de faible valeur.

1. **saper** V. SAPE.

2. **saper** 1919, Esnault, « vêtir » ; orig. inconnue.

**saphène** 1256, Ald. de Sienne, anat. ; ar. *safin,* du gr. *saphênês,* transparent. || **saphénectomie** 1953, Lar.

**saphique** 1340, J. Le Fèvre, métr. anc. ; 1842, *Acad.,* relatif à Sapho, œuvres et mœurs ; lat. *sapphicus,* du gr. *sapphikos,* du nom de la poétesse de Lesbos *Sapho* (VIe s. av. J.-C.). || **saphisme** 1838, *Acad.,* pathol.

**saphir** 1119, Ph. de Thaon (*saphire*) ; bas lat. *sapphirus,* du gr. *sappheiros,* d'orig. sémitique. || **saphirine** 1812, Mozin.

**sapide** XVIe s. ; lat. *sapidus,* savoureux, de *sapere* (v. SAVOIR, INSIPIDE). || **sapidité** 1762, Valmont.

**sapience** 1120, *Ps. de Cambridge,* « sagesse de Dieu » ; lat. *sapientia,* sagesse (v. SAGE). || **sapientiaux** fin XIVe s. (*livres sapiencialz*), eccl.

***sapin** début XIIe s. ; 1723, Delesalle, « fiacre » ; 1694, *Acad.,* « cercueil ». || **sapine** 1185, *Aliscans,* « solive » ; XVe s., baquet en bois ; lat. *sappīnus,* probablem. croisement d'un gaulois **sappus* et du lat. *pīnus,* pin (v. l'anc. fr. *sap,* encore auj. dans les patois). || **sapineau** 1876, Lar. || **sapinette** 1505, Gonneville, épicéa. || **sapinière** 1632, Sagard, bois de sapins.

**saponaire** 1562, Du Pinet ; lat. médiév. *saponaria,* du lat. *sapo, saponis,* savon. || **saponacé** 1793, Lavoisien. || **saponine** 1836, Landais.

**saponifier** 1799, *Ann. de chim. ;* lat. *sapo, saponis,* savon, d'après les v. en *-fier.* || **saponification** 1792, Brunot. || **saponifiable** 1845, Besch.

**sapote** 1598, Acosta (*çapote* ) ; 1666, Thévenot, bot. ; esp. *zapote,* de l'aztèque *tzapotl.* || **sapotille** 1719, König ; esp. *zapotillo,* dimin. de *zapote.* || **sapotier** ou **sapotillier** 1771, Trévoux. || **sapotacées** 1836, Landais (*sapotées*) ; 1839, Boiste (*sapotacées*), bot.

**sappan** 1610, *Hist. navigation ;* malais *sappang,* bot.

**sapristi** V. SACRER.

**sapro-,** gr. *sapros,* pourri. || **saprobionte** 1968, Lar. ; gr. *bios,* vie. || **saprophage** 1827, *Acad. ;* gr. *phageîn,* manger. || **saprophyte** 1875, J.-E. Planchon ; gr. *phuton,* plante. || **saprozoïte** 1923, Lar.

**saquebute** 1307, Guiart (var. *saqueboute*) ; de *saquer* (v. SAC 1) et *buter* ou *bouter ;* lance armée d'un fer pour désarçonner des cavaliers.

**saquer** V. SAC 1.

**sarabande** 1605, Gontaut-Biron (*sarabante*), danse lente à trois temps ; fin XIXe s., fam., « ribambelle » ; esp. *zarabanda,* danse lascive accompagnée de castagnettes, d'où « vacarme », de l'arabo-persan *serbend,* turban porté pendant la danse.

**sarbacane** 1530, Palsgrave, altér., d'après *canne,* de *sarbatane* (1525, *Voy. Antoine Pigaphetta*) ; encore *sarbatane,* 1798, *Acad. ;* esp. *zerbatana,* de l'ar. *zarbatāna,* d'un mot malais, *sĕmpitan* (par l'interméd. du persan).

**sarcasme** 1552, Rab. ; bas lat. *sarcasmus,* du gr. *sarkasmos,* de *sarkazeîn,* arracher la chair, et au fig. déchirer par des railleries, de *sarx, sarkos,* chair (v. SARCOME). || **sarcastique** fin XVIIIe s., Staël ; gr. *sarkastikos,* ou de *sarcasme,* avec le suff. *-ique,* et *-t-* d'après *enthousiaste* (sur *enthousiasme*). || **sarcastiquement** 1964, Robert.

***sarcelle** 1175, Chr. de Troyes (*cercelle*) ; 1564, J. Thierry (*sarcelle*) ; lat. pop. **cercēdŭla,* lat. class. *querquedula,* du gr. *kerkithalis.*

**sarcine** 1855, d'après P. Robert ; lat. *sarcina,* bagage, de *sarcire,* rapiécer.

***sarcler** fin XIII^e s. ; lat. *sarcŭlāre,* de *sarcŭlum,* houe légère. || **sarclage** 1318, G. || **sarcleur** XIII^e s., Giry. || **sarcloir** XIV^e s., G. || **sarclet** 1380, *Aalma.* || **sarclette** 1843, *Doc.* || **sarclure** 1562, Du Pinet.

**sarco-,** gr. *sarx, sarkos,* chair. || **sarcoderme** 1813, Candolle. || **sarcoïde** 1842, *Acad.* || **sarcolyte** 1904, Lar. ; gr. *luein,* dissoudre. || **sarcophile** 1876, Lar. || **sarcoplasme** 1897, *Année biol.* || **sarcopte** 1822, *Nouveau Dict. méd.* ; gr. *koptein,* couper.

**sarcome** 1560, Paré (*sarcoma*) ; 1660, Fernel (*sarcome*) ; bas lat. *sarcoma,* du gr. *sarkôma,* de *sarx, sarkos.* || **sarcomateux** 1803, Boiste.

**sarcophage** 1496, Vignay ; rare avant 1752, Trévoux ; lat. *sarcophagus,* du gr. *sarkophagos,* de *sarx, sarkos* (v. les précéd.) et de *phagein,* manger. (V. CERCUEIL.)

***sardine** milieu XII^e s. (*sordine*) ; 1380, *Aalma* (*sardine*) ; lat. *sardīna,* de *Sarda,* « (poisson) de Sardaigne ». || **sardinier** 1765, *Encycl.,* n. m., « filet à sardines », et, adj., « relatif à la sardine » ; 1904, Lar., n. m., bateau pour la pêche de la sardine. || **sardinerie** 1870, L.

**sardoine** 1080, *Roland* (*sardonie*) ; début XII^e s., Marbode ; lat. *sardonyx,* mot gr., de *sardion,* cornaline, et *onux,* ongle.

**sardonique** 1558, J. du Bellay (*ris sardonien*) ; 1560, Paré (*ris sardonic*), méd. ; 1762, *Acad.* (*rire sardonique*) ; lat. *sardonicus risus,* calque du gr. *sardonios gelôs,* désignant un rire involontaire provoqué par la *sardonia,* renoncule de Sardaigne. || **sardoniquement** 1845, Besch.

**sargasse** 1598, Lodewijcksz ; port. *sargaço,* variété de ciste, et, par ressemblance, algue marine ; lat. *salix, salicis,* saule.

**sarigue** 1578, de Léry (*sarigoy*) ; tupi *sarigué* (Brésil), venu par le port. *sariguê.*

**sarment** 1119, Ph. de Thaon ; lat. *sarmentum.* || **sarmenteux** 1559, trad. de Dioscoride ; lat. *sarmentosus.* || **sarmenter** 1836, *Acad.*

**sarracénie** 1829, Bory ; lat. scient. *sarracenia,* de *Sarrasin,* n. d'un médecin. || **sarracénique** 1836, Landais, pharm. ; 1842, *Acad.,* beaux-arts.

**sarrancolin** 1676, Félibien ; de *Sarrancolin,* commune des Hautes-Pyrénées.

**sarrasin** XIII^e s., *Medicinaire* (*-sien*) ; 1585, N. du Fail (*sarrazin*) ; ellipse de *blé sarrasin,* empl. fig. (à cause de sa couleur noire) de *Sarrasin,* qui désigne en anc. fr. les Arabes, les Turcs, etc. ; 1867, Delvau, « ouvrier non syndiqué » ; bas lat. *Sarracenus,* nom d'une peuplade d'Arabie, lui-même issu de l'ar. *charqīyīn,* pl. de *charkī,* « oriental ». (V. BLÉ.) || **sarrasine** n. f., XVI^e s., fortif.

**sarrau** fin XI^e s., *Gloses de Raschi* (*sarroc*) ; 1276, du Cange (*sarrot*) ; 1732, Trévoux (*sarrau*) ; moy. haut all. *sarrok,* vêtement militaire.

**sarrette** 1669, d'après L., var. *serrette,* bot. ; lat. *serra,* scie.

**sarriette** fin XI^e s., *Gloses de Raschi* (*sadree*) ; 1398, *Ménagier,* bot. ; lat. *saturēia.*

1. ***sas** 1200, *Revue* (*saas,* var. *seas*), tissu de crin ou de soie ; bas lat. *sētācium,* de *sēta,* soie de porc, crin (v. SOIE). || **sasser** 1193, Hélinant. || **sassage** 1876, Lar. || **sassement** 1611, Cotgrave. || **sasseur** 1380, *Aalma.* (V. RESSASSER.)

2. **sas** XVI^e s., L., chambre en maçonnerie d'une écluse ; probablem. du précédent.

**sassafras** 1590, *Brève Descript.,* bot. ; esp. *sasafras,* mot d'Amérique du Sud.

**satané** 980, *Passion* (*satanas*) ; 1160, Benoît (*Satan*) ; bas lat. *Satanas,* du gr. *Satân,* nom de l'Esprit du Mal dans la Bible, en hébreu *Satan.* || **satanique** 1475, Molinet, rare avant le XVIII^e s. || **sataniquement** 1868, Gautier. || **satanisme** 1855, Huysmans.

**satellite** 1265, Br. Latini, « homme aux gages d'un despote » ; 1665, Graindorge, astron. ; *satellite artificiel,* 1930 ; lat. *satelles, satellitis,* garde du corps, par ext. « acolyte », et déjà empl. comme terme d'astron. || **satelliser** 1961, *Journ.* || **satellisation** *id.*

**satiété** 1120, *Ps. d'Oxford* (*sazieted*) ; 1530, Lefèvre d'Étaples (*satiété*) ; *jusqu'à satiété,* milieu XVIII^e s. ; lat. *satietas,* de même rac. que *satis,* assez. || **insatiable** XIII^e s., Aimé ; lat. *insatiabilis,* de *satiare,* rassasier. || **insatiabilité** 1546, Rab.

**satin** 1351, Gay (*zatin*) ; 1387, Gay (*satin*) (var. *zatanin, satanin* au XIV^e s.) ; ar. *zaytoūnī* (par l'interméd. de l'esp. *aceituni,* avec infl. de l'ital. *setino,* lui aussi de l'ar., avec une altér. d'après *seta,* soie), de *Zaytūn,* nom ar. de *Tsia-Toung,* ville chinoise où se fabriquait cette étoffe. || **satiné** 1603, B. W. || **satinade** 1718, *Acad.* || **satinage** 1785, *Journ. de Paris.* || **satineur** 1842, *Acad.* || **satinette** 1755, Havard (*satinet*) ; 1877, Lar. (*satinette*).

**satire** 1290, *Glossaire Douai* (*satre*) ; 1355, Bersuire ; 1549, R. Est., ouvrage satirique en vers ; 1673, Régnier, « critique » ; lat. *satira,* mélange de vers et de prose, var. *satyra* (d'où parfois, du XVIe au XVIIIe s., l'orth. *satyre*). || **satirique** fin XIVe s. || **satiriquement** 1549, R. Est. || **satiriser** 1544, M. Scève. || **satiriste** 1683, Spanheim.

**satisfaire** début XIIIe s., « payer, rémunérer », et « réparer (un dommage) » ; XIVe s., *D. G.,* « s'acquitter de ce qui est attendu » ; *se satisfaire,* 1580, Montaigne ; 1640, Corn., « plaire » ; lat. *satisfacere,* surtout jurid. || **satisfait** XIVe s., *Miracles de N.-D.,* « absous » ; 1580, Montaigne, « content ». || **insatisfait** début XVIe s., rare avant 1838, *Acad.* || **satisfaisant** 1662, Pascal. || **satisfaction** 1155, Wace, même évol. de sens que le verbe ; lat. *satisfactio,* surtout jurid. || **insatisfaction** 1600, Fr. de Sales. || **satisfecit** 1845, Besch. ; mot lat. (3e pers. sing. du parfait de *satisfacere*) signif. « il a satisfait ». (V. ACCESSIT.)

**satrape** 1265, Br. Latini, hist. perse ; fin XIVe s., fig. ; lat. *satrapes,* du gr. *satrapês,* d'orig. perse. || **satrapie** fin XVe s., de Seyssel ; lat. *satrapia,* mot gr. || **satrapique** 1842, *Acad.*

**saturer** début XIVe s., « rassasier » ; 1759, *Encycl.,* chim. ; lat. *saturare,* rassasier, de *satur,* rassasié. || **saturation** 1513, *l'Estoille du monde,* « satiété » ; 1748, *Acad. des sc.,* chim. ; bas lat. *saturatio.* || **saturable** 1835, Raymond. || **insaturable** 1803, Boiste. || **saturabilité** 1801, Fourcroy. || **saturant** 1765, *Encycl.* || **saturateur** 1857, *Bull. Soc. encouragement ;* bas lat. *saturator.* || **sursaturé** 1787, Guyton de Morveau. || **sursaturation** 1872, L.

**saturnales** 1355, Bersuire (*saturneles*) ; 1564, J. Thierry (*saturnales*), myth. rom. ; 1666, Patin, fig. ; lat. *saturnalia,* fêtes (licencieuses) en l'honneur de Saturne.

**saturnie** 1842, *Acad.,* entom. ; lat. *Saturnus,* Saturne ; paon de nuit.

**saturnien** 1378, J. Le Fèvre, « qui a rapport à Saturne » ; 1560, Ronsard, « enclin à la mélancolie » ; *période saturnienne,* 1842, *Acad.,* géol. ; lat. *Saturnius,* de *Saturnus,* Saturne (selon les astrologues, les êtres nés sous le signe de la planète Saturne étaient disposés à la tristesse).

**saturnin** 1380, Conty, « mélancolique » ; 1812, Mozin, méd. ; de *Saturne,* nom de la planète (v. le précéd.). Le sens méd. s'explique par le fait que les alchimistes ont donné le nom de Saturne au plomb, métal tenu pour très froid, comme la planète. || **saturnisme** 1878, Lar., méd.

**satyre** 1372, Corbichon, mythol. ; 1650, Scarron, « homme lubrique » ; 1942, Queneau, pathol. ; lat. *satyrus,* du gr. *Saturos,* demi-dieu lascif, compagnon de Bacchus dans la mythol. gr. et lat. || **satyreau** 1160, Benoît. || **satyrique** 1488, *Mer des hist.* ; lat. *satyricus,* du gr. *saturikos.* || **satyriasis** 1538, Canappe, méd. ; lat. *satyriasis,* mot gr.

***sauce** 1080, *Roland* (*salse*), adj., « salée » (eau) ; 1190, Garn. (*salse*), n. f., sens mod. ; 1398, *Ménagier* (*saulse, sauce*) ; milieu XVe s. (*sauce*) ; *sauce blanche,* 1398, *Ménagier ;* lat. pop. *salsa,* fém. substantivé de *salsus,* salé. || **sauçage** 1964, Lar. || **saucière** fin XIIe s. (*saucer,* n. m.) ; 1328, Laborde (*saucère,* n. f.). || **saucier** 1285, G. || **saucer** XIIIe s., Tobler-Lommatzsch ; *être saucé,* 1732, Richelet, être trempé par une averse. || **saucée** 1877, Zola, pop., « averse ».

***saucisse** 1268, É. Boileau ; lat. pop. **salsicia,* fém. substantivé du pl. neutre de *salsicius,* assaisonné de sel, de *salsus,* salé. || **sauciflard** 1951, Esnault. || **saucisson** 1546, Rab. ; ital. *salciccione,* augmentatif de **salsiccia,* saucisse. || **saucissonné** 1881, Vallès, pop., fig. || **saucissonner** 1886, Vallès, pop. || **saucissonneur** 1952, Gilbert.

***sauf** 980, *Passion* (*salf*) ; 1155, Wace (*sauf*), « sauvé » au sens eccl. ; lat. *salvus,* « entier, intact », sens moral en lat. eccl. ; *sain et sauf,* 1155, Wace. || **sauf** 1155, Wace, adj. suivi d'un subst., « sans porter atteinte à » ; *sauf votre respect,* 1671, Pomey ; 1247, La Curne, « excepté » ; 1549, R. Est., invar., devenu prép. || **sauf-conduit** 1160, Benoît. || **sauvegarde** 1155, Wace (*salvegarde*). || **sauvegarder** 1788, Féraud. (V. SAUVER.)

***sauge** fin XIe s., *Gloses de Raschi* (*salje*) ; XIIIe s. (*saulje*) ; lat. *salvia,* de *salvus,* sauf, d'après les propriétés médicinales de cette plante.

**saugrenu** 1578, H. Est. (*sogrenu*), réfection, d'après l'adj. *grenu* (v. GRAIN), de *saugreneux,* XVIe s., issu de *saugrenée* (1534, Des Périers), « fricassée de pois », de *sau,* autre forme de *sel* (v. SAUPOUDRER), de *grain* et du suff. *-ée.* || **saugrenuité** 1840, *les Guêpes.*

**saule** 1215, Péan Gatineau ; francique **sahla,* avec *-au-* issu de *-all-* après assimilation de *-alh-* (v. GAULOIS) ; masc. en fr., d'après les autres noms d'arbres ; concurrencé en anc. fr. par *saus, sausse* (XIe s.), du lat. *salĭcem,* acc. de *salix,* saule. || **saulaie** 1328, texte de Paris (*soloie*) ; 1406, du Cange (*saulaie*) ; concurrencé par le rég. *saussaie*, XIII^e s., de *sausse*. || **saulée** 1870, L.

***saumâtre** 1298, *Voy. de Marco Polo* (*saumastre*) ; lat. pop. **salmaster*, altér., par changem. de suff., du lat. class. *salmacĭdus*.

***saumon** 1138, Gaimar (*salmun*) ; 1175, Chr. de Troyes (*saumon*) ; lat. *salmō, -ōnis* ; adj., 1870, L., « rosé ». || **saumoneau** 1552, Rab. || **saumoné** 1564, J. Thierry.

***saumure** XI^e s., *Gloses de Raschi* (*salmuire*) ; lat. pop. **salmuria*, de *sāl*, sel, et *muria*, saumure (v. MUIRE). || **saumuré** 1611, Cotgrave. || **saumurer** 1859, Mozin. || **saumurage** 1803, Boiste.

***sauner** 1660, L., « faire ou recueillir le sel » ; lat. pop. **salinare*, de *salina* (v. SEL). || **saunage** 1499, *Ordonnance*. || ***saunier** 1138, Gaimar (*salnier*) ; 1268, É. Boileau (*saunier*) ; *faux saunier*, fin XV^e s. ; bas lat. *salinarius*. || **saunerie** 1234, G. || **saunière** 1220, *la Petite Philosophie* ; lat. pop. **salinarius*.

**saupe** 1547, Ch. Est., zool. ; mot mérid., du lat. *salpa* ; poisson méditerranéen.

**saupiquet** 1398, *Ménagier* ; d'un verbe non attesté **saupiquer*, piquer avec du sel, de *sel* et *piquer* (v. ces mots).

**saupoudrer** 1398, E. Deschamps ; de *sel* et *poudrer* (v. ces mots). || **saupoudrage** 1873, Tolhausen (1842, *Acad.*, *saupoudration*). || **saupoudreur** 1936, d'après P. Robert.

**saur** XIII^e s., G., dans *hareng sor*, « desséché » ; moy. néerl. *soor*. L'anc. fr. *saur* (*sor*, 1080, *Roland*), « jaune-brun » (dimin. *sorel*, conservé en anthroponymie), est issu du francique **saur*, « jaune-brun », de même rac. que *soor*. || **saurin** 1680, Richelet. || **saurer** 1284, G. (*soré*), a remplacé l'anc. *sorir* (1318, Lespinasse). || **saurage** 1876, Lar. || **saurissage** 1741, Savary. || **saurisseur** 1614, Hulsius. || **saurisserie** 1808, Boiste.

**saur(o)-**, gr. *saura*, lézard. || **saurien** 1800, Boiste, zool. || **sauropodes** 1904, Lar. ; gr. *pous, podos*, pied. || **sauropsidés** 1888, Lar.

**saussaie** V. SAULE.

***saut** 1080, *Roland* (*salt*) ; 1155, Wace (*saut*) ; lat. *saltus*. || **saut-de-lit** 1829, d'après P. Robert. || **saut-de-loup** 1740, *Acad.* || **saut-de-mouton** 1611, Cotgrave, équit. ; XIX^e s., ferrov. ; 1870, L., jeu ; plutôt *saute-mouton*, auj. (v. SAUTER). [V. PRIMESAUT, SURSAUT.]

***sauter** 1175, Chr. de Troyes ; lat. *saltare*, fréquentatif de *salire*, éliminé en lat. pop. (v. SAILLIR) ; 1587, La Noue, exploser. || **saute-mouton** 1867, Delvau, jeu. || **saute-ruisseau** 1796, *Revue*. || **sauté** n. m., 1812, Mozin, culin. ; 1842, *Acad.*, danse. || **saute** (*de vent*) 1771, Trévoux ; (*d'humeur*) 1935, *Acad.* || **sauteur** XIII^e s., G., n. ; adj., XVI^e s., « dressé à sauter ». || **sauterie** 1578, d'Aubigné, « saut » ; 1824, *Journ. des dames*, petite danse. || **sautoir** début XIII^e s., Huon de Méry. || **sautereau** XIII^e s., *Apocalypse* ; 1611, Cotgrave, pièce de clavecin. || **sauterelle** 1120, *Ps. d'Oxford* (*salterele*) entom. ; début XVI^e s. (*sauterelle*) ; depuis 1690, Furetière, divers empl. techn. || **sautelle** milieu XVI^e s., vitic. || **sautiller** 1553, Rab. ; a remplacé *sauteler*, XIII^e s. || **sautillant** adj., 1668, La Fontaine. || **sautillement** 1718, *Acad.* || **ressauter** 1382, Jean d'Arras. (V. RESSAUT, TRESSAUTER.)

***sauvage** fin XI^e s., *Chanson Guillaume* ; 1596, Hulsius, « primitif » ; bas lat. *salvāticus* (*Mulomedicina*), du lat. *silvaticus*, de *silva*, forêt. || **sauvagement** fin XII^e s. || **sauvagesse** 1632, Sagard. || **sauvagerie** 1739, Gohin, « condition de sauvage » ; 1846, Balzac, « férocité ». || **sauvageon** XII^e s. || **sauvagine** 1130, *Eneas*, « oiseau d'eau ». || **sauvagin** XV^e s., de Courcy.

**sauvegarder** V. SAUF.

***sauver** 842, *Serments* (*salvarai*, 1^re pers. fut.) ; 1050, *Alexis* (*salver*) ; v. 1160, *Charroi* (*sauver*) ; bas lat. *salvāre*, surtout eccl., de *salvus* (v. SAUF) ; *se sauver*, 1464, J. Chartier, « se sauver ». || **sauveté** 1050, *Alexis*, vx depuis le XVII^e s. || **sauvetage** 1773, Bourdé, mar. ; 1922, Martin du Gard, « action de tirer du danger ». || **sauveteur** 1816, Salvandy. || **sauvette** 1867, Delvau, petite hotte ; *vendre à la sauvette*, 1949, Lar. || **sauve-qui-peut** 1614, B. W. || ***sauveur** 1050, Stengel (*salvaire*, cas sujet) ; 1120, *Ps. d'Oxford* (*salvedur*, cas régime) ; 1175, Chr. de Troyes (*sauveor*), eccl. et empl. gén. ; lat. eccl. *salvatōr, -ōris*. || **salvatrice** 1886, L. Bloy. || **salvatelle** 1314, Mondeville.

**sauvignon** 1732, Liger ; orig. inconnue.

**savane** 1529, Parmentier ; esp. *çavana*, tiré de la langue arawak (Haïti).

**savant** 1112, *Voyage saint Brendan*, part. prés. de *savoir*, jusqu'au XV^e s. (remplacé dans cet empl. par *sachant*, d'après le subj. *sache*) ; début XVI^e s., adj., sens mod. ; 1634, Mersenne, n. m., sens mod. || **savamment** 1539, R. Est. || **savantissime** 1664, Molière. || **savantasse** fin XVI^e s., d'Aubigné (*sabantas*) ; 1646, Livet (*savantasse*) ; d'un mot gascon, *sabentas.* || **savanterie** av. 1869, Sainte-Beuve.

**savarin** 1856, Furpille (*brillat-savarin*) ; 1864, *Vie parisienne* (*savarin*) ; du nom du gastronome *Brillat-Savarin* (1755-1826).

**savate** XIIe s., *Aiol* (*chavate,* forme picarde) ; d'une forme non attestée **çavate,* de l'ar. *sabbat,* par l'interméd. de l'ital. *ciabatta,* ou de l'anc. prov. *sabata ;* 1828, Vidocq, désignant une forme de lutte. || **savetier** 1213, *Fet des Romains.*

***saveur** 1130, *Eneas* (*savor*) ; XIIIe s. (*saveur*) ; lat. *sapōr, -ōris.* || **savoureux** 1188, Conon de Béthune. || **savourer** 1112, *Voyage saint Brendan* (*savorer*) ; 1549, R. Est. (*savourer*) ; bas lat. *sapōrare.*

***savoir** 842, *Serments* (*sabir*), n. m. ; 980, *Passion* (*saveir*), v. ; 1175, Chr. de Troyes (*savoir*) ; lat. pop. **sapēre,* class. *sapĕre,* « avoir de la saveur », d'où « avoir de la pénétration », puis « comprendre », et en bas lat. « savoir », avec une infl. sémant. de *sapiens,* et élimination du lat. class. *scire.* || ***su** 1155, Wace (*senz le seü de*), part. passé substantivé ; v. 1440, Chastellain (*au sçu de*). || **à l'insu de** 1538, d'après la *Rev. hist.* || **savoir-vivre** 1466, Michault, v. ; 1580, Montaigne, n. m. || **savoir-faire** v. 1670, La Fontaine (v. SAVANT). || **assavoir** 1160, Benoît.

***savon** 1256, Ald. de Sienne ; *savon noir,* 1530, Palsgrave ; *savon de Marseille,* 1723, Savary ; lat. *sāpō, -ōnis,* désignant, selon Pline, un mélange de suif et de cendre avec lequel les Gaulois se rougissaient les cheveux, du germ. **saipon-.* || **savonner** début XVIe s. || **savonnage** 1680, Richelet. || **savonnette** 1579, Mayerne. || **savonneur** 1751, *Encycl.* || **savonneux** fin XVIIe s., Saint-Simon. || **savonnier** 1292, *Livre de la taille de Paris.* || **savonnerie** *id.*

**saxatile** 1555, Belon, zool. ; 1690, Furetière, bot. ; lat. *saxatilis,* de *saxum,* rocher.

**saxhorn** 1847, Besch. ; de l'inventeur A. J. Adolphe *Sax* et de l'allem. *Horn,* cor.

**saxifrage** XIIIe s., *Simples Médecines ;* bas lat. *saxifraga* (*herba*), (herbe) qui brise les rochers, de *frangere,* briser, et *saxum,* pierre ; noms populaires : *perce-pierre,* 1546, R. Est. ; *rompierre, rompepierre,* 1538, R. Est. ; *casse-pierre,* 1769, Valmont. || **saxifragacées** 1812, Mozin (*saxifragées*) ; 1842, *Acad.* (*saxifragacées*).

**saxophone** 1844, Huart ; du nom de l'inventeur, *A. Sax* (1814-1894), et du gr. *phônê,* voix. || **saxo** XXe s. ; abrév. || **saxophoniste** fin XIXe s.

**sayette, sayon** V. SAIE 1.

**saynète** 1764, *Arch. Aff. étr., Corr. d'Esp.* (*saïnette*) ; 1823, Boiste (*saynette*) ; esp. *sainete,* masc., « morceau de graisse ou de moelle qu'on donne aux faucons quand ils reviennent », au fig. « petite pièce bouffonne » ; diminutif de *sain,* graisse (v. SAINDOUX) ; passé au fém. en fr., à cause de la finale *-ette ;* auj. interprété comme dér. de *scène,* par étym. populaire.

**sbire** 1546, Rab. ; ital. *sbirro,* agent de la police, altér. de *birro,* du bas lat. *birrus, byrrhus,* « brun-rouge », du gr. *purrhos,* « couleur de feu », de *pûr,* feu ; à cause de la casaque rouge des sbires, ou de la valeur du rouge, symbole de la ruse pour la couleur rouge du diable (cf. arg. *rousse,* « police secrète »).

**scabellon** 1668, Havard, socle ; ital. *scabellone,* grand escabeau, du lat. *scabellum,* repris en fr. comme terme d'archéol. (v. ESCABEAU).

**scabieuse** 1314, Mondeville, bot. ; lat. médiév. *scabiosa,* fém. substantivé du lat. class. *scabiosus,* raboteux, galeux, de *scabies,* gale (la scabieuse était réputée guérir la gale). || **scabieux** fin XIVe s., adj., méd. ; lat. *scabiosus.*

**scabreux** 1500, Auton, « difficile, périlleux », notamment en parlant d'un chemin ; 1549, Du Bellay, « dur, désagréable » (d'un style) ; 1773, Voltaire, « difficile à raconter décemment » ; bas lat. *scabrosus,* rude, rugueux, du lat. class. *scaber.*

**scaferlati** 1707, Helvétius ; orig. obscure ; on a avancé, sans preuves décisives, que *Scaferlati* était le nom d'un ouvrier italien qui aurait inventé un nouveau procédé pour hacher le tabac.

**scalaire** 1808, Boiste, mollusque ; fin XIXe s., d'après P. Robert, math. ; lat. *scalaris,* d'escalier.

**scald** 1964, Lar. ; mot angl., de *to scald,* brûler ; maladie des pommes de terre.

**scalène** 1542, Bovelles, géom. ; lat. *scalenus,* du gr. *skalenos,* oblique.

**scalp** 1827, Chateaubriand (*scalpe*) ; angl. *scalp,* cuir chevelu. || **scalper** 1769, H. Bouchet ; angl. *to scalp,* arracher le cuir chevelu.

**scalpel** 1363, Chauliac ; lat. méd. *scalpellum,* de *scalpere,* tailler, gratter.

**scandale** 1050, *Alexis,* « occasion de péché » ; 1657, Pascal, « éclat fâcheux du mauvais exemple » ; lat. eccl. *scandalum,* « piège, obstacle », d'où, au fig., « occasion de péché, pour soi-même ou pour les autres », du gr. eccl. *skandalon,* calque de l'hébreu *mikchôl,* « obstacle, ce qui fait trébucher ». || **scandaleux** 1361, Oresme ; lat. médiév. *scandalosus.* || **scandaleusement** 1470, Trenel. || **scandaliser** 1190, *Saint Bernard* (*escandalisier*) ; fin XIIIe s. (*scandalizer*) ; même évol. sémant. que le subst. ; lat. eccl. *scandalizare.* (V. ESCLANDRE.)

**scander** 1519, G. Michel ; lat. gramm. *scandere,* « monter », d'où « lever et baisser le pied pour battre la mesure ». || **scansion** 1741, Pelloutier ; lat. gramm. *scansio.*

**scanner** 1964, Lar. ; mot angl., de *to scan,* examiner minutieusement.

**scaphandre** 1765, *Année litt.,* « ceinture de sauvetage » ; 1800, Boiste, sens mod. ; proprem. « homme-bateau » ; gr. *skaphê,* barque, et *anêr, andros,* homme. || **scaphandrier** 1805, Lunier.

**scaph(o)-,** gr. *skaphê,* vase, barque. || **scaphoïde** 1538, Canappe, anat. ; gr. *skaphoeidês,* en forme de barque. || **scaphiphore** 1876, Lar. ; gr. *phoros,* qui porte. || **scaphirhynque** 1904, Lar. ; gr. *rhuzein,* gronder. || **scaphocéphale** 1876, Lar. (V. SCAPHANDRE.)

**scapin** fin XVIIe s., Saint-Simon, valet intrigant ; du nom de *Scapin,* valet de la comédie ital. popularisé par *les Fourberies de Scapin,* de Molière (1671).

**scapulaire** fin XIIe s. (*capulaire*) ; fin XIVe s. (*scapulaire*), n. m. ; 1721, Trévoux, adj., anat. ; lat. médiév. *scapulare,* qui se passe sur les épaules, de *scapula,* épaule.

**scapul(o)-,** lat. *scapula,* épaule. || **scapulalgie** 1876, Lar. || **scapulectomie** 1933, Lar. || **scapulo-huméral** 1839, Boiste.

**scarabée** 1539, R. Est., entom. ; lat. *scarabaeus.* || **scarabéidés** 1842, *Acad.* (*scarabéides*). [V. CARABIN, ESCARBOT.]

**scaramouche** 1666, Molière ; de *Scaramouche,* ital. *scaramuccio,* escarmouche, surnom de l'acteur napolitain Fiorelli, qui vint jouer à Paris sous Louis XIII, resté au personnage de la comédie ital. qu'interprétait cet acteur.

**scare** 1560, Paré, ichtyol. ; lat. *scarus,* du gr. *skaros ;* poisson osseux de la Méditerranée. || **scaridé** 1954, Bauchot.

**scarifier** fin XIIIe s. ; bas lat. méd. *scarificare,* du gr. *skariphasthai,* inciser, de *skariphos,* stylet. || **scarification** 1314, Mondeville ; bas lat. méd. *scarificatio.* || **scarificateur** 1560, Paré.

**scarlatine** 1741, Col de Vilars ; var. *écarlatine,* 1771, Trévoux ; lat. médiév. *scarlatum,* écarlate (v. ÉCARLATE). || **scarlatiniforme** 1852, Alméras. || **scarlatineux** 1964, Lar.

**scarole** XIVe s., *Antidotaire Nicolas* (*scariole*) ; var. *escarole ;* ital. *scariola,* du bas lat. *escariola,* endive.

**scatologie** 1868, Souviron ; gr. *skôr, skatos,* excrément, et *-logie* (*scatophage,* 1546, Rab.). || **scatologique** 1863, Goncourt. || **scatophile** 1839, Boiste, zool. || **scatophage** 1552, d'après P. Robert. || **scatopse** 1791, Valmont ; gr. *opsis,* vue.

**scazon** 1690, Furetière, métr. anc. ; mot lat., du gr. *skazôn,* « boiteux ».

***sceau** 1080, *Roland* (*seel*) ; 1196, Bodel (*scel, sceau,* avec *c* introduit pour distinguer ce mot de *seau*) ; lat. pop. **sĭgellum,* du lat. class. *sigillum,* « figurine », d'où « figurine du cachet », dimin. de *signum ; sous le sceau de,* 1549, Rab. || **sceau de la Vierge** 1564, Liébault. || **sceau de Notre-Dame** 1538, R. Est., bot. ; la racine de cette plante a la forme d'un sceau. || **sceau-de-Salomon** 1549, Fousch, bot. ; même explic. (V. SCELLER.)

**scélérat** début XVe s. (var. francisée *scelere,* jusqu'à la fin du XVIe s.), adj. ; début XVIe s. (*scélérat*), n. m. ; lat. *sceleratus,* de *scelus, -eris,* crime. || **scélératement** 1836, Gautier. || **scélératesse** 1560, Pasquier.

***sceller** 1080, *Roland* (*seeler*) ; XIIIe s. (*sceller*) ; lat. pop. **sĭgellare,* du lat. class. *sigillare* (v. SCEAU). || **scellés** 1439, Havard, jurid. ; part. passé substantivé. || **scellement** 1469, G. || **scellage** 1425, G. || **scelleur** 1283, Beaumanoir. || **desceller** fin XIIe s., *Alexandre.* || **resceller** début XIVe s.

**scénario** 1764, Collé, au théâtre ; 1907, Méliès, au cinéma ; 1850, Balzac, « déroulement d'action » ; ital. *scenario,* « décor », de *scena,* « scène ». || **scénariste** 1915, *Ciné-Journal.*

**scène** 1375, R. de Presles, « représentation théâtrale » ; rare avant la fin du XVIe s. ; 1596, Hulsius, « partie du théâtre où se déroule la représentation » ; 1637, Crespin, « partie d'un acte » ; 1782, Genlis, « violente apostrophe » ; *mettre en scène,* milieu XVIIIe s. ; *mise en scène,* 1835, *Acad.,* théâtre ; 1906, *le Progrès de Lyon,* cinéma ; *metteur en scène,* XIXe s. ; cinéma, 1908, Babin ; *faire une scène à,* fin XVIIIe s. ; *scène de ménage,* 1875, Lar. ; lat. *scena,* du gr. *skênê.* || **avant-scène** milieu XVIe s., proscenium ; 1835, *Acad.,* loge. || **scénique** 1375, R. de Presles ; rare avant le XVIIIe s. ; lat. *scenicus,* du gr. *skenikos.* || **scénographie** 1547, J. Martin, archit. ; lat. *scenographia.* || **scénographique** 1762, *Acad.* || **scénologie** 1964, Lar., théâtre.

**sceptique** 1546, M. de Saint-Gelais, philos. ; 1746, Diderot, « qui doute » ; gr. *skeptikos,* « observateur », de *skepsesthai,* observer (les sceptiques grecs se piquaient d'observer sans rien affirmer). || **scepticisme** 1669, Sprat. || **sceptiquement** 1842, *Acad.*

**sceptre** 1080, *Roland ;* lat. *sceptrum,* du gr. *skeptron,* « bâton ».

**schabraque** 1800, Boiste, milit., couverture de la selle ; all. *Schabracke,* du turc *tchaprak,* par l'intermédiaire du hongrois.

**schah** ou **chah** 1546, Geuffroy (*siach*) ; 1653, de La Boullaye (*schah*) ; mot persan signif. « roi ». (V. ÉCHEC.)

**schako** ou **shako** 1761, de Montandre ; hongrois *csákó,* coiffure des hussards hongrois.

**scheidage** 1876, Lar. ; all. *scheiden,* séparer.

**schéma** 1586, Ronsard (*scheme*), rhét. ; rare avant 1765, *Encycl.* (*schème*), géom. ; 1829, Boiste (*schéma*), rhét. ; XIXe s., structure ; lat. *schema,* manière d'être, et figure de géom. ou de rhét., du gr. *skhêma.* || **schème** 1586, Ronsard, « figure de mots » ; 1800, Boiste, philos. kantienne. || **schématiser** 1800, Boiste, philos. kantienne ; d'après bas lat. *schematizare* ou gr. *skhematizeîn.* || **schématisme** 1635, d'après *Encycl.,* géom. ; 1800, Boiste, philos. ; 1907, Lar., « simplification » ; d'après bas lat. *schematismus* ou gr. *skhêmatismos.* || **schématique** 1378, J. Le Fèvre, « simplifié » ; 1898, *Acad.,* philos. || **schématisation** 1900, d'après P. Robert.

**scherzando** 1842, *Acad. ;* mot ital., de *scherzare,* plaisanter. || **scherzo** 1842, *Acad. ;* mot ital.

**schibboleth** 1778, Voltaire, épreuve décisive ; mot hébreu signif. « épi » (d'après un récit de la Bible [Juges, XII, 6] : les gens de Galaad, en guerre avec ceux d'Éphraïm, les reconnaissaient à ce qu'ils prononçaient mal ce mot).

**schiedam** 1842, *Acad. ;* néerl. *Schiedam,* nom de la ville des Pays-Bas où se fabrique cette eau-de-vie.

**schisme** 1160, Benoît (*cisme*) ; 1549, R. Est. (*schisme*), eccl. ; lat. eccl. *schisma,* du gr. eccl. *skhisma,* « séparation », de *skhizeîn,* fendre. || **schismatique** 1196, B. W. (*cimatique*) ; XIIIe s. (*scismatique*) ; 1562, Richard (*schismatique*) ; lat. eccl. *schismaticus,* du gr. eccl. *skhismatikos.*

**schiste** 1554, Aneau (*sciste*) ; 1742, d'Argenville (*schiste*) ; lat. *schistus* (*lapis*), du gr. *skhistos,* qu'on peut fendre, de *skhizeîn,* fendre. || **schisteux** 1758, Valmont (*schiteux*). || **schistosité** 1870, L. || **schistoïde** 1836, Landais. || **schistifier** 1964, Lar. || **schistification** 1923, Lar.

**schizo-,** gr. *skhizein,* séparer, fendre. || **schizocéphale** 1870, L. || **schizogamie** 1933, Lar. || **schizogone** 1904, Lar. || **schizophrène** v. 1920, *Journ. de psychol. ;* gr. *phrên, phrênos,* pensée. || **schizophrénie** 1917, Rogues. || **schizothymie** 1964, Lar. ; gr. *thumos,* désir.

**schlague** 1815, *Nain jaune ;* all. *Schlag,* « coup » (châtiment corporel infligé aux soldats allemands) ; a pris aussi le sens de « bâton ».

**schlass** 1879, Esnault ; all. *schlass,* fatigué.

**schlich** 1750, König, minér. ; mot all., de *schleichen,* se glisser.

**schlinguer** 1845, Besch., « puer » ; all. *schlingen,* « avaler » ; sens fr. d'apr. « puer de la bouche ».

**schlitte** 1864, Erckmann-Chatrian (*schlitt*), *l'Ami Fritz,* traîneau ; mot vosgien, de l'all. *Schlitten,* « traîneau », introduit par les bûcherons alsaciens. || **schlittage** 1870, L. || **schlitteur** 1789, Dietrich. || **schlitter** 1876, Lar.

**schnaps** XVIIIe s., Boufflers, pop., eau-de-vie ; mot all. introduit par les mercenaires, de l'all. *schnappen,* aspirer.

**schnick** fin XVIIIe s., *Mém. du sergent Bourgogne,* pop., eau-de-vie ; mot alsacien.

**schnock** 1863, Esnault ; orig. inconnue.

**schnorchel** v. 1949, Lar., mar. ; mot all. ; tube de sous-marin.

**schooner** 1801, B. W., mar. ; mot angl. ; petit bâtiment à deux mâts.

**schorre** 1572, Granvelle ; moyen néerl. *schor,* alluvion.

**schupo** 1925, P. Morand ; mot all., abrév. de *Schutzpolizei,* police de protection.

**schuss** 1933, *FEW,* terme de ski ; mot all. signif. « élan ».

**Scialytique** 1923, Lar., techn. ; gr. *skia,* ombre ; nom déposé désignant un type d'éclairage intense.

**sciatique** XIIIe s. (*ciatique*) ; bas lat. *sciaticus,* altér. de *ischiadicus,* du gr. *iskhiadikos,* de *iskhias, -ados,* sciatique, de *iskhion,* hanche.

**scie** V. SCIER.

**sciemment** XIIIe s., *Renart* (*essiament*) ; 1375, R. de Presles (*sciemment*) ; d'après l'adv. lat. *scienter,* du lat. *sciens, scientis,* part. prés. de *scire,* savoir (v. SCIENCE).

**science** 1080, *Roland ;* lat. *scientia,* de *sciens, -entis,* part. prés. de *scire,* savoir (v. le précéd.) ; *sciences naturelles,* fin XVIIe s. ; *morales, économiques, politiques,* 1777, Castillon-Sommereul ; *expérimentales, physiques,* milieu XIXe s. ; *humaines,* 1690, Furetière. || **science-fiction** 1953, *journ.* || **scientifique** 1370, Oresme ; milieu XVe s., « savant » ; bas lat. *scientificus* (VIe s., Boèce, créé pour traduire Aristote). || **scientificité** 1968, Lar. || **scientifiquement** début XVIe s. || **scientiste** 1898, R. Rolland, philos. || **scientisme** 1911, Lalande. || **prescience** fin XIIe s., théol. ; 1700, ext. de sens.

**sciène** 1771, Trévoux ; gr. *skiaina,* ombre (poisson), de *skia,* obscurité. || **sciénoïdes** 1839, Boiste.

***scier** 1120, *Ps. d'Oxford* (*seier*) ; XIIIe s. (*sier*), d'après *scie ;* XIVe s. (*scier*), d'après *scieur,* où le *c* a été introduit pour éviter l'homonymie avec *sieur ;* lat. *sĕcare,* couper, qui a éliminé *serrāre.* || **scie** fin XIIe s., Simud (*sie*). || **sciage** 1294, G. (*soiage*). || **sciant** 1842, *Acad.,* « insupportable ». || **scieur** milieu XIIIe s. || **scieuse** XXe s., machine à scier. || **scierie** 1421, G. (*soierie*) ; 1801, Mercier (*scierie*) ; *moulin à scier,* 1690, Furetière. || **sciure** 1270, Espinas.

**scille** XIIIe s., *Simples Méd.* (*esquille*) ; 1611, Cotgrave (*scille*), bot. ; lat. *scilla,* du gr. *skilla.*

**scinder** 1539, *Anc. Lois,* « retrancher » ; rare avant 1791, Mirabeau, « couper, diviser » ; lat. *scindere,* fendre (v. SCISSION).

**scinque** 1611, Cotgrave, zool. ; lat. *scincus,* du gr. *skigkos ;* saurien du Levant.

**scintiller** XIIIe s., *Roman de la Rose* (*sintiller*) ; XVIe s. (*scintiller*) ; lat. *scintillare,* de *scintilla* (v. ÉTINCELLE). || **scintillant** adj., milieu XVIe s. || **scintillation** 1490, Molinet. || **scintillement** 1764, Bonnet. || **scintigraphe** 1968, Lar.

**scio-,** gr. *skia,* ombre. || **sciographe** 1829, Boiste. || **sciographie** 1614, C. de Nostredame. || **sciomancie** 1546, Rab.

**scion** XIIe s., *Merangis* (*cion*) ; francique **kīth,* « rejeton », avec le suff. dimin. *-on.*

**scirpe** 1765, *Encycl.* (*scirpus*) ; 1800, Bomare, bot. ; lat. *scirpus,* jonc.

**scission** XIVe s., « division » ; 1495, J. de Vignay, « action de scinder » ; 1517, La Curne, « séparation dans une assemblée, dans un parti » ; bas lat. *scissio,* de *scissus,* part. passé de *scindere* (v. SCINDER). || **scissile** 1561, Du Pinet ; bas lat. *scissilis.* || **scissure** 1314, Mondeville, anat. ; bas lat. *scissura.* || **scissionnaire** 1792, Ranft. || **scissionniste** 1964, Lar. ; a remplacé *scissionnaire.* || **scissipare** 1855, Nysten ; lat. *parĕre,* enfanter. || **scissiparité** *id.*

**sciure** V. SCIER.

**sciuridés** 1876, Lar., zool. ; lat. *sciūrus,* écureuil (v. ÉCUREUIL).

**sclér(o)-,** gr. *skleros,* dur. || **scléranthe** 1827, *Acad. ;* gr. *anthos,* fleur. || **sclérectomie** 1871, L. || **sclérenchyme** 1870, L. ; gr. *egkhuma,* effusion, de *khein,* verser. || **scléreux** 1830, *Dict. méd.* || **scléroderme** 1876, Lar. || **sclérome** 1752, Trévoux. || **sclérophylle** 1871, L. || **sclérophyte** 1964, Lar. ; gr. *phuton,* plante. || **sclérotique** 1314, Mondeville ; lat. médiév. *sclerotica,* du gr. *sklêrotês,* dureté. || **sclérose** 1812, Mozin, méd. || **artériosclérose** 1833, J. F. Lobstein. || **scléroser (se), sclérosé** 1867, Virchow.

**scolaire** 1807, Michel (*scholaire*) ; 1829, Boiste (*scolaire*) ; *année scolaire,* 1829, Boiste ; bas lat. *scholaris,* de *scola,* école, mot gr. || **scolairement** 1933, Lar. || **postscolaire** 1899, *Rev.* || **scolarité** 1383, *Lettres de Charles VI,* « privilège des étudiants » ; 1867, *le Moniteur univ.,* « durée des études » ; lat. médiév. *scholaritas,* « état d'écolier ». || **scolariser** 1904, Frapié. || **scolarisation** 1955, *journ.* (V. ÉCOLE.)

**scolastique** XIIIe s., adj., au sens de « d'école » ; milieu XVe s., « propre à un professeur » ; 1625, Stoer, « propre à l'enseignement des écoles », théol. ; 1690, Furetière, n. f., philos. médiév. ; 1865, Cl. Bernard, adj. et n. f., « formaliste, traditionaliste » ; lat. *scholasticus,* du gr. *skholastikos,* « relatif à l'école ». (V. SCOLAIRE et ÉCOLE.)

**scolie** 1546, G. Le Rouillé (*scholie*) ; 1680, Richelet (*scolie*), note de commentateur ;

gr. *skholion,* explication, de *skholê,* école. || **scoliaste** 1552, Rab. (*scholiaste*) ; 1674, Bayle (*scoliaste*) ; gr. *skholiastês.*

**scoliose** 1836, Landais, méd. ; gr. *skoliôsis,* de *skolios,* oblique, tortueux. || **scoliotique** 1857, Remak.

**scolopendre** 1314, Mondeville (*scolopendrie*), bot. ; XV^e s., serpent fabuleux ; 1552, Rab., sorte de mille-pattes ; lat. *scolopendrion, scolopendra,* mot gr.

**scolyte** 1762, Geoffroy (*scolytus*) ; orig. incertaine, p.-ê. du gr. *skôlêx,* ver.

**scombre** 1646, S. Gaudon, zool. ; lat. *scomber,* du gr. *skombros.* || **scombridés** 1812, Mozin (*scombéroïdes*) ; 1933, Lar. (*scombridés*).

**sconse** 1764, Buffon (*scunk*) ; 1964, Lar. (*sconse*), fourrure ; angl. *skunks,* pl. pris pour sing., de l'algonquin du Canada.

**scoop** 1966, *journ.* ; mot angl.

**scooter** 1949, Lar. ; mot angl. signif. « trottinette », puis « motocyclette ». || **scootériste** 1955, Gilbert.

**scopolia** 1876, Lar. ; du n. du naturaliste *G. A. Scopoli.*

**scorbut** 1557, L'Escluse (*sacerbuyte*) ; lat. médiév. *scorbutus,* de l'anc. suédois *skôrbjug,* œdème dû au caillé, de *skyr,* lait caillé, et *bjúgr,* œdème, cette maladie étant alors propre aux peuples du Nord. || **scorbutique** 1642, Falconet. || **antiscorbutique** *id.*

**score** 1911, Bonnafé ; 1968, *journ.,* nombre de voix ; mot angl. signif. « compte, nombre de points obtenu par chaque adversaire ».

**scorie** fin XIII^e s., « alluvion » ; 1555, Aneau, métall. ; lat. *scoria,* du gr. *skôria.* || **scoriacé** 1775, Robert. || **scorifier** 1750, Kœnig. || **scorification** *id.*

**scorpène** 1552, Rab., ichtyol. ; lat. *scorpaena* (I^er s., Pline), du gr. *skorpaina.* || **scorpénidés** 1964, Lar.

**scorpion** 1119, Ph. de Thaon (*scorpium*) ; début XII^e s., Studer (*scorpion*) ; lat. *scorpio* (I^er s., Pline), du gr. *skorpiôn.* || **scorpionidés** 1819, *Nouv. Dict. d'hist. nat.* (*scorpionides*) ; 1875, Lar. (*scorpionidés*).

**scorsonère** 1572, Des Moulins (*scorzonera*) ; 1608, J. Du Chêne (*scorsonère*), bot. ; catalan *escurçonera,* de *escurço,* serpent venimeux dont la scorsonère aurait été l'antidote, de *scorto,* « court », bas lat. *curtiō,* de *curtus,* court, par le lat. scientifique.

**Scotch** 1964, Robert, papier gommé ; nom déposé ; mot anglo-américain, de *to scotch,* enrayer. || **scotcher** 1965, *journ.*

**scotie** 1642, Oudin, archit., moulure ; lat. *scotia,* mot gr.

**scotome** 1855, Nysten ; bas lat. *scotôma,* vertige, de *skotos,* obscurité. || **scotomiser** 1975, Lar. || **scotomisation** *id.*

**scottish** 1850, *le Charivari* (*schotich*) ; 1871, L. (*scottish*) ; mot angl. signif. « (danse) d'Écosse », avec d'abord une orthogr. *sch-,* parce que cette danse écossaise était venue en France par l'interméd. de l'Allemagne.

**scout, scoutisme** V. BOY.

**scraber** 1876, Lar., techn. ; néerl. *schrabben,* gratter. || **scrabe** 1876, Lar. ; déverbal.

**scraper** 1949, Lar., techn. ; mot angl. signif. « racleur » ; engin de terrassement.

**scratch** 1891, Bonnafé ; angl. *scratch,* « raie » ; ligne de départ, en cyclisme. || **scratcher** XX^e s.

**scribe** 1375, R. de Presles, « docteur de la Loi chez les anc. Juifs » ; milieu XV^e s., copiste ; lat. *scriba,* greffier, etc., de *scribere,* écrire. || **scribouiller** 1849, Esnault ; de *scribe* et *gribouiller.* || **scribouilleur** fin XIX^e s. || **scribouillard** 1914, Esnault. || **scribouillage** 1849, Larchey.

**script** 1788, *Doc.,* n. m., financ. ; 1933, Lar., adj., *écriture script ;* lat. *scriptum,* part. passé substantivé de *scribere,* écrire.

**scripteur** 1355, Bersuire, eccl. ; lat. *scriptor,* celui qui écrit, de *scribere,* écrire.

**script-girl** 1929, Guetta, cinéma ; mot angl., proprem. « jeune fille (chargée du) scénario ». || **script** n. f. ; abrév.

**scripturaire** 1721, Trévoux ; lat. *scriptura,* écriture, de *scribere,* écrire. || **scriptural** adj., 1350, Foix, qui sert à écrire ; 1842, *Acad.,* « relatif aux saintes Écritures » ; 1933, Lar., financ., en parlant de la monnaie.

**scrofules** 1363, Chauliac (*scrophules*) ; bas lat. *scrōfŭlae* (IV^e s., Végèce) [v. ÉCROUELLES]. || **scrofuleux** *id.* (*scrophuleux*). || **scrofulaire** XV^e s., *D. G.,* bot. ; lat. médiév. *scrofularia* (cette plante passant pour guérir les écrouelles). || **scrofulariacées** 1842, *Acad.* (*scrofulariées*) ; 1871, L. (*scrofulariacées*).

**scrotum** 1541, Canappe, anat. ; mot lat. || **scrotal** 1538, Canappe.

**scrupule** 1375, R. de Presles ; 1549, M. de Navarre, « embarras » ; lat. *scrūpulus,* « caillou pointu », au fig. « inquiétude ». || **scrupule** 1350, *Romania,* « petit poids », chez les Romains ; lat. *scrupulum,* de même rad. que *scrupulus.* || **scrupuleux** fin XIII^e s. ; lat. *scrupulosus.* || **scrupuleusement** 1375, R. de Presles. || **scrupulosité** 1395, Boutillier.

**scruter** 1501, Le Roy ; rare jusqu'au XVIII^e s. ; lat. *scrutari,* « fouiller ». || **scrutateur** 1495, J. de Vignay, sens gén. ; 1680, Richelet, « qui dépouille un scrutin », d'après *scrutin ;* 1907, Lar., appareil, techn. ; lat. *scrutator,* qui fouille. || **scrutation** 1859, Mozin. || **inscrutable** XV^e s., Delb. ; lat. *inscrutabilis.*

**scrutin** milieu XIII^e s., Rutebeuf (*crutine*) ; 1465, Bartzsch (*scrutin*), « action de scruter » ; XVIII^e s., abbé de Saint-Pierre, polit. ; bas lat. *scrutinium,* « action de fouiller, d'examiner », de *scrutari,* scruter. || **scrutiner** 1398, Chastellain, « examiner » ; 1794, Frey, polit.

**scull** 1887, Bonnafé, rame ; mot angl.

**sculpter** début XV^e s. ; réfection, d'après *sculpteur, sculpture,* de *sculper* (1694, *Acad.*), du lat. *sculpere.* || **sculpteur** 1400, A. Thierry ; lat. *sculptor,* de *sculpere,* sculpter. || **sculpture** 1380, *Aalma* (*sculpure*) ; 1525, J. Lemaire de Belges (*sculpture*) ; lat. *sculptura.* || **sculptural** 1788, Féraud.

**scurrile** 1495, J. de Vignay, adj., « bouffon » ; lat. *scurrilis,* de *scurra,* n. m., bouffon. || **scurrilité** 1501, Le Roy ; lat. *scurrilitas.*

**scutellaire** 1829, Bory, bot. ; lat. *scutellum,* dimin. de *scutum,* écu, bouclier. || **scutelliforme** 1871, L. || **scutiforme** 1538, Canappe, anat.

**scyphozoaires** 1933, Lar. ; gr. *skuphos,* vase, et *zoon,* animal.

**scytale** 1372, Corbichon (*scitale*), serpent ; 1587, Vigenère, archéol. ; lat. *scytala,* du gr. *skutalê.*

***se** 980, *Valenciennes,* forme atone du pr. pers. réfléchi de 3^e pers. ; de l'acc. lat. *sē,* en position non accentuée. || **soi** XII^e s., *Lois de Guill.* (*sei*) ; de *sē,* en position accentuée. (V. ME, TU.)

**séance** 1253, Th. de Champagne, « convenance » ; XIII^e s., « situation » ; fin XVI^e s., « fait d'être assis » ; 1356, Isambert, « durée d'une opération » ; 1636, Monet, « réunion » ; de *seoir* (jusqu'à la fin du XVI^e s.), « être assis », lat. *sedēre.* || **préséance** 1580, Montaigne.

***séant** 1050, *Alexis,* « assis » ; 1360, Froissart, « convenable » ; n. m., 1130, *Eneas* (*en son séant*) ; anc. part. prés. de *seoir* (v. le précéd.) ; *sur son séant,* 1265, J. de Meung. || **malséant** 1165, G. d'Arras. || **bienséant** XIII^e s. || **bienséance** 1539, R. Est. || **messéant** fin XII^e s., R. le Diable. (V. SEYANT.)

***seau** XII^e s. (*scel*) ; lat. pop. **sītellus,* du lat. class. *sitella ; il pleut à seaux,* 1690, Furetière.

**sébacé** 1735, Heister ; lat. impér. *sebaceus* (II^e s., Apulée), de *sebum* (v. SUIF).

**sébeste** 1256, Ald. de Sienne, bot. ; ar. *sebestan.* || **sébestier** 1553, *Revue.*

**sébile** 1417, B. W. ; étym. ar. douteuse.

**sébum** 1878, Lar., physiol. ; mot lat. signif. « suif » (v. SUIF). || **séborrhée** 1868, *Journ. méd.* || **séborrhéique** 1933, Lar.

***sec** 980, *Valenciennes ;* lat. *sĭccus ;* fém. *sèche,* de *sĭcca ; à sec,* XIV^e s. ; *en cinq sec,* 1870, L., d'abord loc. de jeu (*sec* se disant d'une partie unique et sans revanche). || **assec** XIX^e s., temps d'asséchage (d'un étang). [V. SÉCHER.]

**sécable** 1691, Ozanam ; lat. *secabilis,* « qui peut être coupé », de *secāre,* couper (v. SCIER). || **sécabilité** 1975, *Lexis.* || **sécant** 1542, Bovelles ; lat. *secans, -antis,* part. prés. de *secare.* || **sécante** n. f., 1634, Stevin, géom. ; fém. substantivé de *sécant.* || **sécateur** 1827, *Annales chimie ;* de *secare,* d'après les noms en *-teur, -ateur.* || **insécable** 1570, G. Hervet ; lat. *insecabilis.*

**sécante** V. SÉCABLE.

**sécession** 1355, Bersuire (*cecession*), « sédition » ; XVI^e s., *faire sécession ;* XVII^e s., Peiresc, hist. rom. (retraite de la plèbe sur le mont Sacré en 493 av. J.-C.) ; 1866, Lar., *guerre de sécession,* calque de *war of secession ;* lat. *secessio,* de *secedere,* « se séparer ». || **sécessionnisme** 1970, Robert. || **sécessionniste** 1861, Mackenzie.

***sécher** 1120, *Ps. d'Oxford,* v. tr. et intr. ; lat. *siccāre,* de *sĭccus* (v. SEC). || **sèche** 1515, Du Redouer, bas-fond ; 1881, Rigaud, cigarette ; déverbal. || **sécheresse** 1120, *Ps. de Cambridge.* || **séchage** 1339, G. || **sécherie** 1333, *FEW.* || **sécheur** 1611, Cotgrave. || **séchoir** 1660, Oudin. || **sèche-cheveux** 1933, Lar. || **assécher** 1120, *Ps. d'Oxford ;* lat. *assĭcāre,* de *siccāre.*

|| **assèchement** 1549, Tagault. || **dessécher** 1170, *Rois.* || **dessèchement** 1363, Chauliac.

**second** 1119, Ph. de Thaon (*secunt*) ; 1155, Wace (*second,* avec *c* d'après le lat.) ; *en second,* 1690, Furetière ; lat. *secundus,* suivant, second, de *sequi,* suivre. || **seconde** n. f., 1671, Pomey, division du temps ; lat. *minuta secunda,* par oppos. à *minuta prima,* « minute » ; 1765, *Encycl.,* classe ; 1964, Lar., autom. || **secondaire** 1287, texte de Dinant ; lat. *secundarius,* de second rang ; fin XVIIIe s., Brunot, empl. pour l'enseignement. || **secondairement** 1377, Oresme. || **secondarité** 1945, Le Senne. || **seconder** XIIIe s., « répéter » ; XIVe s., « venir après » ; début XVIe s., « aider » ; lat. *secundare,* « favoriser ». || **secondine** 1372, Corbichon, anat. ; bas lat. méd. *secundinae.*

**secouer** 1532, Rab. ; réfection, par changement de conjugaison et d'après les formes *secouons,* etc., de l'anc. fr. *secourre,* du lat. *succŭtĕre.* || **secouage** 1875, *J. O.* || **secouée** fin XVIe s., « saccade ». || **secousse** XVe s., A. de La Sale, fém. substantivé de l'anc. part. passé *secous* (1215) ; lat. *succussus,* de *succŭtĕre.* || **secouement** 1538, R. Est. || **secoueur** 1611, Cotgrave.

**secourir** 1080, *Roland* (*secorre*) ; 1410, G. (*secourir*), réfection de l'anc. fr. *secourre* (lat. *succurere*), d'après *courir.* || **secoureur** 1160, Benoît. || **secourisme** 1946, Deniker. || **secouriste** 1750, Brunot. || **secours** 1050, Sponsus (*socors*) ; fin XIIe s., *Floovant* (*secours*) ; *de secours,* 1559, du Bellay.

**secousse** V. SECOUER.

**secret** 1175, Chr. de Troyes, adj. ; prison, 1734, Lesage ; *être du secret,* 1690, Furetière ; *le secret du cœur,* 1560, *Bible ; en secret,* 1538, R. Est. ; *sous le sceau du secret,* fin XVIIe s. ; lat. *secretus,* « séparé », part. passé de *secernere,* écarter ; n. m., 1112, *Voy. saint Brendan,* du singulier *secretum,* neutre substantivé de l'adj. (V. SÉGRAIS.)

**secrétaire** 1180, *Vie de saint Évroult,* « tabernacle » ; fin XIIe s., « dépositaire de secrets, confident », encore au XVIIe s. (Corneille) ; 1360, Froissart, « celui qui rédige pour un autre » ; 1765, Sedaine, meuble ; lat. médiév. *secretarius,* de *secretus* (v. le précéd.) ; *secrétaire d'État,* 1570, Carloix, d'après l'esp. *secretario de estado ;* a remplacé *secrétaire des commandements.* || **secrétairerie** 1407, *Mémoires.* || **secrétariat** 1538, *Revue.* || **sous-secrétaire** 1640, Oudin. || **sous-secrétariat** 1834, Landais.

**sécréter** V. SÉCRÉTION.

**sécrétion** 1495, B. W., « séparation » ; 1711, Winslow, sens actuel ; lat. *secretio,* « séparation », « dissolution », de *secretus,* part. passé de *secernere,* écarter (v. les précéd.). || **sécréteur** 1560, Paré. || **sécrétoire** 1710, Hecquet. || **sécréter** 1798, *Bull. sciences.* || **sécrétine** 1902, d'après P. Robert.

**secte** 1155, Wace (*siecte*), « doctrine » ; XIVe s., Tobler-Lommatzsch, secte religieuse ; lat. *secta,* de *sequi,* suivre. || **sectateur** 1403, *Internele Consolacion ;* lat. *sectator,* de *sectari,* suivre, de *secta.* || **sectaire** 1566, Richard, « partisan fougueux » ; fin XIXe s., « intolérant ». || **sectarisme** 1891, Bonnejoy.

**secteur** 1542, Bovelles, géom. ; 1871, L., milit. ; 1939, Giraudoux, admin. ; lat. *sector,* « celui qui coupe », et géom., en bas lat., de *secare,* couper (v. SÉCABLE). || **sectile** 1560, Paré. || **sectoriser** 1975, *Lexis.* || **sectorisation** 1968, *Journ.* || **sectoriel** 1964, Lar. || **section** milieu XIVe s., géom. et méd., action de couper ; 1660, Pascal, division d'un traité ; 1871, L. ; 1790, Brunot, admin. ; 1798, Schwan, milit. ; 1862, Hugo, polit. ; lat. *sectio,* « action de couper ». || **sectionner** 1796, *le Néologiste fr.* || **sectionnement** 1871, L. || **sectionnaire** 1789, admin. polit. || **sectionneur** 1924, Poiré, électr. || **bissecteur** 1864, L. || **bissection** 1829, Boiste. || **intersection** 1380, Conty, « coupure » ; 1640, Oudin, géom. ; lat. *intersectio.*

**séculaire** 1550, Rab. ; lat. *saecularis,* de *saeculum,* siècle. (V. SIÈCLE.)

**séculier** 1190, Garn. (*seculer*) ; 1265, J. de Meung (*séculier,* par changem. de suff.) ; lat. eccl. *saecularis,* de *saeculum,* siècle, au sens de « monde, vie mondaine ». || **séculièrement** 1190, Garn. || **sécularité** 1170, *Vie d'Édouard ;* lat. eccl. *saecularitas.* || **séculariser** 1586, Crespet. || **sécularisation** 1567, Papon.

**secundo** 1534, Rab. ; abrév. de la loc. lat. *secundo loco,* en second lieu. (V. PRIMO, TERTIO.)

**sécurité** début XIIIe s., usuel seulement au début du XVIIe s. ; lat. *securitas,* de *securus,* sûr, pour exprimer une nuance différente de *sûreté ; sécurité militaire, sécurité sociale,* 1945. || **sécuriser** 1969, *journ.* || **sécurisation** 1968, H. Lefebvre. || **sécurisant** 1967, *la Nef.* || **insécurité** 1794.

**sedan** 1808, Boiste ; du nom de *Sedan,* ville où se fabrique ce drap.

**sédatif** 1314, Mondeville ; lat. médiév. *sedativus,* de *sedare,* calmer. || **sédation** *id.*

**sédentaire** 1492, B. W., « qui demeure habituellement assis » ; 1555, Vidius, sens actuel ; lat. *sedentarius,* de *sedere,* être assis (v. SEOIR). || **sédentarité** 1819, Boiste. || **sédentariser** 1910, *L. M.* || **sédentarisation** 1959, *journ.*

**sedia gestatoria** 1904, Lar. ; loc. ital. signif. « chaise à porteurs », de *sedia,* chaise, et *gestatoria,* qui sert à porter.

**sédiment** 1560, Paré, méd., « dépôt d'urine » ; 1715, autres empl. techn., notamment géol. ; lat. *sedimentum,* « affaissement », à la place du lat. méd. *sedimen,* « dépôt d'urine », de *sedere* au sens de « se poser, s'affaisser ». || **sédimentaire** 1838, *Acad.* || **sédimentation** 1871, L., géol. ; 1953, Lar., méd. || **sédimentologie** 1964, Lar.

**sédition** 1213, *Fet des Romains ;* lat. *seditio,* de *ire,* aller, et de l'anc. préf. *se(d)*- exprimant la séparation. || **séditieux** 1355, Bersuire ; lat. *seditiosus.*

**séduire** 1112, *Voy. saint Brendan,* « corrompre » ; 1460, Chastellain, « tromper » ; 1538, R. Est., « amener à faute » ; 1698, Boileau, « charmer » ; réfection, d'après le lat. eccl. *seducere,* de l'anc. fr. *souduire* (XII^e^ s., *Th. le Martyr*), du lat. *subducere,* proprem. « retirer », puis « séduire ». || **séduisant** adj., 1542, Dolet ; a éliminé l'anc. fr. *souduiant.* || **séducteur** 1370, Oresme ; lat. eccl. *seductor.* || **séduction** 1160, Benoît, « fait d'amener à faute » ; 1734, Voltaire, « charme » ; lat. eccl. *seductio* (en lat. class., sens propre, « action de tirer de côté »).

**ségala** 1868, Heuzé ; mot occitan, de *segel,* seigle, du lat. *secale.*

**segment** 1596, Hulsius, techn. ; lat. *segmentum,* « morceau coupé », de *secare,* couper (v. SÉCABLE, SECTEUR). || **segmentaire** 1838, *Acad.* || **segmenter** 1877, *J. O.* || **segmentation** 1878, Lar. || **segmental** 1964, *journ.*

**ségrais** 1690, Furetière ; anc. fr. *segrei, segrai,* forme francisée de *secret* (v. ce mot). || **ségrairie** 1286, du Cange. || **ségrayer** 1336, G.

**ségrégation** 1374, G. (*-cion*) ; 1550, Meigret (*-tion*) ; repris, au XX^e^ s., dans *ségrégation raciale ;* lat. *segregatio,* de *grex, gregis,* troupeau, et du préf. anc. *se-,* à part. || **ségréger** fin XIV^e^ s. ; lat. *segregare.* || **ségrégatif** 1368, *Bull. hist.* || **ségrégabilité** 1964, Lar. || **ségrégationniste** 1964, Lar. || **ségrégationnisme** 1964, Lar., polit.

**séguedille** 1630, Chapelain (*séguidille*) ; 1687, *Nouv. Méth. pour la langue esp.* (*séguedille*) ; esp. *seguidilla,* dimin. de *seguida,* suite, de *seguir,* suivre, du lat. *sequi,* de même sens.

***seiche** fin XII^e^ s., Helinant ; lat. *sēpia.* (V. SÉPIA.)

**séide** 1816, Rigonner ; du nom de *Séide,* affranchi de Mahomet, à qui il était aveuglément soumis, l'un des personnages du *Mahomet* de Voltaire (1741) ; ar. *Zayd.*

**seigle** 1175, Chr. de Troyes (*soigle*) ; lat. *sēcăle,* « ce qu'on coupe », de *secāre,* couper, ou empr. au prov. *segle.*

***seigneur** 842, *Serments* (*sendra,* cas sujet ; v. SIRE, SIEUR) ; 980, *Passion* (*senior*) ; 1080, *Roland* (*seignur,* cas régime) ; ce dernier du lat. *seniōrem,* acc. de *senior,* « plus âgé », comparatif de *senex,* vieillard ; a pris un sens partic. pour remplacer les formes issues du lat. *dominus* (v. DAM, DOM). || **seigneurie** 1155, Wace (*seignorie*). || **seigneurial** XIII^e^ s.

***seille** XII^e^ s., *Rom. d'Alexandre,* « seau » ; lat. *sĭtŭla* (v. SEAU). || **seillerie** loi du 5 août 1821.

***seime** début XVII^e^ s., malformation du cheval ; probablem. fém. substantivé de l'anc. fr. **seim,* puis *sein,* « mutilé », du bas lat. *sēmus,* incomplet, de *semis,* moitié.

***sein** 1120, Bartzsch, mamelle ; 1578, d'Aubigné, fig. ; lat. *sĭnus,* « pli, courbure », « poitrine » (v. SINUEUX).

***seine** ou **senne** 1268, É. Boileau (*saime,* par altér.) ; 1693, *Termes* (*seine*) ; 1765, *Encycl.* (*senne*) ; sorte de filet ; lat. *sagēna* (I^er^ s., Manilius), du gr. *sagênê.*

***seing** 1160, Benoît ; lat. *sĭgnum,* signe ; conservé seulem. dans *sous seing privé* (1690, Furetière). || **contre-seing** 1350, La Curne. (V. SIGNE, TOCSIN.)

**séisme** fin XIX^e^ s., Lar. ; gr. *seismos,* tremblement de terre (avec transcription littérale de *-ei-,* d'où la prononc. d'après les mots en *-isme),* de *seieîn,* secouer. || **sismique** 1871, L. || **sismographe** *id.* || **sismicité** 1904, Lar. || **sismogramme** 1904, Lar. || **sismographie** 1902, Jarry. || **sismologie** 1904, Lar. || **sismomètre** 1888, Lar. || **sismométrie** 1968, Lar.

***seize** 1155, Wace (*seze*) ; 1273, Adenet (*seize*) ; lat. *sēdecim,* de *sex,* six, et *decem,* dix. || **seizième** 1138, Gaimar (*sezisme*) ; 1487, Garbin (*seizième*) ; pour le suff., v. CENTIÈME. || **seizain** 1505, G. || **seiziémiste** 1964, Robert.

***séjourner** fin XI^e s., *Chanson Guillaume* (*sojorner*) ; début XIII^e s., *Renart* (*séjourner,* par dissimilation) ; lat. pop. **subdiurnāre,* durer un certain temps, d'où « séjourner », du bas lat. *diurnare,* durer longtemps, de *diurnus* (v. JOUR). || **séjour** 1080, *Roland* (*sujurn*) ; 1138, Gaimar (*sejor*) ; début XIII^e s., *Galeran* (*séjour*).

***sel** 1112, *Voy. saint Brendan ;* lat. *sal.* || **salière** XIII^e s., *Renart ;* féminin de l'anc. fr. *salier,* du lat. *salarius,* de sel. || **salin** adj., 1454, G. || **salinité** 1867, O. Reclus. || **saline** 1330, du Cange, marais salant ; lat. *salina.* || **salinier** 1252, G., adj. ; XIV^e s., du Cange, n. m. || ***salignon** milieu XIII^e s., sel en pain ; lat. pop. **saliniō, -ōnis,* de *salinum,* salière. (V. SALER, SAUGRENU, SAUPIQUET, SAUPOUDRER, SAUNER, etc.)

**sélacien** 1827, *Acad.,* zool. ; gr. *selakhos,* poisson cartilagineux.

**sélage** 1615, Daléchamps (*selago*), bot. ; 1819, Boiste (*sélage*) ; lat. *selago,* sabine. || **sélaginelle** 1827, *Acad.*

**sélect** 1869, Mérimée ; angl. *select,* de choix, du lat. *selectus,* choisi. (V. SÉLECTION.)

**sélection** 1801, Mercier, élevage ; 1866, *sélection naturelle,* trad. de Darwin ; mot angl., du lat. *selectio, -onis,* choix. || **sélecter** 1964, Lar. || **sélecteur** 1923, Lar. || **sélectif** 1871, L. ; d'après les couples *-ion, -if.* || **sélectivement** 1871, L. || **sélectionner** fin XIX^e s. || **sélectionneur** 1923, Lar. || **sélectivité** 1929, *Congrès de radiodiffusion,* radio-électr. || **présélection** 1948, *L. M.*

**sélénium** 1817, *D. G.,* chim. ; tiré par Berzelius, qui découvrit ce corps, du gr. *selênê,* lune, à cause de ses analogies avec le *tellure,* mot tiré de *tellus,* nom lat. de la Terre, dont la Lune est le satellite. || **sélénieux** 1827, *Ann. chimie.* || **séléniate** 1820, *Dict. méd.* || **séléniure** 1826, *Dict. méd.* || **sélénite** 1611, Cotgrave, sulfate de chaux ; lat. *selenites,* mot gr., nom d'un minéral que l'on croyait soumis à l'influence de la Lune ; 1812, Mozin, « habitant de la Lune ». || **séléniteux** 1757, A. Roux. || **sélénique** 1721, Trévoux, astron. ; 1820, *Dict. méd.,* chim.

**séléno-,** gr. *selênê,* lune. || **sélénodonte** 1876, Lar. || **sélénographie** 1647, Huygens ; lat. astron. mod. *selenographia.* || **sélénographique** 1690, Furetière. || **sélénolite** 1923, Lar. || **sélénologie** 1975, *Lexis.* || **sélénostat** 1800, Boiste.

**self-,** angl. *self,* soi-même (même valeur que l'élém. gr. *auto-*). || **self-control** 1883, d'Haussonville. || **self-government** 1835, *Journal des débats.* || **self-induction** 1882, Bonnafé, phys. || **self-service** 1964, Lar.

**selinum** 1904, Lar. ; 1795, Lamarck (*sélin*), bot. ; lat. *selinum,* persil, mot gr. (V. PERSIL.)

***selle** 1050, *Alexis ;* lat. *sella,* siège, spécialisé en bas lat. ; le sens de « siège » s'est conservé dans : *aller à la selle,* 1398, E. Deschamps (où *selle* signifiait « chaise percée »), d'où le sens physiol. de *selle* (XIV^e s.) ; *le cul entre deux selles* (1460, Chastellain). || **sellette** XIII^e s., *Fabliaux* (*selete*), « petit siège de bois », pour les accusés, d'où *mettre, tenir sur la sellette,* 1690, Furetière. || **seller** fin XI^e s., *Lois de Guill.* (*selé,* part. passé), équit. || **sellier** XII^e s., *Roman de Thèbes.* || **sellerie** 1319, *D. G.* || **desseller** 1160, Benoît. || **resseller** fin XVIII^e s.

***selon** 1119, Ph. de Thaon (*sulunc*) ; XII^e s., *Saxons* (*selonc*) ; début XIII^e s., *Renart* (*selon*), « le long de », et « d'après » ; *selon que,* 1188, Aimon ; lat. *secundum,* en suivant, et *longus,* long.

**Seltz** (*eau de*) 1771, Bougainville (*Selse*) ; du nom de *Selters,* village de Prusse, sur l'Ems, qui exportait une eau minérale acidulée ; 1871, L., eau de Seltz artificielle.

**semailles** V. SEMER.

***semaine** 1050, *Alexis* (*sameine*) ; 1175, Chr. de Troyes (*semaine*) ; lat. eccl. *septimana* (*Code Théodosien*), fém. substantivé de *septimanus,* « relatif à sept » (I^er s., Varron), calque du gr. *hebdomas ; la semaine des quatre jeudis,* 1640, Oudin (*la semaine des trois jeudis*) ; *prêter à la petite semaine,* 1740, *Acad.* || **semainier** fin XII^e s.

**sémantique** 1561, B. W. (*symentique*) ; n. f., en linguistique, mot créé par Bréal (1883), « science des sens », par opposition à *phonétique,* science des sons ; gr. *sêmantikê,* fém. de *sêmantikos,* « qui indique, qui signifie », de *sêmaineîn,* signifier, de *sêma,* signe ; fin XIX^e s., adj. || **sémantiste** 1898, A. Thomas. || **sémanticien** 1933, Lar. || **sémantisme** 1964, Lar. || **sémantème** 1921, J. Vendryes. || **sémème** 1964, Lar. || **sémasiologie** 1888, Lar. ; gr. *sêmatia,* signe, de *sêma,* signe, et *-logie.* || **polysémie** 1913, Nyrop.

**sémaphore** 1812, Mozin ; gr. *sêma,* signe, et *phoros,* « qui porte ». || **sémaphorique** loi du 28 mai 1829.

***sembler** 1080, *Roland,* « ressembler » (jusqu'au XVI^e s.), et « paraître » ; bas lat. *similāre,* ressembler, de *similis,* semblable. || **semblable**

1155, Wace ; 1370, Oresme, n. m. || **semblablement** 1370, Oresme. || **semblant** n. m., 980, *Passion,* « apparition » ; fin XII<sup>e</sup> s., Couci, « manière d'être », puis « apparence » ; *faire semblant,* XII<sup>e</sup> s. || **semblance** 1119, Ph. de Thaon. || **dissemblable** 1130, *Eneas* (*dessemblable*) ; 1355, Bersuire (*dissemblable*) ; d'après le lat. *dissimilis.* || **dissemblance** 1160, Benoît (*dessemblance,* de *dessembler*) ; 1520, La Roche (*dissemblance,* d'après *ressemblance*). || **ressembler** 1080, *Roland,* sur le sens pr. de *sembler ;* v. tr. jusqu'au XVII<sup>e</sup> s. ; XVI<sup>e</sup> s., *ressembler à.* || **ressemblance** 1265, Br. Latini. || **ressemblant** 1503, Chauliac.

**semelle** 1268, É. Boileau (*semele*) ; orig. obscure ; peut-être altér. du picard *lemelle,* XIII<sup>e</sup> s., « lame », avec substitution à *le-,* senti comme article, d'un **se-* issu du lat. *ipsa,* qui a concurrencé *illa* (de même que *ipse* pour *ille*) dans le nord de la Gaule (v. LE, LA). || **ressemeler** 1423, G. (*rasameler*) ; 1617, Crespin (*ressemeler*). || **ressemelage** 1782, Mercier.

***semence** 1119, Ph. de Thaon ; 1803, Boiste, petits clous ; bas lat. *sēmentia,* pl. neutre, pris comme fém. substantivé, de *sēmentium,* réfection, en bas lat., du lat. class. *sēmentis,* « semailles ». || **semenceau** 1838, *Acad.* || **semencier** 1213, *Fet des Romains.* || **semen-contra** 1560, Paré, pharm., ellipse d'une loc. lat. signif. « semence contre (les vers) ». || **ensemencer** 1355, Bersuire. || **ensemencement** 1552, Ch. Est.

***semer** 1155, Wace ; 1175, Chr. de Troyes, « répandre des bruits » ; 1867, Delvau, « se débarrasser de » ; lat. *sēmināre,* issu de *sēmen, -inis,* semence, et qui a éliminé le lat. class. *serĕre,* de même rac. || **semeur** fin XII<sup>e</sup> s., Gui de Cambrai ; lat. *sēminātor.* || **semailles** fin XII<sup>e</sup> s., *Dialogues Grégoire ;* lat. pop. *sēminālia,* pl. neutre substantivé de l'adj. *sēminālis.* || **semaison** fin XIII<sup>e</sup> s., Rutebeuf. || **semoir** 1328, Varin. || **semis** 1742, Buffon. || **parsemer** fin XV<sup>e</sup> s.

**semestre** 1550, Ronsard, adj., « qui dure six mois » ; 1576, *Arrêt Chambre des comptes,* n. m. ; adj. lat. *semestris,* de *sex,* six, et *mensis,* mois. || **semestriel** 1821, Volney (*semestral*) ; 1823, Boiste (*semestriel*). || **semestriellement** 1873, L. || **bimestriel** 1899, Lar.

**semi-,** préf. ; lat. *semi,* à moitié, demi.

**sémillant** 1546, Vaganay ; anc. fr. *semilleus,* astucieux (1250, *Bestiaire*), de *semille,* action méchante ; lat. *semen, -minis,* semence.

**séminaire** 1551, Le Roy, eccl. (les séminaires ont été institués par le concile de Trente, 1545) ; 1893, G. Paris, sens mod. ; lat. *seminarium,* « pépinière » (sens repris v. 1600, O. de Serres, et pendant le XVII<sup>e</sup> s.), du lat. *seminare,* semer. || **séminariste** 1609, *Revue.*

**séminal** 1372, Corbichon ; lat. *seminalis,* de *semen, -inis,* semence. || **sémination** XVIII<sup>e</sup> s., *Maison rustique,* vx ; lat. *seminatio.* || **insémination** 1694, Th. Corn., méd. ; 1952, Lar., sens actuel. || **inséminateur** 1962, Lar.

**sémio-, séméio-,** gr. *sêmeion,* marque, de *sêma,* signe. || **sémiographie** 1836, *Acad.* || **sémiologie** 1752, Trévoux, méd. ; 1916, Saussure, ling. || **sémiologique** 1876, Lar., méd. ; 1916, Saussure, ling. || **sémiotique** 1555, Vide.

**semis** V. SEMER.

**sémite** 1845, Besch. ; de *Sem,* nom d'un des fils de Noé, supposé l'ancêtre des peuples sémitiques (Genèse, X). || **sémitique** fin XVIII<sup>e</sup> s., *Revue.* || **sémitisant** 1907, Lar., « spécialiste de langues sémitiques ». || **sémitisme** 1862, Renan. || **antisémite** 1891, Drumont ; *sémite* a ici le sens de « juif ». || **antisémitisme** 1886, Drumont.

***semonce** 1050, *Alexis* (*somonse*), « convocation » ; 1673, Retz, avertissement ; fém. substantivé de *semons,* part. passé de l'anc. v. *semondre,* 1080, *Roland* (*sumondre, somondre*), du lat. pop. **sŭbmonēre,* en lat. class. *sŭbmonēre,* « avertir en secret » (cf. *répondre,* pour le changem. de conjugaison, et *séjourner,* pour l'évol. du préf.). || **semoncer** 1542, *Amadis.*

**semoule** 1505, G. (*symole*) ; 1650, Ménage (*semoule*) ; ital. *semola,* du lat. *simila,* fleur de farine. || **semoulerie** 1934, Quillet.

**sempiternel** XIII<sup>e</sup> s., rare avant le XVII<sup>e</sup> s. ; lat. *sempiternus,* de *semper,* toujours, et *aeternus,* éternel, d'après *éternel.* || **sempiternellement** 1546, Rab.

**sénaire** 1827, *Acad.,* sens gén. ; 1842, *Acad.,* métr. anc. ; lat. *senarius,* adj., de *seni,* six par six, de *sex* (v. SIX).

**sénat** 1213, *Fet des Romains,* hist. rom. ; XVI<sup>e</sup> s., appliqué au Sénat de Venise ; 1636, Monet, polit. ; 1800, institution française fondée par Bonaparte ; lat. *senatus,* conseil des vieillards, de *senex,* vieillard. || **sénateur** 1130, *Eneas ;* lat. *senator ;* même évol. de sens. || **sénatorial** début XVI<sup>e</sup> s. ; d'après le lat. *senatorius.* || **sénatorerie** 1803, *Bull. lois.* || **sénatus-consulte** 1355, Bersuire (*senat-consult,* forme francisée) ; 1476,

Bartzsch (*senatus-consulte*), hist. rom. ; v. 1799, polit. fr., repris par Bonaparte ; lat. *senatus consultum,* « décision du sénat ». (V. CONSUL, CONSULTER.)

**séné** XIII$^e$ s., *Simples Méd.* ; lat. médiév. *sene,* de l'ar. *senā.*

**sénéchal** XI$^e$ s. (*seneschal*) ; francique **siniskalk,* latinisé en *siniscalcus* (*Loi des Alamans*), « serviteur (*skalk*) le plus âgé » (gotique *sinista,* aîné) [v. MARÉCHAL]. || **sénéchaussée** 1155, Wace (*seneschaucie*), dignité de sénéchal ; 1208, H. de Valenciennes, circonscription.

**séneçon** XII$^e$ s., Tobler-Lommatzsch (*senetion*) ; lat. *senecio,* « petit vieillard », de *senex,* vieillard (d'après les poils blancs de la plante au printemps).

**sénégali** 1760, Brisson (*sénégalis*), ornith. ; de *Sénégal,* d'après *bengali.*

**sénégalien** 1875, Lar., appliqué aux chaleurs excessives ; dér. de *Sénégal.* || **sénégalais** 1765, *Encycl.*

**sénescent** XV$^e$ s., Molinet, « qui vieillit » ; 1904, Lar., décrépit ; lat. *senescens,* part. prés. de *senescere,* vieillir, de *senex,* vieillard (v. SÉNILE). || **sénescence** 1876, Luys.

***senestre** 1080, *Roland,* « gauche » ; XVI$^e$ s., spécialisé comme terme de blason ou de zool. ; lat. *sinister,* proprem. « qui est à gauche ». (V. GAUCHE, SINISTRE.)

**sénevé** 1256, Ald. de Sienne ; lat. pop. **sinapatum,* du lat. class. *sinapi,* moutarde.

**sénile** fin XV$^e$ s., Dochez, « vieux » ; 1952, Mauriac, péjor. ; rare jusqu'en 1812, Mozin ; lat. *senilis,* de *senex,* vieillard. || **sénilement** fin XIX$^e$ s., Daudet. || **sénilité** 1836, Landais.

**senior** 1890, sport ; lat. *senior,* comparatif de *senex,* âgé. (V. JUNIOR.)

**senne** V. SEINE.

**señora** 1830, Musset ; esp. *señora,* madame, du lat. *senior,* plus âgé. || **señorita** 1951, Gide ; dim. de *señora.*

**sens** 1080, *Roland* ; lat. *sensus,* « action de sentir, organe des sens, sensation, manière de penser, etc. », de *sentire,* sentir ; a absorbé l'anc. fr. *sen,* du francique **sin* (v. ASSENER, FORCENÉ) ; le *s* final ne s'est établi dans la prononc. qu'au XVII$^e$ s. ; au sens de « direction », XII$^e$ s., *sens* est dû à l'anc. *sen,* « chemin, direction » ; au XVI$^e$ s., « signification » ; *bon sens,* 1160, G. d'Arras ; *sens commun,* 1534, Rab. ; *reprendre ses sens,* 1667, Racine ; *en ce sens que,* 1859, Sand ; *sens propre, figuré,* 1690, Furetière. || **sensé** 1629, Corneille ; d'après le lat. eccl. *sensatus.* || **insensé** 1481, *Mystère saint Adrien* ; lat. eccl. *insensatus.* || **sensément** 1531, Rab. || **non-sens** fin XII$^e$ s., Guill. le Clerc, « manque de bon sens » en anc. fr. || **contresens** 1560, Pasquier. || **sens devant derrière, sens dessus dessous** 1559, Amyot (avec l'orth. *sans*) ; 1607, Maupas (*sens*) ; altér., par attraction de *sens,* de *cen devant derrière* (1493, Coquillart), où *cen* est une var. de *ce* (*ce devant derrière,* 1283, Beaumanoir), d'après le couple de nég. *nen, ne.* (V. les dérivés suivants.)

**sensation** 1370, Oresme ; bas lat. *sensatio,* « fait de comprendre » (v. SENS) ; *faire une sensation,* 1762, Voltaire ; *à sensation,* 1877, L. || **sensationnel** fin XIX$^e$ s., Lar. ; d'après *faire sensation.* || **sensass** 1955, Esnault. || **sensationnalisme** 1964, *FEW.* || **sensationnaliste** 1965, Revel.

**senseur** 1975, Lar., techn. ; angl. *sensor,* de *sense,* sens.

**sensible** 1265, Br. Latini, philos. (*âme sensible,* par oppos. à *âme raisonnable*) ; XIV$^e$ s., Lanfranc, « capable de recevoir des impressions, perceptible » ; 1613, Régnier, « facilement ému » ; XVIII$^e$ s., « qui a des sentiments humains » ; lat. philos. *sensibilis,* de *sentire,* sentir. || **sensiblement** 1180, Barbier, « sensément » ; 1380, *Aalma,* « notablement » ; 1926, Benoît, « approximativement ». || **sensibilité** 1314, Mondeville, même évol. de sens que *sensible* ; bas lat. philos. *sensibilitas.* || **sensibiliser** 1845, Besch. || **sensibilisateur** 1871, L. || **sensibilisable** 1871, L. || **insensible** 1230, Coincy ; bas lat. *insensibilis.* || **insensibilité** 1314, Mondeville ; bas lat. *insensibilitas.* || **insensibiliser** 1784, Brissot. || **sensiblerie** 1782, Mercier. || **suprasensible** 1872, L.

**sensitif** 1265, Br. Latini, philos. ; lat. médiév. *sensitivus,* de *sensus* (v. les précéd.). || **sensitive** n. f., 1665, E. Rolland, bot. ; de *herbe sensitive* (1639, Descartes) [parce que ses feuilles se replient dès qu'on les touche]. || **sensitivité** 1856, Goncourt. || **sensitivo-moteur** 1871, L.

**sensoriel** 1839, Guérin, de *sensorium* (1726, *le Spectateur*), philos. ; bas lat. philos. *sensorium* (VI$^e$ s., Boèce), de *sentire.* || **sensorialité** 1970, Robert. || **sensori-moteur** 1879, Duval. || **sensorimétrie** 1957, Piéron.

**sensuel** 1370, Oresme, « qui recherche les plaisirs des sens » ; 1541, Calvin, « relatif aux sens » ; lat. eccl. *sensualis,* de *sensus* (v. SENS). || **sensuellement** XV$^e$ s., G. || **sensualité** 1190, *saint Bernard,* « faculté de percevoir les sensations » ; même évol. de sens que l'adj. ; lat. eccl. *sensualitas.* || **sensualisme** 1803, Boiste, philos. || **sensualiste** 1812, Mozin.

***sente** 1155, Wace ; lat. *semĭta.* || **sentier** 1080, *Roland ;* peut-être du subst. lat. pop. **sēmitarius,* du lat. class. *sēmitarius,* « qui se tient dans les ruelles ».

**sentence** 1155, Wace, jurid. ; 1580, Montaigne, « maxime, avis moral » ; lat. *sententia,* aux deux sens, de *sentire,* au sens de « juger ». || **sentencieux** XIII$^e$ s., *Bataille des sept arts ;* lat. *sententiosus.* || **sentencieusement** 1546, Rab. || **sentencier** 1530, Palsgrave.

**senteur, sentier** V. SENTIR, SENTE.

**sentiment** 1190, *Saint Bernard* (*sentement,* conservé jusqu'au XVI$^e$ s., encore 1544, M. Scève) ; 1314, Mondeville (*sentiment,* forme refaite) ; de *sentir* (v. ce mot). || **sentimental** 1769, trad. du *Voyage sentimental* de Sterne ; mot angl. issu du fr. *sentement.* || **sentimentalement** 1827, Matoré. || **sentimentalisme** 1801, Mercier. || **sentimentaliste** 1842, *Acad.* || **sentimentalité** 1804, Bonnafé. || **dissension** 1160, Benoît ; lat. *dissensio.* || **dissentiment** 1580, Montaigne ; anc. fr. *dissentir* (XV$^e$ s., Gréban), du lat. *dissentire,* être en désaccord, de *sentire,* sentir. || **ressentiment** XIV$^e$ s. (*ressentement*) ; 1544, *Papiers Granvelle* (*ressentiment*) ; de *ressentir* (v. SENTIR).

**sentine** 1185, *Aliscans,* « milieu corrompu » ; début XIII$^e$ s., mar. ; lat. *sentina,* « fond de la cale », d'où « rebut, lie ».

**sentinelle** XV$^e$ s., Basselin ; ital. *sentinella,* de *sentire* au sens de « entendre », du lat. *sentire.*

***sentir** 1080, *Roland,* « percevoir une odeur » ; XIII$^e$ s., Tobler-Lommatzsch, « exhaler une odeur » ; lat. *sentire.* || **senteur** 1354, *Modus.* || **ressentir** 1190, Garnier. (V. SENTIMENT.)

***seoir** 980, *Passion* (*seder*) ; 1155, Wace (*seoir*), « être assis », et au fig. « convenir », seul empl. conservé depuis le XVII$^e$ s. ; lat. *sedēre,* être assis. || **messeoir** fin XII$^e$ s., Couci. (V. ASSEOIR, SÉANCE, SÉANT, SEYANT, SURSEOIR.)

**sep** V. CEP.

**sépale** 1790, Necker, bot. ; création arbitraire, du rad. de *séparer* et de la finale de *pétale.* || **sépaloïde** 1871, L.

**séparer** 1314, Mondeville ; lat. *separare.* || **séparément** 1370, Oresme. || **séparable** 1372, Corbichon ; lat. *separabilis.* || **séparabalité** 1700, Dumas. || **séparation** 1314, Mondeville ; lat. *separatio.* || **séparatif** fin XVI$^e$ s., Vigenère, gramm. ; lat. *separativus.* || **séparateur** 1560, Paré ; 1875, L., n. m., techn. ; lat. *separator.* || **séparatiste** 1650, Saumaise, eccl. (secte anglaise) ; 1796, *le Néologiste fr.,* ext. de sens ; 1845, Besch., polit. ; angl. *separatist,* de (*to*) *separate,* du lat. *separare.* || **séparatisme** 1721, Trévoux, relig. ; 1860, Belly, polit. || **inséparable** XII$^e$ s., de Gauchy ; lat. *inseparabilis.*

**sépia** 1791, Valmont (*seppie*) ; 1835, *Acad.* (*sépia*) ; ital. *seppia,* seiche, d'où « couleur tirée de la seiche ». (V. SEICHE.) || **sépiole** 1799, Lamarck, zool. ; lat. sc. *sepiola,* de *sepia,* seiche. || **sépion** 1933, Lar. ; prov. *sepioun.*

**seps** 1562, du Pinet, zool. ; mot lat., du gr. *sêps.*

***sept** 980, *Passion* (*sep*) ; fin XII$^e$ s. (*sept*) ; lat. *septem.* || **septième** 1050, *Alexis* (*sedme*) ; 1119, Ph. de Thaon (*setme*) ; fin XII$^e$ s. (*septime*) ; 1207, Villehardouin (*setieme*), lat. *septimus ;* cf. *centième,* pour le suff. ; *septime* est conservé comme terme d'escrime. || **septièmement** 1479, Vaganay. || **septillion** 1520, La Roche. || **septimo** 1842, *Acad. ;* loc. lat. *septimo loco,* en septième lieu. || **septain** milieu XVII$^e$ s., jurid. ; 1872, L., métr. || **septante** 1120, *Ps. d'Oxford* (*setante,* puis avec *p* d'après le lat.), auj. rég. (Belgique, Suisse) ; lat. *septuaginta.* || **septantième** 1530, Palsgrave. || **septidi** 1793, Fabre d'Églantine ; lat. *dies,* jour. || **septénaire** 1495, J. de Vignay ; lat. *septenarius.* || **septolet** 1964, Lar.

**septembre** fin XII$^e$ s., Villehardouin (*setembre,* puis *p* d'après le lat.) ; lat. *septembris,* à l'origine « le septième mois de l'année ». (V. SEPT.) || **septembral** 1534, Rab. || **septembriseur** 1792, Brunot. || **septembrisade** 1793, *Journal de la Montagne ;* d'après les exécutions de septembre 1792.

**septennal** 1330, *G. de Roussillon ;* rare avant 1755, abbé Prévost ; bas lat. *septennalis,* de *septem* (v. SEPT) et *annus* (v. AN). Cf. *biennal, triennal, quinquennal.* || **septennalité** 1829, Boiste. || **septennat** 1823, B. W. ; d'après *décanat,* etc. || **septentrion** 1155, Wace ; lat. *septemtrio,* au pl. *septemtriones,* proprem. « les sept bœufs » (désignait les sept étoiles de la Grande Ourse), de *septem* (v. SEPT). || **septentrional** XIV$^e$ s., Mondeville ; lat. *septemtrionalis.*

**septique** 1538, Canappe, « qui fait pourrir » ; 1845, Besch., « qui putrifie », en parlant de microbes ; lat. *septicus,* du gr. *sêptikos,* de *sêpeîn,* pourrir. || **septicité** 1824, *Mémoires Acad.* || **septicémie** 1847, d'après P. Robert ; gr. *haima,* sang. || **septicémique** 1857, Monneret. || **septicide** 1808, Boiste. || **antisepsie** XIXe s. ; d'après le gr. *sêpsis,* putréfaction. || **antiseptique** 1763, Adanson.

**septo-,** lat. *septum,* cloison. || **septomycètes** 1964, Lar., bot. || **septotomie** 1964, Lar., chir.

**septuagénaire** 1380, *Aalma ;* bas lat. *septuagenarius,* de *septuageni,* distributif de *septuaginta.* (V. SEPT.)

**septuagésime** 1190, *Saint Bernard ;* lat. eccl. *septuagesima* (s.-e. *dies*), « le soixante-dixième jour », de *septuaginta.* (V. SEPT.)

**septuor** 1829, Fétis ; de *sept* sur le modèle de *quatuor.*

**septuple** 1458, *Mystère,* adj. ; 1484, Chuquet, n. m. ; bas lat. *septuplus,* de *septem* (v. SEPT). || **septupler** 1493, B. W., rare avant 1771, Trévoux.

**sépulcre** 980, *Passion,* « sépulture » ; début XIIIe s., *Saint-Sépulcre ;* lat. *sepulcrum,* de *sepelire,* ensevelir. || **sépulcral** 1487, Garbin, au pr. ; XVIIe s., « lugubre ». || **sépulture** 1112, *Voy. saint Brendan* (*sepouture*) ; lat. *sepultura.*

**séquelle** 1369, Quemada (*sequele*) ; 1964, Robert, pathol. ; lat. *sequela,* suite, de *sequi,* suivre (v. SÉQUENCE).

**séquence** 1170, G. de Saint-Pair, mus. ; 1534, Rab., jeu ; 1925, Mandelstamm, cinéma ; XXe s., linguist., etc. ; bas lat. *sequentia,* « suite », de *sequi,* suivre (v. SÉQUELLE). || **séquentiel** 1957, Lar. || **séquencer** 1975, Lar.

**séquestre** 1281, Tanquerey, jurid. ; *en séquestre,* 1613, M. Régnier ; 1380, *Aalma,* gardien du séquestre ; lat. jurid. *sequestrum,* pour le premier sens, et lat. jurid. *sequester,* « médiateur », d'où « gardien du séquestre », pour le deuxième sens. || **séquestrer** 1260, *Vie saint Osith* (*séquestré*) ; 1370, Oresme, jurid., confier à une tierce personne ; 1560, Paré, enfermer illégalement ; lat. jurid. *sequestrare.* || **séquestration** 1403, Fréville ; lat. jurid. *sequestratio.*

**sequin** 1400, G. (*essequin*) ; 1540, Pélissier (*chequin*) ; 1595, Villamont (*sequin*) ; monnaie vénitienne ; ital. *zecchino,* mot vénitien, lui-même de l'ar. *sikkī,* « pièce de monnaie », de *sekka,* « coin à frapper la monnaie ».

**séquoia** 1871, L. ; lat. scient. *sequoia,* du chef indien *See-Quayah.*

**sérac** 1572, G. (*sérat*) ; 1796, Saussure (*sérac*) ; mot savoyard et suisse-romand (avec un *c* mal expliqué) signif. « fromage caillé », du lat. *serum,* petit-lait (v. SÉRUM).

**sérail** fin XIVe s., Chr. de Pisan ; var. *serrail* jusqu'en 1740 ; ital. *serraglio* (avec *r* double, par attraction de *serrare,* fermer, *serraglio,* clôture), du turco-persan *sarāy,* palais. (V. CARAVANSÉRAIL.)

**séran** XIe s., *Gloses de Raschi* (*cerens*), « peigne » ; 1265, J. de Meung (*serans*), « carde pour le chanvre » ; peut-être d'un gaulois **ker-,* peigne, et du suff. celt. *-entios* (cf. l'irl. *cîr,* peigne). || ***sérancer** XIIIe s., Taillar (*cerencier*) ; lat. pop. **cerentiare,* d'orig. gauloise. || **sérançage** 1845, Besch.

**sérancolin** 1676, Félibien ; du n. *Sarrancolin.*

**séraphin** 1080, *Roland ;* lat. eccl. *seraphim, seraphin,* mot hébreu au plur., de *saraph,* brûler (v. Isaïe, VI, 2). || **séraphique** 1460, Chastellain ; lat. eccl. *seraphicus.* || **séraphiser** 1803, Boiste.

**serdeau** 1440, Chastellain, officier de bouche ; altér. de *sert d'eau,* « celui qui sert de l'eau ».

1. ***serein** 1175, Chr. de Troyes (*serain*) ; 1265, J. de Meung (*serin*) ; adj., au pr. « sans nuages », et au fig. « exempt de trouble » ; lat. *sērēnus* (avec var. de suff. dans l'anc. *seri*). || **rasséréner** 1544, M. Scève. || **rassérénement** 1834, Landais.

2. **serein** 1138, Gaimar (*serain*) ; n. m., « soir » ; de *seir,* forme anc. de *soir,* du lat. **seranus,* de *serus,* tardif.

**sérénade** 1555, L. Labé ; ital. *serenata,* « ciel serein », d'où, sous l'infl. de *sera,* soir, « concert donné le soir » (1703, Trévoux).

**sérénissime** XIIIe s., rare avant le milieu du XVe s. ; ital. *serenissimo,* superlatif de *sereno.*

**sérénité** 1190, *Saint Bernard* (*sereniteit*) ; surtout empl. au sens moral, en fr. anc. et mod. ; lat. *serenitas.* (V. SEREIN 1.)

**séreux** V. SÉRUM.

***serf** Xe s., *Passion,* jurid. ; fig., XIIIe s. ; lat. *servus,* esclave. || **servage** fin XIIe s., *Rois.* || **asservir** XIIe s. ; XIXe s., fig. ; d'après *servir.* || **asservissement** 1443, Delb. (V. SERVIR, SERVITEUR.)

***serfouir** 1265, J. de Meung (*cerfoïr*) ; lat. pop. **circumfodire,* du lat. class. *circumfodere,*

« creuser autour » (v. FOUIR). || **serfouette** 1534, Rab. (*cerfouette*) ; 1578, Vigenère (*sarfouette*). || **serfouage** fin XVI$^e$ s. || **serfouissage** 1812, Mozin.

***serge** 1175, Chr. de Troyes (*sarge,* encore au XVII$^e$ s.) ; 1360, *Archives* (*serge,* par fausse régression) ; lat. pop. **sarica,* altér. du lat. class. *sērica,* fém. substantivé de *sēricus,* « de soie », de l'adj. gr. *sêrikos,* de *sêr,* « ver à soie », de *Sêres,* désignant les Sères, peuple d'Asie. || **serger** XIV$^e$ s., du Cange (*sargillier*) ; 1669, *Règlem. sur les manuf.* (*serger*), n. m. || **sergé** 1771, Garsault. || **sergette** 1366, G. || **sergetterie** 1723, Savary.

***sergent** 1050, *Alexis,* « serviteur » ; en anc. et moy. fr., « homme d'armes » et « officier de justice » ; *sergent de bataille,* 1534, *Doc. ;* d'où, milieu XVII$^e$ s., Ménage, « celui qui met les soldats en rang » ; XVIII$^e$ s., « sous-officier » ; *sergent de ville,* 1829, *Ordonnance* du préfet de police Debelleyme ; lat. *servientem,* acc. de *serviens,* part. prés. de *servire,* « être au service » ; empl. métaph., en menuiserie, 1549, R. Est. || **sergent-major** 1587, La Noue. || **sergent-chef** 1876, Lar.

**séricicole** 1837, *Ann. de la Soc. séricicole ;* du lat. *sericus,* de soie (v. SERGE), et de *-cole.* || **sériciculture** 1845, Besch. || **sériciculteur** 1859, Raibaud. || **sérigraphie** ou **séricigraphie** 1949, Lar. || **séricigène** 1871, L.

**série** 1715, Varignon ; lat. *series.* || **sérier** 1815, Mirbel. || **sériel** 1843, Proudhon ; 1947, Leibowitz. || **sérialiser** 1975, Lar. || **sérialisation** 1975, Lar.

**sérieux** 1370, Oresme ; bas lat. *seriosus,* du lat. class. *serius.* || **sérieusement** 1380, *Aalma.* || **sériosité** fin XVI$^e$ s., Brantôme.

**serin** 1478, B. W., « oiseau » ; 1821, Desgranges, « niais » ; anc. prov. *serena, sirena,* « guêpier » (oiseau à plumage vert), du bas lat. *sirena,* lat. class. *siren,* du gr. *seirên,* « sirène » (espèce d'oiseau, et abeille sauvage). || **seriner** 1555, Belon, « chanter comme un serin » ; 1808, Boiste, fig. || **serinette** 1739, Ch. de Brosses.

**seringa** 1600, O. de Serres ; lat. bot. *syringa,* « seringue », parce que le bois, vidé de sa moelle, a servi à faire des seringues. (V. le suiv.)

**seringue** XIII$^e$ s., *Simples Méd.* (*ceringue*) ; lat. méd. *syringa,* « seringue à injection », de l'acc. gr. *surigga,* de *surigx,* roseau, flûte (v. le précéd.). || **seringuer** 1547, J. Martin. || **seringage** 1871, L.

**sériole** 1827, *Acad.,* ichtyol. ; anc. prov. *serra,* scie, du lat. *serra.*

**sérique** V. SÉRUM.

***serment** 842, *Serments* (*sagrament*) ; 1120, *Ps. de Cambridge* (*serement*) ; 1415, Ch. d'Orléans (*serment*) ; lat. *sacramentum,* « dépôt soumis aux dieux en gage de bonne foi », puis emploi mod., qui a éliminé en ce sens *jusjurandum ;* lat. *sacrare,* rendre sacré, de *sacer,* sacré (v. SACREMENT). || **assermenter** XII$^e$ s., *Aspremont,* passé dans le vocab. polit. pendant la Révolution.

**sermon** 980, *Passion,* eccl. ; 1191, *Couronn. Loïs,* fig., fam. ; lat. *sermo,* « conversation », et en lat. eccl. « discours en chaire ». || **sermonner** début XII$^e$ s., *Couronn. Loïs,* « prêcher » ; 1160, Benoît, « exhorter ». || **sermonneur** 1220, Coincy. || **sermonnaire** 1595, Benedicti.

**séro-, sérosité** V. SÉRUM.

**sérotine** 1871, L. ; lat. *serotinus,* tardif.

***serpe** début XIII$^e$ s., *Renart* (*sarpe*) ; 1530, Marot (*serpe,* par fausse régression) ; lat. pop. **sarpa,* de *sarpere,* tailler, émonder. || **serpette** 1350, G. || **serpillon** 1272, G.

***serpent** 1080, *Roland ;* parfois fém. en anc. fr. ; lat. *serpens, -tis,* part. prés. de *serpere,* ramper : proprem. « le rampant », euphémisme qui a éliminé le lat. class. *anguis* (v. ANGUILLE). || **serpenteau** 1160, Benoît (*serpential*). || **serpenter** XIV$^e$ s. || **serpentiforme** 1824, Raymond. || **serpentement** 1614, Nostredame. || **serpentueux** 1836, Mérimée. || **serpentin** 1130, *Eneas ;* d'abord adj. ; XV$^e$-XVI$^e$ s., canon ; 1893, *D. G. ;* lat. *serpentinus.* || **serpente** XIV$^e$ s., Bozon, fém. de *serpent ;* 1680, Richelet, sorte de papier. || **serpentaire** XIII$^e$ s., *Simples Méd.,* n. f., bot. ; 1819, *Nouv. Dict. sc. nat.,* n. m., zool. ; du lat. *serpentaria,* et du lat. scient. *serpentarius* (Linné). || **serpigineux** 1560, Paré ; bas lat. *serpigo, -inis,* de *serpere.*

**serpillière** fin XII$^e$ s., *Alexandre* (*sarpillière*) ; XIII$^e$ s. (*serpillière ;* pour la var. de la voyelle initiale, cf. *serge, serpe*), étoffe de laine ; 1650, Scarron, toile d'emballage, puis toile grossière de nettoyage ; peut-être lat. pop. **sirpicularia,* « étoffe de jonc », du lat. class. *scirpiculus,* de *scirpus, sirpus,* jonc.

**serpolet** début XVI$^e$ s., J. Lemaire de Belges ; mot prov., dimin. de *serpol* (1387, G. Phébus), du lat. *serpullum,* thym.

**serpule** 1800, Boiste, zool. ; lat. *serpullum,* de *serpere,* ramper.

**serratule** 1562, du Pinet (*serratula*) ; 1615, Daléchamps (*serratule*), bot. ; lat. *serratula,* de *serra,* scie, à cause des feuilles en dents de scie.

***serrer** fin XI<sup>e</sup> s., *Chanson Guillaume,* « tenir fermé » ; XII<sup>e</sup> s., *Roncevaux,* « étreindre, presser », seul sens conservé en fr. mod. ; lat. pop. **serrāre,* altér., peut-être par croisement avec *ferrum,* fer, du bas lat. *serāre* (IV<sup>e</sup> s., Prudence), « fermer avec une barre », de *sera,* barre, clôture ; 1240, La Curne, « mettre en sûreté ». || **serrage** 1643, Fournier. || **serre** fin XII<sup>e</sup> s., *Alexandre,* « action de serrer » ; 1188, Aimon de Varennes, « branche d'un mors » ; 1175, Chr. de Troyes, « prison » ; 1564, J. Thierry, serre d'oiseau de proie ; XVI<sup>e</sup> s., endroit où l'on tient enfermé (prison) ; 1660, Oudin, hortic. || **serrement** début XVI<sup>e</sup> s. || **serrure** XI<sup>e</sup> s., *Gloses de Raschi* (*seredure*) ; de *serrer* au sens anc. de « fermer ». || **serrurier** 1268, É. Boileau. || **serrurerie** 1268, É. Boileau. || **desserrer** XII<sup>e</sup> s. ; en anc. fr., égalem. « laisser partir, lancer ». || **desserre** fin XV<sup>e</sup> s., Marot, « détente » (d'une arbalète), d'où *dur à la desserre,* XV<sup>e</sup> s., fig. || **enserrer** XII<sup>e</sup> s. || **resserrer** fin XII<sup>e</sup> s., *Ogier.* || **resserrement** 1550, Meigret. || **resserre** 1629, *Archives.* || **serre-feu** 1808, Boiste. || **serre-file** 1678, Guillet. || **serre-freins** 1871, L. || **serre-joint** 1845, Besch. || **serre-livres** 1949, Lar. || **serre-nez** 1871, L. || **serre-papiers** 1720, Havard. || **serre-tête** 1573, Du Puys. || **serre-tout** 1888, Daudet.

**serrure** V. SERRER.

***sertir** XII<sup>e</sup> s., *Roman Alexandre* (*sartir*), « ajuster, joindre avec des coutures » ; XIV<sup>e</sup> s. (*sertir,* par fausse régression, v. SERGE), spécialisé ; lat. pop. **sartīre,* de *sartus,* part. passé de *sarcire,* raccommoder. || **sertissure** début XIV<sup>e</sup> s. || **sertissage** 1871, L. || **sertisseur** 1847, Besch. || **sertissoir** 1964, Lar. || **serte** 1827, *Acad.* || **dessertir** XII<sup>e</sup>-XIV<sup>e</sup> s. (*dessartir*), « défaire » ; 1798, *Acad.* (*dessertir*), sens mod.

**sérum** 1478, Chauliac (*sérot*), liquide qui constitue le sang ; 1888, Chantemesse et Widal, empl. thérapeutique ; lat. *serum,* petit-lait. || **séreux** 1363, Chauliac. || **séreuse** 1810, Capuron. || **sérosité** fin XV<sup>e</sup> s., en parlant des humeurs. || **sérique** 1933, Lar. || **sérologie** 1916, Garnier. || **sérothérapie** 1888, Ch. Richet. || **sérotonine** 1961, Galli. || **séro-diagnostic** 1896, d'après P. Robert. || **sérovaccination** 1923, Lar.

**servage** V. SERF.

**serval** 1761, Buffon, zool., chat-tigre ; port. *cerval,* cervier. (V. CERF, LOUP-CERVIER.)

**servant, servante** V. SERVIR.

**service** 1050, *Alexis* (*servise*) ; 1207, Villehardouin (*service*), état de servage, puis devoirs envers le suzerain ; XIV<sup>e</sup> s., ext. de sens d'après *servir,* notamment « ce qu'on sert sur la table » ; lat. *servitium,* esclavage, servitude, et, en lat. médiév., « devoirs du vassal ».

**serviette** 1328, Varin, « linge dont on se sert » ; a éliminé l'anc. fr. *touaille,* serviette, nappe (du germ. **thwhlja*), et *essuette* (v. ESSUYER) ; 1840, Larchey, porte-documents ; de *servir* (v. ce mot). || **serviette-éponge** 1890, Havard.

**servile** 1355, Bersuire ; lat. *servilis,* « d'esclave », égalem. fig., de *servus* (v. SERF). || **servilement** 1370, Oresme. || **servilité** 1542, Derozier, rare avant la fin du XVIII<sup>e</sup> s.

***servir** X<sup>e</sup> s., *Eulalie ;* lat. *servīre,* « être esclave », et par ext. « servir » (v. SERF). || **servant** début XII<sup>e</sup> s., *Voy. de Charl.,* part. passé substantivé. || **servante** 1330, *Glossaire Vatican.* || **serveur** 1240, Ph. de Novare (*serveor*) ; 1739, Restaut (*serveur*) ; 1904, Lar., sports. || **serviable** 1160, *Eneas,* réfection de *servisable,* d'après *amiable.* || **desservir** 1050, *Alexis,* « desservir la messe » ; 1398, *Ménagier,* « enlever ce qui est servi » ; XVII<sup>e</sup> s., « rendre un mauvais service » ; lat. *deservire,* servir avec zèle. || **desserte** 1155, Wace, action de servir la messe ; 1838, *Acad.,* « action d'assurer les communications » ; 1907, « meuble pour desservir ». || **dessert** 1540, Rab., « action de desservir » ; 1539, R. Est., « dernier service » ; part. passé de *desservir.* || **desservant** début XIV<sup>e</sup> s., rare jusqu'au XVIII<sup>e</sup> s. || **resservir** fin XIII<sup>e</sup> s., Rutebeuf. (V. SERVIETTE, SERVITEUR.)

**serviteur** 1050, *Alexis ;* bas lat. *servitor,* de *servīre.* (V. SERVIR.)

**servitude** 1265, J. de Meung ; lat. *servitudo,* de *servīre,* être esclave.

**servo-,** lat. *servire,* servir. || **servocommande** 1964, Lar. || **servofrein** 1923, Lar. || **servomécanisme** 1949, Lar. || **servomoteur** 1869, J. Farcot. || **servorégleur** 1975, *Lexis.*

**sésame** 1298, *Voy. de Marco Polo ;* lat. *sesamum,* du gr. *sêsamon,* d'orig. orientale. || **sésamoïde** 1552, Ch. Est. ; lat. *sesamoides,* mot gr.

**sesbanie** 1730, d'après P. Robert ; lat. scient. *sesbanas,* de l'arabo-persan, *sisabân.*

**sesquialtère** 1377, Oresme ; lat. *sesquialter,* de *sesqui,* une fois et demie, et *alter,* autre. || **sesquioxyde** 1829, *Annales chimie.*

**sessile** 1611, Cotgrave, bot. ; lat. *sessilis,* de *sessus,* part. passé de *sedēre,* être assis.

**session** 1120, *Ps. d'Oxford,* fait ou manière d'être assis (jusqu'au XVIe s.) ; 1462, Bartzsch, séance ; 1657, du Gard, polit., à propos de l'Angleterre ; 1750, Prévost d'Exiles, à propos des assemblées françaises ; XIXe s., pour les tribunaux ; en anc. fr., du lat. *sessio,* de *sessus,* part. passé de *sedēre,* être assis ; au sens eccl., du lat. *sessio* en empl. eccl. ; au sens polit., de l'angl. *session,* lui-même issu du lat. *sessio* au sens de « séance ».

**sesterce** 1537, La Grise ; lat. *sestertium.*

**set** 1896, *FEW ;* mot angl. désignant une manche au jeu de tennis ; 1895, Bourget, « clan » ; 1933, Lar., « napperon ».

**sétacé** 1808, Boiste ; lat. *seta,* soie.

**setier** fin XIe s., *Gloses de Raschi,* anc. mesure de capacité ; lat. *sextarius,* proprem. « sixième partie ». || **demi-setier** 1560, Paré. || **sétérée** 1276, G., hist. ou dial.

**séton** 1363, Chauliac, méd., « mèche de coton qu'on passe dans la peau » ; lat. méd. médiév. *seto,* de l'anc. prov. *sedon,* de *seda,* fil de soie de porc ; *blessure en séton,* XIXe s. (V. SOIE.)

**setter** 1835, Bonnafé, sorte de chien ; mot angl.

***seuil** 1120, Benoît (*suel*) ; début XIIIe s., *Renart* (var. *soil*) ; 1354, *Modus* (*seuil,* refait d'après les autres mots en *-euil*) ; lat. *sŏlum,* sol, par oppos. au linteau, et avec infl. possible de *solea,* plante du pied. (V. SOLE 1, 2, 3.)

***seul** 980, *Passion* (*sul, sol*) ; 1175, Chr. de Troyes (*seul*) ; *à seule fin,* 1649, *Conf. de Piarot et Janin,* pop., altér. de *à celle fin que,* XVe s., où *celle* était adj. ; lat. *sōlus.* || **seulement** XIIe s., *Parthenopeus ;* ext. de sens dès l'anc. fr. || **seulet** 1160, Benoît. || **souleur** XIIe s., *l'Escoufle,* d'abord « solitude », puis « frayeur subite », arch. || **esseulé** fin XIIe s., J. Érart.

***sève** 1265, J. de Meung ; lat. *sapa,* vin cuit, qui devait signifier proprem. « suc » (cf. *sapor,* « jus », chez Pline).

**sévère** fin XIIe s., *Grégoire,* « austère », rare avant le XVIe s. ; 1499, Bartzsch, « cruel » ; lat. *severus ;* a pris, pendant la guerre de 1914-1918, le sens de « grave » (*défaite, perte sévère*), d'après l'angl. *severe.* || **sévèrement** 1539, R. Est. || **sévérité** XIIe s., *Dialogues Grégoire ;* lat. *severitas.*

**sévir** début XVe s., Ch. d'Orléans ; lat. *saevire,* être furieux, d'où « commettre des violences, des cruautés », de *saevus,* furieux, violent. || **sévices** 1399, Delb., rare avant le XVIIe s. ; lat. *saevitia,* violence, cruauté.

***sevrer** 1080, *Roland,* séparer ; fin XIIe s., *l'Escoufle,* spécialement « séparer du sein », d'où « cesser de faire téter » ; lat. pop. *seperare,* du lat. class. *separāre* (v. SÉPARER). || **sevrage** 1741, Andry ; a remplacé *sevrement* (1380, *Aalma*).

**sexagénaire** 1425, *D. G. ;* lat. *sexagenarius,* de *sexageni,* distributif de *sexaginta.* (V. SOIXANTE.)

**sexagésime** 1380, *Aalma ;* lat. *sexagesima* (s.-e. *dies*), proprem. « le soixantième jour » (avant Pâques). || **sexagésimal** 1680, Richelet ; lat. *sexagesimus,* soixantième.

**sexe** fin XIIe s., *Grégoire* (*sex*), rare avant le XVIe s. ; lat. *sexus.* || **sex-appeal** 1931, Simenon, d'après une pièce de théâtre américaine ; comp. angl. signif. « appel du sexe, attrait sexuel ». || **sexage** 1975, *Lexis.* || **sexer** 1980, Lar. || **sexisme** 1948, Guitton. || **sexiste** 1975, Lar. || **sexué** 1880, Spencer. || **asexué** XXe s. || **sexuel** 1742, d'Argenville ; bas lat. *sexualis.* || **sexuellement** 1899, d'après P. Robert. || **sexualité** 1838, Virey. || **sexualisme** 1775, Senebier. || **sexualiser** 1964, Robert. || **sexologie** 1949, Lar. || **sexologue** 1964, Lar. || **sexonomie** 1933, Lar. || **sexy** XXe s., adj. ; mot anglo-amér. || **sex-shop** 1975, Lar. ; angl. *sex-shop,* de *sex,* sexe, et *shop,* boutique.

**sextant** 1553, J. Martin, mar. ; lat. scient. *sextans,* mot tiré par l'astronome Tycho Brahé du lat. *sextans,* « sixième partie », parce que le *sextant* porte une partie graduée d'un sixième de circonférence. (V. SIX.)

**sexte** 1080, *Roland* (*siste*) ; 1611, Cotgrave, eccl. ; lat. *sexta* (*hora*), la sixième (heure). [V. SIX.]

**sextidi** 1793, Fabre d'Églantine, sixième jour de la décade dans le calendrier républicain. (V. SIX.)

**sextil** 1377, Oresme, astron. ; lat. *sextilis,* sixième. (V. BISSEXTIL.)

**sextine** 1611, Cotgrave, métr. ; lat. *sextus.* (V. SIX.)

**sexto** 1842, *Acad.* ; ellipse de la loc. lat. *sexto loco,* en sixième lieu.

**sextolet** 1888, Lar., mus. ; lat. *sextus,* d'après *triolet* (v. ce mot et SIX).

**sextuor** 1775, *journ.* ; fait avec le lat. *sex* (v. SIX), sur le modèle de *septuor.*

**sextuple** 1484, Chuquet ; bas lat. *sextuplus,* de *sextus* (v. SIX). || **sextupler** 1493, G., rare avant le milieu du XVIII^e^ s. (1798, *Acad.*).

**seyant** 1872, L., adj. ; var. de *séant,* part. prés. adjectivé de *seoir* (v. ces mots).

**sforzando** 1799, Parny, mus. ; mot italien, de *sforzare,* renforcer.

**sgraffite** 1680, Richelet (*sgrafit*), anc. fresque ; ital. *sgraffito,* égratigné, de *graffito,* dessiné.

**shah** V. SCHAH.

**shake-hand** 1798, Casanova, *Mém.* ; rare avant 1840, Musset ; angl. (*to*) *shake,* secouer, et *hand,* main (le mot angl. est *handshake*).

**shaker** 21 mai 1895, *le Gourmet,* récipient à cocktails, à glaces ; angl. *shaker,* ce qui secoue, de (*to*) *shake,* secouer. (V. le précéd.)

**shako** 1761, Montandre (*schako*) ; hongrois *csako.*

**shampooing** 1890, Lar. ; angl. *shampooing,* massage, de l'hindi *tchāmpō,* presser. || **shampooiner** 1968, *journ.*

**shantung** 1910, Colette ; 1964, Lar. (*shantoung*) ; du n. de la province chinoise qui produit ce tissu.

**shérif** 1547, *Corr. Odet de Selve* (*cherray*) ; 1601, L'Estoile (*chérif*) ; 1680, *Conspiration* (*sheriff*), géogr. ; mot angl. signif. « officier de comté », de *shire,* comté.

**sherpa** 1950 ; du n. des *Sherpas,* peuple montagnard du Népal.

**sherry** 1786, B. W. (*sherry*) ; 1819, *Une année à Londres* (*cherry*) ; mot angl., nom anc. de la ville de *Xérès,* puis vin de Xérès. || **sherry-brandy** fin XIX^e^ s., avec l'élém. *brandy,* du néerl. *brandewijn.*

**shilling** 1558, Perlin (*chelin*) ; 1656, Laurens (*shilling*) ; mot angl. désignant une unité monétaire.

**shimmy** v. 1920, Mackenzie, danse amér. ; XX^e^ s., autom. ; mot anglo-amér.

**shintoïsme** 1765, *Encycl.* ; de *shinto,* mot japonais désignant une des religions du Japon. || **shintoïste** 1904, Lar.

**shirting** 1855, *Catal. de l'Exposition univ.,* textile ; mot angl., de *shirt,* chemise.

**shocking** 1842, Balzac ; mot angl. signif. « choquant », d'orig. fr.

**shogun** 1875, *Rev. des Deux Mondes* ; mot japonais, du chinois *chiang,* conduire, et *chung,* armée.

**shoot** 1904, *le Monde illustré,* football ; mot angl., de (*to*) *shoot,* lancer. || **shooter** 1905, Pontié, verbe. || **shooteur** XX^e^ s.

**shopping** 1868, Bonnafé ; mot angl., de *shop,* boutique.

**short** 1933, Lar., vêtement ; mot angl., de l'adj. *short,* court.

**show-business** 1965, *l'Express* ; mot angl., de *show,* spectacle, et *business,* affaires.

**shrapnell** ou **shrapnel** 1827, Foy, comme terme angl. ; vulgarisé vers 1860 ; mot angl., du nom de l'inventeur, le général *Shrapnel* (1761-1842).

**shunt** 1881, Bonnafé, électr. ; mot angl. || **shunter** 1888, Lar.

1. ***si** 842, *Serments,* conj. ; lat. *sī* (var. *se, sed* [fin XI^e^ s., *Alexis*], usuelle jusqu'au XVI^e^ s., issue du lat. pop. *se* [VI^e^ s.], altér. de *sī* d'après *quĭd,* empl. en bas lat. comme conj.). || **sinon** 1495, Commynes ; de l'anc. fr. *si* (*se*)... *non* (1080, *Roland*).

2. **si** 842, *Serments,* adv., « ainsi » ; auj., affirmation adversative, et « tellement » devant adj. ou adv. ; lat. *sīc,* ainsi. || **aussi** XII^e^ s., de *si* de l'anc. pron. *al* (var. *el*), « autre chose », du lat. pop. *āle,* réfection de *alid,* var. du lat. *aliud,* neutre de *alius,* autre. (V. AINSI.)

3. **si** 1690, Furetière, note de mus. ; des initiales du lat. *sanctus Johannes,* saint Jean. (V. UT.)

**sial** 1918, d'après P. Robert, géol. ; des premières syllabes de SI*licium* et AL*uminium.* || **sialique** 1970, Robert.

**sialagogue** 1741, Villars, méd. ; gr. *sialon,* salive, et *agôgos,* qui amène, de *ageîn,* conduire, proprem. « qui fait saliver ». || **sialogène** 1970, Robert. || **sialographie** 1964, Lar. || **sialorrhée** 1871, L.

**siamois** 1868, Lar., méd. ; de la désignation de deux jumeaux nés au *Siam,* qui vécurent de 1811 à 1874, et qui étaient réunis par une membrane à la hauteur de la poitrine. || **siamoise** fin XVIIe s., n. f., étoffe apportée à Louis XIV par les ambassadeurs de Siam en 1688.

**sibilant** 1842, Mozin ; lat. *sibilans,* part. prés. de *sibilare,* siffler. || **sibilance** 1871, L. || **sibilation** 1672, La Mothe Le Vayer ; bas lat. *sibilatio.*

**sibylle** 1213, *Fet des Romains* (*sebile*), antiq. ; XIIIe s., *Romania,* fig., souvent péjor. ; lat. *sibylla,* mot gr. || **sibyllin** 1220, Coincy, « de la sibylle » ; fin XIXe s., Daudet, « secret » ; lat. *sibyllinus.*

**sic** 1842, *Acad.,* adv. ; mot lat. signif. « ainsi ».

**sicaire** fin XIIIe s., La Curne ; lat. *sicarius,* de *sica,* poignard à lame recourbée, mot thrace.

**siccatif** 1495, B. W. (*seccitif*) ; rare avant 1642, Oudin ; lat. méd. *siccativus* (IIIe s., C. Aurelius), d'après *siccare,* sécher, de *siccus,* sec. || **siccité** 1425, O. de La Haye ; lat. *siccitas,* sécheresse. || **siccativité** 1949, Lar.

**sicle** 1170, *Rois,* monnaie juive ; lat. eccl. *siclus,* du gr. eccl. *siklos,* de l'hébreu *cheqel,* « monnaie d'argent ou d'or », proprem. « poids ».

**side-car** 1888, Lar., « voiture irlandaise à deux places et à sièges parallèles dos à dos » ; 1912, *journ.,* sens mod. ; mot angl., de *side,* côté, et *car,* voiture.

**sidéral** 1520, trad. de Suétone ; lat. *sideralis,* de *sidus, -eris,* astre. || **sidéré** 1530, Marot, « influencé par les astres » ; 1752, Trévoux, poét., « céleste » ; 1842, Mozin, méd. ; XIXe s., fig., fam., « stupéfait » ; bas lat. *sideratus,* frappé de paralysie, de *siderari,* « être placé sous l'influence maligne des astres ». || **sidérer** 1894, Sachs-Villatte, fig. || **sidération** 1549, G., « nécrose », méd. et astrol. ; lat. *sideratio,* influence maligne des astres. || **sidérant** 1871, L., « qui anéantit » ; 1897, Gasser, « qui plonge dans la stupeur ». || **sidérostat** 1871, L., instrument inventé par Foucault ; formé avec l'élém. *-stat.*

**sidéré** V. SIDÉRAL.

**sidér(o)-,** gr. *sidêros,* fer. || **sidérite** 1549, Rab. (*pierre sidérite*) ; 1615, Binet (*sideritis*) ; 1755, abbé Prévost, minér. ; lat. *sideritis,* mot gr., proprem. « pierre de fer ». || **sidérographie** 1835, Raymond. || **sidérolite** 1876, Lar. || **sidérolitique** 1871, L. || **sidéropénie** 1964, Lar. ; gr. *penia,* manque. || **sidérose** 1845, Besch. || **sidérurgie** 1823, Boiste ; gr. *sidêrourgia,* travail du fer, de *ourgon,* travail. || **sidérurgique** 1871, L. || **sidéroxylon** 1765, *Encycl.*

**sidérurgie** V. SIDÉR(O)-.

**sidi** 1847, Nerval, appellatif ; 1928, Bauche, péjor., pop. ; mot ar., appellatif signif. « mon seigneur », compris par les Européens au sens de « monsieur ».

***siècle** Xe s., *Eulalie* (*seule*), « vie mondaine », d'après le lat. eccl. ; 1080, *Roland* (*secle*), sens gén. ; 1175, Chr. de Troyes (*siegle*) ; XIIIe s., *Berte* (*siecle*) ; 1675, Furetière, « période de temps » ; lat. *saecŭlum.*

***siège** 1080, *Roland,* « lieu où l'on s'établit » et « place où l'on s'assied » ; 1138, Gaimar, milit. ; lat. pop. **sĕdĭcum,* de **sĕdĭcare,* dér. de *sedēre,* être assis. || **siéger** 1611, Cotgrave. || **assiéger** 1080, *Roland* (*asseger*), milit.

**sien, sienne** V. SON 1.

**sierra** 1765, d'après P. Robert, géogr. ; esp. *sierra,* scie.

**sieste** 1660, Sévigné (*siesta*) ; 1715, Lesage (*sieste*) ; esp. *siesta,* du lat. *sexta* (*hora*), « la sixième heure » (midi, d'après la division romaine du jour). || **siester** 1872, *J. O.*

***sieur** 1292, du Cange, anc. cas régime de *sire ;* lat. pop. **seiorem* (v. SIRE) ; encore honorifique au XVIIe s., puis cristallisé comme terme jurid., ou péjor. (V. MONSIEUR.)

***siffler** 1155, Wace ; fin XVIe s., d'Aubigné, « appeler » ; 1964, Lar., « désapprouver » ; 1904, Lar., « boire » ; lat. pop. **sīfīlāre,* var. du lat. class. *sibilare.* || **sifflant** 1552, R. Est., adj. || **sifflante** 1701, Furetière. || **sifflet** milieu XIIIe s., Tobler-Lommatzsch ; var. *siblet,* 1280, Joinville. || ***sifflement** XIIe s., *Dialogues Grégoire* (*ciflement*) ; 1398, E. Deschamps (*sifflement*). || **siffleur** 1537, B. W. || **sifflage** 1781, *Arrêt,* vétér. || **siffloter** 1841, *les Français peints par eux-mêmes.* || **sifflotement** 1885, Daudet. || **persifler** 1745, *Lettres d'un François.* || **persiflage** 1735, d'Alembert. || **persifleur** 1755, Prévost d'Exiles.

**sigillé** 1350, *Romania ;* lat. *sigillatus,* orné de figurines, de *sigillum* (v. SCEAU). || **sigillaire** 1806, Lunier. || **sigillographie** 1852, Migne. || **sigillographique** 1852, Migne.

**sigisbée** 1736, d'Argens ; ital. *cicisbeo,* galant, d'orig. obscure, peut-être mot expressif (cf. le vénitien *cici,* au XVIIIe s., « babil des femmes »).

**sigle** 1712, *Mémoires Trévoux ;* bas lat. jurid. *sigla,* pl. neutre, « signes abréviatifs ». || **siglaison** 1964, Lar. || **siglique** 1975, Lar.

**sigma** 1673, Blondel ; mot gr., lettre de l'alphabet grec corresp. à *s.* || **sigmatique** 1871, L. || **sigmoïde** 1654, Gelée ; de *sigma* et gr. *eidos,* forme.

**signal** 1220, *Anseïs de Carthage ;* réfection, d'après *signe,* de l'anc. fr. *seignal,* lat. pop. *signāle,* neutre substantivé de *signālis,* « de signe », de *signum,* signe. || **signaler** 1572, Ronsard (*seignaler*), « rendre remarquable » ; 1772, Bourdé, « appeler l'attention sur » ; 1587, La Noue (*se signaler*). || **signalé** 1578, H. Est. (*segnalé*), « remarquable » ; ital. *segnalato,* part. passé de *segnalare,* « rendre illustre », de *segnale,* du lat. *signalis.* || **signalement** 1718, *Acad.* || **signalétique** 1835, Raymond. || **signaleur** 1888, Lar. || **signalisation** 1909, Lar. || **signaliser** 1909, Lar., surtout au part. passé.

**signataire, signature** V. SIGNER.

**signe** Xe s., *Saint Léger ;* lat. *signum ;* a éliminé du lexique usuel la forme *seing* (v. ce mot). || **signet** fin XIIIe s., *Apollonius* (*sinet*), « petit seing » ; 1660, Sévigné, sens mod.

***signer** 1080, *Roland* (*seignier*) ; XIVe s. (*signer,* d'après *signe*), « marquer d'un signe », et aussi « faire le signe de la croix » (d'où *se signer,* 1535, Rab.) ; XVe s., « apposer sa signature » ; lat. *signāre,* mettre un signe, de *signum* (v. le précéd.). || **signataire** 1791, Danton. || **signature** 1430, *Revue.* || **contresigner** 1415, *Ordonnance.* || **soussigné** 1507, *Revue ;* d'après le lat. *subsignāre.*

**signet** V. SIGNE.

**signifier** 1080, *Roland* (*signefier*) ; lat. *significare,* de *signum* (v. SIGNE). || **signifiant** 1565, Ronsard, adj., hors d'usage depuis la fin du XVIIIe s. (encore chez Mme de Staël) ; 1916, F. de Saussure, n. m., linguist. || **signifiance** 1080, *Roland* (*senefiance*) ; 1422, A. Chartier (*signifiance*). || **signifié** 1916, F. de Saussure, n. m., linguist. || **signification** 1119, Ph. de Thaon (*signefication*) ; lat. *significatio.* || **significatif** 1495, Vignay ; bas lat. *significativus.* || **insignifiant** 1778, Vergennes. || **insignifiance** 1785, Domergue.

**sil** 1562, Du Pinet, argile ; mot lat.

**silence** 1190, *Saint Bernard ;* 1718, *Acad.,* interj. ; lat. *silentium,* de *silere,* rester silencieux. || **silencieux** XVIe s. ; lat. *silentiosus.* || **silencieusement** 1792, *Revue.* || **silenciaire** 1611, Cotgrave, hist. ; lat. *silentiarius.* || **silencer** 1874, Barbey d'Aurevilly.

**silène** 1765, *Encycl.,* bot. ; 1791, Valmont, macaque ; lat. bot. *silene* (*inflata*), par métaph., du nom du dieu romain *Silenus,* qu'on représentait gonflé comme une outre.

**silésienne** 1686, trad. de Draper (*toile de Silésie*) ; 1904, Lar. (*silésienne*) ; du nom de la *Silésie,* pays où cette étoffe fut d'abord fabriquée.

**silex** 1556, R. Le Blanc ; mot lat. signif. « pierre dure, caillou ». (V. SILICE.) || **silexé** 1876, Lar.

**silhouette** 1759, *à la silhouette,* loc. ironique, caractérisant un passage rapide ; du nom du contrôleur général E. de Silhouette, qui, parvenu aux affaires en mars 1759, devint vite impopulaire et tomba en novembre de la même année ; puis *portrait à la silhouette,* 1782, Mercier ; d'où *silhouette,* n. f., 1788, Havard, pour les objets ébauchés ; 1841, Chateaubriand, pour les personnes. || **silhouetter** v. 1865, Thoré-Bürger.

**silice** 1787, Guyton de Morveau ; lat. *silex, -icis* (v. SILEX). || **siliceux** 1780, Thouvenel. || **silicium** 1810, Berzelius. || **silicique** 1818, Riffaut. || **silicifère** 1871, L. || **silicifié** 1871, L. || **silicate** début XIXe s. || **silicicole** 1871, L., bot. || **silicone** 1876, Lar. || **siliconé** 1963, Léry. || **silicose** 1945, Lar., méd. || **siliciure** 1830, *Dict. méd.*

**silique** 1372, Corbichon, bot., « cosse » ; lat. *siliqua.* || **siliqueux** 1549, Maignan. || **silicule** 1557, Dodoens ; lat. *silicula.*

**sillage** 1574, Bessard ; de *siller* (*seiller,* 1330, *Baudouin de Sebourg*), mar., dér. de *sillon* (v. ce mot) ; XXe s., fig.

**sillet** 1642, Oudin (*cillet*), saillies d'un manche de violon marquant les notes ; ital. *ciglietto,* de *ciglio,* cil, et au fig. « bord ».

**sillon** 1160, Benoît (*seillonet,* dimin.) ; début XIIIe s., *Renart* (*sellon,* jusqu'au XVIIe s.), « bande de terrain laissée à un paysan », puis « sillon » ; de même orig. que l'anc. fr. *silier,* labourer, d'un rad. gaulois **selj-,* « amasser la terre ». || **sillonner** 1539, R. Est. (*seilonner*) ; XVIIe s. (*sillonner*), « marquer » ; fin XVIe s., « traverser ».

**silo** 1685, *Tour du monde,* « cachot » ; 1775, Béguillet (*syro,* avec *r* d'après le lat.), « fosse » ; esp. *silo,* du lat. *sīrus,* gr. *seiros,* fosse à blé. || **silotage** 1923, Lar. || **ensiler** 1842, *Acad.* (*ensilage*). || **ensileur** 1877, L.

**silphe** 1803, Boiste, zool. ; gr. *silphê,* blatte.

**silure** 1558, Thevet, poisson ; lat. *silurus,* du gr. *silouros.*

**silurien** 1839, de Beaumont, géol. ; angl. *silurian,* tiré en 1839 par Murchison du lat. *silures,* désignant les anciens habitants de la région d'Angleterre (Shropshire) où ce terrain fut étudié.

**silvaner** 1868, Lar. ; mot allem.

**simagrée** XIIIe s., de Fournival ; orig. obscure, p.-ê. de l'anc. fr. *si m'agrée,* « ainsi cela m'agrée ».

**simarre** 1606, L'Estoile ; ital. *zimarra,* de l'esp. *zamarra,* de l'ar. *sammūr,* belette. (V. CHAMARRER.)

**simaruba** 1665, Breton (*chimalouba*) ; 1729, *Hist. Acad.* (*simarouba*) ; mot caraïbe. || **simarubacées** 1816, Candolle (*simaroubées*) ; 1872, L. (*simaroubacées*).

**simbleau** 1690, Fur., techn. ; var. de *singleau, cingleau.* (V. CINGLER 2.)

**simiesque** 1844, Balzac ; lat. *simius,* singe. || **simien** 1842, *Acad.*

**similaire** 1539, Canappe ; lat. *similis,* semblable. || **similairement** 1891, Goncourt. || **similitude** 1220, *Queste del Saint Graal ;* lat. *similitudo,* ressemblance. || **similarité** 1875, Lar. || **similibronze** 1878, Lar. || **similicuir** 1964, Lar. || **similigravure** 1904, Lar. || **simili** 1875, Lar., adj., en musique ; n. m., 1881, Huysmans ; abrév. de *similigravure.* || **similiste** 1964, Lar. || **similor** 1742, Malouin.

**similitude** V. SIMILAIRE.

**simonie** 1190, Garn., eccl. ; lat. eccl. médiév. *simonia,* du nom de *Simon* (*le Magicien*), qui avait tenté de corrompre Pierre et Paul pour obtenir le don de conférer le Saint-Esprit. || **simoniaque** 1372, J. de Salisbury ; lat. eccl. médiév. *simoniacus.*

**simoun** 1777, Mackenzie ; angl. *simoon,* de l'ar. *samūm.*

***simple** 1138, Gaimar, adj. ; lat. *simplus,* var. de *simplex,* proprem. « formé d'un seul élément », d'où « simple, sans artifice ». || **simple** XIIIe s. (*simple médecine,* par oppos. à *médecine composée*) ; 1560, Paré, n. m. ; le masc. est dû à l'infl. de *médicament,* ou du lat. médiév. *medicamentum simplex.* || **simplesse** 1131, *Couronn. Loïs.* || **simplement** 1160, *Tristan.* || **simplet** 1180, *Enfances Vivien.* || **simplicité** 1120, *Ps. de Cambridge ;* lat. *simplicitas.* || **simpliste** 1578, Chauvelot, marchand de simples ; 1611, Cotgrave, adj. || **simplisme** 1829, Fourier. || **simplifier** 1403, *Internele Consolacion* (*simplefier*) ; lat. médiév. *simplificare.* || **simplifiable** 1871, L. || **simplification** 1470, *Livre disc.* || **simplificateur** fin XVIIIe s., Mercier.

**simulacre** 1170, *Rois,* « statue, image » ; XVIe s., apparence ; lat. *simulacrum,* image, représentation, de *simulare,* reproduire, imiter.

**simuler** 1330, Digulleville, surtout jurid. jusqu'au XIXe s. ; lat. *simulare,* au sens de « feindre ». || **simulation** 1265, J. de Meung ; lat. *simulatio.* || **simulateur** XIIIe s., « contrefacteur » ; 1525, Cretin, « qui ment » ; 1845, Besch., méd. ; 1960, *journ.,* appareil. || **dissimuler** 1360, Oresme ; lat. *dissimulare,* cacher. || **dissimulation** 1190, *Saint Bernard ;* lat. *dissimulatio.* || **dissimulateur** 1493, Coquillart ; lat. *dissimulator.*

**simultané** 1701, *Mémoires Trévoux ;* lat. médiév. *simultaneus,* du lat. class. *simultas,* compétition, pris au sens de « simultané », d'après le lat. *simul,* « ensemble, en même temps ». || **simultanément** 1788, Féraud. || **simultanéité** 1754, Bonnet. || **simultanéisme** 1908, Lar.

**sinanthrope** 1933, Lar. ; lat. *Sina,* Chine, et gr. *anthrôpos,* homme.

**sinapiser** 1478, Chauliac ; lat. méd. *sinapizare,* du gr. *sinapizeîn,* de *sinapi* (v. SANVE). || **sinapisme** 1560, Paré ; lat. méd. *sinapismus,* du gr. *sinapismos.*

**sincère** 1308, Aimé ; lat. *sincerus.* || **sincèrement** 1607, Hulsius. || **sincérité** 1280, G., « pureté » ; 1495, Vignay, sens mod. ; lat. *sinceritas.* || **insincérité** 1845, Fr. Wey.

**sinciput** 1538, Canappe, anat. ; lat. *sinciput, -itis,* proprem. « moitié de la tête » (de *semi* et *caput*), d'où « devant de la tête » (v. OCCIPUT). || **sincipital** 1793, Lavoisien.

**sinécure** 1715, Lesage, *Rem. sur l'Angleterre* (*sinecura*) ; 1804, Saint-Constant (*sinécure*), pour des usages fr. ; angl. *sinecure,* de la loc. lat. *sine cura,* « sans souci », d'abord appliquée à des charges eccl.

**sine die** 1888, Lar. ; loc. lat. signif. « sans fixer le jour », de *sine,* sans, et *dies,* jour.

**sine qua non** (*condition*) 1565, *Lettres Cath. de Médicis ;* loc. du lat. scolaire, proprem. « (condition) sans laquelle non ».

***singe** 1119, Ph. de Thaon ; 1538, R. Est., « imitateur » ; 1842, Esnault, « patron » ; lat. *sīmius,* var. de *sīmia ; payer en monnaie de singe,* 1552, Rab., par allusion à l'usage des montreurs de singe, qui payaient le péage en faisant jouer leur singe. || **singerie** 1347, G. li Muisis. || **singer** 1170, La Harpe. || **singesse** 1180, Marie de France. (V. SIMIESQUE.)

**single** 1896, d'après P. Robert, « un simple » au tennis, et « compartiment de wagon-lit pour un voyageur » ; mot angl. signif. « seul », de l'anc. fr. *sengle,* du lat. *singuli,* un par un.

**singleton** 1767, *FEW,* terme de whist et de bridge ; angl. *singleton,* de *single,* seul, de l'anc. fr. *sengle,* du lat. *singulus* (v. le précéd.).

**singularité** V. SINGULIER.

**singulier** 1190, Garn. (*singuler*) ; fin XIIIe s. (*singulier,* par changem. de suff.), « qui concerne un seul », et terme de gramm. ; XIVe s., « qui se distingue des autres » ; XVe s., péjor. ; lat. *singularis,* proprem. « seul ». || **singulièrement** 1190, *Saint Bernard.* || **singularité** 1190, *Saint Bernard* (*singulariteit*) ; bas lat. *singularitas.* || **singulariser** 1530, Palsgrave ; *se singulariser,* 1690, Furetière ; de *singulier,* d'après le lat. *singularis.* (V. SANGLIER.)

**sinistre** 1415, N. de Baye, adj. ; lat. *sinister,* « qui est à gauche », d'où « défavorable ». || **sinistre** 1485, Barbier, n. m. ; ital. *sinistro,* adj. substantivé, de même orig. que le précéd. || **sinistré** 1870, *Gazette des tribunaux,* adj. || **sinistrement** 1403, *Chartes.* || **sinistrose** 1908, Brissaud. || **sinistrogyre** 1904, Lar.

**sinologie** 1836, Raymond ; lat. *Sina,* Chine. || **sinologique** 1836, Raymond. || **sinologue** 1819, Boiste. || **sinisant** 1975, *Lexis.* || **siniser** 1942, Auboyer. || **sinophile** 1975, Lar. || **sinophobe** 1975, Lar.

**sinon** V. SI 1.

**sinople** 1138, *Saint Gilles* (*sinopre*), blas., couleur rouge ; XIVe s., couleur verte ; lat. *sinopis,* mot gr., « terre de Sinope » (de couleur rouge).

**sinoque** 1902, Esnault, « bille » ; 1929, Esnault, « fou ».

**sinueux** 1539, Canappe ; lat. *sinuosus,* de *sinus,* pli (v. SEIN). || **sinuosité** 1552, Ch. Est., d'après le lat. *sinuosus.* || **sinuer** 1789, Olivier.

1. **sinus** 1539, Canappe, anat. ; mot lat. signif. « pli, repli ». || **sinusite** 1904, Lar. || **sinusal** 1953, Lar.

2. **sinus** 1544, Apian, géom., demi-corde de l'arc double ; lat. médiév. *sinus,* trad. (par confusion avec le précéd.) de l'ar. *djayb,* « ouverture d'un vêtement ». || **cosinus** 1717, Grischow. || **sinusoïde** 1750, *Grande Encycl.* || **sinusoïdal** 1872, L.

**sionisme** 1886, d'après P. Robert ; du nom de *Sion,* montagne de Jérusalem. || **sioniste** 1886, d'après P. Robert.

**sipho-,** lat. *sipho,* du gr. *siphôn.* || **siphoïde** 1875, Lar. || **siphomycètes** 1934, Quillet. || **siphonophores** 1842, *Acad.*

**siphon** 1320, *Geste des Chiprois,* « trombe » ; 1546, Rab., techn. ; lat. *sipho,* du gr. *siphôn.* || **siphonner** 1871, L. || **siphonnement** 1871, L. || **siphonage** 1875, *Gazette des tribunaux.*

***sire** 980, *Valenciennes* (cas sujet), « seigneur » ; XIVe s., désigne le souverain ; XVIIe s., péjor. ; lat. pop. *seior,* forme fam. de *senior* (v. SEIGNEUR, SIEUR). || **messire** XIIe s. ; de *sire* et *mes,* anc. cas sujet sing. de *mon.*

**sirène** fin XIe s., *Gloses de Raschi* (*syrène*) ; 1265, Br. Latini (*sereine*) ; XVIe s. (*sirène*) ; bas lat. *sirena* (IIIe s., Tertullien), du lat. class. *siren,* mot gr. || **sirénidés** 1848, d'après P. Robert. || **sirénien** 1811, d'après P. Robert. (V. SERIN.)

**sirli** 1778, Buffon, ornith. ; onomat.

**sirocco** 1265, Br. Latini (*siloc*) ; 1441, Em. Piloti (*siroc*) ; 1575, J. Des Caurres (*siroco*) ; 1598, Villamont (*sirocco*) ; ital. *scirocco,* de l'ar. *suruq,* lever du soleil, de *sarq,* est.

**sirop** 1175, Chr. de Troyes ; lat. médiév. *sirupus,* de l'ar. méd. *charāb,* « boisson » (v. SORBET). || **sirupeux** 1742, Geoffroy ; d'après le lat. *sirupus.* || **siroter** 1620, Binet (*siroper*), « traiter par des sirops » ; 1680, Richelet (*siroter*), sens mod. || **siroteur** 1680, Richelet.

**sirupeux, sis** V. SIROP, SEOIR.

**sisal** 1910, Etesse ; du nom *Sisal,* port du Yucatán (Mexique) ; nom usuel de l'agave d'Amérique.

**sismique, sismographe, sismologie,** etc. V. SÉISME.

**sison** 1545, Guéroult, bot. ; mot lat., du gr. *sisôn.*

**sissonne** 1691, Monchesnay (*pas de sissonne*), danse (altéré parfois en *si-sol*) ; du nom du comte de *Sissonne,* qui l'aurait inventée.

**sistre** 1527, Marot ; lat. *sistrum,* du gr. *seîstron.*

**sisymbre** 1545, Guéroult (*sisymbrion*), bot. ; lat. *sisymbrium,* du gr. *sisumbrion.*

**site** 1576, A. Du Cerceau ; ital. *sito,* de l'anc. fr. *site,* place, du lat. *situs,* situation. || **sitomètre** 1964, Lar.

**sit-in** 1971, *journ.* ; loc. angl., de *to sit,* s'asseoir.

**sitôt** 1460, Chastellain (*sistost*) ; *de sitôt,* 1777, Féraud ; *sitôt que,* 1273, Adenet ; de *si* et *tôt.*

**sittelle** 1778, Buffon, pivert ; lat. scient. *sitta,* du gr. *sittê.*

**situer** 1290, *Livre Roisin ; se situer,* 1677, Bossuet ; lat. médiév. *situare,* de *situs* (v. SITE). || **situation** 1375, R. de Presles.

***six** 1080, *Roland* (*sis ;* puis *six,* d'après le lat.) ; lat. *sex.* || **sixième** 1190, *saint Bernard* (*seixime ;* puis *sixième,* v. CENTIÈME pour le suff.). || **sixièmement** XV^e s., G. || **six-quatre-deux** (à la) 1867, Delvau. || **sizain** 1180, *Girart de Roussillon* (*sisain*), « sorte de petite monnaie » ; 1650, Molière, métrique.

**sixte** 1611, Cotgrave, mus. ; spécialisation au fém. de l'anc. fr. *sixte,* var. orthogr. de *siste,* « sixième », adapt. du lat. *sextus,* d'après *six.*

**sizain** V. SIX.

**skating** 1875, Bonnafé, « patinage » ; 1877, L., « lieu où l'on patine », abrév. de l'angl. *skating-rink ;* mot angl., de (*to*) *skate,* patiner.

**skeet** 1975, *Lexis ;* mot angl. signif. « pelle ».

**skeleton** 1899, *la Vie au grand air ;* mot angl. signif. « squelette, charpente ».

**sketch** 1903, Bonnafé ; mot angl. signif. « esquisse ».

**ski** 1841, *Magasin pitt.* (*skie,* encore 1875, Lar.) ; vulgarisé par le Club alpin à partir de 1890 ; norvégien *ski,* peut-être par l'angl. *ski, skie ;* prononcé d'après la lecture, car *ski* se prononce *chi* en norvégien, en angl., en all. || **skier** début XX^e s. || **skieur** 1904, Lar. || **ski-bob** 1968, *journ.* || **téléski** XX^e s. || **après-ski** XX^e s.

**skiascopie** 1902, Comby, méd. ; gr. *skia,* ombre, et *-scopie.*

**skiff** 1851, Ph. Chasles ; angl. *skiff,* lui-même issu du fr. *esquif.*

**skipper** 1773, Bonnafé ; mot angl. signif. « patron ».

**skunks** V. SCONSE.

**slalom** 1908, Hök ; norvégien *slalom,* de *sla,* incliné, et *lâm,* trace de ski. || **slalomeur** 1936, *journ.* || **slalomer** 1975, *Lexis.*

**slang** 1856, Fr. Michel ; mot angl. signif. « jargon ».

**slave** XVII^e s., Ménage ; anc. slave *slava,* gloire. || **slavon** 1759, Voltaire. || **slavisme** milieu XIX^e s., Ph. Chasles. || **slaviste** 1876, *Rev. critique.* || **slavisant** 1904, Lar. || **slavophile** 1852, *Doc.*

**sleeping-car** 1872, J. Verne ; mot angl. signif. « voiture (*car*) à dormir (*to sleep*) ».

**slip** 1885, Pairault, « laisse » ; 1914, *Catalogue Williams,* « cache-sexe » ; angl. *slip,* petit morceau d'étoffe.

**slogan** 1842, *Acad.,* « cri de guerre écossais » ; 1930, G. Duhamel, formule de publicité ; mot angl., d'orig. écossaise, signif. « cri de guerre », du gaélique *sluagh,* troupe, et *gairm,* cri.

**sloop** 1725, Mackenzie ; mot angl., du néerl. *sloep,* du moy. fr. *chaloppe.* (V. CHALOUPE.)

**sloughi** 1845, Daumas, lévrier d'Afrique ; ar. maghrébin *slūgi,* lévrier.

**slow** 1925, d'après P. Robert ; abrév. de l'angl. *slow-fox,* de *slow,* lent, et *fox,* de *fox-trot.*

**smack** 1875, *J. O. ;* mot angl., du néerl.

**smala** ou **smalah** 1843, *journ.* (au moment de la prise de la smala d'Abd el-Kader), au pr. ; 1867, Delvau, fig., péjor. ; ar. d'Algérie *zmāla,* proprem. « réunion de tentes ».

**smalt** 1536, Havard (*semalte*), verre bleu ; ital. *smalto,* « émail ». (V. ÉMAIL.) || **smaltine** 1845, Besch.

**smaragdite** 1779, Saussure, minér. ; lat. *smaragdus* (v. ÉMERAUDE). || **smaragdin** 1510, G., « émeraude » ; 1752, Trévoux.

**smart** 1850, en canadien fr. ; 1898, *Journ. des débats,* « élégant, chic » ; mot angl. signif. « cuisant, piquant ».

**smash** 1894, Bonnafé ; mot angl. signif. « écraser ». || **smasher** 1906, *les Sports.*

**smectique** 1778, Villeneuve, minér. ; gr. *smêktikos,* de *smêlzhein,* nettoyer.

**smicard** 1971, *journ. ;* du sigle *S.M.I.C.* (salaire minimum interprofessionnel de croissance).

**smilax** 1583, E. Le Lièvre ; mot lat., du gr. *smilax ;* nom scientif. de la *salsepareille.*

**smille** 1676, Félibien, « marteau de maçon » ; bas lat. *smila,* scalpel, du gr. *smilê,* instrument pour couper. || **smiller** 1676, Félibien. || **smillage** 1845, Besch.

**smocks** 1933, Lar. ; mot angl. signif. « chemise de femme ».

**smoking** 1890, Rostand, *Musardises ;* ellipse de *smoking-jacket* (1889, P. Bourget), mot angl. signif. « jaquette pour fumer », de (*to*) *smoke,* fumer.

**snack-bar** milieu XX^e^ s. ; mot angl., de *snack,* portion, et *bar* (v. ce mot). || **snack** 1958, Daninos ; abrév.

**snob** 1857, Guiffrey, trad. du *Livre des snobs,* de Thackeray ; vulgarisé dans la seconde moitié du XIX^e^ s. ; mot angl., de l'argot des étudiants de Cambridge, désignant les étrangers à l'université, en angl. « homme de basse condition », et partic. « garçon cordonnier ». || **snober** 1921, Proust. || **snobisme** 1867, Delvau. || **snobinette** 1898, J. Lemaitre, *Discours à la séance des cinq Acad.* || **snobinard** XX^e^ s.

**snow-boot** v. 1885, *journ. ;* mot angl., de *boot,* botine, et *snow,* neige, « bottine pour la neige ».

**sobre** 1170, *Rois ;* lat. *sobrius.* || **sobrement** 1190, *saint Bernard.* || **sobriété** fin XII^e^ s. ; lat. *sobrietas.*

**sobriquet** XIV^e^ s., Du Cange, « coup sous le menton » (*souzbriquet*) ; XV^e^ s., G., qualificatif ; orig. inconnue, p.-ê. dér. de *sous.*

***soc** 1155, Wace ; lat. pop. **sŏccus,* du gaulois **succos,* suc (cf. l'irl. *socc,* « museau »). || **bissoc** 1853, *Almanach.* || **ensochure** fin XIX^e^ s., *D. G.*

**sociable** 1330, *Renart le Contrefait ;* lat. *sociabilis,* de *sociare,* unir, associer (v. les suiv.). || **sociabilité** 1665, Chapelain. || **insociable** 1552, Ch. Est. || **insociabilité** 1721, Montesquieu.

**social** 1375, R. de Presles (*vie socielle*) ; 1601, P. Charron (*vie sociale*) ; peu usité avant le milieu du XVIII^e^ s. (surtout après le *Contrat social* de J.-J. Rousseau, 1761) ; valeur polit. à partir de 1831, Lamennais ; lat. *socialis,* « fait pour la société », de *socius,* compagnon ; *question sociale, parti social,* 1834, V. Considérant ; *la sociale,* 1848, chans., ellipse de *la république sociale.* || **social-démocrate** 1907, *l'Illustration.* || **social-chrétien** 1945, Lar. || **socialement** XV^e^ s. || **socialité** XVI^e^ s., Amyot. || **socialiser** 1786, Grivel, rendre social ; 1842, C. Pecqueur, sens écon. mod. || **socialisation** 1836, *Acad.* || **socialisme** XVIII^e^ s., appliqué à l'école du juriste Grotius ; 23 novembre 1831, *le Semeur,* écon. polit. || **socialiste** XVIII^e^ s., avec la même évolution que *socialisme* au XIX^e^ s. (en angl. en 1822) ; *démocrate-socialiste,* 1869, tract ; *parti socialiste,* 1871, rapport du préfet du Nord. || **socialisant** adj., 1840, C. Pecqueur. || **antisocial** 1776, d'Holbach.

**société** 1165, Gaut. d'Arras, « association » ; 1649, La Rochefoucauld, « compagnie religieuse ou commerciale » ; lat. *societas,* de *socius,* compagnon, associé. || **sociétaire** 1788, Féraud, membre d'une société, sens qui survit seul auj. ; 1808, Ch. Fourier, pour désigner son école. || **sociétariat** 1871, L. || **sociologie** 1830, Aug. Comte, du rad. de *société* et de l'élém. *-logie,* d'après *géologie,* etc. || **sociologique** 1871, L. || **sociologue** 1904, Lar. || **sociologisme** 1907, Lar. || **sociométrie** 1964, Lar. || **socioculturel** 1965, *journ.* || **sociodrame** 1951, Palmade. || **socio-éducatif** 1965, *journ.* || **sociogenèse** 1961, Delay. || **sociogramme** 1964, Lar. || **sociolinguistique** 1968, Lar.

**socinien** XVII^e^ s., Bossuet ; du nom de l'Italien *Socin,* créateur de cette secte relig. || **socinianisme** 1691, Jurieu.

**socle** 1636, *Mémoires hist. Paris ;* ital. *zoccolo,* « sabot », du lat. *socculus,* brodequin. (V. SOCQUE.)

**socotrin** 1564, Liébault (*succocitrin*) ; 1672, Charras (*succotrin*) ; 1743, Geffroy (*socotrin*) ; aloès originaire de *Socotora,* île de la mer Rouge. (V. CHICOTIN.)

**socque** 1611, Cotgrave, chaussure de bois (sabot de religieux) ; 1690, Furetière, antiq. ; lat. *soccus.*

**socquette** 1930, *journ. ;* angl. *sock,* « bas », d'après *chaussette.*

**socratique** 1555, Pontus de Tyard ; gr. *sôkratikos,* disciple de Socrate.

**soda** 1842, *Acad. ;* abrév. de l'angl. *soda-water* (empr. v. 1820, Jouy), « eau de soude ».

**sodé** V. SOUDE.

**sodium** 1807, Davy ; angl. *soda,* lui-même issu du lat. médiév. *soda* (v. SOUDE). || **sodique** 1831, Berzelius. || **sodalite** 1845, Besch. ; de *soda,* élément tiré de *sodium.*

**sodomie** 1370, Oresme ; du nom de *Sodome,* ville de Palestine réputée pour ses débauches, d'après la Bible (Genèse, XIII, XVIII et XIX). || **sodomite** 1130, *Eneas ;* lat. eccl. *sodomita,* « habitant de Sodome ». || **sodomiser** 1587, G. ; rare avant 1871, L.

***sœur** 1080, *Roland* (*soer,* cas objet, var. *seror ; suer* au cas sujet) ; lat. *sorōrem,* acc., pour le cas objet, disparu très tôt, et *soror,* nominatif, pour le cas sujet, qui a seul survécu. || **sœurette** 1458, B. W., d'abord « religieuse ». || **consœur** 1342, G., « femme d'une même confrérie » ; XX^e^ s., fém. de *confrère* pour certaines activités littéraires et artistiques ou dans certaines professions libérales. (V. SORORAL.)

**sofa** 1560, Postel, « estrade couverte de coussins » ; 1657, La Boullaye, « divan » ; ar. *suffa,* « coussin », par l'interméd. du turc *sofa.*

**soffite** n. m., 1676, Félibien ; ital. *soffitto,* plafond, du lat. pop. **suffictus,* en lat. class. *suffixus,* part. passé de *suffigere,* suspendre.

**software** 1966, *journ. ;* mot angl., de *soft,* mou, et *ware,* marchandise.

***soi, soi-disant** V. SE, DIRE.

***soie** fin XI^e^ s., *Gloses de Raschi* (*seide*) ; lat. pop. *sēta,* en lat. class. *saeta,* « poil rude, poil de porc », et en bas lat. « matière filée par le ver à soie » ; a éliminé en ce sens *bombyx* et *sericum* (v. SERGE) ; *papier de soie,* 1871, *J. O.* || **soierie** 1328, Douët d'Arcq. || **soyeux** 1380, *Aalma,* adj. ; XIX^e^ s., n. m., fabricant de soieries. || **ensoyer** XIII^e^ s.

***soif** 1050, *Alexis* (*sei, soi*) ; 1175, Chr. de Troyes (*soif,* avec *f* dû à la fausse analogie des mots du type *buef, bœuf,* pl. *bues,* ou du type *nois,* cas sujet [de *nix*], et *noif,* cas objet [de *nivem,* v. NEIGE]) ; lat. *sitis.* || **soiffer** 1802, d'Hautel. || **soiffeur** milieu XIX^e^ s., Lhéritier, suppl. aux *Mémoires* de Vidocq. || **soiffard** 1843, Dupeuty. || **assoiffer** 1607, Montlyard. || **assoiffé** adj., fin XIX^e^ s.

**soigner** 1160, *Charroi,* « s'occuper de, veiller à » (v. tr. et intr.) ; égalem., du XII^e^ au XVI^e^ s., « avoir des soucis », « être préoccupé » ; 1636, Monet, « donner des soins » ; francique **sunnjôn,* « s'occuper de ». || **soin** 1080, *Roland.* || **soigneux** adj., 1120, *Job.* || **soigneur** n. m., 1907, Lar. || **soigneusement** fin XII^e^ s., *Dialogues Grégoire.* || **soignante** 1964, Lar. || **aide-soignante** n. f., XX^e^ s. ; part. prés. substantivé.

**soin** V. SOIGNER.

***soir** 980, *Passion* (*seir*), n. m. ; 1080, *Roland,* adv. ; de l'adv. lat. *sērō,* « tard », de l'adj. *sērus,* tardif. || **soirée** 1180, Studer ; réfection de l'anc. fr. *serée,* XIV^e^ s. (V. SEREIN 2.) || **soiriste** 1888, Villatte. || **bonsoir** XV^e^ s.

**soit** 1175, Chr. de Troyes, conj. alternative ou interj., forme figée de la 3^e^ pers. du sing. du subj. prés. du v. *être. ; soit que,* 1541, Calvin.

***soixante** 1080, *Roland* (*seisante,* var. *soissante,* puis *soixante* avec *x* d'après le lat.) ; lat. pop. *sexantā* (IV^e^ s.), du lat. class. *sexaginta.* || **soixantième** 1138, Gaimar ; var. · *soixantisme.* (V. CENTIÈME.) || **soixantaine** 1155, Wace (*seisanteine*) ; 1399, G. (*soixantaine*). || **soixante-dix** fin XIII^e^ s. ; a éliminé l'anc. *septante* (v. ce mot). || **soixante-dixième** fin XIII^e^ s.

1. **sol** XV^e^ s., *Coustumier général* (*soul*) ; 1538, R. Est. (*sol*), terrain ; lat. *solum* (v. SEUIL et SOLE 2). || **sol-air** 1966, *journ.* || **sol-sol** 1964, *journ.* || **sous-sol** 1845, Besch. || **solifluxion** 1923, Lar., géogr. ; angl. *solifluction,* du lat. *solum,* sol, et *fluere,* couler.

2. **sol** forme archaïque de SOU.

3. **sol** mus., 1532, Rab. ; lat. *solve,* qui commence le 3^e^ vers de l'hymne de saint Jean-Baptiste. (V. UT.)

**solacier** 1175, Chr. de Troyes, « consoler » ; anc. fr. *solas,* consolation (1090, Stengel), du lat. *solacium,* de *solari,* réconforter ; il a été remplacé par *soulager.*

**solaire** 1119, Ph. de Thaon ; lat. *solaris,* de *sol,* soleil. || **solarium** 1765, *Encycl.* || **solarigraphe** 1964, Lar. || **solarimètre** 1933, Lar. || **solariser** 1877, L.

**solanacées** 1787, *Journ. de phys.* (*solanées*) ; 1876, Lar. (*solanacées*) ; lat. *solanum,* morelle (mot lat. empr. v. 1560, Paré).

1. **solandre** 1664, Solleysel, crevasse au pli du jarret du cheval ; orig. obscure (pour la finale, v. MALANDRE).

2. **solandre** 1871, L. ; 1964, Lar. (*solandra*), bot. ; du nom du naturaliste suédois *Solander.*

**soldanelle** XV^e^ s., origine languedocienne ; dér. du prov. *soltz,* viande salée, du rad. lat. *sal, salis,* sel (la soldanelle du Midi contient du sel en assez grande quantité).

**soldat** 1475, Bartzsch ; vulgarisé au XVII^e^ s. ; a remplacé *soudard* (v. ce mot) ; ital. *soldato,* de *soldare,* payer une solde. || **soldatesque** 1577, Herbillon, n. f. ; 1556, *Papiers Granvelle,* adj. ; ital. *soldatesco,* « de soldat ». (V. SOLDE 1.)

1. **solde** 1308, Aimé, n. f., paie des gens de guerre ; ital. *soldo,* n. m., proprem. « pièce de monnaie » (v. SOU) ; fém. en fr. à cause de la terminaison ; *se mettre, être à la solde de,* 1816,

Chateaubriand. || **demi-solde** 1779, *Recueil des lois.* || **solder** 1573, *Revue,* payer une solde.

2. **solde** [d'un compte] n. m. V. SOLDER 2.

1. **solder** V. SOLDE 1.

2. **solder** 1675, Savary, « arrêter un compte » ; 1772, Raynal, « acquitter ce qui reste d'un compte » ; 1877, L., « vendre des marchandises au rabais » ; ital. *saldare,* souder (v. SOUDER), adapté en *solder* d'après *solde* 1, *solder* 1, de *saldo,* solide, du lat. pop. **salidus,* de *solidus.* || **solde** n. m., 1675, Savary, « règlement d'un compte » ; 1748, Montesquieu, « ce qui reste à payer d'un compte » ; 1871, L., « vente au rabais », le plus souvent au pl. ; ital. *saldo,* francisé de même manière que le verbe. || **soldeur** 1887, B. W., marchand de soldes.

1. **sole** fin XI^e s., *Gloses de Raschi,* dessous du sabot d'un cheval ; et, au fig., divers sens techn. ; lat. *solea,* sandale. || **soléaire** 1560, Paré (*solaire*) ; 1793, Lavoisien (*soléaire*).

2. ***sole** 1213, *Fet des Romains,* pièce de charpente ; réfection, d'après les dér. *solin, solive,* etc., de l'anc. fr. *suele, seule,* du lat. pop. **sŏla,* altér. de *solea* (v. le précéd.). || **solive** fin XII^e s., *Roman Alexandre.* || **soliveau** 1296, G. (*souliviau*). || **solin** 1348, G., « intervalle entre les solives, les tuiles ». || **entresol** début XVII^e s. (*entresolle*), parfois fém. ; n. m., 1718, *Acad.* (*entresol*) ; pour *entresoles,* « ce qui est entre les soles » (proprem. « logement pris sur la hauteur d'un étage ») ; XVIII^e s., sens mod.

3. **sole** 1374, B. W., agric. (attesté par le v. *assoler*) ; empl. fig. de *sole* 2. || **assoler** fin XII^e s. || **assolement** fin XVIII^e s. || **dessoler** 1690, Furetière, faire un nouvel assolement. || **dessolement** 1700, Liger.

4. **sole** XIII^e s., *Fabliaux,* poisson ; anc. prov. *sola,* du lat. pop. **sola,* réfection de *solea* (v. SOLE 1), qui a pris ce sens à cause de la forme plate de ce poisson.

**solécisme** 1265, Br. Latini (*solœcisme*) ; 1672, Molière (*solécisme*) ; lat. *solœcismus,* du gr. *soloikismos,* de *Soloi,* Soles, ville de Cilicie : proprem. « manière de parler (défectueuse) des habitants de Soles ».

***soleil** 980, *Passion ;* lat. pop. **soliculus,* en lat. class. *sol.* || **soleillade** 1888, Daudet. || **soleillée** 1875, *J. O.* || **soleilleux** 1582, Agneaux. || **ensoleillé** 1875, L. || **ensoleillement** XX^e s.

**solen** 1694, Th. Corn., zool. ; mot lat., du gr. *sôlên,* canal, étui.

**solennel** 1190, *Saint Bernard* (*solempnel*) ; lat. *sollemnis,* orth. en bas lat. *solennis.* || **solennellement** 1190, *Saint Bernard.* || **solennité** 1120, *Ps. de Cambridge ;* lat. *sollemnitas, id.* || **solenniser** 1360, Froissart ; lat. eccl. *sollemnizare, id.* || **solennisation** 1396, *Mémoires.*

**solénoïde** 1838, *Acad. ;* gr. *sôlên,* canal, et élém. *-oïde.* || **solénoïdal** 1888, Lar.

**soleret** fin XII^e s., *Roman Alexandre ;* anc. fr. *soler.* (V. SOULIER.)

**solfatare** 1578, Belleforest (*solfatarie*) ; 1757, Cochin et Bellicard (*solfatare*) ; ital. *solfatare,* désignant proprem. un volcan éteint près de Naples, de *solfo,* soufre. || **solfatarien** 1904, Lar.

**solfège** 1767, Rousseau ; ital. *solfeggio,* de *solfa,* gamme, de *sol* et *fa* (v. SOLFIER).

**solfier** 1220, Coincy ; lat. médiév. *solfa,* gamme, de *sol* et *fa,* et par anal. des v. en *-fier.*

**solicitor** 1876, Lar. ; mot angl., du fr. *solliciteur.*

**solidaire** milieu XV^e s., jurid., « commun à plusieurs, chacun répondant du tout » ; 1718, *Acad.,* « lié par obligation » ; 1778, Diderot, sens actuel ; loc. lat. jurid. *in solidum,* « solidairement », proprem. « pour le tout », du neutre de l'adj. *solidus* (v. SOLIDE). || **solidairement** 1496, Bartzsch. || **solidarisme** 1907, Lar. || **solidariste** 1904, Lar. || **solidarité** 1693, Isambert, jurid. ; milieu XVIII^e s., ext. || **solidariser** 1842, Radonvilliers. || **désolidariser (se)** XX^e s. || **insolidaire** av. 1865, Proudhon. || **insolidarité** *id.*

**solide** 1314, Mondeville, adj. ; 1613, Dounot n. m., géom. ; lat. *solidus,* « massif », et au sens moral « ferme ». || **solidité** 1314, Mondeville, rare avant le XVII^e s. ; lat. *soliditas.* || **solidifier** 1783, Buffon. || **solidification** fin XVI^e s., rare avant le XVIII^e s.

**soliflore** 1975, Lar. ; lat. *solus,* seul, et *flos,* fleur.

**solifluxion** V. SOL 1.

**soliloque** 1600, Fr. de Sales ; bas lat. *soliloquium* (IV^e s., saint Augustin), de *solus,* seul, et *loqui,* parler. || **soliloquer** 1888, Daudet.

**solin** V. SOLE 2.

**solipède** 1556, R. Le Blanc, zool. ; adapt., d'après *solus* (v. SEUL), du lat. *solidipes, -pedis,* au sabot entier, non fendu, de *solidus* (v. SOLIDE), et *pes, pedis* (v. PIED).

**solipsisme** 1878, Lar., philos. ; lat. *solus,* seul, et *ipse,* soi-même. || **solipsiste** 1964, Lar.

**soliste** V. SOLO.

**solitaire** fin XII^e^ s., *Grégoire ;* lat. *solitarius,* de *solus* (v. SEUL). || **solitairement** fin XII^e^ s.

**solitude** 1213, *Fet des Romains ;* rare avant le XVII^e^ s. ; lat. *solitudo,* de *solus* (v. SEUL).

**solive, soliveau** V. SOLE 2.

**solliciter** début XIV^e^ s. ; lat. *sollicitare,* agiter avec force, d'où l'empl. fig., et en lat. eccl. « se préoccuper de » ; jusqu'au XVIII^e^ s., a pu signifier « troubler », « s'occuper d'une affaire », et « soigner (une maladie) ». || **sollicitude** 1265, Br. Latini, « souci » ; ext. de sens en fr. mod. ; lat. *sollicitudo,* proprem. « trouble moral ». || **sollicitation** 1404, du Cange ; lat. *sollicitatio,* « inquiétude, instigation ». || **solliciteur** 1347, G., jurid., « celui qui prend soin des affaires » ; en fr. mod., ext. de sens (cf. le sens de l'angl. *sollicitor*).

**sollicitude** V. SOLLICITER.

**solo** 1703, de Brossard, mus. ; *en solo,* 1877, Daudet ; ital. *solo,* seul, du lat. *solus* (v. SEUL). || **soliste** 1836, Raymond.

**solstice** 1119, Ph. de Thaon (*solsticium*) ; 1265, J. de Meung ; rare jusqu'au XVII^e^ s. ; lat. *solsticium,* de *sol,* soleil, et *stare,* s'arrêter. || **solsticial** 1379, J. de Brie ; lat. *solstitialis.*

**soluble** fin XII^e^ s., *Dialogues Grégoire,* relig. ; 1265, J. de Meung, « qui peut être détruit » ; 1690, Furetière, sens mod. ; bas lat. *solubilis,* de *solvere,* dissoudre, disjoindre. || **solubilité** 1753, Pott. || **solubiliser** 1877, L. || **insoluble** XIII^e^ s., d'Andeli ; lat. *insolubilis.* || **insolubilité** 1765, *Encycl.*

**solution** 1119, Ph. de Thaon (*soluciun*), action de dissoudre ; 1360, Froissart (*solution*), empl. mathém. ; 1690, Furetière, chim. ; *solution de continuité,* 1314, Mondeville, d'abord en chir. ; lat. *solutio,* action de délier, de dissoudre, de *solvere* (v. le précéd.). || **solutionner** 1795, Babeuf ; 1906, Lar. || **solutionnement** début XX^e^ s., La Fouchardière. || **soluté** 1836, *Acad.*

**solvable** 1328, Varin, sens mod. ; 1356, *Ordonnance,* « payable » ; lat. *solvere,* au sens fig. de « payer » (v. les précéd.). || **solvabilité** 1662, Kuhn. || **solvatiser** 1933, Lar. || **solvatisation** 1933, Lar. || **insolvable** début XV^e^ s. || **insolvabilité** 1539, R. Est.

**solvant** n. m., 1906, Lar. ; lat. *solvere,* dissoudre.

**somatique** 1620, Lamperière, biol. ; rare avant 1855 ; gr. *sômatikos,* de *sôma, sômatos,* corps. || **somatiser** 1967, Robert. || **somatisation** 1970, Robert. || **somatognosie** 1953, Lar. || **somatocyte** 1964, Lar. || **somatologie** 1762, *Acad.* || **somatotrope** 1941, Rey. || **soma** 1904, Lar., biol. ; mot gr. || **somation** 1959, Lar.

**sombre** milieu XIII^e^ s., Rutebeuf (*essombre*), « lieu obscur » ; 1374, G. (*sombre*) ; dér. d'un anc. v. **sombrer,* « faire de l'ombre », du bas lat. *subumbrare,* de *umbra* (v. OMBRE). || **sombrer** 1611, Cotgrave, « assombrir ». || **sombreur** 1823, *Obs. des modes.* || **assombrir** 1597, Ph. Bosquier ; rare jusqu'à la fin du XVIII^e^ s., Mirabeau. || **assombrissement** 1836, Barbey d'Aurevilly.

1. **sombrer** V. SOMBRE.

2. **sombrer** 1614, Claude d'Abbeville ; aphérèse de l'anc. v. *soussoubrer,* se renverser à la suite d'un coup de vent ; de l'esp. *zozobrar,* sombrer, mot port., de *sots,* sous, et *sobre,* au-dessus.

**sombrero** 1590, Quicherat (*sombrère*) ; mot esp., de *sombrar,* faire de l'ombre, du bas lat. *subumbrare* (v. SOMBRE).

**sommaire** 1538, R. Est., adj. ; XIV^e^ s., L., n. m. ; lat. *summarium,* abrégé, résumé, de *summa* (v. SOMME 1) ; l'adj. est tiré du subst. || **sommairement** XIII^e^ s., *Arch. de Reims.*

**sommation** V. SOMME 1 et SOMMER 2.

1. ***somme** n. f., 1155, Wace (*sume*), « quantité » ; 1265, J. de Meung, « somme d'argent » ; 1479, Boutillier, « abrégé, recueil, ouvrage théologique » en anc. fr. ; lat. *summa,* partie la plus haute, et par ext. « partie essentielle, totalité, somme d'argent », fém. substantivé de l'adj. *summus* (v. SOMMET) ; *en somme,* 1160, *Roman Tristan,* calque du lat. *in summa ; somme toute,* début XIV^e^ s., anc. loc. jurid., proprem. « total général ». || **sommer** 1180, *Horn,* « achever » ; 1330, Digulleville, « mettre en demeure » ; math., XV^e^ s., du Cange, « faire une somme ». || **sommier** 1685, Furetière, registre. || **sommation** 1450, Gréban, math.

2. ***somme** n. f., 1265, Br. Latini, « bât, charge », jusqu'au XVI^e^ s. ; auj. seulem. dans *bête de somme ;* bas lat. *sagma,* « bât », mot gr. (IV^e^ s., Végèce ; puis *sauma,* VII^e^ s., Isidore de Séville). [V. SOMMELIER, SOMMIER.]

3. ***somme** 1112, *Voy. saint Brendan,* n. m., « sommeil » ; XVII<sup>e</sup> s., sens mod., par restriction de sens devant la concurrence de *sommeil ;* lat. *somnus,* avec infl. de *sommeil.* (V. SOMMEIL.)

***sommeil** 1138, Gaimar ; bas lat. *somniculus,* « léger sommeil », dimin. de *somnus* (v. SOMME 3). || **sommeiller** 1120, *Ps. d'Oxford,* « dormir » ; XVIIe s., sens mod. || **sommeillement** 1190, *Saint Bernard.* || **sommeilleux** 1160, Benoît. || **ensommeillé** XVIe s. ; rare avant le milieu du XIXe s.

**sommelier** 1175, Chr. de Troyes ; altér. de **sommerier,* « conducteur de bêtes de somme », dér. de *sommier* 1 ; 1316, Havard, « officier chargé des vivres » ; XIVe s., du Cange, « domestique chargé de la table » ; 1812, Mozin, sens mod. || **sommellerie** 1504, *Revue,* pour la fonction et le lieu.

1. **sommer** V. SOMME 1.

2. **sommer** 1283, Beaumanoir, jurid., « mettre en demeure » ; lat. médiév. *summare,* proprem. « dire en résumé », de *summa,* « résumé » (v. SOMME 1). || **sommation** 1283, Beaumanoir. || **sommatoire** 1876, Lar., jurid.

**sommet** 1112, *Voy. saint Brendan* (*sumet*) ; anc. fr. *som,* sommet (1131, *Couronn. Loïs*), du lat. *summum,* neutre substantivé de l'adj. *summus,* « le plus haut » (v. SOMME 1, SOMMITÉ) ; *conférence au sommet,* 1964, *journ.,* polit.

1. ***sommier** 1080, *Roland,* « bête de somme » (jusqu'au XVIIe s.) ; 1432, G., « poutre » ; 1673, Havard, sommier de lit ; bas lat. *sagmārium,* bête de somme, de *sagma,* bât (v. SOMME 2).

2. **sommier** V. SOMME 1.

**sommité** 1270, Mahieu le Vilain, « sommet » ; 1825, *Journ. des dames,* personnage éminent ; bas lat. *summitas,* « sommet, cime », de *summa.* (V. SOMMET.)

**somnambule** 1690, Furetière ; lat. *somnus,* sommeil, et *ambulare,* marcher, d'après le lat. médiév. *noctambulus* (v. NOCTAMBULE, SOMME 3, SOMMEIL). || **somnambulisme** 1765, *Encycl.* || **somnanbulique** 1786, Proschwitz. || **somnanbulesque** 1847, Balzac.

**somnifère** 1502, O. de Saint-Gelais ; lat. *somnifer,* de *somnus,* sommeil, et *ferre,* apporter (v. SOMNAMBULE, SOMME 3, SOMMEIL).

**somnolent** 1429, Gerson, rare jusqu'au XIXe s. ; bas lat. *somnolentus,* de *somnus* (v. SOMME 3, SOMMEIL). || **somnolence** 1375, R. de Presles ; rare jusqu'à la fin du XVIIIe s. ; bas lat. *somnolentia.* || **somnoler** 1846, Töpffer.

**somptuaire** 1540, Michel de Tours (*loy sumptuaire*) ; lat. (*lex*) *sumptuaria,* « (loi) relative aux dépenses », de *sumptus,* dépense, de *sumere,* prendre, employer, dépenser ; 1770, Rousseau, « de luxe ».

**somptueux** 1380, *Aalma ;* lat. *sumptuosus,* de *sumptus,* dépense (v. le précéd.). || **somptuosité** début XVe s. (*sumptuosité*) ; bas lat. *sumptuositas.*

1. ***son** 842, *Serments,* adj. possessif ; de la forme atone de l'acc. lat. *suum.* || **sa** de l'atone du fém. *sua.* || ***ses** de l'atone des acc. pl. masc. et fém. *suos* et *suas.* || ***sien** 842, *Serments* (*suon*) ; XIe-XII[e] s. (*suen*) ; fin XIIe s., Couci (*sien*) ; de la forme tonique de l'acc. lat. *suum.* || **sienne** fém. de *sien ;* a remplacé l'anc. *soue,* issu de la forme tonique de *sua.* (V. MON 1, TON 1.)

2. ***son** 1160, Benoît, bruit ; anc. fr. *suen* (1120, *Ps. d'Oxford*), du lat. *sonus,* avec infl. de *sonner.* || **ultrason** XXe s. || **infrason** XXe s. || **sonique** XXe s., techn. || **supersonique** XXe s., techn. || **sonagramme** 1968, Lar. || **sonagraphe** *id.* || **sonomètre** 1698, Loulié, inventeur de l'appareil. || **sonothèque** 1964, Lar.

3. **son** 1193, Hélinant (*saon, seon*), « rebut » ; 1243, du Cange, « résidu de mouture » ; lat. *secundus,* qui suit, de *sequi,* suivre.

**sonar** 1949, Lar. ; angl. SO*und* NA*vigation and* R*anging,* de *sound,* son, et *ranging,* réglage.

**sonate** 1695, *Mémoires ;* ital. *sonata,* de *sonare,* « jouer d'un instrument », du lat. *sonare.* (v. SONNER). || **sonatine** 1834, Fétis.

**sonde** 1180, *Perceval ;* fin XVIe s., chir. ; anglo-saxon *sund,* mer, élément dans les composés *sundline,* ligne de sonde, *sundgyrd,* perche pour sonder, *sundrap,* corde pour sonder. || **sonder** 1382, *Comptes Rouen ;* 1559, Amyot, « chercher à pénétrer ». || **sondeur** 1572, Chesneau. || **sondeuse** 1964, Lar. || **sondage** 1769, Morand. || **insondable** 1578, Léry.

***songe** 1155, Wace ; auj. surtout littér., refoulé par *rêve ;* lat. *somnium,* de *somnus* (v. SOMME 3, SOMMEIL). || ***songer** 1080, *Roland,* « rêver, faire un songe », jusqu'au XVIIe s. ; 1530, Palsgrave, sens mod. ; lat. *somniāre.* || **songeur** fin XIIe s., *Aiol* (*songiere*). || **songerie** XIIIe s., d'après *rêverie.* || **songe-creux** 1527, *Pronostication de Songe creux,* nom propre ; v. 1580, Montaigne, adj.

**sonique** V. SON 2.

***sonner** 1080, *Roland* (*soner, suner*) ; XV^e s., du Cange, « jouer d'un instrument » ; lat. *sonāre,* de *sonus* (v. SON 2). || **sonante** 1842, *Acad.* ; part. prés. de *sonner.* || **sonneur** XIII^e s. (*soneor*). || **sonnerie** 1220, Coincy. || **sonnette** XIII^e s., Huon de Méry. || **sonnaille** fin XIII^e s. ; probablem. des parlers franco-prov. || **sonnailler** 1379, J. de Brie, n. m., « animal portant une clochette au cou ». || **sonnailler** 1762, *Acad.* || **dissoner** 1355, Bersuire ; rare jusqu'au XVIII^e s. ; lat. *dissonare.* || **dissonance** 1390, Conty ; bas lat. *dissonantia.* || **malsonnant** XV^e s.

**sonnet** 1537, trad. du *Courtisan* ; ital. *sonetto,* de l'anc. prov. *sonet,* sorte de chanson (XII^e s., *Roman de Thèbes*) ou de poème, de *son,* « mélodie », puis « poème ».

**sonnette sonomètre, sonothèque** V. SONNER, SON 2.

**sonore** 1559, du Bellay ; *film sonore,* 1930, Moris ; bas lat. *sonorus,* de *sonus* (v. SON 2). || **sonorité** 1380, *Aalma,* rare jusqu'à la fin du XVIII^e s. ; bas lat. *sonoritas.* || **sonoriser** 1871, L. || **sonorisation** 1871, L. || **insonorisé, insonorisation** 1953, Lar.

**sophiste** XIII^e s., d'Andeli (*soffistre*), « qui use d'arguments captieux » ; 1380, *Aalma* (*sophiste*) ; lat. *sophistes,* gr. *sophistês,* sage, savant, et en partic. désignant des maîtres athéniens de rhétorique et de philosophie, dont Socrate critiqua les doctrines (V^e s. av. J.-C.). || **sophisme** 1160, Benoît (*soffime*), « ruse » ; 1549, R. Est., sens mod., d'après le lat. ; lat. *sophisma,* mot gr. || **sophistique** 1265, Br. Latini, adj. ; lat. *sophisticus,* du gr. *sophistikos* ; XIX^e s., n. f., pensée des sophistes. || **sophistiquer** 1370, Oresme, « tromper » ; 1975, Lar, « perfectionner » ; bas lat. *sophisticari,* « déployer une fausse habileté ». || **sophistiqué** 1480, *Ordonn. royale.* || **sophistication** 1340, J. Le Fèvre ; rare jusqu'au XIX^e s. || **sophistiqueur** 1493, Coquillart.

**sophora** 1845, Besch. (*sophore*) ; lat. scient. *sophora,* de l'ar. *sophera,* bot.

**sophrologie** 1973, *journ.* ; gr. *sophrôn,* sensé.

**soporifique** 1680, Richelet ; lat. *sopor,* sommeil, ou *soporare,* endormir, d'après les adj. en *-fique.* || **soporeux** 1478, Chauliac. || **soporatif** 1560, Paré, méd. || **soporifère** début XVI^e s., J. Lemaire de Belges ; lat. *soporifer,* de *sopor,* et *ferre,* apporter.

**soprano** 1767, Rousseau, mus. ; mot ital. signif. « qui est au-dessus », du lat. pop. **superanus,* de *super,* au-dessus (v. SOUVERAIN). || **sopraniste** 1856, Castil-Blaze.

**sorbe** 1256, Ald. de Sienne (*çourbe*) ; 1512, J. Lemaire de Belges (*sorbe*) ; lat. *sorbum* ; fém., en fr., comme nom de fruit ; a remplacé l'anc. *corme.* || **sorbier** 1256, Ald. de Sienne (*çorbier*).

**sorbet** 1553, Belon ; ital. *sorbetto,* du turc *chorbet,* de l'ar. pop. *chourbat,* en ar. class. *charbāt,* boissons (v. SIROP). || **sorbetière** 1803, Boiste.

**sorbonique** 1541, Richard, adj. ; dér. de *Sorbonne* (d'abord collège de théologie, fondé au XIII^e s. par Robert de *Sorbon*). || **sorbonnard** 1933, Lar. || **sorbonicole** 1532, Rab. || **sorbonne** 1808, d'Hautel, « tête ». || **sorboniqueur** 1551, Richard.

***sorcier** 1130, *Eneas* ; bas lat. *sorcerius,* diseur de sorts (VIII^e s., *Gloses Reichenau*), du lat. class. *sortes,* pluriel de *sors, sortis,* oracle ; 1577, Belleau, adj. || **sorcellerie** XIII^e s., *Chanson d'Antioche,* dissimilation de **sorcererie* ; on trouve aussi en anc. fr. *sorcerie* (1138, Gaimar). || **ensorceler** XIII^e s., altération de *ensorcerer* (1188, *Chanson d'Aspremont*). || **ensorcellement** 1398, *Ménagier.* || **ensorceleur** 1539, R. Est.

**sordide** 1363, Chauliac ; lat. *sordidus,* de *sordes,* saleté. || **sordidité** 1573, Rubis.

**sore** 1827, *Acad.,* bot. ; gr. *sôros,* tas.

**sorgho** 1553, Belon ; ital. *sorgo,* du lat. médiév. *saricum,* plante de Syrie (*syricus*).

**sorite** milieu XVI^e s., logique ; lat. *sorites,* du gr. *sôreitês,* de *sôros,* tas (v. SORE), parce que le *sorite* est constitué d'un entassement de prémisses.

**sornette** 1460, Chastellain ; dimin. de l'anc. fr. *sorne,* raillerie ; probablem. de l'anc. prov. *sorne,* obscur (v. SOURNOIS).

**sororal** 1533, Dassy ; lat. *soror,* sœur. || **sororat** 1964, Lar.

***sort** 980, *Passion* ; lat. *sors, sortis* (mot féminin), « tirage au sort », « consultation des dieux », « destin » ; on trouve parfois le fém. en fr. jusqu'au XVI^e s., d'après le lat. (V. SORCIER, SORTE, SORTILÈGE, SORTIR.)

***sorte** XIII^e s., Tobler-Lommatzsch, « troupe » ; 1530, Palsgrave, « manière » ; *en quelque sorte,* 1650, Corn. ; *de sorte que,* 1553, Rab. ; lat. *sors, sortis,* en bas lat. « manière, façon » (v. le précéd.). || **assortir** fin XIV^e s., J. Le Fèvre,

« disposer, munir » ; XVIe s., sens mod. ; infin. en *-ir* d'après *sortir.* ‖ **assortiment** 1534, Rab. ‖ **désassortir** 1629, Peiresc. ‖ **rassortir** 1808, d'Hautel. ‖ **rassortiment** 1838, *Acad.* ‖ **réassortir, réassortiment** 1894, Sachs-Villatte.

**sortie** V. SORTIR.

**sortilège** 1213, *Fet des Romains ;* lat. médiév. *sortilegium,* divination, de *sors, sortis,* sort (v. SORT).

***sortir** 1160, Benoît, « aller hors de » ; 1395, Runkewitz ; lat. *sortiri,* tirer au sort (sens attesté aussi en anc. fr.), avec évolution sémantique obscure ; a remplacé *issir,* du lat. *exire* (v. ISSUE). ‖ **sortable** 1190, Garnier, « convenable », de *sortir* au sens de « pourvoir ». ‖ **sortie** 1400, A. Thierry. ‖ **ressortir** 1080, *Roland,* « rebondir » ; 1130, *Eneas,* « se retirer, reculer » ; 1112, *Voy. saint Brendan,* « se détacher » ; début XIVe s., jurid., de *ressort* au sens jurid. ‖ **ressort** 1210, *Estoire d'Eustachius,* jurid., « recours » ; XVe s., action de rebondir ; 1560, Paré, ressort de métal ; milieu XIVe s., « domaine » ; 1570, G., « mobile ». ‖ **ressortissant** fin XIVe s., Deschamps, qui est du ressort ; 1904, Lar., jurid.

**sosie** 1738, Voltaire ; du nom de *Sosie,* esclave d'Amphitryon, que la comédie de Molière (1668) a rendu célèbre.

**sostenuto** 1813, Gattel ; mot ital., de *sostenere,* soutenir.

**sot** 1155, Wace ; d'un rad. expressif **sott-.* ‖ **sottie ou sotie** 1190, *Saint Bernard,* « sottise », jusqu'au XVIe s. ; XVe s., satire dialoguée où figurent des *sots.* ‖ **sottise** XIIIe s., *Fabliaux ;* a éliminé le précéd. au propre. ‖ **sottisier** 1718, Legrand. ‖ **sot-l'y-laisse** 1798, *Acad.* ‖ **assoter** XIIe s., arch. ‖ **rassoter** fin XIIe s., *Huon de Bordeaux.*

***sou** XIIe s., *Lois de Guillaume* (*solt*) ; 1175, Chr. de Troyes (*sol*) ; XIIIe s. (*sou*) ; lat. *solĭdus,* adj. substantivé (v. SOLIDE), pour désigner sous le Bas-Empire (IVe s., Amm. Marcellin) une monnaie de valeur fixe, d'abord d'or, puis, au Moyen Âge, d'argent, et enfin de cuivre. (V. SOLDAT, SOUDARD, SOUDOYER.)

**soubassement** milieu XIVe s. ; de *sous* et *bas ;* 1964, Robert, « base ».

**soubattre** 1871, L., « traire » ; de *sous* et *battre.*

**soubresaut** milieu XIVe s., Machaut (*souber-saut*), « saut sur soi-même » ; fin XIVe s., *Chron. de Boucicaut* (*soubresaut*) ; 1714, Fénelon, « tressaillement » ; prov. *sobresaut,* ou esp. *sobresalto,* gambade, de *sobre,* par-dessus, et *saut,* par infl. de *sursaut.* ‖ **soubresauter** 1836, *Acad.* (V. SAUT.)

**soubrette** 1630, Faret ; prov. *soubreto,* fém. de *soubret,* « affecté », « qui fait le difficile », de *soubra,* « être de reste », d'où « laisser de côté », du lat. *superare,* être au-dessus (v. SUR 1).

**soubreveste** XVe s., *D. G. ;* ital. *sopravesta,* « veste de dessus » (v. VESTE).

**souche** fin XIe s., *Gloses de Raschi* (*çoche*) ; 1220, Coincy (*souche*) ; gaulois **tsŭkka,* corresp. à l'all. *Stock.* ‖ **souchet** 1354, *Modus,* bot. (d'après les rhizomes de cette plante). ‖ **souchetage** 1611, Cotgrave (*chonquetage*). ‖ **soucheteur** 1638, d'après L. ‖ **soucheter** 1893, *D. G.* ‖ **souchon** XIIIe s.

1. **souchet** V. SOUCHE.

2. **souchet** 1624, Savot, minér. ; altér. de *souchef,* déverbal de *souchever.*

**souchever** 1676, Félibien, déliter une pierre ; de *sous* et *chever* (1175, Chr. de Troyes), du lat. pop. *subcavare,* creuser en dessous. ‖ **souchèvement** 1876, Lar.

1. ***souci** XIVe s. (*soucie, soucicle*), bot. ; 1538, R. Est. (*souci,* d'après *souci* 2) ; bas lat. *solsequia,* « tournesol », proprem. « qui suit le soleil », de *sol,* soleil, et *sequi,* suivre. (V. TOURNESOL.)

2. **souci** V. SOUCIER.

***soucier** 1265, J. de Meung ; *se soucier,* 1240, G. de Lorris ; lat. pop. **sollicĭtare,* inquiéter (v. SOLLICITER), en lat. class. *sollicĭtare ;* allongem. de *i* d'après *excĭtus,* part. passé de *excĭre,* exciter. ‖ **souci** début XIIIe s., *Guillaume de Dole,* « chagrin » ; XVe s., préoccupation. ‖ **sans-souci** XIIIe s., La Curne. ‖ **soucieux** 1280, Adenet. ‖ **soucieusement** 1850, Balzac. ‖ **insoucieux** 1787, Féraud. ‖ **insouciant** 1773, Beaumarchais. ‖ **insouciance** 1764, Beaumarchais.

**soucoupe** 1640, Oudin (*sous-couppe*) ; calque de l'ital. *sotto-coppa,* de *coppa,* coupe, du lat. *cupa.*

***soudain** 1120, *Ps. de Cambridge ;* lat. pop. **sŭbitanus,* en lat. class. *subitāneus,* de *subitus* (v. SUBIT). ‖ **soudaineté** XIIIe s. ‖ **soudainement** 1130, *Eneas.*

**soudan** 1196, J. Bodel ; var. de *sultan* (v. ce mot) ; adapt. de la forme ar.

**soudard** 1387, J. Le Bel, « soldat » ; XVIe s., péjor. ; remplacé au pr. par *soldat* (v. ce mot) ; réfection de l'anc. *soudoier,* homme d'armes, XIIe s. (var. *soldier, soldoier*), de *sold, soud,* forme anc. de *sou.* (V. SOLDE 1, SOU, SOUDOYER.)

***soude** 1527, *Déclaration* (*soulde*) ; lat. médiév. *soda,* de l'ar. *suwwād,* désignant la plante dont la cendre servait à fabriquer la soude. || **soudier** 1871, L.

***souder** fin XIe s., *Gloses de Raschi* (*solder*), « joindre » ; 1268, *Cristal,* « lier », au fig. ; lat. *solĭdāre,* affermir, de *solidus* (v. SOLIDE, SOU). || **soudable** 1842. || **soudure** fin XIe s., *Gloses de Raschi.* || **soudeur** début XIVe s. || **soudage** 1459, G. || **soudant** adj., 1871, L. || **dessouder** XIIe s., *Loherains.* || **ressouder** XIIe s.

**soudoyer** 1160, *Tristan,* « servir comme mercenaire » ; 1751, Voltaire, « corrompre » ; dér. de *sold, soud,* forme anc. de *sou.* (V. SOLDAT, SOU, SOUDARD.)

**soudre** 1138, Gaimar (*soldre*), « résoudre » ; lat. *solvere,* délier (v. SOULTE).

**soudrille** 1570, Carloix, « soudard », arch. ; croisement de *soudard* et de *drille.*

***soue** 1823, Boiste, étable à porcs ; bas lat. *sŭtis* (*Loi salique*), du gaulois **suteg.*

***souffler** 1160, Benoît (*soffler*) ; lat. *sufflare,* « souffler sur », de *flāre,* souffler. || **soufflant** 1280, Adenet ; 1836, Vidocq, « revolver ». || **soufflé** 1767, Diderot, adj., « bouffi » ; 1825, Brillat, n. m., culin. || **souffle** 1130, *Eneas,* « déplacement d'air » ; 1553, *Bible,* « respiration » ; 1562, Bonivard, « énergie ». || **soufflement** 1119, Ph. de Thaon. || **soufflet** XIIe s., *Aspremont,* instrument à souffler ; 1459, du Cange, gifle. || **souffleter** 1525, Cretin. || **souffleur** XIIIe s., Couci ; 1871, L., techn. || **soufflerie** XIIIe s., *Fabliau.* || **soufflure** XIIIe s., souffle ; 1701, Furetière, techn. || **soufflage** 1480, *Mystère.* || **soufflard** fin XVe s., Molinet, techn. || **essouffler** XIIe s., *Aliscans.* || **essoufflement** fin XVe s.

**souffreteux** 1120, *Ps. d'Oxford* (*sufraitus*) ; 1265, J. de Meung (*souffreteux*), « qui est dans le dénuement », jusqu'au XVIIIe s. ; début XIXe s., sens actuel, d'après *souffrir ;* anc. fr. *sofraite, soufraite* (1080, *Roland*), « privation, disette », du lat. pop. **suffracta,* part. passé, substantivé au fém., du lat. pop. **suffrangere,* en lat. class. *suffringere,* « rompre ». (V. ENFREINDRE.)

***souffrir** 1050, *Alexis* (*sofrir*) ; lat. pop. **sufferīre,* en lat. class. *sufferre,* de *ferre,* supporter ; changem. de conjugaison d'après *férir, offrir.* || **souffrant** 1120, *Ps. de Cambridge,* adj. || **souffrance** 1175, Chr. de Troyes ; lat. impérial *sufferentia* (XIIIe s., *Gloses de Reichenau*) ; jusqu'au XVIIe s. égalem. « permission, délai ». || **souffroir** 1863, Goncourt. || **souffre-douleur** milieu XVIIe s.

**soufi** 1834, Boiste ; ar. *soûfi,* vêtu de laine. || **soufisme** 1853, Landais.

***soufre** 1120, *Ps. de Cambridge* (*sulfre*) ; lat. *sŭlphur, sŭlfur,* var. de *sulpur,* mot dial. || **soufrer** 1256, Ald. de Sienne. || **soufrage** 1798, Pajot. || **soufrière** 1497, Villeneuve. || **soufreur** 1871, L. || **soufreuse** 1907, Lar. || **soufroir** 1723, Savary.

**souhaiter** 1175, Chr. de Troyes (*sohaidier*) ; milieu XIVe s., G. de Machaut (*souhaiter*) ; gallo-roman **subtus-haitare,* « promettre de façon à ne pas trop s'engager », de *subtus,* et du francique *hait,* vœu. || **souhait** 1175, Chr. de Troyes (*sohet*) ; *à souhait,* XIIIe s., G. || **souhaitable** 1525, J. Lemaire de Belges.

***souiller** XIIe s., *Aliscans* (*soillier*) ; anc. fr. *souille* (1160, Benoît), lieu où le sanglier se vautre, du lat. *solium,* cuve. || **souillard** 1356, G. (*soillard*), « souillon » ; 1676, Félibien, techn. || **souillarde** 1731, Havard. || **souillure** XIIIe s., Tobler-Lommatzsch. || **souillon** 1450, Gréban. || **souillonner** 1662, Racine. || **souille** 1933, Lar. ; de *souiller,* techn.

**souïmanga** 1770, Commerson ; mot malgache.

**souk** 1848, Daumas ; mot ar., « marché ». || **soukier** 1934, V. Margueritte, *Babel.*

***soûl** 1112, *Voy. saint Brendan* (*saul*), « repu », jusqu'au XVIIe s. ; 1534, La Curne, « ivre », sens qui a prévalu ; auj. d'empl. pop. ; lat. pop. *satŭllus,* rassasié, en lat. class. *satur,* de *satis,* assez ; *tout son soûl,* XVe s. || **soûler** fin XIe s., *Gloses de Raschi ;* même évolution de sens. || **soûlant** 1690, Furetière. || **soûlard** XVe s. || **soûlaud** 1690, Furetière. || **soûlographie** 1835, Balzac, d'après *typographie.* || **soûlerie** 1863, Goncourt. || **soûlotter** 1876, Huysmans. || **dessoûler** 1557, de Rochemore.

***soulager** 1160, Benoît (*suzlegier*) ; XIIe s. (*soulager,* d'après *soulas*) ; lat. pop. **subleviare,* adapt., d'après *alleviare* (v. ALLÉGER), du lat. class. *sublevare,* soulever, alléger, soulager. || **sou-**

lagement 1384, G. (*soubzlegement*) ; XV^e s. (*soulagement*).

**soulane** 1964, Lar. ; béarnais *soulaa*, de *sol*, soleil.

***soulas** 1090, Stengel, « consolation » ; lat. *solăcium*. (V. CONSOLER.)

**souleur** V. SEUL.

**soulever** 980, *Passion* (*soslevar*) ; de *sous* et *lever*. || **soulèvement** XIII^e s., Tobler-Lommatzsch.

***soulier** fin XI^e s., *Chanson Guillaume* (*soller*) ; 1175, Chr. de Troyes (*soulier*), avec changem. de suffixe ; bas lat. *subtĕlāris* (s.-e. *calceus* ; VII^e s., Isid. de Séville), « chaussure pour la plante du pied », du bas lat. *subtel*, « creux sous la plante du pied » ; à l'origine, sans doute, chaussure ne couvrant pas le dessus du pied.

**souligner** V. LIGNE.

***souloir** 980, *Valenciennes* (*solt*, 3^e pers. sing. ind. prés.) ; 1080, *Roland* (*soleir*), « avoir l'habitude » ; sorti de l'usage au XVII^e s. ; lat. *solēre*.

***soulte** XII^e s., É. de Fougères (*solte* ; puis *soute*), n. f., jurid., d'où le maintien de l'orth. arch., avec prononc. de *l* à partir du XIX^e s. ; part. passé, substantivé au fém., de l'anc. verbe *soudre* (1175, Chr. de Troyes), « payer », du lat. *solvĕre*, délier.

***soumettre** 1120, *Ps. de Cambridge* (*suzmetre*) ; lat. *sŭbmittere* (v. METTRE). || **soumis** adj., milieu XVII^e s., Corneille. || **insoumis** 1564, J. Thierry ; rare jusqu'à la fin du XVIII^e s.

**soumission** début XIV^e s., La Curne (*submission*, encore en 1636 dans *le Cid*) ; début XVI^e s. (*soubmission*, d'après *soumettre*) ; lat. *submissio*, « action d'abaisser », de *submittere*. || **insoumission** 1834, Boiste. || **soumissionner** 1629, Peiresc, « soumettre » ; 1796, *Néol. fr.*, admin. || **soumissionnaire** fin XVII^e s.

**soupape** XII^e s., J. Bodel (*souspape*), « coup sous le menton » ; 1547, J. Martin, techn., « mouvement de fermeture brusque » ; de *sous* et d'un élém. **pape*, « mâchoire », de l'anc. verbe *paper*, manger. (V. PAPELARD.)

***soupçon** 1155, Wace (*sospeçon*), fém. jusqu'au XVI^e s. ; 1564, J. Thierry (*soupçon*) ; lat. impér. *suspectiōnem*, acc. de *suspectio*, en lat. class. *suspicio* (v. SUSPICION), de *suspicere*, regarder. || **soupçonneux** 1160, Benoît (*suspecenos*). || **soupçonner** 1225, *Vie saint Jean* (*sousperçonner*). || **soupçonnable** XIII^e s., G. || **insoupçonné** 1838, *Acad.* || **insoupçonnable** 1838, *Acad.*

**soupe** fin XII^e s., *Roman de Thèbes*, « tranche de pain sur laquelle on verse le bouillon » ; milieu XIV^e s., Machaut, « bouillon avec du pain » ; bas lat. *suppa* (VI^e s., Oribax), du francique **sŭppa*, de même famille que le gotique *supôn*, assaisonner, le néerl. *sopen*, tremper, l'angl. *sop*, tranche de pain, et (*to*) *sop*, tremper ; *tremper la soupe, trempé comme une soupe* (1798, *Acad.*), du sens anc. de *soupe*. || **souper** 980, *Passion*, verbe, « prendre le repas du soir » ; remplacé en ce sens à Paris, au XIX^e s., par *dîner* ; *souper* maintenu, au XIX^e s., pour le repas pris après la soirée de théâtre. || **souper** 980, *Passion* (*sopar*), n. m., même évolution de sens. || **soupière** 1729, *Mémoires*. || **soupeur** XIII^e s. (*souperres*) ; 1588, Montaigne (*soupeur*). || **soupier** 1576, Sasbout, adj., pop. || **après-souper** XVI^e s. (*après-soupée*) ; milieu XVII^e s. (*après-souper*).

**soupente** 1338, *D. G.* (*souspente*) ; XV^e-XVI^e s. (*soupendue*) ; 1549, R. Est. (*soupente*) ; de l'anc. v. *souspendre*, du lat. *suspendere* (v. SUSPENDRE).

**souper, soupière, soupeser** V. SOUPE, PESER.

**soupirail** fin XI^e s., *Gloses de Raschi* (*sospiriel*) ; début XIV^e s. (*souspirail*) ; de *soupirer* au sens de « exalter », d'après le lat. *spiraculum*, « soupirail », de *spirāre*, respirer.

***soupirer** 980, *Passion* (*suspirer*) ; *soupirer après*, 1660, Bossuet ; lat. *suspirāre*, de *sub*, sous, et *spirare*, respirer, souffler. || **soupir** 1130, *Eneas* (*sospir*) ; déverbal. || **soupirant** adj., XIII^e s. (*souspirant*) ; 1221, *Lai*, « amoureux ».

***souple** 1130, *Eneas* (*sople*), « humble, abattu » ; 1265, Studer, « qui se plie facilement » ; lat. *supplex, supplicis*, suppliant, proprem. « qui plie les genoux pour implorer » (v. SUPPLIER). || **souplement** 1120, *Ps. d'Oxford*. || **souplesse** 1265, Br. Latini, sens mod. || **assouplir** fin XII^e s., *Huon de Bordeaux*, même évol. de sens. || **assouplissement** fin XIX^e s. || **assouplissage** 1829, *Rec. industriel*.

**souquenille** XII^e s., *Parthenopeus* (*soschanie*) ; XIII^e s. (*sousquenie*) ; 1265, J. de Meung (*sorquenie*) ; 1680, Richelet (*souquenille*) ; moy. haut all. *sukenîe*, jaquette, issu lui-même d'une langue slave (cf. le polonais *suknia*).

**souquer** 1687, Desroches, mar. ; prov. mod. *souca*, d'orig. inconnue.

**source** 1155, Wace (*sorce*) ; XIVe s. (*source*) ; fém. substantivé de l'anc. part. passé *sors, sours,* de *sourdre.* || **sourcier** 1384, G., « vivier » ; 1781, Proschwitz, « personne ». (V. RESSOURCE.)

***sourcil** 1155, Wace ; lat. *supercilium* (v. CIL). || **sourciller** XIIIe s., Gaydon, froncer les sourcils. || **sourcilleux** 1477, Molinet (*supercilieux*) ; 1548, du Fail (*sourcilleux*), d'après *sourcil ;* lat. *superciliosus.* || **sourcilier** fin XIe s., *Chanson Guillaume.*

***sourd** 1050, *Alexis ;* lat. *sŭrdus.* || **sourdaud** XVe s., Basselin. || **sourdement** 1190, *Saint Bernard.* || **sourdingue** 1879, Esnault. || **sourd-muet** fin XVIe s. || **surdi-mutité** 1845, Besch. (V. SURDITÉ.) || **assourdir** 1120, *Ps. de Cambridge.* || **assourdissant** adj., 1840, Musset. || **assourdissement** 1611, Cotgrave. (V. SOURDINE, SURDITÉ.)

**sourdine** 1568, *Anc. Poésies,* « trompette peu sonore » ; 1611, Cotgrave, sens actuel ; *en sourdine,* 1860, Dochez ; ital. *sordina,* de *sordo,* sourd.

***sourdre** 1080, *Roland* (*surdre*), jaillir ; lat. *sŭrgĕre.* (V. SOURCE, SURGIR, SURGEON.)

**souriceau, souricière, souriquois** V. SOURIS 1.

***sourire** verbe, 1130, *Eneas ;* lat. pop. **subrīdĕre,* lat. class. *subrīdēre,* de *sub,* sous, et *rīdēre* (v. RIRE). || **souriant** XIIIe s., Bartzsch, adj. || **sourire** n. m., 1175, Chr. de Troyes. || **souris** 1538, R. Est. (*soubris*), n. m. ; d'après *ris* 1 (v. ce mot) ; éliminé après le XVIIe s. pour *sourire.*

1. ***souris** 1160, Benoît ; 1907, Lar., « jeune fille » ; XIVe s., terme de boucherie ; lat. pop. **sōrīcem,* acc. de **sōrīx,* en lat. class. *sōrex, -icis,* n. m. || **souricière** 1380, *Aalma.* || **souriceau** fin XIVe s. || **souriquois** 1660, La Fontaine ; formation plaisante.

2. **souris** V. SOURIRE.

**sournois** 1640, Oudin ; probablem. de l'anc. prov. *sorn,* sombre, obscur, avec infl. de *morne.* || **sournoisement** fin XVIIe s., Saint-Simon. || **sournoiserie** 1814, Stendhal.

***sous** Xe s., *Valenciennes* (*soz*) ; de l'adv. lat. *subtus,* « dessous », empl. en bas lat. comme prép. (la prép. du lat. class., *sub,* a disparu). || **dessous** 980, *Passion* (*desuz*), prép. jusqu'au XVIIe s. ; 1398, subst. (V. GÉSIR, SOUPAPE, SOUTERRAIN, SOUTIRER.)

**souscrire** 1356, G. (*subscrire*) ; XIVe-XVe s., var. *sousécrire ;* début XVIe s. (*souscrire ;* encore *soubscrire* au XVIe s.) ; 1784, Necker, fin. ; lat. *subscribere,* adapté d'après *écrire ;* de *sub,* sous, et *scribere* (v. ÉCRIRE). || **souscription** XIIIe s., G. (*subscription*) ; 1389, G. (*soubscription*) ; 1541, Calvin ; lat. *subscriptio.* || **souscripteur** 1679, Savary ; var. *souscriveur,* 1675, *id.* ; lat. *subscriptor.*

**sous-jacent** 1520, Chauliac (*subjacent*) ; 1532, Rab., techn. (*sous-jacent*) ; lat. *subjacens,* de *subjacere,* être couché, refait sur *sous.*

**soustraire** 1119, Ph. de Thaon (*sustraire*), retirer ; 1520, La Roche, math. ; *se soustraire à,* 1160, Benoît ; lat. *subtrahere,* avec réfection du préfixe d'après *sous.* || **soustraction** 1155, Wace (*subtraction*) ; 1484, Chuquet (*soustraction*) ; même évolution du sens ; bas lat. *subtractio.* || **soustractif** 1872, L.

**soutache** 1838, *Acad.,* d'abord tresse de galon du schako ; hongrois *sujtás,* bordure, galon (v. SCHAKO). || **soutacher** 1849, *le Moniteur de la mode.*

**soutane** 1550, Rab. (*sottane*) ; 1563, Gay (*soutane*), d'après *sous ;* ital. *sottana,* « vêtement de dessous », de *sotto,* « sous ». || **soutanelle** 1657, Tallemant ; dimin. ital. *sottanella.*

**soute** fin XIIIe s., Joinville, mar. ; 1939, Saint-Exupéry, avion ; anc. prov. *sota,* du lat. pop. **sobta,* prép. et adv., altér., d'après *supra* (v. SUR 1), du lat. class. *sŭbtus* (v. SOUS). || **souter** 1964, Lar. || **soutier** 1907, Lar., mar.

**soutènement** V. SOUTENIR.

***soutenir** Xe s., *Eulalie* (*sostenir*) ; lat. pop. **sustenīre,* altér. du lat. class. *sustinēre,* d'après **tenire* (v. TENIR). || **soutenu** adj., XVIIIe s., rhét. || **soutenable** 1265, Br. Latini. || **insoutenable** milieu XVe s. || **soutènement** 1119, Ph. de Thaon (*sustenement*), « soutien » ; XVIe s., techn. || **soutenant** 1307, Guiart. || **soutenance** 1155, Wace (*soustenance*), « aliments » ; 1265, J. de Meung, « soutien » ; 1850, *soutenance de thèse,* d'après le sens pris par *soutenant* vers 1660. || **soutien** XIIIe s., Rutebeuf. || **soutien-gorge** 1904, *le Sourire.* || **souteneur** XIIe s., « qui protège », d'empl. gén. ; 1698, *Arch. Puy-de-Dôme* (au fém.), et 1718, Leroux (au masc.), « qui se fait entretenir par une prostituée ».

**souterrain** 1130, *Eneas* (*sozterrain*), d'abord adj. ; 1701, Furetière, n. m. ; de *sous* et *terre,* d'après le lat. *subterraneus.* || **souterrainement** fin XVIIe s., Saint-Simon.

**soutien** V. SOUTENIR.

**soutirer** XII$^e$ s., *Roman d'Alexandre ;* 1774, Beaumarchais, « voler ». || **soutirage** 1732, Liger. || **soutireuse** 1964, Lar.

**soutrage** 1796, *Feuille du cultivateur* (*sous-trage*) ; anc. gascon *sostratge,* du lat. pop. **substrare,* étendre dessous.

***souvenir** 1080, *Roland* (*suvenir*), verbe ; d'abord impersonnel (*il me souvient,* etc.) ; XIII$^e$ s., *Roman Renart,* personnel et pronominal (*je me souviens,* etc.), d'après *se rappeler ;* lat. *subvenīre,* venir à l'esprit. || **souvenir** n. m., XIII$^e$ s., Tobler-Lommatzsch. || **souvenance** XII$^e$ s., G., littéraire depuis le XVII$^e$ s. || **ressouvenir** 1175, Chr. de Troyes.

***souvent** 1050, *Alexis* (*suvent*) ; lat. *subinde,* « immédiatement après », d'où « plusieurs fois de suite », et en lat. impér. « souvent ». || **souventefois** 1050, *Alexis* (*soventes feiz*) ; 1175, Chr. de Troyes (*soventes fois*). [V. FOIS.]

**souverain** 1050, *Alexis,* adj. ; 1160, Benoît, n. m. ; lat. pop. **superānus,* de *super,* « dessus » (v. SUZERAIN) ; 1829, Boiste, monnaie angl. ; calque de l'angl. *sovereign,* lui-même issu du fr. || **souverainement** fin XII$^e$ s., *Chevalerie Ogier.* || **souveraineté** 1120, *Ps. d'Oxford* (*suvrainetet*).

**soviet** 1843, C. Robert, conseil des ouvriers, à Petrograd ; 1920, *Congrès de Tours,* sens actuel ; mot russe signif. « conseil ». || **soviétique** 1918, *journ.* || **soviétiser** 1921, J. Maxe. || **soviétisation** 1920, Hamp.

**sovkhoze** 1936, Gide ; mot russe, abrév. de *sov*[*ietskoïe*] *khoz*[*iaïstvo*], exploitation agricole d'État. (V. KOLKHOZE.) || **sovkhozien** 1950, *journ.*

**soyeux** V. SOIE.

**spacieux** 1120, *Ps. d'Oxford* (*spacios*) ; lat. *spatiosus,* de *spatium.* || **spacieusement** 1379, J. de Brie. (V. ESPACE.)

**spadassin** 1532, Rab. ; ital. *spadaccino,* « tireur d'épée », péjor., de *spada,* épée.

**spadice** 1743, Geoffroy (*spadix*) ; 1808, Richard (*spadice*), bot. ; lat. *spadix, -icis,* « branche de palmier avec dattes », mot gr. || **spadiciflore** 1876, Lar. ; lat. *flor, floris,* fleur.

**spadille** 1684, chevalier de Méré, as de pique au jeu de l'hombre ; esp. *espadilla,* dimin. de *spada,* épée (l'épée figurait le pique sur les cartes esp.).

**spaghetti** 1893, *journ. ;* mot ital., de *spagon,* cordon, du bas lat. *spacus,* corde.

**spahi** 1538, Véga, « cavalier turc au service du Sultan » ; 1831, *journ.,* cavalier indigène d'Algérie au service de la France ; turc *sipāhi,* d'orig. persane (v. CIPAYE).

**spalax** 1827, *Acad.,* zool. ; gr. *spalax,* taupe. || **spalacidés** 1904, Lar.

**spallation** 1964, Lar., phys. ; mot angl., de *to spall,* éclater.

**spalmer** 1520, La Fosse, mar., enduire de spalme ; ital. *spalmare,* de *palma,* palme, avec le préf. *s-,* du lat. *ex.* || **spalme** 1771, Trévoux, suif mêlé de goudron.

**spalte** 1812, Mozin, mastic ; ital. *spalto,* asphalte.

**spalter** 1904, Lar., « brosse » ; allem. *spalten,* fendre.

**sparadrap** 1314, Mondeville (*speradrapu*) ; lat. médiév. *sparadrapum,* du lat. *spargere,* étendre.

**spardeck** 1813, Romme, mar. ; mot angl., de *spar,* barre, et *deck,* pont.

**sparganier** 1811, Wailly (*spargane*) ; lat. *sparganion,* mot gr.

**sparring-partner** 1925, d'après P. Robert ; mot angl., de *sparring,* lutte, et *partner,* partenaire.

**spartakisme** 1916, *journ.,* polit. all. ; du nom de *Spartacus,* chef d'une révolte d'esclaves sous la République romaine. || **spartakiste** *id.*

**sparte** 1532, Fabre, graminée servant à faire des nattes ; lat. *spartum,* du gr. *sparton.* || **sparterie** 1752, Brunot. || **spartéine** 1863, d'après P. Robert (découverte en 1851).

**spasme** 1244, du Cange (*espame*) ; 1314, Mondeville (*spasme*) ; lat. *spasmus,* du gr. *spasmos,* de *spân,* tirer (v. PÂMER). || **spasmodique** 1721, Trévoux ; angl. *spasmodic,* du gr. méd. *spasmôdês,* qui a le caractère du spasme. || **spasmodiquement** 1835, Raymond. || **antispasmodique** 1743, Geoffroy. || **spasmolytique** 1961, Galli. || **spasmophilie** 1907, Lar., méd.

**spath** 1751, *Encycl.,* géol. ; mot all. (v. FELDSPATH). || **spathique** 1757, *Encycl.* || **spathifier** 1836, *Acad.*

**spathe** 1743, Geoffroy, bot. ; lat. *spatha,* « tige des feuilles de palmier », mot gr. (V. ÉPÉE.)

**spatial** 1888, Lar., sens général ; 1964, Robert, astronaut. ; lat. *spatium* (v. ESPACE). || **spatialité** 1907, Bergson. || **spatio-temporel** 1904, d'après P. Robert (v. TEMPOREL). || **spationef** 1963, *journ.* ; sur le modèle de *aéronef.* || **spatialiser** 1907, Lar. || **spatialisation** 1964, Robert. || **spationaute** 1962, *journ.*

**spatule** 1377, Lanfranc (var. *espatule,* jusqu'au XVIIe s.), pharm. ; lat. *spathula, spatula,* dimin. de *spatha* au sens fig. de « cuiller allongée » (v. SPATHE). || **spatulé** 1778, Lamarck.

**speaker** 1649, *Lettre à Mazarin,* « président des Communes » ; 1866, *Acad., Compl.,* « orateur » ; 27 sept. 1904, *le Matin,* « annonceur de résultats sportifs » ; 1930, *journ.,* radio ; angl. *speaker,* proprem. « parleur », de (*to*) *speak,* parler (pour notre empl. mod. de *speaker,* l'angl. se sert de *announcer,* « annonceur »). || **speakerine** 1950, *journ.*

**spécial** 1130, *Eneas* (*especiel*) ; 1190, *Saint Bernard* (*spécial*) ; lat. *specialis,* « relatif à l'espèce, particulier », de *species,* aspect. || **spécialité** 1265, Br. Latini (*especialité*) ; XIVe s. (*spécialité*), « qualité particulière » ; 1837, Balzac, « compétence particulière » ; 1893, Courteline, « manie » ; bas lat. *specialitas* (IIIe s., Tertullien). || **spécialement** 1120, *Ps. de Cambridge.* || **spécialiser** 1555, de Selve ; rare avant 1823, Boiste. || **spécialisé** 1933, J. Romains, adj. (*ouvrier spécialisé,* etc.). || **spécialisation** 1830, A. Comte. || **spécialiste** 1832, Balzac.

**spécieux** fin XIVe s., « de belle apparence », encore au XVIIe s. ; 1646, Rotrou, fig., péjor., « d'apparence trompeuse » ; lat. *speciosus,* aux deux sens, de *species,* au sens de « aspect brillant ». || **spécieusement** 1690, Furetière. || **spéciosité** XVe s., Molinet.

**spécifier** 1283, Beaumanoir (*especefier*) ; bas lat. *specificare,* de *species* au sens de « espèce ». || **spécification** milieu XIVe s. ; lat. médiév. *specificatio.* || **spécificatif** 1314, Mondeville. || **spécifique** 1503, Chauliac ; bas lat. *specificus.* || **spécifiquement** milieu XIVe s. || **spécificité** 1836, *Acad.*

**spécimen** 1662, Saint-Évremond ; angl. *specimen,* mot lat. signif. « modèle, échantillon », de *species,* espèce.

**spectacle** 1130, *Job* ; lat. *spectaculum,* de *spectare,* regarder. || **spectaculaire** 1907, Lar., « qui concerne les spectacles » ; 1937, Daniel Rops, « surprenant » ; de *spectacle,* d'après le mot lat. || **spectateur** fin XIVe s., « témoin » ; 1553, *Bible,* sens actuel ; lat. *spectator.* (V. INSPECTER, PROSPECTER.)

**spectre** fin XVIe s., « apparition d'un fantôme » ; 1611, Cotgrave, fantôme ; lat. *spectrum,* de *spectare,* regarder ; début XVIIIe s., opt., d'après l'angl. *spectrum,* empr. au lat., pour cet empl., par Newton. || **spectral** 1857, Baudelaire, « qui a le caractère d'un fantôme » ; 1872, L., opt. ; *analyse spectrale,* 1862, *Annales de chimie,* physique des ondes. || **spectrogramme** 1949, Lar. || **spectrographe** 1902, d'après P. Robert. || **spectrographie** 1949, Lar. || **spectromètre** 1872, L. || **spectroscope** 1872, L. || **spectroscopie** 1872, L. || **spectroscopique** 1872, L.

**spéculaire** 1556, Le Blanc, adj. (*pierre spéculaire*) ; 1570, Stoer, « relatif au miroir » ; 1839, Boiste, n. f., bot. ; lat. *specularis,* « relatif au miroir ». (V. SPÉCULUM.)

**spéculer** 1350, *Ars d'amour,* « observer, considérer », encore au XVIe s. ; 1460, Chastellain ; *spéculer sur,* début XVe s., Chr. de Pisan, « faire des recherches théoriques ; 1801, Mercier, Bourse ; lat. *speculari,* observer. || **spéculatif** 1265, Br. Latini ; XVIIIe s., Bourse ; bas lat. *speculativus.* || **spéculation** XIIIe s., Tobler-Lommatzsch, philos. ; 1370, Oresme, « recherche théorique » ; 1776, Condillac, Bourse ; bas lat. *speculatio.* || **spéculateur** 1532, traduction, « observateur » ; 1745, Brunot, en Bourse.

**spéculum** 1363, Chauliac, méd. ; mot lat. signif. « miroir » ; le plus souvent suivi d'un autre mot lat. : *speculum oris, ani, uteri, oculi,* « miroir de la bouche, de l'anus, de l'utérus, de l'œil », etc. ; spécialisé en gynécologie au XIXe s.

**speech** 1798, *Acad.* ; mot angl. signif. « parole », de (*to*) *speak,* parler.

**speiss** 1765, *Encycl.* ; mot allem.

**spéléologie** 1893, Martel ; gr. *spêlaion,* caverne, et *-logie.* || **spéléologue** 1904, Lar. || **spéléologique** 1904, Lar.

**spélonque** 1265, Br. Latini ; lat. *spelunca,* caverne, du gr. *spêlugx,* de même rad. que le précédent.

**spencer** 1797, Brunot ; mot angl., du nom de lord *Spencer* (1758-1834), qui mit ce vêtement à la mode.

**spergule** 1615, Daléchamps (*spergula*) ; 1752, Trévoux (*spergule*), bot. ; lat. médiév. *spergula,* d'orig. obscure ; forme dial. *espargoule.* || **spergulaire** 1876, Lar.

**spermaceti** 1557, G. Ruscelli, blanc de baleine ; gr. *sperma,* semence, et lat. *cetus,* baleine.

**sperme** XIII^e^ s., *Simples Méd.* (*esperme de baleine,* trad. du précéd.) ; XIV^e^ s., Lanfranc (*sparme*), sens mod. ; bas lat. *sperma,* du gr. *sperma, -atos,* semence, de *speireîn,* semer. || **spermatique** 1314, Mondeville ; bas lat. *spermaticus,* du gr. *spermatikos.* || **spermatisme** 1872, L. || **spermatocyte** 1897, *Année biol.* || **spermatologie** 1741, Col de Vilars ; d'après le gr. || **spermatogenèse** 1878, Duval. || **spermatophytes** ou **spermaphytes** 1888, d'après P. Robert, bot. || **spermatozoaire** milieu XIX^e^ s. ; gr. *zôarion,* animalcule. || **spermatozoïde** 1846, Baudement, d'après le précéd. || **spermophile** 1839, Boiste, zool. ; lat. scientif. *spermophilus,* qui aime les graines, du gr. *sperma,* graine.

**sphacèle** 1520, Chauliac, méd., gangrène ; gr. *spakelos.* || **sphacéler** 1534, Rab.

**sphaigne** 1791, Valmont, bot. ; gr. *sphagnos,* mousse.

**sphénoïde** 1611, Cotgrave, anat. ; gr. *sphênoeidês,* « en forme de coin », de *sphên,* coin, et *eidos,* aspect. || **sphénoïdal** 1690, Dionis, anat. || **sphénoïdite** 1923, Lar.

**sphère** milieu XII^e^ s., *Rom. Thèbes* (*espere*) ; 1532, Rab. (*sphère*), géom., astron. ; 1656, Pascal, « étendue de connaissances, d'activité » ; lat. *sphaera,* du gr. *sphaira,* balle à jouer. || **sphérique** 1370, Oresme ; bas lat. *sphaericus,* du gr. *sphairikos.* || **sphéricité** 1671, P. Chérubin. || **sphéroïde** 1556, R. Le Blanc. || **sphéroïdal** 1740, *Bibliothèque brit.* || **sphéroïdique** fin XVIII^e^ s., Laplace. || **sphéromètre** 1803, Boiste. (V. PLANISPHÈRE, STRATOSPHÈRE.)

**sphincter** 1548, Rab. ; mot lat., du gr. *sphigktêr,* « qui serre », de *sphiggeîn,* serrer. || **sphinctérien** 1878, Lar. || **sphinctérotomie** 1964, Lar.

**sphinx** 1546, M. de Saint-Gelais (*sphinge*) ; 1552, Rab. (*sphinx*), monstre ; 1762, Geoffroy, papillon ; mot gr., parfois fém. comme en lat. ou en gr.

**sphygmographe** 1859, *Acad. des sciences ;* gr. *sphugmos,* pulsation, et *-graphe.* || **sphygmogramme** 1899, d'après P. Robert. || **sphygmographie** 1878, Lar. || **sphygmomanomètre** ou **sphygmotensiomètre** 1889, Potain. || **sphygmique** 1872, L.

**spic** XI^e^ s., *Gloses de Raschi,* lavande ; lat. *spicum,* épi. || **spica** 1555, Vide, méd., bandage ; mot lat., var. de *spicum.* || **spicule** 1830, *Dict. sciences nat.,* zool. ; dimin. lat. *spiculum,* petite pointe. || **spicilège** 1678, *Journ. des savants,* recueil d'actes ; lat. *spicilegium,* action de glaner (v. *florilège,* à FLEUR). || **spiciflore** 1845, Besch. || **spiciforme** 1842, *Acad.*

**spider** 1877, Bonnaffé, autom. ; mot angl. signif. « araignée ».

**spin** 1925, Goudsmit et Uhlenbeck, phys. ; mot angl.

**spinal** 1541, Canappe, anat. ; lat. *spinalis,* de *spina,* épine. || **spinalgie** 1933, Lar. || **spina-bifida** 1804, Bodin ; mot du lat. méd., proprem. « épine-bifide ». || **spina-ventosa** 1741, Col de Vilars ; mot du lat. méd., proprem. « épine venteuse ».

**spinelle** 1500, *Inv. Fontainebleau,* rubis ; ital. (*rubino*) *spinello,* « petite épine ».

**spinnaker** 1878, Bonnafé ; mot angl.

**spinosisme** ou **spinozisme** 1697, Bayle ; du nom de *Spinoza,* philosophe hollandais (1632-1677). || **spinoziste** 1870, *Rev. des Deux Mondes,* adj. ; 1697, Bayle, n.

**spinule** 1611, Cotgrave (*spinul,* n. m.) ; 1842, *Acad.* (*spinule,* n. f.), zool., bot. ; lat. *spinula,* dimin. de *spina,* épine.

**spiracle** 1842, *Acad.* (*spiracule*), zool. ; lat. *spiraculum* (v. SOUPIRAIL).

**spirale** V. SPIRE.

**spirant** 1552, Rab., « respirant » ; 1872, L., linguist. ; lat. *spirans,* part. prés. de *spirare,* souffler. || **spiration** 1285, G., théol. ; bas lat. *spiratio,* respiration. || **spirographie** 1964, Lar. || **spiromètre** 1855, Nysten. || **spirométrie** *id.*

**spire** 1548, *Archives ;* lat. *spira ;* du gr. *speîra.* || **spiral** 1534, Rab. ; lat. médiév. *spiralis.* || **spirale** XVI^e^ s., B. Palissy (*espiralle*) ; 1691, Ozanam (*spirale*) ; *en spirale,* 1800, Boiste. || **spiroïdal** 1868, Souviron. || **spirocercose** 1964, Lar. ; lat. scient. *spirocerca,* du gr. *kerkos,* queue. || **spirochète** 1876, Lar., zool. ; gr. *khaitê,* « chevelure longue ». || **spirochétose** 1910, Lar., méd. || **spirographe** 1827, *Acad.,* zool. || **spirorbe** 1803, Boiste, zool. || **spirée** 1694, Tournefort (*spiraea*) ; 1752, Trévoux (*spirée*), bot. ; lat. *spiraea,* du gr. *speiraia,* de même rad. que le précéd. || **spirille** 1827, *Acad.,* bot. ; 1868, Souviron, zool. || **spirillose** 1907, Lar.

**spirite** 1857, Allan Kardec ; angl. *spirit-rapper,* « esprit farceur » (d'où « spirite »), de *spirit,* du lat. *spiritus,* et de *rapper,* frappeur, de (*to*) *rap,* frapper sur les doigts. || **spiritisme** 1857, Kardec.

**spiritoso** 1872, L. ; mot ital., de *spiritus,* esprit.

**spirituel** X$^{e}$ s., *Saint Léger* (*espiritiel*) ; fin XII$^{e}$ s. (*spirituel*), théol. et philos. ; fin XVI$^{e}$ s., « fin d'esprit », d'après *esprit ;* lat. eccl. *spiritualis* (III$^{e}$ s., Tertullien), « relatif à l'esprit, immatériel », du lat. *spiritus,* esprit. || **spirituellement** fin XII$^{e}$ s., *Dialogues Grégoire ;* 1636, Monet, d'une manière pleine d'esprit. || **spiritualité** 1283, Beaumanoir (*espiritualité,* forme courante en anc. fr.) ; lat. eccl. *spiritualitas.* || **spiritualiser** 1521, Delb. ; de *spirituel,* d'après le lat. || **spiritualisme** 1694, *Acad.,* théol. || **spiritualiste** 1771, Trévoux.

**spiritueux** 1363, Chauliac, méd. ; 1687, Lémery, sens mod. ; lat. *spiritus,* dans son sens méd. et alchim. au Moyen Âge. (V. *esprit-de-vin,* à ESPRIT.)

**spirographe** V. SPIRE.

**splanchnique** 1729, Vaux, anat. ; gr. *splagkhnikos,* de *splagkhnon,* viscère. || **splanchnicectomie** 1953, Lar. || **splanchnologie** 1654, Gelée.

**spleen** 1745, Leblanc (*splene ; splin,* chez Diderot et Voltaire) ; angl. *spleen,* rate, humeur noire, du bas lat. *splen,* gr. *splên,* rate, hypocondrie. En anc. fr., forme *splen,* 1265, Br. Latini. || **spleenétique** 1755, abbé Prévost ; angl. *splenetic,* du bas lat. *spleneticus.*

**splendeur** 1120, *Ps. de Cambridge ;* lat. *splendor,* de *splendere,* resplendir. || **splendide** fin XV$^{e}$ s. ; lat. *splendidus.* || **splendidement** début XVI$^{e}$ s., É. Médicis.

**splénique** 1555, Vide, anat. ; lat. *splenicus,* de *splen,* rate. || **splénite** 1752, Trévoux. || **splénectomie** 1822, *Dict. méd.* || **splénétique** XIV$^{e}$ s., Lanfranc, anat. || **splénographie** 1808, Boiste. || **splénomégalie** 1907, Lar. || **splénotomie** 1872, L.

**spolier** 1460, G. Alexis ; lat. *spoliare,* de *spolia,* dépouilles (v. DÉPOUILLER). || **spoliation** 1425, O. de La Haye ; lat. *spoliatio.* || **spoliateur** 1488, *Mer des hist. ;* lat. *spoliator.*

**spondée** 1378, J. Le Fèvre ; lat. *spondeus,* du gr. *spondeîos,* proprem. « mètre en usage dans les chants de libations », de *spondê,* libation. || **spondaïque** 1580, Montaigne ; lat. *spondaicus,* du gr. *spondeiakos.*

**spondyle** 1314, Mondeville (*spondille*), anat. ; 1611, Cotgrave, zool. ; lat. *spondylus,* vertèbre, du gr. *spondulos.* || **spondylite** 1823, *Dict. méd.* || **spondylose** 1907, Lar. || **spondylarthrite** 1964, Lar.

**spongieux** XIII$^{e}$ s., Tobler-Lommatzsch ; lat. *spongiosus,* de *spongia* (v. ÉPONGE 1). || **spongiosité** 1314, Mondeville. || **spongiaire** 1827, *Acad.,* zool. || **spongite** 1644, Bachou, minér. ; lat. *spongitis.* || **spongille** 1827, *Acad.* || **spongiculture** 1907, Lar. || **spongolite** 1964, Lar., minér.

**sponsoring** 1974, Lar. ; angl. *sponsor,* garant, mot lat., de *spondere,* garantir.

**spontané** XIV$^{e}$ s. ; lat. *spontaneus* (I$^{er}$ s., Sénèque), de *spons,* « volonté libre », empl. surtout à l'abl. *sponte ; génération spontanée,* 1775, Buffon. || **spontanément** 1381, *D. G.* || **spontanéité** 1695, Leibniz. || **spontanéisme** 1968, *journ.* || **spontanéiste** 1969, *journ.*

**sporadique** 1620, Lamperière, méd. ; 1872, L., géol. ; 1845, Besch., « épars » ; gr. *sporadikos,* dispersé (v. SPORE). || **sporadiquement** 1845, Besch. || **sporadicité** 1872, L.

**spore** 1817, Gérardin ; gr. *spora,* semence, de *speireîn,* semer. || **sporagineux** 1951, Gide. || **sporange** 1817, Gérardin. || **sporule** *id.* || **sporulation** 1875, *Acad. des sciences.* || **sporuler** 1878, Lar. (*sporulé*). || **sporoblaste** 1904, Lar. || **sporocyste** 1872, L. || **sporophore** 1845, Besch. || **sporogone** 1904, Lar. || **sporotriche** 1842, *Acad.* (*sporotrique*) ; gr. *trix, trikhos,* cheveu. || **sporotrichose** 1903, Garnier. || **sporozoaires** 1888, Lar. || **sporozoose** 1904, Lar.

**sport** 1828, *Journal des haras ;* mot angl., proprem. « jeu, amusement » ; forme apocopée de *disport,* de l'anc. fr. *desport* (1130, *Eneas*), même sens, de l'anc. verbe *se déporter,* s'amuser. || **sportsman** 1823, *Diorama anglais ;* mot angl., de *sport,* et *man,* homme. || **sportif** 1862, *le Sport.* || **sportivement** 1899, Bonnafé. || **sportivité** 1920, Lar. || **antisportif** 1911, Lar.

**sportule** 1564, J. Thierry, « présent offert aux juges » ; de l'empl. jurid. du lat. *sportula,* panier de provisions, de *sporta,* panier ; 1566, Chaumeau, « aumône ».

**spot** 1888, Lar. ; mot angl., proprem. « tache ».

**spoutnik** oct. 1957, *journ. ;* mot russe signif. « compagnon de route ».

**sprat** 1775, Duhamel, ichtyol. ; mot angl.

**spray** 1888, Lar. ; mot angl. signif. « embrun ».

**springbok** 1781, Buffon ; mot néerl., de *bok,* bouc, et *spring,* saut.

**sprinkler** 1964, Lar. ; mot angl., de *to sprinkle,* arroser.

**sprint** 1895, *Gil Blas,* en sport ; mot angl. désignant une course de vitesse. || **sprinter** n. m., 1889, Saint-Clair ; mot angl. || **sprinter** v., fin XIXe s.

**spumeux** 1363, Chauliac ; lat. *spumosus,* de *spuma,* écume, repris par le lexique pathol. ; du lat. *spuere,* cracher (v. CONSPUER). || **spume** 1363, Chauliac, méd. || **spumescent** 1817, Gérardin. || **spumosité** 1752, Trévoux.

**squale** 1754, La Chesnaye ; lat. *squalus.* || **squalène** 1949, Lar. || **squalidés** 1842, *Acad.*

**squame** 1265, Br. Latini (*esquame*) ; début XIVe s., Gilles li Muisis (*squame*) ; lat. *squama,* écaille. || **squameux** fin XIIIe s., B. de Gordon ; lat. *squamosus,* écailleux. || **squamule** 1812, Mozin. || **squamiforme** 1478, Chauliac. || **squamifère** 1823, Boiste. (V. DESQUAMER, ESCAMOTER.)

**square** 1725, C. de Saussure, à propos de Londres ; 1836, *Acad.,* à propos de la France ; 1842, *Acad.* ; angl. *square,* proprem. « carré », d'où « jardin sur une place carrée », issu lui-même de l'anc. fr. *esquarre,* var. de *esquerre.* (V. ÉQUERRE.)

**squatter** 1835, Bonnafé, « pionnier » ; 1948, Lar., personne s'installant de sa propre autorité dans un logement inoccupé ; mot anglo-amér. || **squattériser** 1975, Lar. || **squatter** verbe, 1969, *journ.*

**squeeze** 1964, Lar. ; mot angl., de *to squeeze,* presser, serrer. || **squeezer** 1859, *FEW,* n. m. ; 1964, Lar., verbe.

**squelette** 1552, Vaganay, anat. ; 1560, Paré (var. *scelete*) ; 1669, Widerhold, « symbole de la mort » ; 1690, Furetière, techn. ; gr. *skeletos,* « desséché ». || **squelettique** 1834, Balzac.

**squille** 1611, Cotgrave ; lat. *squilla.*

**squire** XXe s. ; mot angl. signif. « propriétaire rural ».

**squirre** 1550, Guéroult (*scirrhe*), méd. ; 1560, Paré (*scirre*) ; gr. méd. *skirrhos.* || **squirreux** 1550, Guéroult (fém. *scyrrheuse*).

**stabat** ou **stabat mater** 1762, Diderot ; mots latins commençant une prose liturgique : *Stabat mater dolorosa...*

***stable** 1120, *Ps. de Cambridge* (*estable*) ; 1464, A. Chartier (*stable*) ; lat. *stabilis,* de *stare,* se tenir debout (v. ÉTABLIR). || **stabilité** 1119, Ph. de Thaon ; lat. *stabilitas.* || **stabiliser** 1780, Brunot, écon. polit. ; 1845, Besch., « rendre stable » ; de *stable,* d'après la forme lat. || **stabilisation** 1780, Brunot. || **stabilisateur** 1877, Quatrefages, adj. ; 1907, Lar., appareil. || **stabiliseur** 1964, Lar. || **instable** 1372, Golein ; rare jusqu'au XVIIIe s. ; lat. *instabilis.* || **instabilité** 1468, Chastellain ; lat. *instabilitas.*

**stabulation** 1833, Besch., agric. ; lat. *stabulatio, -onis,* séjour dans l'étable, de *stabulum,* étable (v. ÉTABLE).

**staccato** 1771, Trévoux, mus. ; mot ital. signif. « d'une manière détachée ».

**stade** 1265, Br. Latini (*estade*), n. m., mesure grecque ; 1361, Oresme, n. f., même sens, encore chez Molière, *Mélicerte* ; 1549, R. Est., « enceinte » ; XIXe s., méd. ; 1878, Lar., « période, degré » ; lat. *stadium,* du gr. *stadion.*

**stadia** 1865, d'après P. Robert, n. f., instrument de mesure des distances ; gr. *stadia,* fém. de *stadios,* « planté debout ». || **stadimètre** 1877, L.

1. **staff** 1850, Lar., « stuc » ; allem. *staffieren,* étoffer. || **staffer** 1904, Lar. || **staffeur** *id.*

2. **staff** 1968, Lar. ; mot angl. signif. « état-major ».

**stage** 1631, Bassompierre, eccl. et jurid. ; 1782, Mercier, « période de formation » ; lat. médiév. *stagium,* calque de l'anc. fr. *estage* (v. ÉTAGE), au sens primitif de « séjour », de *ester,* du lat. *stare.* || **stagiaire** 1823, Boiste. || **stagiariser** 1974, *journ.*

**stagner** 1788, Féraud ; lat. *stagnare,* être stagnant, de *stagnum,* étang ; on trouve en moy. fr. *restagner,* 1544, M. Scève. || **stagnant** 1546, Rab. ; du part. prés. *stagnans.* || **stagnation** 1741, Col de Vilars.

**stakhanovisme** v. 1935 ; du nom de *Stakhanov,* ouvrier soviétique, créateur de cette méthode dans les mines du Donetz. || **stakhanoviste** *id.*

**stalactite** 1644, Bachou ; gr. *stalaktos,* « qui coule goutte à goutte », de *stalazeîn,* filtrer, couler goutte à goutte. || **stalagmite** 1683, Colbert ; gr. *stalagmos,* écoulement goutte à goutte. || **stalagmomètre** 1876, Lar. || **stalagmométrie** 1953, Lar.

**stalag** 1940 ; mot allem., abrév. de *Stammlager,* « camp de base ».

**stalinien, stalinisme** 1949, Lar. ; du nom de *Staline.*

**stalle** milieu XVI^e s. (*stal*) ; d'abord masc., puis fém. (1743, Trévoux) ; 1826, *Journ. des dames, stalle de théâtre ;* 1861, Gayot, *stalle d'écurie ;* lat. médiév. *stallum,* stalle, de l'anc. fr. *estal,* position. (V. ÉTAL, INSTALLER.)

**staminal** 1803, Wailly, bot. ; lat. *stamen, -inis* (v. ÉTAMINE 2). || **staminée** 1764, Restaut. || **staminifère** 1803, Boiste. || **staminode** 1817, Gérardin.

**stance** 1550, Héroët, « salle » ; ital. *stanza,* proprem. « demeure », de *stare,* se tenir ; sens de « strophe », d'après le repos qui en marque la fin.

**stand** 1854, Chapus, tribune de courses ; 1883, *FEW,* emplacement d'exposition ; angl. *stand,* de (*to*) *stand,* se dresser ; *stand de tir,* 1875, *J. O.,* du suisse all. *Stand.*

**standard** 1702, *État prés. d'Angleterre,* n. m., « étalon, type » ; XIX^e s., adj. ; 1897, Mackenzie, téléphone ; angl. *standard,* lui-même issu de l'anc. fr. *estandard* (v. ÉTENDARD). || **standardiser** 1915, Le Chatelier. || **standardisation** 1904, M. Plessis. || **standardiste** 1933, Lar.

**stand-by** 1975, *Dict. écon. ;* angl. *to stand by,* se tenir auprès.

**standing** n. m., 1928, Pagnol ; mot angl. signif. « importance, niveau », de (*to*) *stand,* se tenir (v. STAND).

**standolie** 1964, Lar. ; de *standard* et *-olie,* du lat. *oleum,* huile.

**stannique** 1831, Berzelius ; lat. *stannum,* étain. || **stanneux** *id.* || **stannifère** 1829, Brongniart. || **stannine** 1872, L. || **stannoïde** 1876, Lar.

**staphisaigre** XIII^e s., *Simples Méd.* (*taffisagre*) ; 1314, Mondeville (*staphisagre*) ; fin XVI^e s. (*staphisaigre*), bot. ; bas lat. *staphis agria,* mot gr. signif. « raisin sauvage ».

**staphylier** 1808, Boiste, bot. ; gr. *staphulê,* grain de raisin.

1. **staphylin** n. m., 1775, *D. G.,* entom. ; gr. *staphulinos,* de *staphulê,* grain de raisin.

2. **staphylin** adj., 1752, Trévoux, anat. ; même étym. que le précédent.

**staphylo-,** gr. *staphulê,* grain de raisin. || **staphylome** 1560, Paré, méd., maladie de l'œil dite *raisinière ;* lat. méd. *staphyloma,* mot gr. || **staphylocoque** 1884, Rosenbach, méd. ; gr. *kokkos,* graine. || **staphylococcie** 1904, Lar. || **staphyloplastie** 1867, Bouchut ; gr. *staphulê,* luette. || **staphylorraphie** 1836, *Acad.* || **saphylotomie** 1842, *Acad.*

**star** 1919, *le Film,* cinéma ; mot angl. signif. « étoile ». || **starlette** 1922, *Cinémagazine ;* dimin. de *star.* || **star-system** milieu XX^e s.

**staroste** 1606, Barezzi ; mot polonais. || **starostie** 1701, Furetière.

**starter** 1862, Mackenzie, en sport, « celui qui donne le départ » ; 1932, d'après P. Robert, techn. autom. ; mot angl., de *to start,* faire tressaillir, d'où « donner le départ d'une course ». || **starting-block** 1950, d'après P. Robert ; mot angl., de *to start,* partir, et *block,* bloc. || **starting-gate** 1906, Lar. ; mot angl., de *to start,* partir, et *gate,* grille.

**stase** 1741, Col de Vilars, méd. ; gr. *stasis,* arrêt. || **diastase** XX^e s., physiol. || **métastase** XX^e s., méd.

**statère** fin XIV^e s., monnaie grecque ; bas lat. *stater,* mot gr.

**stathouder** 1650, Pellisson ; mot néerl. signif. « gouverneur », proprem. « qui tient la place (du souverain) », de *stade,* lieu, et *houder,* qui gouverne. (Cf. l'all. *Statthalter.*) || **stathoudérat** 1701, Furetière.

**statice** 1615, Des Moulins ; lat. *statice,* du gr. *statikê,* de *istanai,* arrêter.

**statif** 1355, Bersuire ; lat. *stativus,* fixe, de *stare,* rester debout.

**station** 1170, *Rois,* « lieu où l'on se fixe », peu usité en anc. fr. ; XIII^e s., relig., suite de sermons ; XIX^e s., *station du chemin de croix ;* aux XVII^e-XVIII^e s., surtout lieu où l'on s'arrête, au sens gén. ; 1773, Bourdé, « mouillage » ; 1671, Rohault, astron. ; *station de lavage,* 1964, Lar. ; *station agronomique,* 1878, Lar. ; *station orbitale,* 1975, Lar. ; lat. *statio,* façon de se tenir, lieu où l'on se fixe, de *stare,* se tenir debout. || **stationnaire** 1270, Mahieu le Vilain, rare avant le XVII^e s. ; bas lat. *stationarius,* fixe ; *état stationnaire,* 1904, Lar. || **stationner** 1596, Hulsius. || **stationnement** fin XVIII^e s., Turgot. || **stationnale** 1743, Trévoux, eccl. || **sous-station** v. 1925, *journ.,* techn. || **station-service** 1949, Lar.

**statique** 1721, Trévoux ; *électricité statique,* 1864, L. ; gr. scient. *statikos,* « relatif à l'équilibre », de *istanai,* placer, faire tenir. || **stati-**

quement 1910, d'après P. Robert. || **statisme** 1946, Benda.

**statistique** 1771, Trévoux ; all. *Statistik* (1749, Schmeitzel), issu du lat. mod. *collegium statisticum,* du lat. *status,* état. || **statisticien** 1834, Landais. || **statistiquement** 1964, Robert.

**stato-,** gr. *statos,* stationnaire. || **statoblaste** 1904, Lar. ; gr. *blastos,* germe. || **statocyste** 1904, Lar. ; gr. *kustis,* cellule. || **statolithe** 1907, Lar. ; gr. *lithos,* pierre.

**stator** 1908, Lar., techn., fait sur le rad. du lat. *stare,* « se tenir immobile », par oppos. à *rotor* (lat. *rotare,* tourner).

**statoréacteur** 1949, Lar., aéron. ; de *réacteur* et du rad. de *stare* (v. STATOR).

**statue** 1120, *Ps. d'Oxford ;* lat. *statua,* de *stare,* se tenir debout. || **statuette** 1800, Cambry. || **statuaire** 1495, J. de Vignay, « sculpteur » ; 1559, Du Bellay, n. f. ; lat. *statuarius.* || **statufier** 1888, Villatte ; d'après les verbes en *-fier.*

**statuer** début XV^e^ s. (*estatuer*) ; début XVI^e^ s. (*statuer*), jurid. ; lat. *statuere,* placer, établir, égalem. jurid.

**statu quo** 1764, Bouchard, trad. de Brooke ; loc. du lat. diplom. ; ellipse de *in statu quo ante,* « dans l'état où auparavant (étaient les choses) ».

**stature** 1155, Wace (*estature*) ; 1493, Coquillart (*stature*) ; lat. *statura,* de *stare,* se tenir debout.

**statut** v. 1250, Le Grand ; bas lat. *statutum,* part. passé substantivé de *statuere* (v. STATUER). || **statutaire** XVI^e^ s., *Coutumier gén.,* rare jusqu'au XIX^e^ s. || **statutairement** 1872, L. || **antistatutaire** fin XIX^e^ s.

**stauro-,** gr. *stauros,* pieu, croix. || **staurolite** 1872, L. || **stauroplégie** 1907, Lar. || **staurothèque** 1923, Lar.

**stayer** 11 sept. 1895, *le Temps,* en sport ; mot angl., de (*to*) *stay,* soutenir, d'où « montrer de l'endurance », de l'anc. fr. *estayer.* (V. ÉTAI 2.)

**steak** 1911, Hémon ; mot angl.

**steamer** 1829, Jacquemont ; mot angl., de *steam,* vapeur.

**stéarine** 1814, Chevreul ; gr. *stear,* graisse. || **stéarique** 1819, Chevreul. || **stéarinerie** 1872, L. || **stéarate** 1823, *Dict. méd.*

**stéatite** 1562, du Pinet, minér. ; gr. *steatitês,* de *stear, steatos,* graisse. || **stéatome** 1560, Paré, méd. ; gr. *steatôma,* graisse. || **stéatorrhée** 1872, L. || **stéatose** 1865, L. || **stéatopyge** 1842, *Acad.* ; gr. *pugê,* fesse.

**steeple-chase** 1828, *Journ. des haras ;* mot angl. signif. « course au clocher », de *steeple,* clocher, et *chase,* course (lui-même issu du fr. *chasse*). || **steeple** 1866, *Vie parisienne ;* abrév.

**stég(o)-,** gr. *stegos,* abri, de *stegein,* couvrir. || **stéganopodes** 1842, *Acad.* || **stégocéphales** 1842, Acad. || **stégomyie** 1907, Lar., entom. ; gr. *muia,* mouche. || **stégosaure** 1933, Lar., zool. ; gr. *sauros,* reptile.

**steinbock** fin XI^e^ s., *Gloses de Raschi* (*estaimboc*) ; haut allem. *steinboc,* bouc de rocher ; sens actuel, 1904, Lar.

**stèle** 1694, Th. Corn. ; lat. *stela,* du gr. *stêlê.*

**stellage** 1611, Cotgrave, féod. ; allem. *Stellage,* droit ; sens actuel, 1923, Lar.

**stellaire** 1615, Daléchamps (*stellaria*), n. f., bot. ; 1823, *Journ. des dames* (*stellaire*) ; fin XVIII^e^ s., adj. ; bas lat. *stellaris* (V^e^ s., Macrobe), de *stella,* étoile. || **stellérides** 1808, Boiste, zool.

**stellionat** 1577, Forget, jurid. ; lat. *stellionatus,* de *stellio, -onis,* lézard (animal pris pour symbole de la fraude). Cf. le moy. fr. *stellion* (1314, Mondeville). || **stellionataire** 1655, Brunot.

**Stellite** 1923, Lar., n. déposé ; lat. *stella,* étoile.

**stemm** 1924, Kurz ; mot norvégien.

**stencil** 1923, Lar. ; mot angl., de (*to*) *stencil,* orner de couleurs étincelantes, de l'anc. fr. *estinceler* (v. ÉTINCELLE). || **stenciliste** 1950, Lar.

**sténographie** 1771, Trévoux ; gr. *stenos,* étroit, resserré, et *-graphie.* || **sténographe** 1792, Brunot. || **sténographier** 1792, Bertin. || **sténographique** 1775, Wailly. || **sténogramme** 1876, Lar. || **sténodactylographie** 1907, *L. M.* || **sténodactylo** 1964, Lar. || **sténotypie** 1864, Danel ; gr. *tupos,* caractère. || **sténotype** 1907, Lar. || **sténotypiste** 1907, Lar. || **sténotyper** 1911, Lar.

**sténose** 1823, *Dict. méd. ;* gr. *stenosis,* rétrécissement, de *stenos,* étroit. || **sténotherme** 1904, Lar., méd. || **sténosage** 1949, Lar.

**stentor** 1570, Picot (*cris de Stentor*) ; début XVII^e^ s. (*à voix de Stentor*) ; du nom de *Stentor,* nom d'un guerrier de *l'Iliade* (V, 785), à la voix aussi puissante que celle de cent hommes ensemble.

**steppe** 1678, A. Des Barres (*step,* encore au XVIII^e^ s.) ; 1827, Chateaubriand (*steppe,* masc. ;

encore masc. dans Littré) ; 1835, *Acad.*, n. f. ; russe *step*, n. f. || **steppique** 1909, Martonne (d'abord *steppeux*, 1907, Lar.).

**stepper** v. 1859, Dumas fils, « faire un tour à cheval » ; 1867, Gautier, « trotteur » ; mot angl., de (*to*) *step*, trotter. || **steppage** 1888, Villatte. || **steppeur** 1842, *le Charivari* (*stepper*) ; 1872, L. (*steppeur*).

**stercoraire** 1732, Trévoux, zool. ; lat. *stercorarius*, de *stercus, -oris*, excrément, fumier. || **stercoral** 1795, Cullen. || **stercorite** 1872, L.

**stère** 1794, textes admin., unité de mesure ; gr. *stereos*, solide. || **stérer** 1872, L.

**stéréo-**, gr. *stereos*, solide. || **stéréobate** 1676, Félibien, archit., sur le gr. *batês*, qui va. || **stéréochimie** 1889, d'après P. Robert. || **stéréochromie** 1876, Lar. ; sur le gr. *khrôma*, couleur. || **stéréognosie** 1964, Lar. || **stéréogramme** 1907, Lar. || **stéréographie** 1721, Trévoux. || **stéréographique** 1613, d'après L. || **stéréomètre** 1836, *Acad.* || **stéréométrie** 1560, J.-P. de Mesmes. || **stéréométrique** XVIIe s. || **stéréophonie** 1949, Lar. || **stéréophonique** 1940, d'après P. Robert. || **stéréophotographie** 1904, Lar. || **stéréoscope** 1842, *Acad.* ; d'après un mot angl. créé par Wheatstone, sur le modèle de *télescope*. || **stéréoscopique** 1856, *Doc.* || **stéréotaxie** 1964, Lar. || **stéréotomie** 1694, Th. Corn. || **stéréotomique** 1836, *Acad.* || **stéréotype** 1797, F. Didot ; gr. *tupos*, caractère. || **stéréotyper** *id.* || **stéréotypé** adj., 1834, Balzac, fig. || **stéréotypie** fin XVIIIe s. || **stéréovision** 1968, Lar.

**stérile** 1370, Oresme ; lat. *sterilis*. || **stérilité** v. 1355, Bersuire ; lat. *sterilitas*. || **stériliser** XIVe s., Gordon ; rare jusqu'au XVIIIe s. ; 1797, Boufflers , « rendre stérile » ; fin XIXe s., bactériol. ; 1801, Mercier, sens fig. || **stérilisation** 1869, *l'Universel*. || **stérilisateur** 1894, Sachs-Villatte.

**sterlet** 1575, Thevet, esturgeon de Russie ; russe *sterljad'* (cf. l'angl. *sterledey*, fin XVIe s., et *sterlet*, fin XVIIe s.).

**sterling** 1576, Huguet (*sterlin*) ; 1677, Miege (*sterling*) ; mot angl., du lat. médiév. *sterlingus*.

**sternum** 1555, Belon (*sternon*) ; mot du lat. méd. mod., du gr. *sternon*, poitrine. || **sternal** 1812, Mozin. || **sterno-cléido-mastoïdien** 1740, Trévoux. || **sternopage** 1876, Lar.

**sternutatoire** XIIIe s., *Simples Méd.* (*esternuatore*) ; 1560, Paré (*sternutatoire*) ; lat. *sternutare* (v. ÉTERNUER). || **sternutation** XVe s.

**stérol** 1933, Lar. ; de *cholestérol*. || **stéroïde** 1964, Lar. ; de *stéro(l)*, et gr. *eidos*, forme.

**stertoreux** 1795, Cullen, méd. ; lat. *stertere*, ronfler. || **stertor** 1904, Lar.

**stéthoscope** 1819, Laennec ; gr. *stêthos*, poitrine, et *-scope*.

**steward** 1833, Pavie ; mot angl. désignant un maître d'hôtel.

**sthène** 1923, Lar., unité de mesure ; gr. *sthenos*, force. || **sthénique** 1839, Boiste.

**stibié** 1707, Helvétius ; lat. *stibium*, antimoine. || **stibine** 1872, L.

**stichomythie** 1866, rhét. ; gr. *stikhos*, vers, et *muthos*, récit.

**stick** 1795, Miché (*stic*) ; mot angl. signif. « bâton, canne ».

**stigmate** fin XVe s. (*stigmacs de la Passion*), relig. ; 1580, Trippault, « marque au fer chaud » ; 1955, d'après P. Robert, « indice » ; lat. *stigmata*, pl. de *stigma*, « marque de flétrissure, faite au fer chaud », mot gr., proprem. « piqûre », de *stizeîn*, piquer. || **stigmatiser** 1532, Rab. (*stigmatisé*), au propre ; 1611, Cotgrave, « flétrir ». || **stigmatisation** 1845, Besch. || **stigmatisme** 1949, Lar., opt. || **astigmate, astigmatisme** 1890, Lar., opt. ; avec le préf. privatif *a-*.

**stilbène** 1876, Lar. ; gr. *stilbein*, briller.

**stil-de-grain** 1664, Savary, matière colorante ; néerl. *schijtgroen*, signif. « vert (*groen*) d'excrément (*schijt*) ».

**stillation** 1507, N. de La Chesnaye, techn. ; lat. *stillatio*, de *stillare*, couler goutte à goutte (v. DISTILLER, INSTILLER). || **stiller** 1544, Scève ; lat. *stillare*, tomber goutte à goutte. || **stillatoire** 1611, Cotgrave. || **stilligoutte** 1903, Huysmans ; sur *goutte*.

**stimuler** 1355, Bersuire, sens gén. ; 1560, Paré, méd. ; lat. *stimulare*, de *stimulus*, aiguillon. || **stimulant** 1752, Trévoux, adj. ; 1765, *Encycl.*, n. m., méd. || **stimulateur** 1549, R. Est. ; bas lat. *stimulator*. || **stimulation** 1395, Chr. de Pisan ; lat. *stimulatio*. || **stimuline** 1957, d'après P. Robert, méd. || **stimulus** 1820, Laveaux, physiol. ; mot lat.

**stipe** 1778, Lamarck, bot. ; lat. *stipes*, « tige ». || **stipité** 1808, Boiste, bot. || **stipule** 1749, Dulibard, bot. ; lat. *stipula*, petite tige. || **stipulaire** 1827, *Acad.*, bot.

**stipendié** milieu XVe s. (*paiement des stipendiés*), n. m. et adj. ; lat. *stipendiatus*, « à la solde », part. de *stipendiari*, de *stipendium*, solde militaire ; dès le lat., valeur péjor. || **stipendier** 1479, Bartzsch. || **stipendiaire** XIVe s., Du Cange ; lat. *stipendiarius.*

**stipulaire** V. STIPE.

**stipuler** 1289, *FEW,* jurid. ; rare jusqu'au XVIIe s. ; lat. jurid. *stipulari.* || **stipulation** début XIIIe s. ; lat. *stipulatio.*

**stochastique** XXe s. ; gr. *stokhastês,* devin ; lié au hasard.

**stock** 1559, Du Bellay (*prendre a stoc,* prendre à intérêt) ; 1656, Laurens, sens actuel ; 1886, Bloy, fig. ; mot angl., proprem. « tronc », d'où « provision », etc. ; même orig. que *étau* (v. ESTOC). || **stocker** 1920, Bonnafé. || **stockage** 1920, Bonnafé. || **stockiste** 1907, Lar. || **stock-car** 1958, Fabre-Luce ; sur l'angl. *car,* voiture. || **stock-exchange** 1923, Lar. ; mot angl., de *exchange,* échange.

**stockfisch** 1387, G. (*stocqvisch*) ; 1560, Paré (*stockvis, stockfisse,* etc.) ; moy. néerl. *stocvisch,* « poisson séché sur (ou raide comme) un bâton », de *stoc,* bâton, et *visch,* poisson (cf. l'angl. *stockfish,* l'all. *Stockfisch*).

**stoff** 1828, *la Mode,* étoffe légère ; angl. *stuff,* du fr. *étoffe.*

**stoïque** 1550, *Bible,* philos. ; 1655, Pascal, fig., sens mod. ; lat. *stoicus,* du gr. *stoikos,* de *stoa,* portique (Zénon, fondateur de l'école, au IVe s., enseignait à Athènes sous un portique). || **stoïcien** v. 1300. || **stoïcisme** 1688, La Bruyère ; a éliminé *stoïcité,* XVIe-XVIIIe s. || **stoïquement** 1555, Vaganay.

**stolon** 1549, Fousch, « rejeton de noisetier » ; 1808, Boiste, bot. ; lat. *stolo, -onis,* rejeton. || **stolonifère** 1808, Boiste. || **stolonial** 1923, Lar.

**stomacal** 1425, O. de La Haye ; lat. *stomachus,* estomac, du gr. *stomakhos,* œsophage, de *stoma,* bouche, orifice. || **stomachique** 1537, Lespleigney ; bas lat. *stomachicus,* du gr. *stomakhikos.*

**stomate** 1803, Boiste, zool. ; gr. *stoma, -atos,* bouche. || **stomatique** XVe s., méd. || **stomatite** 1830, *Dict. méd.* || **stomatologie** 1859, Mozin. || **stomatologiste** 1933, Lar. || **stomatoplastie** 1855, Nysten. || **stomatorragie** 1843, Landais. || **stomatoscope** 1845, Besch.

**stomoxe** 1764, Geoffroy, entom. ; gr. *stoma,* bouche (v. les précéd.), et *oxus,* aigu.

1. **stopper** 1847, *Annales maritimes,* faire arrêter ; angl. (*to*) *stop,* s'arrêter, arrêter. || **stop !** 1792, Romme ; angl. *stop,* impér. de (*to*) *stop.* || **stoppage** 1888, *FEW.* || **stoppeur** 1964, Robert.

2. **stopper** 1730, Savary (*restauper*) ; 1780, *Glossaire* (*estoper*) ; 1893, *D. G.* (*stopper*), « refaire une partie d'étoffe maille à maille » ; néerl. *stoppen,* de même orig. que l'all. *stopfen.* || **stoppage** 1893, *D. G.* || **stoppeur** 1893, *D. G.*

**storax** ou **styrax** XIIIe s., *Simples Méd.* (*storiaus*), pharm. ; lat. *styrax, storax,* du gr. *sturax.*

**store** 1544, Oudin, n. f., « natte » ; XVIIIe s., n. m. ; ital. dial. *stora,* n. f., en ital. *stuoja,* natte, store, du lat. *storea,* natte. || **storiste** 1973, *la Clé des mots.*

**stout** 1854, *FEW ;* angl. *stout,* vigoureux.

**strabisme** 1560, Paré (*strabismus*) ; 1660, Fernel (*strabisme*) ; gr. *strabismos,* de *strabos,* « qui louche ». || **strabique** 1845, Besch. || **strabotomie** 1872, L.

**stradivarius** 1833, Gautier ; du nom de *Stradivarius* (1644-1737), luthier de Crémone.

**stramoine** 1572, Des Moulins (*stramonia*), bot. ; 1776, Bomare (*stramoine*) ; lat. bot. médiév. *stramonium,* d'origine obscure.

**strangulation** 1549, Maignan ; lat. *strangulatio,* servant de dér. à *étrangler.*

**strapasser** 1611, Cotgrave (*estrapasser*), « harceler » ; 1684, Brunot, « peindre à la hâte » ; ital. *strapazzare,* proprem. « malmener », d'où « gâcher le travail », de *strappare,* arracher (v. ESTRAPADE).

**strapontin** 1298, *Livre de Marco Polo* (*straponte*) ; 1570, Carloix (*strapontin ;* var. *estrapontin* jusqu'au XVIIIe s.), « hamac » ; XVIIe s., « siège mobile dans une voiture » ; 1875, Lar., théâtre ; ital. *strapuntino,* « matelas (piqué à l'aiguille) », de l'anc. ital. *trapungere,* « piquer à l'aiguille », du lat. *transpungere,* piquer à travers. (V. POINTE.)

**strass** 1746, La Morlière (*stras*) ; du nom de *Stras,* joaillier, inventeur de ce faux diamant.

**strasse** 1690, Furetière, bourre de soie (var. *étrasse*) ; ital. *straccio,* « chiffon ».

**stratagème** 1372, Foulechat (*strategmmate*) ; 1564, J. Thierry (*stratagème*) ; lat. *strategema,* ruse de guerre, du gr. *stratêgêma.* (V. STRATÈGE.)

**strate** n. f., 1765, *Encycl.* (*strata*), géol. ; 1805, *Annales chimie* (*strate*) ; lat. *stratum,* chose étendue, part. passé subtantivé de *sternere,* étendre (v. STRATIFIER, STRATUS). || **stratifier** 1675, Lémery, d'abord en chimie, puis géol., etc. ;

lat. des alchimistes *stratificare,* de *stratum.* || **stratification** 1578, Chauvelot ; lat. des alchimistes *stratificatio.* || **stratigraphie** 1861, Dalimier. || **stratigraphique** *id.*

**stratège** 1721, Trévoux, hist. gr. ; 1904, Lar., sens mod., d'après le sens de *stratégie ;* gr. *stratêgos,* chef d'armée, de *stratos,* armée, et *ageîn,* conduire. || **stratégie** 1812, Mozin ; début XIXe s., fig. ; gr. *stratêgia.* || **stratégique** 1819, Boiste ; gr. *stratêgikos.* || **stratégiste** 1831, Noël et Carpentier.

**stratosphère** 1898, Teisserenc de Bort ; de *sphère* et du lat. *stratum,* au sens de « couverture » (v. STRATE, STRATUS). || **stratosphérique** 1933, *journ.* || **stratostat** 1934, *journ.,* à propos de l'ascension de Cosyns ; sur le modèle de *aérostat ;* n'a pas survécu. || **stratovision** 1953, Lar.

**stratus** 1869, *J. O.,* météor. ; mot lat. signif. « étendu » (v. STRATE). || **strato-cumulus** 1842, Dubochel.

**streaking** 1975, *Lexis ;* mot angl., de *to streak,* sillonner.

**strepto-,** gr. *streptôs,* arrondi, courbé. || **streptocoque** 1894, d'après P. Robert ; de *-coque,* du gr. *kokkos,* graine. || **streptobacille** 1933, Lar. || **streptolysine** 1933, Lar. || **streptakinase** 1953, Lar. || **streptococcie** 1897, Barbier. || **streptomycine** 1964, Lar. ; gr. *mukês,* champignon.

**stress** 1953, Lar. ; angl. *stress,* choc brutal. || **stresser** 1970, Robert. || **stressant** 1967, *la Nef.*

**strette** 1548, Barbier, « étreinte » ; 1880, Flaubert, mus. ; ital. *stretto,* « étroit, serré », du lat. *strictus* (v. le suiv.).

**strict** début XVIIIe s. ; lat. *strictus,* au fig., de *stringere,* serrer. (V. ÉTROIT.) || **strictement** 1503, Chauliac. || **stricto sensu** 1936, Capitant ; mot lat. signif. « au sens étroit ».

**striction** 1761, Levret, méd. ; lat. *strictio, -onis,* de *stringere,* étreindre.

**strident** 1502, O. de Saint-Gelais ; rare avant 1829, Boiste ; lat. *stridens,* part. prés. de *stridere,* produire un bruit strident. || **stridence** 1883, Daudet. || **strider** 1834, Boiste. || **strideur** fin XIIe s., *Dialogues Grégoire* (*strendor,* altér.) ; XVIe s. (*strideur*) ; lat. *stridor.* || **stridulant** 1842, *Acad.* || **striduleux** 1778, *Journ. méd. ;* lat. *stridulus,* sifflant. || **stridulation** 1817, Latreille. || **stridor** 1933, Lar. || **striduler** 1845, Besch. || **stridulatoire** 1904, Lar.

**strie** 1545, Van Aelst ; rare jusqu'en 1680, Richelet ; lat. *stria,* rainure. || **strié** 1534, Rab. ; lat. *striatus,* cannelé. || **strier** 1854, Nerval. || **striure** 1577, Delorme (*strieure*) ; 1755, Aviler (*striure*) ; adapt. du lat. *striatura.* || **strioscopie** 1949, Lar. || **strioscopique** 1953, Lar. || **striole** 1904, Lar.

**strige** 1200, G. (*estrie*) ; 1534, Rab. (*stryge*), n. f., vampire ; lat. *striga,* var. de *strix,* grand duc, du gr. *strigx.* || **strigidés** 1839, Boiste.

**strigile** 1544, M. Scève (*strigil*), n. m. ; rare jusqu'en 1727, Furetière ; 1752, Trévoux (*strigile*) ; lat. *strigilis* (v. ÉTRILLE).

**stripping** 1964, Lar., méd. ; mot angl., de (*to*) *strip,* ôter, enlever.

**strip-tease** 1954, *journ. ;* angl. (*to*) *strip,* déshabiller, et (*to*) *tease,* agacer. || **strip-teaseuse** *id.*

**striquer** 1803, Boiste, techn. ; néerl. *strijken,* du francique **strikan,* frotter. || **striqueur** 1904, Lar. || **stricage** 1803, Boiste.

**strobile** 1798, Richard, bot. ; lat. *strobilus,* du gr. *strobilos,* toupie, pomme de pin.

**stroboscope** 1888, Lar. ; gr. *strobos,* tourniquet, et *-scope.* || **stroboscopie** 1888, Lar. || **stroboscopique** 1845, Besch.

**stroma** 1855, Nysten ; bas lat. *stroma,* couverture, du gr. *stroma,* tapis.

**strombe** 1808, Boiste, zool. ; gr. *strombos,* toupie, coquillage conique.

**strongle** ou **strongyle** 1700, A. de Boisregard, zool. ; gr. *stroggulos,* rond. || **strongylose** 1897, Courtois. || **strongyloïdés** 1964, Lar.

**strontium** 1790, Crawford, chim. ; de *Strontian,* localité d'Écosse où ce corps fut découvert. || **strontiane** 1795, *Journ. des mines.* || **strontianite** *id.* || **strontique** 1872, L.

**strophantus** 1808, Boiste ; lat. scient. *strophantus,* du gr. *strophos,* cordon.

**strophe** 1550, Ronsard, au sens gr. ; 1669, Widerhold, syn. de *stance ;* lat. *stropha,* du gr. *strophê,* de *stropheîn,* tourner. || **strophique** fin XIXe s.

**stropiat** 1546, Rab. (*estr-*) ; ital. *stroppiato,* estropié.

**structure** XIVe s., « construction » ; fin XVe s., sens mod. ; lat. *structura,* de *struere,* construire. || **structural** 1877, L. || **structuralement** 1964, Robert. || **structuralisme** 1945, *Bull. société ling.*

|| **structuraliste** XX^e s. || **structurer** 1870, Bürger. || **structuration** 1962, Foulquié. || **structurel** 1961, Lar. || **structurellement** 1968, Lar. || **infrastructure** fin XIX^e s., techn. et économie politique. || **superstructure** 1764, Voltaire ; XIX^e s., techn. et économie politique ; d'après le lat. *superstruere.*

**strume** 1130, *Eneas,* « bosse » ; 1560, Paré, méd. ; lat. *struma,* scrofule. || **strumeux** XIII^e s., B. de Condé (*estrumeus*) ; lat. *strumosus.* || **strumectomie** 1907, Lar. || **strumite** *id.*

**struthio** 1904, Lar. ; bas lat. *struthio,* autruche, du gr. *strouthiôn.*

**strychnine** 1818, Pelletier et Caventou (qui découvrirent ce corps) ; lat. bot. *strychnos,* « vomiquier », mot gr. : la graine du vomiquier (noix vomique) contient de la strychnine. || **strychnisme** 1872, L.

**stuc** 1524, Havard ; ital. *stucco,* du longobard **stukki* (cf. l'allem. *Stück*). || **stucateur** 1641, Poussin ; ital. *stuccatore.* || **stucatine** 1907, Lar. || **stuquer** 1842, Aubert.

**stud-book** 1828, Bonnafé ; mot angl., de *stud,* haras, et *book,* livre.

**studieux** 1120, *Ps. de Cambridge* (*estudius*) ; lat. *studiosus,* de *studium* (v. ÉTUDE). || **studieusement** 1541, Rab. || **studiosité** XVI^e s., *Triomphes de la noble dame,* peu usité.

**studio** 1829, Lady Morgan ; d'abord au sens de « atelier d'artiste », puis de « atelier de photographe » ; 1908, Babin, cinéma ; mot anglo-amér., lui-même issu de l'ital. *studio,* atelier de peintre, du lat. *studium.* || **studette** 1970, Robert. (V. ÉTUDE.)

**stupa** 1868, *journ. ;* mot hindi.

**stupéfier** 1478, Chauliac ; lat. *stupefacere,* adapté d'après les verbes en *-fier.* || **stupéfiant** 1606, Charron, adj., méd. ; 1835, *Acad.,* subst. || **stupéfait** 1655, Molière ; lat. *stupefactus.* || **stupéfaction** 1363, Chauliac ; bas lat. *stupefactio.* (V. STUPEUR.)

**stupeur** fin XIV^e s., souvent méd. en moy. fr. ; lat. *stupor,* de *stupere,* « être engourdi, frappé de stupeur ». || **stuporeux** 1933, Lar. || **stupide** XIV^e s., B. de Gordon (*stupit*), « frappé de stupeur » ; 1599, Hornkens, sens mod. ; lat. *stupidus.* || **stupidement** 1588, Montaigne. || **stupidité** 1541, Calvin, « stupeur » ; 1580, Montaigne, sens mod. ; lat. *stupiditas.*

**stupre** 1378, La Curne ; lat. *stuprum,* débauche.

**stuquer** V. STUC.

**style** 1280, Bibbesworth (*estile*), jurid., « manière de procéder » ; 1346, G., « manière d'agir » ; 1537, trad. du *Courtisan,* « manière d'exprimer sa pensée » ; XVII^e s., appliqué aux beaux-arts ; 1935, Vercel, « exercice écrit, manière d'écrire » ; *clause de style,* 1765, *Encycl.,* terme de notaire ; lat. *stilus, stylus,* proprem. « poinçon servant à écrire sur les tablettes », sens repris au XIV^e s. (v. STYLET). || **stylé** adj., 1382, Ph. de Maizières, du sens de « manière d'agir ». || **styler** XV^e s., Molinet. || **styliste** 1840, Sainte-Beuve ; v. 1960, *journ.,* mode. || **stylisme** 1845, Besch. || **stylistique** 1872, L. ; allem. *Stylistik,* rhétorique. || **stylisticien** 1964, Robert. || **stylème** XX^e s. (d'après *morphème, phonème,* etc.). || **styliser** 1900, Mauclair ; d'après le sens esthétique de *style.* || **stylisation** 1893, Bing.

**stylet** fin XVI^e s., d'Aubigné (*stilet*) ; ital. *stiletto,* de *stilo,* poignard, du lat. *stilus,* poinçon (v. STYLE).

**stylite** 1690, Furetière ; gr. *stulitês,* de *stulos,* colonne (v. STYLOBATE).

**stylobate** 1545, Van Aelst ; lat. *stylobates,* mot gr., de *stulos,* colonne, et *baineîn,* « reposer sur ses pieds ». || **styloïde** 1560, Paré, méd. ; gr. *stuloeidês,* de *stulos.*

**stylographe** 1904, Lar. ; anglo-amér. *stylograph,* du gr. *stulos,* poinçon à écrire, et de *-graphe.* || **stylo** 1923, Lar. ; abrév. || **stylographique** 1904, Lar.

**styptique** 1265, Br. Latini (*stitique*), méd., astringent ; lat. méd. *stypticus,* du gr. *stuptikos,* de *stupheîn,* resserrer.

**styrax** 1611, Cotgrave ; lat. *styrax,* résineux, du gr. *sturax,* gomme.

**suage** 1332, G. (*souage*), moulure ; anc. fr. *soue, seuwe,* corde (1322, G.), du bas lat. *sōca* (VI^e s.), du gaulois **soca.*

**suaire** début XII^e s., *Voy. de Charl. ;* lat. eccl. *sudarium,* linge où fut enseveli Jésus, en lat. class. « mouchoir pour essuyer la sueur », de *sudor* (v. *sueur,* à SUER).

**suave** 1549, R. Est. ; lat. *suavis ;* a remplacé la forme pop. de l'anc. fr., *souef* (1050, *Alexis*), usitée jusqu'à la fin du XVI^e s. || **suavement** 1503, Chauliac. || **suavité** 1190, *Saint Bernard ;* lat. *suavitas.*

**sub-,** préf. ; lat. *sub,* sous ; il indique en français une subordination, une position inférieure à une autre, ou un degré légèrement inférieur à la normale.

**subalterne** XV^e s., Forget ; bas lat. *subalternus,* de *sub,* sous, et *alternus* (v. ALTERNER). || **subalternité** 1675, Sévigné. || **subalterniser** 1831, Enfantin. || **subalternisation** 1835, Laponneraye. || **désubalterniser, désubalternisation** v. 1848.

**subdiviser** 1377, Oresme ; lat. *subdividere,* adapté d'après *diviser ;* var. francisé *sous-diviser* (1314, Mondeville). || **subdivisible** 1877, L. || **subdivision** 1314, Mondeville ; lat. *subdivisio.* || **subdivisionnaire** 1865, Coussemaker.

**subduction** 1155, Wace (*suduction*), « tromperie » ; 1596, Basmaison, « calcul » ; 1975, Lar., sens actuel.

**subéreux** 1798, Richard ; lat. *suber,* liège. || **subérification** 1877, L. || **subérisation** 1923, Lar. || **subérine** 1821, *Dict. méd.*

**subintrant** 1471, Chauliac, méd. ; lat. *sub,* et *intrans,* de *intrare,* entrer.

**subir** 1481, Bartzsch ; lat. *subīre,* proprem. « aller sous », de *sub,* et *ire,* d'où « supporter ».

**subit** 1155, Wace ; lat. *subitus,* « qui vient à l'improviste », proprem. « par-dessous », de *subire,* se présenter (v. SUBIR). || **subitement** 1190, *Saint Bernard.* || **subito** 1509, *Revue ;* adv. lat.

**subjacent** 1534, Rab. ; lat. *subjacens,* de *subjacere,* être placé dessous.

**subjectif** milieu XIV^e s. ; rare jusqu'au début du XIX^e s., où il est repris à l'all. philos. (Kant) *subjektiv* (1818, de Custine) ; lat. scolast. *subjectivus,* du lat. *subjicere,* « mettre sous » (v. SUJET 1). || **subjectivement** 1610, *Revue.* || **subjectivité** 1803, Boiste ; all. *Subjektivität.* || **subjectiver** 1842, *Acad.* || **subjectivisme** 1852, Proudhon, politique.

**subjection** 1249, *Lettre* de Jean Sarrasin, rhét. ; lat. *subjectio,* proprem. « action de mettre sous », de *subjicere* (v. SUBJECTIF, SUJET 1).

**subjonctif** 1529, G. Tory, adj. ; 1660, Arnauld, n. m. ; lat. gramm. *subjonctivus,* proprem. « attaché sous », d'où « subordonné », de *subjungere.* (V. CONJOINDRE.)

**subjuguer** XII^e s. ; bas lat. *subjugare* (IV^e s., Lactance), « mettre sous le joug », de *jugum* (v. JOUG). || **subjugation** 1530, Palsgrave ; bas lat. *subjugatio.*

**sublime** fin XIV^e s., alchimie, « sublimé » ; 1460, Chastellain, sens mod. ; lat. *sublimis,* élevé, suspendu dans les airs. || **sublimement** 1564, Thierry. || **sublimité** XIII^e s., Tobler-Lommatzsch, caractère de ce qui est placé très haut ; XVI^e s., fig. ; lat. *sublimitas,* hauteur.

**sublimer** 1314, Mondeville, alchimie, « distiller les éléments volatils, qui se condensent à la partie supérieure du vase » ; 1572, Amyot, « idéaliser » ; lat. des alchimistes *sublimare,* en bas lat. « élever en l'air », de *sublimis.* || **sublimation** XIV^e s., *D. G.,* « action d'élever les sentiments » ; 1413, Foulquié, alchim. ; lat. *sublimatio,* de même empl. que le verbe. || **sublimé** 1314, Mondeville (*arsenic sublimé*) ; 1460, Villon, n. m.

**submerger** XIV^e s., Moamin, « plonger » ; fin XIV^e s., Deschamps (*soumaigier*), « recouvrir » ; XVI^e s., Jal, « envahir » ; lat. *submergere,* de *sub,* sous, et *mergere,* plonger. || **submersion** 1160, Benoît (*somersion*) ; 1314, Mondeville (*submersion*) ; bas lat. *submersio.* || **submersible** 1798, Richard ; lat. *submersus,* part. passé de *submergere ;* 1904, Lar., « sous-marin ». || **insubmersible** 1775, de La Chapelle.

**subodorer** 1636, Richelieu ; bas lat. *subodorari,* flairer, de *odorari,* même sens. (V. ODEUR.)

**subordonner** 1495, J. de Vignay ; réfection de l'anc. fr. *subordiner,* du lat. médiév. *subordinare,* d'après *ordonner ;* 1872, L., linguistique. || **subordonné** subst., 1690, Furetière. || **subordonnée** 1770, Condillac. || **subordonnément** 1677, Bossuet. || **subordonnant** 1863, L. || **insubordonné** adj., 1789, Malouet. || **subordination** 1610, Coton ; lat. médiév. *subordinatio.* || **insubordination** 1770, Bachaumont.

**suborner** 1283, Beaumanoir, « détourner de ses devoirs » ; 1530, Marot, « séduire une femme » ; lat. *subornare,* équiper, de *sub,* et *ornare,* au sens de « pourvoir » (v. ORNER). || **subornation** 1310, Langlois ; lat. médiév. *subornatio.* || **suborneur** fin XV^e s., Desrey.

**subrécargue** 1667, *Fr. mod.,* mar. ; esp. *sobrecargo,* qui est en surcharge, du v. *sobrecargar,* « surcharger ».

**subreptice** XIII^e s. (*surreptice*), d'abord jurid. ; 1891, Huysmans, « fait à l'insu de » ; lat. *subrepticius,* clandestin, de *subrepere,* ramper sous (v. REPTILE). || **subrepticement** 1369, L. || **subreption** début XIV^e s., jurid. ; lat. jurid. *subreptio.*

**subroger** 1332, *Archives* (*subroguer*) ; 1355, Bersuire (*subroger*), jurid. ; *subrogé tuteur,* 1690, Fur. ; lat. *subrogare,* proposer à la place d'un autre. || **subrogateur** 1765, *Encycl.* || **subrogatif** 1872, *Gazette tribunaux.* || **subrogation** 1401, G., jurid. ; bas lat. *subrogatio.* || **subrogatoire** 1842, *Acad.*

**subséquent** 1370, Oresme ; lat. *subsequens,* part. prés. de *subsequi,* suivre de près. || **subséquemment** 1268, É. Boileau ; bas lat. *subsequenter,* à la suite. || **subséquence** 1834, Boussi.

**subside** 1220, G. (*succide*) ; 1290, *Livre Roisin* (*subside*) ; lat. *subsidium,* secours, réserve, de *subsidere,* être placé en réserve.

**subsidiaire** 1355, Bersuire ; lat. *subsidiarius,* « qui est en réserve ». (V. SUBSIDE.) || **subsidiairement** 1580, Montaigne.

**subsister** 1375, R. de Presles, « maintenir en vie » ; lat. *subsistere,* s'arrêter ; 1550, *Bible,* « rester, subsister », de *sistere,* « être placé, s'arrêter ». || **subsistance** 1471, Isambert, « imposition » ; XVI^e s., « fait de subsister » ; 1652, Bossuet, « ressources » ; 1774, Brunot, « vivres » ; 1964, Lar., « nourriture ».

**substance** 1120, *Ps. d'Oxford,* philos. ; XV^e s., « nature d'un corps » ; 1588, Montaigne, « chair » ; 1572, Amyot, « réalité » ; lat. philos. *substantia,* « ce qui se tient en dessous », de *sub,* sous, et *stare,* se tenir (calque du gr. *hupostasis*) ; *en substance,* XIV^e s., droit. || **substantiel** 1265, Br. Latini ; lat. eccl. *substantialis* (III^e s., Tertullien). || **substantiellement** 1495, J. de Vignay. || **substantialité** 1501, Vérard. || **substantialisme** 1872, L. || **substantialiste** 1874, Cazelle. || **consubstantiel** 1390, Conty ; lat. eccl. *consubstantialis* (III^e s., Tertullien). || **consubstantialité** XIII^e s., *Chronique de Saint-Denis,* théol. ; lat. *consubstantialitas* (IV^e s., saint Augustin). || **consubstantiation** 1567, J. de Serres, théol. ; lat. *consubstantiatio.*

**substantif** XIV^e s., *Ps. de Metz ;* lat. gramm. *substantivum,* de même orig. que le précéd., appliqué seulement au v. *être* (*verbe substantif*) ; le sens de « nom » est dû aux grammairiens français. || **substantiver** 1380, *Aalma.* || **substantifier** 1610, *FEW.* || **substantivé** adj., 1549, J. du Bellay. || **substantival** 1909, Lar. || **substantivement** 1660, Arnauld.

**substituer** 1270, Layettes ; lat. *substituere,* « placer sous », d'où « mettre à la place », de *sub* et *statuere.* || **substituable** 1964, Lar. || **substituabilité** 1964, Lar. || **substitut** 1332, *Revue,* droit ; lat. *substitutus,* part. passé de *substituere.* || **substitution** XIII^e s., G., jurid. ; 1538, R. Est., « permutation » ; lat. *substitutio.*

**substrat** 1745, Charp (*substratum*), philos. ; 1876, *Rev. des Deux Mondes* (*substrat*), philos. ; 1820, *FEW,* linguist. ; lat. *substratum,* de *sub,* sous, et *stratum,* étendu (v. STRATE). || **adstrat** XX^e s., en linguistique ; avec le préfixe *ad-.* || **superstrat** *id. ;* avec le préfixe *super-.*

**substruction** 1544, Mathée, « base » ; 1813, Gattel, architecture ; lat. *substructio,* de *substruere,* construire en sous-sol.

**subsumer** 1876, Lar. ; lat. moderne *subsumere,* du *sub,* sous, et *sumere,* prendre, philos.

**subterfuge** début XIV^e s. ; bas lat. *subterfugium,* de *subterfugere,* « fuir en dessous, secrètement ».

**subtil** 1112, *Voy. saint Brendan* (*sutil*) ; 1330, *Baudoin de Sebourg* (*subtil*), seulem. au sens intellectuel en fr. ; lat. *subtilis,* fin, délié, d'où « ingénieux ». || **subtilement** 1119, Ph. de Thaon. || **subtilité** 1119, Ph. de Thaon (*sutilitet*) ; lat. *subtilitas.* || **subtiliser** XV^e s., Martial d'Auvergne, « raffiner » ; XV^e s., Basselin, chimie ; 1785, Le Tourneur, « voler » (et aussi, au XVIII^e s., « tromper »). || **subtilisation** milieu XVI^e s., « raisonnement raffiné » ; 1694, *Acad.,* chimie ; 1964, Robert, « vol » ; XIX^e s., sens mod.

**subule** 1964, Lar. ; lat. *subula,* alêne. || **subulé** 1749, Dalibard, bot.

**suburbain** 1380, *Aalma ;* rare jusqu'en 1801, Mercier ; lat. *suburbanus,* de *urbs,* ville. || **suburbicaire** 1701, Furetière ; bas lat. *suburbicaria,* de même étym., avec un autre suffixe.

**subvenir** 1308, Aimé ; anc. fr. *sovenir* (1270, *Huon*), du lat. *subvenire,* « venir au secours de ». || **subvention** 1290, *Livre Roisin,* « impôt » ; 1776, Voltaire, sens actuel ; bas lat. *subventio,* aide, secours. || **subventionner** 1832, Hugo. || **subventionné** 1872, L. (*théâtre subventionné*). || **subventionnel** 1842, *Acad.*

**subvertir** 1120, *Ps. de Cambridge,* auj. peu usité ; lat. *subvertere,* retourner, renverser. || **subversion** 1190, *saint Bernard ;* bas lat. *subversio.* || **subversif** 1780, Proschwitz ; lat. *subversus,* part. passé. || **subversivement** 1877, L.

**suc** 1488, *Mer des hist.,* « liquide organique » ; 1636, Monet, « ce qui est essentiel » ; lat. *sūcus,* sève.

**succédané** 1690, Furetière (*succédanée*) ; 1800, Boiste (*succédané*), adj. ; 1876, Renan, n. m.,

« produit de remplacement » ; lat. *succedaneus,* de *succedere,* au sens de « remplacer ».

**succéder** 1290, *Livre Roisin* (*subcéder*) ; 1355, Bersuire (*succéder*), « obtenir par succession » ; 1552, Rab., « résulter » ; *se succéder,* 1662, Pascal ; lat. *succedere,* s'avancer sous, remplacer. || **successeur** 1190, Garn., « qui succède » ; 1355, Bersuire, droit ; lat. *successor.* || **succession** XII^e^ s., « série » ; 1212, Anger, droit ; lat. *successio.* || **successif** 1372, Corbichon ; lat. impér. *successivus.* || **successivement** 1314, Mondeville. || **successivité** 1872, L. || **successoral** 1819, Boiste, jurid. ; de *successeur,* d'après la forme lat. || **successible** 1771, Trévoux ; de *successum,* part. passé de *succedere.* || **successibilité** 1792, Brunot.

**succès** 1546, Rab., « résultat » ; 1647, Pascal, « résultat heureux » ; *succès de,* 1669, Boileau ; lat. *successus,* « succession » et « réussite », de *succedere* (v. PRÉCÉDER). || **insuccès** fin XVIII^e^ s., Barère.

**succession** V. SUCCÉDER.

**succin** 1676, Charras, ambre jaune ; lat. *succinum,* var. de *sucinum.* || **succinique** 1800, Boiste. || **succinate** *id.*

**succinct** fin XV^e^ s. ; lat. *succinctus,* court-vêtu, serré, bref, part. passé de *succingere,* « ceindre en dessous, retrousser », de *cingere* (v. CEINDRE). || **succinctement** XIV^e^ s.

**succion** 1314, Mondeville ; lat. *suctus,* succion, de *sugere,* sucer.

**succomber** 1375, R. de Presles, « mourir » ; milieu XIV^e^ s., « être écrasé » ; lat. *succumbere,* s'affaisser, de *cubare,* être couché.

**succube** 1375, R. de Presles, théol. ; lat. impér. *succuba,* concubine, pédéraste, de *cubare,* être couché ; masc. d'après *incube* (v. ce mot).

**succulent** 1512, J. Lemaire, « constitué de sucs » ; 1560, Paré, « sanguin » ; 1735, Marivaux, « savoureux » ; lat. *succulentus,* var. de *suculentus,* de *succus,* suc. || **succulemment** 1735, Marivaux. || **succulence** 1769, Restif.

**succursale** 1675, Huet (*église succursale*), eccl. ; 1765, Buffon, n. f., « qui supplée » ; 1818, *Chron. de Paris,* n. f., comm. ; lat. *succursus,* part. passé de *succurrere,* aider, secourir. || **succursaliste** 1832, Cormenin, eccl. ; XX^e^ s., comm. || **succursalisme** 1963, *journ.*

**succussion** 1834, Landais ; lat. *succussio,* secousse, de *succutere,* secouer, ébranler.

***sucer** 1119, Ph. de Thaon (*suchier*) ; XIV^e^ s. (*sucer*) ; lat. pop. **sūctiare,* de *suctus,* part. passé de *sugere* (v. SUCCION). || **sucée** 1808, d'Hautel. || **sucement** 1314, Mondeville. || **suçon** 1690, Furetière. || **suceur** 1560, Paré (*succeur*), « qui suce les plaies » ; 1707, Dionis, sens actuel. || **suçoir** 1765, *Encycl.* || **sucette** 1869, Poiré. || **suçoter** 1550, Ronsard. || **suçotement** 1955, Ikor. || **resucer** 1550, Ronsard. || **resucée** 1867, Delvau.

**sucre** 1175, Chr. de Troyes (*çucre*) ; ital. *zucchero,* de l'ar. *sukkar,* mot de l'Inde (cf. le sanscrit *çarkarâ,* proprem. « grain » ; en gr. *sakkharon,* en lat. *saccharum,* v. SACCHARINE). || **sucrer** XIII^e^ s., G. (*socré,* part. passé franc-comtois) ; 1493, Coquillart (*sucrer*) ; 1894, Esnault, « enlever ». || **sucrage** 1801, Brunot. || **sucrant** 1964, Lar. || **sucrase** 1904, Lar. || **sucrate** 1872, L. || **sucrin** 1544, d'après P. Robert. || **sucrier** 1596, Hulsius, « ustensile contenant le sucre » ; 1654, Du Tertre, « confiseur » ; 1842, *Acad.,* adj. || **sucrerie** 1654, Du Tertre.

**sud** 1170, *Rois ;* anc. angl. *suth* (angl. mod. *south*). || **sudiste** 1861, hist., Américain des États du Sud, pendant la guerre de Sécession. || **sud-américain** 1878, Lar. || **sud-africain** 1888, Lar. || **sudarabique** 1964, Lar. || **sud-est** 1155, Wace (*suth est*). || **sud-ouest** 1423, Lannoy.

**sudation** 1363, Chauliac ; rare jusqu'en 1838, *Acad. ;* lat. *sudatio,* de *sudare* (v. SUER). || **sudoral** 1964, Robert. || **sudorifère** 1735, Heister ; lat. méd. *sudorifer,* de *sudor* (v. SUEUR). || **sudorification** 1878, Lar. || **sudorifique** 1560, Paré. || **sudoripare** 1858, Nysten. || **exsuder** 1560, Paré ; lat. *exsudare.* || **exsudation** 1762, *Acad. ;* lat. *exsudatio.*

**suède** n. m., 1846, d'après P. Robert, peau de gant ; du nom de la *Suède.* || **suédé** 1964, Lar. || **suédine** 1933, Lar. || **suédois** XVI^e^ s.

***suer** 980, *Passion ;* lat. *sudare* (v. SUDATION). || **suage** 1370, G. || **suant** 1155, Wace, « en sueur » ; 1964, Robert, « ennuyeux ». || ***sueur** 980, *Passion* (*sudor*) ; 1307, Guiart (*sueur*) ; 1846, Sand, fig. ; lat. *sūdōr, sudoris,* masc. en lat. || **suée** fin XV^e^ s. || **suerie** 1460, Villon. || **suette** 1560, Paré, méd. || **ressuer** XII^e^ s. || **ressuage** 1692, Boizard. || **suint** 1302, G. (*sun*) ; 1538, R. Est. (*suint*) ; sur le suff. collectif *-in* (v. CROTTIN). || **suinter** 1553, Martin. || **suintement** 1636, Monet.

**suffète** XVII^e^ s., A. de Courtin ; lat. *suffes, -etis,* mot punique.

**suffire** 1112, *Voy. saint Brendan* (*soufire*) ; 1180, Marie de France (*suffire,* forme refaite) ; lat. *sufficere,* proprem. « mettre sous, être suffisant ». || **suffisamment** 1265, J. de Meung. || **suffisant** 1120, *Ps. d'Oxford,* adj. ; 1613, M. Régnier, vaniteux. || **insuffisant** début XIV^e^ s. || **suffisance** fin XII^e^ s., R. de Moiliens (*souffisanche,* forme picarde) ; XIV^e^ s. (*suffisance*) ; même évol. de sens. || **insuffisance** 1337, G.

**suffixe** 1838, *Acad.,* linguist. ; lat. *suffixus,* part. passé de *suffigere,* « fixer sous » (v. AFFIXE, PRÉFIXE). || **suffixer** 1876, A. Hovelacque. || **suffixation** *id.* || **suffixal** 1904, Lar.

**suffoquer** 1270, Mahieu le Vilain, au propre ; 1552, Rab., fig. ; lat. *suffocare,* étouffer, de *fauces,* gorge. || **suffocant** fin XIV^e^ s., au propre ; rare avant 1690, Furetière, adj. ; 1964, Lar., fig. || **suffocation** 1380, *Aalma ;* lat. *suffocatio.*

**suffragant** fin XII^e^ s., eccl. ; lat. eccl. *suffraganeus,* d'après le part. prés. *suffragans,* du lat. *suffragari,* recommander, favoriser, de *suffragium* (v. SUFFRAGE).

**suffrage** 1289, Delb. ; lat. *suffragium,* tesson avec lequel on vote, de *frangere,* briser ; *suffrage universel,* 1792, Brunot ; *suffrage restreint,* 1870, Arnould. || **suffragette** 1907, Lar., femme qui réclame le droit de vote ; calque de l'angl.

**suffumigation** 1490, *Guidon en fr. ;* lat. *suffumigatio.* (V. *fumigation,* à FUMER 1.)

**suffusion** 1363, Chauliac, méd. ; lat. *suffusio,* de *fundere,* répandre.

**suggérer** 1380, *Aalma* (*suggerir*) ; XV^e^ s. (*suggérer*) ; lat. *suggerere,* « porter sous », d'où « inspirer ». || **suggestion** XII^e^ s., *Job ;* lat. *suggestio.* || **suggestif** 1857, *Rev. des Deux Mondes ;* angl. *suggestive,* du lat. *suggestus,* part. passé de *suggerere.* || **suggestivité** 1904, d'après P. Robert. || **suggestibilité** 1887, Binet. || **suggestionner** 1460, Chastellain ; rare avant 1838, *Cabinet de lecture.* || **autosuggestion** 1890, Lar.

**sugillation** 1545, Guéroult, méd. ; lat. *sugillatio,* « meurtrissure ».

**suicide** 1734, abbé Desfontaines ; lat. *sui,* gén. de *se,* soi, d'après *homicide.* || **suicider (se)** fin XVIII^e^ s. || **suicidé** 1823, Hugo, subst. || **suicidaire** 1901, Huysmans.

**suidés** 1864, Focillon ; lat. *sus, suis,* porc.

**suie** 1112, *Voy. saint Brendan ;* gaulois **sudia* (cf. le vieil irl. *sūide*).

***suif** XII^e^ s., *Gloss. Tours* (*seu ;* puis *siu, sui,* par métathèse) ; v. 1268, É. Boileau (*suif,* avec *f* par fausse analogie, v. SOIF) ; lat. *sēbum,* graisse. || **suiffer** 1537, *Actes des Apôtres* (*sieuver*) ; milieu XVII^e^ s. (*suiffer*) ; 1694, *Acad.* (*suiver*) ; 1636, Cleirac (*suiffer,* forme qui l'emporte, d'après *suif*). || **suiffage** 1964, Lar. || **suiffeux** 1842, Mozin.

**sui generis** fin XVIII^e^ s. ; loc. lat. signif. « de son espèce ».

**suint, suinter** V. SUER.

**suisse** 1558, J. du Bellay ; 1668, Racine, « portier » (vieilli depuis le XVIII^e^ s.) ; *suisse d'église,* XVIII^e^ s., d'après le costume, qui rappelait celui des mercenaires suisses.

**suite** V. SUIVRE.

***suivre** 980, *Passion* (*siuvre*) ; 1080, *Roland* (*sivrat,* fut.) ; XII^e^ s. (*sivre*) ; XIII^e^ s. (*suivre,* d'après [*il*] *suit,* métathèse de *siut,* du lat. pop. **sequit*) ; lat. pop. **sĕquĕre,* en lat. class. *sequi.* || * **suite** XII^e^ s., *Lois de Guillaume* (*siute*) ; XIII^e^ s. (*suite,* par métathèse) ; fém. substantivé de l'anc. part. passé **sieut,* du lat. pop. **sĕquitus.* || **suitée** 1721, Trévoux. || **ensuite** début XVII^e^ s. (*ensuite de*). || **suivant** 1120, *Ps. de Cambridge,* adj. ; XIII^e^ s., n. m., petit d'un animal, en vén. ; *suivante,* n. f., 1633, Corn., sens mod. || **suivant** XIV^e^ s., *Miracles N.-D.,* prép. ; *suivant que,* 1534, Rab. || **suiveur** fin XII^e^ s., *Dialogues Grégoire ; suiveur de femmes,* 1853, Roqueplan ; 1872, L., « qui ne fait que suivre » ; XX^e^ s., cyclisme. || **suivez-moi-jeune-homme** 1866, Lespès. || **suivisme** 1927, P. Pascal. || **ensuivre (s')** 1265, J. de Meung. || **poursuivre** début XII^e^ s., *Lois de Guillaume* (*persuir*). || **poursuite** milieu XIII^e^ s. ; en anc. fr., souvent « suite ».

1. **sujet** 1120, *Ps. d'Oxford* (*suget*), adj. ; var. de l'anc. fr. *subject ;* 1138, Gaimar, n. m. ; lat. *subjectus,* « soumis à », part. passé de *subjicere,* mettre sous. || **sujétion** 1155, Wace (*subjectiun*) ; 1190, Garnier (*subjection*) ; 1465, Bartzsch (*sujétion*) ; lat. *subjectio,* de *subjectus.* || **assujettir** 1495, Vignay. || **assujettissant** 1688, La Bruyère. || **assujettissement** 1572, Belleforest.

2. **sujet** XIII^e^ s., Tobler-Lommatzsch, n. m., « matière, cause » ; fin XVI^e^ s., « motif » ; 1680, Richelet, gramm. ; 1560, Paré, patient ; *au sujet de,* 1636, Haschke ; *sujet parlant,* 1933, Marouzeau ; lat. scolast. *subjectum,* « ce qui est subordonné », neutre substantivé de *subjectus.* (V. SUBJECTIF, SUJET 1, OBJET.)

**sujétion** V. SUJET 1.

**sulcature** 1872, L., géol. ; lat. *sulcare,* sillonner, de *sulcus,* sillon. || **sulciforme** 1842, *Acad.*

**sulfate** 1787, Guyton de Morveau ; lat. *sulfur* (v. SOUFRE). || **sulfite** 1787, Guyton de Morveau. || **sulfitage** 1904, Lar. || **sulfiter** 1877, L. || **sulfitation** 1920, *Omnium agricole.* || **sulfure** 1787, Guyton de Morveau. || **sulfurique** 1585, Le Rocquez ; rare avant 1787, Guyton de Morveau. || **sulfuration** 1842, *Acad.* || **sulfurage** 1904, Lar. || **sulfureux** 1265, J. de Meung, rare avant le XV^e^ s. (*sulfurieux*) ; 1549, R. Est. (*sulfureux*) ; 1867, Baudelaire, « démoniaque » ; bas lat. *sulfurosus.* || **sulfuré** 1363, Chauliac ; d'après le lat. *sulfuratus, sulfureus ;* rare avant 1827, *Acad.* || **sulfurisé** 1907, Lar. || **sulfurisation** 1877, L. || **sulfaté** 1862, *Annales chimie.* || **sulfater** 1872, L. || **sulfatage** 1849, Dudesert. || **sulfateuse** 1964, Robert ; 1948, Esnault, mitraillette. || **sulfamide** 1843, Orfila. || **sulfhydrique** 1836, *Acad. ;* sur *-hydrique* [v. CHLOR(O)-].

**sulfo-,** élém. de comp. du lexique chim. ; de *sulfate.* || **sulfone** 1888, Lar. || **sulfoné** 1876, Lar. || **sulfocarbonate** 1845, Besch. || **sulfochlorure** 1872, L. || **sulfocyanate** 1845, Besch. || **sulfonitrique** 1907, Lar.

**sulky** 1860, *le Sport ;* mot angl., proprem. « boudeur » ; petite voiture légère pour les courses de trot.

**sulpicien** 1732, Trévoux ; de la Compagnie des prêtres de *Saint-Sulpice ;* 1897, L. Bloy, art religieux mièvre.

**sultan** 1298, *Marco Polo* (*soltan*) ; 1549, R. Est. (*sultan*) ; arabo-turc *solṭān* (v. SOUDAN). || **sultane** 1541, Pélissier (*souldane*) ; 1548, Charrière (*sultane*). || **sultanat** 1842, *Acad.*

**sumac** XIII^e^ s., *Simples Méd.,* bot. ; ar. *summāq.*

**summum** 1806, *Lettres à Stendhal ;* mot lat. signif. « ce qui est au plus haut point », neutre substantivé de l'adj. superlatif *summus,* « le plus haut » (v. SOMMET).

**sunlight** 1923, *Mon ciné,* cinéma ; mot anglo-amér., de *light,* lumière, et *sun,* soleil ; projecteur.

**sunna** 1740, Trévoux ; ar. *sunna,* loi traditionnelle. || **sunnite** 1740, Trévoux.

**super** 1130, Studer (*supeir*) ; 1354, *Modus* (*super*), « sucer, gober » ; 1876, Lar., mar. ; norm. *super,* aspirer, de l'anc. scand. *supa,* humer [cf. l'angl. (*to*) *sip,* boire à petits coups]

**super-,** lat. *super,* « au-dessus ». Le préfixe intensif (à un degré supérieur) connaît au XX^e^ s. un développement important.

**superbe** 1120, *Ps. d'Oxford,* adj., orgueilleux ; 1658, Bossuet, « imposant » ; 1762, *Acad.,* « très beau » ; lat. *superbus,* orgueilleux. || **superbe** n. f., 1119, Ph. de Thaon ; lat. *superbia,* orgueil. || **superbement** 1552, R. Est.

**supercherie** 1566, H. Est., « injure » ; 1588, Montaigne, « abus de force » ; fin XVI^e^ s., Pasquier, sens mod. ; ital. *soperchieria,* excès. affront, de *soperchiare,* surabonder, de *soperchio,* surabondant, du lat. pop. **superculus,* de *super,* au-dessus.

**supercoquentieux** 1553, Rab. (*supercoquelicantieux*) ; début XVII^e^ s. (*superlicoquentieux*) ; 1833, Th. Gautier (*supercoquentieux*), « grandiose » ; lat. macaronique *superlycoustequansius.*

**supère** 1770, Rousseau, bot. ; lat. *superus,* qui est en haut, de *super,* au-dessus.

**supérette** 1959, *journ. ;* mot anglo-amér., de *supermarket,* supermarché.

**superfétation** 1560, Paré, physiol. ; fin XVII^e^ s., « ajout inutile » ; lat. médiév. *superfetatio,* de *superfetare,* concevoir de nouveau (v. FŒTUS). || **superfétatoire** 1901, Colette.

**superficie** 1130, *Job* (*superfice*) ; lat. *superficies,* surface, de *super,* au-dessus, et *facies,* face. || **superficiel** 1314, Mondeville, au propre ; 1370, Oresme, « sans réalité » ; lat. impér. *superficialis.* || **superficiellement** XIII^e^ s. (*superficiaument*) ; 1560, Paré (*superficiellement*). || **superficialité** 1512, J. Lemaire.

**superflu** XIII^e^ s., G. ; bas lat. *superfluus,* de *superfluere,* déborder, de *super,* au-dessus, et *fluere,* couler. || **superfluité** 1180, *Assises de Jérusalem ;* bas lat. *superfluitas.*

**supérieur** 1160, Benoît, adj. ; début XVI^e^ s., « qui dirige d'autres », n. m. ; lat. *superior,* comparatif de *superus,* « qui est en haut » (v. SUPÈRE). || **supérieurement** 1607, Pallet. || **supériorité** 1453, Monstrelet ; lat. médiév. *superioritas.* || **supérioriser** 1842, *Acad.* || **supériorisation** 1970, Robert.

**superlatif** fin XII^e^ s., *Aymeri,* « au plus haut degré » ; 1550, Meigret, gramm. ; bas lat. *superlativus,* aux deux sens, de *superlatus,* part. passé de *superferre,* porter au-dessus. || **superlativement** début XVI^e^ s.

**superposer** 1762, Rousseau ; adaptation, d'après *poser,* du lat. *superponere,* « poser au-dessus ». || **superposition** 1613, Dounot ; lat. médiév. *superpositio.* || **superposable** 1877, L.

**superstition** 1375, R. de Presles ; lat. *superstitio,* de *superstare,* « se tenir au-dessus ». || **superstitieux** 1375, R. de Presles ; lat. *superstitiosus.* || **superstitieusement** début XVIe s.

**superstrat** V. SUBSTRAT.

**superviser** 1921, Florey, cinéma ; milieu XXe s., fig. ; angl. (*to*) *supervise,* surveiller, du préf. *super-,* au-dessus, et de *viser.* || **supervision** 1921, P. Henry. || **superviseur** 1918, Giraud.

**supin** XIIIe s., d'Andeli, gramm. ; lat. *supinum,* de *supinus,* tourné en arrière.

**supinateur** 1560, Paré, anat. ; lat. *supinare,* coucher sur le dos. || **supination** 1654, Gelée, anat. ; lat. *supinatio.*

**supplanter** 1120, *Ps. d'Oxford,* « renverser » (jusqu'au XVIe s.) ; XIVe s., « écarter », d'après le lat. eccl. ; lat. *supplantare,* faire un croc-en-jambe, et en lat. eccl. « attraper, tromper », de *planta,* plante du pied. || **supplantateur** XIIe s., Herman de Valenciennes (*sousplantere*) ; 1488, *Mer des hist.* (*supplantateur*), surtout eccl. ; lat. eccl. *supplantator.* || **supplantation** 1120, *Ps. d'Oxford.*

**suppléer** fin XIIe s., Couci (*souploier*), « abonder » ; *id.* (*suppléer*), « se soumettre » ; 1910, *Pamphile,* « rétablir » ; lat. *supplere,* remplir de nouveau, de même rac. que *plein.* || **suppléant** 1789, *Recueil des lois,* polit. ; 1835, *Acad.,* « personne qui supplée ». || **suppléance** 1791, *Dict. Constitution.*

**supplément** 1313, G. (*supploiement*) ; 1370, Oresme (*supplément*) ; lat. *supplementum,* de même rac. que le précéd. ; *en supplément,* 1872, L. || **supplémentairement** 1845, Besch. || **supplémentaire** 1792, *Club des Jacobins.* || **supplémenter** 1845, Radonvilliers, « affecter à, supplémenter » ; 1933, Lar., terme de ch. de fer.

**supplétif** 1539, R. Est., techn. ; 1964, Lar., milit. ; bas lat. *suppletivus,* de *supplere* (v. SUPPLÉER, SUPPLÉMENT). || **supplétoire** 1790, *Décret ;* lat. médiév. *suppletorius.*

**supplice** fin XVe s. ; lat. *supplicium,* supplication, de même rac. que *supplier,* et par ext. « sacrifice » ou « exécution » ; 1552, R. Est., « châtiment, supplice ». || **supplicier** 1580, Montaigne ; d'après la forme lat.

***supplier** 1130, *Eneas* (*souploier*) ; 1360, Froissart (*supplier,* réfection d'après le lat.) ; lat. *supplicare,* se plier (sur les genoux), prier. || **suppliant** 1160, Benoît (*sopleiant*), adj., « humble » ; 1377, G. (*suppliant*), n. m., part. prés. substantivé. || **supplique** 1340, Varin (*supplic*), n. m. ; 1578, H. Est., n. f. ; lat. *supplicare,* d'après *réplique.*

1. **supporter** 1190, *Saint Bernard* (*soporter*) ; 1360, Froissart (*supporter*), « porter » ; 1690, Furetière, « subir » ; début XVe s., « endurer » ; lat. eccl. *supportare,* en lat. class. « porter sous, transporter ». || **support** 1466, Delb., action de supporter ; 1611, Cotgrave, « objet qui soutient ». || **supportable** début XVe s. || **insupportable** début XIVe s. || **support-chaussette** 1964, Robert.

2. **supporter** n. m., 1920, *journ.,* sport ; mot angl., de (*to*) *support,* soutenir. du fr. *supporter ;* v. tr., 1965, *journ.*

**supposer** 1120, *Ps. d'Oxford,* « placer sous » ; 1538, R. Est., « substituer » ; XIIIe s., « poser comme hypothèse » ; adaptation, d'après *poser,* du lat. *supponere,* mettre sous, à la place de. || **supposition** 1370, Oresme, « hypothèse » ; fin XVIe s., « substitution » ; lat. *suppositio,* substitution. || **présupposer** début XIVe s. || **présupposition** *id.*

**suppositoire** XIIIe s., *Simples Méd.,* pharm. ; lat. *suppositorius,* placé en dessous, de *supponere* (v. SUPPOSER).

**suppôt** 1298, *Marco Polo* (*suposta*) ; 1380, G. (*suppost*), « subordonné, employé subalterne » ; XIVe s., *Nature à l'alchimie,* philos. ; *suppôt de Satan,* 1662, Molière ; *suppôt du diable,* 1611, Cotgrave ; adaptation, d'après *dépôt,* du lat. *suppositus,* placé au-dessous. (V. les précédents.)

**supprimer** 1380, *Aalma ;* lat. *supprimere,* enfoncer, de *premere,* presser. || **suppression** 1380, *Aalma ;* lat. *suppressio,* de *suppressus,* part. passé de *supprimere.* || **supprimable** 1648, Scarron.

**suppurer** XIIIe s., G. de Tyr (*soupurer*) ; 1560, Paré (*suppurer*) ; lat. *suppurare,* de *pus, puris* (v. PUS). || **suppuration** 1363, Chauliac ; lat. *suppuratio.* || **suppuratif** 1363, Chauliac. || **suppurant** 1802, Flick, adj.

**supputer** 1552, Rab. ; lat. *supputare,* calculer || **supputation** 1532, A. Fabre ; bas lat. *supputatio.*

1. **supra** XIXe s. ; lat. *supra,* ci-dessus, plus haut.

2. **supra-,** préf. ; lat. *supra,* au-dessus.

**suprématie** 1651, Mackenzie ; 1688, Bossuet (*suprématie anglicane*) ; 1819, Boiste, « prééminence, supériorité » ; angl. *supremacy,* de *supreme,* du fr. *suprême.* (V. le suivant.)

**suprême** fin XVe s., d'Authon ; *Être suprême,* 1704, Bourdaloue ; lat. *supremus,* superlatif de *superus.* || **suprêmement** 1575, Des Caurres. (V. SUPÈRE, SUPÉRIEUR.)

1. ***sur** Xe s., *Eulalie* (*sovre, soure*) ; 980, *Valenciennes* (*sore*), croisé avec *sus ;* 1080, *Roland* (*sur,* d'après *sus,* v. ce mot) ; lat. *super.*

2. **sur-,** préf. intensif ; de *sur* prép.

3. **sur** 1130, *Eneas,* adj., acide ; francique **sūr ;* cf. l'all. *sauer,* aigre (v. CHOUCROUTE). || **surelle** XIIe s., oseille. || **suret** XIIIe s., Condé. || **surir** début XIXe s., régional ; 1872, L., sens actuel. || **surin** 1701, Liger, sauvignon ; 1876, Lar., jeune pommier non greffé.

***sûr** 1080, *Roland* (*seür*) ; lat. *sēcūrus.* || **sûreté** 1130, *Eneas.* || **sûrement** 1080, *Roland.* || **assurer** XIIe s. ; lat. pop. *assecurāre,* rendre sûr, puis « garantir, affirmer ». || **assurance** XIIe s., Gautier d'Arras, sens général ; 1563, Barbier, « contrat ». || **assurément** 1130, *Eneas* (*aseüreement*). || **assureur** 1550, Barbier ; XXe s., sens actuel. || **rassurer** 1175, Chr. de Troyes. || **réassurer** 1681, *Ordonn.* || **réassurance** *id.* || **rassurant** 1777, Vergennes. (V. SÉCURITÉ.)

**suranné** XIIIe s., *Renart,* « qui a plus d'un an » ; XIVe s., « trop vieux », d'abord jurid. ; de *sur* et *an.* || **surannation** 1606, Nicot.

**surard** V. SUREAU.

**surate** 1732, Trévoux ; ar. *surat,* chapitre.

**surcot** 1175, Chr. de Troyes (*sorcot*) ; de *sur* et *cotte* (v. ce mot).

**surcroît** XIIIe s., *Comput ;* déverbal de l'anc. fr. *surcroîre* (XIIIe s., Priorat), de *sur* et *croître* (v. ce mot) ; *par surcroît,* 1672, Sacy.

**surdité** XIVe s., Moamin ; lat. *surditas,* de *surdus* (v. SOURD) ; a éliminé le moy. fr. *sourdesse, surdesse.* || **sourdité** 1520, Vaganay, « surdité » ; 1924, Meillet, linguist., à propos des consonnes sourdes. || **surdi-mutité** 1833, Nysten. (V. MUET.) 1845, Besch.

**sureau** 1359, *Ordonn.* (*suraut*) ; 1545, Guéroult (*sureau*) ; anc. fr. *seür* (XIe s., *Gloses Raschi*), altér., par croisement avec *sur* 3, de l'anc. fr. *seü,* sureau, du lat. *sabūcus,* var. de *sambucus.* || **surard** 1611, Cotgrave (*surat*) ; 1762, *Acad.* (*surard*), vinaigre aromatisé au sureau.

**surérogation** début XVIIe s. ; bas lat. *supererogatio,* action de payer en plus, de *supererogare.* || **surérogatoire** fin XVIe s., d'Aubigné ; lat. médiév. *supererogatorius.*

**surestarie** 1795, Brunot, mar. ; de *sur* et *estarie,* de l'anc. prov. *estarié,* laps de temps.

**sûreté** V. SÛR.

**surf** 1939, Hériat (*surf-board*) ; 1961, *journ.* (*surf*) ; mot anglo-amér., de *surf,* brisants, et *board,* planche.

**surface** 1378, J. Le Fèvre, « partie extérieure » ; 1798, *Acad.,* « étendue plane » ; 1690, Furetière, math. ; 1961, Nicole, fig., « apparence » ; *en surface,* 1923, Valéry ; *de surface,* 1862, Hugo ; de *sur* et *face,* d'après le lat. *superficies* (v. SUPERFICIE). || **surfacer** 1933, Lar., techn. || **surfaçage** 1933, Lar., techn.

**surge** [*laine*] 1562, du Pinet (*laine surge*) ; anc. prov. (*lana*) *surga,* du lat. (*lana*) *sūcida.*

**surgé** 1920, Esnault ; abrév. de *surveillant général.*

**surgeon** XIIIe s., G. (*sourgon*) ; XVe s. (*surgeon,* d'après *surgir*), « source » ; 1549, R. Est., branche qui pousse sur la souche ; de *sourdre* (v. ce mot), d'après l'anc. part. prés. *sourjant,* du lat. *surgens.*

1. **surgir** 1424, Lannoy (*sourgir*) ; 1497, Villeneuve (*surgir*), « aborder, jeter l'ancre » ; catalan *surgir,* du lat. *surgere,* apparaître.

2. **surgir** 1808, Boiste, « apparaître » ; adapt. du lat. *surgere,* se lever, de *surrigere* (*sub,* sous, et *regere,* guider) ; a remplacé *sourdre.*

1. **surin** bot. V. SUR 3.

2. **surin** 1827, Granval, arg., couteau d'apache (var. *sourin, chourin,* 1837, Vidocq) ; romani *tchouri.* || **suriner** *id. ;* var. *souriner, chouriner.* || **sourineur** 1843, Esnault. || **chourineur** 1842, nom d'un des personnages des *Mystères de Paris,* d'Eugène Sue.

**surir** V. SUR 3.

**surjaler, surjouailler** 1694, Th. Corn., mar. ; de *sur* et *jal, jouail.*

**surjet** V. JETER.

**surmener** 1160, Benoît (*sormener*), « exciter » ; XIIe s., Du Cange (*surmener*), « maltraiter » ; 1175, Chr. de Troyes, « fatiguer » ; de *sur* et *mener.* || **surmenage** 1858, Nysten.

**surmonter** 1119, Ph. de Thaon (*surmunter*), « vaincre » ; 1360, Froissart, « s'élever au-dessus » ; de *sur* et *monter.* || **surmontable** 1160, Benoît. || **insurmontable** milieu XVI^e^ s. || **surmontage** 1964, Lar. || **surmontoir** 1968, Lar.

**surnuméraire** 1564, Thierry (*supernuméraire*) ; 1636, Monet (*surnuméraire*) ; bas lat. *supernumerarius* (IV^e^ s., Végèce), de *numerus,* nombre, et *super,* au-dessus. || **surnumérariat** 1791, Brunot.

**suroît** 1494, Garcie (*syroest*) ; 1832, Jal (*suroît*) ; norm. *surouet,* altér. de *sud-ouest* d'après *norouè,* nord-ouest, forme de l'Ouest. (V. *noroît,* à NORD.)

**surpasser** 1340, G., « enfreindre » ; 1530, Palsgrave, « être supérieur » ; *se surpasser,* 1559, Amyot. || **surpassement** 1931, Gide. || **surpassable** 1876, Lar. || **insurpassable** milieu XVI^e^ s.

**surplis** XII^e^ s., *Parthenopeus* (*sorpeliz*) ; 1190, Garn. (*surpliz*) ; adaptation du lat. médiév. *superpellicium,* du lat. *pellicia* (v. PELISSE), avec le préf. *super,* francisé en *sur.*

**surprendre** 1130, *Eneas* (*sorprendre*) ; de *prendre* (v. ce mot). || **surprise** 1160, Benoît (*surprise*) ; 1294, G. (*sourprise*), « impôt extraordinaire », proprem. « ce qui est pris en sus » ; 1559, Amyot, sens mod. ; part. passé fém. substantivé. || **surprise-partie** 1882, *Gil Blas ;* mot angl. (*party,* du fr. *partie*). || **surboum** 1951, Esnault ; de *boum,* fête, anniversaire.

**sursauter** 1542, Rab. ; de *sursaut ;* rare avant XVII^e^ s. || **sursaut** 1160, Benoît (*en sorsaut*), « à l'improviste » ; 1573, Du Puys, « surprise » ; fin XVI^e^ s., d'Aubigné, « mouvement brusque » ; de *sur* et *saut.*

**surseoir** fin XI^e^ s., *Lois de Guill.,* jurid. ; d'après le lat. *supersedere* (v. SEOIR). || **surséance** fin XIV^e^ s. || **sursis** XIII^e^ s. ; part. passé substantivé de *surseoir.* || **sursitaire** 1956, Aragon.

**surtout** 1470, *Archives,* « en tout » ; 1684, Furetière, « vêtement ample » ; 1694, Havard, « pièce de vaisselle » ; *surtout que,* 1903, Jammes ; de *sur* et *tout.*

***sus** X^e^ s., *Eulalie,* adv., en haut ; également prép. en anc. fr., jusqu'au XVI^e^ s. ; auj. seulement dans quelques loc., *en sus, courir sus ;* lat. pop. *sūsum* (Caton, Plaute), en lat. class. *sūrsum,* « en haut, dessus ». || **dessus** 1080, *Roland ;* n. m., 1398, *Ménagier.* || **pardessus** 1810, Brunot, vêtement ; forme substantivée de la loc. adv. *par-dessus.*

**susceptible** 1372, Corbichon, « exposé à » ; 1520, Chauliac, « capable de » ; début XVII^e^ s., « apte à recevoir » ; 1760, Palissot, « facile à offenser » ; bas lat. *susceptibilis* (VI^e^ s., Boèce), de *suscipere,* recevoir, de *capere,* prendre. || **susceptibilité** 1752, Trévoux, au propre ; 1784, Genlis, « disposition à s'offenser ».

**susception** XV^e^ s., théol., physiol. ; lat. *susceptio,* de *suscipere* (v. SUSCEPTIBLE).

**susciter** 980, *Passion,* « ressusciter » ; 1265, J. de Meung, sens actuel ; lat. *suscitare,* de *sub,* et *citare,* mettre en mouvement. || **suscitation** XIII^e^ s., Chardry ; lat. eccl. *suscitatio* (III^e^ s., Tertullien). || **suscitateur** fin XVI^e^ s. (V. RESSUSCITER.)

**suscription** début XIII^e^ s. ; rare jusqu'au milieu du XVI^e^ s., Amyot (var. *superscription,* XIV^e^-XVI^e^ s.) ; adaptation du bas lat. *superscriptio,* inscription sur, avec francisation de *super* en *sur.* || **suscrire** 1549, Peletier ; de *suscription,* d'après *écrire.*

**suspect** 1308, Aimé ; lat. *suspectus,* de *suspicere,* regarder en haut. || **suspecter** 1515, Desrey ; rare jusqu'en 1726, *Dict. néol. ;* lat. *suspectare.* || **suspicion** XII^e^ s. ; lat. *suspicio,* de *suspicere* (v. SOUPÇON). || **suspicieux** 1314, *FEW ;* lat. *suspiciosus.* || **suspicieusement** 1942, Queneau.

**suspendre** 1120, *Ps. d'Oxford* (var. francisée *souspendre*) ; lat. *suspendere,* de *pendere* (v. PENDRE). || **suspens** 1377, Oresme, adj., « qui est suspendu » ; 1660, Retz, relig. ; fin XIX^e^ s., « interruption », n. m. ; du part. passé lat. *suspensus ; en suspens,* 1553, *Bible.* || **suspense** n. f., 1440, Chastellain, « intervalle » ; 1718, *Acad.,* relig. ; 1955, Gilbert, « élément qui provoque l'angoisse ». || **suspension** 1160, *Tristan* (*suspenciun*), « état de doute » ; 1744, Bonnier, horlogerie ; milieu XVI^e^ s., « interruption » ; 1867, *Expos. univ.,* lampe suspendue ; lat. *suspensio.* || **suspente** 1773, Bourdé, mar. ; XX^e^ s., aéron. || **suspensoir** 1314, Mondeville, anat. ; 1714, Dionis, bandage ; bas lat. *suspensorium,* neutre substantivé de l'adj. *suspensorius.* || **suspensif** 1355, Bersuire, gramm., puis jurid. ; lat. médiév. *suspensivus.* || **suspenseur** 1560, Paré ; lat. médiév. *suspensor.*

**suspicion** V. SUSPECT.

**susseyer** 1834, Boiste ; mot expressif sur *s.* || susseyement 1799, Gattel.

**sustenter** 1112, *Voy. saint Brendan,* « soutenir » ; 1541, Calvin, « nourrir » ; lat. *sustentare,* soutenir, fréquentatif de *sustinere* (v. SOUTENIR). || **sustentation** 1921, *Archives,* rare jusqu'au XVIII^e^ s. ; lat. *sustentatio.* || **sustentateur** fin XV^e^ s. (*substentateur*) ; milieu XVI^e^ s. (*sustentateur*).

**susurrer** 1539, *FEW ;* bas lat. *susurrare,* verbe onomat. || **susurrement** 1828, Nodier. || **susurration** milieu XIV^e^ s., « chuchotement » ; 1599, Hornkens, « bruit léger » ; bas lat. *susurratio,* même sens.

**suture** 1555, Belon ; lat. méd. *sutura,* couture, de *suere* (v. COUDRE 2). || **sutural** 1803, Boiste. || **suturer** 1842, *Acad.*

**suzerain** début XIV^e^ s. (*susserain*) ; 1476, Bartzsch (*suzerain*) ; de l'adv. *sus* (v. ce mot), d'après *souverain.* || **suzeraineté** 1306, Delb. (*susereneté*).

**svastika** ou **swastika** 1828, d'après P. Robert, symbole religieux hindou ; sanscrit *svastika,* de bon augure, de *svasti,* salut !

**svelte** 1642, Poussin, peint. ; 1767, Voltaire, « élancé » ; ital. *svelto,* part. passé de *svellere,* arracher, dégager. || **sveltesse** 1765, Dandré-Bardon, peint. ; 1843, Th. Gautier, « élégance » ; ital. *sveltezza.*

**swap** 1975, Lar., finance ; mot angl., de (*to*) *swap,* troquer.

**sweater** 1910, *le Gaulois ;* mot angl., de (*to*) *sweat,* suer.

**sweepstake** 1776, Proschwitz, loterie ; vulgarisé vers 1934 ; mot angl., de (*to*) *sweep,* enlever, et *stake,* enjeu.

**swing** 1895, *Sports athlét.,* boxe ; mot angl., de (*to*) *swing,* balancer ; v. 1940, terme de danse, mot angl., du même verbe. || **swinguer** 1964, Robert.

**sybarite** 1530, *D. G. ;* lat. *Sybarita,* « habitant de Sybaris », ville réputée pour sa vie de bien-être et de mollesse. || **sybaritique** 1553, Ronsard. || **sybaritisme** 1827, Eckstein.

**sycomore** 1130, *Eneas* (*sicamor*) ; lat. *sycomorus,* du gr. *sukomoros,* de *sûkon,* figue, et *moron,* mûre.

**sycophante** XV^e^ s., trad. de Térence (*sicophant*) ; 1559, Amyot (*sycophante*) ; lat. *sycophanta,* du gr. *sukophantês,* dénonciateur des voleurs de figues, de *sûkon,* figue, et *phaineîn,* faire voir, dénoncer.

**sycosis** 1752, Trévoux (*sycose*), méd. ; lat. *sycosis,* du gr. *sukôsis,* excroissance en forme de figue, de *sûkon,* figue.

**syénite** 1611, Cotgrave, minér. ; du nom de *Syène,* auj. *Assouan,* en Égypte, où se trouvaient des carrières de cette roche. || **syénitique** 1845, Besch.

**syllabe** 1160, Benoît (*sillabe*) ; lat. *syllaba,* du gr. *sullabê,* assemblage, de *sullambanein,* prendre ensemble, réunir. || **syllabique** 1529, G. Tory ; bas lat. *syllabicus,* du gr. *sullabikos.* || **syllaber** XII^e^ s., rare jusqu'en 1752, Trévoux. || **syllabaire** 1752, Trévoux. || **syllabation** 1872, L. || **syllabiser** 1752, Le Roy. || **syllabisme** 1872, L. || **dissyllabe** 1529, *Traité de l'art d'orthogr. ;* lat. *disyllabus,* du gr., avec le préf. *dis-,* deux. || **monosyllabe** 1521, Fabri ; lat. *monosyllabus,* de *monos,* un. || **monosyllabisme** XX^e^ s. || **polysyllabe** milieu XV^e^ s. ; bas lat. gramm. *polysyllabus,* du gr. *polussullabos.* || **polysyllabique** 1550, Meigret. || **polysyllabisme** 1845, Besch.

**syllabus** 1865, Forcade, liste des erreurs condamnées, publiée par Pie IX en 1864 ; lat. eccl. *syllabus,* liste, du gr. *sullabos,* altér. de *silluba, sittuba,* bande de parchemin, titre.

**syllepse** 1660, Arnauld, rhét. ; lat. rhét. *syllepsis,* du gr. *sullepsis,* compréhension, de *sullambanein,* prendre ensemble. || **sylleptique** 1765, *Encycl.*

**syllogisme** 1265, J. de Meung (*silogisme*) ; 1370, Oresme (*sillogisme*) ; lat. *syllogismus,* du gr. *sullogismos,* de *sun,* avec, et *logos,* discours. || **syllogistique** 1557, de Mesmes ; lat. *syllogisticus,* du gr. *sullogistikos.* || **syllogiser** milieu XIII^e^ s.

**sylphe** 1605, Palma Cayet (*sylfe*) ; lat. *sylphus,* « génie », mot rare, repris par Paracelse (1493-1541) au sens de « génie de l'air et des bois ». || **sylphide** 1670, Montfaucon.

**sylvain** 1488, *Mer des hist.* (*silvain*), « divinité » ; 1800, Bomare, entom. ; lat. *sylvanus,* dieu des forêts, de *silva, sylva,* forêt. || **sylvestre** 1155, Wace (*sevestre*), « bois coupé » ; 1265, Br. Latini (*silvestre*), « sauvage » ; 1802, Laveaux, « qui vient sans culture » ; 1836, *Acad.,* sens actuel ; lat. *sylvestris,* var. de *silvestris.* || **sylve** 1080, *Roland* (*selve*) ; XIII^e^ s. (*silve*), forêt ; lat. *sylva.* || **sylviculture** 1835, Teulières. || **sylvicole** 1616, Biard, « sauvage » ; 1842, *Acad.,* sens actuel. || **sylviculteur** 1872, L. || **syl-**

vine 1832, Beudant. || **sylvinite** 1923, Lar., chim.

**symbiose** 1888, Lar., biol. ; 1964, Robert, fig. ; gr. *sumbiôsis,* vie en commun, de *sun,* avec, et *bios,* vie. || **symbiote** 1904, Lar. || **symbiotique** 1890, Rochard. || **asymbiotique** 1952, Lar.

**symbole** 1380, *Aalma,* « article de foi » ; 1552, Rab., « signe » ; lat. eccl. *symbolum,* symbole des Apôtres, en lat. class. « signe, marque », du gr. *sumbolos,* même sens, de *sumballeîn,* « jeter ensemble ». || **symbolique** 1553, Rab. ; fin XVII^e^ s., n. f., « logique symbolique » ; bas lat. *symbolicus,* « allégorique », du gr. *sumbolikos.* || **symboliquement** 1715, Pomey, « énigmatiquement ». || **symboliser** XIV^e^ s., « s'accorder avec, avoir rapport avec » ; fin XVIII^e^ s., sens mod. ; lat. médiév. *symbolizare.* || **symbolisation** fin XIV^e^ s., « accord » ; 1809, Boiste, « sympathie » ; 1834, Boiste, sens actuel. || **symbolisme** 1821, Goulianof, philos. ; 18 sept. 1886, J. Moréas, dans *le Figaro,* terme poét. || **symboliste** 2 août 1885, J. Moréas, dans le journal *le XIX^e^ Siècle.* || **symbologie** 1803, Boiste.

**symétrie** 1529, Tory (*symmétrie,* jusqu'à la fin du XVIII^e^ s.) ; gr. *summetria,* « juste proportion », de *sun,* avec, et *metron,* mesure. || **symétrique** 1529, Tory (*symmétrique*). || **symétriquement** 1529, Tory. || **symétriser** 1613, *D. G.* || **symétrisation** 1968, Lar. || **asymétrie** début XVII^e^ s., math. ; gr. *asummetria ;* évol. du sens d'après *symétrie.* || **asymétrique** début XIX^e^ s. || **dissymétrie** XIX^e^ s. || **dissymétrique** *id.*

**sympathie** début XV^e^ s., « attirance » ; lat. *sympathia,* du gr. *sumpatheia,* conformité de sentiments, de *sun,* avec, et *pathos,* sentiment, affection. || **sympathique** fin XVI^e^ s., « qui a de l'affinité » ; 1851, Sainte-Beuve, sens actuel ; 1721, Trévoux, biol. || **sympa** 1906, Esnault, abrév. || **sympathalgie** 1953, Lar. ; de *nerf sympathique.* || **sympathiser** milieu XVI^e^ s., Ronsard. || **sympathisant** *id.,* adj. ; n., XX^e^ s. || **sympathiquement** 1653, Corn.

**symphile** 1975, *Lexis,* entom. ; gr. *sun,* avec, et *philos,* amical. || **symphilie** 1904, Lar.

**symphonie** 1155, Wace, instrum. de mus. ; 1370, Oresme, « accord de sons » ; 1660, Livet, morceau d'orchestre ouvrant un opéra ; 1754, *Encycl.,* sens mod. (la symphonie moderne a été créée en 1754 par Gossec et par Haydn) ; lat. *symphonia.* || **symphoniste** XIII^e^ s. (*synfonistre*), « joueur de vielle » ; 1678, Brunot, sens actuel. || **symphonique** fin XVII^e^ s., Saint-Simon.

**symphorine** 1839, Boiste, bot. ; gr. *sumphoros,* réuni.

**symphyse** 1560, Paré ; gr. *sumphusis,* union naturelle, de *sun,* avec, et *phusis,* nature.

**symplectique** 1842, *Acad.,* hist. nat. ; gr. *sumplektikos,* de *sun,* avec, et *plekeîn,* plier ; qui est enlacé avec un autre corps.

**symposium** 1813, Gattel (*symposie*), « banquet » ; 1845, de Maistre (*symposium*) ; 1964, Lar., sens actuel. ; gr. *sumposion,* banquet.

**symptôme** 1363, Chauliac (*sinthome*) ; 1538, Canappe (*symptôme*), méd. ; 1672, Patin, « marque, indice » ; lat. méd. *symptoma,* du gr. *sumptôma,* proprem. « accident, coïncidence », de *sun,* avec, et *pipteîn,* tomber. || **symptomatique** 1478, Chauliac (*simphonatique*) ; 1503, Chauliac (*sinthomatique*) ; 1538, Canappe (*symptomatique*) ; gr. *sumptômatikos.* || **symptomatiquement** 1937, Breton. || **symptomatologie** 1765, d'après P. Robert. || **symptomatologique** 1829, Boiste.

**synagogue** 1080, *Roland* (*sinagoge*) ; lat. eccl. *synagoga* (III^e^ s., Tertullien), du gr. eccl. *sunagôgê,* réunion. || **synagogal** 1877, L.

**synalèphe** 1501, *Jardin de plaisance,* gramm., « synérèse » ; lat. gramm. *synaloepha,* du gr. *sunaloiphê,* « mélange », de *sun,* avec, et *aleipheîn,* enduire.

**synallagmatique** 1603, d'après P. Robert, jurid. ; gr. *sunallagmatikos,* de *sunallattein,* unir.

**synanthérées** 1822, *Dict. méd.,* bot. ; gr. *sun,* avec, et *anthos,* fleur.

**synapse** 1897, d'après P. Robert, physiol. ; gr. *sun,* avec, et *aptein,* joindre ; point de contact entre deux cellules nerveuses. || **synaptique** 1953, Lar.

**synarchie** 1872, L., polit. ; 1964, Lar., polit. ; gr. *sun,* avec, et *arkhein,* commander. || **synarchique** 1872, L.

**synarthrose** 1560, Paré ; gr. *sunarthrôsis,* de *sun,* avec, et *arthron,* articulation ; articulation fixe entre deux os.

**syncatégorématique** 1778, Voltaire ; bas lat. *syncategorema,* du gr. *sugkatêgorein,* accuser avec.

**synchisis** 1872, L. ; gr. *sugkhusis,* confusion, de *sugkheîn,* bouleverser.

**synchrone** 1743, *Encycl.* ; bas lat. *synchronus,* du gr. *sugkhronos,* de *sun,* avec, et *khronos,* temps. || **synchronie** 1827, *Acad.*, « comparaison de dates » ; 1916, Saussure, ling. || **synchronique** 1755, Prévost. || **synchroniquement** 1877, L. || **synchronisme** 1752, Trévoux ; gr. *sugkhronismos.* || **synchroniser** 1865, *Presse scientif.* || **synchronisation** 1888, Lar. || **postsynchroniser** 1934, Hoerée. || **synchroniseuse** 1952, *Français mod.*, cinéma. || **synchrotron** 1949, Lar.

**syncinésie** 1888, Lar. ; gr. *sun,* avec, et *kinêsis,* action de mouvoir.

**synclinal** 1872, L., géol. ; gr. *sun,* avec, et *klineîn,* incliner. || **anticlinal** 1872, L.

**syncope** 1314, Mondeville (*sincope*), méd. ; 1380, *Aalma,* gramm. ; 1691, Mersenne, mus. ; lat. méd. *syncopa,* du gr. *sugkopê,* de *kopteîn,* tailler, briser. || **syncoper** fin XIII^e s., *R. dou lis,* « écourter » ; 1578, H. Est., gramm. ; 1690, Furetière, mus. || **syncopal** 1780, Féraud.

**syncrétisme** 1611, Cotgrave ; gr. *sugkrêtismos,* union des Crétois. || **syncrétique** 1867, Baudelaire. || **syncrétiquement** 1970, Robert. || **syncrétiste** 1876, Lar.

**syndactyle** 1827, *Acad.*, zool. ; gr. *sun,* avec, et *daktulos,* doigt ; qui a les doigts soudés entre eux. || **syndactylie** 1872, L.

**syndèse** 1933, Marouzeau ; gr. *sundesis,* union, de *sudeîn,* lier ensemble.

**syndesmopexie** 1964, Lar., méd. ; gr. *sundesmos,* liaison, et *pêxis,* emboîtement.

**syndic** 1385, Delb. (*sindiz*) ; lat. eccl. *syndicus,* représentant, délégué, du gr. *sundikos,* celui qui assiste quelqu'un en justice. || **syndicat** 1477, Bartzsch, fonction de syndic, jusqu'au début du XIX^e s. ; 1870, Lachâtre, finances ; 1807, *Doc.*, groupement d'ouvriers ; 1839, Mac Culloch, association professionnelle. || **syndicataire** 1868, *l'Épargne.* || **syndical** 1352, G. (*sindiqual*), n. m., « procès-verbal » ; milieu XVI^e s. (*syndical*), adj., même évol. d'empl. que *syndicat.* || **syndicalisme** 1894, Sachs-Villatte. || **syndicaliste** 1904, Lar. || **syndiquer** 1546, Rab., « critiquer, censurer » ; milieu XVIII^e s., « former en corps les membres d'une corporation » ; fin XVIII^e s., *se syndiquer,* « s'affilier à un syndicat » ; même évol. sémant. que *syndicat.* || **syndiqué** 1854, Sachs-Villatte, adj. et n. || **syndicaliser** 1966, *journ.* || **syndicalisation** *id.*

**syndrome** 1835, Raymond, méd., « ensemble de symptômes » ; gr. *sundromê,* concours, de *sun,* avec, et *dromos,* course.

**synecdoque** 1521, Fabri (*sinodoche*), gramm. ; 1730, Dumarsais (*synecdoque*) ; lat. *synecdoche,* du gr. *sunekdokhê,* compréhension de plusieurs choses à la fois.

**synérèse** 1533, Montflory, gramm. ; lat. *synaeresis,* du gr. *sunairesis,* rapprochement.

**synergie** 1778, Barthez, physiol. ; XX^e s., sens actuel ; gr. *sun,* avec, et *ergon,* travail ; association de plusieurs organes pour remplir une fonction. || **synergique** 1835, Raymond.

**synesthésie** 1888, Lar., psychol. ; gr. *sunaisthêsis,* de *sun,* avec, et *aisthêsis,* sensation. || **synesthésique** 1872, L.

**syngnathe** 1827, *Acad.*, ichtyol. ; lat. scient. *syngnathus,* du gr. *sun,* avec, et *gnathos,* mâchoire ; poisson à corps et à museau très allongés. || **syngnathidés** 1904, Lar.

**synode** 1308, Aimé (fém.) ; 1541, Calvin (masc.) ; lat. *synodus,* du gr. eccl. *sunodos,* réunion. || **synodal** 1315, Delb. ; lat. *synodalis.* || **synodique** 1556, Pontus de Thyard, astron. ; lat. *synodicus,* du gr. *sunodos,* conjonction d'astres. || **synodique** 1721, Trévoux, eccl. ; bas lat. *synodicus,* du gr. *sunodos,* réunion.

**synonyme** XII^e s. (*sinonimes*) ; 1380, *Aalma* ; lat. gramm. *synonymus,* du gr. *sunônumos,* de *sun,* avec, et *onoma,* nom. || **synonymie** 1582, Belleforest ; lat. *synonymia,* du gr. *sunônumia.* || **synonymique** 1791, Talleyrand-Périgord.

**synopsis** 1842, *Acad.*, coup d'œil sur l'ensemble d'une science ; 1876, Lar., tableau synoptique ; 1919, *le Film,* scénario ; gr. *sunopsis,* de *sun,* avec, et *opsis,* vue. || **synoptique** 1610, Duval ; gr. *sunoptikos,* de *sunopsis.* || **synopse** 1872, L. ; bas lat. *synopsis,* inventaire.

**synoque** 1265, Br. Latini (*sinoche*), méd., « continu » (se dit de la fièvre) ; empr., dans les trad. lat. d'Aristote, au gr. *sunokhos,* continu, de *ekheîn,* avoir, tenir.

**synostose** 1872, L. ; gr. *sun,* avec, et *osteon,* os.

**synovie** 1694, Th. Corn. ; lat. médiév. *synovia* (fin XV^e s., Paracelse), humeur des articulations, d'orig. inconnue. || **synovial** 1735, Heister. || **synovite** 1833, *Transactions méd.*

**syntaxe** 1572, Ramus ; lat. gramm. *syntaxis,* du gr. *suntaxis,* mise en ordre. || **syntaxique**

1819, Boiste. || **syntactique** 1872, L. ; gr. *suntaktikos.* || **syntacticien** 1953, Lar. || **syntagme** 1699, Vigneul, « ordre, disposition » ; 1713, Trévoux, « traité méthodique » ; 1842, *Acad.*, hist. milit. ; 1916, Saussure, gramm. ; gr. *suntagma.* || **syntagmatique** 1916, Saussure.

**synthèse** 1607, Habicot, log. ; 1865, Lunier, chimie ; gr. philos. *sunthesis,* action de mettre ensemble, de *tithenai,* placer. || **synthétique** début XVII$^e$ s., log. ; 1935, *Acad.,* chimie ; gr. *sunthetikos.* || **synthétiquement** 1762, *Acad.* || **synthétiser** 1833, Balzac. || **synthétiseur** 1972, Lar.

**syntone** 1929, Martin du Gard ; gr. *suntonos,* qui résonne d'accord, de *sunteinein,* tendre ensemble. || **syntonie** 1907, Lar.

**syphilis** 1741, Col de Vilars ; lat. mod. *syphilis* (1530, Fracastor de Vérone) ; du nom du berger légendaire *Syphilus,* des *Métamorphoses* d'Ovide, que Fracastor fait frapper de cette maladie par Apollon. || **syphilitique** 1664, G. Patin (*siphilidique*). || **syphiloïde** 1855, Nysten. || **syphilome** 1878, Lar. || **syphilisation** 1855, Nysten. || **antisyphilitique** fin XVIII$^e$ s.

**syringa** 1694, Tournefort ; lat. scient. *syringa* (V. SERINGA).

**syringomyélie** 1823, Olivier, méd. ; gr. *surigx,* tuyau, et *muelos,* moelle ; destruction de la substance grise de la moelle épinière. || **syringomyélique** 1904, Lar.

**syrinx** 1752, Trévoux, « flûte » ; 1904, Lar., entom. ; lat. *syrinx,* du gr. *surigx,* tuyau.

**syrphe** 1803, Boiste, entom. ; lat. scient. *syrphus,* du gr. *surphax,* ordures.

**système** 1552, Pontus de Thyard, système philos. ; XVIII$^e$ s., sens actuel ; bas lat. *systema,* du gr. philos. *sustêma,* ensemble. || **systématique** 1552, G. ; bas lat. *systematicus,* du gr. *sustêmatikos.* || **systématiquement** 1752, Trévoux. || **systématiser** 1756, *D. G.* || **systématisation** 1824, Saint-Simon.

**systole** fin XIV$^e$ s. (*sistole*), métrique ; 1541, Canappe, méd. ; gr. *sustolê,* contraction. (V. DIASTOLE.) || **systolique** 1553, Rab.

**systyle** 1691, d'Aviler, archit. ; lat. *systylos,* du gr. *sustulos,* aux colonnes rapprochées, de *sun,* avec, et *stulos,* colonne.

**syzygie** 1584, Goulart, astron. ; bas lat. *syzygia* (III$^e$ s., Tertullien), union de pieds métriques, du gr. *suzugia,* conjonction, union.

# t

1. **tabac** 1555, Poleur (*tabaco*) ; 1599, B. W., (*tabac*) ; XVIIe s. (var. *tobac*) ; 1907, Lar., « couleur » ; esp. *tabaco,* empr. à la langue des Arawaks d'Haïti (*tzibatl*), où ce mot désignait le tuyau servant à inhaler la fumée de tabac, ainsi que le cigare de tabac (v. PETUN). ‖ **tabatière** 1652, Berthaud ; XVIIe s. (*tabatière*), fig., techn. (V. TABAGIE.)

2. **tabac** 1802, Esnault (*passage à tabac*) ; onomat. *tabb*. ‖ **tabasser** 1888, Villatte. ‖ **tabassage** 1937, Malraux.

**tabagie** 1603, Champlain ; mot algonquin signif. d'abord « festin » ; a développé un sens nouveau, 1657, N. Sanson, sous l'infl. de *tabac.* ‖ **tabagisme** 1896, Charcot, méd. ‖ **tabagique** 1859, *FEW.*

**tabarin** milieu XVIe s., Monluc, « bouffon » ; nom d'un personnage de farce, popularisé par l'acteur Girard ( 1584-1626), qui reprit ce nom. ‖ **tabarinade** 1717, *Mémoires Trévoux.*

**tabaschir** 1598, Lodewijcksz (*tabaxir*) ; 1842, Mozin (*tabachir, tabashir*), concrétion des tiges de bambou, sucre exsudé par la canne ; ar. *tabachīr.*

**tabelle** 1688, Boislisle, mémoire, rôle ; lat. *tabella,* tablette. ‖ **tabellaire** 1828, Verger.

**tabellion** 1265, Br. Latini, notaire de juridiction subalterne ; 1844, Balzac, notaire, iron. ; lat. *tabelllio,* « qui écrit sur les tablettes (*tabellae,* v. le précéd.) ».

**tabernacle** 1120, *Ps. d'Oxford,* antiq. juive ; milieu XIVe s., chrét., « réceptacle où l'on enferme le ciboire » ; lat. eccl. *tabernaculum* (*Vulgate*), proprem. « tente ».

**tabès** 1520, Chauliac, maladie de langueur ; 1888, Lar., sens mod., d'après le lat. des médecins *tabes dorsalis ;* mot lat., proprem. « écoulement, liquéfaction », et au fig. « consomption ». ‖ **tabétique** 1878, Lar., méd.

**tabis** 1395, Chr. de Pisan (*atabis*) ; fin XIVe s., E. Deschamps (*tabis*), étoffe, hist. ; lat. médiév. *attabi,* de l'ar. *attābī,* du nom d'un quartier de Bagdad où cette étoffe était fabriquée. ‖ **tabiser** 1680, Richelet, façonner comme l'ancien tabis. ‖ **tabinet** 1876, Lar.

**tablature** 1529, B. W., tableau de notation mus., hist. ; *donner de la tablature,* 1633, Corn., proprem. « donner quelque chose à déchiffrer », d'où « causer des difficultés » ; lat. médiév. *tabalatura,* de *tabula,* table, refait d'après TABLE (v. ce mot).

***table** 1080, *Roland ;* lat. *tabŭla,* proprem. « planche », et par ext.. « table, tablette » ; *table de nuit,* 1717, L. ; *tables tournantes,* 1853, L. ; *table rase,* 1314, Mondeville, expr. issue du lat. scolast. *tabula rasa :* la formule remonte à Aristote, IVe s. av. J.-C. (*De l'âme*) ; *se mettre à table,* 1651, Scarron. ‖ **tableau** 1280, Adenet, panneau de bois ; XVe s., « peinture qui orne le panneau » ; 1549, R. Est, « liste ». ‖ **tableautin** 1823, Delacroix. ‖ **tablette** 1175, Chr. de Troyes. ‖ **tabletier** 1080, *Roland.* ‖ **tablée** 1280, Adenet. ‖ **tabler** 1290, *Archives,* « se mettre à table » ; 1544, Fonteneau, « planchéier » ; auj., seulement dans *tabler sur,* 1690, Furetière, anc. terme du tric-trac, où *tabler* signifiait « poser deux dames sur la même ligne ». ‖ **tabletterie** début XVe s., Laborde. ‖ **tableur** XIXe s. ‖ **tablier** 1155, Wace, « planchette de table à jouer » et « tablier d'étoffe » ; a remplacé, à partir du XIVe s., *devanteau, devantier,* conservés encore dans quelques parlers rég. ; *tablier d'un pont,* 1793, Schwan. ‖ **attabler** 1443, G. ‖ **entablement** 1130, *Eneas,* « plancher » ; XVIe s., sens mod. (V. RETABLE.)

**tabor** XXe s., milit. ; mot ar. du Maroc ; corps de troupes marocain.

**tabou** 1785, trad. de Cook (*taboo*) ; 1831, Dumont d'Urville (*tabou*) ; ling., 1964, Robert ; angl. *taboo,* d'un mot polynésien, *tapu,* « interdit, sacré », par ext. « personne ou chose déclarée tabou » ; adj., 1842, *Acad.* || **tabouer** 1822, *FEW.* || **tabouiser** 1953, Cocteau. || **tabouisation** *id.*

**tabouret** 1442, Du Cange, pelote à aiguilles (sens conservé jusqu'au XVII^e s.) ; 1525, B. W., sens mod. ; de *tabour,* forme anc. de *tambour* (v. ce mot), d'après la forme de l'objet.

**tabulaire** 1872, L. ; lat. *tabula,* table. (V. TABLE.) || **tabulateur** 1923, Lar. || **tabulation** 1964, Lar. || **tabuler** 1964, Lar.

**tac** 1587, Pasquier ; onomat. ; *du tac au tac,* 1893, *D. G.* (V. TACOT, TIC-TAC.)

**tacca** 1827, *Acad.,* plante alimentaire d'Asie ; mot lat. bot., du malais *takah,* dentelé.

**tacet** 1613, Monluc, mus. ; mot lat., de *tacere,* se taire.

**tache** 1080, *Roland* (*teche*) ; 1120, *Ps. d'Oxford* (*tache*) ; en anc. fr., « marque, bonne ou mauvaise », sens conservé jusqu'au XVII^e s. ; dès le XII^e s., sens mod. ; lat. pop. **tacca,* signe, du gotique **taikko,* francique **têkan* (cf. l'all. *Zeichen,* signe) ; *tache,* de même étym., a subi l'infl. de *estache,* « attache », de *estachier.* (V. ATTACHER.) || **tacher** XI^e s., *Gloses de Raschi.* || **tacheter** 1538, R. Est. ; de l'anc. *tachete,* dimin. de *tache.* || **tacheture** 1611, Cotgrave. || **détacher** 1501, Destrees, « ôter les taches ». || **détachant** 1876, L., adj. et n. m. || **entacher** 1190, *Saint Bernard ;* le plus souvent, dès l'anc. fr., au fig.

**tâche** 1175, Chr. de Troyes, « prestation rurale », puis sens mod. ; adaptation du lat. médiév. *taxa,* de *taxare* (v. TAXER) ; *prendre à tâche,* 1640, Oudin ; *à la tâche* (rémunération), XIV^e s. (d'abord *en tâche*). || **tâcher** XIV^e s., *Miracles Nostre-Dame.* || **tâcheron** 1508, *Archives.*

**tachéographie** 1681, *Journ. des savants,* cartographie ; gr. *takhus, takheos,* rapide, et *-graphie.* || **tachéographe** 1765, *Encycl.* || **tachéomètre** 1872, L. || **tachéométrie** 1858, Porro.

**tachy-,** gr. *takhus,* rapide. || **tachycardie** 1871, Virchow. || **tachygraphe** 1765, *Encycl.* || **tachymètre** 1839, Boiste. || **tachyphagie** 1908, Lar. || **tachypnée** 1904, Lar.

**tacite** 1495, *Mir. hist. ;* lat. *tacitus,* de *tacere,* se taire. || **tacitement** 1502, O. de Saint-Gelais.

**taciturne** 1458, *Myst. du Vieil Test. ;* lat. *taciturnus,* de *tacitus,* qui se tait. || **taciturnité** XIV^e s. ; lat. *taciturnitas.*

**tacle** 1975, *Lexis ;* angl. *tackle,* empoigner.

**taconner** 1690, Furetière, typogr. ; de *tacon,* talon (1200, Bodel), du lat. médiév. *taco,* morceau de cuir, francique **takko,* pointe.

**tacot** 1802, Laveaux, « outil de tisserand » ; 1922, Proust, puis ce train lui-même, fam. ; 1905, *journ.,* « automobile démodée, défectueuse » ; de *tac,* onomat. (d'après le bruit de l'outil ou du véhicule).

**tact** 1354, *Modus,* « toucher » ; 1769, Voltaire, fig. ; lat. *tactus,* n. m., part. passé substantivé de *tangere,* toucher. || **tactile** 1541, Canappe ; lat. *tactilis.* || **tactisme** 1904, Lar.

**tactique** 1690, Furetière, n. f. ; XVIII^e s., adj. ; gr. *taktikê* (*tekhnê*), proprem. « art de ranger », de *tatteîn,* ranger. || **tacticien** 1758, Guischardt.

**tadorne** 1465, *FEW,* espèce de canard ; lat. *anas tadorna,* orig. inconnue.

**taffetas** 1314, Gay ; ital. *taffeta,* du turco-persan *tāfta,* « tissé, tressé ».

**tafia** 1659, Moreau de Saint-Méry ; mot créole, abrév. de *ratafia.* (V. RATAFIA.)

**tagliatelles** 1904, Lar. ; ital. *tagliatelli,* de *tagliati,* tranches.

**taïaut** 1300, B. W. (*taho*) ; 1601, Molière (*taïaut*) ; onomat., cri pour exciter les chiens de chasse.

***taie** début XII^e s., *Voy. de Charl.* (*teie*) ; début XIV^e s. (*taie*) ; d'abord enveloppe de l'oreiller, puis, au XIV^e s., taie sur l'œil ; lat. *thēca,* étui, fourreau, du gr. *thêkê,* boîte.

**taïga** 1908, *Encycl.,* géogr. ; mot russe désignant une forêt de conifères, du turco-tartare.

**taillade** 1532, Rab. ; ital. *tagliata,* coup qui entaille, du lat. pop. **taliare,* tailler. || **taillader** 1532, *FEW.*

***tailler** 1080, *Roland ;* lat. pop. **taliāre,* probablem. de *talea,* bouture ; *tailler des croupières,* 1616, *Anc. Théâtre fr.* || **taillant** fin XII^e s., *Mélanges,* n. m. || **taille** 1130, *Eneas,* « action de tailler » ; d'où, début XIII^e s., hauteur du corps humain (sens développé par les tailleurs d'images) ; XIII^e s., impôt sur les serfs, hist. ; fin XIV^e s., E. Deschamps, mus. vocale ; *haute-taille, basse-taille,* 1762, *Acad.,* mus. ; déverbal (v. TENEUR 3, TÉNOR). || **taillable** 1283, Beaumanoir, hist. || **taillon** 1552, Rab., hist. || **tailleur** 1170, *Rois,* « chargé du taillage » ; 1180, Aimon de Varennes, « tailleur d'habits ». || **tailleuse** 1731, *Mercure de France.* || **taillerie** 1268, É. Boileau. || **tailloir** 1130, *Eneas,* plat où l'on découpait la viande ; 1537, Sagredo, archit.

|| **taillage** 1170, *Rois,* « impôt » ; 1255, G., « action de tailler ». || **taille-crayon** 1838, *Acad.* || **taille-douce** XVIe s., Laborde. || **taille-légumes** 1876, Lar. || **taille-mer** 1622, Vidos, mar. || **taille-racines** XXe s. || **taillis** 1215, B. W. || **taillandier** 1213, B. W. ; avec le suff. *-andier.* (V. LAVANDIÈRE, VIVANDIÈRE.) || **taillanderie** 1409, *Cartulaire.* || **détailler** 1175, Chr. de Troyes, couper en morceaux ; 1268, É. Boileau, « vendre par petites quantités ». || **détail** 1170, *Floire et Blancheflor* (*vendre à détail*). || **détaillant** 1649, Kuhn, n. m. (d'abord *détailleur,* 1283, Beaumanoir). || **entailler** 1120, *Ps. de Cambridge.* || **entaille** 1130, *Eneas.* || **retailler** 1160, Benoît. || **retaille** XIIe s., *Mort d'Aimery.*

**tain** fin XIIe s., *l'Escoufle ;* altér. d'ÉTAIN 1, d'après *teint.* (V. TEINDRE.)

***taire** 1145, G. (*taisir*) ; 1160 (*taire*) ; lat. pop. **tacire,* de *tacere ; se taire,* 980, *Passion.* (V. PLAIRE, PLAISIR.)

***taisson** 1180, Marie de France, blaireau, dial. (Est et Nord-Est) ; bas lat. *taxo, -onis* (Ve s.), mot germ., all. *Dachs.* || **taissonnière** 1242, G. (V. TANIÈRE.)

**talapoin** 1686, Tachard ; port. *talapaõ,* du birman, signif. « monseigneur ».

**talc** 1518, d'après P. Robert ; ar. *talq.* || **talquage** 1975, Lar. || **talquer** 1964, Lar. || **talqueux** 1746, Brunot.

**talent** 980, *Passion,* « humeur » ; 1170, *Rois,* « poids d'or ou d'argent », hist. ; lat. *talentum,* gr. *talanton,* plateau de balance ; début XVIIe s., disposition naturelle ou acquise, du lat. scolastique *talentum,* don, issu du sens anc. de « monnaie », pris au fig. d'après la parabole des talents (Évangile de saint Matthieu, XXV, 14), où, de trois serviteurs à qui leur maître a confié des talents, deux savent faire fructifier les leurs, tandis que le troisième enfouit le sien en terre. || **talentueux** 1876, Goncourt. || **talentueusement** 1964, Robert.

**taler** 1417, Du Cange, fouler, meurtrir (des fruits), rég. ; germ. **tâlon ;* cf. l'anc. haut all. *zalon,* piller. || **taloche** 1460, Chastellain. || **talocher** 1546, Rab.

**taleth** 1732, Trévoux ; hébreu *tallith,* de *tatal,* couvrir.

**talion** 1395, Boutillier ; rare jusqu'au XVIIIe s. ; lat. *talio.*

**talisman** 1637, Gaffarel ; ar. pop. *tilsamān,* plur. de *tilsam,* en ar. class. *tilasm,* lui-même issu du bas gr. *telesma,* « rite religieux » ; *talisman,* prêtre musulman, 1556, Geuffroy, est un autre mot, du persan *dānichmand,* « savant ». || **talismanique** 1625, Naudé.

**talle** 1488, *Mer des hist. ;* lat. *thallus,* du gr. *thallos,* jeune pousse. || **taller** 1549, R. Est. || **tallage** 1860, Poitevin.

**tallipot** 1683, *Journal des savants,* palmier de Malabar ; mot angl., du cinghalais *talapata,* de *tala,* palmier, et *pattra,* feuille.

**talmouse** 1398, *Ménagier* (*talemouse*), pâtisserie soufflée ; orig. obscure, peut-être altér. du moy. néerl. *tarwemele,* farine de froment.

**talmud** XVIe s. ; mot hébreu, de *lamad,* apprendre. || **talmudique** 1546, Rab. || **talmudiste** 1532, d'après P. Robert.

1. **taloche** V. TALER.

2. **taloche** 1320, Watriquet, « bouclier » ; anc. fr. *talevaz* (1155, Wace), du bas lat. **talapacium.*

***talon** XIIe s., *Saxons ;* lat. pop. **tālō, -onis,* du lat. class. *talus ; talon rouge,* 1758, Voltaire, aristocrate ; *talon aiguille,* 1964, Robert. || **talonner** XIIe s. || **talonnement** 1559, Amyot. || **talonnière** 1512, J. Lemaire de Belges. || **talonnette** 1824, Raymond. || **talonnage** 1924, Montherlant, sport (rugby). || **talonneur** 1933, Lar. || **talaire** 1507, G. ; lat. *talaris,* class. *talus.*

**talpack** 1904, Lar. ; mot turc.

***talus** 1174, É. de Fougères (*talu*) ; lat. *talutium* (Ier s., Pline), « forte inclinaison de terrain », terme de mineur ; gaulois *talutum,* front (cf. le breton *tâl*).

**talweg** 1871, Mozin ; all. *Thalweg,* chemin de la vallée.

**tamandua** 1603, La Borie, fourmilier exotique ; lat. scient. *tamendoa,* mot tupi. || **tamanoir** 1763, Buffon ; de *tamanda,* variante du précédent.

1. **tamarin** 1298, *Marco Polo* (*tamarandi*) ; XVe s. (*tamarin*), bot. ; lat. méd. médiév. *tamarindus,* de l'ar. *tamīr hindā,* « datte de l'Inde ». || **tamarinier** 1604, F. Martin (*tamarindier*) ; 1765, *Encycl.* (*tamarinier*).

2. **tamarin** 1614, Cl. d'Abbeville (*tamary*), zool., ouistiti ; d'une langue indigène de la région de l'Amazone.

**tamaris** XIIIe s., *Simples Méd. ;* bas lat. *tamariscus,* var. *tamarix, tamarice,* p.-ê. de l'ar. *tamār.*

**tambouille** 1756, Esnault, « bombance » ; 1866, Esnault, « ragoût » ; ital. *tampone,* bombance.

**tambour** 1080, *Roland* (*tabour,* encore au XVI^e s.) ; 1120, *Voy. de Charl.* (*tabor*) ; 1300, B. W. (*tambour*) ; persan *tabīr,* avec influence du catalan *tambor,* lui-même emprunté à l'ar. *at tambur.* || **tambourin** 1460, Chastellain (*tabourin, tambourin*). || **tambouriner** XV^e s., *Perceforest* (*tabouriner*) ; 1680, Richelet (*tambouriner*). || **tambourinage** 1558, Thevet (*tabourinage*) ; 1680, Richelet (*tambourinage*). || **tambourinement** 1870, Goncourt. || **tambourineur** 1534, Des Périers (*tabourineur*) ; 1556, Allègre (*tambourineur*). || **tambourinaire** 1777, Duhamel du Monceau ; mot prov. || **tambour-major** 1651, d'après P. Robert.

**tamier** 1812, Mozin (*taminier*) ; 1872, L. (*tamier*), bot. ; lat. *thamnum,* taminier, du gr. *thamnos,* buisson, de *thama,* en grand nombre.

***tamis** fin XI^e s., *Chanson de Guillaume ;* lat. pop. **tamīsium,* du celtique **tamesion.* || tamiser 1160, Benoît. || **tamisage** 1356, G. || **tamisier** 1422, G. || **tamiseur** 1360, G.

**tampon** 1382, *Archives,* sens propre ; milieu XIX^e s., techn., ch. de fer ; anc. fr. *tapon,* du francique **tapo,* cheville. || **tamponner** XV^e s., G. ; 1872, Lar., heurter, ch. de fer. || **tamponnement** 1771, Trévoux ; même évol. d'emploi que le verbe. || **tamponneur** 1893, *D. G.* || **tamponnoir** 1904, Lar.

**tam-tam** 1773, Bernardin de Saint-Pierre ; onomat. créole.

**tan** fin XIII^e s., Rutebeuf ; gaulois **tann-,* « chêne », dont on utilisait l'écorce pour préparer le cuir (cf. le breton *tann,* même sens). || **tanner** XIII^e s., Rutebeuf, sens propre ; 1220, Coincy, « importuner ; 1769, Duhamel de Monceau, « brunir ». || **tannage** 1370, *Ordonn.* || **tannant** 1762, *Acad.,* « ennuyeux ». || **tannerie** 1216, Delb. || **tanneur** 1268, É. Boileau. || **tanne** début XV^e s., Ch. d'Orléans. || **tannée** 1680, Richelet. || **tanin** 1797, *Bull. des sciences.* || **tannique** 1848, Allain. || **tanniser** ou **taniser** 1877, Robinet.

***tanaisie** XII^e s., Tobler-Lommatzsch ; bas lat. **tanacēta,* pl. neutre, devenu fém., du lat. *tanacētum,* d'orig. prélatine ; plante des talus.

***tancer** 1080, *Roland ;* lat. pop. **tentiare,* « quereller », d'où « réprimander », de *tentus,* part. passé de *tendere,* faire effort, d'où « lutter, combattre ». (V. TENSON.)

***tanche** XIII^e s., *Fabliaux ;* bas lat. *tĭnca* (IV^e s., Ausone), mot d'orig. gauloise.

**tandem** 1816, Simond, « voiture attelée de deux chevaux en flèche » ; 1887, Lami, « cylindres disposés en tandem » ; 1884, *Sport,* « bicyclette pour deux personnes » ; angl. *tandem,* du lat. *tandem,* « enfin », pris comme synonyme, dans l'arg. scol. angl., de la loc. angl. *at length,* « à la longue, en longueur ». || **tandémiste** 1904, Lar.

***tandis que** 1160, Benoît (*tans dis que*) ; lat. *tamdiu,* aussi longtemps, *quamdiu, quam,* que..., avec adjonction de l'*s* final adverbial (v. VOLONTIERS) ; du XII^e s. au XVII^e s., a vécu un adv. *tandis,* « pendant ce temps ».

**tangara** 1614, Laet ; mot tupi (Guyanne) ; passereau.

**tangent** 1683, *Journ. des savants ;* lat. *tangens, -entis,* part. prés. de *tangere,* toucher. || **tangente** 1626, Mydorge, n. f., géom. ; 1867, Delvau, arg. scol., appariteur ; *prendre la tangente,* 1867, Delvau. || **tangence** 1815, Beudant. || **tangentiel** 1816, Biot. (V. TANGIBLE.)

**tangible** XIV^e s., Dochez ; bas lat. *tangibilis,* de *tangere,* toucher (v. TANGENT). || **tangiblement** 1876, *J. O.* || **tangibilité** 1800, Boiste. || **intangible** XV^e s.

**tango** 1864, Delvau, *les Cythères ;* mot de l'esp. d'Amérique, nom d'une danse pop. ; 1914, *l'Illustration,* nom d'une couleur mise à la mode au moment de la vogue de cette danse.

**tangon** 1778, Romme, mar. ; moyen néerl. *tange,* tenailles.

**tangue** XII^e s., vase ; anc. scand. *tang,* varech. || **tanguier** 1872, L.

**tanguer** 1643, Fournier ; anc. fr. *tengre,* de l'anc. scand. *tangi,* vaciller. || **tangage** 1643, B. W. || **tangueur** 1584, Pardessus.

***tanière** fin XII^e s. (*taisniere, tesniere,* encore au XVI^e s.) ; XV^e s. (*taniere,* forme rég.), « terrier du blaireau » ; lat. pop. *taxōnāria,* du lat. *taxo,* blaireau, mot gaulois. (V. TAISSON.)

**tanin, tannin** V. TAN.

**tank** 1659, Mandelslo (*tanke*) ; 1857, Bonnafé (*tank*), « réservoir » ; 22 sept. 1916, *le Figaro,* « char d'assaut » ; angl. *tank,* « réservoir, citerne », d'orig. inconnue. || **tankiste** 1919, Esnault.

**tanker** v. 1945, Gruss, navire pétrolier ; mot angl., de *tank,* réservoir. (V. TANK.)

**tanner, tanniser** V. TAN.

**tan-sad** 1919, d'après P. Robert ; angl. *tan,* abrév. de *tandem,* et *sad,* abrév. de *saddle,* selle.

***tant** 1080, *Roland ; tant mieux, tant pis,* XVIe s., avec *tant* signif. « d'autant » ; *en tant que,* 1530, Palsgrave ; lat. *in tantum quantum ; tant et plus,* 1534, Rab. ; *tant soit peu de,* 1580, Montaigne ; *si tant est que,* av. 1650, Descartes ; *tant que,* 1190, Bodel ; lat. *tantum.* || **un tantet** 1213, *Fet des Romains.* || **un tantinet** 1458, *Mystère Vieil Testament ;* anc. fr. *tantin,* lui-même dimin. de *tant.* || **tantième** 1559, Amyot. || **autant** 1190, *Rois* (*altant*) : pour *al-/au-,* v. AUSSI. || **partant** 1160, *Eneas.* || **pourtant** 1160, *Eneas* (*portant*), « à cause de cela » ; fin XVIe s., sens mod., d'après l'empl. du mot dans les phrases négatives.

1. **tantale** 1801, métal découvert par Hatchett, nommé aussi *columbium ;* lat. scientif. *tantalum,* du lat. *Tantalus,* gr. *Tantalos,* Tantale, fils de Jupiter, condamné à la soif, ce métal ne pouvant être saturé par l'acide. || **tantalate** 1842, *Acad.* || **tantalique** *id.*

2. **tantale** 1754, Klein, ornith. ; lat. scient. *tantalus,* du lat. *Tantalus,* Tantale.

**tante** 1160, Benoît ; 1834, Esnault, « pédéraste » ; *Ma Tante,* 1867, Delvau, le mont-de-piété ; anc. fr. *ante,* du lat. *amĭta,* précédé de l'adj. possessif *ta,* « tante du côté du père ». || **tata** 1800 (*tatan*), *Lettre* à Stendhal, forme enfantine ; *faire sa tata,* 1845, Besch., pop., se donner de l'importance. || **tantine** fin XIXe s., Daudet.

**tantôt** V. TÔT.

**tao** 1842, *Acad. ;* mot chinois. || **taoïsme** 1845, Besch. || **taoïste** *id.*

***taon** 1175, Chr. de Troyes ; bas lat. *tabō, -ōnis,* altér., par changement de suff., du lat. class. *tabānus* (cf. le prov. *tavan*).

**tapage** 1695, Gherardi ; de *taper.* || **tapageur** 1743, Trévoux. || **tapageusement** 1876, *le Siècle.* || **tapager** 1828, Mozin.

**taper** 1175, Chr. de Troyes, frapper avec le plat de la main ; 1867, Delvau, fig., pop., demander de l'argent, sans doute d'après l'usage de taper dans la main en concluant le marché. Plusieurs hypothèses : onomat. ; ou bien du moy. néerl. *tappe,* « patte » ; ou bien ext. de sens de l'anc. fr. *taper,* « boucher », d'où « frapper (pour enfoncer le bouchon) », du germ. *tappôn* (v. TAMPON, TAPON). || **tapant,** dans *midi tapant,* 1936, Romains. || **tapé** 1758, Voltaire, adj., d'un fruit ; 1742, *Journal de Barbier,* fig., pop. (*bien tapé,* etc.). || **tape** 1360, Froissart, « coup » ; 1923, Lar., « échec ». || **tapecul** 1460, Chastellain. || **tape-à-l'œil** 1867, Delvau. || **tapure** 1690, Furetière. || **tapée** 1791, B. W. || **tapette** 1562, G., sorte de palette ; 1750, *Revue,* petite tape ; 1867, Delvau, bavardage, langue, pop. ; 1859, Larchey, « pédéraste ». || **tapeur** 1866, Delvau, emprunteur, fam. ; du sens fig. de *taper.* || **tapoter** XIIIe s., *Renart.* || **tapotage** 1855, Augier. || **tapotement** 1859, Frarière. || **tapotis** 1965, Sarrazin. || **retaper** XVIe s., G. || **retape** 1795, B. W., pop. ; déverbal. || **retapage** 1861, Goncourt.

**taphophilie** 1968, Lar. ; gr. *taphos,* funérailles, et *philos,* ami. || **taphophobie** 1964, Lar. ; de *phobos,* crainte.

**tapin** 1270, *Romania,* « tache » ; 1745, Esnault, « taloche » ; 1760, Michel, « tambour » ; 1837, d'après P. Robert, « travail, prostitution ». || **tapiner** 1920, Esnault.

**tapinois (en)** 1464, *Pathelin ;* de *en tapin,* XIIe s., var. anc. *à tapin,* de l'adj. *tapin,* « qui se dissimule », de *tapi,* part. passé de SE TAPIR 1.

**tapioca** 1651, Roulox (*tapiocha*) ; 1798, trad. de Macartney (*tapioca*) ; port. *tapioca,* du tupi ou du guarani (langues du Brésil) *tipioca,* de *tipi,* résidu, et *ok-,* presser.

1. **tapir (se)** 1130, *Eneas ;* francique **tappjan,* fermer, enfermer. (V. TAPINOIS [EN].)

2. **tapir** 1558, Thevet (*tapihire*), n. m., zool. ; mot tupi (Brésil) ; 1896, Esnault, fig. ; arg. de Normale sup., élève particulier, d'où le dér. *tapirat,* leçon particulière. || **tapiriser** 1910, Esnault.

**tapis** fin XIe s., *Gloses de Raschi* (*tapid*) ; *mettre sur le tapis,* fin XVIe s. ; gr. byzantin *tapêtion* (pron. *tapitsion*), empr. pendant les Croisades ; du gr. anc. *tapêtion,* dimin. de *tapês, tapêtos.* || **tapis-brosse** 1934, Duhamel. || **tapissier** début XIIIe s., var. *tapicier,* d'abord marchand ou fabricant de tapis. || **tapisserie** 1347, B. W. || **tapisser** XVe s. (*tapicier*).

**tapon** 1382, Delb., « bouchon » ; *en tapon,* 1690, Furetière ; francique **tappo,* cheville, bonde.

**tapoter** V. TAPER.

**taque** 1568, G., plaque de fer, spécialem. plaque de cheminée ; bas all. **tak,* all. *zacke.*

**taquer** XIVe s., *Chron. des Flandres ;* orig. onomat. || **taquoir** 1762, *Acad.*

**taquet** 1382, *Archives ;* rare jusqu'au XIXe s. ; petite pièce de bois servant à retenir un objet, empl. dans diverses techniques ; diminutif de l'anc. fr. *estake,* pieu, du francique **stakka,* piquet ; d'orig. onomatopéique. (V. TAC 1.)

**taquin** 1411, Dochez (*tacain*), « bandit » ; 1442, Le Franc (*taquin*), « avaricieux », jusqu'au XVIIe s. (encore 1695, Gherardi) ; av. 1799, sens mod., p.-ê. par le sens intermédiaire « qui chicane sur la dépense » ; du moyen néerl. **takehan,* de *taken,* saisir. || **taquinerie** 1553, *Bible Gérard ;* même évol. de sens. || **taquiner** 1790, B. W.

**tarabiscoter** 1866, Gautier, sens mod. ; proprem., terme de menuiserie, de *tarabiscot* (1803, Boiste), « rabot pour moulures », d'orig. obscure. || **tarabiscotage** 1906, d'après P. Robert.

**tarabuster** 1387, J. Le Bel (*tarrabustis,* désordre) ; 1695, Gherardi (*avoir l'esprit tarabusté*) ; prov. *tarabustar,* croisement de l'anc. prov. *tabustar, tabussar,* faire du bruit, avec *rabasta,* querelle, bruit. (V. RABÂCHER, TAMBOUR.)

***taranche** 1694, Th. Corn., grosse cheville de fer ; bas lat. *tarĭnca,* mot gaulois.

**tarantass** 1861, Gautier, voiture rustique à quatre roues ; mot russe.

**tarare** 1785, Rozier, agric. ; probablem. onomatop. Certains le rapprochent de l'anc. interj. de dédain *tarare* (1616, Monluc), également onomatop., probablem. refrain d'une chanson.

**tarasque** 1655, *Voy. d'Espagne ;* anc. prov. *tarasca,* dér. régressif de *Tarascon,* nom de ville.

**taratata** 1876, Vallès, interj. ; onomat.

**taraud** 1538, R. Est. (*tarault*) ; altér., par changement de suff., de **tareau,* var. de *tarel,* XIIIe s., forme masc. de *tarele,* XIIIe s., var. dissimilée de *tarere* (v. TARIÈRE). || **tarauder** 1690, Furetière, sens propre ; 1876, Lar., « faire souffrir ». || **taraudage** 1842, *Acad.* || **taraudeuse** 1902, Zola, mécan.

**tarbouch, tarbouche** 1845, Gautier ; ar. égyptien *tarbuch.*

***tard** 1050, *Alexis ;* lat. *tardē,* lentement, d'où « à la fin ». || ***tarder** 1080, *Roland* (*targier,* conservé jusqu'au XVIe s.) ; 1265, J. de Meung (*tarder*) ; *sur le tard,* 1354, *Modus ;* lat. pop. **tardicare* pour la forme primitive, et lat. *tardāre* pour la seconde forme. || **tardif** 1120, *Ps. de Cambridge ;* bas lat. *tardīvus,* de *tardē.* || **tardiveté** XIIe s., *Dialogues saint Grégoire.* || **tardillon** 1842, *Acad.* || **tardigrade** 1615, Montlyard ; lat. *tardigradus,* de *tardus,* lent, et *gradi,* marcher. || **attarder** 1160, Chr. de Troyes. || **retarder** 1175, Chr. de Troyes ; lat. *retardare.* || **retard** 1677, Duillier ; remplace *retardement* (1384, L.). || **retardateur** 1743, d'Alembert. || **retardataire** 1808, Boiste.

**tare** début XIVe s., « emballage dont on déduit le poids » ; 1460, *Mystère,* « déchet dans le poids ou la qualité d'une marchandise » ; 1572, Amyot, « défaut, vice » ; ital. *tara,* au pr. et au fig., lui-même issu de l'ar. *tarh,* déduction, décompte, du v. *taraha,* jeter, soustraire. || **taré** fin XVe s., J. Bouchet ; même évol. de sens. || **tarer** 1623, Naudé.

**tarentelle** 1807, Staël ; ital. *tarantella,* danse napolitaine, ainsi nommée en ital. par comparaison avec le *tarentisme* (v. le suiv.) ; pour d'autres, *tarantella* est dér. directement du nom de *Taranto,* Tarente, ville de l'Italie du Sud.

**tarentule** 1552, Rab. (*tarentole*) ; 1560, Paré (*-tule*) ; ital. *tarantola,* de *Taranto,* Tarente, ville de l'Italie du Sud, région où abondent les tarentules. || **tarentulisme** 1845, Besch. || **tarentisme** 1741, Col de Vilars, méd. ; de *tarente,* tarentule ; agitation nerveuse due à la piqûre de la tarentule.

**tarer** V. TARE.

**taret** 1756, B. W., zool. ; probablem. de *tarière,* avec changement de suff. (v. ce mot).

**targe** 1080, *Roland,* anc. bouclier ; francique **targa,* anc. angl. *targe,* et anc. scand. *targa.* || **targette** 1301, B. W., ornement, puis petite targe ; 1611, Cotgrave, pièce de serrurerie.

**targuer (se)** 1360, Froissart ; anc. ital. *si targar,* « se couvrir d'une targe » (v. le précéd.), sens attesté en fr. au XVIe s., d'où, au fig., « se faire fort » (1660, Molière).

**targum** 1740, Trévoux ; mot chaldéen.

**taricheute** 1877, *J. O.,* « embaumeur » ; gr. *tarikheutês,* de *tarikheueîn,* embaumer, de *tarikhos,* « salaison », « corps embaumé ».

***tarière** fin XIe s., *Gloses de Raschi* (*tarere,* puis *-iere,* par changement de suff.), p.-ê. sous l'infl. de l'anc. v. *tarier,* forer, agacer ; lat. *taratrum*

(VII^e s., Isid. de Séville), mot d'orig. gauloise. (V. TARAUD, TARET.)

**tarif** 1572, B. W. (*tariffe,* n. f.) ; 1695, Gherardi (*tarif,* n. m.) ; ital. *tariffa,* n. f., de l'ar. *ta'rīf,* notification. || **tarifer** 1733, *Français mod.* || **tarification** 1842, Mozin. || **tarifaire** 1919, Lar.

**tarin** 1330, *Baud. de Sebourc ;* selon Belon (1555), onomat., d'après le chant de cet oiseau ; en fr. pop., *tarin* signifie « nez » (1904, Esnault), peut-être d'après le bec pointu du tarin.

**tarir** 1240, G. de Lorris ; francique **tharrjan,* sécher. || **tarissable** 1536, M. Du Bellay. || **tarissement** XVI^e s., Huguet, hydrologie ; fig., 1870, A. Dumas. || **intarissable** XVI^e s., au pr.

**tarlatane** 1701, Havard (*tarnadane*) ; 1723, Savary (*tarnatane*) ; 1752, Trévoux (*tarlatane*) ; orig. obscure ; altér. du port. *tiritana,* lui-même issu du fr. *tiretaine* (v. ce mot).

**tarmacadam** 1907, Lar. ; de *tar,* goudron, et *macadam,* macadam.

**tarot** 1534, Rab. (*tarau*) ; XVI^e s. (*tarot*) ; le plus souvent au pl. ; ital. *tarocco,* d'orig. obscure || **taroté** 1642, Oudin.

**tarse** 1560, Paré ; gr. *tarsos,* proprem. « claie », d'où « plat du pied », empr. pour désigner les os antérieurs du pied. || **tarsalgie** 1872, L. || **tarsien** 1800, *Bull. des sciences.* || **tarsier** 1765, Buffon, zool. || **tarsectomie** 1888, Lar. || **tarsoplastie** 1964, Lar. || **tarsotomie** 1923, Lar. || **métatarse** 1586, Guillemeau ; d'après *métacarpe.* || **métatarsien** 1747, James.

**tartan** 1792, Chantreau ; mot angl., peut-être du fr. *tiretaine,* ou de l'anc. fr. *tartarin,* « (drap) de Tartarie ».

**tartane** 1632, Peiresc, mar. ; ital. *tartana,* ou prov. *tartano,* eux-mêmes issus de l'anc. prov. *tartana,* « buse, oiseau de proie », par métaphore.

**tartare** 1756, Voltaire ; lat. médiév. *Tartarus,* Tartare, mot turco-mongol ; *sauce tartare,* 1825, *FEW.* || **tartaréen** 1842, *Acad.*

**tartareux** 1620, Béguin, chim. ; bas lat. *tartarum* (v. TARTRE).

**tartarin** 1938, Bernanos ; de *Tartarin,* personnage d'A. Daudet. || **tartarinade** 1928, d'après P. Robert.

**tarte** XIII^e s., *Fabliaux ;* var. de *tourte,* avec infl. de *tartre ;* 1895, d'après P. Robert, « gifle » ; adj., 1867, Delvau, « mauvais ». || **tartelette** 1349, B. W. || **tartignolle** 1925, Esnault. || **tartine** 1500, Molinet ; 1837, Balzac, fam., long article, long discours. || **tartiner** av. 1850, Balzac ; 1867, Delvau, fig. || **tartouiller** 1851, Delécluze, « peindre ».

**tartir** 1827, Esnault ; fourbesque *tartire,* déféquer.

**tartre** XIII^e s., *Simples Médecines* (*tartharum*) ; XIV^e s. (*tartraire*) ; 1560, Paré (*tartre, tartare*) ; lat. médiév. *tartarum,* d'orig. obscure. || **tartreux** 1755, abbé Prévost. || **tartrique** 1787, Guyton de Morveau (*tartarique*). || **tartrate** 1795, Bosquillon. || **détartrant** 1929, Lar., n. m.

**tartufe, tartuffe** 1609, dans un pamphlet (*tartufo*) ; 1669, G. Patin (*tartuffe*) ; nom commun, « hypocrite », du nom d'un personnage de la comédie ital., *Tartufo,* de *truffo,* truffe (v. TRUFFE) ; rendu célèbre par le personnage de Molière (*le Tartuffe,* 1664), même orig. || **tartuferie** 1669, Graindorge. || **tartufier** 1669, Molière.

**tas** 1130, *Eneas ;* francique **tass,* néerl. *tas,* tas de blé. || **tasser** 1160, Benoît. || **tassage** 1422, G. || **tassement** 1370, Du Cange. || **entasser** XII^e s. || **entassement** 1210, *Folque de Candie.*

**tasse** 1150, G., rare jusqu'au XIV^e s. ; ar. *tāssa,* écuelle.

***tasseau** 1130, *Eneas* (*tassel*) ; lat. pop. **tassellus,* croisement de *taxillus,* dé à jouer, puis « morceau de bois », et de *tessella,* dé à jouer, cube (dimin. de *tessera,* dé à jouer).

**tassette** 1342, Gay ; dimin. de l'anc. fr. *tasse,* poche, issu de l'all. *Tasche.* || **tassetier** 1359, Havard.

**tata** V. TANTE.

**tatami** 1975, Lar. ; mot japonais.

**tatane** 1840, Esnault ; de *titine,* bottine.

***tâter** 1120, *Ps. d'Oxford* (*taster*) ; lat. pop. **tastāre,* contraction de **taxitare,* fréquentatif pop. de *taxare,* toucher. || **tâteur** XIV^e s., G. || **tâtement** 1530, Palsgrave. || **tâte-vin** 1872, L. || **retâter** XIII^e s., *Renart* (*retaster*). || **tatillon** 1695, Gherardi. || **tatillonner** 1695, Gherardi. || **tatillonnage** 1740, *Acad.* || **tâtonner** 1165, G. || **tâtonnement** XV^e s. || **tâtonneur** 1656, *FEW.* || **à tâtons** 1175, Chr. de Troyes (*à tastons*).

**tatou** 1553, Belon ; du tupi *tatu* (Brésil).

**tatouer** 1769, trad. de Hawkesworth ; angl. (*to*) *tattoo*, du tahitien *tatau*. || **tatouage** 1778, trad. de Cook. || **tatoueur** 1798, König.

**taud, taude** 1138, *saint Gilles ;* var. de l'anc. fr. *tialz*, de l'anc. scand. *tjald*, tente ; mar., tente de toile. || **tauder** 1180, Hue de Rotelande (*telder*).

**taudis** fin XIIIe s., Joinville, « abri pour les ouvriers occupés aux travaux d'un siège » ; 1460, *Mystère*, « logement misérable » ; anc. fr. *se tauder*, XIVe s., « se mettre à l'abri », du francique **tëldan*, couvrir de tente.

**taule** V. TÔLE 2.

***taupe** 1265, Br. Latini ; lat. *talpa ;* 1968, Lar., « espion ». || **taupe-grillon** 1700, Liger ; d'après le lat. des naturalistes *grillotalpa*. || **taupier** 1611, Cotgrave (*taupetier*) ; 1690, Furetière (*taupier*). || **taupière** 1332, G. || **tauper** 1695, Gherardi. || **taupinière** XIIIe s., B. W. ; var. *taupinée* (La Fontaine, *Fables*, VIII, 9). || **taupin** XVe s., Esnault, « mineur, pionnier » ; 1841, Esnault, élève préparant Polytechnique (école formant les officiers du génie). || **taupe** 1888, Villatte ; arg. scol., classe de préparation à Polytechnique. || **hypotaupe** XXe s., première année de cette classe.

***taure** XVIe s., génisse ; lat. *taura*, fém. de *taurus* (v. le suiv.).

**taureau** XIIe s. (*torel*) ; anc. fr. *tor*, taureau, du lat. *taurus*, gr. *taûros ; de taureau*, 1872, L. || **taurin** XVIe s., zool. || **taurine** 1842, *Acad.* || **taurillon** fin XIIIe s., J. Macé, *Bible*. || **taurelière** 1611, Cotgrave. || **taurides** 1877, L., astron. || **taurobole** 1721, Trévoux ; lat. *taurobolium*, gr. *taurobolion*. || **taurocholique** 1872, L. ; gr. *kholê*, bile. || **tauromachie** 1830, Mérimée. || **tauromachique** 1836, *Acad.*

**tautologie** XVIe s., Ramus ; bas lat. *tautologia*, mot gr., de *logos*, discours, et *tauto*, le même. || **tautologique** 1842, *Acad.* || **tautochrone** 1765, *Encycl. ;* gr. *khronos*, temps. || **tautogramme** 1690, Baillet ; gr. *gramma*, lettre. || **tautomère** 1907, Lar. ; gr. *meros*, partie. || **tautomérie** 1933, Lar.

**taux** 1283, Beaumanoir (*taus*) ; de l'anc. fr. *tauxer, tausser*, var. mal expliquée de *taxer* (v. ce mot).

**tavaïolle** 1589, Gay, liturg. ; ital. *tovagliola*, serviette, dimin. de *tovaglia*, du francique **thwahlja*.

**tavelle** 1302, G., « ruban étroit » ; lat. *tabella*, tablette, diminutif de *tabula*, table. || **tavelé** 1288, *Renart le Novel*. || **taveler** 1556, Temporal. || **tavelure** 1546, Vaganay, moucheture ; 1671, Pomey, maladie des arbres.

***taverne** 1175, Chr. de Troyes ; lat. *taberna*. || **tavernier** fin XIIe s., *Aymeri ;* lat. *tabernarius*.

**taxer** 1247, Runkewitz (*tausser*) ; 1539, R. Est. (*taxer*) ; lat. *taxare*, taxer, évaluer, mot d'orig. gr. (v. TÂCHER, TÂTER). || **taxable** 1482, Bartzsch. || **taxation** 1283, Beaumanoir ; lat. *taxatio*. || **taxe** 1378, B. W. ; lat. médiév. *taxa*. || **taxateur** 1703, Trévoux. || **taxatif** XVIIIe s. || **détaxer** 1845, Besch. || **surtaxe** 1611, Cotgrave (*surtaux*) ; 1798, *Acad.* (*surtaxe*). || **surtaxer** 1559, Amyot. (V. TAUX.)

1. **taxi** 1907, Lar. ; abrév. de *taximètre*, v. 1906 (d'abord *taxamètre*, corrigé en *taximètre* par Th. Reinach), désignant le compteur de la voiture, puis la voiture elle-même ; gr. *taxis*, au sens de « taxe », et *-mètre*.

2. **taxi-,** gr. *taxis*, arrangement, ordre. || **taxidermie** 1806, Lunier ; gr. *derma*, peau. || **taxilogie** ou **taxologie** 1872, L. (d'abord *taxologie*, 1838, *Acad.*). || **taxinonie** ou **taxonomie** 1842, *Acad.* || **taxinomique** 1842, A. Comte. || **taxodium** 1839, Boiste (*-dion*). || **taxodontes** 1964, Lar. ; gr. *odous, odontos*, dent.

**taxiphone** 1933, Lar. ; de *taxi[mètre]* et *-phone*.

**taylorisme** 1923, Lar. ; angl. *taylorism*, du nom de l'ingénieur américain Fr. *Taylor* (1856-1915), qui inventa cette rationalisation du travail. || **tayloriser** 1923, Lar. || **taylorisation** *id.*

**tchernoziom** 1904, Lar. ; mot russe désignant une terre noire très fertile.

***te** V. TU.

**té** 1690, Furetière ; objet affectant la forme de la lettre T.

**team** 1892, Rouziers, sport ; mot angl. ; proprem. « attelage ».

**tea-room** 1899, *l'Art et la mode ;* mot angl., de *tea*, thé, et *room*, pièce, salon.

**technique** 1721, Trévoux, adj. ; 1744, Bassuel, n. f. ; gr. *tekhnikos*, au fém. *tekhnikê*, de *tekhnê*, art ; sert de second élément à divers composés. || **techniquement** 1790, *Encycl.* || **technicité** 1845, Besch. || **technicien** 1836, Landais ; sur le modèle de *physicien*. || **Technicolor** 1917, *le Film ;* n. déposé. || **technologie**

1656, Moscherosch, « terminologie » ; 1755, abbé Prévost, sens mod. ; gr. *tekhnologia.* || **technologique** 1795, *Journ. des Mines ;* gr. *tekhnologikos.* || **technologue** 1876, Lar. || **technocratie** 1934, Lar. || **technocrate** 1957, *le Monde.*

**teck** ou **tek** 1614, Du Jarric (*teka*) ; 1782, König (*tek*) ; port. *teca,* lui-même issu de *tēkhu,* mot de la côte de Malabar.

**teckel** 1923, Lar. ; all. *teckel,* basset.

**tectonique** XX^e^ s., géol. ; gr. *tektonikos,* de charpentier, de *tektôn,* menuisier.

**tectrice** 1808, Boiste ; lat. *tectus,* couvert ; plume de taille moyenne des oiseaux.

**te deum** début XV^e^ s., B. W. ; premiers mots du cantique lat. *Te Deum laudamus...,* « Nous te louons, Dieu... ».

**tee-shirt** 1966, *le Monde ;* de la lettre *t,* et de *shirt,* chemise.

**tégument** XIII^e^ s., *Miracles saint Éloi,* « couverture » ; 1538, Canappe, « peau » ; lat. *tegumentum,* couverture, de *tegere,* couvrir. || **tégumentaire** 1835, Colin.

***teigne** 1120, *Ps. de Cambridge ;* lat. *tĭnea,* désignant l'insecte, et par ext., en lat. pop., la maladie du cuir chevelu ; 1850, Balzac, pop., femme hargneuse. || ***teigneux** début XIII^e^ s., *Roman Renart* (*teignous*) ; lat. *tineosus,* proprem. « plein de teigne ». || **tignasse** 1680, Richelet, « mauvaise perruque », puis « chevelure mal peignée », par comparaison avec une chevelure de teigneux.

***teille,** var. **tille** 1200, Bodel, écorce du tilleul, et aussi écorce du chanvre et du lin ; lat. *tilia,* tilleul. || **teiller** 1311, *FEW.* || **teillage** 1803, Boiste. || **teilleur** 1872, L.

***teindre** 1080, *Roland ;* fig., XVI^e^ s., d'Aubigné ; lat. *tingĕre.* || **teint** 1080, *Roland.* || ***teinte** 1130, *Eneas ;* 1460, Chastellain, « coloration du visage ». || **demi-teinte** 1676, Félibien. ; d'après l'ital. *mezza-tinta.* || **teinté** 1752, Trévoux. || **teinter** 1410, *FEW.* || ***déteindre** 1265, J. de Meung ; lat. pop. **distingĕre.* || **reteindre** 1268, É. Boileau. || **teinture** XIII^e^ s., *Renart ;* lat. *tinctura,* de *tingere ;* fig., 1640, Oudin, « apparence ». || **teinturier** XII^e^ s., *Sept Sages.* || **teinturerie** 1268, É. Boileau.

***tel** X^e^ s., *saint Léger ;* lat *tālis.* || **tellement** XII^e^ s., *Chevalerie Ogier.*

**télamon** 1611, Cotgrave, archit. ; lat. *telamonos,* mot gr., proprem. nom d'un personnage symbolisant la figure humaine représentée en console.

1. **télé-,** gr. *têle,* loin. La série des composés s'est développée à partir de *télescope* (v. ci-après). || **télautographe** 1888, Lar. || **télébande** 1964, Lar. || **télécabine** XX^e^ s. || **télécommande** v. 1945. || **télécommander** 1949, Lar. || **télécommunication** 1904, Estaunié. || **télécopie** 1975, *Lexis.* || **télécopieur** 1975, Lar. || **télédétection** 1975, Lar. || **télédiffusion** 1966, *Revue.* || **télédynamique** 1875, *Journ. des débats.* || **télédynamie** 1923, Lar. || **télégestion** 1969, Pilorge. || **télégramme** 1859, Mozin ; gr. *gramma,* lettre. || **télégraphe** 1792 ; créé par Miot pour l'appareil des frères Chappe, qui avaient d'abord adopté (1792) le terme *tachygraphe,* du gr. *takhus,* rapide. || **télégraphie** 1803, Boiste. || **télégraphique** 1798, B. W. || **télégraphiste** 1801, Mercier. || **télégraphier** 1842, *Acad.* || **téléguider** 1949, Lar. || **téléguidage** 1948, *L. M.,* fig. || **téléimprimeur** 1949, Lar. || **télékinésie** 1933, Lar. ; gr. *kinesis,* mouvement. || **télémanipulation** 1974, d'après P. Robert. || **télémécanique** 1907, Lar. || **télémécanicien** 1964, Lar. || **télémesure** 1949, Lar. || **télémètre** 1836, *Acad.* || **télémétrie** 1842, *Acad.* || **télémétrique** *id.* || **télémétreur** 1923, Lar. || **téléobjectif** 1904, Lar. || **télépathie** fin XIX^e^ s. ; repris à l'angl. *telepathy,* créé par Myers en 1882, du gr. *pathos,* émotion. || **télépathique** 1891, Lalande. || **télépathe** 1964, Lar. || **téléphérage** 1887, Jacquez (*telphérage*) ; 1923, Lar. (*téléphérage*) ; angl. *telpherage* (1883, Fleeming Jenkin). || **téléphérique** 1923, Lar. ; écrit souvent *téléférique,* sous une influence italienne. || **téléphone** 1836, Sudre, pour un appareil acoustique ; 1876, repris par G. Bell ; du gr. *phônê,* voix. || **téléphoner** 1885, Daudet. || **téléphonage** 1922, Proust. || **téléphonique** 1838, *Acad. ; cabine téléphonique,* 1885. || **téléphonie** 1828, *Moniteur.* || **téléphoniste** 1907, Lar. || **téléphotographie** 1888, Lar. || **télépointage** 1949, Lar. || **téléradiographie** 1951, Rousseau. || **téléradiographique** XX^e^ s. || **télescope** 1611, J. Tarde ; lat. mod. *telescopium* (1611), du gr. *têle,* et *skopeîn,* examiner. || **télescopique** 1765, *Encycl.* || **télescoper** 1873, Hubner, en parlant d'un accident de ch. de fer ; d'après l'anglo-amér. (*to*) *telescope.* || **télescopage** 1896, Goncourt. || **téléscripteur** 1898, d'après P. Robert. || **télésiège** 1948, Gilbert. || **téléski** 1936, Lar. || **télesthésie** XX^e^ s. ; gr. *aisthêsis,* sensation. || **télesthésique** 1964, Lar. || **télétype** 1923, Lar. ; angl. *teletype,* abrév. de *teletypewriter.* || **télex** 1964, Lar.

2. **télé-**, de *télévision.* || **télévision** 1900, Perskyi, « système de transmission de l'image à distance ». || **télé** n. f., v. 1952 ; abrév. || **téléviser** 1933, Lar. || **télévisé** 1949, Lar. || **téléviseur** 1935, Sachs, récepteur de télévision. || **télévisuel** 1949, Lar. || **téléspectateur** 1949, Lar. ; de *télé,* au sens de « télévision », et de *spectateur.* || **télécinéma** XX^e^ s. || **téléaste** XX^e^ s. ; de *télé,* au sens de « télévision », sur le modèle de *cinéaste.* || **téléfilm** 1972, *journ.* || **télégénie** 1965, *journ.* || **télégénique** *id.* ; sur le modèle de *photogénique.*

**téléo-, télo-,** gr. *telos, teleos,* fin. || **téléologie** 1812, Mozin. || **téléologique** 1842, *Acad.* || **téléosaure** 1833, Geoffroy ; gr. *sauros,* lézard. || **téloblaste** 1904, Lar. ; gr. *blastos,* germe. || **télolécithe** 1900, *Encycl.* ; gr. *lekithos,* jaune d'œuf.

**téléostéen** 1873, *J. O.* ; gr. *teleios,* achevé, et *osteon,* os ; poisson osseux.

**tellière** 1723, Savary (*papier à la Tellière*) ; du nom du chancelier *Le Tellier* (1603-1685), qui fit fabriquer ce papier.

**tellure** 1800, *Annales chimie* ; lat. mod. *tellurium,* de *tellus, -uris,* terre, créé en 1798, par oppos. à *uranium,* par le chimiste all. Klaproth. Le tellure avait été découvert en 1782 dans les mines d'or de Transylvanie. || **tellureux** 1872, L. || **tellurhydrique** 1842, *Acad.* || **tellurure** 1836, *Acad.*

**tellurique** 1823, *Dict. médecine* ; lat. *tellus, -uris,* terre. || **tellurisme** 1845, Besch.

**téméraire** 1370, Oresme ; lat. *temerarius,* « accidentel », de *temere,* « par hasard », d'où « inconsidéré » : premiers sens en fr., d'où, au XV^e^ s., « hardi ». || **témérairement** 1510, Lemaire de Belges. || **témérité** 1380, *Aalma* ; lat. *temeritas,* de même évol. sémantique.

***témoin** XII^e^ s., *Saxons* (*tesmoing*) ; aussi « témoignage » en anc. fr. ; lat. *testimonium,* témoignage (en bas lat. « témoin »), de *testis,* témoin. || **témoigner** 1175, Chr. de Troyes. || **témoignage** 1190, *Saint Bernard.*

***tempe** 1080, *Roland* (*temple,* conservé jusqu'au XVIII^e^ s.) ; XVI^e^ s. (*tempe*) ; lat. pop. **tempŭla,* altér., par changem. de finale, du lat. class. *tempora,* forme, pl. de *tempus, -oris.*

**tempérament** 1478, Chauliac, « composition d'un corps, humeur » ; 1748, Diderot, « propension à l'amour physique » ; lat. *temperamentum,* juste proportion, sens repris au XVII^e^ s. (1660, Corneille), d'où « adoucissement », et l'expression *payer à tempérament* (1867, Larchey) ; de *temperare,* adoucir. (V. TEMPÉRER.)

**température** 1538, Canappe, « tempérament » (jusqu'au XVII^e^ s.) ; 1562, Du Pinet, « degré de chaleur » ; lat. *temperatura,* aux deux sens fr., de *temperare.* (V. TEMPÉRER.)

**tempérer** 1119, Ph. de Thaon ; lat. *temperare,* mélanger, d'où « adoucir, modérer » ; de *tempus* au sens de « température ». (V. TREMPER.) || **tempérant** 1553, Le Plessis ; lat. *temperans,* part. prés. adjectivé. || **tempérance** 1120, *Ps. de Cambridge.* || **intempéré** 1534, Rab. ; lat. *intemperatus.* || **intempérant** 1560, Amyot ; lat. *intemperans,* « qui ne se modère pas ». || **intempérance** 1370, Oresme ; lat. *intemperantia.*

***tempête** 1080, *Roland* (*tempeste*) ; lat. pop. **tempesta,* « temps, bon ou mauvais », fém. substantivé de l'adj. lat. class. *tempestus,* « qui vient à temps », de *tempus,* temps. || **tempêter** début XII^e^ s., *Thèbes,* « faire de la tempête » ; 1175, Chr. de Troyes, sens actuel. || **tempétueux** 1308, Aimé ; lat. *tempestuosus.* || **tempétueusement** XV^e^ s., La Curne.

***temple** 1080, *Roland* ; lat. *templum.* || **templier** 1268, É. Boileau ; moine de l'ordre du Temple, fondé à Jérusalem au XII^e^ s., près de l'emplacement du temple des Juifs.

**tempo** 1842, *Acad.,* mus. ; ital. *tempo,* temps.

**temporaire** 1556, Vaganay ; rare jusqu'au XVIII^e^ s. ; lat. *temporarius,* de *tempus,* temps. || **temporairement** 1801, Wailly.

**temporal** 1363, Chauliac (*timporal*) ; bas lat. *temporalis* (IV^e^ s., Végèce), de *tempus, -oris,* tempe. || **temporo-maxillaire** 1872, L. || **temporo-pariétal** 1907, Lar.

**temporel** 1160, Benoît (*temporal*) ; 1265, Br. Latini (*temporel*) ; lat. eccl. *temporalis,* « du monde » (1160, Benoît), opposé à « éternel » et à « spirituel », en lat. class. « temporaire » ; du lat. *tempus, -oris,* temps. || **temporalité** 1190, *saint Bernard* ; lat. eccl. *temporalitas.* || **temporellement** fin XII^e^ s., *Job.*

**temporiser** 1395, Chr. de Pisan, « durer, vivre » ; fin XV^e^ s., Commynes, sens mod. ; lat. médiév. *temporizare,* passer le temps, de *tempus,* temps. || **temporisateur** milieu XVI^e^ s. (*temporiseur*) ; 1788, Féraud (*temporisateur*). || **temporisation** 1788, Féraud.

***temps** X^e^ s., *saint Léger* (*tens, tans*) ; XIV^e^ s. (*temps,* orth. refaite d'après le lat.) ; 1572, Ramus, gramm. ; lat. *tempus ; il est temps* (*de*),

XIII^e s. ; *prendre du bon temps,* 1360, Froissart ; *à temps,* début XVII^e s., M. Régnier. ‖ **contretemps** 1559, Barbier ; p.-ê. ital. *a contrattempo.* ‖ **quatre-temps** XVI^e s. (V. CONTRETEMPS, PRINTEMPS.)

**tenace** 1501, Le Roy ; lat. *tenax,* de *tenere,* tenir. ‖ **tenacement** 1611, Cotgrave. ‖ **ténacité** 1370, d'après P. Robert ; lat. *tenacitas.*

***tenaille** 1130, *Eneas ;* lat. pop. **tenacula,* pl. neutre pris comme fém., bas lat. *tenăculum,* lien, tenon, de *tenēre,* tenir. ‖ **tenailler** 1549, R. Est. ‖ **tenaillement** 1611, Cotgrave.

**tenancier** 1160, Benoît, « propriétaire » ; 1893, *D. G.,* « qui tient un hôtel » ; anc. fr. *tenance,* tenure, propriété, de *tenir.*

**tendance** fin XIII^e s., *Châtelain de Coucy.* ‖ **tendanciel** 1874, *la Philosophie positive.* ‖ **tendancieux** 1904, Lar. ‖ **tendancieusement** 1922, Proust.

**tender** 1837, *journ. ;* mot angl., proprem. « garde, serviteur », de (*to*) *tend,* servir.

**tendon** 1398, E. Deschamps, « bugrane » ; peut-être de *tendre ;* 1536, Chrétien, anat. ; lat. médiév. *tendo, tendinis,* peut-être du gr. *tenôn, -ontos,* tendon, avec infl. du verbe *tendre.* ‖ **tendineux** 1560, Paré.

1. ***tendre** adj., 1050, *Alexis ;* lat. *tener, -eri.* ‖ **tendreté** XII^e s., G. (*tanreté*), jusqu'au XVI^e s. ; repris au XX^e s., en parlant de la viande tendre. ‖ **tendresse** 1319, *D. G.,* « jeune âge » ; rare jusqu'au XVII^e s. ; a remplacé *tendreur* (usité jusqu'au XVI^e s.) et *tendreté.* ‖ **attendrir** fin XIII^e s., Rutebeuf ; fig., XVI^e s., Baïf. ‖ **attendrissement** 1561, Belleforest. (V. TENDRON.)

2. ***tendre** v. tr., 1080, *Roland ;* intr., XII^e s., Couci (*tendre vers, à*) ; lat. *tendĕre.* ‖ **tendu** XVII^e s., adj. ‖ **tendeur** 1250, Poerck. ‖ **tenderie** 1872, L. ‖ **tendelle** 1875, *Arrêté préfect.,* vén. ‖ **tendoir** 1765, *Encycl.* ‖ ***tente** début XII^e s., *Couronn. Loïs,* pavillon, etc. ; de *tenta,* fém. du part. *tentus,* ou de *tendĭta,* fém. du pop. **tenditus.* ‖ **tenture** 1538, R. Est. ; réfection, d'après *tente,* de l'anc. fr. *tendeüre.* ‖ **détendre** 1150, *Roman de Thèbes.* ‖ **détente** 1386, Froissart. ‖ **détendoir** 1785, *Encycl. méth.* ‖ **détendage** XIX^e s. ‖ **distendre** 1560, Paré ; rare avant le XVIII^e s. ; lat. *distendere.* ‖ **distension** XIV^e s., G. ; bas lat. *distensio.* ‖ **retendre** fin XII^e s., *Aïol.* (V. TENDANCE.)

**tendron** fin XI^e s., *Gloses de Raschi* (*tandron*), « cartilage », d'où l'empl. actuel du mot en boucherie ; XIII^e s., *Romania,* bourgeon, rejeton, d'où « jeune fille » ; de l'adj. *tendre.*

**ténèbres** 1080, *Roland ;* lat. *tenebrae.* ‖ **ténébreux** 1080, *Roland ;* fig., 1580, Montaigne ; lat. *tenebrosus.*

**ténébrion** 1546, Rab., lutin des ténèbres ; puis empl. entom. ; bas lat. *tenebrio,* « qui recherche les ténèbres ». ‖ **ténébrionidés** 1904, Lar.

**ténesme** 1554, Aneau, méd. ; lat. *tenesmus,* du gr. *teinesmos,* de *teineîn,* tendre.

1. **teneur** n. m. V. TENIR.

2. **teneur** 1257, Runkewitz, n. f., « contenu (d'un acte) » ; lat. jurid. *tenor,* « teneur, sens », en lat. class. « tenue, continuité », de *tenēre.* (V. TENIR.)

3. **teneur** n. f., 1373, Gace de la Bigne, mus. vocale, partie de la psalmodie qui en est la dominante ; milieu XV^e s., n. m., celui qui chante la teneur ; lat. *tenor.* (V. TAILLER, TÉNOR.)

**ténia, tænia** XV^e s., *D. G.* (*tynia*) ; 1560, Paré (*tœnia*) ; lat. *taenia,* proprem. « bandelette », du gr. *tainia.*

***tenir** X^e s. ; *se tenir,* XII^e s., *Roncevaux ; être tenu à,* 1283, Beaumanoir ; *tenir à,* 1360, Froissart ; lat. pop. **tenīre,* en lat. class. *tenēre.* ‖ **tenant** 1160, *Eneas,* adj., « tenace, ferme » ; auj., seulement dans *séance tenante ;* 1160, *Eneas,* n., « celui qui tient des terres en roture » (v. TENANCIER), puis « celui qui tient contre tout adversaire, en tournoi », d'où, auj., *le tenant d'une opinion,* etc. ; *d'un seul tenant,* XIII^e s. (*en un tenant*) ; *les tenants et aboutissants,* XIV^e s. ‖ **teneur** XIII^e s., *Assises de Jérusalem,* « celui qui possède » ; *teneur de livres,* 1680, Richelet. ‖ **tenure** 1155, Wace (*teneüre*). ‖ **tenue** début XII^e s., *Thèbes.* ‖ **tènement** 1190, Garn., fief. ‖ **tenon** 1280, Bibbesworth. ‖ **tenette** 1680, Richelet, techn. ‖ **tenable** 1160, Benoît. ‖ **intenable** 1627, Rohan. ‖ **entretenir** 1160, Benoît, « tenir ensemble », d'où « maintenir, conserver », et les empl. mod. ‖ **entretènement** XV^e s. ‖ **entreteneur** 1493, Coquillart. ‖ **entretien** 1526, Marot. ‖ **retenir** 1050, *Alexis ;* lat. *retinere,* refait en **retenere,* puis **retenīre.* ‖ **retenue** 1160, Benoît. ‖ **rétenteur** 1560, Paré. ‖ **rétention** 1312, G., méd. et jurid. ; lat. *retentio.* (V. MAINTENIR, SOUTENIR.)

**tennis** 1836, Landais ; angl. *tennis,* proprem. « jeu de paume », abrév. de *lawn-tennis,* de *lawn,* pelouse, et *tennis,* lui-même issu du fr. *tenez* (*tenetz* en angl., en 1400), exclamation employée par le serveur lançant la balle. || **tennis elbow** 1964, Lar. ; loc. angl., de *tennis,* et *elbow,* coude. || **tennisman** 1964, Lar. ; mot angl.

**tenon** V. TENIR.

**ténor** 1444, B. W., rare avant le XVIIe s. (1606, Nicot) ; ital. *tenore,* manière, mode, d'où « concert, harmonie », et partic. « voix de ténor », du lat. *tenor.* (V. TAILLER, TENEUR 3.) || **ténoriser** 1769, Bonnet.

**ténotomie** 1836, Beugnot ; gr. *tenôn,* tendon (v. TENDON), et *-tomie.* || **ténotome** 1855, Nysten.

**tension** 1490, Chauliac ; bas lat. *tensio,* de *tensus,* part. passé de *tendere* (v. TENDRE 2). || **tenseur** 1872, L. ; bas lat. *tensor.* || **tensoriel** 1953, Lar. || **tensiomètre** 1949, Lar. || **hypertension** 1895, Papillon. || **hypotension** 1895, Boix. || **hypertenseur** XXe s. || **hypotenseur** XXe s. || **surtension** 1907, Lar.

**tenson** 1138, Gaimar, hist., poésie dialoguée où s'échangeaient arguments ou invectives ; proprem. « querelle », de même étym. que *tancer* (v. ce mot).

**tentacule** 1767, Geoffroy ; lat. *tentare,* au sens de « tâter ». || **tentaculaire** 1797, *Bull. sciences,* sens propre ; 1808, Boiste, sens fig.

**tentation** 1120, *Ps. d'Oxford* (*temptation*) ; lat. eccl. *temptatio, tentatio,* en lat. class. « tentative » ; de *temptare* (v. TENTER). || **tentateur** milieu XVe s. (*temptateur*) ; lat. eccl. *temptator, tentator,* se disant du démon, en lat. class. « séducteur ».

**tentative** 1546, Rab., épreuve scolaire ; 1636, Monet, sens mod. ; d'après *tenter ;* lat. scolast. *tentativa,* épreuve universitaire, de *tentare.* (V. TENTER.)

**tente** V. TENDRE 2.

**tenter** 1120, *Ps. d'Oxford ;* lat. *temptare,* chercher à atteindre, tâter, d'où « essayer, circonvenir », confondu dans le sens et l'orth. avec *tentare,* agiter, fréquentatif de *tendere,* tendre ; en anc. fr., sens méd. de « sonder (une plaie) ». || **tentant** 1466, Michault.

**tenthrède** 1827, *Acad.,* entom. ; gr. *tenthrêdôn ;* mouche à scie.

**tenture** V. TENDRE 2.

**ténu** 1265, Br. Latini ; lat. *tenuis ;* a éliminé la forme pop. anc. *tenve* (et le dér. *tenveté, tenvreté*). || **ténuité** 1377, Oresme ; lat. *tenuitas.* || **ténuirostre** 1800 Cuvier ; lat. *rostrum,* bec. || **ténuiflore** 1842, *Acad.* (V. ATTÉNUER.)

**tenue, tenure** V. TENIR.

**tenuto** 1788, d'après P. Robert, mus. ; ital *tenuto,* tenu.

**téorbe, théorbe** 1578, d'Aubigné (*tuorbe,* encore au XVIIe s.) ; XVIIe s. (*téorbe,* var. *théorbe, tiorbe, torbe*) ; ital. *tiorba,* instrument inventé au début du XVIe s. à Florence, d'orig. inconnue.

**téphrite** 1876, Lar. ; gr. *tephra,* cendre. || **téphrosie** 1827, *Acad. ;* lat. bot. *tephrosia,* de *tephra,* cendre ; plante utilisée comme poison de pêche.

**tépide** 1552, R. Est. ; lat. *tepidus,* tiède. || **tépidité** 1360, *Modus ;* lat. *tepiditas* (v. TIÈDE). || **tepidarium** 1842, *Acad.,* hist. rom. ; mot lat.

**téquila** 1954, S. de Beauvoir ; esp. *tequila,* du n. d'un district du Mexique.

**ter** 1842, *Acad. ;* mot lat., « trois fois ». (V. BIS 2.)

**tératologie** 1752, Trévoux ; gr. *teras, teratos,* monstre, et *-logie.* || **tératologique** 1832, d'après P. Robert. || **tératologiste** 1845, Besch. || **tératogène** 1904, Lar. || **tératogenèse** 1904, Lar. || **tératopage** 1964, Lar. ; de *-page,* gr. *pageis,* fixation. || **tératoscopie** 1806, Lunier.

**terbium** 1872, L. ; du nom latinisé de la localité d'*Ytterby,* en Suède ; métal du groupe des terres rares. || **terbique** 1964, Lar.

**tercer** V. TIERS.

**tercet** v. 1500, J. Lemaire de Belges (*tiercet,* d'après *tiers,* encore au XVIIe s. dans *les Femmes savantes,* III, 2) ; ital. *terzetto,* de *terzo,* troisième, tiers ; stance de trois vers.

**térébinthe** XIIIe s., *Simples Méd. ;* lat. *terebinthus,* gr. *terebinthos,* mot égéen. || **térébinthacée** 1803, Boiste, bot. || **térébenthine** 1160, *Eneas* (*terbentine*) ; lat. *terebenthina* (s.-e. *resina*), gr. *terebinthinê* (s.-e. *rhêtinê,* résine). || **térébenthène** 1857, d'après P. Robert. || **térébique** 1876, Lar.

**térébrant** 1827, *Acad. ;* lat. *terebrans,* part. prés. de *terebrare,* percer avec une tarière, de *terebrum,* tarière. || **térébration** 1540, *FEW ;* lat. *terebratio.* || **térébratule** 1768, Valmont, zool. ; lat. *terebratus,* percé.

**Tergal** 1958, *Manufrance,* tissu ; nom déposé.

**tergiverser** 1532, Rab. ; lat. *tergiversari,* proprem. « tourner (*versare*) le dos (*tergum*) ».

|| **tergiversation** 1300, *Cout. d'Artois ;* pl., 1672, G. Patin ; lat. *tergiversatio.*

1. **terme** 1050, *Alexis,* terme de paiement ; 1265, J. de Meung, « fin, dans l'espace ou dans le temps » ; *avant terme,* XV$^e$ s., J. de Troyes (pour un accouchement) ; lat. *terminus,* borne. (V. TERMINER, TERMINUS, TERTRE.)

2. **terme** 1361, Oresme ; lat. *terminus,* expression. || **terminologie** 1801, Mercier. || **terminologique** 1836, *Acad.* || **terminologue** 1975, *Revue.*

**terminer** 1155, Wace, « réserver, destiner à » ; lat. *terminare,* de *terminus* (v. TERME, au sens de « fin ») ; 1370, Oresme, « mettre un terme ». || **terminal** 1763, Adanson ; lat. *terminalis ;* n. m., 1968, Lar., informatique. || **terminaison** 1160, Benoît ; adapt. du lat. *terminatio.* || **terminateur** 1555, Focard. || **interminable** 1361, Oresme ; bas lat. *interminabilis.*

**terminus** févr. 1842, *Journ. des chemins de fer,* gare terminale ; mot angl., du lat. *terminus,* borne.

**termite** 1797, Cuvier ; bas lat. *termes, termitis.* || **termitière** 1830, *Dict. hist. nat. ;* d'après *fourmilière.* || **termitophage** 1907, Lar. || **termitophile** 1904, Lar.

**ternaire** fin XIV$^e$ s. ; lat. *ternarius,* de *terni,* trois par trois. (V. TERNE 2.)

1. **terne** adj. V. TERNIR.

2. **terne** 1155, Wace, terme du jeu de dés ; lat. *ternas,* acc. fém. pl. de *terni,* trois par trois (v. TERNAIRE) ; 1949, Lar., électr. || **terné** 1774, Brunot.

**ternir** XIII$^e$ s., *Rom. Renart ;* anc. haut all. *tarnjan,* obscurcir. || **terne** XV$^e$ s., Lancelot, adj., « livide » ; 1762, Rousseau, « morne ». || **ternissure** 1546, R. Est. || **ternissement** 1560, Paré.

**terpine** 1848, d'après P. Robert, chim. ; mot angl., du fr. *térébenthine.* || **terpène** 1904, Lar., chim. || **terpinol** ou **terpinéol** 1904, Lar.

* **terrain** 1155, Wace ; lat. pop. **terranum,* du lat. *terrēnum,* neutre substantivé de l'adj. *terrēnus,* « formé de terre », de *terra* (v. TERRE), avec changement de suff.

**terramare** 1867, *Rev. des Deux Mondes ;* mot ital., de *terra,* terre, et *amaro,* amer, désignant une terre employée comme engrais.

**terraqué** 1747, Voltaire, « de terre et d'eau » ; lat. médiév. *terraqueus,* de *terra,* terre, et *aqua,* eau.

**terrasse** milieu XII$^e$ s. (*terrace*), « glacis » ; 1876, Lar., sens mod. ; anc. prov. *terrassa,* de *terra.* On trouve un autre mot *terrasse,* du XII$^e$ s. au XVI$^e$ s., « torchis » ; il est dér. de *terre.* || **terrasser** 1556, Beaugué, « faire une terrasse » ; 1534, Des Périers, « jeter à terre » ; 1578, Ronsard, « réduire, vaincre ». || **terrassement** 1547, Martin, au pr. ; également, au XVI$^e$ s., fait de vaincre. || **terrassier** XVI$^e$ s. || **terrasson** 1842, *Acad.*

* **terre** X$^e$ s. ; lat. *terra ; par terre,* XII$^e$ s. ; *terre ferme,* fin XII$^e$ s., Villehardouin ; *pied à terre,* 1360, Froissart ; *ventre à terre,* début XIX$^e$ s., P.-L. Courier ; *terre à terre* XVI$^e$ s., terme de manège, à propos d'un cheval qui s'enlève par petits bonds, ses pieds restant près de la terre ; fig., 1691, Sévigné. || **terreau** XII$^e$ s., *Roncevaux,* « fonds de terre » ; sens actuel, 1611, Cotgrave. || **terreauter** 1732, Liger. || **terreautage** 1869, *le National.* || **terrer** XII$^e$ s. || **terrestre** 1050, *Alexis ;* lat. *terrestris,* de *terra,* terre. || **terrage** 1225, G., féod. || **terrier** début XII$^e$ s., *Couronn. Loïs,* « territoire ». || **terrier** 1131, *Couronn. Loïs,* tanière ; 1530, Palsgrave, race de chien. || * **terreux** 1188, *Chanson d'Aspremont ;* bas lat. *terrosus.* || **terrien** 1138, Gaimar. || **terril** ou **terri** XIII$^e$ s. (*terris*), « terrain » ; 1834, Hecart, terme des mines. || **terrir** fin XVI$^e$ s., d'Aubigné, mar., vx. || **terricole** 1611, *Anc. Théatre fr.,* zool. ; de *-cole.* || **terrigène** 1370, Oresme, « né de la terre » ; 1904, Lar., géol. ; de *-gène.* || **terre-neuve** 1842, *Acad.,* L., race de chien ; du nom de l'île de *Terre-Neuve.* || **terrenoix** 1694, Tournefort, bot. || **déterrer** 1160, Benoist. || **enterrer** 1080, *Roland.* || **enterrement** XII$^e$ s. || **enterreur** milieu XVI$^e$ s. (V. ATTERRER, ATTERRIR, PARTERRE, SOUTERRAIN, TERRESTRE, TERRINE, etc.)

**terre-plein** 1561, Paradin ; ital. *terrapieno,* de *terrapienare,* remplir de terre, de *terra,* terre, et *pieno,* plein.

**terreur** 1355, Bersuire ; lat. *terror,* de *terrēre,* effrayer. || **terroriste** 1794, Babeuf, de l'empl. hist. du mot *Terreur* (1793-1794) ; 1869, Flaubert, sens actuel. || **terrorisme** 1794, Brunot. || **terroriser** 1796, *Néol. fr.* || **terrible** 1130, *Eneas,* en parlant de qqch ; 1690, Furetière, en parlant d'un enfant ; lat. *terribilis.* || **terrifier** 1558, S. Fontaine (*-fiant*) ; 1794, B. W. (*-fier*) ; lat. *terrificare.*

**terreux, terrible, terrifier, terril** V. TERRE, TERREUR,

**terrine** 1412, G. (*therine*), « (écuelle) de terre » ; anc. adj. *terrin,* de terre, lat. pop. **terrīnus,* de *terra* (v. TERRE). || **terrinée** 1582, d'Agneaux.

**territoire** 1278, G. ; lat. *territorium,* de *terra,* terre. || **territorial** 1748, Montesquieu ; d'après la forme lat. ; 1872, Lar., milit. || **territorialement** 1872, L. || **territorialité** 1852, *Jugement du trib. de la Seine.* || **exterritorialité** 1856, Lachâtre.

**territorial** V. TERRITOIRE.

***terroir** 1281, *Charte de Seclin ;* aussi « territoire », jusqu'au début du XVII^e^ s. ; lat. pop. **terrātōrium,* adapt. du lat. *territōrium* d'après *terra.*

**terrorisme** V. TERREUR.

1. **tertiaire** 1786, Saussure, géol. ; fin XVIII^e^ s., méd. ; 1964, Lar., écon. pol. ; lat. *tertiarius,* de *tertius,* troisième. (V. TIERS.)

2. **tertiaire** 1690, Furetière (*tierçaire*) ; 1812, Mozin (*tertiaire*), eccl. ; lat. mod. eccl. *tertiarius,* membre d'un tiers ordre.

**tertio** 1833, Balzac ; mot lat. signif. « troisièmement ». (V. TIERS.)

***tertre** 1080, *Roland ;* lat. pop. **termitem,* de **termes,* croisement de **terminem,* acc. tiré du neutre *termen, terminis,* var. de *terminus* au sens de « borne », avec *limes, limitis,* limite, borne.

**tesselle** 1827, *Acad.,* morceau de carrelage ; lat. *tessella,* dimin. de *tessera.* || **tessère** 1827, *Acad. ;* lat. *tessera,* dé à jouer.

**tessiture** 1907, Lar., mus. ; ital. *tessitura,* de *tessere,* tisser.

**tesson** 1283, Beaumanoir ; anc. fr. *tez, tes,* pl. de *têt* (1130, *Job*), autrefois « tesson », lat. *testum,* vase de terre, d'où tesson, coquille, crâne. (V. TEST 1, TÊTE.)

1. **test** XIII^e^ s., La Curne, coquille de noix ; 1611, Cotgrave, coquille de mollusque, etc. ; lat. *testum.* (V. TESSON.) || **testacé** 1562, Du Pinet, « couleur d'argile » ; 1690, Furetière, « muni d'un test ». || **testacelle** 1803, Boiste.

2. **test** 1895, Binet-Henri, psychol. ; angl. *test,* examen, épreuve, de l'anc. fr. *test,* pot de terre (servant à l'essai de l'or en alchimie), du lat. *testum,* couvercle. || **tester** 1941, Rostand. || **testabilité** 1906, *Archives.* || **testable** 1968, Lar.

1. **testament** jurid. V. TESTER 1.

2. **testament** 1120, *Ps. d'Oxford,* Bible ; lat. *testamentum* (v. le suiv.) au sens eccl. (III^e^ s., Tertullien), qui servit pour traduire le gr. *diathêkê,* proprem. « convention, pacte », désignant en gr. eccl. l'alliance de Dieu avec les Hébreux (hébreu *berîth,* alliance).

1. **tester** fin XIII^e^ s., Végèce, « instruire » ; 1406, B. W., sens actuel ; lat. jurid. *testari,* témoigner, de *testis,* témoin. || **testament** 1213, *Fet des Romains ;* lat. jurid. *testamentum,* ainsi appelé parce que le testament se faisait d'abord devant témoins. || **testamentaire** 1399, *doc. jurid. ;* lat. jurid. *testamentarius.* || **testateur** XIII^e^ s., G. ; lat. jurid. *testator.*

2. **tester** V. TEST 2.

**testicule** XV^e^ s., B. W. ; lat. *testiculus,* dimin. de *testis.* || **testostérone** 1953, Lar.

**testimonial** 1274, G. ; lat. impér. *testimonialis* (III^e^ s., Tertullien), de *testimonium,* témoignage. (V. TÉMOIN.)

**teston** 1513, La Curne, anc. monnaie d'argent, utilisée du début du XVI^e^ s. au XVII^e^ s. ; ital. *testone,* de *testa,* tête, d'après l'effigie du souverain.

**testonner** 1515, J. Marot, peigner, ajuster les cheveux, arch. ; de *tête, teste,* avec *s* maintenu dans l'orth., puis prononcé.

**tétanos** 1541, Canappe ; gr. *tetanos,* rigidité des membres, de l'adj. *tetanos,* rigide. || **tétanique** 1554, Aneau ; gr. *tetanikos.* || **antitétanique** 1834, Boiste. || **tétanie** 1852, Corvisart. || **tétaniser** 1872, L. || **tétanisation** 1872, L.

**têtard, tétasse** V. TÊTE, TÉTER.

***tête** 1050, *Alexis* (*teste*) ; *n'en faire qu'à sa tête,* XV^e^ s. ; *homme de tête,* 1440, Chastellain ; *faire sa tête,* 1833, Vidal ; *tenir tête,* 1560, Amyot (*faire tête*) ; *avoir la tête dure,* 1690, Furetière ; *tête à tête,* 1560, Amyot (*combattre tête à tête*), ext. de sens au XVII^e^ s. ; *coup de tête,* fig., milieu XVII^e^ s. ; *à tue-tête,* 1650, Scarron ; *ne savoir où donner de la tête,* XVII^e^ s. ; *perdre la tête,* XVIII^e^ s. ; *voix de tête,* 1857, Adam ; *tête perdue,* 1694, Th. Corn. ; *tête de turc,* 1857, Goncourt ; lat. *testa,* vase de terre cuite, d'où « coquille », puis en bas lat. « crâne », et en lat. pop., par métaph. plaisante, « tête » ; a éliminé peu à peu *chef,* du lat. *caput,* au sens propre en anc. fr. || **têtu** 1265, J. de Meung (*testu*). || **têtière** XIII^e^ s., *Assises de Jérusalem* (*testière*). || **têtard** XIV^e^ s. (*testard*), « qui a une grosse tête » ; 1762, *Acad.,* sens mod., zool. || **têtier** 1842, *Acad.,* techn. || **en-tête** 1836, Landais. || **tête-bêche** 1820, *Obs. des modes ;* altér. de *à tête béchevet,* renforcement de *béchevet* (1577, Belleau), de *chevet* et du préf. *bes-,* deux fois, du lat. *bis.* || **têtebleu** 1666, Molière. (V. DIEU.) || **tête-à-queue** 1872, Gautier. || **tête-de-clou** 1768, Valmont. || **tête-de-loup** 1862, Hugo. || **tête-de-Maure** 1573, Du Puys. || **tête-de-nègre** 1836, Landais. || **entêter** XIII^e s. || **entêtement** milieu XVI^e s., mal de tête ; 1649, *D. G.,* obstination. || **étêter** 1288, *D. G.*

**téter** 1190, *saint Bernard ;* de *tette* (1200, G.), bout de la mamelle, du germ. **titta* (cf. l'all. *Zitze,* l'angl. *teat*). || **tétée** 1611, Cotgrave. || **tétine** début XII^e s., *Roman de Thèbes.* || **tétin** 1398, E. Deschamps, vx. || **téton** 1493, Coquillart. || **tétonnière** 1701, Furetière. || **tétasse** 1493, Coquillart, « mamelle ». || **téterelle** 1851, *Journ. méd.,* appareil pour aspirer le lait.

**tétra-,** grec *tetra,* forme de *tettares,* « quatre », en composition. || **tétracorde** 1370, Oresme ; lat. *tetrachordon,* mot gr., de *khordê,* corde. || **tétradactyle** 1808, Boiste ; gr. *daktulos,* doigt. || **tétradyname** 1795, Cullen, bot. ; de *-dyname.* || **tétraèdre** 1542, Bovelles ; gr. *tetraedron,* de *hedra,* face. || **tétraédrique** 1845, Besch. || **tétragone** 1361, Oresme ; lat. *tetragonus,* du gr. *tetragônos,* de *gônia,* angle ; 1765, *Encycl.,* « épinard ». || **tétragramme** 1549, P. de Tyard. || **tétralogie** 1752, Trévoux ; gr. *tetralogia.* || **tétramère** 1839, Boiste ; gr. *meros,* partie. || **tétramètre** 1550, Amyot, versif. || **tétrapode** 1803, Morin, zool. ; de *-pode.* || **tétraphonie** 1975, Lar. || **tétraplégie** 1904, Lar. || **tétraplégique** 1975, Lar. || **tétraptère** 1762, Geoffroy, entom. ; de *-ptère.* || **tétrarque** 1213, *Fet des Romains ;* gr. *tetrarkhês,* de *arkhein,* commander. || **tétrarchat** 1827, *Acad.* || **tétrarchie** 1450, Grébran, hist. || **tétrasomie** 1964, Lar. || **tétrastyle** 1676, Félibien ; gr. *tetrastulos,* de *stulos,* colonne. || **tétrasyllabe** 1611, Cotgrave. || **tétrodon** 1803, Boiste ; gr. *odous, odontos,* dent.

**tétras** 1752, Trévoux (*tétrax*), coq de bruyère ; lat. *tetrax,* mot gr. || **tétras-lyre** 1949, Lar.

**teuf-teuf** 1897, *Écho de Paris ;* onomat. désignant une voiture.

**teuton** XVII^e s., d'après P. Robert ; lat. *Teutonus.* || **teutonique** 1512, J. Lemaire de Belges.

**texte** 1155, Wace, « livre d'Évangile » ; 1265, J. de Meung, sens mod. ; lat. *textus,* proprem. « tissé, tissu », d'où en bas lat. « texte » (IV^e s., Amm. Marcellin). || **textuel** 1453, Monstrelet. || **textuellement** XV^e s., L. || **textuaire** 1636, Monet, vx. || **contexte** 1539, R. Est. ; lat. *contextus,* ensemble, enchaînement, de *contexere,* tisser ensemble ; infl. par *texte.* || **contexture** XIV^e s.

**textile** 1752, Trévoux, adj. ; lat. *textilis,* tissé, de *texere,* tisser ; n. m., 1872, L.

**texture** 1380, *Aalma,* « action de tisser » ; 1503, Chauliac, « agencement » ; lat. *textura,* proprem. « tissu », de *texere,* tisser. || **texturer** 1970, Robert. || **texturation** 1964, Lar. (V. TEXTE, TEXTILE.)

**thalamus** 1892, Baginsky ; lat. *thalamus,* lit nuptial, union ; noyau de substance grise du cerveau situé à l'union du diencéphale et du télencéphale. || **thalamique** 1905, Testut.

**thalassocratie** 1730, Fontenelle ; gr. *thalassa,* mer, et *-cratie.* || **thalassothérapie** 1865, La Bollardière ; de *-thérapie.*

**thaler** 1566, G. ; allem. *Taler.*

**thalle** 1827, *Acad.,* bot. ; gr. *thallos,* branche, rejeton. || **thallophytes** 1888, Lar. ; de *-phyte.* || **thallium** 1868, Souviron, découvert par Crookes en 1861 ; gr. *thallos,* à cause de la couleur verte de la raie de ce métal dans le spectre.

**thapsia** XIII^e s., *Livre des simples médecines ;* lat. *thapsia,* mot gr.

**thaumaturge** 1610, Coton ; gr. *thaumatourgos,* faiseur de miracles, de *thauma, -atos,* miracle. || **thaumaturgie** 1831, *Acad. ;* gr. *thaumatourgia.* || **thaumaturgique** 1623, Naudé.

**thé** 1563, *D. G. ;* chinois *té,* par le néerl. (cf. l'angl. *tea*). || **théier** 1872, *J. O.* || **théière** 1723, Trévoux. || **théine** 1842, *Acad.* || **théisme** 1904, Lar. || **théiforme** 1732, Hecquet. || **théophylline** 1904, Lar., chim.

**théatins** 1642, d'après P. Robert, nom d'un ordre religieux fondé par Gian Pietro Carafa, évêque de Chieti (lat. *Theatinus*).

**théâtre** fin XII^e s., *Roman de Thèbes,* « lieu de tournois » ; 1398, E. Deschamps, « salle de spectacle » et « genre de comédie » ; XV^e s., *Perceforest,* « lieu dramatique » ; lat. *theatrum,* gr. *theatron.* || **théâtral** 1520, Vaganay ; 1690, Furetière, « ostentatoire » ; lat. *theatralis.* || **théâtralement** 1764, Voltaire. || **théâtraliser** XX^e s. || **théâtralité** 1964, Lar. || **théâtreuse** 1896, *Revue encycl.*

**thébaïde** 1674, Sévigné ; empl. fig. du nom d'une contrée de l'Égypte antique, voisine de *Thèbes,* où se retirèrent des ascètes chrétiens.

**thébaïque** 1664, Fermanel ; à cause de l'opium d'Égypte, alors le plus répandu dans le commerce, et d'après le nom de la ville égyptienne de *Thèbes.* || **thébaïsme** 1898, Littré, méd.

1. **théisme** V. THÉ.

2. **théisme** 1756, Voltaire ; angl. *theism* (1698), du gr. *theos,* dieu. || **théiste** 1705, Bayle.

**thème** 1265, J. de Meung (*tesme*) ; 1580, Montaigne, sujet de composition scolaire ; XVIIIe s., Rollin, sens mod. ; du lat. rhét. *thema,* mot gr., proprem. « ce qu'on pose », d'où « sujet posé », de *theînai,* placer, poser. || **thématique** 1572, *FEW,* adj. ; gr. *thematikos.*

**thénar** 1560, Paré (*tenar*), anat. ; gr. *thenar,* paume.

**théo-,** gr. *theos,* dieu. || **théobromine** 1843, Orphila ; lat. scient. *theobroma,* cacaoyer, du gr. *theos,* et *brôma,* mets. || **théocrate** 1775, Gohin. || **théocratie** 1679, E. Morin ; gr. *theokratia,* de *krateîn,* commander. || **théocratique** 1704, Trévoux. || **théodicée** 1710, Leibniz ; du gr. *dikê,* justice. || **théogonie** 1680, Richelet ; gr. *theogonia,* de *gonos,* génération. || **théogonique** 1839, Boiste. || **théologie** 1240, B. W. ; lat. eccl. *theologia,* mot gr., de *logos,* traité. || **théologique** 1375, R. de Presles ; lat. eccl. *theologicus,* du gr. *theologikos.* || **théologal** *id.* || **théologien** 1370, Oresme. || **théologiser** XIVe s., Du Cange. || **théophilanthrope** 1801, Mercier. || **théophilantropie** 1801, Mercier. || **théosophe** 1704, B. W. ; gr. *theosophos,* de *sophos,* sage. || **théosophie** av. 1784, Diderot ; gr. *theosophia.*

**théorème** 1538, Canappe ; lat. impér. *theorema* (IIe s., Aulu-Gelle), du gr. *theôrêma,* objet d'étude, d'où « principe », de même racine que le suivant.

**théorie** 1380, *Aalma ;* rare jusqu'au XVIIIe s. ; bas lat. *theoria* (IVe s., saint Jérôme), du gr. *theôria,* action d'observer, de *theôreîn,* observer, contempler ; repris au XVIIIe s. (1788, Barthélemy), au sens de « procession » (déjà en gr.). || **théorique** 1256, Ald. de Sienne, n. f. ; 1380, *Aalma,* adj. ; lat. *theoricus,* gr. *theôrikos.* || **théoriquement** 1557, Mesmes. || **théoricien** 1550, Roussat ; sur le modèle de *mathématicien.* || **théorétique** 1721, Trévoux ; bas lat. *theoreticus,* gr. *theoretikos.*

**thérapeutique** 1363, Chauliac, n. f. ; 1865, Cl. Bernard, adj. ; gr. *therapeutikos,* de *therapeueîn,* soigner. || **thérapeute** 1704, Trévoux, « moine judaïque » ; 1886, L. Bloy, « celui qui soigne » ; gr. *therapeutês,* médecin. || **thérapie** 1669, Molière.

**thériaque** 1175, Chr. de Troyes ; 1559, trad. de Dioscoride (*thériaque*), méd. ; lat. méd. *theriaca,* mot gr., de *thêr,* bête.

**théridion** 1839, Boiste ; gr. *thêridion,* petite bête.

**thermes** 1213, *Fet des Romains,* Thermes de Julien, à Paris ; 1398, *Somme Gautier,* ext. d'empl., nom commun ; lat. *thermae,* « bains chauds », du gr. *thermos,* chaud. || **thermal** 1625, Duchesne ; *station thermale,* 1876, Lar. || **thermalisme** 1845, Radonvilliers. || **thermalité** 1834, Carro. (V. THERMIDOR, THERMIQUE, THERMO.)

**thermidor** 1793, Fabre d'Églantine, onzième mois du calendrier révolutionnaire ; gr. *thermos,* chaud, et *dôron,* présent, avec *i* d'après *fructidor, messidor.* || **thermidorien** 1795, Brunot ; en rapport avec les événements du 9 thermidor an II (27 juillet 1794), jour où Robespierre fut renversé par la Convention.

**therm(o)-,** gr. *thermos,* chaud. || **thermique** 1848, Humboldt. || **thermicité** 1953, Lar. || **thermie** 1920, Lar. || **thermistance** 1960, Lar. || **thermite** 1907, Lar. || **thermocautère** 1872, L. || **thermochimie** 1872, L. || **thermochromie** 1975, Lar. || **thermoclimatique** 1964, Lar. || **thermocline** 1964, Lar. ; gr. *klinein,* incliner. || **thermocollage** 1968, Lar. || **thermocompresseur** 1964, Lar. || **thermodiffusion** 1874, *J. O.* || **thermocouple** XXe s. || **thermodurcissable** 1949, Lar. || **thermodynamique** 1872, L. || **thermo-électrique** 1842, *Acad.* || **thermo-électricité** 1842, *Acad.* || **thermogène** 1823, *Dic. méd.* || **thermographe** 1872 L. || **thermogravimétrie** 1968, Lar. || **thermolyse** 1949, Lar. || **thermomanométrie** 1876, Lar. || **thermomécanique** 1872, L. || **thermomètre** 1624, Van Etten ; var. *thermoscope,* 1793, Lavoisien. || **thermométrie** 1842, *Acad.* || **thermométrique** 1754, Bonnet. || **thermonucléaire** 1953, Lar. || **thermoplastique** 1949, Lar. || **thermopompe** 1876, Lar. || **thermopropulsé** 1949, Lar. || **thermopropulsif** 1949, Lar. || **thermopropulsion** 1949, Lar. || **thermorégulateur** 1964, Lar. || **thermorégulation** 1904, Lar. || **Thermos** 1914, *Catalogue,* récipient isolant ; nom déposé, reprenant le mot gr. || **thermosiphon** 1857, Figuier. || **thermostat** 1842, *Acad.* || **thermostatique** 1949, Lar. || **thermotactisme** 1964, Lar. || **thermotaxie** 1904, Lar. || **thermothérapie** 1876,

*Journ. des débats.* || **thermotropisme** 1904, Lar. (V. THERMES, THERMIDOR.)

**thésauriser** 1350, Gilles li Muisis ; bas lat. *thesaurizare,* de *thesaurus.* (V. TRÉSOR.) || **thésauriseur** 1764, B. W. || **thésaurisation** 1719, Gueudeville. || **thesaurus** 1904, Lar.

**thèse** 1579, de Lostal, « point de doctrine » ; 1718, *Acad.,* soutenance ; lat. *thesis,* mot gr., « action de poser », de *theînai,* poser. || **thésard** 1968, Lar. (V. ANTITHÈSE, SYNTHÈSE.)

**théurgie** 1375, R. de Presles, rare jusqu'au XVIIIe s. ; bas lat. *theurgia* (IVe s., saint Augustin), du gr. *theourgia,* proprem. « ouvrage de Dieu ». || **théurgique** 1375, R. de Presles ; bas lat. *theurgicus,* du gr. *theourgikos.* || **théurgiste** 1784, Diderot ; var. *théurgite* (1747, Voltaire).

**thiase** 1765, *Encycl. ;* lat. *thiasus,* danse pour Bacchus, gr. *thiasos.*

**thibaude** 1835, *Acad.,* tissu en poil de vache ; de *Thibaud,* surnom rural donné aux bergers.

**thio-,** gr. *theion,* soufre. || **thioacide** 1949, Lar. || **thioalcool** 1964, Lar. || **thiocétone** 1953, Lar. || **thiol** 1904, Lar. || **thionique** 1858, Nysten, chim. ; gr. *theion,* soufre. || **thionine** 1924, d'après P. Robert. || **thiosulfate** 1876, Lar. || **thiosulfurique** 1876, Lar.

**thlaspi** 1533, Champier ; lat. *thlaspi,* cresson, du gr. *thlân,* meurtrir.

**thomas** 1830, Esnault, vase de nuit ; n. pr. péjor.

**thomisme** XVIIIe s., d'après P. Robert ; de saint *Thomas.* || **thomiste** 1657, Pascal.

**thon** 1398, *Ménagier ;* anc. prov. *ton,* du lat. *thunnus,* gr. *thunnos.* || **thonier** 1904, Lar. || **thonaire** 1681, *Ordonn.,* filet pour prendre les thons. || **thonine** XIe s., *Gloses de Raschi* (*tonine*).

**thorac(o)-,** de *thorax.* || **thoracentèse** 1823, *Dic. méd. ;* gr. *kenteîn,* percer. || **thoracocentèse** 1872, L. || **thoracoplastie** 1845, Jobert. || **thoracotomie** 1888, Lar.

**thorax** 1314, Mondeville (*thorace,* n. f.) ; 1532, Rab. (*thorax,* n. m.) ; lat. *thorax,* du gr. *thôrax,* cuirasse. || **thoracique** 1560, Paré (*thorachique*) ; gr. *thôrakikos.*

**thorium** 1821, *Dict. sc. méd.* (*thorinium*) ; 1842, *Acad.* (*thorium*) ; du dieu *Thor,* qu'adoraient les Scandinaves. (Berzélius, le découvreur, était suédois.) || **thorite** 1872, L.

**thrash** 1933, Lar. ; angl. *to thrash,* élaguer.

**thrène** 1516, B. W., hist. ; 1913, Barrès, plainte ; bas lat. *threnus* (IVe s., Ausone), du gr. *thrênos,* chant funèbre.

**thridace** 1842, *Acad.,* pharm. ; gr. *thridax,* laitue.

**thriller** 1927, Cazamian ; mot angl., de *to thrill,* faire tressaillir.

**thrips** 1765, *Encycl.,* entom. ; gr. *thrips,* ver du bois.

**thromb(o)-,** de *thrombus.* || **thrombasténie** 1953, Lar. || **thrombectomie** 1953, Lar. || **thrombographie** 1953, Lar. || **thrombolyse** 1968, Lar. || **thrombopathie** 1964, Lar. || **thrombopénie** 1953, Lar. || **thrombose** 1823, *Dict. méd.* || **thrombostatique** 1970, Robert.

**thrombus** 1538, Canappe ; mot lat., gr. *thrombos,* caillot. || **thrombine** 1906, Lar. || **antithrombine** 1911, Lar.

**thulite** 1842, *Acad. ;* lat. scient. *thulium,* de *Thulé,* nom légendaire de l'Islande, où l'on trouva ce silicate. || **thulium** 1880, Clève.

**thune** V. TUNE.

**thuriféraire** 1690, Furetière, clerc qui porte l'encensoir ; 1801, Mercier, fig., encenseur, flatteur ; lat. médiév. *thuriferarius,* de *thurifer,* de *thus, thuris,* encens (gr. *thusos*), et du lat. *ferre,* porter.

**thuya** 1553, Belon, bot. ; lat. *thya,* du gr. *thuia.*

**thyiade** 1546, Rab., bacchante ; gr. *thuias, -ados,* du gr. *thueîn,* être saisi de transport.

**thylacine** 1827, Temminck, zool. ; lat. scient. *thylacinus,* du gr. *thulakos,* sac ; mammifère marsupial de Tasmanie.

**thym** XIIIe s., *Simples Médecines ;* lat. *thymum,* du gr. *thumos.* (V. THYMUS.) || **thymol** 1872, Bouillet.

**thymus** 1541, Vassée, anat. ; mot lat., du gr. *thumos,* au sens de « grosseur, loupe », même mot que le précéd. || **thymique** 1611, Cotgrave.

**thyr(o)-,** de *thyroïde.* || **thyroglobuline** 1961, Galli. || **thyroïdectomie** 1888, Lar. || **thyrotomie** 1904, Lar. || **thyroxine** 1933, Lar.

**thyroïde** 1560, Paré ; gr. *thuroeidês,* « en forme de porte (*thura*) », confondu, par une faute de copiste, avec *thureoeidês,* « en forme de bouclier ». || **thyroïdien** 1827, *Acad.* || **parathyroïde** 1896, Nicolas.

**thyrse** 1502, O. de Saint-Gelais, mythol. ; 1742, D'Argenville, bot. ; lat. *thyrsus,* gr. *thursos,* bâton de Bacchus.

**thysanoures** 1827, *Acad.* ; lat. scient. *thysanuros,* du gr. *thusanouros,* de *thusanos,* frange, et *oura,* queue ; insecte à trois appendices filiformes.

**tiare** 1374, G. (*tiara*) ; 1525, Lemaire de Belges (*tiare*) ; lat. *tiara,* d'un mot gr. d'orig. persane. || **tiaré** 1887, Huysmans.

**tibia** 1541, Canappe ; mot lat., proprem. « flûte » (v. TIGE). || **tibial** 1690, Furetière.

**tic** 1611, Cotgrave (*ticq*), vétér. ; 1654, Scarron, tic du visage ; 1738, Piron, fig. ; orig. onomatop. || **tiquer** 1664, *le Parfait Mareschal,* appliqué aux chevaux ; fin XIXe s., ext. d'empl., « manifester sa surprise ».

**ticket** 1727, C. de Saussure (*tiket*) ; angl. *ticket,* issu de l'anc. fr. *estiquet, estiquete.* (V. ÉTIQUETTE.)

**tic-tac** 1552, Ch. Est. ; onomat. || **tictaquer** 1881, Huysmans.

***tiède** 1190, Garnier (*tieve*) ; 1380, *Aalma* (*tiede*) ; lat. *tĕpĭdus.* || **tiédeur** 1190, *Saint Bernard.* || **tiédir** 1380, *Aalma.* || **tiédissement** 1845, Radonvilliers. || **attiédir** XIIIe s.

**tien, tierce, tiercé** V. TON 1, TIERS.

**tiercelet** 1284, Br. Latini ; anc. fr. *terçuel* (1175, Chr. de Troyes), lat. pop. **tertiolus,* de *tertius,* (v. TIERS) : ce mâle (du faucon, ou de l'épervier) est d'un tiers plus petit que la femelle.

***tiers** 980, *Passion,* adj., « troisième », sens conservé jusqu'au XVIIIe s. et dans les loc. *tiers état, une tierce personne ;* 1190, Ph. de Thaon, n. m. ; lat. *tertius,* troisième. || **tierce** 1119, Ph. de Thaon ; fém. substantivé de *tiers.* || **tiercé** 1954, d'après P. Robert, terme de courses ; part. passé adjectivé et substantivé de *tiercer.* || **tiercer** 1283, Beaumanoir, jurid. || **tiercement** 1382, *Lettres patentes,* n. m., jurid. || **tierceron** 1382, G., archit. || **tiercefeuille** 1690, Furetière, blas. || **tiers-point** 1611, Cotgrave, archit. ; 1752, Trévoux, lime triangulaire.

**tif, tiffe** 1885, Esnault, pop., cheveu ; orig. obscure, p.-ê. du dauphinois *tifo,* paille.

***tige** 1080, *Roland ;* lat. *tibia,* flûte, os de la jambe (v. TIBIA), fig. en lat. pop. || **tigelle** 1815, Mirbel, bot. || **tigette** 1549, *FEW,* archit.

**tignasse** V. TEIGNE.

**tigre** 1130, *Eneas ;* lat. *tigris,* mot gr. ; souvent fém. jusqu'au XVIe s. (le mot a les deux genres en lat. et en gr.). || **tigresse** 1564, J. Thierry ; 1890, Maupassant, femme jalouse. || **tigré** 1718, *Acad.* || **tigron, tiglon** 1937, d'après P. Robert.

**tilbury** 1819, *Journ. des dames ;* mot angl., du nom du carrossier qui créa ces voitures.

**tilde** 1839, Boiste ; esp. *tilde,* du lat. *titulus,* titre, inscription.

**tillac** 1382, *D. G. ;* anc. scand. *thilja,* planche au fond d'un bateau.

1. **tille** 1120, *Ps. d'Oxford,* hachette de couvreur ; anc. scand. *telgia,* couper ; proprem. « ce qui coupe ».

2. **tille** V. TEILLE.

3. **tille** 1240, G., mar., armoire de l'équipage ; même rac. que *tillac.*

***tilleul** XIIIe s., *Renart* (*tilluel*) ; lat. pop. * *titiolus,* en lat. class. *tilia ;* a éliminé l'anc. fr. *til, teil,* du lat. pop. **tilius,* de *tilia* (conservé dans divers noms de lieux). || **tiliacées** 1798, Jolyclerc ; bas lat. *tiliaceus,* de *tilia.*

**tilt** 1966, Le Clézio ; angl. *tilt,* coup.

**timbale** 1471, Wright, au pr., mus. ; 1762, Havard, gobelet ; altér., d'après *cymbale,* de *tambale* (milieu XVe s.), lui-même altér., d'après *tambour,* de l'esp. *atabal* (cf. en fr. la forme *atabale,* XVIe s.), issu de l'arabo-persan *attabal,* tambour. || **timbalier** 1671, Pomey.

**timbre** début XIIe s., *Roman de Thèbes,* tambour ; bas gr. *tumbanon,* du gr. class. *tumpanon* (v. TYMPAN) ; 1374, G., cloche sans battant (qu'on frappe avec un marteau) et « timbre d'appartement » ; égalem. « son du timbre », d'où l'emploi mus. (1762, Rousseau). Au XIVe s., d'autre part, « marque d'armoirie », d'où, 1680, Richelet, « timbre du papier indispensable à la validité de certains actes » ; 1798, *Acad.,* marque de la poste. || **timbre-poste** 1848, *Décret.* || **timbre-quittance** 1872, L. || **timbrer** 1175, Chr. de Troyes, battre du timbre ; même évol. de sens que *timbre.* || **timbré** 1560, La Curne, « fou » ; même évolution que *piqué.* || **timbrage** 1575, G., blas. ; 1792, Brunot, sens mod.

**timide** 1527, Dassy ; lat. *timidus,* de *timēre,* craindre. || **timidement** 1549, R. Est. || **timidité** fin XIVe s. ; lat. *timiditas.* || **intimider** 1522, Huguet. || **intimidant** début XVIe s. || **intimidation** 1552, Rab.

**timing** 1962, Larminat ; mot angl., de *to time,* mesurer.

***timon** XIIe s. ; lat. pop. **tīmō, -onis,* en lat. class. *tēmō.* || **timonier** 1185, *Aliscans* (*tomonier*) ; début XIIIe s. (*timonier*). || **timonerie** 1792, Romme.

**timoré** 1578, *Despence,* eccl. ; 1690, Furetière, sens mod. ; lat. eccl. *timoratus* (*Vulgate*), « qui craint Dieu », de *timor,* crainte.

1. **tin** (dans *laurier-tin*) 1615, Daléchamps ; lat. *tinus.*

2. **tin** 1465, G., billot, chantier ; prov. *tin,* d'orig. obscure. || **tinter** 1835, *Acad.,* mar., faire porter sur des *tins.*

**tincal** 1752, Trévoux ; port. *tincal,* de l'ar. *tinkar.*

**tinctorial** 1796, *Néol. fr.* ; lat. *tinctorius,* qui sert à teindre, de *tingere,* teindre.

***tine** XIIe s., *Chev. au cygne,* « tonne, baquet », auj. techn. ; lat. *tīna,* vase pour le vin. || **tinette** XIIIe s., *D. G.*

**tintamarre** XVe s., Basselin ; formation expressive, avec *tinter* et *-marre,* d'orig. obscure. || **tintamarrer** 1573, Jodelle. || **tintamarresque** 1856, Goncourt.

1. ***tinter** 1080, *Roland,* « résonner » ; bas lat. *tinnītāre,* fréquentatif de *tinnīre,* sonner, tinter. || **tintement** 1490, Chauliac. || **tintouin** XVe s., Basselin, « pensée obsédante » ; 1560, Paré, « bourdonnement d'oreille » ; altér. expressive de *tintin* (1200, G.), tintement, de *tinter,* avec valeur omomatopéique.

2. **tinter** V. TIN 2.

**tintinnabuler** 1840, Balzac ; lat. *tintinnābulum,* clochette. (V. TINTER 1.) || **tintinnabulement** 1925, Genevoix.

**tipule** 1611, Cotgrave, entom. ; lat. *tippula,* araignée d'eau.

**tique** 1464, B. W. ; angl. *tick* (pendant la guerre de Cent Ans). || **tiquet** 1462, *Cent Nouvelles,* petit insecte.

**tiquer** V. TIC.

**tiqueté** 1680, Richelet (*ticté*), « tacheté » ; mot picard, de *tiket,* moucheture, du néerl. *tik,* piqûre. || **tiqueture** 1845, Besch.

**tir** V. TIRER.

**tirade** XVe s., Tilander, « action de tirer », puis « développement continu » ; 1654, G. de Balzac, théâtre ; de *tirer,* avec le suff. *-ade* ; d'abord dans *tout d'une tirade,* « d'un trait ».

**tirage, tirailler** V. TIRER.

1. **tire** (action de tirer). V. TIRER.

2. **tire** 1130, *Eneas,* blas., « rangée » ; francique **teri.* (V. ARTILLERIE.)

**tirelire** 1265, J. de Meung ; même forme que *tire-lire,* sorte de refrain du Moyen Âge ; milieu XVIe s., Ronsard, sens actuel (à cause du bruit des pièces quand on la secoue).

**tirer** 1080, *Roland,* au pr. ; 1534, Rab., faire usage d'une arme à feu ; *tirer l'échelle,* 1695, Gherardi ; *tirer son épingle du jeu, id.* ; *tirer les vers du nez, id.* ; a remplacé *traire* ; orig. obscure (il est peu probable que le mot soit issu de l'anc. fr. *martirier,* martyriser). || **tir** XIIIe s., *D. G.* (*a tir,* sans interruption) ; 1660, Oudin, action de lancer un projectile ; 1964, Lar., sports ; déverbal. || **tireur** 1220, *FEW* ; milieu XVIe s., sens comm. || **tirant** XIIIe s., La Curne (*en un tirant,* tout de suite) ; n. m., début XIVe s. ; 1677, Dassié, mar. || **tirage** 1479, G., « fermage » ; XVe s., action de tirer ; 1680, Richelet, imprimerie ; fig., 1845, Besch. || **tire** 1837, Vidocq, *vol à la tire.* || **tiret** 1544, M. Scève. || **tirette** 1589, G., « tiroir » ; 1777, *Encycl.,* techn. || **tiré** 1770, Buffon, vén. || **tirée** 1596, Hulsius (*tout d'une tirée*) ; 1876, Lar., long parcours ; a remplacé *traite.* || **tiroir** XIIIe s., vén. ; XIVe s., Laborde, fermoir d'un livre ; 1530, Palsgrave, sens mod. || **tiroir-caisse** 1925, *Science et Vie.* || **tirasse** 1379, Du Cange. || **tirasser** 1573, Jodelle. || **tirailler** 1542, *FEW.* || **tiraillement** XVIe s. || **tirailleur** 1578, *Despence* ; 1740, *Acad.,* milit. || **tiraillerie** 1757, Voltaire. || **tire-au-flanc** 1887, Esnault. || **tire-balle** 1560, Paré. || **tire-bonde** 1836, *Acad.* || **tire-botte** 1636, Monet, « soufflet » ; 1690, Furetière, sens actuel. || **tire-bouchon** 1718, *Acad.* || **tire-bouchonner** 1867, Baudelaire. || **tire-bouton** 1680, Richelet. || **tire-braise** XVe s., G. || **tire-clou** 1676, Félibien. || **tire-d'aile (à)** 1532, Rab. || **tire-fesses** 1967, Robert. || **tire-feu** 1611, Cotgrave. || **tire-fond** 1549, R. Est. || **tirefonner** 1923, Lar. || **tire-laine** 1611, Cotgrave. || **tire-lait** 1850. || **à tire-larigot** XVe s., *Chanson normande* ; 1534, Rab. (V. LARIGOT.) || **tire-ligne** 1680, Richelet. || **tire-nerf** 1890, *Encycl.* || **tire-pied** 1611, Cotgrave, techn. || **tire-point** 1803, Boiste ; altér. en TIERS-POINT. || **tire-sou** 1704, Trévoux, « receveur de rentes » ; 1803, Boiste, « gagne-petit ». || **tire-veille** 1678, Guillet, mar. || **détirer** XIIe s., G. de Saint-Pair. || **étirer** XIIIe s., *Doon de Mayence.* || **étire** 1437, Gay, techn. || **étirage** 1812, Hassenfratz. || **étireur** *id.* || **retirer** XIIIe s. || **retirade** XVIe s., techn. || **retira-**

tion XVI^e s. || **retirement** XVI^e s. (V. ATTIRER, SOUTIRER.)

**tiretaine** 1247, *D. G.,* « étoffe de prix » ; XIII^e s., le plus souvent « sorte de drap grossier » ; de l'anc. fr. *tiret,* début XII^e s., sorte d'étoffe de soie, issu du bas lat. *tyrius,* « (étoffe) de Tyr » ; le deuxième élém. est p.-ê. issu de *futaine.* (V. ce mot.)

**tireur, tiroir** V. TIRER.

**tisane** XIII^e s. ; var. *ptisane,* du XVI^e au XVIII^e s., d'après le lat. ; bas lat. *tisana,* altér. de *ptisana,* du gr. *ptisanê,* « orge mondé », puis « tisane d'orge ». || **tisanière** 1967, *journ.*

**tiser** 1648, texte de Liège, techn. ; dér. régressif de *attiser.* || **tisard** 1723, Savary des Bruslons. || **tiseur** 1723, Savary des Bruslons. || **tisoir** 1842, *Acad.*

***tison** 1190, *Saint Bernard ;* lat. *tītiō, -ōnis.* || **tisonner** XIII^e s., *Fabliaux.* || **tisonné** 1577, R. Belleau, d'un cheval parsemé de taches noires. || **tisonnier** 1313, *Archives.*

**tisser** 1530, Palsgrave ; réfection, par changement de conjugaison, de l'anc. fr. *tistre,* XII^e s. (encore 1694, *Acad.*), du lat. *tĕxĕre.* || **tisserand** 1224, *D. G.* (*toisserran*) ; de *tistre,* avec le suff. germ. *-enc ;* a éliminé l'anc. fr. *tissier,* conservé comme nom de personne (de même que la forme prov. *teissendier*). || **tissu** 1175, Chr. de Troyes ; anc. part. substantivé. || **tissu-éponge** 1872, L. || **tissulaire** 1842, *Acad.* || **tissage** milieu XIII^e s. ; de *tistre.* || **tissure** 1501, G. ; a éliminé *tisture.* (V. TEXTURE.) || **tissutier** 1403, d'après Savary des Bruslons ; du part. pass. de *tistre.* || **tisserin** 1817, Cuvier, ornith. ; oiseau habile à tisser son nid. || **détisser** XVI^e s. ; a éliminé *detistre* (encore 1642, Oudin).

**titan** XIV^e s., B. W., myth. antiq. ; 1842, *Acad.,* fig. ; lat. *Titan,* mot gr., nom du père des Géants dans la mythologie gréco-latine. || **titanique** 1552, Rab. || **titanesque** 1842, Nerval. || **titanisme** fin XVII^e s., Saint-Simon. || **titanomachie** 1836, *Acad.*

**titane** 1803, Boiste ; corps chimique découvert par Gregor (1791) dans des terres argileuses ; lat. scient. *titanium,* du gr. *titanos,* marne. || **titanique** 1836, *Acad.* || **titanite** 1808, Boiste. || **titané** 1842, *Acad.*

**titanique** V. TITAN, TITANE.

**titi** 1834, A. Jal, *les Comiques,* nom propre ; 1830, Esnault, « gavroche », fam. ; mot de formation enfantine.

**titiller** 1190, Garn. (*tetiller*), comme intr. ; 1560, Paré, comme trans. ; lat. *titillare,* chatouiller. || **titillation** 1495, J. de Vignay ; rare avant 1721, Trévoux ; lat. *titillatio.*

**titre** 1170, *Rois* (*title*), « inscription » ; 1283, Beaumanoir, « acte juridique » ; fin XV^e s., Molinet, « qualification », *titre de monnaie,* milieu XVI^e s. ; *titre de rente,* av. 1850, Balzac ; lat. *tĭtŭlus,* « inscription » et « titre de noblesse, marque ». || **titrer** XIII^e s., G., « donner un titre à un article ». || **titré** 1696, Furetière. || **titrier** 1762, *Acad.,* eccl. || **titrage** 1841, Baudrimont. || **attitrer** fin XII^e s., *Rois* (*atitelé*). || **sous-titre** 1872, L. ; 1912, *le Cinéma.* || **sous-titrer** 1923, *Mon ciné.* || **sous-titrage** début XX^e s.

**tituber** 1466 *Romania ;* rare jusqu'au XIX^e s. ; lat. *titubare.* || **titubation** 1377, Oresme ; lat. *titubatio.* || **titubement** début XX^e s.

**titulaire** 1502, B. W. ; dér. du lat. *titulus.* (V. TITRE.) || **titulariat** 1841, *Rev. des Deux Mondes ;* d'après *notariat.* || **titulariser** 1857, d'après P. Robert. || **titularisation** 1857, d'après P. Robert. || **titulature** 1834, Courchamps.

**titus (à la)** 1829, Vidocq ; d'après la coiffure de l'empereur *Titus,* telle qu'on la voit sur les statues antiques.

**tmèse** v. 1540, Rab. (*tmesis*), linguist. ; lat. gramm. *tmesis* (V^e s., Servius), du gr. *tmêsis,* coupure, de *temneîn,* couper.

**toast** 1750, Prévost (*toste*), action de boire à la santé ; 1769, Gomicourt (*toast*) ; angl. *toast,* tranche de pain rôtie, de l'anc. fr. *tosté,* part. passé de *toster,* griller, du lat. pop. **tostāre,* de *tostus,* part. passé de *torrere,* griller. (V. TORRÉFIER et TORRIDE.) || **toaster** 1750, Montesquieu (*toster*). || **toasteur** 1964, Lar.

**toboggan** 1890, Coubertin, « traîneau » ; 1890, *FEW,* piste glissante ; n. déposé, 1967, *journ.,* « viaduc » ; mot angl. du Canada, empr. à l'algonquin.

**toc** 1579, *FEW,* onomat. ; 1856, Furpille, adj., « laid » ; 1835, Raspail, n. m., fam., « camelote, imitation » ; onomat. || **toquer** 1460, Villon, heurter, frapper ; *se toquer de,* 1853, Goncourt, « s'amouracher de ». || **toquante** ou **tocante** 1725, Granval, pop., montre ; de *toc* au sens de « sonnerie sourde d'une montre à répétition sans timbre ». || **toqué** 1685, Esnault, « un peu fou » ; part. passé de *toquer.* || **toquade** 1854, Esnault. || **toquard** ou **tocard** 1855, Esnault, « vieux galant » ; 1884, Esnault, terme de courses, « mauvais cheval » ; norm. *toquart,* « têtu », de *toquer.*

**tocsin** 1379, Du Cange (*touque-sain*) ; 1564, J. Thierry (*toquesing*) ; anc. prov. *tocasen,* « touche-cloche », de *toca,* du v. *tocar* (v. TOUCHER), et de *sen,* « cloche », du lat. *signum,* « cloche » en lat. eccl. (VIe s., Grégoire de Tours).

**toge** 1213, *Fet des Romains* (*togue,* encore 1611, Cotgrave) ; 1546, Rab. (*toge*) ; lat. *toga.* (V. ÉPITOGE.)

**tohu-bohu** XIIIe s. (*toroul boroul,* empr. biblique) ; 1552, Rab. (*les isles de Tohu et Bohu*) ; 1764, Voltaire (*la Terre était tohu-bohu,* « chaotique ») ; 1823, Boiste, sens mod., fig. ; hébreu *tohu wabohu,* chaos antérieur à la création (Genèse, I, 2).

**toi** V. TU.

***toile** XIIe s. (*teile*) ; lat. *tēla.* || **toilette** 1352, G. (*tellette*), dimin., « petite toile » (d'où la loc. *marchande à la toilette,* jusqu'à la fin du XIXe s.) ; fin XVIe s., morceau de linge placé sur une table, pour la toilette, la coiffure, etc. ; début XVIIe s., Régnier, *table de toilette ;* XVIIe s., action de s'ajuster, puis ensemble des ajustements, de l'habillement (spécialem. des femmes) ; *cabinet de toilette,* 1842, Balzac ; au pl., 1945, Sartre, « lieux d'aisances ». || **toilage** 1836, *Acad.* || **toiletter** 1834, Balzac. || **toilettage** 1964, Robert. || **toilier** 1280, *Romanische Forschungen.* || **toilerie** 1409, Du Cange. || **entoiler** fin XIIe s. || **entoilage** 1755, *Encycl.* || **rentoiler** 1690, Furetière. || **rentoilage** 1752, Trévoux.

**toilette** V. TOILE.

***toise** XIIe s. (*teise*), auj. hist., ou dans la loc. *passer sous la toise ;* 1696, Regnard, fig. ; lat. pop. *tē(n)sa,* « étendue (de chemin) », spécialisé comme terme de mesure, part. passé substantivé de *tendere,* tendre. || **toiser** 1268, É. Boileau, « mesurer » ; XVIIIe s., Gresset, fig. || **toisement** 1636, Monet. || **toiseur** 1549, R. Est. || **entretoise** fin XIIe s., G., pièce de bois ; de l'anc. fr. *toise,* au sens premier « qui est tendu ».

***toison** 1112, *Voy. saint Brendan* (*tuisun*) ; bas lat. *to(n)siō, -ōnis* (*Vulgate*), « tonte », d'où « toison », de *tondēre,* tondre. || **toisonner** 1590, Du Bartas.

***toit** XIIe s. (*teit*) ; lat. *tēctum,* de *tegere,* couvrir. || **toiture** XVIe s., *Coustumier général.* || **avant-toit** 1386, texte de Lausanne (*avant-they*).

**tokai** 1701, Furetière ; de *Tokay,* région de Hongrie.

1. **tôle** 1642, Oudin, « fer en lame » ; forme dial. de *table* (bordelais *taulo,* ou parlers du Nord-Est et de l'Est, *tôle*) ; 1803, Boiste, sens actuel. || **tôlerie** 1771, texte de Bordeaux. || **tôlier** 1836, *Acad.* || **tôlage** 1933, Lar. || **tôlée** (*neige*) 1924, Kurz, adj., empl. fig.

2. **tôle,** var. **taule** 1800, *Chauffeurs,* arg., « petite maison » ; 1837, Vidocq, arg. milit. et pop., « chambre » et « prison » ; « chambre de passe » dans l'argot des prostituées ; p.-ê. empl. partic. du précéd., à partir du sens « pierre servant de revêtement » (XIVe s.). || **tôlard** 1915, Esnault. || **tôlier** 1889, Esnault, pop. || **entôler** 1829, Vidocq. || **entôleuse** 1901, Esnault.

**tolérer** 1398, *Ménagier,* « être indulgent » ; 1611, Cotgrave, « supporter » ; lat. *tolerare.* || **tolérable** 1355, Bersuire ; lat. *tolerabilis.* || **intolérable** 1265, J. de Meung ; lat. *intolerabilis.* || **tolérance** 1370, Oresme ; lat. *tolerantia.* || **intolérance** 1611, Cotgrave. || **tolérant** fin XVe s., Molinet. || **intolérant** début XVIIe s. || **tolérantisme** 1721, Trévoux.

**tolet** 1611, Cotgrave (*thollet*), mar. ; mot normand, anc. scand. *thollr.*

**tollé** 1560, Paré ; var. graphique, sous l'infl. du lat. *tolle,* « prends, enlève ! » (impér. de *tollere,* enlever, par lequel, selon la *Vulgate,* les Juifs ont ordonné à Ponce Pilate de faire mourir Jésus), de l'anc. fr. *tolez,* impér. 2e pers. plur. de *toldre,* ôter, devenu cri de protestation.

**tolu** 1598, Regnault (*baume de tolu*), pharm. ; de *Tolu,* nom d'une ville de Colombie. || **toluène** 1872, *J. O.,* chim. ; de *tolu.* || **tolite** 1923, Lar. || **trinitrotoluène** ou **T.N.T.** 1878, Lar. (V. TRI- 1 et NITRE.) || **toluidine** 1858, Nysten. || **toluol** *id.*

**tomahawk** 1707, *Hist. de la Virginie* (*tomahauk*) ; angl. *tomahawk,* mot algonquin, venu du Canada.

**tomate** 1598, Acosta, seul emploi jusqu'au milieu du XVIIIe s. ; esp. *tomata,* de l'aztèque *tomatl ;* aux XVIIe-XVIIIe s., on disait *pomme d'amour* ou *pomme dorée.*

**tombac** 1737, Voltaire, métall. ; siamois *tambac ;* alliage de cuivre et de zinc.

***tombe** XIIe s. ; lat. eccl. *tŭmba* (IVe s., Prudence), du gr. *tumbos,* tumulus tombal. || **outre-tombe** début XIXe s., Chateaubriand. || **tombeau** 1130, *Eneas* (*tombel*). || **tombal** 1836, *Acad.* || **tombelle** 1625, G.

***tomber** XIIe s., var. *tumber, tumer,* « culbuter, faire culbuter » (jusqu'au XVIe s.) ; XIIIe s., *tomber à la renverse ;* XVe s., *tomber du haut en bas* (a éliminé en ce sens *choir,* au XVIIe s.), d'où l'expression *tomber malade* (1532, Rab.) ; XIXe s., tr., terme de lutte ; lat. pop. **tŭmbare,* d'orig. onomat. (bruit de chute). La var. anc. *tumer* est issue du francique **tûmon* (cf. l'anc. haut all. *tûmôn,* « tournoyer »). || **tombée** XIIIe s., *Gaydon* (*tumee*) ; fin XVe s. (*tombée*). || **tombeur** 1130, *Eneas,* « acrobate » ; 1845, Besch., terme de lutte. || **tombereau** XIIIe s. (*tumberel*) ; d'après *tomber ;* ainsi désigné parce qu'on fait basculer la caisse du véhicule. || **retomber** début XVIe s. || **retombée** début XVIe s.

**tombereau** V. TOMBER.

**tombola** 1800, Brunot ; ital. *tombola,* « culbute », d'où « sorte de jeu de loto », de *tombolare,* tomber ; d'abord au sens ital., puis, fin XIXe s., sorte de loterie.

1. **tome** n. m., 1538, Marot ; lat. impér. *tomus* (IIe s., Marc Aurèle), « coupure, portion », du gr. *tomos,* de *temneîn,* couper. || **tomer** 1801, Mercier. || **tomaison** 1829, Boiste.

2. **tome** n. f. V. TOMME.

**tomenteux** 1800, Richard, bot. ; lat. *tomentum,* bourre ; couvert de duvet.

**tomme** ou **tome** n. f., 1581, B. W., sorte de fromage ; prélatin **toma.*

**tommy** 1920, Proust ; mot angl. désignant fam. le simple soldat, diminutif de *Thomas.*

**tomographie** XXe s., méd. ; gr. *tomos,* coupure, de *temneîn,* couper, et *-graphie.* || **tomogramme** 1953, Lar.

**tom-pouce** 1872, L., homme de petite taille ; 1924, sorte de parapluie, et aussi de dictionnaire ; angl. *tom,* abrév. de *Thomas,* et *pouce ;* surnom d'un nain célèbre.

1. ***ton** 1050, *Alexis,* adj. poss. masc. ; du lat. *t*(*u*)*um,* acc. de *t*(*u*)*us,* en position atone. || **ta** *id.,* forme fém. ; du lat. *t*(*u*)*a*(*m*), en position atone. || **tien** 1120, *Ps. d'Oxford* (*tuen*) ; XIIIe s. (*tien*), par analogie de *mien* (v. ce mot) ; adj. et pron. poss. masc. ; lat. *tuum,* en position accentuée. (V. MON 1, SON 1.)

2. **ton** n. m., fin XIe s., *Roncevaux,* mus., d'où *ton de la voix ;* 1629, Corn., « manière de parler, d'écrire » ; 1669, Brunot, peinture ; lat. *tonus,* ton musical, et son d'un instrument, du gr. *tonos.* || **tonal** 1844, Fétis. || **tonalité** 1836, *Acad.* || **tonique** 1842, *Acad. ;* empl. gramm. d'après *ton,* de *tonique* 1 (v. ce mot). || **atonal** début XXe s. || **atonalité** *id.* || **atonalisme** 1955, Pincherle. || **détonner** 1611, Cotgrave. || **entonner** (*un chant*) début XIIIe s. (V. TONIQUE 1.)

**tondin** 1676, Félibien, astragale ; ital. *tondino,* dimin. de *tondo,* rond.

***tondre** 1190, Garn. ; lat. pop. **tondĕre,* en lat. class. *tondēre.* || **tondaison** 1160, Benoît. || **tondeur** 1247, *D. G.* || **tondeuse** 1836, *Acad.,* techn., machine à tondre le drap ; 1876, Lar., « instrument agricole » ; 1888, Lar., instrum. de coiffure. || **tonte** 1387, Barbier ; part. passé, substantivé au fém., de *tondre,* sur le modèle de *ponte, perte* (*de pondre, perdre*). || **retondre** fin XIIe s. || **tonsure** 1245, B. W. ; lat. *tonsura,* tonte ; eccl., XVe s. || **tonsurer** 1398, Deschamps. || **tonsuré** 1450, *FEW.*

1. **tonique** 1538, Canappe, « qui a une tension élastique » ; gr. *tonikos,* « qui se tend » ; 1694, Th. Corn., fortifiant. || **tonifier** 1837, Billard. || **tonicité** 1803, Boiste.

2. **tonique** V. TON 2.

**tonitruant** 1877, Darmesteter, sens propre ; 1964, Robert, « retentissant » ; lat. *tonitruans,* de *tonitruare,* tonner, de *tonitrus,* tonnerre. || **tonitruer** 1869, *le Gaulois.*

**tonka** 1823, Boiste, bot. ; mot indigène de Guyane.

**tonlieu** 1155, Wace (*tolneu*), anc. impôt ; lat. *teloneum,* du gr. *telôneion,* ferme des impôts.

**tonnage** 1300, Du Cange, droit payé pour le vin en tonneau ; de *tonne ;* 1793, B. W., sens mod. ; angl. *tonnage,* issu de l'anc. fr.

***tonne** 1160, *Charroi,* « tonne à vin » ; 1681, Colbert, mesure de capacité ; XIXe s., mesure de poids ; bas lat. *tunna, tonna,* mot gaulois (cf. le moy. irl. *tonn*), « peau », d'où « outre, vase », puis « tonneau » (1283, Beaumanoir). || **tonneau** 1138, Gaimar (*tonel*). || **tonnelet** 1295, *FEW.* || **tonnelier** 1268, É. Boileau. || **tonnellerie** 1295, *FEW.* || **tonnelage** 1334, G. || **tonnelle** 1340, *Charte de Ph. de Valois ;* à cause de la forme. || **entonner** (*un liquide*) fin XIIe s. || **entonnoir** fin XIe s., *Gloses de Raschi.* || entonnerie 1755, *Encycl.*

**tonneau** V. TONNE.

***tonner** 1120, *Ps. d'Oxford ;* lat. *tonāre ;* fig., 1671, Boileau. || ***tonnerre** 1080, *Roland* (*tuneire*) ; *coup de tonnerre,* 1660, Racine ; lat. *tonitrus.*

**tono-,** gr. *tonos,* tension. || **tonolyse** 1953, Lar. || **tonomètre** 1964, Robert. || **tonométrie** 1904, Lar. || **tonoscopie** 1953, Lar. || **tonotactisme** 1897, *Années biol.*

**tonsure, tonte** V. TONDRE 1.

**tontine** 1663, *Édit ;* du nom de *Tonti,* Napolitain qui inventa ce genre d'opération. || **tontinier** 1727, Trévoux, adj.

**tontisse** 1290, Lespinasse, « relatif à la tonture du drap » ; altér. de l'anc. fr. *tondice,* XIIIe s., dér. de *tondre.*

**tonton** 1712, Fénelon ; formation enfantine à redoublement. (V. TANTE.)

1. **tonture** XIIIe s., action de tondre les draps ; dér. anc. de *tonte,* ou lat. pop. **tonditura.*

2. **tonture** 1643, Fournier, mar., courbure d'un navire ; p.-ê. du précédent.

**tonus** 1875, Fort ; physiol., mot lat. signif. « tension ».

**top** 1872, L., signal sonore ; altér. de l'angl. *stop,* arrêt. (V. STOP.)

1. **topaze** n. f., 1080, *Roland,* pierre précieuse ; lat. *topazus,* du gr. *topazos.* || **topazolite** 1829, Boiste.

2. **topaze** n. m., XXe s., prévaricateur ; du nom du principal personnage de *Topaze,* comédie de Marcel Pagnol (1928).

**toper** XIIe s., *Roman de Thèbes,* « placer en jetant » ; orig. onomat. ; 1642, Oudin, accepter l'enjeu de l'adversaire ; conservé dans *tope là, topez là ;* calque de l'esp.

**topette** 1821, Cuisin ; mot picard désignant une petite bouteille, même rac. que *toupin.* (V. TOUPIE.)

**tophus** 1560, Paré (*tophe*) ; lat. *tophus,* tuf, gr. *tophos.* || **tophacé** 1791, Valmont.

**topinambour** 1617, Lescarbot (*toupinambaux*), bot. ; 1680, Richelet (*topinambour*) ; des *Topinambours,* 1578, J. de Léry (*Tououpinambaoults*), nom d'une peuplade du Brésil ; 1648, Scarron, « personne grossière ».

**topique** 1370, Oresme, philos. ; 1538, Canappe, méd. ; 1765, *Encycl.,* « relatif à un lieu déterminé » ; 1868, *le Temps,* « qui se rapporte à la question » ; bas lat. *topicus,* « relatif aux lieux communs », gr. *topikos,* de *topos,* lieu (empr. direct au gr. méd. *topikos,* pour le sens méd.). || **topicalisation** 1972, Lar.

**topographie** 1544, Apian ; lat. *topographia,* mot gr., sur *topos,* lieu. || **topo** 1861, Larchey, n. m. ; abrév. || **topographique** 1567, Nicolay. || **topographe** 1580, Montaigne ; gr. *topographos.* || **topologie** 1876, Lar. || **toponomastique** 1872, L. || **toponymie** 1869, Bladé. || **toponyme** 1948, Bazin.

**top secret** 1975, *Lexis ;* angl. *top,* sommet, et *secret,* secret.

**toquante, toquard** V. TOC.

**toque** 1454, Gay ; esp. *toca,* d'orig. obscure, ou ital. *tocca,* étoffe de soie, du longobard **toh,* même mot que l'all. *Tuch,* linge. || **toquet** 1480, *Mystère saint Quentin.*

**toqué, toquer** V. TOC.

***torche** 1175, Chr. de Troyes, « chose roulée, faisceau de choses tordues », d'où « flambeau fait d'une corde tordue, enduite de cire », puis « flambeau de bois résineux » ; lat. pop. **torca,* en lat. class. *torqua,* de *torquere,* tordre. || **torchère** 1653, Havard ; de *torche* au sens de « flambeau ». || **torcher** XIIe s., *Loherains,* « essuyer » ; de *torche* au sens primitif. || **torchage** 1484, G. || **torche-cul** 1489, *FEW.* || **torchon** 1185, *Aliscans.* || **torchonner** 1562, Rab. ; rare avant 1872, L. || **torchette** 1332, G. || **torchis** 1255, G.

***tordre** XIIe s. ; lat. pop. **torcĕre,* altér. du lat. class. *torquēre.* || ***tors** fin XIIe s., *l'Escouffle ;* anc. part. passé ; ne subsiste que dans les loc. *du fil tors, jambes torses.* || **tordeur** 1333, G. || **tordeuse** 1803, Boiste, entom. || **tordoir** 1259, *Arch. de Reims.* || **tordage** 1333, G., « fabrication d'huile » ; 1723, Savary, textile. || **tordant** fin XIXe s., pop., amusant. || **tord-boyaux** 1833, Vidal. || **tord-nez** 1837, *journ.,* vétér. || **torcol** 1555, Belon ; var. *torcou,* de *tord-col.* || **tordon** 1964, Lar. || **tortu** début XIIIe s. ; de l'anc. part. passé *tort.* || **tortil** 1581, N. de Montand ; altér. de l'anc. fr. *tortis* (XIIe s.), adj., « tordu », d'où, n. m., divers objets tordus, torche, etc. || **torsade** 1496, d'après P. Robert ; de l'anc. part. *tors ;* 1818, *Observ. des modes.* || **torsader** 1845, Richard de Radonvilliers. || **détordre** 1130, *Eneas.* || **retordre** XIIIe s., Macé de la Charité ; lat. *retorquere.* || ***retors** fin XIIe s., R. de Moiliens, « retordu » ; 1740, Voltaire, « rusé » ; anc. part. passé de *retordre.* || **retordeur** 1372, G. || **retordage** 1798, Pajot de Charmes. || **retordement** 1611, Cotgrave. (V. RÉTORQUER, ENTORSE.)

**tore** 1545, Van Aelst ; lat. *torus,* « brin d'une corde » ; 1842, *Acad.,* « moulure ». || **toron**

1677, Dassié, mar. || **toroniser** 1889, d'après P. Robert.

**toréador** 1659, *Voy. d'Esp.* ; esp. *toreador,* de *torear,* combattre le taureau, de *toro,* taureau. || **toréer** 1926, Montherlant. || **torero** 1829, Saint-Priest ; esp. *torero.* || **toril** 1765, *Encycl.*

**toreutique** 1812, Mozin, art de sculpter l'ivoire, etc. ; gr. *toreutikê* (*tekhnê*), art de ciseler, de *toreuein,* ciseler.

**torgnole** 1773, *les Porcherons* (*torniole*), volée de coups ; altér. de *tourniole,* 1812, Mozin ; mot dial., du moy. fr. *tournier,* var. de *tournoyer,* parce que la forte gifle fait tourner. || **torgnoler** 1876, Lar.

**toril** V. TORÉADOR.

**tormentille** 1314, Mondeville ; lat. médiév. *tormentilla,* de *tormentum,* tourment, parce que cette plante était réputée apaiser les maux de dents.

**tornade** 1655, Wicquefort (*tornade*) ; 1659, Wicquefort (*tornado*) ; esp. *tornado,* de *tornar,* tourner.

**toron** V. TORE.

**torpédo** 1831, Kemna, « torpille » ; 1913, Larbaud, autom. ; mot esp., proprem. « torpille », lat. *torpedo* (v. TORPILLE) ; la première marque de ce type d'auto était espagnole.

**torpeur** 1470, *Livre disc.* ; lat. *torpor,* de *torpere,* être engourdi. || **torpide** 1531, J. de Vignay, « froid » ; 1823, Boiste ; lat. *torpidus.*

**torpille** 1538, R. Est. (*torpile*), ichtyol. ; probablem. du prov. *torpio,* de *torpin,* avec changement de suff., du lat. *torpedo, torpedinis ;* 1812, trad. de Fulton ; angl. *torpedo,* mine, de même orig. || **torpilleur** 1872, L., marin qui dirige une torpille ; 1876, *Rev. des Deux Mondes* (*bateau-torpilleur*) ; 1890, Lar. (*torpilleur*). || **torpiller** 1872, L. || **torpillage** 1915, Lar., sens propre ; 1964, Lar., fig. || **torpillerie** 1904, Lar. || **contre-torpilleur** fin XIX^e^ s.

1. **torque** n. m., XIII^e^ s., collier antique ; lat. *torques,* collier. || **torquette** 1526, G.

2. **torque** n. f., fin XII^e^ s., *Perceval,* bourrelet, fil de fer roulé, etc ; forme dial. de *torche* au sens primitif (v. TORCHE).

**torr** 1964, Lar., unité de pression ; du mathématicien italien *Torricelli.*

**torréfier** 1520, B. W. ; lat. *torrefacere,* de *torrere,* dessécher, brûler. || **torréfaction** 1576, A. Thierry ; lat. scient. mod. *torrefactio.* || **torréfacteur** 1872, L.

**torrent** 1120, *Ps. de Cambridge ;* rare jusqu'au XV^e^ s. ; lat. *torrens,* « dévorant », part. prés. de *torrere* pris au fig. || **torrentueux** 1823, Boiste. || **torrentiel** 1836, *Acad.*

**torride** 1496, B. W. ; lat. *torridus,* de *torrere.* (V. TORRÉFIER.)

**tors, torsade** V. TORDRE.

**torse** n. m., 1676, Félibien, anat. ; ital. *torso,* « tige, tronc », du lat. *thyrsus.* (V. THYRSE.)

**torsion** 1314, Mondeville (*torsion de ventre,* « colique ») ; 1460, Chastellain, « action de tordre » ; 1680, Richelet, techn. ; bas lat. *torsio,* proprem. « torture », de *torquere* (v. TORDRE). || **torsif** 1888, Esnault. || **distorsion** XX^e^ s.

***tort** 980, *Passion ; à tort,* 1080, *Roland ;* lat. pop. *tortum,* part. passé, substantivé au neutre, de *torquere,* tordre ; proprem. « ce qui est tordu », d'où « acte contraire au droit, à la justice ».

**torticolis** 1532, Rab. (*torty colly*), « qui a le cou de travers », d'où « hypocrite » ; 1566, Du Pinet, sens mod. ; p.-ê. création plaisante, soit comme pluriel ital. de fantaisie (*torti colli*), soit d'après un lat. fictif *tortum collum.*

**tortil** V. TORDRE.

**tortiller** début XIII^e^ s., *Roman Renart* (*tortoillier*) ; de *tordre,* par le part. *tort.* || **tortillement** 1547, J. Martin. || **tortillage** 1677, Sévigné. || **tortillon** 1402, G. || **tortillonner** XV^e^ s. || **tortillère** 1437, G. ; var. *tortille.* || **tortillis** 1647, La Curne, techn. || **tortillard** 1700, Liger, adj., « tordu » ; 1872, L., n. m., espèce d'orme ; 1904, Lar., petit chemin de fer. || **détortiller** XII^e^ s., *Aliscans.* || **entortiller** fin XIII^e^ s., *Renart* (*-teillier*) ; XVI^e^ s. (*-iller*) ; de *entort,* part. passé de *entordre* (v. TORDRE). || **entortillement** 1361, Oresme. || **entortillage** 1754, Ritter. || **retortiller** 1512, J. Lemaire de Belges.

**tortionnaire** 1412, La Curne ; lat. médiév. *tortionarius,* de l'anc. fr. *torçonier* (1120, *Ps. d'Oxford*), du lat. *tortio.* (V. TORSION.)

**tortois** 1923, Lar. ; angl. *tortoise,* tortue, du français *tortis* (1119, G.)

**tortorer** 1866, Esnault, « manger » ; de *tortiller,* d'après *picorer.*

**tortu** V. TORDRE.

**tortue** fin XII^e^ s. ; prov. *tortuga,* altér., sous l'infl. de *tort* (anc. part. de *tordre*), de *tartuga,* forme dissimilée de *tartarūca,* fém. de l'adj. *tartarūcus,* proprem. « qui appartient au Tartare, à l'enfer, aux ténèbres » : la tortue était le symbole de l'esprit des ténèbres, du mal, en lutte avec le coq, symbole de l'esprit du bien.

**tortueux** 1170, *Rois ;* lat. *tortuosus,* de *tortus,* part. passé de *torquere* (v. TORDRE). || **tortuosité** 1314, Mondeville ; lat. *tortuositas.*

**torture** 1190, *Saint Bernard ;* bas lat. *tortūra,* « action de tordre », de *tortus,* part passé de *torquere* (v. TORDRE). || **torturer** 1480, Delb. || **torturant** 1480, *Baratre infernal,* fig. || **tortureur** 1480, *Baratre infernal.*

**torve** 1526, Marot ; lat. *torvus.*

**tory** 1687, Miege, parti polit. anglais ; mot angl., de l'irl. *toraidhe,* « criminel », appliqué d'abord aux partisans de Charles II, vers 1680. || **torysme** 1717, *FEW.*

**toste, toster** V. TOAST.

***tôt** Xe s., *Eulalie* (*tost*) ; lat. pop. **tostum,* neutre, empl. comme adv., de *tostus,* « grillé, brûlé », part. passé de *torrere* (v. TORRÉFIER) ; d'abord « chaudement », puis « promptement ». (Cf., en fr. mod., les empl. fig. de *brûler une station, se laisser griller.*) || **aussitôt** XIIIe s. || **bientôt** XIVe s. || **plutôt** XIIIe s. (*plus tost*) ; XVIIe s. (*plutôt*). || **tantôt** 1119, Ph. de Thaon, « aussitôt » ; 1507, Picot (*tantôt... tantôt*) ; 1580, Montaigne, sens mod. (V. SITÔT.)

**total** 1370, Oresme ; lat. scolast. **totalis,* de *totus,* tout ; n. m., 1559, Amyot. || **totalement** 1370, Oresme. || **totalité** 1375, R. de Presles. || **totaliser** 1802, Catineau. || **totalisation** 1836, *Acad.* || **totalisateur** 1869, *J. O.* || **totalitaire** 1933, d'après P. Robert, polit. ; calque de l'ital. || **totalitarisme** 1940, Bernanos.

**totem** 1609, Lescarbot ; angl. *totem,* mot algonquin. || **totémique** 1904, Lar. || **totémisme** 1833, B. W. ; angl. *totemism.*

**toto** 1653, R. Hémard (*toutou*), « pou » ; mot champenois, formation enfantine par redoublement.

**toton** 1611, Cotgrave (*totum*) ; lat. *totum,* tout ; chacune des quatre faces de ce dé à jouer porte l'initiale d'un mot latin ou fr. : *A* (*ccipe*), reçois ; *D* (*a*), donne ; *R* (*ien*), rien à donner ni à recevoir ; *T* (*otum*), tout (à prendre). [Pour la prononc. et l'orth. mod., v. DICTON.]

**touaille** fin XIe s., *Gloses de Raschi,* linge, serviette ; auj. d'empl. spécialisé ; du francique **thwahlja,* serviette (cf. l'angl. *towel*).

**toubib** 1898, France ; ar. d'Algérie *tbib,* médecin.

**toucan** 1557, Thevet, ornith. ; esp. *tucán,* mot tupi (Brésil).

***toucher** 1080, *Roland* (*tochier*), v. ; fin XIIe s., R. de Moiliens, n. m. ; lat. pop. **toccāre,* mot onomatop., « faire toc, heurter », d'où « atteindre » et « toucher » (v. TOC, TOCSIN). || **touche** 1160, Benoît de Sainte-Maure, « action de toucher » ; 1699, Brunot, en peinture ; 1867, Delvau, « physionomie » ; 1924, Montherlant, sports ; avec infl. de l'angl. *touch.* || **touchable** 1314, Mondeville. || **touchant** d'abord adj., puis, fin XIVe s., Froissart, prép. || **intouchable** 1560, Ronsard. || **touchette** 1525, J. Lemaire de Belges, « petite barre » ; 1844, La Fage, mus. || **toucheur** 1611, Cotgrave. || **touche-à-tout** 1836, Delaporte. || **attouchement** XIIe s. ; d'un anc. v. *attoucher* (1119, Ph. de Thaon). || **retoucher** 1220, G. de Coincy. || **retouche** 1507, *D. G.*

**touer** XIIIe s., texte d'Oléron, mar. ; anc. scand. *toga,* tirer. || **touage** XIIIe s. || **touée** 1415, Du Cange. || **toue** fin XIVe s., Deschamps.

**touffe** 1180, *Vie de saint Evroult ;* alémanique **topf,* touffe de cheveux. || **touffer** 1823, Boiste. || **touffu** 1438, G.

**touffeur** 1642, Oudin ; forme apocopée d'*étouffeur.* (V. ÉTOUFFER.)

***touiller** XIIe s. (*tooillier, toeillier*), « remuer, salir », usité jusqu'au XVIe s. ; 1838, *Acad.,* repris pour des empl. techn. ; lat. *tŭdĭculare* (Varron), broyer, remuer, de *tŭdĭcula,* moulin à olives, de *tundere,* frapper. || **touillage** 1793, *D. G.* || **touille** 1200, G. || **touilloir** 1836, Landais.

**toujours** 1080, *Roland* (*tuz jurs*) ; de *tous* et *jours* (pl.) ; a éliminé l'anc. fr. *sempre,* du lat. *semper.*

**toundra** 1876, Lar., géogr. ; russe *tundra,* du finnois *tunturi,* montagne sans arbres.

**toupet** 1130, *Eneas,* « touffe de poils » ; 1808, d'Hautel, « effronterie » ; dimin. de l'anc. fr. *top,* du francique **top,* all. *Zopf,* tresse de cheveux (v. TOUFFE). || **toupillon** 1414, Premierfait, petite touffe de poils.

**toupie** fin XIIe s., J. Bodel (*topoie*) ; 1360, Froissart (*tourpie*) ; XIVe s., *Baudouin de Sebourg* (*toupie*) ; anglo-normand *topet,* avec changement de suffixe, de l'angl. *top,* « sommet, pointe », du francique **top,* pointe. || **toupiller** début XII^e^ s., *Roman de Thèbes* (*toupier*) ; 1547, Mizauld (*toupiller*). || **toupilleur** 1964, Lar.

**toupillon** V. TOUPET.

**toupin** 1933, Lar. ; anc. prov. *topin,* du francique **toppin.*

**touque** 1470, G., « récipient » ; du pré-indo-européen **tukka,* citrouille.

1. ***tour** n. f., 1080, *Roland* (*tur*) ; lat. *tŭrris.* || **tourelle** 1175, Chr. de Troyes (*tourielle*) ; 1530, Palsgrave (*tourelle*) ; altér. d'après le v. *tourner.* || **tourier** XIII^e^ s., *Doon de Mayence,* « portier ». || **tourière** 1549, R. Est., eccl. ; fém. de *tourier.*

2. ***tour** n. m., XII^e^ s. (*torn,* puis *tor*) ; « instrument de tourneur », et dès les premiers textes, « mouvement circulaire » et « action habile » ; *à tour de rôle,* XV^e^ s. ; *à tour de bras,* 1534, Rab. ; *tour à tour,* 1538, R. Est. ; lat. *tornus,* tour de potier, du gr. *tornos.* || **demi-tour** début XVI^e^ s. || **autour** XV^e^ s. ; qui a remplacé *entour.* || **pourtour** 1676, Félibien. || **touret** 1268, É. Boileau ; au lieu de *tournet,* forme atténuée par infl. de *tour* 1. || **tourillon** fin XII^e^ s., *Chevalerie Ogier ;* même formation que *touret.* || **tourillonneuse** 1953, Lar. || **tourer** (*la pâte*) 1765, *Encycl.* (V. ENTOURER, ENTOURNER.)

1. ***tourbe** 1050, *Alexis* (*torbe*), foule ; XVI^e^ s., péjor. ; lat. *turba.*

2. **tourbe** v. 1200, *D. G.,* combustible ; francique **tŭrba,* all. *Torf* (v. TURF). || **tourbière** XIII^e^ s., Tailliar. || **tourbier** XIII^e^ s., *D. G.* || **tourbeux** 1752, Trévoux.

***tourbillon** fin XI^e^ s., *Gloses de Raschi* (*torbeil*) ; 1175, Chr. de Troyes (*torbeillon*) ; lat. pop. **turbiniō,* ou **turbelliō,* ou **turbiculo,* du lat. class. *turbo, turbinis,* tourbillon, de *turbare* (v. TROUBLE). || **tourbillonner** 1529, G. Tory. || **tourbillonnement** 1767, Trévoux. || **tourbillonnaire** 1842, *Acad.*

***tourd** 1560, Gesner, ichtyol. ; 1564, J. Thierry, ornith. (grive musicienne) ; var. *tourde,* anc. prov. *tort,* du lat. *tŭrdus.*

**tourdille** 1664, Solleysel, gris pommelé ; esp. *tordillo,* « couleur de grive ». (V. TOURD.)

**tourelle, tourier** V. TOUR 1.

**tourer, touret, tourillon** V. TOUR 2.

**tourie** 1775, Demachy, grosse bouteille ; orig. inconnue.

**tourisme** 1841, Guichardet, appliqué d'abord aux Anglais ; angl. *tourism,* de (*to*) *tour,* excursionner, du fr. *tour* 2 (début XVIII^e^ s.), au sens de « promenade, voyage ». || **touriste** 1816, Simond ; angl. *tourist.* || **touristique** v. 1830, Tœppfer. || **touring** 1889, Saint-Albin ; angl. *touring.*

**tourlourou** 1640, *Comédie des chansons,* terme d'amitié ; 1654, Du Tertre, nom d'un crabe terrestre des Antilles ; 1834, Boiste, nom pop. du soldat d'infanterie ; formation expressive d'orig. prov., avec le sens primitif de « tapageur ».

**tourmaline** 1758, *Hist. de l'Acad. des sc. de Berlin* (*tourmalin*) ; 1771, Trévoux (*tourmaline*) ; cinghalais *toramalli.*

***tourment** X^e^ s., *Saint Léger* (*torment*) ; lat. *tormentum,* « instrument de torture », de *torquere* (v. TORDRE). || **tourmenter** 1120, *Ps. de Cambridge ;* 1676, Félibien, beaux-arts, fig. || **tourmenteur** 1555, Louise Labé. || **tourmente** XII^e^ s., *Th. le Martyr ;* lat. pop. *tormenta,* pl. pris comme fém. sing., du neutre *tormentum.*

**tourneboule**r 1580, Montaigne ; anc. fr. *torneboele* (1175, Chr. de Troyes), « culbute », proprem. « tourne-boyau », avec altér., d'après *boule,* de *tourner,* et de *boele,* fém. de *boel,* anc. forme de *boyau* (v. ce mot).

**tournelle** V. TOUR 1.

***tourner** 980, *Passion ;* 1398, *Ménagier,* « s'aigrir », en parlant du lait ; 1907, Méliès, cinéma ; *tourner le dos,* fin XII^e^ s., Villehardouin ; *avoir le dos tourné,* milieu XVI^e^ s., Amyot ; *tourner les talons,* XIV^e^ s., *Renart ; tourner autour du pot,* 1695, Gherardi ; *tourner de l'œil,* 1867, Delvau, pop. ; lat. *tornare,* « façonner au tour » (v. TOUR 2). || **tournant** n. m., 1272, B. W. || **tourne** XIII^e^ s., *Joufrois.* || **tourné** fin XIV^e^ s., Froissart, fait d'une certaine façon, en parlant d'un homme. || **tournure** 1265, J. de Meung ; lat. *tornatum,* de *tornare,* tourner (*tornatura,* VIII^e^ s., *Gloses de Reichenau*). || **tourneur** 1234, B. W. ; lat. *tornator.* || **tournée** fin XIII^e^ s., *Guillaume le Maréchal ; offrir une tournée,* 1828, Masson, payer à boire. || **tournage** 1501, Destrees ; cinéma, 1918, Diamant-Berger. || **tournis** 1482, G. || **tournebride** 1611, Cotgrave ; de *tourner* et *bride.* || **tournebroche** 1461, Picot. || **tourne-disque** 1949, Lar. || **tournedos** XVI^e^ s., fuyard ; 1864, Labiche, *la Cagnotte,* mets. || **tournemain** 1556, B. W. (*en un tournemain*) ; var. *en un tour de main,* XV^e^ s. || **tournevirer** 1571, Gohory ; formation à renforcement expressif, comp. des deux mots synonymes *tourner* et *virer*. || **tournevis** 1676, Félibien. || **tournoyer** début XII^e s., *Voy. de Charl.* ; aussi « faire un tournoi », en anc. fr. || **tournoi** 1130, *Eneas,* « action de tourner » ; 1130, sens spécialisé. || **tournoiement** 1130, *Eneas,* tournoi, circuit, tour ; 1671, Nicole, sens mod. || **tournailler** 1610, B. W. || **tourniquer** 1910, d'après P. Robert. || **tourniller** 1784, Beaumarchais. || **détourner** 1080, *Roland.* || **détour** 1175, Chr. de Troyes. || **détournement** 1493, *D. G.* || **retourner** 842, *Serments* (*returnar*). || **retour** XII^e s. || **retourne** 1690, Furetière ; déverbal.

**tournesol** 1291, B. W., matière colorante ; 1398, *Ménagier,* bot. ; ital. *tornasole,* les fleurs de tournesol se tournant vers le soleil. (V. HÉLIOTROPE.)

**tourniole** XIII^e s., *Roman Durmart ;* dérivé de l'anc. fr. *tourneier,* tournoyer, de *tourner.*

**tourniquet** XV^e s., « cotte d'armes » ; XVI^e s., « poutre garnie de pointes de fer », par métaph. ; puis ext. d'empl., pour désigner divers appareils tournants (sous l'infl. de *tourner*) ; altér., d'après *tourner,* de *turniquet,* vêtement de dessus, var. de *turniquel,* dér. de *turnicle, tunicle ;* du lat. *tunicula,* dimin. de *tunica,* tunique, ou dér. dial. (wallon) de *tourner.*

**tournis, tournoi, tournoyer, tournure** V. TOURNER.

***tournois** 1283, Beaumanoir, d'abord épithète de *livre* ou de *denier ;* lat. *Tŭronensis,* « (monnaie) frappée à Tours ».

**touron** 1715, *Nouvelle Instr. pour les confitures,* sorte de confiserie ; esp. *turrón.*

***tourte** XIII^e s., G. ; bas lat. *torta,* ellipse de *torta panis,* pain rond (*Vulgate*), d'orig. obscure (mot avec *o* fermé, différent du fém. de *tŏrtus,* part. passé de *torquere,* qui a un *o* ouvert). || **tourteau** fin XI^e s., *Gloses de Raschi.* || **tourtière** 1573, de Baïf.

***tourterelle** 1050, *Alexis* (*turtrelle*) ; XIII^e s. (*tourterelle*) ; lat. pop. *tŭrtŭrella,* dimin. de *tŭrtŭr.* || **tourtereau** 1180, Horn.

**touselle** 1552, Rab. (*touzelle*), froment sans barbes ; prov. *tosela,* de *tos,* tondu, du lat. *tonsus,* de *tondere,* raser.

**toussaint, tousser** V. SAINT, TOUX.

***tout** X^e s., *Valenciennes ;* lat. pop. *tottus,* avec redoublement expressif, lat. class. *tōtus,* tout entier ; *tottus* a remplacé *omnis* en lat. pop. || **tout-à-l'égout** 1893, d'après P. Robert. || **toutefois** 1280, Studer-Waters. || **toute-puissance** 1377, Oresme. || **tout-Paris** 1820, *FEW.* || **tout-puissant** 1180, Barbier. || **tout-venant** XIV^e s., *Miracles de Nostre-Dame.* || **atout** XV^e s., *Journal de Paris* (*a tout*). || **partout** 1130, *Eneas.* || **toutim** 1596, Pechon de Ruby, pop., « tout ». (V. SURTOUT.)

**toutou** 1640, Oudin ; mot enfantin, onomat.

***toux** fin XI^e s., *Gloses de Raschi* (*tous, tos*) ; lat. *tŭssis.* || **tousser** fin XII^e s., R. de Moiliens (*toussir*) ; lat. *tŭssire ;* 1560, Paré (*tousser*). || **tousseur** 1398, E. Deschamps. || **tousserie** 1404, N. de Baye. || **toussailler** 1821, Desgranges. || **toussoter** 1845, Radonvilliers. || **toussotement** 1845, Radonvilliers.

**toxique** 1130, *Eneas* (*tosique*) ; rare jusqu'au XVI^e s. ; 1584, Du Monin (*toxique*) ; lat. *toxicum,* du gr. *toxikon,* « poison pour empoisonner la flèche », de *toxon,* flèche. || **toxicité** 1872, L. || **toxicogène** 1876, Lar. || **toxicologie** 1803, Brunot. || **toxicologique** 1836, *Acad.* || **toxicologue** 1842, *Acad.* || **toxicomanie, toxicomane** 1923, Lar. || **toxicophage** 1876, Lar. || **toxicose** 1904, Lar. || **toxine** fin XIX^e s. || **toxémie** 1869, *journ. ;* gr. *haima,* sang. || **intoxiquer** fin XV^e s. ; rare avant 1823, Boiste ; XX^e s., fig. ; lat. médiév. *intoxicare.* || **intoxication** 1408, J. Petit ; rare avant 1837, *journ. ;* 1960, fig., polit. || **désintoxiquer** 1862, *journ.* || **désintoxication** 1862, *journ.*

**toxo-,** de *toxique.* || **toxolyse** 1933, Lar. || **toxoplasme** 1908, d'après P. Robert.

**traban** 1631, Bassompierre, hist., hallebardier ; all. *Trabant.*

**trabe** 1455, Fossetier, blas., hampe d'une bannière ; lat. *trabs, trabis,* poutre. || **trabée** 1611, Cotgrave, toge ornée de bandes ; lat. *trabea.*

**traboule** début XX^e s. ; orig. inconnue.

**trabuco** 14 mai 1849, *Arrêté présidentiel,* sorte de cigare ; esp. *trabuco,* « gros mousquet ».

1. **trac** (piste). V. TRAQUER.

2. **trac** (peur) 1830, Esnault, fam. ; formation expressive, d'orig. obscure. || **traqueur** 1836, Lacenaire, « peureux ».

**tracasser** XV^e s., de Collerye, « s'agiter » ; 1588, Montaigne, « donner du souci » ; de *traquer* (v. ce mot). || **tracasserie** 1580, Montaigne. || **tracas** 1500, Picot. || **tracassier** 1680, Richelet. || **tracassin** 1923, Lar.

***tracer** 1175, Chr. de Troyes (*tracier*) ; en anc. fr., souvent « aller sur une trace, chercher », et aussi « parcourir », « faire un trait pour rayer » ; 1606, Nicot, « marquer » ; fin XIII^e s., « aller vite » ; lat. pop. **tractiare,* de *tractus,* trait, sur le part. passé de *trahere,* tirer. || **trace** 1120, *Ps. d'Oxford.* || **tracement** 1476, G. || **traceur** 1558, G. Morel. || **traçage** 1873, Tolhausen. || **tracé** n. m., fin XVIII^e s. ; 1798, *Acad.* || **traçant** 1694, Tournefort (*racine traçante*) ; 1949, Lar., *balle traçante.* || **traçoir** 1676, Félibien. || **traceret** 1676, Félibien. || **retracer** fin XIV^e s.

**trachée** 1378, J. Le Fèvre, anat. ; 1734, Brunot, zool. ; bas lat. *trachia,* du gr. *trakheia.* || **trachée-artère** XIV^e s. (*artere traciee*) ; 1503, G. de Chauliac (*trachée-artère*) ; gr. méd. *trakheîa artêria,* proprem. « artère raboteuse » (à cause de ses anneaux). || **trachéen** 1838, *Acad.* || **trachéal** 1765, *Encycl.* || **trachéite** 1822, *Dict. méd.* || **trachéide** 1964, Lar. || **trachéomycose** 1964, Lar. || **trachéoscopie** 1933, Lar. || **trachéotomie** 1772, *Dict. chirurgie ;* de *-tomie.* || **trachéotomiser** 1835, J. Beugnot.

**trachome** 1827, *Acad.* (*trachoma*), méd. ; gr. *trakhôma,* rudesse, de *trakhus,* rude, raboteux. (V. TRACHÉE.) || **trachomateux** 1964, Lar.

**trachy-,** gr. *trakhus,* raboteux. || **trachyte** 1842, *Acad.,* géol. || **trachycarpus** 1964, Lar.

**tract** 1832, *Lettre sur les États-Unis ;* angl. *tract,* de *tractate,* « traité, opuscule », du lat. *tractatus.* (V. TRAITÉ.)

**tractation** 1460, Chastellain ; lat. *tractatio,* de *tractare.* (V. TRAITER.)

**traction** 1503, Chauliac ; lat. *tractio,* action de tirer, subst. de même rad. que *tractus,* part. passé de *trahere,* tirer (v. TRAIRE). || **tracteur** 1836, *Acad.,* chirurgie ; 1876, *la République française,* véhicule ; d'après *acteur,* sur *action.* || **tractif** 1836, *Acad.* || **tractoire** 1547, J. Martin ; lat. *tractorius.* || **tracté** adj., XX^e s. || **tracter** 1965, *journ.* || **tractus** 1867, Aronssohn, anat. ; mot lat., proprem. « traînée », du part. passé *tractus ;* tissu conjonctif.

**tradition** 1291, G., « transmission jurid. », sens propre du lat. ; 1488, Le Huen, sens mod. ; lat. *traditio,* proprem. « action de transmettre, de livrer », de *tradere* (v. TRAHIR). || **traditionnel** 1722, Houtteville. || **traditionnellement** 1784, *FEW.* || **traditionaliste** 1849, *le Correspondant.* || **traditionalisme** 1851, *le Correspondant.*

**traduire** 1480, Bartzsch ; lat. *traducere,* proprem. « faire passer » ; a éliminé l'anc. fr. *translater,* conservé en angl. (*to*) *translate.* || **traducteur** fin XV^e s., *FEW ;* lat. *traductor,* avec adapt. sémant. || **traduction** XIII^e s., G. ; lat. *traductio.* || **traductionnel** 1963, Mounin. || **traduisible** XVII^e s., en justice ; 1725, Brunot, à propos d'un texte, sens mod. || **intraduisible** début XVIII^e s.

**trafic** 1339, B. W., « commerce » ; 1656, Pascal, « commerce illégal » ; 1872, L., « circulation » ; ital. *traffico,* orig. obscure. || **trafiquer** XV^e s., *le Jouvencel,* déjà avec un sens fig. ; ital. *trafficare.* || **trafiqueur** XV^e s., B. W. || **trafiquant** 1585, B. W. || **traficoter** 1951, Queneau. || **traficoteur** milieu XX^e s.

**tragédie** 1361, Oresme, sens ancien ; 1549, R. Est., « théâtre classique » ; lat. *tragoedia,* gr. *tragôidia.* || **tragique** 1546, Rab., « propre à la tragédie ; 1596, Hulsius, « catastrophique ». || **tragiquement** 1549, R. Est. ; lat. *tragicus,* gr. *tragikos.* || **tragédien** 1370, Machaut, « acteur » ; 1788, Féraud, « auteur de tragédies », synonyme de *tragique,* qui s'en différencie au XIX^e s. || **tragi-comédie** 1545, J. Martin ; lat. *tragicomoedia,* pour **tragicocomoedia.* || **tragi-comique** 1624, Delb.

**tragus** 1751, *Encycl.,* anat. ; gr. *tragos,* bouc, à cause du poil qui couvre cette partie de l'oreille.

***trahir** 980, *Passion* (*traïr*) ; 1360, Froissart (*trahir*) ; adapt., d'après les v. en *-ir,* du lat. *tradĕre,* livrer, transmettre, d'où « trahir ». || **trahison** 1080, *Roland* (*traïsun*) ; *haute trahison,* 1677, B. W. ; angl. *high treason,* d'abord appliqué à des événements angl. ; 1690, Furetière, à propos de faits français, en remplacement de *lèse-majesté.*

**traille** 1395, Boutillier, bac ; lat. *tragula,* de *trahere,* tirer. || **traillet** 1769, Duhamel du Monceau.

**train** 1160, Benoît (*traïn*) ; de *traîner ;* « action de traîner », et par ext. « ce qu'on traîne », et « manière de traîner, allure », etc. ; *train de maison,* 1876, Lar. ; *mener grand train, id. ; mise en train,* 1860, Dochez ; *train des équipages,* fin XVIII^e s. ; dans les ch. de fer, 1827, à Saint-Étienne, *train,* de l'angl. *train* issu lui-même du fr. || **tringlot** 1857, Esnault, « soldat du train des équipages », avec attraction de *tringle* (au fig., « fusil » en arg. milit.). || **arrière-train** 1827, Chateaubriand. || **avant-train** 1628, *Traité de l'artillerie.* || **entrain** n. m., 1838, Stendhal ;

de *en train.* || **train-train** fin XVIII<sup>e</sup> s., Brunot ; altération de *trantran* (1616, Cotgrave), d'orig. onomat., sous l'infl. de *train.*

***traîner** 1131, *Couronn. Loïs,* v. trans. (*traïner*) ; début XIIe s., *Pèlerinage Charlemagne,* v. intransitif ; lat. pop. **tragīnāre,* traîner, de **tragere* (v. TRAIRE). || **traîne** 1190, Garn. (*robe à traïne*) ; *à la traîne,* 1904, Lar. ; déverbal. || **traînage** 1531, G. || **traînant** 1160, *Roman Tristan.* || **traîneau** 1227, G. || **traînoir** 1552, Ch. Est., techn. agric. || **traînée** 1354, *Modus,* vén., trace laissée sur une certaine longueur ; 1488, *Recueil Trepperel,* « fille des rues ». || **traîneur** 1440, G. ; *traîneur de sabre,* 1867, Delvau. || **traînard** 1611, Cotgrave. || **traînasser** 1493, Coquillart. || **traînailler** 1889, Barbey d'Aurevilly. || **traîne-bûches** 1923, Lar. || **traîne-malheur** 1664, Brunot. || **traîne-savates** 1975, *Lexis.* || **training** 1872, Mackenzie ; mot angl., de *to train,* dresser. || **entraîner** XIIe s., *Aliscans ;* 1828, *Journ. des haras,* sport hippique ; empl. infl. par l'angl. (*to*) *train,* lui-même d'orig. fr. || **entraînement** 1724, P. Castel ; 1828, *Journ. des haras ;* terme de sport hippique. || **entraîneur** 1828, *Journ. des haras ;* terme de sport, d'après l'angl. *trainer ;* passé du voc. du turf dans celui de la boxe et des sports en général.

***traire** 1050, *Alexis,* « tirer », jusqu'au XVIe s. ; 1292, G., « tirer le lait » ; s'est substitué à l'anc. fr. *moudre,* du lat. *mŭlgēre,* traire, homonyme de *moudre* issu du lat. *molĕre,* broyer ; a éliminé les autres empl. de *traire* au XVI[e] s. ; lat. pop. **tragĕre,* altér. du lat. class. *trahĕre,* tirer, sous l'infl. de *agere* (à cause de l'analogie des participes *tractus* et *actus*). || **traite** 1119, Ph. de Thaon, « action de tirer » ; puis « chemin parcouru » ; de *traire,* au sens anc. de « tirer vers » ; 1538, R. Est., « traite du lait » ; fin XV[e] s., Commynes, « distance » ; XVI[e] s., circulation des marchandises ; *traite des nègres,* 1690, Furetière ; *traite des blanches,* 1846, Balzac ; 1679, Savary, droit sur les marchandises ; 1723, Savary, terme de banque. || **trait** 1130, *Eneas,* arme de jet. || **trayeur** 1400, *FEW.* || **trayon** XII[e] s. (*traiant*), « bout du sein » ; XIII[e] s. (*treon*), « bout du pis » ; 1551, *FEW* (*trayon*). || **entrait** 1416, texte normand (*antrais,* plur.), poutre qui maintient l'écartement de deux poutres latérales ; part. passé de l'anc. fr. *entraire,* tirer. (V. FORTRAIT, FORTRAITURE, PORTRAIT, RENTRAIRE, RETRAIT, etc.)

1. **trait** V. TRAIRE.

2. **trait** fin XI[e] s., *Chanson de Guillaume,* action de tirer, d'où « trait de flamme, de stylet » ; fin XII[e] s., *L'Escoufle,* en parlant des chevaux ; *trait d'esprit,* 1658, Pascal ; *trait d'union,* 1770, Buffon ; lat. *tractus,* « action de tirer », part. passé substantivé de *trahere,* tirer. (V. TRACTION, TRAIRE, TRAITER.)

**traitable** 1170, B. W., malléable ; 1360, Froissart, « accommodant », fig. ; adapt., d'après *traiter,* du lat. *tractabilis,* maniable, malléable. || **intraitable** XV[e] s. (*intractable*) ; d'après le lat. *intractabilis.*

**traite** V. TRAIRE.

**traité** 1370, Oresme, ouvrage ; adapt., d'après *traiter,* du lat. *tractatus,* proprem. « maniement » ; 1300, *FEW,* « convention, pacte » ; d'après *traiter.*

***traiter** 1130, *Eneas ;* lat. *tractāre,* fréquentatif de *trahere* (v. TRAIRE), « tirer, traîner », d'où « manier, pratiquer, agir contre quelqu'un ». || **traitement** 1255, Delb., « convention » ; 1582, La Curne, « appointements d'un fonctionnaire » ; XVII[e] s., « manière de traiter qqn ». || **traiteur** 1170, G. de Saint-Pair, négociateur ; 1648, Brunot, commerçant, restaurateur. || **traitant** 1628, Sorel, « fermier d'impôts ». || **maltraiter** 1520, Cretin. (V. TRAITÉ.)

**traître** 1080, *Roland* (*traïtre*) ; adapt., d'après *trahir,* du lat. *traditor ;* on a conservé *traïtre,* cas sujet en anc. fr., et non *traïtor,* cas objet, à cause de l'empl. fréquent du mot comme apostrophe. || **traîtreux** XIII[e] s. ; arch. depuis le XVII[e] s. || **traîtreusement** XIII[e] s., Guiart. || **traîtrise** 1810, Molard.

**trajectoire** 1611, Cotgrave ; lat. scolast. *trajectorius,* de *trajectus.* (V. TRAJET.)

**trajet** 1553, Barbier (*traject*) ; XVI[e] s. (*trajet,* d'après *jet*) ; ital. *tragetto,* traversée, de *tragettare,* faire traverser, traverser, du bas lat. *trajectare,* de *trajectus,* part. passé du lat. class. *trajicere,* « jeter au travers », de *trans* et *jacere.*

**tralala** 1860, *le Gaulois,* n. m., fam. ; empr. à un refrain (1833, Béranger) ; *se mettre sur son tralala,* 1867, Delvau.

**tramail** V. TRÉMAIL.

***trame** XII[e] s., *FEW* (*traime*) ; 1549, R. Est. (*trame,* d'après *tramer*) ; 1636, Corn., fig. ; télé, 1964, Lar. ; lat. *trāma,* chaîne du tissu. || **tramer** XIII[e] s., *D. G. ;* lat. **trāmāre.* || **trameur** 1313, G.

**tramontane** 1210, Jal (*tresmontaigne*), étoile polaire ; 1298, *Livre Marco Polo,* vent du Nord ; 1549, R. Est. (*transmontane*), *id. ; perdre la* *tramontane,* XVII^e s., Voiture, « perdre l'orientation », loc. reprise à l'italien ; ital. *tramontana* (*stella*), « étoile d'au-delà des monts », d'où « vent d'au-delà de la montagne (les Alpes) ».

**tramp** 1861, *Rev. des Deux Mondes,* mar. ; mot angl. désignant un cargo sans itinéraire fixe. || **tramping** 1953, Lar., techn.

**tramway** 1818, Gallois ; vulgarisé en 1871, date du projet d'installation des premiers tramways (à chevaux) à Paris ; mot angl., d'orig. écossaise, « voie (*way*) à rails plats (*tram*) », puis à wagonnet ; 1860, Bonnafé, la voiture elle-même. || **tram** 1829, Mackenzie ; abrév. || **traminot** 1930, *Nouvelles littéraires,* employé de tramway ; d'après *cheminot* (v. CHEMIN).

***trancher** 1080, *Roland* (*trenchier*) ; 1380, *Aalma* (*trancher*) ; lat. pop. **trīnicare,* « couper en trois », du lat. *trīni,* trois par trois (v. ÉCARTER 1, ESQUINTER, pour ce type de formation). || **tranchant** n. m., 1130, *Eneas.* || **tranchage** 1872, L. || **tranche** 1175, Chr. de Troyes ; déverbal. || **trancheur** 1207, Villehardouin. || **tranchoir** 1206, G. || **tranchet** 1288, *Chartes du Forez.* || **tranchée** 1130, *Eneas,* « fossé » ; 1538, R. Est., « colique ». || **tranchée-abri** 1907, Lar. || **tranche-fil** 1723, Savary. || **tranchefile** 1411, G. || **tranche-montagne** 1389, Delb., comme sobriquet ; 1611, Cotgrave, nom commun. || **retrancher** début XII^e s. || **retranchement** fin XII^e s., sens gén. ; fin XVI^e s., milit.

**trangle** 1690, Furetière, blas. ; de *tringle* (1611, Cotgrave).

**tranquille** 1460, G. Chastellain ; lat. *tranquillus ; tranquille comme Baptiste,* 1867, Delvau, pop. || **tranquillement** 1549, R. Est. || **tranquillité** 1190, *Saint Bernard,* « agitation » ; 1460, Chastellain, « calme » ; lat. *tranquillitas.* || **tranquilliser** 1420, O. de Saint-Gelais ; rare jusqu'à la fin du XVII^e s., 1695, Gherardi. || **tranquillisant** n. m., 1960, Vaillant, méd.

**trans-,** prép. *trans,* « au-delà de, à travers ». || **transafricain** 1907, Lar. || **transalpin** 1546, Rab., *Tiers Livre ;* lat. *transalpinus,* « au-delà des Alpes ». || **transatlantique** 1823, Boiste. || **transcoder** 1968, Lar. || **transducteur** 1957, Lar. || **transcontinental** 1872, L. || **transdanubien** 1775, Galiani. || **transocéanique** 1872, L. || **transpacifique** *id.* || **transpadan** 1872, L. ; lat. *Padus,* Pô. || **transphrastique** 1970, Robert. || **transpyrénées** 1904, Lar. || **transrhénan** 1835, *Acad.* || **transsibérien** 1904, Lar.

**transaction** 1298, G. ; lat. jurid. *transactio,* de *transigere* (v. TRANSIGER). || **transactionnel** 1823, Boiste. || **transactionnellement** 1873, *J. O.*

**transbahuter** 1880, Esnault, « transporter » ; de *bahut,* malle. || **transbahutement** 1951, Queneau.

**transborder** 1792, Brunot ; de *trans* et *bord.* || **transbordement** 1792, Brunot. || **transbordeur** 1878, Lar. (le premier fut construit à Rouen, en 1898).

**transcendant** 1395, Chr. de Pisan (*transcendent*) ; lat. *transcendens,* part. prés. de *transcendere,* « passer au-delà », d'où « surpasser ». || **transcendance** 1640, Oudin ; 1735, *Mercure.* || **transcendantal** 1503, Chauliac ; lat. scolast. *transcendantalis.* || **transcendantalisme** 1803, Boiste. || **transcender** XIV^e s. ; abandonné, puis repris au XX^e s. (1908, Lar.).

**transcrire** 1234, *FEW ;* adapt., d'après *écrire,* du lat. *transcribere.* || **transcription** 1338, *Revue ;* lat. jurid. *transcriptio.* || **transcripteur** 1538, *FEW ;* lat. *transcriptus,* part. passé de *transcribere,* d'après *scriptus.* || **retranscrire** 1741, Voltaire.

**transe** 1050, *Alexis,* « agonie » ; 1360, Froissart, « inquiétude » ; *entrer en transes,* XIV^e s., avoir des visions ; déverbal de *transir,* « mourir » ; 1862, *l'Illustration,* pathol. ; angl. *trance,* catalepsie, lui-même issu de *transe,* angoisse.

**transept** 1823, Ducarel ; mot angl., attesté au XVI^e s., du lat. *trans,* au-delà (de la nef), et *saeptum,* enclos, enceinte.

**transférer** 1355, Bersuire ; lat. *transferre,* porter au-delà, de *trans,* et *ferre,* porter. || **transfert** 1715, Law ; d'après le lat. *transfert,* 3^e pers. sing. de l'indic. prés. de *transferre,* mot empl. sur les registres. || **transfèrement** 1704, Trévoux. || **transférable** 1596, Basmaison. || **transférabilité** 1964, Lar. (V. TRANSLATION.)

**transfigurer** 1160, Benoît ; lat. *transfigurare,* spécialisé en lat. eccl. pour la transfiguration du Christ. || **transfiguration** 1231, *FEW ;* lat. *transfiguratio.*

**transfiler** 1836, *Acad. ;* var. de *tranchefiler.* || **transfil** 1876, Lar.

**transformer** fin XII^e s., *Dialogues Grégoire ;* lat. *transformare,* former au-delà ; 1949, Lar., sports. || **transformation** 1375, R. de Presles ; rare jusqu'au XVIII^e s. ; lat. eccl. *transformatio* (IV^e s., saint Augustin). || **transformable** 1578,

Pontus de Tyard. || **transformée** 1765, *Encycl.*, math. || **transformateur** 1617, Crespin, « qui transforme » ; 1888, Lar., appareil. || **transformisme** 1867, Broca. || **transformiste** 1876, L. || **transformationnel** 1964, Lar., linguistique.

**transfuge** 1355, Bersuire ; rare jusqu'en 1647, Vaugelas ; lat. *transfuga,* de *transfugere,* fuir, passer à l'ennemi, de *trans* et *fugere,* fuir.

**transfusion** 1539, R. Est. ; lat. *transfundere,* transvaser, proprem. « verser au-delà ». || **transfuser** 1668, *Journ. des savants ;* lat. *transfusus,* part. passé de *transfundere.* || **transfuseur** 1667, La Martinière.

**transgression** 1160, Benoît ; lat. *transgressio,* de *transgredi,* franchir, aller au-delà, de *trans* et de *gradi.* || **transgresseur** XIII[e] s., Trenel ; lat. eccl. *transgressor* (*Vulgate*). || **transgresser** 1385, G. ; d'après le lat. *transgressus,* part. passé de *transgredi.* || **transgressif** 1842, *Acad.*

**transhumer** 1823, Boiste, appliqué d'abord aux Pyrénées ; esp. *trashumar,* du lat. *trans,* au-delà, et *humus,* terre. || **transhumant** 1803, B. W. || **transhumance** 1823, B. W.

**transiger** 1342, Du Cange ; lat. jurid. *transigere,* pousser (*agere*) à travers (*trans*), mener à bonne fin. (V. INTRANSIGEANT, TRANSACTION.)

**transir** XII[e] s., *Roncevaux,* « trépasser », jusqu'au XVI[e] s., et aussi « passer, partir » ; XIV[e] s., G. de Machaut, être glacé de froid ; *amoureux transi,* XV[e] s., La Curne, expr. fig. ; lat. *transīre,* proprem. « aller au-delà », de *trans* et *īre.* (V. TRANSE.) || **transissement** XIV[e] s., G. de Machaut.

**transistor** 1953, Lar., techn. ; mot angl., abrév. de *transfer resistor,* résistance de transfert. || **transistoriser** 1964, Lar.

**transit** 1663, Colbert ; ital. *transito,* du lat. *transitus,* passage, de *transīre* (v. TRANSIR). || **transitaire** 1838, *Acad.* || **transiter** 1832, Balzac.

**transitif** 1265, Br. Latini, « passager, changeant » ; 1550, Meigret, gramm. ; lat. gramm. *transitivum* (*verbum*), « (verbe) qui passe au-delà », de *transīre.* || **transitivité** 1933, Marouzeau. || **transitivement** 1845, Radonvilliers. || **intransitif** 1679, P. de La Rue ; lat. gramm. *intransitivum* (*verbum*). || **intransitivité** XX[e] s.

**transition** XIII[e] s., G., « agonie » (d'après *transir*) ; 1380, *Aalma,* rhét. ; 1521, Fabri, « moment passager » ; lat. *transitio,* passage, d'empl. spécialisé en lat. de rhét., de *transīre.* || **transitionnel** 1865, Vogt. (V. TRANSIR, TRANSITIF.)

**transitoire** 1170, *FEW ;* lat. eccl. *transitorius,* en lat. class. « qui sert de passage », de *transīre.* (V. TRANSIR, TRANSITION.)

**transitron** 1964, Lar. ; de *transit* et *électron.*

**translation** XII[e] s., *Job,* « traduction », jusqu'au XVI[e] s. ; début XIV[e] s., jurid. ; début XV[e] s., « action de faire passer dans une autre situation » ; XVII[e] s., « transport d'un corps » ; 1959, Tesnière, linguist. ; lat. *translatio,* transport, de *translatus,* part. passé de *transferre* (v. TRANSFÉRER). || **translatif** 1596, Basmaison, jurid. ; n. m., 1959, Tesnière, linguist. || **translater** 1120, *Ps. d'Oxford.* || **translateur** fin XII[e] s., *FEW.*

**translittération** 1874, *Journ. des débats ;* de *transcription* et lat. *littera,* lettre. || **translittérer** 1964, Lar.

**translucide** 1556, Le Blanc ; lat. *translucidus,* brillant. (V. LUCIDE.) || **translucidité** 1567, *D. G.*

**transmettre** X[e] s., Bartzsch (*trametre*), « envoyer » ; XII[e] s. (*transmettre*), « communiquer » ; adapt., d'après *mettre,* du lat. *transmittere,* « envoyer au-delà », de *trans* et *mittere.* || **transmission** 1398, *Somme Gautier ;* lat. *transmissio ;* XX[e] s., milit. (au pl.). || **transmissible** 1583, *FEW ;* d'après le lat. *transmissus,* part. passé de *transmittere.* || **transmissibilité** 1789, Mercier. || **intransmissible** 1878, Lar. || **transmetteur** 1460, Chastellain, « celui qui transmet » ; XX[e] s., soldat des transmissions.

**transmigration** 1190, *FEW ;* XVI[e] s., *transmigration des âmes ;* bas lat. *transmigratio* (*Vulgate*), de *transmigrare,* changer de séjour. || **transmigrer** 1538, H. de Crenne.

**transmissible, transmission** V. TRANSMETTRE.

**transmuer** 1265, J. de Meung ; adapt., d'après *muer,* du lat. *transmutare,* déplacer, changer au-delà, de *trans* et *mutare.* || **transmutation** 1160, Benoît ; lat. *transmutatio.* || **transmuable** 1300, *Revue.* || **transmutable** 1812, Mozin. || **transmutabilité** 1721, Mencke.

**transparaître, transparent, transpercer** V. PARAÎTRE, PERCER.

**transpirer** 1503, Chauliac ; 1685, Sévigné, fig. ; lat. méd. médiév. *transpirare,* « respirer, exhaler au travers », de *trans* et *spirare,* souffler, respirer. || **transpiration** 1503, Chauliac.

**transplanter, transporter, transposer** V. PLANTER, PORTER, POSER.

**transsexuel** 1968, Lar. ; de *trans-,* et de *sexuel.* || transsexualisme 1968, Lar.

**transsubstantiation** 1374, *FEW ;* lat. médiév. *transsubstantiatio,* de *substantia.* (V. SUBSTANCE.) || **transubstantier** XIV[e] s., *FEW.*

**transsuder** 1700, Liger ; lat. *trans,* à travers, et *sudare,* suer ; l'anc. fr. avait le comp. *tressuer.* || **transsudation** 1714, Astruc.

**transvaser** 1570, Liébault ; de *trans* et *vase.* || **transvasement** 1611, Cotgrave.

**transverbérer** 1876, *Rev. des Deux Mondes.* || **transverbération** 1531, J. de Vignay ; bas lat. *transverberatio.*

**transversal** 1496, B. W. ; lat. *transversus,* transversal, de *transvertere,* proprem. « tourner à travers », de *trans* et *vertere.* || **transversalement** 1490, Vaganay. || **transverse** 1503, G., adj., anat. ; lat. *transversus.* (V. TRAVERS.)

**trapan** V. TRAPPE.

**trapèze** 1542, Bovelles, géom. ; XIX[e] s., gymn. ; bas lat. géom. *trapezium* (VI[e] s., Boèce), gr. *trapezion,* dimin. de *trapeza,* table à quatre pieds. || **trapézoïde** 1652, Meynier ; gr. *trapezoeidês,* de *eidos,* forme. || **trapéziste** 1879, Goncourt, gymn.

**trappe** 1175, Chr. de Troyes ; francique **trappa* (*Loi Salique*), moy. néerl. *trappe,* lacet ; fin XVII[e] s., Sévigné, « monastère » ; de *N.-D. de la Trappe,* abbaye de l'ordre de Cîteaux, fondée en 1140, près de Mortagne (Orne), endroit où, à l'origine, on chassait à la trappe. (V. ATTRAPER, CHAUSSE-TRAPE.) || **trapan** 1331, G., « planche à trous » ; auj., haut de l'escalier ou finit la rampe. || **trapette** 1765, *Encycl.* || **trappiste** 1809, Wailly. || **trappistine** 1872, L., eccl. || **trappeur** 1833, Pavie ; anglo-amér. *trapper,* qui chasse à la trappe.

**trapu** 1584, Du Monin ; de l'anc. adj. *trape,* de même sens (encore au XVI[e] s.), d'orig. inconnue.

**traque** V. TRAQUER.

**traquenard** XV[e] s., « cheval au trot décousu » ; 1532, Rab., « trot décousu » ; 1680, Richelet, sorte de trébuchet ; 1622, La Curne, « piège » ; gascon *tracanart,* trot d'un cheval qui paraît trébucher, de *tracan,* allure, marche, de *traca.* (V. TRAQUER, TRAQUET 1.)

**traquer** 1460, *Mystère siège d'Orléans,* fouiller un bois pour en faire sortir le gibier ; moy. fr. *trac,* XIV[e] s., piste des bêtes, d'orig. obscure, peut-être onomat. || **traque** 1798, *Acad.* || **traqueur** 1798, *Acad.* || **étraquer** 1553, Gouberville, vén. (V. DÉTRAQUER, TRACASSER.)

1. **traquet** 1694, *Acad.,* piège ; dér. régressif de *traquenard.* (V. TRAQUENARD.)

2. **traquet** XV[e] s., *Myst. du Vieil Test.,* « pièce de moulin » ; espèce d'oiseau, à cause du mouvement continuel de sa queue ; onomat.

**traqueur** V. TRAQUER, TRAC 2.

**traumatique** 1549, R. Est. ; lat. méd. *traumaticus,* gr. *traumatikos,* de *trauma,* blessure. || **trauma** 1876, *Journ. de méd.* || **traumatisme** 1855, Nysten. || **traumatiser** 1921, Sergent. || **traumatisant** 1926, Martinet. || **traumatologie** 1836, d'après P. Robert. || **traumatologue** 1965, *journ.*

1. ***travail** XVI[e] s., machine pour ferrer les chevaux ; adapt., sous l'infl. de *travée, travetel,* du bas lat. *tripalium* (578, concile d'Auxerrre, *trepalium,* instrument de torture), proprem. « machine à trois pieux », de *tri,* trois, et *pālus.* (V. PIEU 1.)

2. **travail** V. TRAVAILLER.

***travailler** XII[e] s., *Lois de Guill.,* « tourmenter » et « souffrir », jusqu'au XVI[e] s. ; 1680, Richelet, « exécuter un ouvrage » ; se substitue en ce sens à *ouvrer* (v. ce mot) ; lat. pop. **tripaliāre,* « torturer avec le *tripalium* » (v. TRAVAIL 1). || **travail** XII[e] s., *Lois de Guill.,* tourment ; fin XV[e] s., Ch. d'Orléans, sens mod. ; déverbal. || **travailleur** XII[e] s., B. W., « celui qui tourmente » ; 1606, Crespin, sens mod. || **travailloter** 1906, Gide. || **retravailler** 1175, Chr. de Troyes. || **travailliste** 1907, Lar., polit. ; création fr. pour désigner les membres du *Labour party* (parti du *travail*) en Angleterre ; s'est appliqué aux socialistes de la Douma russe (1905-1917). || **travaillisme** 1964, Lar.

**travée** 1356, G. ; dér. de l'anc. fr. *tref* (fin XI[e] s., *Gloses de Raschi*), poutre, du lat. *trabs, trabis* (v. TRABE). || **travelage** 1949, Lar., ch. de fer.

**travelling** 1927, R. Clair, cinéma ; mot angl.

***travers** 1080, *Roland ;* en anc fr., loc. adv. ou prép., *à travers, de travers, en travers* et, n. m., « chemin de traverse, poutre » ; 1637, Corn., n. m., « défaut de l'esprit » ; bas lat. *traversus,* du lat. *transversus,* adj., « qui est au travers ».

|| * **traverse** 1130, *Eneas,* sens divers, y compris « traversin » ; 1460, Chastellain, « obstacle » ; de *traversa,* fém. du bas lat. *traversus.* || **traversin** fin XIIe s., *Geste des Loherains,* chemin de traverse ; 1368, *Revue,* coussin mis *en travers* du lit. || * **traversier** 1180, *Mort Aymeri de Narbonne,* adj. et n., sens divers, et aussi « traversin » ; auj., seulement techn., *rue, flûte traversière ;* lat. pop. *traversārius,* en lat. class. *transversārius,* transversal. || **traversine** 1752, Trévoux, techn. (V. TRANSVERSAL.)

* **traverser** 980, *Passion ;* lat. pop. **traversāre,* en lat. class. *transversāre,* de *transversus* (v. TRAVERS). || **traversée** 1678, Jal ; on disait en anc. fr. *travers* en ce sens. || **traversable** 1819, Boiste. || **traversant** XIVe s., Cuvelier. || **retraverser** 1866, L.

**travertin** 1611, Cotgrave ; ital. *travertino,* altér. de *tivertino,* pierre de Tivoli, du lat. *Tiburtinus,* de *Tibur,* Tivoli.

**travestir** 1580, Montaigne ; ital. *travestire,* de *tra,* préf. exprimant la transformation, et de *vestire,* vêtir. || **travestissement** 1694, *Acad.* || **travesti** adj., 1536, M. du Bellay ; n. m., 1867, Delvau. || **travestisme** 1845, Radonvilliers.

**traveteau** fin XIe s., *Gloses de Raschi* (*travetel*), soliveau ; dér. de l'anc. fr. *tref,* poutre, lat. *trabs, trabis.* (V. TRAVÉE.)

**traviole (de)** 1836, Vidocq ; altér. pop. de la loc. adv. *de travers.*

* **travouil** XIIIe s. (*traoul*), dévidoir ; lat. pop. **trahuculus* ou **traguculus,* de *trahere,* tirer (v. TRAIRE).

**trayeur, trayon** V. TRAIRE.

* **tré-, tres-,** préf. ; forme pop. issue du lat. *trans,* au-delà, à travers. (V. TRÈS, adv.)

**trébucher** fin XIe s., *Chanson de Guillaume ;* du préf. *tré(s),* au-delà (lat. *trans*), et de l'anc. fr. *buc,* tronc du corps, du francique **būk,* all. *Bauch,* ventre ; 1329, *Ordonnance,* « peser avec le trébuchet », et l'expression *monnaie sonnante et trébuchante.* || **trébuchement** 1120, *Ps. d'Oxford.* || **trébuchet** 1175, Chr. de Troyes, « sorte de piège » ; 1326, G., « petite balance pour peser la monnaie ».

**trédame** 1670, Molière, juron ; forme apocopée de *Notre-Dame.*

**tréfiler** 1800, B. W. ; de *tré(s),* à travers (lat. *trans*), et de *fil.* || **tréfilerie** 1268, É. Boileau ; dér. de l'anc. fr. *tréfilier,* « celui qui tréfile ». || **tréfileur** 1800, B. W. || **tréfilage** 1879, Tolhausen. || **tréfiloir** 1964, Lar.

* **trèfle** XIIIe s. ; lat. pop. **trīfŏlum,* lat. class. *trifolium ;* « à trois feuilles », calque du gr. *triphullon ;* 1694, Corn., archit. || **tréflé** 1629, Dorival. || **tréflière** 1836, Landais (*tréflier*), agric.

**tréfonds** 1765, *Encycl. ;* de *tré-* et *fonds.*

* **treille** XIe s., *Gloses de Raschi,* « tonnelle » ; 1220, Gace Brulé, « vigne » ; lat. *trĭchĭla,* berceau de verdure. || **treillage** 1600, O. de Serres. || **treillager** 1767, Schabol. || **treillageur** 1767, Schabol.

* **treillis** 1130, *Eneas* (*tresliz*), adj., « tissé à mailles » ; n. m., XIVe s., G. (*treillis,* avec infl. de la forme et du sens de *treillage*) ; 1690, Furetière, « toile grossière » ; lat. pop. **trilīcius,* lat. class. *trilīx,* « à trois fils » (v. LICE 2). || **treillissé** 1350, *FEW.* || **treillisser** 1497, Havard.

* **treize** fin XIIe s., *Rois* (*treze*) ; lat. *trēdecim,* de *tres,* trois, et *decem,* dix. || **treizième** 1138, Gaimar (*trezime*) ; 1380, Du Cange ; suff. mod. d'après *centième.* || **treizain** 1296, G.

**trélingage** 1677, Dassié, mar., filin ; ital. *stralingaggio.*

**tréma** 1600, Palliot (*points trematz*) ; gr. *trêma, -atos,* trou, point sur un dé. || **trématode** 1827, *Acad.* (*trématodée*) ; 1839, Boiste (*trématode*), zool. ; gr. *trêmatôdês,* percé de trous ; ces vers ont la peau percée de petits trous (ventouses). || **trématophore** 1842, *Acad.,* zool. ; de *phoros,* qui porte, de *phereîn,* porter.

* **trémail,** var. **tramail** 1197, *FEW,* filet de pêche ; bas lat. *tremaculum* (*Loi Salique*), de *tri,* trois, et *macula,* maille.

**trémat** 1872, L., « banc de sable » ; problablem. du bas lat. *trema,* sentier. || **trémater** 1415, *FEW,* mar., dépasser un bateau. || **trématage** 1872, L.

* **tremble** 1138, Gaimar ; lat. *tremulus,* proprem. « tremblant », de *tremere,* trembler (v. TREMBLER). || **tremblaie** 1294, G.

* **trembler** 1120, *Ps. d'Oxford ;* lat. pop. **tremulāre,* de *tremulus,* tremblant, du lat. class. *tremere,* trembler (v. TREMBLE, TRÉMULER et CRAINDRE). || **tremblant** adj., 1174, Hue de Rotelande. || **tremblement** XIIe s., *Maccabées ; et tout le tremblement,* 1827, Cavé, pop., « au complet ». || **trembleur** XVe s., *FEW ;* 1657, Loret, relig. ; trad. de l'angl. *quaker ;* 1872, Bouillet, appareil. || **trembloter** 1549, R. Est.

|| **tremblotant** adj., milieu XVII[e] s., Boileau. || **tremblotement** 1553, Vaganay. || **tremblote** 1894, Esnault.

***trémie** fin XI[e] s., *Gloses de Raschi* (*tremuie*, encore en 1680, *Ordonn.*) ; 1680, Richelet (*trémie*) ; lat. impér. *trimodia* (I[er] s., Pline), plur. neutre, pris comme fém. sing., du lat. class. *trimodium*, vase contenant trois muids (v. MUID). || **trémillon** 1680, Richelet (*trémion*).

**trémière** (*rose*) 1500, E. Rolland (*rose trémière*) ; 1665, Vallot (*rose de Trémier*) ; 1690, Furetière (*rose de trémière*) ; altér. de *rose d'outremer* (1611, Cotgrave).

***trémois** 1210, G., agric., blé de printemps (qui pousse en trois mois) ; lat. pop. *trimense* (*triticum*), (blé) de trois mois.

**trémolo** 1829, Fétis, mus. ; ital. *tremolo*, tremblement de la voix, de l'adj. *tremolo*, tremblant, du lat. *tremulus*. (V. TREMBLE.)

**trémousser (se)** 1532, Rab. ; de *mousse*, au sens de « écume, bouillonnement », et du préf. *tré*, du lat. *trans*. || **trémoussement** 1573, Larivey.

***tremper** XII[e] s., *Roncevaux* (*temprer, tenprer*) ; XIII[e] s. (*tremper*, par métathèse de *r*), « mélanger les liquides », et par ext. « imbiber, mouiller » ; XVI[e] s., sens figurés ; lat. *temperare*, au sens de « mélanger » (v. TEMPÉRER). || **trempage** 1836, *Acad.* || **trempe** 1180, *FEW* (*trempre*), au pr. ; 1570, Carloix, fig. ; 1867, Delvau, pop., volée de coups ; déverbal. || **trempette** 1611, Cotgrave. || **trempeur** 1611, Cotgrave. || **trempée** n. f., 1842, *Acad.*, au pr. ; 1867, Delvau, volée de coups. || **trempis** 1350, G. || **trempoir** 1338, G. || ***détremper** 1155, Wace (*des-*), « délayer » ; *détremper l'acier*, 1692, *Acad. des sciences* ; bas lat. *distemperare*. || **détrempe** 1308, Gay, peint. ; 1722, Réaumur, techn. ; déverbal. || **retremper** 1175, Chr. de Troyes.

**tremplin** 1680, Richelet ; ital. *trampolino*, de *trampolo*, échasse, sur le radical germ. **tramp* (cf. l'all. *trampeln*, trépigner).

**trémulation** 1873, *J. O.*, méd. ; lat. *tremulus*, tremblant (v. TREMBLE, TREMBLER). || **trémuler** XV[e] s., *FEW*, « trembler ».

**trenail** 1843, *Journ. des chemins de fer*, cheville de chemin de fer ; angl. *treenail*, cheville de bois, de *tree*, arbre, et *nail*, clou.

**trench-coat** 1920, Lar. ; mot angl. signif. « vêtement de tranchée », de *trench*, tranchée, et *coat*, habit.

***trente** 980, *Passion du Christ* ; lat. pop. **trinta*, en lat. class. *triginta*. || **trentième** 1119, Ph. de Thaon (*trentisme*) ; 1487, Garbin ; suff. mod. d'après *centième*. || **trentièmement** 1636, Monet. || **trentain** XIII[e] s., *FEW*. || **trentaine** 1155, Wace. || **trentenaire** 1495, Vignay ; sur le modèle de *centenaire*. || **trente-et-quarante** 1648, Scarron. || **trente-et-un** (*se mettre sur son*) 1833, Vidal, fam.

**trépan** 1363, Chauliac ; lat. médiév. *trepanum*, gr. *trupanon*, tarière. || **trépaner** 1363, Chauliac. || **trépanation** XIV[e] s., Lanfranc.

**trépasser** 1080, *Roland*, « dépasser » ; 1155, Wace, « mourir » ; de *tré-* et *passer*. || **trépassement** 1155, Wace. || **trépas** 1130, *Eneas* ; déverbal. || **trépassé** n. m., XIII[e] s..

**trépidation** 1290, Drouart ; lat. *trepidatio*, tremblement, agitation, de *trepidus*, agité. || **trépider** 1495, J. de Vignay, « s'agiter » ; 1801, Mercier, « être agité » ; lat. *trepidare*. || **trépidant** 1881, Daudet ; part. prés. lat. *trepidans*.

**trépied** 1200, *FEW* ; lat. *tripes, tripedis*, à trois pieds ; le *p* a été maintenu parce que la composition a toujours été sentie.

**trépigner** 1355, Bersuire ; anc. fr. *treper*, frapper du pied, avec le suff. *-igner*, var. de *-iner* ; germ. **trippôn*, sauter (cf. l'angl. *[to] trip*, faire un croc-en-jambe, et le suédois *trippa*, trépigner). || **trépignement** 1552, R. Est. || **trépigneuse** 1907, Lar., manège. || **trépignée** 1867, Delvau, pop., volée de coups.

**trépointe** 1408, G., techn. ; anc. fr. *trépoindre*, piquer au travers, de *tré-* (lat. *trans*) et de *poindre* (v. ce mot).

**tréponème** 1909, Lar., méd. ; gr. *trepein*, tourner.

***très** 1080, *Roland*, adv., et également prép., en anc. fr. (« jusqu'à, auprès ») ; seulement adv. intensif depuis le XVI[e] s. ; de la prép. lat. *trans*, au-delà de. (V. le préf. TRÉ-, TRES-.)

**trésaille** 1680, Richelet (*tréseille*) ; déverbal de l'anc. *trésailler*, altér. de l'anc. *trésaller*, techn., de *tres-*, au-delà, et *aller* (VIII[e] s., *Gloses de Raschi*, *transalavit*, 3[e] pers. sing. du prétérit lat.). || **trésaillure** 1923, Lar.

***trésor** 1050, *Alexis* ; lat. *thesaurus*, gr. *thêsauros* ; le prem. *r* est obscur ; 1534, Rab., « richesses » au pl. || **trésorier** 1080, *Roland* ; bas lat. *thesaurarius*. || **trésorier-payeur** 1865, *Bull. des lois*. || **trésorerie** XIII[e] s., La Curne.

**tressaillir** 1080, *Roland ;* de *saillir,* au sens anc. de « sauter », et *tres-,* au-delà, du lat. *trans* (v. SAILLIR). || **tressaillement** 1560, Paré.

**tressauter** 1340, G. de Machaut. || **tressautement** 1569, La Bouthière ; repris en 1857, Goncourt.

**tresse** fin XI[e] s., *Gloses de Raschi* (*tresce*) ; lat. pop. **trichia,* gr. *trikhia,* écorce de palmier. || **tresser** fin XI[e] s., *Gloses de Raschi.* || **tresseur** 1680, Richelet. || **tressage** 1876, Lar.

***tréteau** fin XII[e] s., *Loherains* (*trestel*), au pr. ; 1669, Boileau, pl., au théâtre ; issu, avec substitution de préf., d'après les mots commençant par *tré-,* du lat. pop. **trastellum,* en bas lat. *trā(n)stillum,* poutre, traverse, dimin. de *trā(n)strum,* poutre.

***treuil** 1282, G., pressoir ; 1354, Modus, sens mod. ; lat. *tŏrculum,* pressoir. || **treuiller** 1256, G. || **treuillage** 1964, Lar.

**trêve** 1138, Gaimar (*true*) ; var. de l'anc. fr. *trieve,* d'où *trêve ;* francique **triuwa,* sécurité (cf. l'all. *treu,* fidèle, l'angl. *true,* vrai).

**trévirer** milieu XII[e] s., *Roman de Thèbes ;* de *tré-* et *virer.* || **trévire** 1776, *Encycl.*

1. **tri-,** préf. ; lat. *tri-,* « trois » en composition.

2. **tri** n. m. V. TRIER.

**triade** 1564, Ronsard ; bas lat. *trias, -adis,* « a nombre de trois », mot gr.

**triage** V. TRIER.

**trial** 1974, *journ. ;* angl. *trial,* de *to try,* essayer.

**triangle** 1265, J. de Meung ; lat. *triangulum,* de *tri-,* trois, et *angulus,* angle. || **triangulaire** 1377, Oresme ; bas lat. *triangularis.* || **triangulation** 1819, Boiste ; bas lat. *triangulatio.* || **triangulé** 1803, Wailly. || **trianguler** 1829, Boiste.

**triannuel** 1876, Lar. ; de *tri-* et *annuel.*

**trias** 1845, Besch., géol. ; all. *Trias,* du bas lat. *trias,* « au nombre de trois », mot gr. ; ce terrain a trois couches : grès, calcaire, marne (v. TRIADE). || **triasique** 1845, Besch.

**tribade** 1566, H. Est. ; lat. *tribas, -adis,* mot gr., proprem. « frotteuse », de *tribeîn,* frotter. || **tribadisme** 1857, Monneret.

**triballer** 1757, d'après P. Robert ; de *baller,* danser, et l'anc. fr. *tribouler,* tourmenter. || **triballe** 1827, *Acad.,* techn.

**tribomètre** 1765, *Encycl. ;* de *tribo-,* gr. *tribein,* frotter, et *-mètre.* || **tribométrie** 1923, Lar.

**tribord** 1484, Garcie ; apocope de *estribord* (1573, Du Puys) ; néerl. *stierboord,* de *stier,* gouvernail, et *boord,* bord (v. BÂBORD). || **tribordais** 1704, Trévoux.

**tribraque** 1671, Pomey, terme de prosodie gr. et lat. ; gr. *tribrakhus,* de *tri-,* trois, et *brakhus,* bref.

**tribu** 1355, Bersuire, antiq. rom. ; 1691, Racine, « groupe de familles » ; lat. *tribus.* || **tribal** 1872, L. || **tribalisme** 1964, Lar., ethnographie.

**tribulation** 1120, *Ps. d'Oxford,* « infortune » ; 1799, Marmontel, « épreuves » ; lat. eccl. *tribulatio* (III[e] s., Tertullien), de *tribulare,* écraser avec la herse, puis « persécuter », de *tribulum,* herse.

**tribun** 1213, *Fet des Romains,* antiq. rom. ; 1823, Brunot, « orateur » ; lat. *tribunus.* || **tribunat** 1500, *FEW ;* lat. *tribunatus.* || **tribunitien** 1355, Bersuire, hist. ; lat. *tribunicius,* en bas lat. *tribunitius.*

**tribunal** XIII[e] s., *Saint Laurent,* « siège du juge » ; 1670, Richelet, sens actuel ; lat. *tribunal,* plate-forme sur laquelle se tient le tribun. (V. TRIBUN.)

**tribune** 1231, B. W. ; XV[e] s., galerie d'église ; 1636, Monet, ext. de sens ; 1872, Pearson, « gradins » ; ital. *tribuna,* du lat. *tribunal.* (V. TRIBUNAL.)

**tribut** début XIV[e] s., *Entrée d'Espagne ;* lat. *tributum,* de *tribuere,* proprem. « répartir entre les tribus » (v. TRIBU) ; a éliminé l'anc. forme pop. *treü.* || **tributaire** 1130, *Eneas ;* lat. *tributarius.*

**tricard** V. TRIQUE.

**tricennal** 1721, Trévoux ; lat. *tricennalis,* de *triceni,* trente, et *annus,* an.

**tricéphale** 1803, Boiste ; de *tri-,* trois, et *kephalê,* tête.

**triceps** 1560, Paré, anat. ; mot lat., de *tri-,* trois, et *caput,* tête. (V. BICEPS.)

***tricher** 1175, Chr. de Troyes ; var. anc. *trechier ;* bas lat. **triccare,* de *trīcāri,* soulever des difficultés. || **triche** n. f., XII[e] s., *Roman de Thèbes,* « tromperie » ; 1702, *Maison académique,* « tricherie » ; déverbal. || **tricherie** 1120, *Ps. de Cambridge.* || **tricheur** *id.*

**trichine** 1845, Besch. ; lat. scient. mod. *trichina,* gr. *thrix, thrikhos,* cheveu (c'est-à-dire : ver noué comme un cheveu).

**tricho-**, gr. *thrix, thrikhos,* cheveu. || **trichinose** 1864, *journ.* || **trichocéphale** 1812, Mozin, zool. || **trichogyne** 1876, Lar. || **trichome** 1812, Mozin. || **trichomycose** 1904, Lar. || **trichophytie** 1877, *le Progrès médical.* || **trichophyton** 1858, Nysten, bot. ; gr. *phuton,* végétal. || **trichotome** 1812, Boiste.

**trichromie** 1876, Lar., entom. ; 1949, Lar., imprimerie ; préf. *tri-,* trois, et gr. *khrôma,* couleur. || **trichrome** 1907, Lar.

**trick** 1773, *Mercure,* whist ; angl. *trick,* ruse, du normand *trikier,* tricher.

**triclinium** 1752, Trévoux ; mot lat., du préf. gr. *tri-,* trois, et *klinê,* lit.

**tricoises** 1314, Mondeville, tenailles ; altér. de *turquoises,* XII^e^ s., fém. de *turc,* dans **tenailles turquoises,* « tenailles turques », dénomination de cause inconnue.

**tricolore** 1695, Regnard ; bas lat. *tricolor,* tricolore, de *tres,* trois, et *color,* couleur.

**tricorne** 1836, B. W. ; de l'adj. lat. *tricornis,* à trois cornes. (V. CORNE.)

**tricot** V. TRICOTER, TRIQUE.

**tricoter** XV^e^ s., G., « sauter » ; XIV^e^ s., *Miracles,* « battre » ; 1560, Gay, « exécuter en mailles » ; de *tricot,* XV^e^ s., bâton court, dimin. de *trique* (v. ce mot). || **tricot** 1660, Oudin. || **tricotage** 1573, Jodelle. || **tricotets** 1637, Discret, danse. || **tricoteur** 1585, Cholières, au fém.

**tricouse** 1451, *Comptes du roi René* (*tricquehouse*), guêtre ; moyen néerlandais *strickhosen.* (V. HOUSEAU.)

**trictrac** XV^e^ s., *Franc Archer* (*pas tric trac*), onomat. ; 1549, R. Est, jeu.

**tricuspide** 1654, d'après P. Robert ; lat. *tricuspis,* « à trois pointes », de *tri-,* trois, et *cuspis,* pointe.

**tricycle** 1834, Landais, voiture ; 1888, Lar., vélo.

**tridacne** 1809, Lamarck, zool. ; gr. *tridaknos,* mordu en trois fois, de *tri,* trois, et *dakneîn,* mordre.

**tride** 1611, Cotgrave, équit., « prompt » ; esp. *trido.*

**trident** XIII^e^ s., rare jusqu'au XVI^e^ s. ; lat. *tridens,* (harpon) à trois dents. || **tridenté** 1803, Boiste.

**tridi** 1793, Fabre d'Églantine, troisième jour de la décade républicaine ; lat. *tri,* trois, et *dies,* jour.

**triduum** 1872, L. (*triduo*) ; 1876, Lar. (*triduum*) ; mot lat., « espace de trois jours », spécialisé au sens eccl.

**trièdre** 1793 ; de *tri-,* trois, et du gr. *hedra,* siège, d'où « base ». || **triel** 1933, Marouzeau ; d'apr. *duel.*

**triennal** 1352, G. ; bas lat. *triennalis,* de *tri,* trois, et *annus,* an. || **triennat** 1752, Trévoux ; a remplacé, d'après les mots du type *épiscopat,* l'adj. substantivé *triennal* (1671, Pomey).

***trier** 1160, Benoît ; bas lat. *tritare* (VI^e^ s.), broyer, séparer en broyant, du lat. class. *terere.* || **tri** milieu XIV^e^ s., Machaut ; rare avant le XVIII^e^ s. (v. 1760, Rousseau). || **triable** XV^e^ s., *Romania.* || **triage** 1370, *Chartes.* || **trieur** 1550, *FEW.*

**trière** 1370, Oresme (*trierie*) ; rare jusqu'au XIX^e^ s. ; gr. *triêrês.*

**trifide** 1783, Bulliard, bot., zool. ; lat. *trifidus,* fendu en trois, de *findere,* fendre. (V. BIFIDE.)

**trifoliolé** 1876, Lar. ; de *tri,* et *foliole.* (V. FEUILLE.)

**triforium** milieu XII^e^ s., *Roman de Thèbes ;* mot angl., du lat. *triforium.*

**trifouiller** 1808, d'Hautel, pop. ; croisement de *fouiller* et de *tripoter.* || **trifouilleur** 1904, Lar. || **trifouillage** 1878, Lar.

**trigaud** 1361, Oresme, fam., arch. ; moy. haut all. *triegolf,* trompeur. || **trigauder** 1680, Richelet. || **trigauderie** 1680, Richelet.

**trigémellaire** 1875, *Progrès médical,* méd. ; lat. *tri-,* trois, et *gemellus,* jumeau.

**trigéminé** 1842, *Acad. ;* lat. *trigeminus,* de *tri-* trois, et *geminus,* jumeau.

**trigle** 1791, Valmont, ichtyol. ; lat. scientif. *trigla,* du gr. *triglê,* mulet de mer. || **triglidés** 1904, Lar.

**triglyphe** 1545, Van Aelst ; lat. *triglyphus,* mot gr., de *gluphein,* tailler. [V. GLYPT(O)-.]

**trigone** n. m., 1377, Oresme ; adj., 1534, Rab. ; gr. *trigônos,* à trois angles. || **trigonal** 1549, Havard. || **trigonelle** 1827, *Acad.,* bot. || **trigonocéphale** 1827, *Acad.,* zool. || **trigonométrie** 1613, Dounot.

**trijumeau** 1572, Amyot ; de *tri* et *jumeau.*

**trilingue** 1530, Marot ; lat. *trilinguis,* de *tri-,* trois, et *lingua,* langue.

**trilitère** ou **trilittère** 1842, *Acad.* ; préf. *tri-*, trois, et lat. *littera,* lettre. || **trilittéralité** 1872, L.

**trille** 1753, Rousseau ; ital. *trillo,* du v. *trillare,* onomatop. || **triller** 1836, *Acad.*

**trillion** 1484, Tropfke, « mille milliers de billions » ; 1520, La Roche, sens actuel ; de *tri-* et [*mi*]*llion* (v. MILLE).

**trilobites** 1812, Mozin ; lat. scient. *trilobites,* de *tri-* et *lobus,* lobe.

**trilogie** 1765, *Encycl.* ; gr. *trilogia,* de *treis,* trois, et *logos,* discours. || **trilogique** 1836, *Acad.*

**trimaran** 1958, Merrien ; de *tri-* et [*cata*]*maran.*

**trimard** V. TRIMER.

**trimbaler** 1790, *Rat du Châtelet ;* forme nasalisée, d'après *brimbaler,* de *tribaler* (1266, *Miroir de vie,* et encore 1532, Rab.), lui-même altér., d'après l'anc. *baller,* danser, d'un anc. v. *tribouler,* « s'agiter, carillonner », empl. fig. de *tribouler, tribuler,* « tourmenter », du lat. eccl. *tribulare* (v. TRIBULATION). || **trimbalage** 1859, Mozin. || **trimbalement** 1865, Goncourt. || **brinquebaler** 1853, Goncourt ; de *trinqueballer,* 1534, Rab., autre altér. de *tribaler,* d'après *triqueballe,* XV[e] s., M. Le Franc, « chariot d'artillerie », d'orig. obscure.

**trimer** fin XIV[e] s., Deschamps (*trumer*), cheminer, « se donner de la peine » ; 1754, Esnault ; orig. obscure, peut-être à rapprocher de l'anc. *trumel,* jambe (v. TRUMEAU) : c'est-à-dire « jouer des jambes ». || **trimard** 1566, Esnault, grande route ; 1892, Esnault, vagabondage. || **trimarder** 1628, *Jargon.* || **trimardeur** 1712, Esnault, « voleur » ; 1894, Esnault, « vagabond ».

**trimestre** 1564, *FEW ;* lat. *trimestris,* qui dure trois mois. || **trimestriel** 1817, Gérardin.

**trimètre** 1701, Furetière ; de *tri-* et *mètre.*

**tringle** 1328, G. (*tingle*) ; 1459, Gay (*tringle,* forme altérée) ; néerl. *tingel, tengel,* cale de bois. || **tringler** 1328, G. || **tringlette** 1351, G. (*tinglette*).

**tringlot** V. TRAIN.

**trinité** 980, *Passion ;* lat. eccl. *trinitas* (III[e] s., Tertullien), de *trinus,* qui se répète trois fois. || **trinitaire** 1541, Calvin. || **trinitarien** *id.*

**trinôme** 1554, Peletier ; de *tri-* et [*bi*]*nôme.* (V. BINÔME.)

**trinquart** 1730, Savary ; angl. *trinker-boat,* de *trink,* filet, et *boat,* bateau.

**trinquer** fin XIV[e] s., Deschamps, « boire » ; all. *trinken,* boire ; 1552, Rab., sens actuel, « choquer les verres avant de boire ». || **trinqueur** 1553, Rab.

**trinquet** v. 1500, d'Authon, mar. ; ital. *trinchetto,* voile triangulaire, du lat. *trīni,* par trois. || **trinquette** 1512, Seyssel.

**trio** 1578, d'Aubigné, mus. ; 1668, La Fontaine, groupe de trois personnes ; mot ital., mus., fait d'après *duo,* sur rad. lat. *tri-*, trois.

**triode** 1923, Lar., électr. ; de *tri-*, trois, et [*di*]*ode.* (V. ÉLECTRODE.)

**triolet** 1488, *Rev. langues romanes,* strophe ; origine douteuse, peut-être de l'ital. *trio* (v. ce mot), avec infl. de l'anc. fr. *triolaine,* jeûne de trois jours ; 1839, Boiste, mus. ; de l'ital. *trio.*

**triomphe** 1190, Garn. ; lat. *triumphus.* || **triomphal** début XII[e] s., *Roman de Thèbes ;* lat. *triumphalis.* || **triomphalement** 1510, Auton. || **triompher** 1265, J. de Meung ; lat. *triumphare.* || **triomphant** adj., 1460, *Mystère.* || **triomphateur** 1340, J. Le Fèvre ; lat. *triumphator.* || **triomphalisme** 1964, *le Monde.*

**trionyx** 1827, *Acad.,* zool. ; gr. *tri,* trois, et *onux,* ongle.

**triparti** 1460, *FEW* (*trisparti*) ; lat. *tripartitus,* divisé en trois, de *partire,* diviser. || **tripartisme** 1949, Lar. || **tripartition** 1765, *Encycl.* ; lat. *tripartitio.*

1. **tripe** 1243, Ph. de Novare, boyau ; origine obscure ; 1534, Rab., en parlant de l'homme ; fig., 1938, Bernanos. || **tripier** XIII[e] s. || **triperie** 1398, *Ménagier.* || **tripaille** 1450, Gréban. || **tripette** 1462, *Cent Nouvelles,* « petite tripe » ; 1743, Trévoux, sens mod. || **tripoux** 1655, « boudin » ; 1967, Robert, sens actuel. || **étriper** 1534, Rab.

2. **tripe** 1317, B. W., étoffe de velours ; orig. obscure.

**triphasé** 1895, *Almanach ;* de *tri-* et *phase.*

**triphtongue** 1550, Meigret ; gr. *tri-*, trois, et *phtoggos,* son. (V. DIPHTONGUE.)

**triplace** 1964, Lar. ; de *tri* et *place.*

**triple** 1175, Chr. de Troyes (*treble*) ; fin XIV[e] s. (*triple*) ; lat. *triplus.* || **tripler** 1304, Lespinasse. || **triplement** 1490, *Guidon en fr.,* adv. ; 1515, B. W., n. m. || **détripler** XVIII[e] s. || **triplet** 1872, L. || **triplette** 1891, *l'Illustration.*

**triplicata** 1758, Voltaire ; fém. du lat. *triplicatus,* de *triplicare,* de *tri-,* trois, et *plicare,* plier. (V. DUPLIQUER.)

**triplicité** 1398, E. Deschamps ; lat. *triplicitas,* de *triplex,* triple.

**triploïde** 1872, L. ; de *tri-* et gr. *eidos,* apparence. || **triploïdie** 1953, Lar.

**tripode** 1904, Lar. ; de *tri* et gr. *pous, podos,* pied.

**tripoli** 1508, *Archives ;* de *Tripoli,* ville de Syrie d'où venait jadis cette terre.

**triporteur** 1906, Lar. ; de *tri-,* trois (à trois roues), et de *porteur.*

**tripot** 1160, *Tristan,* manège, intrigue, acte amoureux ; 1460, Villon, jeu de paume ; 1707, Lesage, sens mod. ; sans doute dér. de *treper,* sauter, germ. **trippôn* (v. TRÉPIGNER). || **tripoter** 1581, N. de Montand ; dér. du sens premier. || **tripotage** 1482, Flamang. || **tripotée** 1843, Dupeuty. || **tripoteur** 1582, N. de Montang. || **tripotier** 1611, Cotgrave ; 1650, Scarron, « tenancier de tripot ». (V. TRIFOUILLER, TRIPATOUILLER.)

**triptyque** 1838, B. W. ; gr. *triptukhos,* plié en trois. (V. DIPTYQUE.)

**trique** 1385, G. (*jouer aux triques*) ; mot rég. (Nord-Est), var. de *estrique* (XIII^e^ s., G.) ; 1690, Furetière, « bâton qu'on passait sur une mesure pour en faire tomber les grains en excédent » ; de *estriquer* (1275, texte de Saint-Omer), du francique **strikan,* frotter. || **tricot** petite trique, 1413, G. || **triquet** 1680, Richelet, arch. || **triquer** 1690, Furetière, techn., séparer les bois ; 1842, *Acad.,* pop., battre. || **tricard** 1882, Esnault, interdit de séjour. (V. ÉTRIQUER.)

**triqueballe** XV^e^ s., *Romania,* « instrument de torture » ; 1765, *Encycl.,* « chariot » ; orig. obscure.

**trirème** 1355, Bersuire ; rare avant 1721, Trévoux ; lat. *triremis,* de *tri-,* trois, et *remus,* rame.

**trisection** 1690, Furetière ; de *tri-* et *section.* || **trisecteur** 1829, Boiste. || **triséquer** 1872, L.

**trismégiste** milieu XVII^e^ s., Pascal ; du gr. *tris,* trois fois, et *megistos,* très grand, superlatif de *megas.*

**trismus** 1827, *Acad.,* méd. ; gr. *trismos,* de *trizein,* grincer.

**trisoc** 1835, *Maison rustique,* agric. ; de *tri-* et *soc.* (V. SOC.)

1. **trisser** 1839, Boiste ; de *tri-* et *bisser.*

2. **trisser** 1842, *Acad.,* se dit du cri de l'hirondelle ; lat. *trissare,* onomatopée.

3. **trisser** 1905, Rab., « aller rapidement » ; orig. incertaine.

**trissyllabe** 1529, *Mél. Picot ;* lat. *trisyllabus,* du gr. *trisullabos,* à trois syllabes.

**triste** X^e^ s., *Saint Léger ;* lat. *tristis.* || **tristement** 1175, *FEW.* || **tristesse** 1180, Marie de France ; lat. *tristitia.* || **attrister** 1468, Chastellain. || **contrister** 1170, *Rois ;* lat. *contristare.*

**tritium** 1949, Lar. ; gr. *tritos,* troisième, et *deutérium.*

1. **triton** 1512, J. Lemaire de Belges, mythol. ; milieu XVIII^e^ s., zool. ; lat. *Triton,* mot gr., nom d'une divinité aquatique.

2. **triton** 1615, d'après P. Robert, mus., « intervalle de trois tons dans le plain-chant » ; lat. médiév. *tritonum,* gr. *tritonon,* « à trois *tons* ». (V. TON 2.)

**triturer** 1519, G. Michel de Tours ; rare jusqu'au XVIII^e^ s. ; bas lat. *triturare,* de *tritus,* part. passé de *terere,* broyer. || **trituration** XIII^e^ s., *FEW ;* bas lat. *trituratio.* || **triturateur** 1782, *Encycl.*

**triumvir** 1507, Fournier, hist. rom. ; lat. *triumvir,* de *trium,* génitif pl. de *tres,* trois, et *vir,* homme. || **triumvirat** 1556, Bonivard ; lat. *triumviratus.* || **triumviral** 1579, *FEW.*

**trivalent** V. VALOIR.

**trivelin** 1654, Loret, bouffon ; ital. *Trivellino,* surnom d'un bouffon aux jambes tordues, de *trivellino,* foret, du lat. *terebellus.*

**trivial** 1550, Rab. ; lat. *trivialis,* commun, vulgaire, de *trivium,* carrefour. || **trivialement** 1596, Hulsius. || **trivialité** 1611, Cotgrave.

**trivium** XIII^e^ s., d'Andeli, division inférieure des sept arts au Moyen Âge ; mot lat., proprem. « carrefour de trois voies ».

**troc** V. TROQUER.

**trocart** 1694, Th. Corn. ; de *trois-quarts,* « poinçon chirurgical ».

**trochanter** 1560, Paré, anat. ; gr. *trokhantêr,* coureur, de *trokhazein,* courir.

1. **troche** 1220, Coincy, sarment ; lat. pop. **traduca,* en lat. class. *tradux,* sarment, de *traducere,* « conduire au-delà », de *trans* et *ducere.* || **trochée** 1561, La Curne, faisceau de

pousses. || **trochet** 1400, G., bouquet de fleurs sur un arbre. || **trochure** 1354, *Modus,* andouiller du cerf.

2. **troche** 1768, Valmont, coquillage ; lat. *trochus,* gr. *trokhos,* cerceau.

1. **trochée** 1551, Gruget, prosodie antique ; lat. *trochaeus,* gr. *trokhaios.* || **trochaïque** 1551, Aneau.

2. **trochée, trochet** V. TROCHE 1.

**trochilus** 1611, Cotgrave, ornith. ; gr. *trokhilos,* roitelet, de *trekhein,* courir. || **trochilidés** 1842, *Acad.* (*trochilides*).

**trochisque** 1256, Ald. de Sienne (*torcis*) ; 1425, O. de La Haye (*trochisque*), pharm. ; lat. méd. *trochiscus,* du gr. *trokhiskos.*

**trochlée** 1721, Trévoux, anat. ; lat. *trochlea.* || **trochléen** 1875, A. Fort.

**trochoïde** 1658, Pascal, n. f., techn. ; gr. *trokhoeidês,* en forme de roue tournante, de *trekhein,* courir, tourner.

**trochure** V. TROCHE 1.

**troène** 1265, J. de Meung (*troine*) ; 1532, R. Est. (*troesne*) ; francique **trugil,* avec passage inexpliqué de *l* à *n.*

**troglodyte** 1372, Corbichon ; rare jusqu'en 1552, Rab. ; lat. *troglodyta,* gr. *trôglodutês,* de *trôglê,* trou, et *dunein,* pénétrer. || **troglodytique** 1842, *Acad.* || **troglodytisme** 1875, *Rev. des Deux Mondes.*

**trogne** 1395, Chr. de Pisan ; gaulois **trugna* (cf. le gallois *trwyn,* nez).

**trognon** 1398, *Ménagier ;* de *estrongner* (1377, *FEW*), tronçonner, élaguer, altér., d'après *trogne* (v. le précéd.), de *estronner* (début XIVᵉ s.), réfection, d'après *tronc* (*c* non prononcé), de *estronchier* (fin XIIIᵉ s.), retrancher, de l'anc. fr. *tronchier,* du lat. *trŭncare,* de *trŭncus.* (V. TRONC.)

**troïka** 1849, Joanne ; russe *troika,* attelage à trois chevaux.

***trois** 980, *Passion* (*treis*) ; lat. *trēs.* || **troisième** 1175, Chr. de Troyes (*troisime*) ; 1539, R. Est. (*troisième*) ; suff. sur *centième.* || **trois-quarts** 1694, Th. Corneille, lime à trois pans. || **trois-six** 1795, *FEW ;* due à une ancienne manière d'évaluer les spiritueux.

***trôler** XIIᵉ s., *Alexandre* (*troller*), vén. ; 1867, Delvau, pop., aller çà et là, trimer ; lat. pop. **tragŭllare,* var. de **tragŭlare,* suivre à la trace, de *trahere ;* au XIVᵉ s., la var. *trailler* vient de **tragŭlāre.* || **trolle** 1655, Salnove, vén. ; déverbal. || **trôleur** 1660, Oudin, « vagabond.

1. **trolle** V. TRÔLER.

2. **trolle** 1791, Valmont, bot., renoncule alpestre ; all. *Trollblume,* de *Blume,* fleur, et *Troll,* lutin.

**trolley** 1893, Cattori ; mot angl., désignant un dispositif inventé en 1882, aux États-Unis, par le Belge Ch. Van de Poele ; de (*to*) *troll,* rouler, lui-même empr. au fr. *trôler.* || **trolleybus** 1938, *Français moderne.*

**trombe** 1611, Cotgrave ; ital. *tromba,* trompe, empl. métaph. à cause de la forme de la trombe d'eau. (V. TROMPE.)

**trombidion** 1803, Boiste ; lat. scient. *trombidium,* du gr. *eidos,* forme, et ital. *tromba,* trompe.

**trombine** 1835, Raspail, pop., visage ; ital. *trombina,* petite trompe. (V. TROMBE.)

**tromblon** 1669, B. W., « narcisse » ; 1803, Boiste, « arme » ; altér. de l'ital. *trombone,* augmentatif de *tromba.* (V. TROMBE et TROMBONE.)

**trombone** 1589, Baïf (*trombon*) ; 1703, Brossard (*trombone*) ; ital. *trombone,* augmentatif de *tromba,* grosse trompe ; a remplacé l'anc. fr. *saquebute.* || **tromboniste** 1834, Fétis.

**trompe** 1175, Chr. de Troyes ; francique **trŭmpa,* anc. haut all. *trumpa,* formation onomatop. || **trompette** 1319, Richard ; XVᵉ s., sonneur de trompette. || **trompeter** 1339, Machault. || **trompeteur** 1530, Palsgrave. || **trompettiste** 1829, Fétis. || **trompillon** 1676, Félibien, archit. || **trompille** 1842, *Acad.,* techn.

**tromper** 1387, J. Le Bel ; de *se tromper de* (1388, Du Cange), « se jouer de », empl. fig. de *tromper* au sens de « jouer de la trompe ». || **trompeur** XIIIᵉ s., *Sept Sages.* || **tromperie** XIVᵉ s., Cuvelier. || **trompe-la-mort** 1834, Balzac, fam. || **trompe-l'œil** 1803, Boiste. || **détromper** 1611, Cotgrave.

***tronc** 1175, Chr. de Troyes, partie de l'arbre ; XIIIᵉ s., *tronc des pauvres,* « coffret en forme de tronc » ; 1559, Amyot, anat. ; lat. **trŭncus,* tronqué, de *truncare.* || **tronche** 1554, Havard, « billot » ; 1596, Pechon de Ruby, tête ; lat. pop. **trunca,* forme fém. de *truncus ;* var. *tronce* (XIIIᵉ s., G.), d'après *tronçon.* || **tronchet** 1260, *Récits ménestrel.* || **tronquer** 1265, J. de Meung ; lat. *trŭncare,* amputer, mutiler. || **troncature** 1813, Ramond. || **troncation** 1552,

R. Est. || **détroncation** 1829, Boiste ; lat. *detruncatio.*

***tronçon** 1080, *Roland* (*trunçun*) ; de l'anc. fr. *trons,* lat. pop. **trunceus,* tronqué, de *truncus* (v. TRONC). || **tronçonner** 1175, Chr. de Troyes. || **tronçonnage** 1421, G. || **tronçonneuse** 1920, *la Nature,* XX^e^ s. || **étronçonner** milieu XVI^e^ s.

**trône** 1120, *Ps. de Cambridge ;* lat. *thronus,* du gr. *thronos.* || **trôner** 1801, Mercier. || **détrôner** fin XVI^e^ s. || **détrônement** 1731, Voltaire.

**trop** 1080, *Roland ;* en anc. fr., également « beaucoup, assez » ; du francique **throp,* entassement, d'où est issu le lat. médiév. *troppus* (*Loi des Alamans*), « troupeau ». (V. TROUPE.) || **trop-plein** 1671, Sévigné.

**tropanol** 1964, Lar. ; de *atropine.*

**trope** 1554, de Maumont ; lat. de rhét. *tropus,* gr. *tropos,* tour, manière. || **tropologie** XIII^e^ s., Guiart ; du lat. *tropologia,* mot gr.

**troph(o)-,** gr. *trophê,* nourriture. || **trophique** 1830, *Dict. méd.* || **trophoblaste** 1904, Lar. || **trophocyte** 1904, Lar. || **trophoplasma** 1897, *Année biol.*

**trophée** 1488, Vaganay ; bas lat. *trophaeum,* altér. du lat. class. *tropaeum,* gr. *tropaion.*

**tropique** 1375, R. de Presles ; bas lat. *tropicus,* gr. *tropikos,* sur *tropos,* tour, de *trepein,* tourner (d'après la révolution du soleil). || **tropical** 1824, *Annales sciences nat.* || **tropicalisé** 1959, Giordan. || **tropicalisation** 1964, Lar. || **subtropical** 1876, Lar.

**tropisme** 1904, Lar. ; gr. *tropos,* tour. (V. TROPIQUE.)

**tropo-,** gr. *tropos,* tour, direction. || **tropologie** XIII^e^ s., G. ; bas lat. *tropologia,* mot gr. || **tropopause** 1934, Quillet. || **tropophyte** 1964, Lar. ; gr. *phuton,* plante.

**troposphère** 1916, Lar., astron. ; de *tropo-* et de *sphère.*

**troque** var. de TROCHE 2.

**troquer** 1280, *Clef d'Amors* (*trocare,* dans un texte lat.) ; var. *trocher,* XV^e^ s. ; orig. inconnue. || **troc** 1464, B. W. || **troqueur** 1586, B. W.

**trotter** 1130, *Eneas ;* anc. haut all. *trottôn* (cf. l'all. *trotten,* forme intensive de la famille de *treten,* marcher). || **trot** 1155, Wace. || **trotteur** XV^e^ s., *FEW.* || **trotte** 1390, G., « trot » ; 1680, Richelet, sens actuel. || **trottoir** 1580, Montaigne. || **trotte-menu** 1660, Oudin. || **trotting** 1876, Lar., hippisme. || **trottiner** 1155, Wace ; var. *trotigner,* 1552, Rab. || **trottinement** 1845, d'après P. Robert. || **trottin** 1198, n. propre ; 1594, *FEW,* « animal » ; 1856, Michel, « apprentie » ; d'après *galopin.* || **trottinette** 1889, Macé ; d'après *patinette.*

1. ***trou** VIII^e^ s., *Loi des Ripuaires* (*traugum*) ; 1175, Chr. de Troyes (*traou*) ; lat. pop. **traucum* (cf. l'anc. prov. *trauc*), origine prégauloise. || **trouer** 1160, *Eneas.* || **trouée** fin XV^e^ s., Molinet. || **trou-madame** 1571, Havard, jeu.

2. ***trou** 1160, Benoît (*tros*), trognon ; lat. *thyrsus,* tige, gr. *thursos,* avec métathèse de *r.* (V. THYRSE.)

**troubadour** 1575, J. de Nostredame ; prov. *trobador,* trouveur. (V. TROUVER, TROUVÈRE.)

***trouble** 1160, Benoît, adj. ; lat. pop. **turbulus,* croisement de *turbidus,* agité, et de *turbulentus ;* avec métathèse de *r.* || ***troubler** 1080, *Roland ;* lat. pop. *tŭrbulāre,* de **turbulus.* || **troublant** adj., 1850, Sainte-Beuve, « inquiétant ». || **trouble** n. m., 1283, Beaumanoir. || **trouble-fête** XIII^e^ s., *Isopet.*

**trouée, trouer** V. TROU 1.

**troufignon** 1610, Béroalde, pop., anus ; de *trou* et *figne,* anus.

**troufion** 1894, Esnault, pop., soldat ; probablem. altér. plaisante de *troupier.* (V. TROUPE.)

**trouille** 1808, Boiste, « peur » ; mot du Nord-Est, de l'anc. fr. *truilier,* broyer, de *treuil* || **trouillard** av. 1756, *Caracatara et Caracataqué.* || **trouilloter** 1833, P. Borel, *Rhapsodies,* « sentir mauvais » ; de *trouiller,* péter.

**troupe** 1180, Barbier, « troupeau », jusqu'au XVI^e^ s. ; 1553, *Bible Gérard,* sens mod. ; bas lat. *troppus* (*Loi des Alamans*) ; francique **throp* (v. TROP). || **troupeau** 1155, Wace (*tropel*), syn. de *troupe ;* fin XIII^e^ s., empl. mod. || **troupier** 1821, Desgranges (v. TROUFION). || **attrouper** XIII^e^ s., *Doon de Mayence.* || **attroupement** fin XVI^e^ s., de L'Estoile.

**trousse** V. TROUSSER.

**troussequin** 1677, Barbier, outil de menuisier ; altér., d'après *trousser,* de *trusquin* (1676, Félibien), mot wallon, forme dissimilée de *crusquin,* du flam. *kruisken,* petite croix (à cause de la forme), du moy. néerl. *cruiskijn.* || **trusquiner** 1845, Besch.

***trousser** 1080, *Roland* (*trosser*), var. *torser ;* en anc. fr., « charger » (une bête de somme), proprem. « mettre en paquet » ; XIV^e^ s., Deschamps, « relever en pliant » ; XVI^e^ s., d'Aubigné, « faire vite » ; bas lat. **torsare*, de **torsus*, var. de *tortus*, part. passé de *torquēre* (v. TORDRE). || **trousse** fin XII^e s., *Dolopathos* (*torse*), « botte de paille », etc. ; XIII^e s., « poche de selle » ; *être aux trousses, courir aux trousses de*, fin XVI^e s., d'Aubigné, de *trousses* au sens de « haut-de-chausses relevé, porté par les pages » ; déverbal de *trousser*. || **trousseau** 1130, *Eneas*, synonyme de *trousse* ; début XIII^e s., *Guillaume de Dole*, « trousseau d'une jeune mariée ». || **trousse-galant** début XVI^e s., É. Médicis. || **trousse-pied** 1812, Mozin. || **trousse-queue** 1553, B. W. || **troussis** 1611, Cotgrave. || **trousse-pète** 1798, *Acad.*, n. f., se dit d'une petite fille. || **trousseur** 1883, Maupassant. || **détrousser** 1119, Ph. de Thaon, « défaire ce qui est empaqueté », d'où « dépouiller de ses bagages ». || **détrousseur** 1489, J. Aubrion. || **retrousser** fin XII^e s., *l'Escoufle* ; 1530, Palsgrave, sens mod. || **retroussement** 1546, J. Martin. || **retroussis** 1680, Richelet.

***trouver** 1050, *Alexis* ; lat. pop. **trŏpare*, de *trŏpus*, figure de rhét. ; « inventer, composer », puis « découvrir » dès le XI^e s. || **trouvaille** 1160, Benoît. || **trouvable** 1395, Chr. de Pisan. || **introuvable** début XVII^e s., Balzac. || **trouveur** 1160, Benoît. || **retrouver** XII^e s. || **retrouvailles** 1798, Mercier. (V. TROUVÈRE, TROUBADOUR.)

**trouvère** 1160, Benoît ; anc. cas sujet d'un mot dont *troveor* était le cas régime, spécialisation de sens d'après le sens primitif de *trouver*. (V. TROUBADOUR, TROUVER.)

**truand** 1175, Chr. de Troyes, « vagabond » ; 1906, Esnault, « malfaiteur » ; gaulois **trugant* (cf. l'irl. *trôgan*, dimin. de *truag*, malheureux, et le gallois *tru*). || **truander** 1175, Chr. de Troyes. || **truandaille** 1160, Benoît. || **truanderie** XII^e s. ; conservé dans le nom d'une rue de Paris.

**truble** ou **trouble** fin XIII^e s., *Livre des métiers*, filet de pêche ; probablem. du gr. de Marseille *trublion*, écuelle, avec infl. du lat. *trulla*, truelle. || **trubleau** 1583, G. (var. *trouble-eau, troubleau*, par attraction de *troubler*).

**trublion** 1901 ; mot créé par Anatole France, à la fois d'après *troubler* et le mot lat. *trublium*, écuelle, gamelle (v. TRUBLE), pour évoquer les partisans du prétendant au trône de France, surnommé *Gamelle*.

1. **truc** 1220, Coincy, ruse, procédé habile, tour d'adresse ; vulgarisé au début du XIX^e s. ; prov. *truc*, déverbal de *trucá*, en anc. prov. *trucar*, « cogner, battre », d'un lat. pop. **trūdicāre*, du lat. *trūdere*, pousser. || **trucher** 1628, *Jargon*, mendier. || **trucheur** 1632, Chereau. || **truquer** 1840, Esnault, « falsifier ». || **truqueur** 1840, Esnault. || **trucage** ou **truquage** 1872, L.

2. **truc** ou **truck** 1843, *Journ. des chem. de fer*, chariot ; angl. *truck*, camion.

**truche** 1872, L., vase ; orig. incertaine.

**truchement** XII^e s., *Prise d'Orange* (*drugement*) ; XIV^e s. (*trucheman, truchement*), *Chron. de Flandre*, interprète ; *par le truchement de*, 1836, Balzac ; de l'ar. *tourdjoumân*. (V. DROGMAN.)

**trucider** 1485, *FEW*, fam. ; lat. *trucidāre*, tuer.

**truculent** 1495, Vaganay ; lat. *truculentus*, farouche, de *trux*, même sens. || **truculence** 1629, Ritter ; rare jusqu'en 1853, Goncourt.

**truelle** XIII^e s., L. ; bas lat. *truella*, avec un *ū* irrégulier, du lat. class. *trulla*, diminutif de *trua*, cuiller à pot. || **truellée** 1344, B. W. || **trueller** 1561, Maumont.

**truffe** 1344, Prost, *Inv. des ducs de Bourgogne* ; périgourdin *trufa*, du lat. pop. *tūfera* (*gloses*), de **tūfer*, forme dial. (osco-ombrien) du lat. *tuber*, excroissance (v. TUBERCULE) ; 1843, Balzac, « nez ». || **truffeau** 1429, *FEW*, ornement. || **truffier**, fém. **truffière** 1771, Trévoux ; périgourdin *trufié, trufiero*. || **truffer** 1798, *Acad.* || **truffage** 1938, Montagné. || **trufficulture** 1875, *Rev. des Deux Mondes*. || **truffette** fin XIX^e s., bonbon fabriqué à Grenoble.

***truie** XII^e s. ; bas lat. *trŏia* (VIII^e s., *Gloses de Cassel*), fém. tiré de *porcus troianus*, porc farci (Macrobe), ainsi désigné par allusion au cheval de Troie.

**truisme** 1828, Jacquemont ; angl. *truism*, axiome, de *true*, vrai.

***truite** 1175, Chr. de Troyes (*troite, truite*) ; bas lat. *tructa* (VII^e s., Isid. de Séville), gr. *trôktês*, vorace. || **truité** 1680, Richelet.

**trullisation** 1691, Daviler, crépissage à la truelle ; lat. *trullisatio*, de *trulla*. (V. TRUELLE.)

**trumeau** fin XII^e s., *Geste Loherains* (*trumel*), « gras de la jambe » ; conservé comme terme de boucherie, « jarret de bœuf » ; 1624, B. W., « panneau », archit. (v. aussi JAMBE, même empl. fig.) ; francique **thrŭm*, morceau (cf. l'all. *Trumm*).

**truquer, truqueur** V. TRUC 1.

**trust** 1888, *Économiste fr.* ; mot angl., de (*to*) *trust,* avoir confiance dans les dirigeants, à qui on confie tous les pouvoirs. || **truster** 1911, *L. M.* || **trusteur** 1905, Adam.

**trypanosome** 1843, *Comptes rendus Acad. sciences,* bactériol. ; gr. *trupanê,* tarière, et *sôma,* corps. || **trypanosomiase** 1923, Lar.

**trypsine** 1888, Lar. ; gr. *tripsis,* friction.

**tsar** ou **tzar** 1561, texte d'Anvers (*czar*) ; 1607, B. W. (*tsar,* forme russe) ; mot slave, empr. anc. au lat. *caesar* (cf. l'all. *Kaiser*). || **tsarine** 1678, A. Des Barres. || **tsarévitch** 1679, S. Collins (*czaroidg*) ; XVIIIe s. (*csarewitz*). || **tsarisme** 1907, Lar.

**tsé-tsé** 1857, *Rev. des Deux Mondes* ; mot du dialecte des Setchuana, en Afrique australe.

**tsigane** XVe s. (*cigain*) ; 1843, Th. Gautier (*tzigane*) ; nom d'un peuple nomade d'Asie qui se dispersa en Europe au XVe s. ; cf. l'all. *Zigeuner,* l'ital. *zingaro,* le port. *cigano.* (V. aussi BOHÈME, GITAN, ROMANICHEL.)

**tsoin-tsoin** 1917, Esnault.

**tsunami** 1915, d'après P. Robert ; mot japonais.

***tu** 980, *Valenciennes* ; lat. *tū,* nominatif du pron. pers. de 2e pers. || **te** XIIe s. ; de l'acc. *tē* en position atone. || **toi** XIIe s. (*tei,* puis *toi*) ; acc. *tē* en position tonique (v. ME). || **tutoyer** 1280, Bibbesworth (*tutoiser*) ; 1394, Du Cange (*tutoyer*). || **tutoiement** 1636, Monet. || **tutoyeur** 1752, Ch. Le Roy.

**tub** 1878 (*tob*) ; 1889, P. Bourget (*tub*) ; angl. *tub,* « baquet ». || **tuber** 1898, Bourget.

**tuba** XIIIe s., G. ; ital. *tuba,* trompette, du lat. *tuba,* trompette.

**tube** 1453, B. W. ; lat. *tubus.* || **tuber** 1489, *Ordonn.* || **tubage** 1818, Gallois. || **tubaire** 1822, *Nouv. Dict.* || **tubicole** 1827, *Acad.* || **tubiste** 1904, Lar., postier préposé aux tubes pneumatiques ; 1953, Lar., ouvrier travaillant dans un caisson à air comprimé. (V. TUBULÉ.)

**tubéracé** 1842, *Acad.,* bot. ; lat. *tuber,* truffe.

**tubercule** 1541, Vassée, proéminence anatomique ; 1741, Col de Vilars, « tumeur du poumon » ; lat. méd. *tuberculum,* petite tumeur, de *tuber,* « tumeur ». (V. TRUFFE.) || **tuberculeux** milieu XVIe s., dans un autre sens que le sens méd. mod. ; fin XVIIIe s., méd. || **tubard** 1920, Esnault. || **tuberculose** 1854, *Journ. méd.* || **tuberculisation** 1842, *Acad.* || **tuberculiser** 1855, Nysten. || **tuberculine** 1891, d'après P. Robert. || **tuberculiner, tuberculiniser** 1907, Lar. || **tuberculination, tuberculinisation** 1907, Lar. || **antituberculeux** 1891, *Année scient.*

**tubéreux** 1478, Chauliac (*tubéroux*) ; 1560, Paré (*tubéreux*) ; lat. *tuberosus,* garni de protubérances, de *tuber* (v. TRUFFE), tubercule. || **tubéreuse** n. f., 1630, Peiresc, bot. || **tubérosité** 1478, Chauliac ; bas lat. *tuberositas.* || **tubériforme** 1842, *Acad.* || **tubérisé** 1964, Lar. || **tubérisation** 1915, Lar.

**tubulé** 1743, Geffroy ; lat. *tubulatus,* de *tubus* (v. TUBE). || **tubulaire** 1755, abbé Prévost ; lat. *tubulus,* dimin. de *tubus.* || **tubuleux** 1763, Planque. || **tubuliflore** 1842, *Acad.* ; de *flore.* || **tubo-ovarien** 1872, L. || **tubulure** 1762, *Acad.*

**tudesque** 1512, J. Lemaire de Belges ; ital. *tedesco,* de l'anc. haut all. *diutisc* (cf. l'all. *deutsch*).

**tudieu** 1537, Des Périers ; de [*par la ver*]*tu* [*de*] *Dieu.*

***tuer** 1130, *Eneas,* « éteindre » (jusqu'au début du XVIIe s.) ; 1155, Wace, « abattre, tuer » ; lat. pop. **tūtāre,* en lat. class. *tūtāri,* protéger, d'où en bas lat. « éteindre ». || **tuable** 1566, *FEW.* || **tuant** 1638, Chapelain, adj., fig. || **tueur** 1265, J. de Meung. || **tuerie** 1350, G. || **tue-chien** 1544, *FEW.* || **tue-mouche** 1827, *Acad.,* bot. ; 1872, L., *papier tue-mouches.* || **à tue-tête** 1650, Scarron. || **s'entre-tuer** XIIe s.

**tuf** 1280, *Archives* ; ital. *tufo,* forme napolitaine, du lat. *tōfus.* || **tufeau** 1433, *Rev. ling. rom.* || **tufière** 1562, Du Pinet, n. f. || **tufier** 1694, Th. Corneille, adj.

***tuile** 1170, *Rois* (*teule, tieule*) ; 1333, Gay (*tuile,* par métathèse) ; 1784, Mme de Genlis, « ennui » ; lat. *tēgula,* de *tegere,* couvrir. || **tuilerie** 1221, G. || **tuilier** 1292, *Rôle de la taille de Paris.* || **tuileau** XIVe s., G. || **tuilette** 1190, G. || **tuiler** 1756, Féraud, fig., eccl. ; 1827, *Acad.,* techn. || **tuilé** XIIIe s., La Curne. || **tuilage** 1723, Savary.

**tularémie** XXe s., vétér. ; lat. scient. *tularensis,* d'après le comté de *Tulare* (Californie), et du gr. *haima,* sang.

**tulipe** 1600, O. de Serres (*tulipan*) ; 1611, Cotgrave (*tulipe*) ; turc *tülbend* (*lâle*), plante-turban, appliqué à la tulipe blanche, par comparaison avec la forme d'un turban. || **tulipier** 1751, *Dict. d'agric.*

**tulle** XVII^e s. (*point de Tulle*) ; 1765, *Encycl.* (*tulle*) ; de *Tulle,* ville de la Corrèze où se fabriquait ce tissu. || **tullerie** 1872, L. || **tullier, tullière** 1868, *Moniteur universel.* || **tullliste** 1842, *Acad.*

**tumeur** 1398, *Somme Gautier ;* lat. *tumor,* de *tumēre,* être gonflé. || **tumoral** 1964, Lar. || **tuméfier** 1560, Paré ; lat. *tumefacere,* faire gonfler. || **tuméfaction** 1552, *Revue.* || **tumescent** 1839, Boiste. || **tumescence** 1839, Boiste. || **intumescence** 1611, Cotgrave ; lat. *intumescere,* gonfler.

**tumulte** 1131, *Couronn. Loïs* (*temulte*) ; 1200, *FEW* (*tumulte*) ; lat. *tumultus,* de *tumēre* au fig. (v. TUMEUR). || **tumultueux** 1354, *FEW ;* lat. *tumultuosus.* || **tumultueusement** 1355, Bersuire. || **tumultuaire** 1355, Bersuire ; lat. *tumultuarius.*

**tumulus** 1811, Chateaubriand, archéol. ; lat. *tumulus,* tertre, tombeau. || **tumulaire** 1771, Trévoux.

**tune** ou **thune** 1628, *Jargon,* « aumône » ; 1800, Esnault, « pièce de cinq francs » ; orig. obscure ; peut-être de *Tunes,* forme anc. de *Tunis :* le chef des gueux s'appelait par dérision roi de *Tunes.*

**tuner** 1964, Lar. ; mot angl., de *to tune,* accorder.

**tungstène** 1784, Guyton de Morveau, chim. ; suédois *tungsten,* pierre lourde (mot créé par le chimiste suédois *Scheele,* qui découvrit ce corps en 1780). || **tungstate** 1789, Lavoisier. || **tungstite** 1984, Lar.

**tunique** 1156, Rathbone ; lat. *tunica.* || **tuniqué** 1872, L., adj. ; hist. nat. || **tunicelle** XVI^e s., *FEW.* || **tunicier** 1827, *Acad.,* zool. ; d'après l'enveloppe de ces animaux marins.

**tunnel** 1825, Wexler ; angl. *tunnel,* galerie, tuyau, issu du fr. *tonnelle.* (V. TONNE.)

**tuque** 1659, d'après P. Robert ; mot canadien, du français *toque.*

**turban** 1350, *FEW* (*tourbelon*) ; 1538, Saint-Blancard (*turban*) ; turc *tülbend,* mot persan, par l'interméd. de l'ital. *turbante,* fin XV^e s. (V. TULIPE.) || **enturbanné** XVI^e s.

**turbe** 1050, *Alexis* (*torbe*), jurid. ; lat. *turba,* foule. (V. TOURBE 1.)

**turbide** 1502, O. de Saint-Gelais ; lat. *turbidus,* agité. || **turbidimètre** 1910, Lar. || **turbidité** 1910, Lar.

**turbine** 1534, Rab., « tourbillon » ; 11 mars 1827, *Corresp.,* Ph. de Girard, roue hydraulique (mot créé par Burdin, d'après cet article) ; lat. *turbo, turbinis,* tourbillon, toupie, par ext. « cône, roue de fuseau, etc. ». || **turbinage** 1872, L. || **turbiné** 1541, Canappe. || **turbineur** 1874, L. || **turbroyeur** 1975, Lar. || **turbocompresseur** 1923, Lar. || **turboforage** 1944, Lar. || **turbomoteur** 1890, d'après P. Robert. || **turbopompe** 1923, Lar. || **turbopropulseur** 1910, *la Vie au grand air.* || **turboréacteur** 1948, Lar.

**turbiner** 1812, Esnault, pop., « travailler » ; de *tourpiner,* tournailler, de *torpie,* toupie, probablem. forgé sur le rad. lat. de *turbo, turbinis,* tourbillon. || **turbin** 1821, Esnault.

**turbith** XIII^e s., *Simples Médecines,* liseron de l'Inde, par ext., poudre purgative ; ar. *turbid.*

**turbot** XII^e s., E. de Fougères (*tourbout*) ; 1398, *Ménagier* (*turbot*) ; anc. scand. **thornbutr,* de *thorn,* épine, et *butr* (cf. le néerl. *butte,* l'all. *Butt,* barbue). || **turbotin** 1694, *Acad.* || **turbotière** 1803, Boiste.

**turbulent** XII^e s., *Règle saint Benoît ;* rare jusqu'au XVI^e s. ; lat. *turbulentus* (III^e s., Tertullien), de *turbare,* troubler. || **turbulence** 1495, J. de Vignay ; lat. *turbulentia.*

**turc** 1207, Villehardouin, nom de peuple ; 1660, Oudin, « personne dure », fig. ; du turco-persan *tourk,* nom de peuple ; *tête de Turc,* fig., loc. empr. au jeu de massacre. || **turquette** 1565, *FEW ;* appelé aussi *herbe au Turc.* || **turquerie** 1578, Léry. (V. TURQUIN, TURQUOISE.)

**turco** 1830, Esnault ; mot du sabir algérien ; proprem. « turc », puis « algérien », puis « soldat indigène » ; l'Algérie a dépendu de la Turquie jusqu'en 1830.

**turdidé** 1872, L., ornith. ; lat. *turdus,* grive. (V. TOURD.)

**turelure, turlure** XIII^e s., G., refrain de chanson ; onomat. (v. TURLUT). || **turlurette** XIV^e s., *Chron. de Du Guesclin,* sorte de guitare.

**turf** 1828, *Journ. des haras ;* 1929, Esnault, « travail » ; angl. *turf,* gazon, pelouse. (V. TOURBE 2.) || **turfiste** 1853, Chapas.

**turgescent** 1813, Boiste ; lat. *turgescens,* part. prés. de *turgescere,* se gonfler. || **turgescence** 1752, Trévoux ; lat. mod. *turgescentia.* || **turgide** XVI^e s.

**turion** 1555, Aneau, bot. ; lat. *turio,* jeune pousse.

**turlupin** XIV[e] s., Du Cange ; de *Turlupin,* surnom choisi par Legrand, auteur de farces du début du XVII[e] s., d'après un terme d'origine inconnue désignant, au XIV[e] s., une secte d'hérétiques, et usité au XVI[e] s. au sens de « mauvais plaisant » || **turlupiner** 1615, *Harangue de Turlupin.* || **turlupinade** 1654, Scarron.

**turlure, turlurette** V. TURELURE.

**turlut, turlu** 1680, Richelet, nom d'oiseau ;. onomat. || **turlutaine** 1778, Beaumarchais, « serinette » ; 1893, *D. G.,* « rengaine ». || **turlututu** 1654, Loret ; onomat.

**turne** 1800, *Chauffeurs,* « maison » ; 1854, Gautier, arg. des grandes écoles ; alsacien *türn,* prison, forme dial. de l'all. *Turn,* tour. || **coturne** 1895, Florent, compagnon de « turne » ; de *co-,* avec, et calembour sur *cothurne.*

**turnep** ou **turneps** 1755, Mackenzie, chou-rave ; mot angl., de (*to*) *turn,* tourner, et de l'anc. angl. *naep,* navet, du lat. *napus.*

**turonien** 1842, Orbigny ; lat. *Turones,* peuple de la Loire.

**turpitude** 1390, *FEW ;* lat. *turpitudo,* de *turpis,* honteux. || **turpide** 1390, La Curne.

**turqueterie, turquet** V. TURC.

**turquin** 1471, *D. G. ;* ital. *turchino,* de Turquie (le bleu était la couleur favorite des Turcs).

**turquoise** 1298, *Livre Marco Polo ;* fém. subst. de l'anc. adj. *turquois,* de *turc* (cette pierre a été trouvée en Turquie d'Asie).

**turriculé** 1842, d'après P. Robert, coquillage en forme de tour ; lat. *turricula,* petite tour, dimin. de *turris.* || **turritella** 1806, Wailly, zool. ; lat. scient. *turritella,* du lat. *turritus,* garni de tours.

**tussi-,** lat. *tussis,* toux. || **tussigène** 1897, Nysten. || **tussilage** 1671, Quatroux ; lat. *tussilago.* || **tussipare** 1904, Lar.

**tussor** 1844, *Tarif des douanes* (*tussore*) ; angl. *tussore,* de l'hindoustani *tasar.*

**tuteur** 1265, *Livre de jostice ;* 1701, Furetière, « armature » ; lat. *tutor,* de *tueri,* protéger. || **cotuteur** XVIII[e] s. || **protuteur** XVIII[e] s. || **tutelle** 1332, G. ; lat. *tutela.* || **tutélaire** 1552, Rab., « secourable » ; 1613, Voultier, jurid. ; bas lat. *tutelaris.* || **tuteurer** 1907, Lar.

**tutie** 1256, Ald. de Sienne (*tuschie*), oxyde de zinc sublimé ; ar. *tutijâ.*

**tutoyer** V. TU.

**tutti** 1765, *Encycl.,* mus. ; mot ital., plur. de *tutto,* tout. || **tutti frutti** 1933, Lar. || **tutti quanti** 1671, Sévigné ; expr. ital., pour « tous tant qu'ils sont ».

**tutu** 1881, Esnault, « caleçon collant de danseuse », puis « jupe légère de danseuse » ; mot enfantin ; altér. euphémique de *cucu,* redoublement de *cul.*

**tuyau** fin XI[e] s., *Gloses de Raschi ;* francique **thūta,* trompette, tuyau (cf. le comp. gotique *thut-haurn,* corne-trompette) ; 1872, Pearson, « renseignement » (donné dans le tuyau de l'oreille). || **tuyauter** 1822, *Obs. des modes,* plier du linge à *tuyaux ;* 1899, Esnault, fam., renseigner. || **tuyauterie** 1845, Besch. || **tuyautage** 1872, L. || **tuyère** 1450, *FEW.*

**tweed** 1845, Th. Gautier, laine d'Écosse ; mot angl., altér., d'après *Tweed,* nom d'une rivière d'Écosse, de *tweel,* étoffe croisée (cf. l'angl. [*to*] *twill,* croiser).

**twist** 1904, Bonnafé, « caoutchouc » ; 1960, Robert, « danse ». || **twister** 1964, Lar.

**tympan** 1170, *Rois,* tambour ; XVI[e] s., B. Palissy (*tympane*), archit. ; XVII[e] s., *Huetiana,* anat. ; lat. *tympanum,* tambourin, et par ext., archit., du gr. *tumpanon* (v. TIMBRE). || **tympanique** 1822, *Nouv. Dict. méd.* || **tympaniser** 1520, G., signaler bruyamment, jusqu'à la fin du XVII[e] s. ; 1611, Cotgrave, « railler » ; lat. impér. *tympanizare,* jouer du tambourin. || **tympanite** 1372, Corbichon (*timpanide*), méd. ; lat. méd. *tympanites.* || **tympanal** 1872, L., anat. || **tympanon** 1680, Richelet, anc. instr. de mus. ; gr. *tumpanon.* || **tympanoplastie** 1964, Lar.

**type** 1380, *Aalma,* eccl., « modèle, symbole » ; 1777, *Encycl.,* « personnage représentatif » ; 1845, Besch., biologie ; 1844, Balzac, « individu » ; 1835, *Acad.,* imprimerie ; lat. eccl. *typus,* « modèle, exemple », du gr. *tupos,* marque d'un coup. || **typesse** 1879, Esnault. || **typé** 1843, Toeppfer. || **typer** 1873, *J. O.* || **typique** 1495, *Mir. histor.,* « allégorique » ; 1850, Balzac, « original » ; lat. eccl. *tupicus,* exemplaire, du gr. *tupikos.* || **typiquement** fin XVII[e] s., Abadie. || **typifié** 1859, Mozin. || **typiser** 1834, Balzac. || **typisation** 1834, Balzac. || **typologie** 1840, *FEW.*

**typhlite** 1858, Nysten, méd. ; gr. *tuphlos,* caecum, « (intestin) aveugle ».

**typhon** 1521, Crignon ; angl. *typhoon,* de l'ar. *tufân,* lui-même p.-ê. issu du gr. *tuphôn,* tourbillon de vent.

**typhus** 1667, Justel ; mot du lat. méd. (IIIe s., Sammonicus), gr. méd. *tuphos,* torpeur, de *tuphein,* incendier, faire fumer. || **typhique** 1836, *Acad.* || **typhoïde** 1660, Fernel (*typhodes*) ; 1813, Pinel, relatif au typhus ; 1826, *FEW,* fièvre typhoïde. || **paratyphoïde** 1907, Lar. || **typhoïdique** 1877, *le Progrès médical.* || **typhose** 1904, Lar.

**typographe** 1554, Belleforest ; gr. *tupos,* caractère d'écriture (v. TYPE), et *graphein,* écrire. || **typo** 1861, Larchey, « ouvrier » ; 1964, Lar., typographie. || **typographie** 1577, Ganieu. || **typographique** 1560, J. Millet. (V. LINOTYPE, MONOTYPE.)

**typtologie** 1876, Lar. ; de *typto-,* du gr. *tuptein* frapper, et de *-logie.*

**tyran** Xe s., *Saint Léger* (*tiran*) ; lat. *tyrannus,* gr. *turannos,* maître, usurpateur, despote. || **tyranneau** 1574, Jodelle. || **tyrannie** 1155, Wace. || **tyrannique** 1370, Oresme ; lat. *tyrannicus,* gr. *turannikos.* || **tyranniser** 1370, Oresme. || **tyrannicide** 1487, Garbin, « meurtrier » ; 1562, Bonivard, « meurtre » ; lat. *tyrannicida* (v. HOMICIDE, PARRICIDE). || **tyrannosaure** 1890, d'après P. Robert, zool. ; gr. *saura,* reptile.

**tyrolienne** 1816, Jouy, chant (s.-e. *chanson*) ; fém. de l'adj. dér. de *Tyrol.*

**tyrosine** 1872, L., chim. ; gr. *turos,* fromage. || **tyrosinase** 1897, *Année biol.*

**tzigane** V. TSIGANE.

# U

**ubac** XII[e] s., mot provençal, versant exposé au nord ; lat. *opacus,* sombre, par l'intermédiaire du bas lat. *ubacum.* (V. ADRET, OPAQUE.)

**ubéral** 1909, Lar. ; lat. *uber,* sein, mamelle. || **ubérosité** *id. ;* bas lat. *uberosus,* de *uber,* fécond, fertile.

**ubiquité** 1548, N. du Fail ; lat. *ubique,* partout (comp. de *ubi,* où) ; *avoir don d'ubiquité,* 1839, *Acad.* || **ubiquisme** 1580, Montaigne. || **ubiquiste** 1585, Feuardent, théol. || **ubiquitaire** 1622, Fr. de Sales, théol.

**ubuesque** 1922, *Mercure de France ;* de *Ubu,* n. du héros de la pièce d'A. Jarry.

**uchronie** 1876, Renouvier, « histoire fictive » ; gr. *ou-,* préfixe négatif, et *khronos,* temps, sur le modèle de *utopie.*

**uhlan** 1578, Charrière (*ullac*) ; 1748, d'Argenson (*houlan*) ; mot allem., empr. au polonais, du tartare *oglan,* jeune homme.

**ukase** 1774, *Mém. d'Éon* (*oukas*) ; russe *ukaz,* édit, de *ukasat',* publier.

**ulcère** 1314, Mondeville ; lat. *ulcus, ulceris.* || **ulcérer** *id. ;* lat. *ulcerare ;* fig., 1611, Cotgrave. || **ulcération** 1314, Mondeville ; lat. *ulceratio.* || **ulcéreux** 1363, Chauliac ; lat. *ulcerosus.* || **ulcératif** XIV[e] s., Gordon. || **ulcéroïde** 1878, Lar. || **exulcérer** 1534, Rab. ; lat. méd. *exulcerare.* || **exulcération** XVI[e] s., G. ; lat. *exulceratio.*

**uléma** 1829, Boiste ; ar. *oulamâ,* plur. de *alim,* docte, savant.

**uligineux** 1265, Br. Latini ; lat. *uliginosus,* de *uligo,* humidité.

**ulluco** 1872, L. ; mot esp., du quechua *ullucu.*

**ulmaire** XIV[e] s., Gauchet ; lat. bot. mod. *ulmaria,* de *ulmus,* orme, d'après une ressemblance des feuilles. || **ulmique** 1834, Boiste, chim. || **ulmacées** 1828, Mozin.

**ulnaire** 1843, Landais ; lat. *ulna,* avant-bras.

**ulster** 1872, L., mot angl., type de manteau ; de *Ulster,* province irlandaise où l'on en fabriquait l'étoffe.

**ultérieur** 1495, J. de Vignay ; lat. *ulterior,* forme de comparatif, même rad. que *ultra,* au-delà. || **ultérieurement** 1570, Huguet.

**ultimatum** 1740, Brunot ; mot du lat. diplomatique mod., de *ultimus,* dernier.

**ultime** 1220, Coincy ; lat. *ultimus,* dernier. || **ultimo** 1842, *Acad.*

1. **ultra-,** lat. *ultra,* au-delà (de) ; sert à la construction de nombreux mots savants : *ultrason, ultraviolet,* etc. || **ultracisme** 1831, Balzac. || **ultrafiltre** 1933, Lar. || **ultramicroscope** 1906, d'après P. Robert. || **ultramoderne** 1894, Arène. || **ultraroyaliste** 1798, *Acad.* || **ultrason** 1933, Lar. || **ultrasonore** 1923, Langevin. || **ultraviolet** 1872, L. || **ultravirus** 1921, *Comptes rendus.*

2. **ultra** 1792, C. Desmoulins, extrémiste, en politique ; 1816, Jouy, ellipse de *ultra-royaliste ;* empl. subst. du préf. *ultra-.*

**ultramontain** 1265, du Cange (en latin) ; 1323, *Ordonn. roy.,* eccl. ; lat. eccl. *ultramontanus,* proprem. « d'au-delà des monts (les Alpes) ». || **ultramontanisme** 1733, B. W., eccl.

**ululer** XV[e] s., *FEW ;* lat. *ululare,* hurler. || **ululation** 1220, Coincy ; bas lat. *ululatio.* || **ululement** 1541, G. Michel de Tours.

***un** 980, *Passion ;* lat. *ūnus.* || **l'un** 1080, *Roland.* || **unième** 1250, Mousket (*vint et unime*) ; 1538, R. Est. (*unième*).

**unanime** 980, *Valenciennes ;* rare avant le XV[e] s. ; lat. *unanimus,* « qui a une même âme ». || **unanimement** 1361, Oresme ; lat. *unanimitas.* || **unanimisme, unanimiste** 1910, J. Romains, littér. || **unanimité** 1370, Oresme.

**unau** 1614, Cl. d'Abbeville, zool. ; mot tupi, d'une langue indigène du Brésil.

**unciforme** 1808, Boiste ; lat. *uncus,* crochet, et *forme.* || **uncinaire** 1876, Lar.

**unguéal** 1812, Mozin ; lat. *unguis,* ongle.

1. ***uni** xe s., adj. ; lat. *unitus,* part. passé de *unīre.* || **uniment** 1120, *Ps. d'Oxford* (*uniement*).

2. **uni-,** premier élément d'adjectifs savants, comme *unicellulaire,* indiquant que la substance qualifiée comporte un unique objet de la catégorie désignée par le radical. || **unicellulaire** 1838, B. W. || **unicolore** 1845, Besch. || **unicorne** 1120, *Ps. d'Oxford.* || **unidirectionnel** 1953, Lar. || **uniflore** 1778, Lamarck. || **unifolié** 1842, *Acad.* || **unijambiste** 1914, *le Sourire.* || **unilingue** 1872, L. || **uninominal** 1874, *J. O.* || **unipersonnel** 1823, Boiste. || **unisexe** 1763, d'Argenson. || **unisexué** 1763, Adanson (*unisexé*). || **univalent** 1888, Lar.

**unifier** 1380, *Aalma ;* bas lat. *unificare,* de *unus,* un, et *facere,* faire. || **unification** 1838, B. W. || **unificateur** 1907, Lar.

**uniforme** 1370, Oresme, adj. ; lat. *uniformis,* « qui a une seule forme » ; 1707, Lesage, subst., abrév. d'*habit uniforme.* || **uniformément** 1380, *Aalma.* || **uniformité** 1370, Oresme ; bas lat. *uniformitas.* || **uniformiser** 1725, *Dict. néologique.* || **uniformisation** 1823, Thiers.

**union** fin xiie s. ; bas lat. *unio* (iiie s., Tertullien, aussi « unité »), de *unus,* un. || **désunion** 1479, Bartzsch ; d'après *désunir.* || **réunion** 1468, Bartzsch ; d'après *réunir.* || **unionisme, unioniste** 1834, Boiste ; de l'angl. *unionism, unionist.*

**unique** fin xve s., Molinet ; lat. *unicus,* de *unus,* un. || **uniquement** 1458, *FEW.* || **unicité** 1730, Saint-Simon.

**unir** xiie s., *Grégoire ;* lat. *unīre,* de *unus,* un. || **désunir** 1417, G. || **réunir** 1400 (*réaunir*) ; 1539, R. Est. (*réunir*).

**unisson** 1375, Oresme, mus. ; lat. *unisonus,* qui a un seul son ; fig., 1696, Regnard.

**unité** 1120, *Ps. d'Oxford ;* lat. *unitas,* de *unus,* un. || **unitaire** 1688, Bossuet, théol. ; 1822, Fourier, polit. || **unitarien** 1842, *Acad.* || **unitarisme** 1865, Proudhon. || **unitariste** *id.*

**unitif** 1420, A. Chartier ; lat. scolast. *unitivus,* de *unus,* un.

**univers** milieu xiie s., *FEW ;* d'abord adj. jusqu'au xvie s. ; lat. *universus,* tout entier, proprem. « tourné de manière à former un tout » ; 1530, Marot, subst. ; lat. philos. *universum.*

**universel** fin xiie s., B. W. ; 1355, Bersuire (*universal*) ; lat. *universalis.* Le pl. *universaux,* av. 1650 (Descartes), a servi de terme scolast. || **universellement** 1265, B. W. || **universalité** 1375, R. de Presles ; bas lat. *universalitas.* || **universaliser** 1769, Cl. Bonnet. || **universalisation** 1795, Brunot. || **universaliste** 1704, Trévoux, philos. || **universalisme** 1823, Boiste.

**université** 1218, G., en parlant de l'univ. de Metz ; lat. *universitas,* « ensemble », employé au sens bas-lat. et médiév. de « collège, corporation », dès 1150 à Paris. || **universitaire** 1819, Boiste ; n. m., 1814, Béranger.

**univoque** 1363, Chauliac, méd. ; 1380, *Aalma,* en logique ; bas lat. *univocus,* de *unus,* un, et *vocare,* appeler. || **univocation** 1503, Chauliac ; bas lat. *univocatio.* || **univocité** 1921, Vendryes. || **biunivoque** 1960, Lar.

**upérisation** 1964, Lar. ; angl. *uperization,* de *ultra,* et *pasteurize,* pasteuriser. || **upériser** 1969, *Femme pratique.*

**uppercut** 1905, *la Vie au grand air ;* angl. *uppercut,* de *upper,* supérieur, et *cut,* coup.

**uraète** 1904, Lar. ; lat. scient. *uroaetus,* aigle à queue, de *oura,* queue, et *aetos,* aigle.

**urane** 1790, nom d'un corps découvert en 1789 par l'Allemand Klaproth, et appelé par ce dernier *Uran,* du nom de la planète *Uranus,* découverte en 1781 par Herschel, qui lui donna ce nom d'après celui du dieu latin *Uranus,* père de Saturne (du gr. *Ouranos,* proprem. « ciel »). || **uraneux** 1872, L. || **uranium** 1845, Besch. ; corps découvert en 1841 par Peligot. || **uranifère** 1949, Lar. || **uranique** 1845, Besch. || **uranite** 1872, L.

**uranie** 1827, *Acad.,* entom. ; gr. *ourania,* céleste, de *ouranos,* ciel.

**uranisme** 1904, Lar. ; allem. *Uranismus,* du gr. *Ourania,* surnom d'Aphrodite, la céleste.

1. **urano-,** gr. *ouranos,* ciel, voûte de la bouche. || **uranographie** 1762, *Acad. ;* a remplacé *ouranographie* (1694, Th. Corn.). || **uranoplastie** 1862, *Journ. de médecine.* || **uranoscope** 1546, Saint-Gelais.

2. **urano-,** de *uranium.* || **uranocircite** 1904, Lar. ; lat. *circus,* cercle. || **uranothorite** 1964, Lar.

**urbain** 1355, Bersuire ; lat. *urbanus,* de *urbs,* ville. || **interurbain** 1894, Sachs. || **urbanité** 1370, Oresme ; au fig., fin xve s., J. Lemaire de Belges. || **urbanisme** 1842, Radonvilliers,

« urbanité » ; 1910, archit., d'après G. Bardet. || **urbaniste** 1923, Lar. || **urbaniser** 1785, R. de La Bretonne. || **urbanisation** 1924.

**urbi et orbi** 1833, Balzac ; loc. lat. signif. « à la ville de Rome et à l'univers ».

**urcéole** 1819, *Nouv. Dict. d'hist. nat.*, bot. ; lat. *urceolus,* dim. de *urceus,* vase. || **urcéolé** 1802, Richard.

**urédinée** 1842, *Acad.*, bot. ; lat. *uredo,* nielle (maladie des plantes), de *urere,* brûler. || **urédinales** 1964, Lar.

**urée** 1363, Chauliac ; de *urine.* || **urate** 1798, *Bull. sciences.* || **urique** 1803, Wailly. || **polyurique** 1810, Capuron. || **polyurie** 1836, Landais. || **urémie** 1847, Piorry ; gr. *haima,* sang. || **urémique** 1858, Nysten. || **uricémie** 1868, Gigot.

**uretère** 1541, Canappe ; lat. *urētēr,* du gr. *ourêtêr,* de *oureîn,* uriner. || **urétérite** 1803, Wailly (*-téritis*). || **urétérectomie** 1933, Lar. || **urétérocèle** 1964, Lar. ; gr. *kêlê,* tumeur.

**urètre** 1667, *Journal des savants ;* lat. *urethra,* du gr. *ourêthra,* de *oureîn,* uriner. || **urétral** 1796, *Bull. sciences.* || **urétrocèle** 1933, Lar. ; gr. *kêlê,* hernie. || **urétrorragie** 1872, L. || **urétroscopie** 1872, L.

**urgent** 1340, G. ; lat. impér. *urgens,* part. prés. de *urgēre,* presser. || **urgence** 1572, Belleforest ; rare av. 1792, Brunot ; *d'urgence,* 1790, Mirabeau. || **urger** 1903, *le Sourire ;* de *urgent.*

**urine** 1155, Wace (*orina*) ; 1380, *Aalma* (*urine*) ; lat. pop. **aurīna,* de *urīna,* refait d'après *aurum,* or. || **uriner** 1380, *Aalma.* || **urinaire** 1560, Paré. || **urinal** 1175, Chr. de Troyes (*orinal*), « vase de nuit », de *orine,* du lat. *urina ;* fin XIV[e] s. (*urinat*). || **urinifère** 1843, Landais. || **urineux** 1611, Cotgrave. || **urinoir** 1754, d'après Trévoux, vase ; 1872, L., local.

**urne** 1487, Garbin, « vase » ; 1845, Besch., « récipient pour recueillir les bulletins de vote » ; lat. *urna,* vase.

**uro-,** gr. *oûron,* urine. || **urobiline** 1877, Nysten. || **urochrome** 1865, Nysten. || **urogénital** 1846, Orbigny. || **urodèle** 1839, Boiste, batracien ; gr. *dêlos,* visible, « qui conserve sa queue ». || **urographie** XX[e] s. || **urologie** 1851, *Journ. de médecine.* || **urologue** 1851, *Journ. de médecine.* || **uromètre** 1872, L. || **uropode** 1876, Lar. ; gr. *pous, podos,* pied.

**urticaire** 1759, *Journ. de médecine,* adj., *fièvre urticaire ;* 1806, Capuron, n. m. ; lat. *urtīca,* ortie, démangeaison. || **urticacée** 1868, Souviron. || **urticée** 1803, Boiste. || **urticant** 1864, Jamain. || **urtication** 1765, *Encycl.*

**urubu** 1770, Buffon ; angl. *urubu,* mot tupi.

***us** 1155, Wace ; lat. *ūsus,* usage, part. passé subst. de *uti,* « se servir de » ; auj. usité seulement dans la loc. *les us et coutumes,* fin XII[e] s., Villehardouin.

**usage** 1155, Wace ; pl., fin XII[e] s. ; anc. fr. *us.* || **usager** début XIV[e] s., n. m. || **usagé** 1289, G., « accoutumé », part. passé de l'anc. verbe *usager* (XV[e] s.), « s'habituer ». || **usagé** 1877, L., « qui a beaucoup servi », dér. de *usage.* || **usager** adj., 1354, *Modus,* « destiné à un usage habituel » ; n. m., 1360, G., « qui connaît les usages » ; 1933, Lar., sens actuel. || **non-usage** 1689, Brunot.

***user** 1080, *Roland,* « se servir de », comme v. tr. ; *user de,* 1283, Beaumanoir ; *s'user,* 1530, Palsgrave, « s'abîmer par l'usage » ; lat. pop. *ūsare* (VIII[e] s.), de *ūsus,* part. passé de *ūti,* « se servir de ». || **usable** XIII[e] s. || **usance** 1230, *Antéchrist.* || **inusable** 1845, J.-B. Richard. || **usure** 1530, Palsgrave. || **mésuser** 1283, Beaumanoir.

**usine** 1274, G. (*wisine*), « établissement où on travaille le fer » ; 1355, G. (*usine*) ; 1732, *Arrêt du Conseil* (sur Charleville), sens actuel ; mot des parlers du Nord et du Nord-Est, altér., d'après *cuisine,* d'un anc. picard *ouchine, œuchine,* du lat. *offīcīna,* « atelier ». || **usinier** 1773, à Liège, adj. ; 1367, G., n. m., « qui exploite un atelier » ; 1845, Besch., industriel. || **usiner** 1877, L., « façonner » ; argot, 1859, Esnault. || **usinage** 1876, *J. O.* || **usineur** 1918, Lar. || **usinier** 1367, G.

**usité** 1360, Froissart ; lat. *usitatus,* de *uti,* « se servir de » (v. US). || **inusité** 1491, Vaganay, « extraordinaire » ; 1549, R. Est., « ce qui n'est pas en usage » ; lat. *inusitatus.*

**usnée** 1530, Le Fournier, bot. ; lat. médiév. *usnea,* de l'ar. *usna,* mousse.

**ustensile** 1351, *Chartes Liège* (*utensile*) ; 1439, *Archives* (*ustencile*), par attraction de *user ;* lat. *utensilia,* « objets usuels », pl. neut. de *utensilis,* de *uti,* « se servir de ». (V. OUTIL.)

**ustilago** 1876, Lar. ; lat. scient. *ustilago,* chardon sauvage.

**usucapion** XIII[e] s., G., jurid. ; lat. jurid. *usucapio,* manière d'acquérir par l'usage, de *usus,* usage (v. US), et *capere,* prendre.

**usuel** 1298, G. (*usuau*) ; début XVII^e s. (*usuel*) ; bas lat. *usualis,* de *usus,* usage. || **usuellement** 1507, *Coutumier.*

**usufruit** 1276, B. W. ; lat. jurid. *ususfructus,* de *usus,* usage (v. US), et *fructus,* fruit, revenu. || **usufructuaire** XIII^e s., G. || **usufruitier** 1411, B. W.

1. **usure** V. USER.

2. **usure** 1138, Gaimar ; lat. *usura,* intérêt de l'argent, de *usus,* usage (v. US), d'abord au sens latin ; 1690, Furetière, sens péjor. || **usurier** 1174, Fougères, n. m., prêteur à intérêt ; 1625, Peiresc, prêteur à un taux trop élevé. || **usuraire** 1320, B. W. ; lat. jurid. *usurarius,* « relatif aux intérêts » ; début XVI^e s., « qui dépasse le taux légal des intérêts ».

**usurper** 1340, *FEW ;* lat. jurid. *usurpare,* de *usus,* usage (v. US), et *rapere,* ravir. || **usurpateur** début XV^e s., A. Chartier ; bas lat. jurid. *usurpator.* || **usurpation** 1372, Golein ; lat. jurid. *usurpatio.* || **usurpatoire** 1762, Rousseau.

**ut** 1220, Coincy ; première note de la gamme, formée en Italie, ainsi que les cinq suivantes (*ré, mi, fa, sol, la,* XIII^e s., G. de Coincy), par Gui d'Arezzo (XI^e s.), d'une des syllabes initiales de la première strophe de l'hymne latine à saint Jean-Baptiste ; UT *queant laxis* RE*sonare fibris* MI*ra gestorum* FA*muli tuorum* SOL*ve polluti* LA*bii reatum,* S*ancte* I*ohannes.* (V. DO et SI 3.)

**utérus** 1560, Paré ; lat. *uterus,* matrice. || **utérin** *id.,* jurid. ; lat. jurid. *uterinus,* de *uterus ;* 1560, Paré, méd. || **utéroscopie** 1872, L. || **utéro-ovarien** 1876, Lar.

**utile** 1120, *Ps. d'Oxford* (*utele*) ; 1260 (*utile*) ; n. m., 1617, d'Aubigné ; lat. *utilis,* de *uti,* « se servir de ». || **inutile** 1120, *Ps. d'Oxford* (*-tele*) ; 1355, Bersuire (*-tile*) ; lat. *inutilis.* || **utiliser** 1792, Necker. || **utilisateur** 1948, Lar. || **utilisation** 1796, Roux. || **utilisable** 1842, Radonvilliers. || **inutilisable** 1845, Besch. || **inutilisé** 1834, Boiste. || **utilité** 1120, *Ps. d'Oxford ;* lat. *utilitas.* || **inutilité** 1386, Isambert ; lat. *inutilitas.* || **utilitaire** 1831, *le Semeur ;* d'apr. l'angl. *utilitarian.* || **utilitarisme** *id. ;* d'apr. l'angl. *utilitarism.*

**utopie** 1532, Rabelais ; lat. mod. *Utopia,* nom d'un pays imaginaire, créé par Thomas Morus en 1516, sur le gr. *ou,* ne pas, et *topos,* lieu : « lieu qui n'existe pas ». || **utopiste** fin XVIII^e s., a remplacé *utopien* (1546, Rab.). || **utopique** 1529, *Romania,* relatif à l'*Utopie* de Th. Morus ; 1840, Proudhon, sens mod.

**utraquiste** 1872, L. ; lat. *sub utraque specie,* sous chacune des deux espèces. || **utraquisme** 1933, Lar.

**utricule** 1726, B. W., bot. ; lat. *utriculus,* « petite outre », et par ext. « calice de fleur », etc. || **utriculaire** 1819, Boiste. || **utriculeux** 1842, *Acad.*

**uval** 1363, Chauliac, en forme de grappe ; sens mod., 1877, L., « relatif aux raisins » ; lat. *uva,* grappe de raisin.

**uve** 1762, Bonnet, zool., ovaire en grappe ; lat. *uva,* grappe de raisin.

**uvée** fin XV^e s., anat. ; lat. médiév. *uvea,* uvée, du lat. *uva,* grappe de raisin. || **uvéite** 1858, Nysten. || **uvéal** 1878, Lar.

**uvule** 1314, Mondeville ; lat. *uvula,* luette, proprem. « petit grain de raisin », de *uva,* grappe de raisin. || **uvulaire** 1735, Heister. || **uvulation** 1964, Lar.

**uxoricide** 1531, J. de Vignay, « meurtre » ; lat. *uxoricidium,* meurtre de l'épouse, de *uxor,* femme, et *caedere,* tuer ; 1628, *Chron. bordeloise,* « meurtrier ».

***va** 3e pers. sing. de l'ind. prés. d'*aller*, élément de composition, dans les mots suivants. || **va-comme-je-te-pousse** 1722, Marivaux. || **va-et-vient** 1765, *Encycl.* || **va-de-la-gueule** 1829, Boiste. || **va-nu-pieds** 1615, Binet. || **va-t-en-guerre** XXe s., *journ.* || **va-te-laver** 1867, Delvau. || **va-tout** 1691, Montchesnay. || **à la va-vite** 1922, Proust.

**vacant** 1207, Delb. ; lat. *vacans, -antis,* part. prés. de *vacare,* « être vide », d'où « être vacant ». || **vacance** 1531, B. W., « manque », dans un texte jurid. ; 1611, Cotgrave, « état d'une charge sans titulaire » ; 1594, *FEW,* pl., « temps où l'on ne va plus en classe ». || **vacancier** 1942, Hamp.

**vacarme** 1288, *Renart le Novel ;* moyen néerl. *wacharme,* « hélas ! pauvre que je suis ! », de *wach,* malheur, et *arme,* pauvre.

**vacation** 1355, Bersuire, « dispense, manque, cessation » ; lat. *vacatio,* de *vacare* (v. VACANT) ; 1447, Espinas, « occupation, emploi » ; 1408, A. Thierry, « profession » (le mot est alors senti comme un dérivé de *vaquer,* s'occuper à).

**vaccaire** 1861, Orbigny, « herbe à vaches » ; lat. scient. *vaccaria,* de *vacca,* vache.

**vaccin** 1801, *Rev. philologie ;* de *virus vaccin,* avec l'adj. anc. *vaccin,* XIVe s., « de vache », du lat. *vaccinus,* de *vacca,* vache ; 1942, R. Rolland, fig. || **vaccine** 1749, *Bibliothèque britannique,* maladie éruptive de la vache ; subst. de l'adj. *vaccin ;* action de vacciner, 1800. || **vacciner** 1801, Mercier. || **vaccination** 1801, Mercier ; a remplacé *vaccine.* || **revacciner** 1834, *Journ. méd.*

**vaccinier** 1732, Richelet, airelle ; lat. *vaccinium.*

**vaccin(o)-**, de *vaccin.* || **vaccinoïde** 1842, *Acad.* || **vaccinothérapie** 1913, Lar.

***vache** fin XIe s. ; depuis le XIIe s., peut désigner le cuir fait avec de la peau de vache, d'où, fin XVIIIe s., différents types de sacs faits en cuir ; 1640, Oudin, « femme dévergondée », d'où de multiples emplois injurieux ; 1907, Lar., « personne méchante », subst. et adj. ; XXe s., adj. pop., « difficile » ; lat. *vacca.* || **vachement** 1930, Esnault, bougrement. || **vachard** 1873, *Gazette des tribunaux.* || ***vacher** 1196, Bodel ; lat. pop. **vaccarius.* || **vacherie** début XIIe s., *Roman de Thèbes,* étable à vaches ; 1872, Larchey, méchanceté. || **vacherin** 1500, *FEW,* « fromage ». || **vachette** fin XIIe s., Reclus de Moiliens ; 1679, Savary, cuir de jeune vache.

**vaciller** 1180, *Vie saint Évroult ;* lat. *vacillare ;* début XIVe s., Gilles li Muisis, fig. || **vacillant** 1355, Bersuire. || **vacillation** 1512, J. Lemaire de Belges. || **vacillement** 1606, Crespin.

**vacuité** 1314, Mondeville ; lat. *vacuitas,* de *vacuus,* vide. || **vacuum** 1872, L. (V. VACANT, VAQUER.)

**vacuole** 1736, P. Harscouet, *Lettre au P. André ;* lat. *vacuus,* vide. || **vacuolaire** 1848, A. Bossu. || **vacuoliser** 1970, Robert. || **vacuolisation** 1897, *Année biologique.* || **vacuome** 1964, Lar.

**vade-mecum** 1465, G. ; loc. lat. signif. « va avec moi ».

**vadrouille** 1678, Guillet, tampon, mar. ; du mot lyonnais *drouilles,* vieilles hardes, et du préf. lyonnais *va-,* à valeur intensive, du lat. *valde,* beaucoup, de *validus,* robuste ; 1867, Delvau, « drôlesse ». || **vadrouiller** 1881, Larchey. || **vadrouille** 1890, Esnault ; de *vadrouiller.* || **vadrouilleur** 1881, Rigaud.

**vagabond** 1375, R. de Presles ; bas lat. *vagabundus,* de *vagari,* « aller çà et là » (v. VAGUE 3, VAGUER), au sens de « imprécis » ; 1502, G., « clochard ». || **vagabonder** 1355, Bersuire. || **vagabondage** 1767, Linguet.

**vagin** 1668, d'après Richelet ; lat. *vagina,* gaine. || **vaginal** 1727, Furetière. || **vaginite** 1834, *Journ. de méd.* || **invaginer** 1832, Raymond. || **invagination** 1765, Brunot. (V. GAINE, VANILLE.)

**vagir** 1555, Peletier ; lat. *vagire.* || **vagissant** 1829, Boiste. || **vagissement** 1536, J. Bouchet.

1. **vague** n. f., 1130, *Eneas ;* anc. scand. *vâgr* (moy. bas all. *wâge,* all. *Woge*). || **vaguelette** 1903, d'après P. Robert.

2. **vague** adj., 1265, Br. Latini, « dépourvu de titulaire (pour une charge) » ; 1272, Joinville (*terrains vagues*), vide, non occupé ; lat. *vacuus,* vide (v. VACANT, VACUITÉ, VAQUER).

3. **vague** adj., 1375, *FEW,* « errant » ; 1495, Vignay, « imprécis » ; n. m., 1765, *Encycl. ; vague des passions,* fin XVIII[e] s. ; *vague à l'âme,* 1802, Chateaubriand ; lat. *vagus,* « errant, vagabond ». || **vaguement** 1448, Miélot.

**vaguemestre** milieu XVII[e] s. ; all. *Wagenmeister,* « maître des équipages », de *Wagen,* voiture, et *Meister,* maître ; 1825, Le Couturier, sens mod.

**vaguer** 1130, *Job ;* lat. *vagari,* « aller çà et là », errer, de *vagus,* errant ; *laisser vaguer son imagination,* 1580, Montaigne.

**vahiné** 1900, d'après P. Robert ; mot tahitien signif. « femme ».

**vaigre** 1634, Jal, mar. ; néerl. *weger.*

**vaillant** 1050, *Alexis ;* anc. part. prés. de *valoir,* « valant » (*n'avoir pas un sou vaillant,* 1690, Furetière) ; le sens de « courageux » apparaît dès la première attestation. || **vaillance** 1130, *Eneas ;* aussi « valeur », jusqu'au XVII[e] s. || **vaillamment** 1120, *Ps. de Cambridge.*

***vain** 1120, *Ps. de Cambridge,* « vide » ; XIII[e] s., *vaine pâture,* « terre où il n'y a ni semences ni fruits » ; loc. jurid., 1611, Cotgrave, « terre où les habitants d'une commune peuvent faire paître leurs bestiaux » ; en anc. fr., il a eu aussi le sens de « faible, épuisé » ; lat. *vanus,* « vide » ; « léger, illusoire », depuis la première attestation. || **en vain** 1112, *Voy. saint Brendan ;* lat. pop. *in vanum,* d'après le lat. class. *in cassum,* syn. de *frustra.* || **vainement** 1120, *Ps. d'Oxford.*

***vaincre** X[e] s., *Eulalie* (*veintre*) ; XII[e] s. (*vaincre*), d'après *vaincons,* etc. ; lat. *vincere.* || **vaincu** n. m., 1145, G. || **invaincu** adj., 1495, Vignay ; d'après le lat. *invictus.* || **vainqueur** 1120, Bartzsch. || **invincible** 1360, Oresme ; bas lat. *invincibilis.*

***vair** 1080, *Roland,* adj., « gris-bleu clair », en parlant des yeux ; lat. *varius* (v. VARIER) ; au XII[e] s., égalem. « bigarré, varié » (empl. inus. depuis le XV[e] s.) ; 1138, Gaimar, subst., « fourrure de petit-gris ». || **vairon** 1170, *Floire et Blancheflor,* adj., « tacheté » ; 1165, G., subst., poisson. || **vaironner** 1964, Lar.

***vaisseau** 1155, Wace (*vaissel*), vase, récipient ; bas lat. *vascellum,* dimin. de *vas,* vase ; 1207, Villehardouin, « navire » ; a fini par éliminer *nef* dans ce sens ; 1314, Mondeville, anat. (V. VASCULAIRE.)

**vaisselle** 1138, Gaimar ; lat. *vascella,* pl. neut. de *vascellum,* devenu fém. en lat. pop. (v. VAISSEAU). || **vaisselier** 1295, Havard. || **vaissellerie** 1872, L.

***val** 1080, *Roland,* n. m. ; lat. *vallis,* n. f. (genre conservé dans des noms de lieux : *Laval, Lavaufranche, Froidevaux,* etc.) ; éliminé par le dér. *vallée,* ne s'emploie plus que dans le lexique géogr., et dans les loc. *par monts et par vaux,* XV[e] s. *à vau-l'eau,* 1552, Rabelais. || **vallée** 1080, *Roland.* || **valleuse** av. 1880, Flaubert ; mot norm., de *valleure,* contraction de *valleüre,* de *vallée, val.* (V. AVALER, DÉVALER, RAVALER.)

**valdinguer** 1894, Esnault ; de *valser* et *dinguer.*

1. **valence** n. f., 1839, Mac Culloch, orange ; du nom de *Valence,* ville d'Espagne.

2. **valence** 1888, Lar. ; angl. *valency,* du bas lat. *valentia,* vigueur, de *valere,* avoir de la vigueur. || **valentiel** 1964, Lar. (V. VALOIR.)

**valenciennes** 1761, Lacombe ; dentelle fabriquée à *Valenciennes.*

**valentin** av. 1460, *FEW,* prétendant choisi par une jeune fille le jour de la *Saint-Valentin* (14 février). [V. PHILIPPINE.]

**valériane** XIV[e] s., *Antidotaire Nicolas ;* lat. médiév. *valeriana,* du nom de *Valeria,* partie de l'ancienne Pannonie, d'où venait la plante. || **valérianelle** 1765, *Encycl.* || **valérianacée** 1872, L. || **valérianate** 1842, *Acad.*

***valet** 1138, Gaimar (*vaslet, varlet*) ; d'abord « jeune gentilhomme non encore armé chevalier », puis « jeune garçon » ; le sens de « domestique » est apparu dès le XII[e] s., et a prévalu au début du XVII[e] s. ; *valet de chambre,* 1372, Corbichon ; *valet de pied,* v. 1440, Chastellain ; depuis le XV[e] s., divers sens techn. ; 1611, Cotgrave, carte à jouer ; la forme *varlet* a été conservée en hist., au premier sens du mot ; lat. pop. **vassellittus,* dimin. du bas lat. *vassus,* serviteur, du celtique *vasso-* (v. VASSAL). || **valetaille** fin XVI[e] s., Vauquelin.

**valétudinaire** 1346, G. ; lat. *valetudinarius,* maladif, de *valetudo,* état de santé, de *valere,* « être bien portant ». (V. VALOIR.)

**valeur** 1080, *Roland ;* bas lat. *valor, valoris,* de *valere* (v. VALOIR). || **non-valeur** milieu XV^e^ s. || **contre-valeur** 1842, Mozin. || **valeureux** XIII^e^ s., « qui a du prix » ; 1400, Dochez, « qui témoigne de la vaillance, brave ». || **valeureusement** 1460, Chastellain. || **valorisant** 1966, *le Monde.* || **valorisation** 1907, Lar. || **valoriser** 1929, Lar. || **dévaloriser** 1929, Lar. || **dévalorisation** 1929, Lar. || **revaloriser** 1925, *l'Écho de Paris.* || **revalorisation** 1923, Lar. || **ad valorem** 1840, La Bédollière.

**valgus** 1964, Lar. ; lat. *valgus,* bancal.

**valide** 1528, *Romania ;* lat. *validus,* « bien portant », de *valere ;* 1570, Carloix, « valable ». (V. VALOIR.) || **validité** 1508, G., en procéd. ; bas lat. *validitas ;* 1929, Martin du Gard, « fait d'être valable ». || **valider** 1411, B. W. ; bas lat. *validare.* || **validation** 1578, d'Aubigné. || **invalide** 1515, Isambert ; lat *invalidus.* || **invalider** 1452, Champollion. || **invalidation** 1636, Monet.

**valise** 1558, du Bellay ; ital. *valigia,* p.-ê. de l'ar. *walîha,* sac de blé. || **valoche** 1913, Esnault ; avec suffixe *-oche.* || **dévaliser** 1546, Rab. || **dévaliseur** 1636, Monet.

**valkyrie** 1756, Mallet ; anc. scand. *valkyria,* de *val,* champ, et *kyria,* qui choisit.

**vallée** V. VAL.

**vallisnérie** 1770, Duchêne (*vallisnère*) ; lat. bot. *vallisneria,* du nom du botaniste ital. *Vallisneri* (fin XVII^e^ s.).

**vallon** 1529, Parmentier, *le Discours de la navigation ;* ital. *vallone,* augmentatif de *valle,* vallée ; d'abord « grande vallée », puis diminutif, « petite vallée », 1564, J. Thierry (d'après la valeur du suff. *-on* en fr.). || **vallonné** 1845, Robert. || **vallonner (se)** 1872, L. || **vallonnement** 1872, L.

***valoir** 1080, *Roland ;* lat. *valēre,* « être bien portant », d'où « être évalué » ; *se faire valoir,* XV^e^ s., *Perceforest.* || **revaloir** 1175, Chr. de Troyes. || **vaille que vaille** XIII^e^ s., Lerch. || **valable** XIII^e^ s., *Assises de Jérusalem,* « qui est dans les formes requises pour être accepté légitimement » ; apr. 1950, « qui a une certaine valeur ». || **vaurien** début XVI^e^ s., *Anc. Poésies,* « qui ne vaut rien ». || **value** fin XII^e^ s. ; part. passé de *valoir,* subst. au fém. ; inus. depuis le XVI^e^ s. || **plus-value** 1457, *Lettres de Louis XI.* || **moins-value** 1765, *Encycl.* || **évaluer** milieu XIV^e^ s. ; a éliminé *avaluer,* 1283, empl. jusqu'au XVI^e^ s. || **évaluation** 1361, Oresme. || **évaluateur** av. 1865, Proudhon. || **évaluable** fin XVIII^e^ s. || **inévaluable** 1907, Lar. || **dévaluation** 1929, Lar. || **dévaluer** 1935, Sachs. || **bivalent** 1951, Lar. || **trivalent** 1876, Lar.

**valse** 1800, Boiste ; all. *Walzer ; valse hésitation,* 1927, Lar. || **valser** 1798, *Acad.* || **valseur** 1801, Mercier.

**valve** 1560, G., battant d'une porte ; lat. *valva,* battant de porte ; 1752, Trévoux, zool. ; 1904, Lar., soupape de chambre à air. || **valvé** 1812, Mozin. || **valvaire** 1812, Mozin. || **bivalve** 1718, *Mém. Acad. sciences.* || **valvule** 1560, Paré ; lat. *valvula,* gousse, dimin. de *valva.* || **valvulaire** 1743, Trévoux. || **valvulite** 1836, *Acad.*

**vamp** 1921, *Cinémagazine,* cinéma ; mot anglo-amér., abrév. de *vampire.* || **vamper** 1952, *Fr. mod.,* « séduire ».

**vampire** 1746, Buffon ; all. *Vampir,* du slave *upuri,* d'où *oupire, upire,* en fr. du XVIII^e^ s., dans *Trévoux ;* fig., 1756, Mirabeau. || **vampirique** 1790, Mirabeau. || **vampirisme** 1746, A. Calmet.

1. ***van** [à vanner] 1175, Chr. de Troyes ; lat. *vannus.* || **vanner** 1100, *FEW,* nettoyer les graines à l'aide d'un van ; lat. pop. *vannare* (lat. class. *vannere*) ; fin XV^e^ s., J. Molinet, « railler », puis « fatiguer ». || **vanne** 1883, Esnault, « raillerie ». || **vanné** 1848, G. Sand, exténué. || **vannette** 1680, Richelet. || **vannage** 1293, G. || **vanneur** 1268, É. Boileau. || **vannier** 1226, G. || **vannerie** 1340, Bevans, confrérie des vanneurs ; 1642, Oudin, atelier du vannier ; 1690, Furetière, métier du vannier. || **vannure** 1372, Corbichon. || **vannée** 1347, *FEW.*

2. **van** 1821, Arcieu, véhicule pour le transport des chevaux de course ; angl. *van,* fourgon, abrév. de *caravan,* du fr. *caravane.*

**vanadium** 1842, *Acad.,* corps découvert en 1830, en Suède, par Sefström ; mot lat. mod., du nom de *Vanadis,* divinité scandinave. || **vanadique** 1831, Berzelius.

**vandale** 1732, Voltaire, empl. fig. du nom des *Vandales,* peuple germ. qui ravagea l'Empire romain, au début du V^e^ s. || **vandalisme** 1793, mot créé par l'abbé Grégoire.

**vandoise** fin XII^e^ s. ; gaulois **vindēsia* ou *vĭndĭsia,* du celt. *vindos,* blanc.

**vanesse** 1827, *Acad.,* papillon diurne, baptisé par J.-C. Fabricius, peut-être en souvenir de *Vanessa,* héroïne de Swift.

**vanille** 1664, Boulan ; esp. *vainilla,* « petite gaine », dimin. de *vaina,* « gaine », du lat. *vagīna,* même sens ; a d'abord désigné la gousse du vanillier ; puis « parfum », 1813, Delille. || **vanillier** 1764, Valmont de Bomare, *Dict. d'hist. nat.* || **vanillé** 1845, d'après P. Robert. || **vanilline** 1872, L. || **vanillique** 1923, Lar. || **vanillisme** 1894, Layet. || **vanillon** 1836, *Acad.,* morceau de vanille ; 1845, Besch., variété de vanille. (V. GAINE, VAGIN.)

**vanité** 1120, *Ps. d'Oxford ;* lat. *vanitas,* de *vanus* (v. VAIN). || **vaniteux** 1743, Trévoux. || **vaniteusement** fin XVIII^e s., Gohin.

**vanne** 1274, *FEW ;* lat. mérov. *venna,* d'orig. celt., désignant un barrage pratiqué dans un cours d'eau pour prendre les poissons. || **vannelle** 1904, Lar. || **vannage** 1293, *FEW,* ensemble de vannes. || **vanner** 1694, Th. Corneille, « garnir de vannes ».

**vanneau** 1228, *Roman de la Violette* (*vaniel*), plume d'essor des oiseaux, d'après la forme ; XIII^e s., oiseau, d'après le bruit de ses ailes comparé à celui d'un van (selon Buffon) ; de *van* 1.

**vantail** 1144, G., battant d'une porte ; dér. de *vent.*

***vanter** 1080 *Roland,* v. intr., « s'attribuer des qualités qu'on n'a pas » ; bas lat. *vanitare,* « être vain », de *vanus ;* 1180, *FEW,* v. tr., « louer, exalter ». || **vantard** 1550, Monluc. || **vanterie** 1235, B. W. || **vantardise** av. 1850, Balzac.

**vanvole (à la)** XII^e s., *Partenopeus ;* de *vent* et *voler.*

**vapeur** 1265, J. de Meung, « brouillard humide » ; lat. *vapor ;* 1625, Racan, médecine ; 1794, *Journal des mines,* vapeur d'eau empl. comme force motrice, d'où *machine, bateau à vapeur, id.,* calques de l'angl. *steamboat ; bain de vapeur,* 1701, Furetière. || **vapeurs** 1613, Régnier, « malaise ». || **cheval-vapeur** 1838, *Acad.* || **vapeur** n. m., 1842, *Acad.,* abrév. de *bateau à vapeur.* || **vape** 1925, Esnault. || **vaporeux** XIV^e s., Lanfranc, « plein de vapeur », ou « qui a l'apparence de la vapeur » ; 1765, *Encycl.,* flou, incertain ; 1872, L., très léger (tissu). || **vaporiser** 1771, B. W. || **vaporisation** 1756, *Encycl.* || **vaporisage** 1867, *Expos. univ.* || **vaporisateur** 1825, Brillat-Savarin. || **vapocraquer** 1975, Lar. ; de *vapeur* et *craquer.* || **évaporer** 1314, Mondeville ; fig., XVII^e s. ; lat. *evaporare.* || **évaporation** 1398, *Somme Gautier ;* lat. *evaporatio.*

**vaquer** 1265, Br. Latini, être vacant ; lat. *vacare,* être vide ; v. 1300, *Apollonius, vaquer à,* « s'occuper à » ; 1549, R. Est., « suspendre ses fonctions », d'où « cesser les cours ». (V. VACANT.)

**vaquero** 1847, Michel ; mot esp., de *vacca,* vache.

**varaigne** 1580, Palissy, var. de *varenne,* garenne, orifice d'un marais salant ; prélatin **vara,* eau courante. (V. GARENNE.)

**varan** 1210, *Estoire d'Eustachius ;* ar. *waran,* lézard.

**varangue** 1382, *Archives,* mar. ; anc. scand. *vrong.*

**varapper** 1898, *FEW ;* du nom de la *Varappe,* couloir rocheux du Salève (Haute-Savoie), toponyme d'orig. prélatine. || **varappe** 1876, *FEW.*

**varech** 1112, *Voy. saint Brendan,* « épave », sens conservé en fr. jusque vers 1670 ; anc. scand. *vagrek ;* le sens mod. est attesté en normand au XIV^e s. (V. VRAC.)

**vareuse** 1784, *Ordonn.,* « chemise en grosse toile que portent les matelots pendant leur travail, pour protéger leurs vêtements » ; XVIII^e s., uniforme milit. ; abrév. de *blouse vareuse ;* de *varer,* forme normande de *garer,* « protéger ». (V. GARER.)

**varice** 1314, Mondeville ; lat. *varix, varicis.* || **variqueux** 1363, Chauliac ; lat. *varicosus.* || **varicocèle** début XVIII^e s. ; sur le gr. *kêlê,* tumeur ; fait d'après *cirsocèle,* 1560, Paré (gr. *kirsos,* varice).

**varicelle** 1764, *Dict. sc. naturelles ;* de *variole,* avec infl. de *varicocèle.*

**varier** 1155, Wace ; lat. *variare,* de *varius,* varié (v. VAIR). || **varié** adj., 1314, Mondeville. || **variation** 1314, Mondeville ; lat. *variatio.* || **variété** 1120, *Ps. d'Oxford ;* lat. *varietas.* || **variable** fin XII^e s. ; lat. *variabilis.* || **variateur** 1964, Lar. || **invariable** 1370, Oresme. || **variabilité** v. 1400, *FEW.* || **invariabilité** 1617, Coton. || **ne varietur** (*édition*) 1907, Lar. || **varia** 1872, L., collection de morceaux variés ; mot latin, pl. neutre de *varius.* || **variant** adj., 1382, Cuvelier. || **variante** n. f., 1718, *Acad.* || **variance** début XIII^e s., Chardry. || **invariant** n. m., 1877, Lar. || **invariance** 1931, Lar.

**variole** 1398, *Somme Gautier,* d'abord pl. ; bas lat. *variola* (VIe s.), « (maladie) tachetée », de *varius,* varié (v. VAIR, VARIER). || **variolé** 1829, Boiste. || **varioleux** 1766, B. W. || **variolique** 1764, *Journ. Méd.* || **antivariolique** 1838, *Acad.*

**varlope** fin XVe s., G. ; mot du Nord-Est, du néerl. *voorlooper,* « qui court (*loop*) devant (*voor*) ». || **varloper** 1546, Rab. || **varlopage** 1876, Lar.

**varron** 1607, Mizauld ; mot prov., de *bare,* larve, et lat. *varus,* pustule.

**varus** 1904, Lar. ; lat. *varus,* tourné en dehors.

**vasculaire** 1686, Chauvelot ; lat. *vasculum,* dimin. de *vas,* vase (v. VAISSEAU). || **vascularisé** 1846, Bossu. || **vascularisation** 1846, Bossu. || **vascularité** 1933, Lar.

1. **vase** n. m., 1539, R. Est. ; lat. *vas.* || **transvaser** 1570, R. Est. || **transvasement** 1611, Cotgrave. || **extravaser (s')** 1673, *Journal des savants.* || **extravasation** 1743, Geoffroy. (V. ÉVASER.)

2. **vase** n. f., 1155, Wace ; germ. **wase* (v. GAZON). || **vaseux** 1484, Garcie. || **vasard** 1687, Desroches. || **vasière** XIIIe s., texte de Caudebec. || **vasouiller** 1904, Esnault. || **envaser** fin XVIe s., Brantôme. || **envasement** fin XVIIIe s.

**vaseline** 1877, mot créé aux États-Unis par R. Chesebrough ; de l'all. *Wasser,* eau, de l'élément *-el-,* du gr. *elaion,* huile d'olive, et du suff. *-ine.*

**vasistas** 1776, Morand (*wass ist das*) ; 1798, *Acad.* (*vasistas*) ; all. *was ist das ?,* « qu'est-ce ? », nom plaisant donné à cette sorte d'ouverture, par où l'on peut s'adresser à quelqu'un.

**vaso-,** de *vas,* « canal, vaisseau ». || **vasoconstricteur** 1859, Bernard. || **vasodilatateur** *id.* || **vasodilatation** 1888, Lar. || **vasomoteur** 1859, *Comptes rendus.* || **vasoplégie** 1964, Lar.

**vasque** 1826, Boutard, *Dict. des arts du dessin ;* ital. *vasca,* du lat. *vascula,* pl. collectif de *vasculum,* dimin. de *vas* (v. VASE 1, VASCULAIRE).

***vassal** 1080, *Roland ;* bas lat. *vassallus,* du bas lat. *vassus,* serviteur (*Loi des Alamans,* etc.), du gaulois **vasso-,* homme (cf. le gallois *gwas,* jeune homme). || **vasselage** 1080, *Roland.* || **vassalité** fin XVIIe s., Saint-Simon. || **vassaliser** milieu XIXe s., d'après P. Robert.

**vaste** 1080, *Roland* (*guast*) ; 1495, *Mir. histor.* (*vaste*) ; lat. *vastus ;* « désert », « inculte », jusqu'au XVIIe s. (1611, Cotgrave). || **vastement** 1453, Monstrelet. || **vastitude** 1546, Gaigny. || **vastité** 1517, La Curne.

**vaticiner** 1481, B. W., rare jusqu'au XIXe s., où il s'emploie surtout de manière fig. ; lat. *vaticinari,* prophétiser, de *vates,* devin, et *canere,* chanter. || **vaticination** 1512, Lemaire ; lat. *vaticinatio.* || **vaticinateur** 1512, Lemaire ; lat. *vaticinator.*

**vaudeville** XVe s., G. (*vaudevire*), chanson de circonstance ; 1507, N. de La Chesnaie (*vaul de ville*) ; 1549, du Bellay (*vaudeville*) ; 1762, *Acad.,* « pièce de théâtre de circonstance » ; 1834, Landais, « pièce de théâtre entremêlée de couplets » ; av. 1896, Goncourt, « comédie d'intrigues et de quiproquos » ; on a donné longtemps l'étym. *vau (val) de Vire,* nom d'une région voisine de Vire (Calvados), dont les chansons étaient réputées au XVe s. ; il s'agit peut-être d'un composé *vauder* (aller) et *virer* (tourner). || **vaudevilliste** 1735, *Dict. gén.* || **vaudevillesque** 1891, Caraguel.

**vaudois** 1170, d'après P. Robert ; de *Valdo* (lat. *Valdesius*), nom d'un hérétique du XIIe s.

**vaudou** 1839, Boiste ; dahoméen *vodu,* vaudou.

**vau-l'eau (à)** V. VAL.

**vaurien** V. VALOIR.

***vautour** fin XIe s., *Gloses de Raschi ;* lat. pop. **vultorem,* du lat. *vŭltŭr ;* 1723, Rousseau, « personne rapace ».

***vautrer** 1190, G. (*se vautrer*) ; fig., 1300, *FEW ;* lat. pop. **vŏlūtŭlare,* de **volūtus,* part. passé pop. de *volvere,* tourner, retourner. || **vautrement** 1538, R. Est.

**Vauvert** 1460, Villon ; du château de *Vauvert* (les chartreux organisèrent des apparitions du diable pour obtenir la donation du château), d'où *au diable Vauvert.*

**vavasseur** début XIIe s., *Roman de Thèbes ;* bas lat. *vassus vassorum,* « vassal d'un vassal ». (V. VASSAL.)

***veau** 1120, *Ps. d'Oxford* (*veel*) ; lat. *vitellus ;* 1534, B. Des Périers, « personne sans énergie ». || **vêler** 1328, G. ; de l'anc. forme *veel.* || **vêlage** 1834, *Dict. des industries et manufactures.* || **vêlement** 1841, *Dict. des industries et manufactures.* || **vélin** XIIIe s., *Vie saint Auban ;* de l'anc. forme *veel ;* 1680, Richelet (*vélin*). [V. VITULIN.]

**vecteur** 1596, Hulsius, conducteur d'un bateau ou d'une voiture ; 1752, Trévoux, adj.,

« qui transporte avec soi » ; 1904, Lar., n. m., math. ; v. 1960, balistique ; lat. *vector,* « qui transporte », de *vehere,* « transporter en char » (v. VÉHICULE). || **vectoriel** 1904, Lar. || **vectogramme** 1953, Lar.

**vedette** 1586, Stoer, guetteur ; ital. *vedetta,* d'orig. obscure ; « porte de guetteur », 1611, Cotgrave ; 1826, *mettre en vedette,* dans le lexique du théâtre, imprimer sur l'affiche le nom d'un acteur en plus gros caractères que celui des autres, d'où l'empl. fig., 1855, F. Mornand ; fin XIX^e^ s., A. Daudet, artiste ; 1911, *Ciné-Journal,* cinéma ; 1828, Laveaux, petit bâtiment de guerre placé en observation ; 1933, Lar., petit bateau de promenade à moteur. || **vedettariat** 1947, *Vie et langage.* || **vedettisation** 1962, *journ.*

**végéter** 1375, R. de Presles, « se développer » ; bas lat. *vegetare,* « croître » (lat. class. « vivifier », de *vegetus,* vigoureux) ; 1718, *Acad.,* « mener une vie inerte ». || **végétal** 1516, Perréal ; lat. médiév. *vegetalis.* || **végétaline** 1907, Lar. ; nom déposé. || **végétation** 1525, Dadonville, fait de se développer ; 1778, Rousseau, ensemble des végétaux ; 1810, Capuron, méd. || **végétatif** 1265, Br. Latini, « qui croît » ; 1778, Rousseau, « inerte », développement de sens infl. par celui de *végéter.* || **végétarien** 1875, *Bibl. univ.* et *Rev. suisse ;* angl. *vegetarian* (1847, *Vegetarian Society*). || **végétarisme** 1885, Saffray. || **végétalisme** 1836, Lar. || **végétaliste** 1975, Lar.

**véhément** 1119, Ph. de Thaon ; lat. *vehemens.* || **véhémence** 1488, *Mer des hist.* (*vehemence*). || **véhémentement** 1363, *Ordonn. royale.*

**véhicule** 1538, Canappe, méd. ; lat. *vehiculum,* moyen de transport, de *vehere,* transporter ; 1551, Du Parc, voiture ; 1660, Bossuet, « moyen de transmission ». || **véhiculer** 1852, Töpffer. || **véhiculaire** 1842, *Acad.*

***veille** 1155, Wace, « action de rester éveillé » ; 1190, Garn., « jour qui précède une fête religieuse » ; 1534, B. Des Périers, « jour précédent » ; « état d'éveil », 1636, Monet ; lat. eccl. *vigilia.* || **avant-veille** XIII^e^ s. || ***veiller** 1120, *Ps. d'Oxford,* « ne pas dormir » ; lat. *vigilare ;* 1180, Chr. de Troyes, « être de garde » ; 1690, Furetière, « faire la veillée ». || **veillée** XIII^e^ s., Rutebeuf, soirée passée en commun ; 1580, Montaigne, « temps qui s'écoule le soir ». || **veilleur** 1190, J. Bodel, « guetteur » ; 1845, Besch., « gardien de nuit ». || **veilleuse** 1762, *Acad.,* petite lampe ; *mettre en veilleuse,* 1927, Mac Orlan. || **surveiller** 1586, Stoer. || **surveillant** 1535, Olivétan. || **surveillance** 1633, B. W.

***veine** 1160, B. de Saint-Maure ; lat. *vēna,* vaisseau sanguin ; XIV^e^ s., fig., inspiration ; XIII^e^ s., minéralogie ; milieu XIV^e^ s., « chance » ; 1607, Hulsius, « raie dans le bois ». || **veinette** XII^e^ s., La Curne. || **veineux** 1545, B. W. || **intraveineux** 1877, *J. O.* || **veiné** 1611, Cotgrave. || **veiner** fin XVI^e^ s., « saigner à la veine » ; fin XVIII^e^ s., Bernardin de Saint-Pierre, « imiter les veines du bois ou du marbre ». || **veinule** 1690, Furetière ; lat. impér. *vēnula,* petite veine. || **veinure** 1949, Lar. || **veinard** 1854, Esnault. || **veinosité** 1855, Nysten. || **déveine** 1854, Alype. || **venelle** 1138, *Saint Gilles,* « petite rue » ; anc. dimin. de *veine.*

**vélaire** 1874, Joret ; lat. *velum,* voile. || **vélariser** 1970, Robert. || **vélarisation** 1933, Marouzeau.

**velche** ou **welche** 1749, Voltaire ; allem. *Welsch,* surnom péjor. des peuples romans.

**vêler, vélin** V. VEAU.

**vélite** 1213, *Fet des Romains ;* 1355, Bersuire ; lat. *veles, velitis,* fantassin armé à la légère.

**vélivole** v. 1841, Chateaubriand ; lat. *velivolus,* de *velum,* voile, et *volare,* voler.

**velléité** v. 1600, Fr. de Sales ; lat. scolast. *velleitas,* du lat. *velle,* vouloir (imparfait du subj. *vellem,* « je voudrais »). || **velléitaire** fin XIX^e^ s., B. W.

**vélo** 1888, Lar., abrév. de *vélocipède* (1804, Brunot, attesté au sens mod. en 1829, Boiste, et auj. vieilli) ; lat. *velox,* rapide, et *pes, pedis,* pied (sur le modèle de *bipède*). || **vélocipédiste** 1868, *le Monde illustré.* || **vélodrome** 1884, Baroncelli. || **vélomoteur** 1893, Faure.

**véloce** 1634, Girard ; lat. *velox,* rapide. || **vélocité** 1270, B. W. ; lat. *velocitas.* || **vélocifère** 1803, Darmesteter ; de *-fère.* || **vélocimètre** 1888, Lar.

**velours** 1155, Wace (*velos, velous*) ; 1420, A. Chartier (*velours*), par hypercorrection, le *r* n'étant pas prononcé ; anc. prov. *velos,* du lat. *villōsus,* velu, de *villus,* touffe de poils : les velours ont d'abord été importés d'Orient, par la Provence ou l'Italie ; 1822, Esnault, « faute de langage ». || **velouté** 1450, B. W. || **velouter** v. 1546, Rab., « fabriquer du velours » ; 1680, Richelet, « donner l'apparence du velours ». || **velouteux** 1904, Lar. (V. VILLEUX.)

**velte** 1679, Savary, récipient ; allem. dial. *Vertel,* quart (allem. *Viertel*). || **velter, veltage, velteur** 1723, Savary.

***velu** 1130, *Eneas ;* bas lat. *vĭllūtus* (*Gloses*), class. *vĭllōsus,* de *vĭllus,* touffe de poils (v. VELOURS, VILLEUX).

**vélum** 1872, L., lat. *velum,* voile.

**velvet** 1780, R. de La Platière, velours de coton lisse ; angl. *velveteen,* « velours », de *velu.* || **velvantine** 1819, *Obs. des modes.* || **velveret** 1792, Brunot. || **velvote** 1514, Gœurot (*veluete*) ; fin XVIe s., O. de Serres (*velvote*), bot.

***venaison** 1130, *Voy. de Charlemagne,* chair de grand gibier ; lat. *venatio, -tionis,* « chasse ». (V. VÉNERIE.)

**vénal** fin XIIe s., R. de Moiliens ; lat. *venālis,* de *vendere,* vendre. || **vénalité** 1573, Du Puys ; bas lat. *venalitas.* || **vénalement** 1552, R. Est.

***vendange** 1190, J. Bodel ; « période de vendange », 1294, G. ; lat. *vindēmia,* de *vinum,* vin, et *demere,* enlever. || **vendanger** 1210, Herbert de Dammartin ; lat. *vindemiāre.* || **vendangeur** 1283, Beaumanoir ; lat. *vindemiator.* || **vendangerot** 1904, Lar. || **vendangette** 1636, Monet. || **vendémiaire** 1793, Fabre d'Églantine.

**vendetta** 1788, Salnove ; ital. *vendetta,* vengeance, du lat. *vindicta* (v. VINDICTE) ; repris au corse pour désigner la vengeance corse (vulgarisé, après 1840, par *Colomba,* de P. Mérimée, qui emploie la forme francisée *vendette*).

***vendre** 1080, *Roland ;* fig., 1283, Beaumanoir ; lat. *vendĕre,* de *venum dare,* donner à vente (v. VÉNAL). || **vendable** 1249, B. W. || **vendeur** fin XIIe s., R. de Moiliens. || **vendeuse** 1552, R. Est. || **vendu** 1283, Beaumanoir, sens propre ; 1669, Racine, « livré à quelqu'un par intérêt » ; 1835, Flaubert, n. m. || ***vente** 1155, Wace ; lat. pop. **vendita,* fém. substantivé du part. passé *venditus.* || **invendable** 1764, Voltaire. || **invendu** 1706, Richelet. || **mévente** 1680, Richelet. || **revendre** fin XIIe s. || **revendeur** *id.* || **revendeuse** 1606, Crespin. || **revente** 1283, Beaumanoir.

**vendredi** 1119, Ph. de Thaon ; lat. *Veneris dies,* jour de Vénus.

**venelle** V. VEINE.

**vénéneux** 1490, Chauliac ; bas lat. *venenosus,* de *venenum,* poison. || **vénénosité** 1380, *Aalma.*

**vénérer** 1413, B. W., « révérer Dieu » ; 1528, *FEW,* « aimer » ; lat. *venerari.* || **vénérable** 1200, *Règle saint Benoît ;* lat. *venerabilis.* || **vénération** 1200, *Règle saint Benoît ;* lat. *veneratio.*

**vénerie** 1155, Wace, « exercice de la chasse » ; 1552, R. Est., sens actuel ; anc. verbe *vener,* chasser (inus. depuis le XVe s.), du lat. *venāri.* || **veneur** 1120, G. (*venere*) ; 1155, Wace (*veneür*) ; XIVe s. (*veneur*) ; lat. *venator, venatōris.* || **grand veneur** fin XVe s. (V. VENAISON.)

**vénérien** 1466, Michault, « qui est adonné à l'amour » ; v. 1560, d'Aubigné, méd. ; adj. lat. *venerius,* de *Vénus,* déesse de l'Amour. || **vénéréologie** 1923, Lar.

**venette** 1662, Richer (*avoir la venette*) ; anc. verbe *vesner* (1532, Rab.), « vesser », du lat. pop. **vissinare* (lat. class. *vissire*). [V. VESSER.]

***venger** 1080, *Roland ;* lat. *vĭndicāre,* « réclamer en justice », d'où « chercher à punir, venger » ; *se venger,* 1080, *Roland.* || **vengeance** 1080, *Roland.* || **vengeur** 1120, *Ps. d'Oxford.* || **vengeresse** XIIIe s.

**véniel** 1380, *Aalma* (*veniel*) ; a remplacé un anc. *venial,* XIIe s. ; lat. chrét. *venialis,* pardonnable, de *venia,* pardon.

***venin** 1119, Ph. de Thaon (*venim*) ; XIIIe s. (*venin*), par substit. de suff. ; lat. pop. **venīmen,* du lat. class. *venenum,* poison (v. VÉNÉNEUX). || **venimeux** 1160, Benoît (*venimos*) ; XIVe s., « fielleux ». || **venimeusement** 1380, *Aalma.* || **venimosité** 1314, Mondeville. || **envenimer** 1119, Ph. de Thaon.

***venir** Xe s., *Eulalie ;* lat. *venīre ; venir de,* suivi de l'infin., au sens propre, XIIIe s., grammaticalisé comme semi-auxiliaire du passé récent depuis le XVIe s. || **premier venu** 1559, Amyot, « qui arrive le premier » ; 1640, Oudin, « quelconque ». || **dernier venu** 1570, Montaigne, sens propre ; 1876, Lar., personne dont on fait peu de cas. || **nouveau venu** 1633, Corn. || **venue** n. f., 1155, Wace. || **à tout venant** 1559, Amyot. || **tout-venant** n. m., 1837, *Dict. des indust. et manuf.* || **avenir** n. m., v. 1400. || **revenir** 1050, *Alexis.* || **revenu** 1300. || **survenir** 1155, Wace.

***vent** 1080, *Roland ;* lat. *ventus ; dans le vent,* 1964, Robert. || **les quatre vents** début XVIe s. || **contrevent** XVe s. || **venter** 1150, *FEW.* || **venteux** 1380, *Aalma ;* lat. *ventosus,* venteux. || **ventosité** 1256, Ald. de Sienne ; lat. méd. *ventositas,* flatuosité. || **ventôse** 1793, Fabre d'Églantine ;

lat. *ventosus.* || **ventaison** 1842, *Acad.* || **ventis** n. m. pl., 1812, Mozin, arbres abattus par le vent. || **venteau** 1640, Oudin. || **ventaille** ou **ventail** 1080, *Roland,* partie du haubert. || **venvole** 1190, Garn. ; *à la venvole,* XVI^e s., Pasquier ; de *vent* et *voler.* || **paravent** 1599, Havard ; ital. *paravento,* « qui écarte le vent ». (V. VENTOUSE, ÉVENT, ÉVENTAIL, ÉVENTAIRE.)

**venta** 1826, Chateaubriand ; mot esp.

**ventiler** fin XI^e s., *Gloses de Raschi,* jurid., « examiner une question » ; lat. jurid. *ventilare,* même sens, proprem. « agiter à l'air », de *ventus,* vent ; 1820, Lamartine, aérer ; 1893, *D. G.,* répartir (une somme) entre différents comptes. || **ventilation** 1382, B. W., jurid. ; 1835, *Acad.,* aération (une première fois dans Paré, 1560, action d'aérer) ; 1893, *D. G.,* répartition entre différents comptes. || **ventilateur** 1744, Hales ; angl. *ventilator,* repris par le physicien Hales au lat. *ventilator,* vanneur. || **ventileuse** 1901, Maeterlinck.

**ventouse** 1256, Ald. de Sienne ; bas lat. méd. *ventosa (cucurbita),* « courge pleine de vent » ; 1676, Félibien, sens techn.

***ventre** 1080, *Roland ;* lat. *venter,* estomac, qui a éliminé *alvus,* ventre, tandis que le sens d'« estomac » était pris par *stomachus* (v. ESTOMAC). || **bas-ventre** 1636, Monet. || **ventral** 1363, Chauliac. || **ventru** 1490, Chauliac. || **ventrée** fin XII^e s., R. de Moiliens ; en fr. mod., pop., 1867, Delvau. || **ventrière** 1130, *Eneas.* || **sous-ventrière** fin XIV^e s. || **ventricule** 1314, Mondeville ; lat. méd. *ventriculus (cordis),* petit ventre du cœur. || **ventriculaire** 1842, *Acad.* || **ventriculographie** 1953, Lar. || **éventré** fin XII^e s., R. de Moiliens, fig., « vaincu ». || **éventrer** 1538, R. Est. || **éventration** 1743, *Mém. Acad. chir.* || **éventreur** fin XIX^e s. || **ventriloque** 1552, Rab. ; sur le lat. *loqui,* parler. || **ventriloquie** 1817, *Chron. de Paris.* || **ventripotent** 1552, Rab. ; sur le lat. *potens,* puissant (d'après *omnipotent*). || **ventrebleu** 1552, Rab., altér. de *ventredieu,* 1398, E. Deschamps. || **ventre-saint-gris** 1530, Marot. || **ventrouiller** 1200, *FEW.*

**vénus** 1674, La Fontaine, femme d'une grande beauté ; du nom de *Vénus,* déesse de la Beauté et de l'Amour. || **vénusté** v. 1500, B. W. ; lat. *venustas,* grâce, de *venustus,* charmant, gracieux.

**vêpres** 1160, *Charroi (ves-)* ; lat. eccl. *vesperae,* pl. de *vespera,* soir, spécialisé au sens liturgique, et francisé d'après l'anc. fr. *vespre, vêpre,* soir (980, *Passion du Christ*), du lat. class. *vesper,* soir, et usité jusqu'au XVII^e s. || **vêprée** 1080, *Roland,* soirée, soir, usuel jusqu'au XVI^e s., poét., Ronsard. || **vespéral** 1812, Mozin, n. m., livre des offices du soir ; 1836, *Acad.,* adj. ; bas lat. *vesperalis.*

***ver** 980, *Valenciennes (verme)* ; 1380, *Aalma (ver)* ; lat. *vermis.* || **ver de terre** 1530, Palsgrave. || **ver luisant** v. 1560, R. Belleau. || **ver à soie** 1538, R. Est. || **véreux** 1354, *Modus ;* 1559, Amyot, fig. || **vermine** 1119, Ph. de Thaon, de l'anc. forme *verm ;* 1398, E. Deschamps, fig. || **vermineux** 1211, *le Bestiaire.* || **vermis** 1858, Nysten, anat. || **vermifuge** 1738, Lémery. || **vermiller** 1354, *Modus ;* lat. pop. **vermicellus,* petit ver. || **vermiforme** 1532, Rab. || **vermivore** 1770, Buffon. || **vérot** XV^e s., *FEW,* petit ver. || **véroter** 1812, Mozin. (V. VERMEIL, VERMICELLE, VERMICULÉ, VERMOULU, etc.)

**véracité** 1644, Descartes ; lat. *verax, -acis,* sincère (v. VRAI).

**véraison** 1852, *Fr. mod. ;* mot dial., du moyen fr. *vérir,* commencer à mûrir, de *vair,* changeant.

**véranda** 1758, Grose ; angl. *veranda,* de l'hindi *varanda,* du port. *varanda,* balustrade, de *vara,* perche, issu du lat.

**vératre** 1606, Junius ; lat. *veratrum,* ellébore. || **vératrine** 1821, *Dict. sc. méd.*

**verbe** 1050, *Alexis,* mot ou suite de mots prononcés, parole ; XII^e s., Garnier, gramm., pour traduire le gr. *rhêma* (opposé à *onoma,* nom) ; lat. *verbum,* mot, traduction du gr. *logos ;* n'est plus usité en ce sens que dans *avoir le verbe haut,* fin XVII^e s., Saint-Simon. || **verbeux** v. 1200, *Règle de saint Benoît ;* lat. *verbosus.* || **verbosité** 1501, Fr. Le Roy ; bas lat. *verbositas.* || **verbal** fin XIV^e s., *Songe du verger,* « fait de vive voix » ; 1680, Richelet, gramm. ; lat. *verbalis,* de *verbum.* || **verbalement** 1337, G. || **procès-verbal** v. PROCÈS. || **verbigération** 1923, Lar. ; lat. *verbigerare,* de *gerere,* tenir. || **verbalisme** 1876, Lar. || **verbaliser** 1587, *FEW,* « faire des discours inutiles » ; 1967, *la Nef,* « s'exprimer ». || **verbalisation** 1842, *Acad.* || **verbalisateur** 1875, *Gazette des tribunaux.* || **verbomanie** 1912, Lourcé. || **déverbal, postverbal** XX^e s., linguist.

**verbiage** 1671, Sévigné ; moy. fr. *verbier,* gazouiller, de l'anc. picard *verboier,* chanter en modulant, du francique **werbilôn,* tourbillonner. || **verbiager** 1718, *Acad.*

**verdict** 1669, Chamberlayne ; mot angl., de l'anc. fr. *verdict,* du lat. médiév. *vere dictum,* « véritablement dit ».

**verdoyer** V. VERT.

**verduniser** 1928, *Acad. des sc.,* procédé de purification de l'eau ; du nom de *Verdun,* où il fut inventé en 1916 par P. Bunau-Varilla. || **verdunisation** 1933, Lar.

**vérécondieux** fin XV^e s. ; de *vércondie,* vergogne (1580, *Ancien Théâtre*), du lat. *verecundia* (v. VERGOGNE).

***verge** 1080, *Roland ;* lat. *virga ;* XIII^e s., *Renart,* anat. || **vergé** 1175, Chr. de Troyes, « rayé » ; lat. *virgatus.* || **vergette** 1165, *FEW.* || **vergeté** 1678, La Fontaine, rayé. || **vergeter** 1555, *FEW.* || **vergetier** 1659, Savary. || **vergeure** 1549, Maignan, ensemble de fils de laiton. || **vergeoise** 1762, *Encycl.,* sorte de sucre. || **vergeture** 1767, *Journ. Méd.* || **enverger** début XVIII^e s., en vannerie. || **sous-verge** fin XVIII^e s., cheval non monté, placé à la droite d'un cheval monté (*verge,* timon) ; XIX^e s., fig.

***verger** 1080, *Roland ;* lat. *vĭridiarium,* jardin planté d'arbres.

**verglas** 1193, Hélinant (*verreglas*) ; de *verre* et de *glas,* autre forme de *glace,* avec le sens de « glace semblable à du verre ». || **verglacer** *id.* || **verglacé** 1613, Voultier.

***vergogne** 1080, *Roland,* « honte » ; lat. *verecundia,* respect, réserve, honte ; ne s'emploie plus depuis le XVII^e s., sauf dans la loc. *sans vergogne.* (V. DÉVERGONDÉ.)

**vergue** 1180, Marie de France (*verge*), mar. ; forme norm. ou picarde de *verge.* || **enverguer** 1678, Guillet. || **envergure** 1678, Guillet, mar. ; 1932, Lar., sens fig.

**véridique** 1456, Isambert ; lat. *veridicus,* de *verum,* vérité, et *dicere,* dire. || **véridicité** 1741, Desfontaines. || **véridiquement** 1845, R. de Radonvilliers.

**vérifier** 1296, Langlois, « enregistrer, homologuer » ; 1690, Furetière, examiner si une chose est telle qu'on l'a déclarée ; bas lat. *verificare* (VI^e s., Boèce), de *verum,* le vrai, et *facere,* faire. || **vérifiable** XIV^e s., A. Thierry (*verefiable*). || **vérifiabilité** 1953, Lar. || **invérifiable** 1874, *Rev. crit.* || **vérification** 1388, Douet d'Arcq. || **vérificateur** 1631, B. W. || **vérificatif** 1608, Du Sin. || **vérifieur** 1487, Garbin.

**vérin** 1389, texte de Douai, techn., orig. picarde ; forme masc. du lat. *vĕrūna,* broche. || **vérine** 1654, Boyer, mar.

**vérisme** 1888, Lar. ; ital. *verismo,* de *vero,* vrai. || **vériste** 1897, A. Daudet ; ital. *verista.*

**vérité** X^e s., *Saint Léger* (*veritet*) ; lat. *veritas,* de *verus,* vrai. || **véritable** 1188, *Saint Bernard.* || **véritablement** 1188, *Saint Bernard.* || **contre-vérité** début XV^e s.

**verjus** XIII^e s., *Renart ;* de *vert* et *jus.* || **verjuté** 1694, *Acad.*

***vermeil** 1080, *Roland,* adj. ; 1213, *Fet des Romains,* n. m., drap de soie pourpre ; 1677, Havard, n. m., argent doré ; lat. *vermĭculus,* vermisseau, bas lat. « cochenille », puis « couleur écarlate produite par la cochenille », et, au VI^e s., pris adjectiv. (dimin. de *vermis,* ver). || **vermillon** 1130, *Eneas* (*vermeillon*) ; 1530, Palsgrave (*vermillon*). || **vermillonner** 1577, Belleau.

**vermicelle** 1553, Pastel (au pl.) ; fin XVII^e s., sing. ; ital. *vermicelli,* n. pl., vermisseaux, du lat. pop. **vermicellus,* lat. class. *vermiculus,* de *vermis,* ver (v. ce mot). || **vermicelier** 1767, Malouin. || **vermicellerie** 1964, Robert.

**vermiculé** 1380, *Aalma,* adj. ; moy. fr. *vermicule,* vermisseau, du lat. *vermiculus,* petit ver. || **vermiculaire** XV^e s., n. f., « ver » ; 1560, Paré, adj.

**vermoulu** 1244, R. Le Clerc d'Arras (*vermelu*) ; 1283, Beaumanoir ; de *ver* et *moulu,* part. passé de *moudre,* « mangé par les vers ». || **vermoulure** 1283, Beaumanoir. || **vermouler (se)** 1531, R. Est.

**vermouth** 1798, *Acad. ;* allem. *Wermut,* absinthe (cf. l'angl. *wormwood*).

**vernaculaire** 1765, *Encycl. ;* lat. *vernaculus,* « petit esclave né dans la maison ».

**vernal** 1119, Ph. de Thaon ; lat. *vernalis,* de *ver,* printemps (v. PRIMEVÈRE). || **vernalisation** 1930, d'après P. Robert.

**verne** 1119, Ph. de Thaon ; début XVI^e s., B. Palissy ; gaulois **vernos,* aulne.

**vernier** 1797, *Ann. chimie ;* du nom de l'inventeur, *P. Vernier* (1580-1637).

**vernis** 1131, *Couronn. de Loïs ;* ital. *vernice,* du bas lat. *veronice,* résine odoriférante, du bas grec *veronikê,* de *Berenikê,* ville de Cyrénaïque d'où venaient les premiers vernis. || **vernir** 1294, B. W. || **vernisser** fin XII^e s., *R. de Cambrai.*

|| **vernissage** 1837, B. W. ; « réception », 1886, Zola. || **vernisseur** 1402, G.

**vérole** fin XII^e s. ; bas lat. méd. (VI^e s.) *variola,* de *varius,* varié ; d'abord au sens de *variole,* et conservé ainsi dans *petite vérole,* fin XV^e s., Commynes ; passé au sens de « syphilis » (XVI^e s.) ; auj. d'emploi pop. || **vérolé** 1520, B. W., « atteint de la syphilis ».

**Véronal** 1903, *Journ. méd.,* nom déposé ; du nom de *Vérone,* où se trouvait l'inventeur, E. Fischer, et du suff. *-al* servant dans le lexique de la chimie.

**véronique** 1545, Guéroult, bot. ; bas lat. bot. *veronica,* du nom de sainte *Véronique ;* tauromachie, 1926, Montherlant.

**verrat** IX^e s., *Gloses de Cassel* (*ferrat*) ; début XIV^e s. (*verrat*) ; anc. fr. *ver,* du lat. *verres,* verrat.

***verre** 1155, Wace ; lat. *vitrum* (v. VITRE) ; var. *voirre,* jusqu'au XVI^e s. ; 1272, Joinville, verre à boire ; 1636, Monet, quantité contenue dans un verre. || **verré** 1180, *FEW.* || **verrée** n. f., 1554, Ronsard. || **verrier** 1265, G. || **verrière** 1130, *Eneas.* || **verrine** 1130, *Eneas ;* de *verrin,* en verre, du lat. pop. **vitrinus.* || **verrerie** 1265, J. de Meung (*voirrerie*) ; début XVI^e s. (*verrerie*). || **verroterie** 1657, Flacourt.

***verrou** 1120, *Ps. de Cambrai* (*veruil,* var. *veroil, verrouil*) ; 1636, Monet (*verrou*), d'après pl. *-ous, -oux* (v. de même GENOU, POU) ; lat. *verruculum,* altér., d'après *ferrum,* fer, de *veruculum,* var. *vericulum,* dimin. de *veru,* broche. || **verrouiller** fin XII^e s., R. de Moiliens (*verroillier*) ; XV^e s. (*verrouiller*). || **verrouillage** 1924, Lar. ; 1964, Robert, fig. || **déverrouiller** 1160, *Moniage Guillaume ;* 1948, Lar., mettre en liberté. || **déverrouillage** 1929, Lar.

***verrue** XII^e s., *Chevalier aux deux épées ;* lat. *verrūca.* || **verruqueux** 1495, B. W. ; dér. lat. *verrucosus.* || **verrucosité** 1908, Lar. || **verrucaire** 1600, O. de Serres.

1. ***vers** n. m., 1138, Gaimar ; lat. *versus,* part. passé substantivé de *vertere,* tourner, retourner ; « laisse, strophe » en anc. fr. || **vers libres** 1673, Molière. || **vers-libriste** 1891, Verlaine. || **vers-librisme** 1923, Lar. || **verset** XIII^e s., *Renart.* || **versiculet** 1732, Voltaire. || **versifier** début XIII^e s. (*versefier*) ; lat. *versificare,* sur *facere,* faire. || **versification** fin XV^e s., Molinet ; lat. *versificatio.* || **versificateur** 1488, *Mer des hist. ;* lat. *versificator.*

2. ***vers** prép., 980, *Passion ;* adv. lat. *versus,* anc. part. passé de *vertere,* tourner. || **devers** 1080, *Roland.* || **par-devers** XII^e s. || **envers** XI^e s.

**versaillais** 1871, Goncourt ; de *Versailles,* au sens polit.

**versatile** 1330, Digulleville (*espée versatille,* « à deux tranchants ») ; 1588, Montaigne, « qui change facilement d'idée » ; lat. *versatilis,* de *versare* (v. VERSER). || **versatilité** 1738, d'Argenson.

**verseau** 1555, Jacquinot, « verse-eau » ; calque du grec *hydrokhoeus* (parce que la période correspondante, 20 janv.-20 févr., est généralement pluvieuse).

***verser** 1080, *Roland,* « renverser », « être renversé » ; lat. *versari,* fréquentatif de *vertere,* tourner ; v. 1175, répandre (un liquide) ; 1788, Barthélemy, payer une somme d'argent. || **versé à, en, dans** 1559, Amyot, « rompu à la pratique de » ; lat. *versatus,* part. passé de *versari,* « s'occuper de ». || **versant** n. m., 1800. || **verse (à)** 1680, Richelet, d'abord *à la verse,* 1640, Oudin. || **verse** n. f., 1872, L. || **versement** 1220, *Anséis,* action de répandre ; 1695, Khun, versement d'argent. || **verseur** n. m., 1547, trad. de Vitruve ; adj., 1964, Lar. || **verseuse** 1877, L. || ***versoir** XIII^e s., sorte de charrue ; 1751, *Dict. d'agr.,* pièce de la charrue ; peut-être d'un lat. pop. **versōrium.* || **déverser** 1755, abbé Prévost. || **déversoir** 1754, *Encycl.* || **déversement** 1797, *Doc.* || **reverser** 1155, Wace, retourner ; 1549, Est., verser de nouveau. || **reversement** 1877, L. (V. AVERSE, BOULE, ENVERS, MALVERSATION, VERSEAU.)

**version** 1270, Maheu, « retournement » ; milieu XVI^e s., traduction ; lat. médiév. *versio,* du lat. *vertere,* retourner. || **rétroversion** fin XVIII^e s. || **rétroversé** 1922, Lar.

**verso** 1663, B. W. ; lat. *folio verso,* « sur le feuillet à l'envers ». (V. RECTO.)

**verste** 1607, Meigret (*virst*) ; 1763, Voltaire (*verste*) ; russe *versta,* unité de distance (1 067 m).

***vert** 1080, *Roland,* avec fém. *verte* (au fém., var. *vert* jusqu'au XV^e s., *verde* jusqu'au XVI^e s., encore 1546, Rab.) ; lat. *viridis ;* XIII^e s., « qui a encore de la sève », d'où *bois vert* (1636, Monet) ; XIII^e s., A. de la Halle, « jeune » ; XVI^e s., « vif, rude » ; *tapis vert,* fin XVI^e s., Pasquier, table de jeu ; *langue verte,* 1852, Sainéan, « argot des tricheurs » (parce qu'on joue sur un tapis vert) ; 1867, Delvau, « argot » ; *prendre sans vert,* 1546, Rab., de *jouer au « je vous prends sans vert »,* 1534, Rab., jeu du mois de mai, où l'on devait porter quelques feuilles cueillies le jour même, sous peine de payer une amende. || **vert-de-gris** 1268, É. Boileau (*vert-de-Grèce*) ; 1314, Mondeville (*vert de grice*) ; 1337, B. W. (*vert-de-gris*), avec altér. de *Grèce,* d'orig. obsc., d'après *gris.* || **vert-de-grisé** 1835, Th. Gautier. || **verdâtre** 1350, *D. G.* || **verdelet** 1319, B. W. || **verdet** 1240, *FEW,* adj. ; XIV[e] s., n. m., « vert-de-gris » ; XIX[e] s., « acétate de cuivre ». || **verdeur** XII[e] s. (*verdur*), « verdure » ; fin XIV[e] s. (*verdeur*) ; fin XIV[e] s., acidité ; 1440, Charles d'Orléans, vigueur de la jeunesse. || **verdure** XII[e] s., Marbode. || **verdir** fin XII[e] s., v. intr. ; v. tr., 1680, Richelet. || **verdissage** 1877, *J. O.* || **verdissement** 1859, Hugo. || **verdier** 1200, G., garde forestier ; 1280, Bibbesworth, oiseau. || **verdage** 1370, *FEW,* légume ; 1842, *Acad.,* récolte enterrée en fleur. || **verdoyer** 1175, Chr. de Troyes. || **verdoyant** milieu XII[e] s. || **verdoiement** 1879, Huysmans. || **reverdir** début XII[e] s.

**vertèbre** 1363, Chauliac ; lat. *vertebra,* « articulation », de *vertere,* tourner. || **vertébral** 1674, *Journ. des savants.* || **vertébré** 1800, *Bull. des sciences.* || **invertébré** 1800, Cuvier.

**vertical** 1545, *FEW ;* lat. techn. *verticalis* (I[er] s., Frontin), de *vertex,* sommet. || **verticale** n. f., 1845, Besch. || **verticalement** 1752, Trévoux. || **verticalité** 1752, Trévoux.

**verticille** 1615, Binet, archit. ; début XVII[e] s., peson de fuseau ; 1694, Tournefort, bot. ; lat. *verticillus,* peson de fuseau, de *vertex,* « sommet ». || **verticillé** 1694, Tournefort.

**vertige** 1363, Chauliac (*vertigine*) ; lat. *vertigo,* mouvement tournant, de *vertere,* tourner. || **vertigo** 1478, Chauliac, méd. ; mot lat. || **vertigineux** 1478, Chauliac, homme sujet au vertige ; av. 1850, Balzac, « qui donne le vertige » ; lat. *vertiginosus.* || **vertigineusement** 1876, Lar.

***vertu** 1080, *Roland ;* lat. *virtūs, virtutis,* « force virile », de *vir,* homme ; en anc. fr., « vaillance, force physique, puissance » ; 1155, Wace, « pratique habituelle du bien » ; XIII[e] s., « propriété d'une substance » ; 1660, Racine, « chasteté (d'une femme) ». || **vertueux** 1080, *Roland,* vigoureux, vaillant ; 1370, Oresme, « qui pratique le bien » ; « chaste », 1661, Molière. || **vertudieu** XV[e] s., *le Théâtre français* (*vertubieu*) ; 1558, B. Des Périers (abrév. *tudieu*) ; de *par la vertu de Dieu.* || **vertubleu** 1665, Molière, atténuation du précéd. || **vertuchou** 1616, *Anc. Théâtre.* (V. ÉVERTUER.)

**vertugadin** 1606, Huguet, mode ; fin XVII[e] s., hortic. ; de *vertugade,* XVI[e] s., altér., d'après *vertu* (la vertugade étant censée protéger la vertu), de l'esp. *verdugado,* « baguette verte » (cf. *verdugale,* 1532, Rab.), de *verdugo,* baguette, dér. de *verde,* vert.

***verve** 1175, Chr. de Troyes, « proverbe » ; début XIII[e] s., Rutebeuf, « inspiration » ; fin XVI[e] s., sens mod. ; lat. pop. **verva,* du lat. class. *verba,* plur. neutre, pris comme fém., de *verbum,* parole. || **verveux** 1583, Bretonnayau, « capricieux » ; 1801, Mercier, sens moderne.

***verveine** XIII[e] s., L. ; lat. pop. **vervēna,* class. *verbēna,* rameaux de laurier.

1. **verveux** V. VERVE.

2. **verveux** n. m., 1315, Du Cange (*vrevieus*), « filet de pêche » ; lat. pop. **vertibellum,* de *vertere,* tourner (cf. *vertebolum,* filet, *Loi salique,* avec changem. de suffixe).

**vésanie** 1480, *Mystère saint Quentin ;* lat. *vesania,* folie, de *vesanus,* fou, sur *sanus,* sain, et *ve-,* préf. péjor.

**vesce** fin XII[e] s., *Rom. d'Alexandre* (*vecce*) ; lat. *vĭcĭa.*

**vésical** 1560, Paré, « en forme d'ampoule » ; 1827, *Acad.,* « qui a rapport à la vessie » ; bas lat. *vesicalis,* de *vesica,* vessie.

**vésication** 1363, Chauliac ; bas lat. *vesicare,* gonfler, et au sens médic. « former des ampoules », de *vesica,* vessie, par ext. « ampoule ». || **vésicatoire** 1363, Chauliac. || **vésicant** 1363, Chauliac. || **vésico-rectal** 1904, Lar.

**vésicule** 1541, Canappe ; lat. *vesicula,* dimin. de *vesica,* vessie ; *vésicule biliaire,* 1812, Mozin. || **vésiculeux** 1752, Trévoux. || **vésiculaire** 1686, Chauvelot.

**vesou** 1667, Du Tertre, jus de canne à sucre ; mot créole, d'origine inconnue.

**vespasienne** 1834, *Journ. des femmes ;* du nom de l'empereur romain *Flavius Vespasianus,* d'après les urinoirs qu'il fit installer à Rome.

**vespéral** V. VÊPRES.

**vespertilio** XIV[e] s., *Ovide,* chauve-souris ; mot lat.

**vespétro** 1767, Menon, « liqueur carminative » ; de *vesser, péter* et *roter.*

***vesser** XIII[e] s., *Fatrasies ;* rare avant 1606 ; a remplacé *vessir,* XIII[e]-XV[e] s. ; lat. pop. **vissīre.* || **vesse** XV[e] s., *Miracles sainte Geneviève.* || **vesseron** 1543, *FEW.* || **vesse-de-loup** bot., 1530, Palsgrave.

***vessie** 1265, Br. Latini ; lat. pop. **vessīca,* du lat. class. *vēsīca.* (V. VÉSICAL, VÉSICATION, etc.)

**vessigon** 1598, *FEW,* vétér. ; ital. *vescicone,* du lat. pop. **vĕssīca.*

**vestale** 1355, Bersuire, adj. (*vierge vestale*) ; 1562, Du Pinet, n. f. ; lat. *vestalis,* prêtresse de Vesta. || **vestalies** 1553, Rab. (*vestales*) ; 1803, Boiste (*-talies*).

**veste** fin XVI[e] s., d'abord « vêtement à quatre pans se portant sous l'habit » ; 1680, Richelet, « vêtement sans basques » ; loc. *remporter, ramasser une veste,* 1867, Delvau, par analogie avec le double sens de *capote* (vêtement, et coup par lequel un joueur fait son adversaire *capot,* v. CAPOT 2) ; *retourner sa veste,* 1835, *Acad. ;* ital. *vesta,* du lat. *vestis,* vêtement. || **veston** 1769, Garsault, *Art du tailleur.*

**vestiaire** 1200, *Règle saint Benoît* (*vestuaire*) ; 1380, *Aalma (vestiaire*) ; lat. *vestiarium,* armoire à vêtements.

**vestibule** XIV[e] s., *D. G.* (*vestible*) ; 1502, O. de Saint-Gelais (*vestibule*) ; lat. *vestibulum.* || **vestibulaire** 1834, *Dict. de méd. et de chir. prat.*

**vestige** 1377, Oresme ; lat. *vestigium,* empreinte du pied.

**vétéran** 1554, *FEW* (*veterane*), adj. ; milieu XVI[e] s. (*vétéran*), n. m., sens mod. ; lat. *veteranus,* ancien, de *vetus, vetaris,* vieux. || **vétérance** 1705, Lamare.

**vétérinaire** 1563, Du Poy, adj. et n. ; lat. *veterinarius,* de *veterina,* pl., bêtes de somme.

**vétiller** fin XVI[e] s., Béroald, « s'amuser à des riens » ; moy. fr. *vette,* ruban, de l'anc. fr. *vete,* du lat. *vĭtta,* bandelette. || **vétille** 1528, *Archives.* || **vétilleur** 1642, Oudin. || **vétilleux** 1658, Scarron. || **vétillard** 1640, Oudin.

***vêtir** 980, *Passion* (*vestir*) ; lat. *vestīre.* || ***vêtement** 1080, *Roland ;* lat. *vestimentum.* || **vestimentaire** 1904, Lar. || ***vêture** 1155, Wace (*vesteure*) ; bas lat. pop. *vestitūra ;* au sens de « vêtement » en anc. fr. ; emploi restreint auj. || **dévêtir** 1130, *Eneas.* || **revêtir** fin XI[e] s., *Alexis,* féod., d'où les empl. fig. mod. || **revêtement** XIV[e] s., vêtement ; XVI[e] s., archit. || **survêtement** 1824, Raymond. (V. INVESTIR.)

**vétiver** 1827, *Journ. des dames,* bot. ; tamoul (langue de l'Inde) *vettivern.*

**veto** 1718, Ferrières, droit des tribuns romains ; 1790, droit de refus accordé au roi par la Constitution ; 1796, Desmoulins, jurid. ; lat. *veto* (infin. *vetare*), « j'interdis ».

**vétusté** 1403, *Internele Consolacion ;* lat. *vetustas,* de *vetus,* vieux. || **vétuste** 1842, *Acad. ;* de *vétusté,* d'après le lat. *vetustus.*

***veuf, veuve** 1050, *Alexis* (*vedve*), n. f. ; 1150, *Couronn. de Loïs* (*veve*) ; fin XIV[e] s. (*veuve*) ; lat. *vĭdua,* privée de ; le masc. *veuf,* refait sur le fém., n'apparaît qu'au XVI[e] s., 1596, Hulsius (au Moyen Âge, le veuvage était pour la femme un état civil à part ; ce n'était pas le cas pour le mari). || **veuvage** 1374, Du Cange.

***veule** 1190, J. Bodel, « volage, frivole » ; lat. pop. **vŏlus,* « qui vole au vent », de *volare,* voler ; 1611, Cotgrave, « affaibli par le jeûne » ; 1660, Oudin, « qui manque d'énergie ». || **veulerie** 1862, Flaubert. || **aveulir** 1876, A. Daudet. || **aveulissement** 1884, A. Daudet.

**vexer** 1380, *Aalma,* « tourmenter » ; lat. *vexare,* même sens ; 1808, d'Hautel, « froisser la susceptibilité de ». || **vexant** 1842, *Acad.* || **vexation** milieu XIII[e] s., « tourment » ; 1870, Mérimée, « blessure d'amour-propre ». || **vexatoire** 1783, Buffon. || **vexateur** 1549, R. Est.

**vexille** 1527, *FEW ;* lat. *vexillum.* || **vexillaire** 1530, Marot.

**via** 1876, Lar., prép. ; lat. *viā,* abl. de *via,* voie.

1. **viabilité** 1845, Besch., bon état d'une route ; bas lat. *viabilis,* « où l'on peut passer », de *via,* voie, chemin.

2. **viabilité** V. VIE.

**viaduc** 1829, Wexler ; adaptation, d'après *aqueduc,* de l'angl. *viaduct,* du lat. *via,* voie, et *ductus,* action de conduire. (V. AQUEDUC.)

**viager** 1291, G. ; anc. fr. *viage,* durée de vie, de *vie ;* n. m., 1762, *Acad.*

***viande** 1050, *Alexis,* ensemble des aliments ; lat. pop. **vivenda,* de *vivere,* vivre, « ce qui est nécessaire à la vie » ; 1382, G., « chair animale dont on se nourrit ». || **viander** 1354, *Modus,* pâturer. || **vivandier** 1155, Wace. || **vivandière** milieu XVI[e] s.

**viatique** 1398, E. Deschamps, « route à parcourir » ; 1636, Monet, « provisions et argent de route » ; 1664, Sévigné, sens religieux ; lat. *viaticum,* de *via,* route (v. VOYAGE).

**vibice** 1845, Besch., marque ; lat. *vibex, vibicis.*

**vibord** 1642, Anthiaume, mar. ; scand. **wigibord,* parapet du bord.

**vibrer** fin XV[e] s., Fossetier ; lat. *vibrare,* agiter, brandir, d'où « vibrer » ; fig., 1831, Hugo. || **vibrant** 1747, d'Alembert ; 1872, L., plein d'ardeur. || **vibrante** 1904, Lar., n. f., phonét. || **vibration** *id.,* action de brandir ; 1632, Mersenne, phys. || **vibrement** 1832, Matoré. || **vibrage** 1949, Lar. || **vibratoire** 1840, Lamennais. || **vibratile** 1776, Lépecq. || **vibreur** 1907, Lar. || **vibrato** 1876, Lar. || **vibrion** 1797, Cuvier. || **vibrionner** 1876, *J. O.* || **vibrisse** 1845, Besch.

**vicaire** 1175, Chr. de Troyes, « gouverneur à la tête d'une subdivision de diocèse ou de province » ; 1414, Thierry, eccl., « remplaçant, suppléant » ; lat. *vicarius,* remplaçant (v. VIGUIER, VOYER). || **vicarial** 1570, Hervet. || **vicariat** 1430, A. Chartier. || **vicariant** 1878, Lar.

1. **vice** 1138, Gaimar ; lat. *vitium,* défaut, vice. || **vicié** 1265, Br. Latini. || **vicier** 1396, *FEW ;* lat. *vitiare,* corrompre. || **vicieux** 1265, J. de Meung ; lat. *vitiosus.* || **vicelard** 1928, Esnault.

2. **vice-,** préf. ; lat. *vice,* « à la place de », ancien ablatif, de **vicis,* tour. || **vice-amiral** 1339, B. W. || **vice-consul** 1595, Villamont. || **vice-président** 1479, Bartzsch. || **vice-roi** *id.*

**vicennal** 1682, *Journal des savants ;* bas lat. *vicennalis,* du lat. *viciens,* vingt fois, de la rac. de *viginti,* vingt, et de *annus,* année.

**vicésimal** 1872, L. ; lat. *vicesimus,* vingtième, de *viginti,* vingt.

**vice versa** 1536, Rab. ; loc. lat. signif. « réciproquement », de *vice,* place, et de *versa,* abl. fém. (de *vertere,* tourner), proprem. « la place étant retournée ».

**vichy** 1904, Lar., « étoffe » ; 1964, Robert, « eau » ; de *Vichy,* ville d'Auvergne.

**vicinal** XIII[e] s., texte des Alpes-de-Haute-Provence, « proche » ; 1775, Turgot, sens mod. ; lat. *vicinalis,* de *vicus,* bourg. || **vicinalité** 1838, *Dict. universel du commerce.*

**vicissitude** 1355, Bersuire ; lat. *vicissitudo,* de **vicis,* succession, tour.

**vicomte** 1080, *Roland* (*vesconte*) ; bas lat. *vicecomes,* sur le modèle de *vicedominus* (v. VICE- 2, VIDAME). || **vicomtesse** XIII[e] s., *Aucassin.* || **vicomté** début XIII[e] s., *FEW ;* resté fém. || **vicomtal** XIII[e] s., G.

**victime** 1496, J. de Vignay, rare avant la fin du XV[e] s. ; lat. *victima,* animal destiné au sacrifice, sur la rac. de *vincere,* vaincre. || **victimaire** 1556, B. W. ; lat. *victimarius.*

**victoire** 1080, *Roland* (*victorie*) ; 1155, Wace (*victoire*) ; lat. *victoria,* de *victor,* vainqueur. || **victorieux** 1265, Br. Latini ; lat. *victoriosus.* || **victorieusement** 1355, Bersuire.

**victoria** av. 1844, Mackenzie, type de voiture ; du nom de *Victoria,* reine d'Angleterre (1819-1901).

**victuailles** 1138, Gaimar (*vitaille*) ; 1502, *FEW* (*victuaille*) ; 1542, *FEW,* empl. usuel au plur. ; lat. *victualia,* pl. neut., devenu fém. en lat. pop., de *victualis,* adj., « relatif aux vivres » (*victūs*), sur *vivere,* vivre. (V. RAVITAILLER.)

**vidame** 1207, Villehardouin (*visdame*) ; lat. eccl. *vicedominus,* « lieutenant d'un prince », de *vice,* à la place de, et *dominus,* seigneur. || **vidamé** XII[e] s., Adgar, ou **vidamie** 1400, *Archives.*

***vide** 1155, Wace (*vuit*) ; 1762, *Acad.* (*vide*) ; lat. pop. **vŏcitus,* de **vŏcuus,* du lat. class. *vacuus,* vide (cf. *vŏcīvus,* vide, I[er] s., Térence). || **vide** n. m., 1370, Oresme ; v. 1651, Pascal, *le vide.* || ***vider** 1155, Wace (*vuidier*) ; XIV[e] s. (*vider*), orthographe définitive depuis 1762, *Acad. ;* lat. pop. **vocitāre.* || **vidage** 1230, G. (*vuidage*). || **videur** XIII[e] s. (*vuideur*). || **vidure** 1525, J. Lemaire de Belges (*vuydure*), « espace vide » ; 1611, Cotgrave, « action de vider » ; 1752, Trévoux, « ce qu'on ôte en vidant ». || **vidoir** 1912, Lar. || **vidange** 1286, texte du Hainaut (*widenghe*), égout ; XIV[e] s., action de vider, de nettoyer ; de *vider,* et suffixe francique **-inga.* || **vidanger** 1855, *FEW.* || **vidangeur** fin XVII[e] s. || **videlle** 1659, Duez. || **vide-bouteille** 1560, *D. G.,* « ivrogne » ; 1872, L., « ustensile ». || **vide-ordures, vide-poches** 1749, Havard, meuble. || **vide-gousset** 1876, Lar. || **vide-pomme** 1828, Laveaux. || **vide-vite** 1933, Lar. || **évider** 1120, *Ps. de Cambridge* (*esvuidier*) ; 1680, Richelet (*évider*). || **évidoir** 1756, *Encycl.* || **évidage** 1838, *Acad.* || **évidement** 1865, L. || **dévider** XI[e] s., *Gloses de Raschi* (*desvuidier*), vider ; d'où « vider le fuseau de sa laine », par ext. « développer (la laine, le fil) ». || **dévidoir** XIII[e] s., de Garlande (*desvuidoir*). || **survider** 1549, R. Est.

**vidéo-,** lat. *video,* je vois, élément entrant dans le vocab. de la télévision. || **vidéocassette** 1971, *le Monde.* || **vidéodisque** 1974, Lar. || **vidéophone** 1955, *le Monde.*

**vidimus** 1315, Fagniez, copie certifiée ; mot lat. signif. « nous avons vu ». || **vidimer** 1463, Bartzsch, certifier une copie.

**vidrecome** 1752, Trévoux, verre à boire ; all. *wiederkommen,* revenir.

**viduité** 1265, Br. Latini ; lat. *viduitas,* de *vidua,* veuve. (V. VEUF.)

***vie** 1080, *Roland ;* lat. *vīta.* || **viable** 1537, trad. du *Courtisan.* || **viabilité** 1803, Boiste. || **survie** 1510, *FEW* (*sourvie*), « fait de survivre » ; 1670, Richelet (*survie*) ; 1907, Lar., prolongation de la vie. (V. VIAGER.)

**vielle, vielleux** V. VIOLE 1.

**vierge** 1119, Ph. de Thaon (*virgine*) ; 1160, *Charroi* (*virge*) ; XIII[e] s. (*vierge*) ; d'abord surtout terme eccl., puis extens. ; XVIII[e] s., statue de la Vierge ; *forêt vierge,* 1845, Besch. ; *vigne vierge,* 1690, Furetière ; lat. *virgo, virginis.* || **demi-vierge** 1894, M. Prévost. || **virginal** 1050, *Alexis* (*virginel*) ; fin XII[e] s., R. de Moiliens (*virginal*) ; 1533, Gay, « instrument » ; lat. *virginalis.* || **virginité** X[e] s., *Eulalie ;* lat. *virginitas.* || **dévirginiser** 1829, Boiste.

***vieux** (anc. forme du pl.), **vieil,** fém. **vieille** 1080, *Roland* (*vieil*) ; lat. *vĕtŭlus,* dim. fam. de *vetus,* vieux, devenu *veclus* (V[e] s., *App. Probi*). || **vieillesse** début XII[e] s. (*veillece*) ; 1155, Wace (*viellece*). || **vieillir** 1155, Wace. || **vieillissement** 1596, Hulsius. || **vieillard** 1155, Wace (*vieillart*). || **vieillerie** 1680, Richelet. || **vieillot** XIII[e] s., La Curne, comme n. f. ; 1538, R. Est., n. m., « petit vieux » ; 1648, Scarron, adj. || **vioc, vioque** 1837, Vidocq ; anc. fr. *viot,* vieillard (1250, Mousket).

***vif, vive** adj., 1080, *Roland ;* lat. *vīvus,* f. *viva.* || **vif** n. m., 1155, Wace, personne vivante ; 1270, Joinville, chair vive ; 1680, Richelet, proie en vie ; *haie vive,* 1552, R. Est. || **vivement** 1160, Benoît. || **vif-argent** 1160, *Charroi ;* lat. *argentum vivum,* mercure. || **revif** milieu XVI[e] s., mar. ; 1869, Flaubert, nouvelle vigueur. || **aviver** 1119, Ph. de Thaon ; lat. pop. **advivare.* || **avivement** v. 1175, Chr. de Troyes. || **avivage** début XVIII[e] s. || **raviver** 1160, Benoît. || **ravivage** 1904, Lar. (V. VIVIFIER, VIVISECTION.)

**vigie** 1686, Frontignières, rocher caché sous l'eau ; début XVIII[e] s., sentinelle ; port. *vigia,* de *vigiar,* veiller, du lat. *vigilare.*

**vigilant** 1488, B. W. ; lat. *vigilans,* part. prés. de *vigilare,* veiller. || **vigilance** 1380, *Aalma ;* lat. *vigilantia.*

1. **vigile** 1119, Ph. de Thaon (*vigilie*), « veille de fête » ; 1175, Chr. de Troyes (*vigile*), eccl. ; lat. eccl. *vigilia* (v. VEILLE).

2. **vigile** 1836, *Acad.,* « garde ».

***vigne** 1120, *Ps. d'Oxford ;* lat. *vīnea,* de *vinum,* vin. || **vigneron** fin XII[e] s., R. de Moiliens. || **vignette** v. 1280, Joinville, « ornement représentant des branches ou des feuilles de vigne » · 1454, Havard, « ornement décorant une page de livre » ; 1904, Lar., « petite gravure en forme d'étiquette collée ». || **vignettiste** 1853, Goncourt. || **vignoble** 1175, Chr. de Troyes ; anc. prov. *vinhobre,* avec substit. de suff. ; du lat. rég. **vineoporus,* adaptation du gr. *ampelophoros,* « qui porte des vignes », de *ampelos,* cep, et *-phoros,* qui porte ; ou diminutif du lat. pop. *viniculus,* devenu *vinubulus,* de *vinea.*

**vigogne** 1598, Acosta (*vicugne*) ; 1672, Thévenot (*vigogne*) ; esp. *vicuña,* mot quechua (Pérou).

**vigueur** 1080, *Roland* (*vigur*) ; 1361, Oresme (*vigueur*) ; lat. *vigor.* || **vigoureux** 1120, *Ps. de Cambridge* (*vigorous*) ; 1370, Oresme (*vigoureux*). || **revigorer** 1185, *Aliscans* (*-é*) ; 1360, Froissart (*-er*). || **revigoration** 1932, Lar. || **revigorant** début XX[e] s. || **ravigoter** 1611, Cotgrave, par changem. de suff. ; a remplacé *resvigoter* (v. 1220). || **ravigote** 1720, *Mercure de France,* n. f.

**viguier** 1265, Br. Latini ; anc. prov. *viguier,* du lat. *vicārius* (v. VICAIRE, VOYER). || **viguerie** début XIV[e] s. (*vigerie*) ; 1340, G. (*viguerie*) ; anc. prov. *viguaria.*

***vil** 1080, *Roland ;* lat. *vīlis,* « à bas prix », d'où « bas, méprisable ». || **avilir** XII[e] s., rare avant 1350, *Ars d'amour.* || **avilissement** fin XVI[e] s. || **avilissant** 1761, Voltaire.

***vilain** XII[e] s., *Lois de Guillaume,* paysan, homme de basse condition ; 1138, Gaimar, « poltron » ; 1155, Wace, laid (moralement) ; 1228, *Guill. de Dole,* laid (physiquement) ; lat. *villanus,* habitant de la *villa,* domaine rural. || **vilenie** 1119, Ph. de Thaon (*vilanie*) ; v. 1200 (*vilenie*).

**vilayet** 1869, *J. O. ;* turc *vilâyet,* province ; forme mod. *wilaya,* 1955, *journ. ;* ar. *wilāya,* province.

**vilebrequin** XIV[e] s., *Dialogue fr. flamand* (*wimbelkin*) ; 1450 (*vilebrequin*) ; moy. néerl. *wimmelkijn,* dim. de *wimmel,* tarière, avec influence du flam. *boorkin,* tarière, et, en passant en fr., des mots *virer, vibrer.*

**vilipender** 1375, R. de Presles ; bas lat. *vilipendere,* de *vilis* et *pendere.*

**villa** 1743, *Bibl. britannique,* maison de plaisance en Italie ; 1827, *Journ. des dames,* sens gén. ; ital. *villa* (v. VILLE).

**village** 1081, *Cartul. d'Angers* (*villagium*), groupe d'habitations rurales ; v. 1360, Froissart (*village*) ; dér. de *ville,* ferme, pour remplacer ce mot au sens de « village ». || **villageois** v. 1500.

**villanelle** 1557, J. Du Bellay ; ital. *villanella,* chanson ou danse villageoise, de *villano,* villageois, du bas lat. *villanus* (v. VILAIN).

***ville** v. 980, *Passion* (*vile*) ; 1690, Furetière, « quartier » ; lat. *vīlla,* « maison de campagne », et, à partir de l'Empire, « domaine rural » ; dès le gallo-roman, a désigné l'agglomération urbaine. || **ville-dortoir** 1964, Lar. || **ville-satellite** 1939, Giraudoux.

**villégiature** 1755, abbé Prévost ; ital. *villeggiatura,* de *villeggiare,* aller à la campagne, de *villa* (v. VILLA). || **villégiateur** 1876, *le National.* || **villégiaturer** 1860, Mérimée.

**villeux** XIV^e^ s., L., rare jusqu'en 1742 ; lat. *villōsus,* de *villus,* poil (v. VELOURS, VELU). || **villosité** 1781, Sabatier.

***vin** 980, *Passion ;* lat. *vīnum ; vin cuit,* 1538, R. Est. ; *vin doux,* 1564, *Maison rustique ; cuver son vin,* 1611, Cotgrave. || **vinée** XIII^e^ s. (*vingnée*) ; milieu XIV^e^ s. (*vinée*). || **vineux** v. 1200, G. ; bas lat. *vinosus* (III^e^ s., Tertullien). || **vinosité** 1830, Conty. || **viner** début XIV^e^ s., « débiter du vin » ; 1867, L., « ajouter de l'alcool à un vin ». || **vinage** 1231, G., droit sur la récolte ; 1867, L., sens mod. || **vinaire** 1756, *Encycl.,* adj. || **vinique** 1836, *Acad.* || **vinasse** 1765, *Encycl.,* chimie ; 1836, *Acad.,* vin fade. || **vinicole** 1831, Barthélemy. || **viniculture** 1834, Taxil. || **vinifère** 1812, Mozin. || **vinification** 1799, *Ann. de chimie.* || **aviné** fin XIII^e^ s., Rutebeuf.

**vinaigre** 1200, J. Bodel ; de *vin* et *aigre.* || **vinaigrette** 1398, *Ménagier.* || **vinaigré** 1680, Richelet. || **vinaigrer** 1690, Furetière. || **vinaigrier** 1514, *Ordonn. royale.* || **vinaigrerie** 1723, Savary des Bruslons.

**vindicatif** 1395, Chr. de Pisan ; lat. *vindicare,* venger (v. VENGER).

**vindicte** 1308, Aimé ; lat. *vindicta,* vengeance ; *vindicte populaire,* 1690, Furetière. (V. VENDETTA, VENGER.)

***vingt** 1080, *Roland* (*vint*) ; 1273, Adenet (*vingt*) ; bas lat. *vinti,* du lat. class. *vĭginti.* || **vingtième** 1155, Wace (*vintisme*) ; fin XIV^e^ s. (*vintiesme*). || **vingtièmement** 1636, Monet. || **vingtaine** XIII^e^ s., G. || **vingt-deux** 1874, Esnault, avertissement. || **vingt-et-un** 1530, Palsgrave, jeu. || **quatre-vingts** 1120, *Ps. d'Oxford.* || **quatre-vingtième** 1530, Palsgrave. || **quatre-vingt-dix** fin XII^e^ s., Villehardouin (*quatre-vins et dis*). || **quatre-vingt-dixième** 1530, Palsgrave.

**vinyle** 1876, d'après P. Robert ; de *vin* et *éthyle.*

**violacé, violat** V. VIOLETTE.

**viole** XIII^e^ s., *Aucassin ;* anc. prov. *viola,* de *violar,* jouer de la vielle, onomat. ; de même, l'anc. fr. *vieller,* début XII^e^ s., *Voy. de Charl.* || **vielle** 1130, *Eneas* (*viele*) ; de *vieller.* || **vielleur** 1165, Thomas. || **vielleux** XVI^e^ s., G. || **viole de gambe** 1703, S. de Brossard ; ital. *viola di gamba.* || **violiste** XVII^e^ s., d'après P. Robert. || **violon** v. 1500, *Anc. Poésies ;* 1803, Boiste, pop., « poste de police », par comparaison des barreaux aux cordes d'un violon. || **violoniste** 1823, Boiste. || **violoneux** 1812, Désaugiers. || **violoncelle** début XVIII^e^ s. (*violoncello*) ; 1743, Trévoux. (*violoncelle*) ; ital. *violoncello,* dimin. de *violone,* contrebasse, « grosse viole ». || **violoncelliste** 1825, Brillat-Savarin.

**violent** 1213, *Fet des Romains ;* lat. *violentus,* de *violare,* faire violence. || **violemment** 1332, G. || **violence** 1215, *D. G. ;* lat. *violentia.* || **violenter** 1375, R. de Presles.

**violer** 1080, *Roland ;* lat. *violare,* « faire violence » ; 1170, *Rois,* « prendre de force une femme ». || **violation** XII^e^ s., *Naissance du chevalier.* || **violateur** 1360, G. || **viol** 1647, Vaugelas, « acte de violer une femme ». || **inviolable** début XIV^e^ s. ; lat. *inviolabilis.* || **inviolabilité** 1611, Cotgrave.

**violette** début XII^e^ s. ; anc. fr. *viole,* même sens, du lat. *viola.* || **violet** v. 1200, *Guillaume de Dole.* || **ultraviolet** 1840, Becquerel. || **violeter** 1861, *FEW.* || **violâtre** v. 1450, O. de La Marche (*viaulatre*) ; rare avant Diderot. || **violier** v. 1360, Froissart ; dér. de l'anc. *viole.* || **violine** 1842, *Acad.* || **violacé** 1777, Guyton de Morveau ; lat. *violaceus,* couleur de violette. || **violacer** 1845, Besch. || **violacée** 1810, Capuron, bot. || **violat** 1206, Guiot de Provins.

***viorne** 1538, R. Est. ; lat. *viburna,* pl. de *viburnum,* passé au fém. sing. en lat. pop.

**vipère** 1265, Br. Latini (*vipre*) ; 1520, La Curne, « personne méchante » ; lat. *vipera ;* a éliminé l'anc. *guivre, vouivre* (1080, Roland). || **vipereau** 1526, Marot. || **vipérin** 1553, *FEW,* adj. || **vipérine** XV^e^ s., *Grant Herbier,* bot. || **vipéridé** 1842, *Acad.* (V. VOUIVRE.)

**virago** 1452, Gréban ; mot lat., de *vir,* homme (v. VIRIL).

**virelai** v. 1280, Adenet ; d'abord refrain de danse, de *vire.* (V. VIRER et LAI 2.)

***virer** v. 1155, Wace, tourner ; bas lat. **vīrāre,* du lat. class. *librare,* balancer, et *vibrare,* faire tournoyer. || **virement** 1546, R. Est., « action de tourner » ; 1904, Lar., financ. || **vire** XI^e^ s., *Gloses de Raschi,* « trait d'arbalète » ; XIV^e^ s., « action de tourner » ; 1877, *Rev. des Deux Mondes,* « chemin de montagne en lacet ». || **virage** 1773, Bourdé, mar. ; 1857, *Année scient.,* « action d'une couleur qui change » ; 1893, *D. G.,* autom. || **vireur** 1364, *Romania,* tourne-broche ; 1907, Lar., « plateau circulaire sur une machine ». || **survireuse, sous-vireuse** v. 1960, autom. || **virée** 1535, G., « rang de ceps » ; 1907, Chautard, « promenade » ; 1859, Nanquette, techn., « division d'un bois à couper ». || **revirer** début XII^e^ s., *Roman de Thèbes,* « craindre, éviter » ; 1530, Palsgrave, « se retourner ». || **revirement** 1587, Cholières.

**vireux** V. VIRUS.

**virevolte** 1549, R. Est. ; altér., sous l'infl. de l'ital. *giravolta,* « tour en rond », de l'anc. *virevouste* (1510, Marot), de *virer* et *vouter,* tourner, de **volvitare,* rouler, de *volvere,* tourner. || **virevolter** milieu XVI^e^ s.

**virginal** V. VIERGE.

**virgule** 1534, Rab. ; lat. *virgula,* « petite verge », en bas lat. « trait sur une lettre ». || **virguler** 1725, Trévoux.

**viril** 1496, J. de Vignay ; lat. *virilis,* de *vir,* homme. || **virilement** 1403, *Internele Consolacion.* || **virilité** 1482, Molinet ; lat. *virilitas.* || **viriliser** 1796, Saint-Martin. || **virilisme** 1845, d'après P. Robert.

**virole** 1160, Benoît (*virol*) ; v. 1200, Bueve (*virole*) ; lat. *viriola,* bracelet, du gaulois *viria,* même sens. || **viroler** 1185, *Aliscans.* || **virolage** 1872, L.

**virtuel** 1503, Chauliac ; lat. scolast. *virtualis,* de *virtus,* force. || **virtualité** 1674, Le Gallois.

**virtuose** 1640, Mersenne ; ital. *virtuoso,* de *virtù,* « qualité, art », du lat. *virtus.* || **virtuosité** 1857, *Rev. des Deux Mondes.*

**virus** 1560, Paré ; lat. *virus,* poison, suc des plantes. || **vireux** 1611, Cotgrave. || **viral** 1950, *le Monde.* || **virulent** 1363, Chauliac, « qui contient du pus » ; 1768, Voltaire, fig. ; bas lat. *virulentus,* venimeux. || **virulence** 1363, Chauliac ; sens mod., 1764, Voltaire. || **virologie** 1945, d'après P. Robert. || **virologiste** 1961, *journ.*

***vis** fin XI^e^ s., *Gloses de Raschi,* escalier tournant ; *id.,* sens mod. ; anc. plur. *vitz,* du lat. *vītis,* vrille de la vigne, et en lat. pop. « vis ». || **visser** 1762, *Acad. ;* 1946, Aymé, « mettre en prison ». || **vissage** 1840, Baudremont. || **visserie** 1871, *Almanach.* || **dévisser** 1768, *Encycl. ;* XX^e^ s., « glisser », alpinisme. || **dévissage** 1870, Lar.

**visa** 1527, La Curne ; mot lat. qui se mettait sur les actes vérifiés, plur. neutre du part. passé de *videre,* proprem. « choses vues ». || **viser** 1668, Colbert, mettre son visa.

**visage** 1050, *Alexis* (*vis*) ; 1080, *Roland* (*visage*) ; lat. *vīsus,* part. passé subst. de *videre,* voir ; d'abord « aspect », puis « face » (XIV^e^ s.). || **visagiste,** 1949 Lar. || **visagisme** 1949, Lar. || **dévisager** 1538, R. Est., défigurer ; 1803, Boiste, regarder avec impertinence. || **envisager** 1560, Pasquier, regarder au visage ; 1655, La Rochefoucauld, examiner en esprit.

**vis-à-vis** v. 1210, Herbert de Dammartin ; de l'anc. *vis,* visage, et de la prép. *à.* (V. VISAGE, VISIÈRE.)

**viscère** 1472, Leseur ; lat. *viscera,* plur. de *viscus, visceris,* chair. || **viscéral** v. 1460, Chastellain, « profond, intime » ; lat. eccl. *visceralis ;* 1765, *Encycl.,* méd.

**visco-,** de *visqueux.* || **viscose** 1899, d'après P. Robert. || **viscoplastique** 1975, Lar. (V. VISQUEUX.)

1. **viser** [un acte] V. VISA.

2. **viser** 1155, Wace, viser (un but) ; lat. pop. **vīsare,* du lat. class. *visere,* fréquentatif de *videre,* voir ; *viser à,* 1330, *Baudoin de Sebourg.* || **visée** 1219, G., « regard » ; 1530, Marot, sens mod. || **viseur** 1222, G. (*viseor*), éclaireur ; 1555, G., celui qui tire en visant ; 1842, instr. ; 1904, Lar., photogr. || **rétroviseur** 1929, *Catal. Manuf. de Saint-Étienne.* || **superviser** XX^e^ s. (V. AVISER.)

**visible** 1190, *Saint Bernard ,* bas lat. *visibilis,* de *visus,* part. passé de *videre,* voir. || **visibilité**

1487, Garbin ; bas lat. *visibilitas.* || **invisible** XIII[e] s., Ald. de Sienne ; lat. *invisibilis.* || **invisibilité** milieu XVI[e] s. ; lat. *invisibilitas.*

**visière** 1243, Ph. de Novare ; anc. fr. *vis,* visage. (V. VISAGE.)

**vision** 1120, *Ps. d'Oxford ;* XII[e] s., « être surnaturel » ; XIII[e] s., physiologie ; lat. *visio,* action de voir, sur la rac. de *videre* (v. VOIR). || **visionnaire** 1620, *FEW.* || **visionner** 1921, *Ciné-Magazine.* || **visionneuse** 1947, Leprohon. || **visiophone** 1971, Lar.

**visiter** X[e] s., *Saint Léger ;* lat. *visitare,* fréquentatif de *visere,* aller voir, même rac. que *videre,* voir. || **visiteur** XIII[e] s. || **visite** 1556, Thevet ; 1690, Furetière, méd. || **contre-visite** 1680, Richelet. || **visitation** fin XII[e] s., *Dial. Grégoire ;* XIII[e] s., spéc. au sens relig. ; lat. *visitatio.* || **visitandine** 1721, Trévoux.

**vison** 1420, G., « belette » ; 1761, Buffon, sens actuel ; lat. pop. **vissio,* puanteur, de **vissire,* vesser.

**visqueux** XIII[e] s., *Simples Médecines ;* bas lat. *viscosus,* de *viscum,* gui, au sens fig. de « glu ». || **viscosité** 1256, Ald. de Sienne ; milieu XX[e] s., fig. ; lat. *viscositas.* (V. VISCO-.)

**visu (de)** 1721, Trévoux ; loc. lat. signif. « d'après la vue », d'abord d'empl. judiciaire.

**visuel** 1545, Jacquinot ; bas lat. *visualis* (VI[e] s., Cassiodore), de *visus,* part. passé de *videre,* voir. || **visuellement** 1845, Besch. || **visualiser** 1887, Binet ; cinéma, 1919, *Cinématographie française.* || **visualisation** 1887, Binet.

***vit** 1200, Bodel, pop., métaph. ; lat. *vectis,* barre, levier ; membre viril.

**vital** fin XIII[e] s., R. Lulle ; lat. *vitalis,* de *vita,* vie. || **vitalement** 1842, *Acad.* || **vitalisme** 1775, Lalande. || **vitaliste** 1826, Broussais. || **vitalité** 1587, Cholières ; lat. *vitalitas* (I[er] s., Pline). || **dévitaliser, dévitalisation** 1922, Lar. || **revitaliser** 1960, *journ.* (V. VIE.)

**vitamine** 1912 ; mot formé en anglais par C. Funk, du lat. *vita* et du terme de chim. *amine.* || **vitaminé** 1933, Galliot. || **vitaminisation** 1949, Lar. || **vitaminique** 1933, Carles. || **vitaminothérapie** 1953, Lar. || **dévitaminer** 1948, Lar. || **avitaminose** 1922, Lar.

**vite** 1160, Benoît (*viste*) ; 1250, *Bestiaire d'amour* (*vite*) ; adj. jusqu'au XVII[e] s. ; adv. ensuite ; fin XIX[e] s., repris comme adj. dans les sports ; d'orig. obscure, p.-ê. onomat. || **vitesse** 1160, Benoît (*vistesse*) ; début XVI[e] s. (*vitesse*).

**vitellin** 1256, Ald. de Sienne ; bas lat. *vitellum,* jaune d'œuf. || **vitelline** n. f., 1845, Besch.

**vitelot** 1680, Richelet, ruban de pâte cuite ; de *vit,* du lat. *vectis,* barre, levier. || **vitelotte** 1812, Boiste, pomme de terre allongée.

**viticole** 1836, Landais ; lat. *vitis,* vigne, d'après *agricole.* || **viticulture** 1845, Besch. || **viticulteur** 1872, L.

**vitigo** 1538, Canappe, « herpès » ; lat. *vitium,* défaut.

**vitre** 1265, J. de Meung, « verre » (matière) ; XV[e] s., « fenêtre garnie de vitres » ; 1454, Havard, sens mod. ; lat. *vitrum* (v. VERRE). || **vitrail** 1493, Fierville (*vitral*) ; début XVII[e] s. (*vitrail*). || **vitrage** 1611, Cotgrave. || **vitrer** XV[e] s., Laborde. || **vitré** 1363, Chauliac. || **vitrerie** 1338, *Actes normands.* || **vitrier** 1370, *D. G.* || **vitrifier** 1540, B. Des Périers. || **vitrifiable** 1734, Geoffroy. || **vitrification** XVI[e] s., B. Palissy. || **vitrescible** 1762, *Acad.* || **vitreux** 1256, Ald. de Sienne, « qui ressemble au verre fondu » ; 1835, *Acad.,* « dont l'éclat est terni » ; lat. médiév. *vitrosus.* || **vitrocéramique** 1975, Lar.

**vitrine** 1836, *Acad. ;* anc. fr. *verine,* vitrail, du lat. pop. **vitririus,* de verre.

**vitriol** XIII[e] s., *Simples Médecines ;* bas lat. *vitriolum,* de *vitrum* (à cause de l'apparence vitreuse du sulfate ainsi appelé à l'époque) ; 1560, Paré, *huile de vitriol,* acide sulfurique ; 1876, Lar., sens mod. || **vitriolique** XVI[e] s., B. Palissy. || **vitriolé** 1608, Variot. || **vitrioler** 1876, Lar., techn. ; 1886, Barrère, arroser de vitriol. || **vitriolage** 1873, Tolhausen. || **vitrioleur** 1888, Villatte.

**vitulin** 1374, G. ; lat. *vitulinus,* de veau, du lat. *vitulus,* veau.

**vitupérer** X[e] s., *Saint Léger,* « mutiler » ; début XIV[e] s., « outrager » ; XIV[e] s., « blâmer fortement » ; lat. *vituperare,* blâmer. || **vitupération** 1120, *Ps. d'Oxford.* || **vitupérateur** 1636, Monet.

**vivace** 1469, *FEW ;* lat. *vivax,* de *vivere,* vivre. || **vivacité** 1488, *Mer des hist. ;* lat. *vivacitas,* au sens fig. du bas lat.

**vivandier** V. VIANDE.

**vivarium** 1923, Lar. ; lat. *vivarium,* parc à gibier (v. VIVIER).

**vivat** 1546, Rab., interj. ; mot lat. signif. « qu'il vive », subj. présent de *vivere,* vivre ; subst., 1649, Scarron. || **vive** 1170, *Rois,* interj. ; subj. de *vivre.*

**vive** 1398, *Ménagier,* sorte de poisson ; altér., par attraction de *vif, vive,* du rég. *wivre* (1138, *Saint Gilles*), du lat. *vipera* (v. VIPÈRE, VOUIVRE), la *vive,* dite « dragon de la mer », étant venimeuse.

**viverridés** 1876, Lar. ; lat. *viverra,* furet.

***vivier** 1130, *Eneas ;* lat. *vivarium,* « endroit où l'on garde des animaux vivants », de *vivere,* vivre.

**vivifier** 1120, *Ps. d'Oxford ;* lat. *vivificare,* de *vivus,* vivant, et *facere,* faire. || **vivifiant** 1170, *Rois.* || **vivification** fin XIII[e] s. ; lat. *vivificatio.* || **vivificateur** 1500, Molinet. || **revivifier** fin XIII[e] s., « reprendre vie » ; fin XVI[e] s., « redonner de la vie ». || **revivification** fin XVII[e] s.

**vivipare** 1679, *Journ. des savants ;* lat. impérial *viviparus,* de *vivus,* vivant, et *parere,* engendrer. || **viviparité** 1842, *Acad.* || **viviparidé** 1933, Lar.

**vivisection** 1765, *Encycl. ;* du lat. *vivus,* vivant, et de *section* (d'après *dissection*). || **vivisecteur** 1839, Guérin.

***vivre** X[e] s., *Saint Léger ;* lat. *vīvĕre.* || **vivant** adj., 1150, *Voy. de Charl. ;* n. m., 1050, *Alexis.* || **bon vivant** 1680, Richelet. || **vécu** n. m., 1933, J. Romains. || **qui-vive** n. m., 1662, La Rochefoucauld, de la loc. *qui vive ? ;* 1419, *Romania,* cri d'une sentinelle. || **vivres** n. m. pl., 1155, Wace. || **viveur** 1831, Balzac. || **vivable** 1190, *Saint Bernard.* || **invivable** 1937, *journ.* || **vivoir** 1919, d'après P. Robert. || **vivoter** 1430, A. Chartier. || **vivrier** 1850, Balzac. || **revivre** XII[e] s. || **reviviscence** fin XVII[e] s., Leibniz ; lat. *reviviscere,* revenir à la vie. || **survivre** 1080, *Roland ; se survivre,* 1718, *Acad.* || **survivant** 1119, Ph. de Thaon. || **survivance** 1521, *Édit.* (V. VIVAT, VIVE.)

**vizir** 1432, La Broquière ; mot turc, du persan *vizir* (cf. d'autre part l'ar. *wāzir,* d'où sont issus *alguazil* [de *al-wāzir*] et *argousin*). || **vizirat** 1664, Thévenot.

**vlan** 1728, Esnault ; onomat.

**vobuler** 1964, Lar. ; angl. *wobble,* osciller.

**vocable** 1380, *Aalma ;* lat. *vocabulum,* appellation, mot, de *vocare,* appeler. || **vocabulaire** 1487, Garbin ; lat. médiév. *vocabularium.*

**vocal** 1265, Br. Latini, « contenant une voyelle » ; milieu XV[e] s., « qui s'exprime au moyen de la voix » (opposé à *par écrit*) ; lat. *vocalis,* doué de voix, de *vox, vocis,* voix. || **vocalement** 1531, Rab. || **vocaliser** 1821, Castil-Blaze ; 1611, Cotgrave, phonét. ; 1907, Lar., ling. || **vocalise** 1833, Quicherat. || **vocalisateur** 1836, *Acad.* || **vocalique** 1872, L. || **vocalisation** 1972, Lar., ling. || **vocalisme** 1864, d'après P. Robert. || **intervocalique** 1906, Lar. (V. VOYELLE.)

**vocatif** XIV[e] s., L. ; lat. *vocativus,* de *vocare,* appeler.

**vocation** fin XII[e] s., *Dial. Grégoire,* eccl. ; XIV[e] s., jurid. ; v. 1440, G. Chastellain, sens mod. ; lat. *vocatio,* action d'appeler, de *vocare,* appeler, du lat. *vox,* voix.

**vocero** 1840, Mérimée ; mot corse, de *voce,* voix, du lat. *vox, vocis.*

**vociférer** 1380, Conty ; lat. *vociferari,* de *vox,* voix, et *ferre,* porter. || **vocifération** 1120, *Ps. d'Oxford ;* lat. *vociferatio.* || **vociférateur** 1834, Landais.

**vocodeur** 1975, Lar. ; de *vocal* et *codeur.*

**vodka** 1829, Dupré de Sainte-Maure ; mot russe, de *voda,* eau ; même rac. que l'all. *Wasser,* l'angl. *water.*

***vœu** 1175, Chr. de Troyes (*veu*) ; XV[e] s. (*vœu*) ; lat. *vōtum* (v. VOTE). || **votif** fin XIV[e] s., G. ; lat. *votivus,* de *votum.* || ***vouer** 1120, *Ps. d'Oxford ;* lat. pop. **votare* (v. DÉVOUER).

**vogélie** 1876, Lar. ; du botaniste allem. *Vogel.*

**vogue** 1559, Amyot ; ital. *voga,* au sens fig. de « réputation, crédit », de *vogare.* (V. VOGUER.)

**voguer** 1207, Villehardouin ; anc. bas all. **wogon,* var. de *wagon,* « se balancer » ; l'ital. *vogare* est un empr. à l'anc. fr.

**voici** 1170, *Rois* (*vez ci*) ; 1207, Villehardouin (*vois ci*) ; 1485, *Mystère du Vieil Testament* (*voici*). || **voilà** 1283, Beaumanoir (*ves la*) ; 1538, R. Est. (*voilà,* qui élimine auj. *voici* dans la langue pop.) ; de *vois,* impér. de *voir,* et *ci, là,* particules démonstratives ; *v'là,* formule vulg., est issu de *vela* (1360, Froissart). || **revoici** début XVI[e] s. || **revoilà** début XIV[e] s. (*revelà*) ; 1633, Corn. (*revoilà*).

***voie** 1080, *Roland* (*veie*) ; 1175, Chr. de Troyes (*voie*) ; lat. *vĭa,* chemin ; *voie ferrée,* 1831, *Bull. des lois ; voie d'eau,* 1678, Colbert ; fig., XII[e] s., G. || **contre-voie** 1928, Lar. || **avoyer** XII[e] s., « mettre sur la voie ». || **avoi** XII[e] s. ;

déverbal. || **avoiement** 1190., Garn. || **avoyeur** 1213, *Fet des Romains.* (V. DÉVOYER, ENVOYER, FOURVOYER.)

1. ***voile** n. f., 1155, Wace (*veile*) ; fin XIX[e] s. (*voile*) ; lat. pop. **vela,* plur. neutre, passé au fém., de *vēlum.* || **voilier** 1510, *FEW,* adj. ; 1660, Oudin, « navire ». || **voilerie** 1691, Ozanam. || **voilure** 1678, Guillet, « manière de placer les voiles » ; 1691, Ozanam, « ensemble des voiles » ; 1845, Besch., « gauchissement d'une planche », etc. || **voilé** 1611, Cotgrave, « garni de voiles » ; 1765, *Encycl.,* « qui a pris la forme convexe » (bois). || **dévoiler** 1907, Lar., redresser une roue faussée. || **envoiler (s')** 1676, Félibien.

2. ***voile** n. m., 1167, Rathbone, rideau ; au XII[e] s., voile de nonne, puis, 1265, J. de Meung, voile de femme ; lat. *vēlum.* || **voilette** 1593, Duchesne de La Violette, mar. ; 1842, Mozin, sens mod. || **voilage** 1933, Lar. || **voiler** XI[e] s., *Chanson de Guillaume,* relig. ; XIII[e] s., Richier, « couvrir » ; 1606, Nicot, dérober à la vue, cacher. || **voilé** adj., « terni », 1644, Corn. ; 1798, *Acad.,* en parlant de la voix. || **dévoiler** 1440, Chastellain. || **dévoilement** 1606, Nicot. || **envoiler** 1885, Zola.

***voir** X[e] s., *Saint Léger* (*veder*) ; 1050, *Alexis* (*voir*) ; lat. *vĭdēre.* || **voyant** subst., XV[e] s., « prophète » ; 1845, Besch., techn. || **voyante** 1891, Huysmans. || **voyance** 1829, Boiste. || **vu** prép., 1398, E. Deschamps ; *vu que,* 1421, G. || **vue** 1080, *Roland* (*vëue*) ; XIII[e] s. (*vue*) ; photo, 1964, Lar. ; plan, 1704, Trévoux. || **voyeur** 1138, Gaimar (*veor*), guetteur ; XVI[e] s. (*voyeur*), témoin oculaire ; 1883, Richepin, pathol. || **voyeurisme** 1955, Piéron. || **revoir** 980, *Passion* (*revedeir*) ; XII[e] s. (*reveoir*) ; *au revoir,* 1644, Corn. (*adieu jusqu'au revoir*) ; 1798, *Acad.,* loc. mod. || **revoyure (à la)** 1821, Nisard, loc. pop. || **revue** 1317, G., « révision d'un partage » ; XV[e] s., milit. ; 1792, *Revue du patriote,* publication périodique ; 1875, Lar., pièce satirique ; 1932, Lar., spectacle de variétés ; *passer en revue,* 1770, Rousseau, « examiner ». || **revuiste** 1887, Buguet. || **entrevoir** 1080, *Roland* (*entreveeir*), « se voir les uns les autres » ; 1270, « voir imparfaitement ». || **entrevue** fin XV[e] s., rencontre. (V. BÉVUE, POURVOIR, PRÉVOIR, VOICI.)

***voire** 1130, *Eneas* (*veire*) ; 1175, Chr. de Troyes (*voire*) ; lat. pop. **vēra,* plur. neutre de *vērus,* vrai, pris adverbialement ; donné comme vieux en 1798, *Acad.* ; repris, au XIX[e] s. ; *voire même,* 1615, Brunot. (V. VRAI, VÉRITÉ.)

**voirie** V. VOYER.

***voisin** 1138, Gaimar (*veisin*) ; fin XII[e] s. (*voisin*) ; lat. pop. **vīcīnus,* de *vicus,* village, quartier ; fig., 1636, Monet. || **voisinage** 1240, de Tuim. || **voisiner** v. 1196, Bodel. || **avoisiner** 1555, Pasquier. || **circonvoisin** 1387, à Rethel.

***voiture** v. 1200 (*veiture*) ; 1283, Beaumanoir (*voiture*) ; lat. *vĕctura,* transport, de *vehere,* transporter ; a signifié aussi « mode de transport » (XIII[e]-XIX[e] s.) ou « charge transportée » ; auto, 1876, *Journ. des Débats.* || **voiturette** 1897, *Nature.* || **voiturée** 1862, Hugo. || **voiturer** fin XIII[e] s., Condé, « aller en Terre sainte » ; 1611, Cotgrave, sens mod. || **voiturier** 1213, B. W. || **voiturage** 1358, G. || **voiture-balai** 1965, *journ.* || **voiture-bar** 1964, Lar. || **voiture-lit** 1951, *Science et vie.* || **voiture-restaurant** *id.*

**voïvode** 1532, Charrière ; serbo-croate *vojvoder,* du russe *vojevóda.* || **voïvodie** 1812, Mozin.

***voix** 980, *Passion* (*voiz*) ; XIII[e] s., avec *x* repris au nominatif du lat. ; au sens de « suffrage », 1538, R. Est. ; 1765, *Encycl.,* gramm. ; lat. *vox, vocis.* (V. VOCAL.)

**vol** V. VOLER 1 et 2.

**volage** 1080, *Roland,* « ailé » ; lat. *volaticus,* « qui vole, ailé », « changeant » ; 1260, *Vie de saint Osith,* n., « inconstant ».

***volaille** 1170, *Floire et Blancheflor,* « ensemble des oiseaux » ; 1552, R. Est., « ensemble des oiseaux de basse-cour » ; bas lat. *volatilia,* pl. neutre à valeur collective, de *volatilis,* « qui vole », par ext. « oiseau » ; 1899, Esnault, « police ». || **volailler** 1690, Furetière. || **volailleur** 1821, Desgranges. (V. VOLATILE.)

**volapük** 1879, Schleyer ; mot créé, par déformation de l'angl. *world,* monde, et *speak,* parler, pour désigner une langue artificielle.

**volatil** XIII[e] s., G. (*volatille*) ; lat. *volatilis,* « qui vole », par ext. « léger ». || **volatiliser** 1611, Cotgrave, physique ; fig., 1831, Hugo. || **volatilisable** 1823, *Dict. médical.* || **volatilisation** 1641, De Clave. || **volatilité** *id.*

**volatile** 1120, *Ps. d'Oxford* (*volatilie*), n. f., « ensemble des oiseaux » ; XII[e] s., « oiseau destiné à la table » ; 1701, Furetière (*volatile*), n. m., sens mod. ; bas lat. *volatilia,* oiseaux qui peuvent voler (v. VOLAILLE).

**vol-au-vent** V. VOLER 1.

**volcan** v. 1300, G. (var. *vulcan, boucan*) ; ital. *Volcano,* du lat. *Vulcanus,* Vulcain, dieu du Feu, nom d'abord donné aux îles Lipari, à cause de leurs volcans ; 1690, Furetière, sens mod. || **volcanique** v. 1750, Buffon. || **volcaniser** 1777, Brunot. || **volcanisme** 1842, Mozin. || **volcanologie** ou **vulcanologie** 1910, Lar.

1. ***voler** [dans l'air] xe s., *Eulalie ;* lat. *volare.* || **vol** 1175, Chr. de Troyes ; 1907, Lar., aviation ; *vol à voile,* 1923, Lar. || **vol-au-vent** 1800, *Journ.,* pour *vole-au-vent,* en raison de la légèreté de la pâte. || **vole** 1534, Rab., jeu. || **dévole** 1690, Furetière, jeu. || **volant** adj., 1188, A. de Varennes ; début XVIe s., « qui peut se déplacer rapidement » ; 1611, Cotgrave, subst., « morceau de liège qu'on lance avec une raquette » ; 1660, Molière, en couture ; 1835, *Acad.,* mécanique ; 1860, *le Monde illustré,* autom. ; *volant de sécurité,* 1964, Robert ; aviation, 1964, Lar. || **volerie** 1180, Gace Brulé, chasse ; de *voler* au sens de « pratiquer la chasse au vol (faucon) », en anc. et moy. fr. || **volée** 1191, Gui de Cambrai. || **volière** 1398, E. Deschamps. || **volet** XIIIe s., G., « partie flottante d'une coiffe » (d'où *bavolet,* 1556) ; XVe s., « sorte d'assiette creuse » (d'où *trier sur le volet,* 1542, Rab.) ; 1611, Cotgrave, « panneau de bois se fermant sur une fenêtre ». || **volis** 1673, *FEW.* || **volige** 1694, Ménage, charpente, en moy. fr. *volisse, volice ;* 1435, G. ; lat. pop. **volaticius.* || **voliger** 1845, Besch. || **voleter** 1120, *Ps. de Cambridge.* || **volettement** 1596, Hulsius. || **envoler (s')** 1130, *Eneas ;* de *en voler.* || **envol** 1886, Rimbaud ; 1930, Lar., aviation. || **envolée** 1875, *J. O.* || **envolement** 1873, Daudet. || **survoler** 1440, Chastellain. || **survol** 1911, Lar.

2. **voler** [dérober] 1549, R. Est., métaphore formée sur le précédent, d'apr. son emploi dans le langage de la chasse (v. *volerie,* ci-dessus, à VOLER 1). || **vol** 1610, *Hist.* || **voleur** 1516, G. || **volerie** 1541, Giry. || **antivol** 1949, *L. M.*

**volley-ball** 1925, d'après P. Robert ; mot angl., de *volley,* volée, et *ball,* boule. || **volleyeur** 1951, *Lar. ;* au tennis, 1935, *Tennis et golf.*

**volonté** 980, *Passion* (*voluntez*) ; 1606, Nicot (*volonté*) ; lat. *voluntas, -atis ; bonne volonté,* 1330, *Baudoin de Sebourg.* || **volontaire** 1265, *Le Grand* (*voluntaire*), comme adj. ; 1460, Chastellain, comme n. ; lat. *voluntarius.* || **volontariat** 1866, *le Temps.* || **involontaire** 1361, Oresme. || **volontarisme** 1909, *Revue philos.* || **volontariste** 1953, Lar.

***volontiers** xe s., *Saint Léger ;* XIIIe s. (*volontiers*) ; bas lat. *voluntarie* (Ier s., Hygin), adv. de *voluntarius* (v. VOLONTÉ).

**volt** 1881, *Congrès d'électricité ;* du nom du physicien italien *Volta* (1745-1827). || **voltaïque** 1815, Beudant. || **voltamètre** 1843, *Archives.* || **voltage, voltaïsation, voltampère, voltmètre** 1888, Lar. || **survolté** 1938, *le Temps.*

**voltaire** 1876, Lar., « fauteuil » ; de *Voltaire,* qui aimait ce siège. || **voltairien** 1836, Musset. || **voltairianisme** 1833, Gautier.

**volte** 1174, E. de Fougères, équitation ; ital. *volta,* « tour », du lat. pop. **volvĭta,* part. passé fém. de *volvere,* tourner. || **volter** 1440, Ch. d'Orléans.

**volte-face** 1564, de Laon ; ital. *volta faccia,* « tourne face », de *volta* (impér. de *voltare,* tourner) et de *faccia,* face.

**voltiger** 1534, Rab. ; ital. *volteggiare,* faire de la voltige, de *voltare* (v. VOLTE). || **voltige** 1544, Mathée, « incursion » ; 1835, *Acad.,* cirque. || **voltigement** 1542, Rab. || **voltigeur** 1534, Rab. ; 1804, *le Moniteur,* spécialisé comme terme militaire.

**volubile** 1502, O. de Saint-Gelais, « changeant » ; lat. *volubilis,* « qui tourne aisément », d'où « rapide », de *volvere,* tourner ; 1777, Sablier, « d'une grande facilité de parole ». || **volubilité** 1380, *Aalma,* « facilité à se mouvoir » ; lat. *volubilitas ;* XVe s., « inconstance » ; 1680, Richelet, « facilité de parole ». || **volubilis** 1500, *FEW,* bot.

**volume** XIIIe s., G., livre ; lat. *volumen,* « rouleau, manuscrit (roulé) », de *volvere,* tourner, rouler ; fin XIIIe s., G., « espace occupé par les corps ». || **volumineux** av. 1676, d'Aubignac, (ouvrage) qui a beaucoup de volumes ; 1739, Desfontaines, sens mod. ; d'après bas lat. *voluminosus* (de sens différent : « sinueux »). || **volumétrique** 1872, L. || **volumètre** 1872, L.

**volupté** fin XIVe s., Chr. de Pisan ; lat. *voluptas,* de *velle,* désirer. || **voluptueux** 1370, Oresme ; lat. *voluptuosus.* || **voluptueusement** 1588, Montaigne. || **voluptuaire** 1357, La Curne, « luxueux » ; 1547, Budé, « sensuel ».

**volute** 1545, Van Aelst ; ital. *voluta,* du lat. *voluta* (lexique des architectes), part. passé fém. subst. de *volvere,* tourner, rouler.

**volve** 1803, Wailly ; lat. *volva,* var. de *vulva* (v. VULVE). || **volvaire** 1803, Boiste, genre de mollusque ; lat. scient. *volvaria ;* 1827, *Acad.,* genre de champignon. || **volvacé** 1842, *Acad.*

|| volvoce 1806, Wailly ; lat. *volvox* (Pline), chenille.

**volvulus** 1685, Furetière ; lat. *volvere,* tourner.

**vomer** 1753, Brunot ; lat. *vŏmer,* « soc de charrue ».

**vomique** adj., XIIIe s., *Simples Méd.* (*noix vomice*) ; XVIe s. (*vomique*) ; lat. médiév. *vomica* (*nux*), (noix) qui fait vomir ; n. f., 1611, Cotgrave. || **vomiquier** 1808, *Journ. bot.*

***vomir** 1190, Garn. ; lat. *vŏmĕre,* avec changem. de conj. || **vomissement** 1200, *FEW.* || **vomissure** XIIIe s., G. || **vomitif** 1398, *Somme Gautier.* || **vomitoire** 1549, R. Est., « qui provoque le vomissement » ; 1636, Monet, « amphithéâtre » ; lat. *vomitorium,* de *vomere.* || **vomito negro** 1808, Boiste ; mot esp. signif. « vomissement noir ». || **revomir** 1213, *Fet des Romains.*

**vorace** 1539, Gringore (*vorage*) ; lat. *vorax,* de *vorare,* dévorer. || **voracité** XIVe s., *Traité d'alchimie ;* lat. *voracitas.*

**vote** 1702, *Mémoires Trévoux ;* angl. *vote,* (*to*) *vote* (subst. et verbe), du lat. *votum,* vœu. || **voter** 1680, Richelet, « donner sa voix au chapitre » (dans les couvents) ; lat. *votare,* donner sa voix ; 1704, Clarendon, de *vote,* au sens polit. || **votant** 1727, Furetière. || **votation** 1752, Trévoux.

**votif** V. VŒU.

***votre, vôtre** 980, *Passion* (*vostre*) ; lat. pop. **voster,* altér., d'après *noster,* du lat. class. *vester* (v. NOTRE, NÔTRE) ; pl. **vos,** XIIe s. (*voz*), égalem. pronom en anc. fr., repose sur une forme abrégée.

**vouer** V. VŒU.

***vouge** XIIe s. (*vooge*), serpe ; XIVe s. (*vouge*) ; bas lat. *vidŭbium,* du gaulois **vidu,* bois (cf. l'irlandais *fidba,* faucille), sur les rac. celtiques **vidu-,* bois, et **bi,* couper.

***vouivre** XIIIe s., *Médicinaire liégeois,* « vipère » ; lat. *vīpĕra ;* 1876, Lar., blas. ; dans certains parlers rég., « animal fabuleux » (cf. Marcel Aymé, *la Vouivre*).

***vouloir** Xe s., *Eulalie* (*voleir*) ; 1180, Gace Brulé (*vouloir*) ; lat. pop. **volēre,* réfection du lat. class. *velle* d'après les autres temps ; *en vouloir à,* 1549, R. Est. || **vouloir** n. m., 1190, Garn. || **voulu** adj., 1835, *Acad.* || **volition** 1526, B. W. || **volitif** 1878, Lar. || **revouloir** 1050, *Alexis.*

***vous** v. 980, *Passion* (*vos*) ; lat. *vos* en position atone. || **vousoyer** XIVe s., du Cange (*vosoier*) ; *vous,* employé par politesse à la place de *tu* (depuis l'anc. fr., d'après le *nous* de majesté, datant du Bas-Empire). || **vousoiement** 1907, Lar. || **vouvoyer** 1834, Courchamps ; altér. fam. de *vousoyer.* || **vouvoiement** 1907, Lar.

***voussure** 1130, *Eneas,* courbure d'une voûte ; lat. pop. **volsura,* de **volsus,* au lieu du lat. class. *volutus,* part. passé de *volvere,* tourner ; *id.,* partie cintrée surmontant une baie de fenêtre. || **voussoir** 1160, Benoît ; lat. pop. **volsorium,* de **volsus,* voûté.

***voûte** milieu XIIe s. (*volte*) ; XIIIe s., *Berte* (*voûte*) ; lat. pop. **volvĭta,* part. passé pop. de *volvere,* substantivé au fém. || **voûter** 1213, *Fet des Romains ;* 1564, Thierry, en parlant d'une personne.

***voyage** 1080, *Roland* (*veiage*) ; XIIIe s. (*voiage*) ; surtout, en anc. fr., « pèlerinage », ou « croisade » ; le sens mod. apparaît au XVe s. (1425, *Romania*) ; lat. *viātĭcum,* « provisions de route », par ext. en bas lat. « voyage », de *via,* chemin. || **voyager** début XVe s., A. Chartier. || **voyageur** 1460, Chastellain ; *commis voyageur,* 1792, Brunot ; *pigeon voyageur,* 1764, Buffon.

**voyelle** 1265, Br. Latini (*voieul*), n. f. ; XVe s. (*voiel*), n. m. ; 1530, Palsgrave (*voyelle*), n. f. ; lat. *vocalis,* adapté d'après *voix,* au sens gramm. médiév. || **semi-voyelle** 1845, Besch. (V. VOCAL.)

***voyer** 1080, *Roland* (*veier*), « officier de justice » ; 1175, Chr. de Troyes (*voier*) ; lat. *vicārius,* du préf. *vice,* « à la place de » ; au XIIIe s., « officier chargé de la police des chemins » ; 1611, Cotgrave, fonctionnaire chargé de l'entretien des chemins ; *agent voyer,* XIXe s. || **voirie** 1170, Sully (*voierie*), « fonction de voyer » ; 1283, Beaumanoir, « voie publique » ; XIVe s., « lieu où l'on porte les ordures » ; XVIe s., « service chargé de l'entretien des chemins ». (V. VICAIRE, VIGUIER.)

**voyou** 1832, Barbier ; de *voie,* proprem. « celui qui court les rues », avec un suff. rég. (Ouest ou Midi), ou pop. (v. FILOU), correspondant à *-eur* ou à *-eux.* || **voyouterie** 1884, Goncourt. || **voyoucratie** 1865, Flaubert.

**vrac (en)** 1606, Nicot, en parlant des harengs non rangés dans la caque ; 1845, Besch., en parlant de marchandises ; néerl. *wrac,* mal salé, mauvais ; 1435, G., *hareng waracq,* hareng de mauvaise qualité. || **vraquier** 1973, *J. O.* (V. VARECH.)

***vrai** 1050, *Alexis* (*verai*) ; 1160, Benoît (*vrai*) ; lat. pop. *vērācus,* en lat. class. *verax, -acis ;* a remplacé en fr. l'anc. fr. *voir,* du lat. class. *verus.* || **vraiment** 1119, Ph. de Thaon (*veraiement*) ; 1636, Monet (*vraiment*). || **vraisemblable** 1265, Br. Latini, d'apr. le lat. *verisimilis.* || **vraisemblablement** fin XIV[e] s., Gerson. || **vraisemblance** 1358, *FEW.* || **invraisemblable** 1763, *Année littéraire.* || **invraisemblance** *id.* || **vériste** 1897, A. Daudet. || **vérisme** 1888, Lar. (V. VÉRACITÉ, VOIRE.)

***vrille** 1313, *Romania (veille)* ; fin XIV[e] s. (*vrille*), outil servant à percer le bois ; 1538, R. Est. (*ville*), pour les vrilles de la vigne ; XVI[e] s., *vrille* (de la vigne) ; lat. *vitīcula,* vrille de vigne, de *vitīs,* vigne, avec insertion de *r* d'après *virer.* || **vrillée** 1750, Ménage, liseron. || **vrillette** 1354, *Modus,* outil ; 1764, Geoffroy, insecte. || **vriller** 1752, Trévoux, « s'élever en décrivant une hélice » ; 1849, Landais, « percer avec une vrille ». || **vrillage** 1873, Tolhausen. || **dévriller** 1864, L. || **dévrillage** 1907, Lar. || **évrillage** 1910, Lar.

**vrombir** fin XIX[e] s., A. Daudet ; orig. onomatop. || **vrombissant** 1907, Lar. || **vrombissement** 1907, Lar.

**vulcaniser** 1847, Bonnafé ; angl. (*to*) *vulcanize,* tiré du nom du dieu *Vulcain* par Brockedon, ami de Hancock, inventeur du procédé en 1843. || **vulcanisation** 1847, Bonnafé ; angl. *vulcanization,* même formation. || **vulcaniseur** 1896, Seeligmann. (V. VOLCAN.)

**vulgaire** 1452, *FEW,* « commun » ; 1893, Courteline, « grossier » ; lat. *vulgaris,* de *vulgus,* « le commun des hommes ». || **vulgairement** XIII[e] s., B. W. || **vulgarité** 1488, *Mer des hist.,* « masse du peuple » ; bas lat. *vulgaritas* (III[e] s., Arnobe) ; 1800, Staël, « manque de distinction ». || **vulgarisme** 1801, Mercier. || **vulgariser** 1512, J. Lemaire de Belges ; repris au XIX[e] s. || **vulgarisation** 1852, Gautier. || **vulgarisateur** 1836, *Acad.*

**vulgate** 1578, d'Aubigné, adj. ; 1666, *Journ. des savants,* n. f. ; lat. eccl. (*versio*) *vulgata,* version (de l'Évangile) répandue dans le public, de *vulgus.* (V. VULGAIRE.)

**vulgum pecus** 1890, Lar., « le vulgaire troupeau » ; lat. *pecus,* troupeau, et pseudo-adj. *vulgum,* vulgaire.

**vulnérable** 1676, Pomey ; bas lat. *vulnerabilis,* de *vulnus, -neris,* blessure. || **vulnérabilité** 1896, d'après P. Robert. || **invulnérable** av. 1525, J. Lemaire de Belges. || **invulnérabilité** 1732, Trévoux.

**vulnéraire** 1539, J. Canappe, *eau vulnéraire ;* n. m., 1694, *Acad. ;* lat. *vulnerarius,* de *vulnus, -neris,* blessure.

**vulpin** 1778, Lamarck, bot. ; adj. lat. *vulpinus,* de *vulpes,* renard.

**vultueux** 1827, *Acad. ;* lat. *vultuosus,* de *vultus,* visage. || **vultuosité** 1834, *Journ. de médecine.*

**vulturin** 1867, Goncourt ; lat. *vulturinus,* de *vultur,* vautour. || **vulturidés** 1839, Boiste.

**vulve** 1488, *Mer des hist. ;* lat. *vulva.* || **vulvaire** 1822, *Dict. de médecine.* || **vulvite** 1849, Bossu. || **vulvectomie** 1964, Lar.

# W X Y Z

**wagnérien** 1861, Champfleury ; de Richard *Wagner.*

**wagon** 1826, Seguin et Biot ; une première fois, 1698, *Voyage en Angleterre,* « charrette couverte » ; angl. *waggon,* chariot. || **wagonnet** 1872, L. || **wagonnier** 1845, Besch. ; 1872, L. || **wagon-lit** 1861, *le Charivari ;* d'apr. l'angl. *sleeping-car.* || **wagon-bar** 1907, Lar. || **wagon-citerne** 1894, Sachs-Villatte. || **wagon-poste** 1856, Furpille. || **wagon-restaurant** 1873, Mackenzie ; d'apr. l'angl. *dining-car.* || **wagon-salon** 1846, *Musée des familles ;* d'après l'angl. *saloon-car.*

**wallaby** 1895, *Encycl. ;* mot australien ; kangourou.

**wallon** 1872, L. ; lat. médiév. *wallo,* du germ. **walha,* les Romains.

**warrant** 1671, Seignelay, « mandat d'amener » ; 1836, Chevalier, sens actuel ; angl. *warrant,* de l'anc. fr. *warrant,* forme dial. de *garant.* || **warranter** 1874, *J. O.* || **warrantage** 1894, Sachs.

**wassingue** 1908, d'après P. Robert ; flam. *wassching,* lavage.

**water-ballast** 1879, Bonnafé ; mot angl., de *water,* eau, et *ballast,* réservoir.

**water-closet** 1816, Simond, dans un texte sur l'Angleterre ; usuel dans le courant du XIX^e^ s. ; mot angl., de *water,* eau, et *closet,* cabinet, de l'anc. fr. *closet,* dimin. de *clos* ; abrégé en *water,* 1898, généralem. au plur., ou *W.-C.* (1898, Franc-Nohain), *id.*

**wateringue** 1514, *FEW ;* flam. *watering,* de *water,* eau.

**water-polo** 1906, Lar. ; mot angl., de *water,* eau, et *polo,* jeu où l'on pousse une balle.

**waterproof** 1775, *Descr. des arts et métiers ;* mot angl. signif. « qui est à l'épreuve (*proof*) de l'eau (*water*) ».

**watt** 1881, *Congrès d'électricité ;* du nom du physicien écossais *J. Watt* (1736-1819). || **hectowatt, kilowatt,** etc. *id.* (V. HECTO-, KILO-, etc.)

**wattman** 1895, *Locomotion autom. ;* faux anglicisme, de *watt* et de l'angl. *man,* homme.

**weber** 1881, *Congrès d'électricité ;* de *W. E. Weber.*

**week-end** 1906, Coulevain, *l'Île inconnue ;* mot angl., de *week,* semaine, et *end,* fin.

**western** 1919, Giraud ; angl. *western,* de l'Ouest.

**wharf** 1833, Pavie ; mot angl. signif. « appontement ».

**whig** 1687, Miege ; mot angl., abrégé de *whiggamores,* terme écossais appliqué en 1680 aux adversaires des Stuarts.

**whisky** 1770, comte d'Orville ; mot angl., de l'irl. *uisce,* eau (abrév. de *uisce-batha,* eau-de-vie).

**whist** 1687, Miege ; mot angl., altér. de (*to*) *whisk,* enlever vite.

**white-spirit** 1964, Lar. ; mot angl., de *white,* blanc, et *spirit,* essence.

**wigwam** 1688, Blome ; mot angl., de l'algonquin *wikiwam.*

**winchester** 1890, Dauzat ; du nom de *O. F. Winchester,* fabricant d'armes.

**wisigoth** 1667, Boileau ; bas lat. *Visigothus,* Goth de l'Ouest.

**wolfram** 1765, *Encycl. ;* allem. *wolf,* loup, et *Rahm,* crème.

**xanth(o)-,** gr. *xanthos,* jaune. || **xanthie** 1842, *Acad.* || **xanthine** 1842, *Acad.* || **xanthique** 1270, Mahieu le Vilain. || **xanthome** 1878, Lar.

**xén(o)-,** gr. *xenos,* étranger. || **xénon** 1903, d'après P. Robert ; par l'angl. || **xénophile**

1907, Lar. || **xénophilie** 1907, Lar. || **xénophobe** 1906, Lar. || **xénophobie** *id.* || **xénotropisme** 1964, Lar.

**xéranthème** 1765, *Encycl.* ; gr. *xêros,* sec, et *anthemon,* fleur.

**xérès** début XVIII^e s., d'après P. Robert ; de *Xérès,* ville d'Andalousie.

**xéro-,** gr. *xêros,* sec. || **xérodermie** 1888, Lar. ; gr. *derma,* peau. || **xérophtalmie** 1694, Th. Corn. ; gr. *ophtalmos,* œil. || **xérophyte** 1819, *Nouv. Dict. d'hist. nat.* ; gr. *phuton,* végétal.

**ximénie** 1765, *Encycl.* ; de *Ximénès,* nom d'un botaniste espagnol.

**xiphoïde** 1560, Paré ; gr. *xiphoeidês,* de *xiphos,* épée, et *eidês,* « en forme de ». || **xiphoïdien** 1822, *Nouveau Dict. méd.*

**xyl(o)-,** gr. *xulon,* bois. || **xylème** 1872, L. || **xylographie** 1771, Trévoux. || **xylophage** 1803, Wailly. || **xylophone** 1868, Souviron ; gr. *phonê,* son. || **xyloïdine** av. 1855, Braconnot.

***y** 980, *Passion* ; lat. **ībī,* ici (lat. class. *ĭbī*) ; la forme *iv* (842, *Serments*) est issue de **hīc.*

**yacht** 1572, B. W. ; néerl. *jacht,* de l'angl. *yacht.* || **yachting, yachtman** 1859, *le Sport* ; mots angl.

**yak** 1791, Valmont ; mot angl., du tibétain *gyak.*

**yankee** 1776, *Courrier de l'Europe* ; mot anglo-amér. (attesté en 1765), de l'écossais *Jankee,* dimin. de *Jan,* surnom des Écossais et des Anglais de la Nouvelle-Angleterre, du bas lat. *Johannes,* Jean.

**yaourt** 1907, Lar. (*yahourt*) ; bulgare *jaurt,* lait caillé ; var. *yogourt,* 1432, La Broquière, du bulg. *jugurt,* var. de *jaurt.* || **yaourtière** 1977, Robert.

**yatagan** 1787, Peyssonnel ; turc *yātāghān.*

**yearling** 1868, Souviron ; angl. *yearling,* d'un an (*year,* année).

**yéménite** 1877, L. ; de *Yémen.*

**yeuse** 1552, R. Est. ; altér. du prov. *euse,* masc., du lat. dial. **elex* (lat. class. *ilex, -icis,* fém.).

**yé-yé** 1964, *le Monde* ; anglo-amér. *yeah,* de *yes,* oui.

**yiddish** 1864, Erckmann-Chatrian, *l'Ami Fritz* (*yudisch*) ; angl. *yiddish,* de l'allem. *jüdisch,* de *Jude,* juif.

**yod** 1715, Trévoux (*jod*), lettre de l'alphabet sémitique ; 1904, Lar., gramm., « semi-consonne » ; mot hébreu.

**yoga** 1842, *Acad.* ; mot hindi. || **yogi** 1298, *Marco Polo* (*cuigi*).

**yogourt** V. YAOURT.

**yole** 1702, Aubin ; néerl. *jol,* du danois-norvégien *jolle.*

**youpin** 1890, Esnault ; ar. algérien, de *yaoudi,* juif. || **youtre** 1828, Vidocq ; all. *juder,* juif.

**youyou** 1831, B. W., p.-ê. d'un dialecte chinois ; embarcation.

**Yo-Yo** 1931, *le Journal,* nom déposé ; onomat. ; jouet.

**ypérite** 1917 ; de *Ypres* (flam. *Yper*), ville où ce gaz asphyxiant fut employé pour la première fois.

**ypréau** 1432, G. ; de *Ypres,* où abonde cette espèce d'orme.

**ysopet** XII^e s. ; lat. *Aesopus,* Ésope, du gr. *Aisôpos.*

**yttrium** 1794, Gadolin ; de *Ytterby* (Suède), lieu où ce métal a été découvert. || **yttrique** 1831, Berzelius. || **ytrrifère** 1842, *Acad.* || **ytterbium** 1878, Martignac. || **ytterbine** 1888, Lar.

**yucca** 1555, Poleur ; esp. *yuca,* de la langue des Arawaks d'Haïti.

**zabre** 1842, *Acad.* ; lat. scient. *zabrus* ; d'orig. obscure ; insecte.

**zain** 1579, G. ; esp. *zaino,* cheval sans poils blancs, de l'ar.

**zakouski** 1923, Lar. ; mot russe

**zani** ou **zanni** av. 1559, Du Bellay ; du vénitien *Zani,* Jean (ital. *Giovanni*) ; rôle de la comédie italienne.

**zanzibar** ou **zanzi** 1884, Esnault ; de *Zanzibar,* pays d'Afrique orientale ; jeu de dés.

**zapateado** 1842, *Acad.* ; esp. *zapato,* soulier ; danse.

**zazou** 1937, Esnault ; onomat.

**zèbre** 1610, Du Jarric ; port. *zebra,* âne sauvage, puis zèbre, traduction du lat. *equiferus,* cheval sauvage. || **zébré** 1807, *Journ. des gourmands.* || **zébrer** 1844, Balzac. || **zébrure** 1845, Besch.

**zébu** 1752, d'apr. Buffon ; tibétain *zeba,* bosse du zébu.

**zèle** XIII[e] s., Delb. ; lat. eccl. *zelus,* ferveur, zèle, du gr. *zêlos,* ardeur, zèle. || **zélateur** 1398, G. ; lat. eccl. *zelator.* || **zélé** 1521, *Violier.* || **zélote** 1606, Nicot ; bas lat. *zêlôtes,* du gr. || **zélotisme** 1870, L.

**zen** 1895, *Grande Encycl. ;* chinois *chan,* d'orig. sanskrite.

**zend** 1756, Voltaire ; du zend *zanti,* livre.

**zénith** 1370, Oresme ; fausse lecture de l'ar. *samt, semt,* chemin, « chemin au-dessus de la tête » (*samt ar-ra's*). || **zénithal** début XVII[e] s. (V. AZIMUT.)

**zéolite** 1756, *Encycl. ;* lat. scient. *zeolithus,* du gr. *zeîn,* bouillir, et *lithos,* pierre. || **zéolitique** 1842, *Acad.*

**zéphyr** 1509, Marot (*zéphyre*) ; lat. *zephyrus,* du gr. *zephyros,* vent d'ouest. || **zéphyrien** 1842, *Acad.*

**zeppelin** 1907, d'après P. Robert ; du nom de l'inventeur, le comte allemand *Zeppelin.*

**zéro** 1485, Tropfke ; ital. *zero,* contraction de *zefiro,* de l'ar. *sifr* (v. CHIFFRE). || **zérotage** 1872, L.

**zest** 1611, Cotgrave, « bruit » ; onomat. ; *entre le zist et le zest,* 1718, *Dict. commercial.*

**zeste** 1536, Collerye, « chose sans importance » ; 1611, Cotgrave, « écorce ». || **zester** 1737, *Nouvelle Instruction pour les confitures.*

**zêta** 1872, L. || **zétacisme** 1933, Marouzeau.

**zététique** 1694, Th. Corn. ; gr. *zêtêtikos,* de *zêteîn,* rechercher.

**zeugma** 1765, *Encycl. ;* bas lat. *zeugma,* du gr. *zeûgma,* jonction.

**zézayer** 1832, Raymond ; onomat. imitant la répétition de *z.* || **zézaiement** 1838, B. W.

**zibeline** 1298, *Marco Polo* (*gibeline*) ; 1534, Rabelais (*zi-*) ; ital. *zibellino,* du russe *sobol.* (V. SABLE 2.)

**zieuter** 1890, Esnault ; de *yeux,* avec préfixation du phonème de liaison.

**zig** 1835, Raspail ; 1867, Delvau (*zigue*) ; de *gigue,* au sens de « fille enjouée » (XVIII[e] s.). || **zigoto** 1901, Esnault.

**zigouiller** 1900, Sainéan ; poitevin *zigailler,* déchiqueter, de *zigue,* couteau, onomat.

**zigzag** 1662, Brunot (*zigzac*), « appareil en X » ; 1770, Buffon, « ligne brisée » ; *en zigzag,* 1694, *Acad. ;* onomat. || **zigzaguer** 1786, Béranger.

**zinc** 1666, Boulan (*zinch*) ; all. *Zink,* zinc ; 1873, Zola, « comptoir » ; avion, 1916, Esnault. || **zincifère** 1842, *Acad.* || **zincographie** 1845, Besch. || **zinguer** 1842, *Acad.* || **zingueur** 1842, *Acad.* || **zingage** 1842. *Acad.* || **zinguerie** 1845, Besch.

**zingiber** 1876, Lar. ; lat. *zinziber,* du gr. *ziggiber,* gingembre. || **zingibéracée** 1817, Gérardin.

**zinnia** 1808, Boiste ; du botaniste *Zinn.*

**zinzin** fou, 1967, Robert ; 1914, Esnault, « truc » ; onomat.

**zinzinnuler** 1907, Lar. ; onomat.

**zinzolin** 1599, *Dict. gén.* (*zizolin*) ; ital. *giuggiolino,* de l'ar. *djoljolân,* sésame.

**zircon** 1789, Klaproth ; esp. *girgonça,* jacinthe. || **zircone** 1803, Boiste. || **zirconite** 1819, *Nouveau Dict.* || **zirconium** *id.*

**zizanie** 1294, G. Des Moulins, « ivraie, mauvaise graine » ; « méchanceté », av. 1464, J. Chartier ; *semer les zizanies,* 1530, Lefèvre d'Étaples ; sens fig. d'après la parabole de l'ivraie (Matthieu, XIII, 25) ; lat. eccl. *zizania,* du gr. *zizania,* ivraie, d'orig. sémitique.

**zizi** 1775, Buffon, oiseau ; onomat. ; XIX[e] s., « petite chose » ; 1920, Banche, « sexe ».

**zodiaque** 1265, J. de Meung ; lat. *zodiacus,* du gr. *zôdiakos,* de *zôdion,* figure du zodiaque, dimin. de *zôon,* être vivant. || **zodiacal** v. 1500.

**zoïle** 1537, Marot ; lat. *zoilus,* du gr. *Zôilos,* critique alexandrin détracteur d'Homère.

**zombi** 1842, *les Français peints par eux-mêmes ;* mot créole désignant un mort soumis à un sorcier.

**zon** 1530, Marot ; onomat. || **zonzonner** av. 1950, Audiberti.

**zona** 1778, Geoffroy ; lat. *zona,* ceinture.

**zone** 1119, Ph. de Thaon, géogr. ; lat *zona,* ceinture, du gr. *zônê ;* XX[e] s., Lar., « territoire ». || **zoné** 1817, Gérardin. || **zonal** 1842, *Acad.* || **zonard** 1904, Esnault. || **zonier** 1923, Lar. (« qui habitait la *zone* des fortifications, à Paris »).

**zonure** 1842, *Acad. ;* gr. *zônê,* ceinture, et *oura,* queue ; reptile.

**zoo-,** gr. *zôon,* animal. || **zoophyte** 1546, Rab. ; gr. *zôophuton,* animal-plante. || **zoophore** 1546,

Rab. ; gr. *zôophoros,* qui porte des figures d'animaux, de *phoros,* qui porte, et *zôon,* animal. || **zoologie** 1750, Diderot. || **zoologique** 1754. || **zoologiste** 1760, Brunot. || **zoologue** 1771, Trévoux. || **zoo** 1931, *Exposition coloniale de Paris ;* abrév. de *jardin zoologique.* || **zoographie** 1721, Trévoux ; gr. *zôographia.* || **zoomorphe** 1904, Lar. || **zoophile** 1859, d'après P. Robert. || **zoophobe** 1894, Sachs-Villatte. || **zoospore** 1847, Orbigny. || **zootechnie** 1842, *Acad.* || **zoolâtre** 1836, Landais. || **zoolâtrie** 1721, Trévoux. || **épizoaire** 1812, Lamarck.

**zoom** 1917, Lar. ; mot angl. signif. « mouvement rapide ».

**zorille** 1640, trad. de Laet (*-rinus*) ; esp. *zorrilla,* dimin. de *zorra,* renard.

**zostère** 1615, Daléchamps ; lat. *zoster,* du gr. *zôstêr.*

**zouave** 1830, *Bull. des lois ;* fanfaron, 1880, Esnault ; arabo-berbère *zwawa,* nom d'une tribu kabyle.

**zozoter** 1907, Lar. ; onomat.

**zut** 1813, Esnault ; onomat., de *zest* (croisé avec *flûte* interj.).

**zygoma** 1560, Paré ; lat. scient. médiév. *zygoma,* du gr. *zugôma,* « jonction », de *zugon,* joug. || **zygomatique** 1654, Gelée.

**zygote** 1897, Sauvageau ; gr. *zugôtos,* attelé.

**zymo-,** gr. *zumê,* levain. || **zymase** 1872, L. || **zymogène** 1888, Lar. || **zymotechnie** 1762, *Acad.* (V. AZYME, ENZYME.)

**zythum** 1710, Richelet ; gr. *zuthos,* décoction d'orge.

# EXTRAIT DU CATALOGUE LAROUSSE

# COLLECTION RÉFÉRENCES LAROUSSE

## Langue française

NOUVEAU DICTIONNAIRE DES SYNONYMES
E. Genouvrier, C. Désirat, T. Hordé

Cette édition considérablement enrichie offre, dans une nouvelle présentation claire et aérée, le meilleur choix de synonymes. Ses multiples exemples, la précision des différences de sens, des niveaux de langue en font un outil d'aide à la rédaction et à l'enrichissement du vocabulaire facilement utilisable par les élèves.

DICTIONNAIRE ANALOGIQUE
sous la direction de G. Niobey

Près de 3 000 grands articles consacrés à des concepts, autour desquels sont regroupés et organisés tous les mots qui ont un rapport de sens entre eux : synonymes, contraires, dérivés...

Dans la même collection :

Dictionnaire des anglicismes
Dictionnaire des citations françaises et étrangères
Dictionnaire des difficultés de la langue française
Dictionnaire étymologique et historique du français
Dictionnaire du français classique
Grammaire du français contemporain
Guide d'expression écrite
Guide d'expression orale
Dictionnaire des mots d'origine étrangère
Dictionnaire des proverbes, sentences et maximes
Dictionnaire des rimes orales et écrites
Petit Dictionnaire de la langue française

# COLLECTION RÉFÉRENCES LAROUSSE

## Histoire

Antiquité romaine des origines à la chute de l'Empire (L')
Dictionnaire de la civilisation égyptienne
Dictionnaire de la civilisation grecque
Dictionnaire de la civilisation romaine
Dictionnaire des minorités et des nationalités en U.R.S.S.
Dictionnaire de la mythologie
Dictionnaire de la mythologie grecque et romaine
Les Grandes Dates de l'histoire de France
Les Grandes Dates de la Russie et de l'U.R.S.S.
Histoire de la banque et des banquiers
Histoire économique du monde
Histoire de l'ésotérisme et des sciences occultes
Histoire des étrangers et de l'immigration en France
Histoire de la France 3 volumes
Histoire de la sociologie
Petite Histoire de la musique
Petite Histoire de la physique
Seconde Guerre mondiale (La) 3 volumes

## Sciences de l'homme

Dictionnaire de la philosophie
Dictionnaire de la psychanalyse
Dictionnaire de la psychiatrie
Dictionnaire de la psychologie
Dictionnaire de la sociologie
Généalogie (La)

## Art et littérature

Dictionnaire des films
Dictionnaire des grands musiciens 2 volumes
Dictionnaire des grands peintres 2 volumes
Dictionnaire de la littérature française et francophone 3 volumes
Histoire de l'art 4 volumes

## Géographie

Atlas de poche

# COLLECTION TRÉSORS DU FRANÇAIS

DICTIONNAIRE DE L'ANCIEN FRANÇAIS
A. J. Greimas

L'étude du vocabulaire du Moyen Âge, les emprunts au latin, les mot qui ont gardé une forme identique en français moderne avec un sens différent, les multiples acceptions avec les datations...

DICTIONNAIRE DU MOYEN FRANÇAIS
A. J. Greimas, T. M. Keane

Cet outil de travail unique permet d'étudier toute l'évolution de la langue du Moyen Âge tardif à la fin de la Renaissance : les mots de l'ancien français maintenus et enrichis en sens jusqu'au XVIe siècle, les mots nouveaux entrés dans la langue du XIVe au XVIe siècle, les étymologies et les datations.

DICTIONNAIRE DU FRANÇAIS CLASSIQUE
J. Dubois, R. Lagane, A. Lerond

Un outil indispensable pour lire ou étudier les grandes œuvres du XVIIe siècle, comprendre le vocabulaire disparu de la langue actuelle et éviter tous les contresens pour les mots restés usuels mais dont le sens s'est profondément modifié.

DICTIONNAIRE ÉTYMOLOGIQUE
ET HISTORIQUE DU FRANÇAIS
J. Dubois, H. Mitterand, A. Dauzat

Ce dictionnaire bénéficie des travaux de recherche les plus récents et donne pour chaque mot la date de son apparition et la source, son étymon et l'évolution historique de son emploi.

DICTIONNAIRE DE L'ARGOT
J. P. Colin, J. P. Mével

Cet ouvrage éclaire tous les aspects de l'argot, son histoire et ses principes de fonctionnement, et propose un éventail complet de la littérature argotique.

THÉSAURUS

Nouvel outil d'expression et de création, le Thésaurus Larousse facilite la conceptualisation et l'association d'idées, ainsi que la recherche de l'expression la plus juste. Autour de chaque mot, le Thésaurus rend compte des noms, des verbes, des adjectifs et des locutions qui ont un rapport de sens avec lui : synonymes, contraires, dérivés, analogies. Il est l'outil idéal pour tous ceux qui manient les mots et les idées.

## LE PETIT LAROUSSE ILLUSTRÉ

Chaque année mis à jour, le Petit Larousse est le plus riche des dictionnaires encyclopédiques en un volume.

Langue française :
• des définitions claires et précises, des exemples et des locutions pour illustrer tous les emplois des mots, les étymologies et les niveaux de langue, des remarques d'emploi, les recommandations officielles...

Culture générale :
• les personnalités, les œuvres, les pays, les événements historiques, etc. ;
• des milliers de développements dans tous les domaines du savoir : histoire, géographie, art et littérature, sciences... ;

Illustration :
• photographies, dessins, schémas, reproductions d'œuvres d'art, cartes... Tout en couleurs, elle constitue une véritable source documentaire.

## DICTIONNAIRE DE LA LANGUE FRANÇAISE Lexis

Le plus complet des dictionnaires de la langue française en un seul volume. Il rend compte du vocabulaire contemporain, mais aussi de la langue classique et littéraire, répondant ainsi aux exigences de l'enseignement supérieur.

• 76 000 mots,
• des définitions très détaillées et de nombreux exemples,
• les étymologies et les datations pour une étude approfondie de l'histoire des mots,
• les usages anciens des mots afin de replacer chaque sens dans son contexte historique,
• les synonymes, les contraires et les niveaux de langue,
• des regroupements morphologiques et sémantiques pour comprendre la formation du lexique,
• un dictionnaire grammatical complet en annexe.

PHOTOCOMPOSITION : SCP BORDEAUX.
IMPRIMERIE HÉRISSEY À ÉVREUX - N° 72904
Dépôt légal : mai 1993 - Dépôt légal : mai 1996 - N° de série Éditeur : 19030
Imprimé en France (Printed in France) 710228 C - Mai 1996.